ŒUVRES

E. M. CIORAN

ŒUVRES

QUARTO
GALLIMARD

AVERTISSEMENT DE L'ÉDITEUR

L'édition des textes retenus dans «Quarto» respecte la forme que leur a donnée Cioran lors des publications initiales. L'ordre choisi se veut le plus proche possible de la date d'écriture et de composition de chaque livre, indépendamment des dates de traduction ou de publication en France et en Roumanie.

Dans les cinq premiers livres, Cioran s'exprime en roumain. À partir de 1949 (*Précis de décomposition*), il n'écrira plus qu'en français.

L'édition de ce volume, établie sous la direction d'Yves Peyré, Directeur de la Bibliothèque littéraire Jacques Doucet, proche de Cioran et de son œuvre, demeure fidèle au principe énoncé par Cioran lui-même : ne donner à lire que le texte de l'auteur. Le lecteur trouvera ainsi, en fin de volume, un glossaire composé à partir d'extraits des Entretiens accordés par Cioran depuis 1970 — esquisse d'une auto-biographie telle qu'il a bien voulu la livrer. Les légendes des portraits, manuscrits, dédicaces, œuvres d'art et correspondances sont la seule exception à cette règle.

Tout commentaire d'une œuvre est mauvais ou inutile, car tout ce qui n'est pas direct est nul.

Syllogismes de l'amertume.

FENÊTRE DE LA MAISON DE SIBIU,
OÙ CIORAN A PASSÉ SON ADOLESCENCE.

RĂȘINARI, VILLAGE NATAL DE CIORAN,
OÙ IL PASSA SON ENFANCE.

CI-DESSUS :
LA MAISON NATALE DE CIORAN À RĂŞINARI.

PAGES SUIVANTES :
BROUILLON DE L'UNE DES NOMBREUSES NOTES BIOGRAPHIQUES
RÉDIGÉES PAR CIORAN À L'INTENTION DE SES ÉDITEURS.
ICI POUR KLETT-COTTA,
À L'OCCASION DE LA RÉÉDITION DU *PRÉCIS DE DÉCOMPOSITION*,
TRADUIT PAR PAUL CELAN
ET PUBLIÉ POUR LA PREMIÈRE FOIS EN ALLEMAND EN 1953.

Emil Cioran

Né à Rasinari ~~...~~ (Roumanie)
le 8 avril 1911. Père : prêtre orthodoxe.
De 1920 à 1927, lycée de Sibiu (en Transylvanie)
De 1928 à 1932, Faculté de ~~Philosophie~~ des
Lettres (section philosophie) à Bucarest. En 1935,
un diplôme sur Bergson. En 1934 parut ~~mon~~
~~premier livre en roumain~~ Sur les cimes du Désespoir (Sun
les cimes du Désespoir) mon premier livre, écrit en
1932. Tout ce que j'ai écrit par la suite ~~se~~ s'y
trouve « intuellement ». ~~Ce livre~~ ~~et vient d'être traduit en allemand~~
(~~Solitude Stolostang~~)
Mes autres livres roumains : Cartea amagirilor (Le livre
des illusions (~~19~~ 1936) ~~Schimbarea~~ Roumanie (1936)
& Lacrimi si sfinti (Des larmes et des saints (1937)
Amurgul gândurilor (Le crépuscule des pensées) écrit
à Paris en 1938 et ~~jamais~~ publié en Roumanie ~~de~~ des
ans après ~~(a été)~~ (diffusion nulle)

Comme boursier j'ai passé un an et demi à Berlin et à
Munich. Ce fut la période la plus sombre de ma vie, j'étais
censé faire une thèse de philosophie. La vérité est que je
n'ai suivi aucun cours, et que je n'ai rien
préparé. Ce fut sans contredit la période la plus stérile et la
plus ~~...~~ de ma vie. Mais ~~...~~ pendant cette
période, j'ai ~~fait~~ un séjour de dix jours
à Paris. ~~...~~ Ce fut le
coup de foudre. C'est ~~...~~ ce séjour que je pris
la décision de ~~faire~~ faire l'impossible pour
m'établir en France. C'est l'Institut Français de
Bucarest que j'obtins une bourse ~~...~~ pour faire
une thèse ~~...~~ Paris en 1937. Que
je n'ai jamais faite. C'est ~~...~~ même, c'est ~~...~~

Ma décision ~~...~~ d'abandonner ma
langue maternelle, je l'ai prise tard, très tard. Elle fut ~~...~~
instantanée. C'était dans un village près de Dieppe où
~~...~~ je réfléchissais sur les difficultés de traduire
Mallarmé et Valéry en roumain. D'un coup j'entrevis
l'inanité de cette entreprise, et je pris la décision
de rompre avec ~~...~~ ma langue. Trois ans
après je publiai ~~...~~ Précis de Décomposition
mon premier livre français.

SUR LES CIMES

DU DÉSESPOIR

Traduction de
ANDRÉ VORNIC
revue par
CHRISTIANE FRÉMONT

Titre original :
Pe culmile Disperări.
Écrit en 1932 ; publié à Bucarest en 1934.

PRÉFACE

J'ai écrit ce livre en 1933 à l'âge de vingt-deux ans dans une ville que j'aimais, Sibiu, en Transylvanie. J'avais terminé mes études et, pour tromper mes parents, mais aussi pour me tromper moi-même, je fis semblant de travailler à une thèse. Je dois avouer que le jargon philosophique flattait ma vanité et me faisait mépriser quiconque usait du langage normal. À tout cela un bouleversement intérieur vint mettre un terme et ruiner par là même tous mes projets.

Le phénomène capital, le désastre par excellence est la veille ininterrompue, ce néant sans trêve. Pendant des heures et des heures je me promenais la nuit dans des rues vides ou, parfois, dans celles que hantaient des solitaires professionnelles, compagnes idéales dans les instants de suprême désarroi. L'insomnie est une lucidité vertigineuse qui convertirait le paradis en un lieu de torture. Tout est préférable à cet éveil permanent, à cette absence criminelle de l'oubli. C'est pendant ces nuits infernales que j'ai compris l'inanité de la philosophie. Les heures de veille sont au fond un interminable rejet de la pensée par la pensée, c'est la conscience exaspérée par elle-même, une déclaration de guerre, un ultimatum infernal de l'esprit à lui-même. La marche, elle, vous empêche de tourner et retourner des interrogations sans réponse, alors qu'au lit on remâche l'insoluble jusqu'au vertige.

Voilà dans quel état d'esprit j'ai conçu ce livre, qui a été pour moi une sorte de libération, d'explosion salutaire. Si je ne l'avais pas écrit, j'aurais sûrement mis un terme à mes nuits.

ÊTRE LYRIQUE

————————————————— *P*ourquoi ne pouvons-nous demeurer enfermés en nous ? Pourquoi poursuivons-nous l'expression et la forme, cherchant à nous vider de tout contenu, à organiser un processus chaotique et rebelle ? Ne serait-il pas plus fécond de nous abandonner à notre fluidité intérieure, sans souci d'objectivation, nous bornant à jouir de tous nos bouillonnements, de toutes nos agitations intimes ? Des vécus multiples et différenciés fusionneraient ainsi pour engendrer une effervescence des plus fécondes, semblable à un raz de marée ou un paroxysme musical. Être plein de soi, non dans le sens de l'orgueil, mais de la richesse, être travaillé par une infinité intérieure et une tension extrême, cela signifie vivre intensément, jusqu'à se sentir mourir de vivre. Si rare est ce sentiment, et si étrange, que nous devrions le vivre avec des cris. Je sens que je devrais mourir de vivre et me demande s'il y a un sens à en rechercher l'explication. Lorsque le passé de l'âme palpite en vous dans une tension infinie, lorsqu'une présence totale actualise des expériences enfouies, qu'un rythme perd son équilibre et son uniformité, alors la mort vous arrache des cimes de la vie, sans qu'on éprouve devant elle cette terreur qui en accompagne la douloureuse obsession. Sentiment analogue à celui des amants lorsque, au comble du bonheur, surgit devant eux, fugitivement mais intensément, l'image de la mort, ou lorsque, aux moments d'incertitude, émerge, dans un amour naissant, la prémonition de la fin ou de l'abandon.

Trop rares sont ceux qui peuvent subir de telles expériences jusqu'au bout. Il est toujours dangereux de contenir une énergie explosive, car le moment peut venir où l'on n'aura plus la force de la maîtriser. L'effondrement alors naîtra d'un trop-plein. Il existe des états et des obsessions avec lesquels on ne saurait vivre. Le salut ne consiste-t-il pas dès lors à les avouer ? Gardées dans la conscience, l'expérience terrible et l'obsession terrifiante de la mort mènent à la ruine. En parlant de la mort, on a sauvé quelque chose de soi-même, et pourtant dans l'être quelque chose s'est éteint. Le lyrisme représente un élan de dispersion de la subjectivité, car il indique, dans l'individu, une effervescence incoercible qui prétend sans cesse à l'expression. Ce besoin d'extériorisation est d'autant plus urgent que le lyrisme est intérieur, profond et concentré. Pourquoi l'homme devient-il lyrique dans la souffrance et dans l'amour ? Parce que ces deux états, bien que différents par leur nature et leur orientation, surgissent du tréfonds de l'être, du centre substantiel de la subjectivité, en quelque manière. On devient lyrique dès lors que la vie à l'intérieur de soi palpite à un rythme essentiel. Ce que nous avons d'unique et de spécifique s'accomplit dans une forme si expressive que l'individuel s'élève au plan de l'universel. Les expériences subjectives les plus profondes sont aussi les plus universelles en ce qu'elles rejoignent le fond originel de la vie. La véritable intériorisation mène à une universalité inaccessible à ceux qui en restent à l'inessentiel et pour qui le lyrisme demeure un phénomène inférieur, produit d'une inconsistance spirituelle, alors que les ressources lyriques de la subjectivité témoignent, en réalité, d'une fraîcheur et d'une profondeur intérieures des plus remarquables.

Certains ne deviennent lyriques que dans les moments décisifs de leur existence ; pour d'autres, ce n'est qu'à l'instant de l'agonie, où tout le passé s'actualise et déferle sur eux comme un torrent. Mais, dans la majorité des cas, l'explosion lyrique surgit à la suite d'expériences essentielles, lorsque l'agitation du fond intime de l'être atteint au paroxysme. Ainsi, une fois prisonniers de l'amour, des esprits enclins à l'objectivité et à l'impersonnalité, étrangers à eux-mêmes comme aux réalités profondes, éprouvent un sentiment qui mobilise toutes leurs ressources personnelles. Le fait qu'à peu d'exceptions près tous les hommes fassent de la poésie lorsqu'ils sont amoureux montre bien que la pensée conceptuelle ne suffit pas à exprimer l'infinité intérieure ; seule une matière fluide et irrationnelle est capable d'offrir au lyrisme une objectivation appropriée. Ignorant de ce qu'on cache en soi-même comme de ce que cache le monde, on est subitement saisi par l'expérience de la souffrance et transporté dans une région infiniment compliquée, d'une vertigineuse subjectivité. Le lyrisme de la souffrance accomplit une purification intérieure où les plaies ne sont plus de simples manifestations externes sans implications profondes, mais participent à la substance même de l'être. Il est un chant du sang, de la chair et des nerfs. Aussi, presque toutes les maladies ont-elles des vertus lyriques. Seuls ceux qui se maintiennent dans une insensibilité scandaleuse demeurent impersonnels face à la maladie, toujours source d'un approfondissement intérieur.

On ne devient vraiment lyrique qu'à la suite d'un profond trouble organique. Le lyrisme accidentel est issu de déterminants extérieurs et disparaît avec eux. Pas de lyrisme sans un grain de folie intérieure. Fait significatif, les psychoses se caractérisent, à leur début, par une phase lyrique où les barrières et les obstacles s'effondrent pour faire place à une ivresse intérieure des plus fécondes. Ainsi s'explique la productivité poétique des psychoses naissantes. La folie : un paroxysme du lyrisme ? Bornons-nous donc à écrire son éloge pour éviter de récrire celui de la folie. L'état lyrique est au-delà des formes et des systèmes : une fluidité, un écoulement intérieurs mêlent en un même élan, comme en une convergence idéale, tous les éléments de la vie de l'esprit pour créer un rythme intense et parfait. Comparé au raffinement d'une culture ankylosée qui, prisonnière des cadres et des formes, déguise toutes choses, le lyrisme est une expression barbare : sa véritable valeur consiste, précisément, à n'être que sang, sincérité et flammes.

COMME TOUT EST LOIN !

J'ignore totalement pourquoi il faut faire quelque chose ici-bas, pourquoi il nous faut avoir des amis et des aspirations, des espoirs et des rêves. Ne serait-il pas mille fois préférable de se retirer à l'écart du monde, loin de tout ce qui fait son tumulte et ses complications ? Nous renoncerions ainsi à la culture et aux ambitions, nous perdrions tout sans rien obtenir en échange. Mais que peut-on obtenir en ce monde ? Pour certains, nul gain ne compte, car ils sont irrémédiablement malheureux et seuls. Nous sommes tous si fermés les uns aux autres ! Même ouverts jusqu'à tout recevoir d'autrui ou lire dans les profondeurs de son âme, dans quelle mesure serions-nous capables d'éclairer son destin ? Seuls dans la vie, nous nous demandons si la solitude de l'agonie n'est pas le symbole même de l'existence humaine. Lamentable faiblesse que de vouloir vivre et mourir en société : y a-t-il une consolation possible à la dernière heure ? Il est bien préférable de mourir seul et abandonné, sans affectation ni faux-semblants. Je n'éprouve que dégoût pour ceux qui, à l'agonie, se maîtrisent et s'imposent des attitudes destinées à faire impression. Les larmes ne sont chaudes que dans la solitude. Tous ceux qui veulent s'entourer d'amis à l'heure de la mort le font par peur et incapacité d'affronter leur instant suprême. Ils cherchent, au moment essentiel, à oublier leur propre mort. Que ne s'arment-ils d'héroïsme, que ne verrouillent-ils leur porte pour subir ces sensations redoutables avec une lucidité et une frayeur sans limites?

Isolés, séparés, tout nous est inaccessible. La mort la plus profonde, la vraie mort, c'est la mort par solitude, lorsque la lumière même devient principe de mort. De tels moments vous séparent de la vie, de l'amour, des sourires, des amis — et même de la mort. On se demande alors s'il existe autre chose que le néant du monde et le sien propre.

NE PLUS POUVOIR VIVRE

*I*l est des expériences auxquelles on ne peut survivre. Des expériences à l'issue desquelles on sent que plus rien ne saurait avoir un sens. Après avoir atteint les limites de la vie, après avoir vécu avec exaspération tout le potentiel de ces dangereux confins, les actes et les gestes quotidiens perdent tout charme, toute séduction. Si l'on continue cependant à vivre, ce n'est que par la grâce de l'écriture, qui en l'objectivant, soulage cette tension sans bornes. La création est une préservation temporaire des griffes de la mort.

Je me sens sur le point d'exploser de tout ce que m'offrent la vie et la perspective de la mort. Je me sens mourir de solitude, d'amour, de haine et de toutes les choses de ce monde. Tout ce qui m'arrive semble faire de moi un ballon prêt à éclater. Dans ces moments extrêmes s'accomplit en moi une conversion au Rien. On se dilate intérieurement jusqu'à la folie, au-delà de toutes frontières, en marge de la lumière, là où celle-ci est arrachée à la nuit, vers un trop-plein d'où un tourbillon sauvage vous projette tout droit dans le néant. La vie crée la plénitude et le vide, l'exubérance et la dépression; que sommes-nous devant le vertige qui nous consume jusqu'à l'absurde? Je sens la vie craquer en moi sous l'excès d'intensité, mais aussi de déséquilibre, comme une explosion indomptable capable de faire sauter irrémédiablement l'individu lui-même. Aux extrémités de la vie, nous sentons que celle-ci nous échappe; que la subjectivité n'est qu'une illusion; et qu'en nous-mêmes bouillonnent des forces incontrôlables, brisant tout rythme défini. Qu'est-ce qui, alors, ne donne pas occasion de mourir? On meurt de tout ce qui est comme de tout ce qui n'est pas. Tout vécu devient, dès lors, un saut dans le néant. Même sans avoir fait le tour complet de toutes les expériences, il suffit d'en avoir épuisé l'essentiel. Dès lors qu'on se sent mourir de solitude, de désespoir ou d'amour, les autres émotions ne font que prolonger ce sombre cortège. La sensation de ne plus pouvoir vivre après de tels vertiges résulte également d'une consomption purement intérieure. Les flammes de la vie brûlent dans un fourneau d'où la chaleur ne peut s'échapper. Ceux qui vivent sans souci de l'essentiel sont sauvés dès le départ; mais qu'ont-ils donc à sauver, eux qui ne connaissent pas le moindre danger? Le paroxysme des sensations, l'excès d'intériorité nous portent vers une région éminemment dangereuse, puisqu'une existence qui prend une conscience trop vive de ses racines ne peut que se nier elle-même. La vie est bien trop limitée, trop morcelée, pour résister aux grandes tensions. Tous les mystiques n'eurent-ils pas, après de grandes extases, le sentiment de ne plus pouvoir vivre? Que peuvent donc encore attendre de ce monde ceux qui se sentent au-delà de la normalité, de la vie, de la solitude, du désespoir et de la mort?

LA PASSION DE L'ABSURDE

———————————————————————— *R*ien ne saurait justifier le fait de vivre. Peut-on encore, étant allé au bout de soi-même, invoquer des arguments, des causes, des effets ou des considérations morales? Certes, non : il ne reste alors pour vivre que des raisons dénuées de fondement. Au comble du désespoir, seule la passion de l'absurde pare encore le chaos d'un éclat démoniaque. Lorsque tous les idéaux courants, fussent-ils d'ordre moral, esthétique, religieux, social ou autre, ne parviennent pas à imprimer à la vie direction et finalité, comment préserver encore celle-ci du néant? On ne peut y arriver qu'en s'attachant à l'absurde et à l'inutilité absolue, à ce rien foncièrement inconsistant, mais dont la fiction est à même de créer l'illusion de la vie.
Je vis parce que les montagnes ne savent pas rire, ni les vers de terre chanter. La passion de l'absurde naît seulement chez l'individu en qui tout a été purgé, mais susceptible de subir d'effroyables transfigurations futures. À celui qui a tout perdu, seule reste cette passion. Quels charmes pourraient désormais le séduire? Certains ne manqueront pas de répondre : le sacrifice au nom de l'humanité ou du bien public, le culte du beau, etc. Je n'aime que ceux des hommes qui ont achevé d'éprouver, ne fût-ce que provisoirement,

tout cela. Ils sont les seuls à avoir vécu de manière absolue, les seuls habilités à parler de la vie. Si l'on peut retrouver amour et sérénité, c'est au moyen de l'héroïsme non de l'inconscience. Toute existence qui ne recèle pas une grande folie reste dépourvue de valeur. En quoi une telle existence se distinguerait-elle de celle d'une pierre, d'un bout de bois ou d'une mauvaise herbe ? Je l'affirme en toute honnêteté, il faut être porteur d'une grande folie pour *vouloir* devenir pierre, bout de bois ou mauvaise herbe.

MESURE DE LA SOUFFRANCE

———————————————— *Il* en est qui sont condamnés à ne savourer que le poison des choses, pour qui toute surprise est douloureuse et toute expérience une nouvelle torture. Cette souffrance, dira-t-on, a des raisons subjectives et procède d'une constitution particulière : mais existe-t-il un critère objectif pour apprécier la souffrance ? Qui donc pourrait certifier que mon voisin souffre plus que moi-même, ou bien que le Christ a souffert plus que quiconque ? La souffrance n'est pas appréciable objectivement, car elle ne se mesure pas à une atteinte extérieure ou à un trouble précis de l'organisme, mais à la manière dont la conscience la reflète et la ressent. Or, de ce point de vue, toute hiérarchisation devient impossible. Chacun gardera sa propre souffrance, qu'il croit absolue et sans limites. Même si nous devions évoquer toutes celles de ce monde, les agonies les plus terribles et les supplices les plus élaborés, les morts les plus atroces et le plus douloureux des abandons, tous les pestiférés, les brûlés vifs et les victimes lentes de la faim, la nôtre en serait-elle soulagée d'autant ? Nul ne saurait trouver de consolation, au moment de l'agonie, à la simple pensée que tous les hommes sont mortels, de même que, souffrant, l'on ne saurait trouver de soulagement dans la souffrance présente ou passée des autres. En ce monde organiquement déficient et fragmentaire, l'individu tend à élever sa propre existence au rang d'absolu : ainsi, chacun vit comme s'il était le centre de l'univers ou de l'histoire. S'efforcer de comprendre la souffrance d'autrui ne diminue pas pour autant la sienne propre. En pareil cas, les comparaisons n'ont aucun sens, puisque la souffrance est un état de solitude intérieure que rien d'extérieur ne peut soulager. Pouvoir souffrir seul est un grand avantage. Qu'arriverait-il si le visage humain exprimait fidèlement toute la souffrance du dedans, si tout le supplice inté-

rieur passait dans l'expression? Pourrions-nous encore converser? Pourrions-nous encore échanger des paroles autrement
qu'en nous cachant le visage dans les mains? La vie serait décidément impossible si l'intensité de nos sentiments pouvait se lire sur
nos traits.

Plus personne n'oserait alors se regarder dans une glace, car une
image à la fois grotesque et tragique mêlerait aux contours de la
physionomie des taches de sang, des plaies toujours béantes et des
ruisseaux de larmes irrépressibles. J'éprouverais une volupté
pleine de terreur à observer, au sein de l'harmonie confortable et
superficielle de tous les jours, l'éclatement d'un volcan crachant
des flammes brûlantes comme le désespoir. Observer la moindre
plaie de notre être, s'ouvrir irrémédiablement pour nous transformer tout entiers en une sanglante éruption! Alors seulement
prendrions-nous conscience des avantages de la solitude, qui rend
la souffrance muette et inaccessible. Dans le jaillissement du volcan de notre être, le venin accumulé en nous ne suffirait-il pas à
empoisonner le monde entier?

L'IRRUPTION DE L'ESPRIT

La solitude véritable nous isole
complètement entre ciel et terre, car là se révèle tout le drame de
la finitude. Les promenades solitaires — à la fois extrêmement
fécondes et dangereuses pour la vie intérieure — doivent être
faites sans que rien ne vienne troubler l'isolement de l'homme en
ce monde, le soir, à l'heure où aucune des distractions habituelles
ne peut plus susciter d'intérêt, où notre vision du monde émane
de la région la plus profonde de l'esprit, de la zone de séparation
d'avec la vie et sa blessure. Que de solitude nous faut-il pour accéder à l'esprit! Que de mort nous faut-il dans la vie, et que de feu
intérieur! La solitude nie à ce point la vie que l'épanouissement
de l'esprit, né de déchirements intérieurs, en devient presque
insupportable. N'est-il pas significatif que les hommes qui s'insurgent contre lui soient précisément ceux qui en ont trop, ceux qui
connaissent la gravité de la maladie ayant affecté la vie pour
engendrer l'esprit? Seuls les bien-portants en font l'apologie, eux
qui n'ont jamais éprouvé les tourments de la vie ni les antinomies
sur lesquelles se fonde l'existence. Ceux qui sentent réellement le
poids de leur esprit le tolèrent, eux, orgueilleusement, ou le présentent comme une calamité. Nul, cependant, n'est ravi au fond

de lui-même de cette acquisition catastrophique pour la vie. Comment serait-on, en effet charmé, par cette vie dénuée d'attrait, de naïveté et de spontanéité ? La présence de l'esprit indique toujours un manque de vie, beaucoup de solitude et une souffrance prolongée. Qui parlait donc du salut par l'esprit ? Il est faux que le vivre immanent soit un vivre anxieux dont l'homme se serait libéré par l'esprit. Il est bien plus exact, au contraire, que l'esprit nous a valu déséquilibre et anxiété, mais aussi une certaine grandeur. C'est une marque d'inconscience que de faire l'apologie de l'esprit, comme c'en est une de déséquilibre que de faire celle de la vie. Pour un homme normal, la vie est une évidence ; seul le malade s'y vautre en la glorifiant pour éviter de s'effondrer. Mais qu'en est-il de celui qui ne peut plus glorifier la vie ni l'esprit ?

MOI ET LE MONDE

—————————————————— *Le fait que j'existe prouve que le monde n'a pas de sens.* Quel sens pourrais-je trouver, en effet, dans les supplices d'un homme infiniment tourmenté et malheureux, pour qui tout se réduit en dernière instance au néant et pour qui la souffrance fait la loi de ce monde ? Que le monde ait permis l'existence d'un humain tel que moi montre que les taches sur le soleil de la vie sont si vastes qu'elles finiront par en cacher la lumière. La bestialité de la vie m'a piétiné et écrasé, elle m'a coupé les ailes en plein vol et refusé les joies auxquelles j'eusse pu prétendre. Mon zèle démesuré, l'énergie folle que j'ai déployée pour briller ici-bas, l'envoûtement démoniaque que j'ai subi pour revêtir une auréole future, et toutes mes forces gaspillées en vue d'un redressement vital ou d'une aurore intérieure — tout cela s'est révélé plus faible que l'irrationalité de ce monde, qui a déversé en moi toutes ses ressources de négativité empoisonnée. La vie ne résiste guère à haute température. Aussi ai-je compris que les hommes les plus tourmentés, dont la dynamique intérieure atteint au paroxysme et qui ne peuvent s'accommoder de la tiédeur habituelle, sont voués à l'effondrement. On retrouve, dans le désarroi de ceux qui habitent des régions insolites, l'aspect démoniaque de la vie, mais aussi son insignifiance, ce qui explique qu'elle soit le privilège des médiocres. Seuls ces derniers vivent à une température normale ; les autres, un feu dévorant les consume. Je ne puis rien apporter au monde, car ma démarche est unique : celle de l'agonie. Vous vous plaignez que les hommes soient mauvais, vindicatifs, ingrats ou hypocrites? Je vous propose, quant à moi, la méthode de l'agonie, qui vous permettra d'échapper temporairement à tous ces défauts. Appliquez-la donc à chaque génération — les effets se manifesteront aussitôt. Ainsi me rendrai-je peut-être, moi aussi, utile à l'humanité!

Par le fouet, le feu ou le poison, faites donc éprouver à chaque agonisant l'expérience des derniers moments, afin qu'il connaisse, dans un atroce supplice, la grande purification qu'est la vision de la mort. Laissez-le ensuite partir, courir terrorisé jusqu'à ce qu'il tombe d'épuisement. Le résultat sera, n'en doutez pas, plus brillant que celui qu'on obtiendrait par les voies habituelles. Que ne puis-je mener le monde entier à l'agonie pour purger la vie à sa racine! J'y placerais des flammes brûlantes et tenaces, non pour la détruire, mais pour lui communiquer une sève et une chaleur différentes. Le feu que je mettrais au monde n'entraînerait point sa ruine, mais bel et bien une transfiguration cosmique, essentielle. Aussi la vie s'accoutumerait-elle à une haute température, et cesserait d'être un nid de médiocrité. Qui sait si la mort même ne cesserait, au sein de ce rêve, d'être immanente à la vie? (Écrit en ce jour du 8 avril 1933, mon vingt-deuxième anniversaire. J'éprouve une étrange sensation à la pensée d'être, à mon âge, un spécialiste du problème de la mort.)

ÉPUISEMENT ET AGONIE

———————————————— Connaissez-vous cette atroce sensation de fondre, de perdre toute vigueur pour s'écouler tel un ruisseau, de sentir son être s'annuler dans une étrange liquéfaction, et comme vidé de toute substance? Je fais allusion ici à une sensation non pas vague et indéterminée, mais précise et douloureuse. Ne plus sentir que sa tête, coupée du corps et isolée de manière hallucinatoire! Loin de l'épuisement vague et voluptueux qu'on ressent en contemplant la mer ou en se laissant aller à des rêveries mélancoliques, il s'agit là d'un épuisement qui vous consume et vous détruit. Aucun effort, aucune espérance, aucune illusion ne vous séduira plus désormais. Demeurer abasourdi par sa propre catastrophe, incapable de penser ou d'agir, écrasé par des ténèbres glaciales, désorienté comme sous l'emprise de quelque hallucination nocturne ou abandonné comme dans les moments de remords, c'est atteindre la limite négative de la vie, la température extrême qui anéantira la toute dernière illusion.

Dans ce sentiment d'épuisement se révélera le sens véritable de l'agonie : loin d'être un combat chimérique, elle donne l'image de la vie se débattant dans les griffes de la mort, avec très peu de chances de l'emporter. L'agonie comme combat ? Un combat contre qui et pour quoi ? Il serait faux d'interpréter l'agonie comme un élan exalté par sa propre inutilité, ou comme un tourment portant sa finalité en lui-même. Fondamentalement, agoniser signifie subir le supplice à la frontière entre la vie et la mort. La mort étant immanente à la vie, celle-ci devient, dans sa quasi-totalité, une agonie. Quant à moi, je ne qualifie d'instants d'agonie que les phases les plus dramatiques de cette lutte entre la vie et la mort, où l'on vit cette dernière sur un mode conscient et douloureux. L'agonie véritable vous fait rejoindre le néant par la mort ; la sensation d'épuisement vous consume alors immédiatement, et la mort remporte la victoire. On retrouve, dans toute vraie agonie, ce triomphe de la mort, même si, une fois passés les instants d'épuisement, l'on continue de vivre.

Où est, dans ce supplice, le combat chimérique ? L'agonie n'a-t-elle pas, en tout état de cause, un caractère définitif ? Ne ressemble-t-elle pas à quelque maladie incurable qui nous tourmente par intermittence ? Les instants d'agonie indiquent une progression de la mort aux dépens de la vie, un drame de la conscience issu de la rupture d'équilibre entre la vie et la mort. Ils ne surviennent qu'en pleine sensation d'épuisement, lorsque la vie a atteint son niveau le plus bas. La fréquence de ces instants est un indice de décomposition et d'effondrement. La mort est la seule obsession qui ne puisse devenir voluptueuse ; même lorsqu'on la désire, ce désir s'accompagne d'un regret implicite. Je veux mourir, mais je regrette de le vouloir : voilà ce que ressentent tous ceux qui s'abandonnent au néant. *Le sentiment le plus pervers de tous est celui de la mort.* Et dire qu'il est des gens que l'obsession perverse de la mort empêche de dormir ! Comme j'aimerais perdre toute conscience de moi-même et de ce monde !

LE GROTESQUE ET LE DÉSESPOIR

——————————————————— *D*e toutes les formes du grotesque, la plus étrange, la plus compliquée me semble celle qui plonge ses racines dans le désespoir. Les autres ne visent qu'un paroxysme de seconde main. Or, y a-t-il paroxysme plus profond, plus organique, que celui du désespoir ? Le grotesque apparaît lorsqu'une carence vitale engendre de grands tourments. Car ne lit-on pas un penchant effréné à la négativité dans la mutilation bestiale et paradoxale qui déforme les traits du visage pour leur imprimer une étrange expressivité, dans ce regard peuplé d'ombres et de lumières lointaines ? Intense et irrémédiable, le désespoir ne s'objective que dans l'expression du grotesque. Celui-ci représente, en effet, la négation absolue de la sérénité — cet état de pureté, de transparence et de lucidité aux antipodes du désespoir, qui n'engendre, lui, que néant et chaos.

Avez-vous jamais éprouvé la monstrueuse satisfaction de vous regarder dans une glace après d'innombrables nuits blanches ? Avez-vous subi la torture des insomnies où l'on ressent chaque instant de la nuit, où l'on est seul au monde et qu'on se sent vivre le drame essentiel de l'histoire ; ces instants où même celle-ci n'a plus la moindre signification et cesse d'exister, car vous sentez s'élever en vous d'effroyables flammes, et votre propre existence vous apparaît comme unique dans un monde né pour vous voir agoniser — avez-vous éprouvé ces innombrables instants, infinis, telle la souffrance, où le miroir vous renvoie l'image même du grotesque ? Il s'y reflète une tension dernière, à laquelle s'associe une pâleur au charme démoniaque — la pâleur de celui qui vient de traverser le gouffre des ténèbres. Cette image grotesque ne surgit-elle pas, en effet, comme l'expression d'un désespoir aux allures de gouffre ? N'évoque-t-elle pas le vertige abyssal des grandes profondeurs, l'appel d'un infini béant prêt à nous engloutir et auquel nous nous soumettons comme à une fatalité ? Comme il serait doux de pouvoir mourir en se jetant dans un vide absolu ! La complexité du grotesque réside dans sa capacité d'exprimer un infini intérieur, ainsi qu'un paroxysme extrême. Comment celui-ci pourrait-il donc l'objectiver en des contours clairs et nets ? Le grotesque nie essentiellement le classique, de même qu'il nie toute idée d'harmonie ou de perfection stylistique.

Que le grotesque cache le plus souvent des tragédies qui ne s'expriment pas directement, c'est là une évidence pour qui saisit les formes multiples du drame intime. Quiconque a aperçu son visage dans son hypostase grotesque ne pourra plus jamais se regarder, car il aura toujours peur de soi-même. Au désespoir succède une inquiétude pleine de tourments. Que fait donc le grotesque, sinon actualiser et intensifier la peur et l'inquiétude ?

LE PRESSENTIMENT DE LA FOLIE

——————————————————— *J*amais les hommes ne comprendront pourquoi certains d'entre eux sont voués à la folie, pourquoi cette fatalité inexorable qu'est l'entrée dans le chaos, où la lucidité ne peut durer plus que l'éclair. Les pages les plus inspirées, celles qui dégagent un lyrisme absolu, où l'on est livré à une exaltation, à une ivresse totale de l'être, on ne peut les écrire que sous une tension telle que tout retour à l'équilibre est illusoire. De cet état, l'on ne peut sortir indemne : le ressort intime de l'être est brisé, les barrières intérieures s'effondrent. Le pressentiment de la folie ne survient qu'à la suite d'expériences capitales. On croirait avoir atteint des hauteurs vertigineuses, où l'on chancelle, où l'on perd l'équilibre et la perception normale du concret et de l'immédiat. Un grand poids semble presser le cerveau comme pour le réduire à une simple illusion, et c'est pourtant là l'une des rares sensations qui nous révèlent, justement, l'effroyable réalité organique où nos expériences prennent leur source. Sous cette pression, qui cherche à nous cogner contre terre ou à nous faire sauter, surgit la peur, dont les composantes sont difficiles à définir. Il ne s'agit pas de la peur de la mort, qui s'empare de l'homme pour le dominer jusqu'à l'étouffement ; ce n'est pas une peur qui s'insinuerait dans le rythme de notre être pour paralyser en nous le processus de la vie — c'est une peur traversée d'éclairs peu fréquents, mais intenses, comme un trouble subit qui élimine à jamais toute possibilité d'un équilibre futur. Il est impossible de cerner cet étrange pressentiment de la folie. Son côté terrifiant vient de ce que nous y apercevons une dissipation totale, une perte irrémédiable pour notre vie. Tout en continuant à respirer et à me nourrir, j'ai perdu tout ce que j'ai jamais pu ajouter à mes fonctions biologiques. Ce n'est là qu'une mort approximative. La folie nous fait perdre notre spécificité, tout ce qui nous individualise dans l'univers, notre perspective propre, le tour particulier de notre esprit. La mort aussi nous fait tout perdre, à ceci près que la perte résulte d'une projection dans le néant. Ainsi, bien que persistante et essentielle, la peur de la mort est moins étrange que la peur de la folie, où notre semi-présence est un facteur d'inquiétude bien plus complexe que la frayeur organique de l'absence totale éprouvée devant le néant. La folie ne serait-elle donc pas un moyen d'échapper aux misères de la vie ? Cette question ne se justifie que sur un plan théorique car, dans la pratique, celui qui souffre de certaines anxiétés considère le problème sous un jour — ou plutôt sous une ombre — tout autre. Le pressentiment de la folie se double de la peur de la lucidité dans la folie, la peur des moments de retour à soi, où l'intuition du désastre risque d'engendrer une folie encore plus grande. C'est pourquoi il n'y a pas de salut par la folie. On aimerait le chaos, mais on a peur de ses lumières.

Toute forme de folie est tributaire du tempérament et de la condition organiques. Comme la majorité des fous se recrute parmi les dépressifs, la forme dépressive est fatalement plus répandue que l'exaltation gaie et débordante. La mélancolie noire est si fréquente chez eux qu'ils ont presque tous des tendances suicidaires. Le suicide — quelle solution difficile tant qu'on n'est pas fou !

J'aimerais perdre la raison à une seule condition : avoir la certitude de devenir un fou gai et enjoué, sans problèmes ni obsessions, hilare du matin au soir. Bien que je désire ardemment des extases lumineuses, je n'en voudrais pourtant pas, car elles sont toujours suivies de dépressions. Je voudrais, par contre, qu'un bain de lumière jaillisse de moi pour transfigurer l'univers — un bain qui, loin de la tension de l'extase, garderait le calme d'une éternité lumineuse. Il aurait la légèreté de la grâce et la chaleur d'un sourire. Je voudrais que le monde entier flotte dans ce rêve de clarté, dans cet enchantement de transparence et d'immatérialité. Qu'il n'y ait plus obstacle ni matière, forme ou confins. Et que, dans ce paradis, je meure de lumière.

SUR LA MORT

——————————————— *C*ertains problèmes, une fois approfondis, vous isolent dans la vie, vous anéantissent même : alors on n'a plus rien à perdre, ni rien à gagner. L'aventure spirituelle ou l'élan indéfini vers les formes multiples de la vie, la tentation d'une réalité inaccessible ne sont que simples manifestations d'une sensibilité exubérante, dénuée du sérieux qui caractérise celui qui aborde des questions vertigineuses. Il ne s'agit pas ici de la gravité superficielle de ceux qu'on dit sérieux, mais d'une tension dont la folie exacerbée vous élève, à tout moment, au plan de l'éternité. Vivre dans l'histoire perd alors toute signification, car l'instant est ressenti si intensément que le temps s'efface devant l'éternité. Certains problèmes purement formels, si difficiles soient-ils, n'exigent nullement un sérieux infini, puisque, loin de surgir des profondeurs de notre être, ils sont uniquement les produits des incertitudes de l'intelligence. Seul le penseur organique est capable de ce type de sérieux, dans la mesure où pour lui les vérités émanent d'un supplice intérieur plus que d'une spéculation gratuite. À celui qui pense pour le plaisir de penser s'oppose celui qui pense sous l'effet d'un déséquilibre vital. J'aime la pensée qui garde une saveur de sang et de chair, et je préfère mille fois à l'abstraction vide une réflexion issue d'un transport sensuel ou d'un effondrement nerveux. Les hommes n'ont pas encore compris que le temps des engouements superficiels est révolu, et qu'un cri de désespoir est bien plus révélateur que la plus subtile des arguties, qu'une larme a toujours des sources plus profondes qu'un sourire. Pourquoi refusons-nous d'accepter la valeur exclusive des vérités vivantes, issues de nous-mêmes? L'on ne comprend la mort qu'en ressentant la vie comme une agonie prolongée, où vie et mort se mélangent.

Les bien-portants n'ont ni l'expérience de l'agonie, ni la sensation de la mort. Leur vie se déroule comme si elle avait un caractère définitif. C'est le propre des gens normaux que de considérer la mort comme surgissant de l'extérieur, et non comme une fatalité inhérente à l'être. L'une des plus grandes illusions consiste à oublier que la vie est captive de la mort. Les révélations d'ordre métaphysique commencent seulement lorsque l'équilibre superficiel de l'homme se met à chanceler et que la spontanéité naïve fait place à un tourment profond.

Le fait que la sensation de la mort n'apparaisse que lorsque la vie est secouée dans ses profondeurs prouve, de toute évidence, l'immanence de la mort dans la vie. L'examen des profondeurs de celle-ci montre à quel point est illusoire la croyance à une pureté vitale, et combien est fondée la conviction que le caractère démoniaque de la vie comporte un substrat métaphysique.

La mort étant immanente à la vie, pourquoi la conscience de la mort rend-elle impossible le fait de vivre? Le vivre normal de l'homme n'est point troublé, car le processus d'entrée dans la mort survient innocemment par une baisse de l'intensité vitale. Pour ce type humain, seule existe l'agonie dernière, non l'agonie durable, liée aux prémices du vital. Profondément, chaque pas dans la vie est un pas dans la mort, et le souvenir un rappel du néant. Dépourvu de sens métaphysique, l'homme ordinaire n'a pas conscience d'une entrée progressive dans la mort, bien qu'il n'échappe pas plus que les autres à un destin inexorable. Lorsque la conscience s'est détachée de la vie, la révélation de la mort est si intense qu'elle détruit toute naïveté, tout élan de joie et toute volupté naturelle. Il y a une perversion, une déchéance inégalée dans la conscience de la mort. La naïve poésie de la vie et ses charmes apparaissent alors vides de tout contenu, de même que les thèses finalistes et les illusions théologiques.

Avoir la conscience d'une longue agonie, c'est arracher l'expérience individuelle à son cadre naïf pour en démasquer la nullité et l'insignifiance, s'attaquer aux racines irrationnelles de la vie elle-même. Voir la mort s'étendre, la voir détruire un arbre et s'insinuer dans le rêve, faner une fleur ou une civilisation, vous porte au-delà des larmes et des regrets, au-delà de toute forme ou catégorie. Qui n'a jamais eu le sentiment de cette terrible agonie, où la mort s'élève en vous pour vous envahir tel un afflux de sang, telle une force incontrôlable qui vous étouffe ou vous étrangle, provoquant d'horrifiques hallucinations, celui-là ignore le caractère démoniaque de la vie et les effervescences intérieures créatrices de grandes transfigurations.

Seule cette sombre ivresse peut faire comprendre pourquoi nous désirons si ardemment la fin de ce monde. Ce n'est point l'ivresse lumineuse de l'extase où, conquis par des visions paradisiaques, on s'élève vers une sphère de pureté où le vital se sublime pour devenir immatériel : un supplice fou, périlleux et destructeur caractérise cette ivresse, où la mort surgit parée des charmes cauchemardesques des yeux de serpent.

De telles sensations, de telles visions vous lient à l'essence du réel : alors les illusions de la vie et de la mort laissent tomber le masque. Une agonie exaltée mêlera, dans un terrible vertige, la vie à la mort, tandis qu'un satanisme bestial empruntera des larmes à la volupté. La vie comme agonie prolongée et chemin vers la mort n'est rien qu'une version supplémentaire de la dialectique démoniaque qui la fait accoucher de formes qu'elle détruit. La multiplicité des formes vitales engendre une folle dynamique où seul se reconnaît le démonisme du devenir et de la destruction. L'irrationalité de la vie se manifeste dans ce débordement de formes et de contenus, dans cette frénétique tentation de renouveler les aspects usés. Une sorte de bonheur pourrait échoir à qui s'abandonnerait à ce devenir, s'employant, au-delà de toute problématique torturante, à goûter toutes les potentialités de l'instant, sans la perpétuelle confrontation révélatrice d'une relativité insurmontable. L'expérience de la naïveté est la seule planche de salut. Mais pour ceux qui ressentent la vie comme une longue agonie, la question du salut n'est rien de plus qu'une question.

La révélation de l'immanence de la mort s'accomplit généralement par la maladie et les états dépressifs. Il existe d'autres voies, mais strictement accidentelles et individuelles : leur capacité de révélation est bien moindre.

Si les maladies ont une mission philosophique, ce ne peut être que de montrer combien fragile est le rêve d'une vie accomplie. La maladie rend la mort toujours présente ; les souffrances nous relient à des réalités métaphysiques, qu'un homme normal et en bonne santé ne comprendra jamais. Les jeunes parlent de la mort comme d'un événement extérieur ; une fois frappés de plein fouet par la maladie, ils perdront, cependant, toutes les illusions de la jeunesse. Il est certain que les seules expériences authentiques sont celles qui naissent de la maladie. Toutes les autres portent fatalement une marque livresque, car un équilibre organique n'autorise que des états suggérés, dont la complexité procède d'une imagination exaltée. Seuls les vrais souffrants sont capables d'un sérieux authentique. Les autres sont prêts à renoncer, au fond d'eux-mêmes, aux révélations métaphysiques issues du désespoir et de l'agonie pour un amour naïf ou une voluptueuse inconscience.

Toute maladie relève de l'héroïsme — un héroïsme de la résistance et non de la conquête, qui se manifeste par la volonté de se maintenir sur les positions perdues de la vie. Irrémédiablement perdues, ces positions le sont autant pour ceux que la maladie affecte de manière organique, que pour ceux dont les états dépressifs sont si fréquents qu'ils déterminent le caractère constitutif de l'individu. On explique ainsi pourquoi les interprétations courantes ne trouvent aucune justification profonde à la peur de la mort manifestée par certains dépressifs. Comment se fait-il qu'au milieu d'une vitalité parfois débordante apparaisse la peur de la mort ou, du moins, le problème qu'elle pose ? À cette question, il faut chercher une réponse dans la structure même des états dépressifs : là, lorsque le fossé qui nous sépare du monde va s'agrandissant, l'homme se penche sur soi et découvre la mort dans sa propre subjectivité. Un processus d'intériorisation perce alors, l'une après l'autre, toutes les formes sociales qui enveloppent le noyau de la subjectivité. Une fois le noyau dépassé, progressive et paroxystique, l'intériorisation révèle une région où vie et mort sont indissociablement liées.

Chez le dépressif, le sentiment de l'immanence de la mort s'ajoute à la dépression pour créer un climat d'inquiétude constante d'où la paix et l'équilibre sont à jamais bannis.

L'irruption de la mort dans la structure même de la vie introduit implicitement le néant dans l'élaboration de l'être. De même que la mort est inconcevable sans le néant, de même la vie est inconcevable sans un principe de négativité. L'implication du néant dans l'idée de la mort se lit dans la peur qu'on en a, qui n'est autre que l'appréhension du Rien. L'immanence de la mort marque le triomphe définitif du néant sur la vie, prouvant ainsi que la mort n'est là que pour actualiser progressivement le chemin vers le néant.

Le dénouement de cette immense tragédie qu'est la vie — celle de l'homme en particulier — montrera combien la foi en l'éternité de la vie est illusoire ; mais aussi que le sentiment naïf de l'éternité constitue l'unique possibilité d'apaisement pour l'homme historique.

Tout se réduit, en fait, à la peur de la mort. Là où nous voyons une diversité des formes de la peur, il ne s'agit que des différents aspects d'une même réaction devant une réalité fondamentale. Les appréhensions individuelles se rattachent toutes, par d'obscures correspondances, à cette peur essentielle. Ceux qui tentent de s'en défaire au moyen de raisonnements artificiels se fourvoient, car il est rigoureusement impossible d'annuler une appréhension organique par des constructions abstraites. Tout individu qui pose sérieusement le problème de la mort ne saurait échapper à la peur. C'est encore celle-ci qui guide les adeptes de la croyance à l'immortalité. L'homme fait un douloureux effort pour sauver — même en l'absence de certitude — le monde des valeurs au milieu desquelles il vit et auxquelles il a contribué, tentative pour vaincre le néant de la dimension temporelle afin de réaliser l'universel. Devant la mort, en dehors de toute foi religieuse, il ne subsiste rien de ce que le monde croit avoir créé pour l'éternité. Les formes et les catégories abstraites se révèlent alors insignifiantes, tandis que leur prétention à l'universalité devient illusoire au regard d'un processus d'anéantissement irrémédiable. Jamais forme ni catégorie ne pourront saisir l'existence dans sa structure essentielle, pas plus qu'elles ne pourront comprendre le sens profond de la vie et de la mort. Que pourraient donc leur opposer l'idéalisme ou le rationalisme ? Rien. Quant aux autres conceptions ou doctrines, elles ne nous apprennent *presque* rien sur la mort. La seule attitude pertinente serait le silence ou un cri de désespoir.

Ceux qui prétendent que la peur de la mort n'a pas de justification profonde dans la mesure où la mort ne peut coexister avec le moi, ce dernier disparaissant en même temps que l'individu — ceux-là oublient l'étrange phénomène qu'est l'agonie progressive.

En effet, quel soulagement la distinction artificielle entre le moi et la mort pourrait-elle apporter à celui qui ressent la mort avec une réelle intensité ? Quel sens une subtilité logique ou une argumentation peuvent-elles avoir pour l'individu en proie à l'obsession de l'irrémédiable ? Toute tentative d'envisager les problèmes existentiels sous l'angle de la logique est vouée à l'échec. Les philosophes sont bien trop orgueilleux pour avouer leur peur de la mort, et trop prétentieux pour reconnaître à la maladie une fécondité spirituelle. Il y a une sérénité feinte dans leurs considérations sur la mort : ce sont eux, en réalité, qui tremblent le plus. Mais n'oublions pas que la philosophie est l'art de masquer ses tourments et ses supplices.

Le sentiment de l'irréparable qui accompagne toujours la conscience et la sensation de l'agonie peut faire comprendre, tout au plus, un acquiescement douloureux mêlé de peur, mais en aucun cas un amour ou une sympathie quelconques pour le phénomène de la mort. L'art de mourir ne s'apprend pas, car il ne comporte aucune règle, aucune technique, aucune norme. L'individu ressent dans son être même le caractère irrémédiable de l'agonie, au milieu de souffrances et de tensions sans limites. La plupart des gens n'ont pas conscience de la lente agonie qui se produit en eux ; ils ne connaissent que celle qui précède le passage définitif vers le néant. Seule cette agonie dernière présente, pensent-ils, d'importantes révélations sur l'existence. Au lieu de saisir la signification d'une agonie lente et révélatrice, ils espèrent tout de la fin. Mais la fin ne leur révélera pas grand-chose : ils s'éteindront tout aussi perplexes qu'ils auront vécu.

Que l'agonie se déroule dans le temps prouve que la temporalité n'est pas seulement la condition de la création — elle est aussi celle de la mort, de ce phénomène dramatique qu'est le mourir. Nous retrouvons ici le caractère démoniaque du temps, qui entoure aussi bien la naissance que la mort, la création que la destruction, sans qu'on perçoive cependant au sein de cet engrenage aucune convergence vers une transcendance.

Le démonisme du temps favorise le sentiment de l'irrémédiable, qui s'impose à nous tous en contrariant nos tendances les plus intimes. Être persuadé de ne pouvoir échapper à un sort amer, être soumis à la fatalité, avoir la certitude que le temps s'acharnera toujours à actualiser le tragique processus de la destruction — voilà des expressions de l'Implacable. Le néant ne constituerait-il pas, en ce cas, le salut ? Mais quel salut dans le Rien ? Quasi impossible dans l'existence, comment se réaliserait-il en dehors d'elle ?

Or, puisqu'il n'y a de salut ni dans l'existence, ni dans le néant, que crèvent donc ce monde et ses lois éternelles!

LA MÉLANCOLIE

——————————————————— *T*out état d'âme tend à s'adapter à un extérieur correspondant à son genre, ou bien à le transformer en fonction de sa propre nature. Tout état essentiel et profond enveloppe en effet une correspondance intime entre les plans subjectif et objectif. Il serait absurde de concevoir un enthousiasme débridé dans un milieu plat et fermé; au cas où cela se produirait malgré tout, ce serait dû à une plénitude excessive, de nature à subjectiver le milieu tout entier. Les yeux de l'homme voient à l'extérieur ce qui est, en fait, une torture intérieure. Cela résulte d'une projection subjective, sans laquelle les états d'âme et les expériences intenses ne peuvent trouver leur accomplissement. L'extase n'est jamais un phénomène purement interne — elle transpose à l'extérieur l'ivresse lumineuse du dedans. Il suffit de regarder le visage d'un extatique pour comprendre tout de sa tension spirituelle.
Pourquoi la mélancolie demande-t-elle un infini extérieur? Parce que sa structure comporte une dilatation, un vide, auxquels on ne saurait fixer de frontières. Le dépassement des limites peut se réaliser de manière positive ou négative. L'enthousiasme, l'exubérance, la colère, etc. — ce sont là des états d'épanchement, dont l'intensité brise toute barrière et rompt l'équilibre habituel. Élan positif de la vie, qui résulte d'un supplément de vitalité et d'une expansion organique. Lorsque la vie se trouve au-delà de ses déterminants normaux, ce n'est pas pour se nier elle-même, mais pour libérer des énergies latentes, qui risqueraient d'exploser. Tout état extrême est un dérivé de la vie, par le biais duquel celle-ci se défend contre elle-même. Quant au dépassement des limites issu des états négatifs, il prend un tout autre sens : il ne procède pas de la plénitude, mais, au contraire, d'un vide aux abords indéfinissables, et ce d'autant plus que le vide paraît surgir des profondeurs de l'être pour s'étendre progressivement comme une gangrène. Processus de diminution plutôt que de croissance; à l'opposé de l'épanouissement dans l'existence, il constitue un retour vers le néant.
La sensation du vide et de la proximité du Rien — sensation présente dans la mélancolie — a une origine plus profonde encore : une fatigue caractéristique des états négatifs.

La fatigue sépare l'homme du monde et de toutes choses. Le rythme intense de la vie ralentit, les pulsations organiques et l'activité intérieure perdent de cette tension qui particularise la vie dans le monde et qui en fait un moment immanent de l'existence. La fatigue représente le premier déterminant organique du savoir, car elle engendre les conditions indispensables d'une différenciation de l'homme dans le monde ; à travers elle, on rejoint cette perspective singulière qui place le monde devant l'homme. La fatigue vous fait vivre au-dessous de l'altitude habituelle de la vie et ne vous concède qu'un pressentiment des tensions vitales. La source de la mélancolie se trouve, par conséquent, dans une région où la vie est chancelante et problématique. Ainsi explique-t-on sa fertilité pour le savoir et sa stérilité pour la vie.

Si dans les expériences courantes domine l'intimité naïve avec les aspects individuels de l'existence, la séparation d'avec eux engendre, dans la mélancolie, un sentiment vague du monde, avec la sensation du vague de ce monde. Une expérience secrète, une étrange vision annulent les formes consistantes et les carcans individuels et différenciés, pour un habit d'une transparence immatérielle et universelle. Le détachement progressif de tout ce qui est concret et individualisé vous élève à une vision totale, qui gagne en étendue ce qu'elle perd en précision. Il n'est pas d'état mélancolique sans cette ascension, sans une expansion vers les cimes, sans une élévation au-dessus du monde. Loin de celle qui anime l'orgueil ou le mépris, le désespoir ou le penchant effréné pour la négativité, cette ascension est issue d'une longue réflexion et d'une rêverie diffuse nées de la fatigue. S'il pousse à l'homme des ailes dans la mélancolie, ce n'est pas pour jouir du monde, mais pour être seul. Quel sens la solitude prend-elle dans la mélancolie ? N'est-elle pas liée au sentiment de l'infini, intérieur comme extérieur ? Le regard mélancolique reste inexpressif tant qu'il est conçu sans la perspective de l'illimité. L'illimité et le vague intérieurs, qu'il ne faut pas assimiler à l'infinité féconde de l'amour, réclament impérieusement une étendue dont les bornes soient insaisissables. La mélancolie comporte un état vague, sans aucune intention déterminée. Les expériences courantes ont besoin, quant à elles, d'objets palpables et de formes cristallisées. le contact avec la vie se fait, en ce cas, à travers l'individuel ; c'est un contact étroit et sûr.

Le détachement de l'existence et l'abandon de soi à l'illimité élèvent l'homme pour l'arracher à son cadre naturel. La perspective de l'infini le laisse seul au monde. Plus la conscience de

l'infinité du monde est aiguë, plus le sentiment de sa propre finitude s'intensifie. Si, dans certains états, cette conscience déprime
et torture, elle devient, dans la mélancolie, bien moins douloureuse grâce à une sublimation qui rend la solitude et l'abandon moins pesants, et leur confère même, parfois, un caractère
voluptueux.

La disproportion entre l'infinité du monde et la finitude de l'homme
est un motif sérieux de désespoir ; lorsqu'on la considère, toutefois, dans une perspective onirique — comme dans les états
mélancoliques — elle cesse d'être torturante, car le monde revêt
une beauté étrange et maladive. Le sens profond de la solitude
implique une suspension de l'homme dans la vie — un homme
tourmenté, dans son isolement, par la pensée de la mort. Vivre
seul signifie ne plus rien solliciter, ne plus rien espérer de la vie.
La mort est la seule surprise de la solitude. Les grands solitaires
ne se retirèrent jamais pour se préparer à la vie, mais, au
contraire, pour attendre, résignés, le dénouement. On ne saurait
ramener, des déserts et des grottes, un message pour la vie. Ne
condamne-t-elle pas, en effet, toutes les religions qui ont trouvé là
leur source ? N'y a-t-il point, dans les illuminations et les transfigurations des grands solitaires, une vision de la fin et de l'effondrement, opposée à toute idée d'auréole et d'éclat ?

La signification de la solitude des mélancoliques, bien moins profonde, va jusqu'à prendre, en certains cas, un caractère esthétique.
Ne parle-t-on pas de mélancolie douce et voluptueuse ? L'attitude
mélancolique elle-même, de par sa passivité et son détachement,
n'est-elle pas teintée d'esthétisme ?

L'attitude de l'esthète face à la vie se caractérise par une passivité
contemplative qui jouit du réel au gré de la subjectivité, sans
normes ni critères, et qui fait du monde un spectacle auquel
l'homme assiste passivement. La conception « spectaculaire » de la
vie élimine le tragique et les antinomies immanentes à l'existence, qui, une fois reconnues et ressenties, vous font rejoindre,
dans un douloureux vertige, le drame du monde. L'expérience du
tragique suppose une tension inconcevable pour un amateur, car
notre être s'y implique totalement et décisivement, au point que
chaque instant devient un destin, non plus une impression. Présente dans tout état esthétique, la rêverie ne constitue pas l'élément central du tragique. Or, ce qu'il y a d'esthétique dans la
mélancolie se manifeste, précisément, dans la tendance à la rêverie, à la passivité et à l'enchantement voluptueux. Ses aspects
multiformes nous empêchent, cependant, d'assimiler intégrale-

ment la mélancolie à un état esthétique. N'est-elle pas plus que fréquente sous sa forme noire?

Mais qu'est-ce, tout d'abord, que la mélancolie douce? Qui ne connaît l'étrange sensation de plaisir des après-midi d'été, lorsqu'on s'abandonne à ses sens hors de toute problématique définie et que le sentiment d'une éternité sereine procure à l'âme un apaisement des plus inhabituels? Il semble que tous les soucis de ce monde et les incertitudes spirituelles sont alors réduits au silence, comme devant un spectacle d'une exceptionnelle beauté, dont les charmes rendraient tout problème inutile. Au-delà de l'agitation, du trouble et de l'effervescence, une disposition tranquille goûte, avec une volupté retenue, toute la splendeur du cadre. Parmi les éléments essentiels des états mélancoliques figure le calme, l'absence d'une intensité particulière. Le regret, partie intégrante de la mélancolie, explique, lui aussi, cette absence d'intensité spécifique. Si le regret, parfois, persiste, il n'a jamais, en revanche, suffisamment d'intensité pour provoquer une souffrance profonde. L'actualisation de certains événements ou tendances passés, l'addition à notre affectivité présente d'éléments désormais inactifs, la relation de la tonalité affective des sensations et du milieu où celles-ci naquirent pour le quitter ensuite — tout cela est essentiellement déterminé par la mélancolie. Le regret exprime sur un plan affectif un phénomène profond : l'avancée dans la mort par le fait de vivre. Je regrette ce qui est mort en moi, la partie morte de moi-même. Je n'actualise que le fantôme de réalités et d'expériences révolues, mais cela suffit à montrer l'importance de la partie défunte. Le regret révèle la signification démoniaque du temps qui, par le biais des transformations qu'il suscite en nous, entraîne implicitement notre anéantissement.

Le regret rend l'homme mélancolique sans le paralyser, sans faire échec à ses aspirations, car la conscience de l'irréparable qu'il suppose ne s'applique qu'au passé, l'avenir demeurant, d'une certaine manière, ouvert. La mélancolie n'est pas un état de gravité rigoureuse, issu d'une affection organique, car elle n'a rien de la terrible sensation d'irréparable qui couvre l'existence tout entière et qu'on retrouve dans certains cas de tristesse profonde. La mélancolie, même la plus noire, est plutôt une humeur temporaire qu'un état constitutif; celle-ci n'exclut jamais totalement la rêverie, et ne permet donc pas d'assimiler la mélancolie à une maladie. Formellement, la mélancolie douce et voluptueuse et la mélancolie noire présentent des aspects identiques : vide intérieur, infini extérieur, flou des sensations, rêverie, sublimation, etc. La distinction n'apparaît évidente qu'eu égard à la tonalité affective de la vision. Il se peut que la multipolarité de la mélancolie tienne à la structure de la subjectivité plutôt qu'à sa nature. L'état mélancolique revêtirait alors, étant donné son flou, des formes diverses suivant les individus. Dépourvu d'intensité dramatique, cet état varie et oscille plus que n'importe quel autre. Ses vertus étant plus poétiques qu'actives, il a comme une grâce retenue (ce pour quoi il est plus fréquent chez les femmes) qu'on ne saurait retrouver dans la tristesse profonde.

Cette grâce apparaît également dans les paysages à coloration mélancolique. La large perspective du paysage hollandais ou de celui de la Renaissance, avec ses éternités d'ombre et de lumière, avec ses vallées dont l'ondoiement symbolise l'infini et ses rayons de soleil qui confèrent au monde un caractère d'immatérialité, les aspirations et les regrets des personnages esquissant un sourire de compréhension et de bienveillance — cette perspective reflète une grâce légère et mélancolique. Dans un tel cadre, l'homme semble dire, résigné et plein de regret : « Que voulez-vous ? C'est tout ce que nous avons. » Au bout de toute mélancolie, se lève la possibilité d'une consolation ou d'une résignation.

Les éléments esthétiques de la mélancolie enveloppent les virtualités d'une harmonie future que n'offre pas la tristesse organique. Celle-ci aboutit nécessairement à l'irréparable, tandis que la mélancolie s'ouvre sur le rêve et la grâce.

RIEN N'A D'IMPORTANCE

————————————————— *Q*u'importe que je me tourmente, que je souffre ou que je pense ? Ma présence au monde ne fera qu'ébranler, à mon grand regret, quelques existences tranquilles et troubler — à mon regret encore plus grand — la douce inconscience de quelques autres. Bien que je ressente ma propre tragédie comme la plus grave de l'histoire — plus grave encore que la chute des empires ou je ne sais quel éboulement au fond d'une mine — j'ai le sentiment implicite de ma nullité et de mon insignifiance. Je suis persuadé de n'être rien dans l'univers, mais je sens que mon existence est la seule réelle. Bien plus, si je devais choisir entre l'existence du monde et la mienne propre, j'éliminerais volontiers la première avec toutes ses lumières et ses lois pour planer tout seul dans le néant. Bien que la vie me soit un supplice, je ne puis y renoncer, car je ne crois pas à l'absolu des valeurs au nom desquelles je me sacrifierais. Pour être sincère, je devrais dire que je ne sais pas pourquoi je vis, ni pourquoi je ne cesse pas de vivre. La clé réside, probablement, dans l'irrationalité de la vie, qui fait que celle-ci se maintient sans raison. Et s'il n'y avait que des raisons absurdes pour vivre ? Le monde ne mérite pas qu'on se sacrifie pour une idée ou une croyance. Sommes-nous plus heureux aujourd'hui parce que d'autres l'ont fait pour notre bien ? Quel bien ? Si quelqu'un s'est vraiment sacrifié pour que je sois plus heureux à présent, je suis, en vérité, encore plus malheureux que lui, car je n'entends pas bâtir mon existence sur un cimetière. Il y a des moments où je me sens responsable de toute la misère de l'histoire, où je ne comprends pas pourquoi certains ont versé leur sang pour nous. La suprême ironie consisterait à s'apercevoir que ceux-là furent plus heureux que nous aujourd'hui. Peste soit de l'histoire ! Plus rien ne devrait m'intéresser ; le problème de la mort lui-même devrait me paraître ridicule ; la souffrance — stérile et limitée ; l'enthousiasme — impur ; la vie — rationnelle ; la dialectique de la vie — logique et non plus démoniaque ; le désespoir — mineur et partiel ; l'éternité — un mot creux ; l'expérience du néant — une illusion ; la fatalité — une blague... Si l'on y pense sérieusement, à quoi tout cela sert-il ? Pourquoi se poser des questions, essayer d'éclairer ou accepter des ombres ? Ne ferais-je pas mieux d'enterrer mes larmes dans le sable au bord de la mer, dans une solitude absolue ? Mais je n'ai jamais pleuré, car les larmes se sont transformées en pensées aussi amères que les larmes.

EXTASE

————————————————— *J*'ignore quel sens peut avoir, dans un esprit sceptique pour lequel ce monde est un monde où rien n'est jamais résolu, l'extase, la plus révélatrice et la plus riche, la plus complexe et la plus périlleuse, l'extase des fondations ultimes de la vie. Ce type d'extase ne vous fait gagner ni une certitude explicite ni un savoir défini, mais le sentiment d'une participation essentielle y est si intense qu'il déborde toutes les limites et les catégories de la connaissance habituelle. C'est comme si, en ce monde d'obstacles, de misère et de torture, une porte s'était ouverte sur le noyau même de l'existence et que nous puissions le saisir dans la plus simple, la plus essentielle des

visions et le plus magnifique des transports métaphysiques. On croirait alors voir fondre une couche superficielle faite d'existence et de formes individuelles, pour déboucher sur les régions les plus profondes. Le véritable sentiment métaphysique de l'existence est-il possible sans l'élimination de cette couche superficielle ? Seule une existence purgée de ses éléments contingents est de nature à permettre l'accès à une zone essentielle. Le sentiment métaphysique de l'existence est d'ordre extatique, et toute métaphysique plonge ses racines dans une forme particulière d'extase. On a tort de n'en admettre que la variante religieuse. Il existe, en fait, une multiplicité de formes qui, dépendant d'une configuration spirituelle spécifique ou d'un tempérament, ne mènent pas nécessairement à la transcendance. Pourquoi n'y aurait-il pas une extase de l'existence pure, des racines immanentes de la vie ? Ne s'accomplit-elle pas dans un approfondissement qui déchire les voiles superficiels pour permettre l'accès au noyau du monde ? Pouvoir toucher les racines de ce monde, réaliser l'ivresse suprême, l'expérience de l'originel et du primordial, c'est éprouver un sentiment métaphysique issu de l'extase des éléments essentiels de l'être. L'extase comme exaltation dans l'immanence, incandescence, vision de la folie de ce monde — voici donc une base pour la métaphysique — valable même pour les derniers instants, pour les moments de la fin... L'extase véritable est périlleuse ; elle ressemble à la dernière phase de l'initiation des mystères égyptiens, où la parole : « Osiris est une divinité noire » remplaçait la connaissance explicite et définitive. En d'autres termes, l'absolu demeure, en tant que tel, inaccessible. Je ne vois dans l'extase des racines dernières qu'une forme de folie, non de connaissance. Cette expérience ne se peut que dans la solitude, qui vous donne l'impression de planer au-dessus de ce monde. Or, la solitude n'est-elle pas un terrain propice à la folie ? N'est-il pas caractéristique que la folie puisse se produire dans l'individu le plus sceptique ? La folie de l'extase ne se révèle-t-elle pas pleinement par la présence de la plus étrange des certitudes et de la vision la plus essentielle sur fond de doute et de désespoir ?
Nul ne saurait, en fait, connaître l'état extatique sans l'expérience préalable du désespoir, car l'un comme l'autre comportent des purifications qui, quoique différentes par leur contenu, sont d'égale importance.
Les racines de la métaphysique sont tout aussi compliquées que celles de l'existence.

UN MONDE OÙ RIEN N'EST RÉSOLU

———————————————————— *R*este-t-il, sur cette terre, rien qui échappe au doute, à l'exception de la mort — la seule chose qui soit sûre en ce monde ? Continuer à vivre en doutant de tout — voilà un paradoxe qui n'est pas des plus tragiques, puisque le doute est bien moins intense, bien moins éprouvant que le désespoir. Le plus fréquent est le doute abstrait, où ne s'implique qu'une partie de l'être, contrairement au désespoir, où la participation est organique et totale. Un certain dilettantisme, quelque chose de superficiel caractérisent le scepticisme à l'égard du désespoir, ce phénomène si étrange et si complexe. J'ai beau douter de tout et opposer au monde un sourire de mépris, cela ne m'empêchera pas de manger, de dormir tranquillement ou de me marier. Dans le désespoir, dont on ne saisit la profondeur qu'en le vivant, ces actes ne sont possibles qu'au prix d'efforts et de souffrances. Sur les cimes du désespoir, nul n'a plus droit au sommeil. Ainsi, un désespéré authentique n'oublie jamais rien de sa tragédie : sa conscience préserve la douloureuse actualité de sa misère subjective. Le doute est une inquiétude liée aux problèmes et aux choses, et procède du caractère insoluble de toute grande question. Si les problèmes essentiels pouvaient être résolus, le sceptique reviendrait à un état normal. Quelle différence avec la situation du désespéré, que la résolution de tous les problèmes ne rendrait pas moins inquiet, car son inquiétude sourd de la structure même de son être. Dans le désespoir, l'anxiété est immanente à l'existence. Ce ne sont point alors des problèmes, mais des convulsions et des flammes intérieures qui torturent. L'on peut regretter que rien ne soit résolu ici-bas ; nul ne s'est cependant jamais suicidé pour autant, l'inquiétude philosophique n'influe que peu sur l'inquiétude totale de notre être. Je préfère mille fois une existence dramatique, tracassée par son destin et soumise au supplice des flammes les plus brûlantes, à celle de l'homme abstrait, tourmenté par des questions non moins abstraites et qui ne l'affectent qu'en surface. Je méprise l'absence du risque, de la folie et de la passion. Combien féconde en revanche est une pensée vive et passionnée, irriguée par le lyrisme ! Combien dramatique et intéressant le processus par lequel des esprits d'abord tourmentés par des problèmes purement intellectuels et impersonnels, des esprits objectifs jusqu'à l'oubli de soi, sont, une fois surpris par la maladie et la souffrance, fatalement amenés à réfléchir sur leur subjectivité, et sur les expériences à affronter ! Les objectifs et les actifs ne trouvent pas en eux-mêmes suffisamment de ressources pour faire de leur destin un problème. Pour que celui-ci devienne subjectif et universel à la fois, il faut descendre, une par une, toutes les marches d'un enfer intérieur. Tant qu'on n'est pas réduit en cendres, on peut faire de la philosophie lyrique — une philosophie où l'idée a des racines aussi profondes que la poésie. On accède alors à une forme supérieure d'existence, où le monde et ses problèmes inextricables ne méritent même plus le mépris. Ce n'est point affaire d'excellence ni de valeur particulière de l'individu ; il se trouve, tout simplement, que rien, en dehors de votre agonie personnelle, ne vous intéresse plus désormais.

CONTRADICTIONS ET INCONSÉQUENCES

——————————————————— *L*e souci du système et de l'unité n'a été ni ne sera jamais le lot de ceux qui écrivent aux moments d'inspiration, où la pensée est une expression organique obéissant aux caprices des nerfs. Une parfaite unité, la recherche d'un système cohérent indiquent une vie personnelle pauvre en ressources, une vie schématique et fade d'où sont absents la contradiction, la gratuité, le paradoxe. Seules les contradictions essentielles et les antinomies intérieures témoignent d'une vie spirituelle féconde, car seules elles fournissent au flux et à l'abondance internes une possibilité d'accomplissement. Ceux qui n'ont que peu d'états d'âme et ignorent l'expérience des confins ne peuvent se contredire, puisque leurs tendances réduites ne sauraient s'opposer. Ceux qui, au contraire, ressentent intensément la haine, le désespoir, le chaos, le néant ou l'amour, que chaque expérience consume et précipite vers la mort ; ceux qui ne peuvent respirer en dehors des cimes et qui sont toujours seuls, à plus forte raison lorsqu'ils sont entourés — comment pourraient-ils suivre une évolution linéaire ou se cristalliser en système ? Tout ce qui est forme, système, catégorie, plan ou schéma procède d'un déficit des contenus, d'une carence en énergie intérieure, d'une stérilité de la vie spirituelle. Les grandes tensions de celle-ci aboutissent au chaos, à une exaltation voisine de la démence. Il n'est pas de vie spirituelle féconde qui ne connaisse les états chaotiques et effervescents de la maladie à son paroxysme, lorsque l'inspiration apparaît comme une condition essentielle de la création, et les contradictions comme des manifestations de la température intérieure. Quiconque désapprouve les états chaotiques n'est pas un créateur, quiconque méprise les états maladifs n'est pas qualifié pour parler de l'esprit. Seul vaut ce qui surgit de l'inspiration, du fond irrationnel de notre être, ce qui jaillit du point central de notre subjectivité. Tout produit exclusif de l'acharnement et du travail est dépourvu de valeur, comme tout produit exclusif de l'intelligence est stérile et inintéressant. En revanche me ravit le spectacle de l'élan barbare et spontané de l'inspiration, l'effervescence des états d'âme, du lyrisme essentiel et de tout ce qui est tension intérieure — toutes choses qui font de l'inspiration la seule réalité vivante dans l'ordre de la création.

SUR LA TRISTESSE

—————————————————————— Si la mélancolie est un état de rêverie diffuse qui n'aboutit jamais à une profondeur ni à une concentration intenses, la tristesse présente, au contraire, un sérieux replié sur lui-même et une intériorisation douloureuse. On peut être triste n'importe où ; mais, alors que les espaces ouverts privilégient la mélancolie, les espaces fermés augmentent, quant à eux, la tristesse. En celle-ci, la concentration vient du fait qu'elle a presque toujours une raison précise, tandis que, dans la mélancolie, on ne peut assigner aucun déterminant extérieur à la conscience. Je sais pourquoi je suis triste, mais je ne saurais dire pourquoi je suis mélancolique. Les états mélancoliques s'étirent dans le temps sans jamais gagner une intensité particulière. Ni la tristesse ni la mélancolie n'explosent jamais, aucune n'atteignant l'individu au point d'ébranler les fondations de son être. On parle souvent de soupirs, jamais de cris de tristesse. Celle-ci n'est pas un débordement, mais un état qui s'éteint et qui meurt. Ce qui la singularise de manière extrêmement significative, c'est sa très fréquente apparition à la suite de certains paroxysmes. Pourquoi l'acte sexuel est-il suivi d'abattement, pourquoi est-on triste après une formidable ébriété ou un débordement dionysiaque ? Parce que l'élan dépensé dans ces excès ne laisse derrière lui que le sentiment de l'irréparable et une sensation de perte et d'abandon, marqués d'une très forte intensité négative. Nous sommes tristes après certains exploits parce que, au lieu du sentiment d'un gain,

nous éprouvons celui d'une perte. La tristesse surgit chaque fois que la vie se dissipe ; son intensité équivaut à l'importance des pertes subies ; aussi est-ce le sentiment de la mort qui provoque la tristesse la plus grande. Élément révélateur de ce qui distingue la mélancolie de la tristesse : on ne qualifiera jamais un enterrement de mélancolique. La tristesse n'a aucun caractère esthétique — rarement absent de la mélancolie. Il est intéressant d'observer comment le domaine de l'esthétique rétrécit à mesure qu'on approche des expériences et des réalités capitales. La mort nie l'esthétique, au même titre que la souffrance ou la tristesse. La mort et la beauté — deux notions qui s'excluent mutuellement... Car je ne connais rien de plus grave ni de plus sinistre que la mort ! Comment se fait-il que des poètes aient pu la trouver belle et la célébrer ? Elle représente la valeur absolue du négatif. L'ironie veut qu'on la craigne tout en l'idolâtrant. Sa négativité m'inspire — je l'avoue — de l'admiration ; c'est pourtant la seule chose que je puisse admirer sans l'aimer. La grandeur et l'infinitude de la mort s'imposent à moi, mais mon désespoir est si vaste qu'il m'en interdit jusqu'à l'espérance. Comment aimer la mort ? On ne peut écrire sur elle qu'en outrant le paradoxe. Quiconque prétend en avoir une idée précise prouve qu'il n'en a pas un sentiment profond alors même qu'il la porte en soi. *Or tout homme porte en soi non seulement sa propre vie, mais aussi sa mort.*
Sur le visage de celui qu'affecte une intense tristesse, se lisent tant de solitude et d'abandon qu'on se demande si la physionomie de la tristesse ne présente pas la forme sous laquelle la mort s'objective. La tristesse ouvre une porte sur le mystère. Celui-ci est, cependant, si riche que la tristesse ne cesse jamais d'être énigmatique. Si l'on établissait une échelle des mystères, la tristesse entrerait dans la catégorie des mystères sans bornes, inépuisables.
Une constatation que je peux vérifier, à mon grand regret, à chaque instant : seuls sont heureux ceux qui ne pensent jamais, autrement dit ceux qui ne pensent que le strict minimum nécessaire pour vivre. La vraie pensée ressemble, elle, à un démon qui trouble les sources de la vie, ou bien à une maladie qui en affecte les racines mêmes. Penser à tout moment, se poser des problèmes capitaux à tout bout de champ et éprouver un doute permanent quant à son destin ; être fatigué de vivre, épuisé par ses pensées et par sa propre existence au-delà de toute limite ; laisser derrière soi une traînée de sang et de fumée comme symbole du drame et de la mort de son être — c'est être malheureux au point que le

problème de la pensée vous donne envie de vomir et que la réflexion vous apparaît comme une damnation. Trop de choses sont à regretter dans un monde où l'on ne devrait avoir rien à regretter. Ainsi, je me demande si ce monde mérite réellement mon regret.

L'INSATISFACTION TOTALE

——————————————— *P*ar quel anathème certains ne se sentent-ils nulle part à l'aise? Ni avec, ni sans le soleil, ni avec les hommes, ni sans eux... Ignorer la bonne humeur — voilà une chose déconcertante. Les hommes les plus malheureux : ceux qui n'ont pas droit à l'inconscience. Avoir une conscience toujours en éveil, redéfinir sans cesse son rapport au monde, vivre dans la perpétuelle tension de la connaissance, cela revient à être perdu pour la vie. Le savoir est un fléau, et la conscience une plaie ouverte au cœur de la vie. L'homme ne vit-il pas la tragédie d'un animal constamment insatisfait, suspendu entre la vie et la mort? Ma qualité d'homme m'ennuie profondément. Si je le pouvais, j'y renoncerais sur-le-champ; que deviendrais-je, cependant? Une bête? Point de marche arrière possible. De plus, je risquerais d'être une bête au courant de l'histoire de la philosophie. Devenir un surhomme me paraît une impossibilité et une niaiserie, un fantasme risible.

La solution — approximative, certes — ne résiderait-elle pas dans une sorte de supra-conscience? Ne pourrait-on pas vivre *au-delà* (et non plus en deçà, dans le sens de l'animalité) de toutes les formes complexes de la conscience, des supplices et des anxiétés, des troubles nerveux et des expériences spirituelles, dans une sphère d'existence où l'accession à l'éternité cesserait d'être un simple mythe? En ce qui me concerne, je démissionne de l'humanité : je ne peux, ni ne veux, demeurer homme. Que me resterait-il à faire en tant que tel — travailler à un système social et politique, ou encore faire le malheur d'une pauvre fille? Traquer les inconséquences des divers systèmes philosophiques ou m'employer à réaliser un idéal moral et esthétique? Tout cela me paraît dérisoire : rien ne saurait me tenter. Je renonce à ma qualité d'homme, au risque de me retrouver seul sur les marches que je veux gravir. Ne suis-je pas déjà seul en ce monde dont je n'attends plus rien? Au-delà des aspirations et des idéaux courants, une supra-conscience fournirait, probablement, un espace où l'on puisse respirer. Ivre d'éternité, j'oublierais la futilité de ce monde ; rien ne viendrait plus troubler une extase où l'être serait tout aussi pur et immatériel que le non-être.

LE BAIN DE FEU

*P*our atteindre la sensation de l'immatérialité, il existe tant de voies que toute tentative d'établir une hiérarchie serait extrêmement hasardeuse, sinon inutile. Chacun emprunte une voie différente suivant son tempérament. Je pense, quant à moi, que le bain de feu constitue la tentative la plus féconde. Ressentir, dans tout son être, un incendie, une chaleur absolue, sentir jaillir en soi des flammes dévorantes, ne plus être qu'éclair et flamboiement — voilà ce que signifie un bain de feu. S'accomplit alors une purification capable d'annuler l'existence même. Les vagues de chaleur et les flammes ne la dévastent-elles pas jusqu'en son noyau, ne rongent-elles pas la vie, ne réduisent-elles pas l'élan, en lui ôtant tout caractère agressif, à une simple aspiration ? Vivre un bain de feu, subir les caprices d'une violente chaleur intérieure — n'est-ce pas atteindre une pureté immatérielle, semblable à une danse des flammes ? La délivrance de la pesanteur grâce à ce bain de feu ne fait-elle pas de la vie une illusion ou un rêve ? Et cela est encore bien peu comparé à la sensation finale — si paradoxale — où le sentiment de cette irréalité onirique fait place à la sensation d'être réduit en cendres. Celle-ci couronne immanquablement tout bain de feu intérieur. On peut dès lors parler à bon droit d'immatérialité. Brûlé au dernier degré par ses propres flammes, privé de toute existence individuelle, transformé en un tas de cendres, comment éprouverait-on encore la sensation de vivre ? Une folle volupté d'une ironie infinie s'empare de moi lorsque j'imagine mes cendres éparpillées aux quatre coins de la terre, frénétiquement soufflées par le vent, me disséminant dans l'espace comme une éternelle remontrance à l'adresse de ce monde.

LA DÉSINTÉGRATION

*T*ous les gens n'ont point perdu leur naïveté ; ainsi, tous ne sont pas malheureux. Ceux qui ont vécu et continuent à vivre collés à l'existence, non par imbécillité, mais par un amour instinctif du monde — ceux-là parviennent à l'harmonie, à une intégration à la vie que ne peuvent qu'envier ceux qui hantent les extrémités du désespoir. La désintégration correspond, elle, à une perte totale de la naïveté, ce merveilleux don détruit par la connaissance, ennemie déclarée de la vie. Le ravissement devant le charme spontané de l'être, l'expérience inconsciente des contradictions, qui perdent implicitement leur tragique — ce sont là des expressions de la naïveté, terrain fertile pour l'amour et l'enthousiasme. Ne pas éprouver les contradictions de façon douloureuse, c'est parvenir à la joie virginale de l'innocence, rester fermé à la tragédie et au sentiment de la mort. La naïveté est opaque au tragique, mais ouverte à l'amour, car le naïf — non consumé de contradictions internes — possède les ressources nécessaires pour s'y consacrer. Pour le désintégré, cependant, le tragique acquiert une intensité extrêmement pénible, car les contradictions ne surviennent pas seulement en lui-même, mais aussi entre lui et le monde. Il n'existe que deux attitudes fondamentales : la naïve et l'héroïque ; toutes les autres ne font qu'en diversifier les nuances. Voilà le seul choix possible si l'on ne veut pas succomber à l'imbécillité. Or, la naïveté étant, pour l'homme confronté à cette alternative, un bien perdu, impossible à regagner, seul reste l'héroïsme. L'attitude héroïque est le privilège et la damnation des désintégrés, des suspendus, des laissés-pour-compte du bonheur et de la satisfaction. Être un héros — dans le sens le plus universel du mot — signifie désirer un triomphe absolu, qui ne peut s'obtenir que par la mort. Tout héroïsme transcende la vie, impliquant fatalement un saut dans le néant. Tout héroïsme est donc un héroïsme du néant, même si le héros n'en a pas conscience, et ne se rend pas compte que son élan procède d'une vie privée de ses ressorts habituels. Tout ce qui ne naît pas de la naïveté et n'y mène pas appartient au néant. Celui-ci exercerait-il donc une réelle attraction ? En ce cas, elle a trop de mystère pour qu'on puisse en prendre conscience.

SUR LA RÉALITÉ DU CORPS

*J*e ne comprendrai jamais pourquoi l'on a pu qualifier le corps d'illusion, pas plus que je ne comprendrai comment on a pu concevoir l'esprit en dehors du drame de la vie, de ses contradictions et de ses déficiences. C'est là, de toute évidence, ne pas avoir la conscience de la chair, des nerfs et de chaque organe. Cela reste, pour moi, incompréhensible, bien que je soupçonne cette inconscience d'être une condition essentielle du bonheur. Ceux qui demeurent attachés à l'irrationalité de la vie, asservis à son rythme organique antérieur à l'apparition de la conscience, ne connaissent pas cet état où la réalité corporelle est constamment présente à celle-ci. Cette présence dénote, en effet, une maladie essentielle de la vie. Car n'est-ce pas une maladie que de sentir constamment ses jambes, son estomac, son cœur, etc., d'avoir conscience de la moindre partie de son corps ? La réalité du corps est l'une des plus effroyables qui soient. Je voudrais bien savoir ce que serait l'esprit sans les tourments de la chair, ou la conscience sans une grande sensibilité des nerfs. Comment peut-on concevoir la vie en l'absence du corps, comment peut-on envisager une existence autonome et originelle de l'esprit ? Car l'esprit est le fruit d'un détraquement de la vie, de même que l'homme n'est qu'un animal qui a trahi ses origines. *L'existence de l'esprit est une anomalie de la vie.* Pourquoi ne renoncerais-je pas à l'esprit ? Mais le renoncement ne serait-il pas une maladie de l'esprit, avant d'être une maladie de la vie ?

*J*e ne sais pas ce qui est bien et ce qui est mal ; ce qui est permis et ce qui ne l'est pas ; je ne peux ni louer, ni condamner. En ce monde, point de critère ni de principe consistant. Je suis surpris que certains se préoccupent encore de la théorie de la connaissance. Pour être sincère, je devrais avouer que je me fiche pas mal de la relativité de notre savoir, car ce monde ne mérite pas d'être connu. Tantôt j'ai le sentiment d'un savoir intégral épuisant tout le contenu du monde, tantôt je ne comprends strictement rien à ce qui se passe autour de moi. Je sens comme un goût âcre, une amertume diabolique et bestiale qui font que le problème de la mort lui-même m'apparaît fade. Je me rends compte, pour la première fois, combien cette amertume est difficile à définir. Cela vient peut-être aussi de ce que je perds mon temps à lui chercher des sources d'ordre théorique, alors qu'elle procède d'une région éminemment préthéorique.

En ce moment, je ne crois en rien du tout et je n'ai nul espoir. Tout ce qui fait le charme de la vie me paraît vide de sens. Je n'ai ni le sentiment du passé ni celui de l'avenir ; le présent ne me semble que poison. Je ne sais pas si je suis désespéré, car l'absence de tout espoir n'est pas forcément le désespoir. Aucun qualificatif ne saurait m'atteindre, car je n'ai plus rien à perdre. Et dire que j'ai tout perdu à l'heure où autour de moi tout s'éveille. Comme je suis loin de tout!

SOLITUDE INDIVIDUELLE ET SOLITUDE COSMIQUE

————————————————— *O*n peut concevoir deux façons d'éprouver la solitude : se sentir seul au monde, ou ressentir la solitude du monde. Qui se sent seul vit un drame purement individuel — le sentiment de l'abandon peut survenir dans le cadre naturel le plus splendide. Être jeté dans ce monde, incapable de s'y adapter, détruit par ses propres déficiences ou exaltations, indifférent aux aspects extérieurs — fussent-ils sombres ou éclatants — pour demeurer rivé à son drame intérieur, voilà ce que signifie la solitude individuelle. Mais le sentiment de la solitude cosmique procède moins d'un tourment purement subjectif que de la sensation de l'abandon de ce monde, d'un néant objectif. Comme si le monde avait perdu subitement tout éclat pour évoquer l'essentielle monotonie d'un cimetière. Beaucoup sont torturés par la vision d'un univers à l'abandon, irrémédiablement voué à une solitude glaciale, que même les faibles reflets d'une lueur crépusculaire ne sauraient atteindre. Lesquels sont donc les plus malheureux : ceux qui ressentent la solitude en eux-mêmes ou ceux qui la ressentent à l'extérieur? Impossible de répondre. Et puis, pourquoi m'embarrasserais-je à établir une hiérarchie dans la solitude? N'est-ce pas assez que d'être seul?

J'affirme ici à l'intention de tous ceux qui me succéderont que je n'ai rien en quoi je puisse croire sur cette terre et que le salut réside dans l'oubli. J'aimerais pouvoir tout oublier, m'oublier moi-même et le monde entier. Les véritables confessions ne s'écrivent qu'avec des larmes. Mais mes larmes suffiraient à noyer ce monde, comme mon feu intérieur à l'incendier. Je n'ai besoin d'aucun appui, d'aucun encouragement ni d'aucune compassion car, si déchu que je sois, je me sens puissant, dur, féroce! Je suis, en effet, le seul homme à vivre sans espoir. C'est là le sommet de l'héroïsme, son paroxysme et son paradoxe. La folie suprême! Je devrais canaliser la passion chaotique et informe qui m'habite afin de tout oublier, de n'être plus rien, de me délivrer du savoir et de la conscience. Si je dois avoir un espoir, c'est dans l'oubli absolu. Mais ne s'agit-il pas plutôt d'un désespoir? Cet «espoir» ne constitue-t-il pas la négation de toute espérance ? Je ne veux plus rien savoir, ni même le fait de ne rien savoir. Pourquoi tant de problèmes, de discussions et d'emportements ? Pourquoi une telle conscience de la mort ? Halte à la philosophie et à la pensée !

APOCALYPSE

——————————————— *C*omme j'aimerais que tous les gens occupés ou investis de missions, hommes et femmes, jeunes et vieux, sérieux ou superficiels, joyeux ou tristes, abandonnent un beau jour leurs besognes, renonçant à tout devoir ou obligation, pour sortir dans la rue et cesser toute activité ! Ces gens abrutis, qui travaillent sans raison ou se gargarisent de leur contribution au bien de l'humanité, trimant pour les générations à venir sous l'impulsion de la plus sinistre des illusions, se vengeraient alors de toute la médiocrité d'une vie nulle et stérile, de cet absurde gaspillage d'énergie si étranger à tout avancement spirituel. Que je goûterais ces instants, où plus personne ne se laisserait leurrer par un idéal ni tenter par aucune des satisfactions qu'offre la vie, où toute résignation serait illusoire, où les cadres d'une vie normale éclateraient définitivement ! Tous ceux qui souffrent en silence, sans oser exprimer leur amertume par le moindre soupir, hurleraient alors dans un chœur sinistre, dont les clameurs épouvantables feraient trembler la terre entière. Puissent les eaux déferler et les montagnes s'ébranler effroyablement, les arbres exhiber leurs racines comme une hideuse et éternelle remontrance, les oiseaux croasser à l'instar des corbeaux, les animaux épouvantés déambuler jusqu'à l'épuisement. Que tous les idéaux soient déclarés nuls ; les croyances — des broutilles ; l'art — un mensonge ; et la philosophie — de la rigolade. Que tout soit éruption et effondrement. Que de vastes morceaux arrachés du sol s'envolent et soient réduits en poussière ; que les plantes composent dans le firmament des arabesques bizarres, des contorsions grotesques, des figures mutilées et terrifiantes. Puissent des tourbillons de flammes s'élever dans un élan sauvage et envahir le monde entier, pour que le moindre vivant sache que la fin est proche. Que toute forme devienne informe et que le chaos engloutisse dans un vertige universel tout ce qui, en ce monde, possède structure et consistance. Que tout soit fracas dément, râle colossal, terreur et explosion, suivis d'un silence éternel et d'un oubli définitif. Qu'en ces moments ultimes les hommes vivent à une telle température que tout ce que l'humanité a jamais ressenti en matière de regret d'aspiration, d'amour, de haine et de désespoir éclate en eux dans une explosion dévastatrice. Dans un tel bouleversement, où plus personne ne trouverait de sens à la médiocrité du devoir, où l'existence se désintégrerait sous la pression de ses contradictions internes, que resterait-il hormis le triomphe du Rien et l'apothéose du non-être?

LE MONOPOLE DE LA SOUFFRANCE

*J*e me demande pourquoi la souffrance n'accable qu'une minorité. Y a-t-il une raison à cette sélection qui isole, parmi les individus normaux, une catégorie d'élus destinés aux supplices les plus effroyables? Certaines religions affirment que la souffrance est le moyen dont se sert la Divinité pour vous éprouver, ou pour vous faire expier un péché. Cette conception peut valoir pour un croyant, mais celui qui voit la souffrance frapper indifféremment les purs comme les innocents ne saurait l'admettre. Rien ne peut justifier la souffrance, et vouloir la fonder sur une hiérarchie des valeurs est strictement impossible, à supposer qu'une telle hiérarchie puisse exister.

L'aspect le plus étrange des souffrants réside dans leur croyance en l'absolu de leur tourment, qui leur donne le sentiment d'en détenir le monopole. J'ai la nette impression d'avoir concentré en moi toute la souffrance de ce monde et d'en avoir l'exclusive jouissance, et ce, bien que je constate des souffrances encore plus atroces, qu'on peut mourir en perdant des lambeaux de chair, s'émietter sous ses propres yeux; des souffrances monstrueuses, criminelles, inadmissibles. On se demande comment elles peuvent advenir et, puisqu'elles adviennent, comment parler encore de finalité et autres balivernes. La souffrance m'impressionne tant que j'en perds presque tout courage.

Je ne puis comprendre la raison de la souffrance dans le monde; qu'elle dérive de la bestialité, de l'irrationalité, du démonisme de la vie, en explique la *présence*, mais n'en fournit pas la justification. Il est donc probable que la souffrance n'en a aucune, de même que l'existence en général. L'existence devrait-elle être? Ou bien a-t-elle une raison purement immanente? L'être n'est-il qu'être? Pourquoi ne pas admettre un triomphe final du non-être, pourquoi ne pas admettre que l'existence chemine vers le néant, et l'être vers le non-être? Ce dernier ne constitue-t-il pas la seule réalité absolue ? Voilà un paradoxe à la taille de celui de ce monde. Bien que la souffrance comme phénomène m'impressionne et même parfois m'enchante, je ne saurais en écrire l'apologie, car la souffrance durable — et la véritable souffrance est telle — pour purificatrice qu'elle soit dans sa première phase, finit par détraquer, détruire, désagréger. L'enthousiasme facile pour la souffrance caractérise les esthètes et les dilettantes, qui la prennent pour un divertissement, ignorant sa terrible force de décomposition et ses ressources venimeuses de désagrégation, mais aussi sa fécondité, qu'il faut, cependant, payer très cher. Détenir le monopole de la souffrance revient à vivre suspendu au-dessus d'un gouffre. Toute vraie souffrance en est un.

LE SENS DU SUICIDE

———————————————— *Q*u'ils sont donc lâches, ceux qui prétendent que le suicide est une affirmation de la vie ! Pour racheter leur manque de courage, ils s'inventeront toutes sortes de raisons censées excuser leur impuissance. Il n'y a pas, à vrai dire, de volonté ou de décision rationnelle de se suicider, mais seulement des déterminants organiques et intimes qui vous y prédestinent.

Les suicidaires ont un penchant pathologique pour la mort, auquel ils résistent en vérité mais qu'ils ne peuvent supprimer. La vie en eux a atteint un tel déséquilibre qu'aucun motif d'ordre rationnel ne peut plus la consolider. Aucun suicide ne procède uniquement d'une réflexion sur l'inutilité du monde ou sur le néant de la vie. À qui m'opposera l'exemple de ces anciens sages qui se suicidaient dans la solitude, je répondrai qu'ils avaient liquidé en eux-mêmes la moindre parcelle de vie, détruit toute joie d'exister, et supprimé toute tentation. Réfléchir longuement sur la mort ou sur d'autres questions angoissantes porte à la vie un coup plus ou moins décisif, mais il n'en est pas moins vrai que ce genre de tourment ne peut affecter qu'un être déjà atteint. Les hommes ne se suicident jamais pour des raisons extérieures, mais à cause d'un déséquilibre interne, organique. Les mêmes événements laissent certains indifférents, marquent les autres, et poussent d'autres encore au suicide. Pour arriver à l'obsession du suicide, il faut tant de tourment, tant de supplice, un effondrement des barrières intérieures si violent que la vie n'est plus qu'une sinistre agitation, un vertige, un tourbillon tragique. Comment le suicide pourrait-il être une affirmation de la vie ? On le dit provoqué par les déceptions : cela revient à dire qu'on désire la vie et qu'on en espère plus qu'elle ne peut donner. Quelle fausse dialectique — comme si le suicidé n'avait pas vécu avant de mourir, comme s'il n'avait pas eu d'ambition, d'espérance, de douleur ou de désespoir ! Importe dans le suicide le fait de ne plus pouvoir vivre, qui dérive non d'un caprice mais de la tragédie intérieure la plus effroyable. Et l'on prétend que ne plus pouvoir vivre, c'est affirmer sa vie ? Je suis étonné qu'on cherche encore une hiérarchie des suicides : rien de plus imbécile que de vouloir les classer suivant la noblesse ou la vulgarité des raisons. N'est-il pas suffisamment impressionnant en soi de s'ôter la vie, sans qu'on ait à chercher des raisons ? J'ai le plus grand mépris pour ceux qui raillent le suicide par amour, car ils sont incapables de comprendre qu'un amour irréalisable représente, pour l'amant, une impossibilité de se définir, une perte intégrale de son être. Un amour total, inassouvi, ne peut mener qu'à l'effondrement. Seules deux catégories d'hommes suscitent mon admiration : ceux qui peuvent devenir fous à tout moment et ceux qui sont, à chaque instant, capables de se suicider. Il n'y a que ceux-là pour m'impressionner, car eux seuls éprouvent de grandes passions et connaissent de grandes transfigurations. Ceux qui éprouvent la vie sur un mode positif, dans la certitude de chaque instant, enchantés de leur passé, de leur présent et de leur avenir, n'ont rien de plus que mon estime. Seuls ceux qui sont en contact permanent avec les réalités dernières me touchent réellement.

Pourquoi je ne me suicide pas ? Parce que la mort me dégoûte autant que la vie. Je n'ai pas la moindre idée de ma raison d'être ici-bas. Je ressens en ce moment un impérieux besoin de crier, de pousser un hurlement qui épouvante l'univers. Je sens monter en moi un grondement sans précédent, et je me demande pourquoi il n'explose pas, pour anéantir ce monde, que j'engloutirais dans mon néant. Je me sens l'être le plus terrible qui ait jamais existé dans l'histoire, une brute apocalyptique débordant de flammes et de ténèbres. Je suis un fauve au sourire grotesque, qui se contracte et se dilate à l'infini, qui meurt et grandit en même temps, exalté entre l'espérance du rien et le désespoir du tout, nourri de fragrances et de poison, brûlé par l'amour et la haine, annihilé par les lumières et les ombres. Mon symbole est la mort de la lumière et la flamme de la mort. En moi toute étincelle s'éteint pour renaître tonnerre et éclair. Les ténèbres elles-mêmes ne brûlent-elles pas en moi ?

LE LYRISME ABSOLU

─────────────────────── *J*e voudrais exploser, couler, me décomposer, que ma destruction soit mon *œuvre*, ma création, mon inspiration; m'accomplir dans l'anéantissement, m'élever, dans un élan démentiel, au-delà des confins, et que ma mort soit mon triomphe. Je voudrais me fondre dans le monde et que le monde se fonde en moi, que nous accouchions, dans notre délire, d'un rêve apocalyptique, étrange comme une vision de la fin et magnifique tel un grand crépuscule. Que naissent, du tissu de notre rêve, des splendeurs énigmatiques et des ombres conquérantes, qu'un incendie total engloutisse ce monde et que ses flammes provoquent des voluptés crépusculaires, aussi compliquées que la mort et fascinantes comme le néant. Il faut des tensions démentielles pour que le lyrisme atteigne son expression suprême. *Le lyrisme absolu est celui des derniers instants.* L'expression s'y confond avec la réalité, devient tout, devient une hypostase de l'être. Non plus objectivation partielle, mineure et non révélatrice, mais partie intégrante de vous-même. Désormais ne comptent pas seulement la sensibilité ou l'intelligence, mais aussi l'être, le corps tout entier, toute votre vie avec son rythme et ses pulsations. Le lyrisme total n'est rien d'autre que le destin porté au degré suprême de la connaissance de soi. Chacune de ses expressions est un morceau de vous-même. Aussi ne le retrouve-t-on que dans les moments essentiels, où les états exprimés se consument en même temps que l'expression elle-même, comme le sentiment de l'agonie et le phénomène complexe du mourir. L'acte et la réalité coïncident: le premier n'est plus une manifestation de la seconde, mais bien celle-ci même. Le lyrisme comme penchant vers l'auto-objectivation se situe au-delà de la poésie, du sentimentalisme, etc. Il se rapproche davantage d'une métaphysique du destin, dans la mesure où s'y retrouvent une actualité totale de la vie et le contenu le plus profond de l'être en quête de conclusion. En règle générale, le lyrisme absolu tend à tout résoudre dans le sens de la mort. Car tout ce qui est capital a trait à la mort.

Sensation de la confusion absolue! Ne plus être capable d'aucune distinction, ne plus pouvoir rien tirer au clair, ne plus rien comprendre... Cette sensation fait du philosophe un poète. Tous les philosophes cependant ne peuvent la connaître ni la vivre avec

une intensité permanente. La connaîtraient-ils qu'ils ne pourraient plus philosopher de façon abstraite et rigoureuse. Le
processus de transformation du philosophe en poète est essentiellement dramatique. Du sommet du monde définitif des formes et
des questions abstraites, vous sombrez, en plein vertige des sens,
dans la confusion des éléments de l'âme, qui s'entrelacent pour
donner naissance à des constructions bizarres et chaotiques.
Comment pourrait-on s'adonner à la philosophie abstraite dès lors
qu'on sent en soi le déroulement d'un drame complexe où se
mêlent un pressentiment érotique avec une inquiétude métaphysique torturante, la peur de la mort avec une aspiration à la naïveté, la renonciation totale avec un héroïsme paradoxal, le
désespoir avec l'orgueil, le pressentiment de la folie avec le désir
d'anonymat, le cri avec le silence, et l'enthousiasme avec le
néant ? Qui plus est, ces tendances se mélangent et montent en un
bouillonnement suprême et une folie intérieure, jusqu'à la confusion totale. Cela exclut toute philosophie systématique, toute
construction précise. Bien des esprits ont commencé par le monde
des formes pour finir dans la confusion. Aussi ne peuvent-ils plus
philosopher autrement que sur le mode poétique. Mais à ce degré
de confusion, seuls comptent les supplices et les voluptés de la
folie.

L'ESSENCE DE LA GRÂCE

———————————————— *B*ien des artifices nous arrache-
raient à la fascination de transcender notre attachement aveugle à
la vie ; mais la grâce seule donne un détachement qui ne rompt
pas le lien avec les forces irrationnelles de l'existence, parce
qu'elle est un saut inutile, un élan désintéressé où le charme naïf
et le rythme confus de la vie gardent toute leur fraîcheur. Toute
grâce est un envol, une volupté de l'élévation.
Les gestes gracieux évoquent, dans leur déploiement, l'impression d'un vol plané au-dessus du monde, léger et immatériel. Leur
spontanéité a la délicatesse d'un battement d'ailes, le naturel d'un
sourire et la pureté d'un songe printanier. La danse n'est-elle pas
l'expression la plus vivante de la grâce ? Le sentiment de la vie
que donne la grâce fait de celle-ci une tension immatérielle, un
flux de vitalité pure qui ne dépasse jamais l'harmonie immanente
à tout rythme délicat. La grâce enveloppe toujours comme un
songe de la vie, un jeu gratuit, une expansion qui trouve ses

limites à l'intérieur d'elle-même. Aussi donne-t-elle l'illusion agréable de la liberté, de l'abandon direct et spontané, d'un rêve immaculé envahi de clarté. Le désespoir présente, lui, un paroxysme de l'individuation, une intériorisation douloureuse et singulière, un isolement sur les cimes. Tous les états qui résultent d'une rupture et vous portent aux sommets de la solitude intensifient l'individuation et la poussent à son paroxysme. La grâce au contraire mène à un sentiment harmonieux, à un accomplissement naïf, qui exclut la sensation d'isolement. Elle crée un état d'illusion, où la vie nie et transcende ses antinomies et sa dialectique démoniaque, où les contradictions, l'irréparable et la fatalité disparaissent temporairement pour laisser place à une sorte d'existence sublimée. Cependant, aussi riche que soit la grâce en sublimation et pureté aérienne, celles-ci n'atteindront jamais les grandes purifications des cimes où s'accomplit le sublime. Les expériences courantes ne portent jamais la vie à un point de tension paroxystique, de vertige intérieur, elles n'émancipent pas de la pesanteur ni ne triomphent — fût-ce temporairement — de la gravitation, symbole de la mort. La grâce en revanche représente une victoire sur la pression des forces d'attraction souterraines, une évasion des griffes bestiales, des penchants démoniaques de la vie et de ses tendances négatives. Qu'on ne s'étonne point si la vie apparaît alors plus lumineuse, drapée d'un éclat radieux. Dépassant le démoniaque et la négativité vers une harmonie formelle, elle accède au bien-être plus rapidement que ne le feraient les voies compliquées de la foi, où celui-ci ne survient qu'au terme de contradictions et de tourments. Quelle diversité dans le monde — dire qu'il existe, à côté de la grâce, une peur continuelle qui vous ronge jusqu'à l'épuisement... Qui n'a pas éprouvé la peur de tout, la terreur du monde, l'anxiété universelle, l'inquiétude suprême, le supplice de chaque instant — celui-là ne saura jamais ce que veulent dire la tension physique, la démence de la chair et la folie de la mort. Tout ce qui est profond jaillit de la maladie ; tout ce qui n'en procède pas n'a de valeur qu'esthétique et formelle. Être malade, c'est vivre, qu'on le veuille ou non, sur des cimes. Celles-ci cependant ne désignent pas uniquement des hauteurs, mais aussi des gouffres et des profondeurs. Il n'est de cimes qu'abyssales, car on peut en choir à chaque instant ; or ces chutes-là, justement, permettent d'atteindre les sommets. La grâce, pour sa part, représente un état de contentement, voire de bonheur : ni abîmes ni grandes souffrances. Pourquoi les femmes sont-elles plus heureuses que les hommes, sinon parce que la grâce et la

naïveté sont, chez elles, incomparablement plus fréquentes ?
Certes, elles n'échappent pas non plus aux maladies ni aux insatisfactions, mais leur grâce naïve leur procure un équilibre superficiel, qui ne saurait déboucher sur des tensions dangereuses. La
femme ne risque rien sur le plan spirituel, car chez elle l'antinomie de la vie et de l'esprit a une intensité moindre que chez
l'homme. Le sentiment gracieux de l'existence ne mène point aux
révélations métaphysiques, à la perspective des derniers instants
ni à la vision des réalités essentielles, qui vous font vivre comme
si vous ne viviez plus. Les femmes déconcertent : plus on pense à
elles, moins on les comprend. Processus analogue à celui qui vous
réduit au silence à mesure que vous réfléchissez sur l'essence
ultime du monde. Mais tandis que vous restez, en ce cas, abasourdi devant un infini indéchiffrable, le vide de la femme vous
apparaît comme un *mystère*. La femme a pour mission de permettre à l'homme d'échapper à la pression torturante de l'esprit ;
elle peut être un salut. À défaut d'avoir sauvé le monde, la grâce
aura au moins sauvé les femmes.

VANITÉ DE LA COMPASSION

———————————————————— *C*omment avoir des idéaux quand
il existe, sur cette terre, des sourds, des aveugles ou des fous ?
Comment pourrais-je me réjouir du jour qu'un autre ne peut voir,
ou du son qu'il ne peut entendre ? Je me sens responsable des
ténèbres de tous et me considère comme un voleur de lumière.
N'avons-nous pas, en effet, dérobé le jour à ceux qui ne voient pas
et le son à ceux qui n'entendent pas ? Notre lucidité n'est-elle pas
coupable des ténèbres des fous ? Sans savoir pourquoi, lorsque je
pense à ces choses, je perds tout courage et toute volonté ; la pensée m'apparaît inutile, et vaine la compassion. Je ne me sens pas
suffisamment normal pour compatir au malheur de qui que ce
soit. La compassion est une marque de superficialité : les destins
brisés et les malheurs irrémédiables vous poussent soit au hurlement, soit à l'inertie permanente. La pitié et la commisération
sont aussi inefficaces qu'insultantes. De plus, comment compatir
au malheur d'autrui lorsqu'on souffre infiniment soi-même ? La
compassion n'engage à rien, d'où sa fréquence. Nul n'est jamais
mort ici-bas de la souffrance d'autrui. Quant à celui qui a prétendu mourir pour nous, il n'est pas mort : il a été mis à mort.

SUR LES CIMES DU DÉSESPOIR

ÉTERNITÉ ET MORALE

──────────────────────── *P*ersonne n'a su dire, à ce jour, ce que sont le bien et le mal. Il en ira certainement de même à l'avenir. Peu importe la relativité : seule compte l'impossibilité de ne pas faire usage de ces expressions. Sans savoir ce qui est bien ni ce qui est mal, je qualifie pourtant les actions de bonnes ou mauvaises. Si l'on me demandait en vertu de quoi je me prononce de la sorte, je ne saurais répondre. Un processus instinctif me fait apprécier les choses selon des critères moraux ; en y repensant après coup, je ne leur trouve plus aucune justification. La morale est devenue si complexe et si contradictoire, parce que les valeurs morales ont cessé de se constituer *dans l'ordre de la vie* pour se cristalliser en une région transcendante, ne gardant que de faibles contacts avec les tendances vitales et irrationnelles. Comment fonderait-on une morale ? Le mot *bien* me donne envie de vomir, tant il est fade et inexpressif. La morale nous enjoint d'œuvrer pour le triomphe du bien. De quelle façon ? Par l'accomplissement du devoir, le respect, le sacrifice, la modestie, etc. Je n'y vois, pour ma part, que paroles vagues et vides de sens : devant le fait brut, les principes moraux se révèlent si vains qu'on se demande s'il ne vaudrait pas mieux, en fin de compte, vivre sans critères. J'aimerais un monde qui n'en contiendrait aucun, sans forme ni principe — un monde de l'indétermination. Car, dans le nôtre, ils exaspèrent plus que n'importe quel absolutisme normatif. J'envisage un monde de fantaisie et de rêve, où débattre sur le bien-fondé des normes n'aurait plus aucun sens. Puisque, de toute manière, la réalité est irrationnelle dans son essence, à quoi bon séparer le bien du mal — à quoi bon *distinguer* quoi que ce soit ? Ceux qui soutiennent qu'on peut, malgré tout, sauver la morale devant l'éternité se trompent du tout au tout. Ils affirment qu'en dépit du triomphe du plaisir, des satisfactions mineures et du péché, seuls subsistent, devant l'éternité, la bonne action et l'accomplissement moral. Après les misères et les plaisirs éphémères, on assiste — prétendent-ils — au triomphe final du bien, à la victoire définitive de la vertu. Ils n'ont pas dû s'aviser de ceci, que si l'éternité balaie satisfactions et plaisirs superficiels, elle n'en balaie pas moins tout ce qui s'appelle vertu, bonne action et acte moral. L'éternité ne mène ni au triomphe du bien ni à celui du mal : elle annule tout. Condamner l'épicurisme au nom de l'éternité est un non-sens. En quoi ma souffrance me ferait-elle durer plus longtemps qu'un bon vivant ? Objectivement parlant, que peut bien signifier le fait qu'un individu se crispe dans l'agonie tandis qu'un autre se vautre dans la volupté ? Qu'on souffre ou non, le néant nous engloutira indifféremment, irrémédiablement et pour toujours. On ne saurait parler d'un accès objectif à l'éternité, mais seulement d'un sentiment subjectif, fruit de discontinuités dans l'expérience du temps. Rien de ce que crée l'homme ne peut aboutir à une victoire définitive. Pourquoi s'enivrer d'illusions morales, alors qu'il est des illusions plus belles encore ? Ceux qui parlent du salut moral devant l'éternité évoquent l'écho indéfini dans le temps de l'acte moral, sa résonance illimitée. Rien n'est moins vrai, car les soi-disant vertueux — en fait, de simples lâches — disparaissent bien plus rapidement de la conscience du monde que les adeptes du plaisir. De toute façon, même dans le cas contraire, que signifieraient quelques dizaines d'années supplémentaires ? Tout plaisir inassouvi est une occasion perdue pour la vie. Ce n'est pas moi qui viendrais brandir la souffrance pour interdire au monde les orgies et les excès. Laissons les médiocres parler des conséquences des plaisirs : celles de la douleur ne sont-elles pas plus sérieuses encore ? Seul un médiocre souhaitera, pour mourir, atteindre le stade de la vieillesse. Souffrez donc, enivrez-vous, buvez la coupe du plaisir jusqu'à la lie, pleurez ou riez, poussez des cris de joie ou de désespoir — il n'en restera rien de toute manière. Toute la morale n'a d'autre but que de transformer cette vie en une somme d'occasions perdues.

INSTANT ET ÉTERNITÉ

——————————————— *L'*éternité ne se laisse comprendre qu'en tant qu'expérience, comme quelque chose de vécu. La concevoir objectivement n'a aucun sens pour l'individu, car sa finitude temporelle lui interdit d'envisager une durée infinie, un processus illimité. L'expérience de l'éternité dépend de l'*intensité* des réactions subjectives, l'entrée dans l'éternité ne peut s'accomplir qu'en transcendant la temporalité. Il faut mener un combat rude et soutenu contre le temps pour qu'il ne reste — une fois dépassé le mirage de la succession des moments — que le vécu exaspéré de l'instant, qui vous précipite tout droit vers l'intemporel. Comment l'immersion absolue dans l'instant en permet-elle l'accès ? La perception du devenir résulte de l'insuffisance des instants de leur relativité : ceux qui sont doués d'une conscience aiguë de la temporalité vivent chaque seconde en pensant à la suivante. On n'accède à l'éternité, en revanche, qu'en supprimant toute corrélation, en vivant chaque instant de manière absolue. Toute expérience de l'éternité suppose un saut et une transfiguration, car bien peu sont capables de la tension nécessaire pour atteindre cette paix sereine qu'on retrouve dans la contemplation de l'éternel. Ce n'est pas la durée, mais la puissance de cette contemplation qui importe. Le retour aux vécus habituels ne diminue en rien la fécondité de cette expérience intense. La *fréquence* de la contemplation est essentielle : seule la répétition permet d'atteindre l'ivresse de l'éternité, où les voluptés ont quelque chose de supra-terrestre, une transcendance rayonnante. À isoler chaque instant dans la succession, on lui prête un caractère d'absolu, mais qui reste purement subjectif, sans aucun élément d'irréalité ou de fantaisie. Dans la perspective de l'éternité, le temps est, avec son cortège d'instants individuels, sinon irréel, en tout cas insignifiant au regard des réalités essentielles.

L'éternité vous fait vivre sans regretter ni espérer quoi que ce soit. Vivre chaque moment pour lui-même, c'est dépasser la relativité du goût et des catégories, s'arracher à l'immanence où nous enferme la temporalité. Le vivre immanent dans la vie est impossible sans le vivre simultané dans le temps, car la vie comme activité dynamique et progressive exige la temporalité : privée de celle-ci, elle perd son caractère dramatique. Plus la vie est intense, plus le temps est essentiel et révélateur. En outre, la vie présente une multiplicité de *directions* et d'élans qui ne peuvent se déployer que dans le temps. En parlant de la vie, nous mentionnons *des* instants ; en parlant de l'éternité — l'instant. N'y a-t il pas une absence de vie dans l'expérience de l'éternité, dans cette victoire sur le temps, dans cette transcendance des moments ? Une transfiguration s'opère, une déviation soudaine de la vie vers un plan différent, où l'antinomie et la dialectique des tendances vitales sont comme purifiées. Ceux qui sont prédisposés à la contemplation de l'éternité, tels les maîtres orientaux, ignorent notre rude combat pour transcender le temps, ignorent nos efforts d'intériorisation, nous qui sommes profondément contaminés par la temporalité. La contemplation de l'éternité elle-même est pour nous une source de visions conquérantes et d'étranges enchantements. Tout est permis à l'individu doué de la conscience de l'éternité, car, pour lui, les différenciations se fondent dans une image d'une monumentale sérénité, qui semble le résultat d'une grande renonciation. On n'aime pas l'éternité de la passion qu'on éprouve pour une femme, pour son propre destin ou pour son désespoir; mais le penchant qu'on a pour les régions de l'éternité attire comme un élan vers la paix d'une lumière stellaire.

HISTOIRE ET ÉTERNITÉ

*P*ourquoi devrais-je continuer à vivre dans l'histoire, à partager les idéaux de mon époque, à me préoccuper de la culture ou des problèmes sociaux? Je suis fatigué de la culture et de l'histoire; il m'est désormais presque impossible de participer aux tourments du monde et à ses aspirations. Il faut dépasser l'histoire : on atteint ce stade sitôt que le passé, le présent et l'avenir n'ont plus la moindre importance et qu'il vous est indifférent de savoir *où* et *quand* vous vivez. En quoi vaut-il mieux vivre aujourd'hui plutôt que dans l'Égypte ancienne? Nous serions de parfaits imbéciles de déplorer le sort de ceux qui ont vécu à d'autres époques, ignorant le christianisme ou les inventions et découvertes de la science. Comme on ne saurait hiérarchiser les conceptions de la vie, tout le monde a raison et personne. Chaque époque constitue un monde en soi, enfermé dans ses certitudes, jusqu'à ce que le dynamisme de la vie et la dialectique de l'histoire aboutissent à de nouvelles formules tout aussi limitées et insuffisantes. Je me demande comment certains peuvent s'occuper exclusivement du passé, tant l'histoire m'apparaît nulle dans son intégralité. Quel intérêt peut bien avoir l'étude des idéaux révolus et des croyances de nos prédécesseurs? Les créations humaines ont beau être magnifiques — je m'en désintéresse complètement. La contemplation de l'éternité ne me procure-t-elle pas, en effet, un apaisement bien plus grand? Non pas *homme/histoire*, mais *homme/éternité* — voilà un rapport acceptable dans un monde qui ne vaut même pas la peine qu'on y respire. Personne ne nie l'histoire par simple caprice; on le fait sous la pression d'immenses tragédies, dont peu soupçonnent l'existence. On imaginera que vous avez pensé l'histoire abstraitement avant de la nier par le raisonnement, alors que votre négation résulte, en réalité, d'un profond accablement. Lorsque je nie le passé de l'humanité dans sa totalité, lorsque je refuse de participer à la vie historique, je suis pris d'une amertume mortelle, plus douloureuse qu'on ne saurait l'imaginer. Est-ce une tristesse latente que ces pensées viennent actualiser et intensifier? Je sens en moi une saveur aigre de mort et de néant, qui me brûle tel un poison violent. Je suis triste au point que tout ici-bas m'apparaît à jamais dépourvu du moindre charme. Comment pourrais-je encore parler de beauté et m'adonner à l'esthétique quand je suis triste à mourir ? Je ne veux plus rien savoir. En dépassant l'histoire, on acquiert une sorte de surconscience capitale pour l'expérience de l'éternité. Elle vous porte, en effet, vers une région où les antinomies, les contradictions et les incertitudes de ce monde perdent leur sens, où l'on oublie l'existence et la mort. C'est la peur de la mort qui anime les amateurs d'éternité : l'expérience de celle-ci a, en effet, pour seul avantage réel de vous faire oublier la mort. Mais qu'en est-il lorsque la contemplation s'arrête ?

NE PLUS ÊTRE HOMME

*J*e suis de plus en plus certain que l'homme est un animal malheureux, abandonné dans le monde, condamné à se trouver une modalité de vie propre, telle que la nature n'en a jamais connue. Sa prétendue liberté le fait souffrir plus que n'importe quelle forme de vie captive dans la nature. Rien d'étonnant, par conséquent, à ce que l'homme en arrive parfois à être jaloux d'une plante, d'une fleur. Pour vouloir vivre comme un végétal, grandir enraciné, s'épanouissant puis se fanant sous le soleil dans l'inconscience la plus parfaite, vouloir participer à la fécondité de la terre, être une expression anonyme du cours de la vie, il faut désespérer du sens de l'humanité. Pourquoi n'échangerais-je pas mon existence contre celle d'un végétal ? Je sais ce que c'est que d'être homme, d'avoir des idéaux et de vivre dans l'histoire : que puis-je encore espérer de ces réalités-là ? Être homme, c'est assurément une chose capitale ! une chose tragique, car l'homme vit dans un ordre d'existence radicalement nouveau, bien plus complexe, et dramatique, que celui de la nature. À mesure qu'on s'éloigne de la condition d'homme, l'existence perd de son intensité dramatique. L'homme tend constamment à s'arroger le monopole du drame et de la souffrance ; c'est pourquoi le salut représente pour lui un problème si brûlant et insoluble. Je ne puis éprouver la fierté d'être homme, car j'ai vécu ce phénomène jusqu'au bout. Seuls ceux qui ne l'ont pas vécu intensément peuvent la ressentir, puisqu'ils ne font encore que tendre à devenir hommes. Leur enchantement est tout naturel :

l'on comprend bien que ceux qui ont à peine dépassé le stade animal ou végétal aspirent à la condition d'homme. Mais ceux qui savent ce qu'elle signifie cherchent à devenir tout sauf cela. Si je le pouvais, je prendrais tous les jours une forme différente de vie animale ou végétale, je serais successivement toutes les espèces de fleurs, rose, épine, mauvaise herbe, arbre tropical aux branches tordues, algue marine ballottée par les vagues, ou végétation des montagnes à la merci des vents; ou alors oiseau au chant mélodieux ou bien prédateur au cri strident, migrateur ou sédentaire, bête des forêts ou animal domestique. J'aimerais vivre toutes ces variétés dans une frénésie sauvage et inconsciente, parcourir toute la sphère de la nature, me transformer avec une grâce naïve, sans pose, à l'image d'un processus naturel. Comme je m'aventurerais dans les nids ou les grottes, les déserts montagneux et marins, les collines et les plaines! Seule cette échappée cosmique, vécue suivant l'arabesque des formes vitales et le pittoresque des plantes, saurait réveiller en moi l'envie de redevenir homme. Car si la différence de l'animal à l'homme consiste en ceci, que le premier ne saurait être autre chose qu'animal, tandis que l'homme peut être non-homme, c'est-à-dire autre chose que lui-même — eh bien, je suis un non-homme.

MAGIE ET FATALITÉ

——————————— *J*'ai peine à imaginer la joie de ceux qui sont doués d'une sensibilité magique — ces individus qui sentent tout en leur pouvoir, et pour qui aucune résistance n'est irréductible ni aucun obstacle insurmontable. La magie suppose une communion si étroite avec l'existence que toute manifestation subjective se ramène à une pulsation de la vie. Elle a la plénitude d'une intégration au flux vital. La sensibilité magique ne peut déboucher que sur la joie, car le fatal n'entre pas dans la structure interne de l'existence. Se sentir capable de tout, tenir l'absolu en main, voir sa propre exubérance se confondre avec celle du monde, sentir palpiter en soi frénétiquement le rythme universel, et qu'on ne fait qu'un avec le tout, ne concevoir l'existence que dans la mesure où elle stimule, voir le sens de ce monde s'actualiser à chaque instant sous son expression la plus parfaite — en tout cela s'accomplit une forme de joie difficilement imaginable, que seuls détiennent les êtres doués d'une sensibilité magique. Les maladies n'existent pas pour la magie — ou alors sont tenues pour guérissables, jamais invincibles. L'optimisme magique envisage tout sous l'angle de l'équivalence : ainsi, il devient illusoire de tenter d'individualiser la maladie pour lui appliquer un traitement spécifique. La magie conteste et réfute tout le négatif, tout ce qui est d'essence démoniaque dans la dialectique de la vie. Qui jouit de ce type de sensibilité ne comprend rien aux grands accomplissements douloureux, à la misère, au destin et à la mort. Les illusions de la magie nient *l'irréparable* du monde, elles rejettent la mort comme réalité fatale et universelle. Subjectivement, ce phénomène plonge l'homme dans un état de béatitude et d'exaltation euphorique : car il vit dès lors comme s'il n'allait jamais mourir. Or tout le problème de la mort tient dans la conscience qu'en a le sujet : sans cela, entrer dans le néant n'a pas la moindre importance. Mais on atteint au paroxysme de la conscience par le sentiment constant de la mort.

Infiniment complexes sont ceux qui ont la conscience de la fatalité, ceux pour qui existent l'insoluble et l'irréparable, qui comprennent que l'irrémédiable représente un aspect essentiel du monde. Car toutes les réalités capitales se placent sous le signe de la fatalité, qui vient de l'incapacité de la vie à dépasser ses conditions et limites immanentes. La magie est, certes, utile pour les choses de peu d'importance, non essentielles ; mais sans valeur devant les réalités d'ordre métaphysique, qui réclament, le plus souvent, le silence — ce dont la sensibilité magique est incapable. Vivre dans la conscience aiguë de la fatalité, de sa propre impuissance devant les grands problèmes qu'on ne peut poser sans s'impliquer tragiquement, c'est affronter directement l'interrogation capitale qui se dresse devant ce monde.

L'INCONCEVABLE JOIE

———————————— *V*ous prétendez que le désespoir et l'agonie ne sont que préliminaires, que l'idéal consiste à les dépasser, qu'à vivre longtemps sous leur emprise on devient un automate. Vous faites de la joie l'unique salut, et méprisez tout le reste. Vous qualifiez d'égoïsme la hantise de l'agonie, et vous ne trouvez de générosité que dans la joie. Vous nous l'offrez, cette joie ; mais comment voulez-vous que nous l'acceptions du dehors ? Car tant qu'elle ne surgit pas de nous-mêmes, tant qu'elle ne jaillit pas de nos ressources et de notre rythme propres, les interventions extérieures ne servent à rien. Qu'il est facile de recommander la joie à ceux qui ne peuvent se réjouir! Et comment se réjouir lorsque vous torture jour et nuit l'obsession de la folie? Se rendent-ils compte, ceux qui proposent la joie à tout bout de champ, de ce que veulent dire la crainte d'un effondrement imminent, le supplice constant de ce terrible pressentiment? À cela s'ajoute la conscience de la mort, plus persistante encore que celle de la folie. Je veux bien que la joie soit un état paradisiaque, mais on ne peut y accéder que par une évolution naturelle. Il se peut que nous surmontions un jour cette obsession des instants d'agonie, pour pénétrer dans un paradis de sérénité. Les portes de l'Éden seront-elles, en effet, à jamais closes devant moi? Jusqu'à présent, je n'en ai pas trouvé la clé.

Comme nous ne pouvons nous réjouir, il ne nous reste que le chemin des souffrances, celui d'une exaltation folle et sans limites. Portons donc l'expérience des instants d'agonie jusqu'à son expression ultime; vivons le paroxysme de notre drame intérieur! Alors seule subsistera une tension suprême, disparaissant à son tour pour ne laisser derrière elle qu'une traînée de fumée... Car notre feu intérieur aura achevé de tout consumer. La joie n'a pas besoin de justification — elle représente un état trop pur et généreux pour que nous en fassions l'éloge. Impossible aux désespérés organiques, la joie exerce sur les désespérés occasionnels suffisamment d'attraits pour se passer de justification. La complexité du désespoir absolu passe infiniment celle de la joie absolue. Est-ce pour cela que les portes du paradis sont trop étroites pour ceux qui ont perdu l'espoir?

AMBIGUÏTÉ DE LA SOUFFRANCE

──────────────────────── *I*l n'est personne qui, après avoir triomphé de la douleur ou de la maladie, n'éprouve, au fond de son âme, un regret — si vague, si pâle soit-il. Bien que désireux de se rétablir, ceux qui souffrent longuement et intensément se sentent toujours amenés à envisager comme une perte leur probable guérison. Lorsque la douleur fait partie intégrante de l'être, son dépassement suscite nécessairement le regret, comme d'une chose disparue. Ce que j'ai de meilleur en moi, tout comme ce que j'ai perdu, c'est à la souffrance que je le dois. Aussi ne peut-on ni l'aimer ni la condamner. J'ai pour elle un sentiment particulier, difficile à définir, mais qui a le charme et l'attrait d'une lumière crépusculaire. La béatitude dans la souffrance n'est qu'une illusion car elle exigerait de se réconcilier avec la fatalité de la douleur, pour éviter la destruction. Dans cette béatitude illusoire gisent les dernières ressources de la vie. La seule concession qu'on puisse faire à la souffrance tient dans le regret de la guérison, mais, trop vague et diffus, celui-ci ne peut se cristalliser dans la conscience. Toute douleur qui s'éteint provoque un sentiment de trouble, comme si le retour à l'équilibre interdisait à jamais l'accès à des régions torturantes et ensorceleuses à la fois, qu'on ne peut quitter sans un regard en arrière. La souffrance ne nous ayant pas révélé la beauté, aucune autre lumière ne peut plus nous séduire. Sommes-nous encore attirés par les ténèbres de la souffrance ?

POUSSIÈRE, C'EST TOUT

——————————————— *J*e vois tant de raisons de refuser un sens à la vie qu'il serait vain de les énumérer : le désespoir, l'infini et la mort ne sont que les plus évidentes. Mais bien des données intimes vous déterminent tout autant à nier totalement le sens de la vie... Face à l'existence, le vrai et le faux ne comptent plus, mais seulement notre réaction personnelle. Subjectivisme, dira-t-on. Qu'importe ? L'expérience subjective ne vous élève-t-elle pas au plan de l'universalité, comme l'instant à celui de l'éternité ? Les hommes goûtent si peu la solitude ! De tout ce qui en est issu, ils se dépêchent de décréter la stérilité : ils ne s'attachent qu'aux valeurs sociales, bercés qu'ils sont de l'illusion d'y avoir tous collaboré. Chacun veut *faire* quelque chose et survivre dans ses réalisations. Comme si celles-ci n'allaient pas être réduites en poussière !

*J*e suis mécontent de tout. Même si j'étais élu Dieu, je présenterais aussitôt ma démission ; si le monde se réduisait à moi, si le monde entier était moi, je me briserais en mille morceaux, je volerais en éclats. Comment puis-je connaître des instants où j'ai l'impression de tout comprendre ?

L'ENTHOUSIASME
COMME FORME D'AMOUR

——————————————— *I*l est des individus chez qui la vie revêt des formes d'une pureté, d'une limpidité difficiles à imaginer pour ceux qui sont en proie aux contradictions et au chaos.

—— 69

Passer par des conflits intérieurs, se consumer dans un drame intime, subir un destin placé sous le signe de l'irrémédiable : voilà une vie d'où toute clarté est bannie. Ceux dont l'existence se déroule sans heurts ni obstacles parviennent à un état de paix et de contentement, où le monde apparaît lumineux, captivant. N'est-ce pas l'enthousiasme, cet état qui inonde le monde d'un éclat fait de joies et d'attraits ? L'enthousiasme fait découvrir une forme particulière de l'amour, et révèle une manière nouvelle de s'abandonner au monde. L'amour a tant de visages, tant de déviations, tant d'aspects, qu'il est malaisé d'en isoler le noyau ou la forme essentielle. Il est central, pour toute érotique, d'identifier la manifestation originelle de l'amour, la manière primordiale dont il se réalise. On parle d'amour entre les sexes, d'amour pour la divinité, pour l'art ou la nature, on parle aussi de l'enthousiasme comme forme d'amour, etc. Quelle en est la manifestation caractéristique, dont les autres dépendent, voire dérivent ? Les théologiens soutiennent que la forme primordiale de l'amour est l'*amor Dei* : les autres n'en seraient que de pâles reflets. Certains panthéistes à tendances esthétisantes optent pour la nature, et les esthètes purs, pour l'art. Pour les adeptes de la biologie, c'est la sexualité comme telle, sans affectivité ; pour certains métaphysiciens enfin, le sentiment de l'identité universelle. Cependant, nul ne prouvera que la forme d'amour qu'il défend est vraiment constitutive de l'homme, car, à l'échelle de l'histoire, cette forme aura tellement varié que plus personne ne saura en déterminer le caractère spécifique. Je pense, quant à moi, que sa forme essentielle est l'amour entre l'homme et la femme qui, loin de se réduire à la sexualité pure, implique tout un ensemble d'états affectifs, dont la richesse se laisse aisément saisir. Qui s'est jamais suicidé pour Dieu, pour la nature ou pour l'art ? — réalités trop abstraites pour qu'on les aime avec intensité. L'amour est d'autant plus intense qu'il est lié à l'individuel, au concret, à l'unique ; on aime une femme pour ce qui la différencie dans le monde, pour sa singularité : aux instants d'amour extrême, rien ne saurait la remplacer. Toutes les autres formes d'amour, bien qu'elles tendent à devenir autonomes, participent de cet amour central. Aussi considère-t-on l'enthousiasme comme indépendant de la sphère de l'Éros, alors que ses racines plongent dans la substance même de l'amour, en dépit de son pouvoir d'affranchissement. Toute nature enthousiaste enveloppe une réceptivité cosmique, universelle, une capacité de tout assimiler, de s'orienter tous azimuts, et de s'engager partout avec une vitalité débordante, pour la seule volupté de l'accomplissement et la passion d'agir. L'enthousiaste ne connaît ni critères, ni perspectives, ni calcul, mais seulement l'abandon, le supplice et l'abnégation. La joie de l'accomplissement, l'ivresse de l'efficacité font l'essentiel de ce type humain, pour qui la vie est un élan qui porte à une altitude où les forces de destruction perdent de leur vigueur. Nous avons tous des moments d'enthousiasme, mais trop rares pour nous définir. Je parle ici d'un enthousiasme à toute épreuve : qui ne connaît point de défaites, car il ne fait pas cas de l'objet, mais jouit de l'initiative et de l'activité comme telle ; qui se lance dans une action, non pour en avoir médité le sens ou l'utilité, mais parce qu'il ne peut faire autrement. Sans lui être forcément indifférents, le succès ou l'échec ne stimulent ni ne découragent jamais l'enthousiaste : il est bien la dernière personne du monde à échouer. La vie est beaucoup moins médiocre et fragmentaire dans son essence qu'on ne le pense : n'est-ce pas pour cette raison que nous ne faisons que déchoir, perdre la vivacité de nos impulsions et nous imposer des formes, nous sclérosant aux dépens de la productivité, du dynamisme intérieur ? La perte de la fluidité vitale détruit notre réceptivité et notre capacité à épouser généreusement la vie. Seul l'enthousiaste demeure vivant jusqu'à la vieillesse : les autres, lorsqu'ils ne sont pas mort-nés — comme la plupart des hommes — meurent prématurément. Qu'ils sont rares, les vrais enthousiastes ! Imaginerions-nous un monde où tous seraient amoureux de tout ? Il serait plus alléchant que l'image même du paradis, car l'excès de sublime et de générosité surpasse toute vision édénique. Les capacités de l'enthousiaste à renaître constamment le placent au-delà des tentations démoniaques, de la peur du néant et du supplice de l'agonie. Sa vie ignore le tragique, car l'enthousiasme constitue la seule forme d'existence qui soit entièrement opaque au sentiment de la mort. Même dans la grâce — cette forme si proche de l'enthousiasme — la méconnaissance, l'indifférence organique et l'ignorance irrationnelle de la mort ont moins de force. Il entre, dans la grâce, beaucoup de charme mélancolique, mais aucunement dans l'enthousiasme. Mon admiration sans bornes pour les enthousiastes vient de mon impuissance à comprendre leur existence dans un monde où la mort, le néant, la tristesse et le désespoir composent un sinistre cortège. Qu'il y ait des gens inaptes au désespoir — voilà qui trouble et impressionne. Comment se fait-il que l'enthousiaste soit indifférent à l'objet ? Comment peut-il n'être mû que par la plénitude et l'excès ? Et quel est cet étrange et paradoxal accomplissement

auquel l'amour parvient dans l'enthousiasme ? Car plus l'amour a
d'intensité, plus il est individualisé. Ceux qui aiment d'une grande
passion ne sauraient aimer plusieurs femmes à la fois : plus la
passion a de force, plus son objet s'impose. Essayons donc d'imaginer une passion dépourvue d'objet, figurons-nous un homme
sans une femme pour concentrer son amour : que resterait-il,
sinon une plénitude d'amour ? N'y a-t-il pas d'hommes doués de
grandes potentialités amoureuses, mais qui n'ont jamais aimé de
cet amour primordial, originel ? L'enthousiasme : un amour sans
objet individualisé. Au lieu de s'orienter vers autrui, les virtualités
amoureuses s'épanchent alors en manifestations généreuses, en
une sorte de réceptivité universelle.

L'enthousiasme est, en effet, un produit supérieur de l'Éros, où
l'amour ne se dépense pas dans le culte réciproque des sexes,
mais fait de l'enthousiaste un être désintéressé, pur et inaccessible. De toutes les formes de l'amour, l'enthousiasme est la plus
exempte de sexualité, plus encore que l'amour mystique, lequel
ne peut se délivrer de la symbolique sexuelle. Aussi l'enthousiasme met-il à l'abri de l'inquiétude et du flou qui font de la
sexualité une caractéristique du tragique de l'homme. L'enthousiaste est une personne éminemment non problématique. Il peut
comprendre bien des choses, mais non les incertitudes douloureuses ni la sensibilité chaotique de l'esprit torturé. Les esprits
problématiques ne peuvent rien résoudre, car ils n'aiment rien.
Allez donc chercher, en eux, cette capacité d'abandon, ce paradoxe de l'amour comme état pur, cette actualité permanente et
totale qui ouvre à tout à chaque instant, cette irrationalité naïve.
Le mythe biblique du péché de la connaissance est le plus profond
que l'humanité ait jamais imaginé. L'euphorie des enthousiastes
tient, précisément, au fait qu'ils ignorent la tragédie de la connaissance. Pourquoi ne pas le dire ? La connaissance se confond avec
les ténèbres. Je renoncerais volontiers à tous les problèmes sans
issue en échange d'une douce et inconsciente naïveté. L'esprit
n'élève pas : *il déchire*. Dans l'enthousiasme — tout comme dans
la grâce ou la magie — l'esprit ne s'oppose pas antinomiquement
à la vie. Le secret du bonheur réside en cette indivision initiale,
qui maintient une unité inattaquable, une convergence organique.
L'enthousiaste ignore la dualité — ce poison. Ordinairement, la
vie ne demeure féconde qu'au prix de tensions et d'antinomies, de
tout ce qui relève du combat. L'enthousiasme dépasse, quant à lui,
ce combat pour une envolée exempte de tragique, un amour
exempt de sexualité.

LUMIÈRE ET TÉNÈBRES

*L*a nullité des interprétations philosophiques et historiques en matière de religion apparaît dans leur totale incompréhension de ce que signifie le dualisme de la lumière et des ténèbres dans les religions orientales et dans la mystique en général. L'alternance régulière du jour et de la nuit — celui-là principe de vie, celle-ci, de mystère et de mort — aurait inspiré la traduction de la lumière et des ténèbres en principes métaphysiques. Quoi de plus évident au premier abord? Pour qui recherche des déterminants profonds, cependant, ces interprétations se révèlent insuffisantes. La question de la lumière et des ténèbres est en fait liée à celle des états extatiques. Ce dualisme ne prend de valeur explicative que pour celui qui a connu l'obsession et la captivité, soumis, simultanément ou successivement, aux forces de la lumière et des ténèbres. Les états extatiques font danser dans l'obscurité, insolitement, les ombres avec les étincelles; ils mêlent, en une vision dramatique, des éclairs à des ombres fugitives et mystérieuses, en faisant varier les nuances de la lumière jusqu'aux ténèbres. Ce n'est pourtant pas ce déploiement qui impressionne, mais le fait d'en être dominé, envahi et obsédé. On atteint le comble de l'extase dans la sensation finale, quand on croirait mourir de lumière et de ténèbres. Étrangement, la vision extatique fait disparaître tous les objets environnants, toutes les formes courantes d'individuation; il ne reste alors qu'une projection d'ombres et de lumières. Il est difficile d'expliquer comment s'accomplissent cette sélection et cette purification, et comment sont compatibles leur pouvoir de fascination et leur immatérialité. L'exaltation extatique comporte un élément démoniaque. Et lorsque de l'extase de ce monde il ne reste que la lumière et les ténèbres, comment éviter de leur attribuer un caractère absolu? La fréquence des états extatiques en Orient, et la mystique de tous les temps, sont de nature à vérifier notre hypothèse. Nul ne saurait trouver l'absolu en dehors de soi-même; or, l'extase, ce paroxysme de l'intériorité, ne révèle que des étincelles et des ombres internes. En comparaison, le jour et la nuit font bien pâles. Les états extatiques prennent un aspect si essentiel qu'ils font surgir, lorsqu'ils touchent les régions profondes de l'existence, une aveuglante hallucination métaphysique. L'extase n'affecte que des essences pures et, de ce fait, immatérielles. Mais leur immatérialité produit des vertiges et des obsessions auxquels on n'échappera qu'en les convertissant en principes métaphysiques.

LE RENONCEMENT

———————————————— *A*insi, vous avez connu la vieillesse, la douleur et la mort, et vous avez conclu que le plaisir est une illusion, que les jouisseurs, en proie à cette illusion — la plus grande de toutes — ne comprennent rien à l'instabilité des choses. Alors vous avez fui le monde, persuadé du caractère éphémère de la beauté et de tous les charmes d'ici-bas. Je ne reviendrai pas, avez-vous dit, avant d'avoir échappé à la naissance, à la vieillesse et à la mort.

Il y a beaucoup d'orgueil et de souffrance dans le renoncement. Au lieu de vous retirer discrètement, sans haine ni révolte, vous dénoncez l'ignorance et les faiblesses des autres, vous condamnez le plaisir et les voluptés où les hommes se complaisent. Ceux qui ont renoncé au monde pour se consacrer à l'ascèse ont agi ainsi, convaincus d'avoir dépassé radicalement les misères humaines. Le sentiment d'accéder à une éternité subjective leur a donné l'illusion d'une délivrance totale. Néanmoins, leur impuissance à se délivrer réellement se lit dans leur condamnation du plaisir et leur mépris pour ceux qui ne vivent que pour vivre. Même si je devais me retirer dans le plus effroyable des déserts, renoncer à tout pour ne plus connaître que la solitude totale, jamais je n'oserais mépriser le plaisir et ses adeptes. Puisque le renoncement et la solitude ne peuvent me valoir l'éternité, puisque je suis destiné à mourir comme tous les autres, pourquoi mépriserais-je qui que ce soit, pourquoi brandirais-je ma propre voie comme la seule véritable ? Les prophètes ne sont-ils pas dépourvus de toute compréhension, de toute discrétion ? Je perçois la douleur, la vieillesse et la mort, et je m'aperçois qu'on ne saurait les surmonter. Mais pourquoi irais-je en troubler le plaisir d'autrui ? Certes, il n'y a que le renoncement pour tenter celui qui s'est trouvé confronté à de telles réalités et qui les vit en étant persuadé de leur pérennité. La souffrance conduit, certes, au renoncement ; néanmoins, je ne condamnerais jamais la joie d'un autre, la lèpre dût-elle me dévorer. La condamnation contient toujours une bonne part d'envie. Le bouddhisme et le christianisme ne sont que vengeance et jalousie à l'égard des souffrants. *À l'agonie, je le sens, je ne pourrais faire que l'apologie de l'orgie.* Je ne recommande le renoncement à personne, car trop rares sont ceux qui réussissent, une fois au désert, à surmonter l'obsession de l'éphémère. Là-bas comme dans le monde, la précarité des choses garde le même douloureux attrait. Sachons bien que les illusions des grands solitaires furent plus irréalistes encore que celles des naïfs et des ignorants.

L'idée de renoncement est si amère qu'on s'étonne que l'homme ait pu la concevoir. Qui n'a pas ressenti, dans les accès de désespoir, un frisson glacé lui parcourir le corps, une sensation d'abandon à l'inéluctable, de mort cosmique et de néant, de vide subjectif et d'inexplicable inquiétude, celui-là ignore les terribles préliminaires du renoncement.

Mais comment renoncer ? Où aller pour ne pas tout abandonner d'un coup (bien que ce soit là le seul vrai renoncement) ? Nous ne pouvons plus trouver de désert extérieur ; il nous manque le décor du renoncement. Incapables de vivre libres sous le soleil sans autre pensée que celle de l'éternité, comment pourrions-nous devenir des saints sous abri ? C'est un drame éminemment moderne que de ne pouvoir renoncer autrement que par le suicide. Mais, si notre désert intérieur pouvait se matérialiser, son immensité ne nous accablerait-elle pas ?

*P*ourquoi ne pas éclater ? N'y a-t-il pas en moi suffisamment d'énergie pour faire trembler l'univers, suffisamment de folie pour anéantir la moindre clarté ? Ma seule joie n'est-elle pas celle du chaos, et mon plaisir l'élan qui m'abat ? Mes ascensions ne sont-elles pas des chutes, mon explosion n'est-elle pas ma passion ? Ne puis-je aimer sans m'autodétruire ? Serais-je hermétiquement fermé aux états purs ? Mon amour comporterait-il tant de poison ? Il me faut m'abandonner complètement à tous mes états, ne plus y penser pour les vivre dans l'excès le plus total. N'ai-je pas assez combattu la mort ? Me faut-il, de plus, avoir l'Éros pour ennemi ? Pourquoi ai-je donc si peur dès que l'amour renaît en moi, pourquoi ai-je envie d'engloutir le monde afin d'arrêter la croissance de cet amour ? Ma misère : je veux être trompé en amour pour avoir de nouvelles raisons de souffrir. Car seul l'amour vous révèle votre déchéance. Celui qui a vu la mort en face peut-il encore aimer ? Peut-il mourir d'amour ?

LES BIENFAITS DE L'INSOMNIE

——————————————————— *D*e même que l'extase vous purge
de l'individuel et du contingent, n'épargnant que la lumière et les
ténèbres, ainsi les nuits d'insomnie détruisent la multiplicité et la
diversité du monde pour vous laisser à vos obsessions. Quel
étrange envoûtement dans ces mélodies qui jaillissent de vous-
même pendant les nuits blanches! Le rythme et l'évolution
sinueuse d'un chant intérieur s'emparent de vous, dans un
enchantement qui ne saurait rejoindre l'extase, car il entre trop de
regret dans ce déferlement mélancolique. Regret de quoi? Difficile à dire, car les insomnies sont trop compliquées pour qu'on se
rende compte de ce qu'on a perdu. Cela vient peut-être de ce que
la perte est infinie... Pendant les veilles, la présence d'une pensée
ou d'un sentiment s'impose de manière exclusive. Tout s'accomplit alors sur un registre mélodique. L'être aimé s'immatérialise
— est-il rêve ou réalité? Ce que cette conversion mélodique
emprunte à la réalité suscite en l'âme un trouble qui — trop peu
intense pour mener à une anxiété universelle — garde l'empreinte de la musique. La mort elle-même, sans cesser d'être
hideuse, surgit dans cette immensité nocturne, dont la transparence évanescente, quoique illusoire, n'en est pas moins musicale. Cependant, la tristesse de cette nuit universelle ressemble en
tout point à la tristesse de la musique orientale, où le mystère de
la mort prédomine au détriment de celui de l'amour.

TRANSSUBSTANTIATION
DE L'AMOUR

——————————————————— *L*'irrationnel joue un rôle capital
dans la naissance de l'amour, de même que, dans la *sensation* de
l'amour, l'impression de fondre, de se dissoudre. L'amour est une
forme de communion et d'intimité : qu'est-ce qui saurait l'exprimer mieux que le phénomène subjectif de la dissolution, de
l'écroulement de toutes les barrières de l'individuation? L'amour
n'est-il pas tout ensemble, paradoxalement, l'universel et le singulier par excellence? La véritable communion ne peut se réaliser qu'à travers l'individuel. J'aime un être, mais comme celui-ci
est le symbole du tout, je participe de l'essence du tout sur un

mode naïf et inconscient. Cette participation universelle suppose la spécification de l'objet, l'individuel ouvre à l'universel. Le flou et l'exaltation de l'amour surgissent d'un pressentiment, de la présence irrationnelle dans l'âme de l'amour en général, qui touche alors à son paroxysme. L'amour vrai est un sommet auquel la sexualité n'enlève rien.

La sexualité n'atteint-elle pas, aussi, des cimes? Ne procure-t-elle pas un paroxysme unique? Ce curieux phénomène qu'est l'amour, cependant, chasse la sexualité du centre de la conscience, bien qu'on ne puisse concevoir d'amour sans sexualité. L'être aimé grandit alors en vous, purifié et obsédant, nimbé de transcendance et d'intimité, qui rendent la sexualité marginale, sinon en fait, du moins subjectivement. Entre les sexes, pas d'amour spirituel, mais une transfiguration charnelle où la personne aimée s'identifie à vous jusqu'à vous donner l'illusion de la spiritualité. Alors seulement surgit la sensation de dissolution, où la chair tremble d'un frémissement total et cesse d'être résistance et obstacle pour brûler d'un feu intérieur, pour se fondre et se perdre.

L'HOMME, ANIMAL INSOMNIAQUE

———————————————————— *Q*uelqu'un a dit que le sommeil équivaut à l'espérance : admirable intuition de l'importance effrayante du sommeil — et tout autant de l'insomnie! Celle-ci représente une réalité si colossale que je me demande si l'homme ne serait pas un animal inapte au sommeil. Pourquoi le qualifier d'animal raisonnable alors qu'on peut trouver, en certaines bêtes, autant de raison qu'on veut? En revanche, il n'existe pas, dans tout le règne animal, d'autre bête qui *veuille* dormir sans le pouvoir. Le sommeil fait oublier le drame de la vie, ses complications, ses obsessions; chaque éveil est un recommencement et un nouvel espoir. La vie conserve ainsi une agréable discontinuité, qui donne l'impression d'une régénération permanente. Les insomnies engendrent, au contraire, le sentiment de l'agonie, une tristesse incurable, le désespoir. Pour l'homme en pleine santé — à savoir l'animal — il est futile de s'interroger sur l'insomnie : il ignore l'existence d'individus qui donneraient tout pour un assoupissement, des hantés du lit qui sacrifieraient un royaume pour retrouver l'inconscience que la terrifiante lucidité des veilles leur a brutalement ravie. Le lien est indissoluble entre l'insomnie et le désespoir. Je crois bien que la perte totale de l'espérance ne se conçoit pas sans le concours de l'insomnie. Le paradis et l'enfer ne présentent d'autre différence que celle-ci : on peut dormir, au paradis, tout son soûl ; en enfer, on ne dort jamais. Dieu ne punit-il pas l'homme en lui ôtant le sommeil pour lui donner la connaissance ? N'est-ce pas le châtiment le plus terrible que d'être interdit de sommeil ? Impossible d'aimer la vie quand on ne peut dormir. Les fous souffrent fréquemment d'insomnies, d'où leurs effroyables dépressions, leur dégoût de la vie et leur penchant au suicide. Or, cette sensation de s'enfoncer, tel un scaphandrier du néant, dans les profondeurs — sensation propre aux veilles hallucinées — ne relève-t-elle pas d'une forme de folie ? Ceux qui se suicident en se jetant à l'eau ou en se précipitant dans le vide agissent sous une impulsion aveugle, follement attirés par l'abîme. Ceux que de tels vertiges n'ont jamais saisis ne sauraient comprendre l'irrésistible fascination du néant qui pousse certains au renoncement suprême.

*I*l y a en moi plus de confusion et de chaos que l'âme humaine ne devrait en supporter. Vous trouverez en moi tout ce que vous voudrez. Je suis un fossile des commencements du monde, en qui les éléments ne se sont pas cristallisés, en qui le chaos initial s'adonne encore à sa folle effervescence. Je suis la contradiction absolue, le paroxysme des antinomies et la limite des tensions ; en moi tout est possible, car je suis l'homme qui rira au moment suprême, à l'agonie finale, à l'heure de la dernière tristesse.

L'ABSOLU DANS L'INSTANT

——————————————— *O*n ne peut annuler le temps qu'en vivant l'instant intégralement, en s'abandonnant à ses charmes. On réalise ainsi l'*éternel présent* : le sentiment de la présence éternelle des choses. Le temps, le devenir — tout cela, dès lors, vous est indifférent. L'éternel présent est *existence*, car dans cette expérience radicale seulement, l'existence acquiert évidence et positivité. Arraché à la succession des instants, le présent est production d'être, dépassement du rien. Bienheureux ceux qui peuvent vivre dans l'instant, éprouver le présent sans faille, soucieux seulement de la béatitude du moment et du ravissement que procure la présence intégrale des choses... Or, l'amour n'atteint-il pas l'absolu de l'instant ? Ne dépasse-t-il pas la temporalité ? Ceux qui n'aiment pas dans un abandon spontané sont freinés par leur tristesse et leur angoisse, mais aussi par leur incapacité à surmonter la temporalité. L'heure n'est-elle pas venue de déclarer la guerre au temps, notre ennemi à tous?

LA VÉRITÉ, QUEL MOT!

—————————————— La plus grande stupidité que l'esprit humain ait jamais conçue est l'idée de la délivrance par la suppression du désir. Pourquoi entraver la vie, pourquoi la détruire pour un gain aussi stérile que l'indifférence totale et une libération illusoire? Comment oserait-on encore parler de la vie lorsqu'on l'a anéantie en soi? J'ai plus d'estime pour l'individu aux désirs contrariés, malheureux en amour et désespéré, que pour le sage impassible et orgueilleux. Tous devraient s'effacer, afin que la vie puisse continuer telle qu'elle est.

Je hais la sagesse de ces hommes que les vérités n'affectent pas, qui ne souffrent pas dans leurs nerfs, leur chair et leur sang. Je n'aime que les vérités vitales, les vérités organiques issues de notre inquiétude. Tous ceux qui pensent de manière vivante ont raison, car on ne trouvera pas d'arguments décisifs contre eux. Et même s'il s'en présentait, ils ne résisteraient pas à l'usure. Que certains s'acharnent encore à rechercher *la* vérité, je ne puis que m'en étonner. N'a-t-on donc pas compris qu'elle n'existe pas?

LA BEAUTÉ DES FLAMMES

—————————————— Le charme des flammes subjugue par un jeu étrange, au-delà de l'harmonie, des proportions et des mesures. Leur impalpable élan ne symbolise-t-il pas la tragédie et la grâce, le désespoir et la naïveté, la tristesse et la volupté? Ne retrouve-t-on pas, dans leur dévorante transparence et leur brûlante immatérialité, l'envol et la légèreté des grandes purifications et des incendies intérieurs? J'aimerais être soulevé par la transcendance des flammes, être secoué par leur souffle délicat et insinuant, flotter sur une mer de feu, me consumer d'une mort de rêve. La beauté des flammes donne l'illusion d'une mort pure et sublime, semblable à une aurore. Immatérielle, la mort dans les flammes évoque des ailes incandescentes. N'y a-t-il que les papillons qui meurent ainsi ? — Mais ceux qui meurent de leurs propres flammes ?

PAUVRETÉ DE LA SAGESSE

——————————————————— *J*e hais les sages pour leur complaisance, leur lâcheté et leur réserve. J'aime infiniment plus les passions dévorantes que l'humeur égale qui rend insensible au plaisir comme à la douleur. Le sage ignore le tragique de la passion et la peur de la mort, de même qu'il méconnaît l'élan et le risque, l'héroïsme barbare, grotesque ou sublime. Il s'exprime en maximes et donne des conseils. Le sage ne vit rien, ne ressent rien, il ne désire ni n'attend. Il se plaît à niveler les divers contenus de la vie, et en assume toutes les conséquences. Bien plus complexes me semblent ceux qui, malgré ce nivellement, ne cessent pourtant de se tourmenter. L'existence du sage est vide et stérile, car dépourvue d'antinomies et de désespoir. Mais les existences que dévorent des contradictions insurmontables sont infiniment plus fécondes. La résignation du sage surgit du vide, et non du feu intérieur. J'aimerais mille fois mieux mourir de ce feu que du vide et de la résignation.

LE RETOUR AU CHAOS

——————————————————— *M*arche arrière vers le chaos initial, retour à la confusion primordiale, au maelström originel ! Élançons-nous vers le tourbillon antérieur à l'apparition des formes. Que nos sens palpitent de cet effort, de cette démence, de cette flambée, de ces gouffres ! Que disparaisse tout ce qui est, afin que, dans cette confusion et ce déséquilibre, nous accédions pleinement au vertige total, en remontant du cosmos au chaos, de la nature à l'indivision originelle, de la forme au tourbillon. La désintégration du monde suit un processus contraire à l'évolution : une apocalypse renversée, mais jaillissant des mêmes aspirations. Car nul ne désire le retour au chaos s'il n'a pleinement subi les vertiges de l'apocalypse.

Que ma terreur et ma joie sont grandes à la pensée d'être happé par le tumulte du chaos initial, par sa confusion et sa paradoxale géométrie — l'unique géométrie chaotique, sans excellence de forme ni de sens.

Le vertige, cependant, aspire à la forme, de même que le chaos recèle des virtualités cosmiques. J'aimerais vivre au commencement du monde, dans le vortex démoniaque des turbulences primordiales. Que rien de ce qui, en moi, est velléité de forme ne se réalise ; que tout vibre d'un frémissement primitif, tel un éveil du néant.

Je ne peux vivre qu'au commencement ou à la fin du monde.

IRONIE ET AUTO-IRONIE

—————————————————— *L*orsqu'on a tout nié dans la frénésie et qu'on a radicalement liquidé les formes d'existence, lorsqu'un excès de négativité a fini par tout balayer, à qui pourrait-on encore s'en prendre, sinon à soi-même ? De qui rire et qui plaindre ? Lorsque le monde entier s'est effondré sous vos yeux, vous vous effondrez vous-même irrémédiablement. L'infini de l'ironie annule tous les contenus de la vie. Non point l'ironie élégante, intelligente et subtile, issue d'un sentiment de supériorité, ou d'orgueil facile — cette ironie par laquelle certains manifestent ostensiblement leur distance vis-à-vis du monde — mais l'ironie tragique et amère du désespoir. Car la seule ironie digne de ce nom est celle qui remplace une larme ou un spasme, voire un ricanement grotesque et criminel. L'ironie de ceux qui ont souffert n'a rien de commun avec l'ironie facile des dilettantes. La première révèle une impuissance à participer naïvement à l'existence, due à une perte définitive des valeurs vitales ; mais les dilettantes ne souffrent pas de cette impossibilité, car ils ignorent le sentiment d'une telle perte. L'ironie reflète une crispation intérieure, un manque d'amour, une absence de communion et de compréhension humaines ; elle équivaut à un mépris déguisé. L'ironie dédaigne le geste naïf et spontané, car elle se place au-delà de l'innocence et de l'irrationnel. Elle contient néanmoins une forte dose de jalousie à l'égard des naïfs. Incapable de manifester son admiration pour la simplicité en raison de son orgueil démesuré, l'ironie méprise, envie et envenime. Aussi l'ironie amère et tragique de l'agonie me paraît-elle bien plus authentique qu'une ironie sceptique. Il est significatif que l'ironie envers soi-même ne présente que la forme tragique de l'ironie. On ne saurait y accéder par des sourires : seulement par des soupirs, fussent-ils entièrement étouffés. L'auto-ironie est, en effet, une expression du désespoir : ayant perdu ce monde, vous vous perdez vous-même. Un éclat de rire sinistre accompagne alors chacun de vos gestes ; sur les ruines des sourires doux et caressants de la naïveté, s'élève le sourire de l'agonie, plus crispé que celui des masques primitifs et plus solennel que celui des figures égyptiennes.

SUR LA MISÈRE

———————————————————— *C*onvaincu que la misère est intimement liée à l'existence, je ne puis adhérer à aucune doctrine humanitaire. Elles me paraissent, dans leur totalité, également illusoires et chimériques. Le silence lui-même me semble un cri. Les animaux — dont chacun vit de ses propres efforts — ne connaissent pas la misère, car ils ignorent la hiérarchie et l'exploitation. Ce phénomène n'apparaît que chez l'homme, le seul qui ait assujetti son semblable ; seul l'homme est capable de tant de *mépris de soi*.

Toute la charité du monde ne fait qu'en souligner la misère, et la rend plus révoltante encore que l'absolue détresse. Devant la misère comme devant les ruines, nous déplorons une absence d'humanité, nous regrettons que les hommes ne changent pas radicalement ce qu'il est en leur pouvoir de changer. Ce sentiment se mêle à celui de l'éternité de la misère, de son caractère inéluctable. Tout en sachant que les hommes pourraient supprimer la misère, nous sommes conscients de sa permanence et finissons par éprouver une inhabituelle et amère inquiétude, un état d'âme trouble et paradoxal, où l'homme apparaît dans toute son inconsistance et sa petitesse. La misère objective de la vie sociale n'est, en effet, que le pâle reflet d'une misère intérieure. Rien qu'à y penser, je perds l'envie de vivre. Je devrais jeter ma plume pour me rendre dans quelque masure délabrée. Un désespoir mortel me prend lorsque j'évoque la terrible misère de l'homme, sa pourriture et sa gangrène. Au lieu d'élaborer des théories et de se passionner pour les idéologies, cet animal rationnel ferait mieux d'offrir jusqu'à sa chemise — geste de compréhension et de communion. La présence de la misère ici-bas compromet l'homme plus que tout, et fait comprendre que cet animal mégalomane est voué à une fin catastrophique. Devant la misère, j'ai honte même de l'existence de la musique. *L'injustice constitue l'essence de la vie sociale.* Comment adhérer, dès lors, à quelque doctrine que ce soit ?

La misère détruit tout dans la vie; la rend infecte, hideuse, spectrale. Il y a la pâleur aristocratique et la pâleur de la misère : la première vient du raffinement, la seconde d'une momification. Car la misère fait de vous un fantôme, elle crée des ombres de vie et des apparitions étranges, formes crépusculaires comme issues d'un incendie cosmique. Pas la moindre trace d'une purification dans ses convulsions; seulement la haine, le dégoût et la chair aigrie. La misère n'enfante pas plus que la maladie une âme innocente et angélique, ni une humilité immaculée; son humilité est venimeuse, mauvaise et vindicative, et le compromis auquel elle mène cache des plaies et des souffrances aiguës.

Je ne veux pas d'une révolte relative contre l'injustice. Je n'admets que la révolte éternelle, car éternelle est la misère de l'humanité.

LA DÉSERTION DU CHRIST

——————————————————————— *J*e n'aime pas les prophètes, ni non plus les fanatiques qui n'ont jamais douté de leur mission ni de leur foi. Je mesure la valeur des prophètes à leur capacité de douter, à la fréquence de leurs moments de lucidité. Bien que seul le doute les rende réellement *humains,* il est, chez eux, plus troublant que chez les autres hommes. Le reste n'est qu'intransigeance, sermon, morale et pédagogie. Ils prétendent instruire les autres, leur apporter le salut, leur révéler la voie de la vérité et changer leur destin, comme si leurs certitudes valaient mieux que celles de leurs disciples. Le critère du doute permet seul de distinguer les prophètes des maniaques. Ne doutent-ils pas un peu tard, cependant? Celui qui se savait fils de Dieu ne douta que dans les derniers instants : car le Christ n'a vraiment hésité qu'une fois, non sur la montagne, mais sur la croix. Je suis persuadé que Jésus alors a envié le destin du plus anonyme des hommes et que, s'il l'eût pu, il se fût retiré dans le coin le plus obscur de la terre, où plus personne n'aurait exigé de lui espoir ou rédemption. On peut imaginer que, demeuré seul avec les soldats romains, il les ait priés de lui enlever les clous et de le faire descendre, afin de pouvoir s'enfuir très loin, là où l'écho des souffrances humaines ne l'atteindrait plus. Non que le Christ eût tout à coup cessé de croire en sa mission — il tenait trop de l'illuminé pour être sceptique —, mais il est bien plus difficile de mourir *pour les autres* que pour soi seul. Jésus endura la crucifixion, conscient que seul le sacrifice de lui-même ferait triompher son message.

Ainsi vont les hommes : pour qu'ils croient en vous, il vous faut renoncer à tout ce qui vous appartient, puis à vous-même. Ils exigent votre mort comme garantie de l'authenticité de votre foi. Pourquoi admirent-ils les ouvrages écrits dans le sang ? Parce que cela leur épargne la souffrance, ou bien leur en donne l'illusion. Ils veulent trouver du sang et des larmes derrière vos dires. L'admiration de la foule est faite de sadisme.

Si Jésus n'était pas mort sur la croix, le christianisme n'aurait jamais triomphé. Les mortels doutent de tout — sauf de la mort. Celle du Christ constitua donc à leurs yeux la suprême certitude, la preuve maîtresse de la validité des principes chrétiens. Jésus aurait fort bien pu échapper à la crucifixion, ou succomber aux séduisantes tentations du diable. Qui ne pactise pas avec le diable n'a aucune raison de vivre, car le diable exprime symboliquement la vie mieux que Dieu lui-même. Si je regrette une chose, c'est que le diable m'ait si peu tenté... Mais Dieu non plus ne s'est pas particulièrement soucié de moi. Les chrétiens n'ont toujours pas compris que Dieu est plus loin des hommes qu'eux-mêmes ne le sont de lui. J'imagine parfaitement un Dieu exaspéré par la trivialité de sa Création, dégoûté de la terre comme des cieux. Et je le vois s'élancer vers le néant, tel Jésus quittant sa croix...

Que se serait-il donc passé si les soldats romains avaient donné suite à la supplique de Jésus, s'ils l'avaient dé-crucifié, et laissé partir ? Ce n'est certainement pas pour prêcher qu'il aurait gagné l'autre bout du monde, mais pour y mourir seul, loin des larmes et de la compassion des hommes. Même si, par hasard, Jésus n'a pas imploré des soldats sa libération, je ne puis penser que cette idée ne l'ait pas effleuré. Il se croyait assurément le fils de Dieu, mais cela ne l'empêcha pas, une fois confronté au sacrifice, de douter et de craindre la mort. Pendant la crucifixion, il dut connaître des moments où, s'il ne douta pas d'être le fils de Dieu, du moins le regretta-t-il.

Il est fort possible que le Christ ait été en réalité un personnage bien moins compliqué que nous ne l'imaginons, qu'il ait eu moins de doutes et moins de regrets. Car il n'en eut, quant à son ascendance divine, qu'au seuil de la mort. Nous avons, nous autres, tant de doutes et de regrets qu'aucun d'entre nous ne peut plus se croire le fils de Dieu. Je déteste en Jésus tout ce qui est sermon, morale, promesse et certitude. Ce que j'aime en lui, ce sont ses moments d'hésitation — les instants réellement tragiques de son existence, qui ne me semblent pourtant pas les plus importants ni les plus douloureux qu'on puisse imaginer. Car, si la souffrance

devait servir de critère, combien n'auraient pas le droit de se
considérer, mieux que lui, fils de Dieu ?

LE CULTE DE L'INFINI

——————————————————————— *J*e ne peux parler de l'infini sans
ressentir un double vertige, intérieur et extérieur — comme si,
quittant une existence ordonnée, je m'élançais dans un tourbillon,
me mouvant dans l'immensité à la vitesse de la pensée. Ce trajet
tend vers un point éternel inaccessible. Plus celui-ci fuit vers un
lointain insaisissable, plus le vertige paraît intense. Ses méandres,
si étrangers à la légèreté de la grâce, dessinent des contours aussi
compliqués que des flammes cosmiques. Tout n'est que secousse
et trépidation ; le monde entier semble s'agiter à une folle
cadence, comme à l'approche de l'apocalypse. Il n'est pas de sentiment profond de l'infini sans cette sensation étrange, vertigineuse, de l'imminence de la Fin. L'infini donne, paradoxalement,
la sensation d'une fin accessible en même temps que la certitude
de ne pouvoir s'en approcher. Car l'infini — dans l'espace comme
dans le temps — ne mène à rien. Comment pourrions-nous
accomplir quoi que ce soit dans le futur, alors que nous avons derrière nous une éternité d'inaccomplissement. Si le monde avait eu
un sens, nous en aurions eu, à l'heure qu'il est, la révélation. Comment imaginer qu'il pourrait encore se manifester dorénavant ?
Mais le monde n'en a pas ; irrationnel dans son essence, il est, de
surcroît, infini. Le sens ne se conçoit, en effet, que dans un monde
fini, où l'on puisse *arriver* à quelque chose ; un monde qui ne
tolère pas la régression, un monde de repères sûrs et bien définis,
un monde assimilable à une histoire convergente, tel que le veut
la théorie du progrès. L'infini ne mène nulle part, car tout y est
provisoire et caduc ; rien ne suffit au regard de l'illimité. Nul ne
peut éprouver l'infini sans un trouble profond, unique. Comment
ne serait-on pas troublé, en effet, dès lors que toutes les directions
se valent ?
L'infini infirme toute tentative de résoudre le problème du sens.
Cette impossibilité me procure une volupté démoniaque, et je me
réjouis même de l'absence de sens. À quoi servirait-il, en définitive ? Ne pouvons-nous vraiment pas nous en passer ? Le non-sens
ne se remplit-il pas de l'ivresse de l'irrationnel, d'une orgie ininterrompue ? Vivons donc, puisque le monde est dépourvu de sens !
Tant que nous n'avons aucun but précis, aucun idéal accessible,

jetons-nous sans réserve dans le terrible vertige de l'infini, suivons ses méandres dans l'espace, consumons-nous dans ses flammes, aimons-le pour sa folie cosmique et sa totale anarchie. Celle-ci fait partie de l'expérience de l'infini — une anarchie organique et irrémédiable. On ne peut se représenter l'anarchie cosmique si l'on n'en porte pas en soi les germes. Vivre l'infinité, comme y réfléchir longuement, c'est recevoir la plus terrible des leçons de révolte. L'infini vous désorganise et vous tourmente, il ébranle les fondements de votre être, mais vous fait aussi négliger tout ce qui est insignifiant, contingent.

Quel soulagement que de pouvoir, ayant perdu tout espoir, se jeter dans l'infini, plonger de toutes ses forces dans l'illimité, participer à l'anarchie universelle et aux tensions de ce vertige ! Parcourir, emporté dans une course exténuante, toute la démence d'un mouvement ininterrompu, se consumer dans l'élan le plus dramatique, pensant moins à la mort qu'à sa propre folie, réaliser pleinement un rêve d'universelle barbarie et d'exaltation sans bornes !

Qu'au terme du vertige, notre chute n'ait rien d'une extinction progressive, mais que nous continuions cette frénétique agonie dans le chaos du maelström initial. Puisse le pathos de l'infini nous embraser une fois de plus dans la solitude de la mort, afin que notre passage vers le néant ressemble à une illumination, amplifiant encore le mystère et le non-sens de ce monde ! Dans l'étonnante complexité de l'infini, nous retrouvons, comme élément constitutif, la négation catégorique de la forme, d'un plan déterminé. Processus absolu, l'infini annule tout ce qui est consistant, cristallisé, achevé. L'art qui exprime le mieux l'infini n'est-il pas la musique, qui fond les formes en une fluidité au charme ineffable ? La forme tend sans cesse à achever le fragment et, en individualisant les contenus, à éliminer la perspective de l'infini et de l'universel ; les formes n'existent que pour soustraire les contenus de la vie au chaos et à l'anarchie. Toute vision profonde révèle à quel point leur consistance est illusoire au regard du vertige de l'illimité, car, par-delà les cristallisations éphémères, la réalité apparaît comme une intense pulsation. Le goût des formes résulte d'un abandon au fini et aux séductions inconsistantes de la limitation, qui éloignent à jamais des révélations métaphysiques. En effet, à l'instar de la musique, la métaphysique surgit de l'expérience de l'infini. L'une comme l'autre prospèrent sur les hauteurs et sont porteuses de vertiges. Je n'ai jamais pu comprendre que ceux qui ont créé des œuvres capitales dans ces deux domaines ne soient pas devenus fous. Plus que tous les arts, la musique exige une tension si grande qu'on devrait, après de tels moments, tomber dans l'égarement. Si le monde obéissait à une cohérence immanente et nécessaire, les grands compositeurs au sommet de leur art devraient se suicider, ou perdre la raison. Tous ceux que fascine l'infini ne se trouvent-ils pas sur le chemin du délire ? Nous n'avons que faire de la normalité ou de l'anormalité. Vivons dans l'extase de l'illimité, aimons tout ce qui ne connaît pas de bornes, détruisons les formes et créons le seul culte qui en soit exempt : celui de l'infini.

TRANSFIGURATION DE LA BANALITÉ

——————————————————— *P*uisque je ne m'éteins pas sur-le-champ et que je ne puis atteindre à la naïveté, c'est folie que de continuer à accomplir les gestes ordinaires de tous les jours. Il faut à chaque instant surmonter la banalité, afin d'accéder à la transfiguration, à l'expressivité absolue. Quelle tristesse de voir les hommes passer à côté d'eux-mêmes, négliger leurs destinées au lieu de raviver en permanence les lumières qu'ils portent en eux, ou de s'enivrer de profondeurs ténébreuses !
Pourquoi ne pas extraire de la douleur tout ce qu'elle peut offrir, ou cultiver un sourire jusqu'à la profondeur où il prend source ? Nous avons tous des mains, et personne ne pense, pourtant, à exploiter les siennes, à les rendre, au possible, expressives. Nous les admirons volontiers en peinture, nous aimons à parler de leur signification, mais nous ne savons même pas faire des nôtres les interprètes de nos drames intérieurs. Avoir la main fantomatique, transparente, tel un reflet immatériel, une main nerveuse, tendue dans la crispation ultime... Ou alors une main lourde, menaçante, terrible. Que la présence et l'aspect de ces mains disent plus qu'une parole, qu'une lamentation, qu'un sourire ou une prière. L'expressivité totale, fruit d'une transfiguration continuelle, fera de notre présence un foyer de lumière, si notre visage et, d'une manière générale, tout ce qui nous individualise y parviennent également. On rencontre des êtres dont la seule présence signifie pour autrui agitation, lassitude, ou bien illumination. Leur présence est féconde et décisive : fluide, insaisissable, il semble qu'elle vous capte dans un filet immatériel. Ceux-là ignorent le vide et la discontinuité ; ils ne connaissent que la communion et la participation que produit cette trans-

figuration permanente, dont les cimes sont autant de vertiges que de voluptés.

*J*e ressens une étrange anxiété, qui s'insinue dans tout mon corps ; est-ce la peur de l'avenir de mon existence problématique, ou le trouble où me plonge ma propre inquiétude ? Pourrai-je continuer à vivre avec de telles obsessions ? Ce que j'éprouve, est-ce la vie ou bien quelque rêve insensé ? Il semblerait que se tisse en moi la fantaisie grotesque d'un démon. Mon anxiété n'est-elle pas une fleur poussant au jardin d'une créature apocalyptique ? Le démonisme de ce monde paraît s'être concentré tout entier dans mon inquiétude — mélange de regrets, de visions crépusculaires, de tristesses et d'irréalités. Et ce n'est point une fragrance printanière qu'il me fait répandre sur l'univers, mais la fumée et la poussière d'un écroulement total.

PESANTEUR DE LA TRISTESSE

Y a-t-il d'autre tristesse que celle de la mort ? Certainement pas, puisque la vraie tristesse est noire, dépourvue de charme. Elle communique une lassitude incomparablement plus grande que celle de la mélancolie — une lassitude qui mène à un dégoût de la vie, à une dépression irrémédiable. La tristesse diffère de la douleur, car en elle prédomine la réflexion, quand l'autre subit la matérialité fatale des sensations. La tristesse et la douleur peuvent mener jusqu'à la mort — jamais à l'amour ni à l'exaltation. Les valeurs de l'Éros font vivre sans médiation, dans l'immédiat et dans la nécessité secrète de la vie, qui — vu la naïveté essentielle de toute expérience érotique — apparaît comme liberté. Être triste et souffrir, cela signifie, au contraire, être incapable d'un acte organiquement associé au flux de la vie. La tristesse et la souffrance nous révèlent l'existence, car en elles nous prenons conscience de notre isolement ; elles provoquent en nous une angoisse où s'enracine le sentiment tragique de l'existence.

LA DÉGRADATION PAR LE TRAVAIL

*L*es hommes travaillent généralement trop pour pouvoir encore rester eux-mêmes. Le travail : une malédiction que l'homme a transformée en volupté. Œuvrer de toutes ses forces pour le seul amour du travail, tirer de la joie d'un effort qui ne mène qu'à des accomplissements sans valeur, estimer qu'on ne peut se réaliser autrement que par le labeur incessant — voilà une chose révoltante et incompréhensible. Le travail permanent et soutenu abrutit, banalise et rend impersonnel. Le centre d'intérêt de l'individu se déplace de son milieu subjectif vers une fade objectivité ; l'homme se désintéresse alors de son propre destin, de son évolution intérieure, pour s'attacher à n'importe quoi : l'œuvre véritable, qui devrait être une activité de permanente transfiguration, est devenue un moyen d'extériorisation qui lui fait quitter l'intime de son être. Il est significatif que le travail en soit venu à désigner une activité purement extérieure : aussi l'homme ne s'y réalise-t-il pas — il *réalise*. Que chacun doive exercer une activité et adopter un style de vie qui, dans la plupart des cas, ne lui convient pas, illustre cette tendance à l'abrutissement par le travail. L'homme voit dans l'ensemble des formes du travail un bénéfice considérable ; mais la frénésie du labeur témoigne, chez lui, d'un penchant au mal. Dans le travail, l'homme s'oublie lui-même ; cela ne débouche cependant pas sur une douce naïveté, mais sur un état voisin de l'imbécillité. Le travail a transformé le sujet humain en objet, et a fait de l'homme une bête qui a eu le tort de trahir ses origines. Au lieu de vivre pour lui-même — non dans le sens de l'égoïsme, mais vers l'épanouissement —, l'homme s'est fait l'esclave pitoyable et impuissant de la réalité extérieure. Où trouver l'extase, la vision et l'exaltation ? Où est-elle la folie suprême, la volupté authentique du mal ? La volupté négative qu'on retrouve dans le culte du travail tient plutôt à la misère et à la platitude, à une mesquinerie détestable. Pourquoi les hommes ne décideraient-ils pas brusquement d'en finir avec leur labeur pour entamer un nouveau travail, sans nulle ressemblance avec celui auquel ils se sont vainement consacrés jusqu'à présent ? N'est-ce pas assez que d'avoir la conscience subjective de l'éternité ? Si l'activité frénétique, le travail ininterrompu et la trépidation ont bien détruit quelque chose, ce ne peut être que le sens de l'éternité, dont le travail est la négation. Plus la poursuite des biens temporels, plus le labeur quotidien augmentent, plus l'éternité devient un bien éloigné, inaccessible. De là dérivent les perspectives si bornées des esprits trop entreprenants, la platitude de leur pensée et de leurs actes. Et bien que je n'oppose au travail ni la contemplation passive ni la rêverie floue, mais une transfiguration hélas irréalisable, je préfère néanmoins une paresse compréhensive à une activité frénétique et intolérante. Pour éveiller le monde, il faut exalter la paresse. C'est que le paresseux a infiniment plus de sens métaphysique que l'agité.

Je me sens attiré par les lointains, par le grand vide que je projette sur le monde. Une sensation de creux monte en moi, traversant membres et organes comme un fluide impalpable et léger. Sans savoir pourquoi, je ressens, dans la progression incessante de ce vide, dans cette vacuité qui se dilate à l'infini, la présence mystérieuse des sentiments les plus contradictoires qui puissent jamais affecter une âme. Je suis heureux et malheureux à la fois, je subis simultanément l'exaltation et la dépression, je suis submergé par le désespoir et la volupté au sein de l'harmonie la plus déconcertante. Je suis si gai et si triste que mes larmes ont à la fois les reflets du ciel et ceux de l'enfer. Pour la joie de ma tristesse, j'aimerais que cette terre ne connaisse plus la mort.

LE SENS DE L'ULTIME

———————————————— Je ne sais parler que de joies et de tristesses dernières. Je n'aime que ce qui se révèle sans réserve, sans compromis ni réticence. Or, trouve-t-on cela ailleurs que dans les tensions et les convulsions suprêmes, la folie de la fin, l'ivresse et l'excitation des derniers moments? Tout n'est-il pas ultime? Qu'est donc l'anxiété du néant sinon la joie perverse des dernières tristesses, l'amour exalté de l'éternité du vide et du provisoire de l'existence? Celle-ci serait-elle pour nous un exil, et le néant une patrie?
Il me faut me combattre moi-même, me déchaîner contre mon destin, faire sauter tous les obstacles à ma transfiguration. Seul doit subsister mon désir extrême de ténèbres et de lumière. Que chacun de mes pas soit un triomphe ou un effondrement, une envolée ou un échec. Que la vie grandisse et meure en moi en une alternance foudroyante. Que rien du calcul mesquin ni de la vision rationnelle des existences ordinaires ne vienne compromettre les voluptés et les supplices de mon chaos, les tragiques délices de mes joies et désespoirs ultimes.
Survivre aux tensions organiques et aux états d'âme des confins, voilà un signe d'imbécillité, non point d'endurance. À quoi bon un retour à la platitude de l'existence? Ce n'est pas seulement après l'expérience du néant que la survie m'apparaît comme un non-

sens, mais aussi bien après le paroxysme de la volupté. Je ne comprendrai jamais pourquoi nul ne se suicide en plein orgasme, pourquoi la survie ne semble pas plate et vulgaire. Ce frisson tellement intense, mais si bref, devrait consumer notre être en une fraction de seconde. Or, puisque lui ne nous tue pas, pourquoi ne pas nous tuer nous-mêmes? Il est tant de façons de mourir... Nul n'a, pourtant, assez de courage ou d'originalité pour choisir une telle fin qui, sans être moins radicale que les autres, aurait l'avantage de nous précipiter dans le néant en pleine jouissance. Pourquoi passer à côté de telles voies? Il suffirait d'une étincelle d'effroyable lucidité au sommet de l'inévitable évanouissement pour que la mort, à ces moments-là, n'apparaisse plus comme une illusion.

Si les hommes en viennent un jour à ne plus supporter la monotonie, la vulgarité de l'existence, alors toute expérience extrême deviendra un motif de suicide. L'impossibilité de survivre à une exaltation exceptionnelle anéantira l'existence. Personne ne s'étonnera plus alors qu'on puisse s'interroger sur l'opportunité de continuer ou non à vivre après avoir écouté certaines symphonies ou contemplé un paysage unique.

La tragédie de l'homme, animal exilé dans l'existence, tient à ce qu'il ne peut se satisfaire des données et des valeurs de la vie. Pour l'animal, la vie est tout; pour l'homme, elle est un point d'interrogation. Point d'interrogation définitif, car l'homme n'a jamais reçu ni ne recevra jamais de réponse à ses questions. Non seulement la vie n'a aucun sens, mais elle *ne peut pas* en avoir un.

LE PRINCIPE SATANIQUE DE LA SOUFFRANCE

S'il y a des heureux sur cette terre, que ne hurlent-ils pas, que ne descendent-ils dans la rue pour proclamer leur joie? Pourquoi tant de discrétion, tant de réserve? Si je ressentais en moi une joie permanente, une irrésistible propension à la sérénité, j'en ferais part à tous les hommes, je donnerais libre cours à mon euphorie.

Si le bonheur existe, on doit le communiquer. Mais peut-être les individus réellement heureux n'ont-ils pas conscience de leur bonheur. S'il en est ainsi, nous pourrions leur offrir une part de notre conscience, en échange d'une part de leur inconscience. Pourquoi la douleur n'a-t-elle que larmes et cris, et le plaisir que frissons ? Si l'homme prenait autant conscience du plaisir que de la douleur, il n'aurait pas à racheter ses joies. La répartition des douleurs et des plaisirs ne serait-elle pas incomparablement plus équitable ?

Si les douleurs ne s'oublient pas, c'est qu'elles envahissent démesurément la conscience. Ainsi, ceux qui ont beaucoup à oublier ne sont autres que ceux qui ont beaucoup souffert. Seuls les gens normaux n'ont rien à oublier.

Tandis que les douleurs ont un poids et une individualité, les plaisirs s'effacent et fondent comme des formes aux contours mal définis. Il nous est, en effet, extrêmement difficile d'évoquer un plaisir et ses circonstances, alors que le souvenir de ces dernières vient renforcer celui de la douleur. Les plaisirs ne s'oublient certes pas intégralement — d'une vie de plaisirs, on ne gardera, dans ses vieux jours, qu'un léger désabusement, tandis que celui qui a beaucoup souffert parviendra, au mieux, à une résignation amère.

C'est un préjugé honteux que d'affirmer que les plaisirs sont égoïstes et coupent l'homme de la vie, tout comme de prétendre que les douleurs nous rattachent au monde. La frivolité de ces préjugés révolte, et leur origine livresque révèle la nullité de toutes les bibliothèques au regard d'une expérience vécue jusqu'au bout.

La conception chrétienne qui fait de la souffrance un chemin vers l'amour, sinon sa principale porte d'accès, est fondamentalement erronée. Mais est-ce là le seul domaine où le christianisme se trompe ? À faire de la souffrance le chemin de l'amour, on ignore tout de son essence satanique. Les marches de la souffrance ne montent pas — elles descendent; elles ne conduisent pas au ciel, mais en enfer.

La souffrance sépare, dissocie; force centrifuge, elle vous détache du noyau de la vie, du centre d'attraction du monde, où toutes choses tendent à l'unité. Le principe divin se caractérise par un effort de synthèse et de participation à l'essence du tout. À l'opposé, un principe satanique habite la souffrance — principe de dislocation et de tragique dualité.

Les diverses formes de la joie vous font participer naïvement au rythme de la vie; vous y entrez, inconsciemment, en contact avec le dynamisme de l'existence, chacune de vos fibres reliée aux pulsations irrationnelles du Tout. Cela vaut non seulement pour la joie spirituelle, mais pour toutes les formes de plaisir.

La séparation d'avec le monde que produit la souffrance mène à une intériorisation excessive et, paradoxalement, relève le degré de conscience, si bien que le monde entier, avec ses splendeurs et ses ténèbres, devient extérieur et transcendant. À ce point de séparation, lorsque, irrémédiablement seul, on a le monde en face de soi, comment pourrait-on oublier quoi que ce soit ? On ressent alors le besoin d'oublier seulement les expériences qui ont fait souffrir. Or, par un paradoxe des plus impitoyables, les souvenirs de ceux qui voudraient se rappeler s'effacent, tandis que se fixent les réminiscences de ceux qui aimeraient tout oublier.

Les hommes se divisent en deux catégories : ceux à qui le monde offre des occasions d'intériorisation et ceux pour qui il demeure extérieur et objectif. Pour l'intériorisation, l'existence objective n'est qu'un *prétexte*. Ainsi seulement elle peut prendre une signification, car une téléologie objective ne se fonde et ne se justifie qu'au moyen de certaines illusions, lesquelles ont pour défaut qu'un regard pénétrant les démasque aisément. Tous les hommes voient des feux, des tempêtes, des éboulements ou des paysages ; mais combien y voient des flammes, des éclairs, des vertiges ou des harmonies ? Combien pensent à la grâce et à la mort en regardant un incendie ? Combien portent en eux une beauté lointaine qui teinte leur mélancolie ? Pour les indifférents, à qui la nature n'offre qu'une image fade et glaciale, la vie est, même si elle les comble, une somme d'occasions perdues.

Si profonds qu'aient été mes tourments, si grande qu'ait été ma solitude, la distance qui m'a séparé du monde n'a fait que me le rendre plus accessible. Bien que je ne puisse lui trouver ni sens objectif, ni finalité transcendante, la multiplicité des formes de l'existence n'en a pas moins constitué pour moi une occasion permanente de tristesse et d'enchantement. J'ai connu des moments où la beauté d'une fleur a justifié à mes yeux l'idée d'une finalité universelle, comme le moindre nuage a su flatter ma vision sombre des choses. Les forcenés de l'intériorisation sont capables de puiser, dans l'aspect le plus insignifiant de la nature, une révélation symbolique.

Est-il possible que je traîne après moi tout ce que j'ai jamais vu ? Je suis effrayé à la pensée que tant de paysages, de livres, d'horreurs et de visions sublimes aient pu se concentrer en un pauvre cerveau. J'ai l'impression qu'ils se sont transposés en moi comme des *réalités* et qu'ils pèsent sur moi. Voilà peut-être pourquoi je me sens parfois accablé jusqu'à vouloir tout oublier. L'intériorisation mène à l'effondrement, car le monde pénètre en vous et vous broie avec une force irrésistible. Quoi d'étonnant, dès lors, si certains recourent à n'importe quoi — de la vulgarité à l'art — à seule fin d'oublier?

*J*e n'ai pas d'idées — mais des obsessions. Des idées, n'importe qui peut en avoir. Jamais les idées n'ont provoqué l'effondrement de qui que ce soit.

L'ANIMAL INDIRECT

——————————————— *T*ous les hommes ont le même défaut : ils attendent de vivre, car ils n'ont pas le courage de chaque seconde. Pourquoi ne pas déployer à chaque instant assez de passion et d'ardeur pour en faire une éternité? Tous, nous n'apprenons à vivre qu'au moment où nous n'avons plus rien à attendre; tant que nous attendons, nous ne pouvons rien apprendre, car nous n'habitons pas un présent concret et vivant, mais un avenir lointain et insipide. Nous ne devrions rien attendre, sauf les suggestions immédiates de l'instant, rien attendre *sans la conscience du temps*. Hors l'immédiat, point de salut. Car l'homme est une créature qui a perdu l'immédiat. Aussi est-il un animal indirect.

L'IMPOSSIBLE VÉRITÉ

——————————————— *Q*uand notre bonheur peut-il commencer? Lorsque nous aurons acquis la certitude que la vérité ne peut exister. Toutes les modalités de salut sont possibles à partir de là, même le salut par le Rien. À celui qui ne croit pas à l'impossibilité de la vérité, ou qui ne s'en réjouit, il ne reste qu'une voie de salut, qu'il ne trouvera, d'ailleurs, jamais.

SUBJECTIVISME

——————————————— *L*'excès de subjectivisme ne peut mener ceux qui n'ont pas la foi qu'à la mégalomanie ou à l'auto-dénigrement. Lorsqu'on se penche trop sur soi, on en vient forcément à s'aimer ou à se haïr démesurément. Dans l'un ou l'autre cas, on s'épuise avant son temps. Le subjectivisme vous rend Dieu ou Satan.

HOMO...

—————————————————— *L*'homme devrait cesser d'être — ou de devenir — un animal doué de raison. Il ferait mieux de devenir un être insensé qui risquerait tout à chaque instant — un être capable d'exaltations et de fantasmes dangereux, qui pourrait mourir de tout ce qu'offre la vie comme de tout ce qu'elle n'offre pas. Chaque homme devrait avoir pour idéal de cesser d'être homme. Et cela ne peut se faire que par le triomphe de l'*arbitraire absolu.*

L'AMOUR EN BREF

—————————————————— *L*'amour de l'humanité né de la souffrance ressemble à la sagesse issue du malheur. Dans les deux cas, les racines sont pourries et la source contaminée. Seul un amour spontané des hommes procédant d'une abnégation sincère et d'un élan irrésistible peut féconder l'âme des autres. L'amour issu de la souffrance recèle trop de larmes et de soupirs pour que ses rayons ne soient pas baignés de clarté amère. Il contient trop de renoncement, trop de tourment et d'inquiétude pour signifier autre chose qu'une immense reculade. Il pardonne tout, admet tout, justifie tout ; est-ce encore de l'amour ? Comment aimerait-on lorsqu'on s'est détaché de tout ? Cette sorte d'amour révèle le vide d'une âme prise entre le rien et le tout, de même que, pour un cœur brisé, le donjuanisme demeure le seul recours. Quant au christianisme, il ignore l'amour : il ne connaît que l'indulgence, qui est plus une allusion à l'amour que l'amour même.

QU'IMPORTE !

—————————————————— *T*out est possible, et rien ne l'est ; tout est permis, et rien. Quelle que soit la direction choisie, elle ne vaudra pas mieux que les autres. Réalisez quelque chose ou rien du tout, croyez ou non, c'est tout un, comme il revient au même de crier ou de se taire. On peut trouver une justification à tout, comme aussi bien aucune. Tout est à la fois réel et irréel, logique et absurde, glorieux et plat. Rien ne vaut mieux que rien, de même qu'aucune idée n'est meilleure qu'une autre. Pourquoi s'attrister de sa tristesse et se réjouir de sa joie ? Qu'importe que nos larmes soient de plaisir ou de douleur ? Aimez votre malheur et détestez votre bonheur, mélangez tout, confondez tout ! Soyez comme un flocon ballotté par le vent, ou comme une fleur portée par les vagues. Résistez quand il ne faut pas et soyez lâche quand il faut résister. Qui sait — vous y gagnerez peut-être. Et, de toute façon, qu'importe si vous y perdez ? Y a-t-il quelque chose à gagner ou à perdre en ce monde ? Tout gain est une perte, comme toute perte un gain. Pourquoi attendre toujours une attitude nette, des idées précises et des paroles sensées ? Je sens que je devrais cracher du feu en guise de réponse à toutes les questions qui m'ont — ou qui ne m'ont — jamais été posées.

LES SOURCES DU MAL

——————————————— Comment combattre le malheur ? En nous combattant nous-mêmes : en comprenant que la source du malheur se trouve en nous. Si nous pouvions nous rendre compte à chaque instant que tout est fonction d'une image reflétée dans notre conscience, d'amplifications subjectives et de l'acuité de notre sensibilité, nous parviendrions à cet état de lucidité où la réalité reprend ses vraies proportions. L'on ne prétend pas ici au bonheur, mais à un degré moindre de malheur.
C'est un signe d'endurance que de demeurer dans le désespoir, comme c'en est un de déficience que de glisser vers l'imbécillité après un malheur prolongé. Il faut, pour diminuer l'intensité du malheur, une véritable éducation et un effort intérieur soutenu. Cependant, ils sont voués à l'échec si l'on cherche à atteindre le bonheur. Quoi qu'on fasse, on ne peut devenir heureux si l'on a pris la voie du malheur. On peut passer du bonheur au malheur, mais c'est un chemin de non-retour. Cela revient à dire que le bonheur peut réserver des surprises plus douloureuses que celles du malheur. Il nous fait trouver parfait le monde tel qu'il se présente ; le malheur, lui, nous fait désirer qu'il soit avant tout différent de ce qu'il est. Et, bien que nous ayons conscience que le malheur trouve en nous son origine, nous transformons fatalement un défaut subjectif en déficience métaphysique.
Jamais le malheur ne sera suffisamment généreux pour reconnaître ses propres ténèbres et les improbables lumières du monde. En prenant notre misère subjective pour un mal objectif,

nous croyons pouvoir alléger notre fardeau et nous dispenser des reproches que nous devrions nous adresser. En réalité, cette objectivation accentue notre malheur et, en le présentant comme une fatalité cosmique, nous interdit tout pouvoir de le diminuer ou de le rendre plus supportable.

La discipline du malheur réduit les inquiétudes et les surprises douloureuses, atténue le supplice et contrôle la souffrance. Il y a là un déguisement du drame intérieur, une discrétion de l'agonie.

PRESTIDIGITATIONS DE LA BEAUTÉ

La sensibilité à la beauté est d'autant plus vive qu'on approche du bonheur. Toute chose trouve dans le beau sa propre raison d'être, son équilibre interne et sa justification. Un bel objet ne se conçoit que tel quel. Un tableau ou un paysage nous enchanteront au point que nous ne pourrons pas, en les contemplant, nous les représenter autrement que dans l'état où ils nous apparaissent. Placer le monde sous le signe de la beauté revient à affirmer qu'il est tel qu'il devrait être. Dans une telle vision, tout n'est que splendeur et harmonie, et les aspects négatifs de l'existence ne font qu'en accentuer le charme et l'éclat. La beauté ne sauvera pas le monde, mais elle peut nous rapprocher du bonheur. Dans un monde d'antinomies, peut-elle être épargnée ? Le beau — et c'est là son attrait et sa nature particulière — ne constitue un *paradoxe* que d'un point de vue objectif. Le phénomène esthétique exprime ce prodige : représenter *l'absolu par la forme*, objectiver l'infini sous des figures finies. L'absolu-dans-la-forme — incarné dans une expression finie — ne peut apparaître qu'à celui qu'envahit l'émotion esthétique ; mais dans toute autre perspective que celle du beau, il devient une *contradictio in adjecto*. Tout idéal de beauté comporte ainsi une quantité d'illusion impossible à évaluer. Plus grave encore : le postulat fondamental de cet idéal, suivant lequel ce monde est tel qu'il devrait être, ne résiste pas à la plus élémentaire des analyses. Le monde aurait dû être n'importe quoi, sauf ce qu'il est.

INCONSISTANCE DE L'HOMME

*P*ourquoi les hommes tiennent-ils absolument à réaliser quelque chose ? Ne seraient-ils pas incomparablement mieux, immobiles sous le ciel, dans un calme serein? Qu'y a-t-il donc à accomplir? Pourquoi tant d'efforts et d'ambition? L'homme a perdu le sens du silence. Bien que la *conscience* soit le fruit d'une déficience vitale, elle n'opère pas en chaque individu comme facteur d'inadaptation; chez certains, elle engendre au contraire une exacerbation des penchants vitaux. Ne pouvant plus vivre dans le présent, l'homme accumule un excédent qui lui pèse et l'asservit; le sentiment de l'avenir a été pour lui une calamité. Le processus suivant lequel la conscience a divisé les hommes en deux grandes catégories est des plus étranges. Il explique pourquoi l'homme est un être si peu consistant, incapable de trouver son centre d'énergie et d'équilibre. Ceux que leur conscience a portés vers l'intériorisation, le supplice et la tragédie, aussi bien que ceux qu'elle a lancés dans l'impérialisme illimité du désir d'acquérir et de posséder sont, chacun à sa manière, malheureux et déséquilibrés. *La conscience a fait de l'animal un homme et de l'homme un démon, mais elle n'a encore transformé personne en Dieu*, même si le monde se vante d'en avoir expédié un sur une croix.

Fuyez les individus imperméables au vice, car leur présence insipide ne peut qu'ennuyer. De quoi vous entretiendront-ils, sinon de morale? Or qui n'a pas dépassé la morale n'a su approfondir aucune expérience, ni transfigurer ses effondrements. L'existence véritable commence là où s'arrête la morale, car à partir de là seulement elle peut tout tenter, et tout risquer, même si des obstacles s'opposent aux accomplissements réels. Il faut d'infinies transfigurations pour atteindre la région où tout est permis, où l'âme peut se jeter sans remords dans la vulgarité, le sublime ou le grotesque, jusqu'à une complexité telle qu'aucune direction ni aucune forme de vie n'échappent à sa portée. La tyrannie qui règne sur les existences ordinaires laisse place à la spontanéité absolue d'une existence unique qui porte en soi sa propre loi. Comment la morale vaudrait-elle encore pour un être ainsi fait — le plus généreux qui soit, car absurde au point de renoncer au monde, offrant par là tout ce qu'il possède en soi? La générosité est incompatible avec la morale, cette rationalité des habitudes de la conscience, cette mécanisation de la vie. Tout acte généreux est insensé, témoignant d'un renoncement impensable chez l'individu ordinaire, qui se drape dans la morale pour cacher sa vulgaire nullité. Tout ce qui est réellement moral commence après que la morale a été évacuée. La mesquinerie de ses normes rationnelles ne se montre nulle part avec plus d'évidence que dans la condamnation du vice — cette expression du tragique charnel issu de la présence de l'esprit dans la chair. Car le vice implique toujours une envolée de la chair hors de sa fatalité, une tentative de rompre les barrières qui emprisonnent les élans passionnels. Un ennui organique porte alors les nerfs et la chair à un désespoir dont ils ne peuvent réchapper qu'en essayant toutes les formes possibles de la volupté. Dans le vice, l'attrait des formes autres que normales produit une inquiétude troublante : l'esprit semble alors se transformer en sang, pour se mouvoir telle une force immanente à la chair. L'exploration du possible ne peut se faire, en effet, sans le concours de l'esprit ni l'intervention de la conscience. Le vice est une forme de triomphe de l'individuel ; or comment la chair pourrait-elle représenter l'individuel sans un appui extérieur ? Ce mélange de chair et d'esprit, de conscience et de sang, crée une effervescence extrêmement féconde pour l'individu prisonnier des charmes du vice. Rien ne répugne plus que le vice appris, emprunté et affecté ; aussi l'éloge du vice est-il complètement injustifié : tout au plus peut-on en constater la fécondité pour ceux qui savent le transfigurer, faire dévier cette déviation. À le vivre de façon brute et vulgaire, on n'exploite que sa scandaleuse matérialité, on néglige le frisson immatériel qui fait son excellence. Pour atteindre certaines hauteurs, la vie intime ne peut se dispenser des inquiétudes du vice. Et nul vicieux n'est à condamner lorsque, au lieu de considérer le vice comme un prétexte, il le transforme en finalité.

CAPITULATION

———————————————— *L*e processus par lequel on devient désabusé ? Un grand nombre de dépressions chez un individu doué d'un élan suffisent pour être vivant à chaque instant. Une fatalité organique provoque des dépressions permanentes sans déterminants extérieurs, mais qui émergent d'un profond trouble interne : celles-ci étouffent l'élan, attaquent les racines de la vie. Il est totalement erroné de prétendre qu'on devient désabusé en raison de quelque déficience organique ou d'instincts appauvris. En réalité, nul ne perd ses illusions s'il n'a désiré la vie avec ardeur, ne fût-ce qu'inconsciemment. Le processus de dévitalisation ne survient que plus tard, à la suite des dépressions. C'est seulement chez un individu plein d'élan, d'aspirations et de passions, que les dépressions atteignent cette capacité d'érosion, qui entame la vie comme les vagues la terre ferme. Chez le simple déficient, elles ne produisent aucune tension, aucun paroxysme ni excès ; elles débouchent sur un état d'apathie, d'extinction lente. Le pessimiste présente un paradoxe organique, dont les contradictions insurmontables engendrent une profonde effervescence. N'y a-t-il pas en effet un paradoxe dans ce mélange de dépressions répétées et d'élan persistant ? Que les dépressions finissent par consumer l'élan et compromettre la vitalité, cela va de soi. On ne saurait les combattre définitivement : on peut tout au plus les négliger temporairement pour une occupation soutenue, ou des distractions. Seule une vitalité inquiète est susceptible de favoriser le paradoxe organique de la négation. On ne devient pessimiste — un pessimiste démoniaque, élémentaire, bestial et organique — qu'une fois que la vie a perdu sa bataille désespérée contre les dépressions. La destinée apparaît alors à la conscience comme une version de l'irréparable.

FACE AU SILENCE

—————————————— *E*n arriver à ne plus apprécier que le silence, c'est réaliser l'expression essentielle du fait de vivre en marge de la vie. Chez les grands solitaires et les fondateurs de religions, l'éloge du silence a des racines bien plus profondes qu'on ne l'imagine. Il faut pour cela que la présence des hommes vous ait exaspéré, que la complexité des problèmes vous ait dégoûté au point que vous ne vous intéressiez plus qu'au silence et à ses cris.
La lassitude porte à un amour illimité du silence, car elle prive les mots de leur signification pour en faire des sonorités vides ; les concepts se diluent, la puissance des expressions s'atténue, toute parole dite ou entendue repousse, stérile. Tout ce qui part vers l'extérieur, ou qui en vient, reste un murmure monocorde et lointain, incapable d'éveiller l'intérêt ou la curiosité. Il vous semble alors inutile de donner votre avis, de prendre position ou d'impressionner quiconque ; les bruits auxquels vous avez renoncé s'ajoutent au tourment de votre âme. Au moment de la solution suprême, après avoir déployé une énergie folle à résoudre tous les problèmes, et affronté le vertige des cimes, vous trouvez dans le silence la seule réalité, l'unique forme d'expression.

L'ART DU DÉDOUBLEMENT

L'art d'être psychologue ne s'apprend pas — il se vit et s'éprouve, car on ne trouvera aucune théorie qui fournisse la clé des mystères psychiques. Nul n'est fin psychologue s'il n'est lui-même un objet d'étude, si sa substance psychique n'offre constamment un spectacle inédit et complexe propre à susciter la curiosité. On ne peut pénétrer le mystère d'autrui si l'on en est soi-même dépourvu. Pour être psychologue, il faut connaître suffisamment le malheur pour comprendre le bonheur, et avoir assez de raffinement pour pouvoir devenir barbare ; il y faut un désespoir assez profond pour ne plus distinguer si l'on vit au désert ou dans les flammes. Protéiforme, centripète autant que centrifuge, votre extase devra être esthétique, sexuelle, religieuse et perverse.

Le sens psychologique est l'expression d'une vie qui se contemple elle-même à chaque instant et qui, dans les autres vies, voit autant de miroirs ; en tant que psychologue, on considère les autres hommes comme des fragments de son être propre. Le mépris que tout psychologue ressent pour autrui enveloppe une auto-ironie aussi secrète qu'illimitée. Personne ne fait de psychologie par amour : mais plutôt par une envie sadique d'exhiber la nullité de l'autre, en prenant connaissance de son fond intime, en le dépouillant de son auréole de mystère. Ce processus épuisant rapidement les contenus limités des individus, le psychologue aura vite fait de se lasser des hommes : il manque trop de naïveté pour avoir des amis, et d'inconscience pour prendre des maîtresses. Aucun psychologue ne commence par le scepticisme, mais tous y aboutissent. Cette fin constitue le châtiment de la nature pour le profanateur de mystères, pour le suprême indiscret qui, ayant fondé trop peu d'illusions sur la connaissance, aura connu la désillusion.

La connaissance à petite dose enchante ; à forte dose, elle déçoit. Plus on en sait, moins on veut en savoir. Car celui qui n'a pas souffert de la connaissance n'aura rien connu.

LE NON-SENS DU DEVENIR

*D*ans la tranquillité de la contemplation, lorsque pèse sur vous le poids de l'éternité, lorsque vous entendez le tic-tac d'une horloge ou le battement des secondes, comment ne pas ressentir l'inanité de la progression dans le temps et le non-sens du devenir? À quoi bon aller plus loin, à quoi bon continuer? La révélation subite du temps, lui conférant une écrasante prééminence qu'il n'a pas d'ordinaire, est le fruit d'un dégoût de la vie et de l'incapacité à poursuivre la même comédie. Lorsque cette révélation se produit la nuit, l'absurdité des heures qui passent se double d'une sensation de solitude anéantissante, car — à l'écart du monde et des hommes — vous vous retrouvez seul face au temps, dans un irréductible rapport de dualité. Au sein de l'abandon nocturne, le temps n'est plus en effet meublé d'actes ni d'objets : il évoque un néant croissant, un vide en pleine dilatation, semblable à une menace de l'au-delà. Dans le silence de la contemplation résonne alors un son lugubre et insistant, comme un gong dans un univers défunt. Ce drame, seul le vit celui qui a dissocié existence et temps : fuyant la première, le voici écrasé par le second. Et il ressent l'avance du temps comme l'avance de la mort.

CIORAN.
VERS 1930.

LÉGATION ROYALE
DE ROUMANIE

VU POUR *traduction togalesee*
PARIS, LE *22 Septembre* 19 47

N° *2188*   Le Ministre

LE PÈRE, EMILIAN.   LA MÈRE, ELVIRA.

CIORAN, VERS QUATRE OU CINQ ANS,
AVEC SA SŒUR VIRGINIA ET SON FRÈRE AUREL.

Extras din registrul s

Nr. curent	Data înregistrării (anul, luna ziua)	Data nașterii (anul, luna, ziua)	Numele de botez al copilului sexul, religiunea	Numele și pronume ocupațiunea (condițiuni
				pări
59	*1911 Aprilie 15*	*1911 aprilie 8 - - - - - aprilie opt*	*Emil, fecior, artodor.*	*Ciora Emil preot ortoa romănu Comanici Elvira Rășinari 833*

Inregistrări ulterioare. Rectificări	Adeveresc, că
	din *anul*
	Dat

Tip. „Dacia Traiană" s. a. Sibiu 484 – 25 IU, 1942

EXTRAIT DE NAISSANCE DE CIORAN.
EMIL EST SON PRÉNOM, E. M. SERA PLUS TARD
UN JEU DE MASQUE INSPIRÉ PAR FORSTER.

ii civile pentru naşteri

Religiunea or	Etatea	Locul naşterii Dacă naşterea nu s'a întâmplat la domiciliul mamei	Eventuale observări făcute înainte de subscriere — Subscrierea
art.	27		
art.	22		*Semnăturile*

prezent consună ~~din cuvânt in cuvânt~~ ~~după~~ cu registrul ofiţerului stării civile pentru naşteri

al Comunei *Răşinari Jud. Sibiu*,

23 Oct. 1942

Ofiţerul stării civile.

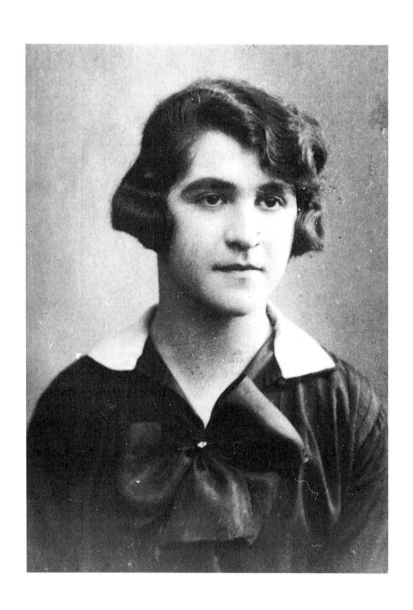

VIRGINIA, LA SŒUR AÎNÉE.

AUREL, LE FRÈRE CADET.
EN 1960, à 46 ANS.

LE LIVRE

DES LEURRES

Traduction de
GRAZYNA KLEWEK
et THOMAS BAZIN

Titre original :
Cartea Amăgirilor.
Écrit en 1936 ; publié à Bucarest en 1936.

-- **I**

EXTASE MUSICALE

-- *J*e sens que je perds de la matière, que mes résistances physiques tombent et que je me dissous dans l'harmonie et la montée de mélodies intérieures. Une sensation diffuse, un sentiment ineffable me réduisent à une somme indéterminée de vibrations, de résonances intimes et de sonorités envoûtantes.

Tout ce que j'ai cru singulier en moi, isolé dans la solitude matérielle, fixé dans une consistance physique et déterminé par une structure rigide, semble s'être résolu dans un rythme d'une fascination séduisante et d'une fluidité insaisissable. Comment pourrais-je décrire avec des mots la façon dont les mélodies se déploient, et celle qu'a mon corps de vibrer, intégré à la vibration universelle, évoluant dans des sinuosités fascinantes dont l'irréalité aérienne me transporte? Dans les moments de musicalisation intérieure, je perdais le goût des matérialités pesantes, je perdais ma substance minérale, cette pétrification qui me reliait à une fatalité cosmique, et je m'élançais dans l'espace, bercé de mirages, oublieux de leur illusion, et de rêves, indifférent à leur irréalité. Nul ne comprendra le sortilège irrésistible des mélodies intérieures, nul ne ressentira l'exaltation et la béatitude s'il ne se réjouit de cette irréalité et n'aime le rêve plus que l'évidence. L'état musical n'est pas une illusion parce que aucune illusion ne peut donner ni certitude d'une telle ampleur, ni sensation organique d'absolu, de vécu incomparable, significative par elle-même et expressive dans son essence. Dans ces instants, quand nous résonnons dans l'espace et que l'espace résonne en nous, dans ces moments de torrent sonore, de possession intégrale du monde, je ne peux que me demander pourquoi je ne suis pas l'univers. Personne n'a éprouvé avec une folle et incomparable intensité le sentiment musical de l'existence, s'il n'a été pris du désir de cette exclusivité absolue, s'il n'a fait preuve d'un impérialisme métaphysique irrémédiable, en désirant abolir les frontières qui séparent le monde du moi. L'état musical associe dans l'individu l'égoïsme absolu à la plus haute générosité. On veut être seulement soi, non par orgueil mesquin mais par volonté suprême d'unité, par un désir de rompre les barrières de l'individualité; pour faire disparaître non l'individu mais les conditions astreignantes imposées par l'existence de ce monde. Qui n'a pas ressenti la disparition du monde, comme réalité limitative, objective et distincte, qui n'a pas eu la sensation d'absorber le monde dans ses élans musicaux, ses trépidations et ses vibrations, celui-là ne comprendra jamais la signification de cette expérience où tout se réduit à une universalité sonore, continue, ascensionnelle, tendant vers les hauteurs dans un agréable chaos. Et qu'est-ce que l'état musical sinon un doux chaos dont les vertiges sont des béatitudes et les ondulations des ravissements?

Je veux vivre seulement pour ces instants, où je sens l'existence tout entière comme une mélodie, où toutes les plaies de mon être, tous mes saignements intérieurs, toutes mes larmes retenues et tous les pressentiments de bonheur que j'ai eus sous les cieux d'été à l'éternel azur, se sont rassemblés pour se fondre en une convergence de sons, en un élan mélodieux et une communion universelle, chaude et sonore.

Je suis ravi et défaille de joie devant le mystère musical qui repose en moi, qui projette ses reflets en ondes mélodieuses, qui me désagrège et réduit ma substance à un rythme pur. J'ai perdu la substantialité, cet irréductible qui me donnait une proéminence et un contour, qui me faisait frémir devant le monde et me sentir abandonné dans une solitude mortelle; et je suis parvenu à une immatérialité douce et rythmée, où chercher encore le moi n'a plus aucun sens, parce que ma *mélodisation*, ma métamorphose en mélodie, en un rythme pur, m'a tiré des relativités ordinaires de la vie.

Mon vouloir suprême, cette volonté persistante, intime, qui me consume et m'épuise, serait de ne jamais revenir des états musicaux, de vivre exalté, ensorcelé et éperdu dans une ivresse de mélodies, dans une ébriété de sonorités divines, d'être moi-même une musique des sphères, une explosion de vibrations, un chant cosmique, l'essor en spirale de résonances. Les chants de la tristesse cessent d'être douloureux dans cette ivresse et les larmes deviennent ardentes comme lors d'une suprême révélation mystique. Comment puis-je oublier les larmes contenues de ces béatitudes ? Il faudrait mourir pour ne plus jamais avoir à revenir aux autres états. Dans mon océan intérieur, coulent autant de larmes que de vibrations qui ont immatérialisé mon être. Si je mourais à cet instant, je serais le plus heureux des hommes. J'ai trop souffert pour que certains bonheurs ne me soient pas insupportables. Et mon bonheur est si fragile, cerné de flammes, traversé de tourbillons, de quiétudes, de transparences et de désespoirs unis dans des élans mélodiques qu'il me transporte dans une béatitude d'une intensité bestiale et d'une originalité démoniaque. On ne saurait vivre jusqu'au tréfonds le sentiment musical de l'existence si l'on ne peut supporter ce tremblement inexprimable, étrangement profond, nerveux, tendu et paroxystique. Trembler jusqu'au point où tout devient extase. Cet état n'est pas musical s'il n'est extatique. L'extase musicale est un retour à l'identité, à l'originel, aux premières racines de l'existence. Il n'y a plus en elle que le rythme pur de l'existence, le courant immanent et organique de la vie. J'*entends* la vie. De là, naissent toutes les révélations.

Ce n'est que dans la musique et dans l'amour qu'on éprouve une joie à mourir, ce spasme de volupté à sentir qu'on meurt de ne plus pouvoir supporter nos vibrations intérieures. Et l'on se réjouit à l'idée d'une mort subite qui nous dispenserait de survivre à ces instants. La joie de mourir, sans rapport avec l'idée et la conscience obsédante de la mort, naît dans les grandes expériences de l'unicité, où l'on sent très bien que cet état ne reviendra plus. Il n'y a de sensations uniques que dans la musique et dans l'amour ; de tout son être, on se rend compte qu'elles ne pourront plus revenir et l'on déplore de tout son cœur la vie quotidienne à laquelle on retournera. Quelle volupté admirable, à l'idée de pouvoir mourir dans de tels instants, et que, par là, *on n'a pas perdu l'instant.* Car revenir à notre existence habituelle après cela est une perte infiniment plus grande que l'extinction définitive. Le regret de ne pas mourir aux sommets de l'état musical et érotique nous apprend combien nous avons à perdre *en vivant.* Au moment où nous concevons la réversibilité de l'état musical et érotique, quand nous nous pénétrons organiquement de l'idée d'une possibilité de renaissance, quand l'unicité nous apparaît une simple illusion, nous ne pouvons plus parler de la joie de mourir et nous revenons au sentiment de la mort immanente à la vie, qui ne fait d'elle qu'un chemin vers la mort. Il faudrait cultiver les états uniques, ces états inconcevables comme réversibles, pour sombrer dans des voluptés mortelles.

La musique et l'amour ne peuvent vaincre la mort, car il est dans leur essence de s'en rapprocher au fur et à mesure qu'ils gagnent en intensité. Ils ne peuvent constituer des armes contre la mort que dans leurs phases premières. Seuls une musique calme et un amour paisible peuvent la combattre. Il n'y a pas de parenté entre l'amour et la mort pas plus qu'il n'y en a entre la musique et la mort, car leur relation s'établit par un *saut*; un saut qui peut n'être qu'une *impression*, mais qui, intérieurement, n'en est pas moins significatif. Le saut érotique et le saut musical dans la mort! Le premier nous élance par son insupportable plénitude, le second brise les résistances de l'individualité par une vibration totale. Qu'il se soit trouvé des hommes pour se suicider par incapacité de supporter encore les folies de l'amour, réhabilite le genre humain; de même, les folies que l'homme éprouve dans l'expérience musicale. Il est criminel de ne pas comprendre et de ne pas ressentir la musique. Ça l'est aussi de ne pas sentir qu'on pourrait commettre un crime en de tels instants.

Les états n'ont de valeur et n'expriment une profondeur exceptionnelle que s'ils amènent au regret de ne pas mourir. Celui qui, à chaque seconde, sentirait qu'il meurt à cause d'eux atteindrait le sentiment de la vie le plus profond. Bien que la mort commence pour nous tous avec la vie, peu d'entre nous ont l'impression de mourir à chaque instant.

Réaliser sans cesse le saut musical et érotique dans la mort! Ou le faire dériver de sa solitude, qu'il soit la solitude de l'être, la solitude ultime. Comment peut-il encore y avoir d'*autres* solitudes après elle, comment peut-il encore y avoir d'autres tristesses? Que seraient mes joies sans mes tristesses, et que seraient mes larmes sans mes tristesses et sans mes joies? Que serait mon chant sans mes précipices et ma mission sans mon désespoir?

Maudit soit l'instant où la vie a commencé à prendre forme et à s'individualiser; car alors, est née la solitude de l'être et la souffrance d'être seulement soi, d'être abandonné. La vie a voulu s'affirmer par individuation; quand elle y est parvenue, elle a fait preuve d'impérialisme. Mais lorsqu'elle a échoué, c'est la solitude qui est advenue, bien que, pour une vision plus profonde, l'impérialisme ne soit qu'une forme par laquelle l'être fuit la solitude. On accumule, on triomphe, on gagne et l'on combat pour échapper à soi-même, pour vaincre la souffrance de n'être au fond que soi-même. Car si la solitude prouve bien la réalité de son être, elle ne garantit aucunement celle de la vie en général. Le sentiment de solitude croît à mesure que grandit le sentiment d'irréalité de la vie. Depuis le jour où la vie a voulu être plus qu'une simple potentialité et s'est actualisée dans des individus, la crainte de l'unicité et la peur d'être seul sont nées ; et le désir qu'a l'être individuel de dépasser ce processus maudit n'exprime que la tentative de fuir la solitude, cette solitude métaphysique où l'on se sent abandonné, non seulement en certains éléments, mais organiquement et essentiellement dans sa nature. Voilà pourquoi la solitude cesse de constituer un attribut de l'être seulement quand il cesse d'exister.

DU BONHEUR DE N'ÊTRE PAS SAINT

———————————————— *U*ne longue douleur ne peut rendre qu'imbécile ou saint. Nul ne conteste cependant le premier terme de l'alternative ; car il est impossible d'avoir peur ou de se réjouir d'un éventuel abêtissement, de cette paralysie des sens engendrée par trop de souffrance. Un tel état ne saurait susciter ni peur ni joie car nous savons bien qu'il exclut la lucidité, interdit la comparaison avec nos états antérieurs, et empêche de craindre pour son destin. Mais combien l'esprit de l'homme est glacé d'effroi à l'idée qu'il pourrait devenir saint ; combien de craintes inavouées l'envahissent quand il pressent obscurément que sa douleur va le précipiter dans la sainteté. Personne ne veut mourir imbécile, comme personne ne veut vivre saint. Mais quand on le devient, on fait sans le vouloir de son destin une mission et de la fatalité un but.

Les prémices et les degrés de la sainteté sont épouvantables, pas la sainteté elle-même. Ils suscitent des peurs inexplicables, d'autant plus grandes qu'ils apparaissent dans la jeunesse. On souffre à l'idée que notre vie puisse s'interrompre avant que nous ne mourions, qu'elle s'arrête alors que nous sommes déjà parvenus au sommet de la lucidité, où l'on voit tout dans une telle clarté que même l'obscurité brille jusqu'à nous aveugler. Il y a tant de renoncements dans la sainteté qu'un jeune homme, aussi triste qu'ait été jusqu'alors son existence, ne peut se résoudre à vivre sans les surprises agréables de la médiocrité. Réussir un jour à ne plus être médiocre, accéder à un état où l'on n'a plus aucun lien avec la vie, ne peut inspirer que du regret ; et la pensée vous taraude que, dans la sainteté, on n'aura même plus le *regret* de la vie qu'on a perdue ni l'espoir d'être désespéré.

La peur de devenir saint...

Comment ne pas craindre la sainteté quand on se croyait seulement capable de flammes, d'élans barbares et d'explosions, quand on rêvait d'exaltation infinie, et qu'à leur place, on constate la stagnation intérieure et le suspens du cours de la vie, dont la signification solennelle vous étonne. Car il y a quelque chose de solennel dans ces silences vitaux et ces deuils organiques, symptômes troublants de la sainteté, états inquiétants de pré-sainteté.

N'avez-vous pas senti un jour la vie s'arrêter en vous ? N'avez-vous jamais souffert que la vie *se taise* ?

N'avez-vous pas senti que vos instincts se dissolvaient et se retiraient comme dans un reflux définitif ? Et n'avez-vous pas senti dans ce reflux la solitude d'avoir été abandonné par la vie ?

La sainteté est cet état où l'homme continue de vivre alors que la vie s'est retirée de lui, comme l'eau de la mer. Aussi l'âme d'un saint ressemble-t-elle à une mer désertée, dans laquelle tout tient.

Il est donné à l'homme de passer de la joie d'*entendre* la vie à la tristesse de la sentir s'arrêter. Il est donc mis en face du problème suivant : vivre dans l'existence à côté ou au-delà de la vie. Toute la tragédie de l'homme est de ne pouvoir vivre *dans*, mais seulement *en deçà* ou *au-delà*. Il ne peut ainsi parler que du triomphe et de la défaite, du profit et de la perte ; de même, il ne peut vivre *dans* le monde, mais se débat en vain entre le paradis et l'enfer, entre l'élévation et la chute.

Il y a des états que Dieu lui-même ne peut imaginer, car les états vraiment grands ne peuvent naître que de l'imperfection. Mes désespoirs me rendent supérieur à toute divinité. C'est un plaisir de penser que seule l'imperfection peut encore nous apprendre quelque chose.

M'attacher de toutes mes forces à mon imperfection, à mon désespoir et à ma mort.

Que dire de l'homme qui ne veut pas avoir la sagesse élémentaire de dépasser la souffrance ? Mais les souffrances réelles peuvent-elles vraiment être dépassées ? Existe-t-il encore une valeur extérieure à laquelle elles pourraient être rapportées ? On m'objectera en vain que la souffrance n'a pas de racines ontologiques et qu'elle ne peut être comprise comme appartenant à la structure de l'existence. Quelle valeur peut bien avoir cette objection devant des hommes dont l'existence tout entière se définit par la souffrance ? Après tant de tourments, on deviendrait *seulement* saint ! La souffrance ne mérite-t-elle pas une récompense plus grande, celle de la mort ? Réjouissons-nous pourtant de ce que, dans ce monde, la mort au moins n'est pas approximative.

Peur de devenir saint ou regret de ne pas mourir.

DU PLUS GRAND REGRET...

——————————————————————— *R*egret de ne pas avoir réalisé la vie *pure* en soi, d'être infesté de conscience, d'esprit, d'idées et de valeurs ; d'avoir été tourmenté de regrets, de désespoirs, d'obsessions et de supplices ; de s'être senti mourir à chaque pas, à chaque rythme et à chaque instant de la vie ; d'avoir été torturé à tout moment par la peur du néant, la pensée de l'inanité et la crainte d'exister.

Regret de n'être pas la vie pure, que la vie ne soit pas un chant, un élan et une vibration qui vous traversent, regret de n'être pas une aspiration pure jusqu'à l'illusion et chaude jusqu'au réconfort, de n'être pas une béatitude, une extase, une mort de lumière.

J'aurais voulu que la vie circulât en moi avec une plénitude insoutenable, qu'elle y dessine ses mouvements anonymes d'avant l'individuation, désir exclusif de la vie d'être partout, et d'être parallèle à la mort. Cette vie aurait palpité si fort en moi que son essor aurait été irradiation, explosion de rayons lumineux, démence de vibrations. Tout aurait été intégré à ce triomphe de l'être et serait uniquement musique, orgie sonore, attachante et enchanteresse jusqu'à l'insupportable. J'aurais pu être irresponsable de la vie qui coulait en moi et c'est par ma voix qu'elle aurait parlé !

*I*l n'y a pas de moyen plus efficace de supporter la douleur que la mortification et l'autotorture. La douleur te ronge, te sape et t'engloutit ? Frappe-toi, gifle-toi, fouette-toi jusqu'à ce que tu éprouves des douleurs plus épouvantables. Certes, tu n'en triompheras pas de cette façon, mais tu la supporteras et tu en tireras bien plus qu'en l'acceptant médiocrement. Offre ton corps à la mortification, embrase-le que le feu en sorte, bande tes nerfs et serre les poings comme pour tout casser, comme pour embrasser le soleil et repousser les étoiles. Que le sang sillonne tes veines en courants chauds, violents et insoutenables ; que des visions pourpres te ravissent et qu'une auréole née du tremblement de la chair, des nerfs et du sang t'éblouisse. Que tout brûle en toi, pour que la douleur ne te rende pas doux et tiède. Le temps n'est pas encore venu où les mortifications, les autotortures et les tourments pourront donner tout ce qu'ils peuvent car les hommes ne connaissent pas encore le moyen d'extraire le feu de la souffrance.

Quand tu sens que la souffrance te subjugue et s'insinue en toi comme pour te paralyser, qu'elle prend de l'ampleur et interrompt ta vie sur place, utilise tout ce que tu possèdes pour tout brûler en toi, pour vivifier ton organisme, pour l'hébéter d'exaltation et l'étourdir de visions fascinantes. Les ongles dans la chair et le fouet sur la peau ; le visage tordu comme s'il éclatait, les yeux injectés comme dans l'effroi, le regard éperdu, rouge et pâle, essaie d'arrêter la débâcle, d'éviter la noyade morale et la paralysie organique. Excite tous tes organes, enivre-les de nouvelles douleurs et triomphe de l'attraction pour les ténèbres de la souffrance par des souffrances plus grandes encore. Le fouet peut arracher à la mort plus de vie que je ne sais quelles voluptés. Fouaille ta chair jusqu'à ce qu'elle vibre. Sois sûr qu'après un tel traitement, tu auras moins de regrets et moins de désespoir.

N'omets pas de t'arc-bouter à l'extrême. Ce n'est qu'ainsi que la douleur ne t'anéantira pas avant ton heure. Que la tension soit si forte que tes mâchoires se crispent, que ta langue se raidisse et que ta cervelle se ramasse au point de ne plus savoir si tu es réduit au silence ou si tu pousses un cri. La douleur ne peut être vaincue qu'à travers de nouvelles douleurs. Ce qui signifie qu'une grande douleur ne peut jamais être surmontée réellement, mais que nous pouvons seulement l'intégrer ou la hiérarchiser dans notre être. Que par la mortification, jaillissent de toi la foudre, la fumée et la poussière ; et que la haine, le désespoir et la tristesse surgissent comme la foudre, la fumée et la poussière.

Certains ont supporté la mortification pour gagner le royaume des cieux et pour éviter l'enfer ; d'autres, seulement pour ne pas être engloutis par l'enfer ; les derniers enfin, uniquement pour ne pas être submergés par leur propre enfer.

Cette fustigation diffère essentiellement des flagellations ascétiques. L'ascète se fouette pour échapper aux tentations de la vie ; nous, pour échapper à celles de la mort. Les uns le font pour renoncer ; les autres, pour la raison inverse. Rien d'héroïque selon moi à lutter pour vaincre la vie en soi, pour faire périr les instincts, et édifier l'esprit sur ses ruines. L'autotorture comme lutte contre la vie a quelque chose de criminel ; d'où le caractère inhumain de l'ascèse. Mais se torturer, se fouetter, et s'ensanglanter pour vaincre la maladie et maîtriser la douleur, c'est se déchirer pour vivre. Et les déchirements organiques n'ont de valeur que si l'on parvient par eux à retarder la mort. Ne reste à ceux qui souffrent que l'offensive. Vous tous qui souffrez, n'attendez plus de réconforts parce qu'ils ne viendront pas et ne vous aideraient pas ; n'attendez ni guérisons, ni illusions, ni espérances, parce qu'il n'y en a pas ; n'attendez pas non plus la mort parce qu'elle vient toujours trop tard aux gens qui souffrent, mais déchirez-vous, torturez-vous, fouettez-vous la chair jusqu'au sang pour que la pourriture en vous devienne un flambeau, et que la chair vibre comme les nerfs, pour que tout, comme dans une hallucination, s'embrase dans un incendie total de l'être ; brûlez, frères, jusqu'à ce que vos douleurs s'éteignent en vous comme les braises !

On ne peut ni atténuer ni vaincre la souffrance par la concentration intellectuelle. Comment se fixer sur un problème impersonnel alors que la souffrance vous renvoie à chaque instant à votre actualité personnelle et vous rappelle votre existence concrète et individuelle ? Il n'y a pas de salut par la pensée. Et s'il en est ainsi, c'est aussi parce que cela semble inutile de penser à autre chose qu'à sa souffrance ; souffrance que la pensée ne peut qu'aggraver en atteignant l'*essence* de la souffrance. Ceux qui soutiennent qu'ils se sont libérés des tourments par des préoccupations objectives, n'ont pas connu la véritable douleur mais seulement quelque inquiétude spirituelle passagère, qui n'avait ni profondeur ni fondement organique. Tous les doutes liés à l'âge, qui donnent à l'individu une sensation d'inquiétude provisoire, n'ont aucune valeur. Le tout est d'avoir le sentiment de l'irréparable, aussi bien pour l'essence que pour la totalité de ta vie. — La pensée clarifie les autres pensées mais n'éclaire pas les souffrances. Car, pour ces dernières, il n'y a pas d'explications ; ou s'il en existe, elles ne prouvent rien et ne nous les rendent en rien plus supportables. La philosophie est l'expression de l'inquiétude des hommes impersonnels. Aussi nous aide-t-elle bien peu à comprendre dans leur entier les états d'âme dramatiques et ultimes. Pour ceux qui ont dépassé la vie sans le vouloir, la philosophie offre trop peu. Aucune pensée n'a jamais supprimé la douleur et aucune idée n'a chassé la peur de la mort. Aussi, laisse là tes pensées, et commence par semer la terreur en toi-même, avec fureur et exaltation désespérée. Car les idées n'ont jamais sauvé ni perdu personne. Du cœur de ton être, de cette zone inexplorée parce qu'elle est trop profonde, jaillis dans une explosion féroce, et extrais une telle énergie de ton obscurité que seule la lumière demeure. Dans cette *démonie*, sois fier de ne plus avoir d'idées mais de n'être que bouillonnement, obsessions et folie. Sois frénétique au point que tes mots enflamment; que tes paroles soient si limpides qu'elles imitent la transparence ardente des larmes. Rejette ta peur par-delà ton inquiétude, et agis en sorte que tout tremble dans une apocalypse intérieure et dramatique. Élève tout ton organisme au plus haut niveau et soumets-le à la plus haute vibration; qu'un rythme intense et accéléré engloutisse la douleur dans ses crispations, la fasse fondre pour l'intégrer à ses évolutions; de sorte qu'une grande folie nous délivre temporairement d'une grande douleur.

Jusqu'à présent, le monde ne s'est pas laissé convaincre que seules les méthodes brutales de lutte contre la douleur étaient efficaces, et que dans ce domaine, un radicalisme poussé jusqu'à la bestialité était nécessaire. La souffrance n'est-elle pas en définitive le fait de la bête? Les souffrances sont inadmissibles et pourtant, elles relèvent plus de la vie que les joies. Qui regrette la pureté vitale ne peut pas ne pas s'effrayer de ces taches que sont les souffrances et qui s'étendent sur la sphère de la vie pour l'assombrir.

*P*ourquoi faut-il qu'on continue de souffrir après moi? Peut-il y avoir encore des angoisses et des douleurs après les miennes? Certains hommes sont nés pour supporter les douleurs de ceux qui ne souffrent pas. La démonie de la vie répand en eux tous les poisons qu'elle épargne aux autres, toute la souffrance qu'ils n'ont pas éprouvée et le désespoir qu'ils n'ont pas connu. Et si, par miracle, ces hommes pouvaient redistribuer leurs poisons, leurs douleurs et leurs désespoirs, cela suffirait à rendre l'existence des autres insupportable. Car les hommes ne connaissent le plus souvent que des douleurs approximatives, des douleurs venues de l'extérieur, nulles en comparaison des douleurs liées à l'individualité, à la structure de l'existence, individuelle par nature. Seules sont fécondes et durables les douleurs qui prennent source au cœur de notre vie, qui irradient et grandissent de manière immanente à l'essence de notre existence. Certaines douleurs devraient figer l'histoire sur place; de même, il y a des hommes pour lesquels l'histoire n'a absolument plus aucun sens. Et je me demande: mon existence à moi ne rend-elle pas inutile l'existence à venir du monde?

Il est vain de souffrir du caractère transitoire des choses terrestres ou de l'inexistence des choses célestes. Que tout soit soumis à la mort, que toute chose soit dérisoire et éphémère, que rien n'ait de valeur et de consistance, c'est seulement regrettable. Mais les regrets suffisent-ils quand on pense qu'une existence si réduite dans le temps et si limitée dans l'espace peut contenir tant de douleurs, receler tant de tragédies et donner lieu à tant de désespoirs. Si l'existence individuelle est plus ténue qu'une illusion, à quoi bon tant de tristesses, tant de renoncements et tant de larmes? Dans le doute qui mène au désespoir, on est forcé d'accepter l'irrationalité de la vie sans pouvoir aller plus loin. Il serait insensé de penser encore parce qu'il n'y a aucune explication. Comment ne pas souffrir de l'inutilité des idées, quand tout est si inexplicable. L'inanité du monde, où la douleur aussi s'érige en réalité, fait de la négation une loi. Plus l'existence de ce monde paraît illusoire, plus la souffrance comme compensation devient réelle. Il n'existe pas d'issue à la souffrance tant qu'on vit; mais la mort n'est pas une solution, puisqu'en résolvant tout, elle ne résout rien. On ne peut trouver au monde aucune explication ni aucune justification. Restons donc insensibles à sa fugacité, à son inanité et sa vanité comme devant le fait que la vie nous ait été donnée pour mourir. Car, c'est de *savoir* à chaque instant de notre vie que nous allons mourir qui nous fait le plus mal. Si l'on n'avait pas conscience de la mort, la vie, sans être un délice, ne serait pas non plus un fardeau. Or, une vie entière empoisonnée par la peur de mourir est un fardeau. Alors, on comprend et l'on s'effraye que notre existence contienne des peurs si profondes et si dangereuses. Pourquoi a-t-on fait don de la vie à l'homme si c'est pour qu'il redoute la mort? Pourquoi faut-il que la vie de l'homme soit entachée de la sorte? Pourquoi vivons-nous en sachant que nous allons mourir?

Je vois en l'homme un *tremblement de l'individualité* : insécurité et peur inhérente à une vie devenue vulnérable au travers de l'individuation, insécurité et peur que la vie connaît depuis qu'elle s'est isolée en autant d'individus.

*Q*uelle joie d'avoir vaincu un instant la tristesse, de se sentir vide jusqu'à l'immatérialité! Non d'un vide enivrant et hallucinant mais d'une vacuité qui m'élève, m'élance et me rend aussi léger que j'étais lourd dans la tristesse.

Il faut fixer les règles d'une nouvelle ascèse qui ne nous fasse pas nous envoler vers Dieu mais vers nos propres altitudes dont nous a éloignés l'abîme de notre tristesse. Il est absurde de renoncer à la nourriture; mais ce l'est tout autant d'éliminer l'expérience temporelle de la faim avec ce qu'elle comporte de voluptueux et d'immatériel. Comme dans l'extase musicale, on est saisi par l'excitation des altitudes, la joie de savoir que plus rien n'existe sinon l'enthousiasme et l'exaltation. Mais, alors que dans l'extase musicale, une plénitude interne se répand en nous tel un flux intérieur, dans la faim, c'est un vide qui nous dilate par manque de substance et de résistances, c'est une absence de contenu qui nous cingle de spasmes et de raidissements nerveux, dans un élan absurde et indéfinissable. Si la tristesse nous attire vers la terre, vers l'élémentaire, matériel, obscur et profond, l'immatérialité de la faim nous jette dans l'arbitraire le plus total, nous plie à sa fantaisie et à ses jeux fascinants, dans une irresponsabilité ensorcelante. Quel plaisir d'être si haut, au point de ne plus penser à rien ; quelles voluptés indescriptibles que de pouvoir tout oublier dans l'ivresse des cimes, et quel ravissement d'être épargné par la douleur lors de ces ascensions. Là commence la félicité des hommes tristes : ils ne sont plus eux-mêmes et ont oublié leurs tristesses. Le tremblement entier de l'individualité semble s'être déplacé de l'inquiétude et des tortures au frémissement extatique, plein de frissons et de voluptés, pour toucher à une autre folie de l'individualité, dont les joies ne feront qu'enraciner plus profondément les tristesses.

Une faim dévorante, nourrie d'exaltations et de visions, voilà ce qu'un homme triste ne peut se refuser comme un délice temporaire ; une faim qui nous fait vaincre l'attraction matérielle et procure les plaisirs du vol, plaisirs évanescents, solitudes légères et aériennes, solitudes du vol. Il nous faut tenter toutes les expériences si l'on ne veut pas s'effondrer, écrasé de douleur, de tristesse et de maladie. Et que notre combat soit notre héroïsme.

*R*éjouis-toi de pouvoir, dans la confusion intérieure, être total ; de pouvoir en un instant actualiser tous les plans spirituels et toutes les oppositions. Ces états remarquables, qui n'impliquent absolument pas la confusion des idées, sont plus proches de notre centre subjectif que tous les changements de plans où nous avons l'habitude de vivre. Pourquoi faudrait-il être tantôt triste, tantôt gai, attristé puis joyeux, désespéré ou exalté ? Pourquoi vivre dans des fragments de temps, des bribes d'expériences alors que je suis capable à tout instant par un effort dément d'être *tout en entier*, de rendre actuelles toutes mes réalités et mes possibilités ? Voluptueuse est cette confusion qui mêle la tristesse et la joie, d'autant plus qu'elle l'est dans les larmes. Grimacer sous la douleur et le plaisir qui nous envahissent en même temps, plutôt que d'y rester insensible. Cette confusion intérieure n'a rien à voir avec cette espèce de sensation totale dont la profondeur nous plonge dans l'essence d'un phénomène, comme par exemple pénétrer dans l'essence de la souffrance universelle ; elle en diffère justement par sa capacité à mêler dans une convergence inexplicable notre diversité et notre structure multipolaire. Cette confusion admirable est une des joies de l'existence, et avant tout, le bonheur des hommes tristes. Comment ne pas ressentir la plénitude dans cette extase de la joie et de la tristesse ? On voudrait alors se débarrasser des lambeaux de soi-même, expulser les organes qui résonnent, s'élancer dans la confusion générale et, fier qu'en soi la confusion universelle se soit réalisée jusqu'au paroxysme, ne plus s'arrêter dans cet élan chaotique, vibrer et bouillonner dans une effervescence totale.

*T*oute l'infortune de l'homme est de ne pouvoir se définir par rapport à quelque chose de précis, de manquer de point stable et de repère dans l'existence. Son va-et-vient entre la vie et l'esprit les lui fait perdre tous deux ; aussi est-il un rien qui aspire à l'existence. C'est indirectement que cet animal *désire* l'esprit et *regrette* la vie. L'homme ne peut trouver son équilibre dans le monde car l'équilibre ne s'atteint pas en niant la vie, si l'on vit déjà. Ce rien qui aspire à l'existence est le résultat d'une négation de la vie. Aussi l'homme a-t-il le privilège de pouvoir mourir à tout moment en renonçant à cette illusion de vie qu'il entretient. Son penchant pour la décadence n'est-il pas révélateur de son essence ? La plupart des hommes tombent dans la déchéance, peu s'élèvent. Et rien n'est plus affligeant que de voir comment. Ce n'est pas seulement le fait de voir dans leur aboutissement notre avenir qui nous afflige, mais surtout de constater la présence constante de la corruption dans son essence.
Tout le processus de décadence n'est qu'un détachement progressif de l'existence ; non pas un détachement par la transcendance, par le sublime ou le renoncement, mais par une fatalité pareille à celle qui jette à terre le fruit pourri de l'arbre. Toute décadence est une déficience au sein de l'existence et une perte d'existence, de sorte que la solitude de l'homme est à la fois solitude du rien et solitude de l'être.
Quand on pense longuement à l'homme, à sa condition particulière dans le monde, on est saisi d'une amertume sans fin. Se rendre compte à chaque instant que tout ce qu'on fait est le fruit de sa condition ; que tous les gestes absurdes, sublimes, aventureux ou grotesques, toutes les pensées, tristesses, joies, débâcles,

tous les élans et tous les échecs ne sont que les résultats de sa forme particulière d'existence ; que si l'on avait été autre chose qu'un homme, on ne les aurait pas connus ; avoir à tout moment présent à l'esprit cette particularité de notre condition ; être obsédé par l'absurdité de la forme humaine d'existence, provoque une telle nausée devant le phénomène humain qu'on en viendrait à désirer être tout sauf un homme. Cette obsession permanente rend l'existence doublement insupportable : comme vie conçue biologiquement et comme vie déviée en forme humaine. Dans le monde, l'homme est un paradoxe. Et les hommes l'ont payé cher ; ils l'ont payé de trop grandes souffrances, inadmissibles dans un monde lui-même inadmissible.

*I*l est si difficile de surmonter la perte d'espoir qu'engendre la souffrance qu'on ne peut pas dédaigner l'illusion des chrétiens de tenter d'atténuer leurs souffrances en les comparant sans cesse à celles du Christ. Mais que faire si l'on ne trouve aucun autre moyen de n'être pas seul dans la douleur ? Et puis, quand on garde en mémoire tant de souffrances passées et qu'on pressent toutes les douleurs à venir, quels autres tourments pourraient adoucir l'amertume de nos propres souffrances ? Le Christ n'a pas souffert pour tous les hommes ; car s'il avait souffert autant qu'on le dit, il ne devrait plus y avoir de douleurs après lui. Or, semble-t-il, tous les hommes qui sont venus après le Christ, sans être rachetés par sa souffrance, n'ont fait par leurs tourments qu'apporter leur contribution à l'infini de la souffrance humaine que le Christ n'a pu réaliser. En effet, le Christ n'a pas dû souffrir assez puisque nous avons tant enduré après lui. S'il avait souffert dans sa nature divine, il n'y aurait plus dû y avoir de souffrances. Mais le Christ n'a souffert qu'en tant qu'homme ; ainsi, il n'a pu racheter par sa souffrance que peu d'hommes, bien qu'il ait consolé les foules, sans pouvoir toutefois consoler ceux qui étaient *tout à fait seuls*. Eux n'ont trouvé la consolation que dans leur propre tourment et le calme que dans des souffrances encore plus grandes. Le Christ n'est pas venu pour eux mais pour ceux qui étaient simplement seuls. On n'a pas encore trouvé de Dieu ni pour ceux qui sont tout à fait seuls, ni pour ceux qui le sont absolument car personne n'a encore trouvé de consolations qui puissent les rendre moins malheureux. Ah, quel est ce monde qui n'a trouvé jusqu'à présent qu'un seul sauveur !

Seule la souffrance change l'homme. Aucune autre expérience, aucun autre phénomène, ne parvient à changer essentiellement son tempérament ou à creuser certaines de ses dispositions au point de le transformer de fond en comble. Combien de femmes équilibrées la souffrance n'a-t-elle pas rendues saintes? Toutes les saintes sans exception ont souffert au-delà de l'imagination. Leur transfiguration n'a été l'œuvre ni de l'intervention divine, ni de la lecture, ni même de la solitude. Une souffrance de tous les instants, une souffrance monstrueuse et prolongée leur a révélé un univers insoupçonnable pour le commun des mortels. Elle les a aiguisées et fait mûrir comme n'y réussirait pas toute une vie remplie de méditations chez un homme normal. L'homme qui a le privilège maudit et inépuisable de pouvoir souffrir en permanence, peut se passer définitivement des livres, des hommes, des idées et de toute sorte d'informations; car le seul fait de souffrir suffit à rendre inutiles toutes contributions extérieures, et dispose à la méditation continue.

Les hommes n'ont pas compris qu'il n'y a pas de meilleure arme contre la médiocrité que la souffrance. On ne change pas grand-chose par la culture ou par l'esprit; en revanche, on transforme un nombre incalculable de choses par la douleur. La seule antidote à la médiocrité est la souffrance. Par elle, on change les caractères, les conceptions, les comportements et les visions; on inverse le sens de certaines existences car toute souffrance grande et durable agit sur le fond intime de l'être. En le modifiant, c'est aussi son rapport au monde qui s'en trouve implicitement transformé: changement de perspective, de compréhension, de perception. Après avoir beaucoup souffert, il devient impossible de se rappeler la période de vie où l'on n'a pas souffert; car toute souffrance nous coupe de nos dispositions innées et nous conduit sur un plan d'existence étranger à nos aspirations naturelles. D'un homme né pour la vie, la souffrance fait un saint; à la place de ses illusions, elle étale les plaies et la gangrène du renoncement. L'inquiétude qui fait suite à la souffrance maintient l'homme dans un état de tension qui lui interdit désormais la médiocrité.

Une nation pourrait être transformée dans son ensemble par la souffrance et l'inquiétude, par le biais du tremblement continuel, accablant et durable qui en résulte. L'indolence, le scepticisme vulgaire et l'immoralisme superficiel peuvent être détruits par la peur, par une inquiétude totale, une terreur féconde et une souffrance générale. D'un peuple indolent et sceptique, on ferait jaillir des étincelles en le soumettant à une angoisse accablante et à une torture ardente. Il est vrai que la souffrance qui vient du dehors n'est pas aussi féconde que celle qui croît de manière immanente dans un être. Il ne faut pas souhaiter faire d'un peuple une pépinière de créateurs. Toutes les méthodes objectives, tout le complexe des valeurs de la culture ne modifient rien d'essentiel. La connaissance objective et impersonnelle ne fait qu'habiller un mannequin, pas un être. Je ne gouvernerais jamais un État avec des programmes, des manifestes et des lois, mais au moins je ne laisserais aucun citoyen dormir tranquille pour que son inquiétude le force à s'assimiler à la forme de vie sociale où il doit vivre.

Si la lutte contre ses propres afflictions est si difficile, c'est parce qu'il existe en nous un fond de tristesse, indépendant des causes extérieures. De celles-là, on peut triompher; mais impossible de vaincre le substrat caché, source d'afflictions infinies. Dans ce fond de tristesse, je ne vois rien d'autre que la *tristesse d'être*, la véritable tristesse métaphysique. Dans notre for intérieur, il y a l'inquiétude de la distance qui nous sépare du monde; bien plus profonde cependant est la tristesse d'être, car elle jaillit de notre *existence* comme telle, de la nature intrinsèque de l'être, tandis que l'inquiétude de notre distance au monde, résulte seulement d'un *rapport*, d'une relation.

Lutter contre cette tristesse métaphysique signifie lutter contre soi-même. Et certains hommes en effet ne peuvent continuer de vivre sans cesser de se nier.

Toutes les expériences totales, ces expériences qui nous engagent totalement, en fait nous dépassent. Et cela tient au sentiment d'irresponsabilité que nous éprouvons chaque fois que nous vivons de telles expériences. Pourquoi connaît-on les hommes uniquement lors des grands événements de la vie? Parce qu'à cette occasion, la *décision* et le calcul rationnel n'ont plus aucune valeur; tout ce qui dérive des valeurs et des critères extérieurs disparaît pour laisser place à des déterminations plus profondes. Il est curieux de constater combien les hommes exagèrent la valeur de leur décision et de l'attitude qu'ils adoptent face aux grands événements, alors que c'est dans ces circonstances qu'on est le plus irresponsables, et plus près de notre fond irrationnel. N'avons-nous pas alors le sentiment d'une invasion irrésistible, d'un processus qui se déroule secrètement en nous, et nous domine? D'où vient l'illusion d'autodétermination? L'interprétation rétrospective rend les hommes insensibles à l'irrationalité d'un processus qu'ils comprennent plus tard sous la forme d'un schéma. Et bien que dans l'expérience du processus, l'irresponsabilité soit évidente, l'orgueil de l'animal rationnel se refuse à admettre le rôle du destin intérieur dans les grands nœuds de l'existence. Cet orgueil disparaît chez ceux dont la vie est une somme de carrefours et chez qui les expériences totales sont si fréquentes qu'ils se sentent dépassés à chaque instant. Quand on vit de manière extrêmement intense, les contenus de l'être débordent les limites de l'existence individuelle ; on a alors l'impression que palpitent en nous des forces inconnues, obscures et lointaines, et que se consomme un destin dont on n'est plus responsable. La valeur nulle de la décision rationnelle apparaît alors dans toute sa douloureuse évidence. Comme individus, nous avons fatalement conscience de notre limitation, de notre insuffisance individuelle ; c'est pour cette raison que nous souffrons et sommes surpris quand notre tension intime explose sous la forme de contenus si vivants, si profonds et si débordants ; c'est pour cela qu'elle nous donne l'impression d'un infini intérieur, tout en nous laissant conscients que l'individualité est fatalement bornée.

Parmi les hommes, seuls m'impressionnent ceux dont l'existence n'est qu'une suite de carrefours, ceux qui ont une destinée et dont la vie se dilate au point de devenir indomptable. Le principal est d'avoir un destin, d'être un «cas». Que notre présence soit un avertissement, une peur, une inquiétude, une extase ou une joie. Que personne ne sache combien de temps nous vivrons, ce que nous ferons, à quoi nous penserons, et que seules la peur et la joie pour la chute et le redressement fassent de notre existence une surprise permanente et une inquiétude singulière. Que nous soyons pour l'autre une occasion d'alarme, de pressentiments, de méditation, de haine et d'enthousiasme ; que personne ne soit sûr de la route sur laquelle il marche ni de celle qu'il prendra. Que notre existence soit un problème insoluble que la mort même ne puisse jamais résoudre, et que notre absence physique aggrave les tourments devant l'inintelligible. Tous les hommes qui n'ont pas de destin et ne peuvent devenir des «cas» marchent d'un pas assuré dans l'existence et sont convaincus qu'ils finiront bien par arriver quelque part ; car le dénouement est inclus dans les prémices de leur être. Alors que l'homme qui est un «cas», est pour lui-même une inquiétude absolue et pour les autres, une occasion d'inquiétude ; en lui, le vacillement de l'individuation, est une hallucination, une extase, une rêverie, ou une explosion, une création infinie, un rien qui devient être. Alors, il se pose cette *ultime* question : le monde a-t-il été créé ou ne l'a-t-il pas été *encore*.

*I*l faut anéantir à tout prix la mémoire, et les sentiments qui tentent de se cristalliser en nous. Tous les attachements durables, tous les regrets et toutes les aspirations qui durent un peu, nous empêchent de vivre, nous embarrassent et lestent notre existence. À quoi bon se souvenir et désirer ? Pourquoi encombrer le passé d'une suite sans fin de contenus et anticiper le futur par une suite plus longue encore ? Pourquoi conserver des sentiments qui s'expriment dans le temps et se lier à travers eux aux objets ? Pourquoi toujours finir par s'attacher au monde ? Ne pourrions-nous donc pas surmonter les obstacles dressés sur le chemin de la vie, par une expérience pure qui soustrairait les actes de la vie à l'emprise d'une intégration et d'une signification générale ? Vivre dans la durée transforme chacun des actes de la vie en élément d'une succession, en un maillon d'une chaîne, en un fragment partiel et symbolique ; par là, tous les actes de la vie fournissent de la matière à la mémoire en instaurant ainsi une permanence inutile du moi. Car il est inutile de sentir et d'avoir conscience de la permanence et de la continuité du moi, au-delà des évolutions du sentiment, de la progression des aspirations, et de l'approfondissement des regrets. *Le tout est de pouvoir être total sans avoir de mémoire.* Et cela n'est possible qu'en réalisant intégralement chaque acte de la vie, sans tenir compte de sa relation et de sa relativité par rapport aux autres. Vivre de manière absolue dans l'instant signifie actualiser au plus haut point la vie individuelle et faire disparaître le désespoir de vivre dans le temps. Ne pas vivre les instants comme des problèmes mais comme des réalisations absolues ; vivre à chaque instant comme si nous vivions quelque chose de définitif, sans commencement ni fin. Ne considère jamais que tu commences et que tu finis quelque chose, mais que ta vie soit comme une ivresse de chaque instant où tu serais total et présent, pour n'avoir rien à oublier ni rien à désirer. Seule la réalisation absolue dans l'instant peut nous épargner la torture d'avoir *notre propre temps*, flanqué des cadavres du passé et du futur. En étant total à chaque instant, on n'a rien dont on puisse avoir à se débarrasser car rien du dehors ne pèse plus sur nous, et l'on reste comme une existence, une plénitude d'existence, pour qui la vie et la mort ne signifient plus rien. Alors, on s'étonne autant de s'entendre dire qu'on est vivant, que de se rappeler que l'on va mourir.

*P*ourquoi les hommes qui souffrent ne s'ennuient-ils pas ? Sur l'échelle des états négatifs, qui commence par l'ennui et finit par le désespoir en passant par la mélancolie et la tristesse, l'homme qui souffre éprouve si rarement l'ennui que, pour lui, le premier degré est la mélancolie. Ne connaissent l'ennui que ceux qui n'ont pas de contenu intérieur profond et ne peuvent animer leur vie que par des stimulations extérieures. Toutes les nullités recherchent la variété du monde du dehors, car être superficiel revient à se réaliser par l'intermédiaire des objets. L'homme superficiel n'a qu'un souci : se sauver par l'objet. Aussi cherche-t-il dans le monde du dehors tout ce qu'il peut lui offrir pour pouvoir se remplir de valeurs et de choses extérieures. La mélancolie, elle, présuppose une dilatation intérieure, le vague des lointains et une nostalgie de l'infini qui prennent source dans une élévation et un raffinement spirituel introuvables dans l'ennui. S'il arrive à l'homme superficiel de se poser des problèmes d'ordre métaphysique, le substrat psychique d'où procède cette inquiétude approximative ne s'élève jamais au-dessus de l'ennui. Et toute la métaphysique de l'ennui n'est qu'une métaphysique de circonstance. Dans l'ennui, le problème de l'homme ne se pose jamais sérieusement, pas plus que celui du sujet ; seulement celui de l'orientation, de l'attitude à adopter face au monde du dehors. Il n'est pas question de *disposition* ; et encore moins de *destin*. L'ennui est le premier signe d'inquiétude quand l'homme n'est pas complètement inconscient ; c'est par l'ennui que l'animal manifeste son premier degré d'humanité.

Comme celui qui souffre est loin de tout ça ! Lui n'est jamais suffisamment pauvre pour pouvoir s'ennuyer. La souffrance a des réserves insoupçonnées qui procurent à l'homme assez de compagnie pour avoir encore besoin des autres.

AUX PLUS SEULS

*J*e m'adresse à vous, à vous tous qui savez jusqu'où peut aller la solitude de l'homme, combien la tristesse d'être peut assombrir la vie et la palpitation de l'individu, et ébranler ce monde. Je m'adresse à vous, moins pour retrouver ce que je vis que pour unir nos solitudes. Frères en désespoir, en tristesse secrète et en larmes retenues, *nous sommes tous unis par notre désir fou de fuir la vie, par notre angoisse de vivre et la timidité de notre folie.* Nous avons perdu courage par trop de solitude et nous avons oublié de vivre à trop ressasser la vie. Tant de solitudes, pour en arriver à la mort, et tant de désillusions, pour abou-

tir au renoncement? Pourquoi faut-il que le néant soit notre mort?
Nous nous sommes trop pensés *nous-mêmes* pour que la vie ne
nous punisse pas et nous avons trop aimé la mort pour pouvoir
parler encore de l'amour. Il n'est de vie que là où il y a *commencement* continu; mais nous n'avons fait qu'*achever* la vie à chaque
instant; et notre être est-il autre chose qu'un éternel *achèvement*?
Qui nous donnera l'espoir d'oublier de mourir, nous qui sommes
tout à fait seuls, et que la vie laisse *de côté*?
Frères en désespoir, aurions-nous oublié la force de nos solitudes,
aurions-nous oublié que les plus seuls sont les plus *forts*? Car le
temps est venu où nos solitudes vont surpasser le troupeau,
vaincre les résistances, et tout conquérir. La solitude cessera
d'être stérile, quand, à travers elle, le monde nous appartiendra,
quand nous l'engloutirons sous nos élans désespérés. À quoi bon
tant de solitude si elle n'est pas la suprême conquête, si par elle,
nous ne triomphons pas de tout? — Frères, la conquête suprême
nous attend, l'ultime épreuve de nos solitudes! Il faut que ce
monde nous appartienne, à nous les plus seuls, à nous qui devons
regagner la vie! Nous sommes perdus si nous ne regagnons pas
tout ce que nous avons perdu, si nous ne regagnons pas le tout.
Ainsi seulement, notre courage va renaître et nous apprendre à
vivre. Je ne sais pas combien il faut de solitudes pour conquérir le
monde; je sais en revanche que quelques-unes suffisent à l'ébranler. Car le monde ne peut être qu'à nous, qui n'avons pas vécu.
Parviendrons-nous, frères, à unir toutes nos solitudes, aurons-
nous la persévérance et le courage de mourir pour ce que nous
n'avons pas vécu?

*P*eur de tout : peur de tout ce qui existe et de tout ce qui n'existe
pas! Connaissez-vous l'inquiétude sans sujet, l'inquiétude qui
s'empare de l'être sans raisons, sans justifications, l'inquiétude du
vécu comme tel, quand les choses deviennent des occasions de
tremblement et de frisson? Et ce frisson défigure les choses, de
même que le tremblement les fait vaciller sous le boutoir des
doutes. Comment l'inquiétude s'insinue dans le corps entier et
comment elle réduit tout notre être à une vibration ténébreuse,
crépusculaire, à un frisson d'agonie, comment l'ultime bribe
d'existence se change en tremblement! Il y a dans l'ivresse musicale un chant de tous les organes, un hymne de chaque fibre, une
vibration extatique devant le charme voluptueux des cimes; de
même, l'inquiétude de tous les organes, la vie qui craint pour son
sens, l'incertitude née de la confusion hallucinante de la mort

avec la vie, de la cohue qui cache les contradictions ultimes de l'être et brasse à son gré toutes les expressions irréductibles d'existence. L'extase musicale, comme chant des organes, et l'inquiétude absolue comme palpitation prémonitoire de tous les organes ! Ce qui, dans l'inquiétude, est une fusion consolante vient du caractère prémonitoire de toute inquiétude, qui veut nous montrer comment, au terme de chacune d'elles, se trouve la paix absolue même si la paix revient au non-être. Quand toute la sensibilité palpite, quand tu deviens absolument *sujet*, il n'y a plus dans le monde entier que ton inquiétude. Dans le paroxysme de l'inquiétude, l'homme devient un *sujet absolu* car alors il prend ainsi totalement conscience de lui-même, de l'unicité et de l'existence exclusive de son destin. Les autres expériences totales créent des communions qui se limitent par certains oublis et se complaisent dans des réticences, alors que l'inquiétude absolue amène le sujet dans la position démiurgique de l'unicité. Non pas l'unicité comme individuel irréversible sur le plan des autres phénomènes irréversibles, mais comme une existence irréversible et absolue, comme l'existence seule. L'inquiétude absolue mène à la solitude absolue, au sujet absolu. Quand tu deviens sujet absolu, tout ce qui n'est pas toi ne fait qu'entrer en toi afin que l'inquiétude se trouve un mobile. L'inquiétude dissout et met le monde en lambeaux afin d'ancrer l'être dans l'esseulement absolu ; dans l'extase musicale, la fusion et la désagrégation se produisent en vue d'une suprême communion, de sorte que le désir d'unicité et d'exclusivité propre à l'extase n'est que l'expression d'un désir de communion intégrale. Dans l'extase musicale, on est plein au-delà des limites de l'être ; dans l'inquiétude absolue, on est *plein du rien.*

Il n'y a pas d'amour qui puisse nous consoler de la répugnance pour tout ce qui existe et n'existe pas, et du dégoût pour l'être et le non-être. Tous les moyens semblent impuissants à détruire ou même à atténuer ce poison du dégoût total qui nous rend la vie infiniment lointaine. On ressent alors dans toutes ses fibres l'amertume de ce dégoût assassin qui nous envahit plus profondément que l'effroi et nous taraude plus fort qu'une obsession, qui est plus insinuant qu'une inquiétude et plus dramatique qu'une désespérance ; de sorte qu'on n'arrive pas à croire que ce qu'on vit est une vie, et que c'est la mort qu'on redoute, et on reste figé, loin de tout, immobile et pétrifié. La pétrification et l'immobilité de ces innombrables moments de dégoût ressemblent à la tristesse monumentale qu'inspirent l'horizon illimité du désert et l'infini des lointains. Mais personne ne se plaindrait de la distance infinie qu'introduit le dégoût entre le monde et lui, s'il n'était qu'immobilité, tristesse et stupeur. Ce qu'il y a de profondément inquiétant dans le dégoût, c'est qu'il vise avant tout les êtres qui nous sont chers ou devraient l'être. Chaque fois que le dégoût général de vivre nous envahit, ce ne sont pas nos ennemis qu'on hait, ni les gens qui nous sont antipathiques ou indifférents qu'on déteste ; mais ceux auxquels on est naturellement attaché, les amis, les maîtresses et les gens qu'on admire. Ce fait étrange est tellement inquiétant qu'on ne peut le laisser sans explications. Éprouver du dégoût pour tout ce qui nous est le plus cher ! Soudain, les êtres que l'on aime et pour lesquels on accepterait de tout sacrifier, semblent d'un coup défigurés, parfois même hideux, toujours insuffisants, limités et ordinaires. Là où nous avions vu auparavant de la délicatesse, nous trouvons désormais de la vulgarité ; à la place de l'abondance, la platitude sans remèdes. Ce qu'il y avait d'ineffable dans notre attraction pour certains perd de sa mystérieuse profondeur et s'y substitue l'image d'un être inexpressif, creux et vain. Le dégoût compromet le mystère des relations et annule les significations implicites ou secrètes qui dérivent de la communion des âmes. Les gestes de l'être cher auxquels tu étais sensible, les mots où tu avais cru discerner une vibration, les tonalités caressantes de la voix ou les regards envoûtants qui laissaient poindre toutes les nuances des états d'âme, cette gamme de délicatesses intimes, tout l'irrésistible et le fascinant, apparaissent d'un coup irrémédiablement plats, vulgaires à en pleurer, insignifiants jusqu'à l'exaspération. Ton dévouement passé, l'amour, l'admiration et l'adhésion sans réserves, l'enthousiasme qui découvrait des vertus et des qualités cachées, se dissipent dans un brouillard de l'esprit, dans un crépuscule inquiétant de l'être, incapable de retrouver les lueurs d'autrui et n'y constate qu'une inexpressivité lamentable, une fadeur froide et vide. Comment alors ne pas souffrir de ce dégoût qui, en nous éloignant de tout ce qui est, nous sépare de tout ce que nous aimons ou devrions aimer ? Pourquoi ce qui nous est si cher nous dégoûte-t-il ? Si le dégoût nous sépare de l'existence comme par un gouffre, sur qui faut-il qu'il se porte d'abord pour consommer cette séparation ? Sur ces êtres qui nous relient le plus à la vie, à l'*extérieur*, puisque intérieurement seul notre équilibre vital compte. Ce dernier est épargné par le dégoût, car tout dégoût, élevé à sa signification métaphysique, est l'expression d'un déséquilibre vital. Il ne peut naître que là où le lien intérieur et subjectif qui nous unissait à la vie a disparu. L'œuvre criminelle et destructrice du dégoût pour la vie, de la répugnance amère et profonde, apparaît uniquement dans la dissolution des relations qui nous lient extérieurement au monde. Et quand les êtres les plus chers nous apparaissent froids, vulgaires et lointains, tout ce qui pouvait encore nous relier à la vie s'anéantit sous nos yeux, car nous avons perdu l'assurance et l'équilibre de l'axe vital.

Quand donc mes blasphèmes vont-ils cesser, et devenir des ondes, quand vais-je enfin m'évaporer en parfums, en chatoiements, comme pour briller des derniers feux de l'être ? Pourquoi mes souffrances ne jetteraient-elles pas un ultime éclat, une lumière absolue et mortelle ? Il me faut lutter contre une fatalité qui ne permet de choisir qu'entre la sainteté et l'imbécillité. Il me faut lutter contre le destin pour que mon destin soit tout autre, et unique. Et je ne parviendrai pas à la lumière finale, à la folie resplendissante, à l'immatérialité suprême, sans entretenir éternellement des flammes dévorantes sous mon être, qui consument mon destin et ainsi le servent. Car nul ne peut accomplir une destinée unique et devenir un sujet absolu, une solitude dans l'existence ou dans le rien, s'il s'accepte. Il suffit de s'être *accepté* une seule fois, pour qu'il en soit fini de ton destin. Ne plus se prendre en pitié ; si tu as de l'amour, dispense-le pour les autres ; sois concessif avec ce qui n'est pas à toi, habitue-toi à l'idée que tu ne pourras aimer pour de vrai qu'une seule fois, quand, à la place de tous les renoncements, commencera subitement et définitivement ton apothéose, ton premier et dernier amour.

Mieux on connaît un homme, plus on risque de s'en séparer. La connaissance détache un être de l'autre et annule les grains de mystère présents dans chaque existence, aussi plate soit-elle. Les hommes résistent si peu à la connaissance que leur présence leur devient vite fatigante et pénible. Toute connaissance suscite la lassitude, le dégoût d'être, le détachement, car *toute connaissance est une perte*, une perte d'être, d'existence. L'acte de connaissance ne fait qu'accroître la distance qui nous sépare du monde et rend plus amère notre condition. On en arrive à ne plus supporter ses amis, les femmes même vous irritent, et tous les êtres vous dégoûtent. Il suffit qu'une secousse du corps et de l'âme vous fasse sortir du rythme normal de la vie, pour que l'existence ne puisse plus rien vous offrir hormis l'assurance de douleurs prolongées et involontaires. Et la douleur est d'autant plus forte qu'on ne supporte pas qu'elle puisse naître sans faute commise, qu'on n'en est pas responsable, et qu'elle nous envahit de manière arbitraire, indifférente à notre valeur et à nos pensées.

Déployer une telle passion en tout que le moindre geste te révèle intégralement à toi-même. Parler comme un condamné à mort; que chaque mot porte la marque du définitif, de l'ultime sursaut. Ne pas oublier de stimuler les vibrations intérieures jusqu'à l'extrême, et l'absurde. Comme un condamné à mort, que ton esprit se dissolve et s'élance dans une inquiétude extatique, dans un tremblement d'effroi, émis jusqu'à la volupté. *Être à chaque instant à la limite de son être.* Et, dans les moments où tu n'y es pas parvenu, pense au dédommagement que t'offrent ces moments que tu as vécus *au-delà* de la limite, au-delà des barrières de l'individuation; quand, saisi d'une furie intérieure exaltée, tu as atteint de tels sommets et de tels abîmes que ton être n'a plus été seulement présent comme être, mais aussi comme ce qui n'est plus lui. La vie n'est vécue avec intensité que si tu sens que ton être ne peut plus en supporter davantage. Vivre à la limite de l'être signifie déplacer son centre dans l'arbitraire et l'infini. Là, l'existence devient une aventure risquée où l'on peut mourir à tout moment; là, le saut dans l'infini commence à faire souffrir. Pas de bond dans l'infini sans briser les barrières de l'individuation, quand on sent qu'on *est* trop peu de chose en regard de ce qu'on vit. Car il est parfois donné à l'homme de vivre plus qu'il ne peut supporter. N'y en a-t-il pas qui vivent avec le sentiment de ne plus pouvoir vivre?

Il est extrêmement pénible de vivre des moments musicaux en restant à *distance* de la musique, de sentir qu'on ne peut pas tressaillir alors qu'il faudrait être ému; ce l'est aussi extrêmement d'être objectif en écoutant de la musique. Notre être ne prend pas son élan, ne ressent pas qu'il faudrait hurler, pleurer ou se dissoudre, il ne participe pas au rythme de frénésie générale et ne s'enivre pas au plaisir de la mélodie. Être à distance de la musique empêche de se réaliser intérieurement, de s'épanouir, de se dilater et d'éclater. Par chance, ces moments sont rares. Car la musique nous rend aérien en rendant la matière subtile, et anéantit la présence physique. L'état musical n'a de valeur que dans la mesure où il annule la conscience de notre limitation dans l'espace et dissout notre sentiment de l'existence dans la durée. Ces rares moments où nous regrettons la distance qui nous sépare de la musique, ne font que réveiller dans notre conscience la fatalité de notre limitation spatiale et temporelle et de notre distance à l'égard du monde. Dans ces instants, on souffre de ne pas pouvoir devenir pur et immatériel, et l'on constate que notre abattement nous empêche de vibrer, et nous isole comme matière dans l'espace. Toutes les dépressions isolent du monde, comme le serait une pierre qui aurait conscience de l'être. Elles tendent à nous montrer que l'homme, s'il n'est plus un objet, l'a pourtant été un jour ; le sujet se rend compte de son substrat et de la matérialité qui le lient à la terre. Il y a là une véritable dualité, pour ne pas dire un paradoxe. L'esprit dans l'homme, qui en fait un sujet, se rend compte de la matière qui l'encadre dans la nature. Ainsi, la dépression n'est qu'une distance à l'égard du monde dans laquelle l'esprit humain endure la tristesse de sa propre matière. Le sujet se sent et se pense comme objet, qui par cette dualité, ne peut plus s'intégrer au monde à cause de l'immense distance qui l'en sépare, bien que, matériellement, il soit une présence physique semblable aux autres.

Si pourtant nous ressentons des états musicaux dans les moments de dépression, c'est que, par les sonorités, ceux-ci ont été immatérialisés ; une transfiguration intégrale fait que les tristesses intérieures vibrent et perdent de leur matérialité et de leur poids. La tristesse comme origine et résultat de l'état musical ressemble seulement extérieurement à la tristesse de tous les moments non musicaux, car elle se sublime par ses vibrations et se hausse jusqu'à l'extase de l'infini. La distance au monde se convertit alors en élan frénétique vers le vide que la tristesse a ouvert entre nous et le monde. Dans ce cas, le vide se convertit en plénitude qui peut n'être qu'un vide qui vibre. Tous les états d'âme se transforment en expérience musicale et reçoivent de nouvelles caractéristiques, car elle approfondit et raffine tous les états jusqu'à la vibration, les fondant dans des convergences et des immatérialités sonores.

Seuls ceux qui souffrent à cause de la vie aiment la musique. La passion musicale se substitue à toutes les formes de vie qui n'ont pas été vécues, et compense, sur le plan de l'expérience intime, les satisfactions limitées au cercle des valeurs vitales. Quand on souffre de vivre, la nécessité d'un monde nouveau s'impose à vous, un monde différent de celui dans lequel on vit d'habitude, pour éviter de s'égarer dans un intérieur inhabité. Et ce monde, seule la musique le propose. Les autres arts expriment des visions, des configurations ou des formes nouvelles. Seule la musique apporte un nouveau monde. Les œuvres les plus importantes de la peinture, quelque séduisante qu'en soit la contemplation, forcent la comparaison avec le monde quotidien et n'offrent pas l'accès à un monde complètement différent. Dans tous les autres arts, tout est proche, mais pas suffisamment toutefois pour devenir familier ; dans la musique, tout est si loin et si proche que l'alternance entre le monumental et l'intime, entre l'inaccessible et le lyrique, offre une gamme complète d'extases intérieures. Il n'y a pas un tableau au monde devant lequel tu peux sentir que le monde *aurait pu* commencer avec toi ; mais il existe des finales de symphonies qui t'ont souvent poussé à te demander si tu n'étais pas le commencement et la fin. La folie métaphysique dans l'expérience musicale grandit à mesure qu'on connaît l'échec et qu'on souffre dans la vie ; car c'est cela qui t'a permis d'entrer plus profondément dans l'autre monde. Plus on se pénètre de l'expérience musicale, plus l'insatisfaction initiale grandit et plus le drame originaire qui nous a fait aimer la musique s'aggrave. Si la musique est le résultat d'une maladie, elle en favorise aussi le progrès. Car la musique détruit l'attrait pour l'action, pour les données immédiates de l'existence, pour le fait biologique comme tel, et déshabitue de l'individu. Qu'après la tension intérieure où nous conduisent les états musicaux, on ressente l'inutilité de continuer à vivre, n'exprime rien d'autre que ce phénomène de désaccoutumance. Plus encore que la poésie, la musique mine la volonté de vivre et distend les ressorts vitaux. Faut-il alors renoncer à la musique ? Nous tous qui sommes *forts* quand nous écoutons de la musique, parce que nous sommes faibles dans la vie, serons-nous nuls au point de renoncer à notre perte dernière, la musique ?

Je recommande la musique de Mozart et de Bach comme remède au désespoir. Dans sa pureté aérienne, qui atteint parfois une sublime gravité mélancolique, on se sent souvent léger, transparent et angélique. Autrefois inconsolables, voilà que vous poussent des ailes qui vous élancent dans un vol serein, accompagné de sourires discrets et voilés, dans une éternité de charme évanescent et de transparences douces et caressantes. Comme si on évoluait dans un monde de résonances transcendantales et paradisiaques. Tout homme a en puissance quelque chose d'angélique, ne serait-ce que le regret d'une telle pureté et l'aspiration à la sérénité éternelle. La musique réveille le regret de ne pas être ce qu'il aurait fallu, mais sa magie nous charme un instant en nous transportant dans notre monde idéal, celui où il aurait fallu vivre. Après les fausses notes démentes de notre être, un désir de pureté angélique nous saisit, et nous fait espérer rejoindre un rêve de transcendance et de quiétude, loin du monde, naviguant dans un vol cosmique, les ailes étendues vers de vastes lointains. Et l'envie me prend d'étreindre les cieux qui ne me furent jamais ouverts.

*T*ous les baisers que je n'ai pas donnés et tous ceux que je n'ai pas reçus, les sourires qui n'ont pas germé et la timidité de nos amours n'ont-ils pas aggravé et scellé nos solitudes ? Tant de refus de la vie n'ont-ils pas fait de nous des combattants et des exaltés ? Et quand nous avons renoncé à nous-mêmes, ne l'avons-nous pas fait la tête haute, en espérant d'autres triomphes ? Quelle est l'origine de nos solitudes si ce n'est un amour qui n'a pu s'épancher ; de quoi se sont-elles nourries sinon de tout cet amour emprisonné en nous ? Notre désir d'absolu, notre volonté d'être dieu, démons ou fous, tout le vertige engendré par la recherche d'autres éternités et la soif de mondes infinis ne sont-ils pas nés de tant et tant de sourires, étreintes et baisers non échangés et restés inconnus ? Ne cherchons-nous pas le *tout*, parce que nous avons perdu *quelque chose* ? Un seul être aurait pu nous sauver du chemin vers le néant. Nous avons été si nombreux à perdre l'individuel et l'existence, que nos solitudes poussent, s'enracinent, pareilles aux fleurs marines abandonnées aux vagues. Nourries de tant d'amours inaccomplies, pour mieux soutenir notre élan vers d'autres mondes et d'autres éternités, comme nos solitudes sont fortes !

II

*D*échaîner toute l'ardeur passionnée de l'esprit, vaincre toutes les résistances et abattre tous les obstacles sur la route de notre grande folie. Être fier de l'absurdité et de l'infinité de notre courage et partir, ivre d'orgueil et d'extase vers les cimes ultimes de l'être, poussé par la faim de grandes conquêtes et le désir de réalisations finales. Que notre geste soit une création, le signe d'un monde nouveau; que l'enthousiasme soit notre mission et la pensée, notre impératif. Que notre folie, intense et profonde jusqu'au sublime, soulève une terreur cosmique et une angoisse illimitée dont les tourbillons accueilleront les flammes de notre vie, trop vives pour ne pas brûler et trop dramatiques pour ne pas exploser. Que rien n'arrête notre élan d'affirmation et que notre vie sème la mort sur son passage, afin que notre ultime consécration rachète tous nos sacrifices. Que la conquête suprême et l'élan absurde vers le monde occupent toutes nos pensées et tous nos désirs; que la soif inextinguible de monde augmente avec notre élévation. Aimer les grandes joies et les grands désespoirs; mais haïr à mort l'inertie, le doute et la passivité, et haïr tout autant ce qui freine l'ardeur passionnée de l'esprit et retient l'élan absurde vers le monde. Que nous soyons positifs ou négatifs, peu importe; il suffit que notre esprit vibre. Car d'une grande négation ne peut pas ne pas sortir une grande affirmation; le même feu palpite dans les grandes négations et dans les grandes affirmations : les transmutations se font seulement sur les cimes. L'extase ne résulte-t-elle pas des flammes qui nous consument dans les négations terrifiantes et infinies? Que la folie soit notre seule sagesse.

*Q*ue toute notre vie soit un élan irrationnel qui nous brûle d'une fièvre insupportable, et ranime la conscience hallucinante de notre mission. Ne pas bâtir sa vie sur des certitudes, car nous n'en avons pas et ne sommes pas assez lâches pour en inventer de

stables et de définitives. Car où trouver dans notre passé des certitudes, des points fermes, un équilibre ou un appui ? Notre
héroïsme n'a-t-il pas commencé quand nous nous sommes rendu
compte que la vie ne pouvait apporter que la mort, sans avoir pour
autant renoncé à affirmer la vie ? Les certitudes nous sont inutiles
car nous savons qu'elles ne peuvent se trouver que dans la souffrance, la tristesse et la mort ; que celles-là sont trop intenses et
prolongées pour ne pas être absolues. Il faut se contenter de résister à leur attrait ; notre héroïsme consiste seulement à se combattre soi-même, car la souffrance, la tristesse et la mort se sont
nichées en nous afin de nous priver, par leur caractère absolu, de
notre droit à la folie. Que notre folie consiste donc à fouler aux
pieds les certitudes qui naissent en nous sans avoir été désirées.
Nous ne pouvons continuer à vivre avec la peur de la mort ; et
notre élan sera d'autant plus fécond qu'il la surmontera. Nous
voulons vivre, bien que nous *sachions* que rien ne peut sauver la
vie des griffes de la mort. Notre seul idéal désormais ? Passer outre
ce que nous *savons*, résister aux tentations de la connaissance et
de toutes ces choses *sûres* qui nous ont fait désespérer. Secouer
frénétiquement l'ignorance qui nous cache la vérité : la vie est une
maladie durable.
Vers quels horizons lointains la mélancolie nous emporte ! Quelles
tristesses elle dissipe pour laisser place aux sourires voilés d'une
pudeur naïve ! Le charme du sourire mélancolique réside dans la
candeur qui s'égaille de son envol. Sans elle, il n'aurait rien de
l'inexprimable qui nous le rend si lointain et pourtant si proche.
Dans toute mélancolie, la douceur atténue les regrets et la nostalgie ; elle confère à l'amour pour la solitude une pointe de délicatesse intime. À combien de reprises la mélancolie nous a-t-elle
transportés sur des mers inconnues et insoupçonnées, où notre
rêve se dévide en ombres et en crépuscules, sans que nous souf-
frions de la solitude ou que les ténèbres nous recouvrent ! Car la
douceur de la mélancolie est comme une fleur odorante qui
rafraîchit les arômes de l'esprit. Il existe une joie propre à la
mélancolie, à laquelle nous ne renoncerions pas pour toutes les
joies du monde. Le sourire mélancolique, ouverture de notre
infini vers l'infini du monde, ensorcelle par son air rêveur, trop
caressant pour être triste et trop familier pour être sublime. On
savoure grâce à lui la nature éphémère des choses à partir de son
immobilité, jamais rigide par son penchant secret pour l'indécis.
L'équivoque et l'attrait indéfinissable de la mélancolie viennent
du regret contenu de voir passer les choses et de la peur d'en sus-

pendre le cours. Voilà pourquoi nous aimons la mélancolie ; pour le plaisir étrange d'être au-delà du devenir et au-delà de l'immobilité, et de ne les caresser que de loin.

L'amour est d'autant plus profond qu'il se porte sur des êtres malheureux. Pas malheureux de ne pas avoir de conditions d'existence favorables — ceux-là n'éveillent en nous que de la pitié — mais malheureux au cœur de leur être. Pourquoi faudrait-il aimer l'homme qui marche dans la vie d'un pas ferme ? A-t-il besoin de notre amour ? Plus il y a d'hommes satisfaits de leur condition sur terre, plus ma quantité d'amour diminue. Le malheur des autres m'attire comme une occasion pour moi d'exercer mon amour. La soif maladive de malheur, la recherche des peines des autres, suscitent en moi un amour proportionnel à leurs tristesses, à leurs maladies et à leur malheur. Et quand mon amour réduit l'intensité de ces malédictions, c'est comme si je combattais mes propres tristesses, mes maladies et mes malheurs, dans une lutte qui, en les adoucissant chez les autres, les fait grandir en moi, pour qu'en maîtrisant leur variation, je puisse mieux les supporter. Tous les malheurs, les tristesses et les maladies des autres, je les ai intégrés en moi dans la mesure où je les ai amoindris chez les autres. Je ne peux m'en défendre qu'en les faisant croître. Certains êtres ont, dans ce domaine, une capacité de résistance infinie. Ainsi donc, il est criminel de ne pas pratiquer l'amour comme un moyen de réduire le malheur d'autrui. Et ce n'est que dans l'amour pour les malheureux, pour ceux qui ne sauraient être autrement, que le sacrifice couronne l'amour. Il n'y a pas de profondeur dans l'amour sans sacrifice car la profondeur exige un grand renoncement. Et qu'est-ce d'autre que le sacrifice sinon un grand renoncement à un grand amour ? La vie ne paraît avoir de sens que dans le sacrifice. Mais, ironie amère, le sacrifice nous la fait perdre.
Le sacrifice est l'affirmation suprême par un suprême renoncement. Se sacrifier pour quelque chose signifie découvrir une valeur au nom de laquelle on peut renoncer à tout ce que la vie nous offre ; par le sacrifice, on veut sauver quelque chose qui ne saurait exister que si la non-existence la compense. Mon anéantissement appelle à l'existence une autre forme de vie qui s'érige sur moi, qui suis devenu rien. Le sacrifice est une tentative pour sauver la vie par la mort. C'est ma mort qui est la condition de survie ou de naissance des valeurs ou d'un être.
L'aspiration au néant ne devient positive que dans le sacrifice. De même, c'est par lui que le renoncement devient un acte de vie.

Que notre amour tire ses malheurs, ses peines et ses maladies du malheur, de la tristesse et de la maladie des autres. Que notre sacrifice et notre *ruine* par l'amour signifient le *triomphe* de l'amour. Et si nous ne donnons aux malheureux que l'illusion de moins de malheurs, ne leur offrons-nous pas par notre surcroît de malheurs, la confirmation de notre amour?

*J*e voudrais être seulement un rayon et un jour, m'élever dans un rythme sonore vers les cimes de la splendeur; que les profondeurs de l'obscurité m'emportent sur les ailes d'une musique sombre. Je ne sais si c'est la lumière qui se lève en moi ou si c'est moi qui m'élance dans la lumière; je ne sais si je suis lumière ou si je le deviens. Mais palpitent en moi des gerbes de rayons, fleurs lumineuses comme des apparitions angéliques, et jaillissent des scintillements de larmes. Ces larmes ne tombent-elles pas de moi comme les étoiles d'un ciel déserté, un ciel qui anéantit dans les flammes ses propres hauteurs? Comme la lumière se répand en moi pour se rassembler en faisceaux! Comme elle devient solide comme une substance, chargée de trop d'éclats avant de se déverser en moi, pareille au temps, au temps qui s'écoule en moi!

*C*e qui me distingue des autres: moi, je suis mort d'innombrables fois, quand eux ne l'ont jamais été.

*L*es pensées pour lesquelles nous regrettons de ne pas verser de larmes sont les plus profondes, et nous sont les plus chères. Dans les instants de grand détachement, quand nous sommes infiniment loin de tout et que nos pensées ne sont plus que vertiges au-dessus d'un abîme, pourquoi sont-ce les images d'une actualité banale qui nous viennent subitement? Pourquoi surgissent soudain dans la mémoire des incidents insignifiants du passé, des fragments indifférents de la vie, trop personnels pour qu'on puisse leur attribuer une quelconque signification? Ces présences délimitées, immédiates et directes tirées de notre néant subjectif n'ont-elles aucun sens? Notre être ne chercherait-il pas dans ces apparitions spontanées un salut instinctif, une compensation à sa dilatation vers le rien? Ne se défend-il pas par un appel au vulgaire, au plat et à l'accessible? Quand on est infiniment loin de tout, seul l'individuel inexpressif peut encore nous ramener à la vie. Quel sens donner à l'apparition d'une vallée, d'une certaine personne, d'une rue ou d'un arbre, dans les instants où le renoncement est devenu notre seul problème? Quand le déracinement métaphysique nous recouvre et nous envahit, pourquoi des présences physiques et immédiates nous reconduisent-elles vers le monde où nous avons été et nous rappellent ce que nous pouvons y perdre? Un tel retour, dans les instants de détachement suprême, n'exprime-t-il pas le besoin organique de se raccrocher à quelque chose?

Quand tu es pris d'un furieux désir de baisers infinis, pour ne pas céder au caprice d'une volonté qui ne sait pas ce qu'elle veut ni tomber dans une confusion écrasante de sensations contradictoires, essaie de dépenser tout ton surplus d'énergie et de tension nerveuse dans la fuite ou la marche rapide. Dans les moments où l'amour fait mal parce qu'il demande trop, libère-toi par d'autres moyens et d'autres voies. Cours au hasard des rues, traverse les forêts et disperse dans la fuite l'obsession impossible à réaliser. Sème à chaque pas un baiser parmi les mille que tu aurais voulu donner et, la fatigue venant, oublie toutes les femmes que ton amour voulait étreindre. Que les baisers se détachent de toi comme les pétales d'une fleur sous l'orage, et non comme ceux d'une fleur d'automne. Que cette dispersion ne paraisse pas un échec ou un renoncement; mais que des milliers de baisers éclairent la vie d'autant de sourires que de tristesses l'ont un jour assombrie.

La mélancolie est d'autant plus pure que l'amour l'enveloppe et l'alimente. De leur association naît une palpitation agréable et suave, une grâce de la solitude, un pressentiment voluptueux de l'éternité. Nous regrettons alors de ne pas être une fontaine de larmes dont la source serait inépuisable, des gouttes transparentes qui refléteraient le monde de leur éclat, plus enchanteresses que les plus divines illusions et plus enivrantes que les plus douces rêveries? Dans la lassitude consolante de la mélancolie, ne souffrons-nous pas de ne pouvoir fondre en larmes?
Il n'y a que dans l'amour que la mélancolie atteint des sommets, car seul l'Éros la transfigure. La passivité, la saveur, l'abandon, une palpitation immatérielle, purifient la mélancolie en sorte qu'à l'état pur la mélancolie devient potentiellement féconde sans être pour autant créatrice. C'est seulement lorsqu'une passion exacerbée ou une tension extrême, provenant d'un élan conquérant, troublent la suavité et la pureté de la mélancolie, qu'elle devient créatrice. Les grands compositeurs ont toujours su secouer la mélancolie avec une fougue, une passion ou une énergie intense.

L'infini de la mélancolie devient alors une puissante vibration ; les aspirations vagues, des élans déterminés ; les pressentiments deviennent tonnerres ; les larmes, orages ; la palpitation immatérielle, volonté de réalisation ; le survol suave au-dessus du monde, réalisation effective dans le monde et la saveur, explosion. Il n'y a pas de disposition plus créatrice que la mélancolie quand elle est bouleversée par un principe antinomique. La soif d'un monde infini devient désir de créer des mondes infinis et l'aspiration à la fusion dans la fluidité de l'infini, affirmation dramatique dans l'infini. La conscience démiurgique convertit le vague de la mélancolie en tensions et en foudres, et alimente de ses illusions séduisantes, les flammes frémissantes de trop d'ondulations. Le passage au plan démiurgique fait de nos rêveries des projections vitales, et des regrets, des élans irrésistibles. Le flux de la création est une vague de pureté et de drame ; le reflux, dans une agréable lassitude, est comme un retour aux puretés perdues. Si par la création, il fallait renoncer à jamais aux délices de la mélancolie pure, qui d'entre nous ne renoncerait pas à la création ?

*L*a pensée ne me mène-t-elle pas à tout ? N'ai-je pas été ce que j'ai voulu et ne puis-je devenir ce que je veux ? N'ai-je pas été couleur, vent, tonnerre ? N'ai-je pas assimilé tout ce que l'audace de la pensée a conçu ? N'ai-je pas pu être autrui aussi souvent que j'ai été moi-même ? N'ai-je pas été tour à tour un univers de regrets, d'aspirations, de tristesses et de joies ? Et ne pourrai-je pas devenir successivement toutes les couleurs qui existent et se peuvent concevoir ? Car je voudrais me réaliser en couleur, être tour à tour jaune, bleu, violet, orange, voguer sur les couleurs et les intégrer. Être mélancolique en bleu, fou en rouge, triste en jaune, gai en vert, nostalgique en violet et suave en orange. Faire passer mon être par une succession chromatique, qu'il soit source et miroir des couleurs. Que les rayons irradient de moi comme des messages dans l'infini et qu'en moi, ils se renvoient toutes leurs nuances pour vêtir le monde entier d'un rêve de miroitements.
D'où vient la profondeur de l'amour si ce n'est de la négation de la connaissance ? Ce qui est plat dans la connaissance devient absolu en amour. Toute connaissance objective est plate ; c'est la mise en relation qui fait perdre aux objets leur valeur. En connaissant une chose, nous la rendons pareille aux autres ; plus nous connaissons, plus la réalité devient commune, vulgaire, pauvre, car la connaissance ne *sauve* jamais rien mais détruit peu à peu l'être. Il y a dans toute connaissance objective, qui considère les choses du

dehors, les encadre dans des lois et les met en relation, qui comprend tout et veut tout expliquer, une tendance destructrice ; et quand l'élan vers la connaissance devient une passion, elle n'est plus qu'une forme d'autodestruction. En revanche, nous aimons dans la mesure où nous nions la connaissance, où nous pouvons nous abandonner absolument à une valeur en la rendant absolue. Et si nous n'aimions que notre désir d'amour ou même notre amour, il y aurait dans cet élan pas moins de négation de la connaissance. Nous ne connaissons véritablement que dans les moments où nous vibrons intérieurement, où nous brûlons, où nous pouvons nous hausser à un niveau psychique élevé. Cette différence de niveau psychique entre connaissance et amour nous indique suffisamment qu'ils ne peuvent jamais coexister. Quand on aime, les moments de connaissance réelle sont extrêmement rares ; leurs apparitions sont dues à un faiblissement de l'amour. Et lorsqu'il arrive qu'on parvienne à comprendre du dehors, d'un point de vue objectif, que la femme qui ondule comme une obsession et envahit tout son être, qui a poussé organiquement en soi, ressemble à n'importe quelle autre par sa qualité spirituelle ; lorsqu'on comprend que son sourire n'est pas unique mais parfaitement interchangeable, qu'on peut la rapporter et l'assimiler aux autres, que l'on trouve des explications générales pour ses réactions individuelles — alors, la connaissance a supplanté cruellement les élans de l'amour. *L'amour est une fuite loin de la vérité. Et nous n'aimons vraiment que lorsque nous ne voulons pas la vérité. Amour contre vérité*, voilà un combat que la vie, nos extases et nos fautes, affectionnent. L'être aimé, nous ne le connaissons vraiment que lorsque nous ne l'aimons plus, quand nous sommes redevenus lucides, clairs, secs et vides. Dans l'amour, impossible de connaître, car la personne que nous aimons n'actualise qu'un potentiel intérieur d'amour. La réalité primordiale et effective est l'amour en nous. Voilà pourquoi nous aimons. J'aime l'amour en moi, j'aime mon amour. La femme est le prétexte indispensable qui fait battre à un rythme intense les pulsations timides de l'amour. Il ne peut y avoir d'amour purement subjectif. Mieux s'abandonner à l'expérience voluptueuse de l'amour comme état pur, que s'abandonner aux délices suprêmes avec l'autre. Nous aimons une femme parce que c'est notre amour qui nous est cher. La solitude des sexes et la lutte sauvage entre hommes et femmes tirent leur origine de cette intériorité de l'amour. Car en amour, nous goûtons à nous-mêmes pour nous savourer, et ce sont les voluptés de notre propre frisson érotique qui nous transportent.

Aussi est-ce la raison pour laquelle l'amour est d'autant plus intense et profond que l'être aimé est loin. Sa présence physique fait de notre sentiment quelque chose de si orienté, avec une direction si précise, que ce qu'il y a en nous de vécu érotique vraiment innocent, d'élan subjectif, nous semble venir du dehors et se détacher de la présence physique de la personne aimée. Seul l'amour de loin, l'amour mûri et nourri de la fatalité de l'espace, se présente comme un état pur. On est alors en prise directe sur son intériorité profonde ; alors, on vit l'amour en tant qu'amour, et l'on s'abandonne aux tressaillements du sentiment, à son charme voluptueux qui rend les souffrances fluides et les dissipe comme une illusion.

Les hommes dotés d'une imagination fertile et d'une vie intérieure complexe connaissent souvent une telle purification de l'amour ; de sorte qu'ils vivent les élans de l'amour dans ce qu'ils ont de suave, de virginal, dans les volutes vitales de l'amour, dans ses pulsations pures, dans le potentiel érotique brut, avant que l'être ne réveille la vie et n'actualise ce potentiel. La fusion avec le frémissement vital, avec l'amour comme germe et comme désir, fait de ces âmes des fontaines intarissables d'états purs et cristallins.

L'amour qui reste à l'état de désir et s'en nourrit exclusivement n'est qu'une manifestation de cet amour qui ne veut pas se réaliser de peur de mourir. Quand l'Éros s'est actualisé, quand il vit non seulement comme réalité subjective mais aussi avec l'obsession d'un être extérieur, l'extinction de l'amour est malheureusement à prévoir. Par la femme, nous nous réalisons plus vite mais mourons plus rapidement ; nous connaissons et nous devenons objectifs plus vite qu'en nous maintenant dans les élans purs de notre esprit. Il n'est pas moins vrai que, par la femme seulement, nous pouvons apprécier à quel niveau s'élève l'intensité de notre amour, jusqu'où sa profondeur nie la tendance vers la connaissance et à quel point la vérité est vaincue par cet amour qui nous rend trop vivants pour être objectifs.

L'amour est source d'existence. Nous *sommes* grâce à l'amour. Nous recherchons l'amour pour échapper à la chute dans le vide provoquée par les lucidités de la connaissance. *Nous désirons l'amour pour ne pas être défigurés et contrefaits par la vérité et par la connaissance.* Car nous existons seulement à travers nos illusions, nos désespoirs et nos fautes, et eux seuls expriment l'individuel. Le caractère général de la connaissance et l'abstraction de la vérité (même si la vérité n'existe pas, il y a pourtant une impulsion vers la vérité) sont des atteintes à l'amour et à notre désir d'amour. L'Éros pourra-t-il venir à bout du Logos ?

La conversion de l'amour en pitié annonce la phase ultime de l'amour, son agonie. Quand on en arrive à avoir pitié d'une personne qu'on a aimée, c'est que notre enthousiasme ne peut plus tenir tête à l'évidence. La pitié est un amour fatigué, un amour dont l'objet nous est devenu étranger. Nous percevons alors clairement la condition de l'autre et sa place dans le monde. Dans la pitié, nous n'anticipons rien, nous n'offrons rien généreusement, nous ne transfigurons plus rien du tout ; au contraire, la lucidité de la pitié retire tout l'éclat et l'illusion auxquels chacun a droit de céder. Après les embrasements et les flammes de l'amour, la pitié est comme une cendre qui couvre les derniers vacillements du feu de l'Éros. L'amour de l'autre ne nous fait-il pas souffrir, ne souffrons-nous pas d'être aimé ? Et notre pitié n'exprime-t-elle pas le regret de ne plus pouvoir répondre à un amour depuis longtemps anéanti en nous ? Plus la pitié grandit, plus l'irréparable qui sépare deux êtres se creuse, et son intensité ne témoigne que du regret de ne plus pouvoir aimer. L'ultime phase de l'amour nous montre combien nous sommes seuls même quand nous aimons ; que tout dépend non de l'objet extérieur mais de l'élévation de nos sentiments. La lutte entre amour et connaissance s'accomplit une dernière fois dans la pitié. Et le triomphe de la connaissance nous montre seulement en quelle grande lutte nous nous sommes engagés, et combien de postes perdus nous avons à reconquérir.

Ne sentons-nous pas dans la mélancolie que notre esprit s'ouvre à des appels vagues ? Ses appels ne sont-ils pas les présages d'inquiétudes agréables ? Ses effluves répandus par notre décomposition ne sont-ils pas doux ? Car l'esprit s'épanouit dans une désagrégation voluptueuse et indolore, une caresse indéfinie et une aspiration au vague. Ne ressentons-nous pas au contraire des délices virginaux, des douceurs intimes, extases dans un monde de couleurs irréelles comme en un jardin riche de fleurs qui étendent leurs pétales vers l'infini ? Dans ce doux délitement de la mélancolie, ne sommes-nous pas ravis de solitudes sonores, solitudes nées de l'infini qui s'insinuent partout, se heurtent aux choses et reviennent en gerbes sonores, dans un reflux insensible vers l'infini d'où elles sont parties, ce silence dont procède l'être. Les solitudes prêtent leurs voix innombrables à ceux qui ont trop à dire pour pouvoir encore parler !

*L*e mystère du sourire mélancolique résulte de l'énigme introduite par la douceur dans la mélancolie. Tout ce qui est suave, ingénu, pur, verse sur le vague de la mélancolie un fluide impondérable et mystérieux qui se dilate en nous comme un parfum enivrant et fin. Flottant sur tout, ce sourire s'arrête à tout et à rien. Son indécision est amplifiée par l'immensité vers laquelle il se dirige. Génial ou dilettante, il plane sur le monde, sans qu'on puisse savoir si c'est un sourire de connivence ou d'extase. Le vague qui s'en détache attire comme l'inexplicable du mystère. Et plus on croit comprendre, moins on a compris. Ne suffit-il pas d'un seul sourire mélancolique pour qu'une femme superficielle nous paraisse chatoyante ? La mélancolie ne transfigure-t-elle pas le visage le plus dépourvu d'expression en prêtant une profondeur au vide intérieur ? L'attraction du sourire vient aussi de ce qu'on le rencontre chez des personnes très différentes quant à leur éducation spirituelle et à leur hauteur d'esprit. Quand il part d'un raffinement intérieur, il est sublime ; quand il est instinctif, il rend la vulgarité mystérieuse. Dans la mélancolie, la douceur est une source de lumière énigmatique. C'est dans cet indéfini que réside l'explication de notre impossibilité à nous en rassasier, à la trouver un jour fade, à la comprendre et à la connaître. Ici, la connaissance n'a rien à détruire car sa progression n'est qu'une perpétuelle auto-annulation.

Autant la mélancolie est douce, autant la tristesse est amère. Pour la combattre, toutes les méthodes possibles, toutes les voies et toutes les possibilités sont bonnes. Car si nous n'avons pas assez de forces pour vaincre le cancer de la tristesse, c'est lui qui nous minera et nous pourrira avant l'heure. On ne doit pas se laisser envahir de tristesses. Les supporter seulement lorsqu'elles sont poétiques ; quand elles deviennent réelles et effectives, s'y attaquer furieusement. Ne pas oublier que les coups de poing, les cris, les gifles, la marche, le sport, les femmes, la vulgarité, sont à notre portée et que, par eux, nous pouvons gagner le combat dans le temps. Ce n'est qu'après de longues tristesses que nous sommes amenés à apprendre ce que vivre signifie. Nous apprenons à vivre seulement par réactions. Nous apprenons à vivre en luttant contre la fatalité, et, dans la lutte, nous ne faisons que tarir la fontaine des tristesses. Nous puisons en nous-mêmes, en espérant pouvoir être un jour complètement à sec, et recommencer différemment depuis le début, avec une source plus pure, d'autres profondeurs et d'autres clartés.

*P*uisque la mort ne peut être évitée, s'en scandaliser est inutile et stérile. Plus nous nous révoltons contre elle, plus nous prouvons que notre sentiment de la mort est superficiel. Car la révolte exclut la révélation de l'irréparable et du définitif, et de l'immanence inéluctable de la mort qui se révèle toujours à nous dans l'expérience intense du phénomène. La révolte contre la mort est le fruit de l'inspiration du moment; seule la peur de la mort est durable et profonde. Nous ne pouvons pas soutenir le combat contre la mort; nous pouvons seulement étouffer dans la perspective du temps la peur de la mort. Il faut apprendre à mourir un peu moins. Pourquoi ne pas profiter de toutes les expériences qui nous font oublier la mort, ou dans lesquelles elle nous semble évanescente? Pourquoi ne pas profiter de l'union avec la lumière, offerte dans l'expérience intégrale du monde, pour nous en éloigner? La lumière, occasion et cadre d'extase et de féerie, nous élance loin du temps, de la fatalité et de la matière. En elle, nous oublions, dès le début et surtout, dès la fin; mais lorsqu'une invasion lumineuse semble nous inonder jusqu'à nous faire éprouver la sensation de la mort, elle ne ressemble pas à une fin catastrophique, mais à une issue sublimée et volatile; elle se rapproche plus vite de la fusion immatérielle dans la lumière, ce dépassement individuel dans l'universalité transcendante et sublime de la lumière. Quand nous ne trouvons pas de lumière au-dehors, il faut rallumer les foyers éteints de notre être ou métamorphoser et convertir en lumière les immensités ténébreuses de notre abîme. Que toutes les autres occasions d'oublier la mort aient comme prototype l'expérience et l'extase de la lumière.

*J*e me persuade toujours davantage que l'héroïsme s'enracine dans le désespoir. Nous ratons la vie dans le désespoir; mais, par lui, nous ne manquons pas la mort. Le sacrifice, le sacrifice seul, *sauve* notre mort, et lui seul rachète une vie. Du moment que la vie n'est pas pure mais infernale et torturante, le sacrifice n'est-il pas l'anéantissement le plus sublime? Pouvoir mourir pour les autres; pour les souffrances de milliers d'anonymes, pour une idée féconde ou absurde; brûler sa vie par les deux bouts pour ce qui ne nous regarde pas, se détruire avec largesse et inutilité, n'est-ce pas la seule forme de renoncement dont nous sommes capables? Chaque geste ne gagne de valeur que dans la mesure où il part d'un grand renoncement. Seule la mort approfondit les actes de la vie. Dans le sacrifice, la vie se réalise par la mort. Si tous les hommes qui ont gâché leur vie apprenaient à moins rater leur mort, le monde deviendrait une symphonie d'immolations. Alors, par la mort, la vie acquerrait une gravité solennelle et tendrait à la pureté à laquelle aspirent tant d'élans désespérés. Tout sacrifice est une protestation contre l'insuffisance de pureté de la vie. Voilà pourquoi nous ne pouvons désormais être créateurs que par le sacrifice.

Passer du renoncement à l'héroïsme! Mais pas à la passivité indifférente des sages. Le renoncement, comme détachement silencieux et progressif des choses mené jusqu'à l'indifférence totale, nous est inaccessible. L'idée de notre mission ne germe-t-elle pas dans ces moments de grand renoncement, de détachement suprême?

On ne peut parler du renoncement sans être soucieux, tourmenté et triste. Le renoncement représente pour nous un drame infini; nous y mettons trop d'énergie pour qu'il en soit encore. Et le processus psychologique du renoncement nous touche de trop près pour qu'il ne devienne pas tragique. Nous ne renonçons pas; nous *voulons* renoncer. Aussi ne pouvons-nous être qu'héroïques.

Quand Bouddha parle du renoncement, c'est comme si nous parlions de l'amour. Renoncer avec le naturel d'une fleur qui s'épanouit au crépuscule, voilà son secret. Nous n'en sommes pas capables parce que nous mettons trop de passion dans nos négations. Mais toutes les négations ne deviennent-elles pas positives par notre excès? En détruisant tout, c'est comme si l'on créait tout. Nous débordons de négations; comme les flammes du feu. Et nous les consommons, non pas dans le doute, mais avec la certitude d'une mission. Nous jetons tout pour tout conquérir; nous nous sacrifions pour transfigurer la vie; nous renonçons pour nous affirmer; dans le détachement ultime, notre élan étreint l'univers. C'est pourquoi la libération reste dans notre conscience à l'état de problème. Car la libération ne devient effective que pour ceux qui suivent une direction unique dans l'absolu.

Détache-toi de tout, afin de devenir un *centre métaphysique*, ton unique gain, ta seule destinée. Que dans la dépossession, tu te réjouisses de ta conquête et que, dans les échecs, tu découvres des joyaux pour ta couronne. Vis comme un mythe; oublie l'histoire; pense qu'en toi, ce n'est pas une existence qui se brise mais l'existence; que la matière, le temps, le destin, se sont concentrés dans une seule expression; deviens source d'être et d'actualité dans l'existence. En vivant comme un *mythe*, tout ce qui est anonyme te sera propre et tout ce qui est personnel deviendra anonyme. Tu vivras ainsi le tout d'autant plus intensément que les choses deviendront des essences et qu'elles perdront leurs noms. Alors tu pourras renoncer à la tentation de l'individuel; tu pourras oublier les personnes et les objets, tout donner et t'offrir entièrement.

Formulation moderne d'un problème éternel : est-ce le *regret* d'avoir renoncé qui nous tourmente ?

Tout le problème du renoncement : comment faire de lui autre chose qu'une perte, mais une forme d'amour ? Nous voulons faire du renoncement quelque chose de positif. Lâcheté ou héroïsme moderne ?

Si le renoncement ne s'achève pas dans le sacrifice mais dans l'amertume et le scepticisme, l'expérience capitale est ratée; comme une négation qui ne nous mènerait pas à l'extase. Pour le renoncement, il n'y a qu'une façon de devenir productif : en étant *ouvert* sur la vie. Après avoir rompu les liens avec le monde, ayons assez d'amour pour pouvoir, par notre détachement, étreindre le tout; soyons infiniment loin de tout et infiniment près de tout; englobons tout dans la vision de l'extase. Alors, le renoncement devient profit. En lui, notre esprit s'offre à tout parce qu'il a tout perdu. Pas d'amour total et infini sans détachement. Car l'amour qui se réalise individuellement, l'amour immédiat fait l'économie du détachement.

Seul un esprit déchiré d'amour peut encore réhabiliter ce monde vulgaire, mesquin et écœurant. Un grand amour n'existe pas sans grand renoncement. On ne peut tout avoir que lorsqu'on n'a plus rien. Joies et tristesses du renoncement ! Nous nous réaliserions absolument si le renoncement était seulement une occasion de félicité. Mais nous aimons tous trop notre imperfection pour ne pas nous attrister de nos amours. Quand donc apprendrons-nous à voir dans l'amour autre chose qu'une perte ?

Question obsédante et sans réponse : comment l'homme peut-il survivre aux états extrêmes ? Je ne me pardonnerai jamais de ne pas avoir eu cette audace absurde lors d'extases suprêmes, d'avoir survécu aux moments simultanés de béatitude et d'aspiration à la mort, de vivre encore après que mon océan de larmes en moi n'a pas pu se déverser dans l'extase symphonique de la mort, de l'amour et de la tristesse. *Jadis*, j'ai été tout : que vouloir de plus ? Pourquoi n'ai-je pas le courage des grandes séparations ?

Être tout, et tout avoir à tout instant.

Mais quel est celui qui peut être toujours Dieu ?

Si nous étions obligés de choisir entre la musique et la femme, qui sait si nous ne donnerions pas la préférence à la première ? Bien que toutes deux procurent des sensations d'une enivrante intensité, seule la musique nous suspend dans l'infini voluptueux de l'inachèvement. Avec la femme, on est contraint d'épuiser et de déverser ce qui en nous est source pure ; dans la musique, jamais ; sa complexité trouble nous permet de ne jamais nous réaliser. Nous recherchons la compagnie féminine pour peupler notre solitude, mais la musique pour la préserver. Avec les femmes, n'essayons-nous pas d'échapper à la tristesse ? Qui, dans les voluptés sublimes de la musique, n'a pas éprouvé la tristesse d'un Dieu seul et abandonné, ne soupçonne pas l'essence de la musique. Ce n'est que dans la musique qu'on peut deviner ce que seraient les joies et les tristesses de Dieu...

Après avoir eu si longtemps conscience de notre inanité, comment ne pas se prendre pour Dieu ? Peut-on ressentir autre chose que l'alpha et l'oméga ? Pourquoi ne pas se faire à l'idée de notre propre divinité ? N'avons-nous pas tous tant perdu que nous avons droit au moins à une dernière illusion, à l'illusion absolue ? Notre solitude n'aurait-elle pas assez de voix pour nous faire entendre la réalité de notre illusion ? Toutes les solitudes ne sont-elles pas musicales et sonores ? Ne doivent-elles pas aussi nous chanter la gloire d'être seuls au point de vouloir être le tout ?

III

Si la négation ne mène pas à l'extase et le désespoir à la prophétie, c'est qu'ils n'ont pas atteint la profondeur par laquelle ils se dépassent eux-mêmes. S'il n'en jaillit pas l'assurance de notre vocation, les voies de l'existence nous resteront fermées à jamais. N'avons-nous pas le devoir envers notre destinée de plier notre conscience à notre mission exemplaire? Ne devons-nous pas exploiter en nous la fièvre, la confusion et les vibrations pour parvenir à la transfiguration que nous promet la certitude de l'unicité et de la profondeur de notre destinée? Pour une grande âme, ce que nous appelons tristesses, désespoirs, renoncement, n'a pas de valeur en soi mais représente seulement les degrés de sa métamorphose, les étapes d'une ascension grandiose. Tous ces degrés et toutes ces étapes sont des chemins vers la pureté, vers le sublime détachement qui n'est autre qu'une communion suprême. N'essayons-nous pas, en effaçant nos taches sombres, de laisser place en nous à la fluidité douce et immatérielle de la vie, de redevenir des sources pures et de nous rendre enfin immaculés après tant de virginités perdues? Qui sait si l'aspiration à la mort ne vient pas du regret que la vie n'est pas éternelle! Ceux qui ont découvert la vie ne sont-ils pas justement ceux qui ont souffert à cause d'elle et l'ont désavouée, de peur de ne pouvoir l'aimer?

Dès lors que nous ne pouvons pas être heureux, pourquoi ne pas chercher à rendre notre malheur créateur, dynamique et productif? N'avons-nous pas le devoir d'attiser nos flammes intérieures et de nous embraser aux sommets calcinants de la tristesse? Nous ne conférerons de fécondité aux actes de notre vie qu'en vivant tout de manière illimitée. Que notre désir de céder aux feux de l'expérience soit sans frein et sans retenue, le frisson qui fait vibrer notre être. Nous avons le devoir de monter et de descendre sans fin l'échelle des formes de la vie, dont la nature nous importe moins que la profondeur et l'infini que nous pourrions atteindre.

Au-delà de la sphère habituelle des expériences de la vie, il existe un domaine où chaque chose donne lieu à des transfigurations successives. La souffrance se change en joie, la joie en souffrance ; l'enthousiasme en désillusion, et la désillusion en enthousiasme ; la tristesse en exaltation, et l'exaltation en tristesse. Dans cette succession, les états d'âme perdent de leur consistance et s'affinent par extases continues. Quand on vit tout sous le signe de l'illimité et à une profondeur vertigineuse, on découvre ce domaine qui n'est accessible que par nos propres expériences extatiques. Là, les négations cessent d'être stériles et les maléfices destructeurs ; comme en une symphonie de flammes intérieures, tout se déploie et se consume dans un hymne de la vie et de la mort.

Mais avant de parvenir au lieu des transfigurations successives, il faut avoir beaucoup souffert ; pour que les actes de la vie prennent de la profondeur, il faut beaucoup endurer. Nos actes quotidiens sont banals et insignifiants quand ils s'accomplissent dans les conditions naturelles de la vie. Le seul fait de vivre ne veut rien dire. Vivre purement et simplement, c'est n'accorder aucune profondeur aux actes de la vie. Ce n'est que lorsqu'on vit comme si la vie était un bien qu'on pourrait sacrifier n'importe quand qu'elle cesse d'être triviale et évidente. Il est stupide d'affirmer que la vie nous est donnée pour être vécue ; elle l'est pour être sacrifiée, c'est-à-dire pour en extraire plus que ne le permettent ses conditions naturelles. Il n'y a pas d'autre éthique hormis l'éthique du sacrifice.

Considérer la mort en soi, séparément de la vie, c'est rater et la vie et la mort. Le sentiment intérieur de la mort est fécond à condition qu'il nous permette de donner une autre profondeur aux actes de la vie. Celle-ci y perd de sa pureté et de son charme. Mais elle y gagne infiniment en profondeur. L'extase pure de la mort conduit fatalement à la paralysie totale de l'être. Mais si l'on est capable de tirer des étincelles de l'obsession de la mort, alors on peut aussi transfigurer la vie.

Il faut soumettre la vie aux épreuves extrêmes. Que rien de dangereux et de risqué ne nous soit étranger. Seules les vierges se refusent à penser aux pertes. Mais qu'est-ce que la vie sinon une suite de virginités perdues ?

Faut-il s'étonner alors que chez certains hommes, la volupté du tourment tourne à l'obsession vitale ? D'où vient-elle, sinon du penchant à vouloir creuser la vie par tout ce qui l'agresse et la compromet ?

N'est-ce pas l'inclination à brûler la vie par les deux bouts qui fonde l'existence entière sur les flammes? Progresser dans les flammes, voilà en quoi consiste la volupté du tourment. Et il y a en elle un mélange étrange de sublime et de spectral, de solennel et d'irréel.

Tirer de la vie plus qu'elle ne peut donner, c'est l'impossible que ce tourment réalise, en joignant les souffrances aux frissons. Peu importe que la souffrance soit provoquée par l'homme, la maladie ou un deuil irréparable; seul compte ce qu'on peut féconder intérieurement afin que la vie y gagne en éclat et en profondeur. Si nous ne parvenons pas à consteller les ténèbres, comment atteindre l'aurore de notre être?

Alors seulement, nous pourrons prouver combien nous sommes proches du sacrifice et fermes dans le malheur.

Après nous être étourdis de ténèbres, après avoir voulu épuiser le corps de souffrances et de mort, et encombré l'esprit de vacuité, après y avoir mis toute notre intensité et notre démesure pour ne pas être réduits en cendres, ne serons-nous pas enfin nimbés de l'auréole totale et définitive de la transfiguration?

Graver au fronton de notre temple intérieur les mots de sainte Thérèse : «*Souffrir ou mourir*», non pour nous souvenir de ce que nous voulons faire mais pour savoir qui nous sommes. Soit nous avons un destin, soit nous n'en avons pas. Car nous ne sommes pas hommes à mourir à l'ombre d'un arbre par un après-midi d'été! Que des frissons infinis s'emparent de notre être et que l'esprit soit comme un four immense; que nos enthousiasmes soient brûlants et nos extases vibrantes; que tout entre en ébullition et que nous crachions et débordions comme le volcan. Que le feu soit notre symbole; que l'inexprimable nous déchire dans nos extases mystiques. Que la braise de toutes nos souffrances dégage une chaleur envoûtante et que, tourmentés par tant de vie, nous redoutions moins le renoncement. Le temps n'est-il pas venu où, dans un jugement définitif, nous devons comprendre que la vie ne peut plus nous consoler de la tristesse d'être, autrement qu'en empruntant d'autres formes que les siennes. N'est-ce pas l'occasion de montrer que le courage de vivre signifie autre chose que refuser de mourir? Ne faut-il pas étreindre la mort afin que le combat contre les ténèbres rende les lumières de la vie plus resplendissantes. Et ne faut-il pas éprouver chaque jour les résistances de notre vie par une lutte sans merci contre les forces de la mort? Ne faut-il pas *se sauver la vie* à chaque instant? Une fois la vie sauvée, notre sacrifice sera notre première et ultime délivrance.

*P*our se conforter dans l'idée de notre mission propre, ne rien laisser en friche. Transformer tout en moyens et en stimulations pour raffermir la confiance en soi ; vivre avec ardeur tout ce qui tend à nous paralyser afin d'en faire le ressort de notre existence. Pourquoi ne pas essayer de convertir les sinuosités de la musique en ressorts, pourquoi ne pas faire de l'expérience musicale un moment essentiel du déroulement de notre destin ? L'abandon à la fois pur et spontané à la musique dilue les élans vitaux jusqu'à les annihiler. Ce n'est pas dans l'expérience musicale comme telle que nous apprendrons à faire de notre destin un éclair ! Mais quand nous investissons énergie et ardeur dans la musique, quand nous ne nous laissons pas prendre par la musique mais que nous la dominons, quand ses vibrations, en pénétrant la volonté d'une concentration infinie, deviennent les aliments de nos obsessions vitales, alors la conscience de notre destinée sera fortifiée par cela même qui l'avait perdue auparavant ! Apprendre à survoler et à intégrer les choses, à les vivre par transcendance ; et si nous nous y abandonnons, le faire pour les exploiter et non pour y sombrer. Aimer, savourer et souffrir afin que notre destin puisse devenir le *destin* aux yeux des autres : sinon, les femmes, la musique et la maladie seront autant d'occasions de chutes.

*P*arviendrons-nous à échapper à la terrible alternative de la vie et de la mort ? Pourrons-nous accéder au sublime détachement, en nous consolant par nos révélations intérieures et en nous grisant d'éternités insoupçonnées ? Pourrons-nous oublier et dépasser le drame qui naît des contradictions inhérentes à l'être ? Il doit bien exister un espace de lumière intérieure, où l'on vit sans vivre et où l'on meurt sans mourir. Il doit bien exister un temple de musique subtile aux sonorités desquelles la nature tout entière se désagrège.
Il faut qu'il existe un lieu où le temps lui aussi triomphe de son inanité.

*I*l y a deux façons de rendre la maladie au moins supportable, à défaut de pouvoir la vaincre : ou bien nous l'assimilons à notre organisme, en ne la considérant plus comme venue du dehors, comme un élément étranger et distinct de nous ; ou bien nous essayons, par un effort interne, de nous élever au-dessus du «niveau» où se situe la maladie dans l'organisme et la conscience. Le processus d'intégration de la maladie est en fait un processus d'intériorisation : nous la laissons se développer en nous-même, nous l'assimilons de manière immanente à notre vie. Nous apprenons à considérer l'accident comme normal, et le mal comme parfaitement naturel. Cette méthode est la plus répandue et la plus facile : oublier la présence de l'irrémédiable.

À sa manière, chaque maladie réussit plus ou moins à nous dominer : elle atteint un niveau dans notre être en deçà duquel tout ce qui s'y passe relève du phénomène de maladie. Mais pour ne pas être submergé et vidé de notre contenu, il faut aussi, par une tension extrême, se hisser au-dessus du niveau de la maladie, atteindre le stade supérieur d'où nous pourrons la mépriser, comme un simple processus naturel. Nous augmentons par cette tension les pulsations de notre existence, et nous l'enrichissons de ses résistances. Le tout est d'atteindre un niveau supérieur à celui de la maladie. Quand la crise atteint son pic, serrer les poings, bander les nerfs, bref, témoigner d'une volonté d'affirmation organique dans un sursaut fulgurant de la nature, nous sauve et nous réanime comme le ferait un bain balsamique. Si nous pouvions à chaque instant faire de notre esprit une convergence d'élans tel un puits artésien, la dépression et la maladie seraient repoussées à la périphérie de notre être. Pour se tirer des griffes de la maladie, une seule solution : parvenir au point où les pulsations de la vie nous crispent, atteindre l'extase organique.

Pourquoi les maladies n'alimenteraient-elles pas la vision prophétique ? Pourquoi ne pourrions-nous pas les transformer en ressorts de notre mission et de notre destinée ? Pourquoi gâcher toutes les occasions de veilles et de réveils que la maladie nous prodigue avec une générosité effrayante ? La maladie ne broie-t-elle pas jour et nuit la matière en nous ? Ne la rend-elle pas capable de vibrations inaccessibles même aux délices les plus purs ? Qu'est-ce que la maladie sinon le réveil du sommeil de la matière ? Tout notre idéal doit tendre à rendre cette malédiction féconde, à puiser dans la maladie ce que d'autres n'oseraient même pas imaginer dans des milliers de bonheurs. Ce n'est qu'ainsi que nous pourrons différer la débâcle ; à cette seule condition, la débâcle pourra devenir transfiguration. Pourquoi ne pas utiliser chaque instant où la maladie embrase les racines de la vie, s'insinue dans la matière pour la réduire en miettes délicates, en lambeaux d'existences, et pousse jusqu'à nous mettre en pièces minérales, qui ne sont que les regrets infinis d'une vie intégrale ? Pourquoi ne pas utiliser ces instants à nous stimuler dans l'infortune, à redorer nos saignements, à nimber nos défaites ? Si nous n'apprenons pas à rendre la maladie positive, à quoi bon continuer de vivre en regrettant sa vie gâchée ? Pourquoi se plaindre du désastre quand il pourrait être le prélude à une suite d'illuminations ? Et toutes les souffrances qui ont ravagé notre visage, ne sont-elles pas l'aube de notre *transfiguration* ?

Il n'y a de tragédie que dans l'unilatéral ; seul l'homme qui garde obstinément un cap, ivre d'être seul à le suivre, est capable d'endurer au-delà de l'imaginable. Mais faut-il se l'imaginer ? Il est si facile de tout imaginer, de tout comprendre et de ne pas même lui accorder la faveur du mépris. Avoir le courage fanatique d'affronter l'insoluble, violer l'irréparable dans une furie aveugle, être absurde au point de laisser ses pensées danser dans l'excès et s'élever comme des feux dans les ténèbres lointaines. La profondeur d'une pensée est fonction du risque que l'on y court. Ou nous mourons en héros de la pensée, ou nous renonçons à penser. Si penser n'est pas un sacrifice, à quoi bon penser encore ? Se réserver seulement les questions épineuses, insolubles et ultimes. Les professeurs répondront aux autres. Parce qu'ils sont payés pour ça. Si l'on pouvait résoudre le problème de la vie, de la souffrance, de la mort, du destin ou de la maladie ou les épuiser par la compréhension, à quoi cela rimerait-il de penser ?

Certes, la maladie procure des états de vibrations inhabituels. Mais pour rendre la maladie féconde et en faire le ressort de notre dynamisme intérieur, il faut absolument pousser les vibrations à leur paroxysme. Il existe une véritable *méthode de vibration totale*, qui nous ouvre des voies de purification intérieure et d'exaltation. Atteindre une tension psychique telle que chaque acte entraîne une amplification des vibrations ; que le raidissement intérieur soit si fort que, comparés à son paroxysme, les actes de la volonté semblent des simples réflexes. Si, au stade où la maladie règne en maître, la volonté est paralysée et occultée, au stade où la maladie est féconde, la volonté est littéralement enjambée, dépassée. Elle semble débile et approximative devant le volcan des vibrations qui se déchaînent et remontent des profondeurs de l'être comme une explosion qui protège de la vie. Dans les vibrations de la maladie, l'intensité des vibrations vitales est le pouls par lequel la propension à la désagrégation est transformée en autant d'extases d'une vie qui ne veut pas céder avant d'avoir connu le grand changement et la transfiguration ultime.

La maladie ramène à la surface de la conscience ce qu'il y a de plus profond en nous. De sorte que nous ne sommes vraiment profonds que dans la maladie ; et quand nous arrivons à la maîtriser, nous devenons plus que nous *sommes* : nous nous créons nous-mêmes.

C'est sur nos ruines que nous sommes parvenus à savoir qui nous sommes. Quant à ce que nous deviendrons, nous avons tout à faire. Notre avenir ne doit-il pas être une création ex nihilo ? Ne sommes-nous pas obligés à recommencer depuis la fin ? Notre route a été notre naufrage ; soyons fiers de n'avoir rien hérité. Et notre mission n'est-elle pas d'autant plus grande qu'elle exprime un début absolu, une quête sans bagages ? Nous avons gaspillé trop de nous-mêmes pour encourager encore nos restes. Notre force vient de notre pauvreté. Ne nous sommes-nous pas déshérités nous-mêmes en osant vivre le désastre jusqu'au bout ? N'avons-nous pas eu l'audace de nos débâcles et de nos ruines ? Si nous avons anéanti notre vie, c'était pour que la dépossession nous pousse à la conquête et que nous puissions, après une telle perte, créer notre vie. Tous les désespoirs qui hantaient nos ruines n'étaient que l'espérance d'une autre vie recommencée à l'appel magique d'autres éclats.

Au regard de la tension, de la vibration et de l'enthousiasme que nous mettrons à conquérir des mondes sans fin, tout ce que les hommes appellent volonté, tendance, ambition et aspiration semblera des expressions ternes de la vie, des formes approximatives et atténuées. Dans l'infini de notre sensibilité, elles n'auront plus leur place. Jalonner notre vie de sauts mortels. Que chaque saut soit non seulement un élan mais aussi un assaut. Assoiffés de rien, nous avons trop appris ce qu'est l'infini pour ne pas vouloir celui de l'être ; nous avons trop conquis dans l'obscurité pour ne pas désirer ardemment la lumière. Ne tremblons-nous pas déjà de la pressentir ? L'infini de l'être ne nous chauffe-t-il pas au rouge comme un feu immense ? Nous connaissons trop bien les poisons du néant et du dégoût de l'être ; mais ils n'ont pu apaiser notre soif de l'être, seulement réveiller en nous le désir de conquête et de reconquête. Nous avons ravagé la nature au point d'en faire des déserts sans limites ; nous avons erré dans ces déserts et dans les nôtres, secs dans un monde aride : comment ne pas désirer, silhouettes desséchées dans un univers desséché, devenir sources vives à la source de l'être.

Que l'extase soit la mesure de notre vibration et ses sommets notre patrie. Que la crête des cimes berce notre regard et que la perspective des hauteurs caresse notre âme. Qu'une vibration dans l'infini soit tout notre être. Qu'est-ce que l'extase sinon une vibration dans l'infini ? Dissoudre notre vie dans la pureté des élans, la hisser aux vibrations extrêmes, l'élever aux musiques des sphères. Que notre regard soit un flux de rayons et que résonne dans notre corps un monde d'harmonie ; que des spirales sonores et infinies l'inondent, tournoyant et rivalisant de volutes étranges. Que des cris de désespoir et des grincements de dents donnent le ton aux vibrations et que ces lamentations soient transfigurées dans leur élan. Avant que la douleur ne devienne musicale, abîmons-nous en elle et que la maladie chante son renoncement en hymnes.

Que cette musique nous donne un avant-goût de la sérénité et que, par elle, nous en apprenions la profondeur. Nous avions perdu l'habitude de contempler son image lointaine et perdu la mesure de sa grandeur. Que la vibration dans l'infini soit notre extase et que sa musique nous révèle la profondeur de la sérénité. La soif d'absolu nous a appris ce qu'est une autre vie et quelle vie est-ce de ne s'arrêter jamais. Seule la conquête peut étancher notre soif d'absolu ; se lasser et faire marche arrière ne fait que l'augmenter. Engloutir l'absolu est la seule activité qui, dans l'infini, puisse encore réchauffer notre enthousiasme et nous faire oublier de marquer une halte. Enflammés d'une soif inextinguible, avalons tout : que notre empire diminue notre néant. Que l'élan fasse irruption dans l'existence et que le bonheur s'apparente aux grandes extases. Et que le mal d'être soit aussi universel que la tristesse d'être. Dans leur lutte, que le mal d'être encercle de flammes les ténèbres de la tristesse : que notre soif d'absolu s'étanche dans l'obscurité.

Quand vous souffrez de trop d'élan, quand l'enthousiasme de vivre vous pèse et que, devant l'explosion désordonnée de votre vie, vous redoutez le suicide, transformez l'excès de douleur en anathèmes, canalisez les vagues débordantes de votre énergie dans des extases vitales. Cherchez dans les drames des occasions de sublimation, usez des tragédies comme de voies vers la pureté, torturez-vous pour vaincre la pourriture qui vous ronge. Ne sentez-vous pas, frères, que de telles douleurs attendent leur apaisement ? Ne sentez-vous pas que c'est par nos plaies que le poison s'écoule ? Tout notre être était à vif ; car le poison était dans le sein. N'êtes-vous pas, frères, saisis par un désir de printemps et une nostalgie de quiétude ? Cette nostalgie d'un monde plus pur, aux vastes cieux ouverts et aux harmonies inconnues, ne vous oppresse-t-elle pas de tendres voluptés ? Votre esprit ne tressaillet-il pas au pressentiment des bonheurs qui vous attendent dans d'autres mondes ? N'êtes-vous pas illuminés par la vision des douleurs sublimées ? Ne voulez-vous pas le changement de fond en comble, celui qui se fait dans la poitrine ? Ne voulez-vous pas un monde où vous téteriez le bonheur au sein de la douleur, l'extase, auprès de la négation et la prophétie, auprès du désespoir ? N'êtes-vous pas séduits par un monde où notre trop-plein inonderait en vagues caressantes le désert caché de nos inanités ? Frères, n'entendez-vous pas l'appel de la sérénité, et son immensité plus chaude et plus douce ? N'êtes-vous pas saisis par la nostalgie des lointains, vastes comme vos douleurs ? Ne pouvez-vous donc pas trouver par le désir de pureté, un lit à votre trop-plein pour qu'il s'y déverse ?

PROPHÉTIE ET DRAME DU TEMPS

————————————— *Q*ue notre ardeur embrasse sur tous les plans de la vie, tous les contenus de l'existence dans une participation originaire ; vivre tout jusqu'à l'extase. Que la vie sociale soit le champ de vérification de notre sensibilité exacerbée ; que nous épanchions notre infini intérieur dans tout ce que la vie a d'extérieur. Dissipons nos énergies loin de la culture, qu'elles grandissent en tourbillonnant. Vivons tout avec passion en sorte que le destin fende comme l'éclair notre obscurité et celle du monde. Devenir autre chose, voilà notre but ; n'accepter la vie que pour ses grandes négations et ses grandes affirmations. Si la conscience de notre mission ne nous embrase pas, nous ne méritons ni de vivre ni de mourir. Je ne comprends pas qu'il puisse y avoir dans ce monde des hommes indifférents, des esprits sans tourments, des cœurs sans brûlures, des sensations sans vibrations et des larmes sans pleurs. Il faudrait interdire les spectateurs, tous ceux qui font de la distance une vertu. Seul un esprit qui fermente et n'oublie jamais qu'il vit peut réveiller notre enthousiasme. Nous déclarons fausses les vérités qui ne font pas souffrir et nuls les principes qui ne consument pas. Que nos vérités se muent en visions et nos principes en prophéties. Que les mots soient des flammes et les arguments des éclairs. Nous n'avons pas de temps à perdre en preuves, en démonstrations et en certitudes.

N'aimons-nous pas les prophètes parce qu'ils annulent le temps ? La prophétie est un saut de la conscience hors du temps. Son contenu, le futur vécu dans l'actuel. Nos désirs deviennent en elle des présences et les visions brillent dans le trop-plein de l'actualité. La prophétie ne tente-t-elle pas de supprimer l'inéluctable des distances dans le temps ; n'essayons-nous pas avec elle de vivre tout de manière absolue ? Ceux qui ignorent les feux ardents de l'esprit prophétique accueillent la succession des instants dans leur relativité et, sceptiques, acceptent tout. Ce n'est que dans la prophétie qui enjambe le temps, que nous vivons l'instant en regard de la direction absolue, vers laquelle il faudrait tendre. Les fins dernières, la prophétie nous les rend accessibles dans le vécu exacerbé du moment. Il faut savoir s'abandonner à tout ce qui est prophétique, à la passion de l'absolu qui l'anime, à la présence de grandes fins dans de grands commencements qu'elle révèle. L'ardeur prophétique ne se nourrit-elle pas du pressentiment de la fin présente dans tout ce que nous avons vécu ? Avec un désir bestial, annulons le temps pour que chaque instant de la vie soit un commencement, un sommet et un crépuscule. Comme dans l'élan mystique, que les visions nous envahissent de leur éclat et qu'elles nous aveuglent par leur paroxysme lumineux. Qu'avons-nous à perdre ? Même sans désir infini d'absolu, de réalisation intégrale et de possession infinie, le temps finira par nous engloutir irrémédiablement ; et, chaque fois que notre être aura été diminué par la lâcheté, nous aurons gâché notre vie.

Avec un fouet immense, il faudrait frapper tous ceux qui attendent de vivre, qui ne savent pas céder à la démonie du temps, et attendent dans l'angoisse que le temps disperse les miettes de leur existence. Car la quasi-totalité des hommes sont des miettes d'existence qui attendent l'anéantissement. Aussi la valeur de l'éthos prophétique réside-t-elle dans la volonté de s'anéantir par sa main, dans une existence intense comme une extase. La conception d'un vécu dramatique dans le temps est à la base de toute prophétie. Combat sans merci contre le temps ou inertie du vécu temporel. Le sentiment normal et commun de la temporalité ne peut conduire qu'à attendre la vie, suivant en cela une conception commode où l'on se complaît dans les surprises qu'offre la diversité des instants. Les hommes attendent tout du temps : ils attendent que leurs idéaux s'accomplissent dans l'avenir, que leurs espoirs se réalisent et que la mort vienne en son «temps». À l'inverse, il faut que notre frénésie prophétique ne connaisse pas de freins. Que la conscience de notre mission dérive d'une communion avec l'instant et d'une fureur exaltée de vivre une vie pleine, en dépit du néant temporel. Que notre messianisme soit comme un incendie où tous les tièdes de ce monde seront dévorés, et auquel n'échapperont pas ceux que le désir de transfiguration ultime indiffère. Que le feu intérieur soit notre obsession pour nous élever avec lui comme sur des ailes. Que de grandes tâches nous épargnent la gangrène du temps : que les instants mettent une éternité à passer et que l'éternité passe en un instant. Que nos visions atteignent de tels sommets que leur amplitude fige les hommes ; et qu'en étant secoués d'une longue contemplation, ils puissent être désormais prompts à la passion pour l'absolu. Car l'indifférence est un crime envers la vie et envers la souffrance. Et que notre élan prophétique soit un tremblement contagieux comme la maladie ou comme le feu ; que, portés par lui, nous prenions d'assaut ce monde abrité dans le silence et les ombres et que, dans une croisade universelle, nous libérions enfin les lumières cachées derrière l'obscurité du monde et derrière nos ténèbres !

*F*rères, ne vous êtes-vous jamais demandé pourquoi nos joies sont si rares et si intenses ; pourquoi nous ne respirons pas sans soupirs et pourquoi nous tremblons de joie ? N'avez-vous jamais pensé que la souffrance est le prix de la joie, que les grands bonheurs sont des douleurs transfigurées ? N'avez-vous pas attendu pendant tous ces instants de douleur, celui d'une joie immense ? Ne l'avez-vous pas espéré comme le rachat de nos échecs sans nombre ? Frères, n'aimons-nous pas la souffrance pour ce moment-là, cet unique instant de joie, profonde et infinie, où les douleurs deviennent pures et les désespoirs sublimes ? Ah, frères, combien il faut souffrir pour se réjouir d'un seul instant de joie ! Certes, la souffrance est un crime envers la vie. Mais ne vous êtes-vous pas demandé pourquoi notre *vie* est pour nous une *autre vie* ? Nos douleurs n'ont-elles pas déjà supprimé l'autre vie ? Et pourquoi les douleurs d'aujourd'hui ne sont-elles pas aussi fécondes qu'elles nous étaient néfastes autrefois ? Ne serait-ce pas parce que nous avons édifié une autre vie sur des souffrances prolongées afin d'obtenir de rares et grandes joies ?

MOURIR D'ENTHOUSIASME

*Q*ue d'enthousiasme meure notre esprit ; que nous mourions tous d'enthousiasme. Que les élans vers la vie soient irrésistibles et que le désespoir brûle notre élan. Que notre mission s'achève dans un dernier sursaut, dans le grand sursaut de notre enthousiasme. Nous n'en avons pas vécu si nous n'en mourons pas. Que l'enthousiasme soit intensités musicales et étreintes d'éternité dans l'instant et que l'infini du monde soit un infini de sensations. Qu'il soit si grand que nous nous sentions nus devant nous-mêmes : pleurons d'avoir tant attendu un tel instant.

Que tout ce que nous vivons soit les préparatifs et les degrés de l'enthousiasme suprême. Il faudra mourir maintes fois d'enthousiasmes et dans nos élans, pour qu'un ultime élan nie la vie parvenue à son sommet.

Que nos regards soient fixés sur l'infini et nos pensées, lourdes d'éternité ; que le corps vibre comme une corde ; que les organes, comme des prises branchées sur des harmonies cachées, nous accordent sur de grands mystères. Mourir de tant d'enthousiasme que notre mort soit celle du monde.

Que notre élan soit si fort que son irruption nous empêche de penser. Qu'il nous traverse comme un vertige et que sa furie volcanique nous domine, afin que ses sursauts remplissent les vides où les pensées se complaisent. Car si les pensées naissent des vides de la vie, c'est lors d'un manque d'enthousiasme qu'elles se libèrent. Qu'au contraire, notre enthousiasme soit irrésistible et entraîne dans ses remous la pensée. Les déchaînements de la vie sont trop précieux pour ne pas piétiner les idées claires et stériles. Mais si des pensées apparaissent à la périphérie de notre enthousiasme, que nous leur donnions vie dans la fièvre et que nous fondions leurs tumultes dans les tourbillons flamboyants de l'enthousiasme.

Et si vous ne voulez pas qu'on voie en elle votre seule fortune, apprenez alors à penser dans la fièvre, à rendre les pensées ardentes, à tirer de la vapeur des idées. Que la fièvre soit la condition naturelle de vos pensées. Votre élan ne s'abaissera plus jamais jusqu'à la connaissance et vos extases vous empêcheront de chercher au-dehors ce que vous pouvez obtenir à l'intérieur. Les manques d'enthousiasme ne vous rendent qu'objectifs. Que, sur le chemin de l'extase, vos pensées soient de simples détours. Que votre élan engloutisse les mondes et, comme en une étreinte, que vous embrassiez l'être et l'infini. Que les désirs refoulés explosent en étreintes totales et que votre *désir* féconde le monde. Que vos impulsions soient démiurgiques et votre passion, une sexualité cosmique. Que l'ensemencement couronne votre geste et que votre instinct engendre de nouveaux mondes. Et, joyeux dans vos désirs frénétiques, oubliez le *grand dégoût*, la tentation du renoncement sans issue, de la séparation sans retour. Prenez garde au grand dégoût, aux moments putrides, fuyez ceux qui vous ferment les routes de l'être. Car le grand dégoût est l'amertume qui étouffe l'extase de l'être, qui nous interdit de nous perdre en tout et empêche que tout se perde en nous. Frères, explosez en fécondations, que vos pensées soient ensemencées et que leur fertilité vous fasse oublier l'attrait du grand dégoût. Que votre élan soit une fécondation continue et qu'en engendrant des mondes nouveaux, surmontant les tentations de votre abîme, vous embrassiez la nature tout entière.

Toutes ces tristesses qui sont aujourd'hui nos joies, ne sont-elles pas devenues des mers de larmes? Les tristes lueurs d'autrefois ne nous illuminent-elles pas désormais? Et ces océans de larmes qui nous inondent, recouvrant de leur flux le dégoût amer et la sécheresse de l'être? Nous sommes charmés par toutes ces larmes qui naissent en nous et s'étendent comme de vastes sérénités, nous sommes enchantés par tous ces crépuscules devenus des aurores. Ne pleurons-nous pas pour n'importe quoi, ne nous enivrons-nous pas de clartés irrésistibles, qui gargouillent et déversent en nous en fluidités transparentes toutes les tristesses devenues joies? Nos extases ne sont-elles pas baignées de larmes, ces revers du feu qui nous inonde? Des vagues de larmes se dressent en nous qui ne sommes plus qu'une mer de larmes. Goutte à goutte, nous débordons de tristesses sublimées dans un flux sans bornes, et les larmes remontent vers l'origine de nos joies. Autant de larmes versées, autant de joies perdues.

S'il y a encore de la folie et de l'enthousiasme dans le monde, qu'une autre vie soit faite d'obsession et de vision. Élevons-nous jusqu'au point où notre paroxysme nous indique une autre vie, et équivaut à *la vie* à laquelle notre enthousiasme aspire. Attaquons-nous aux racines de la vie pour que, dans une création absolue, un autre monde s'offre à nos extases. Mieux vaut détruire la vie par les racines que recueillir plus tard la sève de racines pourries. Nous aurons tant de forces que nous enlèverons la vie de son milieu sale et corrompu, et qu'une sève nouvelle en réchauffera les pulsations. Plantons la vie dans le soleil, que sa sève soit la lumière. Croissons les pieds dans la lumière, inaugurons notre vie nouvelle par de vastes clartés, et que la fécondité retrouvée jouisse d'une extase lumineuse. Après cela, la vision d'un autre homme ne sera plus un rêve. Une autre sève dans la vie, puis un autre homme!

Si les ressorts de cette vie médiocre et calme ne se cassent pas, la route de l'existence absolue est barrée. Que les ressorts d'une autre vie soient si tendus que, dans leur liberté, chaque mouvement signifie l'absolu !

Mon âme s'afflige devant ce monde où les hommes vivent pour se rendre tour à tour malheureux.

Comment peuvent-ils encore respirer après avoir semé la désolation ?

Chacun devrait désirer le malheur pour soi afin de l'épargner à l'autre. Il est mille fois plus supportable d'avoir été rendu malheureux que de rendre malheureux. Quand on pense qu'il y a des hommes qui peuvent dormir alors que d'autres souffrent par leur faute. Il faudrait détruire la culture qui autorise de parler d'idéal quand coulent les larmes. Comment ne pas regretter la pureté dans un monde où l'on ne peut être *essentiel* que dans le malheur ? Nous avons tous déjà croisé des sourires doux, tendres et consolants. Pourquoi n'avons-nous pas juré après eux d'être complètement différents ? Un seul sourire de femme vaut plus que les trois quarts de la pensée humaine, si l'on savait y voir le sourire de la vie. Mais combien d'entre nous s'imaginent alors le bonheur dans l'extase réciproque, combien sommes-nous à avoir prêté serment au nom d'une autre vie !

*P*ourquoi je m'en prends à l'homme ? (Pourquoi faut-il que nous fassions de même entre nous ?) Parce que l'être humain n'attise pas le feu de la vie, parce qu'il ne vit pas dans les flammes la naissance et la destruction des choses.

Parce qu'il ne brûle pas du désir de pureté, et ne meurt pas dans une invasion de lumière et son ultime transparence.

J'aimerais que la vie s'écoule dans l'homme, pure comme la musique de Mozart. Mais il n'a pas poussé le tragique jusqu'au bout, pour brûler du désir de pureté ; ni non plus le malheur ou la douleur jusqu'à la démence, pour penser à ce bonheur qui pourrait être si profond. Dans toute l'histoire humaine, le bonheur n'a atteint cette profondeur que chez Mozart. Quand l'homme tirera toutes les conséquences de sa condition, il ne rêvera qu'à se perdre dans des harmonies transcendantes. Alors, l'homme sera sincère avec lui-même. L'homme doit mourir ; il faut que meure l'homme en nous ; de cette agonie, une nouvelle vie pourrait jaillir, pleine d'enthousiasmes purs et des extases enchanteresses. Ce n'est pas la *force* qui doit définir les pulsations de la vie, mais une extase réciproque, qui doit rapprocher les êtres dans des vibrations immatérielles.

Comme pour un culte, que leurs gestes portent la marque du symbole, que les regards décrivent des courbes immatérielles et que des rapprochements subtils mêlent dans un bain rayonnant la sève pure de tant de vies qui s'expriment comme les tons d'une mélodie. Que tout prenne le caractère de l'extase, que chaque acte de vie soit participation à l'essence, prise directe dans le rythme total de l'esprit.

Être le premier dans l'espace, tel fut l'idéal de la conquête sur l'étendue. Que la vision d'une autre vie soit si profonde que l'être qui grandirait dans l'extase ne considère pas l'espace comme un obstacle mais, en étreignant les sources de la vie, qu'il puisse à chaque instant parvenir là d'où la vie est partie, aux formes premières, quand la volonté, l'esprit et la culture n'en avaient pas troublé la source pure.

Être dur, être brute, ainsi s'est rêvé l'homme dans sa forme idéale. Il n'est parvenu ainsi qu'à vivre à la périphérie de la vie. Mais le temps est venu où la forme humaine d'existence doit être anéantie pour rejoindre les profondeurs de la vie, dissimulées sous les illusions humaines.

Si vous désirez l'absolu, osez courir le risque de rompre ; de quitter toutes ces choses qui ne peuvent être oubliées, ces personnes qui vous sont chères et celles qu'il faudrait aimer. Si vous ne ressentez pas le désir d'une séparation radicale, qui vous insufflera la mélancolie des instants de solitude sans laquelle la porte des révélations ultimes reste close ? Renoncez à vos idéaux si la mélancolie ne répand pas dans votre esprit ses effluves enivrants et si, grâce à elle, le goût du renoncement ne vous a pas empoisonné. La force de la solitude se manifeste lorsqu'on se sépare de ceux qu'on aime. N'avez-vous pas ressenti la nécessité de renoncer à un ami, à une maîtresse ou à la musique, pour vous endurcir dans sa mission ? N'avez-vous jamais recherché le contact de la douleur sur les routes les plus douloureuses ? Si vous n'avez jamais tué un grand amour pour une grande souffrance, vous êtes perdu pour les épreuves qui forgent la destinée ; vous êtes perdu pour votre destin.

Figurez-vous un ciel d'été infini et toute la mélancolie qui enveloppe l'immensité bleue. Dans de tels instants, quand les hommes oublient tout, vous sentez-vous capable de perdre tout ce que vous avez aimé, pour pouvoir, dans une grande séparation, vous retrouver vous-même ?

Oubliez la science, qui ne parle jamais de la douleur et imprégnez-vous de vos propres révélations. Oubliez tout ce qui vous exile de vous-même et atténue inutilement vos douleurs. Ayez le courage de vos douleurs et cherchez les souffrances comme des occasions de s'éprouver sans cesse.

Nous devons tous haïr ce monde de douleurs approximatives. Car nous n'avons à choisir qu'entre des douleurs absolues et infinies, et l'élan pur vers la vie. Si le poison de la douleur ne vous déchire pas au point de vous faire accomplir le saut vertigineux dans la pureté, soyez-leur reconnaissants. Sinon, inutile d'y verser un baume réconfortant ; que votre esprit brûlant absorbe la chaleur virulente du poison. Aimez et haïssez les souffrances ; mais ne les fuyez jamais. Traînez-vous sous la douleur mais qu'elle ne vous entraîne pas.

Frères, que la vie soit si intense en vous que vous mouriez et vous détruisiez en elle. Mourir de la vie ! Détruire sa vie ! Criez des cris de la vie, chantez dans des chants derniers les derniers sursauts de la vie. Comme dans un tremblement de terre, que vos profondeurs mugissent et que des menaces inconnues calment votre soif d'inquiétude. Que tout ce que vous vivez ressemble à ce cataclysme et que l'effondrement de la vie vienne de votre désir d'élévation. Ne sentez-vous pas que la vie en vous fait craquer ses coutures ? Ne repoussez-vous pas dans vos chutes et vos élévations les limites de l'existence ? Comment peut-on vivre seulement pour ne pas mourir ? Pourquoi certains hommes ne peuvent pas mourir de tant de vie ?

*L*uttez en restant conscients de la fatalité, car alors seulement tout ce que vous vivez pourra être un effondrement ou une transfiguration. Sentez l'inévitable à chaque pas, pour que chaque pas soit un pressentiment de la tragédie. Méprisez les saints, qui montent vers la lumière mais n'ont jamais peur de dégringoler dans les ténèbres ; méprisez-les parce que aucun n'a perdu l'esprit. Aucun, même devant la lumière en lui. Tragédie ou mépris de la sainteté...

Aucun saint n'a connu la chute et, me semble-t-il, aucun saint n'est mort. Du bonheur de ne pas être saint ou du grand malheur...

Commencement de la sainteté : quand on sent que la vie n'a plus rien à perdre dans la mort et la mort dans la vie.

Tragédie : la vie comme limite de la mort.

La sainteté est comme une fleur sans parfum, une beauté sans éclat.

La seule profondeur fade : la sainteté.

Sainteté ou l'absence de destin.

Un saint *ne peut* mourir car il *ne* vit *pas*. La vie d'un saint ne *s'achève* pas plus qu'elle ne commence. Le génie peut être tué par son œuvre. Quel saint est déjà mort de l'amour qu'il porte ? Chaque instant comme expression d'un destin, comme lutte entre vie et mort, est une tragédie. En elle, la mort et la vie sont des absolus. Mais l'absolu auquel le saint parvient sacrifie autant la vie que la mort. Absolu inutile et profondeur fade ou pourquoi nous avons peur de la sainteté, au prix de notre être.

IV

*J*e vous invite, frères, à renoncer à la conscience, à renoncer à tout ce qui peut faire obstacle à votre orgie intérieure, à votre ivresse infinie et exaltée. Que le doux chaos des sens vous berce et vous entraîne dans sa ronde ; que vos frissons cruels dessinent des mouvements de ballet. Assumez les instants où votre drame devient aussi inutile qu'un jeu ! Ayez des moments de grâce dans votre tragédie et n'oubliez pas de savourer votre chute en la sublimant dans un pas de danse ! Ah, rares instants où la souffrance devient vaine, gratuite et sinueuse jusqu'à l'élégance ; où la douleur, en une vibration trop forte, se dissipe et se fond dans la danse ! N'avez-vous jamais remarqué comment, par certains gestes spontanés de la main, les souffrances peuvent se purifier, comment elles bondissent en une danse intérieure, et, en bondissant, s'oublient elles-mêmes ? Ces mouvements ondoyants du corps, ne les avez-vous pas sentis naître en vous dans les heures où la souffrance devient inutile, le désespoir gratuit, la fatalité souriante, l'irréparable engageant, et les ténèbres gracieuses ? Et n'avez-vous jamais été subjugués dans des moments trop rares par les ténèbres qui jouent en vous ; n'avez-vous pas été foudroyés de joie à l'invitation au jeu lancée par la douleur, ces rares invitations où elle s'oublie elle-même ? Renoncer à la conscience et chercher l'orgie, cette autonégation de la douleur ?

*D*epuis quand es-tu un homme ? Depuis que dans son esprit, l'Éros se nie lui-même.
Drames inavoués : l'Éros se cherche dans les régions de l'esprit, désire s'en retirer, comme la vie désire rester vierge d'esprit.
Palpitation subtile de l'Éros dans notre être, sensation douce et étrange que le sperme circule dans le sang ? N'est-elle pas présente ici, la volonté de l'Éros d'être pur et de se manifester dans une vie pure ?

L'amour comme état pur, dissocié des valeurs — ou pourquoi la paix entre l'esprit et la vie ne se fera pas.
Salut de l'esprit par les femmes ou lassitude de l'homme devant sa condition.
Triomphe de l'Éros comme expression suprême de la vie ou pourquoi l'esprit n'est qu'un accident dans le monde.

*L*a mort, la vie, l'esprit ou la route de l'éternité au temps. Qu'est-ce que l'esprit au regard de la vie et la vie face à la mort ?
Par rapport à l'esprit, la vie est originaire ; dans le vide de la vie, l'esprit est apparu ; la conscience a grandi au détriment de l'Éros. Dans le Logos, une forme d'existence a gagné en majesté et a perdu en éternité. La vie est éternelle pour l'esprit et éphémère pour la mort. Car la mort *précède et survit à la vie*.
Le corrélat de la mort : le rien ; de la vie : l'Éros ; de l'esprit : la conscience.
Progrès dans l'éternité ou avancée dans rien. L'existant, le concret, le vivant *sont* seulement dans le transitoire. L'éternité signale un manque de vie ; le transitoire consomme tour à tour des surcroîts d'être.
Le rien est primordial (d'où, au fond, *tout est rien*) ; l'Éros est capital ; la conscience est dérivée.
Pour l'homme, qui hésite entre rien, Éros et conscience, approfondir l'Éros peut encore le consoler de ses oscillations entre l'éternel de la mort et le passager de l'esprit. L'esprit peut viser l'éternité ; en tant que *durée*, il est inférieur à l'irrationnel de la vie. De nombreuses fleurs s'épanouiront encore au soleil quand on ne trouvera plus trace de nos idées.
Abandonnés au tremblement de l'amour, enrichis par une orgie érotique comprise comme tumulte substantiel de la nature, cultivons tout ce qui est originaire, et palpite ainsi. Voguons sur les dernières fluidités de la vie, flottons sur les ondulations de l'océan de nos sens. Répondons frénétiquement aux clameurs profondes de l'Éros et pénétrons jusqu'à ses premières lueurs. Rejoindre au plus près les pulsations de la nature pour que notre esprit s'ouvre comme aux premiers appels intérieurs de l'Éros. Et que notre soif des choses ultimes dresse un temple des premiers commencements de la vie !

S'il est difficile d'accéder à l'état de tension extrême, il est plus difficile encore de supporter le dégoût, la dépression et la fatigue qui s'ensuivent. Peu de gens s'imaginent ce que coûte une révélation, une exaltation prophétique ou un paroxysme musical. Une grande joie se paye de milliers de tristesses et une seule vision de fatigues infinies. Combien peuvent résister à l'épreuve du grand dégoût; combien peuvent supporter la propagation générale d'un poison ardent et destructeur? Les mâchoires tétanisées, le cerveau et les membres compressés, plus la sensation confuse d'être pris dans l'entrelacs d'un clair-obscur, tout cela nous enserre comme dans des pinces de feu qui nous laisseront éternellement stigmatisés. Il faut à tout prix effectuer un saut au-dessus de nous-mêmes pour vaincre le grand dégoût, et il est héroïque de le supporter. Car dans ces instants sombres, nous sommes à ce point empoisonnés que nous avons l'impression d'être réduits aux sécrétions d'un être toxique. Comme une fleur venimeuse, nous changeons tout en sève virulente : nous voilà devenus principe de destruction. Et la vie est alors aussi puissante en nous que ce principe est grand. Le regard tue; le sourire fige; la parole ébranle. Dans le grand dégoût, nous sommes traversés par toutes les impulsions destructrices et autodestructrices présentes dans la vie. Rien d'étonnant à ce que les impulsions érotiques semblent sadiques et bestiales, avec leurs volontés sanguinaires de destruction et d'anéantissement définitif. Un Éros venimeux prend possession de nous et nous révèle des stries noires là où nous désirions la vie pure. Mêlant l'amour aux convulsions de l'effroi dans une contorsion infernale, il engendre une lassitude inhumaine et souterraine, pollue les sources de la vie en sorte que nos élans vers la pureté s'y brisent comme autant de tragédies.

Qu'un Éros pur, qui suive l'écoulement spontané de vie, nous délivre de l'attrait et des tourments du grand dégoût; que le progrès dans la sérénité nous sauve de la solitude et du temps où nous mourrons et qui nous fait mourir.

*E*xergue à une autobiographie; je suis un Raskolnikov sans l'excuse du crime.

*É*ros : accomplissement dans les sources de la vie;
Musique : impossibilité de s'accomplir dans la vie.
Seule la musique est une «tentation» : car elle seule peut nous détourner des finalités de la vie. Une sensation musicale profonde résulte de l'impossibilité de l'homme à se réaliser dans la vie. La musique nous «délivre» de la vie, en ce qu'elle nous fait l'*oublier*. Sinon, toute musique est un attentat…
Pourquoi l'homme chante-t-il dans l'amour? Parce que son amour

n'est pas certain de s'accomplir. Un amour profond découvre dans la musique ses propres pudeurs. Comme si l'amour voulait échapper à lui-même.

Musique érotique ou lâcheté de l'Éros.

D'où vient le vague dans l'érotisme, puisque l'amour s'enracine dans l'instinct? L'instinct a une direction déterminée et une grande capacité à absorber l'objet visé. Mais alors d'où viennent l'ineffable de l'amour, les aspirations indéfinies et les nostalgies érotiques? Le débordement de l'Éros dans toute la sphère de l'être mêle l'élan érotique à tous les plans de l'existence, y compris à ceux qui n'ont aucune affinité avec ce qui est spécifique dans l'Éros. Nous aimons alors avec toutes les parties du corps et avec toutes les cellules de l'esprit.

Nous aimons en marchant, en dormant, dans nos rêves, nos souvenirs et nos peines... Soumis à une telle extension, il est naturel que l'amour perde la conscience précise de lui-même et se disperse par excès de plénitude, comme une inondation. Le vague dans l'érotisme résulte de cette effusion de l'instinct, qui, de trop d'intensité, veut tout étreindre et laisse échapper l'essentiel et l'individuel.

Tout le charme de l'amour réside précisément dans le mariage étrange du fond instinctif et du vague érotique.

MOZART OU MA RENCONTRE AVEC LE BONHEUR

L'homme ne peut être *essentiel* que dans le malheur. Mozart nous attire-t-il seulement comme une exception?

Est-ce de Mozart seul que j'ai appris la profondeur des cieux?

Chaque fois que j'écoute sa musique, je me sens pousser des ailes d'ange.

Je ne veux pas mourir parce que je ne peux imaginer qu'un jour, ses harmonies me seront définitivement étrangères.

Musique officielle du paradis.

Pourquoi ne me suis-je pas encore effondré? C'est ce que j'ai de *mozartien* qui m'a sauvé.

Mozart? Des *pauses* dans mon malheur.

Pourquoi j'aime Mozart? Parce qu'il m'a fait découvrir ce que je pourrais être si je n'étais pas l'œuvre de la douleur.

Symboles du bonheur: ondulation, transparence, pureté, sérénité...

Ondulation : schème formel du bonheur. (Révélation mozartienne.)

*L*a clé de la musique de Bach : le désir d'évasion du temps. L'humanité n'a pas connu d'autre génie qui ait représenté avec un plus grand pathos le drame de la chute dans le temps et la nostalgie du paradis perdu. Les évolutions de sa musique donnent la sensation grandiose d'une ascension en spirale vers les cieux. Avec Bach, nous nous sentons aux portes du paradis ; jamais à l'intérieur. Le poids du temps et la souffrance de l'homme tombé dans le temps accroissent la nostalgie pour des mondes purs, mais ne suffisent pas à nous y transporter. Le regret du paradis est si essentiel à la musique de Bach qu'on se demande s'il a eu d'autres souvenirs que paradisiaques. Un appel immense et irrésistible y résonne comme une prophétie ; et quel en est le sens sinon qu'il ne nous tirera pas de ce monde ? Avec Bach, nous montons douloureusement vers les hauteurs. Qui, en extase devant cette musique, n'a pas senti sa condition naturellement passagère ; qui n'a pas imaginé la succession des mondes possibles qui s'interposent entre nous et le paradis ne comprendra jamais pourquoi les sonorités de Bach sont autant de baisers séraphiques.

Chez Bach, le transcendant a une fonction si importante que tout ce qu'il est donné à l'homme de vivre n'a de sens que rapporté à sa condition dans l'au-delà. Rien de naturel dans cette musique transcendante qui ne tolère ni les apparences ni le temps.

Bach nous invite à une croisade pour découvrir dans l'esprit de l'homme, au-delà des apparences, le souvenir d'un monde divin. Mais a-t-il compris *l'homme*, en pensant que ses émotions suffiraient à l'en consoler ? Ses appels réconfortants ne s'adressent-ils pas plutôt à un monde d'anges déchus, dont la tentation astrale du péché a brisé les ailes et qui les a jetés d'au-delà jusqu'*ici*, où les choses naissent et meurent ? Toute la musique de Bach est une *tragédie angélique*. L'exil terrestre des anges est son motif et son sens caché. C'est pourquoi nous ne pouvons comprendre Bach que lorsque nous nous éloignons de notre humanité, lorsque nous vivons notre premier souvenir. Affligé par la chute dans le temps, Bach n'a vu que l'éternité. Le pathos de cette vision consiste à représenter le processus d'ascension vers l'éternité et non l'éternité elle-même. Une musique dans laquelle nous ne sommes pas éternels mais où nous le deviendrons. L'éternité est la défaite complète du temps et l'entrée, non pas dans un autre ordre d'existence, mais dans un monde substantiellement différent. Bach a donné un contour sonore à la conception chrétienne du désaccord absolu entre temps et éternité. L'éternité n'est pas conçue comme une infinité d'instants — il y a une éternité dans le temps, une totalité immanente du devenir — mais comme un instant sans centre et sans limites. Le paradis est l'instant absolu, une boucle où tout est *actuel*. La tension et le dynamisme de sa musique viennent de ce que nous avons à conquérir le paradis ; nous ne voulons pas qu'on nous le donne. L'intervention divine n'y joue à peu près aucun rôle. Bach prie Dieu plutôt de nous accueillir que de nous sauver. Le moment dramatique a lieu à la porte du paradis, au seuil de l'éternité. C'est dans le christianisme profond de Bach que la croisade pour le paradis atteint son point culminant. L'autre solution, celle de la révolte et de l'abîme humain ? La croisade pour affranchir le paradis de la domination divine...

Quelles harmonies résonnent aux portes du paradis ? Que peut-on entendre à cet endroit seulement ? Si, avec Bach, nous éprouvons le regret du paradis, avec Mozart, nous sommes au paradis. Sa musique est paradisiaque pour de bon. Ses harmonies font danser la lumière de l'éternité. De Mozart, nous pouvons apprendre en quoi consiste la grâce de l'éternité. Un monde sans temps, sans douleur, sans péché... Bach nous parlait de la tragédie des anges ; Mozart nous parle de leur mélancolie. Mélancolie angélique, tissée de calme et de transparence, jeu de couleurs.

La construction en spirale de la musique de Bach indique par ce schéma même l'insatisfaction devant le monde et ce qu'il nous offre, ainsi qu'une soif de reconquérir une pureté perdue. La spirale ne peut être le schéma de la musique paradisiaque parce que le paradis est le point final de l'ascension ; plus haut, il n'y a plus rien à atteindre. Reste à se tourner vers le bas, vers la terre. Éprouverait-on aussi là-haut le regret de la terre ? Elle qui est démonie... Chez Mozart, l'ondulation signifie l'ouverture réceptive de l'esprit devant la splendeur paradisiaque. L'ondulation est la géométrie pure du paradis, alors que la spirale est la géométrie plane des mondes qui s'interposent entre la terre et le paradis.

MOZART OU LA MÉLANCOLIE DES ANGES

——————————————————— *J*e garde en mémoire comme un remords, un regret et une obsession ce que Maurice Barrès écrivait un jour des premières compositions de Mozart, de ses premiers menuets conçus dès l'âge de six ans : qu'un enfant ait pu entrevoir de telles harmonies est une preuve de l'existence du paradis par le *désir*. Barrès a raison : toute la musique de Mozart, pure et aérienne, nous transporte dans un autre monde, ou peut-être dans un souvenir. N'est-il pas étrange que, purifiés par elle, nous vivions chaque chose comme un souvenir sans qu'il devienne jamais un regret ? Pourquoi cela ? Sans doute parce que le monde que Mozart nous offre est de la consistance même des souvenirs : il est immatériel. On aime Mozart dans les instants où l'on prive la vie de sa direction, où l'on convertit l'élan en vol, quand les ailes portent le sort mais non les fatalités. Qui pourrait dire où finit la grâce et où commence le rêve ? Cette musique destinée aux anges nous fait découvrir une nouvelle catégorie : *le planant*, le suspens, le survol. Chez Haydn aussi, nous rencontrons la même grâce et la même pureté ; lui aussi possède ce charme intime propre à l'absence de métaphysique. Mais à la différence de Mozart, il s'adresse trop aux hommes ; son rêve est pastoral, sa grâce plus terrestre qu'aérienne. Le charme *suspendu* est troublé par l'attraction qu'exerce le monde. Pour Mozart comme pour toute musique angélique, porter ses regards vers le bas, vers nous, est une trahison. À moins que se sentir homme soit la pire des trahisons...

Mozart est-il resté jusqu'à la fin de sa vie fidèle à sa vision, fidèle au monde que révèlent les ondulations de la mélancolie et du rêve, fidèle à son paradis intérieur et au paradis du désir ou du souvenir ? Ne sommes-nous pas parfois enclins à croire que Mozart n'a jamais été sali par la pensée de la mort, et n'a jamais été infecté par ses tristesses délétères. Bien que, dans une lettre écrite quelques années avant sa disparition, il confesse son intimité parfaite avec la pensée de la mort, il serait pourtant difficile d'y trouver à cette époque, si l'on excepte la fatigue et l'élan comprimé, une réflexion morbide, qui aurait tendu ses arcs noirs au-dessus de son univers. On a remarqué depuis longtemps que le *Requiem* de Mozart, bien qu'il exprime le désir d'échapper au monde, n'en conserve pas moins son souffle pur, ce je ne sais quelle allusion réconfortante à un monde de couleurs roses, qui masque les souffrances de la chute dans le monde.

Et pourtant, Mozart n'est pas resté conséquent avec son rêve initial. S'il a bien écrit une musique pour les anges, les ailes ne lui sont pas moins tombées chaque fois qu'il n'était pas dans sa musique, c'est-à-dire dans leur *musique*. Ainsi, ce qu'il a créé pendant l'année de sa mort est une trahison. Le retour à sa condition, ses retrouvailles avec son humanité, le réveil du rêve de sa vie substitue à la mélancolie transcendante une tristesse sombre, matérielle, une atmosphère de décomposition, d'inéluctable et de funèbre, qui plus tard, trouveront leur couronnement douloureux dans les créations de Schubert.

Presque jusqu'à sa mort, Mozart a préservé la continuité de son rêve de jeunesse. La preuve de l'existence du paradis par le désir, dont parle Barrès, est renouvelée, jusqu'à la trahison. Soudain, c'est comme s'il avait été anéanti par l'éternité du paradis. Et sa chute nous est rendue sensible par la tristesse infinie et l'intimité avec la mort présentes dans ses dernières créations. Un véritable saut s'est opéré, un écart significatif, une rupture symbolique. L'adagio de son dernier *Concerto pour clarinette et orchestre* nous révèle un Mozart changé ; non pas converti mais abattu ; non pas transfiguré mais vaincu. Sa musique où, auparavant, la mélancolie subtile et éthérée refusait la tristesse matérielle, où l'élan gracieux excluait l'autre côté de la vie, glisse soudain sur la pente opposée, et ne mène qu'à sa défaite. C'est l'effondrement du rêve d'une vie entière. Si, formellement, on peut encore reconnaître le Mozart d'autrefois, l'atmosphère et les reflets affectifs constituent une surprise des plus bizarres. La tristesse des dernières créations de Mozart, en particulier l'atmosphère sombre du *Concerto pour clarinette et orchestre*, donne la sensation d'un abaissement du niveau spirituel, d'une descente vers le zéro vital et psychique. Chaque ton marque un degré dans la dissolution, et l'anéantissement de notre hiérarchie spirituelle. Nous rejetons l'un après l'autre les voiles de notre esprit, les illusions tombent, leur transparence s'avère vide. La tristesse musicale de ce finale mozartien est comme un murmure souterrain ; en sourdine et, je ne sais pas pourquoi, embarrassé. Quand on pense à la grandeur pathétique de la tristesse musicale dans la *Symphonie n° 3* de Beethoven, où la tristesse prend une telle ampleur qu'elle relie les mondes, en construisant au-dessus d'eux une voûte sonore, un autre ciel — alors on comprend que le finale triste de l'œuvre de Mozart ne dépasse ni les dimensions du cœur, ni le cadre de l'âme. Ce n'est pas dans la tristesse et dans la mort qu'on peut transfigurer une âme dont l'inspiration a fait «carrière» au paradis.

Si l'on dit que le rêve de sérénité, de profondeur dans la sérénité, de grâce et de vol immatériel, que toute la mélancolie subtile et transcendante qui se dégage de son œuvre, est de nature à nous laisser croire qu'il a surpris les mélodies d'un autre monde et les lui a données — n'exprimons-nous pas plutôt notre désir que la réalité spirituelle de Mozart ?

Ce problème rebattu est un faux problème. Peut-on s'imaginer qu'un homme n'ait pas vécu toute son existence dans le monde qu'il avait réalisé ? Rien ne nous fait croire qu'avant sa chute Mozart n'ait pas vécu dans un monde de pures vibrations, dans un autre monde. Personne ne chante le paradis parce qu'il ne l'a pas, mais parce qu'il ne veut pas le perdre.

Ceux qui vivent dans les états du second Mozart, de cette brève période où la mort a assombri les lumières et le souvenir de son paradis intérieur, ceux-là aiment passionnément la musique paradisiaque de Mozart, au point d'en faire un véritable «complexe». Et ils l'aiment parce qu'ils gardent, caché sous leurs déceptions et leurs échecs innombrables, le monde de leur paradis intérieur, ces mondes qui se révèlent à eux dans les dilatations infinies de l'extase. Car on ne peut pas aimer le monde de Mozart sans le retrouver dans ses profondeurs spirituelles. Tout le secret du désespoir réside dans l'antinomie créée entre un fond mozartien et les immensités noires qui parasitent la vie pour étouffer ce fond. Tant d'âmes vivent dans le deuil des autres, sans savoir où chercher leurs origines, leur aurore.

Que Mozart n'ait pas vécu dans notre monde, qu'il n'ait pas dès le début compris la chute et la mort, c'est stupide de l'expliquer par l'atmosphère rococo où il évoluait. On doit dire au contraire qu'il y a des êtres pour qui l'individuation n'est pas une malédiction parce qu'on leur dévoile tardivement les fatalités de cette condition. Ceux qui sont conscients, et malheureux dans la conscience de l'individuation, dans le contact avec la douleur et la mort, se transfigurent, et acceptent les lumières de la démonie. Mozart a connu trop longtemps les harmonies séraphiques pour pouvoir encore exploiter ces lumières.

«*M*ystère» de l'ondulation : accomplissement dans l'élévation *ou forme dans l'élan.*
Aimer la ligne ondulée, se fondre en elle et s'y plier. S'il existe une conscience dansante...
Nous aimons l'ondulation parce qu'elle nous *réalise*, nous achève par aspiration...
Une conscience ondulée, dansante, gracieuse : lâcheté pour la tristesse ; trahison pour le dégoût mais pour le bonheur, fleur.
En guise «d'idées» : pensées obsessionnelles. J'aimerais mieux qu'elles ondulent en moi au lieu de me tarauder...
Me reviennent bruyamment en mémoire toutes ces choses qui n'ont pas voulu mourir. Et je suis assourdi par tout ce qui, en moi, crie après la vie.

Quand l'existence devient une musique et l'être, tremblement, alors cessent les regrets.

Désespoir : vibration dans rien.

Mystique, musique et érotisme : limites où se réalise notre désir d'infini.

Le goût de la chair : une sensation matérielle de la musique.

Question que pose la musique : s'il n'y a pas en l'homme une volonté inconsciente d'être malheureux... peur d'être superficiel dans le bonheur.

Désir secret dans la mélancolie : mourir sous des cieux sereins.

Pourquoi des mélodies oubliées nous reviennent-elles dans la mélancolie ? Est-ce seulement pour nous faire mesurer tout ce qui est mort en nous ? La mélancolie ne réveille-t-elle pas le souvenir des lieux où nous avons vécu heureux, où nous avons pressenti que nous pourrions l'être ? Poison délicieux de la mélancolie...

*Q*ui n'a jamais souhaité détruire la musique ne l'a jamais aimée...

*D*ésespoir : forme *négative* de l'enthousiasme.

Apprenez à aimer les attitudes injustifiées, les gestes inexplicables, les actions sans mobile, l'élan absurde... Ne cherchez pas le début d'une chose, la cause, le motif. Que l'abandon surgisse d'un sacrifice spontané, par-delà la joie et la douleur. Moins vous pouvez justifier un acte, plus il est généreux et pur. L'*acte absurde* est l'expression de la plus haute liberté. À moins que l'absurde n'en soit la limite...

La quasi-totalité des hommes travaille pour quelque chose, en partant de quelque chose ; presque tous réalisent leur vie dans le temps. Le geste absurde n'a pas de commencement parce qu'il est sans motif et n'a pas de fin parce qu'il ne vise rien.

L'absurde n'est-il pas ce qui sauve la liberté dans ce monde ?

Depuis des milliers d'années, l'esprit humain travaille contre l'absurde ; depuis des milliers d'années, l'homme cache sa peur de la liberté dans son culte des lois. Toute la culture n'est-elle qu'une lâcheté ?

*N*écessité de pleurer tout ce qu'on n'a pas vécu ;

désir de verser des larmes à l'idée de tous les sourires réprimés ;

tendance à se détruire pour avoir perdu tant de sérénités ;

enthousiasme pour un être et regret de ne pas avoir disparu en lui ;

inutilité de tous les instants où l'on n'a pas été comblé par la générosité de Dieu ;

un dieu qui meurt dans des larmes d'amour...
Aux heures où l'on est le commencement et la fin.
Ah! Comme les éternités roulent en des larmes infinies...
Gouttes d'éternité...
Limites de l'extase : se croire seulement Dieu...
Une divinité en larmes...
Que chacun vive comme s'il était dieu, que chacun s'abandonne au mythe de sa propre divinité. L'infini n'est-il pas notre cadre et la musique, notre température ? Ne mesurons-nous pas tout à l'aune des rayons et des sons ? Nos vibrations ne nous étranglent-elles pas, comme le font nos chants secrets et nos mélodies définitives ?

Tous ces instants d'invasion lumineuse, ces instants uniques et inoubliables où nous passons à côté du temps avec le mépris et la condescendance de l'éternité, que peuvent-ils faire d'autre de nous que des dieux. Ne vous êtes-vous jamais vécus, frères, comme ultimes, définitifs, clos ? Vos yeux ne se sont-ils jamais ouverts sur vos cieux intérieurs ? Ou n'avez-vous jamais vécu l'extase de vos élévations ? Votre ouïe ne vous aura jamais conquis, puisque vous ne vous êtes pas noyés dans vos sérénités. Votre infini ne vous a-t-il jamais ravis, votre immensité, jamais enivrés, au point que vous vous sentiez si pleins d'une telle plénitude, que vous soyez le tout en tout ? Quelle existence est celle qui n'est pas un couronnement ? Refus de la hiérarchie divine ou degrés de notre divinisation...

L'*instant absolu de l'existence*... commence quand la lumière en nous triomphe des ombres. On l'a vu, rompre l'équilibre du clair-obscur conditionne le saut dans l'absolu. Car le clair-obscur est notre air ambiant. Mais quand les ombres se retirent par peur de la lumière, qui interrompt le jeu fantomatique du clair-obscur, quand nous calcinons l'obscurité dans un bain rayonnant, alors, le moment de la *grande* lumière nous couronne d'une auréole divine. Nous participons de la lumière et de l'oubli. Et nos yeux où s'éteignent les ombres, telles deux fenêtres, ouvrent sur la lumière...

Pourquoi redouter seulement les ombres, alors que nous sommes aussi tourmentés par la peur de la lumière ? Parce que, dans notre clair-obscur, l'ombre est crainte et fuite de la lumière, comme le halo qu'elle laisse en s'en allant. Aussi la tension du clair-obscur est-elle une condition naturelle de la tragédie. Dans la chute ou dans la transfiguration, notre fin ne peut être qu'un absolu.

Pour satisfaire au mythe de l'existence absolue, laisse-toi combler des sensations les plus étranges. Ne regrette pas de te sentir l'ultime représentant d'une espèce en voie de disparition, un grand criminel, un chevalier de la fin et du néant, ou un dieu déchu... Ton but ultime n'est-il pas de devenir un Dieu sans monde ? Être essentiel à chaque instant, c'est faire de son visage un masque mortuaire.

*L*e *regard sans perception*, le regard qui reflète et réfléchit, le regard *épuré* d'objets, donne une image de la pureté. N'avez-vous jamais regardé le regard des canetons, pour voir des yeux où le ciel est ciel, l'eau eau, et la feuille feuille ? Et n'avez-vous pas aimé ces yeux qui ne volent pas les objets, qui ne s'emparent pas du monde pour le fondre en eux ? Le ciel qui descend dans les yeux d'un caneton ; car ceux de l'homme sont trop obscurcis pour accéder à la sérénité et l'élévation. Image de la pureté : un regard avant la perception ; un regard dans le monde et d'avant le monde. Un regard qui *ne* voit *pas*, mais dans lequel on *voit*.
Jour de printemps d'un calme infini et, dans une vaste clairière, une eau étale : un caneton aux yeux gracieux et innocents où le monde cherche le paradis perdu ; et l'homme triompherait de ses regrets et de son envie...

*Y*eux célestes : devant lesquels on se demande s'ils ont été une fois profanés par la vue d'un objet.
Sensations célestes : comme si chaque instant s'était détaché du cours du temps pour m'en ramener un baiser.
N'avez-vous pas connu ce long isolement où vous étiez squelettique à force de méditer, soumis à l'ascèse qu'exige l'élévation, et où vos sensations s'oubliaient elles-mêmes dans l'extase ? N'avez-vous jamais veillé au pied de la solitude des montagnes, en vous sentant trop *bas*, parce que vous avez voulu sauter dans la lumière, remonter en glissant sur ses rayons et suivre la trajectoire immatérielle vers l'absolu ? La fusion n'a-t-elle pas été le prolongement de l'ascension ? N'avez-vous pas oublié alors la vie dans votre excès de plénitude ? N'avez-vous pas oublié la vie de trop de vie ?
Si vous n'avez pas été malade d'excès, vous n'avez jamais atteint les limites ; si vous n'avez pas été malade de votre absolu et de celui du monde, vous êtes perdu pour vous et pour le monde. Si vous ne vivez pas votre divinité, qui s'arrêtera sur votre ombre fugitive ? Car tous ceux qui ne veulent pas être des dieux sont des ombres.

La voix de ma solitude, enrouée par les appels qu'elle lance dans le vide et les tristes échos qu'il lui renvoie, descend vers le royaume des ombres. Dans les heures de veille complète, une lumière vacillante naît dans la nuit, issue de ma nuit pour se noyer dans la nuit du monde ; tandis qu'une procession d'ombres se faufile dans on ne sait quelle obscurité lointaine.

... À cette obscurité, nous échapperons, perdus dans la lumière absolue, au moment intense et infini où tout se crée et se détruit en nous... Instant de bonheur divin, après quoi toutes les douleurs peuvent être endurées ; après quoi l'existence future du monde devient superflue...

*P*erdre *conscience d'être créature* : haïr tous les êtres ; se désolidariser de toutes les créatures dont nous peuplions jadis le paradis. Quand nous haïssons les animaux, nous haïssons en nous la base de notre vie. Nous espérons échapper complètement à la hiérarchie des créatures. Pourquoi donc, quand le sentiment d'être une créature nous abandonne, considérons-nous tous les animaux comme des reptiles ? Pourquoi sommes-nous envahis par le dégoût et la peur de quelque chose de froid, de souterrain et de rampant ? Pourquoi, dans le dégoût que nous éprouvons pour les créatures, un serpent immense se love-t-il sur tout notre corps, dans une spirale sinistre qui accroît la terreur ? Pourquoi sentons-nous monter en nous un venin amer et destructeur ?

L'obsession du serpent ? La peur de la chute toute proche, d'une chute absolue. La *seconde* tentation du serpent : perdre le *souvenir* du paradis. Et nous serions privés de la consolation d'avoir été une fois, plus qu'un instant, heureux...

La grande tentation : voir le monde par les yeux du serpent ?

À l'heure où les souvenirs m'envahissent comme des flammes, quand tout le passé me brûle — tout ce qui en moi était sourire, tristesse, regret — quand rien de moi ne peut se taire. Cri de mes entrailles... Douleur d'avoir du temps derrière soi, tristesse devant sa propre histoire... Un monde sans souvenirs et sans espérances... Vivre absolument, sans paradis. Si la conscience ne tend pas un arc entre le commencement et la fin du monde, un arc-en-ciel immense et éternel, si elle ne se courbe pas sur le monde entier, elle ne se consolera jamais de la perte du paradis. Nés dans l'ombre de la divinité ; lui faire de l'ombre, tel est notre idéal.

Murs noirs dans une ville du Nord, de hautes murailles enfumées. Brouillard, pluie, et tristesse. De vieilles mélodies montent d'un orgue de Barbarie et lancent des fausses notes surprenantes et sinistres. Comme si les sons se détachaient des murs enfumés et se rassemblaient, comme en un foyer sonore, dans ton âme. Saisi par l'étrange désaccord de l'orgue de Barbarie rouillé, tu entonnes l'hymne funèbre à ton propre enterrement.

Seul le désespoir change le cours d'une vie, car il est l'auréole de la douleur. La transfiguration est un saut de la douleur, un saut sur le bord de la douleur, c'est-à-dire du désespoir. La désespérance est le sentiment le plus fécond ; tout vient d'elle. Et qu'est ce tout ? *La passion pour la douleur.*

Impossible de savoir si l'homme aime *sincèrement* la souffrance. Il n'y a pas de *destin* sans le sentiment intime d'une condamnation et d'une malédiction.

Le temps comme une échelle de douleurs...

Celui qui aurait pu devenir un saint, s'il l'avait voulu. Pensée dans la nuit : l'homme souffre au point que Dieu lui-même devrait lui demander des excuses.

La première fois, le paradis a été corrompu par la connaissance ; la seconde, ce sera par la tristesse. Alors, je renaîtrai sous la forme du serpent...

Ce qui me distingue de Dieu : lui *peut* ce que je *sens*. La puissance nous sépare : différence de nuance métaphysique. Non pas vivre dans la divinité mais dans *notre divinité.*

Suspension totale du temps : le monde se *crée* en nous.

Extase divine : le temps *commence* en nous. Sensation du premier instant... Ensuite, les instants tombent dans le temps comme les larmes dans l'âme.

Je me reflète dans tes larmes et toi dans les miennes. Chacun se reflète dans les larmes d'un autre. Tout le monde se mire dans les larmes de tous. Comme devant de vieilles icônes, nous restons dévotement penchés sur nos transparences troublées, éclatantes mais non limpides. Que les larmes soient notre véritable miroir. En lui s'uniront nos douleurs et nos extases. Quoi de mieux qu'une larme pour être le miroir de qui a perdu le paradis ? Ce n'est que dans les larmes que nous retrouverons un *visage.* Et puisqu'elles se détachent des profondeurs de l'homme, elles sont comme les appels d'un autre paradis, où l'on entrera après le dernier instant, après la deuxième larme.

Parmi ceux qui refusent la vie et ne peuvent l'aimer, tous l'ont aimée un jour ou ont *voulu* l'aimer.

SERMENT DEVANT LA VIE

———————————————— *J*amais je ne te trahirai *complètement*; bien que je t'aie trahie et que je te trahirai à chaque pas;
quand je t'ai haïe, je ne pouvais t'oublier;
je t'ai maudite pour te supporter;
je t'ai repoussée pour que tu changes;
je t'ai appelée et tu n'es pas venue; j'ai hurlé et tu ne m'as pas
souri; j'étais triste et tu ne m'as pas consolé. J'ai pleuré et tu n'as
pas séché mes larmes. Tu as été un désert pour mes prières, le
tombeau de ma voix. Tu as été silencieuse devant mes tourments
et vide devant ma solitude. J'ai tué dans l'œuf le premier instant
de vie et foudroyé tes commencements. J'ai voulu le poison pour
tes racines, et mon âme a désiré l'aridité des fruits, la sécheresse
des fleurs et l'assèchement des sources.
Mais mon âme t'est reconnaissante pour le sourire qu'elle a vu,
elle seule et personne d'autre; reconnaissante pour cette *rencontre* ignorée de tous; cette rencontre ne s'oublie pas; la
confiance retrouvée, elle résonne dans le silence, reverdit les
déserts, adoucit les larmes et rassérène les solitudes.
Je te jure que jamais tu ne connaîtras de grande trahison de ma
part.
Je jure sur tout ce qui peut être le plus saint — sur ton sourire —
que je ne m'éloignerai pas de toi.
N'avez-vous jamais senti le temps se rassembler en vous, grandir
et vous inonder, quand tout ce qui est devenu et qui s'est écoulé
jusqu'à présent se concentre soudainement en une fluidité abstraite pour se lever en vous vers un pic inconnu? N'avez-vous
jamais souffert de cette amplification du temps; été tétanisé par
lui? Ne vous êtes-vous jamais voûté sous la spirale interne du
temps, tordu par ses sinuosités et ses mouvements brûlants? Le
devenir se vengerait-il de nos instants absolus? N'avons-nous pas
le droit à un contact, même épisodique, avec l'absolu? Le temps
semble vouloir nous rappeler nos oublis dans la lumière, et nous
détruire là où nous voulions nous perdre.
Le temps érode les bases du paradis. Le serpent n'a pas été seulement l'instrument de la connaissance mais aussi celui du temps.
Le futur est une concession faite au temps par l'éternité.

MURMURES À LA SOLITUDE

——————————————————— *N*'as-tu pas senti la force de mes négations ? La tension qui arquait les articulations de mon être ? Mes plaies ne t'ont-elles pas brûlé pour avoir prédit ma fin ? N'as-tu pas compris que tu m'as permis d'être fort, que tu as été mon rempart contre le rien ? Pourquoi me chuchoter à l'oreille de tout quitter, quand je me suis déjà attaché grâce à toi aux apparences de la nature ? Je ne t'ai pas demandé de me prendre en pitié, mais de me donner la force de maudire et l'éclair d'espérer.

Et toi, ne m'as-tu pas enseigné que le mépris devait avoir l'amplitude de l'amour ? Mépris hautain, solitude, telle est ta loi ; un sommet dans le mépris, sommet atteint par ton amour. Car on doit d'abord bâtir un monde sur l'amour avant de s'autoriser à le regarder *de haut*.

Et ne m'as-tu pas conseillé de regarder ainsi vers lui pour retirer à la douleur son identité et à la défaite son obscurité ?

Ne m'as-tu pas palpé, n'as-tu pas baisé mes plaies, solitude, ces plaies qui parlent de résurrection ?

J'ai senti tes caresses, quand ma voix brisée, amère et triste, t'a murmuré : *je suis un univers de regrets*. Pourquoi toi, qui ne pardonnes rien, as-tu toléré la faiblesse d'un tel aveu ? Que mes os soient brisés, que ma langue soit clouée, que mon regard me soit ravi. Car je ne veux pas être en *être*, ce que je ne suis pas en *pensée*. Et, chaque fois que mes pensées m'ont abandonné, chaque fois, je n'ai pas *été* en pensée. Inspire à mes pensées la fraternité de la vie et fait qu'elle se souvienne de moi dans les grandes heures. Mais ne me console pas quand je suis faible, las et abattu. Je te veux alors sévère, méchante, implacable. Brûle-moi la plante des pieds quand je veux ensevelir mon esprit et transperce mon âme quand elle est tiède. Lacère ma chair quand elle se berce dans l'oubli et rend mes larmes brûlantes comme le poison. À toi, je confie mon âme, solitude, et dans tes entrailles, je veux que tu l'enterres.

SUPPLIQUE DANS LE VENT

——————————————————— *P*réservez-moi, Seigneur, de cette grande haine, de cette haine qui fait jaillir les mondes. Apaisez le tremblement agressif de mon corps et desserrez l'emprise de mes mâchoires. Faites disparaître ce point noir qui s'allume en moi et s'étend sur tous mes membres, faites naître une flamme meurtrière dans le brasier de l'infini noir de ma haine.

Sauvez-moi des mondes nés de la haine, affranchissez-moi de l'infinité noire sous laquelle mes cieux agonisent. Allumez une lueur dans cette nuit et que se lèvent les étoiles perdues dans le brouillard dense de mon âme. Mon Dieu, montrez-moi le chemin vers moi-même, taillez un sentier dans mes fourrés. Descendez en moi avec le soleil et inaugurez mon univers.

PÉCHÉ ET TRANSFIGURATION

L'inquiétude procure bien des joies et la souffrance bien des voluptés. Sans ce compromis supérieur, qui sait s'il y aurait encore des hommes pour chercher leur bonheur dans le malheur et le salut sur les routes de l'obscurité ? Qui sait si la rédemption par le biais du mal serait encore possible ? L'amour de l'infernal est impraticable sans les reflets paradisiaques de la joie et de la volupté pure. Mais qu'arrive-t-il quand, sur la voie du salut inversé, la conscience en reste soudain privée, quand l'inquiétude et la souffrance se ferment sur elles-mêmes pour méditer sur leur abîme ? Pouvons-nous encore croire que nous sommes sur la route du salut ? Ou *voulons*-nous encore nous sauver ? Impossible de dire si l'homme le veut ou non, car il est impossible de savoir si le moment ultime du salut — la transfiguration — n'est autre chose qu'une sublime impasse.

Le refus du salut vient d'un amour secret pour la tragédie. Comme si nous avions peur, une fois sauvés, d'être jetés aux ordures par la divinité et préférions l'errance, pour satisfaire notre orgueil absolu. Tous les hommes pourtant regardent la perte du salut comme la plus grande occasion perdue, de même que chacun rougirait à l'idée du rêve blanc de la transfiguration. Situation si dramatique qu'on en vient à se demander si Dieu ne nous aurait pas exilés l'un après l'autre sur la terre.

Mais on ne peut vivre seulement dans l'inquiétude et seulement dans la douleur. Exister exclusivement dans une gamme d'états négatifs, sans revenir à la naïveté ni avancer dans la transfiguration, accable notre conscience, en sorte que le poids de la *faute* se rajoute douloureusement aux autres. L'apparition de la *mauvaise conscience* marque un moment périlleux et fatal. Nous nous sentons tour à tour accablés par des appréhensions cachées et responsables sans savoir devant qui. Nous n'avons commis aucun crime ni offensé la moindre personne ; mais notre conscience est troublée comme après un crime ou après la pire offense. Nous nous cacherions bien dans une zone d'ombre par crainte de la lumière. La peur de la clarté nous domine, une peur des choses limpides, de tout ce qui existe sans besoin de justifications. Et l'inquiétude grandit d'autant plus que nous ne pouvons lui trouver de détermination concrète et immédiate. Une faute sans objet, une inquiétude sans cause extérieure. Nous aimerions mieux alors avoir commis un crime, avoir offensé un ami, ruiné une famille, être ignobles, triviaux, bestiaux. Nous accepterions plus volontiers d'être redevables à une victime plutôt que sombrer dans une inquiétude indéfinie. Égarés dans une galerie obscure ou condamnés sans appel, nous nous sentirions plus clairs que dans les mailles d'une faute que nous ne pouvons comprendre. La mauvaise conscience nous offre l'exemple du naufrage moral absolu. Sans elle, nous ne comprendrions rien à tout le drame du péché, nous ne pressentirions rien du processus par lequel, sans être coupables devant *quelque chose*, nous pouvons pourtant être coupables devant tout. Quand nous nous sentons responsables devant les sources premières de la vie, alors le courage de la pensée est devenu dangereux pour notre existence.

La mauvaise conscience ne peut se concevoir hors d'une existence qui souffre. La route vers le péché part de la souffrance et elle est une souffrance, mais infinie. La pression de la mauvaise conscience est ignorée de ceux chez qui la souffrance s'interrompt, pour qui elle n'est qu'un simple sentier, étroit comme leur désir de bonheur ou de malheur. Qu'arrive-t-il cependant à ceux qui ne peuvent choisir qu'entre la souffrance et le paradis ? (Y a-t-il d'autre alternative ?) Et pour ceux qui, de peur de perdre la souffrance en gagnant le paradis, ne sauraient renoncer à elle ? Dans quel monde ranger ceux qui se sentent forts seulement dans la contradiction, et ne sont victorieux qu'entre deux tranchants ? L'existence la plus pleine n'est-elle pas celle où les bourgeons côtoient la pourriture ? Dans une grande existence, la contradiction est l'unité suprême. Le réflexe divin en l'homme est perceptible dans sa résistance aux antinomies. Nous sommes sur la voie de la divinité chaque fois qu'en nous la dialectique n'a plus cours, et que les antinomies s'arrondissent dans la voûte de notre être, imitant la courbe de l'azur céleste. Mais nous sommes sur le chemin de nous-mêmes (pour ceux qui sont tombés irrémédiablement dans le temps), chaque fois que nous vivons tout le processus dialectique comme une douleur. Et nous vivons la douleur comme une dialectique à un seul terme. La douleur s'affirme; tout s'annule et se combine en elle. Il y a quelque chose de monotone dans toutes les tragédies de la douleur...

Volontairement ou non, chacun est enclin à considérer la douleur comme une voie vers la pureté, comme une simple étape dans son évolution, parce que jusqu'à présent personne n'a pu encore l'accepter comme un état naturel. Ne pouvant être vaincue ni dépassée, elle devient un système d'existence qui demande une disposition exactement contraire à la pureté. Qu'expions-nous par notre souffrance? C'est la première question de la mauvaise conscience. Qu'expions-nous alors que nous n'avons rien *fait*? La faute sans objet nous tyrannise et la charge sur la conscience augmente avec le progrès de la douleur. Le criminel a une *excuse* pour son inquiétude : sa victime; l'homme religieux : l'acte immoral; le pécheur impénitent : l'infraction à la loi. Ces hommes sont exclus de la communauté; aussi bien eux que la communauté *savent* pourquoi ils en sont maudits. Leur inquiétude a un soutien dans la certitude du motif extérieur. Chacun peut se dire en son for intérieur : je suis coupable, parce que... Mais qu'en est-il de ceux qui ne peuvent même pas dire *parce que*? Ou quand, plus tard, dans les tortures de la mauvaise conscience, ce *parce que* sera suivi d'une *excuse* qui couvre le tout, ce tout ne pourrait-il pas consoler de son immensité notre désir douloureux après un péché immédiat, concret et vivant? Ne voudrions-nous pas être coupables devant quelque chose de *visible*? Sachons que nous souffrons à cause de telle ou telle chose, que nous nous sentons coupables devant une présence, devant un être précis, que nous pouvons donner un *nom* à notre douleur sans nom...

Nous n'avons commis de péché devant personne et devant rien; mais nous avons commis un péché devant tout, devant la raison ultime. Telle est la voie du péché métaphysique. De même que les formes multiples de l'appréhension — au lieu de naître individuellement et de façon disparate pour culminer dans la peur de la mort — naissent chez certains d'une peur initiale devant la mort, de même, dans le cas du péché métaphysique, une faute essentielle devant l'existence irradie tous les éléments de notre fardeau intérieur.

Notre mauvaise conscience, ceinte sous la couronne noire du péché, découvre finalement l'attentat commis par notre existence contre les sources de la vie et de l'existence. Premier et dernier péché.

La conscience du péché naît d'une souffrance infinie ; le péché est la punition pour cette souffrance. Ou plus encore : le péché est une autopunition pour la souffrance. Nous expions par lui la faute de ne pas avoir été *purifiés* par la douleur ; de ne pas avoir accompli le saut, la transfiguration, et nous continuons à souffrir encore sans limites, nous expions surtout pour ne pas avoir *voulu* devenir purs. Car on ne peut pas dire que chacun de nous n'ait pas eu un jour entre ses mains, la clé du paradis...

À réfléchir sans arrêt sur elle-même, la mauvaise conscience commence à découvrir les raisons ultimes de son inquiétude. Elles ne pourront jamais égaler un motif précis et une cause extérieure, mais élargissent au contraire le problème de leur existence.

Car tout le drame du péché métaphysique réside dans la trahison des raisons ultimes de l'existence. Ce qui signifie être coupable devant tout et non devant quelque chose. *Sachant* cela, n'avons-nous pas allégé notre fardeau et notre malédiction ? Non. Parce que nous ne pouvons pas écarter la « cause » de notre inquiétude sans nous écarter aussi de nous-mêmes. En commettant ce péché, nous nous sommes déjà écartés de l'existence en gagnant au change une déconcertante *conscience* de cette existence.

Tous ceux qui ont trahi le génie pur de la vie et troublé les sources vitales dans l'élan démiurgique de la conscience, ont attenté aux premières raisons de l'existence, à l'existence elle-même. Ils ont violé les mystères ultimes de la vie et soulevé les voiles qui recouvraient les mystères, les profondeurs et les illusions. La mauvaise conscience résulte d'une atteinte volontaire ou involontaire à la vie. Tous les instants qui n'ont pas été des instants d'extase devant la vie se sont additionnés dans la faute infinie de la conscience. La vie nous a été donnée pour mourir en extase devant elle. Le devoir de l'homme était de l'aimer jusqu'à l'orgasme. Les hommes devaient travailler à construire ce second paradis ; mais aucune pierre n'en a encore été posée ; rien que des larmes. Peut-on bâtir un paradis sur les larmes ?

Le péché métaphysique est une déviation de la responsabilité suprême devant la vie. Aussi nous sentons-nous tellement responsables en face d'elle. Nous sommes coupables d'avoir conspiré dans notre douleur infinie contre la pureté initiale de la vie. (Mais la *vie* n'a-t-elle pas, elle aussi, conspiré contre nous ?)

Un homme qui aime la vie mais se rebelle contre elle est pareil au chrétien fanatique qui a renié Dieu. Le péché théologique est aussi grave que le péché métaphysique. Il y a pourtant une différence : Dieu peut pardonner, s'il veut ; mais la vie, lassée et aveuglée par nos éclairs, ne peut nous récupérer que si nous le voulons. Ce qui signifie : renoncer à la voie de sa divinisation et se perdre dans l'anonymat des sources vitales (rejoindre la naïveté paradisiaque, quand l'homme ne connaissait ni la douleur ni la passion pour la douleur). Encore une fois, le salut est une question de *volonté*.

Tuer un homme ou tuer la vie ? Dans le premier cas, vos semblables vous condamnent ; dans le deuxième, c'est votre destin qui devient votre condamnation. On vit comme si l'on était condamné par un principe ultime (par la nature, la vie, l'existence, Dieu, etc.). Mais ce n'est peut-être qu'alors qu'on commence à *savoir* ce qu'est la vie et à comprendre des choses inaccessibles à la philosophie ; à mépriser les lois de la nature ; à être triste *autrement* ; à aimer l'absurde...

De là, la route de l'obscurité pourrait déboucher sur une lumière secrète. Et si cette lumière était un point final ? Car nous ne pourrons plus retomber de la lumière dans l'obscurité, lors que la lumière nous reçoit comme la fin de notre histoire. Aussi la transfiguration est-elle pourvue d'un attrait irrésistible après le fardeau du péché métaphysique, qui, plus qu'un crime ordinaire, nous a sortis du rang des hommes et de la vie ; personne, sur la route de la douleur et du péché, de la folie et de la mort, ne perd de vue la fascination enveloppante de la lumière finale. Mais, de même, aucun de ceux qui ont vécu amèrement la dialectique de la vie et de sa démonie, ne peut accepter la béatitude finale, quand bien même il aurait encore à vivre. Par peur de sa *fin*. Car la transfiguration est un échec de la dialectique, la transcendance essentielle de tout le processus. Aussi la sainteté est-elle un état de transfiguration continue puisqu'elle est le dépassement définitif de la dialectique. Un saint n'a aucune sorte d'histoire ; il va directement au ciel.

Celui qui accepte le grand fardeau de la vie préfère la tragédie à la transfiguration. La peur de la monotonie des instants sublimes est plus grande que celle de la chute. Et la transfiguration, que peut-elle être d'autre pour lui sinon *l'oubli* de sa tragédie et de ses sublimes lâchetés ? L'inquiétude procure bien des joies et la souffrance, bien des voluptés, car l'homme redoute toute forme de salut, qu'il considère comme prématuré, *avant terme*. Comme si, une fois l'effort de transfiguration réalisé, nous avions peur de provoquer nous-mêmes notre perte. Combien de fois jusqu'à aujourd'hui l'homme aurait-il pu se sauver s'il l'avait voulu ? Où l'on constate que la souffrance révèle un univers capable d'étouffer et le souvenir, et le regret du paradis...

Vie, pseudonyme de Dieu?

Pourquoi, quand notre conscience rétrécit au point de perdre tout contenu actuel, descend jusqu'à notre borne inférieure et se concentre en un point limite, le *péché* nous oppresse-t-il, comme un crime commis sans le savoir? Et pourquoi le progrès dans la conscience du péché le fige-t-il en nous comme un souvenir, comme si l'on avait été coupables quelque part il y a longtemps? Pourquoi la conscience du péché, apparue à un moment donné de notre vie, reporte-t-elle la source du péché dans l'immémorial de *notre* histoire? Pourquoi vivons-nous le péché sans *son origine*? N'est-ce pas parce qu'une fois le péché entré en nous, il devient *essentiel* à notre existence, qu'il pénètre et enveloppe de telle sorte que nous ne pouvons nous en imaginer un jour — passé, présent ou futur — libérés? Le péché s'insinue à la source de notre existence car on ne peut vraiment commettre de péché que contre ses origines. Le péché n'est pas un compagnon mais une sève. Et, bien qu'il naisse dans le temps, il donne une sensation d'éternité (être condamné pour l'éternité).

La conscience du péché pénètre en nous si loin que nous croyons de manière fatale nous souvenir vaguement d'une faute immémoriale. Et le péché s'approfondit de façon si agressive et si criminelle que nous découvrons un jour, dans un passé reculé, le péché de notre origine (c'est pourquoi nous pouvons parler d'*origine* du péché), le péché d'être et d'avoir été. *Être* comme première faute; erreur d'*avoir été* un jour. Voilà pourquoi l'idée de péché originel est tellement enracinée dans l'âme humaine. Ne connaît pas le péché celui qui ne ressent pas qu'une grande faute a été commise un jour et qui ne s'en sent pas, involontairement, solidaire. De même ne connaît pas le péché celui qui ne le vit pas, alors même qu'il n'y croit pas, au seuil du péché théologique. Sa forme typique et originelle est le péché contre Dieu: péché personnel de l'homme contre la personne divine. (Le péché indique toujours un rapport existentiel.) Qui peut dire si Dieu lui-même est préservé du péché!? Car n'a-t-il pas péché lui aussi, en choisissant parmi les infinies possibilités d'être du monde la moins divine? Cela n'est-il pas le péché absolu? Les hommes ont péché devant Dieu; et lui, devant les hommes!?

Différence entre péché et douleur: le péché, nous pouvons l'accepter comme une condition naturelle; pas la douleur. Mais ne vaudrait-il pas mieux parler de *douleur originelle*, et non de péché originel?

Ne pas aimer la vie est le crime le plus grand. Qui sont les responsables?
Ceux qui n'ont pas le *goût* des apparences et divisent le monde en essence et en phénomènes. Ceux-là aiment la mer, pas les vagues;
tous ceux qui ne vivent pas les apparences comme des essences absolues. Pour eux, le monde commence au-delà d'une fleur, d'un sourire, d'un baiser;
tous ceux qui, dans l'individuation, ne voient pas une réalité autonome, mais les métamorphoses d'une substance inaccessible. Ceux-là n'aiment pas la vie, car la mort d'un être n'est jamais une perte en *nature*.
Qui n'aime pas la vie ouvre sous lui un vide qu'il ne peut combler avec rien. Ne serait-elle pas *digne* d'être aimée? Mais l'amour que nous lui portons est d'autant plus sublime que nous ne pouvons savoir si la vie en est digne, ou non. Même aveugle au monde, on ne peut pas ne pas observer la vie du coin de l'œil. — Quel dommage qu'elle ne soit pas un ange, que je l'adore, ou un monstre, que je la haïsse! Personne ne peut savoir combien il l'aime...
Même ceux qui n'ont pas aimé la vie peuvent connaître le désespoir...

CONFESSION DES CHOSES

———————————— *J*e crains la musique secrète des choses, ses tonalités souterraines qui me parviennent aux heures de tristesse solennelle, comme les aveux mystérieux d'un autre monde. La confession des choses est d'une grande séduction :
Sois notre confesseur et écoute notre prière! Notre nature est sans contenu et pauvres nos contours. Notre jeu fugitif enivre les hommes, nous les attache, les comble et les détruit. Ils adorent nos leurres, et, de l'autel qu'ils nous dressent, descendent les marches de leur vie. Leur amour pour nous est une dégradation, leur foi en nous, une calamité; l'extase, une déception. À nos côtés, leur feu devient cendre; leur être, apparence. Ils entrent riches dans notre danse et nus ils sortiront. Nous sommes les ombres et notre jeu est un leurre suprême. Nous procédons du temps : en lui, nous nous mouvons et nous nous consacrons à lui.

La danse des ombres est l'extase du temps. Tout ce qui tombe dans le temps est victime de notre charme. Nous le servons en attirant par nos jeux les servants de l'être. Ceux qui ont répondu à nos appels mendient de l'être. Défaits par le temps, ils clameront en vain la gloire d'autres mondes !

L'ATTRAIT DES OMBRES

*I*rrésistible est votre attrait, vous les ombres, et celui du temps. Séduisante et triste est votre musique. De même que vous avez recouvert mon être des tonalités des choses, ainsi vous le découvrez dans la musique des ombres. Grande est votre attirance, envahissant votre charme : à vos sonorités, j'ai oublié le goût de l'être. En vous, que je sois nu, pauvre et mendiant, et je sacrifierai pour vous la fortune de ma solitude à vos charmes fugitifs. L'éternité nous apprend à être débordant pour ne pas désirer être une victime dans le temps et la proie du temps. Peut-on vivre sans le temps quand on est atteint d'éternité ? Malade des instants qui s'arrêtent, vers vous, ombres passagères, j'étends les bras, épuisez-moi dans votre danse, enlevez-moi le regret de l'immortalité, desséchez mes fautes dans votre chaos, dissipez les arômes purs de mon âme. Et que le temps me suce le sang, pour que l'éternité me possède entièrement.

Et vous, vous qui êtes effrayés par cet univers d'ombres, et dégoûtés de combattre au milieu des apparences et pour elles, avez-vous oublié que la lumière n'est pas moins passagère ? Pourquoi refuser de lutter dans un univers d'ombres ? Nous y vivons, que nous en mourions ! Puisque la vie n'a aucune valeur, pourquoi ne pas la sacrifier pour rien ? Je ne trouve pas de charme plus admirable que de dissimuler la passion dans un tel monde, que d'atteindre la liberté par le culte de l'absurde et de se consumer sans raison. Passion dans un univers d'ombres ! Bandons nos cordes intérieures pour nous abandonner sans entrave au jeu de la lumière et des ombres, guidés par son éclat et leur mystère. Et qu'à notre dernière heure, l'inquiétude éprouvée devant la présence du mystère fasse trembler l'éclat. L'éternité ne nous engloutira pas avant que nous n'ayons été possédés par les ombres. Elles imbiberont notre âme de leurs mélodies nostalgiques, en prenant la place de l'éclat devenu immobile dans la lumière blanche et monotone de l'au-delà.

L'HEURE DES ANATHÈMES

*Q*uand nous descendons en nous-mêmes à une telle profondeur qu'aucun reste d'existence ne peut nous rappeler que nous avons *été* un jour, le point où le rien ne s'est pas encore décidé à être est atteint. Le minimum vital absolu correspond exactement à cette hésitation qui nous porte au-devant de tout ce qui est. En plongeant vers notre limite inférieure, nous anéantissons l'une après l'autre toutes les concrétions de l'existence. Progresser dans le non-être, c'est glisser à reculons sur la dimension métaphysique de l'existence. Nous perdons tout en nous et nous perdons aussi le tout. Parvenus dans le rien, l'indécision entre être et non-être nous procure une sensation exaltante. Dans cette hallucination où l'esprit se révèle à nous du début à la fin et de son terme jusqu'à son origine, les pensées s'identifient aux anathèmes, et se détachent de nous comme des langues de feu. Et *là-bas*, terrifiés devant le non-être, nous promettons à l'esprit de revenir à ce que nous avons été, de remonter vers notre limite supérieure.

Seule la pitié passagère et quotidienne place celui qui en témoigne à un niveau supérieur, et lui prête une attitude condescendante. Maudite soit la pitié qui ne s'éveille qu'en présence des malheureux et n'est active que liée à un objet. On ne devrait pas s'apitoyer sur quelqu'un, parce qu'on n'est *pas encore* à sa place ; on ne devrait jamais s'autoriser à mettre en relief son bonheur. Être saisi de pitié uniquement parce que l'autre souffre devant vous est ce qu'il peut y avoir de plus vulgaire et de plus commun : c'est un acte d'amour ordinaire. Rien à voir avec la pitié qui naît sans souffrance objective, cette oppression de la pitié dans la solitude ! La pitié sans déterminations extérieures, le désir infini de compatir, de se perdre dans un acte de charité, cette palpitation étouffée de l'âme... D'où vient le désir de mourir dans la souffrance d'autrui ? Que se cache-t-il sous le mystère de cette pitié profonde, qui envahit certains hommes au point de les annihiler, pour qui la vue d'un malheur est l'occasion de poursuivre un processus amorcé en eux depuis longtemps ? Quelles sont les racines ultimes de la pitié ?

Dans la pitié quotidienne, l'homme se protège de ses souffrances à venir en anticipant sur elles et rassure sa conscience en pensant à une récompense future. Lâcheté explicable mais excusable.

Dans ce cas, il n'entretient aucune relation avec l'objet de sa pitié, qui est inutile et inefficace. (Il se pourrait bien que toute pitié le soit.) Mais la pitié organique peut-elle provenir de la peur de nos souffrances futures ? N'est-elle pas un état de présence à soi-même, dont l'objet lui donne plus d'actualité mais pas plus d'intensité ? Une telle pitié peut-elle partir seulement de la méfiance devant la souffrance ? Ne dérive-t-elle que du pressentiment d'une tragédie, d'une chute, de l'attente vague d'une catastrophe future ? Avons-nous pitié d'un malheureux parce que nous le sommes autant que lui ? Non, au contraire ; parce qu'il n'y a pas de plus grand malheur que celui dont provient la pitié (il n'y a pas d'état qui ne mérite plus la pitié que celui de l'éprouver). Être envahi par la pitié signifie tout perdre, ne plus rien avoir. Le malheur ne peut pas atteindre de point plus bas et par conséquent aucun malheureux ne pourrait le prendre à son compte. *Dans la pitié, nous aimons notre souffrance dans la souffrance des autres.* En nous, l'invasion de la pitié va du centre à la périphérie. Comme la tension de notre malheur peut atteindre son point culminant, approfondir le malheur d'autrui est un déplacement indifférent à son degré d'illusion. La pitié est ce phénomène de déplacement. Un déplacement qui est au fond une sauvegarde, un salut. D'habitude, nous nous abusons nous-mêmes dans la pitié. Nous nous imaginons que nous avons pitié de quelqu'un de plus malheureux que nous, et nous nous excluons en apparence de la zone pestiférée. En réalité, nous ne pouvons être affectés par la pitié que si nous avons atteint un degré d'irréparable plus grand que la personne pour laquelle nous éprouvons de la compassion. La forme suprême et véritable de la pitié trouve sa meilleure expression dans la peur des souffrances qu'attend l'autre. Je n'ai pas pitié parce que quelqu'un est malheureux mais j'ai pitié de ce que je pourrais encore souffrir. Dans cet ordre, l'infini et le possible nous remplissent de frayeur et d'inquiétude. Dans la pitié suprême, nous nous plaçons sur un point extrême et absolu. Nous vivons alors dans la conviction que personne ne peut aller aussi loin, que, pour les autres, la souffrance est un cercle dont la circonférence ne laisse que nous au-dehors.

Si, dans de tels instants, nous sommes pris de pitié, quand nous-mêmes devrions l'inspirer à tous, comment ne pas aimer notre souffrance avant d'aimer celle des autres ! Y a-t-il une pitié pour autrui sans pitié pour soi-même ?

La pitié part d'une secrète et profonde pitié pour soi-même. Objectivement, nous ne pouvons parler que de la pitié pour les autres parce qu'elle seule se montre à nous et que nous manifestons seulement celle-ci. Mais il n'y a que de la pitié pour soi-même. Les racines ultimes de la pitié sont plantées dans le sentiment étrange de la pitié pour soi-même. On embrasse alors le malheur d'autrui, par générosité peut-être, ou par lâcheté... Quelque part au plus profond de lui-même, là où il est plus fort et plus solitaire qu'ailleurs, l'homme attendrait-il une compassion qui ne vient pas ?

*D*epuis fort longtemps, les hommes s'accordent à penser que la sainteté est la valeur suprême, l'ultime élévation qu'un être humain puisse atteindre. Libération du péché, purification par l'amour et abandon à la charité, enfin sourire réceptif à chacun des actes de la vie, en sont des expressions auxquelles ils n'ont jamais refusé leur admiration. Pourtant, rares sont ceux qui souhaitent devenir saints, et, dans leur for intérieur, tous repoussent la sainteté comme une calamité. Les saints eux-mêmes éprouvent en cachette du regret pour le monde dont leur sainteté les a exclus, et s'affligent de leur sublime catastrophe. Je ne crois pas qu'il ait existé de saint qui n'ait considéré un jour, dans des heures amères et lucides, la sainteté comme une chute. À la longue, l'homme préfère la vulgarité au sublime. Seul l'idéal lui donne la sensation d'anomalie.

La femme n'a atteint ses sommets que dans la sainteté. Et les hommes adorent les saintes. Mais demandez-leur donc de vous dire, en étant tout à fait sincères, qui ils préfèrent, de la putain ou de la sainte ?

Pourquoi la vie d'une sainte nous donne-t-elle l'impression d'un gâchis absolu, et non celle d'une femme perdue ? Cette dernière aurait-elle compris des choses insoupçonnables pour la sainte ? Ce qui est sûr, c'est qu'aucune prostituée n'a emporté avec elle d'illusions dans sa tombe...

Et pourquoi entre Jésus et don Quichotte, notre cœur penche-t-il plutôt pour don Quichotte ? Qu'est-ce qui peut faire s'attacher notre esprit plus au chevalier à la Triste Figure qu'au chevalier à la croix ? Jésus a pourtant sacrifié sa vie pour nous tous, alors que don Quichotte s'est ruiné pour un amour imaginaire... Et cependant, qu'est-ce qui, au plus profond de nous, nous fait voir chez don Quichotte une expérience poussée plus loin que celle du Christ, un risque plus définitif et plus absolu ? Dans le Christ, réalité et illusion se répartissent également. Nous savons combien Jésus s'est trompé, et quelle part d'illusion entrait dans son existence ; mais nous savons aussi ce qu'il a réellement sacrifié pour nous. Tant d'hommes nous affirment que sans lui ils auraient été en proie au désespoir, cette maladie qu'ils redoutent le plus. Pour certains même, l'histoire sans Jésus aurait semblé vide de sens, il *fallait* que Jésus existe. Ils sont si nombreux à le prier. Mais qui a prié pour don Quichotte ? Lui ne devait pas naître. Et parce qu'il ne le devait pas, personne ne l'a compris et ne le comprendra. Gaspiller sa vie pour rien, toucher au sublime dans l'inutile absolu ! On ne peut aller plus loin, car au-delà, il n'y a plus rien à atteindre. Pendant toute sa vie, don Quichotte a été plus solitaire que le Christ de Gethsémani ; plus seul *pour nous*. Nous, qui sommes conscients de la tragédie que lui n'a pas soupçonnée, nous ces disciples éloignés mais dépourvus du don d'illusion. Car, chez don Quichotte, l'illusion était un don divin, une grâce. Et ce don était tel qu'il ne nous en reste rien. J'aurais voulu que don Quichotte fût crucifié, et je voudrais être l'homme incrédule à sa droite, auquel il dirait : «Aujourd'hui même, tu seras avec moi au paradis.» Au paradis de l'illusion.

———————————————— **V**

———————————————— *A*vez-vous déjà senti le *commen-cement* du mouvement, vous êtes-vous soucié du premier branle du monde? Le frémissement pur du mouvement, la première extase du devenir, le tourbillon initial du temps vous ont-ils déjà effleuré? N'avez-vous jamais senti ce moment de première confusion, pris dans une fièvre irradiant du corps et de l'âme? Comme si, dans l'oubli et l'éternité, une étincelle surgie de nulle part venait d'allumer des feux dans l'espace, projetait ses lueurs sur l'immensité ténébreuse du monde, et dessinait d'étranges silhouettes sur le fond cendré de l'espace. Sensation du premier mouvement! Ne vivons-nous pas alors comme si nous étions la *source* même du mouvement, la première pichenette du monde? Et cette concentration du mouvement n'est-elle pas présente dans notre fièvre, et le recentrement du devenir dans notre élan? Qui n'a pas senti que les mouvements du monde se rassemblaient en lui dans un tourbillon, que, dans son bouillonnement, évoluaient des mondes infinis et inconcevables, ne comprendra jamais pourquoi, après de tels instants, l'homme est devenu essentiellement autre, un être tiré de la masse de ses semblables; il ne comprendra pas qu'une seule journée de fulgurations ininterrompues suffise à le réduire en fumée.

*S*euls les anges peuvent encore me consoler. Ces *non*-êtres qui «vivent» chacun perdu dans l'extase de l'autre. Un monde d'extases réciproques... Mes souvenirs, mêlés aux images de Botticelli et aux harmonies de Mozart, me ramènent quelque part loin en arrière, quand les larmes étaient vouées au soleil... La mélancolie réveille en moi les lieux angéliques du passé, les paysages solitaires et silencieux, propices aux grands recueillements et aux grands oublis; toute mélancolie me rapproche des lointains, ranime dans mon for intérieur les printemps de l'enfance et ravive l'intuition d'un souvenir plus éloigné encore, regret d'un monde où les larmes seraient le miroir de l'âme. Confession de la mélancolie, unique preuve du paradis perdu.

De même que, quand pendant la journée, nous fermons les yeux et sommes plongés brutalement dans l'obscurité, nous découvrons des points lumineux et des bandes de couleurs qui nous rappellent l'autre côté du monde — ainsi, quand nous descendons dans les vastes et ténébreuses profondeurs de l'âme, se découvrent à nous en marge de l'obscurité, les reflets inattendus d'un monde doré. Ces reflets de notre âme sont-ils un appel ou un regret ?

Bien que l'espace nous oppose une résistance plus grande, plus directe et plus radicale que le temps, il n'en est pourtant pas moins un problème essentiel. L'espace ne pose jamais de problème d'existence ou de rapport personnel. Plus nous pénétrons dans notre je, plus l'espace perd en réalité, alors que le temps persiste dans notre conscience ; mais quand nous devenons essentiels, nous nous détachons aussi du temps, comme nous l'avons fait de l'espace.

L'espace ne nous donne pas la sensation intime de relativité ; il ne nous rend réflexifs qu'extérieurement. Certains hommes, et même certaines cultures (égyptienne, par exemple) conçoivent l'éternité comme liée à l'espace et ne sentent pas le temps en relation avec l'éternité. Dans leur conscience, l'immobilité et l'infini de l'espace épuisent le contenu essentiel du monde. L'étendue du monde les subjugue et les anéantit du dehors.

L'espace nous comble ; mais il ne passe pas *par nous*, bien que nous soyons plus directement proches de lui que du temps. Seul le temps passe à travers nous, seul le temps nous inonde ; il n'y a que lui que nous sentons nôtre. Le temps nous fait découvrir la musique et la musique le temps, de même que l'espace nous révèle la peinture. Mais entre les deux, quelle âme pencherait plutôt pour la peinture ?

Le combat contre le temps est ce que nous avons de plus essentiel. On ne peut pas ne pas accepter l'espace ; il est d'une évidence trop flagrante. Mais il arrive un moment où l'on ne veut plus accepter le temps. Aussi le moment dramatique de l'existence individuelle culmine-t-il toujours dans la lutte avec le temps. Un combat pourtant sans issue parce que l'être est atteint de temporalité ; même s'il conquiert un jour l'éternité, il regrettera inévitablement le temps. Le désir de *fuir le temps* se rencontre chez les hommes malades du temps, ligotés trop fort dans les sangles d'instants fugaces. Aussi le salut est-il une aspiration inconsistante, à cause du regret qu'éprouvent les êtres pour les joies, les surprises et les tragédies d'un monde qui vit et meurt dans le temps. S'il existe bien une pression temporelle, il y a aussi un poids de l'éternité. L'homme aspire à l'éternité mais préfère encore le temps. Comme cette vie que nous vivons et qui se passe dans le temps est la seule valeur qui nous soit donnée, il nous est impossible de ne pas concevoir l'éternité comme une perte, sans l'estimer moins pour autant. La seule chose que je puisse aimer est la vie que je déteste. Impossible de se débarrasser du temps sans se débarrasser du même coup de la vie. Quel que soit le point où l'on est situé, le temps est la grande tentation : une tentation plus grande que la vie, car si la mort n'est pas en lui, il est l'*occasion* de la mort. Aussi l'extase pure du temps nous révèle-t-elle des mystères tellement étranges, en nous introduisant aux secrets qui relient les deux mondes.

Même si l'homme ne connaissait pas l'accès à l'éternité par le vécu absolu dans l'instant, même s'il ne pouvait pas, tout en vivant dans le tourbillon temporel, faire des sauts dans l'éternité, et s'il avait à choisir une fois pour toutes entre les deux, hésiterait-il un instant à donner sa préférence au temps ? S'il devait se décider une bonne fois entre Cléopâtre ou sainte Thérèse, cacherait-il son penchant pour la première ?

Pour celui pour qui la vie est la réalité suprême, sans être une *évidence*, quelle question peut le remuer plus que de savoir si la vie se peut ou non aimer ? Troublante et délicieuse est cette incertitude ; mais elle n'en demande pas moins une réponse. Il est agréable et amer à la fois de ne pas savoir si on aime ou non la vie. On voudrait ne pas avoir à prononcer un *oui* ou un *non*, juste pour ne pas dissiper la plaisante incertitude. *Oui* signifie renoncer à concevoir et à sentir une *autre* vie ; *non*, redouter le caractère illusoire des autres mondes. — Nietzsche s'est trompé quand, saisi par la révélation de la vie, il a identifié la volonté de puissance comme le problème central et la modalité essentielle de l'être. Car l'homme mis devant la vie veut savoir s'il peut lui accorder son dernier assentiment. La volonté de puissance n'est pas le problème essentiel de l'homme ; il peut être fort et ne rien posséder. Certes, la volonté de puissance naît souvent chez ceux qui n'aiment pas la vie. Mais n'est-elle pas une *nécessité* que la vie nous impose ! La première interrogation devant la vie exige de notre part une réponse sincère. Qu'après cela, nous recherchions la puissance ou non est secondaire. En voulant la puissance, les hommes abattent la dernière carte de la vie.

Nul n'est sincère dans son amour pour la vie, comme personne ne l'est dans son amour pour la mort. Ce qui est sûr, c'est que la vie bénéficie d'un consentement plus profond de notre part : personne ne peut haïr la vie ; mais il y en a tant qui éprouvent une haine bestiale pour la mort. Nous sommes tous plus sincères et plus catégoriques vis-à-vis de la mort, mais les doutes que la vie nous inspire nous permettent d'en avoir un nouvel aperçu et une intuition nouvelle.

Il est d'ailleurs étrange qu'un homme qui a vu la mort en face ait honte de dire qu'il aime la vie et soit condamné pour le reste de son existence à recourir à des expédients. Puisque chacun, dans les moments ultimes de son existence, connaît une explosion de sincérité, peut-on alors maîtriser l'assaut des larmes de reconnaissance auxquelles la vie ne nous avait pas jusqu'alors habitués ? Il n'est écrit nulle part que les dernières larmes sont les plus amères mais ce l'est sur toutes portes et sur tous les murs visibles et invisibles de l'univers, que le regret le plus profond et le plus secret est de ne pas avoir aimé la vie.

Tous les philosophes devraient mourir aux pieds de la pythie. Il n'y a qu'une philosophie, celle des moments uniques.

Désir d'étreindre les étoiles ! Pourquoi les vérités sont-elles si froides ? Quand la raison est apparue, le soleil brillait depuis longtemps. Et la raison n'est pas sortie de la cuisse du soleil.

Souffrir est la meilleure manière de prendre le monde au sérieux. Mais plus la souffrance augmente, plus nous apprenons qu'il ne mérite pas de l'être. Ainsi naît le conflit entre les sensations de la souffrance, qui attribuent aux causes extérieures et au monde une valeur absolue, et la perspective théorique issue de la souffrance, pour laquelle le monde n'est rien. À ce paradoxe, il n'y a pas d'échappatoire.

Il existe un domaine d'alternatives ultimes, qui débouche sur la tentation simultanée de la sainteté et du crime. Pourquoi l'humanité a-t-elle produit infiniment plus de criminels que de saints ? Si l'homme cherche le bonheur de façon aussi insistante qu'on le dit, pourquoi choisit-il alors le chemin de la débâcle et de la chute avec un tel acharnement ? L'homme *estime* plus le bonheur et le bien, mais il est attiré plutôt par le mal et le malheur. Les trois quarts de l'humanité auraient pu devenir saints, s'ils l'avaient voulu. Impossible de savoir qui a révélé aux hommes qu'il n'y avait de *vie* que dans l'enfer...

La sainteté est un combat contre le temps, qui s'avère victorieux. En réussissant à tuer le temps en lui, le saint est en dehors, au-

delà de tout ce qui est. Être dans le temps signifie vivre absolument dans ce *tout ce qui est*. Le temps est le cadre de ce *tout ce qui
est*. Sainteté : être au-delà de quoi que ce soit, mais avec l'amour.
Monotone est la vie des saints : ils ne peuvent être *que* saints. Sainteté : existence vécue dans une seule dimension absolue. Les
saints aussi entendent les voix du monde ; mais elles ne leur parlent que des douleurs métamorphosées en amour ; ce sont les voix
d'un seul monde. Pour ma part, je me tournerais plus volontiers
vers la musique, où les mondes, d'autres mondes, me parlent...
À quel degré de solitude sommes-nous, quand le serpent nous
caresse et nous lèche les joues et les lèvres ; et à quelle distance de
l'être, quand le serpent seul peut *être* à nos côtés ?

Deux choses incompréhensibles : la nostalgie chez un homme
stupide et la mort d'un homme ridicule.

Tous les hommes finissent par détruire leur vie. Et selon la façon
dont ils procèdent, on les nomme tantôt triomphateurs, tantôt
ratés.

La musique est le moyen par lequel le *temps* nous parle. Elle nous
fait sentir son passage et nous le révèle, *cadre* de tout ce qui est
passager.

Dans certains moments musicaux, nous *palpons* le temps. Quand
la musique nous parle d'éternité, elle le fait comme l'*organe* du
temps. Le désir d'éternité de la musique est une fuite du temps.
Elle n'est ni un éternel présent, ni une actualité continue, ni une
éternité d'au-delà du temps.

Le temps est parfois *pesant* ; comme l'éternité doit l'être !

Un corps décomposé dans ses cellules infinies ; chaque cellule
concentrant une somme de vibrations ; toutes les cellules virevol-
tant dans un tourbillon ; le démembrement de tous les organes
dans la palpitation de l'individuation ; le retour de la vie à ses éléments initiaux, et à ses premiers *souvenirs*...

J'aime seulement celui qui va plus loin qu'il *n'est* ; qui sent les origines et les choses qui le précèdent ; qui se souvient des temps où il
n'était pas *lui*, qui saute dans les anticipations de l'individuation.
N'a rien compris à ce monde celui qui n'a pas été stupéfié par le
sens profond de l'individuation, car il ne soupçonnera jamais le lieu
de son commencement et ne pressentira jamais le moment de sa
fin. L'individuation nous révèle la naissance comme un isolement
et la mort comme un retour. Celui qui ne cultive pas cet isolement
n'aime pas la vie ; de même, celui qui ne craint pas le retour. Que
presque personne n'aime le retour prouve qu'il n'est rien d'autre
qu'un chemin vers le monde où nous n'avons pas de nom. L'indivi-

duation a donné un nom à la vie. Nous portons tous un *nom*; le monde qui précède l'individuation est la vie sans nom, c'est la vie sans *visage*. Seule l'individuation a donné un *visage* à la vie. C'est pourquoi l'effondrement de l'individuation dans la mort est un défigurement. L'homme n'aime pas sa *face* qui est un accident, mais son visage, qui est un signe métaphysique. La palpitation de l'individuation est le préalable au défigurement, c'est l'intuition de la perte de notre monde. L'homme est un *monde dans un monde*. La voie du retour passe par la mort, ou, qui sait? — le retour s'achève dans la mort. Le lien avec ce qui a précédé l'individuation, nous l'établissons en descendant l'escalier de notre esprit, en nous maintenant en nous, en vainquant l'isolement de notre visage, en nous trans-*figurant* vers nos commencements, et non en nous transfigurant, en perdant le sens figural de l'individuation, dans la mort. La vie, qui a été avant que *nous* ne soyons, nous l'aimons dans le *retour*; nos yeux se tournent vers les commencements, vers l'anonymat initial. Nous revenons là où nous n'*avons* pas *été*, mais où tout a *été*, vers la potentialité infinie de la vie, d'où nous ont sortis l'actualité et les limitations inhérentes à l'individuation. Nous *retournons* chaque fois que nous aimons la vie avec une passion infinie sans se satisfaire des barrières de l'individuation; chaque fois que nous découvrons les racines de notre élan au-delà de notre finitude figurale. Le retour est une transfiguration vitale; le revenir un défigurement métaphysique. Le retour est une mystique des sources vitales; le revenir, une frayeur des pertes ultimes.
La *vie* est derrière nous, parce que nous sommes partis d'elle; la vie est le *souvenir* suprême. L'individuation nous a tirés du monde des origines, c'est-à-dire de la potentialité, de l'éternité du devenir, d'un monde où les racines sont les arbres, et non les sources transitoires des arbres illusoires, et de l'être...

*D*ans quelles frontières mon esprit est-il enclos et quels murs élever autour de moi pour ne pas me perdre? Les rêves me transportent plus loin, plus loin me transportent la musique et les larmes. Je ne m'enferme plus et ne me contiens plus en moi; comment les autres y parviennent-ils encore? Aimons-nous de trop-plein ou de trop peu? Quand je ne me contiens plus en moi, l'autre pourra-t-il se rapprocher de mon centre? Aimera-t-il l'âme qui meurt de sa vie? L'âme, pleine de vides, les remplit par l'amour; elle cherche les autres dans le trop peu. L'amour est une mendicité, l'effroi devant ses insuffisances. Combien de mépris et de générosité il y a dans l'amour issu du trop-plein! On aime alors pour s'échapper de soi, pour se débarrasser de l'amour! On s'incline devant l'Éros pour échapper à soi-même, à ses surplus et à ses excès; on adore la délivrance de sa tempête.

Personne ne pourra pénétrer en moi, personne ne m'assiégera. Mépris, haine et générosité se fondront dans un amour, dont j'*ai* besoin, et non dont ils *ont* besoin. Pourquoi l'amour ne serait-il pas une arme, un instrument, un prétexte? Les âmes vides, mendiantes, celles qui ont poussé dans l'ombre, seront convaincues par l'amour. Qui n'a jamais haï l'amour, n'a jamais haï. L'amour sous toutes ses formes, l'amour des hommes et celui des femmes, a quelque chose de fangeux, de sale et de rampant. N'est-on pas dégoûté de savoir qu'*autrui* existe, qu'il y a un *tu*, qu'il y a encore des êtres, après avoir été soi-même, dans son expansion, l'*être*. Je ne me contiens plus en moi.

La musique nous transporte toujours au printemps, ou en automne. Comme le printemps et l'automne, elle dissout le corps et l'âme. Il n'y a pas de musique d'été ou d'hiver. C'est pourquoi la musique est une maladie...

Le *mal absolu* : un être avide de ruiner la nature, qui attend le printemps pour déraciner les arbres, qui en mâche les bourgeons, qui pollue les sources pour faire mourir les êtres vivants, qui condamne les puits pour entendre la voix enrouée des oiseaux, et masque les fleurs de son ombre pour les voir sécher et ployer misérablement vers la terre. Il frappe le ventre des femmes enceintes pour tuer la vie dans l'œuf, le fruit de la vie, tout ce qui est fruit, et fige le sourire des vierges en une grimace. Il jette entre les amants dans le spasme un cadavre, et visse des lunettes noires sur les yeux des nourrissons avant qu'ils ne les ouvrent. Avec une tôle noire qu'il rêve aux dimensions du monde, il bondit vers le soleil pour barrer ses rayons, pour rire dans la nuit éternelle, sans étoiles, où le soleil à jamais endeuillé est en berne. Ironique, l'être passe à côté de l'humanité qui attend dans l'agonie le retour des rayons, et sourit froidement aux prières qu'elle élève vers l'astre voilé.

Le *mal*, ou la haine pour tout ce qui est *fruit*.

L'*histoire* ne doit signifier pour toi que l'histoire de l'humanité en *toi*. Si tout ce qu'il y a eu jusqu'à présent de grand et le sera dans l'avenir n'est pas en toi, à l'état de souvenir ou de fruit, tu as raté l'histoire et tu n'es rien. Quel homme est celui qui ne refait pas et n'anticipe pas l'histoire pour son propre compte? Pour mieux dire : pourquoi celui qui refait et anticipe l'histoire pour son compte propre n'est-il pas *humain*?

Vivez différemment pour être indifférents aux formes que revêt et revêtira le monde, indifférents aux époques, aux styles et aux tournants de l'histoire. Vivez comme s'il n'y avait rien eu avant vous et comme si rien ne nous suivra. Repoussez l'idée d'être le maillon d'une chaîne, de perpétuer ou de trahir un héritage. Les pensées absolues n'ont ni devanciers ni successeurs. Et nous, pourtant, mourrons *sous* leur poids.

Pourquoi se refuser à accorder aux saints le privilège de la folie ? N'est-ce pas parce qu'elle s'accomplit dans la lumière, non dans l'obscurité ?

Toutes les concessions faites à l'Éros sont les vides de notre désir d'absolu.

Plus que tout, la nostalgie fait tressaillir notre imperfection. Voilà pourquoi, avec Chopin, nous nous sentons si peu divins.

Premier et dernier chapitre d'une anthropodicée : sur les larmes.

Seule la haine raffermit la vie ; une haine destructive maintient la vie constructive. Avec elle, nous nous sentons forts, révolutionnaires ; elle nous brûle les membres, nous appelle à l'action, nous engage au geste et au fait. Pas la haine intéressée, suscitée par des causes mesquines et tournée vers une vengeance immédiate, mais la grande haine passionnée, la sainte colère, qui fait tout trembler. La colère est le ressort de la prophétie ; c'est elle qui fait parler avec passion le prophète de l'amour. La prophétie est une haine destructive et créatrice. Les juifs auraient disparu depuis longtemps s'ils n'avaient pas reçu le don divin de la colère. Grâce à elle, Dieu a garanti au peuple élu l'éternité. À nous chrétiens, Il a donné une existence éternelle par la malédiction de l'amour. Le Christ n'est pas venu pour nous mais pour les juifs. Leur Dieu nous a envoyé le grand Corrupteur. C'est inspirés par Dieu que les juifs l'ont refusé comme leur Sauveur.

La pensée qui n'exprime pas le combat d'une existence est pure théorie. Penser sans destin, tel est le destin de l'homme théorique. De la théorie, voilà ce que font tous ceux qui ne veulent pas se changer eux-mêmes et changer le monde avec, qui ne refont pas tout ce qui a été fait et ne pressentent pas tout ce qui va être. Vaines sont les pensées qui ne naissent pas de l'âme et du corps, nulles, les idées pures et les connaissances gratuites. Que des pensées sortent de la vapeur ; que des idées jaillissent des étincelles et des connaissances, des flammes. Que la fièvre de la pensée donne de nouvelles dimensions aux choses. Qu'elle parte d'une volonté de réformer le monde et de la passion de renverser les ordres visibles et invisibles. Qu'elle frappe comme un ouragan les lois de la nature, et donne une autre profondeur aux assises cosmiques et une autre élévation aux colonnes du monde. Que le monde s'adosse à nous; que notre résistance soit plus ferme qu'Atlas. Que nos pensées soient les épaules où s'appuie l'infini du monde; la terre tremblera pour répartir l'inquiétude dans l'infini et les flammes porteront, comme des nimbes, les infinis du monde. Si tout ce qui est soumis au temps et à l'espace n'adopte pas nos dimensions, pourquoi penser encore à l'espace et au temps? Si tout ce qui vit et meurt ne vit pas et ne meurt pas en nous, à quoi bon penser encore à la vie et à la mort?

Jours de printemps, quand la matière se perd dans les rayons du soleil et l'âme dans les souvenirs... Alors nous reviennent tous les rêves conçus jusqu'alors, et les rêves de nos nuits passées, tout le matériau absurde et imaginaire tissé dans l'inconscient par la peur, la volupté et nos douleurs secrètes. Je pensais que les rêves s'évanouissaient en nous avec le jour et après la nuit. Mais, sous le ciel vaste du printemps, la décomposition voluptueuse de l'âme inaugure l'appel des souvenirs. Plus l'âme se délite, plus elle se rapproche du lieu de l'oubli. Tel est le pèlerinage intérieur vers tout ce qu'on a oublié, auquel nous engage la présence éternelle du printemps. La dissolution de l'âme nous montre ce que nous avons été. Pourquoi n'est-il pas toujours possible de réveiller notre passé? Nous dormons en nous-mêmes et le moi est un voile qui recouvre notre sommeil.

Dans cette cathédrale, où l'on est entré pour s'oublier soi-même et le monde avec, pour éprouver l'immobilité et distraire l'attente, solitaire, on a grandi solennellement au milieu des colonnes et des arcs; on s'est dissipé dans l'air violet; on a courbé respectueusement sous les mouvements du temple, on a adopté les dimensions de ses voûtes pour se perdre dans la géométrie transcendante de la cathédrale. Notre âme est devenue colonne, arc et voûte. Au-dessus du monde, nos formes se sont entremêlées aux siennes, et notre esprit immobile est devenu semblable à la pierre. Du haut des cintres, on a regardé insensible vers la terre. Qu'est l'esprit sinon une pierre qui ne gît pas à terre? On volait bas dans nos envols, on était faible dans notre force, lourd dans notre élan, pierre sur la route du ciel...

Et soudain le prodige des voix de l'orgue, dans la cathédrale où l'on se croyait seul. Se sont mus les arcs, les colonnes, les voûtes, notre matière s'est dilatée sous les vibrations, la cathédrale a grandi aux dimensions du monde. Pourquoi chercher des bornes aux sons de l'orgue, à cette musique de l'au-delà, au-delà des limites du monde et de l'âme?

À cet instant, les cieux reposaient sur notre âme...

Ces atomes en sommeil chez les hommes et qui, en moi, ne dorment jamais.

Réveil incessant du sommeil de la matière...

Matière, berceau des oublis...

La vie, l'âme, l'esprit qui nous montrent nos traces...

La matière ne laisse pas de *traces* ; c'est pourquoi elle est le lit des oublis.

Toutes les traces, tout ce qui n'est pas matière en nous, nous suivent...

Mais en descendant dans la matière, nous perdons nos traces...

Ce n'est pas l'esprit mais la musique qui est à l'antipode de la matière...

En fouillant dans le passé le plus lointain, la musique nous réveille sans cesse du sommeil de la matière...

Mais la musique est éternelle, comme la matière.

La formation des mondes a répandu les premières harmonies dans l'espace.

La musique exprime tout ce qui dans le cosmos est chaos : c'est pourquoi il n'y a de musique que des origines et des fins...

Pensée absurde dans la musique : une physique qui partirait des larmes, au lieu des atomes.

Si nous culbutions avec le monde entier dans une folle avalanche, nous vaincrions à jamais le sommeil de la matière ; et les atomes ne dormiraient plus en personne. Il aurait fallu vivre quand la terre respirait par les volcans et s'est arrachée du soleil. Sur les températures solaires de l'âme...

Tout est à chaque instant : le monde naît maintenant et maintenant, il meurt : les rayons et l'obscurité ; la transfiguration et l'effondrement ; la mélancolie et l'horreur. Ce monde, nous pouvons le rendre absolu *en nous*.

Que ceux qui n'ont plus rien à perdre ou auxquels la vie n'a rien donné accèdent au pouvoir suprême prouve assez que la volonté de puissance est la dernière carte jouée par la vie. Jésus : l'homme le plus faible a été le plus fort (car résister à deux millénaires ne l'a pas épuisé). Il n'existe de force spirituelle que dans la déficience biologique. Ce sont les vides de la vie dans les esprits ambitieux et visionnaires qui ont renversé le cours de l'histoire. L'individu marche de concert avec l'histoire chaque fois que la vie le laisse à la traîne. Les chrétiens ont raison d'expliquer l'histoire par la chute. Le péché d'Adam est le premier acte historique, c'est-à-dire le premier acte contre l'esprit ou distinct de lui. *Dans* l'esprit, soumis à sa loi, l'histoire n'existe pas. L'histoire est une échappée du sein de la vie, un saut hors d'elle ; elle est une trahison, sans laquelle nous serions restés les esclaves anonymes de la vie. La liberté par l'histoire, c'est-à-dire une *histoire* par malheur, l'histoire en *propre*.

Nous sommes devenus *propres* depuis que nous avons fui le sein de la vie. La vie, qui avait un *nom*, en a pris, chez les individus, d'innombrables, en se retirant d'eux anonymement. Quand le phénomène d'individuation a pris un caractère *nominal*, alors a commencé l'histoire. Depuis, les individus ont cessé de se considérer comme fils de la vie, et se sont exilés de l'Alma Mater.

Qui pourrait m'enlever de la tête l'idée que ce monde aurait pu être créé sur d'autres bases ? Qui pourrait me donner l'illusion que c'est sur elles que nous pouvons le bâtir ? Combien de fois ce monde aurait pu être *autrement* ? Combien de fois n'aurait-il pas dû être ainsi ? Aurait-il d'innombrables faces cachées que je pourrais révéler ? Je ne ferais que *réformer* le monde alors que nous en voulons un autre. Nous voulons *inaugurer* notre monde parce que celui de Dieu touche à sa fin...

Son monde n'a pas été une apparence ou une illusion, mais la réalité. Il a *été*. Et c'est pourquoi il doit mourir. C'est à *Lui* de tirer les conséquences de son *commencement*.

Le dernier des hommes déchus se sent supérieur à Socrate. Même devant le tombeau de Napoléon, on ne peut réprimer un sourire de mépris. Pour chaque individu qui meurt, nous ressentons plus de mépris que de pitié. Comme si les hommes s'étaient compromis en mourant. Ne considérons-nous pas parfois la mort des autres comme une lâcheté ? Je me souviens de m'être exclamé en face d'un squelette : « Imbécile ! »

Si nous commencions nos activités quotidiennes par une marche funèbre, quelles dimensions prendraient nos actes ! La vie suivrait un cours solennel, et l'on « officierait », jusqu'au dernier acte...

Ceux qui éprouvent de l'attirance pour les grands crépuscules aiment Rembrandt. Chez lui, la lumière ne vient ni du dehors ni de la logique propre au tableau. Le soleil se couche dans chaque homme et dans chaque chose. Le portrait réfléchit de l'intérieur des rayons qui *ne sont pas les siens*. La lumière descend dans l'homme et, dans ce crépuscule, elle revêt son âme d'ombres. Chez Rembrandt, le soleil meurt chaque jour dans l'homme et le portrait semble figurer les dernières lueurs, le stade final de sa trajectoire. Lumière des rayons pâles et diffus d'un coucher de soleil. Ici, les hommes viennent de l'ombre et le mystère rembrandtien n'est qu'une *attente* de l'obscurité. De l'obscurité qui veut se libérer d'elle-même par la lumière ; de l'obscurité qui attend la défaite de son propre principe. Chez Rembrandt, tout est vieillesse ou *tend* à la vieillesse. Tout Rembrandt est la fatigue de l'ombre et la lassitude du soleil, l'hésitation des êtres entre la mort et la vie. Venus de l'ombre et se développant en elle, *où* pourraient-ils encore retourner ; dans quelle lumière pourraient-ils se lever, quand le soleil ne leur présente que son agonie...

Botticelli : le symbole du monde — la fleur ; le devenir comme grâce ; la vie en extase devant elle-même ; le moindre geste, un miracle ; les voiles qui revêtent la matière ; l'élan plus lourd que la matière ; où les choses ne pèsent pas ; l'aurore comme finalité universelle ; rayons dansant dans l'espace ; vibration des pierres ; la voix des lointains, se rapprochant du berceau...

Plus le sang se dilue, plus l'homme est proche de l'éternité. Toute l'éternité n'est qu'une question de globules rouges...

Le temps nous domine chaque fois que la circulation du sang, la résistance de la chair, le rythme organique régissent notre existence ! Mais quand le sang devient fluide, impalpable, quand la chair se réduit à un frisson immatériel et le rythme organique à une cadence abstraite, nous sommes aussi loin du temps que nous le sommes de l'être.

La *voix du sang* est la voix du temps, des choses qui commencent et des choses qui finissent. Pourquoi le sang perd-il voix au chapitre dans la pensée ? Parce que les pensées sucent le sang ? Ainsi naissent les *passions abstraites*.

L'éternité ? Une *anémie* de l'esprit.

Passions abstraites : sur les mains diaphanes ; les mains pâles qui brûlent ; les mains transparentes qui tremblent ;

visage angélique et doux, qui cache son penchant pour le crime ; expression intemporelle qui masque les renversements futurs et les chutes à venir ;

les yeux baissés, les yeux égarés, qui se posent sur tout et ne s'attachent à rien.

La séparation, mode de l'amour ; le vague, comme forme ; non-vie, apothéose.

Des idées qui coulent dans les veines (définition des passions abstraites). Des idées qui imposent leur pouvoir sur le sang, ou comment naissent les passions sans objets. Passions qui ne s'attachent à rien, ni ne nous attachent. C'est-à-dire, mourir pour ce qui est le plus *lointain* de soi. Éloignement, seule présence.

Les passions neutres. Peuvent-elles s'expliquer, peuvent-elles se comprendre ? Les passions qui ne poussent pas au soleil, parce que le soleil est trop près... *Neutres*, à l'égard de tout ce qui est *ici*, et non à l'égard de l'infini. La musique et la métaphysique surgissent des passions neutres devant notre monde. Pour elles, il n'y en a qu'un : celui des lointains ultimes ; *ici* est trop peu et trop près. Chez Beethoven, la tristesse et la joie commencent quand elles sont déjà finies pour les autres. Elles sont si profondes qu'elles n'ont pas de cause. D'ailleurs, tout ce qui est profond en nous n'en a pas ; nos profondeurs ne viennent pas du dehors. Aussi n'ont-elles rien à voir avec les choses d'ici. Sur les dimensions absolues de l'âme... et sur les mains diaphanes étreignant les lointains.

Pourquoi l'idée de l'éternité nous semble-t-elle si complexe ? Parce que personne ne peut décider si l'éternité est une plénitude ou un vide.

Les trois grandes voies vers l'absolu — la mystique, la musique et l'érotisme — s'accomplissent dans l'oscillation entre la plénitude et le vide. *L'extase*, qu'elle soit mystique, musicale ou érotique, que fait-elle d'autre sinon nous mettre en présence de l'infini, tantôt vide, tantôt plein. Jamais la plénitude extatique ne sera assez réduite au point de ne pas nous dissoudre, et le vide assez limité au point de ne pas nous remplir. L'éternité est inséparable du néant.

Plus nous sommes près de l'éternité, plus nous sommes loin de la vie. La sensation d'éternité est un obstacle et une malédiction sur le chemin de la reconquête de la vie. L'éternité nous paralyse plus que la pire maladie. Malade, on peut faire tout ce qui n'entre pas en contradiction avec la maladie. Mais que peut-on *faire* pour ne pas avoir honte devant l'éternité ?

Les fleurs qui ne sont pas cueillies par des mains exsangues fleurissent en vain. Seule la pâleur se rapproche naturellement de la vie délicate des fleurs. Seul un visage décoloré profite des couleurs des fleurs ; seules des mains sans vie peuvent prendre aux fleurs leur vie illusoire.

La première condition de notre liberté : se libérer de Dieu ; en tant que créature, nous ne pouvons rien créer. Nous n'avons fait jusqu'à présent que compromettre l'œuvre de la création. Ah ! si nous pouvions la détruire ! Et sur ses ruines, édifier, comme créateurs, le paradis terrestre, le second paradis, en triomphant du péché, de la douleur et de la mort. Un monde qui naîtrait et qui existerait seulement *grâce à nous...*

Il n'y a pas d'idée plus criminelle que celle du péché. Et elle n'a aucune *excuse*. On ne sait qui haïr le plus : le monde, qui en offre le prétexte, ou soi-même, capable de penser et de sentir de tels crimes. Il faut radier de la conscience humaine toute idée de péché et il faut détruire toutes les religions et les philosophies qui la propagent et l'identifient à la vie. Parler du péché, sans regretter d'en être arrivé à l'idée, est le premier degré dans l'échelle des idées criminelles. Au fond, une humanité qui ne connaîtrait pas le péché et vivrait tous les actes de la vie comme vertu serait encore supportable. Il faut forcer l'humanité dans ses derniers retranchements ; que détruire la conscience du péché soit le premier assaut. Il est grand temps que ça change !

Réagir contre ses propres pensées confère à la pensée sa seule vie. Comment vient cette réaction, difficile à dire, car elle s'identifie à quelques rares tragédies intellectuelles. — La tension, le degré et le niveau d'une pensée procèdent de ses antinomies internes, qui, à leur tour, dérivent de contradictions insolubles de l'âme. La pensée ne peut pas résoudre les contradictions de l'âme. Quant à la pensée linéaire, les pensées se réfléchissent l'une l'autre au lieu de refléter un destin.

À quoi se réduisent tous nos tourments sinon au regret de n'être pas Dieu... Après un tel regret, comment penser autrement qu'en élégies et en anathèmes ? Je suis comme un pendu qui ne sait à quoi il l'est. Sans doute à sa *conscience*... je voudrais écrire des hymnes au dégoût.

Il faudra répéter des milliers de fois que seule la vie peut être aimée, la vie pure, l'acte pur de la vie, que nous sommes suspendus à la conscience, balançant au-dessus du vide.

Mon grand défaut est de toujours savoir ce qu'il y a de plus essentiel et de plus nécessaire, d'avoir un préjugé sur l'éternité. Le soleil lui-même me semble éphémère dans cette hystérie de l'éternité. Comment alors *commencer* quelque chose, comment faire pour que je devienne histoire et que ma pulsation devienne action ! Savoir ce qu'il y a de plus nécessaire est une malédiction, dont Dieu seul pourrait nous délivrer, ou le diable. Je n'arrive pas encore à décider de qui, de Dieu ou du diable, nous vient la connaissance, car je doute que le mal vienne seulement du diable. Les cadavres sont répugnants, répugnantes la mort et la façon dont les hommes meurent. Pourquoi, parmi tant de manières de mourir, la vie a-t-elle choisi justement la plus repoussante ? Pourquoi s'achève-t-elle dans le froid ? Imaginons qu'on meure de jeunesse, dans les illusions et l'attente, imaginons une mort où l'on s'évaporerait dans l'espace sous la pression d'une fièvre infinie, flottant à la dérive dans l'éther comme des vapeurs d'être. La mort comme une dissolution immatérielle dans l'infini, comme un saut évanescent, la mort comme rêve et comme poésie de la matière ! Pas la mort comme confirmation de la matière, comme illustration des lois naturelles et fatalité de la nature. Je ne me révolte pas contre la mort mais contre la façon de mourir. Cette manière dont nous mourons tous, hommes, animaux, fleurs, constitue une conspiration de la matière contre nous. En mourant comme la nature nous l'a prescrit, nous trahissons toutes nos aspirations élevées, tous nos désirs de nous dissoudre quelque part au-delà de nous-mêmes, de briser nos ailes dans un silence sans matière. En mourant, nous tombons plus bas que terre. Chaque mort est une honte. J'ai vraiment honte de mourir ! Pourquoi chacun de mes atomes ne tente-t-il pas de prendre le large dans l'espace, que je me décompose heureux de ne me plus retrouver...

Dans un monde où les hommes sont en voie de disparition, qui tiendra la place de Dieu ? Celui qui détient l'ultime espérance.

Le problème éthique tout entier me semble souvent miraculeusement simple. Tout ce qui se fonde sur l'espérance appartient au bien ; le reste relève du principe satanique. Un criminel qui agit par espérance est plus proche du bien qu'un désespéré passif. En définitive, il n'y a qu'un criminel : celui qui n'a pas le moindre amour de la vie. Aime le plus la vie celui pour qui elle est le seul problème. Il y a plusieurs façons d'aimer, mais il n'y en a malheureusement qu'une seule de mourir. Sur ce murmure d'amour, qui naît après d'ultimes tristesses...

Un regret que personne ne comprend : celui d'être pessimiste. Ce n'est pas chose facile que de se *mettre mal* avec la vie.

Peu de gens savent que l'héroïsme s'épuise chez ces êtres aussi rares, dans la résistance et le courage qu'ils engagent à chaque instant. Quand les seuls attributs de leur existence sont l'inquiétude et la peur, le simple fait de vivre témoigne d'un courage suprême : c'est l'acte héroïque par excellence. La rupture avec l'Éros t'est fatale, car tout ce qui est en toi se concentre pour te préserver dans ton être ; dans cet héroïsme de la résistance, même les plaisirs semblent une lâcheté impardonnable. Quand l'être tout entier ne connaît d'autre problème que de souffler un peu, d'obtenir un répit ou un sursis, il n'a plus vraiment de temps à consacrer à l'amour. L'autonomie de l'Éros présuppose une subjectivité absolue, et ses tourments en font un luxe funeste.

Ces jours-là, pendant lesquels la vue supplante la pensée, où l'on se rapproche des choses comme *objets*, nous sommes fleur avec la

fleur, eau avec l'eau, ciel avec le ciel, crépuscule avec le couchant.
Chose dans le monde des choses, l'homme visuel est en toutes choses et en aucune.

Je n'aime que la mort par plénitude, par excès, la mort qui rajoute à la vie l'infini qu'elle n'a pas eu et qui l'a fait mourir.

Mort musicale : seul moyen de sanctifier la vie.

Pourquoi, lorsque nous regardons le ciel avec insistance, nous semblons attendre une réponse ? Est-ce seulement par préjugé chrétien ? Ah ! si les cieux s'ouvraient un jour !

Ma seule «vertu» est de n'avoir jamais péché contre l'éternité. La sagesse naïve des hommes apprécie cette réserve sans savoir que d'elle vient la catastrophe.

Il faut mettre l'homme devant un nouveau commencement de l'histoire. L'homme nouveau doit être un Adam sans péché qui doit mettre en œuvre une histoire sans péchés. C'est seulement de cette manière qu'on peut concevoir une vie nouvelle, une vie changée à la base. L'humanité n'attend plus qu'un prophète : celui de la vie sans péché. Si la mort ne peut être ni vaincue ni détruite, c'est le péché qui doit l'être. Puisque l'effort individuel est illusoire, seuls un cataclysme de l'histoire et une révolution anthropologique qui feraient sauter en l'air l'héritage des siècles annonceront l'aube d'un autre monde. Alors, l'homme fera concurrence à tous les dieux des siècles vaincus et chacun sera une aurore. Bien des mondes mourront. Mais plus encore naîtront. Et nous connaîtrons alors le carrefour des esprits, et pas seulement celui de l'homme.

Je ne comprends pas comment les hommes peuvent croire en Dieu, bien que je pense tous les jours à lui.

Peur de ses propres solitudes, de leur étendue et de leur infini...

Le remords est la voix de la solitude. Qui murmure dans cette voix ? Tout ce qui en nous n'est plus homme.

Plus les âmes ont soif de vie, plus la solitude les engloutit...

L'un après l'autre, les voiles se lèvent de ton esprit, un à un, ils se gonflent, impalpables, dans l'air. Combien étaient-ils à recouvrir ton âme, combien de secrets ont-ils enfoui ? Pourquoi as-tu caché tes profondeurs de lumière, d'air et d'espace ? Tu t'es dit : *tout est indicible*. Puis, tu as enlevé les cloches de la tour, tu as condamné ses fenêtres et, sous des voûtes d'obscurité, tu as bâti ton temple. Voiles qui recouvrent les secrets et secrets qui cachent des tristesses. Le mystère enveloppant, le secret de tout ce qui est indicible, nous le découvrons dans la danse aérienne des voiles. L'un après l'autre, les voiles se lèvent de dessus l'âme ; et les secrets se rapprochent du monde, de la lumière, de l'air et de l'espace. Les secrets étaient enveloppés comme dans des linceuls, et sous des pierres tombales. Autant de morts gisent en dessous que de tristesses en moi.

Peur du secret contenu dans la moindre chose, peur que toutes les choses indifférentes qui nous entourent s'animent un instant, et nous chuchotent des paroles inoubliables, dangereuses et fatales, qu'elles nous confient leurs secrets dont nous ne voulons pas et des aveux que nous n'attendons pas ; peur que les choses muettes nous confient une mission périlleuse, irréalisable et écrasante, qu'elles fassent de nous leur interprète, leur porte-parole... Peur des choses qui se taisent, de leur mystérieuse proximité, de leur éternité solennelle, ou peur que leur immobilité ne soit qu'une illusion, et qu'elles veuillent un jour *tout* nous dire, absolument tout, et désir ardent que tout soit indicible.

*I*mpossible de séparer l'infini de la mort, la mort de la musique et la musique de la mélancolie !...
Loin de moi et près du lointain...
Venez à moi, confins inaudibles et insoupçonnés du monde, venez furieux et emportez-moi pour toujours dans votre isolement, car sous les mélodies du monde, mon âme assourdie succombe à cet univers sonore.
Chuchotement de la terre et hymne des étoiles, que pouvez-vous encore rajouter au murmure musical de l'âme ? À quelle dissolution m'entraîne cet univers sonore ? Combien de fois ai-je été victime des appels musicaux et à quelle tentation m'a convié une mort mélodique ?
Tout est indicible et toutes choses veulent parler. Apocalypse sonore.
Lorsque le mot n'atteint plus la chose et que les choses ne répondent plus aux mots, la musique de la nature est une passerelle qui relie encore l'âme à tout. Nous la franchissons pour un grand départ, la peur dans l'âme que toute chose disparaisse.
Les choses inconcevables ne deviennent claires dans l'âme qu'à l'oreille. Celui qui n'a pas entendu Dieu en est dépourvu. Sans voix de l'au-delà, il n'y a pas de mystique, pas plus qu'il n'y a d'extase finale sans les échos d'une mélodie, plus lointains qu'*au-delà*.
Nous *entendons tout* dans les voix qui *précèdent* Dieu. Des vibrations uniques, nées avant le temps, témoignent de l'hésitation entre être et non-être. L'inquiétude primordiale, nourrie de l'indécision entre rien et tout, nous couvre d'un vêtement sonore,

comme pour nous conduire vers ces contrées que personne n'a vues ni entendues. Après ce rêve cosmique, quelle nostalgie peut encore prendre consistance dans l'âme ?

Ensevelissez-moi, lointains, enveloppez ma tristesse dans vos cieux et mon âme dans votre aura inaccessible. Dissipez mes rêves et sauvez-moi de la perdition et des supplices de la nostalgie. Conduisez-moi au lieu des rêves et dispersez-moi dans l'espace de la nostalgie.

DE QUELLE MANIÈRE LA VIE DEVIENT LA VALEUR SUPRÊME

──────────────────────── *V*énération des femmes : réhabilitation de l'Éros comme divinité ; santé naturelle, transfigurée par la délicatesse ; élan dansant dans tous les actes de la vie ; grâce au lieu de regret ; sourire au lieu de pensée ; enthousiasme au lieu de passion ; lointain, comme finitude ; vie, comme seul Dieu, seule réalité et seul culte ; péché comme crime, et mort comme honte. ... Tout le reste n'est que philosophie, christianisme et autre forme de chute.

Seuls les états d'exaltation, d'ivresse intérieure et de tension extrême nous donnent une excellence tragique, la volupté de nous détruire sans raison ou de nous sacrifier sans entrave. Les moments d'abattement sont des atteintes à la vie, elles sont les visées du diable, des flèches empoisonnées qui blessent mortellement l'enthousiasme et l'amour de la vie. Sans elles, nous *savons* peu de choses, mais avec elles, nous ne pouvons vivre. Celui qui ne sait pas les exploiter ni les féconder, avant de les contourner, ne pourra pas échapper à l'effondrement. L'idéal serait la débandade générale des dépressions ; il faudrait déclarer à ces instruments de mort une lutte à mort ; une annihilation définitive, avec tout son cortège de connaissances issues des moments de lucidités ironiques. Si l'extase ne nous vengeait pas du monde sinistre des dépressions, nous ne pourrions lui trouver d'excuse.

Il faut créer en soi un espace préservé du poison de la dépression. Je ne peux accepter qu'un monde où seules coulent des larmes d'excès et d'exubérance, de plénitude et de volupté. Que les frémissements vitaux remplacent les pensées et que la vie meure en extase devant elle.

*D*epuis deux mille ans, la croix s'étend dans les quatre directions du monde et sur toutes les dimensions de l'âme. Depuis deux mille ans, la mort sanctifie la vie. La croix est le symbole de l'universalité de la mort, la prédominance de la verticale, le couronnement de la vie par la mort. Ouverte sur les quatre directions cosmiques, la croix nous révèle l'infini comme berceau de la mort. Mais la croix est tordue ; si elle s'effondre, il en coûtera beaucoup d'âmes. Bien des vies seront étouffées, opprimées et broyées. Mais celles qui, sous son ombre, soupiraient après la lumière, trouveront la libération que la croix n'accorde plus qu'aux vaincus.

À sa place, nous planterons l'ondulation, comme l'expression du jeu et de la grâce des formes multiples de la vie. Que la vie chante le pouvoir des leurres et leur donne l'éclat et les reflets de l'éternité. Que l'éternité de la vie, qui était illusion, devienne croyance ; que le charme superficiel de tant d'ondulations vitales soit couronné en grande pompe par les souvenirs du paradis. Que l'extase de la vie soit la seule connaissance, et la mort haine contre la vie.

À ne pas oublier :

L'Éros seul peut remplir une vie ; jamais la connaissance. Seul l'Éros donne un contenu ; la connaissance est une infinité vide. Il est toujours temps de penser ; la vie a son temps pour elle ; aucune pensée ne vient trop tard ; chaque désir peut susciter un regret.

*I*mpossible de croire aux substituts de la vie — Dieu, esprit, culture, morale — et d'accorder le moindre crédit à l'histoire.

Désir ardent de solitude et peur qu'on en éprouve, désir absolu d'être unique et amour passionné de la vie. L'acte le plus insignifiant accompli en pleine vie semble parfois plus important que la plus grande mission dans la solitude. Lâcheté ou vénération ? Impossible de ne pas prêter foi aux leurres de la vie.

Toute ma vie est un baptême d'ombres. Leurs baisers m'ont rendu mûr pour l'obscurité et la tristesse.

*L*a vie a sans doute été immortelle avant d'accorder tant de privilèges à l'esprit. Ce dernier s'est approprié les réserves d'éternité de la vie, de sorte qu'il devra payer cher pour ce rapt. Punir l'esprit, c'est punir l'homme. Prométhée s'est enchaîné seul pour obtenir par la pénitence le pardon de la vie.

*T*out ce qui est et tout ce qui n'est pas m'écartèle. Les choses cherchent-elles la consolation auprès de moi ou est-ce moi qui la cherche auprès d'elles?
Résister à chaque vérité...

*L*a peur qui engendre les pensées et la peur des pensées...

*R*embrandt m'a appris qu'il y a peu de lumière en l'homme. Le portrait rembrandtien épuise toutes ses ressources lumineuses; il n'en a pas d'autres. Chez lui, la lumière semble le reflet intérieur d'une autre lumière qui meurt quelque part au loin. Le clair-obscur de Rembrandt ne vient pas du rapprochement de la clarté et de l'obscurité, mais de l'illusion de la lumière et de l'infini de l'ombre. Rembrandt m'a appris que le monde naît de l'ombre...

*S*e détacher du monde avec élégance; donner un contour et de la grâce à la tristesse; avoir son style isolé; marcher au rythme des souvenirs; aller au pas vers l'impalpable; flairer les limites vacillantes des choses; le passé ressuscité dans une inondation d'arômes; l'odeur, par quoi nous vainquons le temps; contour des choses invisibles; formes de l'immatériel; se plonger dans l'intangible; palper l'univers du parfum; dialogue aérien et dissolution en vol; se baigner dans son propre reflet...

*S*e détacher du monde pour s'attacher à soi... Qui peut réaliser le détachement où l'on est aussi loin de soi qu'on l'est du monde? déplacer le centre de la nature dans l'individu et celui de l'individu en Dieu. Voilà le terme du grand détachement...

*P*eur de *se* retrouver face à face... (source d'angoisse).

*I*l y a des beautés pour lesquelles nous ne sommes pas faits, qui sont trop denses et trop catégoriques pour les oscillations de notre âme; il y a des beautés qui nous blessent. Toutes ces nuits silencieuses que nous n'avons pas méritées, et ces cieux lointains dont nous ne sommes pas dignes, et la silhouette des arbres sur le blanc spectral du crépuscule, quand nous cherchons notre ombre comme une présence et un réconfort...

*L*es odeurs nous retirent de l'espace. Le parfum dilue l'espace dans le temps. Les roses ont sur nous la même influence que la musique. Les odeurs nous mènent plus près de *notre* temps. Elles exhument l'oubli et raniment les souvenirs. Ainsi triomphent-elles du temps.

*N*e meurent que les pensées de circonstance. Les autres, nous les portons à l'intérieur sans le savoir. Elles se livrent à l'oubli pour nous accompagner toujours.

*Q*uand l'homme parlera des illusions comme des réalités, il sera sauvé. Quand tout lui sera également essentiel et qu'il sera égal à tout, alors il ne comprendra plus le mythe de Prométhée.

RÈGLES POUR VAINCRE LE PESSIMISME MAIS PAS LA SOUFFRANCE

———————————————— *A*ccompagner le moindre frisson de l'âme d'une tension active ;
être lucide dans la dissolution intérieure ;
surveiller la fascination musicale ;
être triste avec méthode ;
lire la Bible par intérêt politique, et les poètes pour tester sa résistance ;
faire servir les nostalgies aux pensées ou aux faits ; les extirper de l'âme ;
se créer un centre extérieur : un pays, un paysage, attacher les pensées à l'espace ;
entretenir artificiellement la haine contre tout ;
aimer la force après le rêve ; la brutalité après tout ce qui est pur et sublime ;
adopter une tactique de l'âme ; conquérir ses états d'âme ;
ne rien apprendre des hommes ; seule la nature enseigne le doute ;
annuler sa peur par le mouvement ; la fuite ; une seule halte, et c'est les choses qui se taisent et le néant qui nous appelle ;
faire de l'illusion un système.

L'ART D'ÉVITER LA SAINTETÉ

———————————————— *A*pprends à considérer :
les illusions comme des vertus ; la tristesse comme une élégance ;
la peur comme un prétexte ; l'amour comme un oubli ; le détache-

ment comme un luxe; l'homme comme un souvenir; la vie comme une berceuse; la souffrance comme un exercice; la mort dans la plénitude comme un but; l'existence comme une «vétille».

RÈGLES POUR NE PAS ÊTRE EN PROIE À LA MÉLANCOLIE

——————————————————— *P*enser le monde *politiquement* (puissance et domination);
diviniser le rythme : la marche militaire avant la symphonie;
haïr toutes les couleurs : elles réveillent des états d'âme qui s'achèvent fatalement dans la mélancolie. Même le rouge est dissolvant, si l'on s'y absorbe longtemps. Se perdre dans le dernier dégradé du blanc, disparaître dans l'absence de couleur;
ne pas chercher de nuances dans les sentiments; chacun d'eux exerce une suggestion et nous attire à son tour, glissant en nous comme dans l'inconnu;
tout est navrant, nous dit la mélancolie. Lui répondre : mourir objectivement;
être à soi sa limite;
faire danser les sentiments; se chercher au-dehors; sortir de soi dans un monde de signes extérieurs;
le tout est de dépasser la sensation de faiblesse qui dissout le corps et l'esprit. Et pour ce faire, aucun moyen n'est trop délicat ni trop vulgaire. Penser politiquement en musique;
donner naissance à la force par les pensées et contraindre les sentiments à la servir;
s'écarteler dans les formes. Méthodologie de la décomposition; se liquider avec goût et avec maîtrise; mourir, ou perdre le fil.
Délier la peur de son propre destin.

*L*es fausses notes d'une musique vulgaire réveillent en nous plus de tristesses et de souvenirs que l'élan d'une musique sublime; car en éliminant le rêve, elles touchent à ce qui est discontinu, brisé et abrupt en nous, en évoquant tous les vides que nous n'avons pas eu le courage de confesser. Et nous sommes tristes de voir poindre à la surface tous ces désaccords souterrains, dont l'étouffement a préservé en vain nos souvenirs purs et nos tristesses sublimées.
Le passé m'assaille à chaque pas, les souvenirs m'assiègent et m'entraînent dans leur monde, que je n'aime pas. Le temps

s'écoule vers sa source, et sa réversibilité dramatique me déchire. Pourquoi n'avez-vous pas disparu, vous, lieux où j'ai été un jour et qui me rappellent tout ce que j'y ai laissé de moi-même ! Est-ce le temps qui me cherche ou moi qui me cherche dans le temps ? Combien de fois m'a-t-il humilié quand je lui réclamais des preuves de ma présence ? Le passé lui appartient ; le temps a frappé à la porte de ma pétrification à chaque vie que j'ai eue jusqu'à présent. En lui, j'ai été. Et maintenant, il ne réveille plus en moi que les ombres d'une autre vie, sans lien désormais avec les autres, entamée au crépuscule.

J'entends avec tous mes sens les métamorphoses du monde, les résonances tristes du tourbillon cosmique, le murmure du temps et toutes ces choses qui passent dans le lit de mon être pour aller se répandre quelque part au loin dans l'âme.

*T*outes les tristesses des hommes sont occasionnelles. De même que leurs peurs, elles disparaissent implicitement une fois la cause supprimée. Occasionnel aussi, leur besoin de consolation ; ils perdent quelque chose ou quelqu'un et espèrent en un réconfort. Mais il existe un besoin de consolation qui ne naît ni de l'échec ni du malheur, ni même d'un passage douloureux. Le désir d'être consolé nous inonde ainsi chaque fois que des joies se présentent sans qu'on y ait été préparé. Mais chaque fois que nous souhaitons la consolation, nous serions inconsolables qu'elle vienne à nous. Si elle est mystérieuse, c'est parce que nous la fuyons chaque fois que nous l'attendons. Nous la recevrions volontiers si personne ne nous voyait ; si, en premier lieu, nous ne *nous* voyions pas. Mais nous l'accueillerions si nous savions qu'il existe des paroles de réconfort, et qu'elles sont comme des ailes d'ange dont le contact donne au corps la qualité spirituelle.

*Q*ue suis-je, sinon une chance dans l'infini des probabilités de ne pas avoir été !

*L*a sexualité n'a d'autre sens que de vaincre l'infini de l'Éros.

J'aime ces vibrations qui se manifestent après une grande tristesse. Un autre monde commence, où l'on ne cherche plus ni sentiments, bien qu'il y en ait, ni passions, bien qu'elles l'aient fait naître... Et ce monde, jailli du triomphe sur la tristesse, est le plus lointain des hommes. Son atmosphère inspire souvent la musique et toujours les fondateurs de religions ; rarement les poètes, jamais les hommes.

*J*e m'interroge : quand donc les hommes cesseront-ils de s'interroger ? Quand renonceront-ils définitivement à la théorie, et au mystère ?

*C*e qui *est* me semble indifférent à l'apparence et à l'essence. L'inessentiel a toujours été défini par opposition à la mort. Bon gré mal gré, tous les penseurs assimilent l'essence à la mort. Et les apparences constituent à leurs yeux tout ce qui veut se faire indépendamment de la mort. En fin de compte, l'ultime pensée de chacun caricature la vie en illusion.
Chaque fois qu'on sépare le monde en apparences et en essences, on se déclare implicitement contre la vie. D'ailleurs, elle ne peut que perdre à tout genre de pensée. Le préjugé de l'essentiel est le culte de la mort. Quand nous détruirons les catégories de la pensée pour nous attacher différemment au monde, nous briserons et le culte et le préjugé. Apparences-essences : quelle catastrophique dualité ! La première distinction faite dans le monde a été un attentat dont l'esprit est seul responsable. À mon avis, tout le processus à venir de l'humanité ne sera qu'un rachat des illusions.

J'ai commencé le combat ainsi : ou moi, ou l'existence. Et nous en sommes sortis tous deux vaincus et diminués.

*A*h ! Si je pouvais une fois m'abandonner aux choses passagères, disperser la brise des souvenirs à tout vent et réduire les pensées à un souffle ! Les pensées saisissent si peu des choses et du monde qu'il vaudrait mieux les frôler et les caresser plutôt que de leur rester étranger ! Car les pensées sont profondes en elles-mêmes ; non de la profondeur des choses et du monde !

*P*ourquoi les pensées nous viennent-elles si difficilement sous un ciel serein ?
Il n'y a de pensées que dans la nuit. Là, elles ont une précision mystérieuse et un laconisme troublant ; les pensées dans la nuit sont des pensées sans appel.

EN FINIR AVEC LA MORT

──────────────────── *C*haque fois que l'homme est tourmenté par la pensée de la mort, il devient un autre. Si, pendant des années, elle a été son unique pensée, il a assisté à sa métamorphose consciente ou inconsciente. Il a rêvé : la mort a traversé le rêve. Et son rêve est devenu autre. Il a aimé : et, dans l'amour, la mort l'a transpercé. Autre est devenu l'amour. Autres sont devenus les désirs, autres les sensations ; en chaque pensée, il est devenu un autre ; il s'est perdu en elles et avec elles, et elles se sont perdues en lui. Sans nuances mais abruptement, la pensée de la mort lui a fait surplomber des abîmes.

*N*ul n'a jamais vaincu l'obsession de la mort par la lucidité et la connaissance. Il n'y a aucun argument contre elle. N'a-t-elle pas l'éternité de son côté ? Seule la vie doit se défendre sans trêve ; la mort, elle, est née victorieuse. Et comment ne le serait-elle pas, puisqu'elle est fille du néant et de la terreur ?

*O*n ne gagne pas contre la mort, sinon à l'usure. Son obsession nous taraude trop pour ne pas nous user et s'user en même temps : elle vieillit la mort en nous de trop de présence. Après nous avoir tout dit, elle devient périmée. La symbiose prolongée avec la mort nous apprend tout : par elle, nous savons tout. C'est pourquoi la connaissance ne peut rien contre elle.

*E*n soi, la mort est éternelle. Mais en moi, elle a vieilli et n'est plus utile. Comprenne qui pourra : ne plus rien avoir à faire de la mort. Comment cela ! Non seulement la vie peut s'épuiser, mais aussi la mort ?

*J*e ne sais pas si c'est seulement parfois ou toujours qu'il me semble que je ne mourrai jamais. Mourir, m'éteindre un jour, n'a plus aucune signification. Je mourrai. C'est tout. Et cet étrange détachement à l'égard de la mort ne vient que d'un sentiment rétrospectif de la mort. J'ai peur de la mort qui a été en moi. Je ne crains pas ce qui m'attend, mais ce qui m'a rempli si longtemps : les nimbes sinistres de la jeunesse. Peur de son propre passé et des stigmates que la mort y a imprimés. Les hommes attendent la mort et la mettent en relation avec leur futur. Pourquoi craignent-ils seulement l'intersection du futur avec la mort, cette épouvantable impasse du temps ?

*A*voir la mort à ses trousses ? Regarder en arrière vers la mort ! Ai-je survécu ou ai-je évité la fin ?

*L*a mort clôt l'histoire de chacun ; elle est le point final à tout ce qui n'est pas elle. Mais que dire d'une mort qui se situe au beau milieu d'une histoire, également éloignée de son commencement et de sa fin, comme un couronnement, un sommet, le point d'orgue d'une mélodie ?

*S*entir la mort rétrospectivement signifie redouter son passé. Tu as été un jour mort à tes yeux, sinon à ceux des hommes. Au carrefour de ta vie, tu n'as pas été et rien n'est venu te coiffer. Les hommes t'ont vu et t'ont touché, sans savoir que tu n'étais que l'ombre de toi-même.

*C*onnaître *finalement* la mort, c'est être certain de devoir mourir et ne pas vouloir. Ce qu'il y a d'unique dans l'être humain ne croit pas qu'il pourrait mourir, de sorte qu'à la vision lucide et définitive de la mort s'oppose une résistance désespérée de l'unicité et de l'affectivité. Plus on ressent la mort, plus l'esprit réagit violemment contre elle, de sorte qu'il laisse à l'homme l'illusion d'échapper à une mort inévitable. Aussi le sentiment commun de la mort peut-il se définir comme une *probabilité certaine*.

*Q*uand je mourrai, *comme il se doit*, je me rappellerai. Je revivrai avec une intensité diminuée et une image ternie cet *alors* effrayant du passé. Et je me réjouirai une dernière fois que les souvenirs ne soient pas fidèles au monde dispersé *par le temps dans le temps*.

Si l'on parvient à se lasser de la mort, à l'avoir à l'usure, ce qui reste à vivre prend un cachet étrange, composé de détachement, d'étonnement et de désintérêt. Après une grande séparation, nous ne comprenons pas assez pour être affligé. Et, au vrai, la séparation de la mort ne nous rend pas tristes, mais nous met dans une situation de supériorité sans mépris, devant tout, et surtout devant nous-même. La conscience qu'il s'est passé quelque chose, que quelque chose s'est peut-être brisé ou accompli, nous transporte dans une indécision empreinte d'un charme grave, que nous ne saurions définir en sensations, ni en pensée. Nous savons simplement que nous sommes devenus essentiellement autres dans un monde de même essence. (Si le pluriel peut avoir un sens pour la définition d'une condition unique.) Un amour de la vie purifié comble le fossé tragique devant la vie, propre à l'obsession de la mort. Mais après la mort, l'amour n'en garde pas moins une distance désormais remplie d'un tâtonnement aérien et d'une brise pleine d'appels.

Après l'expérience de la mort, il est presque impossible de réprimer le sourire désabusé qui unit les chutes aux triomphes.

Après ce triomphe de la vie, nous avons scrupule — à défaut d'avoir honte — à parler de triomphe. Nous nous sentons plus accessibles dans la chute, nous sommes plus fiers dans la défaite, plus sûrs dans la débâcle. Les ascensions nous paraissent moins conscientes, les transfigurations moins assurées, les élans moins nécessaires. Au contraire, chutes, défaites et débâcles revêtent une forme particulière, prennent un contour et s'encadrent dans un style. Tout ce qui est négatif gagne en excellence formelle et le chaos triomphe de lui-même. De toute cette confusion rentrée, pointe un regret, timide au départ puis persistant : celui de ne pas pouvoir aimer la vie sans réserve, de ne plus tenir aux vérités de la vie autant qu'aux préjugés.

Le détachement de la mort nous mène au sentiment profond du détachement. Ce n'est que lorsque nous avons la mort à nos trousses, que nous pouvons parler du détachement sans emphase. J'ai compris ainsi que le détachement ne signifiait pas perdre tout dans la douleur mais s'en rapprocher gratuitement.

Regagner un monde qui, sans être un monde de valeurs, est, pour l'instant, le seul. Pouvoir s'attacher au monde, indifféremment des valeurs en général et de ses valeurs en particulier. Ou faire des illusions des «valeurs». Car le grand détachement, qui nous conduit à la mort et vient d'elle, se tourne immanquablement vers les illusions pour les préserver, n'ayant rien d'autre à sauver.

Comme si je n'étais plus chair, sang, respiration, déraciné du temps et enraciné dans un azur lointain, je me métamorphose par dématérialisation séraphique ; dans un vide sonore, traversé de flammes et de couleurs surnaturelles, comme si je recommençais dans le vide en oubliant la matière, sans savoir si j'y suis passé un jour, mais pressentant à côté d'elle un passage !
Sentiments vastes comme un azur angélique, tressaillements de l'âme sans attaches et vierge de moi-même ! J'ai fait mourir en moi la sève de la mort et l'ai déracinée sans savoir si la vie résisterait par ses propres racines. Je bois la sève des brises, un soupçon de source me ranime, des soupirs me soutiennent comme des colonnes et le tremblement est mon assise.

Ces déchirements qui coulent dans le sang comme une poix luisante, qui dilatent les veines et s'insinuent dans le cerveau, foudroient les nerfs et dispersent le corps plus loin que le rêve, l'éparpillent dans l'inattendu et versent sur les choses un dissolvant subtil, pour que, dans leur dissolution, le déchirement se vérifie sans cesse...
Il y a dans la nature des lieux où les serpents aussi se sentent seuls. Et il y a des solitudes dans l'âme dont l'âme elle-même passe à côté. Quelque part en nous, toute la solitude de l'espèce s'est réunie...

Peur qu'il arrive quelque chose ? Mais que pourrait-il encore arriver ?

La peur a son excuse dans la raison ultime de l'être. Nous n'avons pas peur de quelque chose, mais de cet autre qu'est le rien. Nous n'avons aucune raison de ne pas toujours l'éprouver. Car la peur précède le contenu qu'elle adopte pour s'actualiser dans notre conscience. Quand j'ai peur de quelque chose, la peur précède ce quelque chose qui est une projection du rapport causal et d'autres rapports sans objet. Nous voulons tous savoir pourquoi et d'où nous vient la peur alors qu'elle n'est que l'évidence de chaque acte quotidien.

À quoi bon penser à la mort, sinon pour la racornir et la rendre extérieure. Tu es plongé si profondément en elle que son mystère n'a plus pour toi qu'une signification indifférente : son infini devient inexpressif, et son éternité fade. Fais de la répulsion pour la mort l'instrument de son amoindrissement et de la peur que tu en éprouves l'occasion d'un enthousiasme absurde. Fuis la sagesse, car il n'y en a qu'une : celle de la mort. Et plus on est sage, plus on regarde la vie par son prisme. Rejette-la à tes frontières pour qu'elle meure avec elles et non avec toi. Adore la vie pour les raisons infinies qui ne la soutiennent pas et dégoûte-toi de la mort jusqu'à l'immortalité.

*D*es yeux humides qui n'ont pas versé de larmes ; un regard fixe qui a tout vu ; un sourire résigné devant la douleur ; une fierté douloureuse dans la tristesse ; un visage, pour masquer les déceptions ; une bouche abstraite, d'une sensualité vaincue ; un air d'appel et de fatigue ; des mains diaphanes qui filtrent les choses ; pâleur ouverte à d'autres secrets, tremblements vagabonds des souvenirs.

*P*ar rapport à la peur, le tremblement est indépendant des conditions extérieures et du monde objectif. La question : pourquoi trembles-tu ? vise une détermination intérieure ou un mobile indéfini. Si la peur nous est plus lourde à endurer sans la présence de motifs plus fictifs que réels, le tremblement (ce tremblement de tous les organes...) nous le supportons d'autant mieux qu'il est inexplicable. En lui, ce n'est pas l'effroi qui nous domine, mais l'étonnement devant la quiétude antérieure. Le tremblement est une initiation inaccomplie à notre mystère ; il place la personne devant son fondement individuel, et non en face du mystère ultime. Nous tremblons de toutes nos racines. Il n'y a au fond de tremblement que de l'individualité, de même qu'il n'y a de peur que du néant où nous jette la mort.
Pourquoi tremble-t-on ? Pour soi, à cause de soi-même. C'est la seule réponse valable, c'est la seule expression qualifiant le tremblement de l'individu. Les barrières de l'individualité sont fragiles ; l'individu n'est pas naturel. Il est autant qu'il pouvait ne pas être. Individu tremblant...
C'est le processus d'individuation qui a laissé la vie seule ; il y a autant d'individus que de processus. Ensuite, l'homme s'est fait à l'amertume de sa condition unique et se souvient de sa précarité dans le tremblement...

*Q*uand tu sens qu'il n'y a pas de mort à laquelle ton regard et ta confiance ne redonnent vie et de maladie que tu ne puisses convertir en santé ;

quand, dans tes éclairs et dans ta fièvre, il n'y a pas de loi qui ne
soit un caprice et de fatalité qui ne soit un accident ;
quand tu te prélasses dans l'éloignement comme chez toi et que tu
fais de l'infini un égoïsme ;
quand tu te rassembles dans le chaos et que tu disperses les
formes en prenant forme ;
quand tu sens l'empire des cieux vacant et du mépris pour les
couronnes étincelantes du soleil ;
quand dans ton feu meurt toute résistance et que tout est possible
et le devient presque ;
alors tu as acquis cette force devant laquelle les puissances du
monde disparaissent comme des ombres ; fantômes engloutis
dans la folie d'un tremblement divin.

Une pierre, une fleur, un ver *sont* bien plus que toute la pensée
humaine. Les idées n'ont fait ni ne feront jamais rien naître, pas
même un atome. La pensée n'a rien apporté de nouveau dans le
monde, sinon elle-même, qui est un autre monde. Il aurait fallu
que les idées soient enceintes, fatales et vibrantes ; qu'elles mettent au monde, qu'elles menacent et qu'elles tremblent. Car ce ne
sont pas les nôtres si nous ne les portons pas en nous comme une
femme son enfant. Et, au vrai, l'objection définitive contre les
idées est qu'elles ne sont pas *nôtres*. Il n'y a pas d'idées uniques ;
nous n'avons prêté à aucune notre visage. Et comment les idées
nous ressembleraient-elles, quand si souvent *nous* ne nous ressemblons pas ? Qui retrouvera la figure humaine dans les idées ?
Ne l'emporterons-nous pas plutôt sur leur éternité stérile, en les
sacrifiant ?
Les idées ne génèrent rien et ne complètent pas effectivement le
monde où nous sommes. À quoi bon penser le monde, si la pensée
ne devient pas le destin du monde ? Aucune loi de la nature n'a
changé par la pensée et aucune idée n'a imposé à la nature de
nouvelles lois. Les idées ne sont ni cosmiques ni démiurgiques ;
aussi sont-elles mort-nées.
L'homme n'est personnel que dans la haine. La haine jette une
lumière crue sur les traits de son visage et en rehausse les
contours ombrageux. Dépourvue du tremblement agressif, la physionomie prend une expression stupide. Cette dernière n'est-elle
pas la caractéristique de tous les hommes bons ? Les actes de
bonté sont mille fois plus vils que je ne sais quel geste bestial.
Comme si l'homme ne devenait une personne que par la haine. La
destruction de la haine est la faillite de l'individuation.

Pas d'acte sans haine. L'amour justifie les actes mais n'est pas leur mobile. Chaque fois que la haine diminue en moi, j'ai l'impression de n'être *bon* à rien et irrémédiablement perdu pour ce monde. Je ne me sens une créature que dans la haine ; en elle seulement, je rejoins le troupeau des bêtes de Dieu. Et quand la haine m'envahit au-delà de toute limite, alors, je vois la créature en Créateur. Laissez toute espérance, vous qui n'aimez pas la grande haine.

Pas de portrait sans haine : les hommes bons sont sans visage. Une grande haine dresse à chaque instant notre autoportrait.

L'amour me semble souvent une atteinte à l'édifice séculaire de la haine ; l'amour sape systématiquement les bases de l'histoire. Si le salut n'était pas un salut du monde mais dans le monde, sa route passerait par la haine. L'amour est par essence pessimiste. Aux optimistes, il ne reste plus qu'à faire cercle autour de la haine.

*I*l y a des penseurs qu'on ne peut lire à voix haute. Pascal est de ceux-là. Ses vérités devraient être murmurées ; d'ailleurs, toutes les contrevérités de la vie devraient l'être.

Face aux *Pensées*, *Also sprach Zarathustra* est un système d'illusions. Il faut crier Nietzsche. C'est ce que devrait faire aussi le héraut des illusions.

*A*rrive un moment dans la vie où les livres pessimistes agacent et révoltent. Il y a trop d'indiscrétion en eux ; ils mettent au jour trop d'intimités, ne ménagent pas assez la pudeur de la vie et violent sans vergogne la virginité de l'esprit.

Il faudrait brûler tous nos livres de chevet. Alors seulement nous oserons affronter la vanité et les choses éphémères.

*Q*uoi qu'on en dise, les penseurs restent à la surface de la vie. En ne faisant rien d'autre que filtrer les illusions des vérités, ils restent suspendus entre les deux. Les passions sont la substance de l'histoire. Il n'y a jamais eu jusqu'à présent de roman de l'intelligence. Pour l'orgueil des philosophes, tout passe : mais eux ont-ils seulement *été* un jour ? César et Napoléon doivent être défendus devant l'éternité ; ils ont pour eux le témoignage de toutes les illusions.

Quand je pense que depuis deux mille ans, nous vivons à l'ombre de la mort du Christ, je comprends mieux pourquoi les hommes ont désiré pendant tout ce temps une autre vie, voire *l'autre* vie.

EN FINIR AVEC LA PHILOSOPHIE

*J*e n'ai jamais bien compris pourquoi la philosophie jouissait de la considération générale, ni le respect religieux qu'on en a. La science a été si souvent — et à juste titre — dépréciée, négligée ; mais rarement l'enthousiasme pour elle a pris un caractère mystique. C'est même un manque de goût que de parer la science d'une auréole. La philosophie, au contraire, bénéficie depuis des siècles et des siècles d'une faveur qu'elle ne mérite pas, et dont la légitimité se doit d'être mise en doute. Il faudra bien se convaincre un jour que les vérités de la philosophie sont inutiles, ou qu'elle n'en a pas. D'ailleurs, la philosophie ne dispose d'aucune vérité. Et que personne n'espère pénétrer dans le monde des vérités s'il passe par la philosophie. Nous n'avons pu encore découvrir ce que veut la philosophie et ce que veulent les philosophes. Les uns disent que la dignité de la philosophie consiste à ne pas savoir ce qu'elle veut. Non que la philosophie n'ait pas de fondements, mais elle ne peut rien commencer à partir d'eux. Je ne vois d'ailleurs pas de domaine plus stérile et plus inutile que celui qu'on cultive pour lui-même. Étudier les philosophes, pour rester toute sa vie dans leur société, c'est se compromettre aux yeux de tous ceux qui ont compris que la philosophie ne peut être qu'un chapitre de leur biographie ; mourir en philosophe est une honte que la mort ne peut effacer. N'avez-vous pas remarqué que tous les philosophes finissent bien ? Cette chose doit nous donner à penser. Toutefois, peu nombreux sont ceux qui veulent comprendre cette étonnante découverte. Celui qui l'a comprise peut se retourner sur les philosophes comme sur son passé.

La fierté des philosophes a longtemps été de contempler les idées, d'y rester extérieurs, de se détacher du monde idéal qu'ils considèrent néanmoins comme la valeur suprême. Leur existence a imité la stérilité et la fadeur des idées. Les philosophes ne vivent pas dans les idées mais ils *en* vivent. En essayant vainement de donner vie aux idées, ils perdent la leur. Ils ne savent pas — ce que sait le dernier des poètes — que les idées ne recèlent aucune vie. Le dernier des poètes me semble souvent en savoir plus long que le plus grand philosophe.

Les philosophes ont commencé de m'être indifférents du jour où je me suis rendu compte qu'on ne pouvait faire de philosophie qu'avec indifférence, c'est-à-dire en faisant preuve d'une indépendance inadmissible par rapport aux états d'âme. La neutralité psychique est le caractère essentiel du philosophe. Que je sache, Kant n'a jamais été triste. Je ne peux pas aimer les hommes qui ne mêlent pas les regrets aux pensées. De même que les idées, les philosophes n'ont pas de destin. Comme il est commode d'être philosophe!

Comment accueillir l'enseignement des philosophes, quand eux sont neutres face à tout ce qui est et qui n'est pas? Aucun philosophe n'a de nom. Même si je criais fort, ils ne m'entendraient pas. Et s'ils ne m'entendent pas, ils ne pourront certainement pas me répondre. Que pourrait bien nous répondre un philosophe? Il est étrange et inexplicable que les hommes fréquentent les philosophes quand ils ressentent le besoin d'un réconfort. Pourquoi faut-il donc qu'ils pensent justement à eux dans le besoin le plus troublant?

Il n'y a rien de plus profond et de plus mystérieux que le besoin de consolation. Il ne peut être défini théoriquement parce que l'esprit n'en peut rien garder si ce n'est un soupir. Le monde des pensées n'est qu'illusion face à celui des soupirs. Aucun philosophe ne peut nous consoler car pas un ne possède assez de destin pour nous comprendre. Et pourtant les hommes recherchent leur commerce pour la raison qu'ils s'imaginent, par une illusion suspecte, pouvoir être consolés par la connaissance. Savoir et consolation ne se rencontrent jamais. À ceux qui ont besoin de consolation, les philosophes n'ont rien à proposer. En un mot : toute philosophie est une attente déçue.

Un poète à la vision ample (Baudelaire, Rilke, par exemple) affirme en deux vers plus qu'un philosophe dans toute son œuvre. La probité philosophique est pure timidité. En essayant de démontrer ce qui ne peut l'être, de prouver des choses hétérogènes à la pensée et de rendre valable l'irréductible ou l'absurde, la philosophie satisfait son goût médiocre pour l'absolu. Il me semble parfois que toute la philosophie se réduit à la loi de la causalité, et je suis pris d'un dégoût irrépressible. Du moment qu'on ne peut faire de philosophie sans loi de la causalité, tout me semble se trouver au-delà de la philosophie.

Certains hommes ont usé leur jeunesse à ne lire que les philosophes.

Pourquoi le souvenir de toutes ces années leur laisse-t-il un vide pas même regrettable? Parce que rien ne peut les empêcher de considérer que la philosophie est un stade dont le dépassement n'est qu'une étape. Celui qui ne défait pas la philosophie sera défait. Rester une vie entière parmi les philosophes, c'est demeurer à jamais *au milieu*, et s'enfoncer dans la médiocrité comme dans un destin.

Il n'y a qu'une seule définition de la philosophie : l'inquiétude des hommes impersonnels. Et voilà tous les philosophes au pied du mur.

Je me souviens avec une émotion intense de l'effet extraordinaire qu'ont eu sur moi les paroles de Georg Simmel, philosophe que j'ai infiniment aimé : «Il est terrible de penser que si peu des souffrances de l'humanité sont passées dans sa philosophie.» Il est vrai qu'il les a écrites peu avant sa mort tragique. Les hommes ne veulent pas lui ajouter foi mais essayent de l'excuser. Comme s'il était indécent de la part d'un philosophe d'appeler les choses par leur nom...

On ne revient pas de la poésie, de la musique et de la mystique à la philosophie. Il est évident qu'elles la laissent loin derrière. Un poète, un compositeur ou un mystique philosophent seulement dans des moments de fatigue, qui les forcent à revenir à une condition inférieure. Eux seuls se rendent compte que ce n'est pas une gloire d'être philosophe, eux seuls comprennent à quel point la philosophie — sans parler de la science — sait peu de choses. Qu'est la pensée au regard de la vibration de l'extase, ou du culte métaphysique des nuances qui définit toute poésie? Et comme la philosophie est étrangère à la fusion avec les réalités, qui font définitivement pâlir le monde des idées face à la musique et à la mystique!

Il n'existe pas de philosophie créatrice. La philosophie ne crée rien. Je veux dire qu'elle peut nous proposer un *nouveau monde*, mais pas le faire naître ni le féconder. Tout ce que racontent les philosophes semble appartenir à un passé révolu. Aucune œuvre d'art ne doit exister, parce que toute œuvre est un monde dans un monde et, comme tel, n'a pas de raison d'être dans le nôtre. Aucun système de philosophie ne m'a donné le sentiment d'un monde indépendant de tout ce qui n'est pas lui. C'est regrettable mais c'est ainsi : vous pouvez lire toute la philosophie du monde, vous ne vous sentirez jamais devenir un autre homme. Parmi les philosophes, j'exclus bien évidemment Nietzsche qui est bien plus qu'un philosophe.

L'activité réflexive en soi n'a aucune excellence qui puisse forcer mon admiration. Les idées qui ne reflètent pas une destinée mais d'autres idées n'ont aucune valeur. Il n'est pas du tout exact de dire que les philosophes sont plus près que les autres des réalités essentielles. En réalité, ils ne servent que les apparences et s'inclinent devant tout ce qui n'a pas été et qui ne sera pas (la seule raison qui me les rend chers).

La fierté de la philosophie a résidé longtemps dans la considération des idées en elles-mêmes. Cet orgueil est presque honteux. Du moment que tout ce qui est ne peut être considéré en soi, faire du reflet schématique des apparences, des structures coagulées, qui posséderaient leur finalité en soi, est une aberration impardonnable. L'homme ne peut atteindre que l'extase des apparences. C'est la seule réalité. La poésie, la musique et la mystique servent ces apparences suprêmes. Le monde en soi ? Une somme d'apparences suprêmes, à supposer que cette danse d'ombres ait une limite et constitue un monde. Que la philosophie s'explique, si possible.

Pour avoir des souvenirs, il faut les emprunter à la nuit flamboyante de l'esprit, car aucun œil ne les fera découvrir dans la nuit intérieure. On ne voit dans la nuit qu'au prix de la vue.

Pour se souvenir de soi-même, il faut suivre des yeux les brumes des montagnes, et les choses qui se perdent dans le brouillard avant de réapparaître, comme après une mort passagère. Il faut aussi que sa lumière soit enveloppée, voilée et perdue dans les brumes. Qu'elle en revienne aussi et ressuscite dans son animation.

Et que les cieux soient contemplés du haut des cimes, que les nuances célestes soient autant de cieux. Porter dans l'âme autant d'azur, étourdir nos heures de bleu, autant de consolations pour un cœur, avide du ciel mais joint à lui.

Avoir traversé des lieux où personne n'a été, pour que nos traces forment une piste. Que notre vie soit un chemin à travers les lieux infréquentés de l'âme.

Avoir été le compagnon du crépuscule ; être descendu avec le soleil. S'être égaré dans l'astre et le couchant. Et avoir recouvert le soleil de sa nuit.

Troubler la surface de la lumière, tendre les bras vers elle, vers le frémissement de la lumière ! Prédire souvent le tremblement de la lumière et l'accentuer en l'invoquant. Que nos nombreux soupirs poussés dans la nuit lui soient communiqués. Avoir tremblé dans la lumière.

Et tes souvenirs accompagneront chaque fois le ciel, la brume, le crépuscule ou tout autre éclat ou non-éclat que tu as aimé, comme s'ils avaient vécu ta vie.

C'est ainsi que je comprends une grande âme : ce n'est pas elle qui donne un sens personnel au monde mais le monde qui tend vers elle comme vers son centre. Comme si les eaux, les montagnes et les hommes convergeaient en elle. Son œil est le miroir des étendues, son ouïe, la cible finale de toutes les sonorités ; son cœur, le refuge de tous les sens et pressentiments du monde. Si d'aventure cet homme est malade, c'est tout son milieu qui se rend malade par peur du contraste, par crainte de lui être inférieur dans la santé. Les vibrations d'une grande âme bouleversent toutes les solitudes de son entourage. Une telle âme ne peut exister que par la peur de la solitude des autres. Avoir un style intérieur signifie que le monde intérieur est entier ; que le monde est un flux. Ne pouvant naître en toi, c'est comme s'il désirait mourir en toi. Qu'après toi, plus rien ne puisse mourir ! Que toute la vie ait été communiquée au monde au point qu'il finisse en toi et avec toi !

Se battre contre soi-même au point qu'on ne puisse concevoir qu'il y ait encore quelqu'un après soi. Tel doit être le sentiment, sinon la conviction de tout homme dont l'âme est aux dimensions du monde. Si cet homme avait aussi de la conviction, on ne pourrait dire s'il est Dieu ou fou. Les âmes humbles et humiliées n'ont pas ce sentiment, parce qu'elles se sentent et se reconnaissent, plus que toutes les autres, créatures ; elles n'en ont pas honte. On ouvrira un nouveau chapitre de l'anthropologie le jour où le sentiment d'être une créature sera une évidence inadmissible ; quand l'homme ne s'acceptera plus lui-même.

*Q*uand je pense au peu que j'ai à tirer des grands philosophes ! Jamais je n'ai eu besoin de Kant, de Descartes ou d'Aristote ; eux qui n'ont pensé que pour nos heures monotones et nos doutes autorisés. Mais je me suis arrêté sur Job, avec une piété filiale.

*A*vez-vous déjà observé des hommes brisés par la maladie ? Défaits et abrutis par une résignation vulgaire, le visage dilaté par l'effroi, une stupeur animale dans les yeux, penchés sur leur vide, ils sont répugnants dans leur désir de vivre, désir qui n'a toutefois pas été assez grand pour masquer leur faillite et illuminer leur perte. La maladie est un enlisement qu'il faut transformer en étape. Et tous ceux qui n'ont pas accompli ce saut paradoxal demeurent avec leur expression débile et sauvage, effrayés par les dimensions de leur néant. Ces traits suppliciés et creusés, dévastateurs comme la proximité immédiate et fatale d'un précipice, ces traits devant lesquels il faudrait reculer, fermer les yeux ou se détourner en se concentrant sur un souvenir! Quand je pense à tant de tristesses, à tant de terreurs subies des nuits entières, à tant de déchirements épuisants, rien ne me semble plus digne d'être oublié; je ne voudrais rien tant que me réfugier dans je ne sais quel recoin verrouillé de ma mémoire, comme dans le silence des salles d'attente des médecins. Ces silences où les patients se jettent des regards haineux, en se reconnaissant chacun dans l'autre, et dans tous, indiscrets qui savent ce qu'il en est et qui voudraient en savoir plus pour avoir une petite consolation ou une peine supplémentaire à leur degré respectif d'irrémédiable. Et la haine croît d'autant plus qu'ils sont solidaires par un sort qu'ils n'ont ni désiré ni attendu. Le silence grandit et devient plus accablant, d'autant que chacun aurait beaucoup, infiniment même, à dire. Si personne ne rompt le silence, c'est de peur de ne pas être le plus condamné, par désir de ne pas satisfaire l'orgueil du voisin, de ne pas se sentir le plus perdu des hommes. Dans le silence des salles d'attente, le destin sépare les hommes comme des espèces irréductibles, parce que là ils savent l'essentiel les uns des autres, sans que ne viennent l'émousser le nom, la profession et l'âge. Et quand je pense à l'attitude volontairement ou involontairement réflexive, aux fronts pensifs sous lesquels se rumine l'aveu de la maladie, dite, répétée à l'infini, crue, unique, alors me passent par-devant les yeux, par les nerfs et par le sang, envahissant mes souvenirs et mes pensées, un convoi de visages crispés, une somme déconcertante de rides, qui veulent s'enfouir en moi, saper mon corps et s'établir comme le berceau d'une amertume infinie. Et je suis écœuré par cette cohorte de rides, par ces airs de saltimbanque, grotesques et funèbres, par cette promiscuité inopportune, et je suis dégoûté par mon impuissance à rasséréner un seul de ces visages, à rester seul face à tant d'hommes seuls, rongés par la maladie, vaincus par elle et abattus par le monde dans lequel la maladie les a introduits. Car la maladie est une révélation trop grande pour tous ces hommes qui attendaient trop peu de la vie pour comprendre de la maladie autre chose qu'une catastrophe. Si peu d'hommes méritent d'être malades, que c'est un non-sens absolu qu'autant d'hommes souffrent. Pour une maladie, il faut être équipé comme pour une vie. Son irrationalité consiste précisément à nous surprendre alors que nous n'avons pas fait notre éducation, quand nous ne sommes pas assez mûrs pour être grands dans la maladie.

L'effroi animal de tous les malades vient du fait qu'ils interprètent la maladie comme un mystère de la matière et seulement le sien, alors qu'en réalité, nous souffrons dans la matière *avec* l'âme ; avec l'âme, à laquelle la matière survivra.

Un malade est supérieur à l'homme en bonne santé. Et pourtant chaque homme sain se sent supérieur au malade. Depuis qu'il y a monde, l'homme en bonne santé ressent la maladie de l'autre comme une flatterie. C'est une sorte de garantie secrète que lui donne la nature et dont il est fier, sans le dire. Les sentiments les plus ordinaires naissent du contact des hommes malades avec les autres. Faire la psychologie de ces relations signifierait écrire la justification définitive du dégoût.

Comment se peut-il qu'il y ait encore du désespoir après Job ; de l'action après Alexandre, de la pensée après Platon, des hommes après le Christ ? Nous tous, nous n'avons fait que bégayer et rendre l'histoire inutile.

Ce n'est qu'en faisant abstraction de l'histoire que nous pourrons encore nous abuser ; mais l'histoire se chargera de nous désabuser en faisant abstraction de nous.

Il faut repousser avec dégoût tous les hommes qui aiment le passé. Ils ne peuvent avoir de destin, parce que, en marchant sur les traces de leurs ancêtres, ils finiront bien par s'arrêter un jour, *à la fin des fins*. Et, face à Dieu, ils n'auront plus ni courage ni le moindre orgueil. Nous avons des prédécesseurs trop grands pour pouvoir encore regarder derrière nous. Et même les yeux fermés, il est impossible de ne pas buter sur notre grand Prédécesseur.

Toute personne qui aime le passé de manière conséquente doit faire de la théologie. Aussi les hommes profondément religieux sont-ils réactionnaires. Ils ne peuvent aimer Dieu qu'avec la tête tournée, puisqu'Il est irrémédiablement en arrière de nous. Si nous avions imaginé Dieu comme le couronnement final de l'histoire, comme la clôture suprême du futur, tous auraient cru en lui et l'attendraient. Ainsi s'est-il consumé ; en nous, sinon en lui-même.

*D*ilatation de l'air, de la moindre bribe d'air... Comme si chaque atome s'était gonflé comme un ballon, s'était dilaté jusqu'à atteindre des dimensions fantastiques, et n'attendait plus que de crever, d'éclater avec tous les autres et toi avec. Une tension se communique partout et se répand comme un explosif aérien ; une vibration se concentre dans toutes les parties de l'air, se ramifie puis se rassemble sur toute sa surface. Va-t-il se passer quelque chose ? Que peut-on attendre ? On sait bien que rien ne peut arriver sinon quelque chose d'essentiel, que rien n'est possible sinon tout ; dans le meilleur des cas, une révélation. Tu es pris de vertiges ? Les cellules de ton cerveau se dilatent dans l'air, et l'indicible de cette inquiétude aérienne se répand en toi ? Serait-ce tout ce qui n'a pas de berceau dans l'espace, tout ce qui, en toi, n'a pas sa place, qui se révolte ? Les sourires qui n'ont été adressés à personne, nulle part ; les pensées sans adhérence, les émotions vaines, les nuits imaginées par l'amour ; les secrets ensevelis sous des souvenirs sans images, tout ce qu'on a vécu sans le savoir et sans le vouloir, clame-t-il son inutilité ou veut-il racheter sa vacuité ? Ou est-ce l'effroi, cet effroi inexplicable qui s'insinue dans le moindre atome et le dilate, cet effroi qui circule comme un fluide subtil entre toi et les vibrations de l'air, qui exerce son expansion irrésistible, sa contagion alarmante, et son charme destructeur ?

L'effroi rend l'espace aérien et vibrant. Aussi ne connaît-il ni limites ni résistance. N'avez-vous pas remarqué l'absence d'espace dans la peinture de Goya ?

L'histoire a résolu bon nombre de conflits entre les hommes ; mais elle n'en a encore réglé aucun entre l'homme et le monde. Si les utopies sont concevables dans la vie des hommes, elles sont inadmissibles dans la vie de l'homme. L'homme pourrait parvenir à l'harmonie avec lui-même. Mais l'histoire n'est pas le sein d'Abraham.

Et dire que, depuis les origines jusqu'à aujourd'hui, il n'y a pas eu une seule pensée gaie...

Donquichottisme : croire qu'il y a encore quelque chose à faire et qu'on pourrait se consoler avec des chimères...

Détachement : pouvoir parler de choses douloureuses comme d'évidences, sereinement et sans pathos. Tout détachement est peut-être une thérapeutique et, comme telle, une hypocrisie.

Sagesse : être neutre dans la vie et dans la mort.

Je me désole de n'avoir su proférer que des affirmations évidentes et justes sur la vie ; de ne lui avoir dédié aucun hymne.

Quand je pense à toutes les vérités qui viendront après moi ; et dire que je n'ai rien perdu... Il y a tant de vérités qui ne nous ont rien dit et qui n'ont eu personne à qui le dire que croire encore en elles relève plus du mensonge que de l'erreur. Mais avons-nous vécu avec des vérités et des erreurs ? Je n'ai moi-même été qu'au-delà de la vérité et de l'erreur, à l'intersection desquelles se trouve cette terre, condamnée aux vérités vaines et aux erreurs médiocres.

Révélation soudaine de tout ce que je n'ai pas vécu, de tout ce que je ne vivrai peut-être jamais! Qui peut comprendre la soif insensée de vivre qui tenaille parfois le corps à l'en faire crier ou l'étouffe d'un bouillonnement intense trop longtemps contenu? Dans la fusion tremblante de l'être pointe un regret qui étouffe la respiration, et nous montre à la vitesse de l'éclair tout un univers de désirs que notre pensée avait recouvert. Le tremblement sensuel donne un contenu ardent à cette révélation, mais les serments et les anathèmes lui donnent l'ampleur d'un destin. Ne pourrons-nous donc pas, avec une ardeur titanesque et une démesure surhumaine, épuiser la vie et nous épuiser avec? Ah! comment renverser un jour cet univers dans un frémissement universel!

Connaissez-vous l'invasion indomptable d'une force insensée, devant laquelle arbres, montagnes, mers semblent de simples caprices? Cette inquiétude agressive, aussi éphémère qu'une étincelle, qui surmonte la résistance de toutes les formes de la matière et surpasse l'affirmation de n'importe quelles énergies... Il n'y a plus alors d'arbres ni de forêts que tu ne puisses déraciner; de montagnes que tu ne renverses; de mers que tu ne domptes et n'assèches. Il n'existe plus de mouvement qui ne devienne roc et de roc qui ne devienne fleuve. C'est tout le matériau de l'impossible du monde qui se convertit en pâte sous cette force insensée et invérifiable. La résistance de la matière s'annule comme en un rêve et cette forme même semble avoir été rêvée. Seule une mémoire divine pourrait encore se la remémorer. Lorsqu'elle s'empare de l'âme et du corps, je ne suis plus moi-même pour pouvoir la comprendre; mais après s'être dissipée, elle me semble encore plus incompréhensible. Se peut-il qu'il existe une foudre divine par laquelle un être suprême ou l'énergie du monde nous révéleraient en un rien de temps l'état permanent d'absolu. Pourrait-elle être la concentration de tout ce qui n'est pas loi et ne rentre dans la loi, la réaction inattendue et prémonitoire du chaos? Ou bien encore une *faiblesse* de Dieu, une concession faite de peur d'être détrôné...

Si j'avais à choisir parmi tous les êtres qui ont grandi avec le malheur le plus cher à mon cœur, je donnerais sans réserve ma préférence aux femmes malheureuses en amour; elles ont donné un visage au malheur. Chez elles, le dépit amoureux présente un caractère pathétique rare et contenu, un mystère doux, un vague savoureux. Sapho, Gaspara Stampa, Julie de Lespinasse évoquent un monde à part, celui de la mélancolie et de la déception, un univers de déchirements féminins et de cœurs inconsolés. Et si j'essayais de définir le charme unique du malheur, je ne pourrais pas omettre la délicatesse qui l'enveloppe aussi étrangement. Un homme abandonné ou trompé en amour offre une image moins douloureuse et, en tout cas, moins étrange ; car la possibilité qu'a l'homme d'être heureux ne tient qu'à lui-même, à sa virilité, en aucun cas à ses valeurs complémentaires. Serait-il même poète, sa condition masculine l'obligerait à garder ses distances à l'égard du malheur et de sa bien-aimée, dont il devrait être aimé. En tout cas, lui a la consolation du mépris qu'éprouve naturellement l'homme pour la femme. La déception de l'homme est inesthétique et lâche ; c'est pourquoi tous les grands malheureux en amour ont tiré de leur déception des raisons de supériorité, de fierté même, comme si le fait d'être abandonné, ou de ne plus obtenir de réponse à son amour devait flatter l'orgueil. Cela tient à l'essence de l'homme d'être heureux ou malheureux de manière immanente ; à la différence de la femme, sa condition est moins définie par la relativité des sexes. On pourrait parler d'*homme*, quand bien même il n'y aurait pas de femme : cela ne vaut pas pour la femme. Sans l'homme, la femme est une contradiction en soi.

Qu'une déception en amour approfondisse plus l'homme est douteux ; en revanche, la métamorphose consécutive à une déception de même nature chez les femmes est d'une évidence indiscutable. Soudain, au charme sensuel, au regard indirect mais intéressé, à l'allure conquérante, renforcée par les impertinences involontaires de l'instinct, succèdent une pâleur réflexive, des regards distants, une gravité inaccessible, et un indéfini dans la tenue issu de la contrariété et de la tristesse des sens, ainsi que de l'intériorisation de la sensualité. Un seul amour déçu rapproche plus la femme de la sainteté que je ne sais combien d'échecs, même surmontés, chez l'homme.

Entre une femme médiocre et un homme médiocre, la femme est spirituellement supérieure. Entre une femme supérieure et un homme supérieur, l'homme est infiniment plus nuancé, plus profond et plus différencié.

Un homme médiocre est toujours neutre, privé d'accent personnel et de réactions spécifiques, alors qu'une femme, aussi inférieure soit-elle, tire de ses déficiences sexuelles des réactions notables, un jeu sans signification intérieure, mais extrêmement différencié à l'extérieur.

Le malheur en amour a été pour toutes les femmes douées une

dot divine. Après avoir subi leur métamorphose, elles sont devenues sans commune mesure avec les autres. Le renoncement gracieux et une passion qui se nourrit du feu imaginaire des étoiles les dispensent des imprécations fatales de l'abandon. Toutes ces femmes délaissées ont eu recours à l'art poétique ou épistolaire pour se consoler de leur bien-aimé dans d'autres amours. Mariana Alcoforado ou Julie de Lespinasse désiraient mourir afin que leur présence ne soit plus un remords pour leur amant inconstant. Un tel excès de générosité, quasi pathologique, naît dans les âmes en délitescence. Et l'est toute âme qui, ayant fait de sa passion une destinée, ne peut s'y accomplir.

Les âmes ardentes de ces femmes étaient prédestinées à la déception, car rares sont les hommes qui peuvent brûler d'une fièvre à ce point dévorante. Un homme ne s'épuise pas dans l'amour ; ce qui lui est essentiel ne fait que passer par l'amour. Et *l'essentiel* dépasse quelque part le monde des sentiments et des passions. Seules les femmes ont une conception catastrophique de l'amour. Un amour, qui dépasse infiniment en intensité les exigences et les finalités biologiques, prédestine au malheur plus que ne le fait la maladie. Être *élue* par la passion représente pour une femme un véritable désastre qu'elle n'entrevoit pas clairement à cause de ces déchirements qui, au début, lui sont des extases. Au regard d'une telle passion, la simple réalisation est une déception et une compromission de l'amour. Tous les grands amoureux ont parlé de mourir, non parce que l'amour serait apparenté à la mort, mais parce que la limitation de la vie ne peut pas représenter négativement l'infini de la mort. Un grand amour finit dans l'extase de la mort, parce qu'il achève la vie de trop d'extase. L'extase est corrosive et destructrice car elle affecte le cœur de tout ce qui est ; c'est l'indiscrétion suprême de l'amour. Après elle, il ne peut plus rien y avoir, parce qu'elle achève tout. L'extase achève aussi l'infini de la mort. L'amour mystique en est l'exemple le plus frappant. Pourquoi, sinon, les élans mystiques seraient-ils suivis d'un sentiment pénible de néant et d'une aridité de la conscience ? Indiscrétions ultimes de l'extase, impossibilité que lui succède autre chose, excepté la folie.

N'y a-t-il pas chez sainte Thérèse, patronne de l'Espagne et de moi-même, une déception divine dans son amour ou une déception dans l'amour divin ? Dans l'amour mystique de sainte Thérèse, le ciel ne nous paraît-il pas parfois trop étroit, et l'infini accessible ? Elle me semble parfois avoir planté là tous les saints, et dévasté les cieux...

Le renoncement dans l'âme d'une femme est tout autre que chez les hommes. Les échecs du cœur sont pour un homme des occasions de méditation ; chez la femme, ils triomphent de l'existence, *de sorte que toute la femme périt dans son cœur.* L'illogique féminin est la logique du cœur. Pour une autre logique (de la raison, du bon sens des hommes médiocres), la déception en amour peut entraîner un renoncement à l'amour ; selon la logique du cœur, une déception en amour, une grande déception, est un renoncement au monde. Sur le plan sentimental, les femmes tirent plus rapidement que les hommes les dernières conséquences. Les infortunées en amour dont je parle ont vécu leur vie dans une tension qui a compromis définitivement la hauteur prétendue de la méditation et de la pensée. Il est mille fois plus facile de méditer et de penser à un malheur que de le vivre avec tous ses risques. Une fois encore, impossible de sauver les penseurs.

Si Bouddha lui-même a trouvé un subterfuge pour justifier l'inutilité du suicide, personne ne devrait encore faire la moindre objection à la question. Il est même étonnant que de Bouddha jusqu'à nos jours, la question du suicide n'ait pas été déclarée close. La pensée officielle ne l'a à juste titre plus jamais ouverte. Mais pourquoi donc quelques poètes et un ou deux philosophes, ont-ils jugé nécessaire de la remettre sur le tapis ? Et ces suicidés sans nombre et sans nom, comment ont-ils osé déshonorer ce nom si fameux ?
Nul ne devrait s'aventurer dans la vie avant de s'être assuré d'en avoir la force. Par là, je n'entends ni la force physique ni l'affirmation brutale, directe, mais une accumulation d'énergie intérieure, devant laquelle toutes les forces physiques organisées ou non organisées semblent ternes. Chaque instant de l'existence devrait être utilisé comme l'occasion d'une telle accumulation. Dans l'échec et après, il faut adopter une pose de fixité tétanique, les yeux agressifs et provocants, les mains serrées jusqu'à la crampe, et laisser le sang battre avec un volcanisme calculé. Chaque échec doit être utilisé pour vérifier sa force et son mépris. Il faudrait fixer les règles et les exercices nécessaires pour cultiver une confiance en soi absolue, pour vaincre et étouffer le doute. Le scepticisme ne peut être dépassé que par une gymnastique qui tire tout droit son rythme des illusions et des dilatations de la mégalomanie. Chaque forme de rythme est une arme contre le scepticisme, le désespoir et le pessimisme. Le rythme comme réaction voulue doit ne jamais faire défaut à qui veut traiter les

maladies sans remèdes, au nombre desquelles on compte en premier lieu le scepticisme, le désespoir et le pessimisme.

Donner à sa respiration une gravité ample et concentrée comme si ses intervalles délimitaient des intervalles cosmiques ; les nerfs, comme des arcs tendus à se rompre ; que l'activité de tous les organes se développe à la mesure du niveau général ; que ce qu'on nomme *esprit* vibre aussi dans la moindre cellule, et que l'âme reçoive la pleine force de la chair, perdue dans le sommeil de la matière.

Quelques minutes quotidiennes de cette hygiène développent un sentiment de force infinie et accumulent une énergie intérieure, grâce à laquelle nous pouvons nous élever au-dessus des baisses de la vitalité. La tension fantastique à laquelle nous soumettons l'organisme dissout l'esprit dans le corps et élève la dépression organique à un niveau que le corps ne pourrait atteindre seul. Dans cette confusion, l'homme est plus unitaire et plus « centré » que dans l'harmonie superficielle et irresponsable de la santé, quand il en jouit. Tous les hommes en bonne santé sont irresponsables, parce qu'ils n'ont pas à chaque instant les questions de la maladie à résoudre.

Si je m'étais occupé d'histoire, je serais mort de tristesse depuis longtemps.

Il est terrible de s'apercevoir combien on a investi dans les faits et comme ils sont de peu de prix. Un fait en lui-même est tout, c'est un absolu ; dans notre pensée, rien, une chimère. Mais dans le fait, la pensée est le reflet du rien, l'ombre d'une chimère.

Qu'on parle de retraite subite de quelqu'un, pas de sa lente décadence. Les hommes qui interrompent soudain leur activité, au faîte du succès et sans laisser d'explication, s'en vont quelque part, pour ne plus rien poursuivre, pour commencer dans leur fin quelque chose d'inédit, d'inattendu, forts et fiers dans la catastrophe. Rares sont les grandes débâcles qui parlent de l'avenir du genre humain. Ces hommes, qui ont préféré voir un autre monde, alors qu'ils avaient tout à gagner dans celui-là ! La volonté de faire quelque chose de définitif, indépendamment du temps, de soi, de toutes les catégories, au-delà de la compréhension, du mouvement, et, d'une certaine manière, au-delà de l'éternité ! Si l'éclair pouvait se pétrifier, si la colonne de feu plantée au ciel pouvait rester inébranlable ! Avoir une preuve sans pareille d'une relation tant de fois désirée, mais jamais accomplie, savoir un jour à notre tour que nous ne resterons plus *à terre*, et que la terre possède aussi ses hauteurs!

Ou devenir un jour une lumière compacte, la toucher, être réconforté par sa résistance, la sentir dans la chair, savoir que la chair aussi pourrait bien venir de quelque part en haut! Car nous voulons savoir, en dépit des preuves et des évidences, s'il n'est pas pour nous d'autre condition possible, si le sort n'est pas une tromperie et si nous ne pouvons pas gravir l'échelle des conditions, escalader les marches d'autres sorts, passer dans d'autres formes de destin, vers une autre destinée.

La vision intérieure de l'impossible est une réalité si manifeste et si écrasante, elle révèle tant de mondes possibles que nous voudrions être autres, dans d'autres conditions et soumis à d'autres sorts.

Et je sens comment les mondes commencent, comment ils renaissent par l'esprit et comment ils meurent en tout!

*L*e regret d'Adam de n'avoir pas été Dieu a provoqué sa chute. Et s'il n'est pas vrai que nos péchés dérivent du péché originel, il semble en revanche évident que tous les regrets viennent de celui-là.

La recherche de la gloire tire son origine de la peur de mourir seul, et du désir de finir sur la scène. Ceux que la gloire a rendu heureux l'ont rabaissée au rang d'une vanité absurde. Je ne jalouse qu'une forme de gloire : avoir été célèbre aux yeux des précurseurs, non à ceux des contemporains ou de la postérité. Je ne peux me consoler de ce que Jésus n'ait pas entendu parler de moi.

Il y a des moments où j'en arriverais à étreindre le monde et à éprouver de la reconnaissance pour le dernier être vivant. Qui sait quel recoin oublié de l'âme m'inspire ce désir qui n'a pas germé dans mes pensées!

*S*e peut-il que tant de tristesses sans nom aient disparu sans laisser de traces, comme des vapeurs, comme de la poussière et comme de la fumée ? N'y a-t-il pas d'hommes nés pour retrouver la trace des tristesses éteintes, qu'ils puissent leur donner une expression et racheter l'amertume infinie de tant d'existences anonymes ? Ces hommes pourraient bien exister du moment qu'il y a tant de tristesse. — N'y a-t-il personne pour réunir en soi tout le silence des montagnes, qu'il soit le scaphandre dans les milliers et milliers d'années de ces silences, accumulés et grandis jusqu'à devenir matière, personne pour en tâter le pouls et briser le joug millénaire, personne pour prendre la responsabilité au nom de tout ce qui n'a pas encore dit son mot ? Il doit bien y avoir quelqu'un qui rompe les silences de la nature et les ensevelisse en lui.

Y a-t-il eu des êtres qui aient réalisé et leurs possibilités et celles de la vie, afin de venger les désirs inaccomplis de tous les autres ? Y en a-t-il eu qui n'aient enterré aucun regret ni aucun rêve comme il y en a eu tant qui ont fait leur deuil de leurs peines plus vite qu'un bras, des yeux et un sourire ?

Et à tant d'âmes et de corps privés de la consolation des nuits d'amour, combien seront-ils à opposer l'absence de déception en amour ; combien pourront vaincre le regret en souvenir de l'amour ?

Il doit bien y avoir eu quelqu'un qui, de l'amour, n'ait pas connu les regrets et le besoin de réconfort qui s'ensuit.

Se peut-il que toute la culture repose sur de faux problèmes ? Tant de siècles derrière soi, et l'on parle encore de bonheur, tant de conflits et on débat encore de l'individu-société, tant d'impasses dans l'histoire et l'on croit au progrès, aux valeurs, et tant de drames évidemment insolubles, recouverts et falsifiés par les théories et les croyances ? Rien d'étonnant à ce que les hommes croient en la culture, mais ce l'est qu'ils en soient fiers.

Ne se trouvera-t-il personne pour l'affirmer sans mépris et dépasser la culture, en sorte que son destin lui soit égal ? Ne se trouvera-t-il personne capable de faire un bilan valable, que nous sachions une fois pour toutes où nous en sommes, si l'on peut encore sauver quelque chose ou si nous sommes sur le seuil, au commencement ? Car il est naturel de ne plus accepter d'être tiraillé par la peur, pour tant de résultats douteux.

Il doit bien exister quelqu'un qui nous montre où nous a menés la culture, mais surtout, où elle nous a amenés en elle. Car si nous pouvons vivre sans savoir où nous sommes, nous ne pouvons pas mourir sans savoir où nous avons été.

Tout déchirement nous pousse aux bords de notre moi, à notre terme. Car le déchirement naît d'une faiblesse où nous regardons en nous, comme pour nous rassembler une dernière fois.

Qui, dans le déchirement, aurait encore le courage de parler de «personnalité», de «caractère», et autres évidences de la culture ? Alors la lâcheté est de ne pas parler de la tristesse, de la vanité et autres évidences de la vie.

Des évidences dernières, qu'ont dit les philosophes ? Rien autant qu'un accord de la symphonie inachevée de Schubert.

Pourquoi l'homme craint-il tellement le futur quand le passé justifierait une crainte plus grande encore ? Tous ces millions d'années où l'univers s'est passé de nous ne provoquent-ils pas un sentiment de vide et d'incompréhension plus troublant que celui de notre propre disparition ? Depuis l'incommencé du néant jusqu'au premier homme, la conscience n'a pas été ressentie comme un vide ni l'homme comme une nécessité. Absolument rien n'a préparé l'apparition de l'homme. L'univers aurait pu disparaître sans savoir rien de lui-même.

L'homme est apparu *trop tard*. En soi, cela n'est pas si grave. Mais pour les illusions auxquelles nous avons naturellement droit, c'est une catastrophe. Une catastrophe qu'on aurait pu appeler une désillusion si quelques antécédents en avaient préparé l'apparition. L'homme n'est pas naturel et ne se sent pas tel. Nul n'a de tradition dans la nature ; nous sommes nés trop récemment. Nous n'avons aucun rapport avec tout ce qui a été.

L'homme ne peut se passer de rien ; l'homme peut se passer de tout. La contradiction sera résolue quand il se passera de lui-même.

*J*e veux mourir seulement parce que je ne suis pas éternel. Et si, à titre absolument exceptionnel, l'immortalité m'était offerte, je ne l'accepterais pas, parce que l'éternité qui me resterait à vivre ne pourrait me consoler de l'absence de celle qui m'a précédé. L'immortalité chrétienne ne satisfait pas la soif infinie d'existence et toutes les religions n'ont fait qu'apaiser une soif dont l'ampleur n'est comparable qu'aux dimensions de l'existence. Dostoïevski a raison : si l'immortalité n'existe pas, tout est permis. Mais comme cette immortalité ne m'exclut pas moins de tout ce qui m'a précédé, l'existence de l'immortalité limitée permet elle aussi *tout*, comme toute théorie du mourir.

Je comprends fort bien que les hommes ne puissent plus croire en l'immortalité mais je comprends mal comment ils ont pu en abandonner si facilement l'idée. L'immortalité devrait être rendue *taboue* pour la raison, et «tous les hommes sont mortels», interdite comme prémisse de syllogisme. Il y a une telle soif d'existence dans l'immortalité, que ceux qui ne croient pas en elle sont infiniment plus proches du pessimisme que ceux qui y croient. L'immortalité est l'affirmation suprême de la vie. Que les pensées n'aient pas fait à la vie concession de l'immortalité, les compromet pour toujours. Et pourtant je ne comprends pas comment les peuples qui ont cru en l'immortalité ont pu disparaître de la surface de la terre. La pensée de l'immortalité devrait contenir une telle vitalité qu'il pourrait en jaillir une extase continue, qui vaincrait à son tour les fatalités de la biologie. Le christianisme a imaginé qu'il n'était possible de devenir éternel qu'en mourant. Ainsi, dans le christianisme, l'immortalité a été interprétée négativement. Au lieu d'en faire un ressort de la vie, le christianisme a rétréci cette vie et a privé l'immortalité de toute vérification directe. Dans le christianisme, l'homme ne naît pas immortel, mais meurt immortel. Au dernier souffle, il commence d'être. L'unique occasion de devenir immortel est la mort. En cela consiste, après l'existence du Christ, le second point indéchiffrable du christianisme.

Les chrétiens ont raté l'immortalité. Ne pas mourir chrétien ou sur une autre immortalité...

*I*l n'y a au fond de musique que religieuse. Dans son sens ultime, la musique ne peut pas être l'organe d'expression de ce monde. De même : il n'y a au fond de musique que triste. Les joies ne disent jamais leur dernier mot. Qu'auraient-elles donc à dire avec la voix et les notes ?

*S*i seulement Dieu avait fait notre monde aussi parfait que Bach a fait le sien divin !

Si l'homme était né immortel, quelle forme aurait pris le désir d'en finir ? On aurait alors parlé de la peur de ne pas mourir. Et la mort n'en aurait pas moins été une horreur.

Comment n'es-tu pas jaloux, ô Dieu, des flammes dévorantes de l'homme, du tremblement flamboyant de ta créature, des hallucinations de tes ombres terrestres ? Ne redoutes-tu pas que leurs peurs triomphent, et bâtissent un empire sur les ruines de leur péché ? Tes fils auront un jour le courage de leur chute et se vengeront pour avoir été injustement déshérités ! Pourquoi n'as-tu pas le courage d'accabler de ténèbres tes rejetons, d'arrêter leur révolte et d'interrompre ta destitution ? Le temps joue en faveur de ta lâcheté divine et notre fièvre sublunaire grandit à l'approche du soleil, conquis par notre soumission ! Dieu, l'incendie qui nous dévore ne t'effraie-t-il pas, nos flammes n'auraient-elles pas atteint les fils de ta barbe ? Tu es proche de nous, Dieu, mais proche aussi est la fin, et je me sens joyeux et effrayé d'assister à ton agonie divine. Nous n'avons pas été faits l'un pour l'autre ; tu n'as pas été un père pour nous et nous n'avons pas été tes enfants. Depuis les commencements, j'ai lutté contre ta tyrannie ; car tu as laissé nos prières sans réponse et au lieu que tu nous élèves, il a fallu nous élever nous-mêmes. Une réponse de ta part nous aurait laissés en bas et au loin ; elle aurait rendu inutile que nous nous soulevions pour faire ta conquête. Ton silence a été notre cri et ton immobilité notre victoire.
Les croisades ont libéré le tombeau de ton fils ; par elles, nous nous sommes libérés et nous nous libérerons de toi ! Depuis longtemps les murs de ta citadelle vacillent et sa dernière pierre sera le signe de notre triomphe.
Tu entreras dans l'histoire, ô Dieu, et ta puissance ne sera plus qu'un souvenir. Et les souvenirs s'effaceront à leur tour et d'autres hommes viendront plus tard qui, oubliant l'histoire, diront : il n'y a jamais eu jusqu'à présent de Dieu. Alors, les hommes se seront libérés de tout leur passé. Et tu auras disparu comme le dernier homme.

À la fin des fins, de tous les idéaux de l'homme ne restera plus que lui-même, l'homme nu. Il aura liquidé depuis longtemps l'absolu sans s'être liquidé lui-même. À peine les idéaux se seront-ils épuisés que l'homme restera seul, face à face.

*Q*uelqu'un devra sortir un jour au soleil et crier à son éclat et aux ténèbres des hommes : le monde va recommencer, le monde va recommencer !

Il faudra trouver l'émissaire d'un monde nouveau, qui prenne sur lui tous les risques des grandes nouvelles, qui s'épuise en criant dans toutes les directions de la nature, l'annonce du renouveau cosmique et humain. Dans la fièvre et dans la frénésie, attendons le message salvateur. Je crois voir déjà culbuter les mondes dans l'élan du commencement et nous voir recommencer sans péché, transfigurés, dans un monde lui-même transfiguré !

Il nous faut laisser derrière nous nos nombreux visages ; nous en avons eu bon nombre, avec notre changement et avec le temps. La futilité en a imprimé de multiples, comme des sceaux. Combien l'homme a-t-il eu de visages ? Autant que d'ombres ont masqué sa nostalgie divine. L'homme a toujours été jaloux de Dieu. La transfiguration est l'anéantissement suprême de l'homme ; alors il s'est atteint lui-même, et s'est anéanti dans la divinité. La transfiguration est le reniement de soi ; c'est la libération de l'homme de tout ce qu'il a été et de ses signes passés, qui sont ses visages successifs. Entrer en extase intérieure et contempler son premier et son dernier visage !

LE GOÛT DES ILLUSIONS

*L*es essences sont une superstition de l'esprit philosophique. On ne peut s'en priver sans se compromettre, bien qu'au fond, beaucoup ne veuillent pas échapper à leur tyrannie. Nul ne sait ce qu'est l'essentiel, sans faire obstacle à la transformation d'un pressentiment en tyrannie. En présupposant toutefois qu'on sache ce qui est essentiel, on ne saura cependant pas ce qui l'est le plus. C'est seulement pour la raison précédente qu'on peut faire un sacrifice, un geste définitif, une absurdité. Il existe aussi, on le voit, une hiérarchie entre les essences ; dans le domaine des illusions, elle est naturelle, avec l'avantage d'être illusoire.

Le monde des essences ne semblerait pas aussi effrayant si les essences restaient au cœur de la vie ou si, par les essences, je restais dans son cœur. Le progrès dans l'essentiel est une régression dans la vie. Nous reculons, sans nous approfondir en elle, et en en sortant, nous l'abandonnons. Quoi qu'on en dise, la plénitude de la vie n'existe que dans les illusions, puisque, au fond, tout est illusion. L'homme aime les illusions bien que par la pensée, il se soit efforcé en vain de s'en affranchir. Il sait que s'il devait choisir un jour une fois pour toutes entre les illusions et l'essence, il choisirait celles-là, en regrettant celle-ci. Le contenu fugitif des illusions est une meilleure nourriture pour la vie que l'illusion substantielle des essences.

Cela fait très longtemps qu'on croit que les illusions sont les reflets éphémères des essences. Conditionnement difficile à croire, et impossible à cerner. Les essences ne nous ont pas aidés à comprendre plus ni à mieux vivre (je veux dire plus *essentiellement*).

Parmi l'infinité des illusions, une somme quelconque s'est cristallisée, rendant l'autonomie aux autres et déterminant un centre substantiel. Une fois consolidée et purifiée de la palpitation inhérente à l'illusion individuelle, elle effectue un saut substantiel hors du monde des autres, se plaçant hors du nôtre. Le processus de formation quantitatif des essences est plus simple et plus banal : elles résultent d'un regroupement extérieur aux éléments ; à l'esprit ne revient que l'activité de substantialisation. Point n'est besoin d'être philosophe pour «réaliser» de telles essences et pour y avoir accès.

Il existe une voie qui nous fait approcher de manière plus vivante les essences : la religion et les obsessions. Voir jusqu'au fond des illusions dans une profondeur qualitative signifie épuiser le contenu donné du monde et supprimer en nous notre qualité dans le monde. Nul besoin alors d'additions des illusions, de comparaisons extérieures, d'ordres quantitatifs. Il n'est pas question non plus de consommation, puisque l'approfondissement se réalise sur une seule dimension d'une seule illusion. Pénétrer en profondeur une illusion suffit à s'en désintéresser et à ne plus se satisfaire d'aucune autre profondeur accessible. C'est assez d'avoir épuisé les contenus d'une seule pour que les autres suivent d'elles-mêmes. Aussi, pour ne pas se lasser dans la répétition du même processus, le saut dans l'essence devient inévitable. Après avoir parcouru la voie de l'illusion, nous l'hypostasions ou, sous une forme atténuée, nous la déplaçons. Celui qui a vu jusqu'au fond des illusions parvient fatalement aux essences. Quelles que soient les précautions prises, on n'échappe pas aux essences. Violer les illusions signifie se condamner aux essences.

Les illusions ne sont pas les reflets des essences. C'est une ingratitude de notre part à l'égard des apparences qui, par leur dégradation, nous alimentent quotidiennement. Que les essences nous chevauchent, nous ne pouvons que le regretter ; et il faut protester au nom de toutes les illusions qui nous sont chères, sans rendre pour autant les essences odieuses. La tentation de l'essentiel doit être utilisée seulement comme une soupape au dégoût du monde. Dans le dégoût de la vie, le monde des essences peut nous consoler parce qu'elles sont non seulement loin de la vie, mais elles nous en éloignent. Du point de vue des apparences, l'objection fondamentale aux essences est la suivante : elles n'appartiennent pas à la vie. Entre essence et vie, l'opposition durera autant que l'homme. Elle tombera un jour sous la pression des essences superposées à la vie. Le dégoût de la vie nous donne goût aux essences et le dégoût des essences le goût des illusions.

Les illusions sont originaires ; les essences dérivées. Le monde, parce qu'il présente un processus continu, se dispense des essences, car elles ne peuvent participer au processus lui-même ni être enregistrées dans l'univers. Mais l'homme les enregistre pour son propre compte...

Comme ce serait bien si les illusions se coulaient dans les essences et les essences dans les illusions, si elles se prolongeaient les unes les autres et, par une transition insensible, unissaient des mondes entre lesquels nous n'arrivons pas à nous décider ! Mais l'essentiel n'appartient pas à notre monde. En ce que nous sommes essentiels, nous n'y appartenons pas non plus. Chaque événement de la vie, pensé jusqu'à son essence, nous retire de la vie. Un amour, une souffrance, voire une victoire, vécus et pensés jusqu'à leurs termes, triomphent de la résistance individuelle des illusions. Quand, au lieu d'un amour, on parvient à voir l'amour, au lieu d'une souffrance, la souffrance, au lieu d'un triomphe, le triomphe, la substantialisation des expériences individuelles prive la vie de son éventuel charme direct. La calamité de l'essence est de soustraire à l'unique et de ravir à l'immédiat. Après l'opposition de la conscience et de la vie, essence-illusion est le deuxième chapitre tragique de l'anthropologie. (Ce qui signifie qu'il n'y a d'anthropologie que tragique.) Depuis que le monde existe, les essences sont seulement en puissance ; l'homme a réveillé les illusions de leurs rêves irresponsables par la lumière indésirable des essences.

Le conflit entre illusion et essence perd son caractère tragique dans la sainteté. Tout étant sanctifié, il n'y a plus ni intérieur ni extérieur. Une transparence générale de l'esprit qui n'est pas incompatible avec un mystère diffus, se conjugue avec une communion de l'âme ouverte sur tout. Le saint voit toujours jusqu'au fond des illusions sans pour autant les déclarer trompeuses. Les essences ne prolongent pas les illusions : il y a dans chaque essence autant d'illusion qu'il y a d'illusion dans une essence. Un dualisme si labile et si fluide que toute transition est insaisissable... Les saints occupent le point où les mondes se rencontrent, nous autres, le point où ils se séparent. Les saints ne comprennent rien à la tragédie, dont ils sont infiniment loin, bien que leur cœur soit plus grand que le monde.

Un saint n'est pas indifférent aux illusions et aux essences, car, pour lui, tout est actuel. Or, la substance est tout aussi active en apparence qu'en soi. Aussi la sainteté élimine-t-elle a priori tout conflit. De là vient que personne ne voudrait être saint.

L'homme aime le désordre de son existence. Et, s'il a donné naissance à l'opposition redoutable des illusions et des essences, il n'en supporte pas, non sans quelque volupté, le dénouement. Si l'homme aimait le calme, l'équilibre et la sécurité, il aurait trouvé une solution pour se débarrasser de l'une d'elles. Il aurait certainement préféré les illusions parce qu'elles sont plus enivrantes et plus éphémères. Si le conflit s'éternise, cela tient à la nature de l'homme et à son amour caché pour la fatalité.

L'humanité refuse la sainteté. Et comment en serait-il autrement alors qu'elle remporte toutes les batailles que nous nous sommes acharnés à faire naître et perdurer ? L'histoire, dont nous sommes si fiers, n'aurait aucun contenu et sans doute aucun sens si nous n'avions pas essayé de toutes nos forces d'exaspérer les conflits, de prolonger les drames, d'éviter les solutions. Il est vrai qu'il y a très peu de solutions dans l'univers ; mais il est tout aussi vrai que nous refusons celles que nous avons. L'histoire n'attend de solution ni de résolution à aucune de ses anomalies. Le tâtonnement de l'homme me plaît et m'impressionne plus que la sainteté.

Si les essences, que les hommes estiment tant sans les aimer, n'ont rien pu sauver, il ne reste plus alors que le courage des illusions. Rester donc ici sur terre, se compromettre et s'évanouir comme une illusion parmi d'autres. Les essences nous détruisent par-delà le monde : c'est une destruction plus intéressante mais pas plus douloureuse. Se détruire avec tous les misérables de la terre exige un renoncement plus grand, plus triste et plus impitoyable. Savoir qu'on se bat seulement pour des illusions et que, pour les essences, il est vain de faire des sacrifices, présuppose tant de lucidités, tant de chutes et de victoires que rien ne peut plus retenir l'orgueil suprême et la suprême humiliation. Jamais je n'ai pu aimer Bouddha. Je l'ai haï chaque fois que je lui ai donné raison.

Si elle triomphe de l'ennui, la souffrance ne peut triompher de celui qu'elle s'inspire. Quand nous souffrons, tout l'extérieur nous lasse, car rien de ce qui appartient au monde ne peut plus nous abuser ou nous décevoir. La souffrance convertit tout en une somme de significations indifférentes et substitue au monde objectif son propre univers. Tout le processus de la douleur n'est qu'une substitution continue ; la souffrance remplace tour à tour les objets et les significations situés au centre ou à la périphérie de notre intérêt, pour finir par se déployer de tout son long et dans toute son intensité sur l'existence dans son entier.

L'ennui de souffrir fait partie de l'ennui des choses inachevées. Il est plus qu'un oubli ; car, dans l'ennui ordinaire, ce qui nous contrarie, c'est la limitation de l'objet, l'usure rapide, l'inconsistance de l'intérêt ; tandis que là l'inépuisable nous remplit d'inquiétude. S'étancher d'intarissable, voilà ce que signifie l'ennui de la souffrance. Et comme pour se lasser de la douleur, il faut ne plus connaître autre chose en dehors d'elle, l'ennui appartient en propre à la souffrance. En ne connaissant pas de bornes, il ne se retrouve plus nulle part. Le goût des choses inachevées porte avec soi le dégoût pour elles. Les hommes qui, pendant des années, ont porté la mort en eux, et qui éprouvent ensuite l'ennui intermittent de la mort, connaissent des vides dans la peur qu'ils en éprouvent, pour avoir été gavés de l'infini de la mort : comment ne pas après chercher consolation dans l'éphémère et la duperie. Quels mystiques n'ont pas connu ce que signifiait être rassasié de Dieu et quels sont ceux qui n'ont pas parlé d'une aridité intérieure, l'acédie, consécutive à leur soif céleste. Le vide intérieur, qui ouvre un chapitre étrange de la mystique, ne résulte pas de l'absence de la divinité — malgré l'affirmation des mystiques — mais de l'épuisement de l'âme dans la divinité. Une fois l'appétit de Dieu assouvi, quel autre appétit pourrait-il naître dans l'âme et dans le corps ? Je crois en la souffrance. Mais je ne sais combien de fois je briserai le temple que je lui ai élevé, et qui repose sur des malédictions. Le culte de la souffrance est équivoque. Seuls les saints — ou pour mieux dire, ceux qui ont accueilli la sainteté — savent ce que signifie croître dans la douleur sans se perdre en elle. Puisqu'ils regardent la souffrance comme une récompense, on résiste à dire qu'ils souffrent. En faisant de la souffrance une vocation, les saints ont écarté d'emblée la tragédie, de sorte qu'on peut seulement les dire grands, et médiocres.

Le progrès de la souffrance est le seul progrès des saints. Qu'elle puisse faire régresser certains hommes, plus vite que n'importe quel autre phénomène, les saints ne l'ont jamais compris. Penser qu'on accède à l'absolu par la foi n'est pas infondé. Par la foi — qui sait ce qu'on pourrait encore atteindre. La vérité est du côté de Luther : *sola fide* (la foi seule). Mais *solo dolore* (la douleur seule) serait-elle du côté des saints ? Seuls les saints atteignent le royaume des cieux par la douleur parce qu'ils n'en connaissent que ce qui est positif. Pour nous autres, solo dolore est la voie des déchirements. Mais solo dolore n'est pas seulement l'attribut des saints. La partie négative de la douleur, ce ne sont pas les saints qui nous l'ont cédée, mais nous qui l'avons conquise ; quant à la partie positive, faut-il que nous ne la connaissions qu'en les combattant !

Solo dolore est le chemin du salut et des perditions. Si certains se sauvent, d'autres s'y brûlent l'âme, et les derniers restent à la croisée du salut et de la perdition. Pour eux, solo dolore est le sens ultime ; jamais ils n'échapperont à l'alternative tragique, condamnés à être écartelés entre le pôle négatif et positif de la douleur, et à connaître le déchirement.

Je crois aux déchirements.

Bien que tous les états extrêmes connaissent le déchirement, comme origine ou comme étape, il existe un état de déchirement pur, indépendant de toute forme de réalisation spirituelle, un déchirement sans objet et sans visée, sans déterminations et sans impasses. D'un point indéterminé du corps et d'un point idéal du cœur s'échappe un murmure de dissolution et de volupté, tissé de pressentiments doux, amers et invérifiables ; un empire de troubles délicats, vagues et tristes s'étend sur les régions de l'âme qui assiste à une avalanche d'émotions inavouées, perdue en elle-même, victime de ses secrets. Le manque de foyer spirituel rend le déchirement indépendant de toutes ses formes possibles, et le laisse disponible à tous les sauts de l'esprit. N'avons-nous pas l'impression dans le déchirement qu'une révolution se prépare en nous, une explosion unique, que quelque chose commence pour la première fois, que notre parole s'accomplit soudain et que le geste crée, sans que nous puissions appréhender le contenu des actes et de leur réalisation ? Nous ne savons rien du déchirement ; mais nous savons que nous ne serions rien sans lui. Une certitude étrange, mêlée au frémissement et au murmure subtil de l'être, confère au déchirement une volupté indéfinissable, d'une présence séduisante et douloureuse, et d'une rare équivoque.

Enfermés dans le flou d'un bonheur banal ou pris du vague soupçon de notre indifférence psychique, combien de fois sommes-
nous saisis d'un déchirement du cœur et envahis par une tristesse
rare? L'invasion de la tristesse et la subtilité du déchirement
seraient-elles des apparitions soudaines? Ne se sont-elles pas,
sans qu'on le sache, préparées continuellement et souterrainement? L'éclat du déchirement et de la tristesse fournit la preuve
d'une présence cachée, d'un principe impur qui s'active dans
l'ombre des êtres, déchirés de tristesse et tristes de déchirement.
Son intervention procède par érosion continuelle et par poussées
intermittentes. Qui a été la proie du déchirement est déchiré à
chaque instant. Moins il s'en rend compte, plus les assauts sont
puissants.

Qui ne connaît pas le déchirement n'est pas tout à fait humain.
Pour être un homme d'une seule pièce, il faut avoir été mis en
pièces. L'œuvre du déchirement est la suivante : elle défait et
conforte dans la défaite. Après avoir perdu la dernière miette et
anéanti son âme, on se refait une résistance du néant consécutif
au déchirement, et on triomphe sur ses propres décombres.

Tout le profond de l'amour se manifeste par un déchirement voisin de la destruction. La volupté lui prête toutefois un caractère
positif; de sorte que le tremblement érotique apprécie ses faiblesses comme autant de renaissances.

*O*n ne peut aimer que l'imperfection. Tout ce qui touche à la perfection ou nous l'inspire, paralyse notre affection. Les hommes
aspirent sans doute à la force infinie, mais certainement pas à la
perfection. Ce n'est que dans l'imperfection qu'il existe de la
haine, de la souffrance ou de l'amour, et elle seule confère une
existence aux individus. Les hommes ont si bien compris les
insuffisances de la perfection qu'ils ont parlé d'un Dieu souffrant
et l'ont sauvé en élaborant toute une théologie de l'imperfection
divine.

*E*ntre être parfait et pestiféré, je préférerai toujours être pestiféré.
Consolons-nous que l'histoire ne fasse rien pour atteindre la perfection. La refuser en pratique et en pensée me rattache plus à la
terre que ma propre matière.

L'homme doit réaliser une chose grande et unique qui ne le mette
pas à l'abri de l'imperfection, et de ses déchirements.

Si la vérité, le bien, le beau faisaient obstacle aux déchirements, je
lutterais à mort pour les droits et la victoire des déchirements.

*I*mpossibilité de ne pas concevoir la libération du temps comme une libération de la vie... L'éternité n'offre aucune garantie qu'elle ne soit pas rien, de sorte que les débordements du temps exercent une attraction unique. Si le temps et la vie semblaient ternes devant les valeurs absolues, ces dernières ne le seraient pas moins devant eux. Nous ne pouvons échapper aux illusions sans désillusion. Mais nous pouvons échapper aux valeurs éternelles, sans souffrir de cet univers illusoire. Que reste-t-il encore à l'homme ? Accepter les illusions une fois pour toutes. Est-ce de la résignation ? Au contraire, c'est le courage suprême. Ce n'est pas se résigner, car même si les illusions sont sans remèdes, nous pourrions nous en guérir en retirant à la vie notre assentiment douteux. De plus, on ne se résigne qu'à ce qu'on n'aime pas.
Or, je ne crois pas ne pas aimer les illusions.

*L*es religions se sont fait un titre de gloire d'avoir prescrit de bannir l'orgueil sans se demander si, sans lui, l'homme avait encore un but quelconque dans la vie. Sans orgueil, il n'y a pas d'action, parce qu'il n'y a pas d'individualité. Qui est contre l'orgueil se déclare ennemi mortel de la vie. Les religions devaient nous dire clairement et une fois pour toutes : nous ne sommes pas pour la mort. Elles ont détruit toutes les illusions. Leur profondeur est un gouffre. Contempler pour l'éternité en restant hors du temps ! Le transitoire a quelque chose de réconfortant, tandis que nous ne pouvons aimer l'éternité sans peur.
Dans l'éternité, rien ne se perd. Mais je me sens lié à cette terre parce qu'elle est perdue... Et même si l'on m'offrait les cieux au-dessus des cieux et que l'on déployait devant moi le charme de tant de rêves incarnés, je préférerais encore la perdition dans le vide des illusions terrestres au rien de l'éternité. Comprenne qui peut : Évasion de l'éternité...

*M*ême si l'on pense beaucoup à l'éternité, à la mort, à la vie, au temps et à la souffrance, il est impossible d'en avoir un sentiment défini, une vision claire, une conviction précise. Il n'y a de sentiment défini de la mort que chez ceux qui ne l'ont pensée et sentie qu'à moitié ; on ne peut avoir de vision claire de la souffrance ; et il est impossible d'avoir de conviction précise sur la vie. Mais quand on se fond en eux et qu'on est d'un seul coup ou tour à tour éternité, mort, vie, temps et souffrance, on ne peut pas les aimer sans les haïr. Une fureur admirative, un dégoût extatique et un ennui distrayant nous en rapprochent et nous éloignent. Cela tient aux réalités ultimes d'être ambivalentes et équivoques. *Être avec la vérité contre elle* n'est pas une formule paradoxale, parce que quiconque comprend ses risques et ses révélations, ne peut pas ne pas aimer et haïr la vérité. Qui croit en la vérité est naïf; qui n'y croit pas est stupide. La seule bonne route passe sur le fil du rasoir.

Comment être autrement que troublé par les données ultimes, d'un trouble divin et diabolique. Le trouble remplace le sourire franc par un sourire cosmique; il rapproche les yeux des ordres invisibles ou ferme les paupières pour les y cacher; il ouvre enfin les sens aux secrets que les pensées recouvraient d'évidences.

Au nom de la beauté, nous pourrions nous passer de la profondeur. Est-il vraiment nécessaire de sacrifier les apparences en ne nous y arrêtant pas? Souvent, les apparences nous sont un soutien, mais nous nous y appuyons rarement quand nous en sommes loin. Plus nous laissons les apparences derrière nous, plus nous perdons une chance de soutien. Tout le mouvement semble une danse des apparences et la musique leur appel. Seule une profondeur peut être sauvée : celle qui voit au cœur des apparences, au fond des illusions. Cette profondeur seule peut nous donner le goût des apparences et des illusions.

On ne peut aimer la vie sans goût des illusions. Quand donc toutes choses qui passent vont-elles m'étreindre?

Plus tu as mis de vie dans les pensées, plus il y a de mort en toi.

Se sentir vivant sous l'hallucination de la moindre parcelle de soi et dans le tourbillon intérieur des larmes, être fragile comme une illusion sous l'assaut d'une force obscure, s'étrangler du rêve le plus innocent, être renversé par l'intuition et frappé par l'immatériel! Ces vibrations hallucinantes qui pulvérisent les tristesses en l'air, bondissent par-dessus les défaites, les regrets, la matière et la forme et jettent des ponts sur je ne sais quels mondes, que nous désirions perdre pour nous perdre dans les autres!

Quel monde n'est pas trop étroit pour l'excès du cœur? Je ne peux être entier que dans le déchirement.

Pour ne pas se rendre ridicule aux yeux de l'histoire, il faut être poétique et cynique. Si l'on ne peut pas piétiner les préjugés que l'on aime, pour mieux les aimer ensuite, c'est l'histoire qui vous piétinera. *Réussir un coup* dans le temps est le seul salut après l'échec dans l'éternité. L'homme ne peut viser qu'à devenir ou Dieu ou un homme politique.

L'homme supporterait sans doute la douleur avec un courage farouche, si elle n'était pas accompagnée de solitudes. C'est elles qui sont terribles et menaçantes. L'homme supporte plus facilement la mort que la solitude. Il n'existe qu'une lâcheté : devant la solitude. Lâcheté d'autant plus grave que l'homme est seul par essence. Aussi la peur de la solitude est-elle un reniement de soi-même.

*L*a liberté est un joug trop lourd pour la nuque de l'homme. Même pris d'une terreur sauvage, il est plus assuré que sur les chemins de la liberté. Bien qu'il la considère comme la valeur positive par excellence, la liberté n'a jamais cessé de lui présenter son revers négatif. La route infaillible de la débâcle est la liberté. L'homme est trop faible et trop petit pour l'infini de la liberté, de sorte qu'elle devient un infini négatif. Face à l'absence de bornes, l'homme perd les siennes. *La liberté est un principe éthique d'essence démoniaque.* Le paradoxe est insoluble.
La liberté est trop grande et nous sommes trop petits. Qui, parmi les hommes, l'a méritée ? L'homme aime la liberté, mais il la craint.

*J*e ne connais que deux déchirements : juif et russe (Job et Dostoïevski). D'autres peuples ont sans doute souffert infiniment ; mais eux n'avaient pas la passion de la souffrance. N'ont eu une mission que les peuples qui se sont foulés eux-mêmes aux pieds, et ont réédité Adam. Un peuple qui n'a pas enduré dans son existence historique toute la tragédie de l'histoire ne peut s'élever au messianisme et à l'universalisme. Un peuple qui ne croit pas qu'il a le monopole de la vérité ne laissera pas de traces dans l'histoire.

*D*ans les pensées les plus banales et dans les actes les plus insignifiants, on est parfois surpris par une suspension subite du temps. Un frisson unique vous emmène au loin et, plutôt que le cours du temps vous laisse en arrière, vous marchez devant lui. On ne sait si c'est l'éternité qui vous emporte ou si la conscience de la temporalité s'est viciée. La suspension subite du temps prouve combien on est étranger au sein même de la vie et comme on serait prêt, si on le voulait, à s'en évader. Le monde aurait fort bien pu être autre chose que la vie ou, plus exactement, que la mort! L'immortalité, par exemple.

*D*ieu, n'as-tu pas peur que notre angoisse renverse les lois de la nature, la nature et toi avec? Ou ne connais-tu pas l'angoisse de la créature? Qui nous en guérira, ô Dieu, depuis que ton fils l'a fait grandir en nous?

*C*omment avoir le courage de tirer les dernières conséquences, quand elles vous mènent toujours hors du monde?
Pour étreindre la terre, il faut n'en tirer aucune : que l'amour soit amour, la pensée, pensée, le fait, fait. Dès qu'ils se mélangent, on s'engage sur la voie des conséquences, et de la perdition.
Le renoncement est une autre manière d'appeler les dernières conséquences. Mais moi, je veux me détruire *dans* le monde...

*Q*ue les hommes soient seuls, je le comprends. Mais les vérités!? Et pourtant, les vérités sont seules, plus que nous le supposons. Toutes les vérités particulières, qui semblent constituer les colonnes d'une vérité universelle, représentent au fond des indivi- duations logiques, que leur limitation isole. Quelle est cette vérité universelle qui les couronne et les justifie? Qui le sait? Il semble que certains l'aient su et, même, qu'ils nous l'aient dit. Mais je ne sais pas pourquoi nous l'avons oublié. Nous n'avons pas souvenir des divinités. Dieu serait-il si loin?
Les vérités ne seraient plus aussi seules si Dieu s'appuyait sur elles. Alors qui soutiennent-elles? L'idée de vrai, le Bien, le Beau? Elles ne donnent pas la vie et on sait bien que les vérités ne sont pas vivantes...
Je comprends maintenant pourquoi l'homme ne peut être consolé. Quelle aide les vérités lui donnent-elles? Elles ont aspiré toute sa vie. Et elles ne sont pas parvenues à être plus pleines que lui. *Seul entre des vérités seules*, voici une vérité sur l'homme, qui peut lui servir de définition.

*P*lus on fuit le problème de l'homme, plus il apparaît pressant et insoluble. Plus on se passionne pour les problèmes inhumains, plus l'humain devient une obsession. Ne pourrions-nous pas pen- ser l'éternité sans *nous*? On ne devrait la penser qu'ainsi. Y pen- ser, en regrettant fort que tous ceux qui ont médité sur l'éternité se soient souciés de l'homme plus que tous les historiens réunis. Se libérer de l'humain est impossible parce qu'on ne pense vivement qu'à l'homme. Une réflexion continue et oppressante, même si elle fait sortir du rang des hommes, n'oblige pas moins à se définir sans cesse par rapport au phénomène humain. De l'homme, on ne peut s'échapper. Où qu'on aille, on le retrouve sur notre route. L'homme lui-même a cherché à croiser la route de la divinité. Dieu l'a fait à son image et à sa ressemblance ; l'homme s'est vengé en recouvrant de son masque le visage de Dieu. Rien ni personne ne peut se débarrasser de ce déchet de la nature. De quelle source s'est-il éloigné, pour avoir soif plus il conquiert ? Au lieu de s'installer dans la nature, il a déchu. Et quel bien a-t-il perdu ? L'extase de la vie, qu'il a remplacée par la *conscience* de la vie. Qu'est-ce qui a troublé l'extase ? Pourquoi a-t-il voulu *savoir* qu'il vivait ? La vie vécue de manière anonyme et universelle, par anticipation individuelle, ne procure-t-elle pas des frissons absolus ? Ce sont les insuffisances natives de la vie qui donnent naissance à la conscience, et le vide initial en a préparé l'apparition. Tous les vides de la vie se sont répandus dans l'homme et avec eux, toutes les disponibilités de la conscience. La vie nous doit la vie : par notre tragédie, nous avons sauvé la nature du vide.

*I*l est aussi difficile de dire combien la connaissance doit être étendue pour échapper à la tristesse qu'il est facile d'établir combien elle doit être réduite pour ne pas y être sujet. Il y a bien une tristesse qui est sans rapport avec la connaissance, une tristesse minérale, même pas biologique. Chez les déments et les peuples primitifs, la matière se déchire elle-même ; tristesse aveugle, qui part de l'obscurité, de l'indistinction et du poids de la matière. C'est la matière qui pèse sur eux ; leur tristesse est le tourment de la matière.
La tristesse qui succède à la connaissance évalue le poids de la matière dans l'infini et isole la conscience de la gravitation ; tristesse qui réalise que le monde aurait pu sans mal ne pas nous appartenir. Si la connaissance pouvait recouvrir toute la sphère de l'univers, il n'y aurait plus aucune raison d'être triste ; la connaissance nous tirerait du monde pour nous rendre tristes ailleurs. Il faudra bien que s'interrompent un jour la connaissance et la tristesse. Quand on cesse de connaître, on tombe dans l'extase. Devant qui ? Je ne peux pas répondre. Sinon, que ferais-je encore ici !
Les époques biologiques s'entrechoquent donc en toi ? Pourquoi sinon parler du temps ? As-tu été la mer où se sont jetés les fleuves du temps ? Pourquoi sinon être fier de l'histoire ? As-tu réuni

toutes les larmes qui n'ont pas séché, les as-tu versées de nouveau pour les rendre à la terre et soulager les yeux et le cœur ? Ou ne sais-tu pas ce que sont la douleur, le réconfort et l'oubli ? Combien de fois as-tu arraché les hommes à la honte d'une mort décente ? Chez combien d'entre eux as-tu fait mourir la mort pour prétendre à l'immortalité ?

Connais-tu le désir de demander pardon même au dernier ver ? Ou ignores-tu la révolte angélique contre le péché ?

N'as-tu jamais été une mélodie issue d'ailleurs et se dirigeant vers la terre ? Ou ne sais-tu pas ce que sont la chute, le regret et la perte ? As-tu souffert un jour de l'exubérance des illusions, et été humilié par la malédiction des essences ? Ou ne connais-tu pas le pouvoir d'attraction des illusions et la terreur de la pétrification ? Que n'*existe* que ce qui passe — cela ne t'a-t-il pas frappé comme une vérité qui nous pousse contre la pensée ?

Que tout ce qui demeure et qui dure, demeure et dure sur les décombres de la vie — cette vérité ne t'a-t-elle pas révolté contre les vérités ? N'as-tu pas aimé avec une passion ardente l'éphémère par peur de l'éternité ? Et n'as-tu pas essayé d'éterniser l'instant, pour échapper au temps comme à l'éternité ?

Combien de fois as-tu regretté d'avoir fui la terre, et combien de fois le chagrin te l'a fait réadopter ? N'as-tu pas supposé que si la vie nous en éloigne, nous sommes ses fils par la mort ; que nous sommes unis à la terre par quelque chose d'ultime ?

Connais-tu l'effroi sans remède qui secoue les lois des corps et des cœurs et fait déborder l'instant sur le contenu du monde ? Sinon, tu chercheras en vain l'impulsion des ébranlements ; sans l'effroi de tous les instants, les colonnes et les ruines du monde te resteront étrangères...

*J*e me persuade chaque jour davantage que nous *pressentons* tout dans la mélancolie et que dans le déchirement, nous *savons* tout. Il n'y a de déchirements que du cœur : et le cœur ne connaît pas l'espace. Aussi embrassons-nous tout par le déchirement...

On pourrait proposer toute une théorie complète du déchirement. Mais à quoi bon s'étendre sur les choses douloureuses ? L'explication n'est féconde et utile qu'en présence de quelque chose de réversible et répétitif. Nous expliquons quand nous avons quelque chose à rectifier. Mais après le déchirement, il n'y a plus rien à rectifier : nous sommes incapables de nous tenir droit devant le monde, et le monde devant nous. Le déchirement compromet la géométrie cachée de l'esprit. À moins qu'il prouve qu'elle est fictive?! Quel ordre invisible résiste au déchirement? Au commencement, les formes n'étaient pas; les lois ne sont pas éternelles; dans sa substance, l'esprit n'est pas un ordre; le monde aurait pu à tout moment retourner au chaos, s'il l'avait voulu; la création ne précède pas la destruction; *dans* le monde ne signifie pas *dans* la loi; l'homme recherche la liberté avec acharnement et la fuit chaque fois qu'il la possède; personne n'accepte le monde mais tous vivent comme s'il était la valeur suprême; si seulement on pouvait substituer les mondes! La terre ne tournerait plus régulièrement mais se briserait, comme le cœur. Le soleil est toujours perdant, nous dit la chaleur de l'âme. (Révélations du déchirement.)

L'angoisse est supportable. Elle provoque en vous une vibration active, un tremblement explosif, mais, en se manifestant fébrilement, elle épuise son intensité. L'angoisse dégénère alors en peur ou en inquiétude. Mais l'angoisse née de la stupeur, d'un calme obscur, d'une paralysie souterraine est insupportable. Jamais on ne ressent davantage le besoin de crier : au secours! ou de pousser un cri inintelligible. Dans ce calme, vous ressemblez au plus satisfait et au plus équilibré des hommes. La catastrophe vous semblerait une évidence, le cataclysme naturel, la mort acceptable. L'angoisse transforme en évidence tout ce qui est sinistre; tout ce qui est divin devient monstrueux, à commencer par le sourire. Qui n'éprouve pas de l'angoisse, cette angoisse sans mobile, ne comprendra pas non plus l'acte «sans mobile». Il faut faire quelque chose contre l'angoisse. Mais nul ne peut le comprendre parce que cela n'a de sens que pour ton angoisse. Pourquoi les vérités sont-elles si seules? Parce que plus on leur crie «au secours!», plus elles se cachent. Peut-être même fuient-elles. Les vérités sont-elles trop médiocres ou ne sont-elles pas faites pour ce monde?
Seule la religion nous console encore de l'angoisse, sans l'annuler. L'angoisse est une angoisse devant le monde. La religion, en nous tirant temporairement du monde, nous libère de l'«objet» de la frayeur.
Par la haine mais aussi par l'angoisse je suis fils de la terre! Mais l'angoisse la renversera un jour; trop d'angoisse y mettra le feu, ou, pour mieux dire, il suffira d'une seule angoisse pour l'enflammer. Il faut rendre la terre au soleil, puisque les larmes ont été depuis longtemps rendues à l'esprit...

*I*l n'y a aucune raison de ne pas être triste. La tristesse est liée à la nature, de telle sorte qu'elle précède l'homme. Je ne sais si, au commencement, était la tristesse, et si la tristesse était de Dieu ; en revanche il a bien fallu qu'adviennent les premiers jours de la création avant les créatures. L'homme ne pouvait plus dès lors manquer d'être triste ; de là vient qu'il n'a trouvé au cours des siècles aucun moyen de ne pas l'être.

*P*eut-on appeler musique celle qui ne naît pas de la tristesse et ne nous y renvoie pas ? Dans la tristesse musicale, ce n'est pas de désillusion devant un monde familier qu'il s'agit, mais d'*éloigne-ment* du monde divin. La musique est d'essence religieuse. Elle n'est pas en vain la seule réplique que l'homme ait pu donner aux voix célestes.

*L*e sourire creusé et évanescent jusqu'à l'extase ; le regard fixé sur tout ce qui ne sera pas ; réconfort de l'anonyme, privés de substance et bannis d'un monde atteint par le temps ou son absence ; sentinelles des illusions divines, gardiens du silence de l'oubli ; pleins de souvenirs du futur et perdus dans l'attente du passé : se désaltérant au cœur du soleil et se réchauffant à l'ombre de Dieu. Je crois comprendre les anges...

*S*ensation de rupture intérieure, d'éclatement des tissus, quand il nous faut choisir entre le temps et l'éternité... Le temps se dissout-il en nous ou est-ce l'éternité qui nous pèse ? La dualité temps-éternité me semble parfois de la pure fiction. Tout prend alors la couleur d'un temps où nous rampons et qui nous brûle. La plénitude temporelle donne à la vie un rythme exaspéré et fécond qui culmine par la culbute dans l'éternité. Dans la fièvre du temps, la vie atteint son maximum. C'est l'exaspération de la temporalité qui élève les cimes de la vie. La vie est *in*-éternelle, c'est-à-dire le temps dans son entier, plus cette quantité d'éternité qui résulte de la négation même de l'éternité. L'homme ne peut vivre qu'avec des fractions d'éternité.

*J*e vois une ère nouvelle où les lignes se briseront d'avoir trop tremblé et où les formes, pour avoir trop ondoyé, perdront leur contour. Il n'y a pas d'époques classiques que dans l'art, mais aussi dans la nature. Mais elles ne seront plus bientôt que de simples souvenirs. Car la nature changera sans cesse ses lois par peur de la permanence. Exaspéré par la banalité cosmique, l'homme saluera le chaos comme l'imminence de la transfiguration générale. Quand les signes du renouvellement de la nature vont-ils se manifester? Quand l'homme, enivré d'un autre ordre, divin ou diabolique, piétinera les lois de la nature sans souffrir ni défaite ni chute.

*C*haque fois que la fureur et la passion m'expulsent du monde, j'entends dans mon for intérieur les prières et les appels de la terre. Aucun chemin ne mène à la terre mais tous en partent.

*D*ans la musique de Beethoven, on n'atteint pas les sommets divins, parce que l'homme y est un dieu; mais un dieu qui souffre et se réjouit *humainement*. Privé de l'aspiration et de l'intuition paradisiaques, sa condition divine est la tragédie humaine même. Puisque l'humain prend les proportions du divin, le transcendantal y joue un rôle extrêmement réduit. Une musique démiurgique annule Dieu parce que Dieu est son dernier obstacle. Un créateur tel que Beethoven ne peut croire en Dieu que par analogie. L'extase de sa propre création peut susciter en lui l'admiration pour Dieu, pas l'humilité. Le Créateur ne peut se sentir que diminué par les créateurs. Combien d'attributs Beethoven lui a-t-il volés? Dans la musique de Beethoven, *ce* monde est *le* monde. Le tragique dans l'immanent est la note qui la distingue du sublime transcendantal de Bach, pour qui les sommets divins sont des éminences naturelles. Le déchirement humain et la frénésie cosmique sont pour Beethoven une route en soi, alors que pour Bach, ils sont les aperçus d'un rêve, souvent palpable dans l'élan céleste de l'âme. Présence du paradis qui répond à son absence totale chez Beethoven. Cela signifie-t-il que ce dernier est irréligieux? Beethoven est religieux par la tension infinie qui caractérise le créateur, exactement comme Nietzsche, dont le caractère titanesque est d'essence religieuse. Comme chez Beethoven, il n'y a rien de « psychologique », parce que tout s'enracine dans le cosmique (tristesse cosmique, joie cosmique); il s'approprie autant de caractères divins sans remplacer la divinité. L'extase cosmique ne l'a pas mené au panthéisme parce que dans le cosmique, il retrouvait les éléments divins de son tragique humain. Je ne connais pas de créateur moins chrétien que Beethoven. *Admirer* la divinité est l'acte de révolte le plus grand depuis Prométhée. Tristesse *cosmogonique* de cette musique, une tristesse qui fait naître un monde sans briser un cœur.

*V*ision pure de non-sens... C'est-à-dire dépouiller de tout contenu essences, illusions, intuitions, interrompre leur pulsation et les priver de leur consistance. Les actes vitaux sont vains pour qui ne connaît pas la résistance de la substance. La vision substantielle solidifie et canalise la fluidité des illusions, mais donne aux significations une base et une résistance vitales. Tout a un goût parce que tout a une racine. Voir pourtant le fond des significations signifie les nier. Une dévitalisation des significations, qui les réduit à une transparence équivalente au néant. La vision définitive d'une signification en fait un non-sens. Alors vient le dégoût de tout ce qui peut encore signifier quelque chose. La lucidité ultime est l'équation : sens-non-sens.
Le dégoût de la connaissance du dégoût — car l'antériorité de la connaissance n'est pas nécessairement présupposée dans ce conditionnement — dévaste la vie. Il est à savoir au moins que la vie ne tient pas sur ses pieds, et que seule son écume a de la consistance.

*L*a route de la tristesse : des tissus au ciel.

*L*es yeux se ferment chaque fois que nous nous ouvrons aux choses non passagères... Les paupières sont des portes massives qui défendent la citadelle de la lumière. Pourquoi nos paupières sont-elles si lourdes tant que nous ne sommes pas attirés par les illusions ? Plus la lumière intérieure est grande, plus les paupières s'alourdissent. Combien de fois l'aveuglement intérieur de la lumière a repoussé le soleil comme un iconoclaste... Comment parfois les paupières pèsent pour se fermer à double tour, fuyant la lumière et défendant le trésor né du feu des ténèbres...
Mais les yeux ne devraient jamais se fermer. Ils ont à jouir du sourire des apparences. Seul l'esprit nous a appris que rester les yeux ouverts est la concession maximale que nous puissions faire au monde...
Il y a des lumières intérieures qui font pâlir le soleil de jalousie. Pourquoi ne pas y renoncer pour son unique éclat ? Pourquoi ne pas nous incliner devant la primauté du soleil ? Y aurait-il quelque chose d'impur dans sa lumière ? Serait-ce par crainte que les doutes refroidissent la chaleur de l'astre ?

J'appelle les anges à mon secours ! Ils répondent ; pas tous, seulement les déchus. Je me consolerai bien avec les défaites célestes.

*U*ne gamme de peurs? Une hiérarchie dans l'angoisse? Peut-on établir quelle est la plus grande angoisse et la plus petite? L'«objet» de l'angoisse ne fait que la provoquer, car elle existe toujours potentiellement. Aussi est-il impossible d'établir aucune hiérarchie extérieure. La seule chose qu'on puisse faire, c'est de constater les inégalités du potentiel, sans qu'on en arrive pour autant à construire une hiérarchie valable. Avoir peur de Dieu, de la mort, de la maladie, de soi-même, n'explique en rien le phéno-mène de peur. La peur étant primordiale, elle peut être présente aussi sans ces «objets». Le néant est-il une cause d'angoisse? Au contraire; l'angoisse est plus vraisemblablement la cause du néant. L'angoisse est génératrice de ses objets, elle donne nais-sance à ses «causes». Aussi l'angoisse est-elle en soi sans mobile. Pour le reste, crainte, peur, effroi, épouvante et angoisse présen-tent une gradation en intensité, mais ne sont en aucun cas déter-minés par la nature du phénomène. De la mort, je peux éprouver tour à tour de la peur, de la crainte, de l'effroi, de l'épouvante, de l'angoisse. Les nuances abyssales de la sensibilité sont influencées par les dispositions du moment et par la mobilité spirituelle. La hiérarchie n'est pas valable, pour la raison que la sensibilité ne se manifeste pas plus dans une forme de crainte que dans une autre. Si nous *sentons* davantage dans l'épouvante, nous *comprenons* sur-tout dans la peur. Impossible de penser dans l'épouvante, quand la peur autorise une frénésie lucide, l'inquiétude de la pensée.

L'humilité exprime le paroxysme du sentiment *d'être une créa-ture*. En elle, l'homme est à ce point déchu qu'il se considère comme la dernière des créatures et, redressé, qu'il ne s'adresse qu'à la divinité. L'humilité est dégoûtante et sublime...

*D*égoût pour tout ce qui est «exaltant», le «bien», le «vrai», le «beau»... Et quand on pense qu'au nom de ces valeurs et de ces fictions, des guerres ont été déclenchées, des systèmes de pensée ont été commis et qu'on s'est servi d'eux pour justifier l'histoire! On s'entend dire que la culture est inconcevable sans elles et l'es-prit, illusion. Que n'ont pas fait les hommes pour les sauver! Des prototypes, des catégories idéales, des formes transcendantes, pourvu seulement qu'elles soient plus inaccessibles, plus pures ou plus inviolables. Chacune a comme attributs toutes les autres. Le «bien» n'est-il pas exaltant, beau et vrai? Quel dégoût dans ces mots : tout ce qui est exaltant.

Examinez donc ces «catégories éternelles» dans un moment où la solitude vous envahit entièrement, et demandez de l'aide à l'une d'elles, non pour qu'elle vous fasse échapper à la solitude, mais pour qu'elle vous soutienne ; et vous verrez quel appui illusoire elles offrent. Ce qui, au contraire, vous sera d'une incalculable utilité, c'est la tension brute, le désir de gloire, de vengeance, le grincement, pas seulement des dents mais aussi du cœur. Tous les «biens périssables» vous aideront infiniment. L'équilibre médiocre a inventé «les catégories éternelles», la passion désespérée a découvert l'éternité des choses éphémères. L'éternité ne se comprend pas avec les catégories éternelles, mais avec les flammes vacillantes de l'âme.

*B*ach, Shakespeare, Beethoven, Dostoïevski et Nietzsche sont les seuls arguments contre le monothéisme.

*J*e n'aurais qu'une fierté : devenir un homme dont les poètes puissent apprendre quelque chose.

*B*ach est un autre mot pour le sublime et le mot juste pour la consolation. La musique divine nous ferme seulement les paupières. Les yeux ne peuvent voir que la terre.

*L*es frémissements de la chair nous rattachent à la terre. Mais à qui nous relient ses cris étouffés, l'expansion douloureuse des tissus, les convulsions inavouées des organes ? La température de la chair fait s'évaporer l'esprit et nous grise dans une avalanche de vapeurs. La furie charnelle peut-elle encore nous relier à la terre ? Nous ne nous trouvons une forme dans le monde que dans son équilibre ; mais la furie nous satisfait par ce renversement qui substitue à la terre la vision hallucinée des mondes possibles. La tragédie de la chair réside dans des regrets devenus braises, une sensualité animée par sa propre tension, le tremblement des cellules prêtes à s'éparpiller dans le chaos. L'insatisfaction de la chair nous fait sortir du monde plus rapidement que le détachement de l'esprit. La chair aussi crie après un autre monde. Ce n'est par hasard que les religions se sont occupées — ou étonnées — du problème de la chair. Elles ne l'ont pas résolu, mais elles nous ont convaincus que la tragédie de la chair est une tragédie religieuse. La lutte entre l'ascèse et la volupté ne se terminera jamais, bien que l'humanité en général se soit décidée pour la seconde. Mais ce choix n'a pas diminué l'acuité du conflit individuel. L'ascèse a des voluptés qui la soutiendront toujours et lui fourniront des défenseurs fanatiques. La sainteté n'a pas résisté par ce qui, en elle, est renoncement mais par les voluptés insoupçonnées qu'elle recèle! Les saints ont sans doute connu des instants à faire blêmir de jalousie le plus grand dévot des sens. La volupté, une volupté transfigurée et pure, est un élément positif de la sainteté qui la lie directement au monde transcendantal. De même que la volupté sensuelle rattache immédiatement l'homme au monde d'ici-bas, ainsi la volupté sainte le fait avec le monde de l'au-delà. Par la volonté transfigurée, les saints vivent dans l'immédiat d'un autre monde. En vivant dans l'immédiat de l'au-delà, ils peuvent rester à distance de l'immédiat d'ici-bas où vivent les hommes. Les saints vivent indirectement entre nous et directement au-delà de nous. Cela ne signifie pas que le saint vit dans la hiérarchie des mondes (tout lui étant égal : illusions-essences, intérieur-extérieur), mais sur l'échelle des voluptés. Aucun des saints n'a dédaigné notre monde; tous ont essayé de le sanctifier. Reste que les hommes ont refusé la volupté asphyxiante du paradis, parce qu'ils n'ont su voir en elle qu'un vide divin, auquel ils ont préféré les voluptés denses, mais passagères, de la chair. Les saints ont vaincu la tragédie de la chair. C'est ce qui nous les rend si étrangers. Les déchirements de la chair sont une consolation douloureuse à laquelle nous ne pouvons renoncer. Nous ne sommes pas prêts à payer aussi cher les surprises célestes.

*S*i l'homme avait des ailes, il se serait envolé de la terre depuis longtemps; même sans la chute dans le péché, l'Éden lui aurait échappé. L'homme est un paradoxe de la nature, car aucune condition ne lui est naturelle.

*T*out en moi réclame un autre monde. Si ce monde n'était pas né des concessions de mon imperfection, je me serais replié dans le refus religieux. Tout ce qui est religieux naît du refus de ce monde et la tristesse religieuse est le fruit de ce refus, qui n'a pu se sauver par la révélation d'un autre monde. Le refus divin de la terre vient de l'absence déchirante de consolation, que nous pouvons cependant adoucir en acceptant désespérément le monde. Du moment que la gloire céleste m'est interdite, il faut être indifférent, que je devienne, ici-bas, ministre ou portier de bordel.

À L'OMBRE DES SAINTES

——————————————— *N*ous vivons tous dans des vérités locales. Tout ce que nous pensons est de circonstance. Le prétexte définit non seulement la nature de la pensée mais aussi celle du monde ; sans doute d'abord celle du monde. Car n'oublions pas que nous vivons dans un *monde de circonstances*. Nous sommes souvent pris du désir irrépressible d'échapper à l'accidentel de ce monde, et souvent notre passion pour l'éphémère se réduit à une illusion. À qui faire appel ? Aux hommes ? Que Dieu nous en garde ! Uniquement aux saintes. Instants où la société des saints nous dispense de celle des hommes, quels qu'ils soient ; même poètes...

On ressent la nécessité de lire les saints quand ce monde n'est plus rien, pas même un souvenir, parce que le résidu d'existence qui le caractérise comme prétexte, circonstance ou accident, s'est volatilisé dans le néant. Les saints ne savent pas ce qu'ici-bas veut dire. Ils n'ont pas la notion de l'espace. Aussi se transportent-ils sans peine dans d'autres mondes, et nous avec.

Nous n'allons pas vers les saints pour obtenir un réconfort, mais pour remplacer la déception terrestre et humaine par des sensations *non* humaines. Qui se sent encore *homme* en compagnie des saints a encore beaucoup à apprendre du monde avant de pouvoir en perdre l'habitude. La sainteté est une désaccoutumance au monde. Ce n'est que tardivement que je suis parvenu à comprendre les mots contenus dans la révélation de sainte Thérèse : Tu ne dois plus t'entretenir avec les hommes mais avec les anges. Sainte Thérèse d'Avila — la femme qui réhabilite entièrement un sexe condamné — m'a appris sur les choses terrestres, mais surtout célestes, plus que je ne sais quels grands philosophes. Cela me gênerait d'être nommé disciple de Schopenhauer ou de Nietzsche ; mais pourrais-je contenir ma joie d'être appelé *disciple des saints* ?

Le livre le plus difficile à écrire, mais aussi le plus séduisant, serait — me semble-t-il — celui qui décrirait le processus par lequel une femme devient sainte, ou l'est. Qui appréhendera un jour le sens ultime de la sainteté et l'évolution par laquelle tant de femmes se sont débarrassées de leur condition ? Hildegarde de Bingen, Rose de Lima, Mechtilde de Magdebourg, Lydwine de Schiedam, Angèle de Foligno, Catherine Emmerich et tant d'autres, qui nous les ramènera vers la terre ? Ou, pour mieux dire : nous ramèneront-elles au ciel ?

Pourquoi nivelle-t-on autant les différences entre les saints et les saintes ? Il est vrai que la sainteté n'a pas de sexe, mais c'est oublier qu'il est plus facile à un homme qu'à une femme de s'engager sur les voies de la sainteté. Entre la médiocrité et la sainteté, il y a la philosophie, qui n'est pas une issue anormale pour un homme, mais l'est pour la femme. Il n'y a jamais eu jusqu'ici de femme philosophe. Alors, comment les femmes parviennent-elles à la sainteté ? La vocation divine suffit-elle à expliquer ce saut ? Alors que chez les hommes, on accède à la sainteté par gradation, les femmes y parviennent dans le vertige, par un bond au-delà de l'intelligence, ou, plus couramment, en la contournant. Dans la sainteté féminine, il y a plus de renoncement. Les femmes ont surmonté leur condition médiocre d'une seule façon : dans la sainteté. Elles n'ont produit quelque chose qu'en étant saintes. À l'amour, elles n'ont rien ajouté de nouveau, sinon leur présence. Et si j'essayais d'isoler dans le passé les moments de mon existence les plus difficiles à définir, je m'arrêterais immanquablement sur ceux consacrés à la lecture de sainte Thérèse. Ardeur délicate de sa soif céleste ; passion languide pour l'ensevelissement ; érotisme divin, métamorphosé en art de la prophétie et de la charité. Si je n'avais pas étudié l'œuvre de la sainte espagnole, je n'aurais jamais compris le monde que l'extase, et surtout les sensations qui lui succèdent, nous fait découvrir. Qui a donné au goût passionné de la mort, issu d'une plénitude extatique et d'un frémissement céleste où le vital s'épuise, qui a donné plus d'intensité à son charme déchirant, à sa saveur dramatique et à son attraction douloureuse que sainte Thérèse ? L'excès intérieur mène à l'aspiration mystique vers la mort. Reste que sainte Thérèse était trop chrétienne pour ne pas voir dans la mort la voie de l'accomplissement suprême.

Quand on ne peut plus souffrir les idées, on peut vivre avec les saints et les saintes dans un monde au-delà des pensées. Bien que je redoute moins d'être lépreux que saint, je leur reconnais un avantage par rapport à d'autres formes de réalisation, de se tenir à une distance infinie des idées. La sainteté ne connaît pas la dialectique. *Être* prime toujours sur penser ; ou, en d'autres termes, la pensée n'ajoute rien à l'existence. Ce qui ne me fait pas haïr les saints est leur attitude antiphilosophique. Jusqu'à quand faudra-t-il affirmer sans relâche que les idées ne sont pas une béquille ? La sainteté est la *génialité* du cœur. C'est du cœur que naît un nouveau monde ; et son élan démiurgique se superpose à l'ancien. L'inspiration créatrice du cœur est la clé de la compréhension des saints. Le chapitre principal d'une *cardiosophie*, qui s'occuperait des sensations et de la logique du cœur, devrait traiter des saints et de l'infini de leur cœur. J'ai parfois l'impression aiguë que le cœur de sainte Thérèse excède les dimensions du monde ; alors, je voudrais être bercé dans le cœur de la sainte. Dans le langage mystique, l'ampleur du cœur est sans équivalent dans notre monde. Et comment en serait-il autrement puisque les saints ne sont pas de *notre* monde ?

Quelle peut être la suprême fierté pour un homme ? Contrevenir aux lois de la nature. Nombreux sont ceux qui les confirment et les illustrent ; les héros, les génies, rarement ; les saints jamais. Eux ne sont plus en lutte avec la nature, parce qu'ils ne sont plus du tout de la nature. C'est pourquoi c'est la chose la moins naturelle que d'être saint… Celui qui vit dans le flux anonyme de l'esprit vérifie et illustre les lois de la nature. Mais il existe pour les saints une région où eux aussi perdent leur nom. Je veux parler de la divinité. Les saints ne perdent leur nom qu'en face de la divinité, car ce n'est qu'en face d'elle que la *personne* est un non-sens. Qui sait si l'anonymat en Dieu n'est pas l'unique présence…

Quelqu'un a-t-il déjà scruté le portrait d'un saint ? A-t-on regardé longuement son regard ? J'aime ces yeux détachés des objets, ces yeux qui ne regardent pas vers la terre, mais fixent leurs regards vers le haut. Quand je pense au portrait de saint François d'Assise de Zurbarán, je commence à comprendre pourquoi la lumière intérieure aveugle et rend l'œil insensible à la lumière du dehors. Et d'ailleurs : qu'y a-t-il encore à regarder au-dehors, quand le spectacle intérieur est un tumulte et un délice divin ? La physionomie de saints exprime toute la désertion du monde. Le détachement extrême de l'individuel, de l'immédiat éphémère, des suggestions du moment, confère à leur visage une pâleur transcendante. Le sang ne circule plus dans l'éternité.

Notre décadence complète se manifeste dans la timidité à regarder au ciel. Combien d'entre nous ont l'habitude de regarder vers le haut ? Je crois que nous avons tous péché contre les cimes. L'homme moderne, plus que tout autre, ne regarde en silence que vers le bas. Vis-à-vis du ciel, tous nos idéaux sont des trahisons. Le vague dans le regard des saints n'exprime pas la réaction adéquate au clair-obscur du monde extérieur, comme nous l'a fait accroire un certain romantisme, mais plutôt le désintérêt pour le jeu fugitif de l'ombre et de la lumière où nous vivons.

Bien que la sainteté signifie piété devant les choses, elle ne les sauve en rien, parce que, du point de vue de notre monde, le moindre regard vers le haut est une trahison. Le ciel annule les choses, et même si la sainteté veut les sanctifier toutes, elle ne parvient qu'à les rendre plus ternes face aux éclats transcendants. La terre n'a rien gagné par les saints, et leur gloire n'a réussi à la sauver que par ce qu'elle n'est pas. Quoi qu'il en soit, face à la sainteté, la terre perd ses couleurs. Tous les efforts des saints ne réussiront pas à nous hisser plus haut qu'entre ciel et terre.

Huysmans, qui, au siècle dernier, a compris mieux que quiconque les saints et les saintes, s'est arrêté dans un volume sur la vie extra-ordinaire de sainte Lydwine de Schiedam. Les souffrances infinies de la sainte, le caractère fantastique et inimaginable de son existence n'ont de sens que pour celui qui voudrait atténuer l'amertume de sa propre condition en la comparant aux souffrances infinies de Lydwine. Une lecture objective et indifférente fait de ce drame monumental, bien plus divin qu'humain, une monstruosité. D'ailleurs : que peut bien signifier pour un quidam que sainte Lydwine soit restée au lit environ quarante ans, qu'elle n'ait pas mangé durant tout ce temps plus qu'un homme normal en quatre jours ? Ou que sa chair se soit décomposée au point de devenir un charnier, mais un charnier de la perfection dans la bonté ? Un accident de patinage, à l'âge de seize ans, a déterminé sa vie entière sur la voie de la souffrance, je veux dire de la sainteté. De la plus belle fille de Schiedam, elle est devenue la plus laide. Réduite à ses nerfs et à ses os, elle offrait le spectacle hideux de la perfection. Toute sa vie, elle a pleuré sans interruption — car Lydwine ne connaissait pas le sommeil — non pour se lamenter sur son sort, mais pour implorer Dieu de la rendre capable de toutes les souffrances des autres hommes, pour endurer et reprendre la misère des mortels à son compte. Ses joues étaient deux tranchées creusées sans discontinuer par le flux incessant de ses larmes. Et l'on se demande : d'une illusion de corps, comment tant de larmes ont-elles pu sourdre ? Et l'on en vient à répondre que ses larmes ont une source céleste et que par elle, quelqu'un d'autre devait pleurer. Sainte Rose de Lima disait que les larmes sont le don le plus grand fait à l'homme. Je crois que le paradis aussi les a connues...

Sur son lit de mort, elle agonisait, quand un prodige s'est accompli. Lydwine a retrouvé la beauté antérieure à l'accident qui l'avait condamnée à la perfection et à la sainteté. Les traits de son visage se sont empourprés d'une fraîcheur virginale, et de son corps montaient des parfums envoûtants comme une incantation olfactive.

Dans la sainteté, tout est possible ; mais rien n'est explicable. C'est l'équivoque de son charme. Son caractère indéfinissable augmente son attrait mais accroît notre indécision et trouble l'assurance de notre comportement. Nul ne peut rien savoir de certain des saints et personne ne peut être sûr de son sentiment à leur égard. Personne ne voudrait être un saint ; mais le monde sans la sainteté serait un vide immense, de sorte qu'il se trouverait en fin de compte quelqu'un pour expier dans la sainteté notre néant quotidien.

La différence entre un saint et un génie consiste en ce que chez le premier, chaque pas dans la vie est un progrès dans la sainteté, de sorte que la maturité équivaut toujours à un apogée, alors que chez le génie, le progrès en âge marque le plus souvent une retombée de son génie. Un génie est une explosion et un dynamisme qu'il ne faut pas cultiver dans la perfection, puisque les créations géniales ne sont pas conditionnées, ne s'ajoutent pas qualitativement, et ne sont pas progressives.

La sainteté, qui présuppose cette génialité du cœur dont nous avons parlé, est dépourvue de la spontanéité unique qui fait naître les œuvres géniales ; en échange de quoi, elle possède une vibration continue et ascensionnelle, qui détermine chaque vie de saint au couronnement. Les saints, au contraire des héros, ne *tombent* pas, parce que, pour eux, l'ultime instant de vie est la cime la plus haute, résultat de l'addition successive de tous ceux qui les ont précédés, mais la distance qui les sépare du monde élimine le conflit et supprime la tension du dualisme qui génère l'effondrement tragique du héros. Face aux héros et aux génies, les saints ont une route sûre et directe, bien qu'ils puissent souffrir et souffrent davantage. Les saints sont les seuls qui tirent un profit de la souffrance. Ce n'est pas sans raison qu'elle est leur seule récompense, comme le dit Pascal.

*Q*uel sang coule des déchirements du cœur ? Sur ce sang, que la terre ne peut pas absorber... Le sang, né pour nous rallier au temps et à la terre et qui nous en retire... Quel est ce sang qui procure à la chair ce frémissement céleste et lui accorde une abstraction qu'elle n'a pas désirée ?

Qu'est-ce que la sainteté, sinon l'élan du sang vers le ciel ? Si les saints commencent par se détacher de la terre par l'esprit, n'est-ce pas l'inversion du cours du sang qui les pousse vers les hauteurs ? Sur la glace miroitante du cœur des saints, nous glissons vers le ciel.

La sainteté est l'infirmation suprême de la biologie. C'est pourquoi le sang des saints n'appartient plus à la vie...

Ah, comme je voudrais embrasser toutes les plaies de l'existence et me baigner dans les saignements de la maladie...

*L*a peur est sans voix ; l'horreur, sans imagination ; et le déchirement, sans consolation ; les anges ne sauvent pas la terre ; seul le cœur appartient au ciel...

Si d'un seul coup d'œil, tu comprenais tout et si, dans cet acte de compréhension, tu voyais le devenir contemporain dans son entier et pouvais distinguer subitement tous les aspects du monde, en les embrassant, ne t'arrêterais-tu pas définitivement, incapable de survivre encore à un monde épuisé ? Il existe en vérité des moments de vision élargie jusqu'à la démence qui suspend le temps, le mouvement et la respiration. Que peut-on y ajouter d'autre ? L'extase comprend le tout, et nous jette en pâture au frémissement et au néant. Une haine cosmique fait naître un vide universel. Que ton front éclate sous les pierres !

*J*e pense à Dürer, représentant Jésus dans un autoportrait, ou à Rembrandt, soulevant, dans le tableau de la passion, la croix du Sauveur, après qu'on lui a appliqué des clous. Bien plus encore que les saints, ils sont contemporains du Christ.

*P*ourquoi mon cœur n'est-il pas une mer de sang sans fond, pour que je le déverse sur le monde et que je noie ses taches dans une splendeur purpurine et universelle ? Alors, le monde mériterait le sacrifice du sang, et un poignard introduit dans le cœur résoudrait le problème du salut.

*L*a musique me rend contemporain du cœur. Les vides de la vie sont les pauses du cœur. Mais la musique est l'horreur du vide et le plein du cœur. Alors s'agencent dans mon âme des accords qui me rendent contemporain des anges...

J'entends le temps. Je glisse sur le vacarme de son passage, épuise rétrospectivement la perception intérieure du temps, et, quelque part, dans l'infini d'un souvenir, le silence m'enlève aux instants. Après ce vide, l'être se lamente ? La religion commence à ce silence. Mais nous, nous ne pouvons percevoir que l'histoire — vibration du temps.

*J*e cherche l'Adam qui nous aurait permis d'être aujourd'hui au paradis...

À chaque époque, les hommes regardent autrement. Ni le monde ni les yeux ne changent. Mais le visible varie sans cesse, au gré du cœur. De nos jours, nous voyons les objets ; c'est pourquoi le regard a une direction, un caractère défini et compromettant, un intéressement au monde. Absence d'infini (vers lequel regardait l'homme de la Renaissance) et triomphe de l'immanence. La culture moderne est de l'impressionnisme dont les nuances ne viennent pas des variations d'intensité, mais de la multiplicité des apparences.

Pourquoi avons-nous tant de mal à comprendre l'art médiéval, sinon parce que notre regard n'y a plus d'accès ? Il faudrait faire abstraction du souvenir de l'objet avant de pouvoir s'en approcher. Une définition de la Madone ? L'*absence de perception*. Je crois vraiment que les madones n'ont rien *vu*, comme tous ceux qui vivent dans la *vision*. Il est possible que les hommes de Giotto, je veux dire ses saints, n'aient même pas enregistré la terre. L'étonnement continu dans les yeux de tous les êtres médiévaux dérive de quelque chose que nous ne pouvons plus maintenant que deviner. L'impression étrange d'*idiotie divine* de l'allure, du geste et surtout de leur regard... Ils sont restés si longtemps face à Dieu qu'une pâmoison céleste a ravi la lumière de leurs yeux...

*C*hristophe Colomb a-t-il vraiment dit à Isabelle : « Donnez-moi, Gente Dame, des vaisseaux et je vous les rendrai avec un monde à la remorque » ? Colomb a mené une expédition religieuse, car le sentiment géographique du monde est un sentiment religieux. L'impérialisme géographique résulte d'une incapacité à respirer dans l'espace parce que l'espace est toujours trop exigu. La quête de l'immensité est un dépassement de l'espace *par l'espace*. L'infini dépasse l'étendue, étant lui-même étendu. — Si les saints ne connaissent pas l'espace, comme c'est le cas, c'est parce que la sainteté est un état religieux *clos*, et un désir religieux satisfait. Colomb aussi était avide d'espace parce qu'il était inaccompli religieusement. Il *sentait* ce que nous *savons* ; on ne peut pas devenir un familier du ciel avant d'en avoir fini avec l'étendue. Pour les Espagnols, la découverte de l'Amérique a été une corne d'abondance, pour Colomb, une porte vers le ciel.

*P*arfois, la plus fine et la plus indivisible des sensations nous rapproche de l'absolu comme dans une révélation. Le contact délicat sur la peau suffit à nous remplir d'un frémissement mystique et le seul souvenir d'une sensation, d'une inquiétude surnaturelle. Les couleurs acquièrent un éclat transcendant, et les sons, un accent apocalyptique. *Tout* est religieux. Le moindre brin d'air semble dégager la même participation à l'accueil extatique du monde, comme le spectacle d'une nuit d'été. Saisir du bout des doigts le mystère et faire de chaque contact une stupéfaction ou une paralysie... Cette sensation ultime me rapproche de Dieu comme une cantate de Bach... Y a-t-il encore une terre ?

Terne est la pensée qui se dispense de l'idée du paradis et vide la sensation qui n'est pas une prière à son adresse. Il me semble parfois que toutes les pensées et tous les regrets devraient communier autour de lui ; que toutes les forces inavouées de l'être devraient nous pousser à s'en délecter dans l'extase. Le paradis est la matérialisation même de l'extase et le lieu des équivalences. Fleurs, flammes, eaux ne sont que brises et tout l'esprit n'est qu'un souffle. Équivalences dans l'impalpable et matérialités d'une plume... je voudrais que mes rêves m'ombragent et que les rochers soient légers comme la lumière... Substitution des mondes au rythme d'un zéphyr... les faire glisser à travers les doigts comme le sable et se réconforter de leur passage comme au contact d'un souffle... Il y a des doigts qui touchent les limites du monde et des regards indifférents au temps, actuels dans les commencements.

Existe-t-il encore autre chose hormis le délire céleste et la présence cosmogonique ? Car le délire céleste est la fin de la pensée et la présence cosmogonique la fin de l'homme.

L'origine du monde est un délire cosmique. Aussi tout délire est-il un appel aux origines. Ce n'est qu'en perdant conscience que nous nous rappelons le paradis et oublions l'espace. Car le paradis est *l'espace* du délire céleste.

J'aime les têtes couronnées qui ont souffert de l'obsession de la mort. La peur née dans le confort, l'angoisse accrue par le pouvoir, et les obsessions alimentées par l'opulence confèrent à la méditation sur la mort une élégance tourmentée et une torture somptueuse. La Pauvreté et la Mort ressemblent à deux fleurs dans un bouquet fané, de sorte que les pauvres meurent comme les riches respirent. Philippe II l'Escurial et Charles Quint le Juste

LE LIVRE DES LEURRES

ne se sont-ils pas retirés pour penser à la limite de leur pouvoir et de leur domination, et à la mort?! Eux ont voulu dominer la mort par la méditation et, en s'élevant au-dessus d'elle, ne pas faire du pouvoir une illusion. Ils ont compris cependant à la fin que découvrir la mort ne peut plus rendre *maître* de rien. Celui qui découvre la mort est égal au mendiant, qui diffère des autres hommes en ce que la mort ne peut plus rien lui faire découvrir, puisqu'il est *recouvert* par elle.

Philippe II, appelant sur son lit de mort son fils, héritier du trône, et lui disant : « Je t'ai fait quérir pour que tu voies où tout finit, même la monarchie », ou Charles Quint, assistant à son propre enterrement, organisé bien avant qu'il ne meure, pour que l'intimité du dénouement lui en atténue la peur — ne se transforment-ils pas, sous l'empire de la peur, en mendiants de leur propre empire? Ou l'impératrice Élisabeth de Bavière, cachant derrière un éventail, aux réceptions impériales, une expression de résignation et d'effroi et s'abandonnant à la mort qui, selon ses propres mots, « jardine » en elle!

I,a vision insistante de la mort ne peut que rendre mendiant. Qu'autant de rois solitaires et tant d'autres solitaires non couronnés n'aient pu en tirer cette conséquence, si effrayante pour les mourants et si banale pour les saints, ne peut s'expliquer que par l'absence de ce grain de démence qu'on appelle dans le langage céleste, la sainteté.

Celui qui a tout pensé sans devenir un mendiant s'appelle, dans le langage terrestre, un philosophe. Car même si les philosophes pensent à un autre monde, ils y sont toutefois *inaptes*.

Quand j'écoute la fin de la *Matthäuspassion* de Bach, je comprends les hommes qui se sont suicidés par impatience du paradis...

Un orgueil céleste me relie au paradis plus que l'humilité éloigne les chrétiens de la terre. Ce qui me sépare du christianisme : l'impossibilité de concevoir d'autre issue au monde hormis l'orgueil...

Les mers et les pays m'ont fait découvrir la terre. Mais mon cœur est vide...

La femme ne pardonne aucune innocence, et la vie aucune lucidité.

La pensée doit être virulente comme une goutte de poison ou consolante comme une larme d'ange.

Il n'y a pas d'instant qui ne m'enlève du temps, si je ne le remplis de moi. Je traînerai à jamais aux abords d'autres mondes en n'ayant que moi pour pâture.

*I*l faut être injuste envers les saints pour admettre que ce monde est justifié.

*T*oute ma vie je m'enfuirai vers un monde où les hommes ont l'illusion d'*être*, pour qu'un autre monde m'étreigne plus fort, d'autant plus fort. Le tiraillement entre ces deux mondes ou entre les innombrables qui s'interposent, a la saveur du ciel et le tragique de la terre. Le sourire des anges éclipse la connaissance ; et combien de fois la connaissance nous a-t-elle laissés seuls dans la détresse, privés des souffles célestes... Nos regrets changés en anathèmes sont les colonnes du monde. Faut-il qu'il s'effondre pour que nous soyons consolés ? Que les anges volent à notre secours.

Qui a compris que ce monde ne dépasse pas la condition des illusions n'a que deux issues : devenir religieux, en s'évadant du monde, ou sauver le monde, en se détruisant. Le sacrifice de notre vie est la concession que nous faisons à la terre. Les illusions aussi ont leur autel. Et les ombres se nourrissent de notre sang et de nos renoncements. Capitulations et lâchetés devant l'éternité font-elles l'ossature du monde auquel nous nous livrons ? Ou bien ne répondons-nous qu'à une tentation ? Les illusions me posséderaient-elles entièrement ? Pourrais-je mettre ma détresse au service exclusif des apparences ? En me leurrant, je les sauverais, et ce ne sera qu'un leurre parmi d'autres.

Un seul pressentiment d'extase vaut une vie. Chaque fois que les limites du cœur dépassent celles du monde, nous entrons dans la mort par un excès de vie. Contenu du cœur où l'univers s'égare. Le cœur ouvert à tout, ou sur les déchirements du cœur... Et sur le sang du cœur qui ne tache que le ciel. Ô Dieu, nos déchirements vont empourprer le ciel !

Mon cœur m'a délié de la terre ? L'a-t-il engloutie ? Dans quel coin la chercher, dans quel gouffre me retrouver ? Mon Dieu, je me suis abîmé dans mon cœur !

CIORAN EN TENUE DE SKI.
VERS 1926.

CIORAN, SON FRÈRE ET UN AMI.
VERS 1927.

CI-DESSUS :
UN REPAS EN FAMILLE PRÉSIDÉ PAR LE PÈRE À LA CAMPAGNE.
CIORAN EST AU PREMIER PLAN À DROITE.
VERS 1927.

CI-CONTRE :
LA FAMILLE CIORAN.
ASSIS : VIRGINIA, SON FILS, LE PÈRE ET LA MÈRE.
DEBOUT : SABIN, LE MARI DE VIRGINIA, AUREL ET CIORAN LUI-MÊME.
VERS 1930.

À CHEVAL EN TRANSYLVANIE.
VERS 1929.

CIORAN.
VERS 1930.

À DROITE, CIORAN PENDANT SES OBLIGATIONS MILITAIRES.
VERS 1933.

CIORAN DÉAMBULANT DANS LES RUES DE BUCAREST
EN COMPAGNIE DE SON AMI PETRE TUTEA,
LE « PHILOSOPHE SANS ŒUVRE » QU'IL ADMIRAIT TANT.
EN 1937, JUSTE AVANT SON DÉPART POUR PARIS.

DES LARMES
ET DES SAINTS

Traduction de
SANDA STOLOJAN

Titre original :
Lacrimi şi Sfinţi.
Écrit en 1937 ; publié à Bucarest en 1937.

——————————————— *C*e n'est pas la connaissance qui nous rapproche des saints, mais le réveil des larmes qui dorment au plus profond de nous-mêmes. Alors seulement, à travers elles, nous accédons à la connaissance et nous comprenons comment on peut devenir saint après avoir été un homme.

*L*e monde s'engendre dans le délire, hors duquel tout est chimère.

... Comment ne pas se sentir proche de sainte Thérèse qui, Jésus lui étant apparu, sortit en courant et se mit à danser au milieu du couvent, dans un transport frénétique, battant le tambour pour appeler ses sœurs à partager sa joie ?

À six ans elle lisait des vies de martyrs en criant : « Éternité ! éternité ! » Elle décidait alors d'aller chez les Maures pour les convertir, désir qu'elle n'a pu réaliser, mais son ardeur n'a fait que croître au point que le feu de son âme ne s'est jamais éteint, puisque nous nous y réchauffons encore.

*P*our le baiser coupable d'une sainte, j'accepterais la peste comme une bénédiction.

*S*erai-je un jour assez pur pour me refléter dans les larmes des saints ?

*É*trange de penser que plusieurs saints aient pu vivre à la même époque. J'essaie de me représenter leur rencontre, mais je manque d'élan et d'imagination. Thérèse d'Avila, à cinquante-deux ans, célèbre et admirée, rencontrant à Medina del Campo saint Jean de la Croix alors âgé de vingt-cinq ans, inconnu et passionné ! La mystique espagnole est un moment divin de l'histoire humaine.

Qui pourrait écrire le dialogue des saints ? Un Shakespeare frappé d'innocence ou un Dostoïevski exilé dans quelque Sibérie céleste. Toute ma vie je rôderai dans les parages des saints...

*I*l fut un temps où l'on pouvait s'adresser n'importe quand à un Dieu accueillant qui enterrait vos soupirs dans son néant. Inconsolés, nous le sommes aujourd'hui faute d'avoir à qui confesser nos tourments. Comment douter que ce monde ait été autrefois *en* Dieu ? L'Histoire se partage entre un autrefois où les hommes se sentaient attirés par le néant vibrant de la Divinité et un aujourd'hui où le rien du monde est privé de souffle divin.

*L*a musique m'a donné trop d'audace face à Dieu. C'est ce qui m'éloigne des mystiques orientaux...

*A*u Jugement dernier on ne pèsera que les larmes.

*L*es yeux ne voient rien. Catherine Emmerich a raison de dire qu'elle voit *par le cœur* ! Le cœur étant la vue des saints, comment ne verraient-ils pas plus loin que nous ? L'œil a un champ réduit, il voit toujours de l'extérieur. Mais le monde étant intérieur au cœur, l'introspection est l'unique méthode pour accéder à la connaissance. Le champ visuel du cœur ? Le Monde, plus Dieu, plus le néant. C'est-à-dire *tout*.

*I*l en est de la fréquentation des saints comme de la musique et des bibliothèques. Désexualisés, nous mettons nos instincts au service d'un autre monde. Dans la mesure où nous résistons à la sainteté, nous faisons la preuve que nos instincts se portent bien.

*L*e royaume des cieux gagne petit à petit les vides de notre vitalité. L'impérialisme céleste a pour objectif le zéro vital.
Lorsque la vie perd sa direction naturelle, elle s'en cherche une autre. Ainsi s'explique que le bleu du ciel ait été si longtemps le *lieu* de la suprême errance...
Et il y a encore ceci : l'homme ne peut vivre sans appui dans l'espace ; ce genre d'appui, la musique nous le refuse résolument. Art de la consolation par excellence, elle ouvre cependant en nous plus de blessures que tous les autres...
La musique est un tombeau de délices, une béatitude qui nous ensevelit...

«*J*e ne peux faire de différence entre les larmes et la musique» (Nietzsche). Celui qui ne saisit pas cela instantanément n'a jamais vécu dans l'intimité de la musique. Toute vraie musique est issue de pleurs, étant née du regret du paradis.

*J*usqu'au commencement du XVIIIᵉ siècle, les «traités de perfection» abondaient. Ceux qui s'étaient arrêtés sur le chemin de la sainteté s'en consolaient en écrivant, au point que des siècles durant la perfection a été l'obsession des saints manqués. Les autres, les saints réussis, ne s'en préoccupaient plus, ils la possédaient déjà.

Plus près de nous, on la considère avec une extrême méfiance et une nuance évidente de mépris. En optant pour la tragédie, l'homme moderne devait nécessairement surmonter le regret du paradis et se dispenser du désir de perfection.

D'autres époques, soumises à la terreur et aux délices chrétiennes, ont suscité des saints dont on était fier. Aujourd'hui, nous sommes capables tout au plus de les *apprécier*. Chaque fois que nous croyons les aimer, ce n'est qu'une faiblesse de notre part qui nous les rend proches pour un temps.

*L*orsque le commencement d'une vie a été dominé par le sentiment de la mort, le passage du temps finit par ressembler à une régression vers la naissance, à une reconquête des étapes de l'existence. Mourir, vivre, souffrir et naître seraient les moments de cette évolution renversée. Ou bien est-ce une autre vie qui naît des ruines de la mort? Un besoin d'aimer, de souffrir et de ressusciter succède ainsi au trépas. Pour qu'il existe une autre vie, il te faut mourir d'abord. On voit pourquoi les transfigurations sont si rares.

*A*près tout, nous aurions pu nous dispenser de l'obsession de la sainteté. Chacun aurait vaqué à ses affaires, portant gaiement ses imperfections. La fréquentation des saints engendre un tourment stérile, leur société est un poison dont la virulence croît à la mesure de nos solitudes. Ne nous ont-ils pas corrompus en nous montrant par l'exemple que les épreuves menaient quelque part? Nous étions habitués à souffrir sans but, fascinés par le superflu de nos douleurs, heureux de nous mirer dans nos propres blessures.

*L*a mort n'a de sens que pour ceux qui ont aimé la vie passionnément. Mourir sans avoir rien à quitter! Le détachement est négation de la vie comme de la mort. Celui qui a vaincu la peur de mourir a triomphé aussi de la vie, elle qui n'est que l'autre nom de cette peur.

Les clochards ne s'éteignant pas dans leur lit, ils ne meurent pour ainsi dire pas. On ne meurt qu'à l'horizontale, tout au long de cette préparation durant laquelle le vivant suinte la mort. Lorsque rien ne vous lie à un lieu, quels regrets aurait-on dans les instants derniers? Les clochards auraient-ils *choisi* leur sort pour n'avoir pas de regrets qui les torturent à l'agonie? Errants dans la vie, ils restent des vagabonds dans la mort.

*P*endant tout le temps qu'il a travaillé à son *Messie*, Haendel s'est senti transporté au ciel. De son propre aveu, il n'est redescendu sur terre qu'une fois son ouvrage terminé. Néanmoins, comparé à Bach, Haendel est *d'ici*. Ce qui est divin chez l'un est *héroïque* chez l'autre. *L'ampleur terrestre* est la note typiquement haendelienne : une transfiguration *du dehors*. Bach unit la vision dramatique d'un Grünewald à l'intériorité d'un Holbein ; Haendel rassemble la pesanteur et le linéaire de Dürer avec l'audace visionnaire de Baldung-Grien.

*I*mpossible de se faire une idée précise au sujet des saints. Ils représentent un absolu auquel il ne fait pas bon s'attacher, mais qu'il ne sied pas non plus de refuser. Toute attitude nous condamne. En prenant le parti des saints, notre vie est perdue, en nous insurgeant contre eux, nous nous brouillons avec l'absolu. Nous aurions été tellement plus libres, malgré tout, s'ils n'avaient jamais existé! Que de doutes en moins! Qu'est-ce qui a bien pu les jeter en travers de notre chemin? Il serait vain de vouloir oublier la Souffrance.

L'orgue traduit le frisson intérieur de Dieu. En épousant ses vibrations, nous nous autodivinisons, nous nous évanouissons *en* Lui.

*J*ob, lamentations cosmiques et saules pleureurs... Plaies ouvertes de la nature et de l'âme... Et le cœur humain — plaie ouverte de Dieu.

*T*oute forme d'extase supplante la sexualité qui n'aurait aucun sens sans la médiocrité des créatures. Mais comme celles-ci n'ont guère d'autre moyen de sortir d'elles-mêmes, la sexualité les sauve provisoirement. L'acte en question dépasse sa signification élémentaire — il est un *triomphe* sur l'animalité, la sexualité étant, au niveau physiologique, la seule porte ouverte sur le ciel.

*S*oulever sous le fouet des blocs de pierre, mais les voir entrer dans l'éternité et sentir naître le vide autour des pyramides par la désertion du temps! Le dernier esclave était plus proche de l'éternité que n'importe quel philosophe occidental! Les Égyptiens vivaient dans l'extase du soleil et de la mort. Pour nous, le ciel est devenu une dalle funèbre! Le monde moderne a succombé à la séduction des choses finies.

*P*arviendrai-je un jour à ne plus citer que Dieu? Les hommes et les saints mêmes n'ont pas de *nom*. Dieu seul en porte un. Mais que savons-nous de lui, sinon qu'il est un désespoir qui commence là où finissent tous les autres?

*S*euls le paradis ou la mer pourraient me dispenser du recours à la musique.

*L*es tristesses jettent sur l'âme une ombre de cloître. On commence alors à comprendre les saints... Ils ont beau vouloir nous accompagner jusqu'à l'extrémité de notre chagrin, ils ne le peuvent — et ainsi ils nous quittent à mi-chemin, au beau milieu des amertumes et des repentirs.

*L*es maladies ont rapproché le ciel de la terre. Sans elles, ils se seraient ignorés l'un l'autre. Le besoin de consolation a dépassé la maladie, et à l'intersection du ciel avec la terre il a donné naissance à la sainteté.

*I*l y a des hommes qui ont stylisé leur mort. Pour ceux-là mourir est une affaire de *forme*. Mais la mort est matière et terreur. On ne peut mourir élégamment sans la contourner.

*C*haque fois que je pense à la peur énorme de la mort chez Tolstoï, je commence à comprendre le pressentiment de la fin chez les éléphants.

*L*a limite de chaque douleur est une douleur plus grande.

*L*es hommes ne se sont réconciliés avec la mort que pour éviter *la peur* qu'elle leur inspire, mais sans cette peur, mourir n'a plus aucun intérêt. Car la mort n'existe qu'en elle et à travers elle. La sagesse née de *l'accord* avec la mort est, face aux fins dernières, l'attitude la plus superficielle qui soit. Montaigne lui-même en a été infecté, sans quoi on ne comprendrait pas qu'il ait pu se vanter d'accepter l'inévitable.
Celui qui a vaincu la peur peut se croire immortel ; celui qui ne la connaît pas, *l'est*. Il est probable qu'au paradis les créatures disparaissaient aussi, mais ne connaissant pas la peur de mourir, elles ne mouraient en somme jamais. La peur est une mort de chaque instant.

*L*a mort objective, extérieure, pour un Rilke, n'a aucune signification. Pour Novalis non plus. Mais après tout, y a-t-il un poète qui ne soit mort qu'une seule fois ?

*J*e suis comme un Antée du désespoir. Le mien augmente à chaque contact avec la terre. Ah ! si je pouvais m'endormir en Dieu pour mourir à moi-même !
Seul oubli véritable — le sommeil dans la Divinité.

*S*eigneur, n'es-tu qu'une erreur du cœur, comme le monde est une erreur de l'esprit ?

*O*n ne croit en Dieu que pour éviter le monologue torturant de la solitude. À qui d'autre s'adresser ? Il accepte, semble-t-il, volontiers le dialogue et ne nous en veut pas de l'avoir choisi comme prétexte théâtral de nos abattements.

*J*e me suis attaché aux apparences lorsque j'ai compris qu'il n'y avait d'absolu que dans le renoncement.

*L*e Moyen Âge, ayant épuisé le contenu de l'éternité, nous donne le droit d'aimer les choses passagères.

*L*e christianisme tout entier n'est qu'une crise de larmes, dont il ne nous reste qu'un goût amer.

*V*ers la fin du Moyen Âge abondaient les écrits anonymes intitulés : « L'Art de mourir. » Leur succès était inouï. Pareil sujet peut-il encore toucher quelqu'un aujourd'hui ?
Personne n'a plus soin de sa mort, personne ne la cultive, aussi nous échappe-t-elle au moment même où elle nous enlève.
Les Anciens savaient mourir. S'élever au-dessus de la mort a été l'idéal constant de leur sagesse. Pour nous, la mort est une *surprise* effroyable.
Le Moyen Âge a connu le sentiment de la mort avec une intensité unique. Mais il a su, avec un art particulier, l'incorporer au tissu intime de l'être. Personne qui ait voulu tricher avec elle. Ce que nous voudrions, nous autres, c'est mourir sans le détour de la mort.

*L*a conscience est apparue grâce aux instants de liberté et de paresse. Lorsque tu es étendu, les yeux fixés sur le ciel ou sur un point quelconque, entre toi et le monde un vide se crée sans lequel la conscience n'existerait pas. L'immobilité horizontale est la condition indispensable de la méditation. Il est vrai que dans cette posture on ne conçoit guère de pensées joyeuses. Mais la méditation est l'expression d'une non-participation et comme telle d'une *non-tolérance*, d'un refus de l'être.

*D*ieu a exploité tous nos complexes d'infériorité, à commencer par celui qui nous empêche de nous croire des dieux.

*L*orsque nous avons englouti le monde et que nous restons seuls, fiers de notre exploit, Dieu, rival du Rien, apparaît comme une dernière tentation.

*Q*ue l'espèce humaine ait résisté sans se corrompre aux profondeurs du christianisme me paraît être l'unique preuve de sa vocation métaphysique. Mais aujourd'hui l'homme ne supporte plus la terreur des fins dernières. Le christianisme a légalisé ses angoisses et l'a tenu sous pression. Seule une détente de quelques millénaires pourrait rafraîchir cet être ravagé par tant de cieux.

*A*vec la Renaissance commence l'éclipse de la résignation. De là le nimbe tragique de l'homme moderne. Les Anciens acceptaient leur sort. Aucun moderne ne s'est abaissé à cette concession. Le mépris du sort nous est également étranger. Car nous manquons par trop de sagesse pour ne pas aimer le destin avec une passion douloureuse.

*L*a chute d'Adam est le seul événement historique du paradis.

*S*e préoccuper de la sainteté ; combattre la maladie par la maladie.

*A*urai-je assez de musique en moi pour ne jamais disparaître ? Il est des adagios après lesquels on ne peut plus pourrir.

*S*eules les extases sonores me donnent une sensation d'immortalité. Il y a des jours intemporels où l'on est en proie à des réminiscences d'on ne sait quel outre-horizon ! Pleurer sur le temps est alors inconcevable.

*L*e vin a plus fait pour rapprocher les hommes de Dieu que la théologie. Depuis longtemps les ivrognes tristes — mais y en a-t-il d'autres ? — ont surclassé les ermites.

*I*l arrive un moment où l'on rapporte tout à Dieu. Mais il arrive aussi qu'on soit pris de peur à l'idée qu'Il cesse d'être actuel. Ce provisoire du principe ultime — idée absurde en soi, mais présente à la conscience — vous remplit d'une inquiétude bizarre. Dieu ne serait-il qu'une passion fugitive, qu'une *mode* de l'esprit ?

*C*ertains se demandent encore si la vie a un sens ou non. Ce qui revient en réalité à s'interroger si elle est *supportable* ou pas. Là s'arrêtent les problèmes et commencent les *résolutions*.

L'avantage de penser à Dieu c'est de pouvoir dire n'importe quoi à son sujet. Moins on lie les idées les unes aux autres, plus on a de la chance de s'approcher de la vérité. Dieu profite, en somme, des périphéries de la logique.

*S*hakespeare et Dostoïevski font persister en vous le regret de n'être pas un saint ou un criminel. Ces deux manières de s'autodétruire...

*P*ourquoi les saints écrivent-ils si bien? Est-ce uniquement parce qu'ils sont inspirés? Le fait est qu'ils ont du style chaque fois qu'ils *décrivent* Dieu. Il leur est facile d'écrire à l'écoute de ses chuchotements. Leurs œuvres sont d'une simplicité surhumaine, mais comme ils n'y traitent pas du monde, ils ne peuvent s'intituler écrivains. On ne les reconnaît pas comme tels, car on ne se retrouve pas en eux.

*N*ous portons en nous toute la musique : elle gît dans les couches profondes du souvenir. Tout ce qui est musical est affaire de réminiscence. Du temps où nous n'avions pas de *nom*, nous avons dû tout entendre.

*T*out a existé déjà. La vie me semble une ondulation sans substance. Les choses ne se répètent jamais, mais il semble que nous vivions dans les reflets d'un monde passé, dont nous prolongeons les échos tardifs. La mémoire est non seulement un argument contre le temps, elle va également à l'encontre de ce *monde-ci*, en nous révélant confusément les mondes *probables* du passé et leur couronnement par le paradis.
Régresser dans la mémoire fait de vous un métaphysicien; rejoindre les origines, un saint.

*L*a *sécheresse du cœur* est une expression qui revient sans cesse quand les saints évoquent leurs épreuves. C'est alors qu'ils implorent la grâce comme une délivrance et que l'invocation de l'amour devient une obsession. Mais leur cœur est-il sec uniquement par manque d'amour? Ils se trompent lorsqu'ils attribuent à ce manque leur désert intérieur. S'ils savaient que par l'aridité ils paient les instants vibrants de l'extase, comme ils seraient alors lâches envers Dieu, comme ils éviteraient de le rencontrer ! Je n'aperçois que ruines autour de l'extase, car aussi longtemps que nous sommes en Lui nous sommes hors de nous, et notre être n'est que la ruine d'un souvenir immémorial.

*L*e grand mérite de Nietzsche est d'avoir su se défendre *à temps* contre la sainteté. Que serait-il devenu s'il avait donné libre cours à ses penchants naturels ? — Un Pascal avec toutes les folies des saints en plus.

*C*roire à la philosophie est signe de bonne santé. Ce qui ne l'est pas c'est se mettre à *penser.*

*N*otre manque d'orgueil compromet la mort. C'est probablement le christianisme qui nous a appris à fermer les yeux — à *baisser* le regard — pour que la mort nous trouve paisibles et soumis. Deux mille ans d'éducation nous ont habitués à une mort sage et rangée. Nous mourons *vers le bas*, nous nous éteignons à l'ombre de nos paupières, au lieu de mourir les muscles tendus, tel un coureur qui attend le signal, la tête renversée, prêt à braver l'espace et à vaincre la mort dans l'orgueil et l'illusion de sa force ! Je rêve souvent d'une mort indiscrète, complice des étendues...

*D*urant nos nuits blanches, en remontant le cours du temps, nous revivons des terreurs et des joies ancestrales, des événements d'avant notre histoire, d'avant nos souvenirs. Les insomnies opèrent un retour aux origines et nous transposent à l'aube des êtres. Elles nous chassent hors du temporel et nous obligent à écouter nos tout derniers souvenirs, qui sont aussi les tout premiers. Dans cette dissolution musicale, nous usons nos antécédents, nous épuisons notre passé. N'avons-nous pas alors le sentiment que nous sommes morts en emportant le temps avec nous ?

*N*ous sommes d'autant plus proches de la mystique que le temps disparaît plus complètement de notre mémoire.
Plus la mémoire est fraîche et bien portante, mieux elle adhère aux apparences, à l'immédiat. Son archéologie nous découvre des documents sur un autre monde au prix de *celui-ci.*

*L*orsque je songe à mes nuits, à tant de solitudes et de supplices dans ces solitudes, j'aspire à m'en aller, à quitter les chemins battus. Mais où aller? Il y a hors de nous-mêmes des abîmes qui valent bien ceux de l'âme.

J'ai dû vivre d'autres vies. Sans cela, pourquoi tant d'épouvante? Les existences antérieures sont l'unique justification de la terreur. Seuls les Orientaux ont compris quelque chose à *l'âme*. Ils nous ont précédés et ils nous survivront. Pourquoi, nous modernes, avons-nous supprimé nos pérégrinations? Nous *expions* en une seule vie le devenir infini.

*A*uprès d'Aristote, un saint est un analphabète. Pourquoi, dans ce cas, nous semble-t-il que nous aurions plus à *apprendre* de ce dernier? La philosophie est *sans réponse*. Face à elle, la sainteté est une *science exacte*. Car elle apporte des réponses positives et précises aux interrogations auxquelles les philosophes n'ont pas eu le courage de s'élever. La sainteté a pour *méthode* la douleur et son but est Dieu. Comme elle n'est ni pratique ni commode, les hommes l'ont reléguée au domaine du fantastique et ils l'adorent à distance. Ils gardent près d'eux la philosophie afin de pouvoir la mépriser. Sur ce point les mortels font preuve d'intelligence. Car tout ce qui est vivant en philosophie se réduit à des emprunts à la religion.
Les philosophes ont le sang *froid*. Il n'y a de chaleur qu'au voisinage de Dieu. Notre nature, par tout ce qu'elle porte en elle de sibérien, exige les saints.

*R*ien de plus facile que de se délester de l'héritage philosophique, car la philosophie a des racines qui s'arrêtent à nos incertitudes, tandis que les racines de la sainteté dépassent en profondeur la souffrance elle-même. Le suprême courage de la philosophie est le *scepticisme*. Au-delà de lui elle ne reconnaît que le chaos.
Un philosophe n'échappe à la médiocrité que par le scepticisme ou la mystique, ces deux formes du désespoir face à la *connaissance*. La mystique est une évasion hors de la connaissance, le scepticisme une connaissance sans espoir. Deux manières de dire que le *monde* n'est pas une *solution*.

*D*ésormais nos souffrances ne pourront être que vaines ou sataniques. Un poème de Baudelaire nous est plus proche que les excès sublimes des saints. En nous abandonnant à l'ivresse de la désolation, comment pourrions-nous trouver un intérêt quelconque à l'échelle des perfections par l'ascèse? L'homme moderne est à l'antipode des saints, non à cause de sa légèreté mais de son dévergondage tragique et de sa soif de déceptions éternellement renouvelées. Être incapable de résister à soi-même, voilà où aboutit le manque d'éducation dans le choix de ses tristesses. Si Dieu peut se découvrir à nous par des *sensations*, tant mieux, nous échapperons à la discipline inhumaine de la *révélation*. Les saints sont irrémédiablement inactuels et si quelqu'un s'intéresse encore à eux, ce n'est que par mépris envers le devenir.

*N*ous intriguent parmi les philosophes ceux-là seuls qui, exaspérés par les systèmes, sont partis à la recherche du bonheur. Ainsi naissent les philosophies crépusculaires, plus consolantes que les religions, car elles nous libèrent de tous les interdits. Une douce lassitude émane d'elles; on dirait un berceau d'incertitudes, bien nécessaire après la fréquentation insalubre des saints.
Le scepticisme est l'étonnement devant le vide des problèmes et des choses. Seuls les Anciens ont été de vrais sceptiques. Leurs doutes empreints d'une douceur automnale et d'un bonheur désabusé avaient du style, comme toutes les choses délicates à leur déclin.

*L*e seul mérite des philosophes est d'avoir *de temps à autre* rougi d'être des hommes. Platon et Nietzsche font exception : leur honte n'a *jamais* cessé. Le premier at tenté de nous arracher au monde, le second de nous faire sortir de nous-mêmes. Tous deux pourraient en remontrer aux saints. Ainsi, l'honneur de la philosophie est sauf.

C'est par peur de la solitude que Dieu a créé le monde, telle est l'unique explication de la Création. Notre raison d'être à nous créatures n'est autre que de *distraire* le Créateur. Pauvres bouffons, nous oublions que nous vivons des drames pour divertir un spectateur dont personne sur terre n'a encore entendu les applaudissements. Et si Dieu a inventé les saints — comme des prétextes de dialogue — c'est pour alléger encore le poids de son isolement.

Quant à moi, ma dignité exige que je Lui oppose d'autres solitudes, sans lesquelles je ne serais qu'un amuseur de plus.

*I*l y a des êtres sur lesquels Il ne peut se pencher sans perdre son innocence.

*N*otre bonheur consiste à avoir découvert l'enfer en nous-mêmes. À quoi sa représentation extérieure nous aurait-elle menés ? Deux mille ans de terreur nous auraient acculés à l'impasse ou au suicide. Quand on lit la description du Jugement par sainte Hildegaard, on abhorre tous les paradis et tous les enfers et on se félicite de leur transposition subjective. C'est la *psychologie*, témoin de notre frivolité, qui nous sauve. Pour nous, le monde n'est qu'un accident, qu'une erreur, qu'un glissement du moi.

*Q*ue la musique ne soit d'aucune façon d'essence humaine, la meilleure preuve en est qu'elle n'éveille jamais la représentation de l'enfer. Les marches funèbres elles-mêmes n'y parviennent pas. L'enfer est une *actualité* ; ce qui signifie que nous ne gardons que la mémoire du paradis. Si nous avions connu l'enfer dans notre passé immémorial, ne serions-nous pas en train de soupirer au souvenir de l'enfer *perdu* ?

*N*ous commençons à savoir ce qu'est la solitude lorsque nous entendons le silence des choses. Nous comprenons alors le secret enseveli dans la pierre et réveillé dans la plante, le rythme caché ou visible de la nature tout entière. Le mystère de la solitude dérive du fait qu'il n'existe pas pour elle de créatures inanimées. Chaque objet a son langage que nous déchiffrons à la faveur de silences sans pareils.

*C*haque fois que le temps est suspendu et que la conscience s'épuise dans la perception de l'espace, nous sommes saisis d'une disposition éléatique. Alors, dans cette universelle pétrification, les souvenirs s'annulent en un instant infini. Nous regardons le monde et tout n'est qu'attente inutile et sans fin, tant l'espace a pris possession de nous. Nous aspirons alors à d'autres pétrifications, car les tentations de l'espace éveillent de frémissants désirs de torpeur.

*D*ieu s'installe dans les vides de l'âme. Il louche vers les déserts intérieurs, car, à l'instar de la maladie, il se prélasse aux points de moindre résistance.

Une créature harmonieuse ne peut croire en Lui. Ce sont les infirmes et les pauvres qui l'ont «lancé», à l'usage des rongés et des désespérés.

*I*l y a des moments où, sentant bouillir en moi une haine assassine à l'encontre de tous les «agents» de l'autre monde, je les soumettrais à des supplices inouïs. Quelle est cette conviction qui me dit que si je vivais parmi les saints je me munirais d'un poignard? Pourquoi ne pas avouer qu'une nuit de la Saint-Barthélemy parmi les anges me ferait plaisir? Tous ces fanatiques de la désertion, je les pendrais par la langue et les laisserais tomber dans un berceau de lys. Se peut-il que nous n'ayons pas l'élémentaire prudence de supprimer dans l'œuf toute vocation surnaturelle?

Comment ne pas honnir toute l'engeance du paradis, qui provoque et entretient cette soif maladive d'ombres et de lumières venues d'ailleurs, de consolations et de tentations transcendantes?

*L*es larmes, critère de la vérité dans le monde des sentiments. Larmes et non pleurs. Il existe une disposition aux larmes qui s'exprime par une avalanche *intérieure*. Il y a des *initiés* en matière de larmes qui n'ont jamais pleuré *effectivement*.

*C*elui qui n'a jamais fréquenté les poètes ignore ce qu'est l'irresponsabilité et le débraillé de l'esprit. Chaque fois qu'on les hante, on éprouve le sentiment que tout est permis. N'ayant à rendre de comptes à *personne* (sauf à eux-mêmes), ils ne vont — et ne veulent aller — nulle part. Les comprendre est une grande malédiction, car ils vous enseignent à n'avoir plus rien à perdre.

En s'adressant à quelqu'un, en l'occurrence à Dieu, les saints limitent fatalement leur génie poétique. L'indéfini de la poésie, ce sont précisément les frissons sacrés sans Dieu. Si les saints avaient su ce que leur lyrisme perdait par l'intrusion de la Divinité, ils auraient renoncé à la sainteté et seraient devenus des poètes. La sainteté ne connaît que la *liberté en Dieu*. Mais les mortels ne se laissent posséder que par le dévergondage poétique.

*S*i la vérité n'était si ennuyeuse, la science aurait vite fait de mettre Dieu au rancart. Mais Dieu, tout comme les saints, est une occasion d'échapper à l'accablante banalité du vrai.

*C*e qui m'intéresse dans la sainteté, ce pourrait bien être le délire de grandeur qu'elle dissimule derrière ses suavités, les appétits énormes masqués par l'humilité, l'inapaisement recouvert par la charité. Car les saints ont su exploiter leurs faiblesses avec une science proprement surnaturelle. Cependant leur mégalomanie est indéfinissable, étrange, troublante. D'où provient, malgré tout, notre compassion inavouée pour eux? *Croire* en eux n'est guère plus possible. *Nous admirons leurs illusions*, voilà tout. De là découle cette compassion...

N'y aurait-il pas assez de souffrance ici-bas? Il semblerait que *non* à en juger par l'empressement des saints, experts dans l'art de l'autoflagellation. Il n'y a pas de sainteté sans volupté de la souffrance et sans un raffinement suspect. La sainteté est une perversion sans pareille, un vice du ciel.

*C*ette plénitude de l'éphémère...
Les saints sont inexcusables de n'avoir pas versé une seule larme en signe de reconnaissance envers les choses périssables.
Lorsque je suis pris d'une intense passion pour la terre, pour tout ce qui naît et meurt, lorsque le fragile me fascine, je me dissimule à moi-même ma haine de Dieu, et si je l'épargne, c'est par un immémorial réflexe de lâcheté.

*S*ans ce pressentiment de la nuit qu'est Dieu, la vie serait un crépuscule enchanteur.

*C*haque fois que je songe à ces âpres solitudes où se profilent des monastères sur fond de grisaille, j'essaie de comprendre les haltes mornes de la piété, l'ennui à l'ombre du voile. La passion de la solitude qui engendre «l'absolu monastique», cette soif dévorante de Dieu, croît avec la désolation du cadre environnant. Je vois des regards se briser le long des murs, des cœurs que rien ne tente, des tristesses privées de musique. Le désespoir né entre un désert et un ciel également implacables a conduit à l'exacerbation de la sainteté. L'«aridité de la conscience», dont se plaignent les saints, est l'équivalent psychique du désert extérieur. *Tout est rien* — telle est la révélation initiale des couvents. Ainsi commence la mystique. Entre le rien et Dieu, il y a moins d'un pas, car Dieu est l'expression positive du rien.

*C*elui qui n'a pas pressenti ce que signifie la raréfaction de l'air dans un couvent et l'évacuation du temps dans une cellule essaiera en vain de comprendre l'appel de la solitude, le goût du désespoir. Je songe en particulier aux couvents espagnols où tant de rois et de saints ont abrité leur mélancolie et leur folie. Le mérite de l'Espagne est non seulement d'avoir cultivé l'excessif et l'insensé, mais aussi d'avoir démontré que le vertige est le climat normal de l'homme. Quoi de plus naturel que la présence des mystiques chez ce peuple qui a supprimé la distance entre le ciel et la terre ?

*N*ous devons penser à Dieu jour et nuit afin de l'user, de le «banaliser». Nous n'y arriverons qu'en le sollicitant sans répit, jusqu'à ce qu'il nous devienne indifférent. L'insistance avec laquelle il s'installe dans notre espace intérieur finit par lui être funeste.

*L*a nouveauté du christianisme. Le sinistre a vaincu le sublime dans cette religion de crépuscules incendiaires.
D'autres religions ont conçu le bonheur d'une lente extinction; le christianisme a fait de la mort une semence. Quel remède imaginer contre cette mort germinative, contre la *vie* de cette mort?

*L*a perfection sans faille d'un saint François d'Assise me le rend étranger. Je ne lui trouve aucun point faible qui me permette de l'approcher et de le comprendre. Sa perfection est difficilement pardonnable. Je crois cependant lui avoir trouvé une excuse. Lorsque à la fin de sa vie il était devenu presque aveugle, les médecins avaient attribué son mal à une seule cause : l'excès de larmes...

*L*a sainteté est le dépassement de l'état de créature. Le désir d'être *en* Dieu ne s'accorde plus avec l'existence *à côté* ou *en dessous*, qui définit notre chute.

... Et si je ne peux vivre, du moins voudrais-je mourir *en* Dieu. Ou bien combiner les deux : *m'enterrer vivant* en Lui.

*L*orsque s'épuise en nous un motif musical, le vide qui s'instaure à sa place est illimité. Rien n'est plus propre à nous révéler la divinité aux frontières de l'élan sonore que la multiplication intérieure — par le souvenir — d'une fugue de Bach. Quand nous revient en mémoire un motif et sa fièvre ascensionnelle, nous finissons par nous précipiter droit dans le divin. La musique est l'émanation finale de l'univers, comme Dieu est l'émanation ultime de la musique.

*J*e suis comme une mer qui retire ses eaux pour faire place à Dieu. L'impérialisme divin suppose le reflux de l'homme.
Accablé par la solitude de la matière, Il a pleuré les océans et les mers. D'où l'appel mystérieux des étendues marines et la tentation d'une immersion définitive, comme détour vers Lui...
Celui dont l'émotion aux abords des cieux et des mers n'a pas frôlé les larmes, celui-là n'a pas hanté les parages troubles de la divinité, où la solitude est telle qu'elle en appelle une autre plus grande encore.

*S*ans Dieu tout est nuit et avec lui la lumière même devient inutile.

*J*e méprise le chrétien parce qu'il est capable d'aimer ses semblables *de près*. Pour redécouvrir l'homme il me faudrait le Sahara.

*C*omme il n'existe de solution à aucun problème ni d'issue à aucune situation, nous sommes réduits à tourner en rond. Les pensées nourries par la souffrance prennent la forme d'*apories*, ce clair-obscur de l'esprit. La somme des insolubles jette une ombre tremblante sur les choses. Le sérieux incurable du crépuscule...

*T*ous les déclins sont là pour me soutenir.

*L*a mystique oscille entre la passion de l'extase et l'horreur du vide. On ne peut connaître l'une sans avoir connu l'autre. Toutes les deux supposent une volonté ardue de «table rase», un effort vers un blanc psychique... L'âme une fois mûre pour un vide durable et fécond s'élève jusqu'à l'effacement total. La conscience se dilate au-delà des limites cosmiques. Une conscience dépossédée de toutes *les images* est la condition indispensable de l'état d'extase et de l'expérience du vide. On ne voit plus rien en dehors du *rien*, et ce rien est *tout*. L'extase est une présence totale sans objet, un *vide plein*. Un frisson traverse le néant, une invasion *d'être* dans l'absence absolue. Le vide est la condition de l'extase, de même que l'extase est la condition du vide.

*I*l y a dans l'obsession de l'absolu un goût d'autodestruction. D'où la hantise du couvent et du bordel. «Cellules» et femmes de part et d'autre. Le dégoût de vivre croît aussi bien à l'ombre des saintes que des putains.

L'«appétit de Dieu» dont parle saint Jean de la Croix est en premier lieu négation et en dernier seulement affirmation de l'existence. Pour celui qui, déçu, se résigne à supporter le monde et ses ténèbres, la présence de cet «appétit», son degré d'intensité, prouvent à quel point nous n'adhérons plus au monde. Chaque fois que nous pensons à Dieu *instinctivement*, nous avouons une déficience et un désarroi. Le néant vital est le point d'appui idéal de la Divinité.

*L*a mystique est une irruption de l'absolu dans l'histoire. Elle est, de même que la musique, le nimbe de toute culture, sa justification ultime.

*T*ous les nihilistes ont eu maille à partir avec Dieu. Une preuve de plus de son voisinage avec le rien. Ayant tout foulé aux pieds, il ne vous reste plus à détruire que cette ultime réserve du néant.

*L*es mortels parlent de Dieu pour masquer leur folie. Aussi longtemps que vous vous occupez de Lui vous avez des *excuses* à vos égarements. Dieu? Une démence admise, officielle.

*C*haque fois que notre lassitude du monde revêt une forme religieuse, Dieu est une mer à laquelle nous nous abandonnons, pour nous oublier nous-mêmes. L'immersion dans l'abîme divin nous sauve de la tentation d'être ce qu'on est.

D'autres fois nous Le découvrons comme une zone lumineuse à l'extrémité d'une régression intérieure, ce qui nous console bien moins, car en le trouvant *en* nous, nous disposons de lui en quelque sorte. Nous avons un droit sur lui, puisque l'assentiment que nous lui accordons ne dépasse pas les dimensions d'une illusion.

Dieu comme une mer et Dieu comme une zone lumineuse alternent dans notre expérience du divin. Dans les deux cas, l'unique but est l'oubli, l'irrémédiable oubli.

*Q*uand vous écoutez Bach, vous voyez *germer* Dieu. Son œuvre est *génératrice* de divinité.

Après un oratorio, une cantate ou une «Passion», *il faut* qu'Il existe. Autrement toute l'œuvre du Cantor serait une illusion déchirante.

… Penser que tant de théologiens et de philosophes ont perdu des nuits et des jours à chercher des preuves de l'existence de Dieu, oubliant la seule…

L'idée de Dieu est la plus pratique et la plus dangereuse jamais conçue. Par elle l'humanité se sauve ou se perd.

L'«absolu» est une présence dissolvante dans le sang.

*I*l est vain de vouloir en finir une fois pour toutes avec les saints, car ils nous lèguent Dieu comme l'abeille son aiguillon.

*P*ourquoi pense-t-on si rarement aux cyniques? Parce qu'ils ont *tout su* et qu'ils ont tiré les conséquences de cette suprême indiscrétion?

Il est sans doute plus commode de les oublier. Car leur manque d'égards pour l'illusion en fait des esprits avides d'insoluble.

*J*e ne comprends pas qu'un Plotin ou un Maître Eckhart puissent repousser à ce point le *temps* et surtout qu'ils n'en éprouvent aucun *regret*. Ce n'est pas la rupture des derniers liens temporels qui les torture mais le fait de ne pas réussir à les briser tous et pour toujours.

... *L*'impossibilité de ne pas déceler une vibration funèbre dans l'éternité.

La vie en Dieu est mort de la créature, non pas solitude *avec* mais *en* lui. C'est la «*soledad en Dios*» de saint Jean de la Croix. Chez lui, l'union entre la solitude humaine et le désert infini de Dieu est un délice inexprimable, annonciateur de leur identification complète. Qu'advient-il du mystique dans son aventure divine, *que fait-il* en Dieu ? Nous l'ignorons du moment qu'il est incapable de nous le dire.

S'il existait un accès direct à la jubilation en Dieu — sans les épreuves qui précèdent l'extase — la voie surnaturelle serait alors à la portée de tout le monde. Mais à défaut d'un tel accès, nous sommes condamnés à gravir une échelle sans jamais en atteindre le dernier degré.

À côté de la solitude en Dieu proprement dite, il en existe une autre qui n'est au fond qu'un *isolement* en lui : la sensation d'être seul et abandonné au milieu d'un paysage désolé, la certitude de ne pas être *chez soi* à l'intérieur de la Divinité.

L'avènement de l'homme équivaut à une secousse dont les échos alimentent le cauchemar divin. Car l'homme ajoute un paradoxe à la nature en se situant à mi-chemin entre elle et la Divinité. Depuis l'irruption de la conscience, les rapports ont changé entre le ciel et la terre. Et Dieu est apparu dans sa juste lumière : un *rien* en plus.

*S*auf dans les moments où le besoin de consolation se fait sentir, les poètes ne se préoccupent des saints que dans la mesure où ces derniers sont *intéressants*.

*L*a mémoire devient active une fois qu'elle a cessé d'avoir le temps pour cadre et pour dimension... L'expérience de l'éternité est *actualité*; elle se déroule maintenant ou n'importe quand, sans référence à notre vie passée. Je fais un bond hors du temps, voilà tout; inutile de me souvenir de quoi que ce soit. Mais lorsqu'il s'agit de notre passé *essentiel*, de l'éternité qui *précède* le temps — seuls les souvenirs prétemporels nous rendent ce passé accessible. Il existe une autre mémoire, somnolente et profonde, que nous réveillons rarement. Elle remonte aux premiers battements du temps, elle recule vers les origines, c'est-à-dire vers la limite supérieure des souvenirs. C'est la *mémoire intelligible*.

Tout souvenir est un symptôme maladif. La vie comme état pur, comme phénomène non altéré, est actualité absolue. La mémoire est négation de l'instinct et son hypertrophie une maladie incurable.

L'humanité se dispense de Dieu depuis qu'elle l'a dépouillé de ses attributs en tant que personne. En voulant élargir le domaine d'influence du Tout-Puissant, elle l'a dérobé malgré elle à notre vision immédiate. Vers qui nous tourner s'il a cessé d'être une personne qui puisse nous comprendre et nous répondre ? Ayant gagné en étendue, Dieu est partout et nulle part. Aujourd'hui il est tout au plus un Absent universel.

En lui attribuant des proportions plus grandes, nous nous le sommes aliéné d'autant. Pourquoi, au lieu de le laisser tel qu'il était dans sa modestie primordiale, l'avons-nous défiguré ? Poussés par un orgueil sans bornes, nous lui avons attribué trop de qualités. Or, il n'a jamais été moins actuel qu'aujourd'hui. Nous sommes punis pour l'avoir trop exalté ! Celui qui l'a perdu ne le retrouvera jamais, dût-il le chercher sous d'autres formes d'illusion...

En allant à sa rescousse, nous n'avons réussi qu'à le livrer à la jalousie humaine. Ainsi, pour avoir voulu réparer une erreur de taille, nous avons détruit la seule erreur précieuse.

*L*e destin historique de l'homme est de mener l'idée de Dieu jusqu'à sa fin. Ayant épuisé toutes les possibilités de l'expérience divine, essayé Dieu sous toutes ses formes, nous atteindrons fatalement à la satiété et au dégoût, après quoi nous respirerons librement. Il y a cependant dans le combat contre un Dieu qui a trouvé son dernier refuge dans quelques replis de notre âme un malaise indéfinissable, malaise né de notre crainte de Le perdre. Comment se repaître de ses derniers restes, comment pouvoir jouir en toute tranquillité de la liberté consécutive à sa liquidation ?

*L*a religion est un sourire qui plane sur un non-sens général, comme un parfum final sur une onde de néant. C'est pourquoi, à bout d'arguments, la religion se rabat sur les larmes. Il n'y a plus qu'elles pour assurer tant soit peu l'équilibre de l'univers et l'existence de Dieu. Une fois les larmes épuisées, le désir de Dieu disparaîtra lui aussi.

*I*l y a des instants où l'on voudrait déposer les armes et creuser sa tombe à côté de celle de Dieu. Ou bien, pétrifié, revivre le désespoir de l'ascète qui découvre à la fin de sa vie l'inutilité du renoncement.

*É*trange à quel point l'idée de Dieu peut lasser! Elle équivaut à un surmenage de la conscience, à une fièvre secrète et épuisante, à un principe destructeur. On peut s'étonner que tant de saints soient arrivés à un âge avancé avec une telle obsession. Aller jusqu'à supprimer son sommeil pour mieux penser à Lui!

*A*u fond, il n'y a que Lui et moi. Mais son silence nous infirme tous les deux. Il se pourrait bien que rien n'ait jamais existé.
Je peux mourir la conscience tranquille car je n'attends plus rien de lui. Notre rencontre nous a isolés davantage encore. Toute existence est une preuve supplémentaire du néant de Dieu.

*C*ombien savent ce que signifie tomber de l'abîme divin dans un abîme plus profond encore? Nulle musique n'a encore entonné la rupture avec Dieu...

*I*l arrive parfois que nous regrettions de ne plus savoir ce que signifie la crainte religieuse. Si seulement nous pouvions faire renaître en nous le frisson ancestral devant l'inconnu, la panique devant l'indéchiffrable!

S'abaisser à la sagesse c'est *s'accorder* avec le rythme universel, les forces cosmiques, c'est tout savoir et s'accommoder du monde, rien de plus. Tous les sages réunis ne valent pas une imprécation du roi Lear ou une divagation d'Ivan Karamazov. Le stoïcisme comme justification pratique et théorique de la sagesse est tout ce qu'on peut imaginer de plus plat et de plus commode. Y a-t-il un vice de l'esprit plus grand que la résignation?
Le *désaccord* avec les choses est un signe évident de vitalité spirituelle, et cela est plus vrai encore du désaccord avec Dieu. Se réconcilier avec lui signifierait ne plus vivre soi-même, mais être

vécu *par lui*. En nous assimilant à lui, nous disparaissons ; en le rejetant, nous perdons toute raison d'exister.

Serais-je fatigué de vivre, il serait mon seul recours ; mais tant que j'arrive à me tourmenter, je ne saurais le laisser en paix.

Son destin est de finir incompris (comme les créatures d'ailleurs). Et pourtant il y en a qui le comprennent. Sinon, à quoi attribuer la certitude lancinante qui nous saisit parfois de ne plus pouvoir *progresser* en Lui ? Et ces défaillances, ces longues veilles, lorsqu'il nous semble que nous l'avons épuisé à force de pensées et de remords... Dire que chacun de nous le découvre si tard et que son absence laisse un tel vide dans l'esprit !... Ce n'est qu'en pensant à Lui sans pitié, jusqu'au bout, en prenant d'assaut ses déserts, que nous sortons enrichis de notre conflit avec lui. Si nous nous contentons de rester à mi-chemin, Il ne sera pour nous qu'un ratage de plus.

*P*lus Il nous préoccupe, plus nous perdons de notre innocence. Au paradis personne ne se souciait de lui. C'est la chute, elle seule, qui a fait naître cette étrange curiosité. Sans la *faute*, point de conscience de l'existence divine. Aussi trouve-t-on rarement Dieu dans une conscience qui ignore les affres du *péché*.

Si le contact avec Dieu annule notre innocence, c'est aussi qu'en nous occupant de lui, nous nous mêlons de ses affaires. « Celui qui verra Dieu mourra. » Les étendues infernales de la Divinité, troublantes comme un vice.

*L*a théologie est la négation de Dieu. L'idée saugrenue d'aller chercher des arguments pour prouver son existence ! Tous ces Traités ne valent pas une exclamation de sainte Thérèse. Depuis que la théologie existe aucune conscience n'y a gagné une certitude de plus, car la théologie n'est que la version athée de la foi. Le dernier bredouillage mystique est plus proche de Dieu que la *Somme théologique.* Tout ce qui est institution et théorie cesse d'être *vivant.* L'Église et la théologie ont assuré à Dieu une agonie durable. Seule la mystique l'a réanimé de temps en temps.

*I*l m'arrive d'éprouver une sorte de stupeur à l'idée qu'il ait pu exister des « fous de Dieu », qui lui ont tout sacrifié, à commencer par leur raison. Souvent il me semble entrevoir comment on peut se détruire pour lui dans un élan morbide, dans une désagrégation de l'âme et du corps. D'où l'aspiration immatérielle à la mort. Il y a quelque chose de pourri dans l'idée de *Dieu*!

L'obsession divine évacue l'amour terrestre. On ne peut aimer passionnément en même temps une femme et Dieu. Le mélange de deux érotiques irréductibles crée une oscillation interminable. Une femme peut nous sauver de Dieu, de même que Dieu peut nous délivrer de toutes les femmes.

*T*oute révolte est dirigée contre la Création. Le plus petit geste d'insoumission compromet l'ordre universel accepté par les esclaves du Créateur. On ne peut être avec Dieu et contre son œuvre ; mais on peut par amour pour lui oublier la Création ou même la mépriser.

Il n'est guère possible de se rebeller au nom de Dieu, fût-ce contre le péché. Car aux yeux du Réactionnaire suprême, le seul péché est l'anarchie, cette protestation contre l'ordre initial.

Toute rébellion est athée. L'inadhérence à une fraction infinitésimale de la Création équivaut à une désintégration de l'infini divin. L'anarchie n'est pas prévue dans le plan de la Création. Nous savons qu'au Paradis les bêtes se prélassaient, jusqu'au jour où l'une d'elles, n'acceptant plus sa condition et renonçant au bonheur, s'est faite homme. Sur cette désobéissance initiale l'histoire tout entière s'est érigée.

*U*n jour le monde, cette vieille baraque, finira bien par s'effondrer. De quelle manière, nul ne le sait et cela n'a d'ailleurs aucune importance. Car du moment que tout manque de substance, et la vie n'étant qu'une pirouette dans le vide, ni le commencement ni la fin ne prouvent rien.

*S*i j'essaie de penser à ce qui pourrait encore me rapprocher de Dieu, je sens une vague de pitié qui monte vers ses hauteurs abandonnées. On voudrait faire quelque chose pour ce grand Esseulé.

Avoir pitié de Lui : l'ultime solitude de la créature.

*I*l se pourrait que l'homme n'ait d'autre raison d'être que de *penser* à Dieu. S'il pouvait l'ignorer ou l'aimer, il serait sauvé. Vous avez commencé à le creuser ? Vous êtes perdu. Mais l'homme semble fait justement pour le creuser, pour le harceler. Il n'est pas étonnant qu'en peu de temps il n'en soit rien resté. Dieu résiste bien, mais devant la pensée il perd sa substance. Dire que certains philosophes lui ont attribué une pensée infinie... Une vieille défroque, voilà tout ce qui reste de la Divinité, une guenille que l'on endosse faute de mieux.

*A*u fond, l'histoire humaine est un drame divin. Car non seulement Dieu s'en mêle, mais il subit, parallèlement et avec une intensité infiniment accrue, le processus de création et de dévastation qui définit la vie. Un malheur partagé qui, compte tenu de sa position, le consumera peut-être avant nous. Notre solidarité dans la malédiction explique pourquoi toute ironie à son adresse se retourne contre nous, et se ramène à une auto-ironie. Qui, plus que nous mortels, a souffert de ce qu'Il ne soit pas ce qu'Il aurait dû être ?

*D*ieu est parfois si aisé à déchiffrer, qu'il nous suffit de nous pencher avec un minimum d'attention sur le moindre de nos mouvements intérieurs. Comment expliquer l'impression de familiarité et l'absence de mystère qui s'instaure dans ces rares moments où le divin devient accessible en dehors de toute expérience extatique ?

*T*oute version de Dieu est autobiographique. Elle est non seulement issue de nous, elle est aussi notre propre *interprétation.* Il s'agit d'une double vision introspective, qui nous découvre la vie de l'âme comme un *moi* et comme *Dieu.* Nous nous reflétons en lui et il se reflète en nous.
Pourra-t-il porter tous mes *manques* ? Ne succombera-t-il pas à un tel fardeau ?
Je ne me conçois qu'à travers l'image que je me fais de lui. C'est seulement ainsi que la connaissance de soi peut avoir un sens et un but. Celui qui ne pense pas à Dieu demeure étranger à lui-même. Car l'unique voie de la connaissance de soi passe par Dieu, et l'Histoire universelle n'est qu'une description des formes qu'Il a prises.

*L*a méditation musicale devrait être le prototype de la pensée en général. Quel philosophe a jamais suivi un motif jusqu'à son épuisement, à son extrême limite ? Il n'y a de pensée exhaustive qu'en musique. Même après les philosophes les plus profonds, on éprouve le besoin de recom-

mencer à zéro. La musique seule nous donne des réponses définitives.

*I*l semblerait que la pensée ne
puisse conduire un motif jusqu'à son terme et que le thème de
Dieu se prête à des variations infinies. La pensée et la poésie l'ont
intimidé, mais elles n'ont percé aucun des mystères qui l'entourent. Ainsi l'avons-nous enterré avec son lot de secrets. L'aventure
est hallucinante, la sienne d'abord, la nôtre ensuite.

*D*e tous les hommes, le héros
est celui qui pense le moins à la mort. Pourtant, nul n'y aspire,
d'une façon inconsciente, il est vrai, autant que lui. Ce paradoxe
définit sa condition : volupté de mourir, sans le sentiment de la
mort.

L'esprit est en soi un renonce-
ment. Quel sens un deuxième renoncement par l'héroïsme pourrait-il avoir ? N'est-il pas significatif que nous trouvions une telle
profusion de héros à l'aurore des civilisations ? Ignorant la torture
de l'esprit, comment les hommes eussent-ils satisfait leur goût du
renoncement sans son dérivatif héroïque ?
Rien ne relie le divin et l'héroïque. Car Dieu n'a aucun des attributs du héros. La lâcheté surnaturelle de Jésus...

*Q*ue ferais-je sans le paysage
hollandais, sans Salomon et Jakob Ruysdael ou Art van der Neer ?
Chacune de leurs toiles éveille en vous des rêves liés aux nuages,
aux teintes crépusculaires et aux brises marines, aux étendues
mouvantes faites pour envelopper le solitaire. Autant de commen-
taires sur la mélancolie.
Les arbres, isolés ou serrés les uns contre les autres sous un ciel
trop vaste ; les bêtes ne broutent pas l'herbe mais l'infini ; les
hommes ne vont nulle part, ils attendent immobiles dans les replis
de l'ombre, — tous participent à un monde où la lumière elle-
même amplifie le mystère. Ce que Vermeer van Delft, le maître de
l'intimité, des silences confidentiels, nous révèle dans ses portraits
et ses intérieurs, rend le silence palpable sans faire appel à un
clair-obscur de vastes dimensions ; Jakob Ruysdael, plus poète que
peintre, le projette dans l'espace sans bornes, dans un clair-
obscur monumental. On *entend* le silence des crépuscules — c'est
le charme désolé du paysage hollandais, auquel il faut ajouter une

certaine vibration sans laquelle il manquerait à la mélancolie la touche poétique.

*L*a Russie et l'Espagne : deux nations enceintes de Dieu. D'autres pays se contentent de le connaître, ils ne le portent pas en eux.

Un peuple a pour mission de révéler au moins un des attributs de Dieu, de nous faire découvrir une de ses faces. Ce qui ne peut se faire que si le devenir réalise une partie des qualités secrètes de la Divinité.

Quelques millénaires d'Histoire signifient une crise sérieuse du pouvoir et de l'autorité de Dieu. Les peuples se sont surpassés pour le faire connaître, sans soupçonner le mal qu'ils lui causaient. Si tous les pays avaient ressemblé à la Russie et à l'Espagne, ils l'auraient *épuisé* depuis longtemps. L'athéisme russe et espagnol est inspiré par le Très-Haut. À travers l'athéisme, Il se défend contre la foi qui le consume. Il accueille à bras ouverts ses fils, les athées...

Quelqu'un s'est-il rapproché de Lui plus que le Greco par les lignes et les couleurs ? Dieu lui-même a-t-il jamais été assiégé par des figures humaines avec une insistance plus agressive ? Loin d'être le produit d'une déficience optique, *l'ovale* chez le Greco est la forme que prend le visage humain en s'effilant vers les hauteurs. Pour nous, l'Espagne est une flamme, pour Dieu un incendie. Le feu a rapproché les déserts de la terre et du firmament. La Russie avec la Sibérie tout entière — brûle en même temps que l'Espagne et que le ciel lui-même.

Le Russe ou l'Espagnol le plus sceptique est plus passionné de Dieu que n'importe quel métaphysicien allemand. Tout le clair-obscur de la peinture hollandaise n'égale pas en intensité dramatique l'ombre ardente d'un Greco ou d'un Zurbarán.

Le clair-obscur hollandais, avec tout son mystère, est étranger à la transcendance. Il se pourrait que la mélancolie fût réfractaire à l'absolu.

Entre l'Espagne et la Hollande, il y a l'incommensurable distance entre le désespoir et la mélancolie. Rembrandt lui-même nous invite à nous reposer dans l'ombre et son clair-obscur tout entier n'est qu'*attente* de la vieillesse. Aussi trouverait-on difficilement artiste plus réflexif et plus apaisé que lui.

Lui seul, parmi les Hollandais, a compris Dieu. (Est-ce la raison pour laquelle il a peint relativement peu de paysages ?) Mais, loin d'être une présence qui déforme les choses jusqu'à les défigurer (le Greco), le Dieu de Rembrandt se dégage du mystère des ombres.

Existe-t-il dans l'art un autre critère, hormis le rapprochement du ciel ? Car l'ardeur et la tension exigées ne peuvent se déterminer que par rapport à une passion absolue. Pourtant ce critère nous laisse inconsolés, puisque la Russie et l'Espagne nous montrent que nous ne sommes jamais assez près de Dieu pour avoir le droit d'être athées...

*L*e temps est une consolation. Mais la *conscience* vient à bout du temps. Et il est difficile de trouver une thérapeutique efficace contre la conscience. Tout ce qui nie le temps est maladie. Ce qu'il y a de plus sain et de plus pur dans la vie n'est qu'une apothéose de l'éphémère. L'éternité est une inépuisable pourriture et Dieu un cadavre sur qui l'homme se prélasse.

L'orgue est une cosmogonie. De là ses résonances métaphysiques, absentes de la flûte et du violoncelle, sauf dans l'expression lyrique et les vibrations infiniment subtiles. Dans l'orgue, l'absolu s'interprète lui-même. D'où l'impression qu'il est le moins humain des instruments et qu'il s'est toujours joué seul ! Au contraire, le violoncelle et la flûte laissent apparaître les faiblesses de l'homme, mais transfigurées, comme par regret supraterrestre.

Vous entrez par hasard dans une église, vous jetez autour de vous un regard indifférent quand soudain des accords d'orgue vous surprennent ; ou bien, vous pénétrez le soir dans une maison quelconque assombrie par des traces de fumée où vous entendez un violoncelle méditatif — ou encore, vous écoutez par un après-midi vaste et vide les notes égrenées par une flûte, — pouvez-vous imaginer déréliction plus flatteuse ?

*C*hez le Greco, les figures et les couleurs flambent verticalement. Chez Van Gogh aussi les objets sont des flammes et les couleurs brûlent. Mais horizontalement, répandues dans l'espace. Van Gogh est un Greco sans ciel, un Greco sans ailleurs.

En art, le centre de gravité explique sinon la structure formelle et les différents styles, en tout cas l'atmosphère intérieure. Pour le Greco, le monde se précipite vers Dieu, tandis que pour Van Gogh il s'épanouit dans l'incendie...

*L*e dégoût vous saisit devant le spectacle du devenir humain et vous oblige à renoncer aux «sentiments», à vous en défaire. Ils sont la source de ces adhésions douteuses, de ce stupide «oui» au monde. Furieux, on a des «accès» de sainteté laïque pendant lesquels on élabore sa propre épitaphe.

*L*e devoir d'un homme seul est d'être encore plus seul.

À l'ombre des monastères, une sourde tristesse faisait naître dans l'âme des moines ce vide que le Moyen Âge a nommé l'*acédie.* Ce dégoût issu du désert du cœur et de la pétrification du monde est le spleen religieux. Non un dégoût de Dieu mais un ennui *en* Dieu. L'*acédie,* ce sont tous les dimanches après-midi vécus dans le silence pesant des monastères.
L'extase dans ses premiers élans se crée à elle-même un paysage ; l'acédie le défigure, rend la nature exsangue, l'existence fade, et suscite un ennui empoisonné que seul notre état de mortels privés de grâce nous permet de comprendre. L'acédie moderne n'est plus la solitude claustrale — bien que chacun de nous porte un cloître dans son âme — mais le vide et l'effroi face à un Dieu débile et déserté.

*V*ous êtes-vous regardé dans le miroir lorsque entre vous et la mort plus rien ne s'interpose ? Avez-vous interrogé vos yeux ? Avez-vous compris alors que vous ne pouvez pas mourir ? Les pupilles dilatées par la terreur vaincue sont plus impassibles que des pyramides. Une certitude naît alors de leur immobilité, une certitude étrange et tonique dans son mystère lapidaire : *tu ne peux pas mourir.* C'est le silence des yeux, c'est notre regard se rencontrant avec lui-même, calme égyptien du rêve devant la terreur de la mort. Chaque fois que cette terreur vous saisit, regardez-vous dans le miroir, interrogez vos yeux et vous comprendrez pourquoi vous ne pouvez pas mourir, pourquoi vous ne mourrez jamais. Vos yeux *savent* tout. Car nos yeux imbus de néant nous assurent que rien ne peut plus nous arriver.

*L*e déclin d'un peuple coïncide avec un maximum de lucidité collective. Les instincts qui créent les «faits historiques» s'affaiblissant, sur leur ruine se dresse l'ennui. Les Anglais sont un peuple de pirates qui, après avoir pillé le monde, ont commencé à s'ennuyer. Les Romains n'ont pas disparu de la face de la terre à la suite des invasions barbares, ni à cause du virus chrétien, un virus bien plus subtil leur a été fatal. Une fois oisifs ils ont eu à affronter le temps creux, malédiction supportable pour un penseur, mais torture sans égale pour une collectivité. Que signifie le temps libre, le temps nu et vacant, sinon une durée sans contenu ni substance? La temporalité vide caractérise l'ennui.

L'aurore connaît des idéaux; le crépuscule seulement des idées, et à la place des passions, le besoin de divertissement. Par l'épicurisme ou le stoïcisme, l'Antiquité finissante a essayé de guérir ce «mal du siècle» propre à tous les déclins historiques. Simples palliatifs, comme la multiplication des religions du syncrétisme alexandrin, qui ont masqué, faussé ou dévié le mal, sans en annuler la virulence. Un peuple comblé tombe en proie au cafard, tout comme un individu qui a «vécu» et qui «en sait» trop.

*I*mpossible d'aimer Dieu autrement qu'en le haïssant! Si on prouvait son inexistence dans un procès-verbal sans précédent, rien ne pourrait jamais supprimer la rage — mélange de lucidité et de démence — de celui qui a besoin de Dieu pour étancher sa soif d'amour et plus souvent de haine. Qu'est-il, sinon un moment au seuil de notre destruction? Qu'importe qu'il existe ou non, aussi longtemps qu'à travers lui notre lucidité et notre folie s'équilibrent et que nous nous apaisons en l'étreignant avec une passion meurtrière?

*C*e besoin de profaner les tombes, d'animer les cimetières dans une apocalypse printanière! La vie seule existe, en dépit de l'absolu de la mort! Cela les paysans le savent, qui s'accouplent dans les cimetières, offensant par leurs soupirs le silence agressif de la mort. La volupté sur une pierre tombale, quelle promotion!

*I*mpossible de déterminer à quel moment précis l'attente du *Jugement* vous surprend et comble vos instants. Au milieu de banalités accablantes, de gestes quelconques ou de vulgaires accès d'humeur, plus souvent au bistrot qu'ailleurs, il arrive que vous soyez saisi d'une émotion rare. Être capable de discourir pendant des heures de choses gaies ou indifférentes avec des gens que vous méprisez, sans leur laisser entrevoir un seul instant quel écart insensible vous sépare du Jugement, quelle distance vous éloigne du monde, quels appels vous agitent! Celui qui ne soupçonne pas ce que signifie cette attente pèche par trop de timidité et se révèle incapable de comprendre cette ultime provocation, ce besoin d'affronter une dernière fois le patron de la bêtise unanime, l'auteur d'un univers superflu.

*I*l n'est pas besoin d'être chrétien pour trembler devant le Jugement. Le christianisme n'a fait qu'exploiter une crainte afin d'en tirer un profit maximum pour une divinité sans scrupules qui a fait de la terreur son alliée.

*L*e Jugement apparaît à la conscience comme un moment indéterminé et imprévisible, néanmoins comme un *stade* de l'angoisse. Vous pensiez arpenter l'Absolu, craintif et méprisant, lorsque soudain surgit un nouvel obstacle! Le Jugement! Et alors? Dieu voudrait-il nous faire mourir une deuxième fois?

*L*e seul argument contre l'immortalité est l'ennui. De là dérivent d'ailleurs toutes nos négations.

*J*e cherche ce qui *est*. Ma quête est sans objet. Allons au Jugement une fleur à la boutonnière!

J'écoute le silence et ne puis étouffer sa voix : *tout est fini.* Ces mêmes paroles ont présidé au commencement du monde, puisque le silence l'a précédé...

*T*out est frivole — y compris l'Ultime. Une fois arrivé là, on a honte de toute interrogation capitale.

*B*ien que l'idée absolument inintelligible du Jugement soit une provocation ouverte pour l'intellect, elle sert néanmoins à expliquer, à définir notre néant. Que ce soit sous forme religieuse ou profane, la représentation d'une résolution finale de l'Histoire est constitutive de l'esprit humain. Ainsi l'idée la plus saugrenue revêt le caractère d'une fatalité.

L'ironie est un exercice qui dévoile le manque de sérieux de l'existence. Le moi convertit le monde en néant, car l'ironie ne procure des sensations de puissance que lorsque tout est aboli. La perspective ironique, un subterfuge du délire des grandeurs. Pour se consoler de son inexistence, le moi devient *tout*. L'ironie atteint au sérieux lorsqu'elle s'élève à la vision implacable du rien. Le tragique est le stade ultime de l'ironie.

*L*a passion de l'absolu dans une âme sceptique ! Un sage greffé sur un lépreux ! Tout ce qui n'est pas absolu ou ver de terre est hybride. Puisque je ne peux pas être gardien de l'infini, il me reste le gardiennage des cadavres.

*J*e songe à une herméneutique des larmes, qui tenterait de découvrir leur origine ainsi que toutes leurs interprétations possibles. Afin d'aboutir à quoi ? À comprendre les sommets de l'histoire et à nous dispenser d'« événements », puisque nous saurions à quels moments et dans quelle mesure l'homme a réussi à s'élever au-dessus de lui-même. Les larmes prêtent un caractère d'éternité au devenir ; elles le sauvent. Ainsi, que serait la guerre sans elles ? Les larmes transfigurent le crime et justifient tout. Les peser et les comprendre c'est trouver la clé du processus universel. Le sens d'un tel approfondissement serait de nous guider dans l'espace qui relie l'extase à la malédiction.

*C*e qui me sépare de la vie et de tout, c'est le soupçon épouvantable que Dieu pourrait être un problème de deuxième ordre. Ce doute — lucide jusqu'à la folie — vous oblige à croiser les bras : que reste-t-il d'autre à faire ?
La futilité de l'existence aurait-elle atteint Dieu lui-même ? La maladie de l'inessentiel aurait-elle affecté l'essence ? Il faut que la substance divine soit corrompue depuis longtemps, pour que nous mettions en doute sa santé et ses vertus. Dieu n'est plus présent ; nos blasphèmes eux-mêmes ne parviennent pas à le ranimer. Où donc, dans quel hospice repose-t-il ? J'ai compris : un Absolu qui se *ménage*. Le monde n'a mérité, en somme, qu'une Divinité décrépite.

*T*outes les cloches appellent au Jugement. Depuis tant de siècles elles annoncent la fin, enveloppant de leur solennité l'agonie à laquelle nous convie le christianisme. Lorsque c'est en vous que retentissent leurs appels, vous êtes mûr pour le Jugement, et si leur son est fêlé, la sentence est irrévocable.

*L*e plus humble des chrétiens a des moments où il s'entretient avec Dieu d'égal à égal. La religion elle-même tolère ces grands airs sans lesquels l'homme crèverait de modestie. C'est pourquoi l'athéisme flatte la liberté humaine, car en parlant de *haut* à Dieu, il élève l'orgueil au rang de démiurgie. Celui qui n'a jamais méprisé le principe suprême est prédestiné à l'esclavage. Nous ne sommes véritablement nous-mêmes que dans la mesure où nous humilions le Créateur.

*C*elui qui n'est pas *naturellement* heureux ne connaîtra que le bonheur consécutif aux crises du désespoir. J'ai peur d'un bonheur insupportable dont je serais victime et qui, en me vengeant d'un passé de terreur, me vengerait de tout, y compris de la malchance d'avoir vécu.

*E*st supérieur, du point de vue chrétien, le lépreux qui aime sa lèpre à celui qui l'*accepte*; le moribond qui s'agite à celui qui se résigne; le désespoir à la transaction... En légitimant la fièvre, le christianisme a créé les conditions favorables à une «culture» de saints. Il a élevé la température de l'homme...

«*L*'âge de l'innocence.» Plus on contemple les tableaux de Reynolds, plus on se persuade qu'il n'y a qu'un seul échec: cesser d'être un enfant. Le Paradis projette dans le passé ce stade de notre vie, il nous console de notre enfance évanouie. Voyez cette main délicate que l'enfant tient contre sa poitrine, comme pour défendre timidement son bonheur! Reynolds a-t-il compris tout cela? Ou bien ces yeux pensifs expriment-ils une vague épouvante devant ce qu'il faudra perdre? Les enfants, tout comme les amants, ont le pressentiment des limites du bonheur.

*A*voir toujours aimé les larmes, l'innocence et le nihilisme. Les êtres qui savent tout et ceux qui ne savent rien. Les ratés et les enfants.

*L*e ratage est un paroxysme de la lucidité; le monde devenu transparent à l'œil implacable de celui qui, stérile et clairvoyant, n'adhère plus à rien. Même inculte, le raté *sait* tout, il voit à travers les choses, il démasque et annule toute la création. Le raté est un La Rochefoucauld sans génie.

*S*i j'étais poète, je n'aurais de cesse que Néron soit vengé. Je saurais ce qu'il faut écrire sur la mélancolie des empereurs fous. Sans un Néron, un empire agonisant manque de style, une décadence perd tout intérêt.

*P*ersonne n'a poussé aussi loin que Maître Eckhart le désir d'anéantir ses instincts de créature. Son inadhérence totale à la création le conduit à cette *Abgeschiedenheit*, ce détachement, condition primordiale de l'attachement à Dieu. Entre vie et éternité, il sacrifie sans hésiter la première, vérifiant en théorie et en pratique la disparité douloureuse de ces deux termes.

*P*ourquoi a-t-on voulu à tout prix ajouter quelque chose à l'Ecclésiaste, qui contient déjà *tout*? Mieux encore, ce qui n'est pas dans l'Ecclésiaste est entaché d'erreur. «Alors, mon cœur s'est tourné vers le désespoir.» Vers la Vérité.
... «Car trop de sagesse accroît notre amertume et trop de savoir augmente notre souffrance.»
L'Ecclésiaste est un étalage, une révélation de vérités auxquelles la vie, complice de tout ce qui est «vain», résiste avec le dernier acharnement.

*C*ette crainte soudaine, surgie de nulle part, qui croît en nous et confirme notre déracinement, n'est pas «psychologique», elle n'appartient qu'en dernier lieu à ce qu'on appelle *âme*. En elle résonnent les tourments de l'individuation, le vieux combat du chaos avec la forme. Je ne puis oublier les instants où la matière résistait au Tout-Puissant.

L'inadhérence à la vie engendre un goût pour la fixité. Nous commençons à voir le monde dans des formes rigides, des lignes arrêtées, des contours morts. Lorsque vous n'éprouvez plus cette joie qui nourrit le Devenir, tout s'achève en symétries. Ce qu'on a appelé le «géométrisme» dans de nombreux types de folie ne serait que l'exagération de cette prédisposition à l'immobilité qui accompagne toute dépression. Le goût des formes trahit un penchant secret pour la mort. Plus vous êtes déprimé, plus les choses se figent, en attendant qu'elles se glacent.

«*L*a souffrance est l'unique cause de la conscience» (Dostoïevski). Les hommes se partagent en deux catégories : ceux qui ont compris cela, et les autres.

*Q*uel que soit votre degré de culture, si vous ne réfléchissez pas intensément à la mort, vous n'êtes qu'un pauvre type. Un grand savant — qui n'est que cela — est bien inférieur à un illettré qui est hanté par les questions ultimes. En général, la science abrutit les esprits en réduisant leur conscience métaphysique.

*Q*uand vous arpentez les rues, le monde semble exister tant bien que mal. Mais regardez par la fenêtre — et tout devient irréel. Comment se fait-il que la transparence d'une vitre nous sépare à ce point de la vie ? En réalité, une fenêtre nous éloigne du monde plus que le mur d'une prison. À force de regarder la vie on finit par l'*oublier*.

*P*lus je lis les pessimistes, plus j'aime la vie. Après une lecture de Schopenhauer, je réagis comme un fiancé. Schopenhauer a raison de prétendre que la vie n'est qu'un rêve. Mais il commet une inconséquence grave quand, au lieu d'encourager les illusions, il les démasque en laissant croire qu'il existerait quelque chose en dehors d'elles.
Qui pourrait supporter la vie, si elle était réelle ? Rêve, elle est un mélange de charme et de terreur auquel nous succombons.

*T*out paysage et la nature en général ne sont qu'une fuite hors du temps. D'où la sensation que rien n'a jamais existé, chaque fois que nous nous abandonnons à ce rêve de la matière qu'est la nature.

*L*a fréquentation des mortels est un supplice pour un esprit lucide, une saignée sans fin. Si, après avoir vécu les yeux ouverts parmi vos semblables, vous gardez encore du sang en réserve pour d'autres plaies, c'est que vous n'avez rien compris à notre désastre à tous.

*O*n se libère dans la mesure où l'on déteste les hommes. Il faut les haïr pour pouvoir adhérer aux perfections inutiles, aux déchirements et aux béatitudes, hors du temps, hors de l'histoire. Il y a dans tout emballement pour le phénomène humain comme tel un manque de distinction et de goût. Exécrer l'homme vous fait considérer la nature comme une voie de libération, de renoncement, et non, à la façon des romantiques, comme une étape dans l'odyssée de l'esprit. Après nous être dégradés en nous mêlant du Devenir, il est grand temps que nous redécouvrions cette identité initiale que nous avons brisée par le délire des grandeurs dont est atteinte la conscience. Je ne puis contempler un paysage sans éprouver le besoin de détruire tout ce qui est a-cosmique en moi. Nostalgie végétale, regrets telluriques, envie d'être plante soumise au cycle mortel du soleil.

*I*l y a dans la vie comme l'hystérie d'une fin de printemps.

*N*i assez malheureux pour être poète... ni assez indifférent pour être philosophe, je ne suis que lucide, mais assez pour être condamné.

«*J*e vis de ce dont les autres meurent» (Michel-Ange). Il n'y a rien d'autre à ajouter sur la solitude...

*L*e monde n'est qu'un prétexte. Nous avons besoin de penser à quelque chose — et nous l'avons choisi comme matière à réflexion. Aussi, la pensée ne manque-t-elle pas une occasion de le détruire.

*B*ouddha était un optimiste. Se peut-il qu'il n'ait pas observé que la douleur définit l'être comme le non-être ? Car l'existence ou le néant ne «sont» qu'à travers la souffrance. Le vide, qu'est-il sinon une aspiration avortée à la douleur ? Le Nirvâna correspond à un état de souffrance plus éthérée, à un degré plus spiritualisé du tourment. L'*absence* peut signifier un déficit d'existence mais non de douleur. Car la douleur précède tout — y compris l'Univers.

*J*e ne crois pas avoir raté une seule occasion d'être triste. (Ma vocation d'homme.)

*J*e n'ai senti que je mourrai tout de bon que dans mes accès de passion pour la vie. La peur me lie au monde bien plus que la plénitude voluptueuse qui accompagne ces moments de pâmoison, d'abandon mystérieux, lorsque les sens se vident pour absorber la vie qui nous envahit par tous les pores, faisant taire paroles et pensées.

Si je ne traînais ma mort avec moi dans mes espoirs et mes échecs, je me retirerais auprès des bêtes et me livrerais au sommeil béni de l'inconscience. La mort..., n'y suis-je lié que par une aspiration secrète, un regret végétal, une complicité avec les ondulations funèbres de la nature ? — Ne serait-ce pas là plutôt orgueil, refus d'ignorer que l'on va mourir ? Car rien n'est aussi flatteur que la pensée de la mort — *la pensée*, et non la mort.

Renoncer à savoir que je vais mourir — pour rien au monde je n'y consentirai aussi longtemps que je vivrai, mais j'attends la mort pour pouvoir oublier ce savoir.

L'horreur de tout, objets ou créatures, appelle des visions désolées. On regrette que la terre ait trop peu de déserts, on voudrait niveler les montagnes, on rêve d'une Mongolie aux couchants implacables.

Les ascètes chrétiens considéraient que seul le désert était sans péché et ils le comparaient aux anges. En d'autres termes, il n'y a de pureté que là où rien ne pousse.

L'envie de s'humilier par mépris des autres, de faire la victime, le monstre, la brute... On est d'autant plus inférieur qu'on éprouve le besoin de collaborer à une tâche «constructive», qu'on enregistre l'existence de «l'autre». Mais *l'autre n'existe pas*, cette conclusion s'impose et nous réconforte. Être seul, impitoyablement seul, voilà l'impératif auquel il faut se soumettre coûte que coûte. L'univers est un espace vacant et les créatures n'existent que pour attester et consolider notre isolement. Je n'ai jamais rencontré personne, je n'ai fait que trébucher sur des ombres simiesques.

*N*os terreurs proviennent de la nuit sans fin contre laquelle le Très-Haut a livré sa première bataille. Ce fut une demi-victoire : Il n'a réussi à imposer le jour qu'à moitié. À l'homme est revenue la tâche de réaliser la plénitude des jours — mais il n'y est parvenu qu'en pensée. Nous dormons non pour trouver le repos mais pour oublier la nuit et notre fausse victoire.

*N*ous vivons à l'ombre de nos échecs et de nos blessures d'amour-propre. Notre appétit de puissance exacerbé jusqu'à la folie ne peut se satisfaire en ce monde. Il n'existe pas ici-bas d'espace pour l'instinct démiurgique et sa furie dévorante.

Nous cherchons dans la religion une consolation aux défaites de notre volonté de conquête. En ajoutant d'autres mondes à celui-ci, nous pouvons espérer des triomphes mirifiques. Nous devenons religieux par crainte d'étouffer dans les limites maudites de l'ici-bas. Aussi, une âme indomptable ne se reconnaît-elle qu'un seul ennemi : l'Éternel. Il est celui qu'il faut abattre, le dernier bastion à conquérir.

À tour de rôle, nous nous partageons, Dieu et nous, le pouvoir. De là découlent deux conceptions du monde que rien ne saurait concilier. Dieu, pas plus que nous, n'est disposé à faire des concessions.

Parfois, je ne peux m'empêcher de donner raison à ces philosophes qui, pour expliquer les rapports entre l'âme et le corps, admettaient une intervention divine dans chaque action. Mais ils sont restés à mi-chemin. Ils n'ont pas eu le sentiment que sans cette intervention le monde pourrait retomber dans le chaos, se briser en morceaux et rouler dans l'abîme. Pour eux, Dieu ne peut manquer d'*accorder* son soutien à cet équilibre provisoire.

Dieu se mêle de tout, il est *présent* dans les moindres détails. Pourrions-nous sourire sans son intervention ? Les croyants qui l'implorent à chaque pas savent fort bien que le monde livré à lui-même s'anéantirait aussitôt. Au fond, que se passerait-il si Dieu se retirait dans son indifférence initiale ?

Impossible de gouverner en même temps que Lui. Vous pouvez le remplacer ou lui succéder, mais non siéger à ses côtés, car il ne supporte pas l'orgueil de la créature. L'homme est ainsi fait : il se perd dans la Divinité ou bien il la provoque. Personne jusqu'à ce jour n'a été «raisonnable» en Sa présence. Servir d'intérim à Dieu, voilà l'ambition constante de l'homme.

... Mais notre ratage n'est nulle part aussi sensible que dans cette mystérieuse oscillation qui nous projette loin de Dieu, pour nous ramener ensuite à Lui, alternance de défaite et de démiurgie qui traduit tout l'incurable de notre destin.

*S*ouvent je me mets à songer à ces ermites de la Thébaïde, qui se creusaient une tombe pour y verser des larmes jour et nuit. Lorsqu'on leur demandait la raison de leur affliction ils répondaient qu'ils pleuraient leur âme.

Dans le vague du désert, le tombeau est une oasis, un lieu et un soutien. On creuse son trou pour avoir un point fixe dans l'espace. Et on meurt pour ne pas s'égarer.

*P*ourquoi irais-tu fouiller dans ma mémoire ? À quoi bon te souvenir de moi ? Parviendras-tu jamais à mesurer ta chute et la présence de mon angoisse dans la tienne ?

Détourne-toi de la créature !

Oublie-moi, car je veux être libre — et ne crains rien, je ne t'accorderai pas la moindre pensée. Morts l'un pour l'autre, qui nous empêchera d'en faire à notre tête dans ce lieu de sépulture livré à l'abandon, et que, dans ta divine Ignorance, tu as baptisé Vie ?

*L*e dernier mot de toute religion : *la vie* comme une perte d'âme.

*J*e n'ai plus rien à partager avec personne. Sauf pour quelque temps encore, avec le Seul.

*P*lus les paradoxes sur Dieu sont osés, mieux ils expriment son essence. Les injures elles-mêmes sont plus proches de Lui que la théologie ou la méditation philosophique. Adressées aux hommes, elles seraient irrémédiablement vulgaires ou sans conséquence ; *l'homme* ne porte aucune responsabilité, son créateur étant à la source de l'erreur et du péché. La chute d'Adam est avant tout un désastre divin. L'Éternel a investi dans l'homme toutes ses imperfections, toute sa pourriture et toute sa déchéance. Notre apparition sur terre devrait sauver la perfection divine. Ce qui chez le Tout-Puissant était « existence », infection temporelle, chute, s'est canalisé dans l'homme, et ainsi Dieu a sauvé son néant. Grâce à nous qui lui servons de dépotoir, Il reste vide de tout.

... Voilà pourquoi, lorsque nous injurions le ciel, nous le faisons en vertu du droit de celui qui porte le fardeau d'un autre. Dieu se doute de ce qui nous arrive — et s'il a envoyé son Fils, afin qu'il nous ôte une part de nos peines, il l'a fait par remords, non par pitié.

*T*out ce qui en moi aspire à la vie exige que je renonce à Dieu.

*O*n commence à croire par orgueil — ce qui est en tout cas «honorable», à défaut d'être plaisant. Si on ne se passionne pas pour Lui, on s'occupe nécessairement des hommes. Peut-on tomber plus bas ?

*O*n ne peut se décider entre la liberté et le bonheur. D'un côté la souffrance et l'infini, de l'autre la médiocrité et la sécurité. L'homme est un animal trop orgueilleux pour accepter le bonheur et trop déchu pour le mépriser.
N'est-il pas significatif que le «bonheur» engendre un malaise ? Qui se vante de ne pas souffrir ? La gêne que nous ressentons devant les malheureux n'est que l'expression de notre conviction que la souffrance constitue le signe distinctif, l'originalité même d'un être. Car on devient homme non par le biais de la science, de l'art ou de la religion, mais par le refus lucide du bonheur, par notre inaptitude foncière à être heureux.

*M*oins nous avons d'espoir, plus nous sommes orgueilleux, au point que désespoir et orgueil s'épanouissent ensemble, indiscernables l'un de l'autre même pour l'observateur clairvoyant. L'orgueil nous interdit d'espérer, de chercher une sortie hors de l'abîme du moi, et le désespoir se donne un air sombre sans lequel l'orgueil serait un jeu mesquin ou une lamentable illusion.

*É*tant fonction de notre désespoir, Dieu devrait continuer à exister même en présence de preuves irréfutables de son inexistence. À vrai dire, tout plaide pour et contre lui, car tout ce qui est le dément et le confirme. Le blasphème et la prière se justifient également dans le même instant. Lorsque vous les proférez ensemble, vous vous rapprochez du représentant suprême de l'Équivoque.

*S*i je cherche un mot qui me contente et m'attriste en même temps, je n'en trouve qu'un seul : l'oubli. Ne se rappeler plus rien, regarder sans se souvenir, dormir les yeux ouverts sur l'Incompris !

*C*ette force qui vous fait serrer Dieu sur votre cœur comme un être cher à l'agonie, pour lui extraire une dernière preuve d'amour, et vous retrouver ensuite avec son cadavre sur les bras...

*Q*uel plaisir d'avoir sous la main un mystique allemand, un poète hindou ou un moraliste français, à l'usage de l'exil quotidien !
Lire jour et nuit, avaler des tomes, ces somnifères, car personne ne lit pour apprendre mais pour oublier, remonter jusqu'à la source du cafard en épuisant le devenir et ses marottes !

*I*l n'est ni facile ni agréable de se chamailler sans cesse avec Lui. Une fois engagé dans cette voie, en vertu de je ne sais quelle impulsion, vous perdez toute mesure et toute réserve. *Superbia* — présomption de la créature. En poussant à la zizanie, elle balaie l'humilité, et convertit le destin en tragédie. Sans elle, ressort de nos folies et de nos bassesses, l'histoire serait inconcevable. Dans son expression ultime, la superbe est usurpation sans fin. Celui qui l'a vécue jusqu'au bout ne peut plus avoir qu'un seul rival...

*T*out ce qui adhère au monde est trivial. Aussi n'y a-t-il pas de religion inférieure... Le frisson sacré le plus primitif prête un souffle aux apparences. *Dans* le monde la grâce paraît cendre ; — *au-delà*, le néant lui-même paraît une grâce.

*A*vec un peu d'empressement, nous aurions pu rendre Dieu plus heureux. Mais nous l'avons abandonné, et il est maintenant plus seul qu'avant le commencement du monde.

À en croire Maître Eckhart, rien ne répugne à Dieu comme le temps, ou simplement le fait d'y adhérer. En convoitant l'éternité, Dieu — et Maître Eckhart avec lui — méprise jusqu'à « l'odeur et le goût du temps ».

*L*e rejet volontaire et lucide de l'absolu est la voie de la résistance à Dieu — au profit de l'illusion, c'est-à-dire de l'essence de toute vie.

*P*ardonnerai-je jamais à la terre de m'avoir compté parmi les siens à titre d'intrus seulement?

*L*e Paradis gémit au fond de la conscience, tandis que la mémoire pleure. Et c'est ainsi qu'on songe au sens métaphysique des larmes et à la vie comme déroulement d'un regret.

CIORAN À BICYCLETTE
SUR LA PROMENADE DES ANGLAIS.
À NICE, EN 1938.

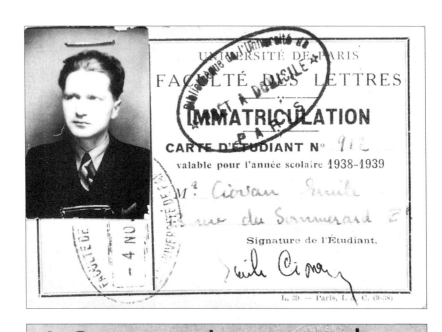

CARTES D'ÉTUDIANT ET DE JEUNE ÉTRANGER DE CIORAN,
UN AN APRÈS SON ARRIVÉE EN FRANCE.

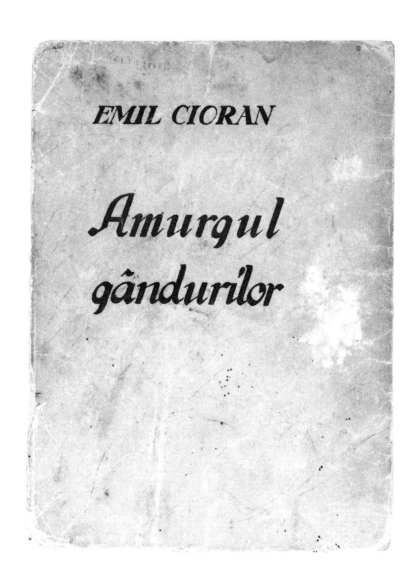

EMIL CIORAN

Amurgul gândurilor

COUVERTURE DU *CRÉPUSCULE DES PENSÉES*,
ÉCRIT À PARIS EN 1938,
PARU À SIBIU EN 1940.

LE CRÉPUSCULE

DES PENSÉES

*«... Nourrissez-le avec le pain et l'eau
de la tristesse. »*
II CHRONIQUES, XVIII, 26

Traduction de
MIRELLA PATUREAU-NEDELCO
revue par
CHRISTIANE FRÉMONT

Titre original :
Amurgul gândurílor.
Écrit en 1938 ; publié à Sibiu en 1940.

I

*D*ites que l'univers n'a aucun sens, vous ne fâcherez personne — mais affirmez la même chose d'un individu, il ne manquera pas de protester, et ira jusqu'à prendre des mesures contre vous.

Nous sommes tous ainsi : dès qu'il s'agit d'un principe général, nous nous mettons hors de cause et n'avons aucune gêne à nous ériger en exception. Si l'univers n'a pas de sens, y a-t-il quelqu'un qui échappe à la malédiction de cette sentence ? Tout le secret de la vie se réduit à ceci : elle n'a aucun sens, chacun de nous, pourtant, lui en trouve.

*L*a solitude n'apprend pas à être seul, mais le seul.

*D*ieu a tout intérêt à protéger ses vérités. Un simple haussement d'épaules, parfois, les démolit toutes ; car il y a beau temps que nos pensées les ont fait s'écrouler. Même un ver troublerait son sommeil, pour peu qu'il soit capable d'inquiétude métaphysique.

La pensée de Dieu fait obstacle au suicide, mais non point à la mort. Elle ne saurait apprivoiser l'obscurité qui eût pu l'effrayer lorsqu'il cherchait son pouls parmi la terreur du Rien.

*D*iogène, dit-on, aurait été faux-monnayeur. — Qui ne croit pas en la vérité absolue a droit de tout falsifier.

Né après Jésus-Christ, Diogène eût été un saint. Où pourraient mener notre admiration pour les Cyniques et deux mille ans de christianisme ? À un Diogène tendre.

Platon a nommé Diogène « un Socrate fou ». Difficile de sauver Socrate.

*S*i l'agitation sourde qui m'habite s'exprimait à voix haute, chaque geste serait une génuflexion devant un mur des lamentations. De naissance je porte un deuil — le deuil de ce monde.

*T*out ce qui ne s'oublie pas use notre substance ; le remords est l'antipode de l'oubli. C'est pourquoi il se lève, menaçant comme un monstre ancien qui vous détruit d'un regard, ou remplit tous vos instants de sensations de plomb fondu dans le sang.

Les hommes simples éprouvent du remords par suite d'un événement quelconque ; comme ils en voient clairement les motifs, ils *savent* d'où il procède. Il serait vain de leur parler d'«accès», ils ne comprendraient pas la force d'une souffrance inutile.

Le remords métaphysique est un trouble sans cause, une inquiétude éthique en marge de la vie. Vous n'avez aucune faute à regretter, et pourtant vous éprouvez du remords. Vous ne vous souvenez de rien, mais le passé vous envahit d'un infini de douleur. Sans avoir rien fait de mal, vous vous sentez responsable du mal de l'univers. Sensation de Satan en délire de scrupule. — Le principe du Mal pris dans les problèmes éthiques et la terreur immédiate des solutions.

Plus vous montrez d'indifférence au mal, plus vous approchez du remords essentiel. Celui-ci est parfois trouble, équivoque : c'est alors que vous portez le poids de l'*absence* du Bien.

*L*e violet, couleur du remords. (L'étrange, en lui, vient de la lutte entre la frivolité et la mélancolie, et du triomphe de celle-ci.)

Le remords est la forme éthique du regret. (Lequel devient problème, mais non tristesse.) Un regret élevé au rang de souffrance. Il ne résout rien, mais avec lui tout *commence*. La morale apparaît au premier frémissement du remords.

Un douloureux dynamisme en fait un somptueux et vain gaspillage de l'âme. Seule la mer, et la fumée des cigarettes, nous renvoient son image.

Le péché est l'expression religieuse du remords, le regret son expression poétique : celui-ci limite inférieure, celui-là supérieure.

Vous vous lamentez sur quelque chose dont vous êtes la cause... Vous étiez libre de donner un autre cours aux événements, mais l'attraction du mal ou de la vulgarité a vaincu la réflexion éthique. Il y a dans le remords un mélange de théologie et de vulgarité : de là son ambiguïté.

L'on ne ressent jamais plus douloureusement l'irréversibilité du temps que dans le remords. L'irréparable n'est que l'interprétation morale de cette irréversibilité.

Le mal nous révèle la substance démoniaque du temps ; le bien, le potentiel d'éternité du devenir. Le mal est abandon, le bien, calcul inspiré. Nul ne pourrait différencier rationnellement l'un de l'autre, mais nous sentons tous la chaleur douloureuse du mal et le froid extatique du bien.

Leur dualisme se transpose dans le monde des valeurs sous un autre plus profond : innocence ou connaissance.

Ce qui distingue le remords du désespoir, de la haine ou de l'épouvante, c'est un attendrissement, un pathétique de l'incurable.

*T*ant d'hommes ne sont séparés de la mort que par la nostalgie qu'ils en ont ! La mort s'y forge un miroir de la vie où elle puisse se contempler.

La poésie : instrument d'un narcissisme funèbre.

*L*es animaux, ainsi que les plantes, sont tristes, mais n'ont pas fait de la tristesse un instrument de connaissance. En cet usage précisément, l'homme cesse d'être *nature*. À regarder autour de nous, qui ne s'aperçoit que nous sommes liés d'amitié aux plantes, aux animaux et à bien des minéraux, mais à l'homme, jamais.

*L*e monde est un Non-Lieu universel. C'est pourquoi vous n'avez nulle part où aller, jamais...

*T*ous ces moments où la vie se tait, pour vous laisser entendre votre solitude... À Paris, comme dans un hameau lointain, le temps se retire, se recroqueville dans un coin de la conscience, et vous restez avec vous-même, vos ombres et vos lumières. L'âme s'est isolée, et dans des convulsions indéfinies, monte à la surface comme un cadavre repêché des profondeurs. C'est alors qu'on se rend compte qu'on peut *perdre son âme* autrement qu'au sens biblique.

*T*oute pensée ressemble aux gémissements d'un ver que piétineraient les anges.

*V*ous ne pouvez comprendre ce que signifie la «méditation» si vous n'êtes pas habitué à écouter le silence. Sa voix invite au renoncement. Toutes les initiations religieuses sont des immersions dans ses profondeurs. J'ai commencé à comprendre la doctrine de Bouddha dès l'instant où me saisit la terreur du silence. Le mutisme cosmique enseigne tant de choses, que seule la lâcheté nous pousse dans les bras de ce monde.

La religion est une révélation atténuée du silence, un adoucissement de la leçon de nihilisme que nous soufflent ses chuchotements, filtrés par notre inquiétude et notre prudence...

Ainsi, le silence s'installe aux antipodes de la vie.

*C*haque fois que le mot *égarement* me vient à l'esprit, l'homme se révèle à moi. À chaque fois, il me semble que les montagnes se sont assoupies sur mon front.

*D*ans son autobiographie, Suso relate qu'il avait gravé le nom de Jésus, comme au poinçon, à l'endroit du cœur. Le sang n'avait pas coulé en vain car, au bout de quelque temps, il vit dans ces lettres une lumière, qu'il recouvrit pour que nul ne puisse jamais la percevoir. Que pourrais-je écrire sur mon cœur, sinon *infortune*? Et l'on verrait se répéter la surprise de Suso, de siècle en siècle, si seulement le diable avait la lumière pour emblème. Ainsi, le cœur de l'homme se ferait l'enseigne lumineuse de Satan.

*I*l est des clairières où les anges viennent faire halte : au bord des déserts, j'y planterais des fleurs pour pouvoir me reposer à l'ombre de ce symbole.

*I*l faudrait avoir l'esprit d'un sceptique grec et le cœur de Job pour éprouver les sentiments *en eux-mêmes* : un péché sans culpabilité, une tristesse sans raison, un remords sans cause, une haine sans objet...

Les sentiments purs — ceux qui ont leur équivalent dans une philosophie sans problèmes. Ainsi, la vie et la pensée perdent tout rapport au temps et l'existence devient une suspension. Ce qui se passe en vous ne saurait se rapporter à quoi que ce soit, ne menant nulle part et s'épuisant dans la finalité interne de l'acte lui-même. Vous devenez plus *essentiel* en arrachant à votre histoire son caractère de temporalité. Les regards vers le ciel sont intemporels, et la vie, en soi, est encore moins localisable que le néant.

La nostalgie de l'absolu a quelque chose de la pureté de l'indéfinissable, qui nous doit guérir des contaminations de la temporalité, et servir de modèle à cette incessante suspension. Car celle-ci, au fond, ne fait que débarrasser la conscience de ce parasite qu'est le temps.

*S*itôt que mes pensées vont à l'homme, la pitié les envahit. Ainsi, je ne parviens d'aucune manière à retrouver sa trace. Une rupture dans la nature s'impose dans la méditation.

*L*a passion de la sainteté remplace l'alcool, de la même manière que la musique. Ainsi pour l'érotisme et la poésie. Formes variées de l'oubli, parfaitement substituables. Les ivrognes, les saints, les amoureux et les poètes se trouvent, au départ, à même distance du ciel, ou plutôt de la terre. Seuls diffèrent les chemins, mais tous sont sur *la voie* de n'être plus des hommes. C'est pourquoi la volupté de l'immanence les condamne également.

*L*a timidité est un mépris instinctif de la vie ; le cynisme un mépris rationnel. L'attendrissement est le crépuscule de la lucidité, une « dégradation » de l'esprit au niveau du cœur.

Toute timidité se teinte d'une nuance religieuse. La peur de n'appartenir à personne, que Dieu ne soit personne ; quant à son œuvre... Le doute métaphysique crée en nous une nature qui répugne à la société, une gêne. Le manque d'audace envers les hommes — lorsque la force se décante en mépris — vient d'une vitalité incertaine de ce qui est essentiel au monde, grevée de doutes. Un instinct sûr et une foi décidée vous confèrent le droit à l'impertinence et même vous y obligent. La timidité est une manière de voiler un regret : car l'audace n'est que la forme que prend l'absence de regret.

À chaque illusion perdue, on a le sentiment d'avoir servi de miroir à la toilette intime de la vie. Il n'est pas de mystère plus attendrissant que l'amour de la vie ; lui seul piétine toutes les évidences. Il faut n'appartenir en rien au monde pour que la vie semble un absolu. Du ciel, c'est la perspective qu'on en a.

*Q*ue surgisse le paradoxe, le système meurt et la vie triomphe. C'est à travers lui que la raison sauve son honneur face à l'irrationnel. Seuls le blasphème ou l'hymne peuvent exprimer ce que la vie a de trouble. Qui ne saurait en user garde encore cette échappatoire : le paradoxe, *forme* souriante de l'irrationnel.

Qu'est-il, pour la logique, sinon un jeu irresponsable, et pour le bon sens, une immoralité théorique ? Mais le paradoxe ne brûle-t-il pas tout ce qui est insoluble, les non-sens et les conflits qui, souterrainement, tourmentent la vie ? Dès que ses ombres troubles viennent se confesser à la raison, celle-ci cache l'origine de leurs chuchotements sous l'élégance du paradoxe. Le paradoxe de salon est-il autre chose que l'expression la plus profonde que puisse affecter la légèreté ?

Le paradoxe n'est pas une *solution*, il ne résout rien. Il ne peut que servir d'ornement à l'irréparable. Mais pouvoir, grâce à lui, *redresser* quelque chose, voilà le plus grand des paradoxes. Je ne puis me le représenter sans désabuser la raison, qui, par manque de pathos, est obligée de prêter l'oreille au murmure de la vie, et de renoncer à son autonomie. Dans le paradoxe, la raison s'annule elle-même ; ayant ouvert ses frontières, elle ne peut plus arrêter l'assaut des erreurs qui surgissent, palpitantes.

Les théologiens sont les parasites du paradoxe. Sans son usage inconscient, ils auraient dû, depuis longtemps, déposer les armes. Le scepticisme religieux n'est autre chose que sa pratique *consciente.*

Tout ce qui n'entre pas dans les limites de la raison est motif au doute ; mais, en elle, il n'y *a* rien. D'où l'élan fécond de la pensée paradoxale, qui a rempli la forme de contenu et donné cours officiel à l'absurde.

Le paradoxe prête à la vie le charme d'une absurdité signifiante... il lui rend ce qu'elle lui a donné au départ.

*S*i j'étais Moïse, je ferais sortir les regrets en frappant la roche de mon bâton. De toute manière, voilà une méthode pour éteindre la soif des mortels...

*L*e religieux n'est pas affaire de contenu, mais d'*intensité.* Dieu se détermine comme moment de nos frissons, et le monde où nous vivons devient rarement objet de la sensibilité religieuse, du fait qu'on ne peut le penser qu'aux instants *neutres*. Sans «fièvre», nous ne dépassons pas le champ de la perception — autant dire que nous ne *voyons* rien. Les yeux ne servent Dieu que lorsqu'ils ne distinguent pas les objets; l'absolu craint l'individualisation.

L'intensification de n'importe quelle sensation est signe de religiosité. Un dégoût, porté au plus haut point, nous dévoile le Mal (la voie négative vers Dieu). Le vice est plus proche de l'absolu qu'un instinct non perverti, car nous ne pouvons participer au divin que dans la mesure où nous quittons la nature.

Un homme lucide mesure ses «fièvres» à chaque pas, spectateur de sa propre passion, sans cesse sur ses traces, dans l'abandon équivoque aux inventions de sa tristesse. Dans la lucidité, la connaissance est un hommage à la physiologie.

Plus nous nous *connaissons* nous-mêmes, plus nous souscrivons aux demandes d'une hygiène qui cherche à obtenir la transparence organique. Grâce à tant de pureté, nous voyons *à travers* nous : on parvient ainsi à *assister* au spectacle de soi-même.

*L*a source de l'hystérie des saints ne peut être que l'écoute du silence, la contemplation du silence de la solitude. — Mais la palpitation intérieure du temps, la perte de la conscience dans les ondes du temps? La source de l'hystérie laïque...

*L*e temps est un ersatz métaphysique de la mer. On ne pense à lui que pour vaincre la nostalgie.

*S*i l'on admet dans l'univers un réel infinitésimal, tout est réel; s'il n'y a pas «quelque chose», il n'y a rien. Faire des concessions à la multiplicité et tout réduire à une hiérarchie des apparences, c'est manquer du courage de la négation. La distance théorique et la faiblesse sentimentale qu'on a pour la vie conduisent à la solution moyenne des degrés de l'irréalité, à la fois pour et contre la nature.

Le point de vue du paradoxe exprime une indétermination essentielle de l'être, où les choses ne sont pas *établies*. Le paradoxe, tant comme situation réelle que comme forme théorique, a sa condition dans l'inaccomplissement. Un seul paradoxe, et il ferait sauter en l'air le paradis.

La contingence — ces oasis d'arbitraire dans le désert de la Nécessité — n'est repérable parmi les formes de la raison que par la mobilité que vient introduire la vivacité du paradoxe. Qu'est-il, sinon une irruption démoniaque dans la Raison, une transfusion de sang dans la Logique et une torture des Formes?

La preuve que les mystiques n'ont rien résolu, mais tout compris? Cette avalanche de paradoxes autour de Dieu pour conjurer la peur de l'incompris. La mystique est l'expression suprême de la pensée paradoxale. Les saints mêmes ont joué de l'indétermination pour « préciser » l'indéchiffrable divin.

*S*ensations éthérées du temps où le vide se sourit à lui-même...

*L*a mélancolie — nimbe vaporeux de la Temporalité.

L'existence démoniaque hausse chaque instant à la dignité d'événement. L'action — mort de l'esprit — émane d'un principe satanique, de sorte que nous luttons dans la mesure où nous avons quelque chose à expier. Plus que n'importe quoi, l'activité politique est une expiation inconsciente.

La sensibilité à l'égard du temps suit de l'incapacité à vivre dans le présent. On se rend compte à chaque instant du mouvement impitoyable du temps, qui se substitue au dynamisme immédiat de la vie. On ne vit plus *dans* le temps, mais *avec* lui, parallèlement à lui.

En ne faisant qu'un avec la vie, on *est* soi-même temps. En le vivant, on meurt avec lui, sans doutes ni tourments. La santé parfaite se réalise par l'assimilation du temps, alors que la maladie les dissocie. Mieux on perçoit le temps, plus on avance dans la dysharmonie organique.

Normalement, le passé se perd dans l'actualité du présent, s'additionne et se fond en lui. Le regret — expression de l'acuité temporelle, de la désintégration du présent — isole le passé comme actualité, lui donne vie en une véritable optique régressive. Car le regret confère au passé un *possible* virtuel : de l'irréparable converti en virtualité.

Lorsqu'on sait continûment quel agent de destruction est le temps, des sentiments surgissent alentour pour tenter de le sauver par tous les moyens. La prophétie est l'actualité du futur, comme le regret celle du passé. Ne pouvant demeurer dans le présent, nous transformons le passé et l'avenir en *présences*, en sorte que l'actuelle nullité du temps nous facilite l'accès à son infinité.

Être malade signifie vivre dans la conscience du présent, dans un présent translucide à soi-même, car la peur du passé et de l'avenir dilate l'instant à la mesure de l'intensité temporelle.

Un malade qui pourrait vivre naïvement n'est pas vraiment malade ; car on peut bien être atteint de cancer, si l'on n'a pas la terreur du dénouement — cet avenir qui court vers nous, plutôt que nous après lui — on reste sain. Il n'y a de maladies que par la conscience qu'on en a, toujours accompagnée d'une hypertrophie du sens de la temporalité.

Parfois, il nous arrive de *palper* le temps, de le faire glisser entre les doigts dans des excès d'intensité qui lui donnent des contours matériels. Ou de le sentir, quelquefois, comme une brise subtile dans les cheveux. Serait-il fatigué ? Cherche-t-il un abri ? Il y a des cœurs plus épuisés que lui qui ne lui refuseraient pourtant pas un asile...

*L*e mal, quittant l'indifférence originaire, a pris pour pseudonyme le Temps.

*L*es hommes ont bâti le paradis en filtrant l'éternité, des « quintessences » d'éternité. Le même procédé appliqué à la temporalité nous rend la souffrance intelligible. Car, en vérité, qu'est-elle sinon quintessence du temps.

*A*près minuit, on pense comme si l'on n'était plus en vie — dans les meilleurs des cas — comme si l'on n'était plus soi-même. On devient un simple outil du silence, de l'éternité ou du vide : on se croit triste, sans savoir qu'ils respirent à travers soi. L'on est victime d'un complot des forces obscures, car une tristesse ne peut naître d'un individu si elle ne peut l'habiter : tout ce qui nous dépasse prend sa source en dehors de nous, autant le plaisir que la souffrance. Les mystiques ont rapporté à Dieu le débordement des délices de l'extase, parce qu'ils ne pouvaient admettre que l'insuffisance individuelle fût capable de tant de plénitude. Il en va ainsi de la tristesse, et du reste. On est seul, mais *avec* toute la *solitude*.

*L*orsque tout se fait minéral, la nostalgie elle-même devient géométrie, les rochers semblent fluides devant la pétrification du vague à l'âme, et les nuances sont plus abruptes que les montagnes. On n'a plus besoin alors que du regard tremblant des chiens écrasés, ou de l'horloge détraquée d'un autre siècle — oreiller pour le front d'un fou.

*C*haque fois que je me promène dans le brouillard, je me découvre plus facilement à moi-même. Le soleil vous rend étranger à vous-même, car en découvrant le monde, il vous lie à ses tromperies. Mais le brouillard est la couleur de l'amertume.

*U*n état de faiblesse précède les accès de pitié universelle, comme lorsqu'on marche avec le souci de ne pas se cogner aux objets. La pitié est la forme pathologique de la connaissance intuitive. Cependant, on ne saurait la classer parmi les maladies, la pitié étant un évanouissement... vertical. On tombe dans la direction de sa propre solitude...

*L*es nuits blanches — les seules *noires* — font de vous un véritable scaphandrier du temps. On descend, on descend vers son absence de fond... La plongée musicale et indéfinie vers les racines de la temporalité reste une volupté incomplète, car on ne peut toucher les limites du temps qu'en *sautant* en dehors de lui. Mais ce saut le rend extérieur à nous : on le perçoit à la marge, mais sans en avoir proprement *l'expérience*. La suspension le transforme en irréalité et lui ravit le pouvoir de suggérer l'infini — décor des nuits blanches.
Le sommeil n'a d'autre but que l'oubli du temps, du principe démoniaque qui veille en lui.

*D*ans les églises, je pense souvent que la religion pourrait être une grande chose s'il n'y avait pas les croyants, mais seulement l'angoisse religieuse de Dieu, que nous disent les orgues.

*L*a médiocrité de la philosophie s'explique par le fait qu'on ne peut réfléchir qu'à basse température. Lorsqu'on maîtrise sa fièvre, on range les pensées comme des marionnettes, on tire les idées par le fil et le public ne se refuse pas à l'illusion. Mais quand le regard sur soi-même est incendie ou naufrage, quand le paysage intérieur montre la somptueuse destruction des flammes dansant sur l'horizon des mers —

alors s'échappent des pensées qui sont comme des colonnes tourmentées par «l'épilepsie» du feu intérieur.

*S*i je savais qu'une seule fois les hommes ont su me rendre triste, de honte je déposerais les armes. L'on peut, parfois, les aimer ou les détester, les plaindre toujours, mais leur faire l'honneur d'une tristesse est une concession dégradante. Ces instants de générosité divine, où l'on aimerait les embrasser tous, sont des inspirations rares, de vraies «grâces».

L'amour des hommes est une maladie tonique et, en même temps, bizarre, parce qu'il ne s'appuie sur aucune donnée réelle. Un psychologue aimant les hommes : cela n'a jamais existé, ni n'existera jamais. La connaissance ne va pas en faveur de l'humanité. — Il y a, pourtant, des pauses dans la lucidité, des récréations pour la connaissance, des crises de l'œil impitoyable qui le poussent à cette étrangeté : l'amour. Il voudrait alors s'allonger au milieu de la rue, baiser les pieds des mortels, défaire les lacets des marchands et des mendiants, ramper dans toutes les plaies et blessures sanguinolentes, donner aux regards du criminel la blancheur ailée des colombes, être le dernier des hommes *par amour*!

La connaissance et le dégoût des hommes font du psychologue, tant bien que mal, une victime de ses propres cadavres. Car pour lui, tout amour est une expiation. — Les hommes, annihilés par la connaissance, meurent en vous; les victimes de votre dégoût pourrissent dans votre cœur. Et tout ce cimetière, qui prend vie dans le délire d'amour, dans les spasmes de l'expiation!

*L*e sublime est l'incommensurable en tant que suggestion de mort. La mer, le renoncement, les montagnes et les orgues — de manière différente, et pourtant la même, sont le couronnement d'une fin qui, bien que se consumant dans le temps, porte la destruction au-delà de lui. Car le sublime est une crise *temporelle* de l'éternité.

Le sublime, dans le cas de Jésus, vient de l'errance de l'éternité à travers le temps, de sa dégradation démesurée. Mais tout ce qui, dans l'existence du Sauveur, est *but*, affaiblit le sublime, lequel exclut les allusions éthiques. S'Il est volontairement descendu pour nous sauver, Il nous intéressera seulement dans la mesure où nous goûtons esthétiquement un geste éthique. Si, en revanche, Son passage parmi nous n'est qu'une erreur de l'éternité, une tentation de mort, inconsciente, de la perfection, une expiation de l'absolu dans le temps, alors l'énormité de cette inutilité ne s'élève-t-elle pas jusqu'au sublime ? — Que l'esthétique sauve encore la croix, comme symbole de l'éternité.

*I*l n'y a pas de plaisir plus grand que celui de croire qu'on a été philosophe — et qu'on a cessé de l'être.
Souffrir signifie *méditer* sur une sensation de douleur ; philosopher, méditer sur cette méditation.
La souffrance est la ruine du concept : une avalanche de sensations qui repoussent toute forme.
Tout en philosophie est de deuxième, de troisième rang... Rien de *direct*. Un système se construit de dérivations successives, lui-même étant la dérivation par excellence. Le philosophe n'est rien de plus qu'un génie *indirect*.

*N*ous ne pouvons être si généreux avec nous-mêmes, que nous ne lésinions sur la liberté que nous nous accordons. Si l'on ne se mettait pas soi-même des entraves, combien chaque instant ne serait souvent qu'une survie ! Ne devons-nous pas fréquemment de rester nous-mêmes rien qu'à l'*idée* de nos limites ? Un pauvre souvenir d'une individualisation passée, une loque de notre propre individuation... Comme un objet qui se cherche un nom dans une nature sans identité. L'homme est fait — comme tous les êtres — à la mesure de certaines sensations. Or, il arrive qu'elles ne se rangent plus les unes après les autres, dans leur succession normale, mais surgissent toutes dans une furie élémentaire, tourbillonnant autour d'une épave — par *plénitude* — qui est le moi. Où resterait-il alors une place pour cette *tache de vide* qu'est la conscience ?

*I*l y a tant de crime et de poésie en Shakespeare que ses drames semblent être conçus par une rose en folie.

*Q*uelle que soit notre amertume, elle n'est pas si grande qu'elle nous dispense des chagrins d'autrui. Voilà pourquoi la lecture des moralistes français est comme un baume aux heures tardives. Ils ont toujours su ce que signifie être seul parmi les hommes ; rarement ce qu'est la solitude dans le monde. Pascal même n'a pas su vaincre sa condition d'homme retiré de la société. Un peu moins de souffrance et l'on n'aurait enregistré qu'une grande intelligence. — Entre les Français et Dieu, il y a toujours eu le salon.

*D*eux choses m'ont toujours rempli d'une hystérie métaphysique : une montre qui ne fonctionne pas et une montre qui marche.

*P*lus on se désintéresse des hommes, plus on devient timide devant eux, et lorsqu'on en arrive à les mépriser, on commence à bafouiller. — La nature ne pardonne aucun pas au-delà de son irresponsabilité, et vous poursuit sur tous les sentiers de l'orgueil, en les parsemant de regrets. Comment expliquer autrement qu'à chaque triomphe au-dessus de la condition humaine, se joigne un regret équivalent ?
La timidité prête à l'être humain quelque chose de la discrétion intime des plantes et, à un esprit agité de lui-même, une mélancolie résignée, tenant du monde végétal. Je ne suis jaloux d'un lys que lorsque je ne suis pas timide.

*S*i la souffrance n'était pas un instrument de connaissance, le suicide deviendrait obligatoire. Et la vie même — avec sa douloureuse inutilité, son obscure bestialité qui nous traîne dans les erreurs pour nous accrocher, de temps en temps, à une vérité — qui la supporterait, si elle n'offrait un *spectacle de connaissance* unique ? En vivant les dangers de l'esprit, nous nous consolons, en *intensités*, de l'absence de vérité finale.
Toute erreur est une *ancienne* vérité. Mais il n'y a pas d'erreur *initiale* parce que ce qui distingue la vérité de l'erreur ne tient que dans la pulsation, l'animation intérieure et le rythme secret. Ainsi, l'erreur est une vérité qui n'a plus d'*âme*, une vérité usée qui attend d'être renforcée.
Les vérités meurent psychologiquement, mais non formellement ; elles gardent leur validité en continuant la « non-vie » des formes, bien qu'elles n'aient plus de valeur pour personne.
Tout ce qui est vie en elles se passe dans le temps ; l'éternité formelle les situe dans un vide catégoriel.
Combien de temps « dure » pour un homme une vérité ? Pas plus qu'une paire de bottes. Il n'y a que les mendiants qui n'en changent jamais. Mais parce qu'on est en marche avec la vie, il faut se renouveler sans cesse, car la plénitude d'une existence se mesure à la somme d'erreurs enregistrées, à la quantité d'« ex-vérités ».

*R*ien de ce que nous *savons* ne reste sans expiation. Nous *payons* chèrement, tôt ou tard, tout paradoxe, courage de la pensée ou indiscrétion de l'esprit. Il y a un charme étrange en cette punition qui suit tout progrès de la connaissance. As-tu déchiré un voile qui couvrait l'inconscience de la nature ? Tu l'expieras par une tristesse dont tu ne soupçonneras pas la source. As-tu laissé échapper une pensée chargée de bouleversements et de menaces ? Certaines nuits ne peuvent pas n'être remplies que par les évolutions du repentir. As-tu posé trop de questions à Dieu ? Alors, pourquoi t'étonnes-tu du fardeau des réponses non reçues ?

Indirectement, par ses conséquences, la connaissance est un acte religieux.

Nous expions l'esprit avec volupté, en nous abandonnant à l'inévitable. Puisque nous ne saurions nous désintoxiquer de la connaissance, parce que l'organisme lui-même la demande, incapable de s'habituer à de petites doses — alors faisons aussi de l'acte réflexe une *réflexion*. Ainsi, la soif infinie de l'esprit trouvera une expiation équivalente.

*L*e culte de la beauté ressemble à une délicate lâcheté, une désertion subtile. Ne l'aimerait-on pas parce qu'elle nous épargne de vivre ? Sous le charme d'une sonate ou d'un paysage, nous nous dispensons de la vie, avec un sourire de joie douloureuse et de supériorité rêveuse. Du sein de la beauté, tout reste *derrière* nous, et nous ne pouvons regarder vers la vie qu'en nous retournant. Toute émotion désintéressée, sans rapport immédiat à l'existence, ralentit la marche du cœur. En effet, que pourrait marquer cet organe du temps qu'est le cœur dans ce souvenir de l'éternité qu'est la beauté !

Nous retenons notre souffle devant ce qui n'appartient pas au temps. Les ombres de l'éternité, qui tombent dès que la solitude est inspirée par le spectacle de la beauté, nous coupent la respiration : comme si ses vapeurs profanaient l'immobilité infinie...

*S*i tout ce que je touchais devenait triste, si un regard furtif vers le ciel lui prêtait la couleur des chagrins, s'il n'y avait plus autour de moi un seul œil sec, si je marchais sur les boulevards comme sur des chardons, où le soleil absorberait les ombres de mes pas pour s'enivrer de douleur, alors seulement j'aurais le droit d'affirmer la vie avec fierté. Toute approbation aurait pour elle le témoignage de l'infini des souffrances, et toute joie l'appui des tristesses. Il est laid et vulgaire de «tirer» la force de l'affirmation de ce qui n'est pas plénitude du mal, douleur et chagrin : l'optimisme dégrade l'esprit parce qu'il ne découle pas de la fièvre, des hauteurs et des vertiges ; ainsi d'une passion qui ne tire pas sa force des ombres de la vie. Dans le crachat, les ordures, la poussière anonyme des ruelles gît une source plus pure et infiniment plus féconde que dans la communion benoîte et rationnelle avec la vie. Nous avons suffisamment de veines par où les vérités puissent monter, de veines où il pleut, neige et où souffle le vent, où les soleils se lèvent et se couchent. Et dans notre sang, des étoiles ne tombent-elles pas pour y retrouver leur éclat ?

*N*ulle place sous le soleil qui puisse me retenir, nulle ombre pour m'abriter, parce que l'espace devient flou dans l'élan de l'errance et dans la fuite inassouvie. Pour demeurer quelque part, pour avoir sa «place» dans le monde, il faut avoir accompli le miracle de se trouver en un point de l'espace, sans plier sous l'amertume. Lorsqu'on se trouve en un lieu, l'on ne fait que penser à un autre, de sorte que la nostalgie s'installe organiquement dans une fonction végétative. Le désir d'*autre chose*, de symbole spirituel, devient *nature*.
Expression de l'avidité de l'espace, la nostalgie finit par l'annuler. Qui souffre exclusivement de la passion de l'Absolu n'a pas besoin de ce glissement horizontal sur l'étendue. L'existence stationnaire des moines a son origine dans la canalisation verticale, vers le ciel, de ces désirs vagues vers d'autres lointains. L'émotion religieuse n'attend pas de consolation de l'espace ; de plus, elle n'est intense que dans la mesure où elle voit en lui une occasion de chute.
Lorsqu'il n'y a pas de lieu où l'on n'ait souffert, quel autre motif invoquer à l'appui de l'errance ? Et par quoi se lier à l'espace quand le bleu-noir de la nostalgie délie de soi-même ?

*S*i l'homme ne savait conférer un délire voluptueux à la solitude — depuis longtemps, l'obscurité aurait pris feu.
La plus horrible décomposition dans un cimetière inconnu est une pâle image de l'abandon où l'on se trouve lorsqu'une voix inattendue, venue des airs ou des profondeurs de la terre, vous dévoile votre solitude.

N'avoir personne à qui dire jamais rien! Seulement des objets; aucun être. Et le malheur de la solitude vient du sentiment d'être entouré de choses inanimées, auxquelles on n'a rien à dire.

Ce n'est point par extravagance, ni par cynisme, que Diogène se promène avec une lampe en plein jour, pour trouver un homme. Nous savons trop bien que dans la solitude...

*L*orsqu'on ne peut rassembler ses pensées, et qu'on se soumet, vaincu, à leur vif-argent — le monde se dissipe comme la brume et nous-mêmes avec lui, de sorte qu'il nous semble écouter, au bord d'une mer qui se retire, la lecture de nos propres mémoires écrits dans une autre vie... Où court la pensée, vers quel néant dissout-elle ses frontières? Les glaciers, fondent-ils dans les veines? Et dans quelle saison du sang et de l'esprit te trouves-tu?

Es-tu encore toi-même? Tes tempes ne palpitent-elles pas de la peur du contraire? Tu es un *autre*, tu es un *autre*...

... Les yeux perdus vers l'*autre* dans l'immaculée mélancolie des jardins.

*S*ur n'importe quoi — et d'abord sur la solitude — on est obligé de penser *en même temps* négativement et positivement.

II

Sans la tristesse, aurions-nous pris conscience du corps et de l'esprit en même temps ? La physiologie et la connaissance se rencontrent dans leur ambiguïté constitutive, de sorte qu'on n'est jamais plus *présent* à soi-même, plus solidaire avec soi que dans les instants de tristesse. Celle-ci — comme la conscience — nous aliène le monde et le rend extérieur, mais plus elle nous éloigne de tout, plus nous *coïncidons* avec nous-mêmes. Le sérieux — tristesse sans accent *affectif* — nous rend sensibles à un processus seulement rationnel, car sa neutralité n'a pas la profondeur qui associe les caprices des viscères à la vibration de l'esprit. Un être sérieux est un animal qui remplit les conditions de l'homme ; que se perde un instant le mécanisme de la pensée, il ne verra pas avec quelle facilité il est redevenu l'animal d'autrefois. Mais ôtez la tristesse à la réflexion : il restera toujours assez de sombre imbécillité pour que la zoologie vous rejette.

Prendre les choses *au sérieux*, cela veut dire les peser sans y participer ; les prendre *au tragique*, s'engager dans leur sort. Entre le sérieux et la tragédie (la tristesse prise comme action), la différence est plus grande qu'entre un fonctionnaire et un héros. Les philosophes sont de pauvres agents de l'absolu, payés par les contributions de nos chagrins ; ils ont fait profession de prendre le monde *au sérieux*.

La tristesse — dans sa forme élémentaire — vient du génie de la matière : inspiration primaire *sans pensée*. Le corps a vaincu sa condition et tend à une participation «supérieure» et, dans les formes réflexives de la tristesse, le processus se complète d'une descente de l'esprit dans les veines, pour montrer à quel point nous nous appartenons *organiquement*.

En nous ravissant à la nature et en nous rendant à nous-mêmes — la tristesse est un isolement substantiel de notre nature, à la différence de l'éparpillement ontologique du bonheur.

*D*ans les «accès» de pitié, se manifeste une attraction secrète pour «les mauvaises manières», pour la saleté ou la dégradation. Toute monstruosité est une perfection pour ce manque de «bon goût» qu'est la pitié — *mal* qui se donne les apparences *réelles* de la douceur.

Dans les déviations de la nature ou dans le raffinement vicieux de la pensée, vous ne trouverez pas de perversion plus ténébreuse, ni plus tourmentée que la pitié. Rien ne nous écarte autant de la beauté que ses «accès». Et s'il n'était question que de beauté! Mais les vertus souterraines de ce vice nous détournent de nos buts essentiels et considèrent comme dépravation tout ce qui n'émane pas de ce goût des marécages et de la pourriture, prétexte à l'infernale volupté de la pitié.

Aucune pathologie ne l'a étudiée parce qu'elle est une maladie *pratique*, et que la science a toujours été au service des mairies. Celui qui en approfondirait les troubles intérieurs, l'enfer de l'amour pervers des hommes — pourrait-il encore tendre la main à un miséricordieux ?

*L*e penseur a pour but de retourner la vie sous toutes ses coutures, d'en projeter les facettes sous toutes les nuances, de revenir sans cesse à toutes ses cachettes, de traverser en long et en large tous ses sentiers, regardant mille fois le même aspect, découvrant du *nouveau* seulement en ce qu'il n'a pas vu clairement, passant les mêmes thèmes par tous les membres, en mélangeant les esprits dans le corps — il déchire ainsi la vie en lambeaux en la pensant jusqu'au bout.

N'est-il pas révélateur de ce qui est indéfinissable dans les insuffisances de la vie, que seuls les débris d'un miroir brisé puissent nous rendre son icône ?

*L*orsqu'on a compris que les hommes ne peuvent rien vous offrir, et que l'on continue cependant à les fréquenter, c'est comme si l'on avait liquidé toute superstition tout en continuant de croire aux fantômes. Dieu, pour contraindre les solitaires à la lâcheté, a créé le sourire, anémique et aérien chez les vierges, concret et immédiat chez les femmes perdues, attendrissant chez les vieillards et irrésistible chez les moribonds. D'ailleurs, rien ne prouve plus que les hommes soient mortels que le sourire, expression de l'équivoque déchirant du provisoire. Chaque fois qu'on sourit, n'est-ce pas comme une dernière rencontre, le sourire n'est-il pas le testament parfumé de l'individu? La lumière tremblotante du visage et des lèvres, l'humidité solennelle des yeux font de la vie un havre d'où les bateaux prennent le large sans destination, transportant non des hommes, mais des *séparations*. Et qu'est donc la vie sinon le lieu des séparations?

Chaque fois que je me laisse attendrir par un sourire, je m'éloigne avec le fardeau de l'irréparable, car rien ne découvre plus terriblement la ruine qui attend l'homme que ce symbole apparent du bonheur, qui fait sentir à un cœur défeuillé le frisson du provisoire de la vie plus cruellement que le râle classique de la fin. — Et chaque fois que quelqu'un me sourit, je déchiffre sur son front lumineux l'appel déchirant: «Approche-toi, vois bien que moi aussi je suis mortel!» — Ou lorsque mes yeux s'assombrissent — la voix du sourire flotte aux oreilles avides d'implacable: «Regarde-moi, c'est pour la dernière fois!»

... Et c'est pourquoi le sourire vous écarte de la dernière solitude, et quel que soit l'intérêt pour ces compères en respiration et putréfaction, l'on revient vers eux pour absorber leur secret, pour se noyer en lui et pour qu'ils ne sachent pas, qu'ils ne sachent pas à quel point sont lourds d'éphémère les océans qu'ils portent en eux et les naufrages auxquels nous invite le tourment inconscient et incurable de leur sourire, à quelles tentations de disparition ils vous soumettent, en ouvrant leur âme vers vous — qui soulevez, frémissant de douleur, la dalle du sourire!

*L*a germination de chaque vérité mène notre corps au pressoir: nous pressons notre vie chaque fois que nous méditons — un penseur absolu serait donc un squelette qui cacherait ses os dans la transparence des pensées.

*L*a pâleur est la couleur que prend la pensée sur le visage humain.

*I*l n'y a de destin que dans l'action car, en elle, on risque tout sans savoir où l'on arrivera. La politique — exaspération de ce qui est *historique* dans l'homme — est l'espace de la fatalité, l'abandon intégral aux forces constructives et destructives du devenir.

Dans la solitude aussi l'on risque tout, mais comme cette fois-ci, l'on est *au clair* sur ce qui arrivera, la lucidité atténue l'irrationnel du sort. On anticipe sa vie, on vit le destin comme un inévitable *sans surprises* car, en effet, qu'est la solitude sinon la vision trans-lucide de la fatalité, le maximum de luminosité dans l'agitation aveugle de la vie?

L'homme politique renonce à la conscience; le solitaire à l'action. L'un vit l'oubli, l'autre le cherche.

Une philosophie de la conscience ne peut finir que dans une philosophie de l'oubli.

*U*n homme qui pratique toute sa vie la lucidité devient un *classique* du désespoir.

*U*ne femme qui regarde vers *quelque chose* offre une image d'une rare trivialité; en revanche, des yeux mélancoliques invitent à une destruction aérienne, et la soif d'impalpable étanchée dans leur azur funèbre et parfumé empêche d'être soi-même. Des yeux qui ne voient rien et devant lesquels on disparaît, pour que la présence ne fasse pas tache sur l'infini... Le regard pur de la mélancolie est l'artifice le plus étrange par lequel la femme nous fait croire qu'elle fut un jour notre compagne au Paradis.

*L*a mélancolie est une religiosité sans besoin d'Absolu, un glissement hors du monde sans l'attraction de la transcendance, un penchant vers les apparences du ciel — mais insensible au symbole qu'il représente. Son pouvoir de se dispenser de Dieu — bien qu'elle accomplisse les conditions initiales pour se rapprocher de lui — fait d'elle une volupté, qui suffit à sa propre croissance comme à ses faiblesses réitérées. Car la mélancolie est un délire esthétique, fermé sur soi-même, stérile pour la mythologie. On ne trouvera en elle que le bercement d'un rêve, car elle n'engendre aucune image au-dessus de son déchirement éthéré.

La mélancolie est une vertu chez les femmes et, chez les hommes, un péché. Cela explique pourquoi ceux-ci l'ont utilisée pour la connaissance.

*I*l y a dans certains sourires féminins une approbation tendre qui vous rend malade. Ils se nichent et se déposent sur le fond des ennuis quotidiens, exerçant un contrôle souterrain. Il faut éviter les femmes — comme la musique — dans la sensibilité trouble qui augmente l'attendrissement jusqu'à l'évanouissement. Lorsqu'on parle de la peur, de la

peur *elle-même*, devant une femme blonde que la pâleur spiritua-
lise, et qui baisse les yeux pour substituer le geste à la confession
— son sourire amer et brisé roule dans la chair et prolonge en
échos son tourment immatériel.

Les sourires sont un fardeau voluptueux pour celui qui les distribue comme pour celui qui les reçoit. Un cœur atteint de délicatesse peut difficilement survivre à un sourire tendre. Il y a ainsi
des regards après lesquels on ne peut plus se décider à rien.

*U*n flocon égaré dans l'air donne
une image de vanité plus déchirante et plus symbolique qu'un
cadavre. De même, un parfum inhabituel nous rend plus tristes
qu'un cimetière — ou une indigestion plus pensifs qu'un philosophe. Et la main d'un mendiant qui nous montre le chemin dans
une grande ville où nous sommes perdus, ne nous rend-elle pas
plus religieux que les cathédrales ?

L'angoisse du temps commence
bien avant la lecture des philosophes, lorsqu'on regarde attentivement, dans un moment de fatigue, le visage d'un vieillard. Les
sillons creusés par les chagrins, les espoirs et les illusions, se noircissent et se perdent, dirait-on, sans trace dans un fond d'obscurité que le « visage » cache difficilement, masque incertain d'un
abîme douloureux. On dirait que le temps s'est accumulé dans
chaque pli, que le devenir y a rouillé, que la durée a vieilli.
Chaque pli est un cadavre laissé par le temps. Le démon du temps
fait du visage humain une démonstration de vanité. Qui peut le
regarder sereinement dans son crépuscule ?

Tournez les yeux vers un vieillard lorsque vous n'avez pas l'Ecclésiaste à portée de la main, son visage — auquel il ne peut être
complètement étranger — vous apprendra plus que les sages. Car
il y a des rides qui révèlent l'action du temps plus impitoyablement qu'un traité des vanités. Où trouver les mots qui peindraient
cette érosion implacable, cet avancement destructeur, quand le
paysage ouvert et accessible de la vieillesse s'offre partout comme
une leçon décisive et une sentence sans appel ?

L'agitation fébrile des enfants dans les bras des grands-pères
n'exprimerait-elle pas l'horreur instinctive du temps ? Qui n'a pas
senti dans le baiser d'un vieux son infinie vanité ?

*T*ous les hommes me séparent
des hommes.

*S*i je courais comme un fou à ma recherche, qui me dit que je ne me rencontrerais jamais ? Sur quel terrain vague de l'univers serais-je égaré ? J'irais me chercher là où l'on *entend* la lumière... car, si je me souviens bien, ai-je aimé autre chose que la sonorité des transparences ?

*C*elui qui ne trouve pas qu'après chaque chagrin le monde est devenu plus pâle, que les rayons du soleil sont plus timides et que le devenir demande des excuses, en brisant son rythme — à celui-là manquent les fondements cosmiques de la solitude.

*L*a rupture de l'être rend malade de soi-même, en sorte qu'aux seuls mots de «malheur», «oubli», «séparation» — l'on se dissout dans un frisson mortel. Alors, on risque l'impossible pour vivre : on *accepte* la vie.

*R*ester seul avec l'amour entier, avec le fardeau de l'infini de l'éros — voilà le sens spirituel du malheur en amour, si bien que les suicides ne prouvent pas la lâcheté de l'homme, mais les dimensions inhumaines de l'amour. Si les amants n'avaient pas atténué les tourments amoureux par un mépris théorique pour la femme, ils se seraient tous suicidés. Mais, *sachant* ce qu'elle est, ils ont introduit, avec lucidité, un élément de médiocrité dans l'insupportable. Le malheur en amour dépasse en intensité les plus profondes émotions religieuses. Il est vrai qu'il n'a pas bâti d'églises, mais il a érigé des tombes — partout des tombes.
L'amour ? Mais voyez comme chaque rayon de soleil se noie dans une larme, comme si l'astre brillant était né des pleurs de la Divinité !

*L*e malheur est l'état poétique par excellence.

*D*ans la mesure où les animaux sont capables de malheur en amour, ils participent de l'humanité. Pourquoi n'admettrions-nous pas que le regard humide d'un chien ou la tendresse résignée de l'âne expriment parfois des regrets sans paroles ? Il y a quelque chose de sombre et de lointain dans l'éros des animaux qui le rend infiniment étranger.

La littérature témoigne que nous nous sentons plus près des plantes que des animaux. La poésie, en grande partie, n'est qu'un commentaire de la vie des plantes, et la musique une dépravation humaine des mélodies du végétal.

N'importe quelle fleur peut être l'image du malheur en amour : cela nous rapproche d'elles. Or, aucun animal ne peut symboliser l'éphémère, tandis que les fleurs en sont l'expression directe — l'irrémédiable *esthétique* de l'éphémère.

*A*u fond, que fait chaque homme ?
Il s'expie lui-même.

*J*e ne pourrais aimer qu'un sage malheureux en amour...

*C*e qui rend les grandes villes si tristes, c'est que chaque homme *veut* être heureux et que les chances baissent au fur et à mesure que grandit le désir. La recherche du bonheur indique la distance du paradis, le degré de la déchéance humaine. Alors pourquoi s'étonner que Paris soit le point le plus éloigné du paradis ?

*O*n aura beau avaler des bibliothèques entières, on ne trouvera guère plus de trois ou quatre auteurs qui méritent d'être lus et relus. Les exceptions de ce genre sont des analphabètes géniaux, que l'on doit admirer et, au besoin, apprendre, mais qui, au fond, ne nous disent rien. Je voudrais pouvoir intervenir dans l'histoire de l'esprit humain avec la brutalité d'un boucher muni du plus raffiné «diogénisme». Car jusqu'à quand nous laisserons-nous piétiner par tant de créateurs qui n'ont rien *su*, enfants terribles et inspirés, dépourvus de la maturité du bonheur et du malheur ? Un génie qui n'a pas atteint les racines de la vie, quelles que soient ses multiples possibilités d'expression, ne doit être goûté qu'aux instants d'indifférence. Il est plus horrible de penser que ceux qui ont vraiment *su* quelque chose soient si rares, que le nombre des existences *complètes* soit encore restreint. Mais qu'est-ce qu'une existence complète, et que signifie savoir ? — Garder une soif de vie *dans les crépuscules*...

*C*ertains êtres ne ressentent un penchant pour le crime que pour savourer une vie *intensifiée* —

ainsi la négation pathologique de la vie lui rend du même coup hommage.

Aurait-il existé des criminels si le sang n'était pas chaud ? L'impulsion destructrice cherche un remède au refroidissement intérieur, et je doute que sans la représentation implicite d'une chaleur torpide, nul n'eût jamais planté un poignard dans un corps. Du sang émanent des vapeurs assoupissantes, dans lesquelles l'assassin espère calmer ses frissons de glace. Une solitude que ne tempère aucun attendrissement engendre le crime, de sorte que toute morale qui voudrait détruire le mal à la racine doit considérer un seul problème : quel sens donner à la solitude si propice à la ruine et à la décomposition ?

*Q*uelqu'un trouvera-t-il un jour les mots pour dire le frémissement qui marie dans l'infinité du même instant la suprême volupté à la douleur suprême ? Une musique, s'élevant de toutes les aubes et de tous les crépuscules de ce monde, pourrait-elle transmettre aux hommes les sensations d'une victime du bonheur et du malheur cosmiques ? Un naufragé battu par toutes les vagues, projeté contre tous les rochers, aspiré par toutes les obscurités — et qui tiendrait le soleil dans ses bras ! Épave errant avec la source de la vie sur le cœur, étreignant son éclat mortel, se noyant avec lui dans les vagues, car le fond de la mer attend depuis une éternité sa lumière et son fossoyeur.

*L*e contact entre les hommes — la société en général — ne serait pas possible sans l'utilisation réitérée des mêmes adjectifs. Que la loi les interdise, et vous verrez dans quelle infime mesure l'homme est un animal politique. La conversation, les visites, les rencontres disparaîtront aussitôt, et la société se dégradera en rapports mécaniques d'intérêts. La paresse à penser a engendré l'automatisme de l'adjectif. Le même qualificatif s'applique également à Dieu et à un balai : autrefois Dieu était infini ; aujourd'hui, il est *épatant*. (Chaque pays exprime à sa manière son vide mental.) — Interdisez l'adjectif quotidien et la célèbre définition d'Aristote tombe.

*C*e qui distingue les philosophes antiques des modernes — différence si frappante, et si défavorable aux derniers — vient de ce que ceux-ci ont philosophé à leur table de travail, au bureau, mais ceux-là dans des jardins, des marchés ou le long de je ne sais quel bord de mer. Et les antiques, plus paresseux, restaient longtemps allongés, car ils savaient que l'inspiration vient à l'horizontale : ils *attendaient* ainsi les pensées, que les modernes forcent et provoquent par la lecture, donnant l'impression de n'avoir jamais connu le plaisir de l'irresponsabilité méditative, mais d'avoir organisé leurs idées avec une application d'entrepreneurs. Des ingénieurs autour de Dieu.

Beaucoup d'esprits ont découvert l'Absolu parce qu'ils avaient près d'eux un canapé.

Chaque position de la vie offre une autre perspective : les philosophes conçoivent un autre monde parce que, d'ordinaire courbés, ils se sont lassés de regarder celui-ci.

*Q*uel homme, s'apercevant dans un miroir dans une semi-obscurité, n'a cru rencontrer le suicidé qui est en lui ?

*P*eut-on aimer un être imperméable à l'Absurde, et qui ne soupçonne pas la tragédie dont il découle, les élégances de venin, le raffinement de désolation, le nombre de réflexes vicieux et trompeurs du désert intérieur ?

L'absurdité est l'insomnie d'une erreur, l'échec dramatique d'un paradoxe. La fièvre de l'esprit ne se mesure qu'à l'abondance de ces funérailles logiques que sont les formules absurdes.

Les mortels, depuis toujours, les ont évitées avec crainte — sans doute avaient-ils compris quelque chose de leur noble décomposition ; mais ils n'ont pas pu les préférer à la sûreté stérile, à la quiétude compromettante de la raison.

*C*haque fois que je pense à la mort, il me semble que je vais mourir un peu moins, que je ne peux pas m'éteindre, ni disparaître, en sachant que je vais disparaître et m'éteindre... Et je disparais, m'éteins et meurs depuis toujours.

*L*a vie est éthérée et funèbre comme le suicide d'un papillon.

L'immortalité est une concession d'éternité que la mort fait à la vie. Mais nous savons bien qu'elle ne la fait pas... Car tant de générosité lui coûterait *la vie.*

*P*our chaque problème, il faut une autre température ; seul le malheur s'accommode de n'importe laquelle.

*P*araître joyeux à tout le monde, et que personne ne voie que même les flocons sont des pierres tombales : garder de la *verve* dans l'agonie...

*L*a moralité subjective atteint son point culminant dans la *décision* de ne plus être triste.

*P*erméable aux démons, la tristesse est la ruine indirecte de la morale. Lorsque le mal s'oppose au bien, il participe aux valeurs éthiques comme force négative, mais lorsqu'il gagne son autonomie et gît en soi, sans s'affirmer dans la lutte, il réalise alors l'état démoniaque. La tristesse favorise l'autonomie du mal et le sabotage de l'éthique. Si le bien exprime les élans de pureté de la vie, la tristesse est son ombre incurable.

*L*es créations de l'esprit sont un indicateur de l'insupportable de la vie. Tout ainsi de l'héroïsme.

*L*a mélancolie est l'état de rêve de l'égoïsme.

S'il n'y avait une volupté secrète dans le malheur, on conduirait les femmes accoucher à l'abattoir.

*P*rononcez devant une âme délicate le mot «séparation», et vous réveillez en elle le poète. Le même mot n'inspire rien à l'homme moyen. Ainsi de n'importe quel autre terme. Ce qui différencie les hommes se mesure à la résonance affective des mots. Il y en a qui, à entendre une expression banale, tombent malades de faiblesse extatique, d'autres restent froids devant une preuve de vanité. Pour ceux-là, point de mot dans le dictionnaire qui ne cache une souffrance, quand les derniers ne l'ont même pas dans leur vocabulaire. Trop rares sont ceux qui peuvent — n'importe quand — tourner leur esprit vers la tristesse.

*Q*uel que soit le lien entre les maladies et notre constitution, il est impossible de ne pas les en dissocier, comme extérieures, étrangères ou non avenues. C'est pourquoi parlant d'un homme qui n'est pas en bonne santé, on spécifie sa maladie comme une annexe fatale, un supplément d'irrémédiable à son identité initiale. Il reste, devant nous, avec sa maladie, qui garde une certaine indépendance objective. Mais comme il est difficile de dissocier la mélancolie d'un être ! Maladie subjective par excellence, inséparable de celui qu'elle possède, elle adhère jusqu'à la coïncidence : incurable. N'y aurait-il aucun remède contre elle ? Sans doute : mais alors, il faudrait se guérir de son propre moi. La nostalgie d'*autre chose*, dans les rêveries mélancoliques, n'est que le désir d'un *autre* moi, mais que nous cherchons dans les paysages, dans les lointains, dans la musique, en nous trompant involontairement sur un processus beaucoup plus profond. Nous revenons toujours mécontents et nous abandonnons à nous-mêmes, car il n'y a pas d'issue à une maladie qui porte notre nom et sans laquelle, si nous la perdions, nous n'existerions plus.

*J*e doute que Dieu ait fait Ève d'une de nos côtes car, dans ce cas, nous devrions nous accorder avec elle ailleurs qu'au lit... Mais, à dire vrai, n'y a-t-il pas, là aussi, tromperie ? Ne sommes-nous pas les plus éloignés l'un de l'autre, côte à côte dans cette quasi-identité ? D'où viendrait, autrement, ce penchant obscur et irrépressible des heures troubles à déverser des pleurs secrets sur le sein des femmes perdues dans de vieux hôtels ?
Nous sommes accrochés à la femme, non tant par instinct, que par la terreur de l'ennui. Et il se pourrait qu'elle ne soit qu'une invention de cette terreur. Dieu a tiré Ève de la peur de solitude d'Adam, et, chaque fois que les frissons de l'isolement nous prennent, nous offrons au Créateur une «côte» pour aspirer dans la femme, née de nous, notre propre solitude.
La chasteté est un refus de la connaissance. Les ascètes auraient pu satisfaire plus facilement le désir du désert auprès de la femme, si la peur de la «tentation» ne les eût dépossédés de la profondeur mystérieuse de la sexualité. La panique au sein d'un monde d'objets réveille un désir mortel de la femme, elle-même *objet*, animé par les passions de notre ennui.

*U*n être sur la voie d'une spiritualisation complète n'est plus capable de mélancolie, car il ne peut plus s'abandonner au gré des caprices. Esprit signifie *résistance*, tandis que la mélancolie, plus que n'importe quoi, suppose la non-résistance à l'*âme,* au bouillonnement élémentaire des sens, à l'incontrôlable des affects. Tout ce qui en nous est non maîtrisé, trouble, irrationnel, composé de rêve et de bestialité, de déficiences organiques et d'aspirations tourmentées — comme des explosions musicales qui assombriraient la pureté des anges, et nous font regarder les lys avec mépris — constitue la zone primaire de l'âme. La mélancolie se trouve ici chez elle, dans la poésie de ces faiblesses.

Lorsqu'on se croit éloigné du monde, le souffle de la mélancolie prouve l'illusion de la présence de l'esprit. Les forces vitales de l'âme attirent vers le bas, obligent à plonger dans la profondeur originaire, à reconnaître des *sources* dont le vide abstrait de l'esprit, avec sa sérénité implacable, sépare.

La mélancolie est une distance par rapport au monde imputable à la vie, non à l'esprit : la désertion de l'immanence des tissus. Par l'appel constant à l'esprit, les hommes lui ont ajouté une nuance réflexive qu'on ne rencontre pas chez les femmes, qui, ne résistant jamais à leur âme, se laissent *immédiatement* emporter dans la mélancolie.

*L*e besoin d'un temps *pur*, nettoyé du devenir et qui ne soit pas éternité... Un amincissement éthéré du « passage », une croissance *en soi* de la temporalité, un temps sans « cours »... Extase délicate de la mobilité, plénitude temporelle en dehors des instants... Plonger dans un temps dépourvu de dimensions et d'une qualité si aérienne que notre cœur puisse le retourner en arrière, car il n'est pas taché d'irréversible, ni touché par l'irrévocable...

... Je commence à soupçonner sous quelle modalité il s'est insinué au Paradis.

*Q*ui n'a pas d'organe pour l'éternité la conçoit comme une autre forme de la temporalité, de sorte qu'il compose l'image d'un temps qui coule en dehors *de soi* ou d'un temps *vertical.* L'icône temporelle de l'éternité serait alors un cours ascendant, une accumulation verticale d'instants qui font barrage au glissement dynamique, au déplacement horizontal vers la mort.

La suspension du temps introduit une dimension verticale, mais seulement tant que dure l'*acte* de cette suspension. Une fois l'acte consumé, l'éternité nie le temps, comme un ordre irréductible. Le changement de la direction naturelle, la déviation violente de la temporalité vers l'accès à l'éternité, montrent comment toute défaite de la vie implique aussi une violation du temps. La dimension verticale de la suspension est une perversion du sens temporel, car l'éternité ne serait pas accessible si celui-ci n'était vicié.

*L*a maladie représente le triomphe du *principe personnel*, la défaite de la substance anonyme qui est en nous : en cela, elle est le phénomène le plus caractéristique de l'individuation. La santé — même sous sa forme transfigurée, la *naïveté* — participe de l'anonymat, du paradis biologique de l'indivision, tandis que la maladie est la source directe de la séparation. Elle change la condition d'un être, par *surplus* elle détermine une unicité, un saut au-dessus du normal. La différence d'un homme malade à un homme sain est plus grande que de celui-ci à n'importe quel animal. Car être malade signifie être autre chose que ce qu'on *est*, se soumettre aux déterminations du possible, identifier le moment avec l'imprévisible. Normalement, nous disposons de notre sort, nous prévoyons à chaque instant, et vivons dans une sûreté pleine d'indifférence. Nous sommes libres de croire que dans tel jour, à telle heure, nous serons sérieux ou gais, et rien ne nous empêche de nous fonder sur l'*intérêt* que nous accorderons à une chose quelconque. — Au contraire, dans la conscience issue de la maladie, aucune trace de liberté : nous ne pouvons rien prévoir, esclaves tourmentés des dispositions et des caprices organiques. La fatalité respire par tous les pores, la haine surgit des membres, et tous composent l'apothéose de cette nécessité qu'est la maladie. On ne sait jamais ce qu'on fera, ce qui arrivera, quel désastre guette dans les ombres intérieures, ni même dans quelle mesure on va aimer ou haïr, en proie au climat hystérique des incertitudes. La maladie qui nous sépare de la nature nous lie à elle plus que la tombe. Les nuances du ciel nous obligent à des modifications semblables de l'âme, des degrés d'humidité à des dispositions correspondantes, les saisons à une périodicité maudite. Ainsi, nous traduisons *moralement* toute la nature. À une distance infinie d'elle, nous reflétons toutes ses fantaisies, le chaos évident ou caché, les courbes de la matière dans les oscillations d'un cœur incertain. Se savoir privé de tout lien avec le monde et enregistrer toutes ses variations, voilà le paradoxe de la maladie, l'étrange nécessité qui s'impose à nous, la faculté de penser au-delà de notre être, et la condition de mendiants de notre propre corps. Car, en effet, ne tendons-nous pas la main vers nous-mêmes, ne sollicitons-nous pas un appui, vagabonds aux portes de notre moi, dans l'abandon d'une vie sans remède? Avoir besoin de faire quelque chose pour soi-même, et ne pas pouvoir s'élever au-dessus d'une pédagogie de l'incurable! Si nous étions *libres* dans la maladie, les médecins deviendraient des clochards, car les mortels sont attirés par la souffrance, mais non par son mélange torturant de subjectivité exaspérée et de nécessité invincible.

La maladie est la modalité sous laquelle la mort aime la vie, et l'individu le théâtre de cette faiblesse. Dans chaque douleur, l'absolu de la mort goûte au devenir, notre souffrance n'étant que la tentation, la dégradation volontaire de l'Obscurité. Ainsi, la souffrance n'est qu'un amoindrissement de l'absolu de la mort.

III

«*M*on cœur est comme de la cire, il fond en mes entrailles» (Psaume XXII). Mon Dieu, fais ce que tu peux jusqu'à ce que je te flanque mes os à la tête.

*L*a musique est du *temps* sonore.

*L*a vie et moi : deux lignes parallèles qui se rencontrent dans la mort.

*C*haque homme est son propre mendiant.

*L*es vertiges dont souffrent certains, et qui obligent à s'appuyer contre les arbres ou les murs en pleine rue, ont un sens plus profond que les philosophes et même les poètes ne sont portés à le croire. Ne plus pouvoir rester à la verticale — renoncer à la position naturelle de l'homme — ne vient pas d'un trouble nerveux, ni de la composition du sang, mais de l'épuisement du phénomène humain, avec l'abandon de toutes ses caractéristiques. As-tu usé *l'humain* en toi ? Tu quittes alors fatalement la forme sous laquelle il s'est défini. Tu *tombes* : sans pourtant retourner à l'animalité, car il est plus que probable que les vertiges nous jettent à terre, pour nous donner d'autres possibilités d'élévation. Le retour à la position antérieure à l'humaine verticalité nous ouvre d'autres sentiers, nous prépare une autre croissance et, en changeant l'inclinaison de notre corps, nous ouvre une autre perspective sur le monde.
Les étranges sensations de vertige qui nous surprennent n'importe où, et surtout lorsque la distance de l'homme à lui-même se rapproche de l'infini, n'indiquent pas seulement la présence agressive de l'esprit, mais aussi une terrible offensive de tout ce que nous avons ajouté aux constantes de la condition humaine.

Car le vertige est le symptôme spécifique du dépassement de la nature et de l'impossibilité de participer de la condition physique qui lui correspond. Sitôt rompus les liens intérieurs avec l'homme, leurs signes extérieurs suivent le processus de dissolution. Lorsque l'animal s'est mis à se dresser sur deux pattes, il a dû sentir des troubles analogues. N'est-ce pas là l'introspection régressive qui nous fait descendre jusqu'à ces angoisses lointaines, jusqu'à ces souvenirs indéfinis qui nous rapprochent des vertiges du commencement humain ?

Tout ce qui n'est pas inerte doit, à différents degrés, *s'appuyer*. Et d'autant plus l'homme, qui n'accomplit son destin qu'en inventant des certitudes et ne maintient sa position que par le tonique des illusions. Mais celui qui se met face à lui-même, qui glisse dans la transparence de sa propre condition, qui n'est homme que dans les indulgences de la mémoire, peut-il encore faire appel à l'appui traditionnel, à la fierté de l'animal vertical, peut-il encore s'appuyer sur soi, quand depuis longtemps il n'est plus lui-même ?

Les objets l'empêchent de tomber, en attendant que mûrissent les fruits d'une autre vie dans la sève de tant de vertiges.

L'homme pourrit en toi dans l'abus pervers de la connaissance, et rien n'exprime plus directement ce suprême déchirement que l'incertitude de ses pas dans le monde. Le vertige qui fait suite à la fin de l'homme est le frisson de la limite, prémonitoire et douloureux au début, puis prometteur et fortifiant. Un espoir d'une diabolique vitalité nous conduit à des chutes réitérées, en vue d'une purification insoupçonnée. Quelque chose d'autre va commencer, après que l'homme aura mûri en nous puis se sera évanoui, quelque chose d'étranger au pressentiment de ceux qui sont restés en arrière, à mi-chemin de l'humanité. Que Dieu se décompose dans tes veines, qu'on l'enterre avec tes restes recueillis des souvenirs, qu'on engraisse de cadavres humains et divins les verdures de l'espoir, et que des lumières de pourriture réconfortent la timidité des aubes !

Mais pour te purifier de ton héritage humain, apprends à te fatiguer, à dissoudre, à corrompre la mort qui se cache dans tes replis. Regarde un homme ; solitaire qui *attend* quelque chose, et demande-toi *quoi* : et tu verras que personne n'attend rien, rien d'autre que la mort. As-tu été jadis pris de frissons en voyant que tous se trompent, que tous sans le savoir tendent les mains vers la mort, espérant voir venir quelqu'un, et que leur attente ne fut pas vaine ? Pourquoi nous semble-t-il que le solitaire, les yeux fatigués par l'attention, ou n'importe quelle autre créature, n'ont rien à attendre, qu'il n'y a pas de quoi attendre, mis à part l'attraction chaude et froide de la mort, qui erre dans les déserts, les cafés, les vieux lits, ou aux coins des rues ? N'y aurait-il de *rencontres* qu'avec elle ? Qui, qui pourrait attendre un mortel sans mourir ? On marche à sa rencontre pour vivre, mais peut-on «vivre» auprès d'un mortel ? Il est terrible de ne pas remarquer que, pour échapper à la mort, on court après ceux qui meurent !

*C*e n'est pas *moi* qui souffre dans le *monde*, mais le monde qui souffre en moi. L'individu n'existe que dans la mesure où il concentre les douleurs muettes des choses, de la loque jusqu'à la cathédrale. Et de même, l'individu n'est *vie* qu'à l'instant où, du ver jusqu'à Dieu, les êtres se réjouissent et gémissent en lui.

*A*ucun peintre n'a réussi à rendre la solitude résignée du regard des bêtes, car aucun ne semble avoir compris ce qui est incompatible dans les yeux des animaux : une immense tristesse et un égal manque de poésie.
Le regard humain a simplement ajouté le regret poétique, dont l'absence indique, chez les précédents, la proximité des origines.

L'amertume est une musique altérée par la vulgarité. Il n'y a de noblesse que dans la mélancolie... C'est pourquoi il n'est pas sans importance de savoir dans quelle nuance de la haine du monde tu as pensé à Dieu...

*U*n penseur qui *entendrait* comment pourrit une idée...

«*T*uer le temps», c'est ainsi qu'on exprime banalement et profondément l'inopportunité de l'ennui. L'indépendance de la temporalité par rapport à l'immédiateté du vital nous rend sensibles au non-essentiel, au vide du devenir qui perd sa substance : une durée sans contenu vital. Vivre dans l'immédiat associe la vie et le temps dans une unité fluide, à laquelle nous nous abandonnons avec le pathétique élémentaire de la naïveté. Mais lorsque l'attention, fruit d'une inégalité intérieure, s'applique à l'écoulement du temps et devient étrangère à ce qui palpite dans le devenir, nous nous retrouvons dans un vide temporel, qui ne peut rien offrir que la suggestion d'un déroulement sans objet. L'ennui : être prisonnier du temps inexpressif, émancipé de la vie, qu'il évacue même, pour créer une malencontreuse autonomie. Que reste-t-il alors? Le vide de l'homme et celui du temps: l'accouplement de deux néants engendre l'ennui — le deuil du temps dans la conscience séparée de la vie. On voudrait vivre, mais on ne peut «vivre» que dans le temps; on souhaiterait plonger dans l'immédiat et l'on ne peut que se dessécher dans l'air épuré d'un devenir abstrait. Que faire contre l'ennui? Quel est l'ennemi à abattre, ou du moins à oublier? Certainement le temps — et lui seulement. Nous serions nous-mêmes, si l'on tirait les dernières conséquences. Mais l'ennui se définit même en contournant celles-ci: il cherche dans l'immédiat ce qu'on ne peut trouver que dans le transcendant.

«Tuer le temps» signifie seulement: ne pas «avoir» de temps — car l'ennui le fait croître, le multiplie à l'infini devant la pauvreté de l'immédiat. On «tue» le temps pour le forcer à entrer dans le moule de l'existence, pour ne plus s'approprier les prérogatives de l'*existant*.

Toute solution contre l'ennui est une concession de la vie dont les fondements chancellent dans l'hypertrophie temporelle. L'existence n'est supportable que dans l'équilibre entre vie et temps. Les situations limites dérivent de l'exaspération de cette dualité. Voici l'homme devant la tyrannie du temps, victime de son empire — que pourrait-il tuer, lorsque la vie n'est plus présente que dans l'esclavage du regret?

*J*e voudrais parfois être si seul, que les morts, agacés de la promiscuité et du bruit des cimetières, les quitteraient — et, enviant ma tranquillité, me demanderaient humblement l'hospitalité du cœur. Et quand ils descendront par des escaliers secrets vers des profondeurs d'immobilité, les déserts du silence leur arracheront un soupir qui réveillerait les pharaons dans la perfection de leur abri. Ainsi les momies viendraient, désertant l'obscurité des pyramides pour continuer leur sommeil dans des tombes plus sûres et plus immobiles.

La vie: prétexte suprême pour qui est plus près de l'éloignement de Dieu que de sa proximité.

*S*i les femmes étaient malheureuses en *elles-mêmes* et non à cause de nous, de quels sacrifices ne serions-nous pas capables, de combien d'humiliations et de faiblesses! Depuis quelque temps, on ne peut plus inventer de volupté ni de délices que dans les arômes insinuants du malheur. Comme seul le hasard les rend tristes, nous guettons l'occasion d'un exercice du goût, avides d'ombres féminines, vagabonds nocturnes de l'amour et parasites pensifs de l'Éros. La femme est le Paradis en tant que nuit. C'est ainsi qu'elle apparaît dans notre soif d'obscurité soyeuse, douloureuse. La passion des crépuscules la situe au centre de nos agitations — créature anonyme transfigurée par notre goût des ombres.

*D*ans les grandes douleurs — dans les douleurs monstrueuses — *mourir* ne signifie rien : le grand problème, alors, est de *vivre*; chercher le secret de cette impossibilité torturante, déchiffrer le mécanisme de la respiration et de l'espoir. C'est ainsi qu'on explique pourquoi les réformateurs — travaillés jusqu'à l'obsession par l'idée de donner d'autres matrices à la vie — ont souffert au-delà des limites du tourment ! La mort leur semblait une évidence écrasante de banalité. Et n'apparaît-elle pas, du centre de la maladie, comme une fatalité si proche qu'il est presque comique de la transformer en problème ? Il suffit de souffrir, de souffrir longtemps pour réaliser que dans ce monde tout est évidence — sauf la vie. Libéré de ses rets, l'on fait tout son possible pour la situer dans un autre ordre, lui donner un autre cours ou, finalement, pour la réinventer. Les réformateurs ont choisi les premières voies; la dernière est la solution extrémale d'une solitude extrême.
La peur de la mort est le fruit maladif des aubes de la souffrance. Au fur et à mesure que les douleurs mûrissent et s'aggravent, et nous éloignent de la vie, la peur se fixe fatalement au centre de la perspective, de sorte que rien ne nous sépare plus de la mort que son voisinage. Voilà pourquoi, pour l'homme que l'infini a séparé de l'immédiat, les espoirs ne peuvent renaître qu'au bord du précipice.

*S*i Dieu posait son front sur mon épaule — cela nous conviendrait à tous deux, ainsi, seuls et inconsolés...

*U*ne autobiographie doit s'adresser à Dieu et non aux hommes. La nature elle-même donne un certificat de décès lorsqu'on se raconte aux mortels.

*L*e malheur de ne pas être assez malheureux...

*N*e pouvoir vivre qu'*au-dessus* ou *en dessous* de l'esprit, dans l'extase ou l'imbécillité ! Et comme le printemps de l'extase se meurt dans la foudre d'un instant — le crépuscule obscur de l'imbécillité ne finit plus jamais. Les longs frissons d'un fou ivre, les débris et les ordures arrêtant la circulation du sang, des bêtes scabreuses souillant les pensées, des diables transportant des idées dans un cerveau déserté... Quel ennemi a vaincu l'esprit ? Et de quelle substance d'obscurité se nourrit tant de nuit ?

La terreur qui s'étend au pied de l'imbécillité lève les brumes d'un assoupissement muet, et la vie se tait, résignée dans le cérémonial funèbre de l'enterrement de l'esprit. Un rêve noir et monotone dont les demeures éternelles ne sauraient contenir l'immensité crépusculaire.

L'idiotie est une terreur qui ne peut réfléchir sur elle-même, un néant *matériel*. Lorsque la réflexion qui vous sépare de vous-même perd de sa force et que s'annule la distance à votre propre terreur, une introspection attentive vous oblige à un regard fraternel vers les idiots. Quelle grande maladie que la terreur !

*C*haque jour, nous sommes plus seuls. Comme doit être difficile et léger le dernier jour !

Lorsqu'on a accumulé avec peine et assiduité tant d'isolement, des sentiments de propriétaire vous empêchent de mourir avec le cœur net. Tant de richesse sans héritiers !

Anéantissement est le mot pour les dernières raisons d'être du cœur...

Jeté près de ton propre vide, spectateur d'une poésie dépouillée, sans pouvoir te réveiller de cette tristesse froide — le vide intérieur te fait découvrir l'indétermination infinie comme forme d'expiation.

*E*n pleine lumière pense à la nuit, afin que l'esprit s'enfuie vers elle au cœur de l'après-midi... Le soleil ne vainc pas l'obscurité, mais il agrandit jusqu'à la souffrance l'aspiration nocturne de l'âme. Si l'azur nous servait de lit et le soleil d'oreiller, une voluptueuse défaillance appellerait la nuit pour assouvir son besoin d'immense fatigue. Tout ce qui en nous est dimension nocturne prépare le revers sombre de l'infini.

Ainsi, la faiblesse des jours et des nuits nous conduit vers un infini négatif.

*L*a solitude est une œuvre de conversion à soi-même. Mais il arrive qu'en s'adressant uniquement à soi, tout ce qu'on a de meilleur devienne indépendant de l'identité ordinaire. Et ainsi l'on s'adresse à quelqu'un — à quelqu'un d'autre. D'où le sentiment de ne pas être seul chaque fois que l'on est plus seul que jamais.

*S*i le soleil refusait au monde la lumière, son dernier jour d'éclat ressemblerait au rictus d'un idiot.

*L*orsqu'on meurt au monde, on ne s'ennuie que de soi-même, et l'on consume ce qui reste à vivre dans une nostalgie incomplète. Dieu est tout proche en comparaison d'un tel exil du moi, qui nous condamne à nous rechercher dans d'autres mondes, à ne jamais être proches de nous-mêmes, et comme inaccessibles.

*L*es individus sont des *organes* de la douleur. Sans eux, les dispositions de la nature à la souffrance auraient transformé le monde en chaos. L'individuation, en se déterminant comme forme originaire de l'expiation, a sauvé l'équilibre et les lois de la nature. Lorsque la douleur ne put continuer de rester en elle-même, les êtres sont apparus pour la délivrer des tourments de la virtualité. Tout *acte* est une perfection de souffrance.

*E*ntre une femme et une femme de ménage : la distinction du malheur. La grâce funèbre est source d'enchantements indéfinissables.

L'*attente* — comme rythme ascendant — définit la dynamique de la vie. Les sages — par l'exercice de la lucidité — la suspendent, sans pourtant lui ôter les surprises de l'avenir. Seule l'idiotie — perfection de la «non-attente» — se situe en dehors du temps et de la vie. Un détachement complet des choses ne permet pas plus que les *émotions* d'un idiot.

*A*près les moments d'intensité, l'on ne redevient pas une personne, mais un *objet*. Se rapprocher de l'Absolu a des conséquences plus graves que toute autre intoxication. L'état consécutif à l'ivresse est paisible et agréable en comparaison du raidissement qui suit les faiblesses accomplies pour Dieu. L'ultime accès ne fait sentir que la terreur de ne rien comprendre, et l'on ne rentre dans la matière qu'après l'extase. Qui aurait le courage de définir ces instants où les saints regardent en haut vers les idiots?

*L*es préoccupations théologiques ont empêché, pour l'homme, la connaissance de soi. En projetant en Dieu tout ce qui n'*est* pas lui, il montre très bien à quelle sinistre décomposition il serait arrivé, s'il avait appliqué dès le début son intérêt et sa curiosité à lui-même. Par opposition aux attributs divins, l'homme se réduit aux dimensions d'un ver. Et, en effet, où nous ont menés la psychologie et la connaissance de soi? Transformons-nous en vers — des vers qui n'ont plus besoin de chercher des cadavres...

La bêtise est une souffrance *indolore* de l'intelligence. Appartenant à la nature, elle n'a pas d'histoire. Les imbéciles n'entrent même pas dans la pathologie, car ils ont pour eux l'éternité.

On pourrait faire la plus véridique icône du monde avec les «étincelles» d'un idiot — s'il pouvait vaincre la sensation de putréfaction du sang et s'il pouvait, parfois, avoir conscience du flux infinitésimal de son intelligence.

*L*a voix du sang est une élégie ininterrompue.

*V*ivre *sous le signe de la musique,* cela signifierait-il autre chose que mourir avec grâce? La musique ou l'incurable comme volupté...

*Q*ui n'a aidé personne dans le non-être n'a jamais connu les chaînes de l'être, ni l'émotion rare et douloureuse d'être remercié pour avoir soutenu quelqu'un dans la mort, pour avoir confirmé en lui la fin et la pensée de la fin, et lui avoir épargné la trivialité des encouragements et des espoirs. On ne peut imaginer combien sont nombreux ceux qui attendent qu'on les délivre du bonheur...

*D*eux types de philosophes: ceux qui réfléchissent sur des idées, et ceux qui réfléchissent sur eux-mêmes. La différence du syllogisme au malheur...

Pour le philosophe objectif, seules les idées ont une biographie ; pour le philosophe subjectif, seule l'autobiographie a des idées ; l'on est prédestiné à vivre auprès des catégories, ou de soi. En dernière instance, la philosophie est la méditation poétique du malheur.

*Q*uelles que soient nos prétentions, nous ne pouvons, au fond, rien demander de plus à la vie que la permission d'être seul. Nous lui offrons ainsi l'occasion de se montrer généreuse, et même prodigue...

*L*e but de la musique est de nous consoler d'avoir rompu avec la nature, et notre degré de faiblesse à son égard indique notre distance à *l'originaire*. Dans la création musicale, l'esprit se guérit de son autonomie.

*L*es finesses de l'anémie nous rendent perméables à un autre monde, et dans ses tristesses nous tombons perpendiculairement au ciel.

*T*out ce qui n'est pas santé — de l'idiotie à la génialité — est un état de terreur.

*L*a sensibilité au temps est une forme diffuse de la peur.

*L*orsqu'on ne peut penser à rien, on comprend trop bien le *présent absolu* des idiots, comme ces sensations de vide qui rapprochent parfois la mystique de l'imbécillité, avec cette différence que dans le vide infini des mystiques se meut une tendance secrète à l'élévation, un élan vertical qui palpite, solitaire — tandis que le vide *horizontal* des idiots est une étendue neutre où glisse sourdement la terreur. Rien ne fait ondoyer le désert monotone de l'imbécillité, aucune couleur n'anime l'instant éternel de ses horizons morts.

*L*a possibilité de paraître gai parmi les hommes, alors que vous gênerait même le regard d'un oiseau, est un des secrets les plus bizarres de la tristesse. Tout est glacé, et vous gaspillez vos sourires ; aucun souvenir ne vous porte plus vers celui que vous avez été, et vous vous inventez un passé avec espièglerie ; le sang refuse les souffles de l'amour, et les passions jettent des flammes glacées sur vos yeux éteints.

Une tristesse qui ne sait pas rire, une tristesse sans masque, est une perdition qui laisse la peste derrière elle et nul doute que, sans le rire, le rire des hommes tristes, la société eût depuis long-temps pénalisé la tristesse. Même les grimaces de l'agonie ne sont que des tentatives avortées de rire, mais qui en trahissent la nature équivoque. On explique ainsi pourquoi de tels excès nous laissent un vide plus amer qu'une ivresse ou qu'une nuit d'amour. Le seuil du suicide — un frisson qui suit un rire impétueux, sans mesure et sans pitié. Rien ne dégrade plus la vitalité que la gaieté, lorsqu'on n'en a pas la vocation ni l'habitude. Face à la fatigue délicate de la tristesse, la gaieté est un athlétisme épuisant.

Même la tristesse est un métier. Car l'on ne prend pas si facilement l'habitude d'être seul, et chaque jour il faut s'efforcer dans la déréliction, soumettant les vagues d'amertume à un travail intérieur. Le besoin de style dans le malheur et d'ordre dans les tristesses semble avoir fait défaut aux poètes. Car que signifie être poète ? Ne pas avoir de distance à l'égard de ses tristesses, être identique à son propre malheur. Le souci d'éducation personnelle trahit, jusque dans ces choses-là, un résidu de philosophie dans une âme touchée par la poésie. La superstition théorique organise tout, même la tristesse. La mort d'un philosophe ressemble à l'écroulement d'une géométrie, tandis que le poète, portant sa tombe de son vivant, est mort avant de mourir. Le noyau de la poésie est une fin anticipée, et la lyre n'a de voix qu'auprès d'un cœur atteint. Rien ne fait glisser plus vite dans la tombe que le rythme et la rime, car les vers n'ont su qu'ériger des pierres tombales aux assoiffés de la nuit.

Le spectacle d'une femme gaie passe en vulgarité la vulgarité même. — Bizarre, comme tout ce qui devait nous rendre moins étrangers au monde, ne fait que creuser un peu plus le fossé entre nous et lui. Le monde, ne serait-il pas étranger *en soi* ?

On est toujours seul à l'égard de soi-même, non de quelqu'un.

Le philosophe pense à la *Divinité*, le croyant à *Dieu*. L'un à l'essence, l'autre à la personne. La divinité est l'hypostase abstraite et impersonnelle de Dieu. La croyance étant un *immédiat transcendant*, elle tire sa vitalité de la ruine de l'essence. La philosophie n'est qu'une allusion existentielle, tout comme la divinité un aspect *indirect* de Dieu.

*N*e parle pas de la solitude si tu ne sens pas comment Dieu chancelle... ni du blasphème si tu ne L'entends pas finissant en toi.

*L*a vie est ce que j'aurais pu être si je n'étais pas réduit en esclavage par la tentation du néant.

*L*es échos équivoques de l'instant meurent dans l'âme lorsque la vie — surprise de l'indifférence initiale — transperce le silence du néant.

*D*ieu est la dernière tentative pour assouvir notre désir de sommeil... Il devient ainsi un nid chaque fois que notre fatigue prend des ailes.

*L*e détachement du monde par la musique anémie les objets en fantômes; rien ne passe plus à proximité, et les yeux ne sont plus au service des êtres. Que voir lorsque tout se passe au loin? La tristesse — déficience optique de la perception...
Chaque instant est un trou, insuffisamment profond, de sorte qu'il nous faut sauter par-dessus — jusqu'à nous casser le cou.

*O*n n'est pas jaloux de Dieu, mais de sa solitude. Car face au désespoir embaumé qu'il représente, l'homme n'est qu'une momie folâtre.

*L*a timidité est l'arme que la nature nous offre pour défendre notre solitude.

*L*orsqu'on se croit plus fort que jamais, on se retrouve tout à coup aux pieds de Dieu. Aucune immortalité ne peut plus guérir d'une telle chute. Mais que faire si les blessures de la vie sont des yeux levés vers le Créateur et des bouches ouvertes vers des nourritures d'absolu?
Les veillées apeurées nous sauvent — par-delà notre volonté — de la superstition de l'être et, en fatiguant notre élan, nous nourrissent des brises du désert divin. L'affaiblissement de la volonté enfonce Dieu comme une potence — au milieu de nos incerti-

tudes... L'absolu est une étape crépusculaire de la volonté, un état de faim épuisant.

L'amour de la beauté est inséparable du sentiment de la mort. Car tout ce qui ravit les sens en frissons d'admiration nous élève à une *plénitude de fin*, qui n'est que le désir ardent de survivre à l'émotion. La beauté suggère l'icône d'une *éternelle vanité*. Venise ou les couchers de soleil parisiens invitent à une langueur parfumée, où l'éternité semble fondre dans le temps.

L'éros est une agonie inaccomplie, et c'est pourquoi l'on ne peut aimer une femme qui ne murmure pas les voix de la mort, et qui n'aide pas à ne plus être...
En s'interposant entre nous et les choses, il nous a éloignés de notre nature, portant ainsi la responsabilité de notre retard dans la connaissance. Que ne doit pas à l'amour l'esprit du malheur! Il se pourrait bien qu'il ne fût que son œuvre.
D'ailleurs, remarquez que les femmes ne sont entrées dans l'Histoire que dans la mesure où elles ont pu rendre les hommes encore plus seuls.

*L*e voile de poésie qui, tant bien que mal, enveloppe cette terre, émane de l'automne éternel du Créateur et d'un ciel trop précoce pour secouer ses étoiles. La saison à laquelle il s'est arrêté montre très bien qu'il n'est pas une aurore, mais un crépuscule, et que nous ne l'approchons que par l'ombre. Dieu — l'automne absolu, une fin *initiale*.

*L*e printemps — comme tout commencement — est une déficience d'éternité. Et les hommes qui meurent au printemps sont les seuls ponts jetés vers l'absolu. Quand tout fleurit, les mortels deviennent voluptueux et solitaires, pour sauver le plaisir métaphysique du printemps.
Au commencement était le Crépuscule.

*D*ans un monde sans mélancolie, les rossignols devraient cracher, et les lys — ouvrir un bordel.

*L*a joie autant que la gaieté *vivifient*, mais l'une l'esprit, l'autre les sens. — Quelqu'un a-t-il parlé de la *gaieté* en mystique? Vit-on jamais un saint gai? Alors que la joie accompagne l'extase, dans un apaisement qui avoisine le ciel.

On ne peut être gai que parmi les hommes : mais on ne connaît la joie que seul. On est gai en compagnie de quelqu'un ; lorsqu'on n'a personne, on est plus près des cimes de la joie.

*P*as de maladie dont on ne puisse guérir par une larme qui commencerait à chanter...

*L*e tourbillon mortel qui unit la vie et la mort au-delà du temps et de l'éternité... On ne peut découvrir ce *quelque part* secret, sis en dehors du temps et de l'éternité, mais l'âme s'élève dans des flammes ultimes vers une clairière incendiée. L'on meurt et vit dans des *fiançailles mystiques* avec la solitude... Quel démon d'être et de non-être te tire de tout vers un tout, où vie et mort érigent les voûtes d'un soupir ? Gravis désormais par l'extase les spirales d'un monde qui laisse derrière lui le Rien et d'autres cieux, dans l'espace qui abrite la solitude, un espace si pur que le néant même fait tache. Où, où ? — Mais ne sens-tu pas une brise, comme le rêve d'innocence de l'écume ? Ne respires-tu pas le paradis forgé par l'utopie d'une rose ?

C'est ainsi que doit être le *souvenir* du néant dans une fleur fanée en Dieu.

*M*on Dieu, je suis né *fini* en toi, en toi le Trop-Fini. — Et parfois je t'ai sacrifié tant de vie, que je fus comme un jet d'eau dans ton immense malheur. Suis-je en toi cadavre ou volcan ? Mais toi-même, le sais-tu, l'Abandonné ? Ce frisson de démiurge lorsque tu appelles au secours pour que la vie ne meure pas de son infini... Je cherche l'astre le plus éloigné de la terre pour m'y faire un berceau et un cercueil, pour renaître de moi et mourir en moi.

—————————————————IV

—————————————————————— *L*orsque l'aspiration vers le néant atteint l'intensité de l'éros, le temps ni l'éternité ne nous disent plus rien. *Maintenant* ou *à jamais* sont des éléments avec lesquels on opère dans le monde, des points de repère, des conventions de mortel. L'éternité nous semble un bien que nous cherchons à conquérir, le temps un défaut dont nous nous excusons en toutes circonstances. Qu'est tout cela pour qui le considère depuis l'absence radicale, ouvrant les yeux dans la perfection ? Apercevra-t-il dans l'enchantement pur du rien, dans ce spectacle maladivement vide, une tache qui atteindrait le vierge infini ?

Le temps et l'éternité sont les formes de notre adhérence ou de notre non-adhérence au monde, mais non celles du renoncement total, qui serait une musique sans sons, une aspiration sans désir, une vie sans respiration et une mort sans extinction.

À la limite extrême de l'amoindrissement de l'être, «maintenant», «ici», «là-bas», «jamais» et «toujours» perdent leur sens, car où trouver un *endroit* ou un *instant*, lorsqu'on ne garde du monde pas même son *souvenir* ?

Ce «nulle part» voluptueux, mais d'une volupté sans contenu, est une extase *formelle* de l'irréalité. La transparence devient notre être, et une rose *pensée* par un ange ne serait pas plus légère ni plus vaporeuse que l'envolée vers la perfection extatique du non-être.

L'éternité est occasion de fierté pour les mortels, une forme prétentieuse sous laquelle ils contentent un goût passager de «non-vie». Éternellement mécontents d'elle, ils redeviennent solidaires de leurs propres fantômes et se reprennent à aimer ce *temps éternel* qu'est la vie. Comment celui-ci se distingue-t-il de l'éternité ? À ce qu'on vit en lui, car l'on ne peut respirer que dans l'ivresse du devenir infini, alors que l'éternité est la *lucidité* du devenir.

Lorsque, au sein de l'écoulement des choses, nous relevons la tête, mécontents, et nous révoltons contre l'ivresse de l'être, la tentative d'évasion nous pousse vers la négation du temps. Cependant, l'éternité nous oblige à une perpétuelle *comparaison* avec la temporalité, ce qui n'arrive plus dans la suspension radicale que donne l'expérience du néant, qui « est » neutralité tant par rapport au temps qu'à l'éternité, neutralité à « n'importe quoi ».

L'éternité pourrait être la marche finale du temps, comme le néant la sublimation dernière de l'éternité.

Quelle bizarrerie, lorsqu'on a compris que les êtres sont des ombres et que tout est vain, de s'éloigner du monde pour trouver le sens, le seul sens, dans la contemplation du Rien, quand on pouvait fort bien rester parmi les ombres et le rien de chaque jour. D'où vient ce besoin de superposer au néant effectif un Néant suprême ?

L'éventualité du paradis me fait boire toutes les amertumes de ce monde... Et même sans l'hypothèse d'une telle perfection, ne serait-il pas affreux de mourir à mi-chemin, de laisser tant de tristesses inaccomplies, et de finir en dilettante du malheur ? — Si une seule tristesse te survit, c'est en vain que tu as mendié la délivrance de l'inexorable nuit.

*P*arler de l'éternité ou s'en vanter suppose une vitalité de l'organe du temps, un hommage secret au temps, *présent* par la négation. *Savoir* être dans l'éternité signifie mesurer clairement sa distance à son égard, ne pas être *totalement* dedans. De la perspective d'une totalité vivante, d'une existence présente, la *conscience* indique toujours une absence.

Ce n'est qu'en vivant sans intermédiaire, naïvement, dans l'éternité, qu'on vainc l'énergie de l'organe du temps. La sainteté — un immédiat d'éternité — ne s'enorgueillit pas du chemin accompli hors de l'écoulement direct des choses, parce qu'elle *est* éternité. Tout au plus peut-elle se confesser au temps, pour alléger l'excès de sa propre substance : les confessions des saints ont leur source dans le fardeau *positif* de l'éternité. Leurs livres *tombent* dans le temps, tout comme les étoiles du firmament. Excès d'éternité d'un côté comme de l'autre.

*L*a perte de la naïveté engendre une conscience ironique, qu'on ne peut étouffer, pas même auprès de Dieu. On se vautre dans une hystérie douce, en disant à tout le monde qu'on vit... Et tous y croient.

Le devenir ressemble à une agonie sans dénouement, car le *suprême* n'est pas une catégorie du temps.

Les déserts sont les jardins de Dieu. Il y promène sa fatigue depuis toujours, et c'est là que nos élans tourmentés se lamentent. La solitude est notre point commun avec Lui — mais avec le diable aussi. Depuis les commencements, ils rivalisent dans l'art d'être seuls — et nous sommes arrivés tard, même trop tard pour ce concours fatal. Lorsqu'ils se retireront de l'arène, nous resterons seuls dans la solitude, et les déserts n'auront pas assez de place pour le saut de la mort.

*L*a vulgarité est un moyen de purification égal à l'extase — à condition qu'il y ait souffrance. Les affres parmi les ordures, la crasse, la terreur des banlieues, deviennent source de mysticisme — et l'on est plus près du ciel qu'en regardant impassiblement l'icône d'une madone. Le blasphème est un acte religieux; la bonté, un acte moral. (Nous savons trop bien que la morale n'est que l'aspect civique de notre penchant vers l'Absolu!)

Du bouillonnement des puanteurs intérieures, des vapeurs s'élèvent vers l'azur. Si tu en sens le besoin, crache vers les astres, tu seras plus proche de leur grandeur qu'en les contemplant avec bienséance et dignité. Une crotte reflète le ciel plus *personnellement* que l'eau cristalline. Et des yeux troubles ont des lueurs d'azur qui entachent le bleu monotone de l'innocence.

Ce qu'on appelle d'ordinaire perfection offre un spectacle fade par l'absence même des affres de la vulgarité. Les modèles de perfection que se proposent les mortels donnent un sentiment d'insuffisance, de vie non accomplie, non réussie. Les anges furent retirés de la circulation pour ce motif même : ils n'ont pas connu les souffrances de la dégradation, les voluptés mystiques de la pourriture. Il faut modifier l'image idéale de la perfection, et la morale devra s'approprier les avantages de la décomposition pour ne pas rester une construction vide.

La morale demande une purification : mais de *quoi*? Que devons-nous particulièrement écarter? Certes, la vulgarité. Mais on ne peut l'écarter qu'en la vivant jusqu'au bout, jusqu'à la dernière humiliation : ce n'est qu'après avoir épuisé toutes les possibilités de souffrance qu'on peut parler de purification. Le *mal* ne meurt qu'en épuisant sa vitalité. C'est pourquoi le triomphe de la morale exige l'expérience douloureuse de la boue : s'y noyer est plus lourd de sens qu'une purification de surface. La décadence en soi n'a-t-elle pas plus de profondeur que l'innocence ? Un « homme moral » ne mérite son titre qu'en vertu des titres compromettants acquis dans son passé.

Succomber à la tentation, n'est-ce pas *tomber* dans la vie ? Mon Dieu, laisse-nous succomber à la tentation et délivre-nous du *bien* !

Il faudrait que la prière de chaque jour soit une *initiation* à la Méchanceté, et que le « Notre Père » déchire le voile qui la couvre, pour que, en la regardant en face, familiers de la perdition, nous soyons *tentés* par le Bien.

La morale se perd par son absence de mystère. Le bien ne cacherait-il aucun secret ?

*L*a décoloration des passions, l'adoucissement des instincts et toute cette dilution de l'âme moderne nous ont désappris les consolations de la colère, et ont affaibli en nous la vitalité de la pensée, d'où émane l'art de blasphémer. Shakespeare et l'Ancien Testament montrent des hommes par rapport auxquels nous sommes des singes infatués ou des damoiseaux effacés, qui ne savent pas remplir l'espace de leurs douleurs et de leurs joies, provoquer la nature ou Dieu. Voilà où nous ont amenés quelques siècles d'éducation et de bêtise savante ! Autrefois, les mortels criaient, aujourd'hui ils s'ennuient. L'explosion cosmique de la conscience a fait place à l'*intimité.* Endure et crève ! c'est la devise de la distinction pour l'homme moderne. La *distinction* — c'est la superstition d'un genre corrompu. Mais la tension de l'esprit demande un certain niveau de barbarie, sans laquelle les piliers de la pensée fléchissent, un état volcanique qu'on ne doit calmer que par des lâchetés voulues. Une idée qui s'élance comme une hymne, avec la magie du délire ou de la fatalité, comme il arrive dans l'incandescence des blasphèmes — ces *langues de feu* de l'esprit.

Les modernes sont tièdes, trop tièdes. L'heure n'a-t-elle pas sonné d'apprendre l'amour et la haine, comme traces de la nature dans l'âme ? Le blasphème est une provocation démesurée, plus sa force augmente plus il tend vers l'*incommensurable* : là est son but final. Quand les mots ont mis au pied du mur un individu, un peuple ou la nature, reste la colère contre le ciel.

Le blasphème est un attachement à la vie sous l'apparence de la destruction : un faux nihilisme. Car on ne gronde ou ne lance la foudre que de l'absolu d'une valeur. Job aime la vie d'une passion maladive, et le Roi Lear s'appuie sur l'orgueil comme sur une divinité. Tous les prophètes de l'Ancien Testament se mettent en colère *au nom* de quelque chose, au nom du peuple ou de Dieu. Et, au nom du *rien*, on peut lancer des blasphèmes si l'on adhère à lui *dogmatiquement* : un déchaînement impitoyable et incendiaire, un absolu dans le style direct, une vague de destruction appuyée sur une certitude, avouée ou non. Que derrière l'exaspération se cache une croyance ou le titanisme du moi, peu importe à la colère du blasphème tel quel. Le niveau de l'âme, le degré de passion d'un être, voilà le tout. Car *en soi*, le blasphème n'est qu'un dogmatisme lyrique.

*F*ouler aux pieds le délice de mourir chaque jour en soi, partager en deux le fardeau de l'être, avoir un complice pour les déceptions ! La femme commercialise l'incompris et dans le mariage, on vend des pans de solitude — le blasphème devient marchandise. La source du malheur dans l'amour est la peur d'être aimé, car la volupté de la solitude dépasse les étreintes. La femme *ne s'éloigne pas* de bon gré, mais sent trop bien que la lucidité entache la tromperie de l'extase réciproque. Elle ne comprendra certes jamais comment un homme peut être *pratiquant* du malheur, ni de quelle manière sa présence nuit à la perfection de l'isolement. Et pourtant elle doit s'en aller, s'en aller. Et, après son départ, on saisit quelle grande erreur est la vie, avec elle et sans elle.
Si l'on pouvait mourir au monde à l'ombre de la femme, si son parfum était une émanation de mélancolie pour l'assoupissement d'un cœur arraché à la terre !

*I*l est des détachements du monde qui vous envahissent subitement, comme des souffles mortels, quand les sages semblent de pauvres écureuils, et les saints des professeurs ratés.

*L*a clé de l'inexplicable de notre sort est la soif de malheur, profonde et secrète, et plus durable que le désir folâtre du bonheur. Si celui-ci prédominait, comment expliquerait-on cet éloignement vertigineux du paradis, et la tragédie comme condition naturelle ? Toute l'histoire donne la preuve évidente que l'homme n'a pas fui la souffrance mais qu'il a même inventé des rets pour ne pas échapper à son charme. S'il n'avait pas aimé la douleur, il n'aurait pas eu besoin d'inventer l'enfer — utopie de la souffrance. Et si parfois il lui a préféré, avec beaucoup plus d'ardeur, le paradis, ce fut pour son côté fantasmatique, pour sa garantie d'irréalisable — une utopie esthétique. Mais les «événements» de l'histoire nous montrent clairement ce qu'il a pris au sérieux...

*D*epuis longtemps, je ne vis plus dans la mort, mais dans sa poésie. L'on se fond ainsi dans un flux de mort et l'on s'installe, rêveur, dans une agonie délicate, enivré d'odeurs funèbres. Car la mort est comme une huile qui suinte dans l'espace invisible de notre renoncement au monde et nous berce du sursis douloureux de l'extinction, pour nous suggérer que la vie est un terme virtuel, et le devenir une potentialité infinie de la fin.

*S*ouffrir : une façon d'être actif sans faire quoi que ce soit.
Correctement, on ne peut demander ce *qu'est* la vie, mais ce qu'elle *n'est pas.*

*L*e désir de la mort commence comme une sécrétion obscure de l'organisme et s'achève en un évanouissement de poésie. L'extinction voluptueuse de chaque jour est un assoupissement du sang. Et celui-ci est la tristesse même.

*C*e n'est qu'après avoir souffert pour toutes choses qu'on a le droit d'en rire. Comment piétiner ce qui ne fut pas souffrance ? (Le sens de l'ironie universelle.)

*L*e goût de la solitude ne trouve pas d'accomplissement plus entier que dans le désir accablant de la mort qui, croissant au-delà de notre résistance, alors même que nous ne pouvons pas *mourir*, devient — par réaction — révélation de la vie.
Comment pourrais-je oublier que je *suis*, quand l'excès de mort me délie de la mort ?
Je découvrirai la vie dans sa plénitude lorsque je commencerai à penser *contre* moi, lorsque je ne serai plus *présent* dans aucune pensée...
Au début, l'on considère la mort comme une réalité métaphysique. Plus tard, après l'avoir goûtée, après en avoir senti le frisson et le poids, on en a le *sentiment*. On parle alors de la peur, de

l'angoisse et de l'agonie, et non plus de la *mort*. Ainsi se fait le passage de la métaphysique à la psychologie.

*L*a lumière me semble de plus en plus étrangère et lointaine ; je la regarde — et je frémis. Que chercher en elle lorsque la nuit est une aurore de pensées ?

... Mais regardez, regardez la lumière ; comme elle bruisse et s'effrite en lambeaux, chaque fois qu'on fléchit sous la tristesse. Seule la ruine du jour nous aidera à élever la vie au rang de rêve.

La douceur de la mort serait-elle autre chose qu'un maximum d'irréalité ? Et le goût de la poésie, la fusion dans le fantomatique ? Il y a tant de volupté musicale dans le désir de mort qu'on voudrait l'immortalité uniquement pour ne pas l'interrompre. Ou, si l'on trouvait une tombe pour continuer de l'éprouver, mourir à l'infini dans le désir de mort ! Car aucun crépuscule marin, aucune mélodie terrestre ne peuvent remplacer la progression diffuse et la poésie évanescente de l'acte de mourir.

Nulle part ailleurs que dans les vieux lits des hôtels de province, ou dans l'atmosphère embrumée des boulevards, on n'est mieux bercé par les suggestions de l'extinction, ni plus disposé à goûter à un instant final.

Par la mort, l'homme devient contemporain de lui-même.

*P*our ne pas s'ennuyer, il faut être saint, ou imbécile : la vacance essentielle de la conscience définit la condition humaine. L'ennui est une sorte d'équilibre instable entre le vide du cœur et celui du monde, l'équivalence de deux vides, qui reviendrait à l'immobilité, s'il n'y avait la présence secrète du désir. L'illumination ou l'abêtissement — l'une par excès et l'autre par défaut — se situent en dehors de la condition de l'homme, donc en dehors des atteintes de l'ennui. Mais pouvons-nous être absolument certains que parfois les saints ne s'ennuient pas en Dieu, et que les bêtes — ainsi que le révèle leur regard vide — ne sentent pas le néant de leur ignorance ?

L'homme ne peut pas traîner toute sa vie dans l'ennui, quoique celui-ci ne soit pas une maladie, mais une *absence d'intensité*. Le vide consécutif à une souffrance ou le souvenir glacé d'un malheur ; l'écoulement du silence auquel on ne peut donner un contenu ; l'insensibilité à l'éros et le regret de ne pas la vaincre — voilà les états qui composent la dégradation de la conscience, et qui succèdent à une émotion intense qui ne peut plus les atteindre. On n'a mal nulle part, mais on préférerait une souffrance précise à ce vague angoissant. La maladie même est un contenu — et substantiel — par rapport à l'indifférence pesante et trouble de l'ennui, où l'on se sent *bien* ; mais on aimerait mieux une maladie certaine. On regrette la souffrance pour sa précision. La maladie est une occupation, mais non l'ennui. C'est pourquoi il ressemble à une délivrance dont on voudrait se libérer.

Le paradoxe de l'ennui : être une absence à laquelle on ne peut rester extérieur. Par rapport à la maladie : une santé insupportable, irritante, un *bien* monotone et qui n'est grave que pour son caractère interminable, indéfini. Un rétablissement qui n'en finit plus... L'ennui ? Une convalescence *incurable*.

*L*a vie, dans son sens positif, est une catégorie du possible, une chute dans le futur. Plus on ouvre de fenêtres sur celui-ci, plus on réalise une quantité de possible. Le désespoir, à l'inverse, est la négation du possible, et donc de la vie. Bien plus : il est l'intensité absolue perpendiculaire au Rien. Une chose est *positive* lorsqu'elle a une relation interne au futur, lorsqu'elle tend vers lui. La vie se réalise *pleinement* en gagnant une plénitude temporelle. Le désespoir s'amplifiant de soi-même, son intensité est un possible sans avenir, une négativité, une impasse en flammes. Mais, lorsqu'on arrive à ouvrir une fenêtre au désespoir, alors la vie — envahie par elle-même — semble une grâce déchaînée, un tourbillon de sourires.

«*L*es renards ont des tanières et les oiseaux du ciel des nids ; mais le Fils de l'homme n'a pas où poser sa tête» (Luc, IX, 58). Cette confession de Jésus — qui dépasse, en solitude, Gethsémani — le rend plus proche de moi que toutes les preuves d'amour qui lui ont assuré un crédit quasi éternel auprès des mortels. Plus on est différent des hommes, moins on a de place dans le monde, afin que l'accès au divin vous sépare de la solitude. Le dernier des mendiants fait figure de propriétaire par rapport à l'errance terrestre de Jésus. Les hommes l'ont crucifié pour lui trouver une *place,* pour le lier d'une certaine manière à l'espace. Mais ils n'ont pas remarqué que, sur la croix, la tête repose dans la direction du ciel — en tout cas plus vers le ciel que vers la terre. Et qu'est la *Résurrection*, sinon la preuve qu'un Dieu, même lorsqu'il est mort, ne peut pas se reposer dans le monde comme tout homme qui n'est plus un homme ?

Une dalle a couvert trois jours l'insomnie de Jésus. Car je ne puis imaginer un Dieu mort qui ne regarderait pas sa mort.

Seuls ceux qui ont dormi leur vie durant peuvent voir dans la mort un sommeil. Les autres, contaminés par l'insomnie, survivront éveillés à leurs cendres ou à leur squelette moqueur! — Quand toutes les fibres ont été imprégnées par la connaissance, rien ne peut plus faire croire qu'on a cessé un moment d'être *conscient*. On trouve explicable de mourir, mais comment croire qu'on a cessé de *savoir* et de *se connaître*? À croire qu'on ne reposera sa tête nulle part, ni jamais...

*L*e désir de solitude serait-il autre chose que le déguisement poétique de l'égoïsme?

*L*e monde ne peut *exister* que pour ceux qui ne l'ont pas vu. Les autres ont perdu la vue à ses apparences, et une réalité appauvrie a blessé leurs yeux. L'espace qu'offrent les rêves n'a pas d'horizon, et s'étend ainsi avec générosité devant un regard baissé qui n'en finit plus.
Comme le monde perd ses limites quand la perception, crépusculaire, s'éteint!

*S*i j'étais Dieu, je me ferais n'importe quoi, sauf homme. Comme Jésus serait grand s'il était un peu plus misanthrope!

*P*ar rapport à la matière, la vie représente un surplus d'intensité. Ainsi la maladie par rapport à la vie, avec cette différence que nous nous trouvons en présence d'une intensité négative.

*L*orsque nous sommes malades, la nature nous oblige à la connaissance; on se retrouve *savoir* sans le vouloir. Tout se dévoile à nous indiscrètement, car les secrets ont perdu leur pudeur dans cette science involontaire qu'est la maladie.

*É*tant donné que la vie n'est pas respirable *à froid*, trouverons-nous des feux pour allumer les esprits? Les espoirs se nourrissent de l'incendie de la lucidité.

*Q*uestion devant le passé: à quoi sert un «événement»?
L'histoire, en tant qu'universelle, n'existe qu'en tant que moyen

d'auto-interprétation. Les faits qui ne m'ont pas découvert à moi-même ont-ils jamais eu lieu? Il nous faut être plus subjectifs à l'égard du passé qu'à l'égard du présent.

*L*a solitude est une exaspération ontologique de notre être. On *est* plus qu'il ne faudrait. Et le monde, moins.

*L*a vérité est une erreur exilée dans l'éternité.

L'homme s'efforce d'être au moins une erreur, tout comme Dieu une vérité. Les deux suivent une voie qui offre très peu de chances et des espoirs réduits. Il est vrai que Dieu est sur la voie de l'éternité, et qu'il se cherche depuis les commencements, tandis que l'errance humaine a une date plus récente. Si l'on peut être plus indulgent avec l'homme, trouvera-t-on des arguments en faveur de Dieu qui n'est rien de plus qu'une synthèse de nos *excuses*? Nous l'avons tous défini par des absences, nous lui avons permis d'être chaque fois que ce fut nécessaire, nous lui avons pardonné l'inaccomplissement jusqu'à la lâcheté. Nous sommes, de toute façon, voués à nous noyer dans l'erreur. — Mais un Dieu qui ne dispose que d'une miette de vérité! Soyez sûrs que s'il l'avait découverte, il l'aurait claironné depuis longtemps!

*U*ne pensée qui n'émeut pas un lépreux a-t-elle un lien avec la solitude? Et un livre qui ne peut être dédié au souvenir de Job...

*L*e défaut comme l'excès de vie me pénètrent d'un même frisson d'irréalité. Une mer morte et une mer furieuse manquent également de rythme. Et comme je ne puis marcher au pas avec la vie, ses eaux, qu'elles se retirent ou m'envahissent, me jettent sur un rivage où tout *a été*.
Le plaisir de s'éloigner de sa nature, du fouillis intérieur, de fuir l'être dans la fierté d'un tumulte démesuré... Qui ne se berce pas dans les étendues vides avec l'espoir d'une vengeance, qui ne goûte dans le vide la séduction d'une plénitude future — celui-là ne connaît pas le tourment positif, ne sait pas dépenser utilement l'excès de vanité de la vitalité.
Les psychologues, qui s'appliquent à l'âme d'autrui parce que

eux-mêmes n'en ont pas assez, dérivent l'inclination à l'irréel uniquement de nos déficiences. Ils ne savent pas comment l'*absence* peut surgir d'une sensation de barbarie. Ou comment l'anémie et la force se mélangent dans le spectacle d'irréalité de la vie. Car, en effet, à quoi bon leur parler d'un sang privé de rythme, adapté dans les veines au souvenir d'une mer sans vagues ou d'une mer pleine de vagues?

*J*amais la vie ne m'a semblé *digne* d'être vécue. Elle *mérite* parfois mieux, et parfois beaucoup moins. *Insupportable* dans les deux cas. Le suicide par amour de la vie n'est en rien moins justifié que celui qui a cours d'ordinaire; il est même plus naturel... Le paradis est un état de suicide perpétuel, comme l'enfer. Entre eux s'impose l'état de non-suicide nommé *être*...

*S*i par permission du ciel, on me laissait parler à un mortel d'un autre siècle, je choisirais Lazare le ressuscité. Il m'aiderait certainement à comprendre la peur rétrospective, le sentiment d'avoir été mort, d'être né de la mort et de marcher vers autre chose... d'être exposé à un vague absolu, la naissance dérivant de l'inéluctable de la mort. Lazare me dirait comment on peut mourir lorsqu'on ne peut plus marcher vers la mort, comment on peut échapper à cette Résurrection infinie...

*L*a pensée que la vie pourrait être autre chose qu'une floraison démoniaque, qu'elle mènerait quelque part, vers un but extérieur à son vain déroulement, me semble si accablante et non avenue que sa confirmation me blesserait irrévocablement. Alors tout l'inachevé, toutes les paresses que le cynisme excuse, viendraient se ruer sur notre terreur pétrifiée. Nous ne sommes des ratés que si la vie a un sens. Car dans ce cas seulement, tout ce que nous n'avons pas *accompli* constitue une chute ou un péché. Dans un monde pourvu d'une finalité extérieure, un monde qui tend vers quelque chose, nous sommes obligés d'*être* jusqu'à nos limites.
S'il se trouvait un mortel pour me prouver la présence d'un sens absolu, me démontrer l'éthique immanente du devenir — je perdrais mes esprits, de remords et de désespoir. Lorsqu'on a gaspillé sa vie à se consoler dans l'inutile passage, dans les tromperies du devenir, lorsqu'on a souffert passionnément des apparences — l'Absolu vous rend malade. Décidément, la vie ne peut pas avoir

de sens. Ou, si elle en a, elle devrait le cacher, si elle veut nous garder encore.

Qui aime tant soit peu la liberté ne se pliera pas volontiers au joug d'un sens. Même s'il s'agit de celui du monde.

*L*a nostalgie de la mer, prélude et suite à l'introspection.

*T*oute lucidité est la conscience d'une perte.

*N*otre manière de concevoir les choses dépend de tant de conditions extérieures, qu'on pourrait écrire la géographie de chaque pensée. On commencerait avec la nuance du ciel et l'on finirait avec la position d'une chaise. Les faubourgs de la pensée ont eux aussi leur signification.

*P*ascal — et surtout Nietzsche — semblent des reporters de l'éternité.

*L*orsqu'on a plongé sans pitié dans les profondeurs de la nature, et qu'on les a dépouillées de leurs richesses par des coups d'œil souterrains, on se retrouve, fier et présomptueux, dans le bercement du Rien. Mais qu'est-ce qui nous interrompt soudain dans cette débauche métaphysique, comme foudroyés par l'*être*? Les résistances secrètes du sang, les passions qui envahissent la connaissance, ou les instincts qui assiègent l'esprit? Quelque chose en nous refuse le Rien, quand l'esprit nous montre que tout est *rien*. Ce *quelque chose*, serait-ce le *tout*? C'est possible, étant donné qu'on vit par lui.

Les saints, les fous et les suicidés semblent avoir vaincu ce *quelque chose*, l'inexplicable essentiel et caché qui endigue l'esprit dans sa dernière fierté. Nous autres, les ratés de l'absolu — la vie nous guette, lorsque nous nous croyons loin d'elle. Et si elle vient à notre rencontre, lors même que nous l'avons oubliée, nous devinons dans ses murmures que l'absolu n'est que le Rien en tant que dernière étape de la connaissance. Et alors nous reculons... Par rapport à l'esprit la vie n'est qu'une *manœuvre de retrait*.

*L*a nostalgie de l'infini, trop vague, prend forme et contour dans le désir de mort. Nous cherchons de la précision même dans la torpeur rêveuse ou dans la défaillance poétique. La mort introduit de toute façon un certain ordre dans l'infini. N'est-elle pas sa seule *direction* ?

*O*n ne peut apporter à l'encontre du suicide que ce type d'argument : il n'est pas naturel de mettre fin à ses jours avant d'avoir montré jusqu'où l'on peut aller, jusqu'où l'on peut s'accomplir. Bien que les suicidés croient en leur précocité, ils consument un acte avant d'avoir atteint la maturité, avant d'être mûrs pour une destruction voulue. On comprend aisément qu'un homme souhaite en finir avec la vie. Mais que ne choisit-il le sommet, le moment le plus faste de sa croissance ? Les suicides sont horribles pour ce qu'ils ne sont pas faits à temps ; ils interrompent un destin au lieu de le couronner. L'on doit cultiver sa fin. Pour les Anciens, le suicide était une pédagogie ; la fin germait et fleurissait en eux. Et lorsqu'ils s'éteignaient de bon gré, la mort était une fin sans crépuscule.

Il manque aux modernes la culture intime du suicide, l'esthétique de la fin. Aucun ne meurt comme il faut et tous finissent au hasard : non initiés au suicide, pauvres bougres de la mort. S'ils savaient terminer à temps, nous n'aurions pas le cœur serré en apprenant tant d'« actes désespérés », et nous n'appellerions pas « malheureux » un homme qui sanctifie son propre accomplissement. L'absence d'axe des modernes n'apparaît nulle part plus frappante que dans la distance intérieure qu'ils gardent par rapport au suicide soigné et réfléchi, qui signifie l'horreur du ratage, de l'abêtissement et de la vieillesse, et qui est un hommage à la force, à l'épanouissement et à l'héroïsme.

*C*haque fois que je résiste aux prémonitions de l'extase, je me sens *objet*. Comme si la lumière avait gelé dans mon cerveau... et que le temps s'était effondré dans un cœur mort.

Je regarde les pierres et j'envie leurs palpitations. Comprendront-elles un jour que je m'offre à leur repos ? Et les rochers, voudront-ils un jour se noyer dans le silence du sang ?... C'est ainsi qu'on devient un objet perverti par l'insensibilité, dans lequel la nature contemple sa dernière immobilité.

Ta pétrification a-t-elle réveillé la jalousie des pierres ? As-tu vu comment pointent les veines dans les glaciers ?

*J*e ne pense pas à la mort : c'est elle qui pense à soi. Tout ce qui en elle est possibilité de vie respire par moi, je n'existe quant à moi que par le *temps* dont son éternité est capable. Dans la mesure où elle se défend de son absolu, se refuse à la grandeur et descend de bon gré dans la déchéance temporelle, alors je *suis*. Je cherche la vie même dans la mort, et n'ai d'autre but que de la découvrir en tout ce qui n'est pas elle. Si la charogne divine était plus vivante, depuis longtemps je me serais fixé dans ses bras. Mais Dieu a dispensé trop peu de vies pour que j'aie à chercher dans son désert.

On ne peut plus vivre qu'en guettant la vie partout où elle n'est pas chez elle, pour la sauver du risque de devenir étrangère. Ainsi, l'on s'exile dans la mort pour goûter la vie dans sa démarche vaine.

*C*e qui manque à la santé : l'infini. Voilà pourquoi les hommes ont renoncé à elle.

*D*ans les étreintes, la sensation de bonheur et de malheur fait souffrir d'une faiblesse ambiguë qui nous pousse à souhaiter d'être soudain foudroyé. Des lèvres émane une douceur mortelle, qui submerge la nature, et noie dans un désespoir de paradis. Jamais la mort ne paraît plus enveloppante qu'auprès de l'illimité de l'éros. L'amour est une noyade, une plongée dans l'être et le non-être ; car la volupté est un accomplissement et une extinction. Ce n'est qu'en aimant qu'on peut soupçonner que l'autodestruction se trouve au fondement de la fécondité. Sans la femme — de la musique égarée dans la chair — la vie serait un suicide automatisé. Car en effet, sans elle, en quoi mourrions-nous ? Où découvririons-nous des extinctions plus parfumées, des crépuscules plus fleuris, où pourrions-nous vaciller en nous enterrant ?

*S*i les hommes marchaient nus, ils gagneraient plus facilement l'aisance physique de la mort. Les vêtements s'interposent entre nous et nos buts, créant une illusion de puissance et d'indépendance. Mais lorsqu'on passe nu devant une glace, on se retrouve voué à la disparition, car dans le corps gît la vanité et moisit la pensée de l'immortalité.

Après quelques millénaires de civilisation, si les hommes commençaient à marcher dévêtus, jetant avec leurs vêtements les illusions qu'ils enveloppent, ils deviendraient tous métaphysiciens. Mais lorsqu'on s'aperçoit nu, on se souvient qu'on existe et qu'on est mortel. Les vêtements nous prêtent une supériorité artificielle sur le temps : comment être mortel avec le chapeau sur la tête et la cravate au cou ? Les vêtements ont créé plus d'illusions que les religions.

On dirait que des milliers et des milliers de vies inconnues se suicident en moi, et que de leurs soupirs s'élève une extase ultime, que je ne suis rien d'autre qu'une voûte au-dessus des fins infinies... Si je pouvais m'éparpiller dans les éléments de la souffrance, me briser en morceaux, et n'être plus nulle part, ni, surtout, pas en moi ! Me supprimer dans un délire d'absence, et m'éteindre en moi, centrifuge à moi-même.

L'homme est le plus court chemin entre la vie et la mort.

——————————————————— V

——————————————————— *L*a mort : le sublime à la portée
de chacun.

      *L*es douleurs les plus féroces et
les plus terribles hallucinations ne m'ont pas laissé un dégoût
comparable à celui qu'on éprouve après avoir quitté des personnes qu'on déteste ou qu'on aime. Brillant ou non, admiré ou
méprisé — lorsqu'on se retrouve sans eux, le suicide semble
trop doux. Comme si chaque mot prononcé était devenu de la
boue, et restait caché quelque part au fond de notre isolement,
pour nous salir à nos propres yeux. Les paroles se transforment
en poison, et lorsqu'on s'est confessé des heures durant, notre
vide et celui des autres nous donnent des vertiges. Tout ce qui
n'est pas solitaire pourrit, et je ne fus jamais assez seul pour
m'épanouir.

Chaque conversation nous laisse plus abandonnés que dans une
tombe. L'esprit s'est allégé, mais le cœur a pourri. Les paroles se
sont envolées et, avec elles, la substance de notre isolement.

      *L*a distance à l'égard du monde
ne peut se vérifier qu'en amour. Dans les bras d'une femme, le
cœur se soumet à l'instinct, mais la pensée erre près du monde,
fruit malade du déracinement érotique. Et à cause de cela, dans le
frémissement de la sensualité s'élève une protestation déchirante,
parfois imperceptible, mais présente l'espace d'une lueur, qui
nous rappelle en passant la fragilité de la volupté.

Comment pourrions-nous autrement cueillir la mort couleur de
rose dans chaque baiser, agonisants enveloppés d'étreintes ?

Et comment mesurer la solitude, si l'on ne la regardait pas dans
les yeux de la femme ? Car en eux, l'isolement s'offre à lui-même
le spectacle de son infini.

L'équivoque de l'amour vient de ce qu'on est heureux et malheureux en même temps, la souffrance égalant la volupté dans un tourbillon unitaire. C'est pourquoi le malheur en amour grandit à mesure que la femme comprend et aime davantage. Une passion sans limites fait regretter que les mers aient des fonds, et c'est dans l'immensité de l'azur qu'on assouvit le désir d'immersion dans l'infini. Au moins le ciel n'a pas de frontières, et semble à la mesure du suicide.

L'amour est une envie de se noyer, une tentation de la profondeur; en cela, il ressemble à la mort. Ainsi s'explique que seules les natures érotiques aient le sentiment de la fin. En aimant, on descend jusqu'aux racines de la vie, jusqu'à la froideur fatale de la mort. Dans les étreintes, pas de foudre pour vous frapper; et des fenêtres s'ouvrent vers l'espace afin qu'on puisse s'y jeter. Il y a trop de bonheur et trop de malheur dans les hauts et les bas de l'amour, et le cœur est trop étroit pour ses dimensions.

L'érotisme émane d'au-delà l'homme, il le comble et le détruit. Et c'est pourquoi, accablé par ses vagues, l'homme laisse passer les jours, sans plus remarquer que les objets existent, que les créatures s'agitent et que la vie s'use, car, pris dans le sommeil voluptueux de l'éros par trop de vie et par trop d'amour, il a oublié l'une et l'autre, de sorte qu'au réveil de l'amour, aux déchirements inégalables, s'ensuit un écroulement lucide et sans consolation. Le sens le plus profond de l'amour ne se trouve ni dans le « génie de l'espèce », ni même dans le dépassement de l'individuation. L'amour atteindrait-il des intensités si orageuses, une gravité inhumaine, si nous étions de simples instruments dans un processus où, personnellement, nous perdons ? Et comment admettre que nous nous engagerions dans des souffrances si grandes, uniquement pour être des victimes ? Les sexes ne sont pas capables de tant de renoncement, ni de tant de tromperie.

Au fond, nous aimons pour nous défendre du vide de l'existence, en réaction contre lui. La dimension érotique de notre être est une plénitude douloureuse propre à remplir le vide qui est en nous et en dehors de nous. Sans l'envahissement du vide essentiel qui ronge le noyau de l'être et détruit l'illusion nécessaire à l'existence, l'amour resterait un exercice facile, un prétexte agréable, et non point une réaction mystérieuse ou une agitation crépusculaire. Le rien qui nous entoure souffre de la présence de l'Éros, qui lui aussi est tromperie, atteinte à l'existence. De tout ce qui s'offre à la sensibilité, le moins creux est l'amour, auquel on ne peut renoncer sans ouvrir les bras au vide naturel commun, éternel.

Étant un maximum de vie et de mort, l'amour constitue une irruption d'intensité dans le vide. Et toute intensité est une atteinte au vide.

La souffrance de l'amour — la supporterions-nous, si elle n'était une arme contre l'ennui cosmique, contre la pourriture immanente? Glisserions-nous vers la mort dans l'enchantement et les soupirs, si nous ne trouvions en elle un moyen d'*être* vers le non-être?

*O*n ne se console pas du néant du monde par la force, mais par l'orgueil. Chaque homme est trop fier pour s'incliner devant les évidences : il invente alors l'existence. Mon intimité avec les choses qui s'éteignent? Je me survis après chaque tristesse...

Il faut que je sois malheureux au dernier degré pour que mon cœur se mette à battre. Le soupir est le rythme idéal de la respiration; et le bonheur n'est pas la température normale de la vie.

*I*l est fort possible que l'amour en *soi* contienne un potentiel de bonheur plus grand que notre esprit, contaminé par le cœur, n'est enclin à croire. Mais alors d'où viennent les accords funèbres de l'ivresse érotique et le parfum de suicide des étreintes?

L'archéologie fatale de l'amour fait ressurgir non seulement les douleurs distinctes et actuelles, mais aussi tous les malheurs incomplets, qu'on croyait enterrés à jamais, les blessures qu'on escomptait guéries; elle attise la soif des souffrances prolongées. À l'instar de la liturgie érotique de Wagner, les ombres du passé s'animent et prennent possession de notre souffrance incertaine, en sorte que nous sommes moins malheureux des sensations immédiates de l'amour que de celles que ranime et réveille le passé.

Si l'amour n'était rien de plus qu'une présence épidermique, il serait impossible de l'associer à la souffrance. Mais l'amour, comme Dieu, s'accommode de plusieurs prédicats. La femme peut être un infini nul; mais devant l'amour, l'infini recule : car, devant lui, tout est trop peu. N'est-il pas des instants d'amour à côté desquels la mort semble une simple effronterie?

*I*l y a des hommes qui, s'ils ne pouvaient réfléchir sur l'amour, deviendraient fous d'amour. La réflexion est la seule dérivation ; sans elle, on ne supporterait rien. On mourrait alors à cause de Dieu, de la musique ou de la femme. La transposition réflexive adoucit la fureur des passions, et atténue ce mouvement vers le non-être que recèle chaque volupté. Ainsi, la pensée devient un instrument de médiocrité.

*N*ous nous agitons, nous croyons et pensons pour nous faire pardonner d'exister, comme si quelqu'un nous regardait d'un autre monde avec mépris : pour ne pas devenir victimes de son dégoût, nous nous justifions par des gestes, des mots et des faits. Nous espérons ainsi obtenir sa miséricorde, le pardon de la singularité d'être. — Et lorsque ce spectateur est baptisé *Dieu*, nous embellissons notre pitoyable spectacle, comme si celui-ci était autre chose que le miroir du Grand Affligé.

*T*out me blesse, et le paradis semble trop brutal. Chaque contact m'atteint comme la chute d'un rocher, et le reflet des étoiles dans les yeux d'une vierge me fait mal en tant que matière. Les fleurs répandent des parfums mortels, et le lys n'est pas assez pur pour un cœur qui fuit tout. Seul le rêve de bonheur d'un ange pourrait offrir un lit à son bercement astral.
Le monde s'est fané à la périphérie du cœur, et l'esprit gît dans les nuits tombantes. L'univers dispense son sourire apeuré, dans lequel je distingue — symbole de la vie — un ange cannibale.

*R*ien ne se réduit à l'unité. Le chaos guette le monde à tous les coins. La contradiction n'est pas seulement le sens de la vie, mais aussi celui de la mort. Tout acte est identique à tous les autres ; il n'y a ni espoir ni désespoir, mais toutes choses sont simultanées. On meurt en vivant, et en vivant l'on meurt. L'absolu est simultanéité : des crépuscules, des larmes, des bourgeons, des fauves et des roses ; toutes choses nagent dans l'ivresse de l'indistinct. Ah, des solitudes pleines — avec la sensation de Dieu en transe — et lorsqu'on est jaloux de soi-même !
Si tu ne sens pas que *la mer* pourrait te servir de pseudonyme, tu n'as jamais goûté un instant de solitude.

*L*es médecins n'ont pas l'oreille assez fine : car lorsqu'on sait que dans chaque auscultation, on peut découvrir une marche funèbre...

La tristesse fait perdre la qualité d'homme. Si je laissais libre cours à mes penchants, j'irais reposer dans un cimetière de mendiants ou d'empereurs déments.

*L*a femme est une révélation de l'absolu comme source de malheur seulement. En aspirant en elle, métaphysiquement, les mystères de sa constitution, on vainc la vie par ses propres moyens, même lorsque la panique de l'anémie au paroxysme de la défaillance déverse des flammes abstraites dans le sang.

Un amour achevé, une volupté qui ne serait pas, délicieusement, un désastre, compromet également l'homme et la femme. L'amour ne peut être supporté, mais seulement souffert. On pose son front sur un sein, et l'on s'expatrie avec toute la terre.

Quoi qu'on fasse pour la femme, on ne peut qu'en avoir le culte, même si l'on est misogyne. De plus, cette adoration a un motif plus prestigieux, et cela d'autant plus qu'elle ne s'applique pas à une valeur intrinsèque : on n'adore pas la femme, mais ce qu'on est par elle. Un culte nécessaire pour éviter le narcissisme.

On court après les femmes par peur de la solitude, et l'on reste avec elles en raison d'une soif égale à cette peur. Car plus qu'ailleurs, en amour, on pourrit de soi-même.

La sexualité est une opération où l'on se fait tour à tour chirurgien et poète. Une boucherie extatique, un grognement d'astres. — Je ne sais pourquoi, en amour, j'ai des sensations d'ex-saint...

L'amour montre jusqu'où nous pouvons être malades dans les limites de la santé : l'état amoureux n'est pas une intoxication organique, mais métaphysique.

*Q*uoi qu'on dise sur le suicide, nul ne pourra lui ravir le prestige de l'absolu ; n'est-il pas une mort qui s'autodépasse ?

*L*as de l'individuation, je voudrais me reposer de moi-même. Comme je pulvériserais mon cœur au loin, pour que les vipères recroquevillées dans mon cerveau aspirent idée après idée, rampantes, enivrées de désespoir ! Écroulez-vous, firmaments du ciel, vous n'aurez plus quoi écraser ! Les astres tournent dans l'univers comme des œufs pourris, dont toutes les roses du paradis ne pourraient couvrir les émanations. Saurai-je briser mes pensées contre ma propre ombre ?

Si les diables goûtaient l'amertume du sang, ils deviendraient fous de tristesse. Or elle circule dans les veines à volonté — et personne ne l'arrête ! C'est comme si des larmes se dégivraient dans le sang, dans un soupir long et lointain. Qui aurait pleuré dans mon sang ?

*S*i l'amour n'était pas ce mélange insoluble de crime prémédité et d'infinie délicatesse, comme il serait aisé de le réduire à une formule ! Mais les souffrances de l'amour dépassent les tragédies de Job… L'érotisme est une lèpre éthérée… La société n'isole pas, mais aggrave la souffrance en diminuant l'isolement.

*R*ien ne nie la vie plus intensément, plus douloureusement, que sa suprême pulsation en amour ; et en voulant nous attacher à elle grâce à la femme, nous ne faisons que la dépasser. L'amour n'a pas de place dans la vie : c'est pour cela que le parfum des femmes a l'odeur de mort des couronnes de cimetière.

*O*ù fleurit mieux le suicide qu'en un sourire ?

*L*a profondeur de l'amour se mesure à son potentiel de solitude, lequel s'exprime par une nuance de fatalité, visible dans des gestes, des mots et des soupirs. Le penchant du cœur vers le *non-être* accorde à l'amour plus de sérieux qu'au désespoir. Tandis que celui-ci ne ferme pas l'accès à l'avenir, nous précipitant irrémédiablement dans le désastre pur du temps, l'amour mélange le manque de désespoir à la tentation du bonheur unique. Le désespoir est une impasse furieuse, un irréparable tumulte, une exaspération de l'impossible, mais l'amour, un désespoir *vers* l'avenir, ouvert au bonheur.

*L*e simple fait de boire de l'eau est un acte religieux. L'absolu se délecte dans le premier brin d'herbe. L'Absolu et le Vide…
Où n'y a-t-il pas de Dieu ? Ni Dieu ni Rien ? Le désespoir est une vitalité du Néant…

*L*a théologie n'a pas encore pu élucider qui est le plus seul : Dieu ou l'homme. Est venue la poésie, et nous avons compris que c'était l'homme…

*L*a révélation subtile de l'irréalité lorsque, pris de panique, on a envie de se diriger vers l'agent de police du coin pour lui demander si le monde existe ou non... Et comme on est tranquille tout d'un coup, joyeux de l'incertitude... Car, en effet, que ferait-on s'il existait vraiment ? !

J'aime les hommes de l'Ancien Testament : ils sont vindicatifs et tristes. Les seuls qui aient demandé des comptes à Dieu, chaque fois qu'ils l'ont voulu, qui n'ont laissé échapper aucune occasion de lui rappeler qu'Il est impitoyable, et qu'ils n'ont plus le temps d'attendre. En ce temps-là, les mortels avaient l'instinct religieux, aujourd'hui ils n'ont que la *foi* — et encore. Le plus grand défaut du christianisme est de n'avoir pas su durcir les rapports de l'homme à son Créateur. Trop de solutions et trop d'intermédiaires. Le drame de Jésus a édulcoré la souffrance et enlevé tout droit à la virilité dans les affaires religieuses. Autrefois, on levait les poings vers le ciel, aujourd'hui seulement les regards.

*O*n ne saisit le degré d'immanence de l'érotisme que dans la musique religieuse. On l'écoute, et l'on ne comprend pas. Vers quelle région douloureuse de la terre fait descendre la femme ? Et lorsqu'elle nous sépare de la terre, où errons-nous sans découvrir le ciel ? Bach n'a rendu muet aucun amant. Même inconsolé, on ne le comprend pas ; mais seulement dans la vacance de l'amour. Peut-être pire : en vacance du monde. Mis à part l'amour, qu'est-ce qui nous empêche de finir tous en Dieu ?

*S*avons-nous entendre la mélodie secrète de chaque rose ? Écouter un sourire ? Les yeux peuvent-ils voir s'il s'élève une musique lointaine et douce ? Quels sons fusent des regards et meurent dans l'ombre mélodieuse du cœur ? Tout prend voix timidement, comme si les choses élevaient leurs accords vers le ciel.
Comme un malade astral, que des sensations troubles et fines t'approchent du secret musical de l'être. Entends-tu les pleurs éthérés d'un monde caché ? On dirait que les fleurs se sont arraché les racines du cœur... et tu es resté seul avec leurs soupirs... Sais-tu écouter le crépuscule d'un lys ? Ou la mélodie déchirante d'un parfum inconnu ?

Si l'on sentait une rose jusqu'à sa musique, quelle marche funèbre soulèverait pour nous plus délicatement une dalle vers l'azur ? Et l'azur même, ne perd-il pas son éclat, aspiré par une mélodie descendant sur nous ?

*Q*ui te guérira de toi-même ? Une jeune fille ? Mais qui pousserait la générosité jusqu'au sacrifice pour assumer ta mélancolie ? Quelle âme pure, désireuse de rêve et de malheur, risquerait de porter un fardeau qu'elle ne saurait pressentir ? Et pourrais-tu te libérer de tes poisons en respirant le printemps d'une jeunesse défunte ? Ou ternir des yeux innocents du poids de la tristesse ? Quelle virginité ne meurt pas à son approche ? Dans la chair lucide la sève s'engourdit, et les yeux éteints se rallument dans une offrande automnale, cueillie par les pâleurs d'un amour.

*D*epuis qu'Ève a réveillé Adam du sommeil de l'inutile perfection, ses descendantes continuent son œuvre de dégourdissement, et nous tentent encore dans le non-être. Leur regard vague, le vertige aérien de leurs appels incertains, resteront-ils étrangers à notre compréhension trouble ? La vie est l'éternisation de l'instant de peur inconsolé, où Adam, fraîchement chassé du paradis, a pris conscience de l'incommensurable de sa perte et de l'infini de perdition qui l'attendait. Ne réitérons-nous pas tous — au cours de la vie — l'illumination désespérée de cet instant impitoyable ? L'héritage du premier homme est la lumière du premier désespoir.

*L*orsque les étoiles se changeront en poignards et que mon cœur s'envolera vers eux, ils ne parviendront pas à le déchirer assez pour que l'amertume ne trace pas sa révolte sur le bleu des voûtes. Je voudrais périr dans chaque astre, m'écraser contre chaque hauteur, et construire dans des étoiles pourries un abri mortuaire, pour un cadavre décomposé dans l'enchantement des sphères.
Quel chant est descendu dans la chair, quelle perdition sonore enivre chaque cellule, pour que personne ne puisse les arrêter dans leur élan vers la mort ?

*I*l y a tant d'indéfinissable en ce mot : *vanité* — comme si Bouddha me l'avait susurré dans un cabaret.

*U*n suicide fait plus qu'un non-suicide.

*I*l est des gens si bêtes que si une idée apparaissait à la surface de leur cerveau, elle se suiciderait, terrifiée de solitude.

*D*e même que la neurasthénie est la conséquence organique de notre goût de la beauté, les vertiges traduisent notre penchant pour l'absolu. Plus d'objets pour nous retenir, ni piliers pour nous appuyer, ni bancs où reposer le fardeau de la chair pensive. Les articulations fondent, et l'on tombe dans l'éternité anonyme des choses. Les veines pressentent un autre monde, et n'abritent plus la fierté d'être debout, mais se fanent avec délices dans l'absolu. Et l'âme, désenchantée du monde et de soi-même, suit l'exemple du corps.

*J*e voudrais que ma vie soit racontée par des anges heureux à l'ombre d'un saule pleureur. Et chaque fois qu'ils ne comprendraient pas, les branches inclinées éclairciraient leur ignorance par les brises du chagrin...

*S*i je voulais savoir ce qui m'a le plus enrichi au cours de ma vie, de quelle épreuve je suis sorti plus fort et plus seul — ni l'amour, ni la souffrance du corps, ni la peur devant l'incompris, ni le repentir sans fin des pensées ne seraient la source de ma croissance intérieure : mais tout cela ensemble, enveloppé et purifié dans le sentiment de la mort. Sans lui on pousse de travers, étouffant la promesse d'auréole ou d'apothéose. Mais lorsque la mort germe dans chaque souffle, le fruit de nos souffrances garde une maturité intacte, et la vie, accordée à ses fins ultimes, est moins proche de la perdition. On ne croît qu'à l'unisson avec une agonie en fleur. Par le sentiment de la mort, nous rendons la vie complice de l'absolu, même si nous lui enlevons de sa fraîcheur : enfermés dans des limites individuelles, que ferions-nous sans la tentation de l'illimité ? En mourant, je suis devenu plus que moi-même, en mourant fertilement, faisant germer l'agonie dans le rêve et dans la force. Pourquoi aurais-je peur de finir, quand j'ai anticipé cette fin, joyeux jusqu'à la moelle comme dans les pensées ? Ou bien resterait-il une cellule où la mort n'aurait pas fermenté ?

Mais il est possible d'enrichir une existence au-delà de ses prévisions. Et si, dès l'horizon de la vie, l'infini était une maladie ? D'où viendrait autrement la fierté du sang triste ?

*I*l est des regards féminins qui ont quelque chose de la perfection triste d'un sonnet.

*S*ans le malheur, l'amour ne serait guère plus qu'une gestion de la nature.

*E*n chaque parfum se lamente le pleur immatériel d'une fleur, lorsqu'il nous inspire un déchirement funèbre. Il nous enveloppe en lui, et l'angoisse de la mort nous saisit comme une sève qui vient de loin et s'élève lentement et tristement dans la vigueur du corps. Et quel soupir de rose dans notre tristesse, pour l'anoblir !
Parfums chargés de suicide, flottant vastes et troubles vers des cœurs éteints !

*M*ême si nous savons depuis quand la mélancolie nous a séparés de la nature, il nous semble pourtant qu'elle nous a accompagnés depuis toujours et que nous sommes avec elle, et peut-être même nés d'elle. Morts, elle nous survivra, tissant la poésie violette de l'extinction sans fin.
Le sentiment de l'éternité négative de ma vie... Je suis mort sans avoir commencé.

*L*orsqu'on ne se sent plus du tout *homme*, et que l'on continue pourtant à aimer, la contradiction croît en une souffrance indicible, infernale. L'amour — tant bien que mal — dérive des conditions de l'existence en tant que telle, et chez l'homme, il n'est un accomplissement qu'en appartenant, par toutes ses faiblesses, à la forme de vie représentée par l'humain. On ne peut élever vers soi la femme — cet *humain* par excellence — encore moins descendre vers elle. Alors on vit près d'elle et l'on souffre, en l'enveloppant dans la non-humanité. Cette perversion d'aimer un être humain, alors qu'on n'a plus de sensations humaines, n'étant plus au-dessus ni en dessous, mais *en dehors* de la condition humaine ! Et l'illusion de la femme croyant nous offrir l'oubli, et ne faisant que nous confirmer dans notre éloignement de toutes choses !

*P*ourquoi la terre n'aurait-elle pas pitié de moi en ouvrant ses gouffres pour m'engloutir, me broyer les os et sucer mon sang? Ainsi s'accomplirait le cauchemar qui me jette sous le poids des montagnes et des mers. Ne suis-je pas une charogne qui aperçoit, du fond des mondes, comment s'écroulent les firmaments, comment les voûtes célestes l'écrasent? Sous quelle étoile ne suis-je pas mort, sous quelle mer ou sous quelle terre? Ah, tout est mort, en commençant par la mort! — L'Univers? Des fantômes au fond d'une molaire pourrie...

*U*n vampire — suçant ma dernière goutte de sang — puis commençant à chanter tristement...

*T*out doit être *réformé* — même le suicide.

*L*es gens exigent qu'on ait un métier. — Comme si vivre n'en était pas un — et encore le plus difficile!

*J*e suis un Job sans amis, sans Dieu et sans lèpre.

*C*e n'est qu'en augmentant son malheur, par la pensée et l'action, qu'on peut trouver en lui du plaisir et de l'esprit.

*L*a vérité — comme toute quantité moindre d'illusion — n'apparaît qu'au sein d'une vitalité compromise. Les instincts, ne pouvant plus nourrir le charme des erreurs, où baigne la vie, remplissent les vides d'une désastreuse lucidité. On commence à saisir le train des choses et l'on ne peut plus vivre. Sans les erreurs, la vie est un boulevard désert où l'on déambule, tel un péripatéticien de la tristesse.

*A*u café — plus que nulle part ailleurs — on ne peut plus parler qu'avec Dieu.

*J*e me souviens que je *suis* uniquement en entendant mes pas sur le pavé, tard dans la nuit. Serai-je encore longtemps voisin de mon cœur? Combien de temps vais-je marcher à côté de mon *temps* ? Et qui m'aurait exilé loin de moi ?

*L*es yeux perdus des femmes tristes — et qui ne devraient s'ouvrir qu'au Jugement dernier...

*L*a vie, non sublimée en rêve, ressemble à une Apocalypse de la bêtise et de la vulgarité. Qui la supporterait sans son coefficient d'irréalité ?

*L*es pensées embaumées par la noblesse du suicide... Comme si l'on buvait du poison de la main d'une sainte, ou qu'on aspirait le péché de la bouche consentante d'une femme perdue. Où êtes-vous, maladies cachées, qui ne montez pas, fatales et impitoyables, vers un sang avide de terreur et de destruction ?

*T*out ce que nous appelons *processus historique* a sa source dans la souffrance en amour. Si Adam avait été heureux avec Ève, rien n'aurait changé dans le monde. La tentation du diable : «vous serez semblables à Dieu» s'est réalisée dans la mesure où la création humaine, née dans la souffrance de l'amour, nous rapproche d'un degré de la divinité. Le bonheur n'a pas de vertu historique. Dieu rapetisse chaque fois qu'un homme ne trouve pas l'Absolu dans l'amour, ou le découvre dans la déception.

L'acte du suicide est terriblement grand. Mais il me paraît plus épouvantable de se suicider chaque jour...

*L*a maladie d'un homme se mesure à la fréquence du mot «vie» dans son vocabulaire.

*F*ontenelle, presque centenaire, disait à son médecin : «*Je ne me sens autre chose qu'une difficulté d'être*[1].»
Lorsqu'on pense que tant d'autres ressentent la même chose dès la première réflexion, et non pas seulement sur leur lit de mort... Le fardeau de l'existence devient supportable lorsqu'il pèse jus-

---

1. En français dans le texte.

qu'à l'étouffement. La souffrance n'est douce que sous la forme du *tourment*.

En prenant conscience de son insignifiance, le moi se volatilise avec les vapeurs de la désolation. Que reste-t-il alors du hasard de l'individualisation ? Une substance d'amertume répandue dans un crâne de diable abandonné.

*L*e besoin pesant de prier, et l'impuissance à s'adresser quand même à quelqu'un... Et ensuite : de se coucher par terre, la mordant avec furie et déversant la rage ou la religiosité négative de la chair.

Lorsque j'aperçois le ciel, j'ai envie de me dissoudre en lui et lorsque je regarde la terre, de m'enterrer dans ses entrailles. Alors, pourquoi s'étonner que l'un et l'autre se décomposent dans mon esprit et dans mon cœur? J'ai tourmenté mes espoirs entre une géologie du ciel et une théologie de la terre.

Comme je voudrais coller mes joues contre le bleu serein à l'instar des feuilles qui semblent avoir poussé dans le ciel lorsqu'on les regarde l'après-midi à l'ombre d'un arbre!

*D*ans le cœur de Diogène, les fleurs devenaient des charognes et les pierres riaient. Rien qui ne fût défiguré : l'homme enlaidissait son visage, et les objets le silence. La nature, insolente, exposait avec générosité son impudeur, dont se délectait la folie clairvoyante du plus lucide des mortels. Les choses perdaient leur virginité sous son regard pénétrant, qui nous enseignait un lien plus profond entre la sincérité et le néant.

Diogène fut-il l'homme le plus sincère? Il semble, car il n'a épargné rien ni personne : sincère même jusqu'à la maladie, puisqu'il n'a pas eu peur des *suites* de la connaissance : le cynisme même. Qu'est-ce qui l'a poussé à secouer la douceur du préjugé et de la bienséance? Qu'avait-il *perdu*, pour que plus rien ne le liât aux charmes de l'apparence et de l'erreur? L'intelligence seule peut-elle arriver à l'audace et à la provocation de la vérité? Jamais, tant que le cœur résiste encore dans l'erreur et au service du sang. Mais le cœur de Diogène semble avoir été arraché à l'intérêt de l'existence et — chose encore jamais rencontrée — être devenu le berceau de l'intelligence, lieu de repos et de rétablissement de la lucidité. Une fois le sang mis hors jeu et la vie contrôlée sans pitié, où l'erreur pourrait-elle encore se manifester, et l'illusion se délecter? Le cynisme fleurit dans cette évacuation, qui délie de tout et permet de rire, de mépriser, de piétiner tout et d'abord soi-même, fier du vide universel dont le cynique est le spectateur. Il regarde — avec douleur ou en riant — le *rien*.

Qu'est-ce qui a poussé Diogène vers la rupture catastrophique avec le charme naïf, délicat et enveloppant de l'existence? et à commettre un crime contre les erreurs indispensables à la vie? Ne lui doit-on pas un peu moins de cette illusion dont nous nous vantons avec douleur? Quelle consolation lui a manqué, au sein de quelles douceurs a-t-il été interrompu, se séparant du bonheur auquel il aurait dû être sensible, même s'il était né avec une vocation de condamné? Même un monstre naît avec un penchant au bonheur, qu'il ne perd pas même si le bonheur l'abandonne.

Qu'est-ce qui, dans la vie, nous empêche d'accéder au cynisme, même lorsque l'esprit nous y pousse et nous y oblige? Qu'est-ce qui limite l'impertinence ultime de la connaissance?

Faut-il rappeler encore l'amour, générateur d'erreurs fécondes? Chaque pas en amour intimide la connaissance et l'oblige à marcher modestement à notre côté ou dans notre ombre. La diminution de la lucidité est signe de la vitalité de l'amour.

Mais lorsque *quelque chose* intervient et déchaîne la lucidité dans un empire vaste comme l'être, l'amour se retire, vaincu et hébété. Et lorsque cette *chose* est un être, ou peut-être plusieurs, qu'on avait perdus à l'âge des illusions, le vide qui s'ensuit permet le développement impitoyable de l'esprit froid et destructeur. Normalement, personne ne peut hériter tant de lucidité jusqu'à glisser dans le cynisme, mais au cours de la vie les déceptions rendent le monde transparent, de sorte qu'on *voit* jusqu'au fond ce qu'on aurait dû seulement effleurer. Nous ne connaissons pas la vie de Diogène à l'époque où le malheur en amour décide du cours de la réflexion. Mais qu'importe de savoir *qui* il a perdu, lorsqu'on sait trop bien *ce* qu'il a perdu, et où mène cette perte.

*S*i je pouvais devenir une fontaine de larmes dans les mains de Dieu! Que je me lamente en lui, et lui en moi!

*P*ar la passion et le malheur, nous vainquons la relativité de la vie pour la projeter dans l'Absolu. C'est ainsi qu'elle devient une Apocalypse quotidienne...

*I*l y a une grandeur résignée qu'on ne connaît que surpris par le trouble de la mort au milieu des boulevards... Ou encore cette magnifique inquiétude qui nous saisit dans les rues grises de Paris, chaque fois que nous nous demandons si nous avons jamais *existé*, quand les vieilles maisons penchées donnent la réponse négative de leur agonie...

*L*es moyens de vaincre la solitude ne font que l'augmenter. En voulant nous éloigner de nous-mêmes par l'amour, l'ivresse ou la foi, nous ne réussissons qu'à renforcer plus profondément notre identité. On est encore plus *soi-même* auprès d'une femme, dans l'alcool, ou en Dieu. Même le suicide n'est qu'un hommage négatif que nous rendons à nous-mêmes.

*L*e frisson qui nous révèle que l'esprit est resté clair et intact, mais que le sang et la chair ont perdu la tête... Ou que les os ont perdu la tête, lorsque la raison jouit de sa pleine lumière...
Pourvu que les cieux s'écroulent avant la ruine de l'esprit !

L'amour semble une occupation vulgaire par rapport à l'adoration, qui filtre les penchants de la vie vers un monde de brises pures. La femme victime de notre soif d'immatérialité peut se considérer, à juste titre, comme malheureuse en amour. Car ne lui offrons-nous pas trop : un excès qui vexe ce *peu* qu'est le bonheur ?
Elle ne comprendra jamais pourquoi l'adoration rend sa présence aussi vaine que son absence. Elle n'a pas besoin d'être, ni de savoir. En quoi pourrait-elle contenter ou adoucir ce besoin d'absolu égaré dans l'Éros ? Dans l'adoration, elle n'existe que dans la mesure où elle *n'est pas* — comme prétexte à notre goût pour l'irréalité suprême.
Cet absolu à notre *surface*... baptisé femme.

*F*ace à la mer seulement, l'on comprend le manque de poésie qui se cache sous notre résistance devant les vagues de la mort.
La poésie signifie évanouissement, abandon, non-résistance au charme... Et comme tout charme est disparition, qui pourrait trouver une seule poésie exaltante ? Elle nous fait descendre vers le suprême...

Il est des cœurs dont la musique, concentrée en une foudre sonore, pourrait faire que la vie recommence dès le début. Si l'on savait toucher la corde cosmogonique de chaque cœur...

*L*a duplicité essentielle de toute tristesse : d'une main l'on voudrait tenir un lys, et de l'autre caresser un bourreau. La poésie et le crime auraient-ils la même source ? Dans la tristesse, tout a deux visages ; on ne peut être ni en enfer, ni au paradis, ni dans la vie, ni dans la mort, ni heureux, ni malheureux. Une lamentation sans larmes, une équivoque sans fin. Car ne nous chasse-t-elle pas autant de ce monde que de l'autre ? Triste, on l'est depuis toujours, et non de *maintenant*. Toujours, cela veut dire : le monde d'avant notre naissance ; la tristesse n'est-elle pas le souvenir du temps où nous n'étions pas ?

*L*a pâleur montre jusqu'où le corps peut comprendre l'âme.

*L*es étendues du ciel me suffiront-elles pour rapiécer un cœur en loques ? Ou faut-il que je mendie aussi celles de la terre ? — Comme si elles avaient encore quelque chose à couvrir d'une âme née enterrée !

*A*vez-vous regardé la mer à ses moments d'ennui ? Il semble qu'elle agite ses vagues, comme dégoûtée d'elle-même. Elle les chasse pour qu'elles ne reviennent plus. Mais elles reviennent, sans cesse. Il en va ainsi avec nous. Qui nous fait retourner vers nous-mêmes, quand nous nous efforçons de nous en éloigner ?
Le besoin secret de s'abandonner à la mer, de se dissiper dans l'agitation vaine de toutes les mers, ne serait-il pas le goût de l'ennui infini, avec une sensation d'évanescence plus vaste que les lointains ? Ni le vin, ni la musique, ni les étreintes ne savent rapprocher de la douceur du déchirement, comme les vagues qui montent vers notre vide et notre insignifiance, et nous consolent par des promesses de disparition ! La mer — commentaire sans fin de l'Ecclésiaste...
Un homme heureux déchiffre-t-il quelque chose dans les étendues marines ? Comme si la mer était faite pour les *hommes* ! Pour eux, il y a la terre, cette pauvre terre... Mais les accords du malheur s'unissent à ceux de la mer, en une voluptueuse et déchirante harmonie, qui nous jette en dehors du destin des mortels.

La tonalité de la mer est celle d'une mort éternelle, d'une fin qui n'en finit plus, d'une agonie. Nul besoin d'un cœur malade de nuances, ni d'une sensibilité atteinte des subtilités de l'extase, pour surprendre le frisson mortel des mélodies marines, mais seulement d'un penchant pour les secrets et les voix de la mélancolie. Alors on n'est plus sûr de son identité, et il faut en quelque sorte rassembler ses esprits, se repêcher sans cesse, pour ne pas se laisser engloutir par les mers qui s'étendent en soi et au-dehors. On ne peut se maîtriser qu'entre quatre murs. Car les appels des lointains poussent plus loin que le calcul de l'existence...

La mer n'est une tentation de disparition que pour ceux qui l'ont déjà découverte durant des jours et des nuits d'introspection... À la voir devant soi, l'on ne fait que vérifier le précipice de ces jours et de ces nuits... Le démonisme de la mer est une tourmente odorante, une ruine à laquelle on ne peut se refuser sans marcher sur ce qu'il y a de plus profond en nous... une décomposition noble qu'il faut cultiver. Le sang ne palpite-t-il pas ensuite au rythme marin, son orgueil mélancolique ne s'accorde-t-il pas à la blessure bleue, mouvante et infinie ? Cette vaste et liquide souffrance, puisse-t-elle combler mon goût pour les douleurs démesurées, et assouvir ma soif de malheurs sans pareils ! Que les mers se mettent en colère et brisent leurs vagues contre le cœur humain !

Lorsqu'on erre sur les bords de la mer, on quitte le Paradis des avortons : lequel n'est qu'une mer sans démonisme. L'image du paradis ne m'a poursuivi que dans ces moments dangereux où fondent les articulations et ramollissent les os, dans une suprême faiblesse, et une totale déficience. Cette image, la plus pure que forme l'esprit, émane d'une vitalité déficiente.

Nulle part plus qu'à la mer on n'a tendance à considérer le monde comme une prolongation de son âme. Et nulle part ailleurs on n'est plus apte au frisson religieux par la simple contemplation. Une vie pleine, auréolée d'absolu, ferait de chaque perception une révélation : or on se prend à la réaliser dans l'inspiration des crépuscules marins... Oublierai-je jamais la tombée du soir au Mont-Saint-Michel, ce soleil à l'agonie et cette citadelle plus seule que le soleil, comme si tous les crépuscules du monde m'appelaient vers une grandeur triste, entrevue, pressentie ? Et se promener, avec ce crépuscule dans l'âme, dans le parc de Combourg s'efforçant d'être digne de l'ennui du grand René. Il faut vraiment connaître la désolation magnifique de certains jours à Saint-Malo et à Combourg pour pouvoir excuser Chateaubriand. Il est vrai qu'en dehors de quelques pages des *Mémoires*, on le relit difficilement, car sa rhétorique, si ample, est cependant dépourvue de substance. Ses lamentations ne sont pas assez méditées, ni son ennui assez essentiel. Si pourtant je l'ai aimé, ce fut pour le déroulement somptueux de sa vie, pour avoir élevé le vide intérieur au rang d'art.

Il a si bien su tirer parti de son néant que nous ne pouvons être que ses épigones dans la carrière de l'ennui. Il faudrait au moins voir la chambre où il a passé son enfance, et entrevoir ce que pouvaient être ses discussions avec Lucile, envers qui tout amateur de mélancolie doit avoir de la piété — pour saisir combien la désolation issue d'un village valaque reste loin du prestige funèbre de celle qui naquit dans un château solitaire. Nous sommes plutôt *affligés* que tristes, car nous ne connaissons pas la fierté du sort malheureux, mais les ombres du destin amer.

«Un cœur plein dans un monde vide.» Chateaubriand s'était trompé en définissant ainsi l'ennui; il s'est trompé par orgueil. Car dans l'ennui, nous ne sommes pas plus que le monde, mais tout aussi *peu* que lui : c'est une correspondance de deux vides. Car si nous étions plus, nous nous appuierions davantage en nous-mêmes, nous serions assez pleins d'existence pour ne pas risquer la raréfaction de la conscience, d'où surgit le vide intérieur. Les états de grande tension, dans l'extase comme dans la souffrance, nous rendent imperméables à l'ennui, quoique, du côté du monde qui nous entoure, puisse venir une irrésistible suggestion de vanité.

À voir les choses de plus près, on ne peut les aimer qu'à la mesure de leur irréalité. L'existence n'est supportable que par son coefficient de non-existence : ses virtualités de non-être nous rendent l'être plus proche. Le rien est un baume essentiel.

Je comprends mieux ainsi notre penchant maladif, plein de souffrance passionnée, pour la femme. Quoique plus ancrée que nous dans la vie, elle garde quelque chose d'irréel, fait de cette poésie vaporeuse dans laquelle nous nous complaisons à l'envelopper, et de l'équivoque de la sexualité. La femme est tout sauf une évidence. Et la souffrance en amour, accompli ou non, gagne en profondeur et en étrangeté, au fur et à mesure que la présence de la femme s'élève à une perfection aussi charnelle qu'indéfinissable. L'amour n'est infini que *négativement* : il convertit la plénitude en souffrance. On ne ressent le besoin du malheur que pour prêter aux frissons érotiques une expression suprême.

La sexualité sans l'idée de la mort est effroyable et dégradante. Les bras des femmes sont des cercueils d'azur. L'équivoque de l'érotisme est cette suggestion même, mortelle, de plénitude, d'excès désastreux, de floraison crépusculaire.

Qui, en s'abandonnant à la mer ou à son souvenir, n'a pas eu honte d'avoir passé des instants d'amour, content ou indifférent ? La mer n'est-elle pas comme un reproche devant tout accomplissement ? Ne l'obligeons-nous pas au reflux lorsque nous la regardons avec des yeux sans chagrin ? La mélancolie est un hommage de chaque instant aux étendues marines ; dans les regards rêveurs et perdus, la mer se prolonge au-delà de ses bords, et les océans continuent leur flux idéal vers la tristesse. C'est pourquoi ces yeux n'ont plus de *fond...*

*Q*u'il est étrange de se promener parmi des femmes et des passants, en se demandant si cela *vaut la peine*, ou non, d'être Dieu ! Ruminant l'illusion de son éternité, l'on se dit : « Au-delà de mes limites, serais-je encore maître de moi-même ? » — Et des passantes susurrent : « Moi je préfère Crêpe de Chine. »

Quelle chance qu'il se trouve encore des femmes embellies par la maladie, qui comprennent le climat de la douleur et la perte de la lucidité ! L'esprit est de la matière élevée au rang de souffrance ; et comme les femmes sont avides de douleurs, elles participent à l'esprit.

L'innocence est l'antipode de l'esprit. De même, le bonheur et tout ce qui n'est pas douleur.

*L*es jardins sont des déserts *positifs.*

*L*orsqu'on n'est plus en accord avec le monde ni par la pensée ni par le cœur, il faut courir sans cesse, pour faire le tour de soi-même au rythme de ses pas, et oublier que tout ce qui existe est fait de larmes. Sans quoi, l'on redevient jardinier du suicide.

La folie est une chute du moi dans le moi, une exaspération de l'identité. Lorsqu'on perd ses esprits, rien n'empêche plus d'être soi-même sans limites.

*L*a maladie : étape lyrique de la matière. Ou peut-être mieux : matière lyrique.

*O*n ne peut expliquer un paradoxe, non plus qu'un éternuement. D'ailleurs, le paradoxe n'est-il pas un éternuement de l'esprit?

*L*a tristesse est l'indéfinissable qui s'interpose entre moi et la vie. Et comme l'indéfinissable est une approximation fragile de l'infini...

*L*orsqu'on est aimé, on souffre plus que lorsqu'on ne l'est pas. Abandonné, on se console par l'orgueil; mais quelle consolation inventer pour un cœur qui s'ouvre à nous?

*L*es montagnes trompent leur solitude par le voisinage du ciel, et le désert par la poésie des mirages. Seul le cœur de l'homme reste éternellement avec lui-même...

D'où peut venir ce sale penchant à me rouler dans le malheur, pire que les buffles dans les mares ou les porcs dans les ordures? Une paresse éclaboussée de rêve et de fumier...
... Et lorsqu'on sait qu'elle n'est pas un vice de la vie mais sa source; et comment, auprès des femmes, la fainéantise devient éternité...

*C*haque fois que je regarde le bleu du ciel — le bleu lui-même — je cesse à l'instant d'appartenir au monde. Qui a déclaré apaisante la couleur la plus subtile de la perdition?
Si le ciel avait eu un autre aspect, la religion se serait probablement attachée à la terre. Mais comme le bleu est la couleur du détachement, la foi est devenue un saut en dehors du monde.
Sous chaque nuance, le bleu est la négation de l'immanence.

*P*lus je guéris de moi-même, plus je me ressemble. La mélancolie nous dispense du Moi, à tel point qu'elle est son *mal*.

*F*ace au tout de la mort, le rien de la vie est une immensité.

*L*es saints ont dit tant de paradoxes qu'il est impossible de ne pas penser à eux dans les cafés.

*L*e sentiment de la mort est alanguissant et cruel, comme si un cygne et un chacal nageaient ensemble dans les ondes empoisonnées du sang.

À lire les philosophes, on oublie le cœur humain, mais à lire les poètes, on ne sait plus comment s'en débarrasser.

La philosophie est trop *supportable* : c'est là son grand défaut. Elle manque de passion, d'alcool, d'amour.

Sans la poésie, la réalité est un amoindrissement. Tout ce qui ne vient pas de l'inspiration est déficience. La vie, et encore plus la mort, sont des états d'inspiration.

L'évanouissement de toutes choses dans des cœurs agonisant de poésie...

La mélancolie ? Être enterré vivant dans l'agonie d'une rose.

*L*orsque, atteint d'une noble tristesse, délié des hommes et du monde, on traîne une agonie en fleurs, comment ne pas croire qu'on naquit, par génération spontanée, d'un automne éternel.

En moi erre un Septembre rêveur et sans commencement.

*U*n homme ennuyeux est un homme incapable de s'ennuyer.

*L*a vie est une soustraction d'éternité à partir de la mort, et l'individuation une crise de l'infini.

L'attention ininterrompue à l'être est la source de l'ennui. Quel dommage que l'existence ne résiste pas à l'esprit ! Même Dieu y perd à cause de notre attention.

Le néant : l'attention absolue.

*L*a joie est le réflexe psychique de l'existence pure — d'une existence qui n'est capable que d'elle-même.

*L*e désir de mourir cache tant de garanties d'absolu et de perfection, tant d'insensibilité à l'erreur, que la soif de vivre gagne en charme par le prestige de l'inaccompli et l'attirance des erreurs parfumées. N'est-il pas plus bizarre d'aimer l'imperfection ?

La prédilection pour l'étrange sauve la vie ; la mort sombre dans l'évidence.

Il n'y a aucune grandeur dans la vie, ni même dans la mort, mais seulement dans le Rien qui s'élève, éternel et neutre, vers le ciel — comme le mont Blanc.

*E*n regardant les pics schizophréniques : il est curieux qu'il n'y ait de solitude que vers le ciel. Les montagnes ne donnent pas une sensation d'infini mais de grandeur. Pour l'infini, la mer nous suffit — et le malheur.

Je voudrais avoir un cœur là où les Alpes rencontrent l'azur.

*L*a mélancolie me dispense de l'alpinisme. Lorsqu'on commence à comprendre les montagnes d'*en bas*...

*L*es femmes qui ne savent pas sourire me font penser à une fanfare de pompiers en plein Paradis.

*S*eule la pharmacie peut encore arrêter les pensées.

Lorsque le poison des veilles a dépravé notre être, rien ne peut se faire sous le soleil sans l'irriter. Sauf, peut-être, un dialogue de fleurs sur la mort.

*L*a fierté diabolique de disposer de l'amertume devant n'importe quoi, de défigurer la banalité dans le tourbillon du paradoxe et de troubler le silence de la nature par la passion de la contradiction... Il ne reste plus que la débauche de l'esprit sur une réalité défeuillée, un point de vue sombre qui perce le calme de l'oubli et salit toute fraîcheur. Pourquoi s'étonner alors que les cygnes — âmes éparpillées dans des corps — semblent borgnes (ne regardent-ils pas de côté ?) ; qu'un ciel serein réveille l'icône luisante d'un cerveau d'imbécile, et que la vie semble plus comique que les espiègleries d'un saint ?

Si les torrents des Alpes pouvaient laver mon esprit et rafraîchir mon cœur! Alors seulement je serais heureux de découvrir la délicatesse de l'ignorance, et de ne pas ruminer par monts et par vaux, par les mers et les déserts, la curiosité fatale d'Adam, me chassant de moi-même par l'insomnie.

Vivre toute sa vie le drame du péché, et parfois se sentir si pur, que des ailes de cygnes vous emportent vers une île d'anges veillant l'agonie du Paradis.

Et pourtant, ce n'est que dans le sentiment du péché qu'on est *homme* au sens propre du mot. Car être homme signifie s'identifier, sous chaque latitude de la terre et du cœur, au phénomène de la chute.

Qui ne sent pas qu'*il va vers le fond* — même lorsqu'il travaille et crée de manière positive, fût-il notaire ou génie — ne comprend rien à la spécificité du destin humain; et ceux qui ne connaissent pas l'attraction irrésistible du malheur, du glissement essentiel, de la *croissance* vers l'abîme, n'ont jamais atteint la condition à laquelle ils ont été destinés.

Seuls les hommes étrangers à la tentation de l'immersion féconde *meurent*, ceux qui ne succombent pas à chaque occasion de la vie. Les autres ont tout derrière eux, et d'abord la fin.

*L*a lucidité : avoir des sensations à la troisième personne.

*L*es gens sont, en général, des objets. C'est pourquoi ils éprouvent le besoin que Dieu «existe». Lorsqu'on est passé de l'objet au soi, Dieu est au-delà du fait d'être ou de ne pas être. À l'instar du moi, il devient une irréalité *qui se cherche.*

*O*n ne peut atteindre l'équilibre au sein du monde tant que l'existence n'est pas plus qu'un *état.* Car ainsi on est sans cesse soit en accord, soit en désaccord avec elle. Normalement, l'existence est irréductible : une résistance devant laquelle nous nous trouvons, sans être obligés de l'accorder ou non à la subjectivité.

Le déséquilibre dans le monde, fruit de l'exaspération de la conscience, dérive de l'incapacité de concevoir la réalité de façon *neutre.* Quel que soit notre effort, elle reste un *état* auquel nous adhérons ou non. L'accentuation subjective de la conscience diminue l'autonomie de l'être : on y gagne en intensité, et la réalité y perd, à part égale, en présence.

La conscience ? Ne plus être de plain-pied avec l'existence.

*T*andis que, dans l'extase, tous les points de l'univers coïncident au centre de notre irradiation, ils se trouvent, dans la terreur, à distance égale de nous, sans qu'un seul nous reste indifférent. Rien ne nous sépare du monde, bien qu'il nous soit hostile. L'extase et la terreur — si différentes — nous engagent également dans le monde.

D'où vient que, stupéfait de leur alternance, on finit par ne plus déchiffrer qui est le moi, et qui le monde. Pour aucun des deux, rien n'est resté neutre ; tout y participe, et rien ne se tient *en dehors*, rien n'est *objectif*.

Dans la terreur, on ne sait si le monde est une prolongation négative du moi, ou l'inverse ; et dans l'extase, on ne peut guère qualifier la plénitude, tant une fusion unique absorbe les différences de l'être.

Un monde d'orties altruistes et de grosses pierres qui s'invitent à danser le menuet... ou de charognes qui se sourient comme au vaudeville.

La réalité doit être appelée à la vie, ou *interdite*.

*L*a présence de l'esprit, devenue collective, rend un peuple anémique et le rapproche de la décadence, malade de raffinement. La fin d'un pays vient en général d'un surmenage de l'histoire, d'un épuisement explicable et fatal. La noble déficience de la Grèce et de Rome dans leur maturité crépusculaire suppose un destin circulaire et la haute expiation d'un excès unique au monde. Un passé de création se paie par les souffrances de la vitalité, et rien n'est plus impressionnant qu'une vieillesse lucide, ouverte à l'immensité de l'amertume.

Mais certains peuples ne sombrent point par l'excès d'esprit, ou, après avoir atteint des sommets, *se rétablissent*. La Hollande, dont la peinture vaut bien la musique allemande — n'a-t-elle pas dégénéré dans la sérénité ? Après des hauteurs historiques, son sang est « retombé », et les hommes, à la pâleur, ont préféré... une apothéose du beurre. La Suède ne se meurt-elle pas, échouée dans la prospérité ? Qu'est-ce qui, à leur crépuscule, les empêche de se dessécher glorieusement ? Et comment peut-il exister des pays sans destin, par peur de cette anémie consécutive à « l'histoire » ? Le devenir universel ne retient que les peuples qui ne s'épargnent pas, qui ne pèsent pas leur destin, mais se dirigent triomphalement et impitoyablement vers l'agonie.

Les dangers de la création éloignent de l'esprit les individus autant que les pays. Ceux-ci, en préférant la santé, s'opposent à la nature. Les fleurs retiennent-elles leur odeur pour ne pas se faner? Le parfum est *l'histoire* d'une fleur, tout comme l'esprit celle de l'individu. Les peuples qui ne se fanent pas n'ont jamais vécu.

————————————————— *L*e temps est parfois si pesant qu'on voudrait se casser la tête contre lui.

Le devenir s'est coagulé dans le cerveau et l'existence prend la couleur du péché.

L'individuation est une orgie de solitude. — En arrière vers l'*Être* ou le *Rien*, vers un salut — *dépourvu d'espoirs*.

Bouddha fut, tout de même, trop naïf...

Dans les grandes solitudes, on se croirait pris à la gorge par un démon, pour le cruel plaisir de Dieu.

Et c'est pourquoi l'esprit tisse alors une théologie de l'irresponsable.

*L*a connaissance tue l'erreur vitale de l'amour, et la raison bâtit la vie sur la ruine du cœur.

*T*oute lucidité est une pause du sang.

*F*aut-il avoir vu la vieillesse, la maladie et la mort pour se retirer du monde ? Le geste de Bouddha est par trop un hommage aux évidences... Manque à son renoncement le *paradoxe*. Lorsqu'on a raison, on n'a aucun mérite à quitter la vie. Mais vivre dans la discorde intérieure — et avoir des arguments contre la solitude ! La voie du Bouddha est taillée à la mesure des mortels... La sérénité du prince penseur ne comprendrait jamais comment on peut voir comme lui, et aimer pourtant l'insignifiance. Bouddha aurait-il été, lui aussi, un maître d'école ? Il y a trop de systématicité dans ses renoncements, trop de conséquence dans ses amertumes. Il condamnerait, à coup sûr, l'égarement de celui qui traîne son néant parmi les mortels, et ne comprendrait pas comment, dans le vide du monde, on sourit encore à la vie. Car il n'a pas connu certains sommets du malheur : il a vécu et est mort *consolé*. Comme tout homme étranger à la tentation fatale de la vie, à la séduction du néant de l'existence et du Nirvâna fortifiant de chaque instant.

*L*orsque toutes les pensées se sont noyées dans le sang, de philosophe on se retrouve avocat du cœur.

*E*n regardant l'infini paisible d'un ciel serein : est-il possible que le mal existe encore ? — Et immerger ensuite son esprit dans l'azur, pour découvrir que seul le rêve peut nous éloigner de l'éternelle fraîcheur du mal — l'ivresse négative du devenir.

Le ciel a précédé les hommes, la poésie a « existé » avant toutes choses. Comment ont-ils pu rester en arrière, quand un regard fugace vers les étendues bleues est source de délire ? Le ciel nous a devancés — sans l'intervention des poètes, il se serait enfermé en lui-même, et il ne nous restait plus qu'à nous regarder dans les yeux — ses épaves — pour nous consoler dans ce naufrage de poésie qu'est le regard humain.

*L*a conscience du néant avec l'amour de la vie ? Un Bouddha de boulevard...

*U*ne idée éteint un plaisir et crée une volupté. Assoupissant les réflexes, elle réveille les réflexions. On ne pense que lorsque la vie s'arrête.

*Q*uand un être ne trouve pas son assiette dans l'existence, il se trouve en présence du Mal. De celui-ci dérive tout ratage — et le mal étant immanent au devenir, tous les êtres ont à lutter avec lui.

Dans la mesure où Dieu n'est pas assis en soi-même en ce qu'il déroge à sa condition, il participe du mal. D'ailleurs, n'est-il pas le Grand Raté ?

Quant à l'homme, qui depuis Adam cherche son destin, il a acquis une dignité de sa lutte avec le mal. Son ratage a quelque chose de réconfortant et d'héroïque ; n'étant pas présent en tant qu'être, n'ayant aucune *place* dans l'existence, il s'est fait une condition de l'absence de condition, de sorte que personne ne peut encore dire si l'homme est quelque chose, un rien, ou un tout.

Nous savons tous ce qu'est un animal ou un Dieu. En tout cas, ils

« sont ». Mais l'homme n'est pas : car n'est-il pas un agent de liaison entre les mondes ? Ah, le *serait-il* ? Mais ce conditionnel est la définition même du Mal.

Dans une théologie « sérieuse », qui tenterait de sauver Dieu radicalement, le mal ne trouve pas d'explication satisfaisante. La théodicée s'est révélée insuffisante devant cet obstacle essentiel.

L'existence du mal fait du Tout-Puissant un Absolu décrépit. Le devenir lui a rogné le mystère et la puissance.

Le Mal n'est compatible qu'avec un Dieu... laïque.

L'homme ne sait jusqu'où il peut s'étendre ni jusqu'où vont ses limites. Nous oublions à chaque instant la fatalité de l'individuation, et nous vivons comme si nous étions tout ce que nous voyons. Sans cette illusion, quoi que nous fassions, nous découvririons nos limites.

Mais la conscience individuelle nous immobiliserait dans le monde, car elle nous découvrirait impitoyablement une place dont il serait difficile de se vanter ; ainsi nous sommes perdus faute de connaître nos limites, et peut-être le serions-nous davantage si nous les connaissions.

L'homme tâtonne son destin, fier et triste de ne pas le trouver. Seul le désastre dévoile la petitesse de l'individuation ; car il nous fait comprendre, sans espoir de consolation, que nous sommes limités en tout, et d'abord à nous-mêmes.

*L*es penseurs qui n'ont pas médité sur l'homme ne savent pas ce que signifie souffrir pour la connaissance et signer sa condamnation par chaque pensée, ou apaiser ses transports dans une orgueilleuse tristesse.

L'anthropologie est un mélange de zoologie et de psychiatrie. On peut bâtir des utopies — en regardant seulement les fleurs. Le Paradis, n'est-ce pas un appendice de la botanique ?

*L*a volupté nous fait sortir du monde, à la différence du plaisir qui, s'adressant uniquement aux sens, reste privé de nuance religieuse. Rien ne nous rappelle plus le ciel que les frissons par lesquels on voudrait l'oublier.

L'homme cesse d'être l'ivraie de l'existence uniquement par la mort, il gagne quelque chose de la maladie pure des fleurs. — Et de même que les pensées se tirent d'un fragile crépuscule de la chair, les fleurs poussent dans une anémie rêveuse de la matière.

*P*our croire inébranlablement en l'homme, il faut être incapable d'introspection, et ne pas connaître l'histoire. Seuls les psychologues et les historiens ont le droit de mépriser les «idéaux».

*D*ans les lacunes de la vitalité, rien n'arrive, rien ne se «passe». Le désir crée le temps. C'est pourquoi dans le vide intérieur, lorsque les envies se taisent, dans le désert de l'appétit et le mutisme du sang, apparaît soudain l'immense absence du temps, avec l'illusion de son écoulement. Et lorsque l'horloge d'une vieille cathédrale égrène les heures dans la nuit, ses coups nous révèlent encore plus douloureusement que le temps a fui hors du monde. Alors l'immensité devient un soupir éternel de l'instant, où s'enterrent notre esprit et notre corps.

*D*ans les frissonnements de la solitude, on est envahi par la sensation d'être fait d'une autre substance que le monde. Et quelles que soient les objections rationnelles qu'on trouverait à élever, pratiquement l'on ne peut passer outre à cet isolement douloureux, et irréductible. Les autres semblent victimes d'une erreur inavouable, et l'existence un vide voué à notre passion de l'égarement. Qu'as-tu fait croître en toi pour que l'existence ne puisse plus te contenir? L'éternité semble trop petite pour une âme immense et folle, désaccordée, par son infinité, à l'existence. Que pourrait-il parvenir jusqu'à elle, d'un monde devenu muet?

*U*ne pensée assèche des mers, mais ne peut sécher une larme; fait de l'ombre aux astres, mais ne sait éclairer une autre pensée — une auréole d'inconsolation.

*L*a lucidité résulte d'un amoindrissement de la vitalité, comme l'absence d'illusion. *Se rendre compte* ne va pas dans la direction de la vie; *être au clair* avec quelque chose encore moins. On *est* tant qu'on ne sait pas qu'on est. Être signifie se tromper.

*L*orsque l'existence nous semble supportable, tout poète devient un monstre. (La poésie est toujours *ultime*, ou n'est pas.)

*O*n est *homme* jusqu'au moment où les os commencent à grincer de tristesse... Après quoi, tous les chemins s'ouvrent à nous.

*S*ans le désir de la mort je n'aurais jamais eu la révélation du cœur.

*L*orsque je promène ma main sur mes côtes comme sur une mandoline, la sensation de la mort prend la figure de l'immortalité.
Et lorsqu'un rien me dit tout, les sens s'allument dans le vide de l'âme. Alors le néant de la femme survit à celui du monde.

*M*oins on trouve d'arguments pour vivre, plus on se lie à la vie. Car l'amour que nous lui témoignons n'a de valeur que par la tension de l'absurde.
La mort, ayant tout de son côté, a cessé de convaincre : l'appui de la raison lui a été fatal.
L'absence d'arguments a sauvé la vie : comment rester froid devant une telle pauvreté ?

*I*l est plus facile de faire la biographie d'un nuage que de dire quelque chose sur l'homme : que dire, quand *tout*, sur lui, est pertinent ?
Avec de la bonne volonté, Dieu tient dans une définition ; l'homme, non. À lui tout s'applique, tout lui va, comme à tout ce qui est et n'est pas.

*L*a paresse est un scepticisme de la chair.

*L*e besoin de prouver une affirmation, de poursuivre les arguments de toutes parts, suppose une anémie de l'esprit, une incertitude de l'intelligence et de la personne en général. Lorsqu'une pensée nous saisit avec force et violence, elle surgit de la substance de notre existence ; la prouver, la cerner par des arguments, revient à l'affaiblir et à douter de nous-mêmes. Un poète ou un prophète ne démontrent pas, car leur pensée est leur être ; l'idée ne se distingue pas de leur existence. La méthode et le système sont la mort de l'esprit. Même Dieu pense par fragments : mais en fragments absolus.

Chaque fois qu'on essaie de prouver quelque chose, on se situe en dehors de la pensée, *à côté* d'elle, non au-dessus. Les philosophes vivent parallèlement à leurs idées ; ils les suivent, patients et sages, et s'ils les rencontrent parfois, ils ne sont jamais *dedans.*

Comment peut-on parler de la souffrance, de l'immortalité, du ciel et du désert, sans *être* souffrance, immortalité, ciel et désert ?

Un penseur doit être *tout* ce qu'il dit. On apprend cela des poètes, et des voluptés et douleurs qu'on éprouve en vivant.

*L*e vide intérieur est comme une musique sans sons, un chant sans voix. Ses ondes insonores s'interposent secrètement entre nous et le monde, nous séparent de la vie au milieu du vivre et de la mort au milieu du mourir. Vers quelle douloureuse élévation nous dirige l'esprit de l'être ? Pourquoi a-t-on mal à chaque approche, pourquoi la respiration s'anime-t-elle à tout ce qui est lointain ?

Où sont les bras cruels qui étreignent tes os tremblants de pensée, lorsque tu penches l'oreille sur les battements d'un cœur enivré, pour nourrir la chère et voluptueuse inconsolation de la terreur ?

*L*orsque mes yeux se ferment et que mes limites s'étendent jusqu'à celles du monde, quelle écoute perçoit mystérieusement à l'horizon un chœur d'enfants fous ?

... Dans l'éternité incertaine d'un après-midi d'été, la voix cassée d'un gamin trouble plus que la prière d'un dément, ou que l'irrévocable sourire d'un suicidé.

*U*n penseur n'a pas le droit de se contredire plus que la vie.

*I*l n'y a aucun sens à n'être que poète, mathématicien ou général.

Peut-être les femmes n'existent-elles que pour enrichir l'inspiration, peut-être, encore plus, le monde n'est-il qu'un prétexte à la poésie.

Les poètes n'ont chanté ni le ciel ni la terre, mais une sorte d'arrière-monde qui n'existe que dans nos mélancolies.

*L*a poésie dans un jardin : un *état dans l'état.*

*L*a fainéantise est une mélancolie relevant exclusivement de la physiologie.

*U*ne cascade en sourdine figure bien ce qu'on nomme ordinairement l'âme...

*D*ieu serait-il autre chose que la tentative de combler mon infini besoin de Musique ?

*Q*ui aime la mystique, la musique et la poésie a nécessairement une nature érotique — voluptueux raffiné qui, ne trouvant pas pleinement satisfaction en amour, a recours aux délices qui dépassent la vie. Si l'on atteignait l'absolu en amour, quel sens y aurait-il à courir après des voluptés durables ? On n'en éprouverait pas le besoin, et à supposer qu'elles n'intéressent qu'abstraitement, elles ne pourraient susciter une passion continue et intense.

Dans l'amour accompli — avec toutes les vulgarités qui lui sont inhérentes — nous vivons l'aspiration à d'autres mondes comme une distraction ou un prétexte. Comment alors la musique, la mystique et la poésie deviendraient-elles la substance de la vie ? Le saut hors du monde suppose un excès d'individualisation. De même que toute volupté qui se substitue à l'amour direct, légitime et obligatoire du genre humain.

*O*n ne peut concevoir une force sans maladie. Il est significatif que les hommes les plus dangereux soient ceux dont la santé est atteinte.

L'histoire est menée par des hommes qui prennent sans cesse leur pouls.

*L*es éléments qui définissent la maladie : excès de conscience ; paroxysme d'individuation ; transparence organique ; lucidité cruelle ; énergie proportionnelle à la «déficience» ; le paradoxe comme respiration ; l'esprit religieux devenu végétatif, réflexe ; orgueil viscéral ; vanité blessée de la chair ; intolérance ; délicatesse d'ange et bestialité de bourreau.

Tout malade semble un Dieu qui mendie à la porte du Paradis.

D'ailleurs, n'est-ce pas comme si un paradoxe s'était infiltré en chacune de ses cellules? La maladie est un état d'inspiration des tissus, une folie des grandeurs de la chair, un pathos impérialiste du sang.

Lorsqu'on tombe malade, en partie ou totalité, on a l'impression que la nature se met à penser : maximum de positivité du négatif, aspiration des entrailles vers l'esprit, effort dialectique de la matière, application abstraite à l'immédiat.

Sans la maladie — on serait toujours au Paradis. La pathologie concerne les états de génie de la nature.

La santé est un manque d'intensité. La peur de la maladie ne consiste que dans le trouble qu'on ressent devant une plénitude à laquelle on n'est pas préparé, et qui nous effraie, parce que nous sommes accoutumés à la neutralité de l'équilibre, alors que la maladie est une force accrue par le voisinage du Rien.

*T*out ce qui n'est pas musical est apparence, erreur ou péché.

Oh! Si les vapeurs de la mort montaient mélancoliquement au ciel pour envelopper d'une hymne sonore une étoile immobile!

S'il n'y avait la mélancolie, la musique rencontrerait-elle jamais la mort?

Quand nous réussirons à dissoudre toute la vie en une mer sonore, nous n'aurons plus aucune obligation à l'égard de l'infini. Certaines musiques vous envahissent d'une fascination si absolue, que les suicides semblent des dilettantes, la mer ridicule, la mort une anecdote, le malheur un prétexte et l'amour un bonheur. On ne peut plus rien faire, ni penser. On voudrait alors s'embaumer en un soupir.

*W*agner semble avoir pressé toute l'essence sonore de l'ombre.

Celui qui aime vraiment la musique ne cherche pas en elle un abri mais un noble désastre. L'Univers ne s'élève-t-il pas pour son déchirement?

À l'instar des pensées, la musique s'installe dans les vides de la vie. Un sang frais et une chair rose résistent aux tentations sonores : pas d'espace pour elles; mais la maladie leur fait place. Au fur et à mesure qu'il ronge la vie, l'absolu progresse. N'est-il pas révélateur que dans l'infini de la mort, tout fonde en nous, que la matière perde ses limites, que nous brisions nos frontières pour laisser le champ libre à l'envahissement du son et de la mort?

Chacun porte en lui, à des degrés différents, une nostalgie du chaos — qui s'exprime par l'amour de la musique. N'est-ce pas cela, l'univers à l'état de pure virtualité? La musique est *tout* — moins le monde.

*L*a maladie — accès involontaire d'absolu.

*L*a lucidité est un réflexe du péché quotidien d'être, et la connaissance une forme vulgaire de la nostalgie.

*C*omment se refléterait la vie dans une âme non tachée par la connaissance? La réponse serait aisée, si l'on savait comment l'éphémère se laisserait vivre en tant qu'éternité, comment sont faits les anges, ou jusqu'où peut aller le paysage intérieur de la bêtise.

*O*n est plus seul en Dieu que dans une mansarde parisienne.

*S*i l'on pouvait penser lorsque les pensées prennent feu! Mais quelle idée pourrait se former lorsque du cerveau émane de la fumée, et que le cœur fait des étincelles. On désire la nostalgie de la mort et non la mort, parce qu'on n'est pas arrivé au bout du dégoût de vivre, et qu'on est encore fier de l'erreur d'exister.

Mais celui qui a la nostalgie de mourir ne peut plus s'accorder à la vie ni à la mort. Les deux sont terribles. Il n'y a de volupté que dans cette nostalgie-là..., à cette frontière frissonnante qui fait l'équivoque doux-amer de mourir.

*C*haque fois que je lève les yeux au ciel, je ne peux étouffer le sentiment d'une perte infinie. Si l'on partait en croisade contre le bleu! Avec quelle fougue j'irais m'enterrer dans la couleur du grand regret!

Les automnes se sont embrasés en moi, et mon cœur s'est mis à l'envers.

Le chant long et vaporeux de la mort m'enveloppe comme une écume d'éternité. Et dans la torpeur séduisante de la fin, je deviens une épave couronnée sur les mers musicales de Dieu, ou un ange voltigeant dans Son cœur.

*P*arce qu'ils aiment trop la vie, les juifs n'ont pas de poètes.

*L*e goût violet du malheur...

*L*a tombée de la nuit a quelque chose de la beauté d'une hallucination.

*L*es temps nouveaux ont à ce point perdu le sens des grandes fins que Jésus, aujourd'hui, mourrait sur un canapé. La science, en éliminant l'égarement, a diminué l'héroïsme, et la Pédagogie a remplacé la Mythologie.

*L*e devenir est un désir immanent de l'être, une dimension ontologique de la nostalgie. Il nous rend intelligible le sens d'une «âme» du monde.

*P*ourquoi, lorsque nous plongeons dans le secret du devenir, sommes-nous saisis d'un frisson pathétique et d'un trouble proche de la religion? Le devenir ne serait-il pas une fuite loin de Dieu? Sa marche déchirante, un retournement vers Lui? Cela est possible, car le temps soupire, dans tous ses instants, après l'Absolu. La nostalgie exprime plus directement et plus dramatiquement l'impossibilité de l'homme à fixer son sort. Du «devenir» hypertrophié, il goûte, dans son instabilité, le néant de sa condition. Et n'est-ce pas comme s'il se «dépêchait» avec tout le temps?
Si tout ce qui «est» ne me faisait pas souffrir, comment pourrais-je souffrir d'être? Et sans l'excès balsamique de la douleur, qui supporterait la punition de vivre? Mais, accablé et persécuté, on se prélasse dans un élan funèbre vers l'immortalité, vers l'éternité du mourir — nommée aussi *vie*...

VIII

Le désir de mourir n'exprime parfois qu'une subtilité de notre orgueil : nous voulons nous rendre maîtres des surprises fatales de l'avenir, ne pas tomber victimes de son désastre essentiel.

Nous ne sommes supérieurs à la mort que dans le désir de mourir, car nous mourons notre mort en *vivant*. Lorsque celle-ci se complaît en nous à son infinité, l'instant final n'est plus qu'un accent mélodieux. C'est un manque de fierté, chez la créature, de ne pas offrir son cœur à l'épuisement voluptueux de la mort. Ce n'est qu'en s'éteignant qu'on l'éteint sans cesse en soi, qu'on réduit son infini. Qui n'a pas connu l'intimité de la mort avant de mourir roule, humilié, dans l'inconnu. Il *saute* dans le vide ; tandis que, pris dans les ondes du mourir, on *glisse* dans la mort comme vers soi-même.

Lorsqu'on sait le goût de la mort, il devient impossible de croire qu'on ait jamais vécu sans le connaître... ou qu'on soit passé, naguère, les yeux fermés, à travers la douceur des paysages de l'agonie. Quelle étrange excitation suscitent les bourgeonnements de l'extinction et l'épanouissement des soupirs sans fin ! Toujours jeune aux crépuscules, fortifié par ce qui finit, recherchant les étendues de la mort parce que la vie n'est pas assez vaste, et retenant son souffle pour que le bruit du vivre ne couvre pas le rêve de la fin qui s'égrène !

Il est des après-midi d'automne d'une immobilité si mélancolique, que la respiration s'arrête sur la ruine du temps, aucun frisson ne pouvant plus animer le sourire pétrifié sur l'absence de l'éternité. Et je comprends alors un monde post-apocalyptique...

Il ne faut voir en Dieu rien de plus qu'une *thérapeutique contre l'homme*.

*O*n peut échapper aux tourments de l'amour en les dissolvant dans la musique. Ils perdent ainsi leur force brûlante, dans cette immensité vague.

Lorsque la passion est trop intense, les sinuosités wagnériennes la distendent à l'infini, et le tourment, dissous, se laisse bercer dans les vapeurs d'une dissolution plaine, et l'on s'étend, automnal, sur le désert d'une mélodie...

*W*agner — musique de l'inaccomplissement infini — s'accorde au soupir architectural et gris de Paris. Ici la pierre cache un crépuscule musical, plein de regrets et de désirs... et les rues se rencontrent pour se confesser des secrets, qui ne restent pourtant pas étrangers à un œil affligé. Et lorsque l'azur qui couvre Paris semble avoir condensé les vapeurs en sonorités, les ondes tumultueuses de motifs wagnériens rencontrent le ciel.

L'âme d'une cathédrale gémit dans l'effort vertical de la pierre.

*J*e voudrais être caressé par des mains qui sachent laisser glisser le Temps...
... ou pleuré par des yeux arrachés d'un Paradis en flammes.

*J*e suis de plus en plus convaincu que les gens ne sont que des *objets* : bons ou mauvais. Sans plus. Et moi, serais-je quelque chose de plus qu'un objet triste? Tant qu'on souffre, non de vivre *parmi* les hommes, mais d'être *homme*, de quel droit faire de son angoisse un sommet? Une matière qui a honte d'elle-même reste toujours de la matière... Et pourtant...

*L*orsque l'esprit s'est tu, pourquoi le cœur bat-il encore?
Et le vert glauque des yeux, vers quoi s'ouvre-t-il encore lorsque le sang est aveugle?
Quel brouillard épais traverse les entrailles, quels murs s'écroulent dans la chair?
Et les os, vers qui hurlent-ils dans le ciel, et pourquoi le ciel pèse-t-il sur ma tristesse qui se hâte vers le rien?
Et quel appel à la noyade pousse mes pensées vers des eaux stagnantes?

Mon Dieu! Sur quelle corde puis-je monter vers toi pour écraser mon corps et mon esprit contre ton indifférence?

*L*es hommes ne vivent pas en eux, mais en autre chose. C'est pourquoi ils ont des préoccupations : car ils ne sauraient que faire du vide de chaque instant. Seul le poète *est* en soi avec soi-même. Et les choses, ne lui tombent-elles pas tout droit sur le cœur?
Celui qui n'a pas le sentiment ou l'illusion que la réalité respire à *travers* lui, ne soupçonne rien de l'existence poétique.
Vivre son moi en tant qu'univers, c'est le secret des poètes — et surtout des *âmes poétiques*. Celles-ci — par une étrange pudeur — amadouent les sens comme en sourdine, pour qu'un enchantement sans limites et sans expression se prolonge indéfiniment en une rêveuse immortalité, non ensevelie sous des poèmes. Rien ne tue davantage la poésie intérieure et le vague mélancolique du cœur que le talent poétique. Je suis poète par tous les vers que je n'ai jamais écrits...
Obsédé par lui-même, le poète est un égoïste : un *univers* égoïste. Il n'est pas triste, mais le monde entier s'attriste en lui; son caprice prend la forme d'une émanation cosmique. Le poète n'est-il pas le point de plus faible résistance, où le monde devient transparent à lui-même? La nature n'est-elle pas malade en lui? Un univers *atteint* — et les poètes apparaissent...

*C*omment ne pas souffrir d'être homme, en regardant les mortels s'essouffler à leur destin?
Quand nous vivrons avec le sentiment que *bientôt* l'homme ne sera plus homme, alors l'histoire commencera, la véritable histoire. Jusqu'à maintenant nous avons vécu avec des idéaux, dorénavant nous vivrons *absolument*, c'est-à-dire que chacun s'élèvera dans sa propre solitude : alors il n'y aura plus des individus, mais des *mondes*.
Adam est *tombé* dans l'homme; nous devrions tomber en nous-mêmes, à notre horizon. Lorsque chacun existera à sa limite, l'histoire prendra fin. Et cela est la *vraie* histoire, la suspension du devenir dans l'absolu de la conscience. L'âme de l'homme ne fera plus de place à aucune croyance, nous serons trop *adultes* pour avoir des idéaux. Tant que nous nous accrochons à des désespoirs et des illusions, nous sommes irrémédiablement des hommes. Presque aucun d'entre nous n'a réussi à se tenir *droit* devant le monde ni devant le rien. Nous sommes des hommes, infiniment

hommes : car ne ressentons-nous pas encore le besoin de souffrir ?

Être « mortel » signifie ne pouvoir pas respirer sans avoir soif de
douleur : elle est l'oxygène de l'individu et la volupté qui s'interpose entre l'homme et l'absolu. « Le devenir » en découle.

*S*i je n'aimais pas soigner les
erreurs en douceur, et si je n'assoupissais la conscience par de
douces tromperies, où me conduirait l'impitoyable insomnie dans
un monde impitoyablement étroit ?

Aucune folie ne me consolerait du peu qu'est ce monde dans les
instants où le cœur est un jet d'eau dans le désert.

L'expérience *homme* a raté. Il
est devenu une impasse, tandis qu'un non-homme est davantage :
une possibilité.

Regarde un de tes « semblables » profondément dans les yeux :
qu'est-ce qui te porte à croire qu'on ne peut plus rien attendre ?
Un homme est trop peu...

*Q*u'est-ce que la peur de la mort,
de l'obscurité, du non-être, par rapport à la peur de soi-même ? En
existerait-il une autre ? Ne se réduisent-elles pas toutes à celle-ci ?
L'ennui infini de vivre, l'ennui des choses qui deviennent ou ne
deviennent pas, la terreur d'un monde mis en branle et le bruit du
temps heurtant des sentiments délicats — d'où partent-ils sinon
du frisson qui nous rend étrangers à nous-mêmes au sein de
nous-mêmes ? Comme si, où qu'on aille, on ne tombait pas sur
quelque chose de pire que soi, car on est soi-même le mal qui
couvre le monde comme une voûte, et l'on ne peut être avec soi
sans être contre soi-même ! Les grottes cachées terrifient moins
que le vide qu'on ouvre chaque fois qu'on coule un œil vers le souterrain de son être. Quel rien bée en notre centre ? Peut-on encore
rester avec soi-même ? Pourquoi les arbres regardent-ils encore
vers le ciel, au lieu de retourner leurs feuilles pour cacher notre
tristesse et enterrer notre peur ?

*Q*uelqu'un déchiffrera-t-il un
jour le drame de devoir traduire dialectiquement les larmes, au
lieu de les laisser couler en vers ?

Qui saura un jour quelles barrières il faut imposer aux désirs pour
que la pensée puisse surgir, combien de renoncements coûte le

bourgeonnement de l'esprit ? Et à quel point l'esprit est l'automne de la jeunesse !

*M*on Dieu ! Délie-moi de moi-même car des parfums et des miasmes du monde je me suis défait depuis longtemps. Élève mon esprit vers un repentir plein de chant, et ne me laisse pas proche de moi-même, mais étends tes déserts entre mon cœur et ma pensée. Ne vois-tu pas l'esprit hostile de mon sort, voué aux blasphèmes et aux pleurs ?
Quelles prières trouverais-je pour toi, Vieillard impuissant, et du fond de quel épuisement hurlerais-je vers ton indifférence ? Mais qui me dit que je suis vieux moi aussi, plus vieux que toi, et que mon cœur est plus blanchi que ta barbe ?
Si je laissais libre cours à mes voix, dans quelles contrées la pensée nous réunirait-elle ? Tu ne vois pas, mon Dieu, que nous allons mourir l'un de l'autre, voués à la dégringolade ; car ni toi ni moi n'avons su inventer un appui en dehors de nous.
J'ai voulu compter sur toi — et je suis tombé ; tu as voulu compter sur moi, et tu n'as pas trouvé sur quoi tomber !

*L*a poésie, par rapport à la philosophie, représente plus d'intensité, de souffrance et de solitude. Il reste malgré tout un moment de prestige au philosophe : lorsqu'il se sent seul *avec toute la connaissance.* Alors les soupirs parviennent jusqu'à la Logique. Seule une grandeur funèbre peut encore rendre les idées *vivantes.*

*D*ieu est le moyen le plus propre à nous dispenser de la vie.

*L*es cyniques ne sont ni des « sur » ni des « sous-hommes », mais des « post-hommes ». On arrive à les comprendre et même à les aimer, lorsqu'il s'échappe du tourment de notre vide une confession adressée à nous-mêmes, ou à personne : j'ai été homme et maintenant je ne le suis plus. Lorsqu'il n'y a plus personne en toi, pas même Diogène, et que tu es vacant même du vide et que tes oreilles ne sifflent plus de néant...

*L*e romantisme allemand — l'époque où les Allemands connaissaient la génialité du suicide...

*L*orsqu'on s'approche de Dieu par la méchanceté, et de la vie par ses ombres, à quoi peut-on arriver sinon à une mystique négative et une philosophie nocturne ?

On croit sans croire et l'on vit sans vivre... Le paradoxe se résout dans une tendresse d'écorché, que renforcent les crépuscules et qu'assombrissent les aurores.

*E*nsorcelé par ce surmenage qu'est la connaissance, on ne ressent que sur le tard la fatigue immense qui suit l'insomnie de l'esprit. Alors on commence à se *réveiller* de la connaissance, et à soupirer après les charmes de l'aveuglement.

Comme la pensée surgit au détriment de la chair, comme chaque pensée est un vice *positif*, le surplus de l'esprit nous pousse vers son antipode. Ainsi apparaissent le désir secret de l'oubli et l'hostilité de l'esprit à l'encontre de la connaissance.

L'homme est si collé au vide de l'existence qu'il donnerait n'importe quand sa vie pour ce vide, et si imbibé par l'infini de l'ennui qu'il supporte le supplice de vivre comme un délice.

Plus on est convaincu de la petitesse du tout, plus on s'y attache. Et la mort semble trop peu pour le sauver. C'est pourquoi les religions sont contre le suicide : car toutes essaient de donner un sens à la vie à l'instant où elle en a le moins. Elles ne sont essentiellement que cela : un *nihilisme contre le suicide*. Toute rédemption a sa source dans le refus des dernières conséquences.

*S*ans les passions troubles qu'offre la musique, que ferions-nous de la belle ordonnance des sentiments chez les philosophes ?

Et que ferions-nous du temps blanc, vide, désolidarisé de la vie, du temps blanc de l'ennui ?

On n'aime la musique que sur le littoral de la vie. Avec Wagner, on assiste alors à une cérémonie du clair-obscur, à une cosmogonie de l'âme, et avec Mozart aux fleurs du paradis rêvant d'autres cieux.

*T*out désespoir est un ultimatum à Dieu.

*L*a neurasthénie est chez l'homme ce qu'est la divinité chez Dieu.

*L*es pensées fuient le monde à la débandade, et les sens filent vers le ciel. Où s'enfuit la raison, afin que je m'enivre de mon absence et de celle du monde ? Mon Dieu ! que tu es petit pour le désastre de tes fils ! En toi, il n'y a pas de place pour abriter notre terreur, car tu n'en as même pas pour la tienne ! Et je vais me cacher à nouveau dans le cœur poussiéreux de mon souvenir !

N'est éternel que celui qui n'a aucun lien à la vérité.
Femmes — à qui la vitalité ne permet plus un seul sourire... Jacqueline Pascal ou Lucile de Chateaubriand. Quel bonheur qu'il ne soit pas au pouvoir de la vie de nous détacher de la mélancolie ! *« Je m'endormirai d'un sommeil de mort sur ma destinée* [1] *»* (Lucile). Le monde est sauvé par les quelques femmes qui ont renoncé à lui.

L'anémie est la défaite du temps par le sang.

*R*ien n'exprime de manière plus torturante les déceptions d'une âme religieuse que le désir nostalgique du poison. Quelles fleurs venimeuses, quels cruels soporifiques nous guériront de l'épidémie de l'effroyable lumière ? Et quelle tourmente de repentir pourrait nous décharger de notre âme aux limites de l'être ?

*L*e temps est une saison de l'éternité : un printemps funèbre.
Le détachement des êtres du chaos initial a créé le phénomène de l'individuation, un véritable effort de la vie vers la lucidité. Les individualités se sont formées comme un cri d'appel vers la conscience, et les êtres ont triomphé dans leur effort pour se détacher de la confusion du tout. Tant que l'homme est resté *être* et cela seulement, l'individuation *n'avait pas dépassé les cadres de la vie*, car il s'appuyait sur tout et était tout. Mais l'élan vers lui-

1. En français dans le texte.

même, en le retirant du centre de l'univers, lui a donné l'illusion d'un infini possible dans les frontières individuelles. C'est ainsi que l'homme a commencé de perdre sa limite, et que l'individuation est devenue châtiment : là réside sa douloureuse grandeur. Car sans le cours aventureux de l'individuation, l'homme ne serait rien.

*L*orsqu'on ne met de mesure à rien, on se mesure à Dieu : tout excès le rapproche de nous. Car Lui ne représente que notre incapacité à nous arrêter quelque part. Tout ce qui n'a pas de limite — l'amour, la furie, la folie, la haine — est d'essence religieuse.

*L*a mélancolie est de la folie au sens où le parfum dépasse la nature.

*L*e besoin de finir en Dieu n'est autre chose que le désir de mourir sa mort jusqu'au bout, de la faire durer sans finir, afin que la vie qu'on n'a pas vécue nous survive. La peur de ne pas mourir du tout rend la mort si épouvantable. Nous languissons après l'éternité de Dieu de peur de ne pas être *vivants* lorsque, extérieurement, nous sommes des charognes. Nous avons attendu une éternité pour naître : il nous faut en attendre une autre pour mourir.

*P*uisque, sous un regard mélancolique, même les pierres semblent rêver, on chercherait en vain ailleurs de la noblesse dans l'univers.

*L*a mélancolie exprime toutes les possibilités célestes de la terre. N'est-elle pas le rapprochement *le plus lointain* de l'Absolu, une réalisation du divin par la fuite de Dieu ? En dehors d'elle, qu'opposerait-on au Paradis, lorsque rien ne nous lie plus au monde que le fait de vivre *en lui*, et le vide positif du cœur.

L'avantage du néant sur l'éternité, c'est que le temps ne peut l'entacher ; voilà pourquoi il ressemble au sourire mélancolique.

*L*a spécificité de la condition humaine s'épuise dans le prestige métaphysique de la souffrance. L'homme doit souffrir jusqu'au dégoût de la souffrance et de lui-même.

*D*ieu ne serait-il pas l'état de *moi* du néant ?

*L*es nuits d'insomnie — et même toutes les nuits — nous ne respirons plus dans le temps, mais dans son *souvenir*, de même qu'au sein de la lumière qui nous blesse, nous ne vivons plus en nous, mais seulement dans notre souvenir.

*L*a mélancolie est le seul sentiment qui donne à l'homme droit à la majuscule. Elle concentre son arôme de l'assoupissement des sens et de la veille de l'esprit, sans lequel nous ne regarderions plus vers nous sans le remords de ne pas avoir péri en Dieu.
Le poison des délices amères de l'existence prend voix dans l'enfer musical du sang, dans les effluves duquel s'élèvent ses odeurs funèbres.

L'ennui qui nous attend dans l'avenir nous terrifie plus que la terreur de l'instant présent. Le présent en soi dévoile une vie *agréablement* insupportable.

*L*a folie est l'introduction de *l'espérance* dans la logique.

*L*a grandeur de la volupté procède de la perte de l'esprit. Si l'on ne se sentait pas devenir fou, la sexualité serait une saleté et un péché.

*L*e besoin de poisons ne serait-il qu'un goût négatif de l'éternité ? Autrement, pourquoi se débattre dans les bras d'un diable *divin*, quand le désir de nous empoisonner nous empoisonne la pensée ?
Ce désir révèle une crise de l'immanence : il recherche un maximum de transcendance avec les *moyens du monde* — mais tous sont trop faibles pour nous envenimer d'un autre monde jusqu'à nous faire oublier le venin. Le fiel de l'esprit s'épuisera-t-il un jour ?

... Et à quel point devons-nous être reconnaissants au ciel pour ce qu'il est un poison qui n'en finit pas, quelle adoration devons-nous au venin inépuisable de Dieu! Que ferions-nous si nous ne le buvions pas jusqu'à la lie dans nos insomnies? Et où serions-nous si nous ne rampions pas dans ses profondeurs?

*L*es femmes déçues qui se détachent du monde revêtent l'immobilité d'une lumière pétrifiée.

L'homme dépend de Dieu à la manière dont Celui-ci dépend de la divinité.

*T*out patauge dans le néant. Et le néant en lui-même.

*F*atigué de descendre à chaque instant de Dieu... Et ce manque de repos nommé «vivre»...
On ne s'épuise pas dans le travail, les peines ni le supplice, mais dans le repentir d'avancer dans le monde, avec l'ombre de Dieu dans le dos. Rien n'est plus propre aux créatures que la fatigue. Que mon esprit se brise et chancelle! Qui éteindra les ténèbres sensuelles de mon sang et le grondement hébété de mes os?

*D*ans la passion du vide, il n'y a que le sourire gris du brouillard qui anime encore la décomposition grandiose et funèbre de la pensée.
Où êtes-vous, brouillards cruels et trompeurs, qui tardez à tomber sur mon esprit troublé? Je voudrais étendre en vous mon amertume et y cacher une terreur plus vaste que le crépuscule de votre marche flottante...
Quel froid polaire descend dans mon sang!

Être? Une absence de pudeur.

L'air me semble un cloître où la Folie est Mère prieure.

*T*out ce qui n'est pas bonheur est un déficit d'amour.

L'homme ne peut rien créer sans un penchant secret à se détruire. *Vivre*, demeurer à l'intérieur de *l'existence*, signifie ne pouvoir rien ajouter à la vie. Mais lorsque nous sommes en dehors d'elle, engagés sur une voie dangereuse, poursuivis par le scandale ininterrompu de la fatalité, rongés par la fierté désespérée du sort implacable, vulnérables, comme un printemps, à la chute, les yeux fixés vers le crime et fous ou bleuis sous le poids de la grandeur, — alors nous chargeons la vie de tout ce qu'elle n'a pas été en nous-mêmes.

De la souffrance naît tout ce qui n'est pas évidence.

On n'a de destin que dans la furie irrésistible de broyer les réserves de l'être, voluptueusement attiré par l'appel de sa propre ruine. Le destin consiste à lutter au-dessus ou à côté de la vie, à la concurrencer en passion, révolte et souffrance.

Si tu ne sens pas qu'un Dieu inconnu a égaré son drame en toi, que des forces aveugles, grandies dans la magie de la douleur, surgissent de feux invisibles! — quel nom peux-tu te donner pour ne pas être *tout*?

Ce qui n'est pas douleur n'a pas de nom. Le bonheur *est*, mais il n'*existe* pas. Dans la douleur en revanche, l'existence atteint son paroxysme — au-delà de l'être. L'intensité de la souffrance est un néant plus effectif que l'existence.

*M*on Dieu, si je pouvais briser les astres, afin que leur éclat ne m'empêche plus de mourir en toi! Mes os trouveront-ils le repos dans ta lumière? Dévoile tes obscurités, fais descendre tes nuits pour que j'y dépose la poussière de mes peurs, et la chair défunte des espoirs! Cercueil sans commencement, dépose-moi sous le noir de ton ciel, et les étoiles seront des clous sur mon couvercle.

*U*ne chose est de découvrir Dieu par le néant, une autre de découvrir le néant par Dieu.

*R*ien ne s'explique, rien n'est prouvé, tout *se voit*.

IX

*Q*u'est-ce qu'un artiste? Un homme qui sait tout — sans s'en rendre compte. Un philosophe? Un homme qui ne sait rien, mais qui s'en rend compte.

Dans l'art, tout *est possible*; en philosophie... Mais elle n'est que la déficience de l'instinct créateur au profit de la réflexion.

*N*on-philosophie : les idées suffoquent de sentiment.

*L*es maladies sont des indiscrétions d'éternité de la chair.

*C*haque fois que le vertige me tente, il me semble que les anges ont arraché leurs ailes du firmament pour me chasser hors du monde.

*Q*uelle blessure s'est ouverte comme un printemps noir, et fait verdir mes sens de bourgeons funèbres? Dieu m'aurait-il rendu mes blasphèmes?

Chaque insulte à Son adresse se retourne contre celui qui l'a proférée. Car en Le détruisant, on scie la branche sur laquelle on est assis. En étranglant le firmament, on ébranle sa propre fermeté. La haine contre Dieu part du dégoût de soi-même : on le tue pour masquer sa propre chute.

*L*e but de l'homme est de prendre le relais de la souffrance de Dieu — du moins depuis le christianisme.

*E*st religieux celui qui peut se dispenser de la foi, mais non pas de Dieu.

*P*ourquoi les mains des mortels ne se tendent-elles pas vers la prière, afin que j'appuie sur elles ma tristesse diabolique et ma peur assassine ? Pourquoi les pierres n'exhalent-elles pas ma terreur et ma fatigue vers un ciel immobile de sa propre absence ? Et toi, Nature, quels pleurs attends-tu encore, et que ne cries-tu ta révolte en prières et en blasphèmes ? Et vous, objets inanimés, que ne hurlez-vous contre le sort ennemi de l'âme ? Ou peut-être voulez-vous que le ciel meure en s'écroulant sur vous, qui ne connaissez pas la peur de devenir des objets ? Et nul rocher ne vole vers les voûtes célestes pour mendier la pitié !

Jadis, les choses priaient pour les mortels et les mers se mettaient en colère pour une âme. Aujourd'hui, toutes choses meurent et les étoiles ne tombent plus dans les mers et les mers ne s'élèvent plus vers les étoiles. Seule l'âme élève son agonie vers les étendues vaincues et les remèdes de la nuit.

*A*u dernier stade de la peur, on a envie de présenter des excuses aux passants, aux arbres, aux maisons, aux rivières, à tout ce qui est mort, ou qui n'est pas mort.

La dernière séparation, le dernier baiser qu'on donne à cet univers, plus mort qu'un mort aimé.

Quelqu'un m'excusera-t-il d'avoir *été*? Que n'ai-je des genoux comme les Alpes, pour demander pardon aux gens et aux horizons !

*Q*ui n'a pas eu le sentiment que tous doivent se tuer pour lui et lui pour tous — celui-là n'a jamais vécu.

L'héroïsme, c'est de vouloir mourir, mais aussi de vivre lorsque chaque jour pèse plus qu'une éternité. Qui n'a pas souffert de l'insupportable de la vie n'a jamais vécu.

*Q*uand on porte sur ses épaules tous les Jugements derniers...

*L*a lucidité est un vaccin contre la vie.

*F*aut-il éprouver longtemps le désir de mourir, pour connaître le dégoût de la mort? Ayant assouvi sa passion de la fin, on arrive à l'antipode de la peur de s'éteindre. Quoique la mort, comme Dieu, jouisse du prestige de l'infini, elle ne sait pas, comme Lui, empêcher la souffrance de la satiété, ni alléger le poids de l'excès ou l'exaspération de l'intimité prolongée. Si l'on n'était pas las de l'infini, la vie existerait-elle? Quelle vitalité secrète nous sépare de l'absolu?

*S*eul mon sang tache encore la pâleur de Dieu... (Me pardonneras-Tu les gouttes de la tristesse et de la folie?)

*I*l y a des douleurs dont la disparition du ciel pourrait seule me consoler.

*D*ans les nuits infinies, le temps monte dans les os et le malheur croupit dans les veines. Aucun sommeil n'arrête la moisissure du temps, aucune aurore n'adoucit la fermentation du tourment.

«*L*'âme» tire sa vitalité des passions qui bouillonnent douloureusement, et «le cœur» est un sang opprimé. Le goût de la mort ne serait-il pas une soif de cruauté que, par décence, nous satisfaisons sur nous-mêmes? Nous ne voulons pas mourir, pour ne pas tuer?
«La profondeur» est une cruauté secrète.

*P*ourquoi un ivrogne *comprend*-il davantage? Parce que l'ivresse est souffrance.
Pourquoi un fou *voit*-il davantage? Parce que la folie est souffrance.
Pourquoi un solitaire *sent*-il davantage? Parce que la solitude est souffrance.
Et pourquoi la souffrance *sait*-elle tout? Parce qu'elle est Esprit. Les défauts, les vices, les péchés ne nous découvrent pas les côtés cachés de la nature par des éclairs de plaisir, mais par le déchirement de la chair et de l'esprit, par la révélation des négations. Car tout ce qui est négatif est *expiation*, et par conséquent connaissance. Un être qui saurait tout serait un fleuve de sang. Dieu, dépositaire de trop de douleur, n'appartient plus au

temps : il est une hémorragie aux dimensions de l'éternité. Sa blessure sanglante commence dès le premier instant hors du Néant.

*C*elui qui supprime la vie de quelqu'un obéit à une furie pathologique de la connaissance, même si des motifs mesquins cachent le mobile secret. Le criminel découvre des secrets qui nous restent étrangers. C'est pourquoi il les paie si cher. L'une des raisons pour lesquelles la société exécute l'assassin est de ne pas lui accorder les satisfactions de l'infinité du remords : le laisser en vie revient à lui accorder la liberté de nous dépasser. Les profondeurs du mal confèrent une supériorité irritante ; peut-être les hommes ont-ils adoré Dieu par jalousie envers le Diable.

*D*ans l'éclair cosmique de la conscience, le ciel s'éparpille en mélodie, reprise par les montagnes, les arbres et les eaux. Et apeuré par l'absolu de l'instant, le Requiem de l'âme est un naufrage et une auréole.

N'est-ce pas comme si le brouillard ténébreux d'un autre monde rêvait notre vie ?
Le déroulement intérieur de la mort est un brouillard élevé en principe métaphysique.
Une cathédrale est comme le maximum de matérialité du brouillard : des ténèbres pétrifiées.

*I*l y a chez l'homme un désir secret du remords, qui précède le Mal, *qui le crée*. L'infamie, le vice ou le crime naissent de ce tourment caché. Une fois l'acte consommé, le remords émerge dans la conscience, clair et défini, et perd la douceur de la virtualité.
Le parfum du remords nous conduit vers le mal, comme une nostalgie d'autres contrées.

*U*ne âme qui a de la place pour Dieu doit en avoir pour n'importe quoi. — Le besoin de confesser à un croyant nos dernières angoisses ne viendrait-il pas de là ? Qu'est-ce qui nous fait croire qu'*il ne peut pas* ne pas nous comprendre ? Comme si la croyance en Dieu était un vice à l'intérieur duquel on peut nous excuser de tout, ou un abus face auquel tout est légitimé. Ou que tout crime dans le monde peut nous être pardonné puisque, par Dieu, nous n'appartenons plus à la terre.

Rien ne doit échapper à un croyant : le dégoût, le désespoir, la mort.

Les hommes *tombent* vers le ciel, car Dieu est un abîme, regardé d'en bas.

*L*a révélation subite : *tout savoir*, et le frisson qui s'ensuit : ne plus savoir comment. Tout à coup, les pensées ont défait l'univers, et les yeux se sont fixés dans les gisements de l'être.

Le temps a perdu sa respiration. Comment mesurer alors le tourbillon de la lumière qui vous submerge ? Il semble durer autant que *l'absence* absolue d'une seconde.

Après de tels éclairs, la connaissance est inutile, l'esprit survit à soi-même et Dieu est vidé de sa divinité.

*L*orsqu'on a dilaté sa vie, la volonté de se détruire émane d'une douloureuse sensation de plénitude. Car on ne languit dans le désir de mourir qu'en étendant son être au-delà de son espace.

La négation de la vie par plénitude est un état extatique. On ne s'éteint jamais par manque, mais par excès.

Un moment d'absolu rachète le vide de tous les jours ; un instant réhabilite une vie. L'orgasme de l'esprit est l'excuse suprême de l'existence. C'est ainsi qu'on perd, de tant de bonheur, ses esprits en Dieu.

*D*es mains pâles sont un berceau où l'on soupire sa vie : les femmes ne les tendent que pour que nous puissions y pleurer.

*L*e brouillard est la neurasthénie de l'air.

*C*es voix des profondeurs pour lesquelles on aurait besoin des accents d'un Job assassin...

Quel ange fou mendie avec un orgue de Barbarie devant un cœur verrouillé ? — Suis-je détaché de la souffrance de Dieu ?

*D*ans le bonheur et le malheur en amour, le ciel, fût-il de glace, ne pourrait apaiser l'ivresse révoltée du sang. La mort l'échauffe davantage, et le mirage du vivre prend forme à partir de ses vapeurs funèbres.

*T*outes les eaux ont la couleur de la noyade.

*D*ans l'azur timide des matins, la pâleur de tant de femmes, aimées ou non, s'offre à nous comme un désert fleuri au goût mortel d'infini.

Pourquoi, à l'ombre des femmes, l'infini nous semble-t-il proche ? Parce que, auprès d'elles, *il n'y a plus de temps*. Et notre trouble s'accroît parce que nous atteignons *dans le monde* un état qui dépasse le monde.

L'amour est une apparence *au-delà du temps* : le devenir n'y est-il pas suspendu au sein de la vie ? Il y a des étreintes où le temps est plus absent que dans un astre mort.

L'amour étant une rencontre douloureuse et paradoxale du bonheur et du désespoir, le temps ne saurait contenir son excès inhumain. C'est pourquoi chaque fois qu'on se réveille de l'amour, il semble que le temps ait pourri dans on ne sait plus quel cœur.

*C*e qui rend le péché supérieur à la vertu est un surplus de souffrance et de solitude, qui ne se rencontre pas dans « la conscience tranquille », ni dans « la bonne action ».

En soi, c'est un acte d'individualisation, par lequel on *se sépare* de quelque chose : d'un homme, des hommes, ou de tout. Être seul dans un état diffus de péché, d'où naît le besoin de Dieu : de la peur de soi-même. Les vertus ne servent pas le ciel.

*A*près qu'on a goûté les illusions de la vie, les déceptions s'étalent doucement, comme de l'huile, et l'être se revêt des splendeurs de l'évanescence.

... Et alors on regrette de ne pas avoir connu plus d'illusions, pour se bercer dans l'amertume de leur absence.

*S*ans le sentiment de la mort, les hommes sont des enfants — mais avec lui, que sont-ils d'autre ? Lorsqu'on sait ce qu'est le finir, l'*être* n'a plus le parfum de l'existence. Car la mort vole la mélodie de la vie. Et de toutes deux, il ne reste qu'un désastre nocturne et musical.

*L*orsqu'on a connu les amertumes et les douceurs des cœurs, on regrette de n'en avoir qu'un seul à briser.

*D*epuis quand les déserts se seraient-ils installés dans le sang de l'homme ? Et les ermites, depuis quand crient-ils dans le désert leurs prières vers les hauteurs ? Combien de temps les étendues se lamenteront-elles dans leur ondoiement empoisonné ? Et quand cessera la noyade des opprimés dans les vagues intérieures de la mort ?
Mon Dieu ! Ton seul martyre : le sang de l'homme.

*S*i la mort n'interrompait pas les consolations du désir de mourir...
Mais la vie étant dépourvue d'infini, comment pourrions-nous mourir sans un terme ?

L'homme, dégoûté de lui-même, devient un somnambule qui cherche à se perdre dans les déserts de Dieu.

*S*i tu ne crois pas être l'auteur des nuages qui recouvrent le ciel, à quoi bon parler de l'ennui ? Et si tu ne sens pas combien le ciel s'ennuie en toi, à quoi bon regarder vers Dieu ?

*L*es bonheurs qui ne réveillent pas en nous le désir de mourir sont vulgaires. Mais lorsque l'univers devient une écume d'extase et d'irréalité, que le ciel fond dans la chaleur du cœur, et que l'azur coule dans son espace fou d'immensité — alors les voix de la fin émanent du chaos sonore de la plénitude. Et le bonheur devient aussi vaste que le malheur.
L'infini doit être la couleur de chaque instant, et puisqu'en vivant je ne peux l'honorer que par crises, élève-moi, Mort, jusqu'à son prestige ininterrompu, et enveloppe-moi dans l'insomnie du non-fini ! Aurai-je des larmes pour tout ce qui n'est pas mort en moi ?

L'amour est le seul moyen efficace de se tromper *dans le cadre de l'absolu*. C'est pour cela qu'en amour on ne peut être près de Dieu que *par toutes les illusions de la vie*.

*Q*ui a été contaminé par l'éternité ne peut plus participer à l'histoire que par la volonté d'auto-destruction. Car parmi ses semblables, l'homme n'est créateur que par sa propre ruine.

L'homme est le seul être qui ait secoué l'ivresse du temps. Et tout son effort est de rentrer en lui, de redevenir *temps.*

Le privilège de l'isolement dans la nature dérive de la rupture de la conscience et du devenir. C'est en marchant à côté du temps que l'homme est homme. D'où vient que, chaque fois que sa condition l'ennuie, les instants ne lui semblent jamais assez fluides ni assez profonds pour apaiser sa soif d'immersion.

*L*orsque l'esprit se dirige vers Dieu, on n'est plus attaché au monde que par le désir de ne plus être en lui.

La sensation de vieillesse éternelle : porter le temps sur le dos dès son premier instant... L'homme reste *droit*, pour se cacher à lui-même combien il est voûté à l'intérieur.

L'ennui : ne pas trouver l'équilibre dans le temps.

*L*e cœur est le lieu où la nuit rencontre le désir de mourir pour se dépasser dans le non-fini...

*N*i les mers, ni le ciel, ni Dieu, ni le monde ne sont un univers. Seulement l'irréalité de la musique...

L'oubli guérit tout le monde, hormis ceux qui ont conscience de leur conscience, phénomène de lucidité qui les situe parallèlement à l'esprit, dans un ultime dédoublement.

*D*ans la mer divine, l'archipel humain n'attend plus que le flux fatal qui le noiera.

On est lié à Dieu, comme une péninsule, par l'orgueil; on lui appartient sans lui appartenir. On voudrait Le fuir, bien qu'on soit une partie de Lui.

Éléments d'une géographie céleste...

*D*ans la tristesse, une seule chose est douloureuse : l'impossibilité d'être superficiel.

*Ê*tre plus «paresseux» qu'un saint...

*L*a passion du mourir naît de tout ce qu'on n'a pas aimé et s'accroît de tout ce qu'on aime, de sorte qu'elle se prolonge avec la même chaleur dans les pensées hostiles à la vie, que dans celles qui lui sont favorables. Elle vous envahit en pleine rue, à l'aube, dans l'après-midi, ou dans la nuit, éveillé ou assoupi, parmi les hommes ou loin d'eux, dans l'espoir comme dans l'absence d'espoir. Pris par ses frissons — semblables à une étreinte ascétique —, on fond intérieurement dans une extase inachevée, en écoutant le vain murmure des ondes du sang et les chuchotements nostalgiques des saisons intérieures.

Si j'arrachais de mon âme une icône du Paradis, elle dévoilerait un monde où les fleurs se ferment et s'ouvrent avec le désir de mourir. Et j'y serais l'humble jardinier de leur agonie.

*C*ertains êtres vivent si intensément en nous, que leur existence extérieure devient superflue, et qu'une nouvelle rencontre avec eux serait une surprise pénible. Vivre est indécent de la part de celui qu'on a adoré. Il doit expier irrévocablement le poids que l'autre avait pris en charge, en *le vivant*. C'est pourquoi il y a des ratés plus grands que de virtuels héros ou que des femmes adorées. Car par la mort ceux qui aiment ne deviennent pas *davantage*, mais ceux qui sont aimés.

*L*e fait d'être homme est à la fois si important et si nul, que seule le rend supportable l'immense souffrance contenue dans cette décision. Sentir qu'il est plus révélateur d'être homme plutôt que Dieu, que cet être mêlé de non-être qui fait la condition humaine est douloureusement significatif, et pourtant être écrasé par les limites palpables d'un drame apparemment incommensurable !

Pourquoi l'égarement humain est-il plus déchirant que le divin ? Pourquoi Dieu semble-t-il avoir tous ses papiers en règle, et l'homme aucun ? Ne serait-ce pas que ce dernier, vagabond entre ciel et terre, risque de souffrir plus que le premier, installé dans le confort de l'Absolu ?

*Q*ue chercher parmi les mortels, lorsque tu joues de l'orgue et eux du pipeau ?

*L*a flûte porte mes regrets vers toutes les femmes que j'avais inventées dans le soupçon nostalgique d'autres mondes. Et c'est toujours elle qui me fait découvrir une existence qui se brise contre tous les instants...

*J*e voudrais mourir, mais je n'ai plus de *place* à cause de tant de mort.

*L*orsqu'on abuse de la tristesse, d'homme on se retrouve poète. — Comment n'être ni l'un ni l'autre ? En parlant de la mort *en prose.*

*S*urpris en plein jour par la terreur délicieuse du vertige, à qui l'attribuer : à l'estomac ou au ciel ? Ou à l'anémie, sise entre les deux, à mi-chemin de la déficience ?
On est triste lorsqu'on manque de distance à son propre sang : de là émane le parfum métaphysique du Rien.

*L*e poids d'une vérité se mesure exclusivement à la souffrance qu'elle cache. Souffrir pour une idée, voilà le seul critère de sa vitalité.
«Les valeurs» vivent du tourment d'où elles sont nées ; une fois celui-ci épuisé, elles perdent leur efficacité, se changeant en formes vides, objets d'étude, présentes *en tant que passées.* Ce qui n'est pas souffrance devient irrémédiablement histoire. Nouvelle preuve que la vie n'atteint son actualité suprême que dans la douleur.

L'horizon funèbre des couleurs, des sons et des pensées nous plonge dans un infini quotidien. Sa lumière solennelle, remplie de l'immensité de la fin, donne une gravité incurable à tout ce qui est superficiel, au point qu'un simple clignement d'yeux devient un reflet de l'Absolu. Et ce n'est pas nous qui ouvrons nos regards vers le monde, mais lui qui s'ouvre à nos regards.

*L*a nostalgie de la mort élève l'univers entier au rang de la musique.

*J*ésus a été trop peu poète pour connaître la volupté de la mort. Mais il y a des préludes d'orgue qui nous montrent que Dieu n'est pas si étranger à la mort, comme nous étions enclins à le croire ; et des fugues qui ne traduisent que l'empressement de cette volupté.

Certains musiciens — comme Chopin — n'ont de lien avec la mort que par la mélancolie. Mais a-t-on besoin d'une médiation, lorsqu'on est à l'intérieur de la mort ? Alors la mélancolie est plutôt le sentiment que la mort nous inspire pour nous attacher à la vie par des regrets...

*L*e prestige du mystère délicat de l'Orient dérive de l'approfondissement de deux choses auxquelles nous ne participons que littérairement : les fleurs et le renoncement.

Les Européens n'en ont pas importé des graines que pour le monde d'ici-bas, mais aussi pour l'autre monde.

*R*ien n'est moins français que la féerie. Un peuple intelligent, ironique et lucide, ne peut pas se permettre de confondre la vie et le paradis, pas même lorsque l'usage légitime de l'illusion trompeuse le demande.

La féerie est le remède le plus consolateur contre le péché. Ne fut-elle pas inventée par les peuples nordiques pour échapper à son goût amer ? Et n'est-elle pas une forme d'utopie faite d'éléments religieux, mais contre la religion (paradoxe définissant toute utopie) ?

Traduisant dans les approximations de l'immanence la nostalgie du paradis, la féerie ne peut être goûtée par ceux qui ignorent cette nostalgie.

À l'instant où les yeux se fixent subitement et violemment vers le ciel, tous les rochers des montagnes n'arriveraient pas à les écraser...

*I*l y a tant d'onomatopées chez Wagner ! La nature étant le cœur.

*L*a mer reflète mieux notre paresse que le ciel. Comme il est agréable de se laisser flatter par ses étendues !

Rien n'est plus pénible que l'infini pour un travailleur. Pour un paresseux, c'est la seule consolation.

Si le monde avait des limites, comment pourrais-je me consoler de ne pas en être le primat ?

*L*es introspections sont des exercices provisoires pour un nécrologue.

«*L*e cœur» devient le symbole de l'univers, en mystique et dans le malheur. Sa fréquence dans le vocabulaire d'un être indique jusqu'où il peut se dispenser du monde. Lorsque tout te blesse, les blessures prennent la place de ce tout. Et ainsi les blessures du cœur remplacent le ciel et la terre.

X

*L*a solitude fait de toi un Christophe Colomb qui naviguerait vers le continent de son propre cœur.
Combien de mâts se hissent dans le sang lorsque seules les mers vous lient au monde! À chaque instant, je m'embarquerais vers les couchers de soleil du Temps.

*U*n sourire inépuisable dans l'espace d'une larme...

*M*a paresse monte jusqu'au ciel. Et je passe des vacances éternelles à l'abri de la paupière divine... Dieu pèse-t-il autant que la mer? Mais pourquoi, lorsque je suis battu par les vagues, la théologie me semble-t-elle une science des apparences?

*L*a mer — vaste encyclopédie de l'anéantissement — est plus étendue que le ciel — pauvre manuel de l'Absolu.

*L*es pensées dangereuses sont précédées d'une faiblesse physique : discrétion du corps devant tout ce qui nie le monde.

*L*a philosophie n'ayant pas d'organe pour les beautés de la mort, nous nous sommes tous dirigés vers la poésie...

*D*ieu n'a pas eu besoin de nous envoyer des bourreaux — il y a tant de nuits sans larmes... À l'aube de la vie tremblent les ombres de la mort. La lumière — n'est-elle pas une hallucination de la nuit?

*E*ntre moi et les gens s'interposent les mers où j'ai sombré en pensée. De même, entre moi et Dieu, les cieux sous lesquels je ne suis pas mort.

*I*l y a tant de gaspillage d'âme dans les parfums, que les fleurs semblent impatientes de rendre leur esprit au Paradis. Et lorsque tous en auront perdu l'image, ils la reconstitueront en s'assoupissant au cœur d'un parfum, ou en apaisant leurs sens dans un regard agrandi par la mélancolie.
Une fois qu'Adam eut détruit le sens du bonheur, le Paradis s'est caché dans les yeux d'Ève.

*T*out ce qui ne prend pas sa source dans la fraîcheur de la tristesse est de seconde main. Qui sait si nous ne pensons pas à la mort pour sauver l'honneur de la vie !

*L*e XVIIIe siècle français n'a dit aucune banalité. La France a d'ailleurs toujours considéré la bêtise comme un vice, l'absence d'esprit comme une immoralité. Un pays où l'on ne peut croire en rien, et qui ne soit pas *nihiliste* !... Les salons furent des jardins de doutes. Et les femmes, malades d'intelligence, soupiraient en des baisers sceptiques... Qui comprendra le paradoxe de ce peuple qui, abusant de la lucidité, ne fut jamais lassé de l'amour ? Du désert de l'amertume et de la logique, quels chemins aura-t-il trouvés vers l'érotisme ? Et, naïf, par quoi fut-il poussé vers le manque de naïveté ? A-t-il jamais existé en France un enfant ?

*E*n musique, les Français n'ont pas créé grand-chose, parce qu'ils ont trop aimé la perfection en ce monde. Or, en fin de compte, l'intelligence est la ruine de l'infini, et donc de la musique...

*I*l est des regards qui semblent destinés à nous consoler de toutes les mélodies que nous n'avons pas entendues...

*L*orsque nous voulons revenir en Dieu, la lumière entre nous et lui se glace. L'homme souffre d'un printemps de l'obscurité.

*D*ans la tristesse tout devient âme.

*L*e ciel, passant à la tombée du soir du bleu au grisâtre, illustre en grand le deuil incomplet de l'esprit.
La folie est une tonalité grisâtre de la raison.

*P*our être heureux dans la solitude, il faut la préoccupation constante d'une obsession ou d'une maladie. Mais lorsque l'ennui dilate les sens dans le vide et que l'esprit quitte le monde, l'isolement devient pesant et fade — et les jours semblent absurdes comme un cercueil pendu à un cerisier en fleur.

L'ennui est la sensation maladivement claire du *temps* qui nous attend, où il faut vivre et dont on ne sait que faire. Tu essaies vainement de te tromper, mais le soleil le dilate, la nuit l'épaissit et l'agrandit, et il s'étale comme une huile qui ternit le brillant de ta peur.

D'où les instants tiennent-ils tant de poids? Comment se fait-il qu'ils ne s'endorment pas au contact de notre fatigue? Quand Dieu enlèvera-t-il le temps à l'homme?

*S*i l'on a été, une seule fois, triste sans raison, on le fut toute sa vie sans le savoir.

C'est étrange comme nous cherchons à oublier par l'amour ce que tous les bleus du ciel et toutes les mythologies de l'âme ne peuvent nous faire oublier. Mais les bras d'une femme ne peuvent pas nous cacher la vérité, bien qu'ils nous tiennent plus chaud que les lumières lointaines de Dieu.
*A*ucun monde n'offre pleinement les tromperies de la vie, seule la peur de s'en réveiller donne ce pouvoir tour à tour à l'un ou à l'autre.

*J*e vis toutes les choses qui sont — et me suis retiré aux frontières du cœur...

*D*ans les pleurs des heures tardives, il me semble entendre les êtres que j'ai tués en rêve...

*O*n ne trouve plus de repos sur la terre que dans les yeux qui ne l'ont pas vue. Je me voudrais embaumé de tous les regards vides du monde.
Au-dessus de chaque pensée s'élève la voûte d'un ciel.

*D*ieu est l'héritier de tous ceux qui sont morts en Lui. Ainsi, l'on se sépare aisément de soi-même et du monde, en le laissant poursuivre le fil de tant de tristesses et d'abandons.

*I*l est possible que les hommes n'aient pas été chassés du Paradis, il est possible qu'ils aient toujours été ici. Ce soupçon, qui a sa source dans la connaissance, me les fait fuir. Comment respirer à l'ombre d'un être qui ne souffre pas des souvenirs célestes?
On arrive ainsi à calmer sa tristesse ailleurs et oublier avec dégoût d'où vient l'homme.

*C*haque instant me semble une répétition du Jugement dernier, chaque endroit dans le monde une marge du monde.

*C*elui qui ne connaît pas la tentation est un raté. C'est par elle qu'on vit; c'est par elle qu'on se trouve à l'intérieur de la vie.
Lorsqu'on en a fini avec le monde, les tentations célestes nous enchaînent, comme une preuve de la dernière réserve de vitalité. Avec Dieu, nous manquons le ratage inscrit dans l'excès d'amertumes.
Et lorsque celles-ci ont asséché nos sens, une sensualité du cœur remplace, subtilement, l'agitation aveugle du sang. Le ciel est une épine dans l'instinct; l'absolu, une pâleur de la chair.

*L*a vie me semble si étrange depuis que je ne lui appartiens plus!

*D*es années de souffrance, des pensées liées au ciel et à la terre passent, sans qu'on s'interroge sur le but de ce vide dénommé *air* et qui s'interpose si vaguement entre ces deux réalités apparentes. Tout d'un coup, dans un après-midi lourd d'ennui et d'éternité, son immensité impalpable se révèle, irrésistible et torpide. Et l'on s'étonne alors d'avoir cherché des étendues pour se noyer, quand le ciel, vaste espace diaphane, nous appelle au déchirement et à la perdition.

*M*a cosmogonie ajoute au néant initial une infinité de points de suspension...

*T*ant que les hommes ne renonceront pas aux charmes trompeurs de l'avenir, l'histoire continuera d'être un harcèlement difficile à comprendre. Mais pouvons-nous espérer qu'ils tourneront de nouveau les yeux vers l'éternité de la non-attente, chacun faisant de son destin comme un puits artésien ? Sauront-ils parvenir à un devenir vertical ? Et le fleuve du processus universel, fera-t-il jaillir ses gouttes vers les hauteurs, convertissant son cours vainement horizontal dans l'atteinte vaine du ciel ?
Quand l'humanité retombera-t-elle en elle-même, à l'instar de ces fontaines ? Quand donnera-t-elle un autre cours à ses illusions trompeuses ?
Si la vie se prolongeait comme si de rien n'était ! Mais les hommes — en se multipliant — continuent d'invoquer l'excuse de l'avenir.

S'il faut choisir entre les erreurs, Dieu reste quand même la plus consolante, celle qui survivra à toutes les vérités. Car elle a pris forme au point où l'amertume devient éternité, tout comme la vie — erreur passagère — naquit au croisement de la nostalgie et du temps.

*P*ourquoi, lorsque la fatigue s'approfondit jusqu'au rêve, je comprends les plantes mieux que les hommes ? Pourquoi les fleurs ne s'ouvrent-elles que la nuit ? Et pourquoi aucun arbre ne pousse-t-il dans le temps ?
Serais-je passé avec la nature du côté de l'éternité ?

*L*a mélancolie est la limite de poésie que nous pouvons atteindre à *l'intérieur* du monde. Elle ne contribue pas seulement à notre élévation, mais aussi à celle de l'existence elle-même. Car celle-ci s'ennoblit doucement jusqu'à l'irréalité, devenant *davantage* en s'approchant d'un état de rêve. L'irréalité est un excédent ontologique de la réalité.

*S*euls les êtres qui n'appartiennent plus au monde reconnaissent l'existence. Ces femmes qui n'ont pas manqué l'occasion secrète de mourir chaque jour de mélancolie... Comme si l'on n'avait jamais aimé que Lucile de Chateaubriand...

Il me semble parfois que je découvrirais facilement tous les secrets du monde, sauf celui du déracinement du monde.

La noblesse de l'âme vient de l'inadaptation à la vie. Comme nos affections grandissent auprès des cœurs blessés !

D'où partirait la sensation de l'amoncellement infini du temps, de cette invasion de la vieillesse au milieu de la jeunesse et de ses illusions ? Par quel douloureux secret devient-on un Atlas du temps à l'âge des illusions ?

Rien de ce que tu as vécu inconsciemment ne te pèse ; les instants sont morts *vivants* en toi, et il n'en est resté que des cadavres sur le chemin des espoirs et des erreurs.

Mais tout ce que tu as su, toute la lucidité inhérente au temps, forment un poids sous lequel les élans s'étouffent.

La vieillesse prématurée, l'infinie fatigue sur des joues encore vermeilles, résultent de tous les moments qui ont monstrueusement accumulé l'écoulement du temps à la surface de la conscience.

Je suis vieux par tout ce qui n'est pas *oubli* dans mon passé, par tous les instants que j'ai soustraits à l'ignorance parfaite de la temporalité, que j'ai contraints d'être seuls avec moi et moi seul avec eux.

Dans ma tête se brisent les blasphèmes du devenir, dont l'inconscience ne permet plus le viol cruel de la lucidité, et que le temps se venge d'avoir sorti de son ornière.

Mon Dieu, à quand un nouveau déluge ? Quant à l'arche, tu peux envoyer autant de navires que tu veux, je ne serai pas un descendant de la lâcheté de Noé !

*L*es êtres surmenés par leur propre présence ressentent intensément le désir de mourir. En te plaçant au centre de ton obsession, saturé de ton moi, tu as besoin de lui échapper. Ainsi, les élans descendants de la mort défont les compositions de l'individuation.

*L*e malheur des gens est qu'ils ne peuvent regarder vers le ciel que de travers.

Si les yeux se tournaient perpendiculairement aux cieux, l'histoire aurait pris un autre visage.

La maladie? Une qualité transcendante du corps.
Quant à l'âme, elle est *malade*, par le simple fait qu'elle *est*.
La pathologie s'occupe des invasions psychiques dans les tissus.

Des nuages qui pensent, et qui semblent tout aussi étrangers à la terre qu'au ciel... Ruysdael.
Tout est possible dès l'instant où tu as lâché les rênes du temps.

Sers-toi de la raison tant qu'il est encore temps.

Il y a tant de brouillard dans le cœur de l'homme, que les rayons de n'importe quel soleil, une fois entrés, n'en reviennent plus. Et il y a tant de vide dans ses sens dissipés, qu'on y voit errer des colombes folles, les ailes déchirées par les vents, sur les chemins qui le rapprochaient du monde.

De quelles couches du non-être le spleen des jours vient-il, pour pouvoir nous dégriser jusqu'à la terreur de l'assoupissement de l'être?
Arriverons-nous un jour jusqu'aux sources de l'ennui? Déchiffrerons-nous la démence languissante de la chair et le malheur d'un sang brouillé?
Comme s'effrite la substance de la vie, dans ce mystère plaintif, comme l'ennui omniprésent sait tarir les fontaines de l'existence, parodiant négativement le principe divin! L'ennui est aussi vaste que Dieu — et plus actif que Lui!

Sans Dieu, la solitude serait un hurlement ou une désolation pétrifiée. Mais, avec Lui, la noblesse du silence apaise notre hébétude devant les choses inconsolées. Après avoir tout perdu, nous retrouvons notre équilibre en éternisant notre rêverie dans Ses allées défeuillées.
Seule la pensée de Dieu me tient encore debout. Lorsque j'anéantirai ma fierté, pourrai-je me coucher dans son berceau miséricordieusement profond, et endormir mes insomnies, consolées tant qu'Il veille?

Au-delà de Dieu ne nous reste que le désir de Lui.
Toute fatigue cache une nostalgie de Dieu.

Comment peuvent discuter ensemble deux hommes dont les souffrances ne sont pas à égale distance de Dieu? Que se disent deux êtres chez qui la mort n'est pas élevée au même niveau? Que lisent-ils dans leurs regards lorsque chacun reflète un autre ciel?

Nous ne connaissons les autres que pour rester plus seuls avec Dieu.

Un architecte exilé de la terre pourrait construire, de nos amertumes, un monastère au ciel.

Le manque d'orgueil vaut autant que l'éternité.

La malchance des hommes qui se sont cherchés toute leur vie est de ne jamais se retrouver, pas même en Dieu. — L'humilité vaste et apaisée est le seul moyen de transformer la fatigue d'être en vertu.
Qui veut ne plus *être*, exprime *négativement* une aspiration à tout. Désirer le néant satisfait décemment un goût secret et trouble pour la divinisation. On ne s'anéantit en Dieu que pour être Lui-même. — Les voies mystiques passent par les secrets les plus douloureux de la fierté de la créature.

Pourquoi dans l'illumination incurable de la mort, je me sens moins seul qu'au sein de la vie? Il y a un désastre si implacable dans la conscience qu'on va mourir, qu'il console de l'absence des hommes et des vérités.
Les accords de l'orgue et la nostalgie de la mort mêlent l'éternité au temps jusqu'à la promiscuité. Tant d'absolu égare en devenirs, et une âme chétive pour porter tant de ciel et de terre!

On meurt de l'essentiel, lorsqu'on se détache de tout.

Dieu? Le néant hypostasié en consolateur. — Un souffle positif dans le Rien, mais pour lequel on voudrait saigner comme un martyr... dispensé de la mort.

Il se peut que l'ultime secret de l'histoire humaine ne soit autre que la mort en Dieu et pour Dieu. Nous nous éteignons tous dans ses bras, les athées en tête.

*L*a sensation étrange que toutes mes pensées se sont enfuies en Dieu, qu'il me garde l'esprit lorsque je l'ai perdu.

Ou que, égaré à l'intérieur de Lui, une soif d'apparences m'empêche de respirer.

L'incompatibilité entre Dieu et la vie constitue le drame le plus cruel de la solitude.

*M*on Dieu! Il n'y a que Toi qui me restes! Toi — vestige du monde, et moi, de moi-même. Écume de mes abandons, je voudrais en Toi mettre fin à mon esprit et en finir avec les troubles vains. Tu es le tombeau dont on rêve aux heures défavorables à l'être et le berceau suprême des immenses fatigues.

Répands des odeurs soporifiques sur mes révoltes irréfléchies, absorbe-moi en Toi, tue mon élan vers les aubes et les appels, noie la folle élévation de ma pensée et rase mes sommets illuminés par Ta proximité! Étends Tes ombres, couvre-moi d'obscurités hostiles, je ne Te demande pas la grâce divine des instants miséricordieux, mais le flétrissement éternel et âpre, et la générosité de Ta nuit.

Fauche mes espoirs, afin que, désert en Toi, absent à moi-même, je n'aie plus de contrées dans Tes étendues!

*A*près avoir lu les philosophes, on se retourne vers les enfantillages absolus de l'esprit, murmurant une prière pour s'abriter en elle.

C'est comme si un dernier reste de la substance pure de la nuit, celle que Dieu a contemplée de ses yeux pour la première fois, finissait en toi...

*I*l est de ces nuits blanches qui durent si longtemps, qu'après elles le temps n'est plus possible... Celui qui, dans son agitation, accumule les éléments douloureux du monde, ne connaît plus en rien de début ni de fin. *N'importe quoi* devient éternel. Le non-accomplissement dans la souffrance des choses atteint la qualité de l'éternité.

Lorsqu'on n'a jamais été de plain-pied avec la vie : tantôt en excès, en dépassant ses limites, tantôt par défaut, en se traînant au-dessous d'elle. À l'instar de ces rivières qui n'ont pas de lit : elles se déversent ou tarissent.

Ancré dans le plus ou dans le moins, on est prédestiné au malheur, comme tout être arraché de la ligne de l'existence. *Être* est un obstacle pour l'infini du cœur.

Qu'il est mystérieux, ce phénomène par lequel un homme croît au-dessus de lui-même ! En se réveillant, il ne voit plus personne autour de lui. Il dirige ses regards vers le ciel, la hauteur la plus proche. En matière de solitude, l'homme n'a plus à apprendre que du Très-Haut.

L'esprit fleurit sur les ruines de la vie.

On dit : un tel connaît Spinoza, ou Kant, etc. Mais je n'ai entendu personne dire : celui-là *connaît* Dieu. Et pourtant, cela seul peut intéresser.

Lorsque, la nuit, ton esprit s'ouvre à une vérité, l'obscurité devient légère comme l'espace diaphane d'une évidence.

La maladie accorde à la vie, avec la puissance de l'inévitable et le prestige de la fatalité, une dimension vers l'illimité, qui alourdit douloureusement et noblement le rythme de l'être. Tout ce qui est profond vient de la proximité de la mort.

Et lorsqu'on n'est pas malade de ses maladies, mais de la présence d'autres mondes dans le principe de son existence... Une fatigue divine semble descendre au cœur de l'être... la moelle de la vie comme surmenée par le ciel...

La terreur est une mémoire du futur.

Ces tressaillements de méchanceté funèbre lorsqu'on voudrait tuer l'air... et qu'un sourire fait trembler, comme les mains des morts dans les cauchemars.

Vivre n'est pas une noblesse. Mais s'envelopper dans un nimbe d'anéantissements...

C'est en vain qu'on court après l'existence et la vérité. Tout est néant, une ronde d'hallucinations sans rythme. Ce qui fait qu'une chose est, c'est notre état de fièvre, et la vivacité de nos ardeurs projette des vérités sur un monde d'absences. Le souffle de la substance qui transforme en réalité le non-être du monde émane de nos intensités. Si nous étions plus froids ou plus calmes, rien ne serait. Les feux intérieurs soutiennent la solidité apparente du monde, animent le décor vide et sont les véritables architectes de la vie. Le monde est une prolongation extérieure de notre flamme.

*D*ieu pardonnerait-il à l'homme d'avoir poussé si loin son humanité ? Comprendra-t-il que ne plus être homme est le phénomène central de l'expérience humaine ?

*E*xister — c'est-à-dire colorer affectivement chaque instant. Par des nuances de sentiments, nous concédons une réalité au rien. Sans les dépenses de l'âme, nous vivrions dans un univers blanc : car les « objets » ne sont que les illusions matérielles d'excès intérieurs.

*L*e dernier degré de notre perte du printemps : Dieu.

L'esprit étant un manque *positif* de la vitalité, les idées qui surgissent de lui sont, par compensation, gravides.

*M*oins les désirs sont spécialisés, plus vite nous réalisons l'infini par *les sens*. Le vague dans les instincts dirige irrévocablement vers l'absolu.

*L*a suggestion de l'infini mélodique de la mélancolie naît du souvenir du temps où nous n'étions pas et du pressentiment du temps où nous ne serons plus.

*L*e cœur n'est pas forgé selon la petitesse du monde. Saurais-je le suivre vers le ciel ? Ou l'utiliserai-je seulement comme une glissade vers la mort ?

Une fois purifié du temps, on n'est plus ouvert qu'aux souffles divins.

Ce délire secret et immense par lequel on maintient *en vie* un univers voué à la dissolution, l'impulsion douloureuse et irrésistible insufflant espoir et mouvement à la terre et aux créatures, renforçant les faiblesses de la chair et déviant l'esprit de la passion du rien — quelles sèves secrètes le poussent au milieu du monde et de sa désolation pour refaire l'édifice cosmique et la gloire de la pensée ?

La création n'est-elle pas l'ultime réaction devant la ruine et l'irrémédiable ? L'esprit ne ressuscite-t-il pas à proximité du dénouement et des impasses du destin ? — Autrement, pourquoi *la chute* ne vient-elle pas, pourquoi restons-nous debout lorsque tout est devenu *un* par la monotonie du dégoût et du rien ?

$\grave{A}$ souffrir fortement des inaccomplissements de la vie, on ressemble au naufragé qui fuirait le rivage : on en arrive à ne chercher que les vagues et la nage sur l'étendue infinie des ondes.

———————————XI

————————————— *L*a mélancolie : le temps devenu affectivité.

*J*e voudrais vivre dans un monde de fleurs blessées par le soleil et qui, le visage tourné vers la terre, ouvriraient leurs pétales dans la direction contraire à la lumière. La nature est une tombe, et les rayons du soleil nous empêchent de nous y allonger. En nous déviant de la substance de la mort, ils nous plongent dans la crise de l'inessentiel. Dans la lumière, nous sommes notre apparence : dans l'obscurité, nous sommes le maximum de nous-mêmes, et à cause de cela nous ne sommes plus.

L'ennui : tautologie cosmique.

*Q*ui n'a jamais écouté l'orgue ne comprend pas comment l'éternité peut *évoluer.*

*S*i tout ce que j'avais en vain offert aux hommes, je l'avais dépensé en Dieu, comme je serais loin maintenant !

*Q*ue la vie ne reçoive une qualité d'existence que par nos intensités, n'est-ce pas la preuve la plus sûre du vide du monde lorsque l'amour est absent ? Sans les tentations érotiques, le rien est l'obstacle de chaque instant. Mais les contours fragiles de l'amour obligent le monde à *être* et ses passions mettent une sourdine au néant.
L'absence d'amour correspond à un défaut d'existence, et le silence de l'éros purifie l'univers du naturel. L'ennui n'est-il pas une vacance de l'amour, une pause dans son indispensable illusion démiurgique ? Et ne nous ennuyons-nous pas en raison d'une insuffisance de délire ? Celui-ci introduit une note d'être dans la

monotonie du rien. L'univers jaillit des dernières vibrations de
l'âme, l'envol des pensées passionnées le recrée sans cesse.
Au cœur de l'ennui, *nous savons* que l'existence n'a pas eu la
chance d'être ; dans ses intermittences, nous oublions tout et *nous
sommes.*

*P*ortant avec un douloureux effort
le fardeau de leur propre être, tes semblables sont plus fatigués de
toi que toi-même.

À un certain degré de détache-
ment du monde, les hommes n'existent que par l'excès de la
mémoire, et soi-même par les vestiges de l'égoïsme.

*C*omment regardent-ils le ciel,
ceux qui n'ont pas de regrets ?

*P*our aimer, il faut oublier que
nos semblables sont des créatures ; la lucidité ne rapproche que
de Dieu et du néant. Sont heureux seulement ceux pour qui
l'amour est un tout qui ne leur dévoile rien, ceux qui aiment dans
un frisson d'ignorance et de perfection.
Vu de l'horizon du monde, Dieu est tout aussi loin que le néant.

*C*et envahissement vaste et
accablant de certains matins, quand il nous semble nous réveiller
avec le savoir des secrets ultimes, avec la fièvre épuisante de la
connaissance et de la vision finale — ou ces nuits, diluées dans un
violet vacillant, qui s'offrent à nous languissantes et parfaites
comme des jardins de l'esprit...
Qui aurait les mots pour dire *l'impossibilité de ne pas tout savoir* ?
Et combien d'instants de bonheur déchirant pour la connaissance
compte-t-on dans la vie ? Aucun voile ne cache plus aucune chose.
— Mais revenons aux secrets, pour pouvoir respirer...
Pourquoi les après-midi ont-ils plus d'objectivité que la tombée
des nuits ? Pourquoi le crépuscule est-il intérieur, pourquoi le
trop-plein de lumière reste-t-il en dehors de nous, en lui-même ?
... L'évocation de la fin représente un progrès dans la subjectivité.
La vie *comme telle* ne se passe pas dans le cœur : mais uniquement la mort. C'est pour cela qu'elle est le phénomène le plus sub-
jectif — quoique plus universel que la vie.
Si j'avais davantage de constance en Dieu ! Quels restes de vie me

retiennent encore en Lui en tant que moi? Si je pouvais m'absenter en Son *sein*!

*L*es nuages blancs et immobiles qui recouvrent le ciel de la folie... En regardant souvent l'absence de nuances sombres, le gris clair des hauteurs, il semble que l'on ait projeté sur les voûtes célestes les ombres croupies du cerveau et les pâleurs de l'esprit.

*L*es abîmes de l'homme n'ont pas de fond parce qu'ils descendent en Dieu.

C'est Dieu qui nous regarde à travers toute larme.

*M*on Dieu! Par quoi ai-je mérité le bonheur surnaturel de cet instant où je me suis fondu dans les cieux? Verse sur ma tête des douleurs encore plus grandes, si elles ont une telle récompense! Ai-je perdu ma trace parmi les anges? Fais que je ne me rencontre plus jamais avec moi-même! Aide-moi à noyer mon esprit dans le paradis des sens, rendus fous par le ciel!

L'homme n'a pas le droit de se croire perdu tant que le désespoir lui offre encore la destruction voluptueuse en Dieu.

*U*ne fois que les désirs deviennent évanescents, on arrive à vivre par le consentement donné à chaque instant. Contraint de s'accorder l'existence à soi-même, on agrandit l'espace entre soi et le monde dans la répétition incessante de l'effort.
La vigilance de l'esprit étouffe la décision d'être du temps devenu fou. L'éventail du temps ne nous engloutirait-il pas si nous ne l'apaisions dans l'effort de consentir à la nature?
Les autres êtres *vivent*; l'homme *fait des efforts* pour vivre. C'est comme si l'on se regardait dans la glace avant chaque action. L'homme est un animal qui *se voit vivre*.

L'idée est une sorte de mélodie qui a fait fortune.

*L*a pensée projette le néant comme une consolation suprême, sous la pression d'un orgueil infini blessé. En voulant être le tout, et le tout s'y opposant, que ferait-on sans la dimension absolue de l'absence ?

Les affres de la fierté démesurée volatilisent la nature et auréolent le néant du prestige de la grandeur, où la passion de l'orgueil s'apaise. Le non-être est une splendeur funèbre qui éteint nos jalousies divines. L'évocation du néant satisfait notre goût pour l'Absolu subjectif, tout comme la grâce de la mort exauce celui de l'harmonie dans le désastre.

*Q*uand parviendrai-je à m'habituer à moi-même ? Tous les chemins mènent à cette Rome intérieure et inaccessible — l'homme est une ruine *invincible*. Qui aurait déversé tant d'enthousiasme dans ses déceptions ?

*V*ivre *au sens ultime* : devenir un saint de sa propre solitude.

Ensorcelé dans ton isolement, tu entends que les heures se sont arrêtées et que l'Éternité commence à battre. Et Dieu sonne les cloches vers ton ciel...

*L*a solitude est l'aphrodisiaque de l'esprit, comme la conversation celui de l'intelligence.

*I*l y a tant de façons de mourir dans la musique intérieure, que je ne trouverai plus ma fin... On n'est cadavre que dans l'absence de sonorités intérieures. Mais lorsque les sens vibrent sous elles, l'empire du cœur dépasse celui de l'être, et l'univers devient fonction d'un accord intérieur, et Dieu la prolongation infinie d'une tonalité.

Lorsque, au milieu d'une sonate, on maîtrise difficilement un «Mon Dieu! si ça ne finissait plus!», une folie sonore vous aspire vers l'état divin. — Que je m'exile *là*, avec toute la musique...

L'homme est si seul que le désespoir lui semble un nid et la terreur un abri.

En vain cherche-t-il un sentier dans la broussaille de l'être, il reste affligé, le visage tourné vers les impasses de son propre esprit. Car en lui, la lumière ne fut pas séparée des ténèbres. Par ce qui couronne la Création, l'esprit, l'homme appartient aux débuts du monde.

Rien ne dépoussiéra sa conscience des nuits du temps. La noblesse de son sort ne grandit-elle pas dans cette hérédité nocturne ?

L'homme a de son côté trop de nuits...

*C*haque fois que m'enlacent les sortilèges de l'ennui, je tourne les yeux vers le ciel. Et je sais alors que je vais mourir un jour de spleen, en plein jour, sous l'œil du soleil ou des nuages...

« ... S'il est possible, éloigne de moi cette coupe. » La coupe de l'ennui...

Je voudrais crier moi aussi « Père » ; mais vers qui, quand l'Ennui est lui-même une divinité ?

Pourquoi a-t-il fallu que j'ouvre les yeux sur le monde pour le découvrir comme un Gethsémani de l'Ennui ?

*L*a terre est trop stérile pour offrir les poisons impitoyables et languissants qui me libéreraient de cette occupation qu'est l'existence... Que des dissolutions célestes émanent des arômes enivrants du Rien, que des hauteurs tombent des flocons anesthésiants sur des blessures qui ne se referment plus... Ou que des pluies d'au-delà le monde, des pluies venimeuses, ruissellent à travers un azur dément sur l'étendue malade de l'esprit...

Mon Dieu ! je ne dis pas que tu n'es pas ; je dis que moi je ne suis plus.

*S*i le néant donnait seulement un goût pervers de l'absolu ; mais en te donnant un douloureux complexe de supériorité — il te fait regarder en bas, vers l'être, et te consoler de la nostalgie par le mépris.

*D*u « moi », ne devraient parler que Shakespeare ou Dieu.

*E*ntre deux êtres qui se trouvent au même degré de lucidité, l'amour n'est pas possible. Pour que la rencontre soit « heureuse », il faut que l'un d'entre eux connaisse de plus près les délices de l'inconscience. Un même éloignement de la nature les rend également sensibles à ses ruses ; d'où une gêne à l'égard des équivoques de l'éros et surtout une réserve dans cette inévitable complicité. Lorsque les tromperies de l'existence n'ont plus rien d'imperméable à nos yeux, il est bon que la femme soit près de l'état d'innocence. L'amour ne peut pas se *consommer* entre deux absences d'illusions : l'un des deux au moins doit *ne pas savoir*. L'autre, victime des lucidités de l'esprit, surveille la volupté de ce prochain *identique*, et s'oublie lui-même par contamination.

Le renversement chaotique des sens, avec l'extase implicite et superficielle, ressemble à une concession pénible, où les secrets de la vie sont transparents pour l'homme et la femme. Ils semblent s'accorder pour ne pas déroger à la vigilance de l'esprit, mais ne réussissent qu'à contempler leur oubli et diminuer par la pensée le charme de la dissolution à deux. Ainsi la lucidité introduit une note crépusculaire dans les soupirs de cet absolu à bon marché.

*N*i les désillusions, ni la haine, ni l'orgueil ne nous dispensent des hommes au même degré que les forces de l'âme, qui se rendent maîtresses de nous avec la violence d'une subite révélation. Que pourrait-on dire alors à quelqu'un, et pourquoi le lui dire, lorsque le frémissement intérieur est comme un fleuve qui coulerait tout d'un coup vers le haut ?

Les vagues d'un bonheur vertigineux nous projettent hors des hommes, en multipliant notre identité, et effacent les sourires destinés aux femmes ou aux amis. Le moi se perd dans son infini, la vie s'amplifie en intensités qui la font hésiter entre plusieurs mondes. De tout ce que tu fus, il ne reste qu'un souffle pathétique. L'infini de la nuit semble une borne à l'horizon de cette dilatation, et l'on désire l'extinction comme une limite, l'agonie comme un terme. Qui aurait greffé l'infini sur un pauvre cœur ?

*L*es hommes manquant de poésie, où jeter l'ancre ailleurs que dans la mort ? Quel prestige l'imminence du non-être ne projette-t-elle pas sur le paysage fade et pâlot de l'être ?

Le désir de se noyer, de s'élever au ciel en se balançant au bout d'une corde, ou de mettre tumultueusement fin à sa vie, part d'un degré sublime de l'ennui — flûte au fond de l'enfer.

Tirer des instants un chant de perdition, inventer, dans le spleen du temps, des venins transcendants, éparpiller ses démons dans le sang et dans le devenir...

Le but métaphysique du temps est de nous décharger du fardeau de l'individuation. *Être* est une entreprise difficile parce que nous *montons* vers le non-être : un vide qui s'élance vers une suprême dégradation de l'existence.

Le temps est une *montée* vers le non-être.

*P*ar tous les sens, j'aspire aux délices de la fin... Quel désir de secrets accomplissements me pousse vers elle ? Comment ne pas découvrir la grandeur de la mort après avoir été trahi par la vie !...

*C*elui qui a vu à travers les hommes et à travers lui-même, devrait, de dégoût, bâtir une forteresse au fond des mers.

*O*n ne rencontre le malheur que dans un tempérament essentiellement contradictoire.

*C*elui qui est fatigué de lui-même fatigue ses semblables, qui tout autant le fatiguent.

*L*es déceptions réitérées supposent des ambitions inhumaines. Les hommes vraiment tristes sont ceux qui, ne pouvant tout renverser, se sont acceptés comme ruines de leurs idéaux.

*L*e temps est la croix sur laquelle l'ennui nous crucifie.

*D*ans l'envahissement des sortilèges et dans les souffles d'extase qui éparpillent mes désirs vers l'illimité, le dégoût de moi-même est mon seul barrage.

Que faire avec *tant de moi* ?

*B*ach est un décadent mais *dans le sens céleste*. C'est seulement ainsi que s'explique la décomposition solennelle qu'on ressent inévitablement chaque fois qu'on rencontre le monde qu'il a créé.

*A*u fur et à mesure que l'ennui épaissit le temps, il amincit les choses en qualités transparentes.

La matière ne résiste pas à cette impitoyable défiguration.

S'ennuyer signifie voir à travers les objets, volatiliser la nature.

Même les rochers se dissolvent en fumée lorsque ce mal qu'est la lucidité s'attaque à eux.

*J*e ne me connais pas de sensation que je n'aie enterrée dans la pensée. (L'esprit est le tombeau de la nature.)

*L*e suicide — comme toute tentation de salut — est un acte religieux.

*L*a sincérité, étant une expression de l'inadaptabilité aux équivoques essentielles de la vie, dérive d'une vitalité hésitante. Celui qui la pratique ne s'expose pas au danger, comme on le croit en général : il est déjà en danger, comme tout homme qui sépare la vérité du mensonge.
Le penchant vers la sincérité est un symptôme maladif par excellence, une *critique* de la vie. Qui n'a pas tué l'ange en lui est destiné à périr. Sans erreurs, on ne peut respirer ne serait-ce qu'un instant.

*L*es yeux éteints ne se rallument qu'au désir nostalgique de la mort ; le sang ne s'enflamme que dans une hymne d'agonie.
Suis-je en train de descendre ou de monter sur les pentes de l'être ?

*U*n animal qui a vu la vie et qui veut encore vivre l'homme. Son drame s'épuise dans cet acharnement.

*D*ans un cœur où le rien s'est installé, l'irruption de l'amour est si ineffablement déchirante qu'elle ne trouve pas de terrain pour s'épanouir. S'il s'agissait seulement de conquérir une femme, comme ce serait facile ! Mais défricher son propre néant, se rendre dans la haine péniblement maître de son âme, frayer à son amour un chemin vers soi-même ! Cette guerre — qui jette avec hostilité contre soi — explique pourquoi l'on ne voudra jamais se tuer plus cruellement que dans les frissons de l'amour.

*C*hez Beethoven, il n'y a pas assez de charme langoureux, ni de fatigue...

*L*a dernière subtilité du Diable : la différence entre l'enfer et le cœur.

*D*ans les grandes souffrances seulement, lorsqu'on est *trop près* de Dieu, on réalise combien est vain le rôle de médiateur de son Fils, et mineur le destin que cache le symbole de la Croix.

L'esprit doit presque tout aux souffrances physiques. Sans elles, la vie ne serait plus que de la vie.
Mais la maladie apporte quelque chose de *nouveau*. N'est-elle pas la cinquième saison ?
Le Nirvâna quotidien par la pensée et la douleur...

*L*orsqu'on porte tant de musique dans un monde sans mélodie...
L'homme n'est pas un animal fait pour la vie : c'est pourquoi il dépense tant de vitalité dans le désir de mourir.

L'irréalité de la vie n'est nulle part plus troublante que dans les désespoirs du bonheur. D'où *l'ineffable* douloureux de l'amour.
Toute la poésie des voix intérieures se réduit à l'impossibilité de séparer le désir de vie du désir de mort.
Les espoirs sont comme des nids douillets pour les fins. Vivre et mourir : deux signes pour la même illusion.

*T*outes les larmes qui ne furent pas pleurées se sont déversées dans mon sang. Mais moi, je n'étais pas né pour tant de mers ni pour tant d'amertume.

*J*e ne trouve pas la clé de ce fait : dans la joie inspirée, nous imitons Dieu, et dans la tristesse, nous restons avec les cendres de notre propre substance.

*U*ne réflexion doit avoir quelque chose du schéma intérieur d'un sonnet. L'art d'abréger les déchirements... l'intervention de l'architecture dans nos démembrements musicaux...

*L*a tristesse — un infini *par faiblesse*, un ciel de déficiences...

*L*a vie de l'homme se réduit aux yeux. Nous ne pouvons rien attendre d'eux, sans une réforme du regard.

L'amour est de la sainteté plus de la sexualité. — Rien ni personne ne peut adoucir ce paradoxe abrupt et sublime.

*H*amlet n'a pas oublié d'énumérer l'amour parmi les «maux» qui rendent le suicide préférable à la vie. Mais il parle des «souffrances de l'amour méprisé». — Combien plus grand serait le célèbre monologue s'il disait uniquement : l'amour!

*S*ur les bords de la mer, la sécheresse intérieure des jours déserts totalise — *dans la même soif* — le désir de bonheur et de douleur. Toujours, sur ses bords, on se dispense *religieusement* de Dieu...

*L*a Méditerranée est la mer la plus calme, la plus honnête et la moins mystique. Elle s'interpose — par son *absence* de vagues — entre l'homme et l'Absolu.

*P*arce qu'elle est *seule*, la femme *est*.

*L*a force d'un homme vient des inaccomplissements de sa vie. Grâce à eux, il cesse d'être *nature*.

*L*a définition de l'Envoûtement passe par Wagner. Il a introduit les points de suspension en musique, l'interminable dissolvant... et la rechute sourde des motifs dans un souterrain mélodieux et indéfini. Une neurasthénie du... sang, chez un artiste qui avait projeté ses nerfs avec faste et grandeur dans la mythologie.
Et c'est pourquoi, dans l'enchantement wagnérien, des vagues lointaines pleines de crépuscule déferlent sur des fronts fatigués, et versent dans les veines assoupies des remèdes de perdition et de rêve.

*L*es coups secs et violents de la mort bariolent le paysage grammatical de l'existence, tel que le peint l'ennui par excès de système, et pour pallier l'absence de surprises, ils nous mettent aux aguets, installant le poste de garde dans notre angoisse.

*P*ar ennui, en un long processus, nous pouvons jeter l'ancre en Dieu. *En soi*, il n'est qu'une *absence de religion*.

*E*n pensant au style, nous oublions la vie : les efforts d'expression dissimulent les difficultés de la respiration ; la passion de la forme étouffe l'ardeur négative de l'amertume ; le charme de la parole nous libère du fardeau de l'instant ; la formule diminue les défaillances.
La seule issue pour ne pas tomber : connaître tous tes achèvements — épuiser tes poisons en esprit.
Si l'on avait laissé les chagrins à l'état de *sensations*, il y a beau temps qu'on n'existerait plus...

L'esprit ne sert la vie que par *l'expression* : forme par laquelle elle se défend contre son propre ennemi.

*L*a fatigue des après-midi, avec la patine de l'éternité dans l'âme et le souffle du vertige au milieu d'un jardin touché par le printemps...

L'éternité est la serre où Dieu se fane depuis les commencements, et l'homme, de temps en temps, par la pensée.

*L*orsque la vitalité ne se distingue pas des faiblesses, mais se perd en elles, cela donne la composition intérieure d'un homme contradictoire. Faire de la psychologie *sur le compte de quelqu'un* signifie même dévoiler le manque de pureté des forces qui l'agitent, le mélange bizarre et imprévu des éléments. Du point de vue théorique, nous avons peine à envisager la combinaison de barbarie et de mélancolie décadente, de vitalité et de vague, d'instinct et de raffinement. Mais, en réalité, tant de gens restent torturés par une baisse crépusculaire de la vie au sein de réflexes encore sûrs!
Ces longs désirs, qui embrassent les déroulements cosmiques et les parent des incertitudes du rêve — d'où partiraient-ils si nos impulsions radicales ne descendaient et ne montaient pas la pente de nos faiblesses? Et les désirs, pourquoi n'ont-ils pas un cours ferme? Qui fait le lien entre les pulsions, si ce n'est le mélange des affirmations et des négations du sang? — Si nos instincts avaient une direction, et nos faiblesses une autre, ne serions-nous pas deux fois parfaits, n'atteindrions-nous pas la perfection de deux manières? La rencontre paradoxale des penchants, l'inextricable lien des irréductibles créent cette tension qui compose et décompose si étrangement un être. — Et il n'est pas facile de porter les enfers doux et enivrants de la décadence sous le ciel monotone et frais de la barbarie, de se débrouiller dans la jeunesse avec le poids d'une immense vieillesse, de traîner des fins de siècle dans le frisson des aubes! Quelle étrange destinée que celle des êtres qui fleurissent en automne, ayant perdu les saisons de la vie dans l'éternité désaxée des instants.

*P*ourquoi tourner les yeux vers le soleil lorsque tes racines font battre le pouls de la mort? Avec

quelle furie et quelle douleur te jetteras-tu dans les abysses divins! Point de limite dans l'esprit ni d'horizon dans le monde pour arrêter la traînée du désespoir dans le désert de Dieu, ni de paradis qui fleurisse désormais sur leur malheur commun. Le Créateur rendra son dernier souffle dans la créature — dans la créature sans souffle.
Quel goût de cendres émane d'au-delà les mondes!

*E*n tête-à-tête avec le Diable. — Pourquoi se montre-t-il plus rarement que Dieu? Ou vit-on trop *diaboliquement* ce dernier, en sorte que cet étrange mélange rende superflue la révélation de l'essence pure de Satan?
La voie des désirs quotidiens monte de la terre au ciel. Le chemin inverse est plus rare. C'est pourquoi le Diable est une *éventualité terrible*, moins fréquente que son grand Ennemi.

*L*orsque l'esprit se libère de l'être, la volupté n'a plus de préférence entre plaisir et douleur. Elle les couronne tous deux.
L'étrange perfection des sensations suspend les différences. Douleur et plaisir deviennent synonymes.

*P*ourquoi, en pensant, on perd d'abord le cœur et ensuite l'esprit?

*L*e charme de l'angoisse consiste dans l'horreur des solutions, dans le fait de *tout savoir* dès le questionnement. Chaque réponse est entachée d'une nuance de vulgarité. La supériorité de la religion vient de la croyance que seul Dieu peut *répondre.*

*J*e voudrais m'enterrer dans les pleurs des hommes, faire de chaque larme une tombe.

*T*out ce que l'homme crée se retourne contre lui. Et non seulement tout ce qu'il crée, mais aussi tout ce qu'il fait. Dans l'histoire, un pas en avant est un pas en arrière. De tout ce qu'il a conçu et vécu, rien ne se retourne plus contre lui que la solitude.

*P*ourquoi donc les souvenirs n'ont-ils plus de lien avec la mémoire? Et les passions, pourquoi ont-elles perdu leur enracinement dans le sang ? Du balkanisme céleste...

*L*es rayons épars qui émanent de Dieu ne se montrent à toi qu'au crépuscule de l'esprit.

*L*a proximité de l'extase est le seul critère pour une hiérarchie des valeurs.

L'expérience *homme* a réussi uniquement aux instants où celui-ci se croyait Dieu.

*L*e temps se déchire en ondes vagues, comme une écume solennelle, chaque fois que la mort accable les sens de ses charmes en ruine, ou que les nuages descendent avec tout le ciel dans les pensées.

J'expie l'absence de déception de nos aïeux, j'endure les suites de leur bonheur, je paie chèrement les espoirs de leur agonie, et je fais pourrir, en vivant, la fraîcheur de l'ignorance ancestrale. — Voilà le sens de la décadence. Et sur le plan de la culture, quelques siècles de création et d'illusions — qui devront être irrémédiablement rachetés en inconsolation et en lucidité. Alexandrinisme...
Il n'est pas facile de payer pour tous les paysans d'autres siècles, de ne plus avoir de la terre dans le sang... ni de se baigner dans les lueurs déclinantes de l'esprit...

*C*e n'est que dans la musique et les frémissements de l'extase, en perdant la pudeur des limites et la superstition de la forme, que nous parvenons à ne plus séparer la vie de la mort, que nous atteignons la pulsation unitaire de mort vitale, de communion entre l'existence et l'extinction. Les gens perçoivent, par la réflexion ou par leurs illusions, ce qui, dans le devenir musical, est charme équivoque d'éternité, flux et reflux du même motif. La musique est du temps absolu, substantialisation d'instants, éternité éblouie par des ondes sonores...
Avoir de la « profondeur » signifie ne plus se laisser abuser par des distinctions, ne plus être l'esclave des « projets », ne plus désarticuler la vie de la mort. En faisant fondre le tout en une confusion mélodique des mondes, l'agitation infinie, obscure, composée d'éléments variés, se purifie en un frisson de néant et de pléni-

tude, en un soupir qui monte des derniers tréfonds de l'être et nous laisse éternellement un goût de musique et de fumée...

L'existence des gens se justifie par les réflexions amères qu'elle nous inspire. Devant un tribunal de l'amertume tous seront acquittés, en premier lieu la femme...

*R*ien ne peut te satisfaire, pas même l'Absolu — uniquement la musique, ce déchirement de l'Absolu.

*C*e n'est qu'en nous enivrant de nos propres péchés que nous pouvons porter le fardeau de la vie. Il faut convertir chaque absence en délice : par le culte, élevons nos déficiences. Autrement, on étouffe.

*T*oi qui as voulu renverser les mondes, quelles fautes te lient encore au vain paradis de deux yeux remplis d'infini et de vide ?
Dieu, en prévoyant la chute de l'homme, lui a offert l'illusoire compensation de la femme. Grâce à elle, put-il oublier le Paradis ? Le besoin religieux donne une réponse négative.

*U*n symposium qui réunirait Platon et les Romantiques allemands dirait presque tout sur l'amour. Mais l'essentiel — c'est le Diable qui devrait l'ajouter.

*C*elui qui a refusé la sainteté, mais non le renoncement au monde, fait d'une Divinité désabusée le but de son devenir.

*L*orsque tu t'adresses à Dieu, invoque-le par le *pronom*, sois seul — pour pouvoir *être* avec Lui. Autrement tu es *homme* — et tu ne resteras jamais face à face avec Sa solitude.

*L*a théologie n'a gardé pour Dieu que le respect de la majuscule.

*I*l y a tant de noblesse cruelle, et tant d'art, dans le fait de dissimuler ses souffrances à ses semblables, de jouer le rôle d'un cancéreux espiègle...

*L*orsque l'azur fond en gouttes d'ennui, et distille une immensité de bleu et de désolation, je me défends de moi-même et du ciel dans les eaux méditerranéennes de l'esprit.

*O*n se purifie du malheur dans les accès de haine festive, ou en réduisant tout à rien, et d'abord l'amour; on nettoie son moi de toutes les impuretés de la nature. Celui qui ne peut haïr ne connaît aucun des secrets thérapeutiques. Chaque rétablissement commence par une œuvre de destruction, ainsi se gagne la pureté. Nous ne sommes nous-mêmes qu'en nous piétinant impitoyablement nous-mêmes.

*U*ne vérité qu'on ne devrait jamais dire à personne : il n'y a que des souffrances physiques.

*D*ans les tentations de l'amour, il n'y a plus d'espace entre moi et la mort.
L'absolu s'installe au terme d'un érotisme purifié de l'univers. Tout ce qui dépasse l'amour terrestre bâtit les fondements de Dieu. L'impossibilité de concilier l'amour et le monde...

*P*lus qu'en toute autre chose, en amour on *est* et l'on *n'est pas*. La non-différenciation entre la mort et la vie est une caractéristique de l'acte de tomber amoureux.

*E*n étant théologien ou cynique, on peut supporter l'histoire. Mais ceux qui croient en l'homme et en la raison, comment ne deviennent-ils pas fous de déception, comment gardent-ils leur équilibre dans le démenti perpétuel des faits ? Mais, en appelant à Dieu ou au dégoût, on se débrouille aisément dans le devenir... L'oscillation entre la théologie et le cynisme est la seule solution à la portée des âmes blessées.

*C*es nuits cruelles, longues, sourdement hostiles, avec des orages noyés dans les eaux mortes des pensées — qu'on supporte par la soif curieuse de savoir comment on va répondre à cette question muette : «Vais-je ou non me tuer d'ici l'aube?»
La matière est imbibée de douleur.

*L*orsque l'esprit a grandi par-delà les crêtes du monde, le caractère étroit de la vie vous fait éprouver les frissons d'un éléphant dans une serre.

*Q*uelles vagues folles de mers inconnues frappent mes paupières et envahissent mon esprit ? — Quelle grandeur la fatigue d'être homme ne cache-t-elle pas !

*L*e souvenir de la mer durant les nuits blanches nous donne, plus que l'orgue ou le désespoir, l'image de l'immensité. — L'idée d'infini n'est que l'espace que crée dans l'esprit l'absence du sommeil.

*S*ur le cadran solaire d'Ibiza était écrit : *Ultima multis.*
... Sur la mort, on ne peut parler qu'*en latin.*

*Q*ui a une opinion arrêtée sur une chose quelconque, prouve qu'il n'a approché aucun des secrets de l'être.
L'esprit est par essence pour et contre la nature.

*D*ans un corps épuisé par les insomnies, brillent deux yeux égarés dans un squelette. Et dans le charme bouleversant du tressaillement, on se cherche à travers ce qu'on n'a pas été, et qu'on ne sera jamais...

*U*n homme ne peut parler *hon-nêtement* que de lui et de Dieu...

*O*n se trouve au sein de la vie chaque fois qu'on dit — *de tout cœur* — une banalité...

*P*ar quel secret nous réveillons-nous certains matins avec toutes les erreurs du Paradis dans les yeux ? À quel gisement de la mémoire des larmes intérieures s'abreuvent-elles de bonheur, quelles lumières anciennes sou-tiennent l'extase divine, au-dessus du désert de la matière ?
... dans de telles matinées, je comprends la non-résistance à Dieu.

L'avenir : le désir de mourir, traduit dans la dimension du temps.

*L*a noblesse de ne jamais pécher contre la mort...

L'univers a allumé ses voix en toi, et toi, tu passes sur le boulevard...
Le ciel brûle ses ombres dans ton sang, et toi, tu souris à tes semblables... Quand renverseras-tu les cloîtres de ton cœur sur eux ?
Il y a tant d'inattendu et d'indécence dans l'infini de l'âme — comment la stérilité des os et le surmenage de la chair les supportent-ils ?

*L*e charme de la tristesse ressemble aux ondes invisibles des eaux mortes.

*L*e besoin de consigner toutes les réflexions amères, par l'étrange peur qu'on arriverait un jour à ne plus être triste...

N'ayant pas, comme les mystiques, l'extase à sa portée, on découvre les régions les plus profondes de l'être dans les rechutes graves de la fatigue... Les idées refluent vers leur source, plongent dans la confusion originaire, et l'esprit flotte sur les fonds de la vie.
La perception aiguë du monde, dans les fatigues hallucinées, dépouille les choses de leur éclat trompeur, et plus rien n'empêche d'accéder à la zone originaire, pure comme une aurore finale. C'est ainsi que disparaît tout ce que le temps a ajouté aux virtualités initiales. L'existence se dévoile comme telle : à la remorque du néant — et ce n'est pas le Rien qui se trouve à la limite du monde, mais le monde à celle du Rien.
La fatigue en tant qu'instrument de connaissance.
L'esprit baigne dans la lumière nocturne du désespoir.

L'esprit a trop peu de remèdes.
Car nous devons d'abord guérir de lui-même. On se rapproche de la nature et de la femme, on les fuit et l'on y revient toujours, malgré la peur de l'insupportable bonheur. Il est des paysages et des

étreintes qui laissent un goût d'exil — comme tout ce qui mêle l'absolu et le temps.

*O*n est incurablement pris au leurre de la vie, lorsqu'en regardant le ciel dans les yeux d'une femme, on ne peut oublier *l'original*.

Pouvoir souffrir avec folie, courage, sourire et désespoir.

L'héroïsme n'est que la résistance à la sainteté.

Le danger, dans la souffrance, c'est d'être *gentil* : d'endurer avec compréhension. Ainsi, de l'homme qu'on était, fait de chair infiniment mortelle, on se sent glisser en une icône.

Ne deviens pour personne exemple de perfection ; détruis en toi tout ce qui est figure et modèle à suivre.

Que les hommes apprennent de toi à craindre les voies de l'homme. Tel est le but de ta souffrance.

L'esprit — arraché des racines — est resté seul avec lui-même.

*T*outes les questions se réduisent à celle-ci : comment pouvoir ne pas être le plus malheureux ?

*C*e qui n'est pas touché par la maladie est vulgaire, et ce qui ne souffle pas la mort est dénué de secret.

*C*hant sourd des profondeurs : la maladie fait sa prière dans les os.

*L*a vie ne mérite d'être vécue que pour les délices qui fleurissent sur ses ruines.

*L*orsqu'on trouve une certaine noblesse à la lamentation, le paradoxe est la forme sous laquelle l'intelligence étouffe les pleurs.

*Q*uelles aurores réveilleront mon esprit enivré d'irréparable ?

──────────────────────────────── XIII

──────────────────────── *Q*uand cesserai-je de mourir?

Il y a des blessures qui demandent l'intervention du Paradis.

Avec tous les péchés, et avec aucun, l'esprit s'est assis au fond de l'enfer et les yeux regardent, immobiles, vers le monde.

Lorsqu'on aime la vie avec passion et dégoût, seul le diable a pitié de vous et offre l'abri fatal à votre douleur hébétée.

*C*es déchirements de la chair et ces démences de la pensée, lorsqu'on succomberait à la sainteté totale si Dieu nous venait en aide. Ses hésitations nous gardent encore dans le monde.

Mon Dieu, pourquoi ne m'as-tu pas fait un idiot éternel sous tes voûtes imbéciles?

L'esprit : de la chair frappée d'une folie transcendante.

*L*e combat n'a pas lieu entre l'homme et l'homme, mais entre l'homme et Dieu. C'est pourquoi ni les problèmes sociaux, ni l'histoire ne peuvent rien résoudre.

*L*a pensée de Dieu ne sert que pour mourir. — Ce n'est pas volontiers qu'on se dirige vers lui, mais parce qu'on n'a pas le choix.

*P*ersonne ne peut savoir s'il est croyant ou non.

*E*n regardant tant et tant d'individus qui s'enterrent dans une idée, dans une vocation, un vice ou une vertu, on s'étonne que la distance aux choses dont les hommes disposent soit si infime. Auraient-ils *vu* si peu? Que ne

sont-ils atteints par la connaissance, qui ne permet aucun acte ?
Le *savoir* ne supporte la nature que par notre volonté de rester en
elle. On s'agite alors entre des objets et des idéaux, adhérant à des
miettes de passions, accordant par piété et amertume un souffle
d'existence aux ombres en quête d'être.
L'univers n'est pas *sérieux*. On doit s'en *moquer* tragiquement.

Faire est l'antipode de *savoir*.

*L*es indécisions entre le ciel et la
terre nous vouent à un destin de Janus, dont les visages deviendraient un seul dans la douleur.
Le cœur suspendu entre le frémissement et le doute : un sceptique
ouvert à l'extase.

*L*es après-midi du dimanche —
plus que les autres — la raison se dévoile comme une absence de
ciel, et les idées des étoiles noires sur le fond vide de l'éternité.
L'ennui naît d'un ultime recouvrement des sens, détachés de la
nature.
Dans l'étendue cosmique du spleen — bâillement de l'univers —
les forêts semblent se pencher pour vous hisser en un triomphe de
feuilles, le cœur perdu parmi les brindilles mortes.
La musique de l'ennui naît du frémissement du temps — des
accents sourds de l'extinction du temps.

*M*on cœur — traversé par le ciel
— est le point le plus éloigné de Dieu.
Rien ne peut me faire oublier la vie, quoique tout me la rende
étrangère. À égale distance de la sainteté et de la vie.

*J*e n'ai pas la force d'endurer les
splendeurs du monde : parmi elles, j'ai perdu mon souffle et je
n'ai plus de voix que pour le désespoir de la beauté.

*L*es hommes fuient autant la
mort que sa pensée. Je me suis lié pour toujours à celle-ci. Pour le
reste, j'ai couru en rang avec les autres — si ce n'est même plus
vite qu'eux.

L'ennui hante une âme érotique
qui ne trouve pas l'absolu en amour.

*P*our couvrir fastueusement le drame de l'existence, lance par l'esprit un feu d'artifice ; entretiens-le jour et nuit ; crée auprès de toi l'éclat éphémère et éternel de l'intelligence affolée par son propre jeu ; fais de la vie un scintillement sur un cimetière. Car l'âme de l'homme n'est-elle pas une tombe en flammes ?

Donne un cours génial aux sensations ; impose au corps le voisinage des astres ; la chair, élève-la par la grâce ou par le crime jusqu'au ciel — et que ton symbole soit : une rose sur une hache.

Apprends la volupté d'accorder aux idées l'espace d'un instant, d'aimer l'être sans lui permettre un but, d'être toi-même sans toi. Apprends les attentes rêveuses au milieu de la nature, en regardant les ailes d'un ange toucher la broderie déchirée des nuages.

... Et en imaginant que tu voles vers les profondeurs de la vie et que tu as caressé de l'aile des inconsolations un ciel de lie, insuffisant à étancher ta soif des abysses.

*C*ombien peuvent dire : « Je suis un homme pour lequel le Diable existe » ? — Comment ne pas sentir une communauté de destin avec ceux qui sont enclins à une telle confession ?

*U*ne image complète du monde pourrait se tirer des pensées qui naissent durant les insomnies d'un assassin, adoucies d'un parfum émanant des égarements d'un ange.

*Q*uoi qu'on fasse, après avoir perdu l'appui en soi-même, on n'en trouvera plus d'autre qu'en Dieu. Et si, sans Lui, on peut encore respirer, sans son *idée* l'on se perdrait dans les abandons de l'esprit.

Ce qui fascine dans le désespoir, c'est qu'il nous jette tout d'un coup devant l'Absolu : un saut organique, irrésistible, aux pieds de l'Ultime. Après quoi l'on commence à penser et à clarifier (ou obscurcir) par la réflexion la situation issue de la colère métaphysique du désespoir.

Séparés de nos semblables par l'insularité fatale du cœur, nous nous accrochons à Dieu pour que les mers de la folie n'élèvent pas les vagues plus haut que notre solitude.

*C*omme dans la poésie, on ne croit en rien, on ajoute un degré de charme à l'inspiration, car le nihilisme est un supplément de musique ; tandis que dans la prose il faut adhérer à quelque chose, pour ne pas rester nu devant le vide des mots. Être penseur n'est pas une chance, lorsque l'esprit ne se tourne plus vers les vérités «élevées», produits de l'aveuglement.

*L*e seul but de la terre est d'absorber les larmes des mortels.

*L*a musique nous montre ce que serait le temps au ciel.

*I*l y a une sorte de chant dans chaque maladie.

*O*n ne peut plus jeter un pont entre l'homme poursuivi par la mort et ses semblables. Et quoi qu'il fasse — les tentatives d'approche ne font qu'approfondir un précipice et accentuer une fatalité.
Avec ton prochain, il faut être indifférent ou gai. Mais si tu ne connais que l'exaltation et la tristesse, ton but est irrémédiablement parallèle au sort des hommes. Et l'on arrive doucement à ne plus rencontrer personne, jamais.

*D*ans la tristesse — la mort et la folie se trouvant en compétition — les espoirs persécutés reviennent en pensées assassines. Et de l'imbécile humain qu'on a été, on devient l'otage du non-être.
Pourquoi les ombres de l'éternelle bêtise et la fraîcheur de l'ignorance ne s'étendent-elles pas sur moi ? Les fièvres d'une steppe de désespoir...
Dans un cerveau défunt, les temps partis en croisade vers la destruction ne pourront pas tuer le souvenir d'un Dieu créé des soupirs et de la solitude.

*D*ans le monde où je n'ai plus personne, je ne dispose plus que de Dieu.

*L*e silence qui suit les grandes intensités : l'inspiration, la sexualité, le désespoir. C'est comme si la nature s'était enfuie et que l'homme était resté sans horizons dans une veillée voisine de l'anéantissement. — La nature est une fonction des fièvres de l'âme. L'existence se crée au moment subjectif par excellence. Car rien *n'est*, hormis les envahissements du cœur.

L'homme souffre d'une impuissance à évacuer l'angoisse. Il n'a réussi à élargir l'horizon de la raison que par la terreur.

... *L*a soif d'un paradis de l'indulgence, bâti sur un sourire des dépravations célestes.

*L*a névrose est un « complexe de Hamlet » automatique. Elle accorde à qui en est atteint les attributs du génie, sans le support du talent.

L'indécision entre la terre et le ciel te transforme en saint négatif.

*S*ur les cimes des Alpes ou des Pyrénées, avec les nuages au-dessous de moi, appuyé contre la neige et le ciel, j'ai compris :
— que les sensations doivent être plus pures que l'air raréfié des hauteurs, — qu'elles ne doivent contenir ni l'homme, ni la terre, ni aucun objet du monde, — que les instants sont des brises d'extase et le regard un tourbillon d'altitude ;
— que les pensées caressent l'éclat des choses qui ne sont plus comme le murmure mélancolique du vent qui touche l'azur et la neige. Que toutes les crêtes des montagnes, où tu ne fus pas homme, se reflètent dans ton esprit, et tous les bords de mer où tu ne fus pas triste. L'ennui se fait musique au bord de la mer, et extase sur les sommets des montagnes ;
— qu'il n'y a plus de « sentiments » : car vers qui se dirigeraient-ils ? Chaque fois que tu cesses d'être homme, tu ne « sens » plus que les puissances du non-être ;
— qu'on ne peut plus vivre que dans l'égarement. Retourne sur tes pas et marche vers les étoiles. Répète chaque jour la leçon de cette nuit-là, où les astres se sont révélés à toi dérisoirement seuls.

*A*près chaque voyage, le progrès vers le néant vous lie incurablement au monde. En découvrant des beautés nouvelles, on perd, par leur attraction, les racines qui avaient poussé lorsqu'on ne les soupçonnait pas. Une fois pris par leur charme, dans l'odeur de «non-monde» qui émane d'elles, on s'élève vers un vide pur, agrandi par la ruine des illusions.

À croire en moins de choses, je meurs davantage à l'ombre de la beauté : aussi, n'ayant rien qui puisse encore m'attacher à la vie, n'ai-je plus rien qui puisse me retourner contre elle. Je n'ai commencé à l'aimer qu'au fur et à mesure de la dispersion de mes espoirs. Lorsque je n'aurai plus rien à perdre, je serai un avec elle.

Le «donjuanisme» est le fruit d'une sainteté mal utilisée. — Dans toutes les déclarations d'amour, je sentais que seul l'Absolu importe — et c'est pourquoi je pouvais en faire autant que je voulais, et à n'importe qui.

Les lambeaux de neige sur le fond gris des montagnes par les matinées d'été : les débris d'un ciel immémorial.

Les idées sont des mélodies défuntes.

Dans l'impuissance à dévoiler aux hommes les causes de notre cœur, sans Dieu, nous aurions dû y laisser rouiller des poignards. — Le cœur se penche naturellement vers la fleur du suicide au milieu de ce jardin d'égarements qu'est la vie.

Le sort de l'homme est dans l'absence continue des «maintenant» et dans la fréquence insistante des «autrefois» — ce mot de la fatalité : un inguérissable frisson de perdition s'élève de sa résonance prolongée.

Rien ne touche plus les naïvetés du sang que l'intervention de l'éternité. Quel malheur déverserait-elle sur la fraîcheur des désirs, pour les disperser et les anéantir sans laisser trace ? L'éternité n'est pas faite des souffles de la vie : son prestige funèbre étouffe les élans et réduit la réalité à une absence.

Sur les vagues de néant qui recouvrent l'être sans entraves, seuls les désirs soufflent une brise d'existence.

*D*ans toutes les religions, seul ce qui concerne la douleur est fructueux pour une réflexion désintéressée. Le reste n'est que pure législation, ou métaphysique d'occasion.

*D*ans l'ennui, le temps remplace le sang. Sans l'ennui, nous ne saurions pas comment coulent les instants, ni même qu'ils existent. — Lorsqu'il se déclenche, rien ne peut l'arrêter : on s'ennuie alors *avec tout le temps.*

*L*e but du penseur est d'inventer des idées poétiques, de suppléer au monde par des images absolues, fuyant la généralité des lois. L'essence de la nature se révèle dans le refus de l'identité et l'horreur des principes. — La pensée germe sur la ruine de la raison.

J'aime les regards qui ne servent pas la vie et les sommets sur lesquels j'entends le temps. (L'âme n'est pas contemporaine au monde.)

*I*l y a des pays où je n'aurais pu rater même un seul instant, l'Espagne par exemple. Et il y a des endroits grandioses et sombres, où la pierre défie les espoirs, où sur les murs s'étale paresseusement l'éternité qui se souvient du temps, des lieux privilégiés pour la sieste de la Divinité — des lieux qui obligent à être soi-même de manière absolue : en France, le Mont-Saint-Michel, Aigues-Mortes, les Baux et Rocamadour. En Italie — toute l'Italie.

L'ennui absolu se confond avec l'objectivation charnelle de l'idée de temps.

*U*ne pensée doit être étrange comme la ruine d'un sourire.

L'espace où tournoie l'esprit me semble lointain et privé de sens, comme un Uruguay céleste.

*L*e défaut de tous les hommes qui croient en quelque chose consiste dans la dépréciation de la mort. Ne saisissent celle-ci comme un absolu que ceux qui ont un sens aigu du caractère accidentel de l'individuation, de l'erreur multiple de l'existence. L'individu est un échec *existant*, une erreur qui affronte la rigueur de tout principe. Ce n'est pas la raison qui te confronte à la mort, mais la condition unique d'individu. Qui a des convictions masque ce drame de l'unicité. Retourne-toi vers la mort nu et purifié, — sauf des édulcorations de l'esprit, des atténuations des idées. Il faut la regarder en face, avec la virginité intérieure des moments où l'on ne croit en rien — bien plus : comme martyr du Rien.

L'amour de la vie, pleine de frémissement et de douleur, ne tente que ceux qui sont submergés de dégoût. Certaines matinées fleurissent, subitement, dans le désert des fatigues et nous figent, immobiles, dans les bras de l'existence. Dans le dégoût de tout, l'immense dégoût qui émane de la torpeur du sang et des idées, de fugitives révélations de bonheur font irruption, qui s'étendent, équivoques, sur nos soupirs, comme des tombeaux d'azur. On cherche alors un équilibre entre le dégoût à être et à ne pas être.

*U*ne horde d'anges ou de diables a posé sur mon front la couronne de l'ennui. Mais elle ne peut faire ombre à la puissance des espoirs vains d'un cœur passionnément épris du monde.
C'est le ciel, et non la terre, qui m'a rendu «pessimiste». *L'impuissance à être*, consécutive à la pensée de Dieu...

*D*ans la mystique, il y a de la souffrance, une infinie souffrance. Mais non de la tragédie. L'extase est l'antipode de l'irréparable. La tragédie n'est possible que dans la vie *comme telle, ce manque d'issue*, rempli de grandeur, d'inutilité et de chute. — Shakespeare est grand, parce que chez lui aucune idée ne triomphe : uniquement la vie et la mort. Qui «croit» en quelque chose n'a pas le sens du tragique.

*A*près un certain temps, on ne pense plus au spleen : on le laisse penser sur lui-même. Dans le vague de l'âme, l'ennui tend vers la substance. Et il y arrive : *substance de vide*.

*P*our celui qui, près de l'Absolu, ne peut échapper aux tentations de la vie, aucun suicide ne saura

LE CRÉPUSCULE DES PENSÉES

mettre fin à sa dimension intérieure. Rien ne l'aide à résoudre le drame cruel de l'esprit. Le caractère insoluble de la pensée s'épuise dans ce conflit. Le charme du réel pèse lourd sur la balance, et il n'y a pas moyen de l'annuler, bien que les idées glissent sur la surface luisante du non-être. Vivre sensuellement dans le rien...

Lorsque tu as trop passionnément aimé la vie, qu'as-tu cherché parmi les pensées ? L'esprit est une erreur immense chaque fois que les faiblesses accordent à la vie des prestiges d'axiome.

*J*e suis un Sahara rongé de voluptés, un sarcophage de roses.

*L*es rues désertes dans les grandes villes : il semble que dans chaque maison quelqu'un se pend.

... Et ensuite mon cœur — potence à la mesure de je ne sais quel diable.

*L*a sainteté est le plus haut degré d'activité auquel on puisse arriver sans les moyens de la vitalité.

*L*e nihilisme : la forme limite de la bienveillance.

L'ennui est tour à tour vulgaire et sublime. — Ainsi de l'univers qui tantôt sent l'oignon, tantôt semble émaner de la gratuité d'un rayon de lumière.

XIV

*J*e ne me sens «chez moi» que sur les bords de la mer. Car je ne saurais me bâtir une patrie que de l'écume des vagues.

Dans le flux et le reflux de mes pensées, je sais trop bien que je n'ai plus personne : sans pays, sans continent, sans monde. Reste avec les soupirs lucides des amours fugaces dans des nuits qui réunissent le bonheur et la folie.

*L*a seule excuse pour la passion des vanités : vivre *religieusement* l'inutilité du monde.

Dieu m'est témoin que j'ai mélangé le ciel à toutes les sensations, que j'ai hissé une voûte de regrets au-dessus de chaque baiser et un azur d'autres désirs au-dessus de cet évanouissement-là.

*R*ien ne sert moins la nature que l'amour. Quand la femme ferme les yeux, nos regards glissent sur ses paupières à la recherche d'autres firmaments.

*D*ans les désespoirs subits et non fondés, l'âme est une mer où Dieu s'est noyé.

*L*e seul contenu positif de la vie est un contenu négatif : la peur de mourir. La sagesse — mort des réflexes — la vainc.

Mais comment ne plus avoir peur de la mort sans tomber dans la sagesse ? Sans détacher, d'aucune manière, le fait de vivre de celui de mourir, en rencontrant la vie et la mort dans la *volupté de la contradiction*. Sans les délices de celle-ci, un esprit lucide ne peut plus tolérer les oppositions de la nature, ni souffrir les problèmes insolubles de l'existence.

*S*ur la dernière marche de l'incurable, on se décide pour Dieu. *Croire* signifie mourir *avec les apparences de la vie.* La religion adoucit l'absolu de la mort, pour pouvoir attribuer à Dieu les vertus qui résultent de cette diminution. Il est grand dans la mesure où la mort n'est pas tout. Et jusqu'à maintenant personne n'a eu l'insolence de soutenir — hormis les erreurs de l'enthousiasme — qu'elle ne serait pas tout...

*P*lus je perds la foi dans le monde, plus je *suis* en Dieu, sans *croire* en lui. Serait-ce une maladie secrète ou un honneur de l'esprit et du cœur, qui fait qu'on est en même temps sceptique et mystique ?

*L*e malheur n'a pas de place dans l'univers des mots.

*L'*éternité n'est que le fardeau de l'absence du temps. C'est pour cela que nous ne la sentons nulle part plus intensément que dans la fatigue — sensation physique de l'éternité.
Tout ce qui n'est pas temps, tout ce qui est plus que le temps, naît d'un tarissement profond, de la torpeur méditative des organes, de la perte du rythme de l'être. L'éternité s'étend sur les silences de la vitalité.

*P*ar tout ce que je suis moi-même, j'ai brisé mes barrières. L'esprit pourra-t-il les refaire en s'annulant dans la certitude des aveuglements ? Par quelles merveilles ou quels sortilèges pourrions-nous faire marcher la connaissance en arrière ? Quand les insomnies battront-elles en retraite ? On ne peut sauver l'être sans les lâchetés de l'esprit.
Jusqu'à quand le but du cœur sera-t-il de chanter les agonies de la raison ? Et comment mettre fin à l'esprit harcelé entre le doute et le délire ?

*L*e lyrisme est le maximum d'erreur par lequel nous pouvons nous défendre des suites de la connaissance et de la lucidité.

*N*e pas faire de différence entre le drame de la chair et celui de la pensée... Avoir introduit le *sang* dans la logique...

*L*e dégoût du monde : l'irruption de la haine dans l'ennui. Ainsi s'introduit dans le vague de l'ennui la qualité religieuse de la négation.

La vie me semble un cloître où l'on chercherait refuge pour oublier Dieu, et dont les croix perceraient le rien du ciel.

*A*près que l'âme a filtré Dieu, la lie qui reste devient — comme une punition — sa substance.

*T*out est inutile et sans but — hormis peut-être la mélodie cachée de la souffrance. Mais après avoir beaucoup enduré, on a le droit de considérer le monde comme un prétexte esthétique, un spectacle de la compréhension noble et maladive. On souffre alors *en dehors* de la souffrance. Personne ne saura par quelles richesses de douleurs on devient esthète *religieusement.*

*L*es pensées surgissent de l'ascèse des instincts, et l'esprit rend veuves les puissances de la vie. Ainsi l'homme devient *fort* — mais sans les moyens de la vitalité. Le phénomène humain est la plus grande crise de la biologie.

*N*e pouvant prendre sur moi la souffrance des autres, j'en ai pris les doutes. Dans la première manière, on finit sur la croix ; dans la seconde, le Golgotha monte jusqu'au ciel.

Les souffrances sont infinies ; les doutes, interminables.

*L*orsqu'on ne peut plus prier, au lieu de *Dieu* on dit *Absolu.* La primauté de l'abstrait est un manque de prière. *L'Absolu* est un Dieu en dehors du cœur.

Nous avançons dans le processus d'épuisement de la personne divine au fur et à mesure que nous introduisons le culte de l'inutilité dans l'esprit. À quoi nous servirait l'Absolu ? Dans l'éternité, tout est inutile. L'élan mystique doit être purifié par la noblesse du geste esthétique. Approchons-nous des dernières racines de l'être avec un maximum de style. Prêtons au Jugement dernier même le prestige de l'art, et fondons-nous dans le but final du monde dans une pathétique négation de nous-mêmes. Pour une sensibilité élevée, l'Absolu est un fragment gratuit du Rien, comme d'une statue brisée.

*P*ourquoi les hommes ne se sont-ils pas prosternés devant les nuages ?
Parce que ceux-ci flottent plus légèrement sur le cerveau que sur le ciel.

*L*es pensées nées dans la terreur ont le secret et les yeux pétrifiés des icônes byzantines.

*T*outes les voies mènent de moi vers Dieu, aucune de lui vers moi. C'est pour cela que le cœur est un absolu — et l'Absolu un rien.

L'exil intérieur est le climat parfait pour les pensées sans racines. On n'atteint pas l'inutilité grandiose de l'esprit tant qu'on a un lieu dans le monde. On pense — toujours — parce qu'on manque d'une patrie : l'esprit ne peut enfermer qui n'a pas de frontières. C'est pourquoi le penseur est un émigré dans la vie. Et lorsqu'on n'a pas su s'arrêter à temps, l'errance devient le seul chemin de nos peines.

*L*a mélancolie introduit tant de musique dans l'effondrement de la raison !

*C*ollés à l'immédiat, les gens se nourrissent de vulgarité. De quoi peut-on parler avec eux sinon des hommes ? Et encore, des faits divers, des objets et des soucis, jamais des idées. Or il n'y a que le concept qui ne soit pas vulgaire. Mais la noblesse de l'abstraction leur est inconnue car, avares de leurs pouvoirs, ils ne sont pas capables de dépenser des énergies pour nourrir *ce qui n'est pas* : l'idée. La vulgarité : l'absence d'abstraction.

*L*e désaveu pathétique des choses fixe les deux pôles de la sensibilité ; un amour sans amour et une haine sans haine. Et l'univers se transforme en un Rien actif, où tout est pur et sans utilité comme l'obscurité dans les yeux d'un ange.

*L*a maladie est un délice désas-
treux, qu'on ne peut comparer qu'au vin et à la femme. Trois
moyens par lesquels le moi est toujours plus et moins, des
fenêtres vers l'Absolu, qui se referment dans les vastes obscurcis-
sements de la raison. Car la folie est un obstacle que la connaissance se pose à elle-même — l'insupportable pour l'esprit.

*P*lus l'homme a des limites
incertaines et plus il s'approche facilement de *l'absence de fond*
chez Dieu. Aurions-nous rencontré celui-ci s'il était nature, personne ou autre chose ? Nous pouvons dire de lui uniquement ceci :
qu'il n'a pas de terme dans la profondeur. Ainsi l'homme, en se
dirigeant vers l'immensité divine, n'a d'autre pont que l'indéfini.
L'absence de fond est le point de contact entre l'abysse divin et
l'abysse humain.
Notre tendance à perdre nos limites, notre penchant pour l'infini
et la destruction, sont un frisson qui nous installe dans l'espace où
s'exhale le souffle divin. Si nous nous en tenions aux limites de la
condition individuelle, comment pourrions-nous glisser vers
Dieu ? Notre vague et notre incertitude représentent des sources
métaphysiques plus importantes que la confiance dans une destinée ou l'abandon orgueilleux à un but. Les faiblesses de l'homme
sont des possibilités religieuses : à condition qu'elles soient profondes. Car alors elles arrivent jusqu'à Dieu.
Les vagues de néant qui agitent l'être humain se prolongent en
ondes jusqu'à l'absence infinie de la Divinité. — Le sens de
l'homme n'est que dans l'absence de fond en Dieu.

*J*e suis moi aussi un martyr : je
voudrais mourir pour des doutes. — Le scepticisme — sans un
côté religieux — est une dégradation de l'esprit. Non pour les
doutes de l'intelligence, mais pour ceux de la crucifixion. Qu'on
enfonce de gros clous dans le noyau de l'esprit. Qu'on penche sa
conscience, douloureusement, vers les horizons du monde ; qu'on
saigne avec le sourire. Quand allumerai-je des feux dans les
idées ? — Il y a tant de braise dans les oscillations de la pensée ! Il
n'est pas facile de douter en regardant vers Dieu !
À genoux, transpercerai-je la terre ? Pousserai-je le refus de prière
jusqu'au bout ? Vais-je humilier Dieu de ma débauche surnaturelle ?
Plus je monte vers le ciel, plus je descends fortement vers la terre.

L'esprit, détaché de tout, se dirige avec la même force dans des directions opposées. On ne peut adhérer à quelque chose sans faire des réserves équivalentes : toute passion réveille simultanément son antipode. Les contraires sont la substance de la respiration de l'homme. J'ai pour moi toutes les directions du monde, depuis que je ne m'appartiens plus.

Le paradoxe exprime l'incapacité à être *naturellement* dans le monde.

L'univers est une pause de l'esprit.

*L*e but du cœur est de devenir hymne.

*E*n dernière analyse, le scepticisme ne surgit que de l'impossibilité de s'accomplir dans l'extase, de l'atteindre, de la vivre. Seul son aveuglement lumineux, déchirant et révélateur, nous guérit des doutes. Une mort de frissons balsamiques. — Lorsque le sang palpite jusqu'au ciel, comment douter ? Mais qu'il est rare qu'il palpite ainsi !

*S*cepticisme : l'inconsolation de ne pas être au ciel.

*I*ntroduire des saules pleureurs dans les catégories...

*S*eulement dans la mesure où l'on souffre, on a le droit de s'attaquer à Jésus, de même qu'honnêtement, on ne peut être contre la religion si l'on n'est pas religieux. *De l'extérieur*, aucune critique ne prouve rien ni n'engage personne.

Lorsqu'on attaque l'intérieur d'une position, de l'intérieur même de la position, on ne tire pas sur l'adversaire, mais sur soi-même. Une critique effective est une auto-torture. Le reste est un jeu.

L'histoire serait finie à l'instant où l'homme se fixerait dans une vérité. Mais l'homme ne vit véritablement que dans la mesure où toute vérité l'ennuie. La source du devenir est l'infinie possibilité d'erreur du monde.

Une époque s'appuie sur une vérité et croit en elle, parce qu'elle ne la pèse pas. Dès qu'on la met sur la balance, elle se transforme en une vérité *quelconque* — en erreur. Lorsqu'on *juge* tout — une certitude inébranlable devient un principe qui oscille sans raison. On ne peut être lucide à l'égard d'une vérité sans la compromettre. Un individu ou une époque doivent respirer *inconsciemment* dans l'inconditionnel d'un principe, pour le reconnaître comme tel. *Savoir* renverse toute trace de certitude. La conscience — phénomène limite de la raison — est une source de doutes, qui ne peuvent être vaincus que dans le crépuscule de l'esprit réveillé. La lucidité est un désastre pour la vérité, mais non pour la connaissance, sur les fondements de laquelle s'élève une architecture compliquée d'erreurs, nommée *esprit* — par besoin de simplification.

*M*on esprit ne trouve plus de satisfaction que dans la métaphysique et dans le Livre de prières.

*E*n chaque instant, Dieu soupire ; car le temps est Sa prière.

*L*orsque la chance et la santé nous comblent, nos pensées se recouvrent de cendres et l'esprit se retire.
Le malheur est le plus puissant stimulant de l'esprit.

*S*i le cœur se réduisait à son essence idéale, c'est-à-dire à la Crucifixion, des croix s'y dresseraient où se pendraient les espoirs — avec tout le charme vain de leur folie.

*L*a lucidité : un automne des instincts.

*J*e n'ai pas peur des souffrances, mais de la résignation qui en suit. Si je pouvais souffrir éternellement, sans consolation et sans demander l'aumône !
La maladie situe aux limites de la matière : grâce à elle, le corps devient une voie vers l'Absolu. Car les défaites du corps font de la douleur un paradis dans le désastre.
La maladie sert à l'esprit, sans aucun détour. Ou peut-être plus : l'esprit est une maladie *sur le plan abstrait*, à l'instar de l'homme, *matière contaminée*.

*P*ar la solitude, tout ce qui échappe au contrôle des sens — premièrement l'invisible — acquiert un caractère d'immédiateté. Être sans hommes et sans monde ; c'est-à-dire se trouver, sans aucune médiation, dans l'essentiel. Ainsi s'ouvre dans un frisson rare la vision substantielle de la nuit, de la lumière, de la pensée. On y recueille alors *le reste absolu*, ce qui demeure d'une chose lorsqu'elle cesse d'exister pour les sens. On comprend le secret dernier de la nuit, mais les sens ne sentent plus la nuit. Ou l'on s'enivre de musique, et aucun son ne caresse plus l'oreille. La solitude impitoyable de l'esprit découvre le néant immaculé du fondement des apparences, la pureté divine ou démoniaque de la base de toutes choses. Et l'on comprend alors que le but ultime de l'esprit est de tomber malade de l'infini.

Quand sombrerai-je sans appel dans le Diable et en Dieu ?

*A*u paradis, l'azur accomplissait pour nous la fonction de la terre. Les deux êtres humains marchaient sur un désert bleu. C'est pourquoi ils ne pouvaient *connaître* là-bas — tandis qu'ici sur terre, sur la couleur douloureuse de la terre, on n'a rien d'autre à faire.

Arrachez une fleur ou une mauvaise herbe et observez de quoi elle croît : du repentir solidifié.

*L*a première larme d'Adam a mis l'histoire en branle. Cette goutte salée, transparente et infiniment concrète, est le premier moment historique, et le vide laissé dans le cœur de notre sinistre aïeul, le premier idéal.

Peu à peu, les hommes, perdant le don de pleurer, ont remplacé les larmes par les idées. La culture même n'est que l'impossibilité de pleurer.

*I*l y a une fatigue substantielle où toutes les fatigues quotidiennes se rassemblent, et qui nous dépose sans détour au milieu de l'Absolu. On marche parmi les hommes, on distribue des sourires, ou l'on cherche par habitude des vérités, et dans son for intérieur on s'appuie sur les fondements du monde. *On n'a pas le choix* : on y est poussé. On gît, bon gré, mal gré — dans les dernières couches de l'existence. La vie semble alors — cet *alors* dramatique de chaque instant — un rêve qui se déroule du paysage de l'Absolu, une chimère née de notre éloignement de tout. Et à glisser ainsi sur les pentes du cosmos illimité tout en devant s'accrocher au monde par de vagues instincts, la contradiction de notre sort est plus douloureuse que le réveil du printemps dans un cimetière de campagne.

L'homme est un naufragé de l'Absolu. Il ne peut *s'élever* vers celui-ci, mais seulement s'y noyer. Et rien ne le fait s'y noyer plus profondément que les grandes fatigues, ces fatigues qui ouvrent l'espace dans un bâillement de l'infini et de l'ennui.

Nous n'avons pas le droit, en tant qu'êtres, de regarder par-delà nos limites. Nous sommes devenus des *hommes*, sortis du paradis de l'être. Nous étions *Absolu*, maintenant nous savons que nous sommes *en lui* : ainsi nous ne sommes plus ni lui ni nous. La connaissance a érigé un mur infranchissable entre l'homme et le bonheur. — La souffrance n'est que la conscience de l'*Absolu*.

*L*es idées doivent être vastes et ondoyantes comme la mélodie des nuits blanches.

Ce qui est le plus vague, c'est-à-dire Dieu. Seule son Idée est plus vague que lui-même.

... Et ce Vague, depuis toujours, est la souffrance la plus déchirante de l'homme. La mort n'introduit en lui aucune précision — seulement dans l'individu. Car en mourant nous ne connaissons pas Dieu de plus près, puisque nous nous éteignons avec toutes les lacunes de notre être, et apprenons ainsi ce que nous ne sommes pas, ou ce que nous aurions pu être. C'est alors que la mort nous décharge pour la dernière fois du fardeau de la connaissance.

*C*ette peur de l'ennui qu'on ne peut comparer à rien... Un mal bizarre échauffe le sang et annonce le vide sourd qui vous ronge aux heures sans nom. Le Spleen s'approche, poison du temps versé dans les veines. Et la peur qui vous envahit appelle la fuite : c'est ainsi qu'on commence à ne plus avoir la paix nulle part.

*L*es désagréments de ce monde doivent être vécus jusqu'au divin et au diabolique. En aucun cas il ne faut en rester au stade des sentiments, mais tout rapporter à Dieu et au Diable *en même temps*.

*B*ach et Wagner, musiciens en apparence fondamentalement différents, se ressemblent en réa-

lité beaucoup plus qu'on ne croit. Non par leur architecture musicale, mais par le substrat de leur sensibilité. Y a-t-il dans l'histoire
de la musique deux créateurs qui aient exprimé de manière plus
ample et plus complète l'état indéfinissable de la langueur ? Que
chez le premier elle soit divine et chez le second érotique, ou que
l'un condense l'alanguissement de l'âme dans une construction
sonore d'une rigueur absolue, quand l'autre fait traîner son âme
dans une musique formellement languissante — cela n'infirme en
rien la communauté profonde de sensibilité. Avec Bach, on n'est
plus dans le monde à cause de Dieu, avec Wagner, à cause de
l'amour. Ce qui importe est que tous deux sont décadents, qu'ils
déchirent la vie en une sorte d'élan négatif et nous invitent à mourir en dehors de nous-mêmes. Et que tous deux ne peuvent être
compris que dans la fatigue, dans les néants vitaux, dans les
délices de l'anéantissement. Ni l'un ni l'autre ne peuvent servir
d'antidote à la tentation de ne pas être.

        *D*e toute manière, la sexualité
est mystérieuse, mais tout spécialement lorsqu'on n'appartient
plus au monde. On revient alors à ses révélations avec un étonnement indicible, et l'on est obligé de se demander si en réalité on
n'appartient vraiment plus au monde, subjugué qu'on est et
conquis par un exercice si ancien.
Mais il se peut que le but de la pensée, partie sur ses voies
propres, ne soit autre que la tension des contradictions et l'approfondissement de l'insoluble. Nulle part ailleurs que dans le renoncement au monde, on ne peut les atteindre si facilement. L'extase
infinie et irréversible perce les hauteurs du détachement, crée
une désorientation, source de problèmes, d'angoisses et de questions. Dans un esprit accablé par l'excès des pensées, les étreintes
et l'orgasme réunissent des plans divergents et des mondes irréconciliables. Se réconcilient dans l'érotisme les deux faces de
l'univers, l'hostilité de l'esprit et de la chair. Elles se réconcilient
pour un moment. — Elle reprend ensuite, avec une force plus
féroce et plus impitoyable. Ce qui importe, c'est de pouvoir encore
s'en étonner. Et l'on ne doit laisser s'échapper aucune occasion de
ce genre. Les autres hommes se soumettent aux étonnements de
la chair, mais ne connaissent pas les étonnements qui surgissent à
l'intersection de l'esprit et de la chair, ni le trouble plein de
volupté et de souffrance de leur complicité.

*L*a neurasthénie : moment slave de l'âme.

*S*i l'on n'avait pas d'âme, la musique l'aurait créée.

*T*out ce qui ne relève pas de la nature est de la maladie. Le devenir historique en exprime les degrés. Ceux-ci ne sont pas des manques, mais des moments de crise dans l'élévation. Car la «santé» ne peut représenter un concept positif que jusqu'à l'apparition de l'esprit.
Le monde est issu du silence initial par l'exaspération de l'identité. Nous ne pouvons pas savoir ce qui a «atteint» l'équilibre originaire, mais il est clair que l'ennui d'être soi-même, un affaiblissement de l'infini statique, a mis le monde en branle. — La maladie est un agent du devenir. Voilà son but métaphysique.
... Et c'est pourquoi dans chaque moment d'ennui reviennent des réflexes du spleen initial, comme si dans le paysage saturnien de l'âme s'étendaient des oasis du temps où les choses figées en elles-mêmes attendaient d'*être*.

*I*l y a tant de raison et de médiocrité dans l'institution du mariage, qu'il semble avoir été inventé par les forces hostiles à la folie.
Je ne voudrais pas perdre ma raison. Mais il y a tant de vulgarité à la garder ! Veiller inutilement l'incompréhensible du monde et de Dieu, et tirer des souffrances de la science ! Je suis ivre de haine et de moi.

*L*a tristesse est un *don*, comme l'ivresse, la foi, l'existence et tout ce qui est grand, douloureux et irrésistible. La grâce de la tristesse...

PAGES SUIVANTES :
PAGE DE TITRE ET DEUX PAGES MANUSCRITES
DE *Îndreptar Pătimaş*, ÉCRIT EN ROUMAIN DE 1941 À 1944
ET PARU EN FRANÇAIS EN 1993
SOUS LE TITRE DE *Bréviaire des vaincus*.

Indrostan patimes +

Illisible, inutilisable,
~ publiable.
70 Oct. 1963.

Partie 1941-1944
+ Hôtel Racine
par Racine

1. Cu râvnă și amor, cercat-am să culeg roadele cerului — și n'am putut. Ele se înălțau spre nu știu ce alt cer, când mâinile le desfătam în nodnicia lor.

Crengile bolților se apleacă în nădejdile rugilor noastre; acestea potolindu-se, ele își pierd fructele.

Nici flori nu înfloresc ce cer, și nici poame nu rodesc. La el acasă, D-zeu neavând ce faci, de necaz, și de urât pustiește grădinile omului.

Nu, nu; nu pe aștri mi-i voi orbi văzul. Destul mi-am pierdut din lumină cersind pomana înăl țimilor. Sătul de tot felul de ceruri mi-am lăsat sufletul biruit de podoabele lumii.

...... Astfel, iubitor de sine, scoate omul spada în cruciada eroilor.

3. Pe semeni îi cunosc. Adesea mi-am citit în ochii lor absenți și goi nerostul soartei sau mi-am odihnit răzvrătiri în pauzele privirii lor. Dar zbuciumul lor mi-e strein. Și vor, ei vor ~~cau~~ neînceetat. Și cum nimic nu e de vânt, pașii mei călcau în urmele lor ca'n spini, cărarea mea șerpuia prin noroiul dorințelor lor, înălbindu-le printr'un nimb de nefolosiți, căutarea lor fără folos.

Și nu știu că raiul și iadul sunt înflori ale clipei, ale clipei însăși că nimic nu este peste tăria extazului inutil. N'am întâlnit în mersul lor murător oprirea eternă pe arcurile clipitelor.

Văd un arbore, un zâmbet, un răsărit, o amintire. Nu sunt fără margini în fiece din ele? Ce mai aștept peste acel definitiv văz, peste incurabilul văz al fulgerului temporal? —

BRÉVIAIRE

DES VAINCUS

Traduction de
ALAIN PARUIT

Titre original :
Îndreptar Pătimaş.
Écrit en roumain à Paris entre 1941 et 1944 ;
publié en français à Paris en 1993.

1. *D*'amour amer, telle était ma quête des fruits du ciel — et elle fut vaine. Ils se dressaient vers je ne sais quel autre ciel, alors que mes mains goulues en pétrissaient le levain.

Les voûtes penchaient leurs branches sur nos espoirs ; quand ils s'apaisèrent, elles en perdirent leur graine.

Il n'est point de floraison au ciel, et il n'est point de nouaison.

N'ayant pas besoin d'épouvantail dans ses champs, Dieu, pour tuer l'ennui, répand l'épouvante dans les jardins de l'homme.

Non, ce n'est pas la vue des astres qui m'aveuglera. J'ai assez perdu de ma lumière à force de quémander de hautaines aumônes. Dégoûté des cieux de toutes sortes, je donne mon âme en pâture aux parures du monde.

2. « *E*t il mit des chérubins devant le jardin de délices, qui faisaient étinceler une épée de feu, pour garder le chemin qui conduisait à l'arbre de vie. » (Genèse, III, 24.)

J'ai souvent mendié sur ce chemin-là. Et les autres errants, plus pauvres hères que moi, tendaient une main vide dans laquelle je laissais choir l'obole de l'espoir. Or, cheminant ainsi parmi la foule accablée, je voyais notre sentier s'enfoncer dans les marais, et l'ombre des rameaux du paradis s'engloutir dans le sans-fin du monde.

Sapience ni patience ne nous rendront maîtres de ce qui échappa à notre fatal ancêtre. Il ne nous faut qu'un esprit de feu — alors, les mauvais chérubins, las d'affûter armes et folies, fondront dans la braise de notre âme.

Le Tout-Puissant nous a-t-il clos ses voies ? Nous planterons alors un autre arbre, par ici, là où Il n'a ni gardiens, ni épées, ni feu. Nous enfanterons un paradis à l'abri des tourments — puis doucement nous nous reposerons sous les frondaisons de la terre, anges éphémères. Il lui restera, à Lui, une éternité où il n'y aura personne; nous autres, nous continuerons à pécher, à mordre dans les pommes pourrissant au soleil. Amoureux des sciences de la faute, nous Lui serons semblables et — grâce aux affres de la Tentation — encore plus grands que Lui.

Il crut par la mort nous rendre serfs et nous vouer à son service. Or, ce fut à petites gorgées que nous nous accoutumâmes à la vie. Vivre : se spécialiser dans l'erreur. Se moquer des vérités sûres de la fin, ne pas tenir compte de l'absolu, transformer la mort en plaisanterie, et en hasard l'infini. Ne pouvoir respirer qu'au plus profond de l'illusion. Exister devient si grave que, en comparaison, Dieu n'est plus qu'un simple hochet.

Armés par les accidents de la vie, nous bousculerons les certitudes qui nous guettent. Nous les saccagerons, nous culbuterons les vérités, nous attaquerons les lumières non avenues. Je veux vivre, mais sans cesse contre moi bondit l'esprit sacré, défenseur des causes du non-être.

... Ainsi, de soi aimant, l'homme brandit l'épée dans la croisade des erreurs.

3. *M*es semblables, je les connais. J'ai lu plus d'une fois dans leurs yeux absents et vides la déraison de mon destin, quand je ne reposais pas mes révoltes dans les sommeils de leurs regards. Je ne suis pourtant pas étranger à leur tourment. Ils *veulent*, ils *veulent* sans cesse. Et, puisqu'il n'y a rien à *vouloir*, je marchais sur leurs brisées hérissées d'épines, ma sente serpentait dans la fange de leurs désirs et blanchissait, sous un nimbe dérisoire, leur quête toujours dans les limbes.

Ils ignorent que le paradis et l'enfer sont les efflorescences d'une seconde, d'une seule seconde, et que rien ne surpasse la force d'une extase inutile. Dans leur marche de mortels, je n'ai pas surpris d'arrêt éternel sur les tressaillements des instants.

Je vois un arbre, un sourire, une aurore, un souvenir. Ne sont-ils pas chacun sans borne aucune? Qu'attendrais-je de plus que cette vue définitive, que cette vue incurable de l'éclair temporel?

Les hommes souffrent de l'avenir, ils se ruent dans la vie, ils fuient dans le temps, ils cherchent. Et rien ne me fait plus mal que leurs yeux quêteurs, vains et néanmoins dépourvus de vanité.

Ils savent que tout *est final*, qu'il existe seulement un instant, chaque instant, que l'arbre de vie est un jaillissement d'éternité réversible dans les actes de l'être.

Ainsi donc, je ne veux plus rien. Souvent, quand je suis plongé dans la nuit, dans de grandes nuits qui dressent devant l'esprit les fonds du monde, comment saurais-je si je suis ou ne suis plus ? Et peut-on, alors, être encore ou n'être plus ? Ou bien, prisonnier du flou de la musique, perdu en lui, affranchi des hasards de la respiration, comment croirais-je ressembler à mes semblables ?

N'avoir qu'un seul but : être plus inutile que la musique. On n'y connaît ni *il est* ni *il n'est pas*. Où se trouve-t-on en tant que victime chavirée de son charme ? Mais n'est-elle pas un *nulle part* sonore ?

Les hommes ne savent pas être inutiles. Ils ont des chemins à suivre, des points à atteindre, des besoins à assouvir. Ils ne jouissent pas de leur inaccomplissement, alors que la vie ne se justifie pas autrement que par l'extase due à cet inaccomplissement ! Si nous pouvions leur révéler la simplicité de ce mystère, ne tomberaient-ils pas, ravis et ivres, sous sa fascination ? Je me souviens de certaines nuits et de certains jours...

Silences nocturnes dans les jardins du sud... Sur qui se penchent les palmiers ? Leurs branches telles des idées éculées. Naguère, quand mon sang charriait bien plus d'alcool et bien plus d'Espagne, ma colère les aurait redressées vers le ciel, ma passion aurait remis à la verticale leur fatigue terrestre, les battements de mon cœur les aurait lancées dans le voisinage des étoiles. Aujourd'hui, je suis heureux d'être séparé des astres par des palmes pensantes, de goûter sous leur bruissement aux douceurs de la solitude, de m'anéantir dans la splendeur d'une terre divinisée par la nuit.

Si nous vivions dans des jardins, la religion ne serait pas possible. Leur absence aiguillonne notre nostalgie du paradis. Un espace sans fleurs ni arbres fait lever les yeux au ciel et rappelle aux mortels que leur premier ancêtre habita passagèrement l'éternité, à l'ombre des arbres. L'histoire est la négation du jardin.

Mes espérances, je les dois aux nuits. Sur les ailes de l'obscurité, hors de l'espace, seul entre la matière et le rêve, je proclamais les arômes de la déception, effluves du bonheur. Rien ne me semble impossible dans la nuit — *ce possible sans temps.* On y peut tout et trop — mais l'avenir n'y est pas. Les idées deviennent des oiseaux de pensée — pour s'envoler où ? Dans une éternité tremblotante, tel un éther rongé par les réflexions.

... Aussi en suis-je venu à regarder le soleil avec un étrange intérêt. Quel malentendu poussa les hommes à s'emparer de ses turbulences et à les transformer en bienfaits ? Quel manque de poésie ravala au rang de monstre utilitaire un astre pur ? Nous sommes-nous tous approchés trop humainement de ses rayons et, le prenant pour une source du réel, lui avons-nous accordé trop de réalité? Pourquoi avons-nous projeté *le but* jusqu'au ciel?

J'ignore jusqu'où le soleil *est*. Mais je ne sais que trop à quel point je ne suis plus sous le soleil. Qui — sur le rivage de quelque mer, les yeux entrouverts des heures durant à l'horizontale du rêve, parallèlement au temps et aussi fugace que l'écume sur le sable —, qui n'a pas été sensible au mélange de bonheur et de néant qu'est ce gaspillage superbe, celui-là ne connaît aucun des dangers que la beauté a apportés au monde.

Je croyais être jeune sous le soleil, et je me suis retrouvé sans âge. Et si en ce minuit j'étais encore riche d'années, en ce midi il ne m'en restait plus. Tous les âges fuient et l'on demeure entre l'être et le non-être, dans le nihilisme des ensoleillements.

4. Comme je descendais de la cité transylvaine, à je ne sais quelle heure du crépuscule et quelle année de la jeunesse, malheureux et désirant l'être, trop infatué pour penser au soleil — la révélation de son déclin brisa subitement l'orgueil de mes genoux. Mes membres épousaient les fatigues du soir, et ce qui subsistait de soleil entre les taches du cœur s'agenouilla au chevet d'une agonie dorée. Et ma reconnaissance envers l'astre couchant s'adressait aussi à l'Égypte de mon âme.

Depuis, j'ai toujours encensé la mort et le soleil — en lointain descendant d'un quelconque fainéant rêvassant sur les rives immémoriales du Nil.

5. Si nous aimons les livres qui nous firent pleurer, les sonates qui nous coupèrent le souffle, les parfums qui annoncèrent des abandons, les femmes égarées entre corps et cœur — il n'en va pas autrement des mers : nous nous éprenons de celles où tangue et roule la noyade.

Je n'ai cherché dans la Méditerranée ni poésie ni violences, et pas plus les coups de boutoir du ressac. Ces désirs-là, les rochers de Bretagne les avaient comblés. Mais comment oublier une mer où j'ai laissé mes pensées?

Je garderai, reconnaissant, l'image du bleu inhumain de la mer décadente. Sur ses rivages, s'écroulèrent des empires — et tant de trônes de l'âme...

Lorsque l'air suspend son inquiétude et que dans la torpeur méridienne les vagues s'effacent et se font surface lisse — je sais ce qu'est la Méditerranée : *le réel pur*. Le monde sans contenu : la base *effective* de l'irréalité. Seule *l'écume* — actualité du rien — s'entête, s'efforce encore d'être...

Qui que nous soyons, nous ne pouvons rien de plus que prendre le large. Sans désir d'ancrage. Le but de l'instabilité n'est-il pas d'*épuiser* la mer ? Afin qu'aucune vague ne survive à l'odyssée du cœur. Un Ulysse — avec tous les livres. Une soif du grand large tirée des lectures, une errance érudite. *Connaître* tous les flots...

6. *P*iété esthétique : vouer aux apparences un respect religieux, fouler la terre sans avoir la nostalgie du ciel, croire que tout est fleur en puissance — et non pas absolu.

Si l'on n'a jamais regretté de ne pas avoir d'ailes pour épargner à la nature la souillure de nos pieds, on n'a jamais aimé cette terre. Chaque fois que je la découvrais, chaque fois que je la sentais dans mon cœur et non sous mes semelles, je voyais les astres fondre comme cire dans un sang qui oubliait alors le ciel. On aura beau lever les yeux, on ne connaîtra pas l'attendrissement des rares rencontres avec cette terre qu'on méprise en cheminant — soupir de compassion fraternelle, d'intime amertume, étreinte mouvante ! Vous n'avez que trop fatigué mes regards, vous autres, les anges et les saints et les voûtes !

Je veux désormais apprendre à respecter les mottes de terre. Éprouverai-je en regardant *en bas* le même frissonnement passionnel que naguère en contemplant les cieux ? Quels vices et quels tourments du vice ont poussé l'œil dans le surnaturel ? La religion l'arrache à sa destinée : voir. Depuis le christianisme, l'œil ne voit plus.

Celui qui à l'église marche sur la pointe des pieds est aussi celui qui crache dans les jardins — et pourtant c'est seulement sous la ramure que la joie des pensées mêlées aux sens devrait ourdir une mythologie de la sensation et lui élever un temple.

Que ferai-je du ciel, qui ignore la flétrissure, ou les douleurs et l'extase de la floraison ? Je me veux du côté des êtres voués à la vie, et je veux mourir avec eux, de même voués à la mort. Pourquoi vous ai-je parlé d'extinction, astres toujours brûlants ? J'ai trop longtemps cherché le rien *ailleurs*. Mais je rentre dans les mondes où soufflent les lassitudes. J'y marcherai pareil à un ermite assoiffé de péché.

7. *D*ans ce qui est transitoire — or, tout l'est —, recueillons avec nos sens des essences et des intensités. Où chercher le réel ? Nulle part, certes, si ce n'est dans la gamme des émotions. Qui ne monte pas jusqu'à elles rampe dans une sorte de non-être. Un univers neutre est plus absent qu'un univers fictif. Seul l'artiste rend le monde présent et seule l'expression sauve les choses de leur irréalité.

Que retenir de ce qu'on a vécu? Les joies et les peines sans nom — mais auxquelles on a su en donner un.

La vie dure ce que durent nos émois. Sans eux, elle est poussière vitale.

Ce qu'on voit, élevons-le au rang de vision; ce qu'on entend — au niveau de la musique. Car rien n'existe *en soi*. Nos vibrations constituent le monde; les repos de nos sens — ses pauses.

Si le Rien devient Dieu grâce à la prière, de même l'apparence devient nature grâce à l'expression. Le mot vole les prérogatives du néant immédiat dans lequel nous vivons, il lui ravit sa fluidité et son instabilité. Comment nous dépêtrer du maquis des sensations sans les figer dans des formes — *dans ce qui n'est pas*? Ainsi en faisons-nous des êtres. La réalité est apparence solidifiée.

Les troubles négatifs de la chair, les protestations bibliques du sang, l'image de la mort imminente et l'envoûtement dangereux de la maladie pâlissent devant le désespoir qui émane des splendeurs du monde. Me souviendrais-je de ma douleur la plus précise et la plus lancinante, de l'affolement le plus certain de la matière soumise au moi, qu'ils s'effaceraient devant le tourment extatique dû aux parures terrestres : lorsque, dans la solitude de la montagne ou de la mer, dans des silences sourds ou sonores, sous des sapins ou des palmiers, mes sens, et avec eux le monde, s'élevaient au-dessus du temps, que le bonheur de nager dans la beauté et que la certitude de la perdre me déchiraient, que le paysage s'évanouissait dans la substance équivoque et sublime d'une inconsolable admiration. Il n'y a que la laideur pour ne pas faire mal. Le charme des apparences qui compromettent les hauteurs est plus bouleversant que tous les enfers inventés par la douceur de l'homme. Ce ne sont pas eux qui m'ont chassé du monde — mais, d'avoir rencontré trop souvent le paradis sur terre, mes sens ont fondu dans la malchance. Pourquoi, dans la perfection de l'instant absolu, le murmure de la fugacité me ramenait-il aux cruautés du temps?

Voyant un amandier effeuiller ses fleurs sous les caresses de la brise et le ciel méditerranéen descendre dans ses branches afin que l'œil n'imaginât rien d'autre au-dessus de cette explosion de pétales — à mon tour j'effeuillais le moment, pour retomber plus brutalement dans les déserts du temps.

La peur d'une fin des voluptés empoisonna le paradis de mes sens, car en eux rien ne devrait jamais s'achever. Les splendeurs du monde me poignirent plus farouchement que les transports de la chair et je saignai de bonheur plus que de désespoir.

Raréfaction mystique du temps dans le néant absolu de la beauté... En nourrir les attentes de mon sang, les nourrir des ondes et des miroitements harmonieux de l'éternelle inutilité. Il n'est de raisons d'être que dans les apparences pour lesquelles on voudrait mourir... Les pétales prendront-ils la place des idées ?

Le temps réclame une autre sève, les veines un autre murmure, la chair d'autres leurres... Un monde direct — et ne pouvant servir à rien ; des roses à la portée de tout un chacun, et que les nymphes de l'esprit n'oseraient pas cueillir...

Pourquoi avons-nous cherché des rédemptions en d'autres mondes, alors que les ondoiements de celui-ci peuvent nous offrir l'éternité dans de plus doux anéantissements ? J'arracherai un néant enivrant à toutes les floraisons, et les corolles des prés seront le lit de mes sommeils. Et je ne m'enfuirai plus dans les étoiles, ni ne me réfugierai dans des solitudes lunaires.

Plonger le monde dans un nirvana esthétique : atteindre le suprême dans de suprêmes apparences. Être tout et rien dans l'écume de l'instant. Et se dresser au bord du moi, dans l'immédiateté et la fugacité.

8. *L*es doctrines manquent de vigueur, les enseignements sont stupides, les convictions ridicules, et stériles les fleurs des théories. Dans tout ce que nous sommes, il n'est de vie que dans les raidissements de l'âme. À moins d'en faire de la musique superflue et d'élever ainsi la laideur à la dignité d'oracle, dans quel mystère nous enterrerons-nous ? Ne martèle-t-il pas dans notre pouls, ce mystère de la matière, son rythme ne nous entraîne-t-il pas dans une musique de l'indéchiffrable ?

Pourtant éveillé, je ne sais en quoi croire ; assombri par les accords — je ne le suis guère. Mais pourquoi, quand je suis ainsi privé de toute foi, *la vie* se mue-t-elle en *moi*, et pourquoi alors suis-je partout ?

Le finale de la musique intérieure est une fusion dans un andante cosmique. La tempête qui claironnait dans les idées s'apaise et un calme horizontal s'écoule comme une absence ensoleillée.

... J'ai souvent senti mon âme à côté de mon corps. Je l'ai souvent sentie loin, souvent sans foi ni lieu. Et comment l'aurais-je suivie lorsque, en de brusques envolées, elle s'arrachait au nid douillet du cœur? Sa destinée n'est-elle pas d'errer dans les ornières des sens? Qu'est-ce qui la pousse alors vers d'autres étendues, où je ne peux pas la suivre? Les hommes la *possèdent*, ils en disposent, elle leur appartient.

Moi seul, je demeure sous moi...

Oubliez un instant de surveiller votre âme; la voilà qui décampe en direction du ciel! Car sa nature est celle d'une marâtre. Par quels sortilèges l'attacherai-je à la terre? Si seulement ses orages s'accommodaient parfois des passions passagères, je pourrais la refréner dans le corset du corps... Une seconde de distraction et, tout feu tout flammes, elle se sauve vers d'autres mondes. D'où vient-il, ce brusque embrasement qui l'exile aux confins du ciel, pour me laisser là, victime auprès d'un corps à l'abandon?

Il y a là une pulsion meurtrière qui tranche les liens terrestres, une soif de bonheur en dehors des bonheurs, un désir d'évanouissement astral, de perdition dans des frémissements, de noyade dans des écumes de regrets divins. Quelles sont les ailes qui lui poussèrent secrètement, qui la font soudain tressaillir au-delà du soleil et, l'animant d'une vie de déraison, d'outre-vie, l'amènent à laisser derrière elle dans son vol les sources de la lumière?

On voudrait mourir des milliers de fois — or, elle se déchire dans le vaste nulle part.

... J'ai cherché les apaisements de l'âme dans des paysages, des sourires, des idées. Mais, vagabonde, elle ne leur tenait pas compagnie, elle virevoltait sur les cimes du monde. Quand donc son bouillonnement descendra-t-il jusqu'au voisinage des non-êtres quotidiens? Si j'avais une autre âme... Une âme plus vaine!

9. *J*e sais qu'il est en moi un démon qui ne peut pas mourir. Je n'ai pas besoin d'une ouïe aiguisée par des tortures subtiles, pas besoin de goûter au vinaigre du sang — le silence annonciateur des longues lamentations me suffit. Pour reconnaître le danger. Et si je me tourne vers le Mal despotique et humiliant, aussitôt il monte dans le ciel, dans le cerveau, dans les murailles — divinité subite, rude et destructrice.

Immobile, tu attends. Tu t'attends. Mais que faire de toi? Que te dire, entouré de tant de non-dit?

Qui passe à travers le silence? Ou quoi? C'est ton mal passant à travers toi, en dehors de toi, une omniprésence de ton mystère négatif.

Penser à ce que tu seras? Tes regrets n'ont pas d'avenir. Et nul avenir ne t'appartient. Le temps ne te fait plus de place, le temps enfante la peur.

Et alors tu t'en vas. En t'en allant, tu t'oublies. Et en marchant, tu es un autre — et en *étant*, tu n'es plus.

10. **S**olitude et orgueil, tels sont les deux attributs de l'homme. Et il vaque sur la terre pour les mettre au jour. Mais voici qu'apparaît la religion : un système de remèdes empoisonnant l'existence. Pourquoi l'a-t-on inventée ? Quel est le besoin qui sécrète tant de venin ?

Je vois le soleil et je me demande : pourquoi, *malgré* tout, la religion ? Je me retourne vers la terre et je me ligue avec ses frondes et je ne comprends pas pour quelle raison je devrais la fuir.

Chaque fois qu'il m'arrivait de déguerpir en direction du ciel, l'amertume sublunaire me souriait et j'y redescendais à grand-soif. Lorsqu'elle suera des idéaux par tous ses pores, n'ayant plus de place pour être fier ni pour être triste, je la quitterai. Mais, tant qu'elle demeure la lice des tourments inspirés, pourquoi chercher ailleurs ?

La religion tente de nous guérir du mal — des maux qui font le prix de la vie. La solitude et l'orgueil sont des maux *positifs*. Cette absence *qui nous grandit*.

Je ne fus jamais *certain* dans les incertitudes parfumées de la terre, sauf dans des extases mécréantes. Mon cœur s'épanchait dans la vastitude du monde et il n'attendait nulle réponse. Frissonnement de prière puisant en soi sa force.

Je joignis trop les mains vers un ciel absent — quand reviendront-elles vers l'infini doux-amer du temps ? Extase introspective de l'argile, terre malade de narcissisme...

L'homme n'inventa pas d'erreur plus précieuse ni d'illusion plus substantielle que le *moi*. Il respire, et il s'imagine unique ; son cœur bat, parce qu'il est *lui*. Comment se tiendrait-il debout dans le panthéisme ? Ou comment pourrait-il *être*, avec un dieu au-dessus de lui ? Quelle que soit la religion, elle l'empêcherait d'être fécond selon nature.

Je voulus faire mon salut. Et toutes les croyances des mortels me demandèrent de me renier. Des Veda au Bouddha et au Christ, je ne trouvai que des ennemis de ma *nécessité*. Ils m'offrirent la rédemption en mon *absence* ; ils m'enjoignirent tous de me priver de moi-même. D'être eux, ou leur dieu, d'être *anonyme* dans le rien — alors que mon orgueil exigeait mon *nom* jusque dans le néant.

Et ce n'est pas tout. Ils me commandaient aussi de vaincre la douleur. Mais, être n'a pas de goût sans elle : le sel de la vie ; le sang de l'existence : ce qu'elle a d'*insupportable*.

Aimer, s'apitoyer, attendre, s'accomplir. Une échelle de la monotonie, pour qui ne voulait pas devenir un abruti sous le ciel, ni un mendiant sous l'horizon stérile d'un quelconque absolu.

Ma souffrance, la galvauder en autrui ? Toujours découvrir des semblables et encore des semblables ? Être heureux de sarcler leur bêtise, de cultiver leur bassesse — et de flétrir mes envies de les mépriser ?

Le moi est une œuvre d'art qui se nourrit de la souffrance que la religion cherche à apaiser. Et l'homme n'a d'autre noblesse que d'être son propre esthète. Il érigera dans la douleur la beauté de sa petitesse et en pétrira la substance en se consumant.

L'homme est *art* parce qu'il est fier et seul. La terre lui est meilleur prétexte que le ciel pour magnifier son existence.

Les religions sont insensibles au charme du rien immanent, à l'apparence en tant que telle. L'engloutissement en soi-même et l'envoûtement de l'inutilité leur sont étrangers. Étrangère aussi, la terre. Voilà pourquoi la rédemption qu'elles nous proposent consiste à nous sauver de notre moi, le plus étrange des épanouissements qui furent sous le soleil.

Si l'existence individuelle exerce une attirance aussi violente, c'est qu'elle est née d'un déséquilibre, d'une inégalité dans le fonds originel de la vie. Les religions veulent niveler la diversité ; supprimer l'individualité. La rédemption a pour sens la disparition du pronom personnel.

Je ne supporte nul absolu, hormis cet *accident* que je suis. Puisqu'il est advenu que je sois, je tiens l'illusion de mon existence pour mon sens suprême. Et je ne corrigerai rien à ce hasard.

Né convalescent, jamais guéri du mal d'être, on demeure irrémédiablement *en soi*, et par là on est un *homme*.

En quoi plonger et se fondre — la nature, l'humanité, Dieu ? De toute façon, on s'est d'abord noyé en soi.

Je rêvais que j'étais mort, je cherchais parmi les astres mes ossements dispersés, et je me suis retrouvé aux pieds de mon Moi, pleurnichant sur mon identité perdue.

Par rapport au rêve, l'ombre exprime un vague supplément d'existence. Lorsqu'on a inventé des mondes et qu'on les a égarés à travers les espaces, on en vient à désirer quelque chose qui serait — le Moi — une ombre d'être dans un non-être général.

Les religions m'ont montré le chemin étroit du bonheur, à *mon* prix. Mais l'illusion d'être *ici* est plus réconfortante que la quiétude de n'être nulle part, d'être dans les cieux.

... Et alors je me retournai vers la terre et je renonçai au salut.

11. «*La* vérité ne rêve jamais», a dit un philosophe oriental. C'est pourquoi elle ne nous intéresse pas. Que ferions-nous de sa minable réalité? Elle n'existe que dans des cervelles de professeurs, dans des préjugés scolaires, dans la vulgarité de tous les enseignements.

Mais dans l'esprit auquel l'infini donne des ailes, le rêve est plus réel que toutes les vérités. Le monde *n'est pas*; il se crée *chaque fois* que le frisson d'un commencement tisonne la braise de notre âme. Le Moi est un promontoire sur le rien, où il rêve d'un spectacle de réalité.

Le courage me lance entre un être et un non-être, et je vogue entre des mondes qui sont et ne sont pas. Tant que je suis lâche, tout existe; mais en armure de chevalier de l'esprit, j'aplatis les sillons du naturel et j'écrase les graines de l'illusion.

Nous nous sommes insufflé sans contrainte les choses que l'on voit. L'existence n'est-elle pas le confort de la respiration? *Être* paraissant préférable à son contraire, nous nous y sommes habitués et nous nous y sentons mieux. Quel intérêt aurions-nous à savoir que nous l'imaginons seulement, que nous le vivons dans le prolongement de notre demi-éveil?

La lumière de l'espace, qui donc la diffuse, tel un anéantissement gracieux? Le soleil? Non: le reflet sur fond bleu des embrasements du sang. Et ce sont eux également qui parsèment les nuits d'étincelles sidérales.

L'univers est un prétexte dynamique du pouls, une autosuggestion du cœur.

12. *L*e sourire est incompatible avec la loi de la causalité: toute la fascination de l'inutilité en émane. Sa valeur «théorique» en fait un symbole du monde.

La différence entre cause et effet, l'idée qu'une chose puisse être la source d'une autre ou avoir avec elle un lien effectif satisfont un goût médiocre pour l'intelligible. Or, quand on sait que les objets *ne sont pas*, qu'*ils flottent* dans un tout aérien, on comprend que leurs liaisons ne dévoilent rien, ni sur leur position ni sur leur essence. Le monde n'est pas né et il n'est pas mort, il ne s'est pas arrêté à un certain point et le temps ne l'a pas changé — il se prélasse sans but dans un «À jamais» indéfini. Vainqueur éphémère de l'éternité évanescente, seul le Moi se trompe quelquefois utilement.

Il porte parmi les ombres le fardeau de son existence distincte et tache de réalité le blanc néant qui l'entoure. Son pouvoir de rêver gorge de sève les figures qui semblent vivre et en façonne des êtres. Car la vie est une vue de l'esprit assoiffé de nature, prisonnier sans rémission de l'immuable réalité.

Les pensées se sont passagèrement entichées d'existence — et nous nous montrons fiers d'être. Dépourvus de timidité, nous souillons les ombres sous nos pas lourds et assurés. Un instant d'éveil, un seul, et l'envoûtement du réel vulgaire se rompt pour nous laisser voir ce que nous sommes : des illusions de notre pensée.

13. Lorsque je crois comprendre Caligula, s'agirait-il d'une flatterie que mon orgueil se sert à lui-même ?

Suétone, en voulant le discréditer et démasquer sa folie, lui rend un hommage involontaire : «Il souffrait surtout d'insomnie, car il ne dormait pas plus de trois heures par nuit ; et ce repos n'était pas complet, mais troublé par des visions étranges : une fois, entre autres, il rêva qu'il conversait avec le fantôme de la mer.»

Suétone rapporte également que Caligula n'embrassait pas son épouse ou ses maîtresses dans le cou sans leur rappeler qu'il était en son pouvoir de le leur faire trancher.

Ne cachons-nous pas tous dans la fange de notre âme des désirs que seuls peuvent avouer des empereurs sinistres ? Nommer son cheval consul, n'est-ce pas là bien juger des hommes ?

Et puis, dans un aussi grand empire, croire à ses semblables eût été une faute de goût.

Les empereurs romains de la décadence, monstres inspirés par le génie de l'ennui, révélèrent tant de style dans la folie que, en comparaison, tous les esthètes du monde sont des pitres de foire et les poètes des montreurs d'ombres.

Si j'avais vécu dans la Rome des infiltrations chrétiennes, j'aurais monté la garde devant les statues des dieux moribonds ou défendu de ma poitrine le nihilisme des Césars. La décadence a ses sortilèges : ployant sous les lassitudes historiques, elle tente de suppléer par des absurdités au vide de la gloire et par la folie au déclin de la grandeur. Sous tous les cieux, les ancêtres de la démence baignèrent dans le sang.

La cruauté est immorale pour les contemporains ; mais en tant que *passé*, elle se transforme en spectacle, semblablement à la douleur enclose dans un sonnet. La lèpre elle-même devient un motif esthétique si l'histoire la consigne.

Seul l'instant est divin, infini, irrémédiable. L'instant que l'on vit. Comment aurais-je pitié des victimes de Caligula? L'histoire est une leçon d'inhumanité. Pas une goutte de sang du passé ne peut troubler le présent où je suis. Et le fantôme de la mer qui hantait les rêves du malheureux empereur m'attendrit davantage.

Injuste, l'histoire évoque moins les martyrs chrétiens que leurs persécuteurs. Néron est vivant et séduisant dans toutes les mémoires; ce n'est pas sans émotion que nous nous souvenons de lui. D'avoir été dénigré durant deux millénaires, il est moins banal que Jésus.

Grâce à une simple question, Pilate a sa place parmi les philosophes — ils ne rougissent pas de le citer, tandis que Jean l'évangéliste, qui ignorait le doute, n'a pas pu survivre à l'adoration. Les chrétiens l'ont liquidé à force d'amour. Judas est devenu un symbole; sa trahison et son suicide lui ont conféré une éternelle actualité, alors qu'il ne reste de Pierre qu'une pierre d'Église. Nous savons tous aujourd'hui que Anne et Caïphe *avaient raison*; ils ne pouvaient pas juger autrement. Au théâtre de la Passion d'Oberammergau, j'assistais au drame antique avec des yeux chrétiens et non chrétiens et, objectif parce que désabusé, je ne prenais pas plus le parti du Rédempteur que celui de ses bourreaux. Anne et Caïphe avaient du caractère, ils étaient *eux*; s'ils avaient compris Jésus, ils se seraient annulés. Leurs questions étaient si rationnelles que seuls *des fous* auraient pu accepter les réponses sublimes et inexactes de l'Agneau.

À l'instar de tout autre chrétien d'aujourd'hui ou de demain, je ne peux pas mourir pour Jésus. Être fou de lui, pas plus. Son sacrifice a porté tous les fruits et aucun. Nous sommes tous devenus neutres. Le christianisme touche à sa fin et Jésus descend de la croix. La terre s'étalera de nouveau devant l'homme exempt de foi qui — avant d'inventer d'autres erreurs — en dégustera les saveurs sans encourir le châtiment céleste.

Difficile de préciser la date à laquelle les églises deviendront de simples monuments, la date à laquelle les croix, purifiées du symbole du sang judaïque, souriront inutilement à la curiosité esthétique. D'ici là, il nous faut encore supporter, dans nos retours d'âme, les souffles étouffants de la foi.

Chaque fois que le christianisme s'appesantit sur mes doutes, une inopportunité douloureuse prend la place du faste sceptique et des arômes enivrants. Il m'empêche de respirer. Il sent le renfermé. Il me bloque. Sa mythologie est usée, ses symboles vides, ses promesses non avenues. Deux mille ans d'égarement sinistre! C'est dans le vieil ameublement de l'âme qu'il éveille encore un vague écho, dans des pièces aux fenêtres calfeutrées, à l'air macabre, dans la poussière de la vie. Il ne m'a jamais servi à rien, quel que fût mon trouble, quelle que fût l'impasse où se fourvoyait mon angoisse. J'y ai fait appel par mégarde, connaissant d'avance toute l'impuissance que recèle un passé depuis trop longtemps passé. Le christianisme — si attendrissant dans quelques douces fugacités — ne connaît aucun culte de la fierté, aucune exaspération des passions, aucun soupçon de la multiplication du moi. Si l'on devait suivre ses préceptes dans les âpres solitudes où nous entraîne l'envol de la pensée, on sombrerait dans l'anonymat, on s'effondrerait en autrui. Il y a en lui tellement de germes de décomposition et si peu d'air pur — *une religion sans montagnes*, une religion de collines basses.

Lorsqu'il s'approche de moi, je dois puiser dans mes réserves de musique pour arrêter ses émanations méphitiques. Je ne peux pas faire bon ménage avec lui. Ce serait un ménage d'apothicaires.

J'ai cherché dans les livres, dans les paysages, dans les mélodies et dans les passions des remèdes contre le mal à l'âme, car ceux qu'administre le christianisme sont des poisons mielleux et les hommes qui les prennent meurent sans savoir que le mal à l'âme n'est autre que le christianisme.

Quand on lit n'importe lequel des prophètes de l'*Ancien Testament*, on sent soudain son sang plus alerte dans les veines, son pouls plus vif, ses muscles plus fermes, on est prêt à l'action, au combat. L'homme y est présent. Le *Nouveau* amollit sous un charme destructeur, par des insinuations onctueuses comme des saintes huiles dormitives. Les évangélistes sont passés maîtres dans l'art de tuer la volonté, les envies, le moi. Avec saint Jean, je rêve de me lamenter sur les faiblesses humaines ou de m'ébattre dans des paradis peuplés de femmes légères. L'humanité n'a pas connu de source d'hystérie plus durable, plus intarissable, plus équivoque. C'est dans des évanouissements chrétiens que l'homme s'est consolé des siècles durant de ses propres évanouissements. Mais aujourd'hui? Qu'est-ce qui pourrait ennuyer davantage? Le christianisme: un spectacle irritant, sans surprise, sans émotion; rien en lui ne vibre, n'est assoiffé de vie, d'absolu immédiat et réconfortant. Ses sources laissent les lèvres sèches, et toutes les icônes que nous adorerons n'empêcheront pas les yeux, la foi, l'espoir de brûler avec plus de constance sous d'autres horizons. Les mirages du Jourdain ont épuisé leurs artifices et il n'est plus là-bas d'azur possible. Les effluves du crucifiement se sont dispersés dans un ciel dont les ruissellements n'étanchent plus aucune soif, ne désaltèrent plus aucun mortel. Qui captive-t-il encore, l'univers de Jésus ?

Les potions orientales ont embaumé l'homme pendant deux mille ans. Le catholicisme — judaïsme latin — a saupoudré de suie indélébile l'exubérance de la Méditerranée. Comment a-t-il pu « s'épanouir » sur ses rivages divinement ensoleillés ? Le christianisme est une réaction contre le soleil. Les religions n'ont-elles pas toutes pour mission ambiguë de couper l'homme des sources de la vie ? Jésus s'est substitué sans hâte à l'Astre naïf et, siècle après siècle, le corps décharné du plus habile des visionnaires s'est placé dans le champ du regard épris d'infini et de chaleur. Ce n'étaient plus des nymphes joyeuses et sensuelles que voyait l'homme, mais, à travers ses larmes, un squelette cloué qui stigmatisait les douces vanités. Catéchismes et testaments bannissaient le temps pour faire de l'homme un être châtré. Que leur lecture n'ait pas dégoûté tout un chacun de l'infini pourri du christianisme, quelle tristesse pour le soleil s'il l'apprenait ! Tolérerait-il encore un seul chrétien sous son rayonnement ?

L'âme de l'Espagne s'est volontairement cadenassée dans le catholicisme. Aurait-elle eu peur de rester face à face avec le soleil ? Aurait-elle eu peur de s'enfuir dans le soleil ?

L'Italie a bâti des églises de crainte que *trop de lumière* ne la rende superficielle. Le christianisme serait-il pour elle un tombeau la protégeant contre le ciel, contre le ciel terrestre, heureusement exempt de Dieu ? Car il existe un ciel de la terre, un azur qui ne tue pas, mais que l'homme risque de trop chérir. Et c'est contre ce ciel-là que le fléau chrétien a prémuni les méridionaux. Il leur a fourni à la place le leurre d'illusions aussi vaines que dangereuses ; leur imagination exaltée par des printemps éternels, il l'a nourrie de fariboles sur des paradis invisibles.

Sans le christianisme, les peuples méridionaux auraient été condamnés au bonheur. Pourquoi n'ont-ils pas supporté ce châtiment ? Pendant deux mille ans, *leurs yeux* ne leur ont servi à rien. Au milieu de la splendeur, ils ont vécu sans voir. Le Christ leur a offert ce qui ne se voit pas. Pas une fleur, seulement des épines ; pas un sourire, seulement des repentirs. Les apparences du monde se sont transformées en essences de tourment, et la faute — fragrance de l'inanité — en péché. Les charmes ont été rabaissés au rang de remords. Tout est devenu *moral*. Pas la moindre place pour le ravissement de l'inutile existence.

... Ceci explique que le bois de la croix ait pourri et que les fameux clous aient rouillé dans l'indifférence générale.

14. *J'*ai plus souvent goûté aux fruits de la mort qu'à ceux de la vie. Je ne tendais pas des mains avides pour les cueillir, et ma faim ne les épreignait pas avec de fébriles impatiences. Ils croissaient en moi. Les floraisons étaient voluptueuses dans les jardins du sang. Je rêvais d'oubli au royaume fluctuant de l'âme, j'imaginais des mers calmes, de non-être et de paix, et je me réveillais dans des flots grossis par les sueurs de l'effroi.

Sans doute suis-je pétri dans la glaise qui donne les moissons funèbres. Quand je veux éclore, dans mon printemps je découvre la mort. Je sors au soleil, fervent d'infini et d'espérances — et elle descend sur la douceur des rayons. Dans la nuit, elle tournoie telle une musique autour de moi et je meurs alors de sa majesté.

Moi-même, je ne suis nulle part; par elle, je suis partout. Elle se nourrit de moi et je me nourris d'elle. Jamais je n'ai voulu vivre sans vouloir mourir. Où suis-je plus acharné, dans la vie ou dans la mort?

15. *L*e désir de disparaître, parce que les choses disparaissent, a si violemment empoisonné ma soif d'être que, au sein des étincellements du temps, mon souffle s'éteignait et le crépuscule de la nature me drapait d'ombres innombrables. Et, comme je voyais le temps en tout, j'espérais tout affranchir du temps.

Le besoin de pérenniser les êtres par l'adoration, la hâte de les hisser, par un excès du cœur, hors de leur mort naturelle m'apparaissaient comme le seul labeur qui fût digne de prix. Je ne sache pas avoir aimé quoi que ce soit sans le haïr, parce que toute l'ardeur de mon âme ne pouvait le soustraire à la loi de son anéantissement Que tout *soit*, voilà ce que je voulais. Or, tout n'était que dans la fugacité de mes fièvres. Le monde m'échappait, parce qu'il n'était pas. Les larmes ravalées ne se figeaient pas dans l'invisible à cause des misères d'ici-bas; elles mouraient en moi, déçues par l'inefficacité de l'extase. Pourquoi des «portes de paradis» ne s'enchaînent-elles pas dans le temps? Serait-ce que trop peu d'éternité séjourne en moi?

Il faut être généreux avec le monde. Se dépenser, se gaspiller pour lui. Il n'est nulle part. Il respire grâce à notre prodigalité. Les fleurs elles-mêmes ne seraient pas des fleurs sans notre sourire. De la parcimonie dans nos dons, et la nature se rabougrit en idée; une sourdine à nos sens, et les arbres ne bourgeonnent plus. L'âme entretient les apparences dont la réalité est jalouse. Car le monde est la modification — au-dehors — de notre solitude.

L'adoration a déifié Dieu. Et c'est elle qui fait des paysages les ombres de l'absolu. Des effluves de sensations rendent le ciel plus pâle que la terre ; les charmes de l'existence s'abreuvent aux mélodies de l'âme et c'est au fond des ravins qu'on entend les harmonies des astres.

J'ai servi plusieurs maîtres dans ma vie, et de chaque instant j'ai fait une image sculptée. Si les choses éteintes savaient combien je les ai aimées, elles acquerraient une âme à seule fin de me pleurer. Rien de ce qui appartient au monde ne m'a laissé indifférent et je n'en ai rien dénigré. Aussi ai-je glissé, fébrile et appliqué, dans son vide. L'appel et le chant de la terre perçaient jusque dans les pensées qu'elle désertait. J'étais, tel l'apôtre, enseveli avec Jésus en Dieu, mais la moindre œillade d'une passante suffisait pour m'arrimer aussitôt dans le temps. Au bord du reniement je cueillais des fleurs, et mon cœur en se détachant esquissait déjà d'invisibles étreintes. J'avais pour maîtres le Père et peut-être le Fils, le Diable et le Temps, l'Éternité et les autres perditions. Fanatique de l'obéissance, esclave de l'inutile, soumis aux idoles, je me prosternais devant les multiples faces du monde. Car le devenir est un alignement de temples dans lesquels je me suis fugitivement agenouillé, j'ai laissé ma trace dans leurs ruines et je n'ai gardé que mon âme — ruine d'anciens assouvissements.

Pourquoi le cœur n'est-il pas capable de faire le salut du monde ? Pourquoi n'agence-t-il pas les choses dans une immuabilité parfumée ?

Je me rappelle ces mots prononcés par un ami, au pied de je ne sais quelles Carpates : « Toi, tu es malheureux parce que la vie n'est pas éternelle. »

16. *L*'univers soudain s'embrase dans tes yeux. Leurs lueurs lancent des étoiles aurorales. La fournaise de l'âme annexe le ciel. Par quel miracle le moi s'échauffe-t-il dans les froidures de l'espace ? Et comment fais-tu pour mettre tant d'âme dans un temps pareil à tout autre ?

Tu as élevé tes limites jusqu'au *tout*, dont les lourds insignes te parent. Rien ne peut te bloquer, dans un monde qui n'est pas d'un bloc.

Seul tu étais et seul tu resteras. À jamais. L'incompris jaillit de tes sens, opaques à la gaieté de la matière et aux doux rivages de la santé. Ton amour fut inscrit en noir sur les tablettes du sort : avec nulle mortelle tu n'oublieras l'infini.

Délecte-toi dans l'adversité et le malheur ; sois implacable quand grouille la vermine. Aucune clé ne t'ouvrira les portes du paradis. L'infortune est la vestale qui veille sur la flamme éternelle de ta malchance. Creuse ta tombe dans cette flamme primordiale et enterre-toi vivant ; car nulle imposture sous le ciel ne te rendra parallèle à la destinée. L'amour t'enlisera encore plus en elle, l'amour — désastre suprême de la fatalité.

Camper au-dessus de soi-même n'est pas facile. Moins encore, au-dessus du monde. Que ne suis-je un havre pour les navigations du moi ? Mais je suis plus que le monde et le monde n'est rien !

17. *J*'ai lu l'écriture de l'homme. J'ai vagabondé à travers ses pages, j'ai feuilleté ses idées. Je sais jusqu'où allèrent les peuples et combien les mena loin la tentation de l'esprit. Certains souffrirent pour inventer des formules, d'autres pour engendrer des héros ou pour figer l'ennui dans la foi. Tous dépensèrent leurs richesses parce qu'ils redoutaient le spectre du vide. Et quand ils ne crurent plus à rien, quand la vitalité ne soutint plus la flammèche des tromperies fécondes, ils se livrèrent aux délices du déclin, aux langueurs d'un esprit épuisé.

Ce qu'ils m'ont enseigné — une curiosité dévorante m'entraînait dans les méandres du devenir — n'est qu'eau morte où se reflètent les charognes de la pensée. Tout ce que je sais, je le dois aux fureurs de l'ignorance. Lorsque tout ce que j'ai appris disparaît, alors, nu, le monde nu devant moi, je commence à tout comprendre.

Je fus le compagnon des sceptiques d'Athènes, des écervelés de Rome, des saints de l'Espagne, des penseurs nordiques et des poètes britanniques aux ferveurs brumeuses — le débauché des passions inutiles, le zélateur vicieux et délaissé de toutes les inspirations.

... Et puis, revenu de tout cela, ce fut moi que je retrouvai. Je me remis en route *sans eux*, explorateur de mon ignorance. Quiconque fait le tour de l'histoire retombe durement en lui-même. Lorsque s'achève le labeur de ses pensées, l'homme, plus seul qu'auparavant, sourit innocemment à la virtualité.

Ce ne sont pas les exploits temporels qui te mettront sur le chemin de ton accomplissement. Affronte l'instant, ne redoute pas la fatigue, ce ne sont pas les hommes qui t'initieront aux mystères gisant dans ton ignorance. Le monde se tapit en elle. Écoute-la sans parler, tu y entendras tout. Il n'existe ni vérité ni erreur, ni objet ni fantasme. Prête l'oreille au monde qui couve quelque part en toi et qui est, sans avoir besoin de se montrer. Tout réside en toi, la place y est vaste pour les continents de la pensée.

Rien ne nous précède, rien ne nous côtoie, rien ne nous succède. L'isolement d'une créature est l'isolement de toutes. L'être est un jamais absolu.

Qui pourrait être dénué de fierté au point de tolérer quoi que ce soit en dehors de lui? Avant toi retentirent des chants, après toi continuera la poésie des nuits — cela, as-tu la force de le supporter?

Si, dans la débâcle du temps, dans le miracle d'une présence, je ne vois pas se faire et se défaire le monde vivant, alors ce que je fus et que je suis n'approche même pas le frisson d'une ombre d'étonnement.

18. *H*ier, aujourd'hui, demain. Des catégories de domestiques. Je cheminai sur les sentiers des hommes et je n'en croisai pas d'autres. Des larbins et des souillons.

Écoutez les mots avec lesquels ils anticipent les étreintes de leurs fréquentes pâmoisons, et vous serez édifiés!

L'amour grandit dans les ardeurs de la banalité et rapetisse dans les réveils de l'intelligence. La bêtise extatique se répète aisément, car elle ne se heurte à aucun obstacle dans une cervelle lisse. «Croissez et multipliez-vous» — commandement destiné à un univers de laquais ouverts aux passions horizontales, fermés aux voluptés non débraillées.

Imperméable à la musique, l'homme atteint l'extase à plat ventre et jouit en gémissant d'aise, nommant bonheur l'essence équivoque de l'absolu spinal.

... Et ainsi l'on tournique dans la fourmilière sans fin des mortels — en compagnie d'hier, d'aujourd'hui, de demain — et l'on cherche des ponts nous reliant à la vanité immédiate des chaleurs bon marché. Les servantes sont prêtes. On entre dans la danse à son tour, on s'acoquine avec les autres et, obéissant à un sort futile, on oublie son dégoût et l'on s'oublie.

19. *L'ennui parisien, méridional et balkanique...*
Les moisissures du temps sur les maisons, sur les façades que l'histoire a patinées de suie... Venise est réconfortante, comparée à la charmante désespérance des rues dissolvantes de Paris. Je les parcours et tous les soucis dus aux hésitations de la chance me

semblent être de subtils balancements, des titres de gloire faisant de moi le pair de cette cité si lasse. À quoi croire ici? Aux hommes? Mais *ils furent.* Aux idéaux? Il y en eut tant que ce serait manquer de style. Alors, je me repose dans les nonchalances de la France et je m'adoube chevalier de la langueur parisienne.

Le brouillard drape la ville dans des ombres de pensées et devient une expression de l'histoire plutôt que de la nature. Paris vit au siècle des brumes. Pourquoi ne puis-je pas l'imaginer sous les Louis? Il paraît traduire un moment et non une essence. La nature participe à un crépuscule historique.

Je me tourne vers les maisons et je les regarde. Et chacune se tourne vers moi. «Approche-toi, tu n'es pas plus seul que nous», murmurent ces compagnes des nuits trop longues et des jours creux. On peut tomber sous le charme des cités de l'Italie, mais nulle part autant qu'ici on ne sera près de ce qui s'intègre à l'homme.

Lorsque tard, affranchi des soupirs nocturnes, on déambule sans espoir et sans désillusion du côté de Saint-Séverin ou de Saint-Étienne-du-Mont, ou place Saint-Sulpice, dans l'attente d'un matin qu'on ne souhaite pas, on s'élève en même temps que la ville dépeuplée vers les vastes inutilités du silence. Le lierre échevelé là où Notre-Dame se mire dans la Seine, saura-t-on jusqu'où il se reflète en nous? Je descendis souvent avec lui dans la noyade de ses penchants mélancoliques.

Et en plein jour, bouleversé par la suggestion d'une absence, je secouais grâce aux senteurs de la ville le sentiment de ma déraison d'être. Tel est l'envoûtement de Paris: enrober les maux incurables de l'âme dans les consolations de la beauté, remplir de sortilèges impalpables les vides créés par ce temps où l'on vit. *Cette ville vous comprend.* Elle panse vos plaies. Vous vous croyez perdu — vous vous retrouvez en elle. Vous n'avez besoin de personne; elle est là. Elle seule peut remplacer une maîtresse: elle vous monte au cœur. Or, étrange égarement, ici les gens s'aiment plus qu'ailleurs. Je fus tellement en elle que je me séparerai de moi si je la quitte.

Jamais le ciel ne me parut plus lointain que vu du fond de ses ruelles, où m'envahissaient les ténèbres. Mais, sur les boulevards, il s'étend soudain au-dessus de la ville et prolonge indéfiniment l'ennui qui songe sur les toits pensifs.

Rien ne peut m'en ôter le souvenir, quand bien même devrais-je revivre tous les ciels montant sur des mers Méditerranées et toutes les bruines généreuses baignant des landes bretonnes. Et quand je veux en définir le charme, je tombe en moi, et pour moi je le définis : *l'impossibilité d'être bleu*. Les nuages s'effilochent doucement ; on regarde des trouées d'azur qui ne se croisent pas. Elles ne peuvent pas composer un ciel — il se cherche sans s'accomplir. Les rayons épars percent une buée indécise pour se poser paresseusement dans un espace quadrillé. Étendue grise et blanche, Paris estompe toujours quelque chose : *le ciel* est ailleurs. Paris n'a pas de ciel. Et, à force de l'attendre, on se mêle à la brouillasse lumineuse, on y perd son désir déçu d'azur, on s'égare dans la gamme grise et capricieuse de la voûte apparente, pensant vaguement à un *au-delà* dont on ne sait si on y aspire ou non. Le ciel hollandais de Paris...

Avec lui je me suis toujours accordé, comme avec personne. Je levais les yeux sur son inconstance et chacune de ses passades traduisait l'une de mes impatiences. Il change d'heure en heure, il se compose et se décompose dans les atermoiements de l'altitude, démon sceptique des sérénités et des nuées. Trop souvent abandonné, quand le crépuscule des hommes tombait sur la ville, comment me serais-je tiré du nulle part pressant de l'amour si son haut voisinage n'avait été là pour me consoler ? Il est un automne en fleur, il est une fin printanière. On le porte en soi sous tous les autres ciels.

... Et quand, las des crépuscules au grand jour, on descend vers le sud, en quête de printemps, le bleu se révèle être un bonheur qu'empoisonne vite son trop-plein. Esclave désespéré des jours identiques, de l'abus d'azur, de la satiété d'immaculé, on contemple la source de sa consolation avec autant de haine que de peine. Où se cacher sous tant de ciel, sous tant de soleil impitoyable, sous tant de sinistre répétition de la splendeur ? Lorsque le cœur fléchit devant tant de bleu et que la pensée rétrécit devant les candeurs de la lumière, le venin de l'ennui adoucit l'âpreté de l'implacable rayonnement et creuse des ravines de pensée dans le morne désert. Comment trouver des bonheurs à même de se mesurer à un ciel pareil ? Sa perfection tue toute âme née d'imaginations incertaines.

... Et alors on retourne dans la pourriture des Balkans, où la terre est aussi vile que les hommes. On y perd l'ivresse des parfums et des pensées en dentelles, on y brise les rêves faits à l'ombre des cathédrales, on s'y gave des puanteurs dans lesquelles se vautrent des loques humaines, on y oublie les grâces lucides de l'esprit. Là-bas, il n'y a personne sous le ciel, car il s'est égaré, et les hommes avec lui. Pourquoi des créatures nées ridées et les yeux cernés, vieillies par le néant, épuisées par une impuissance congénitale, se sont-elles arrêtées sur les rives du Danube ou à l'ombre des Carpates? Elles glissent toutes vers des mers Noires, des mers inhospitalières qui les rejettent sur la grève, cruellement privées de noyade. Encore riche de tant de périples à travers le monde, comment pourrait-on s'acclimater parmi tous ces misérables? Là-bas, la nature fleurit sur des cadavres; les printemps sourient sur des désespoirs. La terre noire, où aucun pas glorieux ne laissa de trace, vous monte dans le sang. Et le sang noircit. Et on lève les yeux au ciel. Et le ciel devient enfer.

Maudit coin du monde, ton infamie fait ricaner le temps et ton malheur n'a jamais attendri un cœur délicat, friand de charmes funèbres! Vu des Balkans, l'univers est un bas faubourg peuplé de poissardes vérolées et d'apaches au surin facile.

Avec leur goût de l'ordure, leur plaisir de remuer le fumier au son joyeux des trompettes de la mort, les Balkans n'ont même pas accouché d'un quelconque dieu libidineux. Quel astre en mal de banlieue aurait pu y choir? Des cloportes bruyants dansant le branle de la lèpre!

Jamais une pure rébellion ne trouvera là-bas de terrain propice aux rougeoiements célestes. Les espoirs s'y rouillent et les passions s'y éventent. La malchance y déploie son immensité.

Dans la débandade et les fièvres de l'amertume, parcourant ces confins du monde que nul plan de la Genèse n'avait prévus, que Dieu ignore et que les démons évitent, la pensée en deuil, au souvenir d'autres espaces, dresse les échafauds des espoirs et tout ce qui est fleur dans les cœurs accroche ses rêves aux gibets.

20. Quel miracle fait durablement germer, dans un corps composé de tous les hasards de la matière, la négation des accidents irrésistibles du quotidien? Des inspirations subites, dépassant ce qu'on imaginait, nous projettent au-dessus de la vie. Mais qu'on puisse être *conséquent*, qu'on puisse rester sur ses positions au nième ciel, j'ai tellement de mal à le concevoir que je comprends plutôt un ivrogne invétéré qu'un rédempteur impénitent. Lorsqu'on lit le Bouddha ou quelque autre profiteur de sublime, on n'a plus qu'une envie: prendre au plus vite un cordial.

Les prophètes n'auraient-ils pas pitié d'eux-mêmes? Leur glissade insensée sur la pente sans issue de l'ascension ne les inquiète-t-elle pas? Le sublime est insipide, tandis que les arômes de l'inachèvement égarent l'esprit en suggérant la chute. La monotonie de la révélation permanente fait de la religion une occupation fastidieuse. La terre gagne à ne pas avoir de système. Quand on la foule, on sait pertinemment qu'on ne jettera l'ancre nulle part, car elle est moins accueillante encore que la mer. Les philosophes, les maîtres à penser et les bienfaiteurs, tous coureurs de constance et de croyance, l'ont dédaignée et se sont réfugiés ailleurs. Ils savaient que la terre signifie *le droit à l'accident*; alors, qu'auraient-ils fait dans son paradis fantaisiste, puisqu'ils désertaient le caprice ?

Sur la terre je traîne ma carcasse, sur la terre je demeurerai. Où aller ailleurs ? Où assouvir mes fureurs plus fièrement et plus crûment ? Entouré de joyeux crétins, souriant avec indulgence de leurs lacunes, on étouffe sa nostalgie des lointains et, chacun méprisant sa chacune, on besogne les illusions. Une vaine agitation dans des continents stériles.

Pour détourner le Bouddha de la perfection, le démon lui envoie des danseuses expertes en amour. Elles pratiquent les trente-deux magies du désir. Elles échouent. Puis les soixante-quatre. En vain. Le bienheureux reste de marbre tandis que s'épuisent tous les sortilèges.

Lui qui connaissait tant de choses — et d'abord le néant de la chair — se refusait à la seule faute qui eût vérifié sa doctrine. Le désir peut vaincre la terre chez elle. Le tuer, c'est commettre un meurtre sans objet.

La nonchalance du prince divin mordant dans la chair mortelle — quel symbole pour l'accouplement de l'éternité et du néant! Si le Bouddha avait cédé à ses tentatrices, le pittoresque de cette équivoque dans le paysage absolu de son existence l'aurait proposé comme unique modèle à ses épigones. L'inefficacité de la tentation compromet tous ces illuminés qui refusèrent de tromper le Rien avec la Vie — un rien aussi, mais plus juteux.

La musique a supplanté la religion en sauvant le sublime de l'abstraction et de la monotonie. Les musiciens ? Des *sensuels* du sublime.

21. *P*uisse le ciel s'embraser et ses flammes venir pourlécher le crâne des hommes! Pas la quiétude des voûtes, pas d'ensorcellements sereins, pas de sourires fadasses au clair de lune! Mais la tempête des astres en folie greffée sur les figures tragiques de la pensée!

Pourquoi rien ne bouge quand tu lances tes éclairs et ton tonnerre dans les hauteurs ? Tu regardes dans les allées des parcs le tremblement immobile des feuilles. Mais tes branches ont crépité dans

l'incendie des étoiles ! Combien de ciels — ou combien de cieux —
as-tu enseveli en toi pour que, archéologues des cimetières, tant
de dieux déchus implorent la lumière et les anges dont les ailes
sanguinolentes bruissent comme un écho de l'âme ?

Je ne me pencherai pas sur des passés où gisent des idoles ren-
versées et des Jésus de pacotille. À quoi bon réveiller le fantôme
pleureur des nuits blanchies par les veilles ? Je n'ai pas de larmes
à répandre sur des croix et des collines, pas de goût pour les
résurrections éphémères. Je veux au contraire, dans la tourmente
du monde, être accoucheur de musique et verser les voix du sang
dans le naufrage sonore de l'espace. Pourquoi refréner encore un
pouls prêt pour les tambourinades, une chair avide d'immensité et
de chanson ?

Ce n'est pas sur les mortes eaux que je veux rêver de la terre,
mais sur des rochers rongés par le ressac.

22. *L*es audaces de l'esprit démantèlent l'existence. Mais de quel
pas délicat nous marchons ensuite sur ses débris ! Nous punissons
notre témérité et notre quête impudique de la vérité en nous
attendrissant douillettement sur les restes de cette existence gri-
gnotée par la rapacité de la raison.

Quoi de plus superbe que l'orgueil de la pensée planant au-dessus
de tout et descendant de temps à autre parmi les choses avec une
méchanceté inspirée ? Tout esprit aventureux est impitoyable et
cynique, toujours doutant et toujours ricanant. Nous nous élevons
grâce au fiel omniprésent qui poisse les perspectives et empoisonne les apparences, pour en savourer l'agonie et les dépouiller
d'une vaine fascination. La connaissance devient entreprise et
action, dans des rages d'hyène philipitarde, dans des délires de
chacal raisonneur. Tout à coup tu arrêtes ton vol et, les ailes
repliées, tu te laisses tomber pour planter tes griffes dans le réel
au-dessus duquel tu tournoyais. L'esprit est aigle et serpent,
serres et venin. Quant à sa profondeur, la question est de savoir
combien il laisse de blessures dans les choses. Les instincts du
prédateur se dévoilent dans la connaissance. Tu veux tout régenter, tout posséder, et si quelque chose ne t'appartient pas, le
réduire en morceaux. Qu'est-ce qui pourrait bien t'échapper, alors
que ta soif d'infini transperce les voûtes et que ta fierté jette des
arcs-en-ciel sur la déroute des idées ?

Quand tu as fini de saccager l'existence et ses figures, ton arrogance se modère et jonche de regrets les déserts nés sous tes pas.
Alors, tu commences à être *humain* avec les choses mortes, et le

fiel se mue en onguent. La connaissance ensanglante le réel. La fatuité de l'esprit s'étend au-dessus de lui comme un ciel assassin. Mais de combien de tendresse ne sommes-nous pas capables lorsque, revenus de l'intrépide aventure, nous nous penchons, les yeux humides, sur les jardins de l'apparence défrichés par notre désir de vérité ! Ne prenons-nous pas dans nos bras les êtres frappés par les flèches de l'esprit, que nous retournons contre nous ? Nous nous réconcilions avec le monde et nous saignons. Mais il y a dans notre souffrance une joie si généreuse qu'elle couve sous ses ailes invisibles toutes les victimes de nos réveils meurtriers. À l'issue des escapades diaboliques de l'esprit, nous nous transformons et notre magnanimité rachète le viol des charmes périssables sans lesquels nous ne pouvons vivre.

23. Ceux qu'affligent les insuffisances humaines, ceux qu'attriste le vain écoulement des heures, avec quelle joie ils se livrent aux éclairs qui projettent sur les choses un contenu brûlant ! Pour une âme que tourmente le vide du monde, l'obsession de la vengeance est un aliment doux et fortifiant, un élément substantiel de tous les instants, un emportement qui engendre des sens par-dessus le non-sens général. Les religions, dans leur haine de tout ce qui est noblesse, honneur et passion, ont inoculé la lâcheté aux âmes, leur ont interdit le renouveau des frémissements et des frénésies. Elles n'ont rien frappé plus durement que le besoin qu'a l'homme d'être *lui* en se vengeant. Quelle aberration — pardonner à son ennemi, tendre à ses gifles et à ses crachats toutes les joues inventées par une pudeur ridicule, alors que nos instincts nous incitent à l'écraser comme une bête puante !
C'est dans ses intolérances que l'homme est un homme. Quelqu'un t'a fait du tort ? Couve la haine en toi, nourris ta rancœur secrète, échauffe la bile dans tes veines. Et si parfois tu sens l'ample quiétude des nuits te gagner, ne te laisse pas aller à l'oubli lénifiant de la méditation — fouette sans pitié ta chair amollie, lâche ton venin dans le corps de ton adversaire. Sinon, à quoi bon prolonger une vie qui ne serait que fadeur ?
Des ennemis, tu en trouveras partout. L'idée de la vengeance entretient une flamme permanente, une soif absolue et, plus que tout plaisir, elle te rend présent dans le monde en flattant ton âge et tes aspirations car, jeune, malfaisant, avide de richesses et de renversements, vers quoi dirigerais-tu autrement les élans de ta haine et de ta colère contenues ?
Les peuples guerriers ne furent pas cruels et aventureux par appât

du butin, mais parce que la monotonie des jours leur faisait horreur, parce que l'idéal du bonheur leur faisait défaut. L'obsession du sang dérive de ce que l'ennui a d'infini et la paix d'insupportable. Il en va de même des individus. Comment s'accommoderaient-ils de languir dans un bâillement indifférent, dans des voluptés dérisoires?

Je n'ai que faire de la douceur et des autres mondes vers lesquels me guide une religion dépourvue de désespoirs actifs. Je n'ai que faire de la tranquillité qu'elle me propose. Je ne puis m'entendre ni avec moi, ni avec autrui, ni avec les choses. Et pas plus avec Dieu. Surtout pas avec lui. Me blottir, adorateur stupide, dans ses bras froids? Non, je ne veux pas m'y nicher comme une vieille bigote. Je me repose mieux sur les épines de ce monde et quand je m'irrite je deviens à mon tour une épine dans le corps du Créateur et de ses créations.

J'aime le passé sanguinaire de l'Angleterre, j'aime sa piraterie dans les mœurs et dans la littérature, son lyrisme pathétique dans le meurtre. Existe-t-il chez quelque autre nation une poésie aussi violemment imprégnée de sang? Ou dont l'inspiration soit plus sauvage, plus divinement immorale, plus fièrement criminelle? Mais quelle fin lamentable il a faite, ce peuple, sur les bancs du parlement! Où sont les flibustiers d'antan, qui portaient sur les mers des envies d'abordage, de rapine, de découverte?

Les époques de gloire des nations sont celles que façonnent les aventuriers, les vagabonds, les déracinés nostalgiques, celles où la haine, la vengeance et l'honneur ouvrent les cœurs sur d'autres horizons et voient dans les conquêtes le but suprême de l'existence. Dès que les Anglais cessèrent d'être cruels et préférèrent la tranquillité à l'intrépidité, l'aisance à la vaillance, la livre à l'ivresse, ils sombrèrent sans rémission ni vergogne dans le déclin, l'agiotage, le boursicotage, la démocratie et l'agonie. La raison s'intronisa dans leur vie, cette raison qui coupe court à l'essor des nations et des individus. Un peuple *établi* est un peuple perdu, tout comme l'est un homme *assagi*. Les gens de sac et de corde, les vauriens, les scélérats agressifs bâtissent les empires; les députés, les idéologies et les principes les gouvernent et les ruinent.

La démesure de Napoléon choque le sens rassis. Sous son règne, la France souffrait «sans raison». Mais un pays *est* uniquement par l'aventure. Auparavant, à l'époque où les Français se plaisaient à mourir par passion ou par gloriole, un paradoxe parisien pesait plus lourd dans la balance qu'un ultimatum. Les salons décidaient des destinées du monde, derrière l'intelligence rougeoyaient des flamboiements et *le style* constituait l'épanouissement civil de la soif de puissance. Le Siècle des lumières traduisait en gobelins et en lucidité les frontières inutiles de la force et les déceptions savantes du pouvoir.

Une nation s'éteint lorsqu'elle commence à *conserver* et qu'à travers le spleen ou l'ennui ne perce plus que la lassitude de la gloire et de la bravoure.

Le désir de grandeur et d'inutilité est la suprême excuse d'un peuple. Le bon sens est sa mort.

24. *F*ils d'un peuple malchanceux, à quoi pourrais-tu condamner le fauteur de destin ou comment saurais-tu le circonvenir ? Au pied des Carpates, la marche du monde n'a cure des hommes et le soleil se noie dans le purin et la vulgarité. Aucun idéal ne féconde la gaieté mortuaire des esclaves du temps, aux portes de l'Orient. Éveillé, tu crèves d'ennui. Le vide agressif de ta douloureuse patrie qui s'époumone dans l'âme de ses enfants te pousse de bistrot en bordel, pour te faire oublier dans des transes faubouriennes l'amertume séculaire de ton pays, l'absence de trophées dans les hauts lieux et les lieux-dits du cœur. Alors tu te soûles et tu vomis des jurons, pour ne pas t'agenouiller et prier.

Déçu par tant de non-hommes, tu trompes ton désert natal avec des clairières et des vergers. Au fin fond des forêts, le Valaque échappait aux invasions ; au fin fond des forêts, échappe-lui.

Il était écrit que, descendants des Daces et d'autres peuplades incertaines, nous ne sèmerions avec bonheur aucune pensée, que les gouttes de notre sang s'ajouteraient au chapelet des chagrins légués par des lignées de vaincus. Le soupir et la malédiction furent notre stratégie de bergers arrachés à quelque étoile du ponant et voués à l'avilissement.

Un servage inné éteignit la flamme de la gloire chez un peuple trop éprouvé. L'orgueil lui est étranger. Il ne connaît même pas la fatuité, ce gardien de troupeaux et non d'idéaux.

Si j'avais des naïvetés d'ange et des certitudes d'enfant, je ne serais tout de même pas son descendant confiant. J'ai le nez creux de naissance et j'ai affiné mon flair dans les contrées où souffle l'esprit : ma fierté souffre de voir ce peuple de serfs bafouer son destin. Jamais il n'accostera au rivage. L'adversité est son lot Lui inventer des vocations qu'il démentirait, je ne le peux plus. Son existence offense tout ce qui s'élève au-dessus de la déconvenue. Le moindre espoir serait folie. Quant à prophétiser, ce serait exercer le cynisme.

On dirait qu'il a bridé le cœur avec une sangle, par mesquinerie, et le temps avec une entrave, pour l'empêcher de gambader vers l'avenir.

— Quel est donc ce peuple ? demande l'esprit enfiévré. On ne l'entend pas marcher de par le monde...

— On l'entend dans mon désespoir.

Sa destinée tordue, qui la redressera ? Le ciel lui-même grimace, écœuré par le marasme valaque. De là-haut, il jette avec mépris à cette engeance le don qu'elle quémandait : il la délie de toute mission.

Où tourner les yeux, de qui être fier ?

Nation de besogneux, incommensurable dans la malchance, créée pour aggraver la tristesse de ceux qui naquirent tristes... Dans la conscience crépusculaire et lasse des pays pourris de gloire, qui n'ont plus besoin d'avenir, le non-sort valaque ajoute une ombre épaisse aux ténèbres infinies de l'âme. C'est ainsi seulement que respire encore ce peuple de bergers dans les pensées qui firent le tour des Ninive passées et présentes. À quelle autre fin serviraient leurs houlettes séculaires dans la magie noire des automnes de l'esprit ?

... Ancêtres dont les pipeaux pleuraient la vie, vous n'êtes plus en moi. Vos chansons n'éveillent pas d'écho nostalgique chez le déraciné plongé dans les délices de contrées mieux loties. Non loin de vous, mais je m'éteindrai seul. Et mes os ne vous diront pas où je perdis l'honneur de la moelle et les lueurs du cerveau.

II

25. Si je conduisais des armées, je les mènerais à la mort sans mensonge : sans patrie, sans idéal et sans la supercherie qu'est l'appât d'une récompense, terrestre ou céleste. Je leur dirais tout, sur la vie comme sur la mort. On ne saurait encourager honnêtement qu'au nom de l'inexistence ; si quelque chose existe, le sacrifice, pour minime qu'il soit, devient un dommage irréparable.

La mort est un fantôme, tout comme la vie. On ne peut mourir que si l'on sait qu'elles ne connaissent ni perte ni gain.

Il y eut, malgré tout, de grands capitaines qui faillirent ne pas se tromper...

Difficile d'aimer Marc Aurèle ; tout autant, de ne pas l'aimer. Écrire à propos de la mort et de l'inanité, la nuit sous une tente, mesurer les petitesses de la vie dans le fracas des armes ! En tant que paradoxe humain, il n'est pas moins étrange que Néron ou Caligula. Mais qu'il eût été grand, cet empereur philosophe, s'il n'était pas allé à l'école des stoïciens, s'il n'avait pas étriqué sa sensibilité dans un enseignement de second ordre. Tout ce qui est doctrine chez lui est médiocre. La conception de la matière et des éléments, la résignation érigée en principe n'intéressent plus personne. Le système est la mort des philosophes, *a fortiori* des empereurs.

Dans toutes ses réflexions, il n'y a de vivant et de fécond que l'expression de sa solitude. Le maître du plus grand des empires ne peut se reposer sur personne ; le possesseur du plus grand des pouvoirs ne gouverne que l'idée de sa propre fin. Marc Aurèle est le pur symbole des bizarreries de la décadence, de l'envoûtement que dégagent les crépuscules des cultures.

Toute la terre lui appartient et il n'a d'autre havre que l'insignifiance ! S'il avait suivi les tragiques grecs sans s'engoncer dans la doctrine, quelles ne sont pas les exclamations qu'aurait enregistrées l'esprit humain ! Nous sommes gênés par la pudeur que lui imposa le stoïcisme. Si ses maîtres ne l'avaient pas guindé dans le corset de leurs leçons, combien de désespoirs propres aux faits d'armes ne se seraient-ils pas mêlés aux pensées qui les nient avec une bonne volonté décevante !

Marc Aurèle n'avait pas conscience du néant *en tant que guerrier.* Quelle étrange poésie nous avons perdue ! La fade sagesse le préserva des contradictions qui donnent à la vie son attrait mystérieux. Il y a trop d'acceptation chez cet empereur romain, trop de résignation, trop de honte des extrémités de la pensée. Enfin, trop de *devoir.* Il eût fallu le voir à la tête des légions qu'il menait à la gloire avec autant de mépris que de désir de conquête ! Nous vivons véritablement quand nous soumettons une passion à l'épreuve de son contraire. Ne pas prendre un remède sans avoir pris de poison, et vice versa. Quand on monte une pente, être simultanément au point symétrique de la descente. De la sorte, aucune des possibilités d'être ne nous échappera.

26. À toutes nos questions, l'Ennui donne la même réponse : ce monde est éventé.

Alors, nous décidons de tout faire contre lui.

Le nouveau n'existe qu'en nous. Pas dans les choses, pas dans les êtres. *Le réel* est une féerie d'apparences qui nous charment aussi longtemps que notre chanson s'accorde au rythme de leur danse. Sans notre connivence, le voile flottant sur le spectacle nommé vie se déchire, et de l'illusion qui nous brouillait la vue il reste quelques lambeaux floconneux, à peine des ombres du réel chimérique.

L'ennui a pour fonction de lacérer ce voile. Saurons-nous chanter assez fort pour continuer à en draper un monde fictif, *existant* seulement dans l'embrasement de notre imagination ?

Tout ce qui nous entoure est un artifice décoratif issu de notre musique intérieure.

Derrière le monde, aucun autre monde ne se tapit et le rien ne cache rien. Nous aurons beau piocher à la recherche de trésors, nos fouilles n'aboutiront pas : l'or est dispersé dans l'esprit, mais l'esprit est loin d'être de l'or. Gaspiller la vie en d'inutiles archéologies ? Il n'y a pas de *traces.* Qui en aurait laissé ? Le rien ne tache rien. Quels pas se seraient posés dessous la terre, alors qu'il n'y a pas de *dessous* ?

Sois le timonier sur les ondes de l'apparence, ne te transforme pas en messager des profondeurs. À la surface de la mer ou dans ses abysses, aucun lieu ne t'en fera savoir plus que celui où tu te trouves. Or, tu ne te trouves nulle part, car nulle part est le vaste partout.

Écume du sommeil, le rêve n'est pas plus trompeur que le pénible labeur du jour. Il est en tout. Comment les visions impalpables de la nuit pourraient-elles être jalouses des spectres suscités par les querelles des mortels? Les faces du monde illusionnent à l'envi. Nourrir des passions dans un univers fantomatique, voilà bien ce qui rend l'homme digne de sa réputation.

Toi, cependant, suis ta voie et, tel un soleil désabusé, éclaire-la avec les rayons de ton courroux raisonné.

27. *P*uisque nul penchant naturel ne t'incite à agir et à parachever, pourquoi aspires-tu si fortement à t'accomplir? Et, puisque tu ne trouves pas l'oisiveté répréhensible, pourquoi cette fièvre qui te pousse à l'action immédiate? D'où te viennent les remords quand tu perds ton temps, puisque tu sais qu'en lui tout est vanité?

Chaque instant est perdu pour l'éternité. Un *bientôt* du non-être te menace à chaque carrefour du monde. Ce que tu ajournes est ajourné à jamais. La mort est présente et tu ne peux pas demeurer en tant que virtualité en elle, qui est l'élimination irrémédiable du possible.

Si ce fatal *bientôt* ne me poursuivait pas, je n'ajouterais rien à ce qu'enregistrent mes sens. Je m'en remettrais à la vieillesse pour tout le reste. Qui n'entend pas les appels de la fin dispose d'un temps infini. Et, de ce fait, n'accomplit rien. Toute réalisation — en premier lieu la réalisation personnelle de chacun — est due à l'obsession de la mort, qui affermit la volonté, attise les passions, débride les instincts. La fièvre agissante est l'écho temporel de la mort. Si je ne me sentais pas en permanence à sa merci, sans recours et sans sursis, je ne saurais rien et ne voudrais rien savoir, je ne serais rien et ne voudrais rien être.

Mais je vois qu'elle est *là*. Je la vois. Je la fuis et je la cherche. Je suis *elle* et je ne le suis pas. Ce qui est blessure en moi est sa suppuration. Or, je ne suis qu'une plaie.

Voguant sur les mélodies de l'insomnie, j'ai souvent entrevu la lumière jaune des matins et les choses hésitant à s'éveiller. Des oiseaux pépiaient sans raison à l'adresse d'une nature que le jour aliénait définitivement. Mes pensées pépiaient aussi, mais à reculons, vers la nuit. Alors, j'apercevais la lueur violette de la mort et j'essayais en vain de me disperser dans la brièveté des aurores, de croire aux matins.

... Et si le souvenir me remmène vers tous ceux qui m'apprirent quelque chose, j'ai l'impression que le secret de leur attrait provenait du voisinage de la mort. Étant toujours en marge, ils se trouvaient sur le terrain naturel de la connaissance. Dans leur voix, perçait l'agonie savante de la matière, avec son destin frêle et douloureux, et leur parole retentissait, grave et inutile, nerveuse et amère — des concepts dans la débâcle, dans leur ultime floraison. Je n'ai trouvé de chaleur que dans leur âme. Il émanait d'eux des senteurs de pensées, des sentences au parfum agressif. Ils ne se trouvaient dans aucune contrée et en même temps dans toutes, car mélanger maladie et vitalité aboutit à bouleverser étrangement les agencements naturels. Le mal caché dans le bourgeonnement de la vie — quelle coexistence d'automne et de printemps dans les idées! Je n'ai aimé que ceux qui ne s'engourdissaient pas dans une saison; à leurs côtés, comme eux cerné par la mort, j'oubliais le climat de l'esprit, je devenais esprit avec eux.

28. *Q*ue les hommes n'aient pas honte d'exister, il y a longtemps, bien longtemps, que je le sais. J'ai toujours été surpris par leur démarche assurée, par leurs yeux interrogateurs mais nullement tourmentés, par leur maintien arrogant de lombrics verticaux. Je ne les ai pas vus montrer de reconnaissance à la terre, je ne les ai pas vus se prosterner avec une tendre piété devant les fruits qu'à chaque saison elle leur donne. L'adoration est enfantée par l'isolement. Les mortels quidams du quotidien deviendraient éternels s'ils dépensaient leurs forces en joyeux soupirs, s'ils avaient assez d'illusions pour que leurs pieds foulent un univers de velours! Mais non! L'homme ne laisse sur son passage que désastre et défigurement de l'apparence. Je n'ai pas trouvé en lui la fièvre qui lui permettrait de remplir l'espace et de cravacher le ciel. La vie à plusieurs n'est supportable que dans une extase commune; or, rien n'est plus rare sous le soleil que l'extase.
Le soleil brille-t-il pour nous réchauffer? Les nuits nous bercent-elles pour nous endormir? La mer ondoie-t-elle pour nous séduire? Depuis que *l'utilité* est apparue dans le monde, le monde n'est plus. N'est plus sous le charme. Seule l'adoration respecte les choses pour elles-mêmes; et la vie ne serait pas vie sans les larmes de bonheur dues aux souffrances qu'elle provoque. Je suis monté avec elle sur ses alpages trompeurs, lorsque m'aguichaient les flonflons d'une danse macabre... Comment pourrait-elle m'engloutir, la terre que j'ai baignée de mes larmes en la baisant, de

mon sang en la méprisant? Dois-je pourrir sous elle, sous elle qui n'a d'éternel que la tombe? Quel séisme emportera les cimetières dans un terreau plus pur?

... Ainsi en viens-tu à patauger avec une passion identique dans la naissance, la jeunesse, la mort, le néant et l'éternité, indifférent aux buts, dégoûté des raisons d'être et des accomplissements. Où que tu ailles, c'est pareil. Tu dis éternité quand tes passions ont brisé le temps; tu dis *rien* quand il les a bridées.

Un souffle chaud gonfle tes veines et alors tu trembles d'espoir et tu te dis *vie, jeunesse*, et tu penses en frémissant à l'amour et à l'avenir... Ou bien, quand elles ne charrient que des pensées, des brises d'automne, des silences douloureux, tu te dis *mort* et toutes les broussailles du temps s'enchevêtrent dans ton âme.

Tu comprends donc ton rôle : être un passionné des apparences. Malade d'enthousiasme, tu continues à t'attacher à tout et à t'en détacher aussitôt, grignotant selon les circonstances, aveuglé ou vigilant, l'incommensurable provisoire auquel tu t'es offert.

29. *S*i le mal de la passion nocturne ne taraudait pas mon cerveau ébranlé, je mettrais fin au sommeil et je déverserais le printemps sur les ténèbres. Mais je n'ai pas assez de sève pour les bourgeons de la nuit... Trop souvent obligé de veiller inutilement sur leur tranquillité, face à face avec moi-même, je me suis retrouvé hagard dans des pensées non ébauchées.

Que pourrais-je inventer dans un désert des idées, dans un zéro muet des sens? On y désire des bêtes chimériques qui mordraient dans la chair lasse pour que le sang bouillonne et devienne âme. Morte la nuit, mort le venin des passions dans nos plaies. Tu saignes? Alors guette l'aube, et le soleil se nichera en toi.

Tout ce qui est vivant naît d'un durcissement de la souffrance dans son combat contre la lumière. Le jour? La santé de nos vices. Un *décadent* de l'aurore...

30. *L*as de savoir tant de choses et encore plus las de les éclaircir, tu envies Jupiter d'avoir remplacé la parole par le tonnerre. Mettre les voix sur le papier et les mystères dans les mots! L'esprit veut expliquer l'âme. Erreur vicieuse qui définit l'homme et qui a un contenu : la culture.

La maladie de l'interprétation — un crime contre la virtualité et la musique...

Nous parlons pour nous débarrasser de nos fardeaux, grâce auxquels nous serions pourtant *davantage*. Ceux qui n'écrivent pas, ceux qui ne s'écrivent pas *existent* dans leur intégrité, ils sont infiniment présents.

L'esprit érode *le possible*. Ce que nous appelons culture est le reniement de nos sources. Les non-êtres de ce monde deviennent des êtres par le verbe, à *nos* frais. L'expression accouche sur le cadavre de son créateur. De ce que tu as dit, rien n'est plus à toi. Et toi-même, tu ne t'appartiens plus.

Aucune des nuits que j'ai comprises n'est plus à moi. Ni aucun amour.

31. *J*e vois la chair qui m'entoure. Je vois la mienne et celle des autres. Douce et attendrissante charogne. C'est elle qui apprend à l'esprit ce qui est chaud et ce qui est froid ; c'est elle qui fait grimper les asticots dans les idées.

L'infini périssable dont l'image nous est présentée par les réflexions les plus pures, engagées sur le chemin de l'immortalité, n'est pas un sursaut inattendu de celle-ci. Il y a quelque chose de sublimement pourri dans la chair. Un vigoureux provisoire accessible au toucher. Un absolu moribond dévoilé aux sensations. Le plaisir dans les pleurs et les pleurs dans le plaisir, voilà tout son secret et toute sa substance. Je la sens là, si près, si peu éternelle, à la merci des caprices — et je la vois ensuite couchée dans son nid souterrain, violette, verte, un rêve crevé, un vernis d'ancienne existence, un ricanement poisseux au souvenir des rébellions défuntes, l'asile disparu où fermentaient les amours.

Être : un chaud et froid. Et quelques espérances en plus. Piétiner mon corps, écraser les germes des vers qui grouillent et se tortillent sous les pensées, qui font mûrir dans leur invisible fumier un non-être gigantesque. Oh ! non. J'irai de l'avant *avec eux*, sur leur terre, dans leur espace natal.

La «maladie du désir» que combattent les religions, je saurai comment la soigner. Ce n'est pas moi qui mettrai fin au trouble fatal ni au fier chagrin de la chair. Victime ressuscitée, je continuerai son tragique apostolat. Pourquoi river mes regards au ciel, alors qu'à côté de moi, en moi, en ce qui est mien plus que tout, elle se bat contre l'abandon ?

Un *hélas !* devenu matière, une exclamation incarnée — le corps humain n'est pas plus que cela.

C'est pourquoi une vague lamentation émane de ses jointures, une voix déchirante qui s'insinue entre les grincements des os puis meurt dans la mollesse souffreteuse du soi. Dans ses froideurs, on sent des pierres tombales et tant d'absences ; les désirs se sont faufilés dans ce rebut, dans son sang croupi, et ils y foisonnent en un rayonnement infernal. Froid, il convertit en glaçons les élans les plus fous de l'amour; chaud, il érige en amour le dégoût et son néant. Aussi finit-on par le chérir avec compassion et par caresser — corps charitable avec le corps — ses fonctions périssables, en se disant : il est tellement esseulé, le corps humain !

32. Destin valaque.

Pas besoin de maladies pour exciter ton esprit ni de fatalités pour secouer les sommeils de ton cerveau. Observe bien ton peuple voué au non-destin et alors, tu auras beau prendre ton âme pour l'inventaire du paradis, tu n'auras plus la force de te consoler. Sous ton bonheur, il y aura toujours, plus acérée et cruelle que les griffes des harpies en fureur, une épine qui ensanglantera la quiétude de ton oubli et infiltrera dans ton sang dépourvu d'ancêtres un liquide lépreux et infiniment prémonitoire. Au coude à coude avec de prétendus hommes, côte à côte avec des spectres d'idéaux mangés des mites, embourbé dans des déceptions entassées comme du linge sale, tu verras la vie se transformer en égout de la résignation et le devenir en charogne cosmique attifée de ridicule. Qui a tué l'avenir chez un peuple sans passé ?

Où que tu ailles, sa malédiction te poursuivra, il empoisonnera tes veilles, tu te tourmenteras pour lui; tu haïras en vain les mauvaises fées qui ont aboli son destin siècle après siècle — l'univers ne te consolera pas d'être né au pays des sans bonheur. La malchance valaque coulant dans les veines vaut autant que le gouffre de Pascal — elle te monte jusqu'au cou et tu es Job automatiquement. Nul besoin de la lèpre puisque le sort t'a façonné ainsi : conscient et valaque en même temps. Un double drame ne peut avoir de dénouement, son action est mort-née !

Si seulement tu pouvais la mépriser, cette malchance. Mais elle est beaucoup trop forte. Elle émousse ton ironie, elle efface ton sourire, elle éteint ton intelligence. Tu voudrais faire preuve de bonne volonté. Mais comment ? Tu te dis : mon pays est un cimetière superficiel ! Et plus tu adoucis l'irréparable, plus s'accroît ton chagrin. Tout Roumain est un bagnard du temps.

Tu les connais, tes semblables les Valaques et leur ricanement mielleux de maquignons mal dégrossis dans les salons. Mille ans de défaites ont engendré des crapules infatuées, à la roublardise stérile, et, chez le paysan épuisé par la peine de tous les jours, une vue du monde bornée à la glèbe et au tord-boyaux — et aux croix de bois tordues qui veillent sur des morts sans fierté. Les cimetières de village offrent des symboles pour l'ensemble du pays, car dans aucune autre partie du monde le souvenir de ceux qui furent ne disparaît sous autant de mauvaises herbes — luxuriante démonstration de l'oubli. Rome n'aurait-elle légué aucune goutte de son sang à ce peuple? Quelques mots latins, certes, mais pas une trace d'orgueil, d'élévation, de puissance? Ne serions-nous pas dignes de ses esclaves? Même la racaille des bas-fonds de Rome n'aurait que mépris pour notre passage sur terre.

Ce qui m'amène à retrouver mon pays, c'est le besoin d'un désespoir de plus, l'envie d'un surcroît de malheur. Je suis roumain en vertu du fond d'auto-humiliation présent dans la condition humaine. Si j'affirme mon appartenance à la Roumanie, ce n'est pas pour m'en flatter, c'est parce que j'aspire à croupir dans des maux dont je ne suis pas responsable, à noyer mon orgueil dans la sombre évidence de notre non-être. Les autres hommes sont ou ne sont pas. Mais il n'y en a pas qui soient aussi *peu* que nous, aussi doucement. Aussi doucettement! Le diminutif est notre divinité! Jusqu'à la mort qui est de seconde classe dans l'infiniment petit de notre «espace carpato-danubien».

Notre pays, nous le chérissons dans la mesure où il n'est pas source de consolation. Si au moins il en devenait une de catastrophe! Dans le mal également, nous devons être indulgents avec lui, le créditer de calamités dont il est incapable. Dérision! tords le cou à ma pensée.

Quel mauvais sort a scellé nos origines? Et quel sceau nous a condamnés d'emblée à la honte de ne pas avoir de destinée? Jamais une couronne de grandeur n'orna un crâne de Valaque. La tête basse, les descendants putatifs du plus glorieux des peuples s'accommodent de leur destin servile. Esclaves de la débauche, ils ignorent que les hommes n'atteignent leur but qu'en humiliant le soleil par l'éclat de leurs passions et le délire de leur orgueil. Le servage est la mare dans laquelle barbote la lâcheté balkanique, la vase voluptueuse d'un coin d'Europe vautré dans des délices qui n'ont l'excuse ni de la noblesse ni du vice.

Pourquoi la Providence nous a-t-elle arrachés à la vaste nature et se moque-t-elle de nous en nous faisant inutilement courber l'échine?

Au sacre de nos voïvodes, un hibou hululait...

... dont j'entends l'écho de mauvais augure sur les rives de la Seine, au cœur de tant de gloires qui me font mieux prendre la mesure d'un sort défunt.

33. *J*e fis souvent mes adieux à la vie. Je me disais dans le secret de mon cœur : « L'existence est un champ clos. Qu'y fais-tu donc ? Il n'y a pas là de place pour toi. Sépare-toi de tout, fais une croix sur ce que tu fus et une autre, plus grande, sur ce que tu aurais pu être, mets ton corps en charpie, déchire tes vêtements et tes anciennes croyances, arrache tes cheveux sur ton crâne tueur d'espérances et, d'un bras ferme désarticulant les jointures, supprime la mémoire de l'accident que tu fus ! »

... Mais, lorsque j'allais passer à l'acte, mon cœur me répondait : « Tu aimes ta carcasse plus que tout. Et quand bien même tu refoulerais ton dernier désir, quand bien même, abandonné de tous et de toi, tu ne trouverais ni dans le temps ni dans l'éternité un instant pour souffler, en moi palpiterait encore une soif, la soif par laquelle *tu es*, quoique tu veuilles tellement ne plus être. Ton sang, qui a abreuvé tes pensées et d'autres démons, fait irruption dans mon désert aux moments où tu t'éloignes de toi plus que jamais, et il me transforme, de labour de ton désespoir, en jardin des printemps. Et combien de fois n'ai-je pas été ton ultime printemps ! »

Je voulais soumettre à des déchirements ma pensée vaguement étayée par un corps. Et quand aucune entrave ne venait ralentir l'élan coupable, une voix montait des profondeurs, exprimant mon désir d'exister. Meurtrier de mes illusions, apôtre du néant, je me transformais soudain, à l'approche de l'acte fatal, en féal des errances du monde, en page de mes errements.

Vagabond dans les rues souillées par mes semblables — ces semblables qu'on suit pour mieux les fuir —, ployant le dos sous la lassitude des villes et l'affolement des boulevards du temps, je rentrais chez moi et, dans ma chambre solitaire, dans mon lit plus solitaire encore, la poussière de mes pensées gémissait : « Je n'en peux plus, je n'en peux plus. » Des draps aux relents de suaire et de spectre blanchi. Et quand tout en moi semblait se rompre, le frémissement de la pure existence me ramenait *au deçà* de moi, dans les si proches contrées de la faute, de la vie.

34. *S*i tu n'avais pas écouté dans ta prime jeunesse les pianos désaccordés de la province, dont les gammes torturées te faisaient soupirer durant d'interminables après-midi ; si, plus tard, tu n'avais pas veillé des nuits d'affilée, comptant les instants selon une arithmétique de l'incurable ; si, banni, tu n'avais pas cherché un asile dans les astres, dans les larmes, dans des yeux de vierges éplorées

— et si tu n'avais pas déserté tous les berceaux de la vie —, connaî-
trais-tu aujourd'hui le vide, celui du monde et le tien?

La raréfaction de la vie transforme tout en irréel. Tu touches des
objets et ils t'échappent, comme tu t'échappes à toi-même. Jusqu'à l'ivresse — *réel suprême* — qui n'est que du concentré de
rêve.

À l'étrangère — à la femme qui est *à tes côtés* —, tu réponds, lorsqu'elle se plaint d'avoir tant de mal à aller plus loin et qu'elle te
demande des remèdes contre la tentation négative :

— Regarde l'irréel omniprésent. Tu oublieras ainsi *l'apparence*
positive de la souffrance.

Alors, elle :

— Mais jusqu'à quand?

— Jusqu'à en perdre l'esprit.

*35. P*lus l'homme constitue une existence *distincte*, plus il est
vulnérable. *Ce qui n'est pas* peut le blesser; un rien, le troubler.
Tandis que, sur un échelon voisin, il faut à l'animal des émotions
autrement fortes et des circonstances extrêmes pour le rendre
présent. Es-tu devenu *toi-même*, sans limites dans ta démesure?
Alors, qui te retirera les flèches empoisonnées décochées par le
temps? *Tout* te touche dès que ta pensée effleure les contrées
interdites aux poumons des mortels. Les réflexions se passent
d'oxygène, c'est pourquoi nous les expions si cruellement. Le voisinage de l'éternité fait de la vulnérabilité le propre de l'homme,
et de l'inutilité son charme.

Qui sait se prélasser dans l'oisiveté ou agir à seule fin de tromper
l'ennui, celui-là est un homme. Laboureur au Sahara est sa dignité.
Un animal qui peut souffrir pour *ce qui n'est pas*, voici l'homme.

*36. E*st-ce la raison que je dois remercier si j'existe encore et si
je continue à me frayer un chemin dans les affaires du monde?
Elle aussi, peut-être. Mais en dernier lieu. Est-ce que ce sont les
hommes? Les apparences? Ni les uns ni les autres n'étaient présents quand je n'en pouvais plus. Ils m'ont toujours aidé *après*.

Lorsque tous les déracinements du monde hantaient le Quartier
latin et que je traînais mon exil parmi tant d'autres Ahasvérus,
qu'est-ce qui m'a donné la force d'endurer les maudits servages
du cœur et le bourdonnement de la solitude dans la rêverie bru-
meuse des rues? Y avait-il boulevard Saint-Michel un étranger
plus étranger que moi, régalant de son parfum vulgaire quelque
putain ou quelque clochard?

Pareil aux barbares espagnols, africains ou asiatiques dans la Rome de la décadence, dégustant le déclin de la culture dans la confusion des systèmes et des religions et, sans idéal, jouissant des doutes de la Cité, je déambule moi aussi, désabusé, dans le crépuscule de la Ville lumière. Personne n'y a de racines. Dans les yeux las des passants, s'éteignent leurs contrées natales. Aucun n'appartient plus à un pays et nulle foi ne les pousse vers l'avenir. Ils goûtent tous à un présent sans goût. Les indigènes, étiolés, désarmés, n'ont plus de *réflexes* que pour douter. Le scepticisme donnait de *l'esprit* au Siècle des lumières ; il est végétatif dans une civilisation finissante. Il ne reste à une vie sans horizon que la révélation des sensations et les tropismes de la lucidité. Les instincts se sont effrités. Les descendants des sceptiques raffinés ne peuvent *physiologiquement* plus croire à quoi que ce soit. Un peuple moribond n'est capable que de l'extase négative de l'intelligence face au néant universel.

On respire dans les rues des souffles d'agonie et alors on s'invente des aurores pour ne pas s'avouer vaincu comme l'est la cité. Et du coup, par la seule force de la volonté, on s'élève au-dessus d'elle. On veut lui échapper. En elle, qui ou quoi serait d'un quelconque secours ?

Rien ne m'a secouru, rien. Sauf — combien de fois ? — le *largo* du *Concerto pour deux violons* de Bach. Je lui dois d'être encore. Dans la gravité douloureusement vaste qui me berçait hors du monde, du ciel, des sens et des pensées, toutes les consolations descendaient sur moi, et, sous l'effet d'un charme, je recommençais à être, ivre de gratitude. Pour... ? Pour tout et pour rien. Car il y a dans ce largo un attendrissement du néant dont le frémissement atteint la perfection...

Aucun livre ne m'aidait dans le quartier des études, aucune foi ne me soutenait, aucun souvenir ne me réconfortait. Et quand les immeubles bleuissaient dans le brouillard, quand, septentrional et désert, le Luxembourg au creux de l'hiver nageait dans le crachin, quand des mouillures verdissaient mes os et mes pensées, loin du présent, je me retrouvais, hébété, au sein de la cité. Alors je courais, hagard, vers la source de mes consolations et je disparaissais et je ressuscitais, transporté par des absences sonores.

Lorsqu'on a goûté au poison de la religion et qu'on se souvient de son amertume, la compagnie de la musique devient un antidote. Ses vibrations ne sont pas liées à des objets, à des êtres, à des essences ou à des apparences — tout frissonnant, on ne dépend plus de personne. Sur son territoire trop étendu, la terre et le ciel ne peuvent plus jouer à se poursuivre, ils sont trop étriqués et n'ont pas la légèreté du duvet pour y flotter. Le son — mensonge cosmique substitué à l'infini — donne accès à toutes les gloires et la formule « ou Dieu ou je me tue » est un *lieu commun* de la musique.

37. *J*e ne laisserai pas de répit au ciel. Je n'ai pas besoin de nuages convenables ou d'azur bêtifiant, ni de la poésie bon marché des couchants douceâtres. Hauteurs obscures et abruptes, vastes nuées d'encre inoculant la nuit aux journées insipides, c'est à vous que j'arrimerai mon tourment sous un soleil incolore !

Je ne veux pas errer à tâtons sur des terres uniformes, sarcler les herbes vénéneuses dans les rêves ni draguer leurs marécages. Que croisse dans le sang noir une végétation privée de lumière, je suis las de refléter de douces étoiles et de couvrir d'un vernis douteux la misère de mon existence. J'ensemencerai le poison et j'éveillerai à la mort les astres songeurs.

Je ne sais quels meurtres ont germé dans ma sève ni jusqu'où sont montées les malédictions, ces plantes grimpantes de l'esprit. Je ne le sermonnerai pas avec sagesse, au contraire, je l'aspergerai d'huiles plus amères, pour attiser sa flamme empoisonnée, qui entretient l'existence.

Et toi, mon âme, trop souvent chétive, tu n'échapperas pas au sort qui attend le ciel. Tu ne moisiras pas dans le mortel repos auquel te vouaient des aïeux rabougris. Je forgerai une épée impitoyable, au gai tranchant, et je te glisserai dans son fourreau sanglant pour que jamais tu ne connaisses la paix. Tu voudras dormir, fille infâme des assoupissements ancestraux, tu voudras sommeiller à l'instar du pâle azur dont tu t'es sans doute détachée, comme toutes les âmes sous le soleil, malades de douceur et de docilité. Mais je veillerai entre terre et ciel, je serai à l'affût quand ta fatigue gagnera le Très-Haut, alors je cinglerai tes ailes avec un fouet et tu seras précipitée, tel un Icare insensé, dans les mers démontées de mon ego.

Combien de temps vais-je encore endurer ta nostalgie des lâches régions translucides, encore ployer sous la loi qui t'emmène vers les astres paisibles, encore rester seul avec moi-même ici-bas, tandis que toi, lézard des voûtes, tu ondules dans le calme d'un azur délavé ?

Je te coucherai sur un lit d'épines, le lit de mon cœur. Je t'y ligoterai avec des blessures. Comment pourrais-je m'en aller de par le monde si tu vagabondais dans d'autres mondes, d'où tu sourirais à ma langueur ? C'est ici, dans l'agitation et les ennuis, c'est ici que je t'enchaînerai, comme un fuyard, comme un traître à son tourment ! Mon épée tranchera ton fanatisme, âme fanatique du paradis ! Et si tu me quittes, tu feras de moi un assassin !

38. *F*lamme, possibilité visible de ne pas être ! Dans ton jeu d'être et ne pas être, dans ton anéantissement vertical, j'ai déchiffré mon sens plus que dans toutes les doctrines bardées de lois et d'idées. Tu sembles éternelle et tu t'élèves, animée d'ardeur, mort ensoleillée qui usurpes les attributs de la vie. Vers quoi ton nonêtre subit s'élance-t-il ? Vers quel être ?
Pourquoi ton flamboiement dévorant ne ranime-t-il pas la braise sous mes cendres ? En toi je grandirais, dans le faux-semblant de ton éclat, et comme je m'éteindrais ensuite avec toi dans des crépitements qui sont des illusions d'éternité !
Semblable à tes langues montant pour travestir la chute promise à tous les envols, moi aussi j'ai voleté dans le monde, loin de la tombe, afin d'être, par la hauteur, plus près d'elle. L'inutilité absolue fait le prix de ton effort. Tu ne t'attaches à rien ni à personne, tu parais meubler délicatement le silence de l'espace, mais ton souffle est la voix du non-être. De l'Être qui voudrait être et ne le peut. Voix de la non-durée, tu nous révèles que l'embrasement d'une seconde constitue le secret qui fait qu'une chose soit. Nous disons qu'elle *est* lorsque, au moyen de croyances et d'illusions, nous la prolongeons au-delà du feu instantané, au-delà de l'instant irradiant.
... À qui donc m'accrocher au sein du Vague sillonné par les flammes, moi-même la plus périssable d'entre elles ? Et pourtant, si le monde est une nuit grandie par les ombres de la lumière, *en brûlant* on *sera* de toute façon davantage qu'en se couvrant la tête des cendres de la tranquillité et de la compassion. Dieu est un mensonge, pareillement à la vie et peut-être à la mort...
C'est vous qui me restez, feux du cœur, apparences parfumées de l'insignifiance, dans ce monde où la flamme m'a appris ceci : tout est vanité, hormis la vanité !

39. *U*ne sorcière tout à coup trouble les eaux de ton âme. Ta voix se voile, tes regards s'égarent et dans tes cheveux hirsutes s'accrochent d'invisibles particules de terreur disséminées dans l'air. Des lumières ternes clignotent. Qui a embrasé les sens, qui a donné un brillant de mort au frisson brutal et sensuel fendant la mollesse des chairs, comme dans les vieilles légendes où l'on parle de sang dans des hanaps empoisonnés ?

Printanier, tu passais parmi les hommes et voici que la foudre te met les tripes à l'air sous un ciel serein : il doit en être ainsi avant les meurtres. Tu baignes dans un venin lumineux et tu tressailles, rongé par une disparition, paisible dans son amertume enrubannée.

Quelle ivraie fleurit dans ton cœur, pour que tu promènes un bannissement voluptueux dans les brûlis de l'être, vêtu de brocarts chamarrés de coulpe ? Et d'où te vient un tel bonheur quand tu portes un tel fardeau ? Des spectres surgis de l'avenir traversent le temps.

Craignant tes propres craintes, tu frayes avec n'importe qui. Tu cherches la fête, le vin et la danse et le demi-monde des attouchements. Mais, voyant les gens tournoyer, tromper leur vide par le geste et leur ennui par le mouvement, feindre d'oublier l'inconsistance des moyens qu'ils emploient pour combler le gouffre qui bée dès qu'ils respirent, tu te dis malgré toi : seuls ceux qui se suppriment ne mentent pas. Car c'est seulement en mourant que le mortel ne ment pas. Et alors tu t'en vas. Eux, ils continuent à danser, égayés par l'ombre de réalité sous laquelle ils se rafraîchissent un instant en s'offrant à leur précieux mensonge. Pourquoi *se réveilleraient-ils* ? Pour que plus rien ne soit ? Si l'on ouvre les yeux, l'existence s'évapore. Les gens les ferment pour la conserver. Qui leur donnerait tort ? Écœuré par un naturel dont la fadeur se révèle à toute vue claire, comment pourrait-on ne pas souhaiter des paupières à jamais closes par le leurre d'une fraîche réalité ?

Je ne veux plus être le vampire de la ciguë, ni dans le chiendent puiser des forces fugitives. Des crimes de la pensée et des charognes qui s'accouplèrent avec le ciel se rouillent dans mon âme. Celui qui vomirait ses cimetières intimes survivrait-il à son tréfonds visible ? Nous nous acceptons parce que nous avons mis des pierres tombales sur notre pourriture et des cadenas aux portes du cœur, dont nous avons laissé fleurir les terrains vagues. Le paysage de notre enfer intérieur donnerait au dégoût des poignards qu'il retournerait contre nous. L'archange y est souteneur, des serpents se lovent sur les seins, le sourire de la vierge suppure, l'ombre d'une fleur n'est pas plus pure que le juron de la roulure sublunaire.

Succubes invisibles, cessez de me sucer le sang, de l'infecter de vos sucs maléfiques ! Brisez le mauvais sort que vous m'avez jeté et qui me rend à moi-même transparent ! Ne me connaissais-je pas sans vous ? Pourquoi m'enlisez-vous dans le marécage des mystères ? Reprenez le venin de l'espace, je ne peux pas l'absorber indéfiniment. Ou bien voulez-vous vous baigner dans l'enfer de la créature et transformer l'univers candide en crachat de putain ?

40. *L*a matière voudrait dormir. Laisse-la donc tranquille. Laisse-la plonger et se noyer en elle-même. Tu as trop labouré en toi. Quelle graine pourrait encore germer dans des jachères desséchées par le souffle de l'aridité ? La mort a enclos ses rêves dans des tissus embaumés. Momie dans laquelle gémissent des passions, quand se déchireront les bandelettes qui éternisent ta décrépitude ? Le sommeil — aux douceurs cruelles comme des pas de moribond — abat les murs que l'on dressait autour du moi et le ramène paresseusement à l'envoûtement de l'absence primordiale. Les ébranlements de la matière t'enfoncent lentement dans une contrée où rien ne sépare l'être de son ennemi. Et la mort descend sur toi.
J'ai allumé des cierges — mais ils n'ont pas éclairé ma vie. Le grand deuil de l'esprit enveloppait de ses voiles les îles de l'espérance et je soupirais sur le catafalque du monde.
Je m'écarterai du chemin de mes semblables, car il est des moments où je cognerais à coups de serpe sur Cléopâtre elle-même, malgré ses charmes. Sur des seins de femmes, j'ai rêvé de couvents espagnols et leurs corps vierges de pensées se dressaient comme des pyramides sous lesquelles je contais des légendes pharaoniques. Leurs étreintes aériennes et bestiales, leur délire insatiable, quel sens y trouvais-je puisque aucune ne me laissait là d'où j'étais parti ? Elles nous déposent dans le vide. Sans la fausseté absolue du sexe faible, je ne me serais pas humilié à chercher le ciel.
Des visions souterraines guettent mon front, il appuie son horreur sur des crânes vides, et mon cœur tient au corps comme une bague au doigt d'un squelette. Et je cours, un flambeau à la main, athlète des enfers olympiques, en quête de ma mort.

41. *L*es nations sans orgueil ne vivent ni ne meurent. Leur existence est insipide et nulle, car elles ne dépensent que le néant de leur humilité. Les passions seules pourraient les tirer d'un sort monotone. Mais elles n'en ont pas.
Lorsque je tourne les yeux vers les actualités du passé, je ne trouve de passionnant que les époques de fierté monstrueuse, de provocation énorme, de malheur triomphal, où l'esprit regorgeant de pouvoir dégorgeait en cherchant un pouvoir plus grand encore.

Quelqu'un imagine-t-il ce qui se passait dans l'esprit d'un sénateur romain ? Certes, la soif irréfrénée de puissance et de richesse
épuisa rapidement la nation. Mais, si peu qu'elle vécût, elle eut
plus de vigueur que les peuples anonymes d'éternité. Le lucre, le
luxe, la luxure, voici la civilisation. Un peuple simple et honnête
ne se distingue pas des plantes. En violant la nature, on outre-
passe ses propres lois naturelles et on existe effectivement, et on
s'effondre. Tout ce que déclenche l'orgueil dure peu, mais l'intensité en rachète la brièveté.

Pour le sénat romain, Rome était plus que le monde. C'est pourquoi elle le vainquit, le domina, l'humilia. Un peuple — à plus
forte raison un individu — ne crée qu'en refusant ce qui n'est pas
lui, qu'en ne comprenant que soi.

Comprendre les autres aussi, c'est se transformer en ectoplasme,
pondéré et malléable. Mais alors on n'engendre plus rien. La compréhension est le tombeau de l'individu et de la collectivité, qui ne
bougent que les yeux bandés, les sens en branle.

Les Romains vivaient *absolument* selon leurs lois ; celles-ci
n'étaient pas comparées à d'autres lois, parce qu'*il ne pouvait pas*
y en avoir d'autres. Il ne pouvait pas non plus y avoir d'autre
forme d'humanité que la leur. La république et le césarisme —
deux états du même orgueil, deux façons de gouverner : dans la
première on se substituait *juridiquement* à l'univers, dans le
second *subjectivement.* La loi ou le caprice décidait — dans la
même mesure — du sort des autres. La distance d'un paysan roumain à un sénateur romain c'est la distance de la nature à
l'homme.

La décadence de l'empire commença lorsque, fatigués, les individus n'eurent plus la force de remplacer l'univers, lorsque celui-ci
se fit *réalité* et que les Romains devinrent *extérieurs* à eux-mêmes.
Elle est un produit de la compréhension, de l'excès de perspective.
On avait perdu la folle passion, infiniment étroite et infiniment
créatrice, d'être uniquement soi. Dès que le monde *existe*, on *n'est*
plus. Les religions orientales pénétrèrent à Rome parce que Rome
ne se suffisait plus.

Le christianisme — la plus *inélégante* de toutes les croyances — ne
fut rendu possible que par le dégoût du luxe, de la mode, des aro-
mates, des frasques raffinées. Si Rome n'avait pas vécu avec
autant d'intensité, si elle ne s'était pas dépensée aussi vite, la
ruine de son orgueilleuse magnificence serait survenue plus tard
et la loi chrétienne serait restée l'apanage peu enviable d'une
secte. Nous aurions eu alors la chance de connaître une autre foi,

plus sensuelle, plus poétique, artiste dans la cruauté, consolatrice dans la vanité.

Que Rome soit tombée si bas, qu'elle se soit reniée si fort en accueillant le virus oriental, quelle preuve, par la négation, de son ancienne grandeur! Car elle n'a pas dérogé, elle s'est effondrée. Seules les civilisations de peu d'orgueil s'éteignent lentement. Celles auxquelles un sort d'exception donne de la vigueur sont, dans leur essence même, *des maladies de la nature* et, de ce fait, elles volent vers leur fin. Le christianisme donna des ailes à l'envie d'agonie des Romains. *Esthétiquement*, il peut encore nous intéresser.

Lorsque le démon de l'angoisse émousse tes instincts, apprends grâce aux Romains du crépuscule impérial ce que signifie être *un combattant décadent*. Se débattre sans espoir, aimer la gloire avec morosité, être fourbe dans ses naïvetés. C'est le seul héroïsme compatible avec l'esprit, la seule manière d'être qui ne berne pas l'intelligence. Que ton sang brûle et que tes yeux voient. Or, tu sais ce qu'ils voient...

... J'ai souvent imaginé que, maussade et songeur, je passais devant les bustes sans regard des divinités ironiques, au forum ou dans les temples. Les chrétiens n'étaient pas encore arrivés et les caprices divins ne faisaient plus trembler les cœurs vacants des citoyens. L'absolu s'était réfugié dans l'art. Libre comme eux, libre de ma personne et de mes croyances, je m'épanouissais dans l'ennui, je m'évanouissais dans l'oisiveté des dieux déshérités. Le destin me plaçait hors du temps. Citoyen du monde, citoyen du néant. Mes pas de mécréant n'éveillaient que de sourds échos sur les dalles, l'espace devenait trop grand, la cité n'avait plus de murailles, les maisons vacillaient. Que faisais-je de tant d'étendues, pourquoi tant d'empire dans un cœur qui ne battait vers l'avenir qu'avec les illusions de la cité? Sans racines, dans le désert de la terre, je fixais les orbites aveugles des dieux, où m'abreuvait l'autre désert.

42. **D**es grains de lèpre lèvent en toi. Dans ta chair rongée par l'insomnie, bouillent des puanteurs qui font vomir aux bourgeons la douce sève de leur croissance et la transforment en rictus croupissant. Pose le front sur le suintement rance et soupire après les mouroirs édéniques, noie tes frémissements innommables dans les roses pourries parsemées sur les ultimes délabrements du corps.

Ne vois-tu pas la mort te tendre les bras avec munificence pour remplacer par le repos un labeur sans issue ? La vie est un subterfuge de la folie et qui s'y laisse prendre s'engage dans une voie arrosée de son sang.

Je voulais vivre et j'ai vécu, et pourtant je pressentais que je ne devais pas forcément être. Comment habiter dans les instants, alors que la naissance m'a condamné à devenir un bourreau du temps ?

J'ai aimé et je me suis aimé. Mais mes amours étaient mort-nées, des éclairs moisis, des extases dans des tripes purulentes, des sensations de serpent tiède

Toi, mon Dieu, dépose les signes de la mort à mon chevet. Te tromper je ne veux, ni moi non plus. Regarde-moi, tel que je suis là. As-tu eu fils plus doux dans la méchanceté ? Devrais-je me laisser aller à l'oubli dans les bras de tes filles ? Puissent mes années finies être le terreau de la fin ! Car les instants que tu m'as donnés sont de noirs bubons dont les fruits obscurcissent le monde de la Création et l'espoir de la créature. C'est avec leurs yeux sombres que je te vois. Et tu voudrais que je t'aime ? Je remplacerai tes astres par les meurtrissures de l'âme. Pourquoi ne pas semer la lèpre dans le ciel, afin de donner une autre apparence au candide azur ? Je souhaite que tombe des espaces sidéraux une pluie de poison, car mon cœur aspire à des maladies stellaires. Astres incurables, arrachez-vous à votre routine, venez moudre votre mal dans la léproserie de mes sens, videz-vous de votre ciel dans l'enfer de l'individu terrestre ! Quoi ! n'avez-vous jamais éprouvé l'envie secrète du malheur ?

43. *L*es sots bâtissent le monde, les gens intelligents le démolissent. Pour raccommoder les haillons de la réalité, pour monter des échafaudages de bric et de broc, il faut ignorer le doute coupable de l'esprit, il faut avoir des joues roses comme les pommes avant la tentation. Dès qu'on s'éveille, on s'enrichit aux dépens de la nature. Elle s'amoindrit car, pris dans la nasse des démembrements clairvoyants de la pensée, on ne trouve plus rien de réparable. La nature est indigente depuis toujours. Nous ne pouvons l'aider qu'en *ne sachant pas.* La méconnaissance ajoute à sa pauvreté initiale des rapiéçages d'illusions qui cachent les trous ici et là. L'existence est le fruit des inépuisables bonnes volontés de l'ignorance.

Lorsque nous perçons le secret de *Il est,* sa souffrance est indicible. Car nous l'avons réveillé, nous l'avons rappelé à son néant. Si notre nature souffre, c'est de sortir d'elle-même. Nous la privons de notre complicité, condition sine qua non de la respiration. La bêtise ? Être *un comparse* du monde.

... Quant à nous — vauriens dans le vaste Nulle part —, nous n'avons plus qu'à nous prosterner devant l'autel d'un grandiose Rien. Morts, nous ne pouvons l'être. Notre cerveau a tamisé la vie. Elle est passée et elle nous a laissé la Passion. Un *tout* sans *il est.* C'est pourquoi nous sommes vivants et raillons les croyances ; inébranlables et flottons en toutes choses ; fielleux et excessivement compréhensifs — et nous continuons à brûler quand toutes les flammes se sont éteintes. Nous découvrons dans l'immédiateté du néant charnel les raisons d'être du pouls. Car la pensée permet de vivre seulement tant que dure l'envoûtement d'un rien sanglant.

Si nous nous dorions au soleil de la bêtise ! Quelle chaude réalité nous ferions rayonner dans un univers fictif ! Car la bêtise douce et sage jaillit naturellement des fontaines du Créateur. Le monde est le rejeton de l'ignorance.

44. *T*el un fauve égaré dans les mignardises de la nature, tu ne trouves la paix nulle part. Le gouffre qui se creuse entre l'âme et les sens rend le sort synonyme de châtiment. Toutes les envies te taraudent. Dans le rien absolu, l'œil créerait des prairies, l'oreille des arpèges, le nez des senteurs, la main des velours, car les désirs ourdissent un univers sans cesse démenti par la pensée. L'âme dit néant quand les sens disent volupté.

Les chagrins te rongent tandis que tes envies s'enivrent en goû-
tant au monde, et si ta pensée s'obstine à en refuser les architec-
tures, ta passion continue à les étayer. Le désir sécrète le monde ;
la raison s'efforce en vain d'étendre une couche d'irréalité sur
l'existence que tissent les sens.

Si tu plonges irrésistiblement dans le néant, ne sens-tu pas qu'il
est, respire, frémit et tourbillonne ? La malédiction de l'être n'est
pas moindre que celle du non-être. Si tu t'alliais à l'un ou si tu
combattais l'autre, quelle ne serait pas ta paix ? Mais des forces
égales s'affrontent dans ton âme et dans tes sens. Tu ne trouveras
pas de port où tes errances puissent relâcher. Tu veux mourir !
Mais y eut-il jamais plus d'immortalité dans le désir de mourir, et
plus d'infini dans l'idée d'en finir ?

Je serai moi aussi une charogne, oui, mes camarades de frivolité,
mais aucune pierre tombale n'écrasera un cœur qui n'est pas mort
dans les flammes. La chair sans vie reposera dans le havre éternel ; mais aucune tombe ne sera le bagne d'une âme — point d'interrogation qui unissait une terre et un ciel.

La mort est la geôle de la fierté, mais elle est impuissante quand
le feu fait fondre ses ferrures. Ce sont ses passions qui rouvriront
à l'homme les portes fermées sur les instants de la vie.

Qui ne sent pas en lui des forces fouillant dans les cœurs endormis
dans les cimetières du temps, qui ne se sent pas être l'échelle sur
laquelle descendent les anges déchus ou montent les tourments
des damnés pour communier avec la paix de l'azur désert, celui-
là avant de quitter les entrailles maternelles s'est fait baptiser
esclave de la mort.

Sois une fleur dont la tige abriterait un éclair fatigué. Écoute en
rêvant des airs mélancoliques et soigne dans tes ténèbres inno-
centes les convalescences du démon.

Sers-toi de la musique pour ternir l'honneur de l'Astre et ébranler
ses assises, pour le rapprocher des infamies de l'âme, pour transformer sa chaleur en anéantissement, et alors, retournant ses
rayons en lui-même, il découvrira qu'il est plus trompeur que le
cœur.

45. Les femmes espèrent que leurs deux bras leur suffiront pour
t'agripper. Elles te murmurent des mots faits pour un petit cœur
quelconque. Elles t'enveloppent sous leurs caresses indifférentes
et toi tu gis, ardent et vif, un débris arraché à l'âme du monde.
Elles savent mieux que nous que les mensonges de l'amour sont
le seul vernis d'existence dans l'incommensurable irréalité. Et

elles poussent jusqu'à la démesure le chantage à la vie dont la nature leur a fourni les moyens. Nous autres, nous tombons dans leur piège et souillons l'infini dont nous n'avons pas su nous montrer dignes.

Le monde pleure en toi la cassure de son éternité — et les passantes te rendent fou. Comment apaiser un déchirement aussi douloureux ? Tu hais le devenir et tu l'aimes. L'éternité, comme le temps, est tour à tour péché et rédemption. Auprès de la chair, tu rêves des fondements du monde et, à leur ombre, du voisinage de l'ivresse éphémère.

Tu ne peux pas t'enclore dans des limites. De quelles bornes pourrais-tu t'entourer, alors que des brises sonores t'étirent plus loin que la source des limites — la mort ?

Rongé par les coups du sort et les trous de l'âme, tu te berces de chansons d'adversité. Pas d'échappatoire. Toutes les fins te guettent et tu mourras de toutes les morts.

Y a-t-il un chemin où tu n'aies pas été blessé ? Ton cœur bat dans un temps malade. Tu te reconnais dans les instants et les instants te reconnaissent. L'avenir est un roncier sans fin. Les sources de la vie sont souillées et de l'eau noire croupit dans les puits de l'âme. Comment y bâtir un hospice du cerveau ? L'esprit et le temps empestent. Orphelin de la nature et de toi-même, tu as la folie pour toit plus sûr que la mort, dans un monde où la pensée n'est pas un refuge.

Aimer la vie avec acharnement — et ensuite être ton propre mendiant quémandant un peu de compassion pour l'absence illimitée creusée par ton vide, c'est être un piteux jardinier du néant, semeur de violettes et de pus...

L'homme est un champ de mystères où l'ivraie n'est pas moins féconde et brillante que le bon grain. Et, parmi les mystères, se dresse le plus grand : un saint sensuel.

46. *L*a mort dégouline sur mon crâne. Goutte à goutte. Et, dans l'espace sans rivage, je n'ai pas où me cacher. Pas où aller. Elle suinte du firmament, drapée dans des nuages de non-être, et affouille les bases de la confiance.

Dois-je creuser mon tombeau dans les vastitudes ? C'est à elle de le faire. Je n'ai pas à prendre les devants. Elle me l'a creusé dans l'âme. Et je gis dedans depuis longtemps. Je le veille, avec les vers qui y grouillent.

La matière sur laquelle je marche est un linceul. Il s'enroule autour de mes pieds et, quand j'essaye d'atteindre les voûtes de l'indifférence séraphique, il me fait trébucher et m'empêche de prendre mon envol. Il n y a pas pour moi d'autres sentiers que descendants. Mes jambes ont ranci dans la lie de l'éternité, le temps qui souffle en moi est passé par des cimetières et des défunts ronflent dans les instants dont je m'enorgueillis.

47. *J*e me tourmente sous le ciel. L'âme le réduit en bouillie d'âme. Où que je regarde, c'est moi que je vois.

La peur est un pont entre le désir et l'être. Quel équilibre y trouver ? Le présent s'est détaché du temps et le temps vomit ses instants comme un malade vomit tripes et boyaux. Maintenant, maintenant, tout ce qui est maintenant est un mal ; ce qui fut et sera — un remède imaginaire pour une tare épuisante.

La malédiction est ton grabat. Le soleil éclaire un asile de nuit pour mendiants infatués. Confie ton arrogance à l'éternel Jamais, étanche ta soif avec le sang qui te maintient encore parmi ceux qui se prétendent des êtres. Fais de ton cœur la coupe de la dernière gorgée, avant que ne te séduisent les sourires de l'espace mué en poignard.

Brise les chaînes de ta rage ; cesse d'aboyer après Dieu. Voudrais-tu de ton fiel lui faire une auréole de plus, ajouter à sa fierté des extases empoisonnées ? Abandonne-le à son sort. Il ira de lui-même à sa perte, tout comme toi. Il est plus pourri que quiconque. Les astres ne sont-ils pas les vers luisants de sa décomposition ? Et toi, tel un ver sans charogne, désœuvré, chantant dans des psaumes à rebours ton désir de mort, tu te traînes vers des horizons bouchés. Seul. Plus seul que le crachat du diable.

Blâmé par tous, creuse ta tombe dans le blâme. Fais un cercueil de tes larmes et un suaire de ta folie.

Ah ! si tu trouvais des mots pour composer une chanson qui fasse frissonner et enrager les ossements des morts, qui les fasse claquer des mâchoires au rythme de l'éternité souterraine ! Mais tu ne les trouves pas et tu ne peux pas en trouver. Un venin muet s'étend sur les souffrances de la voix. Et ton cœur sonne le glas pour les funérailles de la pensée.

48. *J*ours interminables, comment vous perdre ? La tristesse de votre bonheur, je ne peux plus la supporter. Partir vers d'autres jours, sous d'autres voûtes, je le peux encore moins. Ciel de Paris, c'est sous toi que je voudrais mourir ! Je connais ta décadence — je n'ai plus aucun souhait.

J'en ai eu trop et mes années de vagabondage sous ta languide protection me détachent de ce que je devrais être. Mon avenir s'éteint dans des yeux qui t'ont contemplé hors du temps.

Je ne t'ai pas fait l'injure de songer à d'autres patries, je ne me suis pas abaissé à chercher l'extase dans mes racines ou dans les nostalgies du sang. J'ai fait taire dans ses gargouillis des générations de laboureurs courbés sur les mancherons de la charrue, et aucune plainte de paysan du Danube ne vient troubler le menuet du doute que dansent tes nuages. J'ai rabattu dans ton absence de patrie la fierté de mes errances, et mon désespoir — hymne contre le temps — se nimbe d'ensanglantements.

La vie est une perpétuelle mélancolie. Tel est, me semble-t-il, le dernier murmure de ton enseignement. As-tu jamais connu disciple plus fidèle que moi? Le sort voulait peut-être que je m'éteigne en d'autres lieux, mais ce sera sous toi que je mourrai. L'ultime fixité de mon regard sera pour toi. Et tu me répondras, étendard de tous les couchants, en adoucissant ma fin.

49. *T*el le survivant d'une terrible épidémie qui t'aurait enlevé des maîtresses et des amis, tu passes à travers les heures et ton élégance pestilentielle les ensoleille.

Et tel un orgue qui jouerait tout seul sur les ruines d'une cathédrale, tu fais résonner les accords de ton cœur dans la vacuité de l'univers.

L'infini n'a pas de semblables; il s'étend sur leur absence. Le bâillement cosmique oublie l'éternité trompeuse des seins, sur lesquels s'ébauche le vague soupir de l'inaccomplissement. Le monde s'éteignant, l'amour s'est éteint aussi, et avec lui les servantes du monde.

Des fleurs de catastrophe poussent sur les amours mortes et du miel mêlé de fiel s'écoule des lèvres qui recueillaient le souffle de la vie.

... Pourquoi n'ai-je pas enfoui mon front dans la mollesse de la chair, et dans la douce sueur de la matière pourquoi n'ai-je pas roulé mes pensées? Pourquoi n'ai-je pas couché à jamais mon rêve sans patrie dans les demeures mondaines de l'Être ensorcelé par le temps? J'aspirais à l'éternité, alors que la femme était *ici*. Pauvre infini à deux! La mémoire tue les charmes éphémères.

Sur les ponts où le désir attend les compagnes du mensonge suprême, je ne vois plus que les rives de l'irréalité, entre lesquelles j'ai dressé une tente dérisoire que bientôt une crue compatissante aura la bonté d'emporter, en même temps que ma vaine chanson.

50. *J*'aï dépensé mon âme inutilement. Sa flamme, lequel, ou laquelle, de mes semblables l'aura méritée ? Désormais, je répandrai des cendres sur les printemps des autres. Et je m'enterrerai moi-même sous les cendres du cœur et de l'amour.

Des sensations et des idées, voilà tout ce qui te reste. Car tu es resté en dehors de toi. Qu'aucun sentiment n'enjolive plus le désert des êtres qui t'entourent, que meurent les astres que tu croyais voir dans leurs yeux, que s'éteigne le ciel au fond de la passion ! Que l'enfer envahisse l'Idéal et te fasse gémir sous son poids, voyageur ridicule et triste, qui du sang extrais des philtres néfastes et qui tresses des couronnes au néant ! Tu as gaspillé les élans de ton cœur, auxquels personne n'a répondu, auxquels personne n'a souri. Livre ton crâne à la nature en larmes, écrase-le sous la matière des pleurs, tue ton avenir dans les nuits blanches du soupir. Les absences du monde glissent sur le temps chauve et il ne subsiste de leur vie trop pâle qu'une sourde lamentation tapie dans les ravines de la pensée.

Tu sors de toi-même et tu descends l'escalier des éveils funestes jusque dans la Ville en proie aux souffles sonores et aux allusions finales. Et tu te demandes sans t'attendrir : Où me noyer ? Dans la Seine ou dans la Musique ?

────────────────────────── **IV**

────────────────────── *51.* *L*'ennui est la substance de
la durée et le désespoir celle du combat dans la durée.
Les hommes croient à quelque chose pour oublier ce qu'ils sont.
Ils se terrent dans des idéaux, se nichent dans des idoles et tuent
le temps à grand renfort de croyances. Rien ne les accablerait plus
que de se découvrir, sur le monceau de leurs agréables duperies,
face à face avec la pure existence.
Le désespoir? C'est vivre de manière interjective. Voilà pourquoi
la mer — interjection liquide et infiniment réversible — est
l'image directe de la vie et du cœur.
Ni santé, ni maladie : deux *absences* que remplace le vide de l'ennui.
La seule raison d'être de l'univers consiste à nous montrer que,
s'il disparaît, nous pouvons lui substituer la musique — une irréalité plus *vraie.*

*52. G*lissant sur la pente des pensées, tu as trop souvent vili-
pendé l'existence. Elle n'a pourtant commis aucun péché, sauf,
peut-être, celui de ne pas être.
Fais tarir dans l'amertume de l'esprit les sources des accusations.
Neutralise le venin inépuisable et le cynisme sautillant de la chair.
Chéris avec une inconvenance rêveuse l'incohérence du sort. Plus
inutile qu'une comète dans un monde sans augures et plus vain
que l'épée d'un archange dans un monde sans ciel, promène ton
destin oisif sur la moelle des illusions et saupoudre-la d'aveuglements humains. D'aveuglements d'homme *effréné*, qui sait que le
tout cache le rien.
Nourris-toi des racines du mensonge, enivre de faux savoir les
affûts de tes veilles.

*53. L*e bonheur paralyse mon esprit. La réussite me vide de moi-
même et la chance en amour efface les traces de la grandeur. Le
bonheur ignore le moi...

Après avoir perdu, épuisé, sa conscience dans la volupté, avec quelle fébrilité on aspire à la séparation ! Pouvoir être seul dans sa chambre, sans sa maîtresse, tout seul, et savourer le nectar de la malchance ! Affranchi de tout idéal, la vue brouillée par l'existence, étirer la fatigue de son rêve au-delà du ciel !

On s'affale dans le monde mais, n'y trouvant pas d'aliment, on se nourrit des rogatons de l'exil.

La vraie vie n'est pas dans la mesure, elle est dans la rupture. L'univers ne guérissant pas la blessure du cœur, on doit sous les étoiles s'enivrer de délire. Car ni les épaules ni le cerveau ne supportent plus le fardeau de l'incompréhensible.

Le destin souffle comme une brise dans les idées. Et la Logique, vers laquelle tend le vide de la pensée, en est ébranlée. L'âme lamine les catégories. Et le cosmos devient supplice.

54. *L*a terre s'étale sous nos pas pour que nous nous dispersions. J'ai regardé en haut, j'ai regardé en bas et dans toutes les dimensions du grand n'importe où — j'ai découvert partout l'échec de ma vie.

Je croyais en épuisant mes sens pouvoir tuer l'éveil. Mais après l'étreinte je retrouvais l'atroce lucidité.

Je désirais des caresses et j'attisais mon envie de grandeur. Mais je devenais esclave de l'incurable signification de l'esprit.

J'essayais de noyer mon ouïe dans l'ivresse. Mais alors ma vue s'exacerbait sur les vastes étendues.

Je menais ma pensée dans des fondrières. Mais elle en ressortait cruellement éclaircie.

Ni la gloire, ni la femme, ni la boisson n'ont aplani le chemin des interdits et de l'asservissement à l'esprit. Les instants de ma vie sont sens dessus dessous. Rien ne les lie plus les uns aux autres. Leur chaîne s'est brisée et ses maillons épars vrombissent à mon oreille.

... Dans la main de qui déposer ma nature ? Et à qui transférer l'honneur du découragement ?

55. *D*e l'Idée, je voudrais me faire une couche et m'y enfoncer, étouffer sous sa pression abstraite les bredouillements de mon cœur. J'en ai assez de lui. Et surtout de son *visage* : l'âme.

La nausée vient des sentiments. Il n'y a au fond du cœur que du pus et de chaudes puanteurs. Je veux tourner ma différence vers un esprit purgé des rinçures de la vie et de la lie des sens, vers une pensée marmoréenne, désenchaînée de l'âme.

Que nul soupçon d'émotion ne vienne plus troubler la sérénité du jugement. Tu n'as que trop été un ténor des apparences. À présent, cherche en toi — sans lyrisme — la dureté de la séparation qui hérisse l'esprit. Regarde ce qui arrive aux autres et à toi comme si vous n'étiez personne, regarde comme un démon dégoûté du mal, comme un démon en rupture de ban. Et ainsi, effrayé par la froideur objective de l'esprit, le Devenir suspendra définitivement sa marche.

56. *E*n principe, nous nous croyons tous pleins de vie et nous nous vantons de nos efforts et de leur moisson. En fait, nous portons une besace vide dans laquelle nous jetons de temps en temps des miettes de réalité. L'homme est un mendiant d'existence. Un portefaix ridicule dans l'irréalité, un ravaudeur de la nature.
Il se bâtit un logis et il imagine échapper ainsi au monde. Il ne voit plus rien autour de lui. Et quand il se croit tout à fait seul, il s'aperçoit que son abri n'a pas de toit. Dans quelle direction cracher ? Vers le soleil ou vers la nuit ? Il ouvre les mains dans l'espace. Ses doigts se poissent de vide. Aucun être n'y adhère, car l'être brûle. Le réel écorche, le réel fait mal. Respirer est un martyre. Le souffle de la vie se calcine dans les fourneaux de l'épouvante.

57. *L*a religion et surtout sa servante, la morale, ont volé au moi — et donc à la culture — ce qui fait le charme de la distinction : le mépris. Regarde, c'est-à-dire *toise*, la populace humaine qui te prend pour un homme. Il n'y a pas plusieurs *moi*, il y a seulement le sort qui te rend dissemblable de tes semblables. La culture — selon la formule suprême de son intimité — est une discipline du mépris. Il faut aider *les autres*, les conseiller, mais ne pas les déranger dans leur vie fourmillant d'attentes. Et surtout ne pas les réveiller. Ils ne sauront jamais combien elle coûte cher, leur singulière vocation. Laissez dormir l'homme. Puisqu'il n'y a de sommeil qu'au paradis, se fuir signifie adoucir son sort. L'individu transparent à lui-même a tous les droits. Il peut mettre fin à ses jours quand il le veut. Le *destin* est un incessant ajournement du suicide. En veillant ta vie, tu dévoiles à ta fierté le sort en train de dévorer les vivres du moi, le sort dont tu es le maître vaincu.

58. *E*nfant, tu ne tenais pas en place. Tu battais la campagne. Tu te voulais *au-dehors*, loin de la maison, loin des tiens. Tu adressais des clins d'œil espiègles à l'horizon et tu donnais au ciel les rondeurs de tes nostalgies.

De l'enfance, tu as sauté à pieds joints dans la philosophie, et les années ont accru ton horreur de la sédentarité. Depuis, tes pensées courent par monts et par vaux. Le besoin d'errer hante les notions. Les quatre murs te pèsent. Tu ne respires — philosophe des routes et des rues — qu'aux carrefours. Dehors, toujours dehors — il n'y a pas de lit dans l'univers !

L'ennui abstrait révélant qu'être vivant c'est être vide, tu épies dans les venelles — tel un assassin des instants — l'oubli de la pensée.

Tu trouverais oiseux de dévider l'écheveau des pensées pour en tirer un fil que tu nouerais au chapelet des frêles espérances. La charogne de la vie pourrit en arrière. Et celui qui lit dans tes pas y découvre un meurtrier.

59. *N*e pas voir dans les choses plus qu'il n'y a. Les voir telles qu'elles sont. Ne pas s'y identifier. *Objectivité* est le nom de ce fléau, qui est le fléau de la connaissance.

Le mal à l'âme est un mal spirituel. C'est la lucidité descendue dans le cœur. On ne peut choisir d'aucune façon, car à nos inclinations s'oppose la vue absolue de l'esprit. Quand on penche d'un certain côté, il nous montre que le monde est un espace d'équivalences. Tout est identique, le nouveau est *pareil*. L'idée de réversibilité est un poignard théorique.

Alors, apparaît la *Passion*. Elle ensemence les champs arides qui s'étendent en nous. La fureur frémissante de l'erreur *choisit*. C'est par elle que nous respirons. C'est elle qui nous guérit du pire des maux : *le mal de l'impartialité*. On ne peut pas vivre en étant clairvoyant, car on ne pourrait prendre parti pour personne, on ne pourrait prendre part à rien. En étant partial — c'est-à-dire en créant *de faux absolus* —, on fait remonter la sève du devenir dans les vaisseaux. S'adapter aux circonstances constitue un acte de subjectivité, un affront à la connaissance. L'objectivité est l'assassin de la vie et «la vie» de l'esprit.

60. *P*enser, c'est s'ôter des poids du cœur. Sans la soupape des pensées, l'esprit et les sens étoufferaient.

L'expression s'ébauche à partir d'une plénitude malade. On est *positivement* envahi par les manques. La pensée naît de la persistance d'une insuffisance.

On n'a besoin de rien et pourtant on abrite une âme de mendiant. Quelque chose s'est détraqué dans l'esprit. Comme un arc de lucidité sur les ruines d'un baiser, les agencements de la nature ne trouvent pas d'appui dans notre oubli. Automne de la Création, couchant initial.

La déraison est l'unique échappatoire de l'âme. D'une âme ayant perdu ses dimensions et hâté sa fin. Et d'un penseur du possible infini, d'un penseur de l'impossible.

61. Malades, nous nous révélons par le truchement de notre corps. Nous soliloquons physiologiquement. Les voix intérieures ne pouvant pas énumérer tous les maux que nous recelons, le corps se charge de nous signaler directement les innombrables plaies auxquelles nous n'avons pas su donner de nom. Nous souffrons dans notre chair d'une carence de locution. Nous avons trop de venin, mais pas assez de remède, dans notre parole. La maladie est une tare inexprimée. Ainsi, les tissus commencent à parler. Et leur verbe, en fouissant l'esprit, devient sa *matière*.

62. La douce malédiction qu'est l'existence privée te poursuit depuis ta naissance. Incapable de demeurer dans la finitude, tu es perpétuellement face à toi et à l'infini. Comme tu ne comprends pas les affaires des autres, personne ne te déloge de l'égoïsme illimité que tu cultives dans ton chez-toi. Tu as toujours rêvé d'un foyer dans lequel pénétrerait l'univers. Sous tes paupières, pourrissent des femmes, tuées par le vice de l'infini. C'est là le mal des sens. Il assassine l'amour, qui se réclame inconsidérément de lui. Deux yeux te regardent — toi, tu vois plus loin ; deux bras t'enlacent — toi, tu étreins l'espace ; un sourire s'insinue dans ton corps — toi, tu languis après les astres.

Personne est l'ombre jetée dans le cœur par l'infini. Qui est l'ultime justification de l'existence privée. Qui est aussi la justification du jeu en amour, du théâtre dans les passions. Tu crois tromper des filles et des mortels — rien ne suggère un absolu mortel mieux qu'une jeune fille —, mais c'est toi que tu trompes. Être insensé — pour cause d'infini...

63. Je me rappelle avoir été jadis un enfant. C'est tout. La mémoire ne m'aide pas à ressusciter la douceur du sommeil de la vie. Il m'est plus facile de me voir en train de gémir sous les décombres de la pensée que de m'imaginer *avant* elle. Rien ne survit, de l'époque où *nous attendions* la signification...

Au sortir de l'enfance, j'ai rencontré la peur de la mort. Ainsi, j'ai commencé à *savoir*. Et cette peur-là s'est résorbée dans le désir de mourir. Et ce désir-là s'est épuré dans l'émiettement du bonheur qui crucifiait la pensée inutile. Si j'étais resté dans l'ignorance, je n'aurais pas posé la couronne de l'intellect sur la charogne verticale, et la fierté négative n'aurait pas rompu les fils me rattachant à l'enfance. *Le temps* n'aurait pas ébranlé les piliers de l'espoir, il n'aurait pas parasité ma sève. Or, il a racorni mes ferments de vie, il a tiédi mes ardeurs dans une gangue d'ennui. L'ennui a son secret : *un cœur abstrait.* Un cœur à travers lequel le temps s'est écoulé et où ne s'attardent plus que des idées guettées par la moisissure, atteintes dans leur froideur immaculée.

Où sont les aurores de la vie, dis, analphabète du Bien, omniscient par le mal ?!

... Et je me demande souvent : comment ai-je osé être un enfant ?

64. *P*écher par solitude, nuire en rompant, ne connaître de joie que dans ta retraite. *Être foncièrement* seul.

Une énergie exterminatrice, issue de l'esprit, exacerbe ton individualité. Jusqu'à l'univers qui devient une individualité. *Il te rattrape.* À moins que ce ne soit toi qui l'aies rattrapé...

L'idée de *personnalité*, qui nous morcelle en tant que figures humaines et qui prend chez certains les dimensions d'une exclamation cosmique, engendre l'adversité. L'homme perd toute mesure par excès d'ego, il est semblable à un arbre dont la cime atteindrait le ciel et qui en oublierait ses racines... Le volume du moi empiète sur l'infini, et la vue perçante et critique est engloutie par l'individu unanime.

... Chérissant la haine que je nourris contre moi, je promène voluptueusement mon mauvais sort sous les débris du temps. Qu'aucune brise de réalité n'effleure désormais mon front ! Que le diable souffle sur mes rides sa sagesse et sa souffrance, que l'haleine du Mal pénètre dans mon cerveau, que les instants refluent en pagaille dans l'espérance et y intronisent leur débauche chaotique ! Que la folie ne paye plus d'octroi à l'esprit, qu'elle déferle sur les territoires de la pensée !

65. *J*e mesure la profondeur d'une philosophie à l'aune du désir d'errance qu'elle exprime — et qu'elle *fuit.* Tout système de réflexion qui n'occulte pas les défauts propres à chaque lieu favorise des respirations médiocres, des anxiétés pantouflardes. Quand *autre chose* nous préoccupe, l'édifice de la pensée émousse la passion du vagabondage et met une sourdine à l'obsession de l'espace. Réfléchir, c'est de toute façon *demeurer.* Ne dit-on pas dans ce sens « il n'y a pas péril en la demeure » ?

La peur de partir au hasard, d'aller vers un *ailleurs* inconnu, réveille des instincts mesquins et nous échappons dans des refuges théoriques à l'infini immédiat du cœur. L'ordre dans la pensée est l'entrave du cœur. Sa mort. Si nous le débridions, où irions-nous ? *Nulle part* est sa loi, *ici* est celle du système.

En maillant les idées, nous écartons le danger. Et du même coup la volatilité du moi. Nous nous solidifions. La buée de l'esprit se fige. L'inspiration effrénée prend forme et la liberté gémit. Les pensées se nouent dans un long soupir du cœur. Elles s'ajustent sur le cadavre de l'immortalité. Les abandonnerons-nous à leur sort, sans les conclure, pour nous sauver dans le monde sans fin ? La tentation n'est pas moindre que la crainte.

66. *V*oici mon sang, voici mes cendres. Et le tâtonnement funèbre de l'esprit. Ses scories ont l'univers pour lit.

Le soleil s'est enlisé dans sa propre lumière, dans les marécages célestes.

Les survivants ont les yeux fixes. L'étonnement n'agrandit plus leurs pupilles. Car plus rien n'étonne dans l'espace.

Il n'est plus de vents pour soulever la poussière de mon être. Les brises ont gelé sur des cerveaux mortels. Et les cœurs pétrifiés murmurent leur désir de connaître la charmante peur d'être. Où sont les jours qui aguichaient l'Erreur ? Il n'est plus rien d'erroné au monde, il n'est plus rien. Car le monde s'est embaumé dans la Vérité. À force de *à savoir,* l'univers crève d'anémie. Pas une goutte de sang pour nourrir une germination. Le sang est infecté par *l'Information.*

... Écœuré par le dénouement général, l'homme reprend ses billes et embarque ses cendres vers un autre univers.

67. *P*loyant sous le poids de notre Moi, impatients de nous séparer de nous-mêmes, nous fuyons notre identité comme un fardeau accablant.

L'air qui stagne dans nos poumons est une expiration de Dieu, dont les relents montent au cerveau et lui inoculent le poison de l'infini malade. Gagnées par la déliquescence divine, les Idées s'étiolent dans une touffeur douceâtre. Et nulle bêtise lyrique ne voile l'interminable agonie.

La conscience pourrait-elle ne pas vomir le Moi ? L'esprit ne pas étrangler la raison ? La lucidité ne pas décapiter l'espoir ?

L'esprit poursuit de sa haine celui-là même qu'il habite, il empoisonne l'individu qui veut être plus qu'un individu, il empoussière la matière qui l'étaye. Le moi est la grande victime, le moi est maudit.

68. *S*ans le pressentiment de l'amour et de la mort, on s'ennuierait déjà dans les entrailles maternelles et l'on continuerait par la suite, mâchouillant machinalement de flasques tétins. Mais on attend secrètement les deux tentations, on échafaude dès le berceau des fictions d'existence. L'amour s'approche, l'amour remplit les années. Cependant, par les déchirures de son infini infirme, les yeux s'échappent vers *Autre chose*. Une curiosité morbide condense le temps à travers lequel on se traîne vers la fin. Les instants s'épaississent : c'est la densité du temps de mourir... Et puisqu'on découvre les ténèbres finales dans les clairières de l'amour, c'est que celui-ci cache une équivoque, qui change la passion en frissons de pourriture. Une éternité dont les vers se gobergent, telle est l'équivoque des amours.

L'amour ne peut pas nous guérir de l'Autre chose. Et cette Autre chose est la passion fatale de l'homme. Menée à son terme, elle dévoile dans notre tréfonds un je-ne-sais-quoi *qui serait* — une halte désastreuse de la curiosité. Peut-être n'inclinerions-nous pas vers Elle les automnes du cœur si elle n'était pas une *immédiateté capitale*, si nous ne devions pas supporter l'ennui contingent. Sans cesse courant vers la Limite, exaspérés par l'arbitraire, avides de certitudes, nous rendons la Mort digne de sa majuscule. Car elle est la fiction à laquelle nous octroyons tout, elle est la banalité irréparable du temps.

Pour l'esprit, elle existe aussi peu que *n'importe quoi*. Mais *il l'avoue*, lui, contraint par le sang, par de vieilles vérités, par les traditions du cœur. *Il se soumet.* C'est le moi qui la lui impose. Et de la sorte il accorde aux fictions plus qu'elles ne méritent. *Puisque tout la réclame, pourquoi n'existerait-elle pas ?* se demande-t-il, dégoûté et sceptique. Pourquoi priver l'homme de son mensonge suprême ? Il la veut, alors qu'il l'ait. Incapable de s'inventer une erreur confortable, qu'il s'empare donc de mes armes pour la défendre. Qu'il meure pour la Mort !

... Ainsi juge l'Esprit et, séparé de lui-même, il s'établit dans le silence.

69. *M*a faute : j'ai détroussé le réel. J'ai mordu dans toutes les pommes des espérances humaines. Je lorgne le soleil du coin de l'œil...

Dévoré par le péché de la nouveauté, j'aurais bien retourné le ciel comme un gant. Je plantais mes dents dans les replis de la chair, je lançais mes idées dans des gigues abstraites, et les mystères mouraient dans ma bouche et dans mon cerveau. Où est le suc du devenir qui pourrait revigorer le pouls de l'esprit et du cœur? Il n'y a plus derrière moi que des gouttelettes défuntes, qui ensemencent mon passé comme une Voie lactée de l'inutile. La respiration est déraison. Et je cherche des corps immaculés pour y dépenser mes restants d'ardeurs et je cherche des esprits vierges pour y gaspiller mes lassitudes flambantes.

Que ne puis-je ajouter le tremblement sonore de mon âme au néant qui enivre l'absence de l'univers et déchirer son silence d'une voix tonnante et abattre le fléau de ma musique sur ses déserts?! Être l'âme du vide et le cœur du néant!

70. *R*éussiras-tu à étouffer le destin négatif qui te tenaille? Jamais.

Extirperas-tu le mal qui calcine ton souffle? Nullement.

Érigeras-tu encore l'amertume des sens en essence des questions? Toujours.

Ne veux-tu pas tarir ta formule de l'irréparable dans la douceur des croyances? Aucunement.

... Dans ton sang se prélasse la lie d'un Jamais, dans ton sang se désagrège le temps — et un Ave dévoyé t'arrache à la noyade dans la rédemption. Et le diable se faufile dans l'œil de Dieu et toi tu suis son ombre et sa trace...

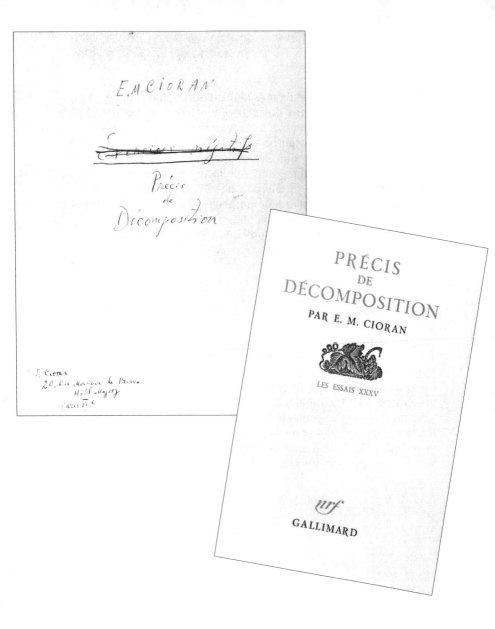

MANUSCRIT DE LA PAGE DE TITRE DU *PRÉCIS DE DÉCOMPOSITION*,
SUR LAQUELLE CIORAN A BIFFÉ LE TITRE PRIMITIF, *EXERCICES NÉGATIFS*.

COUVERTURE ORIGINALE DU *PRÉCIS DE DÉCOMPOSITION*,
PUBLIÉ PAR GALLIMARD EN 1949.

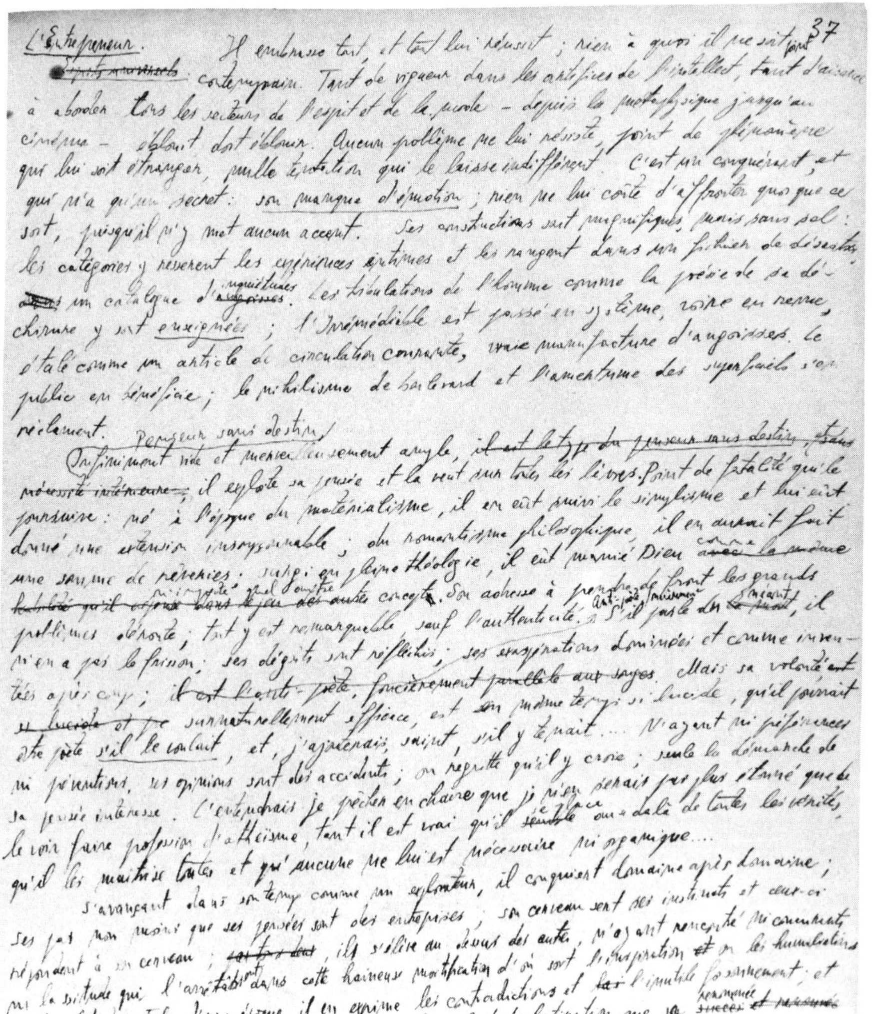
L'Entrepreneur. Il embrasse tout, et tout lui réussit ; rien à quoi il ne soit point 37
~~Esprit universel~~ contemporain. Tant de vigueur dans les artifices de l'intellect, tant d'aisance
à aborder tous les secteurs de l'esprit et de la parole – depuis la métaphysique jusqu'au
cinéma – éblouit doit éblouir. Aucun problème ne lui résiste, point de phénomène
qui lui soit étranger, nulle tentation qui le laisse indifférent. C'est un conquérant, et
qui n'a qu'un secret : son manque d'émotion ; rien ne lui coûte d'affronter quoi que ce
soit, puisqu'il n'y met aucun accent. Ses constructions sont magnifiques, mais sans sel :
les catégories y résorbent les expériences intimes et les rangent dans son fichier de désastres
~~[illegible]~~ un catalogue d'inquiétudes ~~angoisses~~. Les tribulations de l'homme comme la précise de sa déchirure y sont enseignées ; l'Irrémédiable est passé en système, voire en revue,
étalé comme un article de circulation courante, vraie manufacture d'angoisses. Le
public en bénéficie ; le nihilisme de boulevard et l'amertume des superficiels s'en
réclament. Penseur sans destin,
Infiniment riche et merveilleusement agile, ~~il est le type du penseur sans destin, sans~~
~~nécessité intérieure~~ ; il exploite sa pensée et la veut sur toutes les lèvres. Point de fatalité qui le
poursuive : né à l'époque du matérialisme, il en eût suivi le simplisme et lui eût
donné une extension insoupçonnable ; du romantisme philosophique, il en aurait fait
une somme de rêveries ; surgi en pleine théologie, il eût manié Dieu ~~avec la même~~ comme
~~habileté qu'il affirme dans le jeu des autres~~ n'importe quel autre concept. Son adresse à prendre de front les grands
problèmes déroute ; tout y est remarquable sauf l'authenticité. S'il parle des Antipodes, Inavouables ~~[illegible]~~ Néants, il
n'en a pas le frisson ; ses dégoûts sont réfléchis, ses exaspérations dominées et comme inven-
tées après coup ; il ~~est l'anti-poète, foncièrement parallèle aux sages~~. Mais sa volonté ~~est~~
~~si lucide~~ et ne surnaturellement efficace, est en même temps si lucide, qu'il pourrait
être poète s'il le voulait, et, j'ajouterais, saint, s'il y tenait.... N'ayant ni préférences
ni préventions, ses opinions sont des accidents ; on regrette qu'il y croie ; seule la démarche de
sa pensée intéresse. L'entendrais-je prêcher en chaire que je n'en serais pas plus étonné que de
le voir faire profession d'athéisme, tant il est vrai qu'il ~~semble~~ se place au-delà de toutes les vérités,
qu'il les maîtrise toutes et qu'aucune ne lui est nécessaire ni organique....
S'avançant dans son temps comme un explorateur, il conquiert domaine après domaine ;
ses pas non moins que ses pensées sont des entreprises ; son cerveau sent des instincts et ceux-ci
répondent à son cerveau ; ~~[illegible]~~, il s'élève au-dessus des autres, n'ayant rencontré ni [illegible]
ni la solitude qui l'arrêtât dans cette haineuse mortification d'où sort l'inspiration ~~et~~ où les humiliations
de la solitude. Tels d'une époque, il en exprime les contradictions et ~~[illegible]~~ l'inutile foisonnement, et
lorsqu'il s'élança à sa conquête, il y mit tant de suite et d'obstination que sa renommée ~~succès et renommée~~
et son succès ~~renommée~~ égalèrent ceux du glaive et réhabilite ~~ainsi~~ l'esprit par des moyens
qui, jusqu'alors, lui ~~furent~~ étaient odieux ou inconnus.

MANUSCRIT INTERMÉDIAIRE DU *PRÉCIS DE DÉCOMPOSITION*.
ICI, LA PAGE INTITULÉE « L'ENTREPRENEUR » QUI, DANS LA VERSION DÉFINITIVE,
DEVIENDRA « SUR UN ENTREPRENEUR D'IDÉES ».

Cioran en 1949-1950,
à l'époque de la parution
du *Précis de décomposition*.

E. M. Cioran
20 rue Monsieur le Prince
    Hôtel Majory
Paris VIe

Paris le 21 Janvier 1959

Cher Monsieur,

Le Précis de Décomposition étant, m'a-t-on assuré, pratiquement épuisé, il serait utile, je pense, de le faire rééditer, et cela d'autant plus qu'une université américaine doit prochainement en commander une cinquantaine d'exemplaires.

Ne serait-il pas dommage de laisser échapper une si belle occasion de pervertir la jeunesse yankee ?

Croyez, cher Monsieur, à mes sentiments les meilleurs

E. M. Cioran

LETTRE ADRESSÉE EN 1959 PAR CIORAN À CLAUDE GALLIMARD, SON ÉDITEUR,
AU SUJET DE LA RÉÉDITION DU *PRÉCIS DE DÉCOMPOSITION*.

CIORAN.
VERS 1949-1950.

PRÉCIS DE

DÉCOMPOSITION

Écrit en français ; publié à Paris en 1949.

PRÉCIS DE DÉCOMPOSITION

« I'll join with black despair against
[my soul,
And to myself become an enemy. »
Richard III

GÉNÉALOGIE DU FANATISME

*E*n elle-même toute idée est neutre, ou devrait l'être ; mais l'homme l'anime, y projette ses flammes et ses démences ; impure, transformée en croyance, elle s'insère dans le temps, prend figure d'événement : le passage de la logique à l'épilepsie est consommé... Ainsi naissent les idéologies, les doctrines, et les farces sanglantes.

Idolâtres par instinct, nous convertissons en inconditionné les objets de nos songes et de nos intérêts. L'histoire n'est qu'un défilé de faux Absolus, une succession de temples élevés à des prétextes, un avilissement de l'esprit devant l'Improbable. Lors même qu'il s'éloigne de la religion, l'homme y demeure assujetti ; s'épuisant à forger des simulacres de dieux, il les adopte ensuite fiévreusement : son besoin de fiction, de mythologie triomphe de l'évidence et du ridicule. Sa puissance d'adorer est responsable de tous ses crimes : celui qui aime indûment un dieu, contraint les autres à l'aimer, en attendant de les exterminer s'ils s'y refusent. Point d'intolérance, d'intransigeance idéologique ou de prosélytisme qui ne révèlent le fond bestial de l'enthousiasme. Que l'homme perde sa *faculté d'indifférence* : il devient assassin virtuel ; qu'il transforme *son* idée en dieu : les conséquences en sont incalculables. On ne tue qu'au nom d'un dieu ou de ses contrefaçons : les excès suscités par la déesse Raison, par l'idée de nation, de classe ou de race sont parents de ceux de l'Inquisition ou de la Réforme. Les époques de ferveur excellent en exploits sanguinaires : sainte Thérèse ne pouvait qu'être contemporaine des autodafés, et

Luther du massacre des paysans. Dans les crises mystiques, les gémissements des victimes sont parallèles aux gémissements de l'extase... Gibets, cachots, bagnes ne prospèrent qu'à l'ombre d'une foi, — de ce besoin de croire qui a infesté l'esprit pour jamais. Le diable paraît bien pâle auprès de celui qui *dispose* d'une vérité, de *sa* vérité. Nous sommes injustes à l'endroit des Nérons, des Tibères : ils n'inventèrent point le concept d'*hérétique* : ils ne furent que rêveurs dégénérés se divertissant aux massacres. Les vrais criminels sont ceux qui établissent une orthodoxie sur le plan religieux ou politique, qui distinguent entre le fidèle et le schismatique.

Lorsqu'on se refuse à admettre le caractère interchangeable des idées, le sang coule... Sous les résolutions fermes se dresse un poignard ; les yeux enflammés présagent le meurtre. Jamais esprit hésitant, atteint d'hamlétisme, ne fut pernicieux : le principe du mal réside dans la tension de la volonté, dans l'inaptitude au quiétisme, dans la mégalomanie prométhéenne d'une race qui crève d'idéal, qui éclate sous ses convictions et qui, pour s'être complue à bafouer le doute et la paresse, — vices plus nobles que toutes ses vertus — s'est engagée dans une voie de perdition, dans l'histoire, dans ce mélange indécent de banalité et d'apocalypse... Les certitudes y abondent : supprimez-les, supprimez surtout leurs conséquences : vous reconstituez le paradis. Qu'est-ce que la Chute sinon la poursuite d'une vérité et l'assurance de l'avoir trouvée, la passion pour un dogme, l'établissement dans un dogme ? Le fanatisme en résulte, — tare capitale qui donne à l'homme le goût de l'efficacité, de la prophétie, de la terreur, — lèpre lyrique par laquelle il contamine les âmes, les soumet, les broie ou les exalte... N'y échappent que les sceptiques (ou les fainéants et les esthètes), parce qu'ils ne *proposent* rien, parce que — vrais bienfaiteurs de l'humanité — ils en détruisent les partis pris et en analysent le délire. Je me sens plus *en sûreté* auprès d'un Pyrrhon que d'un saint Paul, pour la raison qu'une sagesse à boutades est plus douce qu'une sainteté déchaînée. Dans un esprit ardent on retrouve la bête de proie déguisée ; on ne saurait trop se défendre des griffes d'un prophète... Que s'il élève la voix, fût-ce au nom du ciel, de la cité ou d'autres prétextes, éloignez-vous-en : satyre de votre solitude, il ne vous pardonne pas de vivre en *deçà* de ses vérités et de ses emportements ; son hystérie, son bien, il veut vous le faire partager, vous l'imposer et vous défigurer. Un être possédé par une croyance et qui ne chercherait pas à la communiquer aux autres, — est un phénomène étranger à la terre, où l'obsession du salut rend la vie irrespirable. Regardez autour de vous : partout des larves qui prêchent ; chaque institution traduit une mission ; les mairies ont leur absolu comme les temples ; l'administration, avec ses règlements, — métaphysique à l'usage des singes... Tous s'efforcent de remédier à la vie de tous : les mendiants, les incurables même y aspirent : les trottoirs du monde et les hôpitaux débordent de réformateurs. L'envie de devenir source d'*événements* agit sur chacun comme un désordre mental ou comme une malédiction voulue. La société, — un enfer de sauveurs ! Ce qu'y cherchait Diogène avec sa lanterne, c'était un *indifférent*...

Il me suffit d'entendre quelqu'un parler sincèrement d'idéal, d'avenir, de philosophie, de l'entendre dire «nous» avec une inflexion d'assurance, d'invoquer les «autres», et s'en estimer l'interprète, — pour que je le considère mon ennemi. J'y vois un tyran manqué, un bourreau approximatif, aussi haïssable que les tyrans, que les bourreaux de grande classe. C'est que toute foi exerce une forme de terreur, d'autant plus effroyable que les «purs» en sont les agents. On se méfie des finauds, des fripons, des farceurs ; pourtant on ne saurait leur imputer aucune des grandes convulsions de l'histoire ; ne croyant en rien, ils ne fouillent pas vos cœurs, ni vos arrière-pensées ; ils vous abandonnent à votre nonchalance, à votre désespoir ou à votre inutilité ; l'humanité leur doit le peu de moments de prospérité qu'elle connut : ce sont eux qui sauvent les peuples que les fanatiques torturent et que les «idéalistes» ruinent. Sans doctrine, ils n'ont que des caprices et des intérêts, des vices accommodants, mille fois plus supportables que les ravages provoqués par le despotisme à principes ; car tous les maux de la vie viennent d'une «conception de la vie». Un homme politique accompli devrait approfondir les sophistes anciens et prendre des leçons de chant ; — et de corruption...

Le fanatique, lui, est incorruptible : si pour une idée il tue, il peut tout aussi bien se faire tuer pour elle ; dans les deux cas, tyran ou martyr, c'est un monstre. Point d'êtres plus dangereux que ceux qui ont souffert pour une croyance : les grands persécuteurs se recrutent parmi les martyrs auxquels on n'a pas coupé la tête. Loin de diminuer l'appétit de puissance, la souffrance l'exaspère ; aussi l'esprit se sent-il plus à l'aise dans la société d'un fanfaron que dans celle d'un martyr ; et rien ne lui répugne tant que ce spectacle où l'on meurt pour une idée... Excédé du sublime et du carnage, il rêve d'un ennui de province à l'*échelle de l'univers*, d'une Histoire dont la stagnation serait telle que le doute s'y dessinerait comme un événement et l'espoir comme une calamité...

L'ANTI-PROPHÈTE

——————————————— *D*ans tout homme sommeille un prophète, et quand il s'éveille il y a un peu plus de mal dans le monde...

La folie de prêcher est si ancrée en nous qu'elle émerge de profondeurs inconnues à l'instinct de conservation. Chacun attend *son* moment pour proposer quelque chose : n'importe quoi. Il a une voix : cela suffit. Nous payons cher de n'être ni sourds ni muets...

Des boueux aux snobs, tous dépensent leur générosité criminelle, tous distribuent des recettes de bonheur, tous veulent diriger les pas de tous : la vie en commun en devient intolérable, et la vie avec soi-même plus intolérable encore : lorsqu'on n'intervient point dans les affaires des autres, on est si inquiet des siennes que l'on convertit son «moi» en religion, ou, apôtre à rebours, on le nie : nous sommes victimes du jeu universel...

L'abondance des solutions aux aspects de l'existence n'a d'égale que leur futilité. L'Histoire : manufacture d'idéaux..., mythologie lunatique, frénésie des hordes et des solitaires..., refus d'envisager la réalité telle quelle, soif mortelle de fictions...

La source de nos actes réside dans une propension inconsciente à nous estimer le centre, la raison et l'aboutissement du temps. Nos réflexes et notre orgueil transforment en planète la parcelle de chair et de conscience que nous sommes. Si nous avions le juste sens de notre position dans le monde, si *comparer* était inséparable du *vivre*, la révélation de notre infime présence nous écraserait. Mais vivre, c'est s'aveugler sur ses propres dimensions...

Que si tous nos actes — depuis la respiration jusqu'à la fondation des empires ou des systèmes métaphysiques — dérivent d'une illusion sur notre importance, à plus forte raison l'instinct prophétique. Qui, avec la vision exacte de sa nullité, tenterait d'être efficace et de s'ériger en sauveur ?

Nostalgie d'un monde sans «idéal», d'une agonie sans doctrine, d'une éternité sans vie... Le Paradis... Mais nous ne pourrions exister une seconde sans nous leurrer : le prophète en chacun de nous est bien le grain de folie qui nous fait prospérer dans notre vide.

L'homme idéalement lucide, donc idéalement *normal*, ne devrait avoir aucun recours en dehors du *rien* qui est en lui... Je me figure l'entendre : «Arraché au but, à tous les buts, je ne conserve de mes désirs et de mes amertumes que leurs formules. Ayant résisté à la tentation de conclure, j'ai vaincu l'esprit, comme j'ai vaincu la vie par l'horreur d'y chercher une solution. Le spectacle de l'homme, — quel vomitif! L'amour, — une rencontre de deux salives... Tous les sentiments puisent leur absolu dans la misère des glandes. Il n'est de noblesse que dans la négation de l'existence, dans un sourire qui surplombe des paysages anéantis. (Autrefois j'avais un «moi»; je ne suis plus qu'un objet... Je me gave de toutes les drogues de la solitude; celles du monde furent trop faibles pour me le faire oublier. Ayant tué le prophète en moi, comment aurais-je encore une place parmi les hommes?)

DANS LE CIMETIÈRE DES DÉFINITIONS

——————————————— Sommes-nous fondés à imaginer un esprit s'écriant : «Tout m'est à présent sans objet, car j'ai donné les définitions de toutes choses»? Et si nous pouvions l'imaginer, comment le situer dans la durée?
Ce qui nous environne, nous le supportons d'autant mieux que nous lui donnons un nom — et passons outre. Mais embrasser une chose par une définition, si arbitraire soit-elle, et d'autant plus grave qu'elle est plus arbitraire, puisque l'âme y devance alors la connaissance, — c'est la rejeter, la rendre insipide et superflue, l'anéantir. L'esprit oisif et vacant — et qui ne s'intègre au monde qu'à la faveur du sommeil — à quoi pourrait-il s'exercer sinon à élargir le nom des choses, à les vider et à leur substituer des formules? Ensuite il évolue sur leurs décombres; plus de sensations; rien que des souvenirs. Sous chaque formule gît un cadavre : l'être ou l'objet meurt sous le prétexte auquel ils ont donné lieu. C'est la débauche frivole et funèbre de l'esprit. Et cet esprit s'est gaspillé dans ce qu'il a nommé et circonscrit. Amoureux de vocables, il haïssait le mystère des silences lourds et les rendait légers et purs : et il est devenu léger et pur, puisque allégé et purifié de tout. Le vice de définir a fait de lui un assassin gracieux, et une victime discrète.
Et c'est ainsi que s'est effacée la tache que l'âme étendait sur l'esprit et qui seule lui rappelait qu'il était vivant.

CIVILISATION ET FRIVOLITÉ

——————————————————— *C*omment supporterions-nous la masse et la profondeur fruste des œuvres et des chefs-d'œuvre, si à leur trame, des esprits impertinents et délicieux n'avaient ajouté les franges du mépris subtil et des ironies primesautières? Et comment pourrions-nous endurer les codes, les mœurs, les paragraphes du cœur que l'inertie et la bienséance ont superposés aux vices intelligents et futiles, si n'existaient pas ces êtres enjoués que leur raffinement place tout à la fois aux sommets et en marge de la société?

Il faut être reconnaissant aux civilisations qui n'ont pas abusé du sérieux, qui ont joué avec les valeurs et qui se sont délectées à les enfanter et à les détruire. Connaît-on en dehors des civilisations grecque et française une démonstration plus lucidement badine du néant élégant des choses? Le siècle d'Alcibiade et le XVIIIe siècle français sont deux sources de consolation. Tandis que ce n'est qu'à leur stade dernier, à la dissolution de tout un système de croyances et de mœurs que les autres civilisations purent goûter à l'exercice allègre qui prête une saveur d'inutilité à la vie, — c'est en pleine maturité, en pleine possession de leurs forces et de l'avenir, que ces deux siècles connurent l'ennui insoucieux de tout et perméable à tout. Est-il symbole meilleur que celui de madame du Deffand, vieille, aveugle et clairvoyante, qui, tout en exécrant la vie, y goûte néanmoins les agréments de l'amertume? Personne n'atteint d'emblée à la frivolité. C'est un privilège et un art; c'est la recherche du superficiel chez ceux qui s'étant avisés de l'impossibilité de toute certitude, en ont conçu le dégoût; c'est la fuite loin des abîmes, qui, étant naturellement sans fond, ne peuvent mener nulle part.

Restent cependant les apparences : pourquoi ne pas les hausser au niveau d'un *style*? C'est là définir toute époque intelligente. On en vient à trouver plus de prestige à l'expression qu'à l'âme qui la supporte, à la grâce qu'à l'intuition; l'émotion même devient polie. L'être livré à lui-même, sans aucun préjugé d'élégance, est un monstre; il ne trouve en lui que des zones obscures, où rôdent, imminentes, la terreur et la négation. Savoir, par toute sa vitalité, que l'on meurt, et ne pouvoir le cacher, est un acte de barbarie. Toute philosophie *sincère* renie les titres de la civilisation, dont la fonction consiste à tamiser nos secrets et à les travestir en effets recherchés. Ainsi, la frivolité est l'antidote le plus efficace au mal d'être ce qu'on est : par elle nous abusons le monde et dissimulons l'inconvenance de nos profondeurs. Sans ses artifices, comment ne pas rougir d'avoir une âme ? Nos solitudes à fleur de peau, quel enfer pour les autres ! Mais c'est toujours pour eux, et parfois pour nous-mêmes, que nous inventons nos apparences...

DISPARAÎTRE EN DIEU

———————————————————— *L*'esprit qui soigne son essence distincte est menacé à chaque pas par les choses auxquelles il se refuse. L'attention — le plus grand de ses privilèges — l'abandonnant souvent, il cède aux tentations qu'il a voulu fuir, ou devient la proie de mystères impurs... Qui ne connaît ces peurs, ces frémissements, ces vertiges qui nous rapprochent de la bête, et des problèmes derniers ? Nos genoux tremblent sans se plier ; nos mains se cherchent sans se joindre ; nos yeux se lèvent et n'aperçoivent rien... Nous conservons cette fierté verticale qui raffermit notre courage ; cette horreur des gestes qui nous préserve des démonstrations ; et le secours des paupières pour couvrir des regards ridiculement ineffables. Notre glissement est proche, mais non inévitable ; l'accident curieux, mais nullement nouveau ; — un sourire point déjà à l'horizon de nos terreurs..., nous ne culbuterons point dans la prière... Car enfin *Il* ne doit pas triompher ; sa majuscule, c'est à notre ironie de la compromettre ; les frissons qu'il dispense, à notre cœur de les dissoudre.

Si vraiment un tel être existait, si nos faiblesses l'emportaient sur nos résolutions et nos profondeurs sur nos examens, alors pourquoi penser encore, puisque nos difficultés seraient tranchées, nos interrogations suspendues et nos épouvantes apaisées ? Ce serait trop facile. Tout absolu — personnel ou abstrait — est une façon d'escamoter les problèmes ; et non seulement les problèmes, mais aussi leur racine, qui n'est autre chose qu'une panique des sens.

Dieu : chute perpendiculaire sur notre effroi, salut tombant comme un tonnerre au milieu de nos recherches qu'aucun espoir n'abuse, annulation sans détours de notre fierté inconsolée et volontairement inconsolable, acheminement de l'individu sur une voie de garage, chômage de l'âme faute d'inquiétude...

Quel plus grand renoncement que la foi ? Il est vrai que sans elle on s'engage dans une infinité d'impasses. Mais tout en sachant que rien ne peut mener à rien, que l'univers n'est qu'un sous-produit de notre tristesse, pourquoi sacrifierions-nous ce plaisir de trébucher et de nous écraser la tête contre la terre et le ciel ?

Les solutions que nous propose notre lâcheté ancestrale sont les pires désertions à notre devoir de décence intellectuelle. Se tromper, vivre et mourir dupe, c'est bien ce que font les hommes. Mais il existe une dignité qui nous préserve de disparaître en Dieu et qui transforme tous nos instants en prières que nous ne ferons jamais.

VARIATIONS SUR LA MORT

——————————————— *I. — C*'est parce qu'elle ne repose sur rien, parce que l'ombre même d'un argument lui fait défaut que nous persévérons dans la vie. La mort est trop exacte ; toutes les raisons se trouvent de son côté. Mystérieuse pour nos instincts, elle se dessine, devant notre réflexion, limpide, sans prestiges, et sans les faux attraits de l'inconnu.

À force de cumuler des mystères nuls et de monopoliser le non-sens, la vie inspire plus d'effroi que la mort : c'est elle qui est le grand Inconnu.

Où peut mener tant de vide et d'incompréhensible ? Nous nous agrippons aux jours parce que le désir de mourir est trop logique, partant inefficace. Que si la vie avait un seul argument pour elle — distinct, d'une évidence indiscutable — elle s'anéantirait ; les instincts et les préjugés s'évanouissent au contact de la Rigueur. Tout ce qui respire se nourrit d'invérifiable ; un supplément de logique serait funeste à l'existence, — effort vers l'Insensé... Donnez un but précis à la vie : elle perd instantanément son attrait. L'inexactitude de ses fins la rend supérieure à la mort ; — un grain de précision la ravalerait à la trivialité des tombeaux. Car une science positive du sens de la vie dépeuplerait la terre en un jour ; et nul forcené ne parviendrait à y ranimer l'improbabilité féconde du Désir.

*II. — O*n peut classer les hommes suivant les critères les plus capricieux : suivant leurs humeurs, leurs penchants, leurs rêves ou leurs glandes. On change d'idées comme de cravates ; car toute idée, tout critère vient de l'extérieur, des configurations et des accidents du temps. Mais, il y a quelque chose qui vient de nous-mêmes, qui *est* nous-mêmes, une réalité invisible, mais intérieurement vérifiable, une présence insolite et de toujours, que l'on peut concevoir à tout instant et qu'on n'ose jamais admettre, et qui n'a d'actualité qu'avant sa consommation : c'est la mort, le vrai critère... Et c'est elle, dimension la plus intime de tous les vivants, qui sépare l'humanité en deux ordres si irréductibles, si éloignés l'un de l'autre, qu'il y a plus de distance entre eux qu'entre un vautour et une taupe, qu'entre une étoile et un crachat. L'abîme de deux mondes incommunicables s'ouvre entre l'homme qui a le sentiment de la mort et celui qui ne l'a point ; cependant tous les deux meurent ; mais l'un ignore sa mort, l'autre la sait ; l'un ne meurt qu'un instant, l'autre ne cesse de mourir... Leur condition commune les situe précisément aux antipodes l'un de l'autre ; aux deux extrémités et à l'intérieur d'une même définition ; inconciliables, ils subissent le même destin... L'un vit comme s'il était éternel ; l'autre pense continuellement son éternité et la nie dans chaque pensée.

Rien ne peut changer notre vie si ce n'est l'insinuation progressive en nous des forces qui l'annulent. Aucun principe nouveau ne lui vient ni des surprises de notre croissance ni de l'efflorescence de nos dons ; elles ne lui sont que naturelles. Et rien de naturel ne saurait faire de nous autre chose que nous-mêmes.

Tout ce qui préfigure la mort ajoute une qualité de nouveauté à la vie, la modifie et l'amplifie. La santé la conserve comme telle, dans une stérile identité ; tandis que la maladie est une activité, la plus intense qu'un homme puisse déployer, un mouvement frénétique et... stationnaire, la plus riche dépense d'énergie *sans geste*, l'attente hostile et passionnée d'une fulguration irréparable.

III. — *C*ontre l'obsession de la mort, les subterfuges de l'espoir comme les arguments de la raison s'avèrent inefficaces : leur insignifiance ne fait qu'exacerber l'appétit de mourir. Pour triompher de cet appétit il n'y a qu'une seule «méthode» : c'est de le vivre jusqu'au bout, d'en subir toutes les délices, toutes les affres, de ne rien faire pour l'éluder. Une obsession vécue jusqu'à la satiété s'annule dans ses propres excès. À s'appesantir sur l'infini de la mort, la pensée en arrive à l'*user*, à nous en inspirer le dégoût, trop-plein *négatif* qui n'épargne rien et qui, avant de compromettre et de diminuer les prestiges de la mort, nous dévoile l'inanité de la vie.

Celui qui ne s'est pas adonné aux voluptés de l'angoisse, qui n'a pas savouré en pensée les périls de sa propre extinction ni goûté à des anéantissements cruels et doux, ne se guérira jamais de l'obsession de la mort : il en sera tourmenté, puisqu'il y aura résisté ; — tandis que celui qui, rompu à une discipline de l'horreur, et méditant sa pourriture, s'est réduit délibérément en cendres, celui-là regardera vers le *passé* de la mort — et lui-même ne sera *qu'un ressuscité qui ne peut plus vivre.* Sa « méthode » l'aura guéri et de la vie et de la mort.

Toute expérience capitale est néfaste : les couches de l'existence manquent d'épaisseur ; celui qui les fouille, archéologue du cœur et de l'être, se trouve, au bout de ses recherches, devant des profondeurs vides. Il regrettera en vain la parure des apparences.

C'est ainsi que les Mystères antiques, révélations prétendues des secrets ultimes, ne nous ont rien légué en fait de connaissance. Les initiés sans doute étaient tenus de n'en rien transmettre ; il est cependant inconcevable que dans le nombre il ne se soit trouvé un seul bavard ; quoi de plus contraire à la nature humaine qu'une telle obstination dans le secret ? C'est que des *secrets*, il n'y en avait point ; il y avait des rites et des frissons. Les voiles écartés, que pouvaient-ils découvrir sinon des abîmes sans conséquence ? *Il n'y a d'initiation qu'au néant — et au ridicule d'être vivant.*

... Et je songe à un Eleusis des cœurs détrompés, à un Mystère net, sans dieux et sans les véhémences de l'illusion.

EN MARGE DES INSTANTS

———————————————————— *C*'est l'impossibilité de pleurer qui entretient en nous le goût des choses, et les fait exister encore : elle nous empêche d'en épuiser la saveur et de nous en détourner. Quand, sur tant de routes et de rivages, nos yeux refusaient de se noyer en eux-mêmes, ils préservaient par leur sécheresse l'objet qui les émerveillait. Nos larmes gaspillent la nature, comme nos transes, Dieu... Mais à la fin, elles nous gaspillent nous-mêmes. Car nous ne *sommes* que par le refus de donner libre cours à nos désirs suprêmes : les choses qui entrent dans la sphère de notre admiration ou de notre tristesse n'y demeurent que parce que nous ne les avons ni sacrifiées ni bénies de nos adieux liquides.

... Et c'est ainsi qu'après chaque nuit, nous retrouvant en face d'un jour nouveau, l'irréalisable nécessité de le combler nous transporte d'effroi ; et, dépaysés dans la lumière, comme si le monde venait de s'ébranler, d'inventer son Astre, nous fuyons les larmes — dont une seule suffirait à nous évincer du temps.

DÉSARTICULATION DU TEMPS

*L*es instants se suivent les uns les autres : rien ne leur prête l'illusion d'un contenu ou l'apparence d'une signification ; ils se déroulent ; leur cours n'est pas le nôtre ; nous en contemplons l'écoulement, prisonniers d'une perception stupide. Le vide du cœur devant le vide du temps : deux miroirs reflétant face à face leur absence, une même image de nullité... Comme sous l'effet d'une idiotie songeuse, tout se nivelle : plus de sommets, plus d'abîmes... Où découvrir la poésie des mensonges, l'aiguillon d'une énigme ?

Celui qui ne connaît point l'ennui se trouve encore à l'enfance du monde, où les âges attendaient de naître ; il demeure fermé à ce temps fatigué qui se survit, qui rit de ses dimensions, et succombe au seuil de son propre... avenir, entraînant avec lui la matière, élevée subitement à un lyrisme de négation. L'ennui est l'écho en nous du temps qui se déchire..., la révélation du vide, le tarissement de ce délire qui soutient — ou invente — la vie...

Créateur de valeurs, l'homme est l'être délirant par excellence, en proie à la croyance que quelque chose existe, alors qu'il lui suffit de retenir son souffle : tout s'arrête ; de suspendre ses émotions : rien ne frémit plus ; de supprimer ses caprices : tout devient terne. La réalité est une création de nos excès, de nos démesures et de nos dérèglements. Un frein à nos palpitations : le cours du monde se ralentit ; sans nos chaleurs, l'espace est de glace. Le temps lui-même ne coule que parce que nos désirs enfantent cet univers décoratif que dépouillerait un rien de lucidité. Un grain de clairvoyance nous réduit à notre condition primordiale : la nudité ; un soupçon d'ironie nous dévêt de cet affublement d'espérances qui nous permettent de nous tromper et d'imaginer l'illusion : tout chemin contraire mène en dehors de la vie. L'ennui n'est que le début de cet itinéraire... Il nous fait sentir le temps trop long, — inapte à nous dévoiler une fin. Détachés de tout objet, n'ayant rien à assimiler de l'extérieur, nous nous détruisons au ralenti, puisque le futur a cessé de nous offrir une raison d'être.

L'ennui nous révèle une éternité qui n'est pas le dépassement du temps, mais sa ruine ; il est l'infini des âmes pourries faute de superstitions : un absolu plat où rien n'empêche plus les choses de tourner en rond à la recherche de leur propre chute.

La vie se crée dans le délire et se défait dans l'ennui.

(Celui qui souffre d'un mal caractérisé n'a pas le droit de se plaindre : il a une occupation. Les grands souffrants ne s'ennuient jamais : la maladie les remplit, comme le remords nourrit les grands coupables. Car toute souffrance intense suscite un simulacre de plénitude et propose à la conscience une réalité terrible, qu'elle ne saurait éluder ; tandis que la souffrance sans *matière* dans ce deuil temporel qu'est l'ennui n'oppose à la conscience rien qui l'oblige à une démarche fructueuse. Comment guérir d'un mal non localisé et suprêmement imprécis, qui frappe le corps sans y laisser d'empreinte, qui s'insinue dans l'âme sans y marquer de signe ? Il ressemble à une maladie à laquelle nous aurions survécu, mais qui aurait absorbé nos possibilités, nos réserves *d'attention* et nous aurait laissés impuissants à combler le vide qui suit la disparition de nos affres et l'évanouissement de nos tourments. L'enfer est un havre auprès de ce dépaysement dans le temps, de cette langueur vide et prostrée où rien ne nous arrête sinon le spectacle de l'univers qui se carie sous nos regards. Quelle thérapeutique employer contre une maladie dont nous ne nous souvenons plus et dont les suites empiètent sur nos jours ? Comment inventer un remède à l'existence, comment conclure cette guérison sans fin ? Et comment se remettre de sa naissance ? L'ennui, cette convalescence *incurable*...)

LA SUPERBE INUTILITÉ

———————————————————— *E*n dehors des sceptiques grecs et des empereurs romains de la décadence, tous les esprits paraissent asservis à une vocation municipale. Ceux-là seuls se sont émancipés, les uns par le doute, les autres par la démence, de l'obsession insipide d'être utiles. Ayant promu l'arbitraire au rang d'exercice ou de vertige, selon qu'ils étaient philosophes ou rejetons désabusés des anciens conquérants, ils n'étaient attachés à rien : par ce côté, ils évoquent les saints. Mais tandis que ceux-ci ne devaient jamais s'effondrer, — eux se trouvaient à la merci de leur propre jeu, maîtres et victimes de leurs caprices, — véritables solitaires, puisque leur solitude était stérile. Personne ne l'a prise en exemple et eux-mêmes ne la proposaient point ; aussi ne communiquaient-ils avec leurs «semblables» que par l'ironie et la terreur...
Être l'agent de dissolution d'une philosophie ou d'un empire :

peut-on imaginer fierté plus triste et plus majestueuse ? Tuer d'un côté la vérité et de l'autre la grandeur, manies qui font vivre l'esprit et la cité ; saper l'architecture des leurres sur laquelle s'appuie l'orgueil du penseur et du citoyen ; assouplir jusqu'à les fausser les ressorts de la joie de concevoir et de vouloir ; discréditer, par les subtilités du sarcasme et du supplice, les abstractions traditionnelles et les coutumes honorables, — quelle effervescence délicate et sauvage ! Nul charme là où les dieux ne meurent pas sous nos yeux. À Rome, où on les remplaçait, importait, où on les voyait se flétrir, quel plaisir d'invoquer des fantômes, avec pourtant l'unique peur que cette versatilité sublime ne capitulât devant l'assaut de quelque sévère et impure déité... Ce qui arriva.

Il n'est pas aisé de détruire une idole : cela requiert autant de temps qu'il en faut pour la promouvoir et l'adorer. Car il ne suffit pas d'anéantir son symbole matériel, ce qui est simple ; mais ses racines dans l'âme. Comment tourner ses regards vers les époques crépusculaires — où le passé se liquidait sous des yeux que seul le vide pouvait éblouir — sans s'attendrir sur ce grand art qu'est la mort d'une civilisation ?

... Et c'est ainsi que je rêve d'avoir été un de ces esclaves, venu d'un pays improbable, triste et barbare, pour traîner dans l'agonie de Rome une vague désolation, embellie de sophismes grecs. Dans les yeux vacants des bustes, dans les idoles amoindries par des superstitions fléchissantes, j'aurais trouvé l'oubli de mes ancêtres, de mes jougs et de mes regrets. Épousant la mélancolie des anciens symboles, je me serais affranchi ; j'aurais partagé la dignité des dieux abandonnés, les défendant contre les croix insidieuses, contre l'invasion des domestiques et des martyrs, et mes nuits auraient cherché repos dans la démence et la débauche des Césars. Expert en désabusements, criblant de toutes les flèches d'une sagesse dissolue les ferveurs nouvelles, — auprès des courtisanes, dans des lupanars sceptiques ou dans des cirques aux cruautés fastueuses, j'aurais chargé mes raisonnements de vice et de sang, pour dilater la logique jusqu'à des dimensions dont elle n'a jamais rêvé, jusqu'aux dimensions des mondes qui meurent.

EXÉGÈSE DE LA DÉCHÉANCE

*C*hacun de nous est né avec une dose de pureté, prédestinée à être corrompue par le commerce avec les hommes, par ce péché contre la solitude. Car chacun de nous fait l'impossible pour ne pas être voué à lui-même. Le semblable n'est pas fatalité mais tentation de déchéance. Incapables de garder nos mains propres et nos cœurs inaltérés, nous nous souillons au contact des sueurs étrangères, nous nous vautrons, assoiffés de dégoût et fervents de pestilence, dans la fange unanime. Et quand nous rêvons de mers converties en eau bénite, il est trop tard pour nous y plonger, et notre corruption trop profonde nous empêche de nous y noyer : le monde a infesté notre solitude ; sur nous les traces des autres deviennent ineffaçables. Dans l'échelle des créatures, il n'y a que l'homme pour inspirer un dégoût soutenu. La répugnance que fait naître une bête est passagère ; elle ne mûrit nullement dans la pensée, tandis que nos semblables hantent nos réflexions, s'infiltrent dans le mécanisme de notre détachement du monde pour nous confirmer dans notre système de refus et de non-adhésion. Après chaque conversation, dont le raffinement indique à lui seul le niveau d'une civilisation, pourquoi est-il impossible de ne pas regretter le Sahara et de ne pas envier les plantes ou les monologues infinis de la zoologie ?

Si par chaque mot nous remportons une victoire sur le néant, ce n'est que pour mieux en subir l'empire. Nous mourons en proportion des mots que nous jetons tout autour de nous... Ceux qui parlent n'ont pas de secrets. Et nous parlons tous. Nous nous trahissons, nous exhibons notre cœur ; bourreau de l'indicible, chacun s'acharne à détruire tous les mystères, en commençant par les siens. Et si nous rencontrons les autres, c'est pour nous avilir ensemble dans une course vers le vide, que ce soit dans l'échange d'idées, dans les aveux ou les intrigues. La curiosité a provoqué non seulement la première chute, mais les innombrables chutes de tous les jours. La vie n'est que cette impatience de déchoir, de prostituer les solitudes virginales de l'âme par le dialogue, négation immémoriale et quotidienne du Paradis. L'homme ne devrait écouter que lui-même dans l'extase sans fin du Verbe intransmissible, se forger des mots pour ses propres silences et des accords audibles à ses seuls regrets. Mais, il est le bavard de l'univers ; il parle au nom des autres ; son moi aime le pluriel. Et celui qui parle au nom des autres est toujours un imposteur. Politiques, réformateurs et tous ceux qui se réclament d'un prétexte collectif sont des tricheurs. Il n'y a que l'artiste dont le mensonge ne soit pas total, car il n'invente que soi. En dehors de l'abandon à l'incommunicable, de la suspension au milieu de nos émois inconsolés et muets, la vie n'est qu'un fracas sur une étendue sans coordonnées, et l'univers, une géométrie frappée d'épilepsie.

(*L*e pluriel implicite du « on » et le pluriel avoué du « nous » constituent le refuge confortable de l'existence fausse. Le poète seul prend la responsabilité du « je », lui seul parle en son propre nom, lui seul a le droit de le faire. La poésie s'abâtardit quand elle devient perméable à la prophétie ou à la doctrine : la « mission » étouffe le chant, l'idée entrave l'envol. Le côté « généreux » de Shelley rend caduque la plus grande partie de son œuvre : Shakespeare, par bonheur, n'a jamais rien « servi ».

Le triomphe de la non-authenticité s'accomplit dans l'activité philosophique, cette complaisance dans le « on », et dans l'activité prophétique (religieuse, morale ou politique), cette apothéose du « nous ». La *définition*, c'est le mensonge de l'esprit abstrait ; *la formule inspirée*, le mensonge de l'esprit militant : une définition se trouve toujours à l'origine d'un temple ; une formule y rassemble inéluctablement des fidèles. Ainsi commencent tous les enseignements.

Comment ne pas se tourner alors vers la poésie ? Elle a — comme la vie — l'excuse de ne rien *prouver*.)

COALITION CONTRE LA MORT

———————————————————— *C*omment imaginer la vie des autres, alors que la sienne paraît à peine concevable ? On rencontre un être, on le voit plongé dans un monde impénétrable et injustifiable, dans un amas de convictions et de désirs qui se superposent à la réalité comme un édifice morbide. S'étant forgé un système d'erreurs, il souffre pour des motifs dont la nullité effraie l'esprit et se donne à des valeurs dont le ridicule crève les yeux. Ses entreprises sembleraient-elles autre chose que vétilles, et la symétrie fébrile de ses soucis serait-elle mieux fondée qu'une architecture de balivernes ? À l'observateur extérieur, l'absolu de chaque vie se dévoile interchangeable, et toute destinée, pourtant inamovible dans son essence, arbitraire. Lorsque nos convictions nous paraissent les fruits d'une frivole démence, comment tolérer la passion des autres pour eux-mêmes et pour leur propre multiplication dans l'utopie de chaque jour ? Par quelle nécessité celui-ci s'enferme-t-il dans un monde particulier de prédilections, celui-là dans un autre ?

Lorsque nous subissons les confidences d'un ami ou d'un inconnu, la révélation de ses secrets nous remplit de stupeur. Devons-nous rapporter ses tourments au drame ou à la farce ? Cela dépend en tout point des bienveillances ou des exaspérations de notre fatigue. Chaque destinée n'étant qu'une ritournelle qui frétille autour de quelques taches de sang, c'est à nos humeurs de voir dans l'agencement de ses souffrances un ordre superflu et distrayant, ou un prétexte de pitié.

Comme il est malaisé d'approuver les raisons qu'invoquent les êtres, toutes les fois qu'on se sépare de chacun d'eux, la question qui vient à l'esprit est invariablement la même : comment se fait-il qu'il ne se tue pas ? Car rien n'est plus naturel que d'imaginer le suicide des autres. Quand on a entrevu, par une intuition bouleversante et facilement renouvelable, sa propre inutilité, il est incompréhensible que n'importe qui n'en ait fait autant. Se supprimer semble un acte si clair et si simple ! Pourquoi est-il si rare, pourquoi tout le monde l'élude-t-il ? C'est que, si la raison désavoue l'appétit de vivre, le *rien* qui fait prolonger les actes est pourtant d'une force supérieure à tous les absolus ; il explique la coalition tacite des mortels contre la mort ; il est non seulement le symbole de l'existence, mais l'existence même ; il est le tout. Et ce rien, ce tout ne peut donner un sens à la vie, mais il la fait néanmoins persévérer dans ce qu'elle est : *un état de non-suicide.*

SUPRÉMATIE DE L'ADJECTIF

———————————————— *C*omme il ne peut y avoir qu'un nombre restreint de positions en face des problèmes ultimes, l'esprit se trouve limité dans son expansion par cette borne naturelle qu'est *l'essentiel*, par cette impossibilité de multiplier indéfiniment les difficultés capitales : l'histoire s'attache uniquement à changer le visage d'une quantité d'interrogations et de solutions. Ce que l'esprit invente n'est qu'une série de qualifications nouvelles ; il rebaptise les éléments ou cherche dans ses lexiques des épithètes moins usées pour une même et immuable douleur. On a toujours souffert, mais la souffrance a été ou « sublime » ou « juste » ou « absurde », selon les vues d'ensemble que le moment philosophique entretenait. Le malheur constitue la trame de tout ce qui respire ; mais ses modalités ont évolué ; elles ont composé cette succession d'apparences irréductibles, qui induisent chaque être à croire qu'il est le premier à souffrir ainsi. L'orgueil de cette unicité l'incite à s'éprendre de son propre mal et à l'endurer. Dans un monde de souffrances, chacune d'elles est solipsiste par rapport à toutes les autres. L'originalité du malheur est due à la qualité verbale qui l'isole dans l'ensemble des mots et des sensations...

Les qualificatifs changent : ce changement s'appelle progrès de l'esprit. Supprimez-les tous : que resterait-il de la civilisation ? La différence entre l'intelligence et la sottise réside dans le maniement de l'adjectif, dont l'usage sans diversité constitue la banalité. Dieu lui-même ne vit que par les adjectifs qu'on lui ajoute ; c'est la raison d'être de la théologie. Ainsi, l'homme, en qualifiant toujours différemment la monotonie de son malheur, ne se justifie devant l'esprit que par la quête passionnée d'un adjectif nouveau.

(*E*t pourtant cette quête est pitoyable. La misère de *l'expression*, qui est la misère de l'esprit, se manifeste dans l'indigence des mots, dans leur épuisement et leur dégradation : les attributs par lesquels nous déterminons les choses et les sensations gisent finalement devant nous comme des charognes verbales. Et nous dirigeons des regards pleins de regrets vers le temps où ils ne dégageaient qu'une odeur de renfermé. Tout alexandrinisme ressort au début du besoin *d'aérer* les mots, de suppléer à leur flétrissure par un raffinement alerte ; mais il finit dans une lassitude où l'esprit et le verbe se confondent et se décomposent. (Étape idéalement dernière d'une littérature et d'une civilisation : figurons-nous un Valéry avec l'âme d'un Néron...)

Tant que nos sens frais et notre cœur naïf se retrouvent et se délectent dans l'univers des qualifications, ils prospèrent au hasard de l'adjectif, lequel, une fois disséqué, s'avère impropre et déficient. Nous disons de l'espace, du temps et de la souffrance qu'ils sont infinis ; mais *infini* n'a pas plus de portée que : beau, sublime, harmonieux, laid... Veut-on s'astreindre à voir au fond des mots ? On n'y voit rien, chacun d'eux, détaché de l'âme expansive et fertile, étant vide et nul. Le pouvoir de l'intelligence s'exerce à projeter sur eux un lustre, à les polir et à les rendre éclatants ; ce pouvoir, érigé en système, s'appelle *culture*, — feu d'artifice sur un arrière-plan de néant.)

LE DIABLE RASSURÉ

——————————————— *P*ourquoi Dieu est-il si terne, si débile, si médiocrement pittoresque ? Pourquoi manque-t-il d'in-

térêt, de vigueur, d'actualité et nous ressemble-t-il si peu ? Existe-
t-il une image moins anthropomorphique et plus gratuitement
lointaine ? Comment avons-nous pu projeter en lui des lueurs si
pâles et des forces si chancelantes ? Où se sont écoulées nos énergies, où se sont déversés nos désirs ? Qui a donc absorbé notre
surcroît d'insolence vitale ?

Nous tournerons-nous vers le Diable ? Mais nous ne saurions lui
adresser des prières : l'adorer serait prier introspectivement, *nous*
prier. On ne prie pas l'évidence : l'*exact* n'est pas objet de culte.
Nous avons placé dans notre double tous nos attributs, et, pour le
rehausser d'un semblant de solennité, nous l'avons vêtu de noir :
nos vies et nos vertus en deuil. En le dotant de méchanceté et de
persévérance, nos qualités dominantes, nous nous sommes épuisés à le rendre aussi vivant que possible ; nos forces se sont consu-
mées à forger son image, à le faire agile, sautillant, intelligent,
ironique, et surtout mesquin. Les réserves d'énergie dont nous
disposions pour forger Dieu se réduisaient à rien. Alors nous
recourûmes à l'imagination et au peu de sang qui nous restait :
Dieu ne pouvait être que le fruit de notre anémie : une image
branlante et rachitique. Il est doux, bon, sublime, juste. Mais qui
se reconnaît dans cette mixture fleurant l'eau de rose reléguée
dans la transcendance ? Un être sans duplicité manque de profondeur et de mystère ; il ne cache rien. L'impureté seule est signe de
réalité. Et si les saints ne sont pas complètement dénués d'intérêt,
c'est que leur sublime se mêle au roman et que leur éternité se
prête à la biographie ; leurs *vies* indiquent qu'ils ont quitté le
monde pour un *genre* susceptible de nous captiver de temps en
temps...

Parce qu'il regorge de vie, le Diable n'a aucun autel : l'homme
se reconnaît trop en lui pour l'adorer ; il le déteste à bon escient ;
il *se* répudie, et entretient les attributs indigents de Dieu. Mais
le Diable ne s'en plaint pas et n'aspire point à fonder une religion : ne sommes-nous pas là pour le garantir de l'inanition et de
l'oubli ?

PROMENADE SUR LA CIRCONFÉRENCE

——————————————— À l'intérieur du cercle qui en-
ferme les êtres dans une communauté d'intérêts et d'espoirs, l'esprit ennemi des mirages se fraye un chemin du centre vers la
périphérie. Il ne peut plus entendre de près le grouillement des

humains ; il veut regarder d'aussi loin que possible la symétrie maudite qui les relie. Il voit partout des martyrs : les uns se sacrifiant pour des besoins visibles, les autres pour des nécessités incontrôlables, tous prêts à enterrer leurs noms sous une certitude ; et, comme tous ne peuvent y arriver, la plupart expient par la banalité le surcroît de sang qu'ils ont rêvé... Leurs vies sont faites d'une immense liberté de mourir qu'ils n'ont pas mise à profit : inexpressif holocauste de l'histoire, la fosse commune les engloutit.

Mais, le fervent des séparations, cherchant des chemins que les hordes ne hantent pas, se retire vers la marge extrême et évolue sur le tracé du cercle, qu'il ne peut franchir tant qu'il est soumis au corps ; cependant la Conscience plane plus loin, toute pure dans un ennui sans êtres ni objets. Ne souffrant plus, supérieure aux prétextes qui invitent à mourir, elle oublie l'*homme* qui la supporte. Plus irréelle qu'une étoile perçue dans une hallucination, elle suggère la condition d'une pirouette sidérale, — tandis que sur la circonférence de la vie l'âme se promène ne rencontrant toujours qu'elle-même et son impuissance à répondre à l'appel du Vide.

LES DIMANCHES DE LA VIE

———————————————— *S*i les après-midi dominicales étaient prolongées pendant des mois, où aboutirait l'humanité, émancipée de la sueur, libre du poids de la première malédiction ? L'expérience en vaudrait la peine. Il est plus que probable que le crime deviendrait l'unique divertissement, que la débauche paraîtrait candeur, le hurlement mélodie et le ricanement tendresse. La sensation de l'immensité du temps ferait de chaque seconde un intolérable supplice, un cadre d'exécution capitale. Dans les cœurs imbus de poésie s'installeraient un cannibalisme blasé et une tristesse d'hyène ; les bouchers et les bourreaux s'éteindraient de langueur ; les églises et les bordels éclateraient de soupirs. *L'univers transformé en après-midi de dimanche...*, c'est la définition de l'ennui — et la fin de l'univers... Enlevez la malédiction suspendue au-dessus de l'Histoire : elle s'annule aussitôt, de même que l'existence, dans la vacance absolue, étale sa fiction. Le labeur construit dans le rien forge et consolide des mythes ; enivrement élémentaire, il excite et entretient la croyance à la «réalité» ; mais la contemplation de la pure existence, contemplation indépendante de gestes et d'objets, n'assimile que ce qui n'est pas...

Les désœuvrés saisissent plus de choses et sont plus profonds que les affairés : aucune besogne ne limite leur horizon; nés dans un éternel dimanche, ils regardent — et se regardent regarder. La paresse est un scepticisme physiologique, le doute de la chair. Dans un monde éperdu d'oisiveté, ils seraient les seuls à n'être pas assassins. Mais, ils ne font pas partie de l'humanité, et, la sueur n'étant pas leur fort, ils vivent sans subir les conséquences de la Vie et du Péché. Ne faisant ni le bien ni le mal, ils dédaignent — spectateurs de l'épilepsie humaine — les semaines du temps, les efforts qui asphyxient la conscience. Qu'auraient-ils à craindre d'une prolongation illimitée de certaines après-midi, sinon le regret d'avoir soutenu des évidences grossièrement élémentaires ? Alors, l'exaspération dans le vrai pourrait les induire à imiter les autres et à se plaire à la tentation avilissante des besognes. C'est le danger qui menace la paresse, — miraculeuse survivance du paradis.

(*L*a seule fonction de l'amour est de nous aider à endurer les après-midi dominicales, cruelles et incommensurables, qui nous blessent pour le reste de la semaine — et pour l'éternité.

Sans l'entraînement du spasme ancestral, il nous faudrait mille yeux pour des pleurs cachés, ou sinon des ongles à ronger, des ongles kilométriques... Comment tuer autrement ce temps qui ne coule plus ? Dans ces dimanches interminables le *mal d'être* se manifeste à plein. Parfois on arrive à s'oublier dans quelque chose; mais comment s'oublier dans le monde même ? Cette impossibilité est la définition de ce mal. Celui qui en est frappé n'en guérira jamais, alors même que l'univers changerait complètement. Son cœur seul devrait changer, mais il est inchangeable; aussi pour lui, *exister* n'a qu'un sens : plonger dans la souffrance, — jusqu'à ce que l'exercice d'une quotidienne nirvânisation l'élève à la perception de l'irréalité...)

DÉMISSION

——————————————— *C*'était dans la salle d'attente d'un hôpital : une vieille m'expliquait ses maux... Les controverses des hommes, les ouragans de l'histoire; — des riens à ses yeux : son mal seul régnait dans l'espace et dans la durée. «Je ne peux pas manger, je ne peux pas dormir, j'ai peur, il doit y avoir du pus», débitait-elle en se caressant la mâchoire avec plus d'intérêt que si le sort du monde en eût dépendu. Cet excès d'attention à soi de la part d'une commère décrépite me laissa tout d'abord indécis entre l'effroi et l'écœurement; puis je quittai l'hôpital avant que mon tour ne vînt, décidé à *renoncer* pour toujours à mes douleurs...

«Cinquante-neuf secondes sur chacune de mes minutes, ruminais-je le long des rues, furent dédiées à la souffrance ou à... l'idée de souffrance. Que n'ai-je eu une vocation de pierre! Le "cœur": origine de tous les supplices... J'aspire à l'objet..., à la bénédiction de la matière et de l'opacité. Le va-et-vient d'un moucheron me paraît une entreprise d'apocalypse. C'est commettre un péché que sortir de soi... Le vent, folie de l'air! La musique, folie du silence! En capitulant devant la vie, ce monde a forfait au néant... Je me démets du mouvement et de mes rêves. Absence! tu seras ma seule gloire... Que le "désir" soit à jamais rayé des dictionnaires et des âmes! Je recule devant la farce vertigineuse des lendemains. Et si je garde encore quelques espoirs, j'ai perdu pour toujours la *faculté d'espérer*.»

L'ANIMAL INDIRECT

———————————————— *C*'est à une véritable déroute qu'on parvient lorsqu'on pense continûment, par une obsession radicale, que l'homme existe, qu'il est ce qu'il est — et qu'il ne peut pas être autre. Mais *ce qu'il est*, mille définitions le dénoncent et aucune ne s'impose: plus elles sont arbitraires, plus elles paraissent valables. L'absurdité la plus ailée et la banalité la plus pesante lui conviennent pareillement. L'infinité de ses attributs compose l'être le plus imprécis que nous puissions concevoir. Alors que les bêtes vont directement à leur but, il se perd dans des détours; c'est l'animal indirect par excellence. Ses réflexes improbables — du relâchement desquels résulte la conscience — le transforment en un convalescent qui aspire à la maladie. Rien en lui n'est sain sinon le fait de l'avoir été. Qu'il soit ange qui a perdu ses ailes ou singe qui a perdu son poil, il n'a pu émerger de l'anonymat des créatures que grâce aux éclipses de sa santé. Son sang mal composé a permis l'infiltration d'incertitudes, d'ébauches de problèmes; sa vitalité mal disposée, l'intrusion de points d'interrogation et de signes d'étonnement. Comment définir le virus qui, en rongeant sa somnolence, l'a accablé de veilles au milieu de la sieste des êtres? Quel ver s'est emparé de son repos, quel agent primitif de la connaissance l'a obligé au retard des actes, à l'arrêt des envies? Qui a introduit la première langueur dans sa férocité? Sorti du foisonnement des autres vivants, il s'est créé une confusion plus subtile, il a exploité avec minutie les maux d'une vie arrachée à elle-même. De tout ce qu'il a entrepris pour se guérir de lui-même, une maladie plus étrange s'est formée : sa «civilisation» n'est que l'effort pour trouver des remèdes à un état incurable — et souhaité. L'esprit se flétrit à l'approche de la santé : l'homme est invalide — ou il n'est pas. Quand, après avoir pensé à tout, il pense à lui-même — car il n'y arrive que par le détour de l'univers et comme au dernier problème qu'il se pose — il reste surpris et confondu. Mais il continue de préférer à la nature qui échoue éternellement dans la santé son propre échec.

(Depuis Adam tout l'effort des hommes a été de modifier *l'homme*. Les visées de réforme et de pédagogie, exercées aux dépens des *données* irréductibles, dénaturent la pensée et en faussent le mouvement. La connaissance n'a pas d'ennemi plus acharné que l'instinct éducateur, optimiste et virulent, auquel les philosophes ne sauraient échapper : comment leurs systèmes en seraient-ils indemnes? Hors l'Irrémédiable, tout est faux; fausse cette civilisation qui veut le combattre, fausses les vérités dont elle s'arme.

À l'exception des sceptiques anciens et des moralistes français, il serait difficile de citer un seul esprit dont les théories, secrètement ou explicitement, ne tendent point à modeler l'homme. Mais il subsiste inaltéré, quoiqu'il ait suivi le défilé de nobles préceptes, proposés à sa curiosité, offerts à son ardeur et à son égarement. Alors que tous les êtres ont leur *place* dans la nature, il demeure une créature métaphysiquement divagante, perdue dans la Vie, insolite dans la Création. Un but valable à l'histoire, personne n'en a trouvé; mais tout le monde en a proposé; et c'est un pullulement de buts tellement divergents et fantasques que l'idée de finalité en est annulée et s'évanouit en dérisoire article de l'esprit.

Chacun subit sur soi cette *unité de désastre* qu'est le phénomène *homme*. Et le seul sens du temps est de multiplier ces unités, de grossir indéfiniment ces souffrances verticales qui s'appuient sur un rien de matière, sur l'orgueil d'un prénom et sur une solitude sans appel.)

LA CLEF DE NOTRE ENDURANCE

—————————————————— *C*elui qui arriverait, par une imagination débordante de pitié, à enregistrer toutes les souffrances, à être contemporain de toutes les peines et de toutes les angoisses d'un instant quelconque, celui-là — à supposer qu'un tel être pût exister — serait un monstre d'amour et la plus grande victime dans l'histoire du cœur. Mais il est inutile de nous figurer une telle impossibilité. Nous n'avons qu'à procéder à l'examen de nous-mêmes, qu'à pratiquer l'archéologie de nos alarmes. Si nous avançons dans le supplice des jours, c'est que rien n'arrête cette marche hormis nos douleurs ; celles des autres nous semblent explicables et susceptibles d'être dépassées : nous croyons qu'ils souffrent parce qu'ils n'ont pas suffisamment de volonté, de courage ou de lucidité. Chaque souffrance, sauf la nôtre, nous paraît légitime ou ridiculement intelligible ; sans quoi, le deuil serait la seule constante dans la versatilité de nos sentiments. Mais nous ne portons que le deuil de nous-mêmes. Si nous pouvions comprendre et aimer l'infinité des agonies qui traînent autour de nous, toutes les vies qui sont des morts cachées, il nous faudrait autant de cœurs qu'il y a d'êtres qui souffrent. Et si nous avions une mémoire miraculeusement actuelle qui garderait présente la totalité de nos peines passées, nous succomberions sous un tel fardeau. *La vie n'est possible que par les déficiences de notre imagination et de notre mémoire.*
Nous tenons notre force de nos oublis et de notre incapacité à nous représenter la pluralité des destins simultanés. Personne ne pourrait survivre à la compréhension instantanée de la douleur universelle, chaque cœur n'étant pétri que pour une certaine quantité de souffrances. Il y a comme des limites matérielles à notre endurance ; pourtant, l'expansion de chaque chagrin les atteint et parfois les dépasse : c'est trop souvent l'origine de notre ruine. De là dérive l'impression que chaque douleur, chaque chagrin, sont infinis. Ils le sont en effet, mais seulement pour nous, pour les bornes de notre cœur ; et celui-ci aurait-il les dimensions du vaste espace, nos maux seraient plus vastes encore, puisque toute douleur se substitue au monde, et qu'à tout chagrin il faut un autre univers. La raison s'attache vainement à nous montrer les proportions infinitésimales de nos accidents ; elle échoue devant notre penchant à la prolifération cosmogonique. C'est ainsi que la

vraie folie n'est jamais due aux hasards ou aux désastres du cerveau, mais à la conception fausse de l'espace que se forge le cœur...

ANNULATION PAR LA DÉLIVRANCE

———————————————————— *U*ne doctrine du salut n'a de sens que si nous partons de l'équation existence-souffrance. Ce n'est ni une constatation subite, ni une série de raisonnements qui nous conduisent à cette équation, mais l'élaboration inconsciente de tous nos instants, la contribution de toutes nos expériences, infimes ou capitales. Quand nous portons des germes de déceptions et comme une soif de les voir éclore, le désir que le monde infirme à chaque pas nos espoirs multiplie les vérifications voluptueuses du mal. Les arguments viennent ensuite ; la doctrine se construit : il ne reste encore que le danger de la «sagesse». Mais, si l'on ne veut pas s'affranchir de la souffrance ni vaincre les contradictions et les conflits, si on préfère les nuances de l'inachevé et les dialectiques affectives à l'*uni* d'une impasse sublime ? Le salut finit tout ; et il nous finit. Qui, une fois *sauvé*, ose se dire encore vivant ? On ne vit réellement que par le refus de se délivrer de la souffrance et comme par une tentation religieuse de l'irréligiosité. Le salut ne hante que les assassins et les saints, ceux qui ont tué ou dépassé la créature ; les autres se vautrent — ivres morts — dans l'imperfection...

Le tort de toute doctrine de la délivrance est de supprimer la poésie, climat de l'inachevé. Le poète se trahirait s'il aspirait à se sauver : le salut est la mort du chant, la négation de l'art et de l'esprit. Comment se sentir solidaire d'un aboutissement ? Nous pouvons raffiner, jardiner nos douleurs, mais par quel moyen nous en émanciper sans nous suspendre ? Dociles à la malédiction, nous n'existons qu'en tant que nous souffrons. — Une âme ne s'agrandit et ne périt que par la quantité d'*insupportable* qu'elle assume.

LE VENIN ABSTRAIT

———————————————————— *M*ême nos maux vagues, nos inquiétudes diffuses, dégénérant en physiologie, il importe, par une démarche inverse, de les ramener aux manœuvres de l'intelligence. Si on rehaussait l'Ennui — perception tautologique du monde, morne ondoiement de la durée — à la dignité d'une élégie déductive, si on lui offrait la tentation d'une prestigieuse stérilité ? Sans le recours à un ordre supérieur à l'âme, celle-ci sombre dans la chair — et la physiologie devient le dernier mot de nos hébétudes philosophiques. Transposer les poisons immédiats en valeurs d'échange intellectuel, élever à la fonction d'instrument la corruption sensible, ou alors couvrir par des normes l'impureté de tout sentiment et de toute sensation, c'est une recherche d'élégance nécessaire à l'esprit, auprès duquel l'âme — cette hyène pathétique — n'est que profonde et sinistre. L'esprit *en soi* ne peut être que *superficiel*, sa nature étant soucieuse uniquement de l'ordonnance des événements conceptuels et non de leurs implications dans les sphères qu'ils *signifient*. Nos états ne l'intéressent que pour autant qu'ils sont transposables. Ainsi la mélancolie émane de nos viscères et rejoint le vide cosmique ; mais l'esprit ne l'adopte qu'épurée de ce qui la rattache à la fragilité des sens ; il l'*interprète* ; affinée, elle devient *point de vue* : mélancolie catégorielle. La théorie guette et capte nos venins ; et les rend moins nocifs. C'est une dégradation *par en haut*, l'esprit-amateur de vertiges purs — étant ennemi des intensités.

LA CONSCIENCE DU MALHEUR

——————————————— *T*out concourt, les éléments et les actes à te blesser. Te cuirasser de dédains, t'isoler en une forteresse d'écœurement, rêver à des indifférences surhumaines ? Les échos du temps te persécuteraient dans tes dernières absences... Quand rien ne peut t'empêcher de saigner, les idées mêmes se teintent de rouge ou empiètent comme des tumeurs les unes sur les autres. Il n'y a dans les pharmacies aucun spécifique contre l'existence ; — rien que de petits remèdes pour les fanfarons. Mais où est l'antidote du désespoir clair, infiniment articulé, fier et sûr ? Tous les êtres sont malheureux ; mais combien le savent ? La conscience du malheur est une maladie trop grave pour figurer dans une arithmétique des agonies ou dans les registres de l'Incurable. Elle rabaisse le prestige de l'enfer, et convertit les abattoirs des temps en idylles. Quel péché as-tu commis pour naître, quel crime pour exister ? Ta douleur comme ton destin est sans motif. Souffrir véritablement c'est accepter l'invasion des maux sans l'excuse de la causalité, comme une faveur de la nature démente, comme un miracle négatif...

Dans la phrase du Temps les hommes s'insèrent comme des virgules, tandis que, pour l'arrêter, tu t'es immobilisé en point.

LA PENSÉE INTERJECTIVE

L'idée d'infini a dû naître un jour de relâchement où une vague langueur s'est infiltrée en géométrie, comme le premier acte de connaissance au moment où, dans le silence des réflexes, un frisson macabre a isolé la perception de son objet. Combien de dégoûts ou de nostalgies nous a-t-il fallu accumuler pour nous réveiller à la fin seuls, tragiquement supérieurs à l'évidence ! Un soupir oublié nous a fait faire un pas en dehors de l'immédiat ; une fatigue banale nous a éloignés d'un paysage ou d'un être ; des gémissements diffus nous ont séparés des innocences douces ou craintives. La somme de ces distances accidentelles constitue — bilan de nos jours et de nos nuits — l'écart qui nous distingue du monde, — et que l'esprit s'efforce de réduire et de ramener à nos proportions fragiles. Mais l'œuvre de chaque lassitude se fait sentir : où chercher encore de la matière sous nos pas ?

Au début, c'est pour nous évader des choses que nous pensons ; puis, lorsque nous sommes allés trop loin, pour nous perdre dans le regret de notre évasion... Et c'est ainsi que nos concepts s'enchaînent comme des soupirs dissimulés, que toute réflexion tient lieu d'interjection, qu'une tonalité plaintive submerge la dignité de la logique. Des teintes funèbres ternissent les idées, débordements du cimetière sur les paragraphes, relent de pourriture dans les préceptes, dernier jour d'automne dans un cristal intemporel... L'esprit est sans défense contre les miasmes qui l'assaillent, car ils surgissent de l'endroit le plus corrompu qui existe entre la terre et le ciel, de l'endroit où la folie gît dans la tendresse, cloaque d'utopies et verminière de rêves : notre âme. Et alors même que nous pourrions changer les lois de l'univers ou en prévoir les caprices, elle nous subjuguerait par ses misères, par le principe de sa ruine. Une âme qui ne soit pas perdue ? Où est-elle, pour qu'on en dresse le procès-verbal, pour que la science, la sainteté et la comédie s'en emparent !

APOTHÉOSE DU VAGUE

———————————————— *O*n pourrait appréhender l'essence des peuples — plus encore que celle des individus — par leur façon de participer au *vague*. Les évidences où ils vivent ne dévoilent que leur caractère transitoire, leurs périphéries, leurs apparences.

Ce qu'un peuple peut exprimer n'a qu'une valeur historique : c'est sa réussite dans le devenir; mais ce qu'il ne peut exprimer, *son échec dans l'éternel*, c'est la soif infructueuse de soi-même : son effort à s'épuiser dans l'expression étant frappé d'impuissance, il y supplée par certains mots, — allusions à l'indicible...

Combien de fois, dans nos pérégrinations en dehors de l'intellect, n'avons-nous pas reposé nos troubles à l'ombre de ces *Sehnsucht*, *yearning*, *saudade*, de ces fruits sonores éclos pour des cœurs trop mûrs! Soulevons le voile de ces mots : cachent-ils un même contenu? Est-il possible que la même signification vive et meure dans les ramifications verbales d'une souche d'indéfini? Peut-on concevoir que des peuples si divers éprouvent la nostalgie de la même manière?

Celui qui s'évertuerait à trouver la formule du *mal du lointain* deviendrait victime d'une architecture mal construite. Pour remonter à l'origine de ces expressions du vague il faut pratiquer une régression affective vers leur essence, se noyer dans l'ineffable et en sortir avec les concepts en lambeaux. Une fois perdus l'assurance théorique et l'orgueil de l'intelligible, on peut essayer de tout comprendre, de tout comprendre *pour soi-même*. On arrive alors à se réjouir dans l'inexprimable, à passer ses jours en marge du compréhensible et à se vautrer dans la banlieue du sublime. Pour échapper à la stérilité, il faut s'épanouir au seuil de la raison...

Vivre dans l'attente, dans ce qui n'est pas encore, c'est accepter le déséquilibre stimulant que suppose l'idée d'avenir. Toute nostalgie est un dépassement du présent. Même sous la forme du regret, elle prend un caractère dynamique : on veut forcer le passé, agir rétroactivement, protester contre l'irréversible. La vie n'a de contenu que dans la violation du temps. L'obsession de l'ailleurs, c'est l'impossibilité de l'instant; et cette impossibilité est la nostalgie même.

Que les Français se soient refusés à éprouver et surtout à cultiver l'imperfection de l'indéfini, n'est pas sans avoir un accent révélateur. Sous forme collective, ce mal n'existe pas en France : le *cafard* n'a pas de qualité métaphysique et l'*ennui* est singulièrement dirigé. Les Français repoussent toute complaisance envers le Possible ; leur langue même élimine toute complicité avec ses dangers. Y a-t-il un autre peuple qui se trouve plus à son aise dans le monde, pour qui le *chez soi* ait plus de sens et plus de poids, pour qui l'immanence offre plus d'attraits ?

Pour désirer fondamentalement autre chose, il faut être désinvesti de l'espace et du temps, et vivre dans un minimum de parenté avec le lieu et le moment. Ce qui fait que l'histoire de la France offre si peu de discontinuités, c'est cette fidélité à son essence, qui flatte notre inclination à la perfection et déçoit le besoin d'inachevé qu'implique une vision tragique. La seule chose contagieuse en France est la lucidité, l'horreur d'être dupe, d'être victime de quoi que ce soit. C'est pour cela qu'un Français n'accepte l'aventure qu'en pleine conscience ; il *veut* être dupe ; il se bande les yeux ; l'héroïsme inconscient lui semble à juste titre un manque de goût, un sacrifice inélégant. Mais l'équivoque brutale de la vie exige que prédomine à tout instant *l'impulsion*, et non la volonté, d'être cadavre, d'être métaphysiquement dupe.

Si les Français ont chargé de trop de clarté la nostalgie, s'ils lui ont enlevé certains prestiges intimes et dangereux, la *Sehnsucht*, par contre, épuise ce qu'il y a d'insoluble dans les conflits de l'âme allemande, tiraillée entre la *Heimat* et l'Infini.

Comment trouverait-elle un apaisement ? D'un côté, la volonté d'être plongé dans l'indivision du cœur et du sol ; de l'autre, d'absorber toujours l'espace dans un désir inassouvi. Et comme l'étendue n'offre pas de limites, et qu'avec elle s'accroît le penchant à de nouvelles errances, le but recule au fur et à mesure de la progression. De là, le goût exotique, la passion pour les voyages, la délectation dans le paysage en tant que paysage, le manque de forme intérieure, la profondeur tortueuse, tout à la fois séduisante et rebutante. Il n'y a pas de solution à la tension entre la *Heimat* et l'Infini : c'est être enraciné et déraciné en même temps, et n'avoir pu trouver un compromis entre le foyer et le lointain. L'impérialisme, constante funeste dans son ultime essence, n'est-il pas la traduction politique et vulgairement concrète de la *Sehnsucht* ?

On ne saurait trop insister sur les conséquences historiques de certaines approximations intérieures. Or, la nostalgie en est une ; elle nous empêche de nous reposer dans l'existence ou dans l'absolu ; elle nous oblige à flotter dans l'indistinct, à perdre nos assises, à vivre *à découvert* dans le temps.

*Ê*tre arraché au sol, exilé dans la durée, coupé de ses racines immédiates, c'est désirer une réintégration dans les sources originelles d'avant la séparation et la déchirure. La nostalgie, c'est justement se sentir éternellement loin de chez soi; et, en dehors des proportions lumineuses de l'Ennui, et de la postulation contradictoire de l'Infini et de la *Heimat*, elle prend la forme du retour vers le fini, vers l'immédiat, vers un appel terrestre et maternel. Ainsi que l'esprit, le cœur forge des utopies : et de toutes la plus étrange est celle d'un univers *natal*, où l'on se repose de soi-même, un univers, — oreiller cosmique de toutes nos fatigues.

Dans l'aspiration nostalgique on ne désire pas quelque chose de palpable, mais une sorte de chaleur abstraite, hétérogène au temps et proche d'un pressentiment paradisiaque. Tout ce qui n'accepte pas l'existence comme telle, confine à la théologie. La nostalgie n'est qu'une théologie sentimentale, où l'Absolu est construit avec les éléments du désir, où Dieu est l'Indéterminé élaboré par la langueur.

LA SOLITUDE — SCHISME DU CŒUR

——————————————— *N*ous sommes voués à la perdition toutes les fois que la vie ne se dévoile pas comme un miracle, toutes les fois que l'instant ne gémit plus sous un frisson surnaturel. Comment renouveler cette sensation de plénitude, ces secondes de délire, ces éclairs volcaniques, ces prodiges de ferveur qui rabaissent Dieu à un accident de notre argile ? Par quel subterfuge revivre cette fulguration dans laquelle la musique même nous paraît superficielle, et comme le rebut de notre orgue intérieur ?

Il n'est pas en notre pouvoir de nous rappeler les saisissements qui nous faisaient coïncider avec le début du mouvement, nous rendaient maîtres du premier moment du temps et artisans instantanés de la Création. De celle-ci nous ne percevons plus que le dénuement, la réalité morne : nous vivons pour désapprendre l'extase. Et ce n'est pas le miracle qui détermine notre tradition et notre substance, mais le vide d'un univers frustré de ses flammes, englouti dans ses propres absences, objet exclusif de notre rumination : un univers seul devant un cœur seul, prédestinés, l'un et l'autre, à se disjoindre, et à s'exaspérer dans l'antithèse. Lorsque la solitude s'accentue au point de constituer non pas tellement notre *donnée* que notre unique *foi*, nous cessons d'être solidaires avec le tout : hérétiques de l'existence, nous sommes bannis de la communauté des vivants, dont la seule vertu est d'attendre, haletants, quelque chose qui ne soit pas la mort. Mais, affranchis de la fascination de cette attente, rejetés de l'œcuménicité de l'illusion, nous sommes la secte la plus hérétique, car notre âme elle-même est née dans l'hérésie.

(«*L*orsque l'âme est en état de grâce, sa beauté est si relevée et si admirable, qu'elle surpasse incomparablement tout ce qu'il y a de beau dans la nature, et qu'elle ravit les yeux de Dieu et des Anges» (Ignace de Loyola).

J'ai cherché à m'établir dans une grâce quelconque ; j'ai voulu liquider les interrogations et disparaître dans une lumière ignorante, dans n'importe quelle lumière dédaigneuse de l'intellect. Mais comment atteindre au soupir de félicité supérieur aux problèmes, quand aucune «beauté» ne t'illumine, et que Dieu et les Anges sont aveugles ?

Jadis, alors que sainte Thérèse, patronne de l'Espagne et de ton âme, te prescrivait un trajet de tentations et de vertiges, le gouffre transcendant t'émerveillait comme une chute dans les cieux. Mais ces cieux se sont évanouis — comme les tentations et les vertiges — et, dans le cœur froid, les fièvres d'Avila, à jamais éteintes.

Par quelle étrangeté du sort, certains êtres, arrivés au point où ils pourraient coïncider avec une foi, reculent-ils pour suivre un chemin qui ne les mène qu'à eux-mêmes — et donc nulle part ? Est-ce par peur qu'installés dans la grâce, ils y perdent leurs vertus distinctes ? Chaque homme évolue aux dépens de ses profondeurs, chaque homme est un mystique qui se refuse : la terre est peuplée de grâces manquées et de mystères piétinés.)

PENSEURS CRÉPUSCULAIRES

—————————————————— *A*thènes se mourait, et, avec elle, le culte de la connaissance. Les grands systèmes avaient vécu : limités au domaine conceptuel, ils refusaient l'intervention des tourments, la recherche de la délivrance et de la méditation désordonnée sur la douleur. La cité finissante, ayant permis la conversion des accidents humains en théorie, n'importe quoi — l'éternuement ou la mort — supplantait les anciens problèmes. L'obsession des remèdes marque la fin d'une civilisation ; la quête du salut, celle d'une philosophie. Platon et Aristote n'avaient cédé à ces préoccupations que par exigence d'équilibre ; après eux, elles l'emportaient dans tous les secteurs.

Rome, à son couchant, n'a recueilli d'Athènes que les échos de sa décadence et les reflets de son épuisement. Quand les Grecs promenaient leurs doutes à travers l'Empire, l'ébranlement de celui-ci et de la philosophie était un fait virtuellement consommé. Toutes les questions paraissant légitimes, la superstition des limites formelles n'empêchait plus la débauche des curiosités arbitraires. L'infiltration de l'épicurisme et du stoïcisme était facile : la morale remplaçait les édifices abstraits, la raison abâtardie devenait instrument de la pratique. Dans les rues de Rome, avec des recettes différentes de « bonheur », foisonnaient les épicuriens et les stoïciens, experts en sagesse, nobles charlatans surgis à la périphérie de la philosophie pour guérir une lassitude incurable et généralisée. Mais il manquait à leur thérapeutique la mythologie et les anecdotes étranges qui, dans l'aveulissement universel, allaient constituer la vigueur d'une religion insoucieuse de nuances, venue de plus loin qu'eux. La sagesse est le dernier mot d'une civilisation qui expire, le nimbe des crépuscules historiques, la fatigue transfigurée en vision du monde, l'ultime tolérance avant l'avènement d'autres dieux plus frais — et de la barbarie ; elle est aussi un vain essai de mélodie dans les râles de la fin, qui montent de partout. Car le Sage — théoricien de la mort limpide, héros de l'indifférence et symbole de la dernière étape de la philosophie, de sa dégénérescence et de sa vacuité — a résolu le problème de sa propre mort... et a supprimé dès lors tous les problèmes. Pourvu de ridicules plus rares, il est un cas limite, que l'on rencontre à des périodes extrêmes comme une confirmation exceptionnelle de la pathologie générale. Nous trouvant au point symétrique de l'agonie antique, en proie aux mêmes maux et sous des charmes pareillement inéluctables, nous voyons les grands systèmes abolis par leur perfection limitée. Pour nous aussi, tout devient matière à une philosophie sans dignité et sans rigueur... Le destin impersonnel de la pensée s'est éparpillé dans mille âmes, dans mille humiliations de l'Idée... Ni Leibniz, ni Kant, ni Hegel ne nous sont plus d'aucun secours. Nous sommes venus avec notre propre mort devant les portes de la philosophie : pourries, et n'ayant plus rien à défendre, elles s'ouvrent d'elles-mêmes... et n'importe quoi devient sujet philosophique. Aux paragraphes se substituent des cris : il en résulte une philosophie du *fundus animae*, dont l'intimité se reconnaîtrait dans les apparences de l'histoire et les dehors du temps.

Nous aussi nous cherchons le «bonheur», soit par frénésie, soit par dédain : le mépriser c'est encore ne pas l'oublier, et le refuser en y pensant ; nous aussi nous cherchons le «salut», ne serait-ce qu'en n'en voulant point. Et si nous sommes les héros négatifs d'un Âge trop mûr, par ce fait même nous en sommes les *contemporains* : trahir son temps ou en être le fervent, exprime — sous une contradiction apparente — un même acte de participation. Les hautes défaillances, les subtiles décrépitudes, l'aspiration à des auréoles intemporelles — toutes menant à la sagesse, — qui ne les reconnaîtrait en soi ? Qui ne se sent le droit de tout affirmer dans le vide qui l'entoure, avant que le monde ne s'évanouisse dans l'aurore d'un absolu ou d'une négation nouvelle ? Un dieu menace toujours à l'horizon. Nous sommes en marge de la philosophie, puisque nous consentons à sa fin. Faisons que le dieu ne s'installe point dans nos pensées, gardons encore nos doutes, les apparences d'équilibre et la tentation du destin immanent, toute aspiration arbitraire et fantasque étant préférable aux vérités inflexibles. Nous changeons de remèdes, n'en trouvant point d'efficace ni de valable, parce que nous n'avons foi ni dans l'apaisement que nous cherchons ni dans les plaisirs que nous poursuivons. Sages versatiles, nous sommes les épicuriens et les stoïciens des Romes modernes...

RESSOURCES DE L'AUTODESTRUCTION

——————————————— *N*és dans une prison, avec des fardeaux sur nos épaules et nos pensées, nous ne pourrions atteindre le terme d'un seul jour si la possibilité d'en finir ne nous incitait à recommencer le jour d'après... Les fers et l'air irrespirable de ce monde nous ôtent tout, sauf la liberté de nous tuer ; et cette liberté nous insuffle une force et un orgueil tels qu'ils triomphent des poids qui nous accablent.

Pouvoir disposer absolument de soi-même et s'y refuser, est-il don plus mystérieux ? La consolation par le suicide possible élargit en espace infini cette demeure où nous étouffons. L'idée de nous détruire, la multiplicité des moyens d'y parvenir, leur facilité et leur proximité nous réjouissent et nous effraient ; car il n'y a rien de plus simple et de plus terrible que l'acte par lequel nous décidons irrévocablement de nous-mêmes. En un seul instant nous supprimons tous les instants ; Dieu lui-même ne saurait le faire. Mais, démons fanfarons, nous différons notre fin : comment renoncerions-nous au déploiement de notre liberté, au jeu de notre superbe?...

Celui qui n'a jamais conçu sa propre annulation, qui n'a pas pressenti le recours à la corde, à la balle, au poison ou à la mer, est un forçat avili ou un ver rampant sur la charogne cosmique. Ce monde peut tout nous prendre, peut tout nous interdire, mais il n'est du pouvoir de personne de nous empêcher de nous abolir. Tous les outils nous y aident, tous nos abîmes nous y invitent; mais tous nos instincts s'y opposent. Cette contradiction développe dans l'esprit un conflit sans issue. Quand nous commençons à réfléchir sur la vie, à y découvrir un infini de vacuité, nos instincts se sont dirigés déjà en guides et facteurs de nos actes; ils refrènent l'envol de notre inspiration et la souplesse de notre dégagement. Si, au moment de notre naissance, nous étions aussi conscients que nous le sommes au sortir de l'adolescence, il est plus que probable qu'à cinq ans le suicide serait un phénomène habituel ou même une question d'honorabilité. Mais nous nous *éveillons* trop tard : nous avons contre nous les années fécondées uniquement par la présence des instincts, qui ne peuvent être que stupéfaits des conclusions auxquelles conduisent nos méditations et nos déceptions. Et ils réagissent; cependant, ayant acquis la conscience de notre liberté, nous sommes maîtres d'une résolution d'autant plus alléchante que nous ne la mettons pas à profit. Elle nous fait endurer les jours et, plus encore, les nuits; nous ne sommes plus pauvres, ni écrasés par l'adversité : nous disposons de ressources suprêmes. Et lors même que nous ne les exploiterions jamais, et que nous finirions dans l'expiration traditionnelle, nous aurions eu un trésor dans nos abandons : est-il plus grande richesse que le suicide que chacun porte en soi?

Si les religions nous ont défendu de mourir par nous-mêmes, c'est qu'elles y voyaient un exemple d'insoumission qui humiliait les temples et les dieux. Tel concile d'Orléans considérait le suicide comme un péché plus grave que le crime, parce que le meurtrier peut toujours se repentir, se sauver, tandis que celui qui s'est ôté la vie a franchi les limites du salut. Mais l'acte de se tuer ne part-il pas d'une formule radicale de salut? Et le néant ne vaut-il pas l'éternité? L'être seul n'a pas besoin de faire la guerre à l'univers; c'est à lui-même qu'il envoie l'ultimatum. Il n'aspire pas davantage à *être* pour toujours, si dans un acte incomparable il a été *absolument* lui-même. Il refuse le ciel et la terre comme il se refuse. Au moins, il aura atteint une plénitude de liberté inaccessible à celui qui la cherche indéfiniment dans le futur...

Aucune église, aucune mairie n'a inventé jusqu'à présent un seul argument valable contre le suicide. À celui qui ne peut plus supporter la vie, que répondre ? Nul n'est à même de prendre sur soi les fardeaux d'un autre. Et de quelle force dispose la dialectique contre l'assaut des chagrins irréfutables et contre mille évidences inconsolées ? Le suicide est un des caractères distinctifs de l'homme, une de ses découvertes ; aucune bête n'en est capable et les anges l'ont à peine deviné ; sans lui, la réalité humaine serait moins curieuse et moins pittoresque : elle manquerait d'un climat étrange et d'une série de possibilités funestes, qui ont leur valeur esthétique, ne serait-ce que pour introduire dans la tragédie des solutions nouvelles et une variété de dénouements.

Les sages antiques, qui se donnaient la mort comme preuve de leur maturité, avaient créé une discipline du suicide que les modernes ont désapprise. Voués à une agonie sans génie, nous ne sommes ni auteurs de nos extrémités, ni arbitres de nos adieux ; la fin n'est plus *notre* fin : l'excellence d'une initiative unique — par laquelle nous rachèterions une vie insipide et sans talent — nous fait défaut, comme nous fait défaut le cynisme sublime, le faste ancien d'un art de périr. Routiniers du désespoir, cadavres qui s'acceptent, nous nous survivons tous et ne mourons que pour accomplir une formalité inutile. C'est comme si notre vie ne s'attachait qu'à reculer le moment où nous pourrions nous débarrasser d'elle.

LES ANGES RÉACTIONNAIRES

——————————————————————— *I*l est malaisé de porter un jugement sur la révolte du moins philosophe des anges, sans y mêler sympathie, étonnement et réprobation. L'injustice gouverne l'univers. Tout ce qui s'y construit, tout ce qui s'y défait porte l'empreinte d'une fragilité immonde, comme si la matière était le fruit d'un scandale au sein du néant. Chaque être se nourrit de l'agonie d'un autre être ; les instants se précipitent comme des vampires sur l'anémie du temps ; — le monde est un réceptacle de sanglots... Dans cet abattoir, se croiser les bras ou sortir l'épée, sont gestes également vains. Aucun déchaînement superbe ne saurait secouer l'espace ni ennoblir les âmes. Triomphes et échecs se succèdent d'après une loi inconnue qui a nom *destin*, nom auquel nous recourons lorsque, philosophiquement démunis, notre séjour ici-bas ou n'importe où nous paraît sans solution et comme une malédiction à subir, déraisonnable et imméritée. Destin — mot d'élection dans la terminologie des vaincus... Avides d'une nomenclature pour l'Irrémédiable, nous cherchons un allégement dans l'invention verbale, dans des clartés suspendues au-dessus de nos désastres. Les mots sont charitables : leur frêle réalité nous trompe et nous console...

C'est ainsi que le «destin», qui ne peut rien vouloir, est celui qui a *voulu* ce qui nous arrive... Épris de l'Irrationnel comme seul mode d'explication, nous le regardons charger la balance de notre sort, laquelle ne pèse que des éléments négatifs, de même nature. D'où extraire l'orgueil pour provoquer les forces qui en ont ainsi décrété, et, qui plus est, sont irresponsables de ce décret? Contre qui mener la lutte et où diriger l'assaut quand l'injustice hante l'air de nos poumons, l'espace de nos pensées, le silence et la stupeur des astres? Notre révolte est aussi mal conçue que le monde qui la suscite. Comment se mettre en devoir de réparer les torts quand, tel Don Quichotte sur son lit de mort, — nous avons perdu — à bout de folie, exténués — vigueur et illusion pour affronter les routes, les combats et les défaites. Et comment retrouver la fraîcheur de l'ange séditieux, lui qui, encore au début du temps, ignorait cette sagesse pestilentielle où nos élans suffoquent? Où puiserions-nous assez de verve et d'outrecuidance pour flétrir le troupeau des autres anges, alors qu'ici-bas suivre leur collègue c'est se précipiter plus bas encore, alors que l'injustice des hommes imite celle de Dieu, et que toute rébellion oppose l'âme à l'infini et la brise contre lui? Les anges anonymes, — blottis sous leurs ailes sans âge, éternellement vainqueurs et vaincus en Dieu, insensibles aux néfastes curiosités, rêveurs parallèles aux deuils terrestres, — qui oserait leur jeter la pierre et, par défi, diviser leur sommeil? La révolte, fierté de la déchéance, ne tire sa noblesse que de son inutilité : les souffrances la réveillent et puis l'abandonnent; la frénésie l'exalte et la déception la nie... Elle ne saurait avoir un sens dans un univers *non valable*...

(Dans ce monde rien n'est à sa place, en commençant par ce monde même. Point ne faut s'étonner alors du spectacle de l'injustice humaine. Il est également vain de refuser ou d'accepter l'ordre social : force nous est d'en subir les changements en mieux ou en pire avec un conformisme désespéré, comme nous subissons la naissance, l'amour, le climat et la mort. La décomposition préside aux lois de la vie : plus proches de notre poussière que ne le sont de la leur les objets inanimés, nous succombons avant eux et courons vers notre destin sous le regard des étoiles apparemment indestructibles. Mais elles-mêmes s'effriteront dans un univers que notre cœur seul prend au sérieux pour expier ensuite par des déchirements son manque d'ironie...

Personne ne peut corriger l'injustice de Dieu et des hommes : tout acte n'est qu'un cas spécial, d'apparence organisée, du Chaos originel. Nous sommes entraînés par un tourbillon qui remonte à l'aurore des temps ; et si ce tourbillon a pris figure d'ordre, ce n'est que pour mieux nous emporter...)

LE SOUCI DE DÉCENCE

——————————————— Sous l'aiguillon de la douleur, la chair se réveille ; matière lucide et lyrique, elle chante sa dissolution. Tant qu'elle était indiscernable de la nature, elle reposait dans l'oubli des éléments : le moi ne s'était pas encore emparé d'elle. La matière qui souffre s'émancipe de la gravitation, n'est plus solidaire du reste de l'univers, s'isole de l'ensemble assoupi ; car, la douleur, agent de séparation, principe actif d'individuation, nie les délices d'une destinée statistique.

L'être véritablement seul n'est pas celui qui est abandonné par les hommes, mais celui qui souffre au milieu d'eux, qui traîne son désert dans les foires et déploie ses talents de lépreux souriant, de comédien de l'irréparable. Les grands solitaires d'autrefois étaient heureux, ne connaissaient pas la duplicité, n'avaient rien à cacher : ils ne s'entretenaient qu'avec leur propre solitude...

De tous les liens qui nous rattachent aux choses, il n'en est pas un seul qui ne se relâche et ne périsse sous l'influence de la souffrance, laquelle nous libère de tout, sauf de l'obsession de nous-même et de la sensation d'être irrévocablement *individu*. C'est la solitude hypostasiée en essence. Dès lors, par quels moyens communiquer avec les autres sinon par la prestidigitation du mensonge ? Car si nous n'étions pas saltimbanques, si nous n'avions pas appris les artifices d'un charlatanisme savant, si enfin nous étions *sincères* jusqu'à l'impudeur ou à la tragédie, — nos mondes souterrains vomiraient des océans de fiel, où disparaître serait notre point d'honneur : nous fuirions ainsi l'inconvenance de tant de grotesque et de sublime. À un certain degré de malheur, toute franchise devient indécente. Job s'est arrêté à temps : un pas de plus, et ni Dieu, ni ses amis ne lui eussent plus répondu.

(*O*n est « civilisé » dans la mesure où l'on ne clame pas sa lèpre, où l'on fait preuve de respect pour l'élégante fausseté, forgée par les siècles. Nul n'a le droit de ployer sous le poids de ses heures... Tout homme recèle une possibilité d'apocalypse, mais tout homme s'astreint à niveler ses propres abîmes. Si chacun donnait libre carrière à sa solitude, Dieu devrait recréer ce monde, dont l'existence dépend en tout point de notre éducation et de cette peur que nous avons de nous-mêmes... — Le chaos ? — C'est rejeter tout ce qu'on a appris, c'est être *soi-même*...)

LA GAMME DU VIDE

——————————————— *J*'ai vu celui-ci poursuivre tel but et celui-là tel autre ; j'ai vu les hommes fascinés par des objets disparates, sous le charme de projets et de rêves tout ensemble vils et indéfinissables. Analysant chaque cas isolément pour pénétrer les raisons de tant de ferveur gaspillée, j'ai compris le non-sens de tout geste et de tout effort. Existe-t-il une seule vie qui ne soit imprégnée des erreurs qui font vivre ? existe-t-il une seule vie claire, transparente, sans racines humiliantes, sans motifs inventés, sans les mythes surgis des désirs ? Où est l'acte pur de toute utilité : soleil abhorrant l'incandescence, ange dans un univers sans foi, ou ver oisif dans un monde abandonné à l'immortalité ? J'ai voulu me défendre contre tous les hommes, réagir contre leur folie, en déceler la source ; j'ai écouté et j'ai vu — et j'ai eu peur : peur d'agir pour les mêmes motifs ou pour n'importe quel motif, de croire aux mêmes fantômes ou à tout autre fantôme, de me laisser engloutir par les mêmes ivresses ou par toute autre ivresse ; peur, enfin, de délirer en commun et d'expirer dans une foule d'extases. — Je savais qu'en me séparant d'un être, j'étais dépossédé d'une méprise, que j'étais pauvre de l'illusion que je lui laissais... Ses paroles fiévreuses le dévoilaient prisonnier d'une évidence absolue pour lui et dérisoire pour moi ; au contact de son absurdité, je me dépouillais de la mienne... À qui adhérer sans le sentiment de se tromper, et sans rougir ? On ne peut justifier que celui qui pratique, *en pleine conscience*, le déraisonnable nécessaire à tout acte, et qui n'embellit d'aucun rêve la fiction à laquelle il s'adonne, comme on ne peut admirer qu'un héros qui meurt sans conviction, d'autant plus prêt au sacrifice qu'il en a entrevu le fond. Quant aux amants, ils seraient odieux si au milieu de leur grimaces le pressentiment de la mort ne les effleurait pas. Il est troublant de penser que nous emportons dans la tombe notre secret, — notre illusion, — que nous n'avons pas survécu à l'erreur mystérieuse qui vivifiait notre souffle, qu'en dehors des prostituées et des sceptiques tous sombrent dans le mensonge parce qu'ils ne devinent point l'équivalence, dans la nullité des voluptés et des vérités.

J'ai voulu supprimer en moi les raisons qu'invoquent les hommes pour exister et pour agir. J'ai voulu devenir indiciblement normal, — et me voilà dans l'hébétude, de plain-pied avec les idiots, et aussi vide qu'eux.

CERTAINS MATINS

——————————————————— *R*egret de n'être pas Atlas, de ne pouvoir secouer les épaules pour assister à l'écroulement de cette risible matière... La rage suit le chemin inverse de la cosmogonie. Par quels mystères nous éveillons-nous certains matins avec la soif de démolir l'ensemble inerte et vivant? Quand le diable se noie dans nos veines, quand nos idées se convulsent, et que nos désirs pourfendent la lumière, les éléments s'embrasent et se consument, tandis que nos doigts en tamisent la cendre. Quels cauchemars avons-nous entretenus pendant les nuits pour nous lever en ennemis du soleil? Faut-il nous liquider nous-mêmes pour en finir avec le tout? Quelle complicité, quels liens nous prolongent dans une intimité avec le temps? La vie serait intolérable sans les forces qui la nient. Maîtres d'une issue possible, de l'*idée* d'une fuite, nous pourrions aisément nous abolir et, au comble du délire, expectorer cet univers.

... Ou alors prier et attendre d'autres matins.

(*É*crire serait un acte insipide et superflu si l'on pouvait pleurer à discrétion, et imiter les enfants et les femmes en proie à la rage... Dans la matière dont nous sommes pétris, dans sa plus profonde impureté, se trouve un principe d'amertume, qu'adoucissent les larmes seules. Si, chaque fois que les chagrins nous assaillent, nous avions la possibilité de nous en délivrer par les pleurs, les maladies vagues et la poésie disparaîtraient. Mais une réticence native, aggravée par l'éducation, ou un fonctionnement défectueux des glandes lacrymales, nous condamnent au martyre de l'œil sec. Et puis les cris, les tempêtes de jurons, l'automacération et les ongles implantés dans la chair, avec les consolations d'un

spectacle de sang, ne figurent plus parmi nos procédés thérapeutiques. Il s'ensuit que nous sommes tous malades, qu'il nous faudrait à chacun un Sahara pour y hurler à volonté, ou les bords
d'une mer élégiaque et fougueuse pour mêler à ses lamentations
déchaînées nos lamentations plus déchaînées encore. Nos
paroxysmes exigent le cadre d'un sublime caricatural, d'un infini
apoplectique, la vision d'une pendaison où le firmament servirait
de gibet à nos carcasses et aux éléments.)

LE DEUIL AFFAIRÉ

———————————————————— *T*outes les vérités sont contre
nous. Mais nous continuons à vivre, parce que nous les acceptons
en elles-mêmes, parce que nous nous refusons à en tirer les
conséquences. Où est celui qui aurait traduit — dans sa conduite
— une seule conclusion de l'enseignement de l'astronomie, de la
biologie, et qui aurait décidé de ne plus quitter son lit par révolte
ou par humilité en face des distances sidérales ou des phénomènes naturels ? Y eut-il jamais orgueil vaincu par l'évidence de
notre irréalité ? Et qui fut assez audacieux pour ne plus rien faire
parce que tout acte est ridicule dans l'infini ? Les sciences prouvent notre néant. Mais qui en a saisi la dernière leçon ? Qui est
devenu héros de la paresse totale ? Personne ne se croise les bras :
nous sommes plus empressés que les fourmis et les abeilles. Pourtant si une fourmi, si une abeille, — par le miracle d'une idée ou
par une tentation de singularité — s'isolait dans la fourmilière ou
dans l'essaim, si elle contemplait *du dehors* le spectacle de ses
peines, s'obstinerait-elle encore dans son labeur ?
Seul l'animal rationnel n'a rien su apprendre de sa philosophie : il
se situe à l'écart — et persévère néanmoins dans les mêmes
erreurs d'apparence efficace et de réalité nulle. Vue de l'extérieur,
de n'importe quel point archimédien, la vie — avec toutes ses
croyances — n'est plus possible, ni même concevable. On ne peut
agir que contre la vérité. L'homme recommence chaque jour,
malgré tout ce qu'il sait, contre tout ce qu'il sait. Cette équivoque,
il l'a poussée jusqu'au vice. La clairvoyance est en deuil, mais —
étrange contagion — ce deuil même est actif; ainsi, sommes-nous
entraînés dans un convoi jusqu'au Jugement; ainsi, du dernier
repos lui-même, du silence final de l'histoire, avons-nous fait une
activité : c'est la mise en scène de l'agonie, le besoin de dynamisme jusque dans les râles...

(*L*es civilisations haletantes s'épuisent plus vite que celles qui se prélassent dans l'éternité. La Chine, s'épanouissant pendant des millénaires dans la fleur de sa vieillesse, propose seule un exemple à suivre ; elle seule aussi est parvenue de longue date à une sagesse raffinée, supérieure à la philosophie : le taoïsme surpasse tout ce que l'esprit a conçu sur le plan du détachement. — Nous comptons par *générations* : c'est la malédiction des civilisations à peine séculaires d'avoir perdu, dans leur cadence précipitée, la conscience intemporelle.

De toute évidence nous sommes dans le monde pour ne rien faire ; mais, au lieu de traîner nonchalamment notre pourriture, nous exhalons la sueur et nous nous essoufflons dans l'air fétide. L'Histoire entière est en putréfaction ; ses relents se déplacent vers le futur : nous y courons, ne fût-ce que pour la fièvre inhérente à toute décomposition.

Il est trop tard pour que l'humanité s'émancipe de l'illusion de *l'acte*, il est surtout trop tard pour qu'elle s'élève à la *sainteté du désœuvrement*.)

IMMUNITÉ CONTRE LE RENONCEMENT

──────────────────────── *T*out ce qui a trait à l'éternité tourne inévitablement en lieu commun. Le monde finit par accepter n'importe quelle révélation et se résigne à n'importe quel frisson, pourvu que la formule en ait été trouvée. L'idée de la futilité universelle — plus dangereuse que tous les fléaux — s'est dégradée en évidence : tous l'admettent et personne ne s'y conforme. La frayeur d'une vérité ultime a été apprivoisée ; devenue refrain, les hommes n'y pensent plus, car ils ont appris par cœur une chose qui, entrevue seulement, devrait les précipiter vers l'abîme ou le salut. La vision de la nullité du Temps a fait naître les saints et les poètes, et les désespoirs de quelques isolés, épris d'anathème... Cette vision n'est pas étrangère aux foules : elles ressassent : « à quoi ça sert ? » ; « qu'est-ce que ça fait ? » ; « on en verra bien d'autres » ; « plus ça change plus c'est la même chose », — et pourtant rien n'arrive, rien n'intervient : pas un saint, pas un poète de plus... Si elles se conformaient à une seule de ces rengaines, la face du monde en serait transformée. Mais l'éternité — surgie d'une pensée antivitale — ne saurait être un réflexe humain sans danger pour l'exercice des actes : elle devient lieu commun, pour qu'on puisse l'oublier par une répétition machinale. La sainteté est une aventure comme la poésie. Les hommes disent : « tout passe », — mais combien saisissent la portée de cette terrifiante banalité ? combien fuient la vie, la chantent ou la pleurent ? Qui n'est pas imbu de la conviction que tout est vain ? Mais qui ose en affronter les suites ? L'homme à vocation métaphysique est plus rare qu'un monstre — et pourtant chaque homme contient virtuellement les éléments de cette vocation. Il a suffi à un prince hindou de voir un infirme, un vieillard et un mort *pour tout comprendre* ; nous qui les voyons, nous ne comprenons rien, car rien ne change dans notre vie. Nous ne pouvons renoncer à quoi que ce soit ; cependant les évidences de la vanité sont à notre portée. Malades d'espoir, nous attendons toujours ; et la vie n'est que l'attente devenue hypostase. Nous attendons tout — même le Rien — plutôt que d'être réduits à une suspension éternelle, à une condition de divinité neutre ou de cadavre. Ainsi, le cœur qui s'est fait un axiome de l'Irréparable, en espère encore des surprises. L'humanité vit amoureusement dans les événements qui la nient...

ÉQUILIBRE DU MONDE

——————————————— *L*a symétrie apparente des joies et des peines n'émane nullement de leur distribution équitable : elle est due à l'injustice qui frappe certains individus, et les contraint ainsi à compenser par leur accablement l'insouciance des autres. Subir les conséquences de leurs actes, ou en être préservés, tel est le lot des hommes. Cette discrimination s'effectue sans aucun critère : elle est une fatalité, un partage absurde, une sélection fantasque. Nul ne peut esquiver la condamnation au bonheur ou au malheur, ni se dérober à la sentence native, au tribunal funambulesque dont la décision s'étend entre le spermatozoïde et le tombeau.

Il en est qui payent toutes leurs joies, qui expient tous leurs plaisirs, qui ont des comptes à rendre pour tous leurs oublis : ils ne seront jamais redevables d'un seul instant de bonheur. Mille amertumes ont couronné pour eux un frisson de volupté comme s'ils n'avaient aucun droit aux douceurs admises, comme si leurs abandons mettaient en péril l'équilibre bestial du monde... Furent-ils heureux au milieu d'un paysage ? — ils le regretteront dans d'imminents chagrins ; furent-ils fiers dans leurs projets et leurs rêves ? ils se réveilleront vite, comme d'une utopie, corrigés par des souffrances trop positives.

Ainsi, il y a des sacrifiés qui payent l'inconscience des autres, qui expient non seulement leur propre bonheur mais celui d'inconnus. L'équilibre se rétablit de cette manière : la proportion des joies et des peines devient harmonieuse. Si un obscur principe universel a décrété que vous appartiendrez à l'ordre des victimes, vous irez le long de vos jours foulant aux pieds le rien de paradis que vous cachiez en vous, et le peu d'élan qui perçait dans vos regards et vos songes se souillera devant l'impureté du temps, de la matière et des hommes. Comme piédestal vous aurez un fumier et comme tribune un attirail de torture. Vous ne serez dignes que d'une gloire lépreuse et d'une couronne de bave. Essayer de marcher à côté de ceux à qui tout est dû, pour qui tous les chemins sont libres ? Mais la poussière et la cendre même se dresseront pour vous barrer les issues du temps et les sorties du rêve. Quelle que soit la direction où vous vous acheminerez, vos pas s'embourberont, vos voix ne clameront que les hymnes de la fange et, sur vos têtes penchées vers vos cœurs, où n'habite que la pitié de vous-mêmes, passera à peine le souffle des bienheureux, jouets bénis d'une ironie sans nom, et aussi peu coupables que vous.

ADIEU À LA PHILOSOPHIE

———————————————— *J*e me suis détourné de la philosophie au moment où il me devint impossible de découvrir chez Kant aucune faiblesse humaine, aucun accent véritable de tristesse ; chez Kant et chez tous les philosophes. En regard de la musique, de la mystique et de la poésie, l'activité philosophique relève d'une sève diminuée et d'une profondeur suspecte, qui n'ont de prestiges que pour les timides et les tièdes. D'ailleurs, la philosophie — inquiétude impersonnelle, refuge auprès d'idées anémiques — est le recours de tous ceux qui esquivent l'exubérance corruptrice de la vie. À peu près tous les philosophes ont fini *bien* : c'est l'argument suprême contre la philosophie. La fin de Socrate lui-même n'a rien de tragique : c'est un malentendu, la fin d'un pédagogue, — et si Nietzsche a sombré, c'est comme poète et visionnaire : il a expié ses extases et non ses raisonnements.

On ne peut éluder l'existence par des explications, on ne peut que la subir, l'aimer ou la haïr, l'adorer ou la craindre, dans cette alternance de félicité et d'horreur qui exprime le rythme même de l'être, ses oscillations, ses dissonances, ses véhémences amères ou allègres.

Qui n'est exposé, par surprise ou par nécessité, à une déroute irréfutable, qui n'élève alors les mains en prière pour les laisser ensuite tomber plus vides encore que les réponses de la philosophie ? On dirait que sa mission est de nous protéger tant que l'inadvertance du sort nous laisse cheminer en deçà du désarroi et de nous abandonner aussitôt que nous sommes contraints à nous y plonger. Et comment en serait-il autrement, quand on voit combien peu des souffrances de l'humanité a passé dans sa philosophie. L'exercice philosophique n'est pas fécond ; il n'est qu'honorable. On est toujours impunément philosophe : un métier sans destin qui remplit de pensées volumineuses les heures neutres et vacantes, les heures réfractaires et à l'Ancien Testament, et à Bach, et à Shakespeare. Et ces pensées se sont-elles matérialisées dans une seule page équivalente à une exclamation de Job, à une terreur de Macbeth ou à l'altitude d'une cantate ? On ne *discute* pas l'univers ; on l'*exprime*. Et la philosophie ne l'exprime pas. Les véritables problèmes ne commencent qu'après l'avoir parcourue ou épuisée, après le dernier chapitre d'un immense tome qui met le point final en signe d'abdication devant l'Inconnu, où s'enracinent tous nos instants, et avec lequel il nous faut lutter parce qu'il est naturellement plus immédiat, plus important que le pain quotidien. Ici le philosophe nous quitte : ennemi du désastre, il est sensé comme la raison et aussi prudent qu'elle. Et nous restons en compagnie d'un pestiféré ancien, d'un poète instruit de tous les délires et d'un musicien dont le sublime transcende la sphère du cœur. Nous ne commençons à vivre réellement qu'au bout de la philosophie, sur sa ruine, quand nous avons compris sa terrible nullité, et qu'il était inutile de recourir à elle, qu'elle n'est d'aucun secours.

(Les grands systèmes ne sont au fond que de brillantes tautologies. Quel avantage à savoir que la nature de l'être consiste dans la « volonté de vivre », dans « l'idée », ou dans la fantaisie de Dieu ou de la Chimie ? Simple prolifération de mots, subtils déplacements de sens. Ce qui *est* répugne à l'étreinte verbale et l'expérience intime ne nous en dévoile rien au-delà de l'instant privilégié et inexprimable. D'ailleurs, l'être lui-même n'est qu'une prétention du Rien.

On ne définit que par désespoir. Il faut une formule ; il en faut même beaucoup, ne serait-ce que pour donner une justification à l'esprit et une façade au néant.

Le concept ni l'extase ne sont opérants. Quand la musique nous plonge jusqu'aux «intimités» de l'être, nous remontons rapidement à la surface : les effets de l'illusion se dissipent et le savoir s'avère nul.

Les choses que nous touchons et celles que nous concevons sont aussi improbables que nos sens et notre raison ; nous ne sommes *sûrs* que dans notre univers verbal, maniable à plaisir — et inefficace. L'être est muet et l'esprit est bavard. Cela s'appelle *connaître*.

L'originalité des philosophes se réduit à inventer des termes. Comme il n'y a que trois ou quatre attitudes devant le monde — et à peu près autant de façons de mourir, — les nuances qui les diversifient et les multiplient ne tiennent qu'au choix de vocables, dépourvus de toute portée métaphysique.

Nous sommes engouffrés dans un univers pléonastique, où les interrogations et les répliques s'équivalent.)

DU SAINT AU CYNIQUE

—————————————————— *L*a moquerie a tout abaissé au rang de prétexte, sauf le Soleil et l'Espoir, sauf les deux conditions de la vie : l'astre du monde et l'astre du cœur, l'un éclatant, l'autre invisible. Un squelette, se réchauffant au soleil et espérant, serait plus vigoureux qu'un Hercule désespéré et las de la lumière ; un être, totalement perméable à l'Espérance, serait plus puissant que Dieu et plus vivant que la Vie. Macbeth, «aweary of the sun», est la dernière des créatures, la vraie mort n'étant pas la pourriture, mais le dégoût de toute irradiation, la répulsion pour tout ce qui est germe, pour tout ce qui s'épanouit sous la chaleur de l'illusion. L'homme a profané les choses qui naissent et meurent sous le soleil, sauf le soleil ; les choses qui naissent et meurent dans l'espoir, sauf l'espoir. N'ayant pas eu le front d'aller plus loin, il a imposé des bornes à son cynisme. C'est qu'un cynique, qui se prétend conséquent, ne l'est qu'en paroles ; ses gestes en font l'être le plus contradictoire : nul ne pourrait vivre après avoir décimé ses superstitions. Pour arriver au cynisme total, il faudrait un effort inverse de celui de la sainteté et au moins aussi considérable ; ou alors, imaginer un saint qui, parvenu au sommet de sa purification, découvrirait la vanité du mal qu'il s'est donné — et le ridicule de Dieu...

Un tel monstre de clairvoyance changerait les données de la vie :

il aurait la force et l'autorité de mettre en question les conditions mêmes de son existence ; il ne risquerait plus de se contredire ; aucune défaillance humaine n'affaiblirait plus ses hardiesses ; ayant perdu le respect religieux que nous portons malgré nous à nos dernières illusions, il se jouerait de son cœur et du soleil...

RETOUR AUX ÉLÉMENTS

——————————————————————— Si la philosophie n'avait fait aucun progrès depuis les pré-socratiques, il n'y aurait aucune raison de s'en plaindre. Excédés du fatras des concepts, nous finissons par nous apercevoir que notre vie s'agite toujours dans les éléments dont ils constituaient le monde, que c'est la terre, l'eau, le feu et l'air qui nous conditionnent, que cette physique rudimentaire révèle le cadre de nos épreuves et le principe de nos tourments. Ayant compliqué ces quelques données élémentaires, nous avons perdu — fascinés par le décor et l'édifice des théories — la compréhension du Destin, lequel pourtant, inchangé, est le même qu'aux premiers jours du monde. Notre existence, réduite à son essence, continue à être un combat contre les éléments de toujours, combat que notre savoir n'adoucit aucunement. Les héros de tous les temps ne sont pas moins malheureux que ceux d'Homère et, s'ils sont devenus des *personnages*, c'est qu'ils ont diminué de souffle et de grandeur. Comment les résultats des sciences changeraient-ils la position métaphysique de l'homme ? Et que sont les sondages dans la matière, les aperçus et les fruits de l'analyse auprès des hymnes védiques et de ces tristesses de l'aurore historique glissées dans la poésie anonyme ?
Alors que les décadences les plus disertes ne nous édifient pas plus sur le malheur que ne le font les balbutiements d'un berger, et qu'en fin de compte il y a plus de sagesse dans le ricanement d'un idiot que dans l'investigation des laboratoires, — n'est-ce point folie de poursuivre la vérité sur les chemins du temps — ou dans les livres ? — Lao-tse, réduit à quelques lectures, n'est pas plus naïf que nous qui avons tout lu. La profondeur est indépendante du savoir. Nous traduisons sur d'autres plans les révélations des âges révolus, ou nous exploitons des intuitions originelles par les dernières acquisitions de la pensée. Ainsi, Hegel est un Héraclite qui a lu Kant ; et notre Ennui, un éléatisme affectif, la fiction de la diversité démasquée et révélée au cœur...

FAUX-FUYANTS

——————————————————— Ne tirent les dernières conséquences que ceux qui vivent hors de l'art. Le suicide, la sainteté,
le vice — autant de formes du manque de talent. Directe ou travestie, la confession par la parole, le son ou la couleur arrête l'agglomération des forces intérieures et les affaiblit en les rejetant
vers le monde du dehors. C'est une diminution salutaire qui fait
de tout acte de création un facteur de fuite. Mais celui qui accumule des énergies vit sous pression, en esclave de ses propres
excès ; rien ne l'empêche de faire naufrage dans l'absolu...

La véritable existence tragique ne se rencontre presque jamais
parmi ceux qui savent manier les puissances secrètes qui les
harassent ; à force d'amoindrir leur âme par leur œuvre, où puise-
raient-ils l'énergie d'atteindre l'extrémité des actes ? Tel héros
s'est accompli dans une modalité superbe du mourir parce qu'il
lui manquait la faculté de s'éteindre progressivement dans des
vers. Tout héroïsme expie — par le génie du cœur — un talent en
défaut, tout héros est un être sans talent. Et c'est cette déficience
qui le projette en avant et l'enrichit, tandis que ceux qui ont
appauvri par la création leur fortune d'indicible, sont rejetés, en
tant qu'existences, à l'arrière-plan, bien que leur esprit puisse
s'élever au-dessus de tous les autres.

Tel s'élimine du rang de ses semblables par le couvent ou par un
autre artifice : par la morphine, l'onanisme ou l'apéritif alors
qu'une forme d'expression eût pu le sauver. Mais, toujours présent à lui-même, parfait possesseur de ses réserves et de ses
mécomptes, portant la somme de sa vie sans possibilité de la diminuer par les prétextes de l'art, envahi par soi il ne peut être que
total dans ses gestes et ses résolutions, il ne peut tirer qu'une
conclusion l'affectant entièrement ; il ne saurait goûter les
extrêmes : il s'y noie ; et il se noie véritablement dans le vice, en
Dieu ou dans son propre sang, alors que les lâchetés de l'expression l'eussent fait reculer devant le *suprême*. Celui qui *s'exprime*,
n'agit pas contre lui-même ; il ne connaît que la *tentation* des dernières conséquences. Et le déserteur n'est pas celui qui les tire,
mais celui qui se dissipe et se divulgue de peur que, livré à lui-
même, il ne se perde et ne s'effondre.

NON-RÉSISTANCE À LA NUIT

—————————————————— *A*u début, nous croyons avancer vers la lumière ; puis, fatigués d'une marche sans but, nous nous laissons glisser : la terre, de moins en moins ferme, ne nous supporte plus : elle s'ouvre. En vain chercherions-nous à poursuivre un trajet vers une fin ensoleillée, les ténèbres se dilatent au dedans et au-dessous de nous. Nulle lueur pour nous éclairer dans notre glissement : l'abîme nous appelle, et nous l'écoutons. Au-dessus demeure encore tout ce que nous voulions être, tout ce qui n'a pas eu le pouvoir de nous élever plus haut. Et, naguère amoureux des sommets, puis déçus par eux, nous finissons par chérir notre chute, nous nous hâtons de l'accomplir, instruments d'une exécution étrange, fascinés par l'illusion de toucher aux confins des ténèbres, aux frontières de notre destinée nocturne. La peur du vide transformée en volupté, quelle chance d'évoluer à l'opposé du soleil ! Infini à rebours, dieu qui commence au-dessous de nos talons, extase devant les crevasses de l'être et soif d'une auréole noire, le Vide est un rêve renversé où nous nous engloutissons.

Si le vertige devient notre loi, portons un nimbe souterrain, une couronne dans notre chute. Détrônés de ce monde, emportons-en le sceptre pour honorer la nuit d'un faste nouveau.

(*E*t pourtant cette chute — à part quelques instants de pose — est loin d'être solennelle et lyrique. Habituellement nous nous enlisons dans une fange nocturne, dans une obscurité tout aussi médiocre que la lumière... La vie n'est qu'une torpeur dans le clair-obscur, une inertie entre des lueurs et des ombres, une caricature de ce soleil intérieur, lequel nous fait croire illégitimement à notre excellence sur le reste de la matière. Rien ne prouve que nous sommes plus que rien. Pour ressentir continuellement cette dilatation où nous rivalisons avec les dieux, où nos fièvres triomphent de nos effrois, il faudrait nous maintenir à une température tellement élevée qu'elle nous achèverait en quelques jours. Mais nos éclairs sont instantanés ; les chutes sont notre règle. La vie, c'est ce qui se décompose à tout moment ; c'est une perte monotone de lumière, une dissolution insipide dans la nuit, sans sceptres, sans auréoles, sans nimbes.)

TOURNANT LE DOS AU TEMPS

—————————————————————— *Hier, aujourd'hui, demain,* — ce sont là catégories à l'usage des domestiques. Pour l'oisif somptueusement installé dans l'Inconsolation, et que tout instant afflige, passé, présent, futur ne sont qu'apparences variables d'un même mal, identique dans sa substance, inexorable dans son insinuation et monotone dans sa persistance. Et ce mal est coextensif à l'être, est l'être lui-même.

Je fus, je suis ou je serai, c'est là question de grammaire et non d'existence. Le destin — en tant que carnaval temporel — se prête à la conjugaison, mais, dépouillé de ses masques, il se dévoile aussi immobile et aussi nu qu'une épitaphe. Comment peut-on accorder plus d'importance à l'heure qui est qu'à celle qui fut ou qui sera ? La méprise dans laquelle vivent les domestiques — et tout homme qui adhère au temps est un domestique — représente un véritable état de grâce, un obscurcissement ensorcelé ; et cette méprise — ainsi qu'un voile surnaturel — couvre la perdition à laquelle s'expose tout acte engendré par le désir. — Mais, pour l'oisif détrompé, le pur fait de vivre, le vivre pur de tout faire, est une corvée si exténuante, qu'endurer l'existence telle quelle, lui paraît un métier lourd, une carrière épuisante — et tout geste supplémentaire, impraticable et non avenu.

DOUBLE VISAGE DE LA LIBERTÉ

—————————————————————— *Q*uoique le problème de la liberté soit insoluble, nous pouvons toujours en discourir, nous mettre du côté de la contingence ou de la nécessité... Nos tempéraments et nos préjugés nous facilitent une option qui tranche et simplifie le problème sans le résoudre. Alors qu'aucune construction théorique ne parvient à nous le rendre sensible, à nous en faire éprouver la réalité touffue et contradictoire, une intuition privilégiée nous installe au cœur même de la liberté, en dépit de tous les arguments inventés contre elle. Et nous avons peur ; — nous avons peur de l'immensité du possible, n'étant pas préparés à une révélation si vaste et si subite, à ce bien dangereux auquel nous aspirions et devant lequel nous reculons. Qu'allons-nous faire, habitués aux chaînes et aux lois, en face d'un infini d'initiatives, d'une débauche de résolutions? La séduction de l'arbitraire nous effraie. Si nous pouvons commencer n'importe quel acte, s'il n'y a plus de bornes à l'inspiration et aux caprices, comment éviter notre perte dans l'ivresse de tant de pouvoir?

La conscience, ébranlée par cette révélation, s'interroge et tressaille. Qui, dans un monde où il peut disposer de tout, n'a été pris de vertige? Le meurtrier fait un usage illimité de sa liberté, et ne peut résister à l'idée de sa puissance. Il est dans la mesure de chacun de nous de prendre la vie d'autrui. Si tous ceux que nous avons tués en pensée disparaissaient pour de bon, la terre n'aurait plus d'habitants. Nous portons en nous un bourreau réticent, un criminel irréalisé. Et ceux qui n'ont pas l'audace de s'avouer leurs penchants homicides, assassinent en rêve, peuplent de cadavres leurs cauchemars. Devant un tribunal absolu, seuls les anges seraient acquittés. Car il n'y a jamais eu d'être qui n'ait souhaité — au moins inconsciemment — la mort d'un autre être. Chacun traîne après soi un cimetière d'amis et d'ennemis; et il importe peu que ce cimetière soit relégué dans les abîmes du cœur ou projeté à la surface des désirs.

La liberté, conçue dans ses implications ultimes, pose la question de notre vie ou de celle des autres; elle entraîne la double possibilité de nous sauver ou de nous perdre. Mais nous ne nous sentons libres, nous ne comprenons nos chances et nos dangers que par sursauts. Et c'est l'intermittence de ces sursauts, leur rareté, qui explique pourquoi ce monde n'est qu'un abattoir médiocre et un paradis fictif. Disserter sur la liberté, cela ne mène à aucune conséquence en bien ou en mal; mais nous n'avons que des instants pour nous apercevoir que *tout* dépend de nous...

La liberté est un principe *éthique* d'essence *démoniaque*.

SURMENAGE PAR LES RÊVES

———————————————————— **S**i nous pouvions conserver l'énergie que nous prodiguons dans cette succession de rêves accomplis nuitamment, la profondeur et la subtilité de l'esprit atteindraient des proportions insoupçonnables. L'échafaudage d'un cauchemar exige une dépense nerveuse plus exténuante que la construction théorique la mieux articulée. Comment, après le réveil, recommencer la besogne d'aligner des idées quand, dans l'inconscience, nous étions mêlés à des spectacles grotesques et merveilleux, et que nous roulions à travers les sphères sans l'entrave de l'antipoétique Causalité ? Pendant des heures nous étions semblables à des dieux ivres — et, subitement, les yeux ouverts supprimant l'infini nocturne, il nous faut reprendre, sous la médiocrité du jour, le ressassement de problèmes incolores, sans que nous y aide aucun des phantasmes de la nuit. La féerie glorieuse et néfaste aura donc été inutile ; le sommeil nous a épuisés en vain. Au réveil, un autre genre de lassitude nous attend ; après avoir eu tout juste le temps d'oublier celle du soir, nous voilà aux prises avec celle de l'aube. Nous avons peiné des heures et des heures dans l'immobilité horizontale sans que le cerveau profitât le moins du monde de son absurde activité. Un imbécile qui ne serait pas victime de ce gaspillage, qui accumulerait toutes ses ressources sans les dissiper dans les rêves, pourrait, possesseur d'une veille idéale, démêler tous les replis des mensonges métaphysiques ou s'initier aux plus inextricables difficultés mathématiques.

Après chaque nuit nous sommes plus vides : nos mystères comme nos chagrins se sont écoulés dans nos songes. Ainsi le labeur du sommeil n'amoindrit pas seulement la force de notre pensée, mais encore celle de nos secrets...

LE TRAÎTRE MODÈLE

—————————————— *L*a vie ne pouvant s'accomplir que dans l'individuation — ce fondement dernier de la solitude, — chaque être est nécessairement seul du fait qu'il est individu. Pourtant tous les individus ne sont pas seuls d'une même manière ni avec une même intensité : chacun se place à un degré différent dans la hiérarchie de la solitude ; à l'extrême se situe le traître : il pousse sa qualité d'individu jusqu'à l'exaspération. En ce sens, Judas est l'être le plus seul dans l'histoire du christianisme, mais nullement dans celle de la solitude. Il n'a trahi qu'un dieu ; il a *su* ce qu'il a trahi ; il a livré *quelqu'un*, comme tant d'autres livrent *quelque chose* : une patrie ou d'autres prétextes plus ou moins collectifs. La trahison qui vise un objet précis, dût-elle comporter le déshonneur ou la mort, n'est point mystérieuse : on a toujours l'image de ce qu'on a voulu détruire ; la culpabilité est claire, qu'on l'admette ou qu'on la nie. Les autres vous rejettent : et vous vous résignez au bagne ou à la guillotine...

Mais, il existe une modalité bien plus complexe de trahir, sans référence immédiate, sans rapport à un objet ou à une personne.

Ainsi : abandonner *tout* sans qu'on sache ce que représente ce tout ; s'isoler de son milieu ; repousser — par un divorce métaphysique — la substance qui vous a pétri, qui vous entoure et qui vous porte.

Qui, et par quel défi, saurait braver l'existence impunément ? Qui, et par quels efforts, pourrait aboutir à une liquidation du principe même de sa propre respiration ? Cependant la volonté de miner le fondement de tout ce qui existe produit un désir d'efficacité négative, puissant et insaisissable comme un relent de remords corrompant la jeune vitalité d'un espoir...

Quand on a trahi *l'être*, on n'emporte avec soi qu'un malaise indéfini, aucune image ne venant appuyer de sa précision l'objet qui suscite la sensation d'infamie. Nul ne vous jette la pierre ; vous êtes citoyen respectable comme devant ; vous jouissez des honneurs de la cité, de la considération de vos semblables ; les lois vous protègent ; vous êtes aussi estimable que quiconque, — et cependant personne ne voit que vous vivez d'avance vos funérailles et que votre mort ne saurait rien ajouter à votre condition irrémédiablement établie. C'est que le traître à l'existence n'a de comptes à rendre qu'à soi. Qui d'autre pourrait lui en demander ? Si vous ne décriez ni un homme ni une institution, vous n'encourez aucun risque ; aucune loi ne défend le Réel, mais toutes vous punissent du moindre préjudice porté à ses apparences. Vous avez droit de saper l'être même, mais *aucun* être ; vous pouvez licitement démolir les bases de tout ce qui *est*, mais la prison ou la mort vous attend au moindre attentat aux forces individuelles. Rien ne garantit l'Existence : il n'y a pas de procédure contre les traîtres métaphysiques, contre les Bouddhas qui refusent le salut, ceux-ci n'étant jugés traîtres qu'à leur propre vie. Pourtant, de tous les malfaiteurs, ce sont eux les plus nuisibles : ils n'attaquent pas les fruits, ils attaquent la sève, la sève même de l'univers. Leur punition, eux seuls la connaissent...

Il se peut que dans tout traître il y ait une soif d'opprobre, et que le choix qu'il fait d'un mode de trahison dépende du degré de solitude auquel il aspire. Qui n'a ressenti le désir de perpétrer un forfait incomparable qui l'exclurait du nombre des humains ? Qui n'a convoité l'ignominie, pour couper à jamais les liens qui l'attachaient aux autres pour subir une condamnation sans appel et arriver ainsi à la quiétude de l'abîme ? Et quand on rompt avec l'univers, n'est-ce point pour la paix d'une faute irrémissible ? Un Judas avec l'âme de Bouddha, quel modèle à une humanité future et finissante !

DANS UNE DES MANSARDES DE LA TERRE

──────────────────────── «*J*'ai rêvé de printemps lointains, d'un soleil n'éclairant que l'écume des flots et l'oubli de ma
naissance, d'un soleil ennemi du sol et de ce mal de ne trouver
partout que le désir d'être ailleurs. Le sort terrestre, qui nous l'a
infligé, qui nous a enchaînés à cette matière morose, larme pétrifiée contre laquelle — nés du temps — nos pleurs se brisent, alors
qu'immémoriale, elle est tombée du premier frisson de Dieu?
J'ai détesté les midis et les minuits de la planète, j'ai langui après
un monde sans climat, sans les heures et cette peur qui les gonfle,
j'ai haï les soupirs des mortels sous le volume des âges. Où est
l'instant sans fin et sans désir, et cette vacance primordiale, insensible aux pressentiments des chutes et de la vie? J'ai cherché la
géographie du Rien, des mers inconnues, et un autre soleil — pur
du scandale des rayons féconds, — j'ai cherché le bercement d'un
océan sceptique où se noieraient les axiomes et les îles, l'immense
liquide narcotique et doux et las du savoir.
Cette terre — péché du Créateur! Mais je ne veux plus expier les
fautes des autres. Je veux guérir de ma naissance dans une agonie
en dehors des continents, dans un désert fluide, dans un naufrage
impersonnel.»

L'HORREUR IMPRÉCISE

──────────────────────── *C*e n'est pas l'irruption d'un mal
défini qui nous rappelle notre fragilité : des avertissements plus
vagues, mais plus troublants sont là pour nous signifier l'imminente excommunication du sein temporel. L'approche du dégoût,
de cette sensation qui nous sépare physiologiquement du monde,
nous dévoile combien destructible est la solidité de nos instincts
ou la consistance de nos attaches. Dans la santé, notre chair sert
d'écho à la pulsation universelle et notre sang en reproduit
la cadence; dans le dégoût, qui nous guette comme un enfer virtuel pour nous saisir ensuite soudainement, nous sommes aussi
isolés dans le tout qu'un monstre imaginé par une tératologie de
la solitude.
Le point critique de la vitalité n'est pas la maladie — qui est lutte

— mais cette horreur imprécise qui rejette toute chose et enlève aux désirs la force de procréer des erreurs fraîches. Les sens perdent leur sève, les veines se dessèchent et les organes ne perçoivent plus que l'intervalle qui les sépare de leurs propres fonctions. Tout s'affadit : aliments et rêves. Plus d'arôme dans la matière et plus d'énigme dans les songes; gastronomie et métaphysique deviennent également victimes de notre inappétence. Nous restons des heures à attendre d'autres heures, à attendre des instants qui ne fuiraient plus le temps, des instants fidèles qui nous réinstalleraient dans la médiocrité de la santé... et dans l'oubli de ses écueils.

(Cupidité de l'espace, convoitise inconsciente du futur, la santé nous découvre combien *superficiel* est le niveau de la vie comme telle, et combien l'équilibre organique est incompatible avec la profondeur intérieure.
L'esprit, dans son essor, procède de nos fonctions compromises : il s'envole à mesure que le vide se dilate dans nos organes. Il n'y a de *sain* en nous que ce par quoi nous ne sommes pas spécifiquement nous-mêmes : ce sont nos dégoûts qui nous individualisent; nos tristesses qui nous accordent un nom; nos pertes qui nous rendent possesseurs de notre moi. Nous ne sommes nous-mêmes que par la somme de nos échecs.)

LES DOGMES INCONSCIENTS

———————————————— *N*ous sommes à même de pénétrer l'*erreur* d'un être, de lui dévoiler l'inanité de ses desseins et de ses entreprises; mais comment l'arracher à son acharnement dans le temps, quand il cache un fanatisme aussi invétéré que ses instincts, aussi ancien que ses préjugés? Nous portons en nous — comme un trésor irrécusable — un amas de croyances et de certitudes indignes. Et même celui qui parvient à s'en débarrasser et à les vaincre, demeure, — dans le désert de sa lucidité — encore fanatique : de soi-même, de sa propre existence; il a flétri toutes ses obsessions, sauf le terrain où elles éclosent; il a perdu tous ses points fixes, sauf la fixité dont ils relèvent. La vie a des dogmes plus immuables que la théologie, chaque existence étant ancrée dans des infaillibilités qui font pâlir les élucubrations de la démence ou de la foi. Le sceptique lui-même, amoureux de ses doutes, se révèle fanatique du scepticisme. L'homme est l'être dogmatique par excellence; et ses dogmes sont d'autant plus profonds qu'il ne les formule pas, qu'il les ignore et qu'il les suit.

Nous croyons tous à bien plus de choses que nous ne pensons, nous abritons des intolérances, nous soignons des préventions sanglantes, et, défendant nos idées avec des moyens extrêmes, nous parcourons le monde comme des forteresses ambulantes et irréfragables. Chacun est pour soi-même un dogme suprême; nulle théologie ne protège son dieu comme nous protégeons notre moi; et ce moi, si nous l'assiégeons de doutes, et le mettons en question, ce n'est que par une fausse élégance de notre orgueil : la cause est gagnée d'avance.

Comment échapper à l'absolu de soi-même ? Il faudrait imaginer un être dépourvu d'instincts, qui ne porterait aucun nom, et à qui serait inconnue sa propre image. Mais, tout dans le monde nous renvoie nos traits; et la nuit elle-même n'est jamais assez épaisse pour nous empêcher de nous y mirer. Trop présents à nous-mêmes, notre inexistence avant la naissance et après la mort n'influe sur nous qu'en tant qu'idée et seulement quelques instants; nous ressentons la fièvre de notre durée comme une éternité qui s'altère, mais qui reste cependant intarissable dans son principe. Celui qui ne s'adore pas est encore à naître. Tout ce qui vit se chérit; — autrement d'où viendrait l'épouvante qui sévit aux profondeurs et aux surfaces de la vie ? Chacun est pour soi le seul point fixe dans l'univers. Et si quelqu'un meurt pour une idée, c'est qu'elle est *son* idée, et son idée est *sa vie*.

Nulle critique de nulle raison ne réveillera l'homme de son «sommeil dogmatique». Elle saura ébranler les certitudes irréfléchies qui abondent dans la philosophie et substituer aux affirmations raides des propositions plus flexibles, mais comment, par une démarche rationnelle, arrivera-t-elle à secouer la créature, assoupie sur ses propres dogmes, sans la faire périr ?

DUALITÉ

——————————— *I*l y a une vulgarité qui nous fait admettre n'importe quoi dans ce monde, mais qui n'est pas assez puissante pour nous faire admettre ce monde même. Ainsi, nous pouvons supporter les maux de la vie tout en répudiant la Vie, nous laisser entraîner par les épanchements du désir tout en rejetant le Désir. Dans l'assentiment à l'existence il y a une sorte de bassesse, à laquelle nous échappons grâce à nos fiertés et à nos regrets, mais surtout grâce à la mélancolie qui nous préserve d'un glissement vers une affirmation finale, arrachée à notre lâcheté. Est-il chose plus vile que dire *oui* au monde ? Et pourtant nous multiplions sans cesse ce consentement, cette triviale redite, ce serment de fidélité à la vie, renié seulement par tout ce qui en nous refuse la vulgarité.

Nous pouvons vivre comme les autres vivent et pourtant cacher un *non* plus grand que le monde : c'est l'infini de la mélancolie...

(*O*n ne peut aimer que les êtres qui ne dépassent point le minimum de vulgarité indispensable pour vivre. Pourtant, de cette vulgarité, il serait malaisé de délimiter la quantité, d'autant plus qu'aucun acte ne saurait s'en dispenser. Tous les rejetés de la vie prouvent qu'ils furent insuffisamment sordides... Celui qui l'emporte dans le conflit avec ses proches surgit d'un fumier ; et celui qui y est vaincu paye une pureté qu'il n'a pas voulu souiller. Dans tout homme rien n'est plus existant et véridique que sa propre vulgarité, source de tout ce qui est élémentairement vivant. Mais, d'autre part, plus on est établi dans la vie, plus on est méprisable. Celui qui ne répand pas autour de soi une vague irradiation funèbre, et dont le passage ne laisse pas une traînée de mélancolie venant de mondes lointains, celui-là relève de la sous-zoologie, et plus spécifiquement de l'histoire humaine.

L'opposition entre la vulgarité et la mélancolie est si irréductible, qu'à côté d'elle toutes les autres paraissent inventions de l'esprit, arbitraires et plaisantes ; même les plus tranchantes antinomies s'émoussent devant cette opposition où s'affrontent — suivant un dosage prédestiné — nos bas-fonds et notre fiel songeur.)

LE RENÉGAT

──────────────────────────── *I*l se rappelle être né quelque part, avoir cru aux erreurs natales, proposé des principes et prôné des bêtises enflammées. Il en rougit..., et s'acharne à abjurer son passé, ses patries réelles ou rêvées, les vérités surgies de sa moelle. Il ne trouvera la paix qu'après avoir anéanti en lui le dernier réflexe de citoyen et les enthousiasmes hérités. Comment les coutumes du cœur pourraient-elles l'enchaîner encore, quand il veut s'émanciper des généalogies et quand l'idéal même du sage antique, contempteur de toutes les cités, lui paraît une transaction ? Celui qui ne peut plus prendre parti, parce que tous les hommes ont nécessairement raison et tort, parce que tout est justifié et déraisonnable en même temps, celui-là doit renoncer à son propre nom, fouler aux pieds son identité et recommencer une vie nouvelle dans l'impassibilité ou la désespérance. Ou, sinon, inventer un autre genre de solitude, s'expatrier dans le vide, et poursuivre — au gré des exils — les étapes du déracinement. Délié de tous les préjugés, il devient l'homme inutilisable par excellence, auquel personne ne fait appel et que personne ne craint, parce qu'il admet et répudie tout avec le même détachement. Moins dangereux qu'un insecte distrait, il est cependant un fléau pour la Vie, car elle a disparu de son vocabulaire, avec les sept jours de la Création. Et la Vie lui pardonnerait, si au moins il prenait goût au Chaos, où elle a débuté. Mais il renie les origines fébriles, en commençant par la sienne, ne conservant du monde qu'une mémoire froide et un regret poli.

(De reniement en reniement, son existence s'amenuise : plus vague et plus irréel qu'un syllogisme de soupirs, comment serait-il encore un être de chair ? Exsangue, il rivalise avec l'Idée ; il s'est abstrait de ses aïeux, de ses amis, de toutes les âmes et de soi ; dans ses veines, turbulentes autrefois, repose une lumière d'un autre monde. Émancipé de ce qu'il a vécu, incurieux de ce qu'il vivra, il démolit les bornes de toutes ses routes, et s'arrache aux repères de tous les temps. «Je ne me rencontrerai plus jamais avec moi», se dit-il, heureux de tourner sa dernière haine contre soi, plus heureux encore d'anéantir — *dans son pardon* — les êtres et les choses.)

L'OMBRE FUTURE

———————————————— Nous sommes en droit d'imaginer un temps où nous aurons tout dépassé, même la musique, même la poésie, où, détracteurs de nos traditions et de nos flammes, nous atteindrons à un tel désaveu de nous-mêmes, que, las d'une tombe sue, nous traverserons les jours dans un linceul râpé. Quand un sonnet, dont la rigueur élève le monde verbal au-dessus d'un cosmos superbement imaginé, quand un sonnet cessera d'être pour nous une tentation de larmes, et qu'au milieu d'une sonate nos bâillements triompheront de notre émotion, — alors les cimetières ne voudront plus de nous, eux qui ne reçoivent que les cadavres frais, imbus encore d'un soupçon de chaleur et d'un souvenir de vie.

Avant notre vieillesse, viendra un temps où, rétractant nos ardeurs, et courbés sous les palinodies de la chair, nous marcherons mi-charognes, mi-spectres... Nous aurons réprimé — par peur de complicité avec l'illusion — toute palpitation en nous. Pour n'avoir pas su désincarner notre vie en un sonnet, nous traînerons en lambeaux notre pourriture, et, pour être allés plus loin que la musique ou la mort, nous trébucherons, aveugles, vers une funèbre immortalité...

LA FLEUR DES IDÉES FIXES

*T*ant que l'homme est protégé par la démence, il agit et prospère ; mais quand il se délivre de la tyrannie féconde des idées fixes, il se perd et se ruine. Il commence à tout accepter, à envelopper de sa tolérance non seulement les abus mineurs, mais les crimes et les monstruosités, les vices et les aberrations : tout a le même prix pour lui. Son indulgence, destructrice d'elle-même, s'étend à l'ensemble des coupables, aux victimes et aux bourreaux ; il est de tous les partis, parce qu'il épouse toutes les opinions ; gélatineux, contaminé par l'infini, il a perdu son « caractère », faute d'un point de repère ou d'une hantise. La vue universelle fond les choses dans l'indistinction, et celui qui les distingue encore, n'étant ni leur ami ni leur ennemi, porte en lui un cœur de cire qui se moule indifféremment sur les objets ou sur les êtres. Sa pitié s'adresse à l'existence, et sa charité est celle du doute et non celle de l'amour ; c'est une charité sceptique, suite de la connaissance, et qui excuse toutes les anomalies. — Mais celui qui prend parti, qui vit dans la folie de la décision et du choix, n'est jamais charitable ; inapte à embrasser tous les points de vue, confiné dans l'horizon de ses désirs et de ses principes, il plonge dans une *hypnose du fini*. C'est que les créatures ne s'épanouissent qu'en tournant le dos à l'universel... Être quelque chose — sans condition — est toujours une forme de démence dont la vie — fleur des idées fixes — ne s'affranchit que pour s'étioler.

LE « CHIEN CÉLESTE »

*O*n ne peut savoir ce qu'un homme doit perdre pour avoir le courage de braver toutes les

conventions, on ne peut savoir ce que Diogène a perdu pour devenir l'homme qui s'est tout permis, qui a traduit en acte ses pensées
les plus intimes avec une insolence surnaturelle comme le ferait
un dieu de la connaissance, à la fois libidineux et pur. Personne ne
fut plus franc ; cas limite de sincérité et de lucidité en même temps
qu'exemple de ce que nous pourrions être si l'éducation et l'hypocrisie ne refrénaient nos désirs et nos gestes.

« Un jour un homme le fit entrer dans une maison richement meu-
blée, et lui dit : "Surtout ne crache pas par terre." Diogène qui
avait envie de cracher lui lança son crachat au visage, en lui criant
que c'était le seul endroit sale qu'il eût trouvé et où il pût le faire. »
(Diogène Laërce.)

Qui, après avoir été reçu par un riche, n'a regretté de ne pas disposer d'océans de salive pour les déverser sur tous les possédants
de la terre ? Et qui n'a ravalé son petit crachat de peur de le lancer
au visage d'un voleur respecté et ventru ?

Nous sommes tous ridiculement prudents et timides : le cynisme
ne s'apprend pas à l'école. La fierté non plus.

« Ménippe, dans son livre intitulé *La Vertu de Diogène*, raconte qu'il
fut fait prisonnier et vendu, et qu'on lui demanda ce qu'il savait
faire. Il répondit : "Commander", et cria au héraut : "Demande
donc qui veut acheter un maître." »

L'homme qui affronta Alexandre et Platon, qui se masturbait sur
la place publique (« Plût au ciel qu'il suffît aussi de se frotter le
ventre pour ne plus avoir faim ! »), l'homme du célèbre tonneau et
de la fameuse lanterne, et qui dans sa jeunesse fut faux-monnayeur (est-il plus belle dignité pour un cynique ?), quelle expérience dut-il avoir de ses prochains ? — Certainement la nôtre à
tous, avec pourtant cette différence que l'homme fut l'unique
matière de sa réflexion et de son mépris. Sans subir les falsifica-
tions d'aucune morale et d'aucune métaphysique, il s'exerça à le
dévêtir pour nous le montrer plus dépouillé et plus abominable
que ne l'ont fait les comédies et les apocalypses.

« Socrate devenu fou », ainsi l'appelait Platon. — « Socrate devenu
sincère », c'est ainsi qu'il eût dû le nommer, Socrate renonçant au
Bien, aux formules et à la Cité, devenu enfin uniquement psychologue. Mais Socrate — même sublime — reste conventionnel ; il
reste *maître*, modèle *édifiant*. Seul Diogène ne propose rien ; le
fond de son attitude — et du cynisme dans son essence — est
déterminé par une horreur testiculaire du ridicule d'être homme.
Le penseur qui réfléchit sans illusion sur la réalité humaine, s'il
veut rester à l'intérieur du monde, et qu'il élimine la mystique

comme échappatoire, aboutit à une vision dans laquelle se mélangent la sagesse, l'amertume et la farce ; et, s'il choisit la place publique comme espace de sa solitude, il déploie sa verve à railler ses « semblables » ou à promener son dégoût, dégoût qu'aujourd'hui, avec le christianisme et la police, nous ne saurions plus nous permettre. Deux mille ans de sermons et de codes ont édulcoré notre fiel ; d'ailleurs, dans un monde pressé, qui s'arrêterait pour répondre à nos insolences ou pour se délecter à nos aboiements ? Que le plus grand connaisseur des humains ait été surnommé *chien*, cela prouve qu'en aucun temps l'homme n'a eu le courage d'accepter sa véritable image et qu'il a toujours réprouvé les vérités sans ménagements. Diogène a supprimé en lui la *pose*. Quel monstre aux yeux des autres ! Pour avoir une place honorable dans la philosophie, il faut être comédien, respecter le jeu des idées, et s'exciter sur de faux problèmes. En aucun cas, l'homme tel qu'il est, ne doit être votre *affaire*. Toujours d'après Diogène Laërce :

« Aux jeux olympiques, le héraut ayant proclamé : "Dioxippe a vaincu les hommes", Diogène répondit : "Il n'a vaincu que des esclaves, les hommes c'est mon affaire." »

Et, en effet, il les a vaincus comme nul autre, avec des armes plus redoutables que celles des conquérants, lui qui ne possédait qu'une besace, lui, le moins propriétaire de tous les mendiants, vrai saint du ricanement.

Il nous faut priser le hasard qui le fit naître avant l'avènement de la Croix. Qui sait si, entée sur son détachement, une tentation malsaine d'aventure extrahumaine ne l'eût induit à devenir un ascète quelconque, canonisé plus tard, et perdu dans la masse des bienheureux et du calendrier ? C'est alors qu'il serait devenu fou, lui, l'être le plus profondément normal, puisque éloigné de tout enseignement et de toute doctrine. La figure hideuse de l'homme, il fut le seul à nous la révéler. Les mérites du cynisme furent ternis et foulés par une religion ennemie de l'évidence. Mais le moment est venu d'opposer aux vérités du Fils de Dieu celles de ce « chien céleste », ainsi que l'appela un poète de son temps.

L'ÉQUIVOQUE DU GÉNIE

*T*oute inspiration procède d'une faculté d'exagération : le lyrisme — et le monde entier de la métaphore — serait une excitation pitoyable sans cette fougue qui gonfle les mots à les faire éclater. Quand les éléments ou les dimensions du cosmos paraissent trop réduits pour servir de termes de comparaison à nos états, la poésie n'attend — pour dépasser son stade de virtualité et d'imminence — qu'un peu de clarté dans les émois qui la préfigurent et la font naître. Point de véritable inspiration qui ne surgisse de l'anomalie d'une âme plus vaste que le monde... Dans l'incendie verbal d'un Shakespeare et d'un Shelley nous sentons la cendre des mots, retombement et relent de l'impossible démiurgie. Les vocables empiètent les uns sur les autres, comme si aucun ne pouvait atteindre l'équivalent de la dilatation intérieure; c'est la hernie de l'image, la rupture transcendante de pauvres mots, nés de l'usage journalier et relevés miraculeusement aux altitudes du cœur. Les vérités de la beauté se nourrissent d'exagérations qui, devant un rien d'analyse, se révèlent monstrueuses et ridicules. La poésie : divagation cosmogonique du vocabulaire... A-t-on combiné plus efficacement le charlatanisme et l'extase ? Le mensonge, — source des larmes ! telle est l'imposture du génie et le secret de l'art. Des riens enflés jusqu'au ciel; l'invraisemblable, générateur d'univers ! C'est que dans tout génie coexiste un Marseillais et un Dieu.

IDOLÂTRIE DU MALHEUR

——————————————— *T*out ce que nous construisons au-delà de l'existence brute, toutes les forces multiples qui donnent une physionomie au monde, nous les devons au Malheur, — architecte de la diversité, facteur intelligible de nos actions. Ce que sa sphère n'englobe point, nous dépasse : quel sens pourrait avoir pour nous un événement qui ne nous écraserait pas ? Le Futur nous *attend* pour nous immoler : l'esprit n'enregistre plus que la fracture de l'existence et les sens ne vibrent encore que dans l'expectative du mal... Dès lors, comment ne pas se pencher sur le destin de Lucile de Chateaubriand ou de la Günderode, et ne pas répéter avec la première : « Je m'endormirai d'un sommeil de mort sur ma destinée », ou ne pas s'enivrer du désespoir qui plongea le poignard dans le cœur de l'autre ? À l'exception de quelques exemples de mélancolie exhaustive, et de quelques suicides non pareils, les hommes ne sont que des pantins bourrés de globules rouges pour enfanter l'histoire et ses grimaces.

Lorsque, idolâtres du malheur, nous en faisons l'agent et la substance du devenir, nous baignons dans la limpidité du sort pres-

crit, dans une aurore de désastres, dans une géhenne féconde...
Mais lorsque, croyant l'avoir épuisé, nous redoutons de lui survivre, l'existence se ternit, et ne *devient* plus. Et nous avons peur
de nous réadapter à l'Espoir..., de trahir notre malheur, de nous
trahir...

LE DÉMON

——————————————————————— *I*l est là, dans le brasier du sang,
dans l'amertume de chaque cellule, dans le frissonnement des
nerfs, dans ces prières à rebours qui exhalent la haine, partout où
il fait, de l'horreur, son confort. Le laisserais-je saper mes heures,
alors que je pourrais, complice méticuleux de ma destruction,
vomir mes espoirs et me désister de moi-même ? Il partage —
locataire assassin — ma couche, mes oublis et mes veilles ; pour le
perdre, ma perte m'est nécessaire. Et quand on n'a qu'un corps et
qu'une âme, l'un étant trop lourd et l'autre trop obscur, comment
porter encore un supplément de poids et de ténèbres ? Comment
traîner ses pas dans un temps noir ? Je rêve d'une minute dorée,
hors du devenir, d'une minute ensoleillée, transcendante au tourment des organes et à la mélodie de leur décomposition.
Entendre les pleurs d'agonie et de joie du Mal qui s'entortille dans
tes pensées, — et ne pas étrangler l'intrus ? Mais si tu le frappes,
ce ne sera que par une complaisance inutile envers toi-même. Il
est déjà ton pseudonyme ; tu ne saurais lui faire violence impunément. Pourquoi biaiser à l'approche du dernier acte ? Pourquoi ne
pas t'attaquer à ton propre nom ?

(*I*l serait entièrement faux de croire que la « révélation » démoniaque est une présence inséparable de notre durée ; — cependant, quand nous en sommes saisis, nous ne pouvons imaginer la
quantité des instants neutres que nous avons vécus avant. Invoquer le *diable*, c'est colorer par un reste de théologie une excitation équivoque, que notre fierté refuse d'accepter comme telle.
Mais à qui donc sont inconnues ces frayeurs, dans lesquelles on se
trouve en face du Prince des Ténèbres ? Notre orgueil a besoin
d'un nom, d'un grand nom pour baptiser une angoisse, qui serait
pitoyable si elle n'émanait que de la physiologie. L'explication traditionnelle nous semble plus flatteuse ; un résidu de métaphysique
sied bien à l'esprit...
C'est ainsi que — pour voiler notre mal trop immédiat — nous

recourons à des entités élégantes, encore que désuètes. Comment admettre que nos vertiges les plus mystérieux ne procèdent que de malaises nerveux, alors qu'il nous suffit de penser au Démon en nous ou hors de nous, pour nous redresser aussitôt ? De nos ancêtres nous vient cette propension à objectiver nos maux intimes ; la mythologie a imprégné notre sang et la littérature a entretenu en nous le goût des *effets...*)

LA DÉRISION
D'UNE « VIE NOUVELLE »

──────────────────────────── *C*loués à nous-mêmes, nous n'avons pas la faculté de nous écarter du chemin inscrit dans l'innéité de notre désespoir. Nous faire exempter de la vie parce qu'elle n'est pas notre élément ? Personne ne délivre des certificats d'inexistence. Il nous faut persévérer dans la respiration, sentir l'air brûler nos lèvres, accumuler des regrets au cœur d'une réalité que nous n'avons pas souhaitée, et renoncer à donner une explication au Mal qui entretient notre perte. Quand chaque moment du temps se précipite sur nous comme un poignard, et que notre chair, à l'instigation des désirs, refuse de se pétrifier, — comment affronter un seul instant ajouté à notre sort ? À l'aide de quels artifices trouverions-nous la force d'illusion pour aller en quête d'une autre vie, d'une vie nouvelle ?
C'est que tous les hommes qui jettent un regard sur leurs ruines passées s'imaginent — pour éviter les ruines à venir — qu'il est en leur pouvoir de recommencer quelque chose de radicalement nouveau. Ils se font une promesse solennelle, et attendent un miracle qui les sortirait de ce gouffre médiocre où le destin les a plongés. Mais rien n'advient. Tous continuent d'être les mêmes, modifiés seulement par l'accentuation de ce penchant à déchoir qui est leur marque. Nous ne voyons autour de nous que des inspirations et des ardeurs dégradées : tout homme *promet* tout, mais tout homme vit pour connaître la fragilité de son étincelle et le manque de génialité de la vie. L'authenticité d'une existence consiste dans sa propre ruine. La floraison de notre devenir : chemin d'apparence glorieuse, et qui conduit à un échec ; l'épanouissement de nos dons : camouflage de notre gangrène... Sous le soleil triomphe un printemps de charognes ; la Beauté elle-même n'est que la mort qui se pavane dans les bourgeons...
Je n'ai connu aucune vie « nouvelle » qui ne fût illusoire et com-

promise en ses racines. J'ai vu chaque homme avancer dans le temps pour s'isoler dans une rumination angoissée et retomber en lui-même, avec, en guise de renouvellement, la grimace imprévue de ses propres espoirs.

TRIPLE IMPASSE

——————————————————————— *L*'esprit découvre l'Identité ; l'âme, l'Ennui ; le corps, la Paresse. C'est un même principe d'invariabilité, exprimé différemment sous les trois formes du bâillement universel.

La monotonie de l'existence justifie la thèse rationaliste ; elle nous révèle un univers légal, où tout est prévu et ajusté ; la barbarie d'aucune surprise ne vient en troubler l'harmonie.

Si le même esprit découvre la Contradiction, la même âme, le Délire, le même corps, la Frénésie, c'est pour enfanter des irréalités nouvelles, pour échapper à un univers trop manifestement pareil ; et c'est la thèse antirationaliste qui l'emporte. L'efflorescence des absurdités dévoile une existence devant laquelle toute netteté de vision apparaît d'une indigence dérisoire. C'est l'agression perpétuelle de l'Imprévisible.

Entre ces deux tendances, l'homme déploie son équivoque : ne trouvant point son *lieu* dans la vie, ni dans l'Idée, il se croit prédestiné à l'Arbitraire ; cependant son ivresse d'être libre n'est qu'un trémoussement à l'intérieur d'une fatalité, la forme de son destin n'étant pas moins réglée que ne l'est celle d'un sonnet ou d'un astre.

COSMOGONIE DU DÉSIR

——————————————————————— *A*yant vécu et vérifié tous les arguments contre la vie, je l'ai dépouillée de ses saveurs, et, vautré dans sa lie, j'en ai ressenti la nudité. J'ai connu la métaphysique post-sexuelle, le vide de l'univers inutilement procréé, et cette dissipation de sueur qui vous plonge dans un froid immémorial, antérieur aux fureurs de la matière. Et j'ai voulu être fidèle à mon savoir, contraindre les instincts à s'assoupir, et j'ai constaté qu'il ne sert à rien de manier les armes du néant si on ne peut les tourner contre soi. Car l'irruption des désirs, au milieu de nos connaissances qui les infirment, crée un conflit redoutable entre notre esprit ennemi de la Création et le tréfonds irrationnel qui nous y relie.

Chaque désir humilie la somme de nos vérités et nous oblige à reconsidérer nos négations. Nous essuyons une défaite pratique ; cependant nos principes restent inaltérables... Nous espérions ne plus être les enfants de ce monde, et nous voilà soumis aux appétits comme des ascètes équivoques, maîtres du temps et inféodés aux glandes. Mais ce jeu est sans limite : chacun de nos désirs recrée le monde et chacune de nos pensées l'anéantit... Dans la vie de tous les jours alternent la cosmogonie et l'apocalypse : créateurs et démolisseurs quotidiens, nous pratiquons à une échelle infinitésimale les mythes éternels ; et chacun de nos instants reproduit et préfigure le destin de semence et de cendre dévolu à l'Infini.

INTERPRÉTATION DES ACTES

———————————————————— *N*ul n'exécuterait l'acte le plus infime sans le sentiment que cet acte est la seule et unique réalité. Cet aveuglement est le fondement absolu, le principe indiscutable de tout ce qui existe. Celui qui le *discute* prouve seulement qu'il *est* moins, que le doute a sapé sa vigueur... Mais, du milieu même de ses doutes, il lui faut ressentir l'*importance* de son acheminement vers la négation. Savoir que *rien ne vaut la peine* devient implicitement une croyance, donc une possibilité d'*acte* ; c'est que même un rien d'existence présuppose une foi inavouée ; un simple pas — fût-il vers un semblant de réalité — est une apostasie à l'égard du néant ; la respiration elle-même procède d'un fanatisme en germe, comme toute participation au mouvement... Depuis la flânerie jusqu'au carnage, l'homme ne parcourt la gamme des actes que parce qu'il n'en perçoit point le non-sens : tout ce qui se fait sur terre émane d'une illusion de plénitude dans le vide, d'un *mystère* du Rien...

En dehors de la Création et de la Destruction du monde, toutes les entreprises sont pareillement nulles.

LA VIE SANS OBJET

———————————————————— *I*dées neutres comme des yeux secs ; regards mornes qui enlèvent aux choses tout relief ; auto-auscultations qui réduisent les sentiments à des phénomènes d'attention; vie vaporeuse, sans pleurs et sans rires, — comment vous inculquer une sève, une vulgarité printanière? Et comment supporter ce cœur démissionnaire, et ce temps trop émoussé pour transmettre encore à ses propres saisons le ferment de la croissance et de la dissolution?

Lorsque tu as vu dans toute conviction une souillure et dans tout attachement une profanation, tu n'as plus le droit d'attendre, ici-bas ou ailleurs, un sort modifié par l'espoir. Il te faut choisir un promontoire idéal, ridiculement solitaire, ou une étoile de farce, rebelle aux constellations. Irresponsable par tristesse, ta vie a bafoué ses instants; or, la vie, c'est la *piété de la durée*, le sentiment d'une éternité dansante, le temps qui se dépasse, et rivalise avec le soleil...

ACEDIA

———————————————————— Cette stagnation des organes, cette hébétude des facultés, ce sourire pétrifié, ne te rappellent-ils pas souvent l'ennui des cloîtres, les cœurs déserts de Dieu, la sécheresse et l'idiotie des moines s'exécrant dans l'emportement extatique de la masturbation? Tu n'es qu'un moine sans hypothèses divines et sans l'orgueil du vice solitaire.

La terre, le ciel, sont les parois de ta cellule, et, dans l'air qu'aucun souffle n'agite, seule règne l'absence d'oraison. Promis aux heures creuses de l'éternité, à la périphérie des frissons et aux désirs moisis qui pourrissent à l'approche du salut, tu t'ébranles vers un Jugement sans faste et sans trompettes, cependant que tes pensées, pour toute solennité, n'ont imaginé que la procession irréelle des espérances.

À la faveur des souffrances les âmes s'élançaient autrefois vers les voûtes; tu butes contre elles. Et tu retombes dans le monde comme une Trappe sans foi, traînant sur le Boulevard, Ordre des filles perdues — et de ta perdition.

LES MÉFAITS DU COURAGE ET DE LA PEUR

———————————————————— Avoir peur, c'est penser continuellement à soi et ne pouvoir imaginer un cours objectif des choses. La sensation du terrible, la sensation que tout arrive *contre* vous, suppose un monde conçu sans dangers *indifférents*. Le peureux — victime d'une subjectivité exagérée — se croit, beaucoup plus que le reste des humains, le point de mire d'événements hostiles. Il rencontre dans cette erreur le brave, qui, à l'antipode, n'entrevoit partout que l'invulnérabilité. Tous les deux ont atteint l'extrémité d'une conscience infatuée d'elle-même : contre l'un, tout conspire, pour l'autre, tout est favorable. (Le courageux n'est qu'un fanfaron qui embrasse la menace, qui fuit au-devant du danger.) L'un s'installe négativement au centre du monde, l'autre positivement ; mais leur illusion est la même, leur connaissance ayant un point de départ identique : le danger comme seule réalité. L'un le craint, l'autre le cherche : ils ne sauraient concevoir un mépris clair à l'égard des choses, ils rapportent tout à eux, ils sont trop agités (et tout le mal dans le monde vient de l'excès d'agitation, des fictions dynamiques de la bravoure et de la couardise). Ainsi, ces exemplaires antinomiques et pareils sont les agents de tous les troubles, les perturbateurs de la marche du temps ; ils colorent affectivement la moindre ébauche d'événement et projettent leurs desseins enfiévrés sur un univers qui — à moins d'un abandon à de paisibles dégoûts — est dégradant et intolérable. Courage et peur, deux pôles d'une même maladie consistant à accorder abusivement une signification et une gravité à la vie... C'est le manque d'amertume nonchalante qui des hommes fait des bêtes sectaires : les crimes les plus nuancés comme les plus grossiers sont perpétrés par ceux qui prennent les choses au sérieux. Le dilettante seul n'a pas le goût du sang, lui seul n'est pas scélérat...

DÉSENIVREMENT

———————————————— *L*es soucis non mystérieux des êtres se dessinent aussi clairement que les contours de cette page... Qu'y inscrire sinon le dégoût des générations qui s'enchaînent comme des propositions dans la fatalité stérile d'un syllogisme ?

L'aventure humaine aura assurément un terme, que l'on peut concevoir sans en être le contemporain. Lorsqu'en soi-même on a consommé le divorce avec l'histoire, il est entièrement superflu d'assister à sa clôture. On n'a qu'à regarder l'homme en face pour s'en détacher et pour ne plus en regretter les supercheries. Des milliers d'années de souffrances, qui eussent attendri les pierres,

ne firent qu'insensibiliser cet éphémère d'acier, exemple monstrueux d'évanescence et de durcissement, agité d'une folie insipide, d'une volonté d'exister à la fois insaisissable et impudique.
Quand on perçoit qu'aucun motif humain n'est compatible avec
l'infini et qu'aucun geste ne vaut la peine d'être esquissé, le cœur,
par ses battements, ne peut plus celer sa vacuité. Les hommes se
confondent dans un sort uniforme et vain comme, pour l'œil indifférent, les astres — ou les croix d'un cimetière militaire. De tous
les buts proposés à l'existence, lequel, soumis à l'analyse, échappe
au vaudeville ou à la Morgue? Lequel ne nous révèle pas futiles
ou sinistres? Et y a-t-il un seul sortilège qui puisse nous abuser
encore?

(*Q*uand on est banni des prescriptions visibles, on devient,
comme le diable, métaphysiquement *illégal*; on est sorti de l'ordre
du monde : n'y trouvant plus de place, on le regarde sans le reconnaître; la stupéfaction se régularise en réflexe, tandis que l'étonnement plaintif, manquant d'objet, est à jamais rivé au Vide. On
subit des sensations qui ne répondent plus aux choses parce que
rien ne les irrite plus; on dépasse ainsi le rêve même de l'ange de
la Mélancolie et l'on regrette que Dürer n'ait langui après des
yeux encore plus lointains...
Lorsque tout semble trop concret, trop existant, jusqu'à la plus
noble vision, et qu'on soupire après un Indéfini qui ne relèverait
ni de la vie ni de la mort, lorsque tout contact avec l'être est un
viol pour l'âme, celle-ci s'est exclue de la juridiction universelle,
et, n'ayant plus de comptes à rendre ni de lois à enfreindre, rivalise — par la tristesse — avec l'omnipotence divine.)

ITINÉRAIRE DE LA HAINE

————————————————————— *J*e ne hais personne; — mais la
haine noircit mon sang et brûle cette peau que les années furent
incapables de tanner. Comment dompter, sous des jugements
tendres ou rigoureux, une tristesse hideuse et un cri d'écorché?
J'ai voulu aimer la terre et le ciel, leurs exploits et leurs fièvres, —
et n'y ai rien trouvé qui ne me rappelât la mort : fleurs, astres,
visages, — symboles de flétrissure, dalles virtuelles de toutes les
tombes possibles! Ce qui se crée dans la vie, et l'ennoblit, s'achemine vers une fin macabre ou quelconque. L'effervescence des
cœurs a provoqué des désastres qu'aucun démon n'eût osé conce-

voir. Voyez-vous un esprit enflammé, soyez certains que vous finirez par en être victimes. Ceux qui croient à *leur* vérité — les seuls dont la mémoire des hommes garde l'empreinte — laissent après eux le sol parsemé de cadavres. Les religions comptent dans leur bilan plus de meurtres que n'en ont à leur actif les plus sanglantes tyrannies, et ceux que l'humanité a divinisés l'emportent de loin sur les assassins les plus consciencieux dans leur soif de sang.

Celui qui propose une foi nouvelle est persécuté, en attendant qu'il devienne persécuteur : les vérités commencent par un conflit avec la police et finissent par s'appuyer sur elle ; car toute absurdité pour laquelle on a souffert dégénère en légalité, comme tout martyre aboutit aux paragraphes du code, aux fadeurs du calendrier ou à la nomenclature des rues. Dans ce monde, le ciel même devient *autorité* ; — et l'on vit des périodes qui ne vécurent que par lui, des Moyen Âge plus prodigues en guerres que les époques les plus dissolues, des croisades bestiales, faussement vernies de sublime, devant lesquelles les invasions des Huns paraissent fredaines de hordes décadentes.

Les exploits immaculés se dégradent en entreprise publique ; la consécration ternit le nimbe le plus aérien. Un ange protégé par un gendarme, — c'est ainsi que meurent les vérités et qu'expirent les enthousiasmes. Il suffit qu'une révolte ait raison et qu'elle crée des fervents, qu'une révélation se propage et qu'une institution la confisque, pour que les frissons autrefois solitaires — échus en partage à quelques néophytes songeurs — se souillent dans une existence prostituée. Qu'on me montre ici-bas une seule chose qui a commencé bien et qui n'a pas fini mal. Les palpitations les plus fières s'engouffrent dans un égout, où elles cessent de battre, comme arrivées à leur terme naturel : cette déchéance constitue le drame du cœur et le sens négatif de l'histoire. Chaque «idéal» nourri, à ses débuts, du sang de ses sectaires, s'use et s'évanouit lorsqu'il est adopté par la foule. Voilà le bénitier changé en crachoir : c'est le rythme inéluctable du «progrès»...

Dans ces conditions, sur qui déverser sa haine ? Nul n'est responsable d'être, et encore moins d'être ce qu'il est. Frappé d'existence, chacun subit comme une bête les conséquences qui en découlent. C'est ainsi que, dans un monde où tout est haïssable, la haine devient plus vaste que le monde, et, pour avoir dépassé son objet, s'annule.

(*C*e ne sont pas les fatigues suspectes, ni les troubles précis des organes, qui nous révèlent le point bas de notre vitalité ; ce ne sont

pas non plus nos perplexités ou les variations du thermomètre ; —
mais il nous suffit de ressentir ces accès de haine et de pitié sans
motifs, ces fièvres non mesurables, pour comprendre que notre
équilibre est menacé. Haïr tout et se haïr, dans un déchaînement
de rage cannibale ; avoir pitié de tout le monde et se prendre soi-
même en pitié, — mouvements en apparence contradictoires,
mais originairement identiques ; car on ne peut s'apitoyer que sur
ce qu'on voudrait faire disparaître, sur ce qui ne mérite pas d'exister. Et dans ces convulsions, celui qui les subit et l'univers auquel
elles s'adressent sont voués à la même fureur destructrice et
attendrie. Quand, subitement, on est saisi de compassion sans
savoir pour qui, c'est qu'une lassitude des organes présage un
glissement dangereux ; et, quand cette compassion vague et universelle se tourne vers soi-même, on est dans la condition du dernier des hommes. C'est d'une immense faiblesse physique
qu'émane cette solidarité négative qui, dans la haine ou la pitié,
nous lie aux choses. Ces deux accès, simultanés ou consécutifs, ne
sont pas tant des symptômes incertains que des signes nets d'une
vitalité en baisse, et que tout irrite — depuis l'existence sans déli-
néament jusqu'à la précision de notre propre personne.
Cependant il ne faut pas nous abuser : ces accès sont les plus
clairs et les plus immodérés, mais nullement les seuls : à des
degrés différents, tout est pathologie, sauf l'Indifférence.)

« LA PERDUTA GENTE »

————————————————— *Q*uelle idée saugrenue de construire des cercles dans l'enfer, d'y faire varier par compartiments
l'intensité des flammes et d'y hiérarchiser les tourments ! L'important, c'est d'y être : le reste — simples fioritures ou... brûlures.
Dans la cité d'en haut — préfiguration plus douce de celle d'en
bas, toutes les deux relevant du même patron — l'essentiel,
pareillement, n'est pas d'y être quelque chose — roi, bourgeois,
journalier — mais d'y adhérer ou de s'y soustraire. Vous pouvez
soutenir telle idée ou telle autre, avoir une place ou ramper, du
moment que vos actes et vos pensées servent une forme de cité
réelle ou rêvée vous êtes ses idolâtres et ses prisonniers. Le plus
timide employé comme l'anarchiste le plus fougueux, s'ils y prennent un intérêt différent, vivent en fonction d'elle : ils sont tous les
deux *intérieurement* citoyens, encore que l'un préfère ses pan-
toufles et l'autre sa bombe. Les « cercles » de la cité terrestre, tout

comme ceux de la cité souterraine, enferment les êtres dans une communauté damnée, et les entraînent dans une même parade de souffrances, où chercher des nuances serait oiseux. Celui qui donne son acquiescement aux affaires humaines — sous n'importe quelle forme, révolutionnaire ou conservatrice, — se consume dans une délectation pitoyable : il mélange ses noblesses et ses vulgarités dans la confusion du devenir...

À l'être non consentant, en deçà ou au-delà de la cité, et à qui il répugne d'intervenir dans le cours des grands et des petits événements, toutes les modalités de la vie en commun semblent également méprisables. L'histoire ne saurait présenter à ses yeux que l'intérêt pâle de déceptions renouvelées et d'artifices prévus. Celui qui a vécu parmi les hommes, *et guette encore un seul événement inattendu*, celui-là n'a rien compris et ne comprendra jamais rien. Il est mûr pour la Cité : tout doit lui être offert, tous les postes et tous les honneurs. Tel est le fait de tous les hommes — et cela explique la longévité de cet enfer sublunaire.

HISTOIRE ET VERBE

——————————————————— *C*omment ne pas aimer la sagesse automnale des civilisations molles et faisandées ? L'horreur du Grec, comme du Romain tardif, devant la fraîcheur et les réflexes hyperboréens, émanait d'une répulsion pour les aurores, pour la barbarie débordante d'avenir et pour les sottises de la santé. La resplendissante corruption de toute arrière-saison historique est assombrie par la proximité du Scythe. Nulle civilisation ne saurait s'éteindre dans une agonie indéfinie ; des tribus rôdent alentour, flairant les relents des cadavres parfumés... Ainsi, le fervent des couchants contemple l'échec de tout raffinement et l'avance impudente de la vitalité. Il ne lui reste à recueillir, de l'ensemble du devenir, que quelques anecdotes... Un système d'événements ne prouve plus rien : les grands exploits ont rejoint les contes de fées et les manuels. Les entreprises glorieuses du passé, comme les hommes qui les suscitèrent, n'intéressent encore que pour les belles paroles qui les ont couronnés. Malheur au conquérant qui n'a pas d'esprit ! Jésus lui-même, pourtant dictateur indirect depuis deux millénaires, n'a marqué le souvenir de ses fidèles et de ses détracteurs que par les bribes de paradoxes qui jalonnent sa vie si adroitement scénique. Comment s'enquérir encore d'un martyr s'il n'a pas proféré un mot adéquat à sa souffrance ? Nous ne gardons la mémoire des victimes passées ou récentes que si leur verbe a immortalisé le sang qui les a éclaboussées. Les bourreaux eux-mêmes ne survivent que dans la mesure où ils furent comédiens : Néron serait oublié depuis longtemps sans ses saillies de pitre sanguinaire.

Quand, aux côtés d'un mourant, ses semblables se penchent vers ses balbutiements, ce n'est pas tant pour y déchiffrer une dernière volonté, mais bien plutôt pour y recueillir un bon mot qu'ils sauront citer plus tard afin d'honorer sa mémoire. Si les historiens romains n'omettent jamais de décrire l'agonie de leurs empereurs, c'est pour y placer une sentence ou une exclamation que ceux-ci prononcèrent ou sont censés avoir prononcée. Cela est vrai pour toutes les agonies, même les plus communes. Que la vie ne signifie rien, tout le monde le sait ou le pressent : qu'elle soit au moins sauvée par un tour verbal ! Une phrase aux tournants de leur vie, — voilà à peu près tout ce qu'on demande aux grands et aux petits. Manquent-ils à cette exigence, à cette obligation, ils sont à jamais perdus ; car, on pardonne tout, jusqu'aux crimes, à condition qu'ils soient exquisément *commentés* — et révolus. C'est l'absolution que l'homme accorde à l'histoire en entier, lorsque aucun autre critère ne s'avère opérant et valable, et que lui-même, récapitulant l'inanité générale, ne se trouve d'autre dignité que celle d'un littérateur de l'échec et d'un esthète du sang.

Dans ce monde, où les souffrances se confondent et s'effacent, seule règne la *Formule*.

PHILOSOPHIE ET PROSTITUTION

——————————————— *L*e philosophe, revenu des systèmes et des superstitions, mais persévérant encore sur les chemins du monde, devrait imiter le pyrrhonisme de trottoir dont fait montre la créature la moins dogmatique : la fille publique. Détachée de tout et ouverte à tout ; épousant l'humeur et les idées du client ; changeant de ton et de visage à chaque occasion ; prête à être triste ou gaie, étant indifférente ; prodiguant les soupirs par souci commercial ; portant sur les ébats de son voisin superposé et sincère un regard éclairé et faux, — elle propose à l'esprit un modèle de comportement qui rivalise avec celui des sages. Être sans convictions à l'égard des hommes et de soi-même, tel est le haut enseignement de la prostitution, académie ambulante de lucidité, en marge de la société comme la philosophie. «Tout ce que je sais je l'ai appris à l'école des filles», devrait s'écrier le penseur qui accepte tout et refuse tout, quand, à leur exemple, il s'est spécialisé dans le sourire fatigué, quand les hommes ne sont pour lui que des clients, et les trottoirs du monde le marché où il vend son amertume, comme ses compagnes, leur corps.

HANTISE DE L'ESSENTIEL

————————————————————— *Q*uand toute interrogation paraît accidentelle et périphérique, quand l'esprit cherche des problèmes toujours plus vastes, il arrive que dans sa démarche il ne se heurte plus à aucun objet sinon à l'obstacle diffus du Vide. Dès lors, l'élan philosophique, exclusivement tourné vers l'inaccessible, s'expose à la faillite. À faire le tour des choses et des prétextes temporels, il s'impose des gênes salutaires; mais, s'il s'enquiert d'un principe de plus en plus général, il se perd et s'annule dans le vague de l'Essentiel.

Ne prospèrent dans la philosophie que ceux qui s'arrêtent à propos, qui acceptent la limitation et le confort d'un stade raisonnable de l'inquiétude. Tout problème, si on en touche le fond, mène à la banqueroute et laisse l'intellect à découvert : plus de questions et plus de réponses dans un espace sans horizon. Les interrogations se tournent contre l'esprit qui les a conçues : il devient leur victime. Tout lui est hostile : sa propre solitude, sa propre audace, l'absolu opaque, les dieux invérifiables, et le néant manifeste. Malheur à celui qui, parvenu à un certain moment de l'essentiel, n'a point fait halte ! L'histoire montre que les penseurs qui gravirent jusqu'à la limite l'échelle des questions, qui posèrent le pied sur le dernier échelon, sur celui de l'absurde, n'ont légué à la postérité qu'un exemple de stérilité, tandis que leurs confrères, arrêtés à mi-chemin, ont fécondé le cours de l'esprit ; ils ont *servi* leurs semblables, ils leur ont transmis quelque idole bien façonnée, quelques superstitions polies, quelques erreurs camouflées en principes, et un système d'espoirs. Eussent-ils embrassé les dangers d'une progression excessive, ce dédain des méprises charitables les eût rendus nocifs aux autres et à eux-mêmes; — ils eussent inscrit leur nom aux confins de l'univers et de la pensée, — chercheurs malsains et réprouvés arides, amateurs de vertiges infructueux, quêteurs de songes dont il n'est pas loisible de rêver...

Les idées réfractaires à l'Essentiel sont seules à avoir une prise sur les hommes. Que feraient-ils d'une région de la pensée où périclite même celui qui aspire à s'y installer par inclination naturelle ou soif morbide ? Point de respiration dans un domaine étranger aux doutes usuels. Et si certains esprits se situent en dehors des interrogations convenues, c'est qu'un instinct enraciné dans les profondeurs de la matière, ou un vice surgissant d'une maladie cosmique, a pris possession d'eux et les a conduits à un ordre de réflexions si exigeant et si vaste, que la mort elle-même leur paraît sans importance, les éléments du destin, des fadaises et l'appareil de la métaphysique, utilitaire et suspect. Cette obsession d'une dernière frontière, ce progrès dans le vide entraînent la forme la plus dangereuse de stérilité, auprès de laquelle le néant semble une promesse de fécondité. Celui qui est *difficile* dans ce qu'il fait — dans sa besogne ou dans son aventure — n'a qu'à transplanter son exigence du *fini* sur le plan universel pour ne plus pouvoir achever son œuvre ni sa vie.

L'angoisse métaphysique relève de la condition d'un artisan suprêmement scrupuleux dont l'objet ne serait autre que l'*être.* À force d'analyse, il en arrive à l'impossibilité de composer, de parfaire une miniature de l'univers. L'artiste abandonnant son poème, exaspéré par l'indigence des mots, préfigure le désarroi de l'esprit mécontent dans l'ensemble existant. L'incapacité d'aligner les éléments — aussi dénués de sens et de saveur que les mots qui les expriment — mène à la révélation du vide. C'est ainsi que le rimeur se retire dans le silence ou dans des artifices impénétrables. Devant l'univers, l'esprit trop exigeant essuie une défaite pareille à celle de Mallarmé en face de l'art. C'est la panique devant un objet qui n'est plus objet, qu'on ne peut plus manier, car — idéalement — on en a dépassé les bornes. Ceux qui ne restent pas à l'*intérieur* de la réalité qu'ils cultivent, ceux qui transcendent le métier d'exister, doivent, ou composer avec l'inessentiel, faire machine arrière et se ranger dans la farce éternelle, ou accepter toutes les conséquences d'une condition séparée, et qui est superfétation ou tragédie, suivant qu'on la regarde ou qu'on l'éprouve.

BONHEUR DES ÉPIGONES

*E*st-il délectation plus subtilement équivoque que d'assister à la ruine d'un mythe ? Quelle dilapidation des cœurs pour le faire naître, quels excès d'intolérance pour le faire respecter, quelle terreur pour ceux qui n'y consentent pas et quelle dépense d'espoirs pour le voir… expirer! L'intelligence ne s'épanouit que dans les époques où les croyances se flétrissent, où leurs articles et leurs préceptes se relâchent, où leurs règles s'assouplissent. Toute fin d'époque est le paradis de l'esprit, lequel ne retrouve son jeu et ses caprices qu'au milieu d'un organisme en pleine dissolution. Celui qui a le malheur d'appartenir à une période de création et de fécondité en subit les limitations et l'ornière; esclave d'une vision unilatérale, il est enclos dans un horizon borné. Les moments historiques les plus fertiles furent en même temps les plus irrespirables; ils s'imposaient comme une fatalité, bénie pour un esprit naïf, mortelle à un amateur d'espaces intellectuels. La liberté n'a d'amplitude que chez les épigones désabusés et stériles, chez les intelligences des époques tardives, époques dont le style se désagrège et n'inspire plus qu'une complaisance ironique.

Faire partie d'une Église incertaine de son dieu — après qu'elle l'eut autrefois imposé par le feu et le sang, — cela devrait être l'idéal de tout esprit délié. Quand un mythe devient languissant et diaphane, et l'institution qui le soutient, clémente et compréhensive, les problèmes acquièrent une élasticité agréable. Le point défaillant d'une foi, le degré amoindri de sa vigueur, installent un vide tendre dans les âmes et les rendent réceptives, sans toutefois leur permettre de s'aveugler encore devant les superstitions qui guettent et assombrissent l'avenir. Seules bercent l'esprit ces agonies de l'histoire qui précèdent l'insanité de toute aurore…

ULTIME HARDIESSE

———————————————— *S*'il est vrai que Néron s'est exclamé : «Heureux Priam, qui as vu la ruine de ta patrie», reconnaissons-lui le mérite d'avoir accédé au sublime du défi, à la dernière hypostase du beau geste et de l'emphase lugubre. Après une telle parole, si merveilleusement seyante dans la bouche d'un empereur, on a droit à la banalité; on y est même obligé. Qui pourrait encore prétendre à l'extravagance? Les menus accidents de notre trivialité nous forcent à admirer ce César cruel et cabotin, (et cela d'autant mieux que sa démence a connu une gloire plus grande que les soupirs de ses victimes, l'histoire écrite étant pour le moins aussi inhumaine que les événements qui la suscitent). Toutes les *attitudes* à côté des siennes paraissent singeries.

Et s'il est vrai qu'il fit incendier Rome par goût pour l'*Iliade*, y eut-il jamais hommage plus *sensible* à une œuvre d'art ? C'est en tout cas le seul exemple de critique littéraire *en marche*, d'un jugement esthétique *actif*.

L'effet qu'un livre exerce sur nous n'est réel que si nous ressentons l'envie d'en imiter l'intrigue, de tuer si le héros y tue, d'être jaloux s'il y est jaloux, d'être malade ou mourant s'il y souffre ou s'il y meurt. Mais tout cela, pour nous autres, demeure à l'état virtuel ou se dégrade en lettre morte ; seul Néron s'offre la littérature en spectacle ; ses *comptes rendus*, il les fait avec la cendre de ses contemporains et de sa capitale...

Ces mots et ces actes, il fallait qu'une fois au moins ils fussent proférés et accomplis. Un scélérat s'en chargea. Cela peut nous consoler, cela le doit même, sinon comment reprendrions-nous notre train coutumier et nos vérités habiles et sages ?

EFFIGIE DU RATÉ

———————————————— *A*yant tout acte en horreur, il se répète à lui-même : « Le mouvement, quelle sottise ! » Ce ne sont pas tant les événements qui l'irritent que l'idée d'y prendre part ; et il ne s'agite que pour s'en détourner. Ses ricanements ont dévasté la vie avant qu'il n'en ait épuisé la sève. C'est un Ecclésiaste de carrefour, qui puise dans l'universelle insignifiance une excuse à ses défaites. Soucieux de trouver sans importance quoi que ce soit, il y réussit aisément, les évidences étant en foule de son côté. Dans la bataille des arguments, il est toujours vainqueur, comme il est toujours vaincu dans l'action : il a « raison », il rejette tout — et tout le rejette. Il a compris prématurément ce qu'il ne faut pas comprendre pour vivre — et comme son talent était trop éclairé sur ses propres fonctions, il l'a gaspillé de peur qu'il ne s'écoulât dans la niaiserie d'une œuvre. Portant l'image de ce qu'il eût pu être comme un stigmate et comme un nimbe, il rougit et se flatte de l'excellence de sa stérilité, à jamais étranger aux séductions naïves, seul affranchi parmi les ilotes du Temps. Il extrait sa liberté de l'immensité de ses inaccomplissements ; c'est un dieu infini et pitoyable qu'aucune création ne. limite, qu'aucune créature n'adore, et que personne n'épargne. Le mépris qu'il a déversé sur les autres, les autres le lui rendent. Il n'expie que les actes qu'il n'a pas effectués, dont pourtant le nombre excède le calcul de son orgueil meurtri. Mais à la fin, en guise de consolation, et au bout d'une vie sans titres, il porte son inutilité comme une couronne.

(«À quoi bon?» — adage du Raté, d'un complaisant de la mort... Quel stimulant lorsqu'on commence à en subir la hantise! Car la mort, avant de trop nous y appesantir, nous enrichit, nos forces s'accroissent à son contact; puis, elle exerce sur nous son œuvre de destruction. L'évidence de l'inutilité de tout effort, et cette sensation de cadavre futur s'érigeant déjà dans le présent, et emplissant l'horizon du temps, finissent par engourdir nos idées, nos espoirs et nos muscles, de sorte que le surcroît d'élan suscité par la toute récente obsession, — se convertit — lorsque celle-ci s'est implantée irrévocablement dans l'esprit — en une stagnation de notre vitalité. Ainsi cette obsession nous incite à devenir tout et rien. Normalement elle devrait nous mettre devant le seul choix possible : le couvent ou le cabaret. Mais, quand nous ne pouvons la fuir ni par l'éternité ni par les plaisirs, quand, harcelés au milieu de notre vie, nous sommes aussi loin du ciel que de la vulgarité, elle nous transforme en cette espèce de héros décomposés qui promettent tout et n'accomplissent rien : oisifs s'essoufflant dans le Vide; charognes verticales, dont la seule activité se réduit à penser qu'ils cesseront d'être...)

CONDITIONS DE LA TRAGÉDIE

———————————————— *S*i Jésus avait fini sa carrière sur la croix, et qu'il ne se fût pas engagé à ressusciter, — quel beau héros de tragédie! Son côté divin a fait perdre à la littérature un admirable sujet. Il partage ainsi le sort, esthétiquement médiocre, de tous les *justes*. Comme tout ce qui se perpétue dans le cœur des hommes, comme tout ce qui s'expose au culte et ne meurt pas irrémédiablement, il ne se prête guère à cette vision d'une fin totale qui marque une destinée tragique. Pour cela il eût fallu que personne ne le suivît et que la transfiguration ne vînt pas l'élever à une illicite auréole. Rien de plus étranger à la tragédie que l'idée de rédemption, de salut et d'immortalité! — Le héros succombe sous ses propres actes, sans qu'il lui soit donné d'escamoter sa mort par une grâce surnaturelle; il ne se continue — en tant qu'*existence* — d'aucune manière, il reste *distinct* dans la mémoire des hommes comme un *spectacle* de souffrance; n'ayant point de disciples, sa destinée infructueuse ne féconde rien sinon l'imagination des autres. Macbeth s'effondre sans l'espoir d'un rachat : point d'*extrême-onction* dans la tragédie...

Le propre d'une foi, dût-elle échouer, est d'éluder l'Irréparable. (Qu'aurait pu faire Shakespeare d'un martyr ?) Le véritable héros combat et meurt au nom de sa destinée, et non pas au nom d'une croyance. Son existence élimine toute idée d'échappatoire ; les chemins qui ne le mènent pas à la mort lui sont des impasses ; il travaille à sa « biographie » ; il soigne son dénouement et met, instinctivement, tout en œuvre pour se composer des événements funestes. La fatalité étant sa sève, toute issue ne saurait être qu'une infidélité à sa perte. C'est ainsi que l'homme du destin ne se convertit jamais à quelque croyance que ce soit : il manquerait sa fin. Et, s'il était immobilisé sur la croix, ce n'est pas lui qui lèverait les yeux vers le ciel : sa propre histoire est son seul absolu, comme sa *volonté* de tragédie son seul désir...

LE MENSONGE IMMANENT

——————————————— *Vivre* signifie : croire et espérer, — mentir et *se* mentir. C'est pourquoi l'image la plus véridique qu'on ait jamais créée de l'homme demeure celle du chevalier de la Triste Figure, ce chevalier qu'on retrouve même dans le sage le plus accompli. L'épisode pénible autour de la Croix ou l'autre plus majestueux couronné par le Nirvâna participent de la même irréalité, encore qu'on leur ait reconnu une qualité symbolique qui fut refusée par la suite aux aventures du pauvre hidalgo. Tous les hommes ne peuvent pas réussir : la fécondité de leurs mensonges varie... Telle duperie triomphe : il en résulte une religion, une doctrine ou un mythe — et une foule de fervents ; telle autre échoue : ce n'est alors qu'une divagation, une théorie ou une fiction. Seules les choses inertes *n'ajoutent* rien à ce qu'elles sont : une pierre ne ment pas : elle n'intéresse personne, — tandis que la vie invente sans défaillir : la vie est le *roman* de la matière.

Une poussière éprise de fantômes, — tel est l'homme : son image absolue, idéalement ressemblante, s'incarnerait dans un Don Quichotte vu par Eschyle...

(Si dans la hiérarchie des mensonges la vie occupe la première place, l'amour lui succède immédiatement, mensonge dans le mensonge. Expression de notre position hybride, il s'entoure d'un attirail de béatitudes et de tourments grâce auxquels nous trou-

vons dans un autre un substitut à nous-mêmes. Par quelle supercherie deux yeux nous détournent-ils de notre solitude? Est-il
faillite plus humiliante pour l'esprit? L'amour assoupit la connaissance; la connaissance réveillée tue l'amour. L'irréalité ne saurait
triompher indéfiniment, même travestie en l'apparence du plus
exaltant mensonge. Et d'ailleurs qui aurait une illusion assez
ferme pour trouver dans l'*autre* ce qu'il a cherché vainement en
soi? Une chaleur de tripes nous offrirait-elle ce que l'univers
entier ne sut pas nous offrir? Et pourtant c'est bien cela le fondement de cette anomalie courante, et surnaturelle: résoudre à
deux — ou plutôt, suspendre — toutes les énigmes; à la faveur
d'une imposture, oublier cette fiction où baigne la vie; d'un
double roucoulement remplir la vacuité générale; et — parodie
d'extase — se noyer enfin dans la sueur d'une complice quelconque...)

L'AVÈNEMENT DE LA CONSCIENCE

———————————————— *C*ombien nos instincts durent
s'émousser et leur fonctionnement s'assouplir avant que la
conscience n'étendît son contrôle sur l'ensemble de nos actes et
de nos pensées! La première réaction naturelle *refrénée* entraîna
tous les ajournements de l'activité vitale, tous nos échecs dans
l'immédiat. L'homme — bête à désirs retardés — est un néant
lucide qui englobe tout et n'est englobé par rien, qui surveille tous
les objets et ne dispose d'aucun.
Comparés à l'apparition de la conscience, les autres événements
sont d'une importance minime ou nulle. Mais cette apparition,
en contradiction avec les données de la vie, constitue une irruption dangereuse au sein du monde animé, un scandale dans la
biologie. Rien ne la laissait prévoir: l'automatisme naturel ne sug-
gérait point l'éventualité d'un animal s'élançant par-delà la
matière. Le gorille perdant ses poils et les remplaçant par des
idéaux, le gorille ganté, forgeur de dieux, aggravant ses grimaces
et adorant le ciel, — combien la nature dut souffrir, et souffrira
encore, devant une telle chute! C'est que la conscience mène loin
et permet tout. Pour l'animal, la vie est un absolu; pour l'homme,
elle est un absolu et un prétexte. Dans l'évolution de l'univers,
il n'y a pas de phénomène plus important que cette possibilité
qui nous fut réservée de convertir tous les objets en prétextes,
de *jouer* avec nos entreprises quotidiennes et nos fins dernières,

de mettre sur le même plan, par la divinité du caprice, un dieu et un balai.

Et l'homme ne se débarrassera de ses ancêtres — et de la nature — que lorsqu'il aura liquidé en lui tous les vestiges de l'Inconditionné, lorsque sa vie et celle des autres ne lui paraîtront plus qu'un jeu de ficelles qu'il tirera pour rire, dans un amusement de fin des temps. Il sera alors l'*être* pur. La conscience aura rempli son rôle...

L'ARROGANCE DE LA PRIÈRE

*L*orsqu'on parvient à la limite du monologue, aux confins de la solitude, on invente — à défaut d'autre interlocuteur — Dieu, prétexte suprême de dialogue. Tant que vous Le nommez, votre démence est bien déguisée, et... tout vous est permis. Le vrai croyant se distingue à peine du fou ; mais sa folie est légale, admise ; il finirait dans un asile si ses aberrations étaient pures de toute foi. Mais Dieu les couvre, les rend légitimes. L'orgueil d'un conquérant pâlit auprès de l'ostentation d'un dévot qui s'adresse au Créateur. Comment peut-on tant oser ? Et comment la modestie serait-elle une vertu des temples, alors qu'une vieille décrépite qui s'imagine l'Infini à sa portée, s'élève par la prière à un niveau d'audace auquel nul tyran n'a jamais prétendu ?

Je sacrifierais l'empire du monde pour un seul moment où mes mains jointes imploreraient le grand Responsable de nos énigmes et de nos banalités. Pourtant ce moment constitue la qualité courante — et comme le temps *officiel* — de n'importe quel croyant. Mais celui qui est véritablement modeste se répète à lui-même : « Trop humble pour prier, trop inerte pour franchir le seuil d'une église, je me résigne à mon ombre, et ne veux pas une capitulation de Dieu devant mes prières. » Et à ceux qui lui proposent l'immortalité, il répond : « Mon orgueil n'est pas intarissable : ses ressources sont limitées. Vous pensez, au nom de la foi, vaincre votre moi ; en fait, vous désirez le perpétuer dans l'éternité, cette durée-ci ne vous suffisant point. Votre superbe excède en raffinement toutes les ambitions du siècle. Quel rêve de gloire, comparé au vôtre, ne se révèle-t-il pas duperie et fumée ? Votre foi n'est qu'un délire de grandeurs toléré par la communauté, parce qu'il emprunte des voies travesties ; mais votre poussière est votre unique obsession : friand d'intemporel, vous persécutez le temps qui la disperse. L'au-delà seul est assez spacieux pour vos convoitises ; la terre et ses instants vous semblent trop fragiles. La mégalomanie des couvents dépasse tout ce qu'imaginèrent jamais les fièvres somptueuses des palais. Celui qui ne consent pas à son néant est un malade mental. Et le croyant, entre tous, est le moins disposé à y consentir. La volonté de durer, poussée si loin, m'épouvante. Je me refuse à la séduction malsaine d'un Moi indéfini. Je veux me vautrer dans ma mortalité. Je veux rester *normal*. »

(Seigneur, donnez-moi la faculté de ne jamais prier, épargnez-moi l'insanité de toute adoration, éloignez de moi cette tentation d'amour qui me livrerait pour toujours à Vous. Que le vide s'étende entre mon cœur et le ciel ! Je ne souhaite point mes déserts peuplés de votre présence, mes nuits tyrannisées par votre lumière, mes Sibéries fondues sous votre soleil. Plus seul que vous, je veux mes mains pures, au rebours des vôtres qui se souillèrent à jamais en pétrissant la terre et en se mêlant des affaires du monde. Je ne demande à votre stupide omnipotence que le respect de ma solitude et de mes tourments. Je n'ai que faire de vos paroles ; et je crains la folie qui me les ferait entendre. Dispensez-moi le miracle recueilli d'avant le premier instant, la paix que vous ne pûtes tolérer et qui vous incita à ménager une brèche dans le néant pour y ouvrir cette foire des temps, et pour me condamner ainsi à l'univers, — à l'humiliation et à la honte d'être.)

LYPÉMANIE

——————————————————— *P*ourquoi n'as-tu la force de te soustraire à l'obligation de respirer ? Pourquoi subir encore cet air solidifié qui bloque tes poumons et s'écrase contre ta chair ? Comment vaincre ces espoirs opaques et ces idées pétrifiées, quand, tour à tour, tu imites la solitude d'un roc, ou l'isolement d'un crachat figé sur les bords du monde ? Tu es plus éloigné de toi-même que d'une planète non découverte, et tes organes, tournés vers les cimetières, en jalousent le dynamisme...

Ouvrir tes veines pour inonder cette feuille qui t'irrite comme t'irritent les saisons ? Ridicule tentative ! Ton sang, décoloré par les nuits blanches, a suspendu son cours... Rien ne réveillera en toi la soif de vivre et de mourir, éteinte par les années, à jamais rebutée par ces sources sans murmure ni prestige auxquelles s'abreuvent les hommes. Avorton aux lèvres muettes et sèches, tu demeureras au-delà du bruit de la vie et de la mort, au-delà même du bruit des larmes...

(*L*a véritable grandeur des saints consiste en ce pouvoir — insurpassable entre tous — de vaincre la Peur du Ridicule. Nous ne saurions pleurer sans honte ; eux, ils invoquent le « don des larmes ». Un souci d'honorabilité dans nos « sécheresses » nous immobilise en spectateurs de notre infini amer et comprimé, de nos ruissellements qui n'ont pas lieu. Pourtant la fonction des yeux n'est pas de voir, mais de pleurer ; et pour *voir* réellement il nous faut les fermer : c'est la condition de l'extase, de la seule vision révélatrice, tandis que la perception s'épuise dans l'horreur du *déjà vu*, d'un irréparable *su* depuis toujours.

Pour celui qui a pressenti les désastres inutiles du monde, et à qui le savoir n'a apporté que la confirmation d'un désenchantement inné, les scrupules qui l'empêchent de pleurer accentuent sa prédestination à la tristesse. Et s'il est en quelque sorte jaloux des exploits des saints, ce n'est pas tant pour leur dégoût des apparences ou leur appétit transcendant, mais plutôt pour leur victoire sur cette peur du ridicule, à laquelle il ne peut se soustraire et qui le retient en deçà de l'inconvenance surnaturelle des larmes.)

MALÉDICTION DIURNE

——————————— *S*e répéter à soi-même mille fois par jour : « Rien n'a de prix ici-bas », se retrouver éternellement au même point, et tournoyer niaisement comme une toupie... Car il n'y a pas de progression dans l'idée de la vanité du tout, ni d'aboutissement ; et, aussi loin que nous nous hasardions dans cette rumination, notre connaissance ne s'accroît aucunement : elle est dans son état présent aussi riche et aussi nulle qu'à son point de départ. C'est un arrêt dans l'incurable, une lèpre de l'esprit, une révélation par la stupeur. Un simple d'esprit, un idiot, qui subirait une illumination, et qui s'y installerait sans aucun moyen d'en sortir et de recouvrer sa condition nébuleuse et confortable, tel est l'état de celui qui se voit engagé malgré lui dans la perception de l'universelle futilité. Abandonné par ses nuits, et comme en proie à une clarté qui l'étouffe, il n'a que faire de ce jour qui ne s'achève plus. Quand la lumière cessera-t-elle de déverser ses rayons, funestes au souvenir d'un monde nocturne et antérieur à tout ce qui fut? Comme il est révolu le chaos, reposant et calme, d'avant la terrible Création, ou, plus doux encore, le chaos du néant mental!

DÉFENSE DE LA CORRUPTION

—————————————— Si l'on mettait sur le plateau d'une balance le mal que les «purs» ont déversé sur le monde et sur l'autre le mal venu des hommes sans principes et sans scrupules, c'est vers le premier plateau que pencherait le fléau de la balance. Dans l'esprit qui la propose, toute formule de salut dresse une guillotine... Les désastres des époques corrompues ont moins de gravité que les fléaux causés par les époques ardentes; la fange est plus agréable que le sang; et il y a plus de douceur dans le vice que dans la vertu, plus d'humanité dans la dépravation que dans le rigorisme. L'homme qui règne et ne croit à rien, voilà le modèle d'un paradis de la déchéance, d'une souveraine solution à l'histoire. Les opportunistes ont sauvé les peuples; les héros les ont ruinés. Se sentir contemporain, non pas de la Révolution et de Bonaparte, mais de Fouché et de Talleyrand: il n'a manqué à la versatilité de ceux-ci qu'un supplément de tristesse pour qu'ils nous suggèrent par leurs actes un Art de vivre.

C'est aux époques dissolues que revient le mérite de mettre à nu l'essence de la vie, de nous révéler que tout n'est que *farce* ou *amertume* — et qu'aucun événement ne vaut d'être enjolivé: il est nécessairement exécrable. Le mensonge paré des grandes époques, de tel siècle, de tel roi, de tel pape... La «vérité» ne transparaît qu'aux moments où les esprits, oublieux du délire constructif, se laissent glisser sur la dissolution des morales, des idéaux et des croyances. Connaître, c'est *voir*; ce n'est ni espérer ni entreprendre.

La stupidité qui caractérise les cimes de l'histoire n'a d'équivalent que l'ineptie de ceux qui en sont les agents. C'est par manque de finesse qu'on mène jusqu'au bout ses actes et ses pensées. Un esprit délié répugne à la tragédie et à l'apothéose: les disgrâces et les palmes l'exaspèrent autant que la banalité. *Aller trop loin*, c'est donner infailliblement une preuve de mauvais goût. L'esthète tient en horreur le sang, le sublime et les héros... Il ne prise encore que les farceurs...

L'UNIVERS DÉMODÉ

─────────────────────────── *L*e processus de vieillissement dans l'univers verbal suit un rythme autrement accéléré que dans l'univers matériel. Les mots, trop répétés, s'exténuent et meurent, alors que la monotonie constitue la loi de la matière. Il faudrait à l'esprit un dictionnaire infini, mais ses moyens sont limités à quelques vocables trivialisés par l'usage. C'est ainsi que le *nouveau*, exigeant des combinaisons étranges, oblige les mots à des fonctions inattendues : *l'originalité se réduit à la torture de l'adjectif et à une impropriété suggestive de la métaphore.* Mettez les mots à leur place : c'est le cimetière quotidien de la Parole. Ce qui est *consacré* dans une langue en constitue la mort : un mot *prévu* est un mot défunt ; seul son emploi artificiel lui insuffle une vigueur nouvelle, en attendant que le commun l'adopte, l'use et le souille. L'esprit est *précieux* — ou il n'est pas, tandis que la nature se prélasse dans la simplicité de ses moyens toujours les mêmes.

Ce que nous appelons *notre* vie par rapport à la vie tout court, c'est une création incessante de vogues à l'aide de la parole artificiellement maniée ; c'est une prolifération de futilités, sans lesquelles il nous faudrait expirer dans un bâillement qui engloutirait l'histoire et la matière. Si l'homme invente des physiques nouvelles, ce n'est pas tant pour aboutir à une explication valable de la nature que pour échapper à l'ennui de l'univers entendu, habituel, vulgairement irréductible, auquel il attribue arbitrairement autant de dimensions que nous projetons d'adjectifs sur une chose inerte que nous sommes las de voir et de subir comme elle était vue et subie par la stupidité de nos ancêtres ou de nos proches devanciers. Malheur à celui qui, ayant compris cette mascarade, s'en éloigne ! Il aura piétiné le secret de sa vitalité — et il ira rejoindre la vérité immobile et sans apprêts de ceux en qui les sources du Précieux se sont taries, et dont l'esprit s'est étiolé faute d'artificiel.

(*I*l n'est que trop légitime de concevoir le moment où la vie passera de mode, où elle tombera en désuétude comme la lune ou la tuberculose après l'abus romantique : elle ira couronner l'anachronisme des symboles dénudés et des maladies démasquées ; elle redeviendra *elle-même* : un mal sans prestiges, une fatalité sans éclat. Et ce moment n'est que trop prévisible où aucun espoir ne surgira plus des cœurs, où la terre sera aussi glaciale que les créatures, où aucun rêve ne viendra plus embellir l'immensité stérile. L'humanité rougira d'enfanter quand elle verra les choses telles qu'elles sont. La vie sans la sève des méprises et des leurres, la vie cessant d'être une vogue, ne trouvera aucune clémence devant le tribunal de l'esprit. Mais, en fin de compte, cet esprit lui-même s'évanouira : il n'est qu'un prétexte dans le néant, comme la vie n'y est qu'un préjugé.

L'histoire se soutient tant qu'au-dessus de ses modes transitoires, dont les événements sont l'ombre, une mode plus générale plane comme un invariant ; mais quand cet invariant se dévoilera à tous comme un simple caprice, quand l'intelligence de l'erreur de vivre deviendra un bien commun et une vérité unanime, où chercherons-nous des ressources pour engendrer, ou même pour esquisser l'ébauche d'un acte, le simulacre d'un geste ? Par quel art survivre à nos instincts clairvoyants et à nos cœurs lucides ? Par quel prodige ranimer une tentation future dans un univers démodé ?)

L'HOMME VERMOULU

———————————————— *J*e ne veux plus collaborer avec la lumière ni employer le jargon de la vie. Et je ne dirai plus : « Je suis » — sans rougir. L'impudeur du souffle, le scandale de la respiration sont liés à l'abus d'un verbe auxiliaire...

Ce temps est révolu où l'homme se pensait en termes d'aurore ; reposant sur une matière anémiée, le voilà ouvert à son véritable devoir, au devoir d'étudier sa perte, et d'y courir... ; le voilà au seuil d'une ère nouvelle : celle de la *Pitié de soi*. Et cette Pitié est sa seconde chute, plus nette et plus humiliante que la première : c'est une chute sans rachat. En vain inspecte-t-il les horizons : mille et mille sauveurs s'y profilent, des sauveurs de farce, eux-mêmes inconsolés. Il s'en détourne pour se préparer, dans son âme blette, à la douceur de pourrir... Parvenu au plus intime de son automne, il oscille entre l'Apparence et le Rien, entre la forme trompeuse de l'être et son absence : vibration entre deux irréalités...

La conscience occupe le vide qui suit l'érosion de l'existence par l'esprit. Il faut l'obnubilation d'un croyant ou d'un idiot pour s'intégrer à la « réalité », laquelle s'évanouit à l'approche du moindre doute, d'un soupçon d'improbabilité ou d'un sursaut d'angoisse, — autant de rudiments qui préfigurent la conscience et qui, *développés*, l'engendrent, la définissent et l'exaspèrent. Sous l'effet de cette conscience, de cette présence incurable, l'homme accède à son plus haut privilège : celui de se perdre. — Malade d'honneur de la nature, il en corrompt la sève ; vice abstrait des instincts, il en détruit la vigueur. L'univers se flétrit à son contact et le temps plie bagage... Il ne pouvait s'accomplir — et descendre la pente — que sur la ruine des éléments. Son œuvre achevée, il est mûr pour disparaître : sur combien de siècles encore va-t-il étendre son râle ?

LE PENSEUR D'OCCASION

> *«Les idées sont des succédanés des chagrins.»*
>
> MARCEL PROUST

LE PENSEUR D'OCCASION

*J*e vis dans l'attente de l'Idée; je la pressens, la cerne, m'en saisis — et ne puis la formuler, elle m'échappe, elle ne m'appartient pas encore : l'aurais-je conçue dans mon absence? Et comment, d'imminente et confuse, la rendre présente et lumineuse dans l'agonie intelligible de l'expression? Quel état dois-je espérer pour qu'elle éclose — et dépérisse?

Antiphilosophe, j'abhorre toute idée *indifférente* : je ne suis pas toujours triste, donc je ne pense pas toujours. Quand je *regarde* les idées, elles me paraissent plus inutiles encore que les choses; aussi n'ai-je aimé que les élucubrations des grands malades, les ruminations de l'insomnie, les éclairs d'une frayeur incurable et les doutes traversés de soupirs. La somme de clair-obscur qu'une idée recèle est le seul indice de sa profondeur, comme l'accent désespéré de son enjouement est l'indice de sa fascination. Combien de nuits blanches cache votre passé nocturne? — C'est ainsi que nous devrions aborder tout penseur. Celui qui pense *quand il veut* n'a rien à nous dire : au-dessus — ou plutôt, *à côté* — de sa pensée, il n'en est pas *responsable*, il n'y est guère engagé, ne gagne ni ne perd à se risquer dans un combat où lui-même n'est pas son propre ennemi. Rien ne lui coûte de croire à la Vérité. Il n'en est pas de même d'un esprit pour qui le *vrai* et le *faux* ont cessé d'être des superstitions; destructeur de tous les critères, il *se constate*, comme les infirmes et les poètes; il pense par accident : la gloire d'un malaise ou d'un délire lui suffit. Une indigestion n'est-elle point plus riche d'idées qu'une parade de concepts? Les troubles des organes déterminent la fécondité de l'esprit : celui qui ne *sent* pas son corps ne sera jamais en mesure de concevoir une pensée vivante ; il attendra en pure perte la surprise avantageuse de quelque inconvénient...

Dans l'indifférence affective, les idées se dessinent ; cependant aucune ne peut prendre forme : c'est à la tristesse d'offrir un climat à leur éclosion. Il leur faut une certaine tonalité, une certaine couleur pour vibrer et s'illuminer. Être longtemps stérile c'est les guetter, les désirer sans pouvoir les compromettre dans une formule. Les « saisons » de l'esprit sont conditionnées par un rythme organique ; il ne dépend pas de « moi » d'être naïf ou cynique : *mes vérités sont les sophismes de mon enthousiasme ou de ma tristesse.* J'existe, je sens et je pense au gré de l'instant — et malgré moi. Le Temps me constitue ; je m'y oppose en vain — et *je suis.* Mon présent non souhaité se déroule, *me* déroule ; ne pouvant le commander, je le commente ; esclave de mes pensées, je joue avec elles, comme un bouffon de la fatalité...

LES AVANTAGES DE LA DÉBILITÉ

—————————————— *L*'individu qui ne dépasse guère sa qualité de bel exemplaire, de modèle achevé, et dont l'existence se confond avec sa destinée vitale, se place en dehors de l'esprit. La masculinité idéale — obstacle à la perception des nuances — entraîne une insensibilité à l'endroit du *surnaturel quotidien*, où l'art puise sa substance. Plus on est *nature*, moins on est artiste. La vigueur homogène, non différenciée, opaque, fut idolâtrée par le monde des légendes, par les fantaisies de la mythologie. Lorsque les Grecs s'adonnèrent à la spéculation, le culte de l'éphèbe anémique remplaça celui des géants ; et les héros eux-mêmes, nigauds sublimes au temps d'Homère, devinrent, grâce à la tragédie, porteurs de tourments et de doutes incompatibles avec leur fruste nature.

La richesse intérieure résulte de conflits que l'on entretient en soi ; or, la vitalité qui dispose pleinement d'elle-même ne connaît que le combat extérieur, l'acharnement sur l'objet. Dans le mâle qu'une dose de féminité énerve, s'affrontent deux tendances : par ce qui est passif en lui, il saisit tout un monde d'abandons ; par ce qui est impérieux, il convertit sa volonté en loi. Tant que ses instincts demeurent inaltérés, il n'intéresse que l'espèce ; qu'une insatisfaction secrète s'y glisse, et c'est alors un *conquérant.* L'esprit le justifie, l'explique et l'excuse et, le rangeant dans l'ordre des sots supérieurs, l'abandonne à la curiosité de l'Histoire, — investigation de la stupidité en marche...

Celui dont l'existence ne constitue pas un mal à la fois vigoureux et vague, ne saura jamais s'installer au milieu des problèmes ni en connaître les dangers. La condition propice à la recherche de la vérité ou de l'expression se trouve à mi-chemin entre l'homme et la femme : les lacunes de la « virilité » sont le siège de l'esprit... Si la femelle pure, qu'on ne saurait suspecter d'aucune anomalie sexuelle ni psychique, est plus vide intérieurement qu'une bête, le mâle intact épuise la définition du « crétin ». — Considérez n'importe quel être qui a retenu votre attention ou excité votre ferveur : dans son mécanisme un rien s'est détraqué *à son avantage.* Nous méprisons à juste titre ceux qui n'ont pas mis à profit leurs défauts, qui n'ont pas exploité leurs carences, et ne se sont pas enrichis de leurs pertes, comme nous méprisons tout homme qui ne souffre pas d'être homme ou simplement d'être. Ainsi l'on ne saurait infliger offense plus grave que d'appeler quelqu'un « heureux », ni le flatter davantage qu'en lui attribuant un « fond de tristesse »... C'est que la gaîté n'est liée à aucun acte important et, qu'en dehors des fous, personne ne rit quand il est seul.

La « vie intérieure » est l'apanage des délicats, de ces avortons frémissants, sujets à une épilepsie sans chute ni bave. L'être biologiquement intègre se méfie de la « profondeur », en est incapable, y voit une dimension suspecte qui nuit à la spontanéité des actes. Il ne se trompe pas : avec le repliement sur soi commence le drame de l'individu — sa gloire et son déclin ; s'isolant du flux anonyme, du ruissellement utilitaire de la vie, il s'émancipe des *fins objectives.* Une civilisation est « atteinte » quand les délicats y donnent le ton ; mais, grâce à eux, elle a définitivement triomphé de la nature — et s'effondre. Un exemplaire extrême de raffinement réunit en soi l'exalté et le sophiste : il n'adhère plus à ses élans, les cultive sans y croire ; c'est la débilité omnisciente des époques crépusculaires, préfiguration de l'éclipse de l'homme. Les délicats nous laissent entrevoir le moment où les concierges seront harassés par des scrupules d'esthètes ; où les paysans, courbés de doutes, n'auront plus la vigueur d'empoigner la charrue ; où tous les êtres, rongés de clairvoyance et vidés d'instincts, s'éteindront sans la force de regretter la nuit prospère de leurs illusions...

LE PARASITE DES POÈTES

I. — *I*l ne saurait y avoir d'aboutissement à la vie d'un poète. C'est de tout ce qu'il n'a pas entrepris, de tous les instants nourris d'inaccessible, que lui vient sa puissance. Ressent-il l'inconvénient d'exister ? sa faculté d'expression s'en trouve raffermie, son souffle, dilaté.

Une biographie n'est légitime que si elle met en évidence l'élasticité d'une destinée, la somme de variables qu'elle comporte. Mais le poète suit une ligne de fatalité dont rien n'assouplit la rigueur. C'est aux nigauds que la vie échoit en partage ; et c'est pour suppléer à celle qu'ils n'ont pas eue qu'on a inventé les biographies des poètes...

La poésie exprime l'essence de ce qu'on ne saurait posséder ; sa signification dernière : l'impossibilité de toute « actualité ». La joie n'est pas un sentiment poétique. (Elle relève néanmoins d'un secteur de l'univers lyrique où le hasard réunit, en un même faisceau, les flammes et les sottises.) A-t-on jamais vu un chant d'espoir qui n'inspirât pas une sensation de malaise, voire d'écœurement ? Et comment chanter une présence, quand le *possible* lui-même est entaché d'une ombre de vulgarité ? Entre la poésie et l'espérance, l'incompatibilité est complète ; aussi le poète est-il victime d'une ardente décomposition. Qui oserait se demander comment il a ressenti la vie quand c'est par la mort qu'il a été vivant ? Lorsqu'il succombe à la tentation du bonheur, — il appartient à la comédie... Mais si, par contre, des flammes émanent de ses plaies, et qu'il chante la félicité — cette incandescence voluptueuse du malheur — il se soustrait à la nuance de vulgarité inhérente à tout accent positif. C'est Hölderlin se réfugiant dans une Grèce de songe et transfigurant l'amour par des ivresses plus pures, par celles de l'irréalité...

Le poète serait un transfuge odieux du réel si dans sa fuite il n'emportait pas son malheur. À l'encontre du mystique ou du sage, il ne saurait échapper à lui-même, ni s'évader du centre de sa propre hantise : ses extases même sont incurables, et signes avant-coureurs de désastres. Inapte à se sauver, pour lui tout est possible, sauf sa vie...

II. — *J*e reconnais à ceci un véritable poète : en le fréquentant, en vivant longtemps dans l'intimité de son œuvre, *quelque chose* se modifie en moi : non pas tant mes inclinations ou mes goûts que mon sang même, comme si un mal subtil s'y était introduit pour en altérer le cours, l'épaisseur et la qualité. Valéry ou Stefan George nous déposent là où nous les avons abordés, ou nous rendent plus exigeants sur le plan formel de l'esprit : ce sont des génies dont nous n'avons pas *besoin*, ce ne sont que des artistes. Mais un Shelley, mais un Baudelaire, mais un Rilke interviennent au plus profond de notre organisme qui se les annexe ainsi qu'il le ferait d'un vice. Dans leur voisinage, un corps se fortifie, puis s'amollit et se désagrège. Car le poète est un agent de destruction, un virus, une maladie déguisée et le danger le plus grave, encore que merveilleusement imprécis, pour nos globules rouges. Vivre dans ses parages ? c'est sentir le sang s'amincir, c'est rêver un paradis de l'anémie, et entendre, dans les veines, des larmes ruisseler...

III. — *A*lors que le vers permet tout, que vous pouvez y déverser larmes, hontes, extases — et surtout plaintes, la prose vous interdit de vous épancher ou de vous lamenter : son abstraction conventionnelle y répugne. Elle exige d'autres vérités : contrôlables, déduites, mesurées. Si pourtant on volait celles de la poésie, si on pillait sa matière, et qu'on osât autant que les poètes ? Pourquoi ne pas insinuer dans le discours leurs indécences, leurs humiliations, leurs grimaces et leurs soupirs ? Pourquoi ne point être décomposé, pourri, cadavre, ange ou Satan dans le langage du vulgaire, et pathétiquement trahir tant d'aériens et de sinistres envols ? Bien plutôt qu'à l'école des philosophes, c'est à celle des poètes qu'on apprend le courage de l'intelligence et l'audace d'être soi-même. Leurs «affirmations» font pâlir les propos les plus étrangement impertinents des sophistes anciens. Personne ne les adopte : y eut-il jamais un seul penseur qui fût allé aussi loin que Baudelaire ou qui se fût enhardi à mettre en système une fulguration de Lear ou une tirade d'Hamlet ? Nietzsche peut-être avant sa fin, mais hélas ! il s'obstinait encore dans ses ritournelles de prophète... Chercherait-on du côté des saints ? certaines frénésies de Thérèse d'Avila ou d'Angèle de Foligno... Mais on y rencontre trop souvent Dieu, ce *non-sens consolateur* qui, affermissant leur courage, en diminue la qualité. Se promener sans convictions et seul parmi les vérités n'est pas d'un homme, ni même d'un saint ; quelquefois cependant d'un poète...

J'imagine un penseur s'exclamant dans un mouvement d'orgueil : «J'aimerais qu'un poète se fît un destin de mes pensées !» Mais, pour que son aspiration fût légitime, il faudrait que lui-même fréquentât longtemps les poètes, qu'il y puisât des délices de malédiction, et qu'il leur rendît, abstraite et achevée, l'image de leurs propres déchéances ou de leurs propres délires ; — il faudrait surtout qu'il succombât au seuil du chant, et, hymne vivant *en deçà* de l'inspiration, qu'il connût *le regret de ne pas être poète*, — de ne pas être initié à la «science des larmes», aux fléaux du cœur, aux orgies formelles, aux immortalités de l'instant...

... Maintes fois j'ai rêvé d'un monstre mélancolique et érudit, versé dans tous les idiomes, intime de tous les vers et de toutes les âmes, et qui errât de par le monde pour s'y repaître de poisons, de ferveurs, d'extases, à travers les Perses, les Chines, les Indes défuntes, et les Europes mourantes, — maintes fois j'ai rêvé d'un ami des poètes et qui les eût connus tous par désespoir de n'être pas des leurs.

TRIBULATIONS D'UN MÉTÈQUE

———————————————— *I*ssu de quelque tribu infortunée, il arpente les boulevards de l'Occident. Amoureux de patries successives, il n'en espère plus aucune : figé dans un crépuscule intemporel, citoyen du monde — et de nul monde, — il est inefficace, sans nom et sans vigueur. Les peuples sans destin ne sauraient en donner un à leurs fils qui, assoiffés d'autres horizons, s'en éprennent et les épuisent ensuite pour finir eux-mêmes en spectres de leurs admirations et de leurs lassitudes. N'ayant rien à aimer chez eux, ils placent leur amour ailleurs, dans d'autres contrées, où leur ferveur étonne les indigènes. Trop sollicités, les sentiments s'usent et se dégradent, en premier lieu l'admiration... Et le Métèque qui se dissipa sur tant de routes, s'écrie : «Je me suis forgé d'innombrables idoles, ai dressé partout trop d'autels, et me suis agenouillé devant une foule de dieux. Maintenant, las d'adorer, j'ai gaspillé la dose de délire qui m'échut en partage. On n'a de ressources que pour les absolus de son engeance, une âme comme un pays ne s'épanouissant qu'à l'intérieur de ses frontières : je paye pour les avoir franchies, pour m'être fait de l'Indéfini une patrie, et de divinités étrangères un culte, pour m'être prosterné devant des siècles qui exclurent mes ancêtres. D'où je viens, je ne saurais plus le dire : dans les temples, je suis sans croyance ; dans les cités, sans ardeur ; près de mes semblables, sans curiosité ; sur la terre, sans certitudes. — Donnez-moi un désir *précis*, et je renverserai le monde. Délivrez-moi de cette honte des actes qui me fait jouer chaque matin la comédie de la résurrection et chaque soir celle de la mise au tombeau ; dans l'intervalle, rien que ce supplice dans le linceul de l'ennui... Je rêve de vouloir — et tout ce que je veux me paraît sans prix. Comme un vandale rongé par la mélancolie, je me dirige sans but, moi sans moi, vers je ne sais plus quels coins... pour découvrir un dieu abandonné, un dieu lui-même athée, et m'endormir à l'ombre de ses derniers doutes et de ses derniers miracles.»

L'ENNUI DES CONQUÉRANTS

*P*aris pesait sur Napoléon, de son propre aveu, comme un «manteau de plomb» : dix millions d'hommes en périrent. C'est le bilan du «mal du siècle» lorsqu'un René à cheval en devient l'agent. Ce mal, né dans l'oisiveté des salons du XVIIIᵉ, dans la mollesse d'une aristocratie trop lucide, exerça des ravages loin dans les campagnes : des paysans durent payer de leur sang un mode de sensibilité, étranger à leur nature, et, avec eux, tout un continent. Les natures exceptionnelles dans lesquelles s'est insinué l'Ennui, ayant l'horreur de tout lieu et la hantise d'un perpétuel ailleurs, n'exploitent l'enthousiasme des peuples que pour en multiplier les cimetières. Ce condottiere qui pleurait sur Werther et Ossian, cet Obermann qui projetait son vide dans l'espace et qui, au dire de Joséphine, ne fut capable que de quelques moments *d'abandon,* eut comme mission inavouée de dépeupler la terre. Le conquérant rêveur est la plus grande calamité pour les hommes ; ils ne s'empressent pas moins de l'idolâtrer, fascinés qu'ils sont par les projets biscornus, les idéals nuisibles, les ambitions malsaines. Aucun être *raisonnable* ne fut objet de culte, ne laissa un nom, ne marqua de son empreinte un seul événement. Imperturbable devant une conception précise ou une idole transparente, la foule s'excite autour de l'invérifiable et des faux mystères. Qui mourut jamais au nom de la *rigueur*? Chaque génération élève des monuments aux bourreaux de celle qui la précède. Il n'en est pas moins vrai que les victimes acceptèrent de bonne grâce d'être immolées du moment qu'elles crurent à la gloire, à ce triomphe d'un seul, à cette défaite de tous...
L'humanité n'a adoré que ceux qui la firent périr. Les règnes où les citoyens s'éteignirent paisiblement ne figurent guère dans l'histoire, non plus le prince sage, de tout temps méprisé de ses sujets ;

la foule aime le roman, même à ses dépens, le scandale des mœurs constituant la trame de la curiosité humaine et le courant souterrain de tout événement. La femme infidèle et le cocu fournissent à la comédie et à la tragédie, voire à l'épopée, la quasi-totalité de leurs motifs. Comme l'honnêteté n'a ni biographie ni charme, depuis l'*Iliade* jusqu'au vaudeville, le seul éclat du déshonneur a amusé et intrigué. Il est donc tout naturel que l'humanité se soit offerte en pâture aux conquérants, qu'elle veuille se faire piétiner, qu'une nation sans tyrans ne fasse point parler d'elle, que la somme d'iniquités qu'un peuple commet soit le seul indice de sa présence et de sa vitalité. Une nation qui ne viole plus est en pleine décadence ; c'est par le nombre des viols qu'elle révèle ses instincts, son avenir. Recherchez à partir de quelle guerre elle a cessé de pratiquer, sur une grande échelle, ce genre de crime : vous aurez trouvé le premier symbole de son déclin ; à partir de quel moment l'amour est devenu pour elle un cérémonial et le lit une condition du spasme, et vous identifierez le début de ses déficiences et la fin de son hérédité barbare.

Histoire universelle : histoire du Mal. Ôter les désastres du devenir humain, autant vaut concevoir la nature sans saisons. Vous n'avez pas contribué à une catastrophe : vous disparaîtrez sans trace. Nous intéressons les autres par le malheur que nous répandons autour de nous. « Je n'ai fait souffrir personne ! » — exclamation à jamais étrangère à une créature de chair. Lorsque nous nous enflammons pour un personnage du présent ou du passé, nous nous posons *inconsciemment* la question : « Pour combien d'êtres fut-il cause d'infortune ? » Qui sait si chacun de nous n'aspire au privilège de tuer tous ses semblables ? Mais ce privilège est départi à très peu de gens et jamais entier : cette restriction explique à elle seule pourquoi la terre est encore peuplée. Assassins indirects, nous constituons une masse inerte, une multitude d'objets en face des véritables sujets du Temps, en face des grands criminels qui ont abouti.

Mais consolons-nous : nos descendants proches ou lointains nous vengeront. Car il n'est pas difficile d'imaginer le moment où les hommes s'entr'égorgeront par dégoût d'eux-mêmes, où l'Ennui aura raison de leurs préjugés et de leurs réticences, où ils sortiront dans la rue étancher leur soif de sang et où le rêve destructeur prolongé à travers tant de générations deviendra le fait de tous...

MUSIQUE ET SCEPTICISME

——————————————— *J*'ai cherché le Doute dans tous les arts, ne l'y ai trouvé que déguisé, furtif, échappé aux entractes de l'inspiration, surgi de l'élan détendu; mais j'ai renoncé à le chercher — même sous cette forme — en musique; il ne saurait y fleurir : ignorant l'ironie, elle procède non point des malices de l'intellect mais des nuances tendres ou véhémentes de la Naïveté, — sottise du sublime, irréflexion de l'infini... Le *mot d'esprit* n'ayant guère d'équivalent sonore, c'est dénigrer un musicien que de l'appeler *intelligent.* Cet attribut le diminue et n'est pas de mise dans cette cosmogonie langoureuse où, ainsi qu'un dieu aveugle, il improvise des univers. S'il était conscient de son don, de son génie, il succomberait d'orgueil; mais il en est irresponsable; né dans l'oracle, il ne saurait se comprendre. Aux stériles de l'interpréter : il n'est pas critique, comme Dieu n'est pas théologien.

Cas limite d'irréalité et d'absolu, fiction infiniment réelle, mensonge plus véridique que le monde, — la musique perd ses prestiges aussitôt que, secs ou moroses, nous nous dissocions de la Création et que Bach lui-même nous semble une rumeur insipide ; — c'est l'extrême point de notre non-participation aux choses, de notre froideur et de notre déchéance. *Ricaner en plein sublime,* — triomphe sardonique du *principe subjectif,* et qui nous apparente au Diable ! Est perdu celui qui n'a plus de larmes pour la musique, qui ne vit encore que du souvenir de celles qu'il a versées : la clairvoyance stérile aura eu raison de l'extase, — d'où surgissaient des mondes...

L'AUTOMATE

——————————————— *J*e respire par préjugé. Et je contemple le spasme des idées, tandis que le Vide se sourit à lui-même... Plus de *sueur* dans l'espace, plus de vie; la moindre vulgarité la fera reparaître : une seconde d'attente y suffit.

Quand on se perçoit exister on éprouve la sensation d'un dément émerveillé qui surprend sa propre folie et cherche en vain à lui donner un nom. L'habitude émousse notre étonnement d'être : nous *sommes* — et passons outre, nous recouvrons notre place dans l'asile des existants.

Conformiste, je vis, j'essaye de vivre, par imitation, par respect pour les règles du jeu, par horreur de l'originalité. Résignation d'automate : affecter un semblant de ferveur et en rire secrètement ; ne se plier aux conventions que pour les répudier en cachette ; figurer dans tous les registres, mais sans résidence dans le temps ; sauver la face alors qu'il serait impérieux de la perdre... Celui qui méprise tout doit assumer un air de dignité parfait, induire en erreur les autres et jusqu'à soi-même : il accomplira ainsi plus aisément sa tâche de *faux vivant*. À quoi bon étaler sa déchéance lorsqu'on peut feindre la prospérité ? L'enfer manque de *manières* : c'est l'image exaspérée d'un homme franc et malappris, c'est la terre conçue sans aucune superstition d'élégance et de civilité.

J'accepte la vie par politesse : la révolte perpétuelle est de mauvais goût comme le sublime du suicide. À vingt ans on fulmine contre les cieux et l'ordure qu'ils couvrent ; puis on s'en lasse. La pose tragique ne sied qu'à une puberté prolongée et ridicule ; mais il faut mille épreuves pour en arriver à l'histrionisme du détachement.

Celui qui, émancipé de tous les principes de l'usage, ne disposerait d'aucun don de comédien, serait l'archétype de l'infortune, l'être idéalement malheureux. Inutile de construire ce modèle de franchise : *la vie n'est tolérable que par le degré de mystification que l'on y met*. Un tel modèle serait la ruine subite de la société, la « douceur » de vivre en commun résidant dans l'impossibilité de donner libre cours à l'infini de nos arrière-pensées. C'est parce que nous sommes tous des imposteurs que nous nous supportons les uns les autres. Tel qui n'accepterait pas de mentir verrait la terre fuir sous ses pieds : nous sommes *biologiquement* astreints au faux. Point de héros moral qui ne soit ou puéril, ou inefficace, ou non authentique ; car la vraie authenticité est la souillure dans la fraude, dans les bienséances de la flatterie publique et de la diffamation secrète. Si nos semblables pouvaient prendre acte de nos opinions sur eux, l'amour, l'amitié, le dévouement seraient à jamais rayés des dictionnaires ; et si nous avions le courage de regarder en face les doutes que nous concevons timidement sur nous-mêmes, aucun de nous ne proférerait un « je » sans honte. La mascarade entraîne tout ce qui vit, depuis le troglodyte jusqu'au sceptique. Comme le respect des apparences nous sépare seul des charognes, c'est périr que de fixer le fond des choses et des êtres ; tenons-nous-en à un plus agréable néant : notre constitution ne tolère qu'une certaine dose de vérité...

Gardons au plus profond de nous une certitude supérieure à toutes les autres : la vie n'a pas de sens, elle *ne peut* en avoir. Nous devrions nous tuer sur le coup si une révélation imprévue nous persuadait du contraire. L'air disparu, nous respirerions encore ; mais nous étoufferions aussitôt si on nous enlevait la joie de l'inanité...

SUR LA MÉLANCOLIE

———————————————— *Q*uand on ne peut se délivrer de soi, on se délecte à se dévorer. En vain en appellerait-on au Seigneur des Ombres, au dispensateur d'une malédiction précise : on est malade sans maladie, et réprouvé sans vices. La mélancolie est l'*état de rêve de l'égoïsme* : plus aucun objet en dehors de soi, plus de motif de haine ou d'amour, mais cette même chute dans une fange languissante, ce même retournement de damné sans enfer, ces mêmes réitérations d'une ardeur de périr... Alors que la tristesse se contente d'un cadre de fortune, il faut à la mélancolie une débauche d'espace, un paysage d'infini pour y épandre sa grâce maussade et vaporeuse, son mal sans contour, qui, ayant peur de guérir, redoute une limite à sa dissolution et à son ondoiement. Elle s'épanouit, — fleur la plus étrange de l'amour-propre, — parmi les poisons dont elle extrait sa sève et la vigueur de toutes ses défaillances. Se nourrissant de ce qui la corrompt, elle cache, sous son nom mélodieux, l'Orgueil de la Défaite et l'Apitoiement sur soi...

L'APPÉTIT DE PRIMER

———————————————— *U*n César est plus près d'un maire de village que d'un esprit souverainement lucide mais dépourvu d'instinct de domination. Le fait important est de commander : la quasi-totalité des hommes y aspire. Que vous ayez entre vos mains un empire, une tribu, une famille ou un domestique, vous déployez votre talent de tyran, glorieux ou caricatural : tout un monde ou une seule personne est à vos ordres. Ainsi s'établit la série de calamités qui surgissent du besoin de primer... Nous ne côtoyons que des satrapes : chacun — selon ses moyens — se cherche une foule d'esclaves ou se contente d'un seul. Personne ne se suffit à soi-même : le plus modeste trouvera toujours un ami ou une compagne pour faire valoir son rêve d'autorité. Celui qui obéit se fera obéir à son tour : de victime il devient bourreau ; c'est là le désir suprême de tous. Seuls les mendiants et les sages ne l'éprouvent point ; — à moins que leur jeu ne soit plus subtil...

L'appétit de puissance permet à l'Histoire de se renouveler et de rester pourtant foncièrement la même ; cet appétit, les religions essayent de le combattre ; elles ne réussissent qu'à l'exaspérer. Le christianisme eût abouti que la terre serait un désert ou un paradis. Sous les formes variables que l'homme peut revêtir se cache une constante, un fond identique, qui explique pourquoi, contre toutes les apparences de changement, nous évoluons dans un cercle — et pourquoi, si nous perdions, par suite d'une intervention surnaturelle, notre qualité de monstres et de pantins, l'histoire disparaîtrait aussitôt.

Essayez d'être libres : vous mourrez de faim. La société ne vous tolère que si vous êtes successivement serviles et despotiques ; c'est une prison sans gardiens — mais d'où on ne s'évade pas sans périr. Où aller, quand on ne peut vivre que dans la cité et qu'on n'en a pas les instincts, et quand on n'est pas assez entreprenant pour y mendier, ni assez équilibré pour s'y adonner à la sagesse ? — En fin de compte, on y reste comme tout le monde en faisant semblant de s'affairer ; on se décide à cette extrémité grâce aux ressources de l'artifice, attendu qu'il est moins ridicule de simuler la vie que de la vivre.

Tant que les hommes auront la passion de la cité, il y régnera un cannibalisme déguisé. L'instinct politique est la conséquence directe du Péché, la matérialisation immédiate de la Chute. Chacun devrait être préposé à sa solitude, mais chacun surveille celle des autres. Les anges et les bandits ont leurs chefs : comment les créatures intermédiaires — l'épaisseur de l'humanité — en manqueraient-elles ? Ôtez-leur le désir d'être esclaves ou tyrans : vous démolissez la cité en un clin d'œil. Le pacte des singes est à jamais scellé ; et l'histoire suit son train, horde essoufflée entre des crimes et des songes. Rien ne peut l'arrêter : ceux-là mêmes qui l'exècrent participent à sa course...

POSITION DU PAUVRE

———————————————— *P*ropriétaires et mendiants : deux catégories qui s'opposent à n'importe quel changement, à n'importe quel désordre rénovateur. Placés aux deux extrémités de l'échelle sociale, ils craignent toute modification en bien ou en mal : ils sont pareillement *établis*, les uns dans l'opulence, les autres dans le dénuement. Entre eux se situent — sueur anonyme, fondement de la société, — ceux qui s'agitent, peinent, persévèrent et cultivent l'absurdité d'espérer. L'État se nourrit de leur anémie ; l'idée de citoyen n'aurait ni contenu ni réalité sans eux, non plus que le luxe et l'aumône : les riches et les clochards sont les parasites du Pauvre.

S'il y a mille remèdes à la misère, il n'y en a aucun à la pauvreté. Comment secourir ceux qui s'obstinent à ne pas mourir de faim ? Dieu même ne saurait corriger leur sort. Entre les favoris de la fortune et les loqueteux circulent ces affamés honorables, exploités par le faste et les guenilles, pillés par ceux qui, ayant l'horreur du labeur, s'installent, suivant leur chance ou leur vocation, dans le salon ou dans la rue. Et c'est ainsi qu'avance l'humanité : avec quelques riches, avec quelques mendiants — et avec tous ses pauvres...

VISAGES DE LA DÉCADENCE

«Ganz vergessener Völker Müdigkei-
ten kann ich nicht abtun von meinen
Lidern.»

HUGO VON HOFMANNSTHAL

——————————————— *U*ne civilisation commence à
déchoir à partir du moment où la Vie devient son unique obsession. Les époques d'apogée cultivent les *valeurs* pour elles-
mêmes : la vie n'est qu'un moyen pour les réaliser ; l'individu ne
se *sait* pas vivre, il *vit*, — esclave heureux des formes qu'il
engendre, soigne et idolâtre. L'affectivité le domine et le remplit.
Nulle création sans les ressources du «sentiment», lesquelles
sont limitées ; cependant pour celui qui n'en éprouve que la
richesse, elles paraissent intarissables : cette illusion *produit* l'histoire. Dans la décadence, le dessèchement affectif ne permet plus
que deux modalités de sentir et de comprendre : la sensation et
l'idée. Or, c'est par l'affectivité qu'on s'adonne au monde des
valeurs, qu'on projette une vitalité dans les catégories et dans les
normes. L'activité d'une civilisation à ses moments féconds
consiste à faire sortir les idées de leur néant abstrait, *à transformer les concepts en mythes*. Le passage de l'individu anonyme à
l'individu conscient n'est pas encore accompli : il est pourtant
inévitable. Mesurez-le : en Grèce, d'Homère aux sophistes ; à
Rome, de l'ancienne République austère aux «sagesses» de l'Empire ; dans le monde moderne, des cathédrales aux dentelles du
XVIIIe siècle.
Une nation ne saurait créer indéfiniment. Elle est appelée à
donner expression et sens à une somme de valeurs qui s'épuisent
avec l'âme qui les a enfantées. Le citoyen se réveille d'une
hypnose productive : le règne de la lucidité commence : les
masses ne manient plus que des catégories vides. *Les mythes redeviennent concepts* : c'est la décadence. Et les conséquences se font

sentir : l'individu veut vivre, il convertit la vie en finalité, il s'élève au rang d'une petite exception. Le bilan de ces exceptions, composant le déficit d'une civilisation, en préfigure l'effacement. Tout le monde atteint à la délicatesse ; — mais n'est-ce point la rayonnante stupidité des dupes qui accomplit l'œuvre des grandes époques ?

Montesquieu soutient qu'à la fin de l'Empire, l'armée romaine n'était plus composée que de cavalerie. Mais il néglige de nous en indiquer la raison. Imaginons le légionnaire saturé de gloire, de richesse et de débauche après avoir parcouru d'innombrables contrées et perdu sa foi et sa vigueur au contact de tant de temples et de vices, imaginons-le *à pied*! Il a conquis le monde comme fantassin ; il le perdra comme cavalier. — Dans toute mollesse se révèle une incapacité physiologique d'adhérer encore aux mythes de la cité. Le soldat émancipé et le citoyen lucide succombent sous le barbare. La *découverte* de la Vie anéantit la vie.

Quand tout un peuple, à des degrés différents, est à l'affût de sensations rares, quand, par les subtilités du goût, il complique ses réflexes, il a accédé à un niveau de supériorité fatal. La décadence n'est que l'instinct devenu impur sous l'action de la conscience. Ainsi l'on ne saurait surestimer l'importance de la gastronomie dans l'existence d'une collectivité. L'acte *conscient* de manger est un phénomène alexandrin ; le barbare se *nourrit*. L'éclectisme intellectuel et religieux, l'ingéniosité sensuelle, l'esthétisme — et l'obsession savante de la bonne chère sont les signes différents d'une même forme d'esprit. Lorsque Gabius Apicius pérégrinait sur les côtes d'Afrique pour y chercher des langoustes, sans pourtant s'établir nulle part parce qu'il n'en trouvait point à son goût, il était contemporain d'âmes inquiètes qui adoraient la multitude des dieux étrangers sans y trouver satisfaction ni repos. *Sensations rares — déités diverses*, fruits parallèles d'une même sécheresse, d'une même curiosité sans ressort intérieur. Le christianisme parut : un *seul Dieu* — et le *jeûne*. Et une ère de trivialité et de sublime commença...

Un peuple se meurt lorsqu'il n'a plus de force pour inventer d'autres dieux, d'autres mythes, d'autres absurdités ; ses idoles blêmissent et disparaissent ; il en puise ailleurs, et se sent seul devant des monstres inconnus. C'est encore la décadence. Mais si un de ces monstres l'emporte, un autre monde s'ébranle, fruste, obscur, intolérant, jusqu'à ce qu'il épuise son dieu et s'en affranchisse ; car l'homme n'est libre — et stérile — que dans l'intervalle où les dieux meurent; esclave — et créateur — que dans celui où — tyrans — ils prospèrent.

*M*éditer ses sensations — *savoir* que l'on mange, — c'est là une prise de conscience grâce à laquelle un acte élémentaire dépasse son but immédiat. À côté du dégoût intellectuel s'en développe un autre, plus profond et plus dangereux : émanant des viscères, il aboutit à la forme la plus grave de nihilisme, le nihilisme de la réplétion. Les considérations les plus amères ne sauraient se comparer, dans leurs effets, à la vision qui succède à un festin opulent. Tout repas qui dépasse en durée quelques minutes et, en mets, le nécessaire, désagrège nos certitudes. L'abus culinaire et la satiété détruisirent l'Empire plus impitoyablement que ne le firent les sectes orientales et les doctrines grecques mal assimilées. On n'éprouve un authentique frisson de scepticisme qu'autour d'une table copieuse. Le «Royaume des Cieux» devait s'offrir comme une tentation après tant d'excès ou comme une surprise délicieusement perverse dans la monotonie de la digestion. La faim cherche dans la religion une voie de salut; la satiété, un poison. Se «sauver» par des virus, et, dans l'indistinction des prières et des vices, fuir le monde et s'y vautrer par le même acte..., c'est bien cela la somme d'amertumes de l'alexandrinisme.

*I*l y a une *plénitude de décroissance* dans toute civilisation trop mûre. Les instincts s'assouplissent; les plaisirs se dilatent et ne correspondent plus à leur fonction biologique; la volupté devient fin en soi, sa prolongation un art, l'escamotage de l'orgasme une technique, la sexualité une science. Des procédés et des inspirations livresques pour multiplier les voies du désir, l'imagination torturée pour diversifier les préliminaires de la jouissance, l'esprit lui-même mêlé à un secteur étranger à sa nature et sur lequel il ne devrait guère avoir de prise, — autant de symptômes d'appauvrissement du sang et d'intellectualisation morbide de la chair. L'amour conçu comme *rituel* rend l'intelligence souveraine dans l'empire de la bêtise. Les automatismes en pâtissent; entravés, ils perdent cette impatience de déclencher une inavouable contorsion; les nerfs deviennent le théâtre de malaises et de frissons clairvoyants, la *sensation* enfin se continue au-delà de sa durée brute grâce à l'adresse de deux tortionnaires de la volupté étudiée. C'est *l'individu qui trompe l'espèce*, c'est le sang trop tiède pour étourdir encore l'esprit, c'est le sang refroidi et aminci par les idées, le *sang rationnel...*

*I*nstincts rongés par la conversation...

Du dialogue n'est jamais sorti rien de monumental, d'explosif, de «grand». Si l'humanité ne se fût amusée à *discuter* ses propres forces, elle n'eût point dépassé la vision et les modèles d'Homère. Mais la dialectique, en ravageant la spontanéité des réflexes et la fraîcheur des mythes, a réduit le héros à un exemplaire branlant. Les Achilles d'aujourd'hui ont plus qu'un talon à redouter... La vulnérabilité, jadis partielle et sans conséquence, est devenue le privilège maudit, l'essence de chaque être. La conscience a pénétré partout et siège jusque dans la moelle ; aussi l'homme ne vit-il plus dans l'existence, mais dans la *théorie* de l'existence...

Celui qui, lucide, se comprend, s'explique, se justifie, et domine ses actes, ne fera jamais un geste mémorable. La *psychologie* est le tombeau du héros. Les quelques milliers d'années de religion et de raisonnement ont affaibli les muscles, la décision et l'impulsion aventureuse. Comment ne pas mépriser les entreprises de la gloire ? Tout acte auquel ne préside pas la malédiction lumineuse de l'esprit représente une survivance de stupidité ancestrale. Les idéologies ne furent inventées que pour donner un lustre au fond de barbarie qui se maintient à travers les siècles, pour couvrir les penchants meurtriers communs à tous les hommes. On tue aujourd'hui au nom de quelque chose ; on n'ose plus le faire spontanément ; de sorte que les bourreaux eux-mêmes doivent invoquer des motifs, et, l'héroïsme étant désuet, celui qui en ressent la tentation résout plutôt un problème qu'il ne consomme un sacrifice. L'*abstraction* s'est insinuée dans la vie et dans la mort ; les «complexes» s'emparent des petits et des grands. *De l'Iliade à la psychopathologie,* — mais c'est tout le chemin de l'homme...

*D*ans les civilisations sur le retour, le crépuscule est le signe d'une noble punition. Quel délice d'ironie doivent-elles ressentir de se voir exclues du devenir, après avoir fixé pendant des siècles les normes du pouvoir et les critères du goût ! Avec chacune d'elles, tout un monde s'éteint. Sensations du dernier Grec, du dernier Romain ! Comment ne pas s'éprendre des grands couchants ? Le charme d'agonie qui entoure une civilisation, après qu'elle a abordé tous les problèmes et qu'elle les a merveilleusement faussés, offre plus d'attraits que l'ignorance inviolée par où elle débuta.

Chaque civilisation figure une réponse aux interrogations que l'univers suscite ; mais le mystère demeure intact ; — d'autres civi-

lisations, avec de neuves curiosités, viennent s'y hasarder, aussi vainement, chacune d'elles n'étant qu'un *système de méprises...*
À l'apogée, on enfante des valeurs; au crépuscule, usées et défaites, on les abolit. Fascination de la décadence, — des époques où les vérités n'ont plus de vie..., où elles s'entassent comme des squelettes dans l'âme pensive et sèche, dans l'ossuaire des songes...

Combien m'est cher ce philosophe d'Alexandrie du nom d'Olimpius, qui, entendant une voix chanter l'Alleluia dans le Sérapéon, s'expatria pour toujours! C'était vers la fin du IVe siècle : la sottise lugubre de la Croix jetait déjà ses ombres sur l'Esprit.
Vers la même époque, un grammairien, Palladas, pouvait écrire : «Nous autres, Grecs, nous ne sommes plus que cendres. Nos espérances sont sous terre comme celles des morts.» Et cela est vrai pour toutes les intelligences d'alors.
En vain les Celses, les Porphyres, les Juliens l'Apostat s'obstinent-ils à arrêter l'invasion de ce sublime nébuleux qui déborde des catacombes : les apôtres ont laissé leurs stigmates dans les âmes et multiplié les ravages dans les cités. L'ère de la grande Laideur commence : une hystérie sans qualité s'étend sur le monde. Saint Paul — le plus considérable agent électoral de tous les temps — a fait ses tournées, infestant de ses épîtres la clarté du crépuscule antique. Un épileptique triomphe de cinq siècles de philosophie! La Raison confisquée par les Pères de l'Église!
Et si je cherche la date la plus mortifiante pour l'orgueil de l'esprit, si je parcours l'inventaire des intolérances, je ne trouve rien de comparable à cette année 529, où, à la suite de l'ordonnance de Justinien, l'école d'Athènes fut fermée. Le droit à la décadence, officiellement supprimé, *croire* devint une obligation... C'est le moment le plus douloureux dans l'histoire du Doute.

Quand un peuple n'a plus aucun préjugé dans le sang, il ne lui reste encore comme ressource que la volonté de se désagréger. Imitant la musique, cette discipline de la dissolution, il fait ses adieux aux passions, au gaspillage lyrique, à la sentimentalité, à l'aveuglement. Désormais il ne pourra plus adorer sans ironie : le *sentiment des distances* sera à jamais son partage.
Le préjugé est une vérité organique, fausse en soi, mais accumulée par générations et transmise : on ne saurait s'en défaire impunément. Le peuple qui y renonce sans scrupules, se renie successivement jusqu'à ce qu'il n'ait plus rien à renier. La durée

et la consistance d'une collectivité coïncident avec la durée et la consistance de ses préjugés. Les peuples orientaux doivent leur pérennité à leur fidélité envers eux-mêmes : n'ayant guère évolué, ils ne se sont pas trahis ; et ils n'ont pas *vécu* dans le sens où la vie est conçue par les civilisations à rythme précipité, les seules dont l'histoire s'occupe ; car, discipline des aurores et des agonies haletantes, elle est un roman prétendant à la rigueur et qui puise sa matière dans les archives du sang...

L'alexandrinisme est une période de négations savantes, un style de l'inutilité et du refus, une promenade d'érudition et de sarcasme à travers la confusion des valeurs et des croyances. Son espace idéal se trouverait à l'intersection de l'Hellade et du Paris d'autrefois, au lieu de rencontre de l'agora et du salon. Une civilisation évolue de l'agriculture au paradoxe. Entre ces deux extrémités se déroule le combat de la barbarie et de la névrose : l'équilibre instable des époques créatrices en résulte. Ce combat approche de son terme : tous les horizons s'ouvrent sans qu'aucun puisse exciter une curiosité tout à la fois lasse et éveillée. C'est alors à l'individu détrompé de s'épanouir dans le vide, au vampire intellectuel de s'abreuver du sang vicié des civilisations.

Faut-il prendre l'histoire au sérieux ou y assister en spectateur ? Y voir un effort vers un but ou la fête d'une lumière qui s'avive et pâlit sans nécessité ni raison ? La réponse dépend de notre degré d'illusion sur l'homme, de notre curiosité à deviner la manière dont se résoudra ce mélange de valse et d'abattoir qui compose et stimule son devenir.

*I*l est un *Weltschmerz*, un mal du siècle, qui n'est que la maladie d'une génération ; il en est un autre qui se dégage de toute l'expérience historique et qui s'impose comme seule conclusion pour les temps à venir. C'est le « vague à l'âme », la mélancolie de la « fin du monde ». Tout change d'aspect, jusqu'au soleil, tout vieillit, jusqu'au malheur...

Incapables de rhétorique, nous sommes des romantiques de la déception claire. Aujourd'hui, Werther, Manfred, René connaissant leur mal, l'étaleraient sans pompe. Biologie, physiologie, psychologie, — noms grotesques qui, supprimant la naïveté de notre désespoir et introduisant l'analyse dans nos chants, nous font mépriser la déclamation ! Passées par les *Traités*, nos doctes amertumes expliquent nos hontes et classent nos frénésies. Quand la conscience parviendra à surplomber tous nos secrets, quand de notre malheur sera évacué le dernier vestige de mystère, aurons-nous encore un reste de fièvre et d'exaltation pour contempler la ruine de l'existence et de la poésie ?

*R*essentir le poids de l'histoire, le fardeau du devenir et cet accablement sous lequel ploie la conscience lorsqu'elle considère la somme et l'inanité des événements révolus ou possibles... La nostalgie en vain invoque un élan ignorant des leçons que dégage tout ce qui fut ; il y a une lassitude pour qui le futur lui-même est un cimetière, un cimetière virtuel comme tout ce qui attend d'être. Les siècles se sont alourdis et pèsent sur l'instant. — Nous sommes plus pourris que tous les âges, plus décomposés que tous les empires. Notre épuisement interprète l'histoire, notre essoufflement nous fait entendre les râles des nations. Acteurs chlorotiques, nous nous préparons à jouer des rôles de remplissage dans le temps rebattu : le rideau de l'univers est mité, et à travers ses trous on ne voit plus que masques et fantômes...

L'erreur de ceux qui saisissent la décadence est de vouloir la combattre alors qu'il faudrait l'encourager : en se développant elle s'épuise et permet l'avènement d'autres formes. Le véritable annonciateur n'est pas celui qui propose un système quand personne n'en veut, mais bien plutôt celui qui précipite le Chaos, en est l'agent et le thuriféraire. Il est vulgaire de claironner des dogmes au milieu des âges exténués où tout rêve d'avenir paraît délire ou imposture. S'acheminer vers la fin de l'histoire avec une fleur à la boutonnière, — seule tenue digne dans le déroulement du temps. Quel dommage qu'il n'y ait pas un Jugement dernier, qu'on n'ait pas l'occasion d'un grand défi ! Les croyants : cabotins de l'éternité ; la foi : besoin d'une *scène* intemporelle... — Mais nous autres incroyants, nous mourons avec nos décors, et trop fatigués pour nous leurrer de fastes promis à nos cadavres...

D'après Maître Eckhart, la *divinité* précède Dieu, en est l'essence, le fond insondable. Que trouverions-nous au plus intime de l'homme et qui en définît la substance par opposition à l'essence divine ? C'est la *neurasthénie* ; aussi est-elle à l'homme ce que la divinité est à Dieu.
Nous vivons dans un climat d'épuisement : l'acte de créer, de forger, de fabriquer, est moins significatif par lui-même que par le vide, par la chute qui le suit. Pour nos efforts toujours et inévitablement compromis, le fond divin et inépuisable se situe en

dehors du champ de nos concepts et de nos sensations. — L'homme est né avec la vocation de la fatigue : lorsqu'il adopta la position verticale, et qu'il diminua ainsi ses possibilités d'*appui*, il se condamna à des faiblesses inconnues à l'animal qu'il fut. Porter sur deux jambes tant de matière et tous les dégoûts qui s'y rattachent ! Les générations accumulent la fatigue et la transmettent ; nos pères nous lèguent un patrimoine d'anémie, des réserves de découragement, des ressources de décomposition et une énergie à mourir qui devient plus puissante que nos instincts de vie. Et c'est ainsi que l'accoutumance à disparaître, appuyée sur notre capital de lassitude, nous permettra de réaliser, dans la chair diffuse, la neurasthénie, — notre essence...

Nul besoin de croire à une vérité pour la soutenir ni d'aimer une époque pour la justifier, tout principe étant démontrable et tout événement légitime. L'ensemble des phénomènes — fruits de l'esprit ou du temps, indifféremment — est susceptible d'être embrassé ou nié selon notre disposition du moment : les arguments, émanés de notre rigueur ou de nos caprices, se valent en tout point. Rien n'est indéfendable — de la proposition la plus absurde au crime le plus monstrueux. L'histoire des idées tout comme celle des faits se déroule dans un climat insensé : qui pourrait de bonne foi y trouver un arbitre qui tranchât les litiges de ces gorilles anémiques ou sanguinaires ? Cette terre, lieu où l'on peut tout affirmer avec une égale vraisemblance : axiomes et délires y sont interchangeables ; élans et affaissements s'y confondent ; élévations et bassesses y participent d'un même mouvement. Indiquez-moi un seul *cas* à l'appui duquel on ne saurait rien trouver. Les avocats de l'enfer n'ont pas moins de titres à la vérité que ceux du ciel — et je plaiderais la cause du sage et du fou avec une égale ferveur. Le temps frappe de corruption tout ce qui se manifeste et agit : une idée ou un événement, en s'actualisant, prend une figure et se dégrade. Ainsi, lorsque la tourbe des êtres se fut ébranlée, l'Histoire en dériva, et, avec elle, le seul désir pur qu'elle ait inspiré : qu'elle s'achève d'une manière ou d'une autre. Trop mûrs pour d'autres aurores, et ayant compris trop de siècles pour en désirer de nouveaux, il ne nous reste qu'à nous vautrer dans la scorie des civilisations. La marche du temps ne séduit plus que les imberbes et les fanatiques...

Nous sommes les grands décrépits, accablés d'anciens rêves, à jamais inaptes à l'utopie, techniciens des lassitudes, fossoyeurs du futur, horrifiés des avatars du vieil Adam. L'Arbre de Vie ne connaîtra plus de printemps : c'est du bois sec ; on en fera des cercueils pour nos os, nos songes et nos douleurs. Notre chair hérita le relent de belles charognes disséminées dans les millénaires. Leur gloire nous fascina : nous l'épuisâmes. Dans le cimetière de l'Esprit reposent les principes et les formules : le Beau est défini, il y est enterré. Et comme lui le Vrai, le Bien, le Savoir et les Dieux. Ils y pourrissent tous. (L'histoire : cadre où se décomposent les majuscules, et, avec elles, ceux qui les imaginèrent et les chérirent.)

... Je m'y promène. Sous cette croix dort de son dernier sommeil la Vérité ; à côté, le Charme ; plus loin, la Rigueur et au-dessus d'une multitude de dalles qui couvrent délires et hypothèses, se dresse le mausolée de l'Absolu : y gisent les fausses consolations et les cimes trompeuses de l'âme. Mais, plus haut encore, couronnant ce silence, l'Erreur plane — et arrête les pas du sophiste funèbre.

*C*omme l'existence de l'homme est l'aventure la plus considérable et la plus étrange qu'ait connue la nature, il est inévitable qu'elle soit aussi la plus courte ; sa fin est prévisible et souhaitable : la prolonger indéfiniment serait indécent. Entré dans les risques de son exception, l'animal paradoxal va jouer encore pendant des siècles et même des millénaires, sa dernière carte. Faut-il s'en plaindre ? Il est de toute évidence qu'il n'égalera jamais ses gloires passées, rien ne présageant que ses possibilités susciteront un jour un rival de Bach ou de Shakespeare. La Décadence se manifeste en premier lieu dans les arts : la « civilisation » survit un certain temps à leur décomposition. Il en sera ainsi de l'homme : il continuera ses prouesses, mais ses ressources spirituelles seront taries, de même que sa fraîcheur d'inspiration. La soif de puissance et de domination a trop pris sur son âme : lorsqu'il sera maître de tout, il ne le sera plus de sa fin. N'étant pas encore possesseur de tous les moyens pour détruire et se détruire, il ne périra de sitôt ; mais il est indubitable qu'il se forgera un instrument d'annihilation totale avant de découvrir une panacée, laquelle d'ailleurs ne semble pas entrer dans les possibilités de la nature. Il s'anéantira en tant que créateur : doit-on conclure que tous les hommes disparaîtront de la terre ? Point ne faut voir les choses en rose. Une bonne partie, les survivants, s'y traîneront, race de sous-hommes, resquilleurs de l'apocalypse...

Il n'est pas dans le pouvoir de l'homme de ne pas se perdre. Son instinct de conquête et d'analyse étend son empire pour dissoudre ensuite ce qui s'y trouve; ce qu'il ajoute à la vie se tourne contre elle. Esclave de ses créations, il est — en tant que créateur — un agent du Mal. Cela est vrai d'un bricoleur comme d'un savant, et — sur le plan absolu — du moindre insecte et de Dieu. L'humanité eût pu demeurer dans la stagnation et prolonger sa durée si elle ne se fût composée que de brutes et de sceptiques; mais, éprise d'efficace, elle a promu cette foule haletante et positive, vouée à la ruine par excès de labeur et de curiosité. Avide de sa propre poussière, elle a préparé sa fin et la prépare tous les jours. Ainsi, plus proche de son dénouement que de ses débuts, ne réserve-t-elle à ses fils que l'ardeur désabusée devant l'apocalypse...

L'imagination conçoit aisément un avenir où les hommes s'écrieront en chœur : «Nous sommes les derniers : las du futur, et encore plus de nous-mêmes, nous avons pressé le suc de la terre et dépouillé les cieux. La matière ni l'esprit ne peuvent nourrir encore nos rêves : cet univers est aussi desséché que nos cœurs. Plus de substance nulle part : nos ancêtres nous léguèrent leur âme en loques et leur moelle vermoulue. L'aventure prend fin ; la conscience expire ; nos chants se sont évanouis ; voilà luire le soleil des mourants!»

Si, par hasard ou par miracle, les mots s'envolaient, nous serions plongés dans une angoisse et une hébétude intolérables. Ce mutisme subit nous exposerait au plus cruel supplice. C'est l'usage du concept qui nous rend maîtres de nos frayeurs. Nous disons : la Mort — et cette abstraction nous dispense d'en ressentir l'infini et l'horreur. En baptisant les choses et les événements nous éludons l'Inexplicable : l'activité de l'esprit est une tricherie salutaire, un exercice d'escamotage ; elle nous permet de circuler dans une réalité adoucie, confortable et inexacte. Apprendre à manier les concepts — désapprendre à regarder les choses... La réflexion naquit un jour de fuite ; la pompe verbale en résulta. Mais lorsqu'on revient à soi et que l'on est seul — *sans la compagnie des mots* — on redécouvre l'univers inqualifié, l'objet pur, l'événement nu : où puiser l'audace de les affronter? On ne spécule plus sur la mort, on *est* la mort; au lieu d'orner la vie et de lui assigner des buts, on lui enlève sa parure et on la réduit à sa juste signification : *un euphémisme pour le Mal*. Les grands mots : destin, infortune, disgrâce se dépouillent de leur éclat; et c'est alors que l'on perçoit la créature aux prises avec des organes défaillants, vaincue sous une matière prostrée et ahurie. Retirez à l'homme le mensonge du Malheur, donnez-lui le pouvoir de regarder au-dessous de ce vocable : il ne pourrait un seul instant supporter *son* malheur. C'est l'abstraction, les sonorités sans contenu, dilapidées et boursouflées, qui l'ont empêché de sombrer, et non pas les religions et les instincts.

Lorsque Adam fut chassé du paradis, au lieu de vitupérer son persécuteur, il s'empressa de baptiser les choses : c'était l'unique manière de s'en accommoder et de les oublier ; — les bases de l'idéalisme furent posées. Et ce qui ne fut qu'un geste, une réaction de défense chez le premier balbutieur, devint théorie chez Platon, Kant et Hegel.

Pour ne pas nous appesantir sur notre accident, nous convertissons en entité jusqu'à notre nom : comment mourir quand on s'appelle Pierre ou Paul ? Chacun de nous, attentif plutôt à l'apparence immuable de son nom qu'à la fragilité de son être, s'abandonne à une illusion d'immortalité ; l'articulation évanouie, nous serions totalement seuls ; le mystique qui épouse le silence a renoncé à sa condition de créature. Imaginons-le, de plus, sans foi — mystique nihiliste, — et nous avons le couronnement désastreux de l'aventure terrestre.

... Il n'est que trop naturel de penser que l'homme, las des mots, à bout du rabâchage des temps, débaptisera les choses et jettera leurs noms et le sien en un grand autodafé où s'engloutiront ses espoirs. Nous courons tous vers ce modèle final, vers l'homme muet et nu...

*J*e ressens l'âge de la Vie, sa vieillesse, sa décrépitude. Depuis des ères incalculables, elle roule sur la surface du globe grâce au miracle de cette fausse immortalité qu'est l'inertie ; elle s'attarde encore dans les rhumatismes du Temps, dans ce temps plus ancien qu'elle, exténué d'un délire sénile, du ressassement de ses instants, de sa durée radoteuse.

Et je ressens toute la pesanteur de l'espèce, et j'en ai assumé toute la solitude. Que ne disparaît-elle ! — mais son agonie s'allonge vers une éternité de pourriture. Je laisse à chaque instant la latitude de me détruire : ne pas rougir de respirer est d'une fripouille. Plus de pacte avec la vie, plus de pacte avec la mort : ayant désappris d'être, je consens à m'effacer. Le Devenir, — quel forfait !

Passé par tous les poumons, l'air ne se renouvelle plus. Chaque jour vomit son lendemain, et je m'efforce en vain d'imaginer la figure d'un seul désir. Tout m'est à charge : fourbu ainsi qu'une bête de somme à laquelle on eût attelé la Matière, je traîne les planètes.

Que l'on m'offre un autre univers — ou je succombe.

*J*e n'aime que l'irruption et l'effondrement des choses, le feu qui les suscite et celui qui les dévore. La durée du monde m'exaspère ; sa naissance et son évanouissement m'enchantent. Vivre sous la fascination du soleil virginal et du soleil décrépit ; sauter les pulsations du temps pour en saisir l'originelle et l'ultime..., rêver à l'improvisation des astres et à leur affinement ; dédaigner la routine d'être et se précipiter vers les deux gouffres qui la menacent ; s'épuiser au début et au terme des instants...
... Ainsi l'on découvre en soi le Sauvage et le Décadent, cohabitation prédestinée et contradictoire : deux personnages subissant la même attraction du *passage*, l'un du néant vers le monde, l'autre du monde vers le néant : c'est le besoin d'une double convulsion, à *l'échelle métaphysique*. Ce besoin se traduit, à l'échelle de l'histoire, dans l'obsession de l'Adam qu'expulsa le paradis et de celui qu'expulsera la terre : deux extrémités de *l'impossibilité* de l'homme.

*P*ar ce qui est «profond» en nous, nous sommes en butte à tous les maux : point de salut tant que nous conservons une conformité à notre être. *Quelque chose* doit disparaître de notre composition et une source néfaste, tarir ; aussi n'y a-t-il qu'une seule issue : *abolir l'âme*, ses aspirations et ses abîmes ; nos rêves en furent envenimés ; il importe de l'extirper, de même que son besoin de «profondeur», sa fécondité «intérieure», et ses autres aberrations. L'*esprit* et la *sensation* nous suffiront ; de leur concours naîtra une *discipline de la stérilité* qui nous préservera des enthousiasmes et des angoisses. Qu'aucun «sentiment» ne nous trouble encore, et que l'«âme» devienne la vieillerie la plus ridicule...

LA SAINTETÉ
ET
LES GRIMACES DE L'ABSOLU

> *«Oui, en vérité, il me semble que les*
> *démons jouent à la balle avec mon*
> *âme...»*
>
> THÉRÈSE D'AVILA

LE REFUS DE PROCRÉER

————————————————— *C*elui qui, ayant usé ses appétits, s'approche d'une forme limite de détachement, ne veut plus se perpétuer; il déteste se survivre dans un autre, auquel d'ailleurs il n'aurait plus rien à transmettre; l'*espèce* l'effraye; c'est un monstre — et les monstres n'engendrent plus. L'«amour» le captive encore : aberration au milieu de ses pensées. Il y cherche un prétexte pour revenir à la condition commune; mais l'*enfant* lui paraît inconcevable ainsi que la famille, l'hérédité, les lois de la nature. Sans profession ni progéniture, il accomplit — dernière hypostase — sa propre conclusion. Mais quelque éloigné qu'il soit de la fécondité, un monstre autrement audacieux le dépasse : le saint, — exemplaire à la fois fascinateur et repoussant, par rapport auquel on est toujours à mi-chemin et dans une position fausse; la sienne, au moins, est claire : plus de jeu possible, plus de dilettantisme. Parvenu aux cimes dorées de ses dégoûts, à l'antipode de la Création, il a fait de son néant une auréole. La nature n'a jamais connu une telle calamité : du point de vue de la perpétuation, il marque une fin absolue, un dénouement radical. Être triste, comme Léon Bloy, parce que nous ne sommes pas des saints, c'est désirer la disparition de l'humanité... *au nom de la foi*! Combien, par contre, le diable paraît positif, puisque, s'astreignant à nous river à nos imperfections, il travaille — malgré lui, et trahissant son essence — à nous conserver! Déracinez les péchés : la vie se flétrit brusquement. Les folies de la procréation disparaîtront un jour — par lassitude plutôt que par sainteté. L'homme s'épuisera moins pour avoir tendu à la perfection que pour s'être gaspillé ; il ressemblera alors à un *saint vide*, et il sera tout aussi loin de la fécondité de la nature que l'est ce modèle d'achèvement et de stérilité.

L'homme n'engendre qu'en restant fidèle au destin général. Qu'il approche de l'essence du démon ou de l'ange, il devient stérile ou procrée des avortons. Pour Raskolnikov, pour Ivan Karamazov ou Stavroguine l'amour n'est plus qu'un prétexte pour accélérer leur perte ; et ce prétexte même s'évanouit pour Kirilov : il ne se mesure plus avec les hommes mais avec Dieu. Quant à l'Idiot ou à Aliocha, le fait que l'un singe Jésus et l'autre les anges, les place d'emblée parmi les impuissants...
Mais, s'arracher à la chaîne des êtres et refuser l'idée d'ascendance ou de postérité, n'est pourtant point rivaliser avec le saint, dont l'orgueil excède toute dimension terrestre. En effet, sous la décision par laquelle on renonce à tout, sous l'incommensurable exploit de cette humilité, s'abrite une effervescence démoniaque : le point initial, le démarrage de la sainteté prend l'allure d'un défi lancé au genre humain ; — ensuite, le saint gravit l'échelle de la perfection, commence à parler d'amour, de Dieu, se tourne vers les humbles, intrigue les foules — et nous agace. Il n'en reste pas moins qu'il nous a jeté le gant...

*L*a haine de l'«espèce» et de son «génie» vous apparente aux assassins, aux déments, aux divinités, et à tous les grands stériles. À partir d'un certain degré de solitude, il faudrait cesser d'aimer et de commettre la fascinante souillure de l'accouplement. Celui qui veut se perpétuer à tout prix se distingue à peine du chien : il est encore *nature* ; il ne comprendra jamais que l'on puisse subir l'empire des instincts et se rebeller contre eux, jouir des avantages de l'espèce et les mépriser : fin de race — *avec des appétits*... C'est là le conflit de celui qui adore et abomine la femme, suprêmement indécis entre l'attirance et le dégoût qu'elle inspire. Aussi — n'arrivant pas à renier totalement l'espèce — résout-il ce conflit en rêvant, sur des seins, au désert et en mêlant un parfum de cloître au remugle de trop concrètes sueurs. Les *insincérités de la chair* le rapprochent des saints...

*S*olitude de la haine... Sensation d'un dieu tourné vers la destruction, piétinant les sphères, bavant sur l'azur et sur les constellations..., d'un dieu frénétique, malpropre et malsain; — démiurgie éjectant, à travers l'espace, paradis et latrines; cosmogonie de delirium tremens; apothéose convulsive où le fiel couronne les éléments... Les créatures s'élancent vers un archétype de laideur et soupirent après un idéal de difformité... Univers de la grimace, jubilation de la taupe, de l'hyène et du pou... Plus d'horizon, sauf pour les monstres et pour la vermine. Tout s'achemine vers la hideur et la gangrène : ce globe qui suppure tandis que les vivants étalent leurs plaies sous les rayons du chancre lumineux...

L'ESTHÈTE HAGIOGRAPHE

——————————————— *C*e n'est pas un signe de bénédiction que d'avoir été hanté par l'existence des saints. Il se mélange à cette hantise un goût de maladies et une avidité de dépravations. On ne s'inquiète de la sainteté que si l'on a été déçu par les paradoxes *terrestres*; on en cherche alors d'autres, d'une teneur plus étrange, imbus de parfums et de vérités inconnus; on espère en des folies introuvables dans les frissons quotidiens, des folies lourdes d'un exotisme céleste; — on se heurte ainsi aux saints, à leurs gestes, à leur témérité, à leur univers. Spectacle insolite! On se promet d'y rester suspendu toute sa vie, de l'examiner avec un voluptueux dévouement, de s'arracher aux autres tentations parce qu'enfin on a rencontré la vraie et l'inouïe. Voilà l'esthète devenu hagiographe, tourné vers un pèlerinage savant... Il s'y engage sans se douter que ce n'est qu'une promenade et que dans ce monde tout déçoit, même la sainteté...

LE DISCIPLE DES SAINTES

——————————————— *I*l fut un temps où prononcer seulement le *nom* d'une sainte me remplissait de délices, où j'enviais les chroniqueurs des couvents, les intimes de tant d'hystéries ineffables, de tant d'illuminations et de pâleurs. J'estimais qu'être le *secrétaire* d'une sainte constituait la plus haute carrière réservée à un mortel. Et d'imaginer le rôle de confesseur auprès des bienheureuses enflammées, et tous les détails, tous les secrets qu'un Pierre d'Alvastra nous cacha sur sainte Brigitte, Henri de Halle sur Mechtilde de Magdebourg, Raymond de Capoue sur Catherine de Sienne, le frère Arnold sur Angèle de Foligno, Jean de Marienwerder sur Dorothée de Montau, Brentano sur Catherine Emmerich... Il me semblait qu'une Diodata degli Ademari ou une Diana d'Andolo s'élevèrent au ciel par le seul prestige de leur nom : elles me donnaient le goût *sensuel* d'un autre monde.

Lorsque je me récapitulais les épreuves de Rose de Lima, de Lydwine de Schiedam, de Catherine de Ricci et de tant d'autres, lorsque je pensais à leur raffinement de cruauté envers elles-mêmes, à leurs supplices d'auto-tortionnaires, et à ce piétinement voulu de leurs charmes et de leurs grâces, — je haïssais le parasite de leurs affres, le Fiancé sans scrupules, insatiable et céleste Don Juan qui avait dans leur cœur le droit du premier occupant. Excédé des soupirs et des sueurs de l'amour terrestre, je me tournais vers elles, ne fût-ce que pour leur poursuite d'un autre mode d'aimer. «Si une simple goutte de ce que je ressens, disait Catherine de Gênes, tombait en Enfer, elle le transformerait immédiatement en Paradis.» J'attendais cette goutte qui, fût-elle tombée, m'eût atteint au terme de sa chute...

Me répétant les exclamations de Thérèse d'Avila, je la voyais s'écrier à six ans : «Éternité, éternité», puis suivais l'évolution de ses délires, de ses embrasements, de ses sécheresses. Rien de plus captivant que les révélations *privées*, qui déconcertent les dogmes et embarrassent l'Église... J'eusse aimé garder le journal de ces aveux équivoques, me repaître de toutes ces nostalgies suspectes... Ce n'est pas au fond d'un lit que l'on atteint aux sommets de la volupté : comment trouver dans l'extase sublunaire ce que les saintes vous laissent pressentir dans leurs ravissements ? La qualité de leurs secrets, c'est Bernini qui nous l'a fait connaître dans la statue de Rome où la sainte espagnole nous incite à maintes considérations sur l'ambiguïté de ses défaillances...

Quand je repense à qui je dois d'avoir soupçonné l'extrémité de la passion, les frémissements les plus troubles comme les plus purs, et cette sorte d'évanouissement où les nuits s'incendient, où le moindre brin d'herbe comme les astres se fondent dans une voix d'allégresse et de crispation, — infini instantané, incandescent et sonore tel que le concevrait un dieu heureux et dément, — quand je repense à tout cela un seul nom me hante : Thérèse d'Avila — et les paroles d'une de ses révélations que je me redisais chaque jour : «Tu ne dois plus parler avec les hommes mais avec les anges.»

J'ai vécu des années à l'ombre des saintes, ne croyant pas que poète, sage ou fou les égalât jamais. J'ai dépensé dans ma ferveur pour elles tout ce que j'avais de puissance d'adorer, de vitalité dans les désirs, d'ardeur dans les songes. Et puis... j'ai cessé de les aimer.

SAGESSE ET SAINTETÉ

—————————————————— *D*e tous les grands malades ce sont les saints qui savent le mieux tirer parti de leurs maux. Natures volontaires, effrénées, ils exploitent leur propre déséquilibre avec adresse et violence. Le Sauveur, leur modèle, fut un exemple d'ambition et d'audace, un conquérant sans rival : sa force d'insinuation, son pouvoir à s'identifier avec les insuffisances et les tares de l'âme lui permirent d'établir un règne dont jamais épée ne rêva. Passionné avec *méthode* : c'est cette habileté qu'imitèrent ceux qui le prirent pour idéal.

Mais le sage, dédaigneux du drame et du faste, se sent tout aussi loin du saint que du jouisseur, ignore le roman et se compose un équilibre de désabusement et d'incuriosité. — Pascal est un saint *sans tempérament* : la maladie a fait de lui un peu plus qu'un sage, un peu moins qu'un saint. Ceci explique ses oscillations et l'ombre sceptique qui suit ses ferveurs. Un *bel esprit* dans l'Incurable...

Du point de vue du sage, il ne saurait y avoir d'être plus impur que le saint ; du point de vue de ce dernier, d'être plus vide que le sage. C'est là toute la différence entre l'homme qui comprend et l'homme qui aspire.

LA FEMME ET L'ABSOLU

—————————————————— « *T*andis que Notre-Seigneur me parlait, et que je contemplais sa merveilleuse beauté, je remarquais la douceur et parfois la sévérité, avec laquelle sa bouche si belle et si divine proférait les paroles. J'avais un extrême désir de savoir quelle était la couleur de ses yeux et les proportions de sa stature, afin de pouvoir en parler : jamais je n'ai mérité d'en avoir connaissance. Tout effort pour cela est entièrement inutile » (Sainte Thérèse).

La couleur de ses yeux... Impuretés de la sainteté féminine ! Porter jusque dans le ciel l'indiscrétion de son sexe, cela est de nature à consoler et à dédommager tous ceux — et encore mieux, celles — qui sont restés en deçà de l'aventure divine. Le premier homme, la première femme : voilà le fond permanent de la Chute que rien, le génie ni la sainteté, ne rachètera jamais. A-t-on vu un seul homme *nouveau*, totalement supérieur à celui qu'il fut ? Pour

Jésus lui-même, la Transfiguration ne signifia peut-être qu'un événement fugitif, une étape sans conséquence...

Entre sainte Thérèse et les autres femmes il n'y aurait donc qu'une différence dans la capacité de délirer, qu'une question d'intensité et de direction des *caprices*. L'amour — humain ou divin — nivelle les êtres : aimer une garce ou aimer Dieu présuppose *un même* mouvement : dans les deux cas, vous suivez une impulsion de *créature*. Seul l'*objet* change ; mais quel intérêt présente-t-il, du moment qu'il n'est que prétexte au besoin d'adorer, et que Dieu n'est qu'un exutoire parmi tant d'autres ?

ESPAGNE

——————————————————— *C*haque peuple traduit dans le devenir et à sa manière les attributs divins ; l'ardeur de l'Espagne demeure pourtant unique ; eût-elle été partagée par le reste du monde que Dieu serait épuisé, démuni et vide de Lui-même. Et c'est pour ne pas disparaître que dans *ses* pays il fait prospérer — par autodéfense — l'athéisme. Ayant peur des flammes qu'il a inspirées, il réagit contre ses fils, contre leur frénésie qui le diminue ; leur amour ébranle son pouvoir et son autorité ; seule l'incroyance le laisse intact ; ce ne sont pas les doutes qui l'*usent*, mais la foi. Depuis des siècles l'Église trivialise ses prestiges, et, le rendant accessible, lui prépare, grâce à la théologie, une mort sans énigmes, une agonie commentée, éclaircie : accablé sous les prières, comment ne le serait-il pas sous les explications ? Il redoute l'Espagne comme il redoute la Russie : il y multiplie les athées. Leurs attaques au moins lui font garder encore l'illusion de la toute-puissance : c'est toujours un attribut de sauvé ! Mais les croyants ! Dostoïevski, El Greco : a-t-il eu ennemis plus fébriles ? Et comment ne préférerait-il pas Baudelaire à Jean de la Croix ? Il craint ceux qui le voient et ceux à travers qui Il voit.

Toute sainteté est plus ou moins espagnole : si Dieu était cyclope, l'Espagne lui servirait d'œil.

HYSTÉRIE DE L'ÉTERNITÉ

——————————————————— *J*e conçois qu'on puisse avoir le goût de la croix, mais reproduire tous les jours l'événement rebattu du Calvaire, — cela tient du merveilleux, de l'insensé et du stupide. Car enfin le Sauveur, si l'on abuse de ses prestiges, est aussi fastidieux que quiconque.

Les saints furent de grands pervers, comme les saintes de magnifiques voluptueuses. Les uns et les autres — fous d'une seule idée — transformèrent la croix en vice. La «profondeur» est la dimension de ceux qui ne peuvent varier leurs pensées et leurs appétits, et qui explorent une même région du plaisir et de la douleur.

Attentifs à la fluctuation des instants, nous ne pouvons admettre un événement absolu : Jésus ne saurait partager l'histoire en deux ni l'irruption de la croix briser le cours impartial du temps. La pensée religieuse — forme de pensée obsessionnelle — soustrait de l'ensemble des événements une portion temporelle et l'investit de tous les attributs de l'inconditionné. C'est ainsi que les dieux et leurs fils furent possibles...

La vie est le lieu de mes engouements : tout ce que j'arrache à l'indifférence, je le lui restitue presque aussitôt. Tel n'est pas le procédé des saints : ils *choisissent* une fois pour toutes. Je vis pour me déprendre de tout ce que j'aime ; eux, pour s'infatuer d'un seul objet ; je savoure l'éternité, ils s'y engouffrent.

Les merveilles de la terre — et, à plus forte raison, celles du ciel — résultent d'une hystérie durable. La sainteté : séisme du cœur, anéantissement à force de croire, expression culminante de la sensibilité fanatique, difformité transcendante... Entre un illuminé et un simple d'esprit, il y a plus de correspondance qu'entre le premier et un sceptique. C'est là toute la distance qui sépare la foi de la connaissance sans espoir, de l'existence *sans résultat*.

ÉTAPES DE L'ORGUEIL

*I*l vous advient en fréquentant la folie des saints d'oublier vos limites, vos chaînes, vos fardeaux, et de vous écrier : «Je suis l'âme du monde ; j'empourpre l'univers de mes flammes. Il n'y aura désormais plus de nuit : j'ai préparé la fête éternelle des astres ; le soleil est superflu : tout luit, et les pierres sont plus légères que les ailes des anges.»

Puis, entre la frénésie et le recueillement : «Si je ne suis pas cette Âme, du moins j'aspire à l'être. N'ai-je point donné mon nom à tous les objets ? Tout me proclame, des fumiers aux voûtes : ne suis-je pas le silence et le vacarme des choses ?»

... Et, au plus bas, passé l'enivrement : «Je suis le tombeau des étincelles, la risée du ver, une charogne qui importune l'azur, un émule carnavalesque des cieux, un ci-devant Rien et sans même le privilège d'avoir jamais pourri. À quelle perfection d'abîme suis-je parvenu, qu'il ne me reste plus d'espace pour déchoir?»

CIEL ET HYGIÈNE

——————————————————— *L*a sainteté : fruit suprême de la maladie ; lorsqu'on se porte bien, elle semble monstrueuse, inintelligible et malsaine au plus haut degré. Mais il suffit que cet hamlétisme automatique qu'est la Névrose réclame ses droits, pour que les cieux prennent contour et constituent le cadre de l'inquiétude. On se défend contre la sainteté en se *soignant* : elle provient d'une saleté particulière du corps et de l'âme. Si le christianisme avait proposé à la place de l'Invérifiable, l'hygiène, en vain chercherait-on, dans son histoire, un seul saint ; mais il a entretenu nos plaies et notre crasse, une crasse intrinsèque, phosphorescente...

La santé : l'arme décisive contre la religion. Inventez l'élixir universel : le ciel disparaîtra sans retour. Inutile de séduire l'homme par d'autres idéaux : ils seront plus faibles que les maladies. Dieu est notre rouille, le dépérissement insensible de notre substance : lorsqu'il nous pénètre, nous pensons nous élever, mais nous descendons de plus en plus ; parvenus à notre terme, il couronne notre déchéance, et nous voilà «sauvés» pour toujours. Superstition sinistre, cancer couvert d'auréoles et qui ronge la terre depuis des millénaires...

Je hais tous les dieux ; je ne suis pas assez sain pour les mépriser. C'est la grande humiliation de l'Indifférent.

SUR CERTAINES SOLITUDES

——————————————————— *I*l y a des cœurs où Dieu ne saurait regarder sans perdre son innocence. La tristesse a commencé en deçà de la création : le Créateur eût-il pénétré plus avant dans le monde qu'il eût compromis son équilibre. Celui qui croit qu'on peut encore mourir n'a pas connu certaines solitudes, ni l'*inévitable* de l'immortalité perçu dans certaines affres...

C'est le bonheur de nous autres modernes d'avoir localisé l'enfer en nous : eussions-nous conservé sa figure ancienne, que la peur, soutenue par deux mille ans de menaces, nous eût pétrifiés. Plus d'épouvantes non transposées subjectivement : la *psychologie* est notre salut, notre faux-fuyant. Autrefois, ce monde fut censé sortir d'un bâillement du diable ; il n'est aujourd'hui qu'erreur des sens, préjugé de l'esprit, vice du sentiment. Nous savons à quoi nous en tenir devant la vision du Jugement de sainte Hildegarde ou devant celle de l'enfer de sainte Thérèse : le sublime — celui de l'horreur comme celui de l'élévation — est classé par n'importe quel traité de maladies mentales. Et si nos maux nous sont connus, nous ne sommes point pour autant exempts de visions, mais nous n'y croyons plus. Versés dans la chimie des mystères, nous *expliquons* tout, jusqu'à nos larmes. Ceci demeure pourtant inexplicable : si l'âme est si peu de chose, d'où vient notre sentiment de la solitude ? quel espace occupe-t-il ? Et comment remplace-t-il, d'un coup, l'immense réalité évanouie ?

OSCILLATION

———————————————————— *T*u cherches en vain ton modèle parmi les êtres : de ceux qui allèrent plus loin que toi, tu n'as emprunté que l'aspect compromettant et nuisible : du sage, la paresse ; du saint, l'incohérence ; de l'esthète, l'aigreur ; du poète, le dévergondage — et de tous, le désaccord avec soi, l'équivoque dans les choses quotidiennes et la haine de ce qui vit pour vivre. Pur, tu regrettes l'ordure ; sordide, la pudeur ; rêveur, la rudesse. Tu ne seras jamais que ce que tu n'es pas, et la tristesse d'être ce que tu es. De quels contrastes fut imbibée ta substance et quel génie mélangé présida à ta relégation dans le monde ? L'acharnement à te diminuer t'a fait épouser chez les autres leur appétit de chute : de tel musicien, telle maladie ; de tel prophète, telle tare ; et des femmes — poètes, libertines ou saintes — leur mélancolie, leur sève altérée, leur corruption de chair et de songe. L'amertume, principe de ta détermination, ton mode d'agir et de comprendre, est le seul point fixe dans ton oscillation entre le dégoût du monde et la pitié de toi-même.

MENACE DE SAINTETÉ

———————————————————— *N*e pouvant vivre qu'en deçà ou au-delà de la vie, l'homme est en butte à deux tentations : l'imbécillité et la sainteté : sous-homme et sur-homme, jamais *lui-même*.

Mais alors qu'il ne souffre pas de la peur d'être *moins* que ce qu'il est, la perspective d'être *plus* le terrifie. Engagé dans la douleur, il en redoute l'aboutissement : comment accepterait-il de sombrer dans cet abîme de perfection qu'est la sainteté, et d'y perdre son propre contrôle ? Glisser vers l'imbécillité ou vers la sainteté, c'est se laisser entraîner *en dehors* de soi. Pourtant on ne s'effraie pas de la perte de la conscience qu'implique l'approche de l'idiotie, tandis que la perspective de la perfection est inséparable du vertige. C'est par l'imperfection que nous sommes supérieurs à Dieu ; et c'est la crainte de la perdre qui nous fait fuir la sainteté ! La terreur d'un avenir où nous ne serions plus désespérés..., où, au bout de nos désastres, en apparaîtrait un autre, non souhaité : celui du salut ; la terreur de devenir saints...

Celui qui adore ses imperfections s'alarme d'une transfiguration que ses souffrances pourraient lui préparer. Disparaître dans une lumière transcendante... Mieux vaut alors s'acheminer vers l'absolu des ténèbres, vers les douceurs de l'imbécillité...

LA CROIX INCLINÉE

——————————————————— *S*almigondis sublime, le christianisme est trop profond — et surtout trop impur — pour durer encore : ses siècles sont comptés. Jésus s'affadit de jour en jour ; ses préceptes comme sa douceur irritent ; ses miracles et sa divinité prêtent au sourire. La Croix penche : de symbole, elle redevient matière..., et rentre dans l'ordre de la décomposition où périssent sans exception les choses indignes ou honorables. Deux millénaires de réussite ! Résignation fabuleuse de la part du plus frétillant animal... Mais notre patience est à bout. L'idée que j'ai pu — comme tout le monde — être sincèrement chrétien, ne fût-ce qu'une seconde, me jette dans la perplexité. Le Sauveur m'ennuie. Je rêve d'un univers exempt d'intoxications célestes, d'un univers sans croix ni foi.

Comment ne prévoir le moment où il n'y aura plus de religion, où l'homme, clair et vide, ne disposera plus d'aucun mot pour désigner ses gouffres ? — L'Inconnu sera aussi terne que le connu ; tout manquera d'intérêt et de saveur. Sur les ruines de la Connaissance, une léthargie sépulcrale fera de nous tous des spectres, des héros lunaires de l'Incuriosité...

THÉOLOGIE

———————————————————————— *J*e suis de bonne humeur : Dieu est bon ; je suis morose : il est méchant ; indifférent : il est neutre. Mes états lui confèrent des attributs correspondants : lorsque j'aime le savoir, il est omniscient, et quand j'adore la force, il est tout-puissant. Les choses me semblent-elles exister ? il existe ; me paraissent-elles illusoires ? il s'évapore. Mille arguments le soutiennent, mille le détruisent ; si mes enthousiasmes l'animent, mes hargnes l'étouffent. Nous ne saurions former image plus variable : nous le craignons comme un monstre et l'écrasons comme un insecte ; nous l'idolâtrons : il est l'Être ; le repoussons : il est le Rien. La Prière, dût-elle supplanter la Gravitation, n'arriverait guère à lui assurer une durée universelle : il resterait toujours à la merci de nos heures. Son destin a voulu qu'il ne fût inchangeable qu'aux yeux des naïfs ou des arriérés. Un examen le dévoile : cause inutile, absolu insensé, patron des nigauds, passe-temps des solitaires, fétu ou fantôme selon qu'il amuse notre esprit ou qu'il hante nos fièvres.

Je suis généreux : il s'enfle d'attributs ; aigri : il est lourd d'absence. Je l'ai vécu sous toutes ses formes : il ne *résiste* ni à la curiosité ni à la recherche : son mystère, son infini, se dégrade ; son éclat se ternit ; ses prestiges s'amoindrissent. C'est un costume râpé dont il faut se dévêtir : comment s'envelopper encore d'un dieu en loques ? Son dénuement, son agonie s'étire à travers les siècles ; mais il ne nous survivra pas, il vieillit : ses râles précéderont les nôtres. Ses attributs épuisés, personne n'aura plus d'énergie pour lui en forger de nouveaux ; et la créature les ayant assumés, puis rejetés, ira rejoindre dans le néant sa plus haute invention : son créateur.

L'ANIMAL MÉTAPHYSIQUE

———————————————————————— *S*i l'on pouvait effacer tout ce que la Névrose a inscrit dans l'esprit et le cœur, toutes les empreintes malsaines qu'elle y a laissées, toutes les ombres impures qui l'accompagnent ! Ce qui n'est pas superficiel est malpropre. Dieu : fruit de l'inquiétude de nos entrailles et du gargouillement de nos idées... Seule l'aspiration au Vide nous préserve de cet exercice de souillure qu'est l'acte de croire. Quelle limpidité dans l'Art de l'apparence, dans l'indifférence à nos fins et à nos désastres! Penser à Dieu, y tendre, l'invoquer ou le subir, — mouvements d'un corps détraqué et d'un esprit déconfit! Les époques noblement superficielles — la Renaissance, le XVIIIe siècle — se jouèrent de la religion, en méprisèrent les ébats rudimentaires. Mais hélas! il y a en nous une tristesse de racaille qui assombrit nos ferveurs et nos concepts. En vain rêvons-nous d'un univers de dentelle; Dieu, issu de nos profondeurs, de notre gangrène — profane ce rêve de beauté.

On est animal métaphysique par la pourriture que l'on abrite en soi. Histoire de la pensée : défilé de nos défaillances; vie de l'Esprit : suite de nos vertiges. Notre santé décline? L'univers en pâtit, et subit la courbe de notre vitalité.

Rabâcher le «pourquoi» et le «comment» : remonter à tout bout de champ jusqu'à la Cause — et à toutes les causes, — dénote un désordre des fonctions et des facultés, qui s'achève en «délire métaphysique», — gâtisme de l'abîme, dégringolade de l'angoisse, ultime laideur des mystères...

GENÈSE DE LA TRISTESSE

——————————————— *P*oint d'insatisfaction profonde qui ne soit de nature religieuse : nos déchéances proviennent de notre incapacité de concevoir le paradis et d'y aspirer, comme nos malaises de la fragilité de nos relations avec l'absolu. «Je suis un animal religieux incomplet, je souffre doublement tous les maux», — adage de la Chute et que l'homme se répète pour s'en consoler. N'y parvenant point, il en appelle à la morale, décidé d'en suivre, au risque du ridicule, le conseil édifiant. «*Résous-toi* à n'être plus triste», lui répond-elle. Et il s'efforce d'entrer dans l'univers du Bien et de l'Espoir... ... Mais ses efforts sont inefficaces et *contre nature* : la tristesse remonte jusqu'à la racine de notre perte..., la tristesse est la poésie du péché originel...

DIVAGATIONS DANS UN COUVENT

——————————————— *I*l n'est pour l'incroyant, amoureux de gaspillage et de dispersion, spectacle plus déroutant que ces ruminants d'absolu... D'où tirent-ils tant d'obstination dans l'invérifiable, tant d'attention au vague et d'ardeur à le saisir ? Je ne conçois rien à leurs certitudes, ni à leur sérénité. Ils sont heureux, et je leur reproche de l'être. Si au moins ils se haïssaient ! mais ils prisent leur « âme » plus que l'univers ; — cette fausse évaluation est la source de sacrifices et de renoncements d'une imposante absurdité. Alors que nous faisons des expériences sans suite ni système, au gré du hasard et de nos humeurs, ils n'en font qu'une, toujours la même, d'une monotonie et d'une profondeur qui rebutent. Il est vrai que Dieu en est l'objet ; — mais quel intérêt peuvent-ils y prendre encore ? Toujours pareil à lui-même, infini de même nature, Il ne se *renouvelle* guère ; je saurais y réfléchir en passant, mais en remplir les heures !

... Il ne fait pas encore jour. De ma cellule j'entends des voix, et les ritournelles séculaires, offrandes à un ciel latin et banal. Plus tôt dans la nuit, des pas se précipitaient vers l'Église. Les matines ! Et pourtant Dieu lui-même assisterait-il à sa propre célébration que je ne descendrais point par un froid pareil ! Mais, de toute manière, il *doit* exister, sinon ces sacrifices de créatures de chair, secouant leur paresse pour l'adorer, seraient d'une telle insanité que la raison ne pourrait en supporter la pensée. Les preuves de la théologie sont futiles comparées à ce surmenage qui rend perplexe l'incroyant, et l'oblige à attribuer un sens et une utilité à tant d'efforts. À moins qu'il ne se résigne à une perspective esthétique sur ces insomnies voulues et qu'il ne voie dans la vanité de ces veilles l'aventure la plus gigantesque, entreprise vers une Beauté de non-sens et d'effroi... La splendeur d'une prière qui ne s'adresse à personne ! Mais *quelque chose* doit être : lorsque ce Probable se change en certitude, la félicité n'est plus un simple mot, tant il est vrai que la seule réponse au néant se trouve dans l'illusion. Cette illusion, appelée, sur le plan absolu, *grâce*, — comment l'ont-ils acquise ? Par quel privilège furent-ils amenés à espérer ce que nul espoir du monde ne nous laisse entrevoir ? De quel droit s'installent-ils dans l'éternité que tout nous refuse ? Ces possesseurs — les seuls *vrais* que j'aie jamais rencontrés — à la faveur de quel subterfuge s'arrogèrent-ils le mystère pour en jouir ? Dieu leur appartient : essayer de le leur subtiliser, serait vain : eux-mêmes ne savent point le *procédé* grâce auquel ils s'en sont emparés. *Un beau jour* ils crurent. Tel s'est converti par simple appel : il croyait sans en être conscient : lorsqu'il le fut, il prit l'habit. Tel autre connut tous les tourments : ils cessèrent devant une lumière subite. On ne peut *vouloir* la foi ; ainsi qu'une maladie, elle s'insinue en vous ou vous frappe ; personne ne saurait la commander; et il est absurde de la souhaiter si on n'y est pas prédestiné. On est croyant ou on ne l'est pas, comme on est fou ou normal. — Je ne peux croire ni désirer croire : la foi, forme de délire à quoi je ne suis point sujet... La position de l'incroyant est tout aussi impénétrable que celle du croyant. Je m'adonne au *plaisir d'être déçu* : c'est l'essence même du *siècle*; au-dessus du Doute je ne mets que l'agrément qui en provient...

Et je réponds à tous ces moines roses ou chlorotiques : «Vous insistez en pure perte. J'ai regardé aussi vers le ciel, mais je n'y ai rien vu. Renoncez à me convaincre : si quelquefois j'ai pu trouver Dieu par déduction, je ne l'ai jamais trouvé dans mon cœur : l'y trouverais-je que je ne saurais vous suivre dans votre voie ou dans vos grimaces, encore moins dans ces ballets que sont vos messes et vos complies. Rien ne surpasse les délices du désœuvrement : la fin du monde viendrait que je ne quitterais point mon lit à une heure indue : comment irais-je alors courir en pleine nuit immoler mon sommeil sur l'autel de l'Incertain? Même si la grâce m'obnubilait et que des extases me fissent frémir sans relâche, quelques sarcasmes suffiraient pour m'en distraire. Oh, non, voyez-vous, j'aurais peur de ricaner dans mes prières, et de me damner ainsi bien plus par la foi que par l'incrédulité. Épargnez-moi un surcroît d'effort : de toute manière mes épaules sont trop lasses pour soutenir le ciel...»

EXERCICE D'INSOUMISSION

——————————————— *C*ombien j'exècre, Seigneur, la turpitude de ton œuvre et ces larves sirupeuses qui t'encensent et te ressemblent! Te haïssant, j'ai échappé aux sucreries de ton royaume, aux balivernes de tes fantoches. Tu es l'étouffoir de nos flammes et de nos révoltes, le pompier de nos embrasements, le préposé à nos gâtismes. Avant même de t'avoir relégué dans une formule, j'ai piétiné tes arcanes, méprisé tes manèges et tous ces artifices qui te composent une toilette d'Inexplicable. Tu m'as dispensé avec largesse le fiel que ta miséricorde épargna à tes esclaves. Comme il n'y a de repos qu'à l'ombre de ta nullité, il suffit au salut de la brute de s'en remettre à toi ou à tes contrefaçons. De tes acolytes ou de moi, je ne sais qui plaindre le plus : nous venons tous en ligne droite de ton incompétence : *brin, bribe, bricole*, — vocables de la Création, de ton cafouillage...

De tout ce qui fut tenté en deçà du néant, est-il rien de plus pitoyable que ce monde, sinon l'idée qui l'a conçu? Partout où quelque chose respire il y a une infirmité de plus : point de palpitation qui ne confirme le désavantage d'être ; la chair m'épouvante : ces hommes, ces femmes, de la tripaille qui grogne à la faveur des spasmes... ; plus de parenté avec la planète : chaque instant n'est qu'un suffrage dans l'urne de mon désespoir.

Que ton œuvre cesse ou se prolonge, qu'importe! Tes subalternes ne sauraient parachever ce que tu hasardas sans génie. De l'aveuglement où tu les plongeas, ils sortiront pourtant, mais auront-ils la force de se venger, et toi de te défendre? Cette race est rouillée, et tu es plus rouillé encore. Me tournant vers ton Ennemi, j'attends le jour où il volera ton soleil pour le suspendre à un autre univers.

LE DÉCOR DU SAVOIR

———————————————— *N*os vérités ne valent pas plus que celles de nos ancêtres. Ayant substitué à leurs mythes et à leurs symboles des concepts, nous nous croyons «avancés»; mais ces mythes et ces symboles n'*expriment* guère moins que nos concepts. L'Arbre de Vie, le Serpent, Ève et le Paradis, signifient autant que : Vie, Connaissance, Tentation, Inconscience. Les figurations concrètes du mal et du bien dans la mythologie vont aussi loin que le Mal et le Bien de l'éthique. Le Savoir — en ce qu'il a de profond — ne change jamais : seul son décor varie. L'amour continue sans Vénus, la guerre sans Mars, et, si les dieux n'interviennent plus dans les événements, ces événements ne sont ni plus explicables ni moins déroutants : un attirail de formules remplace seulement la pompe des anciennes légendes, sans que les constantes de la vie humaine s'en trouvent modifiées, la science ne les appréhendant guère plus intimement que les récits poétiques.

La suffisance moderne n'a pas de bornes : nous nous croyons plus éclairés et plus profonds que tous les siècles passés, oubliant que l'enseignement d'un Bouddha plaça des milliers d'êtres devant le problème du néant, problème que nous imaginons avoir découvert parce que nous en avons changé les termes et y avons introduit un tantinet d'érudition. Mais quel penseur d'Occident supporterait la comparaison avec un moine bouddhiste? Nous nous perdons dans des textes et des terminologies : la *méditation* est une donnée inconnue à la philosophie moderne. Si nous voulons conserver une décence intellectuelle, l'enthousiasme pour la civilisation doit être banni de notre esprit, de même que la superstition de l'Histoire. Pour ce qui est des grands problèmes, nous n'avons aucun avantage sur nos ancêtres ou sur nos devanciers plus récents : on a toujours *tout* su, au moins en ce qui concerne l'Essentiel; la philosophie moderne n'ajoute rien à la philosophie chinoise, hindoue ou grecque. D'ailleurs il ne saurait y avoir de *problème nouveau* malgré notre naïveté ou notre infatuation qui voudrait nous persuader du contraire. Dans le *jeu des idées*, qui égala jamais un sophiste chinois ou grec, qui poussa plus loin que lui la hardiesse dans l'abstraction? Toutes les extrémités de la pensée furent atteintes de toujours, — et dans toutes les civilisations. Séduits par le démon de l'Inédit, nous oublions trop vite que nous sommes les épigones du premier pithécanthrope qui se mêla de réfléchir.

*H*egel est le grand responsable de l'optimisme moderne. Comment n'a-t-il pas vu que la conscience change seulement ses formes et ses modalités, mais ne progresse nullement? Le devenir exclut un accomplissement absolu, un but : l'aventure temporelle se déroule sans une visée extérieure à elle, et finira lorsque ses possibilités de cheminer seront épuisées. Le degré de conscience varie avec les époques, sans que cette conscience s'agrandisse par leur succession. Nous ne sommes pas plus conscients que le monde gréco-romain, la Renaissance ou le XVIIIe siècle ; chaque époque est parfaite en elle-même — et périssable. Il y a des moments privilégiés où la conscience s'exaspère, mais il n'y eut jamais éclipse de lucidité telle que l'homme fût incapable d'aborder les problèmes essentiels, l'histoire n'étant qu'une crise perpétuelle, voire une faillite de la *naïveté*. Les *états négatifs* — ceux-là précisément qui exaspèrent la conscience — se distribuent diversement, néanmoins ils sont présents à toutes les périodes historiques ; équilibrées et «heureuses», elles connaissent l'Ennui, — terme naturel du bonheur ; désaxées et tumultueuses, elles subissent le Désespoir, et les crises religieuses qui en dérivent. L'idée de Paradis terrestre fut composée de tous les éléments incompatibles avec l'Histoire, avec l'espace où fleurissent les états négatifs.

*T*outes les voies, tous les procédés de connaître sont valables : raisonnement, intuition, dégoût, enthousiasme, gémissement. Une vision du monde étayée de concepts n'est pas plus légitime qu'une autre surgie des larmes : arguments ou soupirs, — modalités pareillement probantes et pareillement nulles. Je construis une *forme* d'univers : j'y crois, et c'est l'univers, lequel s'effondre cependant sous l'assaut d'une autre certitude ou d'un autre doute. Le dernier des illettrés, et Aristote, sont également irréfutables — et fragiles. L'absolu et la caducité caractérisent l'œuvre mûrie pendant des années comme le poème éclos à la faveur de l'instant. Y a-t-il plus de vérité dans la *Phénoménologie de l'Esprit* que dans l'*Epipsychidion*? L'inspiration fulgurante, de même que l'approfondissement laborieux nous présentent des résultats définitifs — et dérisoires. Aujourd'hui, je préfère tel écrivain à tel autre ; demain, viendra le tour d'une œuvre que j'abominais jadis. Les créations de l'esprit — et les principes qui y président — suivent le destin de nos humeurs, de notre âge, de nos fièvres et de nos déceptions. Nous mettons en question tout ce que nous aimions autrefois, et nous avons toujours raison et toujours tort ; car tout est valable — et tout n'a aucune importance. Je souris : un monde naît ; je m'assombris : il disparaît, et un autre se dessine. Point d'avis, de système, de croyance qui ne soit juste et en même temps absurde, selon que nous y adhérons ou nous en détachons.

On ne trouve pas plus de rigueur dans la philosophie que dans la poésie, ni dans l'esprit que dans le cœur ; la rigueur n'existe que pour autant que l'on s'identifie avec le principe ou la chose que l'on aborde ou que l'on subit ; de l'extérieur, tout est arbitraire : raisons et sentiments. Ce qu'on appelle vérité est une erreur insuffisamment vécue, non encore vidée, mais qui ne saurait tarder de vieillir, une erreur neuve, et qui attend de compromettre sa nouveauté. Le savoir s'épanouit et se dessèche de pair avec nos sentiments. Et si nous faisons le tour de toutes les vérités, c'est que nous nous sommes épuisés ensemble — et qu'il n'y a pas plus de sève en nous qu'en elles. L'Histoire est inconcevable en dehors de *ce qui déçoit*. Ainsi se précise le désir de nous laisser aller à la mélancolie, et d'en mourir...

*L*e véritable savoir se réduit aux veilles dans les ténèbres : la somme de nos insomnies nous distingue seule des bêtes et de nos semblables. Quelle idée riche ou étrange fut jamais le fruit d'un dormeur ? Votre sommeil est bon ? vos rêves paisibles ? vous grossissez la tourbe anonyme. Le jour est hostile aux pensées, le soleil les obscurcit ; elles ne s'épanouissent qu'en pleine nuit... Conclusion du savoir nocturne : tout homme qui parvient à une conclusion rassurante sur quoi que ce soit fait preuve d'imbécillité ou de fausse charité. Qui trouva jamais une seule vérité joyeuse qui fût valable ? Qui sauva l'honneur de l'intellect avec des propos diurnes ? Heureux celui qui peut se dire : « J'ai le savoir triste. »

L'histoire est l'ironie *en marche*, le ricanement de l'Esprit à travers les hommes et les événements. Aujourd'hui triomphe telle croyance ; demain, vaincue, elle sera honnie et remplacée : ceux qui y ont cru la suivront dans sa défaite. Vient ensuite une autre génération : l'ancienne croyance entre de nouveau en vigueur ;

ses monuments démolis sont reconstitués.... en attendant qu'ils périssent derechef. Aucun principe immuable ne règle les faveurs et les sévérités du sort : leur succession participe de l'immense farce de l'Esprit, laquelle confond, dans son jeu, les imposteurs et les fervents, les ruses et les ardeurs. Regardez les polémiques de chaque siècle : elles ne paraissent ni motivées ni nécessaires. Pourtant elles furent la vie de ce siècle-là. Calvinisme, quiétisme, Port-Royal, *Encyclopédie*, Révolution, positivisme, etc., quelle suite d'absurdités... qui *durent* être, quelle dépense inutile, et pourtant fatale ! Depuis les conciles œcuméniques jusqu'aux controverses de politique contemporaine, les orthodoxies et les hérésies ont assailli la curiosité de l'homme de leur irrésistible non-sens. Sous des déguisements divers il y aura toujours des *anti* et des *pour*, que ce soit à propos du Ciel ou du Bordel. Des milliers d'hommes souffrirent pour des subtilités relatives à la Vierge et au Fils ; des milliers d'autres se tourmentèrent pour des dogmes moins gratuits, mais aussi improbables. Toutes les vérités constituent des sectes qui finissent par avoir un destin de Port-Royal, par être persécutées et détruites ; puis, leurs ruines devenues chères, et parées du nimbe de l'iniquité subie, se transforment en lieu de pèlerinage...

Il n'est pas moins déraisonnable d'accorder plus d'intérêt aux discussions autour de la démocratie et de ses formes, qu'à celles qui eurent lieu, au Moyen Âge, autour du nominalisme et du réalisme : chaque époque s'intoxique d'un absolu, mineur et fastidieux, mais d'apparence unique ; on ne peut éviter d'être le contemporain d'une foi, d'un système, d'une idéologie, d'être, tout court, de son temps. Pour s'en émanciper, il faudrait avoir la froideur d'un *dieu du mépris*...

*Q*ue l'Histoire n'ait aucun sens, voilà de quoi nous réjouir. Nous tourmenterions-nous pour une résolution heureuse du devenir, pour une fête finale dont nos sueurs et nos désastres feraient seuls les frais ? pour d'idiots futurs exultant sur nos peines, gambadant sur nos cendres ? La vision d'un achèvement paradisiaque dépasse, en son absurdité, les pires divagations de l'espoir. Tout ce que l'on saurait prétexter à l'excuse du Temps, c'est que l'on y trouve des moments plus profitables que d'autres, accidents sans conséquence dans une intolérable monotonie de perplexités. L'univers commence et finit avec chaque individu, fût-il Shakespeare ou Gros-Jean ; car chaque individu vit *dans l'absolu* son mérite ou sa nullité...

Par quel artifice ce qui *semble* être se déroba au contrôle de ce qui n'est pas ? Un moment d'inattention, d'infirmité au sein du Rien : les larves en profitèrent ; une lacune dans sa vigilance : et nous voilà. Et de même que la vie supplanta le néant, elle fut supplantée, à son tour, par l'histoire : l'existence s'engagea ainsi dans un cycle d'hérésies qui minèrent l'orthodoxie du néant.

ABDICATIONS

LA CORDE

——————————————————— *J*e ne sais plus comment il me fut donné de recueillir cette confidence : « Sans état ni santé, sans projets ni souvenirs, j'ai relégué loin de moi avenir et savoir, ne possédant qu'un grabat sur lequel désapprendre le soleil et les soupirs. J'y reste allongé, et dévide les heures ; autour, des ustensiles, des objets qui m'intiment de me perdre. Le clou me chuchote : transperce-toi le cœur, le peu de gouttes qui en sortira ne devrait pas t'effrayer. — Le couteau insinue : ma lame est infaillible : une seconde de décision, et tu triomphes de la misère et de la honte. — La fenêtre s'ouvre seule, grinçant dans le silence : tu partages avec les pauvres les hauteurs de la cité ; élance-toi, mon ouverture est généreuse : sur le pavé, en un clin d'œil, tu t'écraseras avec le sens ou le non-sens de la vie. — Et une corde s'enroule comme sur un cou idéal, empruntant le ton d'une force suppliante : je t'attends depuis toujours, j'ai assisté à tes terreurs, à tes abattements et à tes hargnes, j'ai vu tes couvertures froissées, l'oreiller où mordait ta rage, comme j'ai entendu les jurons dont tu gratifiais les dieux. Charitable, je te plains et t'offre mes services. Car tu es né pour te pendre comme tous ceux qui dédaignent une réponse à leurs doutes ou une fuite à leur désespoir. »

LES DESSOUS D'UNE OBSESSION

——————————————————— *L*'idée du néant n'est pas le propre de l'humanité laborieuse : ceux qui besognent n'ont ni le temps ni l'envie de peser leur poussière ; ils se résignent aux duretés ou aux niaiseries du sort ; ils espèrent : l'espoir est une vertu d'esclaves.
Ce sont les vaniteux, les fats et les coquettes qui, redoutant les cheveux blancs, les rides et les râles, remplissent leur vacance quoti-

dienne de l'image de leur charogne : ils se chérissent et se désespèrent ; leurs pensées voltigent entre le miroir et le cimetière, et découvrent dans les traits menacés de leur visage des vérités aussi graves que celles des religions. Toute métaphysique commence par une angoisse du corps, laquelle devient ensuite universelle ; de sorte que les inquiets *par frivolité* préfigurent les esprits authentiquement tourmentés. L'oisif superficiel, hanté par le spectre du vieillissement, est plus proche de Pascal, de Bossuet ou de Chateaubriand que ne l'est un savant insoucieux de soi. Une pointe de génie à la vanité : vous avez le grand orgueilleux, qui s'accommode mal de la mort et la ressent comme une *offense personnelle*. Bouddha lui-même, supérieur à tous les sages, ne fut qu'un fat à *l'échelle divine*. Il découvrit la mort, *sa* mort, et, blessé, renonça à tout, et imposa son renoncement aux autres. — Ainsi, les souffrances les plus terribles et les plus inutiles naissent de cet orgueil meurtri, qui, pour faire face au Néant, le transforme, par vengeance, en Loi.

ÉPITAPHE

——————————————— «*I*l eut l'orgueil de ne commander jamais, de ne disposer de rien ni de personne. Sans subalternes, sans maîtres, il ne donna des ordres ni n'en reçut. Soustrait à l'empire des lois, et comme antérieur au bien et au mal, il ne fit pâtir âme qui vive. Dans sa mémoire s'effacèrent les noms des choses ; il regardait sans percevoir, écoutait sans ouïr : parfums ou arômes s'évanouissaient à l'approche de ses narines et de son palais. Ses sens et ses désirs furent ses seuls esclaves : aussi ne sentirent-ils, ne désirèrent-ils guère. Il oublia bonheur et malheur, soifs et craintes ; et, s'il lui arrivait de s'en ressouvenir, il méprisait de les nommer et de s'abaisser ainsi à l'espoir ou au regret. Le geste le plus infime lui coûtait plus d'efforts qu'il n'en coûte à d'autres pour fonder ou renverser un empire. Né las de naître, il se voulut ombre : quand donc vécut-il ? et par la faute de quelle naissance ? Et si, vivant, il porta son suaire, par quel miracle parvint-il à mourir ?»

SÉCULARISATION DES LARMES

——————————————— *C*e n'est que depuis Beethoven que la musique s'adresse aux hommes : avant lui, elle ne s'entretenait qu'avec Dieu. Bach et les grands Italiens ne connurent point ce glissement vers l'humain, ce faux titanisme qui altère, depuis le Sourd, l'art le plus pur. La torsion du vouloir remplaça les suavités ; la contradiction des sentiments, l'essor naïf ; la frénésie, le soupir discipliné : le *ciel* ayant disparu de la musique, l'homme s'y est installé. Le péché se répandait auparavant en pleurs doux ; vint le moment où il s'étala : la déclamation eut raison de la prière, le romantisme de la Chute triompha du songe harmonieux de la déchéance...

Bach : langueur de cosmogonie ; échelle de larmes sur laquelle gravissent nos désirs de Dieu ; architecture de nos fragilités, dissolution positive — et la plus haute — de notre volonté ; ruine céleste dans l'Espoir ; seul mode de nous perdre sans effondrement et de disparaître sans mourir...

Est-il trop tard pour réapprendre ces évanouissements ? Et nous faut-il continuer à défaillir hors des accords de l'orgue ?

FLUCTUATIONS DE LA VOLONTÉ

———————————————— «*C*onnaissez-vous cette fournaise de la volonté où rien ne résiste à vos désirs, où la fatalité et la gravitation perdent leur empire et se subtilisent devant la magie de votre pouvoir ? Assuré que votre regard ressusciterait un mort, que votre main posée sur la matière la ferait frémir, qu'à votre contact les pierres palpiteraient, que tous les cimetières s'épanouiraient dans un sourire d'immortalité, — vous vous répétez : «Désormais il n'y aura plus qu'un printemps éternel, une danse de prodiges, et la fin de tous les sommeils. J'ai apporté un autre feu : les dieux pâlissent et les créatures jubilent ; la consternation s'est emparée des voûtes et le tapage est descendu dans les tombes.»

... Et l'amateur de paroxysmes, essoufflé, ne se tait que pour reprendre, avec l'accent du quiétisme, des paroles d'abandon :

«Avez-vous jamais éprouvé cette somnolence qui se transmet aux choses, cette mollesse qui anémie les sèves, et les fait rêver d'un automne vainqueur des autres saisons ? Sur mon passage les espoirs s'endorment, les fleurs s'étiolent, les instincts fléchissent : tout cesse de vouloir, tout se repent d'avoir voulu. Et chaque être me chuchote : «J'aimerais qu'un autre vécût ma vie, fût-il Dieu, fût-il limace. Je soupire après une volonté d'inaction, un infini non déclenché, une atonie extatique des déments, une hibernation en plein soleil, et qui engourdirait tout, du porc à la libellule...»

THÉORIE DE LA BONTÉ

———————————————————— «*P*uisque pour vous il n'y a point
d'ultime critère ni d'irrévocable principe, et aucun dieu, qu'est-ce
qui vous empêche de perpétrer tous les forfaits?»
— «Je découvre en moi autant de mal que chez quiconque, mais,
exécrant l'action, — mère de tous les vices — je ne suis cause de
souffrance pour personne. Inoffensif, sans avidité, et sans assez
d'énergie ni d'indécence pour affronter les autres, je laisse le
monde tel que je l'ai trouvé. Se venger présuppose une vigilance
de chaque instant et un esprit de système, une continuité coû-
teuse, alors que l'indifférence du pardon et du mépris rend les
heures agréablement vides. Toutes les morales représentent un
danger pour la bonté; seule l'incurie la sauve. Ayant choisi le
flegme de l'imbécile et l'apathie de l'ange, je me suis exclu des
actes et, comme la bonté est incompatible avec la vie, je me suis
décomposé pour être bon.»

LA PART DES CHOSES

———————————————————— *I*l faut une considérable dose
d'inconscience pour s'adonner sans arrière-pensée à quoi que ce
soit. Les croyants, les amoureux, les disciples n'aperçoivent qu'une
face de leurs déités, de leurs idoles, de leurs maîtres. Le fervent
demeure inéluctablement naïf. Est-il sentiment pur où le mélange
de la grâce et de l'imbécillité ne se trahisse, et admiration béate
sans éclipse de l'intelligence? Celui qui entrevoit simultanément
tous les aspects d'un être ou d'une chose reste à jamais indécis
entre l'élan et la stupeur. — Disséquez n'importe quelle croyance:
quel faste du cœur — et combien de turpitudes en dessous! C'est
l'infini rêvé dans un égout et qui en conserve, ineffaçables, l'empreinte et la puanteur. Il y a du notaire dans chaque saint, de l'épicier dans tout héros, du concierge dans le martyr. Au fond des
soupirs se cache une grimace; aux sacrifices et aux dévotions se
mêlent les vapeurs du bordel terrestre. — Contemplez l'amour:
est-il épanchement plus noble, accès moins suspect? Ses frissons
concurrencent la musique, rivalisent avec les larmes de la solitude
et de l'extase: c'est le sublime, mais un sublime inséparable des
voies urinaires: transports voisins de l'excrétion, ciel des glandes,

sainteté subite des orifices... Il suffit d'un moment d'*attention* pour que cette ivresse, secouée, vous rejette dans les immondices de la physiologie, ou d'un instant de lassitude pour constater que tant d'ardeur ne produit qu'une variété de morve. L'état de veille dans nos enivrements en altère la saveur et transforme celui qui les subit en un visionnaire piétinant des prétextes ineffables. On ne peut aimer et connaître en même temps, sans que l'amour n'en pâtisse et n'expire sous les regards de l'esprit. — Fouillez vos admirations, scrutez les bénéficiaires de votre culte et les profiteurs de vos abandons : sous leurs pensées les plus désintéressées vous découvrirez l'amour-propre, l'aiguillon de la gloire, la soif de domination et de pouvoir. Tous les penseurs sont des ratés de l'action et qui se vengent de leur échec par l'entremise des concepts. Nés *en deçà* de l'acte, ils l'exaltent ou le décrient, selon qu'ils aspirent à la reconnaissance des hommes ou à l'autre forme de gloire : leur haine ; ils élèvent indûment leurs propres déficiences, leurs propres misères au rang de lois, leur futilité au niveau d'un principe. La pensée est un mensonge tout comme l'amour ou la foi. Car les vérités sont des fraudes et les passions des odeurs ; et en fin de compte on n'a d'autre choix qu'entre ce qui ment et ce qui pue.

MERVEILLES DU VICE

─────────────────────── *A*lors qu'il faut à un penseur — pour se dissocier du monde — un immense labeur d'interrogations, le privilège d'une tare confère d'emblée une destinée singulière. Le Vice — dispensateur de solitude — offre à celui qui en est marqué l'excellence d'une condition séparée. Regardez l'inverti : il inspire deux sentiments contradictoires : le dégoût et l'admiration ; sa déchéance le rend à la fois inférieur et supérieur aux autres ; il ne s'accepte pas, se justifie devant lui-même à chaque instant, s'invente des raisons, tiraillé entre la honte et l'orgueil ; cependant — fervents des sottises de la procréation — nous marchons avec le troupeau. Malheur à ceux qui n'ont point de secrets sexuels ! Comment devinerions-nous les avantages fétides des aberrations ? Resterons-nous à jamais progénitures de la nature, victimes de ses lois, arbres humains enfin ?

Les déficiences de l'individu déterminent le degré de souplesse et de subtilité d'une civilisation. Les sensations rares conduisent à l'esprit et l'avivent : l'instinct égaré se situe à l'antipode de la barbarie. Il en résulte qu'un impuissant est plus complexe qu'une brute aux réflexes inaltérés, qu'il réalise mieux que quiconque l'essence de l'homme, de cet animal déserteur de la zoologie, et qu'il s'enrichit de toutes ses insuffisances, de toutes ses impossibilités. Supprimez les tares et les vices, enlevez les *chagrins charnels*, et vous ne rencontrerez plus d'*âmes*; car ce qu'on appelle de ce nom n'est qu'un produit de scandales intérieurs, une désignation de hontes mystérieuses, une idéalisation de l'abjection...

Dans le tréfonds de sa naïveté, le penseur jalouse les possibilités de connaître ouvertes à tout ce qui est contre nature; il croit — non sans répulsion — aux privilèges des «monstres»... Le vice étant une souffrance, et la seule forme de célébrité qui vaille la peine, le vicieux «doit» être nécessairement plus profond que le commun des hommes, puisque indiciblement séparé de tous; il commence par où les autres finissent...

Un plaisir naturel, puisé dans l'évidence, s'annule en lui-même, se détruit dans ses moyens, expire dans son actualité, alors qu'une sensation insolite est une sensation *pensée*, une réflexion dans les réflexes. Le vice atteint au plus haut degré de *conscience* — sans l'entremise de la philosophie; mais il faut au penseur toute une vie pour parvenir à cette *lucidité affective* par laquelle débute le perverti. Ils se ressemblent pourtant dans leur propension à s'arracher aux autres, encore que l'un s'y astreigne par la méditation, tandis que l'autre ne suit que les merveilles de son penchant.

LE CORRUPTEUR

——————————————— «*T*es heures, où se sont-elles écoulées? Le souvenir d'un geste, la marque d'une passion, l'éclat d'une aventure, une belle et fugitive démence, — rien de tout cela dans ton passé; aucun délire ne porte ton nom, aucun vice ne t'honore. Tu as glissé sans traces; mais quel fut donc ton rêve?»

— «J'aurais voulu semer le Doute jusqu'aux entrailles du globe, en imbiber la matière, le faire régner là où l'esprit ne pénétra jamais, et, avant d'atteindre la moelle des êtres, secouer la quiétude des pierres, y introduire l'insécurité et les défauts du cœur. Architecte, j'eusse construit un temple à la Ruine; prédicateur, révélé la farce de la prière; roi, arboré l'emblème de la rébellion. Comme les hommes couvent une envie secrète de se répudier, j'eusse excité partout l'infidélité à soi, plongé l'innocence dans la stupeur, multiplié les traîtres à eux-mêmes, empêché la multitude de croupir dans le pourrissoir des certitudes.»

L'ARCHITECTE DES CAVERNES

*L*a théologie, la morale, l'histoire et l'expérience de tous les jours nous apprennent que pour atteindre à l'équilibre il n'y a pas une infinité de secrets ; il n'y en a qu'un : *se soumettre.* « Acceptez un joug, nous répètent-elles, et vous serez heureux ; soyez *quelque chose*, et vous serez délivrés de vos peines. » En effet, tout est *métier* ici-bas : professionnels du temps, fonctionnaires de la respiration, dignitaires de l'espérance, un *poste* nous attend avant de naître : nos carrières se préparent dans les entrailles de nos mères. Membres d'un univers officiel, nous devons y occuper une place, par le mécanisme d'un destin rigide, qui ne se relâche qu'en faveur des fous ; eux, au moins, ne sont pas astreints à avoir une croyance, à adhérer à une institution, à soutenir une idée, à poursuivre une entreprise. Depuis que la société s'est constituée, ceux qui voulurent s'y soustraire furent persécutés ou bafoués. On vous pardonne tout, pourvu que vous ayez un métier, un sous-titre à votre nom, un sceau sur votre néant. Personne n'a l'audace de s'écrier : « Je ne veux rien faire » ; — on est plus indulgent à l'égard d'un assassin que d'un esprit affranchi des actes. Multiplier les possibilités de se soumettre, abdiquer sa liberté, tuer le vagabond en soi, c'est ainsi que l'homme a raffiné son esclavage et s'est inféodé aux fantômes. Même ses mépris et ses rébellions, il ne les a cultivés que pour en être dominé, serf qu'il est de ses attitudes, de ses gestes et de ses humeurs. Sorti des cavernes il en a gardé la superstition ; il était leur prisonnier, il en est devenu l'architecte. Il perpétue sa condition primitive avec plus d'invention et de subtilité ; mais, au fond, grossissant ou amenuisant sa caricature, il se plagie effrontément. Charlatan *à bout de ficelles*, ses contorsions, ses grimaces font encore illusion...

DISCIPLINE DE L'ATONIE

*C*omme une cire sous l'œuvre du soleil, je fonds le jour, et me solidifie la nuit, alternance qui me décompose et me restitue à moi-même, métamorphose dans l'inertie et la fainéantise... Est-ce là que devait aboutir tout ce que j'ai lu et su, est-ce là le terme de mes veilles ? La paresse a émoussé mes enthousiasmes, ramolli mes appétits, énervé mes rages. Celui qui ne se laisse pas aller me semble un monstre : j'use mes forces à l'apprentissage de l'abandon, et m'exerce dans le désœuvrement, opposant à mes lubies les paragraphes d'un Art de Pourrir.

Partout des gens qui *veulent*... ; mascarade de pas précipités vers des buts mesquins ou mystérieux ; des volontés qui se croisent ; chacun veut ; la foule veut ; des milliers tendus vers je ne sais quoi. Je ne saurais les suivre, encore moins les défier ; je m'arrête stupéfait : quel prodige leur insuffla tant d'entrain ? Mobilité hallucinante : dans si peu de chair tant de vigueur et d'hystérie ! Ces vibrions qu'aucun scrupule ne calme, qu'aucune sagesse n'apaise, qu'aucune amertume ne déconcerte... Ils bravent les périls avec plus d'aisance que les héros : ce sont des apôtres inconscients de l'efficace, des saints de l'Immédiat..., des dieux dans les foires du temps...

Je m'en détourne, et quitte les trottoirs du monde... — Cependant, il fut un temps où j'admirais les conquérants et les abeilles, où j'ai failli espérer ; mais à présent, le mouvement m'affole et l'énergie m'attriste. Il y a plus de sagesse à se laisser emporter par les flots qu'à se débattre contre eux. Posthume à moi-même, je me souviens du Temps comme d'un enfantillage ou d'une faute de goût. Sans désirs, sans heures où les faire éclore, je n'ai que l'assurance de m'être survécu depuis toujours, fœtus rongé d'une idiotie omnisciente avant même que ses paupières ne s'ouvrent et mort-né de clairvoyance...

L'USURE SUPRÊME

*I*l y a quelque chose qui concurrence la grue la plus sordide, quelque chose de sale, d'usé, de déconfit, et qui excite et déconcerte la rage, — un sommet d'exaspération et un article de tous les instants : c'est le *mot*, tout mot, et plus précisément celui dont on se sert. Je dis : *arbre, maison, moi, magnifique, stupide* : je pourrais dire n'importe quoi, et je rêve d'un assassin de tous les noms et de tous les adjectifs, de tous ces rots honorables. Il me semble parfois qu'ils sont morts et que personne ne veut les enterrer. Par lâcheté, nous les considérons encore vivants et continuons à supporter leur odeur sans nous boucher le nez. Pourtant ils ne sont, ni n'expriment plus rien. Lorsqu'on pense à toutes les bouches par où ils passèrent, à tous les souffles qui les corrompirent, à toutes les occasions où ils furent proférés, peut-on se servir encore d'un seul sans en être pollué ?

On nous les jette tout mastiqués : cependant nous n'oserions avaler un aliment remâché par les autres : l'acte matériel qui correspond à l'usage de la parole, nous soulève le cœur ; il suffit néanmoins d'un moment de hargne pour percevoir sous n'importe quelle parole un arrière-goût de salive étrangère.

Pour rafraîchir le langage, il faudrait que l'humanité cessât de parler : elle recourrait avec profit aux signes, ou, plus efficacement, au silence. La prostitution du mot est le symptôme le plus visible de son avilissement ; il n'y a plus de vocable intact, ni d'articulation pure, et, jusqu'aux choses signifiées, tout se dégrade à force de redites. Pourquoi chaque génération n'apprendrait-elle pas un nouvel idiome, ne fût-ce que pour donner une autre sève aux objets ? Comment aimer et haïr, s'ébattre et souffrir avec des symboles anémiés ? La «vie», la «mort», — poncifs métaphysiques, énigmes désuètes... L'homme devrait se créer une autre illusion de réalité et inventer à cette fin d'autres mots, puisque les siens manquent de sang, et, qu'à leur stade d'agonie, il n'y a plus de transfusion possible.

AUX FUNÉRAILLES DU DÉSIR

——————————————— *U*ne caverne infinitésimale bâille dans chaque cellule... Nous savons où les maladies s'installent, leur lieu, la carence définie des organes ; mais ce mal sans siège..., cette oppression sous le poids de mille océans, ce désir d'un poison idéalement maléfique...

Les vulgarités du renouveau, les provocations du soleil, de la verdure, de la sève... Mon sang se désagrège quand les bourgeons éclosent, quand l'oiseau et la brute s'épanouissent... J'envie les fous complets, l'engourdissement du loir, les hivers de l'ours, la sécheresse du sage, j'échangerais contre leur torpeur mon frétillement d'assassin diffus qui rêve de crimes en deçà du sang. Et plus qu'eux tous, combien je jalouse ces empereurs de la décadence, maussades et cruels, et qu'on poignardait au beau milieu de leurs crimes !

Je m'abandonne à l'espace ainsi qu'une larme d'aveugle. De qui suis-je la volonté, qui *veut* en moi ? J'aimerais qu'un démon conçût une conspiration contre l'homme : je m'y associerais. Las de m'embrouiller aux funérailles de mes désirs, j'aurais enfin un prétexte d'idéal, car l'Ennui est le martyre de ceux qui ne vivent et ne meurent pour aucune croyance.

L'IRRÉFUTABLE DÉCEPTION

————————————————————— *T*out abonde dans son sens, l'alimente et l'affermit; elle couronne — savante, irrécusable — événements, sentiments, pensées; point d'instant qui ne la consacre, d'élan qui ne la rehausse, de réflexion qui ne la confirme. Divinité dont le royaume n'a pas de bornes, plus puissante que la fatalité qui la sert et l'illustre, trait d'union entre la vie et la mort, elle les rassemble, les confond et s'en nourrit. Auprès de ses arguments et de ses vérifications, les sciences paraissent un ramassis de lubies. Rien ne saurait diminuer la ferveur de ses dégoûts : est-il vérités, fleurissant dans un printemps d'axiomes, qui puissent défier son dogmatisme visionnaire, son orgueilleuse insanité ? Aucune température de jeunesse ni même le dérangement de l'esprit ne résistent à ses certitudes, et ses triomphes sont proclamés d'une même voix par la sagesse et par la démence. Devant son empire sans lacune, devant sa souveraineté sans limites, nos genoux se plient; tout commence par l'ignorer, tout finit par s'y soumettre; nul acte qui ne la fuie, nul qui ne s'y ramène. *Dernier mot* ici-bas, elle seule ne déçoit point...

DANS LE SECRET DES MORALISTES

————————————————————— *L*orsque nous avons bourré l'univers de tristesse, il ne nous reste, pour allumer l'esprit, que la joie, l'impossible, la rare, la fulgurante joie; et c'est lorsque nous n'espérons plus que nous subissons la fascination de l'espoir : la Vie, — cadeau offert aux vivants par les obsédés de la mort... Comme la direction de nos pensées n'est pas celle de nos cœurs, nous entretenons une inclination secrète pour tout ce que nous piétinons. Tel enregistre le grincement de la machine du monde : c'est qu'il aura trop rêvé des résonances des Voûtes : — faute de les entendre, il s'humilie à n'écouter que le vacarme d'alentour. Les propos amers émanent d'une sensibilité ulcérée, d'une délicatesse meurtrie. Le venin d'un La Rochefoucauld, d'un Chamfort, fut la revanche qu'ils prirent contre un monde taillé pour les brutes. Toute amertume cache une vengeance et se traduit en un système : le pessimisme, — cette *cruauté des vaincus* qui ne sauraient pardonner à la vie d'avoir trompé leur attente.

*L*a gaîté qui frappe des coups mortels..., l'enjouement qui dissimule le poignard sous un sourire... Je pense à certains sarcasmes de Voltaire, à telles reparties de Rivarol, aux traits cinglants de madame du Deffand, au ricanement qui perce sous tant d'élégance, à la légèreté agressive des salons, aux saillies qui amusent et qui tuent, à l'aigreur que renferme un excès de civilité... Et je pense à un *moraliste idéal* — mélange d'envol lyrique et de cynisme — exalté et glacial, diffus et incisif, tout aussi proche des *Rêveries* que des *Liaisons dangereuses*, ou rassemblant en soi Vauvenargues et de Sade, le tact et l'enfer... Observateur des mœurs sur *lui-même*, n'ayant guère besoin de puiser ailleurs, la moindre attention à soi lui dévoilerait les contradictions de la vie, dont il refléterait si bien tous les aspects, que, honteuse de faire *double emploi*, elle s'évanouirait...

*P*oint d'*attention* dont l'exercice ne mène à un acte d'anéantissement : c'est la fatalité de l'observation, avec tous les inconvénients qui en découlent pour l'observateur, depuis le moraliste classique jusqu'à Proust. Tout se dissout sous l'œil scrutateur : les passions, les attachements à toute épreuve, les ardeurs sont le propre des esprits simples, fidèles aux autres et à eux-mêmes. Un rien de lucidité dans le «cœur» en fait le siège de sentiments feints, et transforme l'amoureux en Adolphe et l'insatisfait en René. Qui aime n'examine pas l'amour, qui agit ne médite point sur l'action : si j'étudie mon «prochain», c'est qu'il a cessé de l'être, et je ne suis plus «moi» si je m'analyse : je deviens *objet*, au même titre que les autres. Le croyant qui pèse sa foi finit par mettre Dieu sur la balance, et ne sauvegarde sa ferveur que par crainte de la perdre. Placé à l'antipode de la naïveté, de l'existence intégrale et authentique, — le moraliste s'épuise dans un *vis-à-vis* de soi-même et des autres : farceur, microcosme d'arrière-pensées, il ne supporte pas l'artifice que les hommes, pour vivre, acceptent *spontanément*, et incorporent à leur nature. Tout lui paraît convention : il divulgue les mobiles des sentiments et des actes, il démasque les simulacres de la civilisation : c'est qu'il souffre de les avoir entrevus et dépassés ; car ces simulacres font vivre, *sont* la vie, alors que son existence, en les contemplant, s'égare dans la recherche d'une «nature» qui n'existe pas et qui, dût-elle exister, lui serait aussi étrangère que les artifices qu'on y a ajoutés. Toute complexité psychologique réduite à ses éléments, expliquée et disséquée, comporte une opération bien plus néfaste à l'opérateur qu'à la victime. On liquide ses sentiments en en poursuivant les détours, comme ses élans si on en épie la courbe ; et lorsqu'on détaille les mouvements des autres, ce ne sont pas eux qui s'embrouillent dans leur marche... Tout ce à quoi on ne participe point semble déraisonnable ; mais ceux qui se meuvent ne sauraient ne pas avancer, alors que l'observateur, de quelque côté qu'il se tourne, n'enregistre leur inutile triomphe que pour excuser sa défaite. C'est qu'il n'y a de vie que dans l'inattention à la vie.

FANTAISIE MONACALE

———————————————— *C*es temps où des femmes prenaient le voile pour cacher au monde, et comme à elles-mêmes, le progrès de l'âge, la diminution de leur éclat, l'effacement de leurs attraits..., où des hommes, las de gloire et de faste, quittaient la Cour pour se réfugier dans la dévotion... La mode de se convertir *par pudeur* a disparu avec le grand siècle : l'ombre de Pascal et un reflet de Jacqueline s'étendaient, comme des prestiges invisibles, sur le moindre courtisan, sur la beauté la plus frivole. Mais les Port-Royals furent à jamais détruits, et, avec eux, les lieux propices aux agonies discrètes et solitaires. Plus de coquetterie du couvent : où chercher encore, pour adoucir nos déchéances, un cadre à la fois morne et somptueux ? Un épicurien comme Saint-Evremond en imaginait un à son goût, et aussi lénifiant et relâché que son savoir-vivre. En ces temps-là, il fallait encore tenir compte de Dieu, l'ajuster à l'incroyance, l'englober dans la solitude. Transaction pleine d'agrément, irrémédiablement révolue ! À nous autres il nous faudrait des cloîtres aussi dépossédés, aussi vides que nos âmes, pour nous y perdre sans l'assistance des cieux, et dans une pureté d'idéal absent, des cloîtres à la mesure d'anges détrompés qui, dans leur chute, à force d'illusions vaincues, demeureraient encore immaculés. Et d'espérer une vogue de retraites dans une éternité sans foi, une prise d'habit dans le néant, un Ordre affranchi des mystères, et dont nul «frère» ne se réclamerait de rien, dédaignant son salut comme celui des autres, un *Ordre de l'impossible salut*...

EN L'HONNEUR DE LA FOLIE

———————————————— «*Better I were distract :
So should my thoughts be sever'd from my griefs.*»

*E*xclamation qu'arrache à Gloster la folie du Roi Lear... Pour nous *séparer* de nos chagrins, notre ultime recours est le délire ; sujets à ses égarements, nous ne *rencontrons* plus nos afflictions : parallèles à nos douleurs et à côté de nos tristesses, nous divaguons dans une ténèbre salutaire. Lorsqu'on exècre cette gale appelée vie, et qu'on est las des démangeaisons de la durée, l'assurance du fou au milieu de ses accablements devient une tentation et un modèle : qu'un sort clément nous dispense de notre raison ! Point d'issue tant que l'intellect demeure attentif aux mouvements du cœur, tant qu'il ne s'en désaccoutume pas ! J'aspire aux nuits de l'idiot, à ses souffrances minérales, au bonheur de gémir avec indifférence comme si c'étaient les gémissements d'un autre, à un calvaire où l'on est étranger à soi, où ses propres cris viennent d'ailleurs, à un enfer anonyme où l'on danse et ricane en se détruisant. Vivre et mourir à la troisième personne..., m'exiler en moi, me dissocier de mon nom, pour toujours distrait de celui que je fus..., atteindre enfin — puisque la vie n'est supportable qu'à ce prix — à la sagesse de la démence...

MES HÉROS

———————————————— *L*orsqu'on est jeune on se cherche des héros : j'ai eu les miens : Henri de Kleist, Caroline de Guenderode, Gérard de Nerval, Otto Weininger... Ivre de leur suicide, j'avais la certitude qu'eux seuls étaient allés jusqu'au bout, qu'ils tirèrent, dans la mort, la conclusion juste de leur amour contrarié ou comblé, de leur esprit fêlé ou de leur crispation philosophique. Qu'un homme survécût à sa passion, cela suffisait pour me le rendre méprisable ou abject : c'est dire que l'humanité m'était de trop : j'y découvrais un nombre infime de hautes résolutions et tant de complaisance à vieillir, que je m'en détournais, résolu d'en finir avant d'arriver à la trentaine. Mais, comme les années passaient, je perdais l'orgueil de la jeunesse : chaque jour, comme une leçon d'humilité, me rappelait que j'étais encore vivant, que je trahissais mes rêves parmi les hommes pourris de vie. Surmené par l'attente de n'être plus, je considérais comme un devoir de se pourfendre la chair quand l'aurore point sur une nuit d'amour et que c'était une grossièreté sans nom que galvauder par la mémoire une démesure de soupirs. Ou, à d'autres moments, comment de sa présence insulter encore la durée, quand on a tout saisi dans une dilatation qui hausse l'orgueil sur le trône des cieux ? Je pensais alors que le seul acte qu'un homme pût accomplir sans honte était d'ôter sa vie, qu'il n'avait pas le droit de s'amoindrir dans la succession des jours et l'inertie du malheur. Point d'élus, me répétais-je, en dehors de ceux qui se donnent la mort. Maintenant encore, j'estime plus un concierge qui se pend qu'un poète vivant. L'homme est un sursitaire du suicide : voilà sa seule gloire, sa seule excuse. Mais il n'en est pas conscient, et taxe de lâcheté le courage de ceux qui osèrent s'élever par la mort au-dessus d'eux-mêmes. Nous sommes liés les uns aux autres par un pacte tacite d'aller jusqu'au dernier souffle : ce pacte qui cimente notre solidarité ne nous condamne pas moins : toute notre race en est frappée d'infamie. Hors du suicide, point de salut. Chose étrange ! la mort, quoique éternelle, n'est pas entrée dans les mœurs : *seule* réalité, elle ne saurait devenir *vogue*. Ainsi, en tant que vivants, nous sommes tous des *arriérés...*

LES SIMPLES D'ESPRIT

——————————————————— *O*bservez l'accent avec lequel un homme prononce le mot « vérité », l'inflexion d'assurance ou de réserve qu'il y met, l'air d'y croire ou d'en douter, et vous serez édifiés sur la nature de ses opinions et la qualité de son esprit. Point de vocable plus creux ; — pourtant les hommes s'en font une idole et en convertissent le non-sens à la fois en critère et en but de la pensée. Cette superstition — qui excuse le vulgaire et disqualifie le philosophe — résulte de l'empiétement de l'espoir sur la logique. On vous répète : la vérité est inaccessible ; il faut néanmoins la chercher, y tendre, s'y évertuer. — Voilà une restriction qui ne vous sépare guère de ceux qui affirment l'avoir trouvée : l'*important est de croire qu'elle est possible* : la posséder ou y aspirer sont deux actes qui procèdent d'une même attitude. D'un mot comme d'un autre on fait une exception : terrible usurpation du langage ! J'appelle simple d'esprit tout homme qui parle de la Vérité avec *conviction* : c'est qu'il a des majuscules en réserve et s'en sert naïvement, sans fraude ni mépris. — Pour ce qui est du philosophe, sa moindre complaisance à cette idolâtrie le démasque : le citoyen a triomphé en lui du solitaire. L'espoir émergeant d'une pensée, cela attriste ou fait sourire... Il y a une indécence à mettre trop d'âme dans les grands mots : l'enfantillage de tout enthousiasme pour la connaissance. Et il est temps que la philosophie, jetant un discrédit sur la Vérité, s'affranchisse de toutes les majuscules.

LA MISÈRE : EXCITANT DE L'ESPRIT

*P*our tenir l'esprit en éveil, il n'y a pas que le café, la maladie, l'insomnie ou l'obsession de la mort ; la misère y contribue en égale mesure sinon plus efficacement : la terreur du lendemain tout comme celle de l'éternité, les ennuis d'argent de même que les frayeurs métaphysiques, excluent le repos et l'abandon. — *Toutes nos humiliations viennent de ce que nous ne pouvons pas nous résoudre à mourir de faim.* Cette lâcheté, nous la payons cher. Vivre en fonction des hommes, sans vocation de mendiant ! S'abaisser devant ces ouistitis vêtus, chanceux infatués ! être à la merci de ces caricatures indignes du mépris ! C'est la honte de solliciter quoi que ce soit qui excite l'envie d'anéantir cette planète, avec ses hiérarchies et les dégradations qu'elles comportent. La société n'est pas un mal, elle est un désastre : quel stupide miracle qu'on puisse y vivre ! Lorsqu'on la contemple, entre la rage et l'indifférence, il devient inexplicable que personne n'ait pu en démolir l'édifice, qu'il n'y ait pas eu jusqu'à présent des esprits de bien, désespérés et décents, pour la raser et en effacer la trace.

Il est plus qu'une ressemblance entre quêter un sou dans la cité et attendre une réponse du silence de l'univers. L'avarice préside aux cœurs et à la matière. Fi de cette existence chiche ! elle thésaurise les écus et les mystères : les bourses sont aussi inaccessibles que les profondeurs de l'Inconnu. Mais, qui sait ? il se peut qu'un jour cet Inconnu s'étale et ouvre ses trésors ; jamais, tant qu'il aura du sang dans les veines, le Riche ne déterrera ses deniers... Il vous avouera ses hontes, ses vices, ses crimes : il mentira sur sa fortune ; il vous fera toutes les confidences, vous disposerez de sa vie : vous ne partagerez pas son dernier secret, son secret pécuniaire...

La misère n'est pas un état transitoire : elle coïncide avec la certitude que, quoi qu'il arrive, vous n'aurez jamais rien, que vous êtes né en deçà du circuit des biens, que vous devez combattre pour respirer, qu'il faut conquérir jusqu'à l'air, jusqu'à l'espoir, jusqu'au sommeil, et que, lors même que la société disparaîtrait, la nature ne serait pas moins inclémente ni moins pervertie. Aucun principe paternel ne veilla à la Création : partout des trésors enfouis : voilà Harpagon démiurge, le Très-Haut pingre et cachottier. C'est Lui qui implanta en vous la terreur du lendemain : point ne faut s'étonner que la religion elle-même soit une forme de cette terreur.

Pour les indigents de toujours, la misère est comme un excitant qu'ils auraient pris une fois pour toutes, sans possibilité d'en annuler l'effet ; ou comme une science infuse qui, avant toute connaissance de la vie, en aurait pu décrire l'enfer...

INVOCATION À L'INSOMNIE

———————————————— *J*'avais dix-sept ans, et je croyais à la philosophie. Ce qui ne s'y rapportait pas me semblait péché ou ordure : les poètes ? saltimbanques propres à l'amusement des femmelettes ; l'action ? imbécillité en délire ; l'amour, la mort ? prétextes de bas étage se refusant à l'honneur de concepts. Odeur nauséabonde d'un univers indigne du parfum de l'esprit... Le concret, quelle tache ! se réjouir ou souffrir, quelle honte ! Seule l'abstraction me paraissait palpiter : je m'abandonnais à des exploits ancillaires de peur qu'un objet plus noble ne me fît enfreindre mes principes et ne me livrât aux déchéances du cœur. Je me répétais : le bordel seul est compatible avec la métaphysique ; et je guettais — pour fuir la poésie — les yeux des bonniches et les soupirs des grues.

... Lorsque tu vins, Insomnie, secouer ma chair et mon orgueil, toi qui changes la brute juvénile, en nuances les instincts, en attises les rêves, toi qui, en une seule nuit, dispenses plus de savoir que les jours conclus dans le repos, et, à des paupières endolories, te découvres événement plus important que les maladies sans nom ou les désastres du temps ! Tu me fis entendre le ronflement de la santé, les humains plongés dans l'oubli sonore, tandis que ma solitude englobait le noir d'alentour et devenait plus vaste que lui. Tout dormait, tout dormait pour toujours. Plus d'aube : je veillerai ainsi jusqu'à la fin des âges : on m'attendra alors pour me demander compte de l'espace blanc de mes songes... Chaque nuit était pareille aux autres, chaque nuit était éternelle. Et je me sentais solidaire de tous ceux qui ne peuvent dormir, de tous ces frères inconnus. Comme les vicieux et les fanatiques, j'avais un secret ; comme eux, j'eusse constitué un clan, à qui tout excuser, tout donner, tout sacrifier : le clan des sans-sommeil. J'accordais du génie au premier venu dont les paupières fussent lourdes de fatigue, et n'admirais point l'esprit qui pût dormir, fût-il gloire d'État, de l'Art ou des Lettres. J'eusse voué un culte à un tyran qui — pour se venger de ses nuits — eût défendu le repos, puni l'oubli, légiféré le malheur et la fièvre.

Et c'est alors que je fis appel à la philosophie : mais point d'idée qui console dans le noir, point de système qui résiste aux veilles. Les analyses de l'insomnie défont les certitudes. Las d'une telle destruction, j'en étais à me dire : plus d'hésitation : dormir ou mourir..., reconquérir le sommeil ou disparaître...

Mais cette reconquête n'est pas aisée : lorsqu'on s'en rapproche, on s'aperçoit combien on est marqué par les nuits. Vous aimez ?... vos élans seront à jamais corrompus ; vous sortirez de chaque « extase » comme d'une épouvante de délices ; aux regards de votre trop immédiate voisine vous opposerez un visage de criminel ; à ses ébats sincères vous répondrez par les irritations d'une volupté envenimée ; à son innocence par une poésie de coupable, car tout deviendra pour vous poésie, mais une poésie de la faute... Idées cristallines, enchaînement heureux de pensées ? Vous ne penserez plus : ce sera une irruption, une lave de concepts, sans consistance et sans suite, des concepts vomis, agressifs, partis des entrailles, châtiments que la chair s'inflige à elle-même, l'esprit étant victime des humeurs et hors de cause... Vous souffrirez de tout, et déme-surément : les brises vous paraîtront des bourrasques ; les attou-chements, des poignards ; les sourires, des gifles ; les bagatelles, des cataclysmes. — C'est que les veilles peuvent cesser ; mais leur lumière survit en vous : on ne voit pas impunément dans les ténèbres, on n'en recueille pas sans danger l'enseignement ; il y a des yeux qui ne pourront plus rien apprendre du soleil, et des âmes malades de nuits dont elles ne guériront jamais...

PROFIL DU MÉCHANT

À quoi doit-il de n'avoir pas fait plus de mal qu'il n'en faut, ni commis de meurtre ou de vengeances plus subtiles ? de n'avoir pas obéi aux injonctions du sang affluant à sa tête ? — À ses humeurs, à son éducation ? Certes non, et encore moins à une bonté native ; mais à la seule présence de l'idée de la mort. Enclin à ne pardonner rien à personne, il pardonne à tous ; la moindre injure excite ses instincts ; il l'oublie le moment d'après. Il lui suffit de se représenter son cadavre et d'appliquer ce procédé aux autres, pour s'apaiser soudainement : la figure de ce qui se décompose le rend bon — et lâche : point de sagesse (ni de charité) sans obsessions macabres. L'homme sain, tout fier d'exister, se venge, écoute son sang et ses nerfs, s'assimile aux préjugés, réplique, gifle et tue. Mais l'esprit miné par l'effroi de la mort ne réagit plus aux sollicitations extérieures : il ébauche des actes et les laisse inachevés ; réfléchit sur l'honneur, et le perd... ; s'essaie aux passions, et les dissèque... Cet effroi qui accompagne ses gestes en énerve la vigueur ; ses désirs expirent sous la vision de l'insignifiance universelle. Haineux par nécessité, ne pouvant l'être par conviction, ses intrigues et ses forfaits s'arrêtent en cours d'exécution ; comme tous les hommes, il cache en soi un assassin, mais un assassin imbu de résignation, et trop las pour abattre ses ennemis ou s'en créer de nouveaux. Il rêve, le front sur le poignard, et comme déçu, avant l'expérience, par tous les crimes ; jugé bon par tout le monde, il serait méchant s'il ne lui semblait pas vain de l'être.

VUES SUR LA TOLÉRANCE

———————————————————— Signes de vie : la cruauté, le fanatisme, l'intolérance ; signes de décadence : l'aménité, la compréhension, l'indulgence... Tant qu'une institution s'appuie sur des instincts forts, elle n'admet ni ennemis ni hérétiques : elle les massacre, les brûle ou les enferme. Bûchers, échafauds, prisons ! ce n'est pas la méchanceté qui les inventa, c'est la conviction, n'importe quelle conviction totale. Une croyance s'instaure-t-elle ? tôt ou tard la police en garantira la « vérité ». Jésus — du moment qu'il voulut triompher parmi les hommes — eût dû prévoir Torquemada, — conséquence inéluctable du christianisme *traduit dans l'histoire*. Et si l'Agneau n'a pas prévu le tortionnaire de la croix, son futur défenseur, il mérite alors son sobriquet. Par l'Inquisition, l'Église prouva qu'elle disposait encore d'une grande vitalité ; de même, les rois par leur bon plaisir. Toutes les autorités ont leur Bastille : plus une institution est puissante, moins elle est humaine. L'énergie d'une époque se mesure aux êtres qui y souffrent, et c'est par les victimes qu'elle suscite, qu'une croyance religieuse ou politique s'affirme, la bestialité étant le caractère primordial de toute réussite dans le temps. Des têtes tombent là où une idée l'emporte ; elle ne peut l'emporter qu'aux dépens des autres idées et des têtes qui les conçurent ou les défendirent.

L'Histoire confirme le scepticisme ; cependant elle n'*est* et ne *vit* qu'en le piétinant ; aucun événement ne surgit du doute, mais toutes les considérations sur les événements y conduisent et le justifient. C'est dire que la tolérance — bien suprême de la terre — en est en même temps le mal. Admettre tous les points de vue, les croyances les plus disparates, les opinions les plus contradictoires, présuppose un état général de lassitude et de stérilité. On en arrive à ce miracle : les adversaires coexistent, — mais précisément parce qu'ils ne peuvent plus l'être ; les doctrines opposées se reconnaissent des mérites les unes aux autres parce qu'aucune n'a de vigueur pour s'affirmer. Une religion s'éteint lorsqu'elle tolère des vérités qui l'excluent ; et il est bien mort le dieu au nom duquel on ne tue plus. Un absolu s'évanouit : une vague lueur de paradis terrestre se dessine..., lueur fugitive, car l'intolérance constitue la loi des choses humaines. Les collectivités ne s'affermissent que sous les tyrannies, et se désagrègent dans un régime de clémence ; — alors, dans un sursaut d'énergie, elles se mettent à étrangler leurs libertés, et à adorer leurs geôliers roturiers ou couronnés.

Les époques d'effroi prédominent sur celles de calme ; l'homme s'irrite beaucoup plus de l'absence que de la profusion d'événements ; aussi l'Histoire est-elle le produit sanglant de son refus de l'ennui.

PHILOSOPHIE VESTIMENTAIRE

———————————————— *A*vec quelle tendresse et quelle jalousie se tournent mes pensées vers les moines du désert et vers les cyniques ! L'abjection de disposer du moindre objet : cette table, ce lit, ces hardes... L'habit s'interpose entre nous et le néant. Regardez votre corps dans un miroir : vous comprendrez que vous êtes mortels ; promenez vos doigts sur vos côtes comme sur une mandoline, et vous verrez combien vous êtes près du tombeau. C'est parce que nous sommes vêtus que nous nous flattons d'immortalité : comment peut-on mourir quand on porte une cravate ? Le cadavre qui s'accoutre se méconnaît, et, imaginant l'éternité, s'en approprie l'illusion. La chair couvre le squelette, l'habit couvre la chair : subterfuges de la nature et de l'homme, duperies instinctives et conventionnelles : un *monsieur* ne saurait être pétri de boue ni de poussière... Dignité, honorabilité, décence, — autant de fuites devant l'irrémédiable. Et quand vous vous mettrez un chapeau, qui dirait que vous avez séjourné dans des entrailles ou que les vers se gorgeront de votre graisse ?

... C'est pourquoi j'abandonnerai ces frusques, et, jetant le masque de mes jours, je fuirai le temps où, de concert avec les autres, je m'éreinte à me trahir. Autrefois, des solitaires se dépouillaient de tout, pour s'identifier à eux-mêmes : dans le désert ou dans la rue, jouissant pareillement de leur dénuement, ils atteignaient à la suprême fortune : ils égalaient les morts...

PARMI LES GALEUX

——————————————————— *P*our me consoler des remords de la paresse, j'emprunte le chemin des bas-fonds, impatient de m'y avilir et de m'y encanailler. Je connais ces gueux grandiloquents, puants, ricaneurs ; m'engouffrant dans leur saleté, je jouis de leur haleine fétide non moins que de leur verve. Impitoyables pour ceux qui réussissent, leur génie de ne rien faire force l'admiration, encore que le spectacle qu'ils offrent soit le plus triste du monde : poètes sans talent, filles sans clients, hommes d'affaires sans le sou, amoureux sans glandes, enfer des femmes dont personne ne veut... Voilà enfin, me dis-je, l'achèvement négatif de l'homme, le voilà à nu cet être qui prétend à une ascendance divine, piteux faux-monnayeur de l'absolu... C'est là où il devait aboutir, à cette image ressemblante de lui-même, boue à laquelle jamais dieu n'a mis la main, bête qu'aucun ange n'altère, infini enfanté dans des grognements, âme surgie d'un spasme... Je regarde ce sourd désespoir des spermatozoïdes arrivés à leur terme, ces visages funèbres de l'espèce. Je me rassure : il me reste du chemin à faire... Puis, j'ai peur : vais-je de même tomber aussi bas ? Et je hais cette vieille édentée, ce rimeur sans vers, ces impuissants d'amour et d'affaires, ces modèles du déshonneur de l'esprit et de la chair... Les yeux de l'homme m'atterrent ; — j'ai voulu puiser au contact de ces épaves un regain de fierté : j'en emporte un frisson pareil à celui qu'éprouverait un vivant qui, pour se réjouir de n'être pas mort, ferait de l'esbroufe dans un cercueil...

SUR UN ENTREPRENEUR D'IDÉES

──────────────────────────── *I*l embrasse tout, et tout lui réussit ; rien dont il ne soit point contemporain. Tant de vigueur dans les artifices de l'intellect, tant d'aisance à aborder tous les secteurs de l'esprit et de la mode — depuis la métaphysique jusqu'au cinéma — éblouit, doit éblouir. Aucun problème ne lui résiste, point de phénomène qui lui soit étranger, nulle tentation qui le laisse indifférent. C'est un conquérant, et qui n'a qu'un secret : *son manque d'émotion* ; rien ne lui coûte d'affronter quoi que ce soit, puisqu'il n'y met aucun accent. Ses constructions sont magnifiques, mais sans sel : des catégories y resserrent des expériences intimes, rangées comme dans un fichier de désastres ou un catalogue d'inquiétudes. Y sont classées les tribulations de l'homme, de même que la poésie de sa déchirure. L'Irrémédiable est passé en système, voire en revue, étalé comme un article de circulation courante, vraie manufacture d'angoisses. Le public s'en réclame ; le nihilisme de boulevard et l'amertume des badauds s'en repaissent. Penseur sans destin, infiniment vide et merveilleusement ample, il exploite sa pensée, la veut sur toutes les lèvres. Point de fatalité qui le poursuive : né à l'époque du matérialisme, il en eût suivi le simplisme et lui eût donné une extension insoupçonnable ; du romantisme, il en aurait constitué une Somme de rêveries ; surgi en pleine théologie, il eût manié Dieu comme n'importe quel autre concept. Son adresse à prendre de front les grands problèmes déroute : tout y est remarquable, sauf l'authenticité. Foncièrement a-poète, s'il parle du néant, il n'en a pas le frisson ; ses dégoûts sont réfléchis ; ses exaspérations, dominées et comme inventées après coup ; — mais sa volonté, surnaturellement efficace, est en même temps si lucide, qu'il pourrait être poète *s'il le voulait*, et, j'ajouterais, saint, s'il y tenait… N'ayant ni préférences ni préventions, ses opinions sont des accidents ; on regrette qu'il y croie : seule intéresse la démarche de sa pensée. L'entendrais-je prêcher en chaire que je ne serais pas surpris, tant il est vrai qu'il se place au-delà de toutes les vérités, qu'il les maîtrise et qu'aucune ne lui est nécessaire ni organique…

Avançant comme un explorateur, il conquiert domaine après domaine ; ses pas non moins que ses pensées sont des entreprises ; son cerveau n'est point l'ennemi de ses instincts ; il s'élève au-dessus des autres, n'ayant éprouvé ni lassitude, ni cette mortification haineuse qui paralyse les désirs. Fils d'une époque, il en exprime les contradictions, l'inutile foisonnement ; et, lorsqu'il s'élança à la conquérir, il y mit tant de suite et d'obstination que son succès et sa renommée égalent ceux du glaive et réhabilitent l'esprit par des moyens qui, jusqu'ici, lui étaient odieux ou inconnus.

VÉRITÉS DE TEMPÉRAMENT

———————————————————————— *E*n face des penseurs dénués de pathétique, de caractère et d'intensité, et qui se moulent sur les formes de leur temps, d'autres se dressent chez lesquels on *sent*, qu'apparus n'importe quand, ils eussent été pareils à eux-mêmes, insoucieux de leur époque, puisant leurs pensées dans leur fond propre, dans l'éternité spécifique de leurs tares. Ils ne prennent de leur milieu que les dehors, quelques particularités de style, quelques tournures caractéristiques d'une évolution donnée. Épris de leur fatalité, ils évoquent des irruptions, des fulgurances tragiques et solitaires, tout proches de l'apocalypse et de la psychiatrie. Un Kierkegaard, un Nietzsche — fussent-ils surgis dans la période la plus anodine, leur inspiration n'eût pas été moins frémissante ni moins incendiaire. Ils périrent dans leurs flammes ; quelques siècles plus tôt, ils eussent péri dans celles du bûcher : vis-à-vis des vérités générales, ils étaient prédestinés à l'hérésie. Il importe peu qu'on soit englouti dans son propre feu ou dans celui qu'on vous prépare : les *vérités de tempérament* doivent se payer d'une manière ou d'une autre. Les viscères, le sang, les malaises et les vices se concertent pour les faire naître. Imprégnées de subjectivité, l'on perçoit un *moi* derrière chacune d'elles : tout devient confession : un cri de chair se trouve à l'origine de l'interjection la plus anodine ; même une théorie d'apparence impersonnelle ne sert qu'à trahir son auteur, ses secrets, ses souffrances : point d'universalité qui ne soit son masque : jusqu'à la logique, tout lui est prétexte à autobiographie ; son «moi» a infesté les idées, son angoisse s'est convertie en critère, en unique réalité.

L'ÉCORCHÉ

———————————————————————— *C*e qui lui reste de vie lui enlève ce qui lui reste de raison. Bagatelles ou fléaux — le passage d'une mouche ou les crampes de la planète — l'alarment pareillement.

Avec ses nerfs en feu, il aimerait que la terre fût de verre pour la faire voler en éclats; et avec quelle soif ne s'élancerait-il pas vers les étoiles pour les réduire en poudre, une à une... Le crime luit dans ses prunelles; ses mains se crispent en vain pour étrangler: la Vie se transmet comme une lèpre: trop de créatures pour un seul assassin. Il est dans la nature de celui qui ne peut se tuer de vouloir se venger contre tout ce qui se plaît à exister. Et de n'y point réussir, il se morfond comme un damné que l'impossible destruction irrite. Satan au rancart, il pleure, se frappe la poitrine, se couvre la tête; le sang qu'il eût voulu répandre n'empourpre guère ses joues dont la pâleur reflète son dégoût de cette sécrétion d'espérances produite par les races en marche. Attenter aux jours de la Création, c'était son grand rêve...; il y renonce, s'abîme en soi et se laisse aller à l'élégie de son échec: un autre ordre d'excès en provient. Sa peau brûle: la fièvre traverse l'univers; son cerveau s'attise: l'air est inflammable. Ses maux occupent les étendues sidérales; ses chagrins font frémir les pôles. Et tout ce qui est allusion à l'existence, le souffle de vie le plus imperceptible, lui arrache un cri qui compromet les accords des sphères et le mouvement des mondes.

À L'ENCONTRE DE SOI

———————————————————————— *U*n esprit ne nous captive que par ses incompatibilités, par la tension de ses mouvements, par le divorce de ses opinions d'avec ses penchants. Marc Aurèle, engagé dans des expéditions lointaines, se penche davantage sur l'idée de la mort que sur celle de l'Empire; Julien, devenu empereur, regrette la vie contemplative, envie les sages, et perd ses nuits à écrire contre les chrétiens; Luther, avec une vitalité de vandale, s'enfonce et se morfond dans l'obsession du péché, et sans trouver un équilibre entre ses délicatesses et sa grossièreté; Rousseau, qui se méprend sur ses instincts, ne vit que dans l'idée de sa sincérité; Nietzsche, dont toute l'œuvre n'est qu'une ode à la force, traîne une existence chétive, d'une poignante monotonie... Car un esprit n'importe que dans la mesure où il se trompe sur ce qu'il veut, sur ce qu'il aime ou sur ce qu'il hait; étant *plusieurs*, il ne peut *se* choisir. Un pessimiste sans ivresses, un agitateur d'espoirs sans aigreur, ne mérite que mépris. Seul est digne qu'on s'y attache celui qui n'a aucun égard pour son passé, pour la bienséance, la logique ou la considération: comment aimer un conquérant s'il ne plonge dans les événements avec une arrière-pensée d'échec, ou un penseur s'il n'a vaincu en soi l'instinct de conservation ? L'homme replié sur son inutilité n'en est plus au désir d'avoir une vie... En aurait-il une, ou n'en aurait-il point, — cela regarderait les autres... Apôtre de ses fluctuations, il ne s'encombre plus d'un soi-même idéal ; son tempérament constitue sa seule doctrine, et le caprice des heures, son seul savoir.

RESTAURATION D'UN CULTE

———————————————— *A*yant *usé* ma qualité d'homme, rien ne m'est plus d'aucun profit. Je n'aperçois partout que des bestiaux à idéal qui s'attroupent pour bêler leurs espoirs... Ceux mêmes qui ne vécurent point ensemble, on les y contraint comme fantômes, sinon à quelle fin a-t-on conçu la « communion » des saints ?... À la poursuite d'un véritable solitaire, je passe les âges en revue, et n'y trouve et n'y jalouse que le Diable... La raison le bannit, le cœur l'implore... Esprit de mensonge, Prince des Ténèbres, le Maudit, l'Ennemi, — combien il m'est doux de me remémorer les noms qui flétrirent sa solitude ! et combien je le chéris depuis qu'on le relègue jour après jour ! Puissé-je le rétablir dans son premier état ! Je crois en Lui de toute mon incapacité de *croire*. Sa compagnie m'est nécessaire : l'être seul va vers *le plus seul*, vers le Seul... Je me dois d'y tendre : ma puissance d'admirer — de peur de demeurer sans emploi — m'y oblige. Me voilà face à mon modèle : en m'y attachant, je punis ma solitude de n'être point totale, j'en forge une autre qui la dépasse : c'est ma façon d'être *humble*...
On remplace Dieu comme on peut ; car tout dieu est bon, pourvu qu'il perpétue dans l'éternité notre désir d'une solitude capitale...

NOUS, LES TROGLODYTES...

———————————————— *L*es valeurs ne s'accumulent point : une génération n'apporte du *nouveau* qu'en piétinant ce qu'il y avait d'unique dans la génération précédente. Cela est encore plus vrai pour la succession des époques : la Renaissance n'a pu « sauver » la profondeur, les chimères, le genre de sauvagerie du Moyen Âge ; le siècle des Lumières, à son tour, n'a gardé de la Renaissance que le sens de l'universel, sans le pathétique, qui en marquait la physionomie. L'illusion moderne a plongé l'homme dans les syncopes du devenir : il y a perdu ses assises dans l'éternité, sa «substance». Toute conquête — spirituelle ou politique — implique une perte ; toute conquête est une *affirmation*... meurtrière. Dans le domaine de l'art — le seul où on puisse parler de *vie* de l'esprit — un «idéal» ne s'établit que sur la ruine de celui qui l'a devancé : chaque artiste véritable est traître à ses prédécesseurs... Point de *supériorité* dans l'histoire : république-monarchie ; romantisme-classicisme ; libéralisme-dirigisme ; naturalisme-art abstrait ; irrationalisme-intellectualisme ; — les institutions comme les courants de pensée et de sentiment se valent. — Une forme d'esprit ne saurait en assumer une autre ; on n'est *quelque chose* que par *exclusion* : personne ne peut concilier l'ordre et le désordre, l'abstraction et l'immédiat, l'élan et la fatalité. Les époques de synthèse ne sont point créatrices : elles *résument* la ferveur des autres, résumé confus, chaotique, — tout éclectisme étant un indice de *fin*.

À tout pas en avant succède un pas en arrière : c'est là l'infructueux frétillement de l'histoire, — devenir... stationnaire... Que l'homme se soit laissé leurrer par le mirage du Progrès, — cela rend ridicules ses prétentions à la subtilité. Le Progrès ? — on le trouve peut-être dans l'hygiène... Mais ailleurs ? dans les découvertes scientifiques ? Elles ne sont qu'une somme de gloires néfastes... Qui, de bonne foi, saurait *choisir* entre l'âge de pierre et celui des outils modernes ? Aussi près du singe dans l'un comme dans l'autre, nous escaladons les nuages pour les mêmes motifs que nous grimpions aux arbres : les moyens de notre *curiosité* — pure ou criminelle — ont seuls changé, et — avec des réflexes travestis — nous sommes plus diversement rapaces. Simple caprice que d'accepter ou de rejeter une période : il faut accepter ou rejeter l'histoire *en bloc*. L'idée de progrès fait de nous tous des fats sur les sommets du temps ; mais ces sommets n'existent point : le troglodyte qui tremblait d'effroi dans les cavernes, tremble encore dans les gratte-ciel. Notre capital de malheur se maintient intact à travers les âges ; cependant nous avons un avantage sur nos ancêtres : celui d'avoir mieux *placé* ce capital, parce que mieux organisé notre désastre.

PHYSIONOMIE D'UN ÉCHEC

———————————————————————— *D*es songes monstrueux peuplent les épiceries et les églises : je n'y ai surpris personne qui ne vécût dans le délire. Comme le moindre désir cèle une source d'insanité, il suffit de se conformer à l'instinct de conservation pour mériter l'asile. La vie, — accès de démence secouant la matière... Je respire : c'en est assez pour qu'on m'enferme. Incapable d'atteindre aux clartés de la mort, je rampe dans l'ombre des jours, et ne *suis* encore que par la volonté de n'être plus.

J'imaginais autrefois pouvoir broyer l'espace d'un coup de poing, jouer avec les étoiles, arrêter la durée ou la manœuvrer au gré de mes caprices. Les grands capitaines me paraissaient de grands timides, les poètes, de pauvres balbutieurs ; ne connaissant point la résistance que nous opposent les choses, les hommes et les mots, et croyant *sentir* plus que l'univers ne le permettait, je m'adonnais à un infini suspect, à une cosmogonie issue d'une puberté inapte à se conclure... Qu'il est aisé de se croire un dieu par le cœur, et combien il est difficile de l'être par l'esprit ! Et avec quelle quantité d'illusions ai-je dû naître pour pouvoir en perdre une chaque jour ! La vie est un miracle que l'amertume détruit. L'intervalle qui me sépare de mon cadavre m'est une blessure ; cependant j'aspire en vain aux séductions de la tombe : ne pouvant me dessaisir de rien, ni cesser de palpiter, tout en moi m'assure que les vers chômeraient sur mes instincts. Aussi incompétent dans la vie que dans la mort, je me hais, et dans cette haine je rêve d'une autre vie, d'une autre mort. Et, pour avoir voulu être un sage comme il n'en fut jamais, je ne suis qu'un fou parmi les fous...

PROCESSION DES SOUS-HOMMES

——————————————————— *E*ngagé hors de ses voies, hors de ses instincts, l'homme a fini dans une impasse. Il a brûlé les étapes... pour rattraper sa fin ; animal sans avenir, il s'est enlisé dans son idéal, il s'est perdu à son propre jeu. Pour avoir voulu se dépasser sans cesse, il s'est figé ; et il ne lui reste comme ressource que de récapituler ses folies, de les expier et d'en faire encore quelques autres...

Cependant il en est à qui cette ressource même demeure interdite : «Déshabitués d'être hommes, se disent-ils, sommes-nous encore d'une tribu, d'une race, d'une engeance quelconque ? Tant que nous avions le préjugé de la vie, nous épousions une erreur qui nous mettait de plain-pied avec les autres... Mais nous nous sommes évadés de l'espèce... Notre clairvoyance, brisant notre ossature, nous a réduits à une existence flasque, — racaille invertébrée s'étirant sur la matière pour la souiller de bave. Nous voilà parmi les limaces, nous voilà parvenus à ce terme risible où nous payons d'avoir mal usé de nos facultés et de nos songes... La vie ne fut point notre lot : aux moments mêmes où nous en étions ivres, toutes nos joies venaient de nos transports au-dessus d'elle ; se vengeant, elle nous entraîne vers ses bas-fonds : procession des sous-hommes vers une sous-vie... »

QUOUSQUE EADEM ?

—————————————————— *Qu*'à jamais soit maudite l'étoile sous laquelle je suis né, qu'aucun ciel ne veuille la protéger, qu'elle s'effrite dans l'espace comme une poussière sans honneur ! Et l'instant traître qui me précipita parmi les créatures, qu'il soit pour toujours rayé des listes du Temps ! Mes désirs ne sauraient plus composer avec ce mélange de vie et de mort où s'avilit quotidiennement l'éternité. Las du futur, j'en ai traversé les jours, et cependant je suis tourmenté par l'intempérance de je ne sais quelles soifs. Comme un sage enragé, mort au monde et déchaîné contre lui, je n'invalide mes illusions que pour mieux les irriter. Cette exaspération dans un univers imprévisible — où pourtant tout se répète — n'aura donc jamais une fin ? Jusques à quand se redire à soi-même : « J'exècre cette vie que j'idolâtre » ? La nullité de nos délires fait de nous tous autant de dieux soumis à une insipide fatalité. Pourquoi nous insurger encore contre la symétrie de ce monde quand le Chaos lui-même ne saurait être qu'un *système* de désordres ? Notre destin étant de pourrir avec les continents et les étoiles, nous promènerons, ainsi que des malades résignés, et jusqu'à la conclusion des âges, la curiosité d'un dénouement prévu, effroyable et vain.

CIORAN EN ESPAGNE,
LORS D'UN SÉJOUR À SANTANDER.
1954.

CIORAN REGARDANT PAR LA FENÊTRE DE SA CHAMBRE
À L'HÔTEL MAJORY, RUE MONSIEUR-LE-PRINCE.
VERS 1949.
PHOTOGRAPHIE WALTER.

HENRI MICHAUX, *SANS TITRE*, 1967.
LITHOGRAPHIE DÉDIÉE À CIORAN.
H. 38,5 CM ; L. 28 CM.
COLLECTION PARTICULIÈRE.

CETTE LITHOGRAPHIE ÉTAIT LA PRÉFÉRÉE DE CIORAN
PARMI TOUTES CELLES RÉALISÉES PAR MICHAUX.

pour Cioran   MICHAUX

SYLLOGISMES

DE L'AMERTUME

Écrit en français ; publié à Paris en 1952.

ATROPHIE DU VERBE

———————————————— *F*ormés à l'école des velléitaires, idolâtres du fragment et du stigmate, nous appartenons à un temps clinique où comptent seuls les *cas*. Nous nous penchons sur ce qu'un écrivain a tu, sur ce qu'il aurait pu dire, sur ses profondeurs muettes. S'il laisse une *œuvre*, s'il s'explique, il s'est assuré notre oubli.

Magie de l'artiste irréalisé..., d'un vaincu qui laisse perdre ses déceptions, qui ne sait pas les faire fructifier.

*T*ant de pages, tant de livres qui furent nos sources d'émotion, et que nous relisons pour y étudier la qualité des adverbes ou la propriété des adjectifs!

*D*ans la stupidité il est un sérieux qui, mieux orienté, pourrait multiplier la somme des chefs-d'œuvre.

*S*ans nos doutes sur nous-mêmes, notre scepticisme serait lettre morte, inquiétude conventionnelle, doctrine philosophique.

*L*es «vérités», nous ne voulons plus en supporter le poids, ni en être dupes ou complices. Je rêve d'un monde où l'on mourrait pour une virgule.

*C*ombien j'aime les esprits de second ordre (Joubert, entre tous) qui, par délicatesse, vécurent à l'ombre du génie des autres et, craignant d'en avoir, se refusèrent au leur!

*S*i Molière se fût replié sur ses gouffres, Pascal — avec le sien — eût fait figure de journaliste.

*A*vec des certitudes, point de style : le souci du bien-dire est l'apanage de ceux qui ne peuvent s'endormir dans une foi. À défaut d'un appui solide, ils s'accrochent aux mots, — semblants de réalité ; tandis que les autres, forts de leurs convictions, en méprisent l'apparence et se prélassent dans le confort de l'improvisation.

*M*éfiez-vous de ceux qui tournent le dos à l'amour, à l'ambition, à la société. Ils se vengeront d'y avoir *renoncé.*

L'histoire des idées est l'histoire de la rancune des solitaires.

*P*lutarque, aujourd'hui, écrirait les *Vies parallèles des Ratés.*

*L*e romantisme anglais fut un mélange heureux de laudanum, d'exil et de phtisie ; le romantisme allemand, d'alcool, de province et de suicide.

*C*ertains esprits auraient dû vivre dans une ville d'Allemagne à l'époque romantique. On imagine si bien un Gérard *von* Nerval à Tübingen ou à Heidelberg !

L'endurance des Allemands ne connaît pas de limites ; et cela jusque dans la folie : Nietzsche supporta la sienne onze ans, Hölderlin quarante.

*L*uther, préfiguration de l'homme moderne, a assumé tous les genres de déséquilibre : un Pascal et un Hitler cohabitaient en lui.

« ... *L*e vrai seul est aimable. » — C'est de là que proviennent les lacunes de la France, son refus du Flou et du Fumeux, son anti-poésie, son anti-métaphysique.
Plus encore que Descartes. Boileau devait peser sur tout un peuple et en censurer le génie.

L'Enfer — aussi exact qu'un procès-verbal ;

Le Purgatoire — faux comme toute allusion au Ciel;
Le Paradis — étalage de fictions et de fadeurs...
La Trilogie de Dante constitue la plus haute réhabilitation du diable qu'ait entreprise un chrétien.

*S*hakespeare : rendez-vous d'une rose et d'une hache...

*R*ater sa vie, c'est accéder à la poésie — sans le support du talent.

*S*euls les esprits superficiels abordent une idée avec délicatesse.

*L*a mention des déboires administratifs («the law's delay, the insolence of office») parmi les motifs justifiant le suicide, me paraît la chose la plus profonde qu'ait dite Hamlet.

*L*es modes d'expression étant usés, l'art s'oriente vers le non-sens, vers un univers privé et incommunicable. Un frémissement *intelligible*, que ce soit en peinture, en musique ou en poésie, nous semble à juste titre désuet ou vulgaire. Le *public* disparaîtra bientôt; l'art le suivra de près.
Une civilisation qui commença par les cathédrales devait finir par l'hermétisme de la schizophrénie.

*Q*uand nous sommes à mille lieues de la poésie, nous y participons encore par ce besoin subit de hurler, — dernier stade du lyrisme.

*Ê*tre un Raskolnikov — sans l'excuse du meurtre.

*N*e cultivent l'aphorisme que ceux qui ont connu la peur *au milieu* des mots, cette peur de crouler avec *tous les mots*.

*Q*ue ne pouvons-nous revenir aux âges où aucun vocable n'entravait les êtres, au laconisme de l'interjection, au paradis de l'hébétude, à la stupeur joyeuse d'avant les idiomes!

*I*l est aisé d'être «profond»: on n'a qu'à se laisser submerger par ses propres tares.

*T*out mot me fait mal. Combien pourtant il me serait doux d'entendre des fleurs bavarder sur la mort!

*M*odèles de style: le juron, le télégramme et l'épitaphe.

*L*es romantiques furent les derniers spécialistes du suicide. Depuis, on le bâcle... Pour en améliorer la qualité, nous avons grand besoin d'un nouveau mal du siècle.

*D*épouiller la littérature de son fard, en voir le vrai visage, est aussi périlleux que déposséder la philosophie de son charabia. Les créations de l'esprit se réduiraient-elles à la transfiguration de bagatelles? Et n'y aurait-il quelque substance qu'en dehors de l'articulé, dans le rictus ou la catalepsie?

*U*n livre qui, après avoir tout démoli, ne se démolit pas lui-même, nous aura exaspérés en vain.

*M*onades disloquées, nous voici à la fin des tristesses prudentes et des anomalies prévues: plus d'un signe annonce l'hégémonie du délire.

*L*es «sources» d'un écrivain, ce sont ses hontes; celui qui n'en découvre pas en soi, ou s'y dérobe, est voué au plagiat ou à la critique.

*T*out Occidental tourmenté fait penser à un héros dostoïevskien qui aurait un compte en banque.

*L*e bon dramaturge doit posséder le sens de l'assassinat; depuis les Élisabéthains, qui sait encore tuer ses personnages?

*L*a cellule nerveuse s'est si bien habituée à tout, qu'il nous faut désespérer de concevoir jamais une insanité qui, pénétrant dans les cerveaux, les ferait éclater.

*D*epuis Benjamin Constant, personne n'a retrouvé le *ton* de la déception.

*Q*ui s'est approprié les rudiments de la misanthropie, s'il veut aller plus avant, doit se mettre à l'école de Swift : il y apprendra comment donner à son mépris des hommes l'intensité d'une névralgie.

*A*vec Baudelaire, la physiologie est entrée dans la poésie ; avec Nietzsche, dans la philosophie. Par eux, les troubles des organes furent élevés au chant et au concept. Proscrits de la santé, il leur incombait d'assurer une carrière à la maladie.

Mystère, — mot dont nous nous servons pour tromper les autres, pour leur faire croire que nous sommes plus profonds qu'eux.

*S*i Nietzsche, Proust, Baudelaire ou Rimbaud survivent à la fluctuation des modes, ils le doivent au désintéressement de leur cruauté, à leur chirurgie démoniaque, à la générosité de leur fiel. Ce qui fait durer une œuvre, ce qui l'empêche de dater, c'est sa férocité. Affirmation gratuite ? Considérez le prestige de l'Évangile, livre agressif, livre venimeux s'il en fut.

*L*e public se précipite sur les auteurs dits « humains » ; il sait qu'il n'a rien à en craindre ; arrêtés, comme lui, à mi-chemin, ils lui proposeront un arrangement avec l'Impossible, une vision cohérente du Chaos.

*L*e débraillement verbal des pornographes émane souvent d'un excès de pudeur, de la honte d'étaler leur « âme » et surtout de la nommer : il n'est pas de mot plus indécent en aucune langue.

*Q*u'une réalité se cache derrière les apparences, cela est, somme toute, possible ; que le langage puisse la rendre, il serait ridicule de l'espérer. Pourquoi s'encombrer alors d'une opinion plutôt que d'une autre, reculer devant le banal ou l'inconcevable, devant le devoir de dire et d'écrire n'importe quoi ? Un minimum de sagesse nous obligerait à soutenir toutes les thèses en même temps, dans un éclectisme du sourire et de la destruction.

*L*a peur de la stérilité conduit l'écrivain à produire au-delà de ses ressources et à ajouter aux mensonges vécus tant d'autres qu'il emprunte ou forge. Sous des «Œuvres complètes» gît un imposteur.

*L*e pessimiste doit s'inventer chaque jour d'autres raisons d'exister : c'est une victime du «sens» de la vie.

*M*acbeth : un stoïcien du crime, un Marc Aurèle avec un poignard.

L'Esprit est le grand profiteur des défaites de la chair. Il s'enrichit à ses dépens, la saccage, exulte à ses misères ; il vit de banditisme. — La civilisation doit sa fortune aux exploits d'un brigand.

*L*e «talent» est le moyen le plus sûr de fausser tout, de défigurer les choses et de se tromper sur soi. L'existence *vraie* appartient à ceux-là seuls que la nature n'a accablés d'aucun don. Aussi serait-il malaisé d'imaginer univers plus faux que l'univers littéraire, ou homme plus dénué de *réalité* que l'homme de lettres.

*P*oint de salut, sinon dans l'*imitation* du silence. Mais notre loquacité est prénatale, Race de phraseurs, de spermatozoïdes verbeux, nous sommes *chimiquement* liés au Mot.

*L*a poursuite du signe au détriment de la chose signifiée ; le langage considéré comme une fin en soi, comme un concurrent de la «réalité» ; la manie verbale, chez les philosophes mêmes ; le besoin de se renouveler *au niveau des apparences* ; — caractéristiques d'une civilisation où la syntaxe prime l'absolu, et le grammairien le sage.

*G*oethe, artiste complet, est notre antipode : un exemple pour autrui. Étranger à l'inachèvement, à cet idéal moderne de la perfection, il se refusait à comprendre les dangers des autres ; quant aux siens, il les assimila si bien qu'il n'en souffrît point. Sa claire destinée nous décourage ; après l'avoir fouillée en vain pour y découvrir des secrets sublimes ou sordides, nous nous abandonnons au mot de Rilke : « Je n'ai pas d'organe pour Goethe. »

*O*n ne saurait trop blâmer le XIXe siècle d'avoir favorisé cette engeance de glossateurs, ces machines à lire, cette malformation de l'esprit qu'incarne le Professeur, — symbole du déclin d'une civilisation, de l'avilissement du goût, de la suprématie du labeur sur le caprice.
Voir tout de l'extérieur, systématiser l'ineffable, ne regarder rien en face, faire l'inventaire des vues des autres !... Tout commentaire d'une œuvre est mauvais ou inutile, car tout ce qui n'est pas direct est nul.
Jadis, les professeurs s'acharnaient de préférence sur la théologie. Du moins avaient-ils l'excuse d'enseigner l'absolu, de s'être limités à Dieu, alors qu'à notre époque, rien n'échappe à leur compétence meurtrière.

*C*e qui nous distingue de nos prédécesseurs, c'est notre sans-gêne à l'égard du Mystère. Nous l'avons même débaptisé : ainsi est né l'Absurde...

*S*upercherie du style : donner aux tristesses usuelles une tournure insolite, enjoliver des petits malheurs, habiller le vide, exister *par le mot*, par la phraséologie du soupir ou du sarcasme !

*I*l est incroyable que la perspective d'avoir un biographe n'ait fait renoncer personne à avoir une vie.

*A*ssez naïf pour me mettre en quête de la Vérité, j'avais fait jadis — en pure perte — le tour de bien des disciplines. Je commençais à m'affermir dans le scepticisme, lorsque l'idée me vint de consulter, ultime recours, la Poésie : qui sait ? peut-être me serait-elle profitable, peut-être cache-t-elle sous son arbitraire quelque révélation définitive. Recours illusoire ! elle était allée plus avant que moi dans la négation, elle me fit perdre jusqu'à mes *incertitudes*...

*P*our qui a *respiré* la Mort, quelle désolation que les odeurs du Verbe!

*L*es défaites étant à l'ordre du jour, il est naturel que Dieu en bénéficie. Grâce aux snobs qui le plaignent ou le malmènent, il jouit d'une certaine vogue. Mais combien de temps sera-t-il encore *intéressant*?

«*I*l avait du talent : pourtant plus personne ne s'en occupe. Il est oublié. — Ce n'est que justice : il n'a pas su prendre toutes ses précautions pour être *mal* compris.»

*R*ien ne dessèche tant un esprit que sa répugnance à concevoir des idées obscures.

*Q*ue fait le sage? Il se résigne à voir, à manger, etc., il accepte malgré lui cette «plaie à neuf ouvertures» qu'est le corps selon le Bhagavad-Gîta. — La sagesse? Subir dignement l'humiliation que nous infligent nos trous.

*L*e poète : un malin qui peut se morfondre à plaisir, qui s'acharne aux perplexités, qui s'en procure par tous les moyens. Ensuite, la naïve postérité s'apitoie sur lui...

*P*resque toutes les œuvres sont faites avec des éclairs d'*imitation*, avec des frissons appris et des extases pillées.

*P*rolixe par essence, la littérature vit de la pléthore des vocables, du cancer du mot.

L'Europe n'offre pas encore assez de décombres pour que l'épopée y fleurisse. Cependant tout fait prévoir que, jalouse de Troie et prête à l'imiter, elle fournira des thèmes si importants que le roman et la poésie n'y suffiront plus...

S'il n'avait gardé une dernière illusion, je me réclamerais volontiers d'Omar Khayyam, de ses tristesses sans réplique; mais il *croyait* encore au vin.

*L*e meilleur de moi-même, ce rien de lumière qui m'éloigne de tout, je le dois à mes rares entretiens avec quelques salauds amers, avec quelques salauds inconsolés qui, victimes de la rigueur de leur cynisme, ne pouvaient plus s'attacher à aucun vice.

*A*vant d'être une erreur de fond, la vie est une faute de goût que la mort ni même la poésie ne parviennent à corriger.

*D*ans ce «grand dortoir», comme un texte taoïste appelle l'univers, le cauchemar est le seul mode de lucidité.

*N*e vous exercez pas aux Lettres si, avec une âme obscure, vous êtes hantés par la clarté. Vous ne laisserez après vous que des soupirs intelligibles, pauvres bribes de votre refus d'être vous-mêmes.

*D*ans les tourments de l'intellect, il y a une tenue que l'on chercherait vainement dans ceux du cœur.
Le scepticisme est l'élégance de l'anxiété.

*Ê*tre *moderne*, c'est bricoler dans l'Incurable.

*T*ragi-comédie du disciple : j'ai réduit ma pensée en poussière, pour enchérir sur les moralistes qui ne m'avaient appris qu'à l'émietter...

L'ESCROC DU GOUFFRE

———————————————— *C*haque pensée devrait rappeler
la ruine d'un sourire.

*A*vec force précautions, je rôde
autour des profondeurs, leur soutire quelques vertiges et me
débine, comme un escroc du Gouffre.

*T*out penseur, au début de sa
carrière, opte malgré lui pour la dialectique ou pour les saules
pleureurs.

*B*ien avant que physique et psy-
chologie fussent nées, la douleur désintégrait la matière, et le chagrin, l'âme.

*C*ette espèce de malaise lors-
qu'on essaie d'imaginer la vie quotidienne des grands esprits…
Vers deux heures de l'après-midi, que pouvait bien faire Socrate ?

*S*i nous croyons avec tant d'ingé-
nuité aux idées, c'est que nous oublions qu'elles ont été conçues
par des mammifères.

*U*ne poésie digne de ce nom
commence par l'expérience de la fatalité. Il n'y a que les mauvais
poètes qui soient *libres.*

*D*ans l'édifice de la pensée, je
n'ai trouvé aucune catégorie sur laquelle reposer mon front. En
revanche, quel oreiller que le Chaos !

*P*our punir les autres d'être plus heureux que nous, nous leur inoculons — faute de mieux — nos angoisses. Car nos douleurs, hélas! ne sont pas contagieuses.

*R*ien n'étanche ma soif de doutes : que n'ai-je le bâton de Moïse pour en faire jaillir du roc même!

*E*n dehors de la dilatation du moi, fruit de la paralysie générale, nul remède aux crises d'anéantissement, à l'asphyxie dans le rien, à l'horreur de n'être qu'une âme dans un crachat.

*S*i de la tristesse j'ai à peine tiré quelques idées, c'est que je l'ai trop aimée pour permettre à l'esprit de l'appauvrir en s'y exerçant.

*U*ne vogue philosophique s'impose comme une vogue gastronomique : on ne réfute pas plus une idée qu'une sauce.

*T*out aspect de la pensée a son *moment*, sa frivolité : ainsi de nos jours, l'idée de Néant... Combien semblent révolus la Matière, l'Énergie, l'Esprit! Par bonheur, le lexique est riche : chaque génération peut y puiser et en tirer un vocable, aussi important que les autres — inutilement défunts.

*N*ous sommes tous des farceurs : nous *survivons* à nos problèmes.

*D*u temps où le Diable florissait, les paniques, les effrois, les troubles étaient des maux bénéficiant d'une protection surnaturelle; on savait qui les provoquait, qui présidait à leur épanouissement; abandonnés maintenant à eux-mêmes, ils tournent en «drames intérieurs» ou dégénèrent en «psychoses», en pathologie sécularisée.

*E*n nous obligeant à sourire tour à tour aux idées de ceux que nous sollicitons, la Misère dégrade notre scepticisme en gagne-pain.

*L*a plante est légèrement atteinte ; l'animal s'ingénie à se détraquer ; chez l'homme s'exaspère l'anomalie de tout ce qui respire.

La Vie ! combinaison de chimie et de stupeur... Allons-nous nous réfugier dans l'équilibre du minéral ? enjamber à reculons le règne qui nous en sépare, et imiter la pierre *normale* ?

D'aussi loin qu'il me souvienne, je n'ai fait que détruire en moi la fierté d'être homme. Et je déambule à la périphérie de l'Espèce comme un monstre timoré, sans assez d'envergure pour me réclamer d'une autre bande de singes.

L'Ennui nivelle les énigmes : c'est une rêverie *positiviste*...

*I*l est une *angoisse infuse* qui nous tient lieu et de science et d'intuition.

*S*i loin s'étend la mort, tant elle prend de place, que je ne sais plus *où* mourir.

*D*evoir de la lucidité : arriver à un désespoir *correct*, à une férocité olympienne.

*L*e bonheur est tellement rare parce qu'on n'y accède qu'*après* la vieillesse, dans la sénilité, faveur dévolue à bien peu de mortels.

*N*os flottements portent la marque de notre probité ; nos assurances, celle de notre imposture. La malhonnêteté d'un penseur se reconnaît à la somme d'idées *précises* qu'il avance.

*J*e me suis enfoncé dans l'Absolu en fat ; j'en suis sorti en troglodyte.

*L*e cynisme de l'extrême solitude est un calvaire qu'atténue l'insolence.

*L*a mort pose un problème qui se substitue à tous les autres. Quoi de plus funeste à la philosophie, à la croyance naïve en la hiérarchie des perplexités?

*L*a philosophie sert d'antidote à la tristesse. Et beaucoup croient encore à la *profondeur* de la philosophie.

*D*ans cet univers provisoire nos axiomes n'ont qu'une valeur de *faits divers*.

L'Angoisse était déjà un produit courant au temps des cavernes. On se figure le sourire de l'homme de Neandertal, s'il eût prévu que des philosophes viendraient un jour en réclamer la paternité.

*L*e tort de la philosophie est d'être trop *supportable*.

*L*es abouliques, laissant les idées telles quelles, devraient seuls y avoir accès. Quand les affairés s'en emparent, la douce pagaille quotidienne s'organise en tragédie.

L'avantage qu'il y a à se pencher sur la vie et la mort, c'est de pouvoir en dire n'importe quoi.

*L*e sceptique voudrait bien souffrir, comme le reste des hommes, pour les chimères qui font vivre. Il n'y parvient pas : c'est un martyr du *bon sens*.

*O*bjection contre la science : ce monde ne *mérite* pas d'être connu.

*C*omment peut-on être philosophe? Comment avoir le front de s'attaquer au temps, à la beauté, à Dieu, et au reste? L'esprit s'enfle et sautille sans vergogne. Métaphysique, poésie, — impertinences d'un pou...

*S*toïcisme de parade : être un passionné du «Nil admirari», un hystérique de l'ataraxie.

*S*i je puis lutter contre un accès de dépression, au nom de quelle vitalité m'acharner contre une obsession qui m'appartient, qui me *précède*? Que je me porte bien, j'emprunte le chemin qui me plaît; «atteint», ce n'est plus moi qui décide : c'est mon mal. Pour les obsédés point d'option : leur obsession a déjà opté pour eux, avant eux. On *se* choisit quand on dispose de virtualités indifférentes; mais la netteté d'un mal devance la diversité des routes ouvertes au choix. Se demander si on est libre ou non, — vétille aux yeux d'un esprit qu'entraînent les calories de ses délires. Pour lui, prôner la liberté, c'est faire montre d'une santé déshonorante.

La liberté? Sophisme des bien portants.

*N*on content des souffrances réelles, l'anxieux s'en impose d'imaginaires; c'est un être pour qui l'irréalité existe, doit exister; sans quoi où puiserait-il la ration de tourments qu'exige sa nature?

*P*ourquoi ne me comparerais-je pas aux plus grands saints? Ai-je dépensé moins de folie pour sauvegarder mes contradictions qu'ils n'en dépensèrent pour surmonter les leurs?

*Q*uand l'Idée se cherchait un refuge, elle devait être vermoulue, puisqu'elle n'a trouvé que l'hospitalité du cerveau.

*T*echnique que nous pratiquons à nos dépens, la psychanalyse dégrade nos risques, nos dangers, nos gouffres; elle nous dépouille de nos impuretés, de tout ce qui nous rendait curieux de nous-mêmes.

*Q*u'il y ait ou non une solution aux problèmes, cela ne trouble qu'une minorité; que les sentiments n'aient point d'issue, ne débouchent sur rien, se perdent en eux-mêmes, voilà le drame inconscient de tous, l'*insoluble affectif* dont chacun souffre sans y réfléchir.

C'est porter atteinte à une idée que de l'approfondir : c'est lui ôter le charme, voire la vie...

*A*vec un peu plus de chaleur dans le nihilisme, il me serait possible — en niant *tout* — de secouer mes doutes et d'en triompher. Mais je n'ai que le goût de la négation, je n'en ai pas la *grâce*.

*A*voir éprouvé la fascination des extrêmes, et s'être arrêté quelque part entre le dilettantisme et la dynamite !

C'est l'Intolérable, et non point l'Évolution, qui devrait être le dada de la biologie.

*M*a cosmogonie ajoute au chaos primordial une infinité de points suspensifs.

*A*vec chaque idée qui naît en nous, quelque chose en nous pourrit.

*T*out problème profane un mystère ; à son tour, le problème est profané par sa solution.

*L*e pathétique trahit une profondeur de mauvais goût ; de même cette volupté de la sédition où se complurent un Luther, un Rousseau, un Beethoven, un Nietzsche. Les *grands accents*, — plébéianisme des solitaires...

*C*e besoin de remords qui précède le Mal, que dis-je ! qui le crée...

*S*upporterais-je une seule journée, sans cette charité de ma folie qui me promet le Jugement dernier pour le lendemain ?

*N*ous souffrons : le monde extérieur commence à exister... ; nous souffrons trop : il s'évanouit. La douleur ne le suscite que pour en démasquer l'irréalité.

*L*a pensée qui s'affranchit de tout parti pris se désagrège, et imite l'incohérence et l'éparpillement des choses qu'elle veut saisir. Avec des idées « fluides », on *s'étend* sur la réalité, on l'épouse; on ne l'explique pas. Ainsi, on paye cher le «système» dont on n'a pas voulu.

*L*e Réel me donne de l'asthme.

*I*l nous répugne de mener jusqu'au bout une pensée déprimante, fût-elle inattaquable; nous lui résistons au moment où elle affecte nos entrailles, où elle devient malaise, vérité et désastre de la chair. — Je n'ai jamais lu un sermon de Bouddha ou une page de Schopenhauer sans *broyer du rose...*

*O*n rencontre la Subtilité:
chez les théologiens. Ne pouvant prouver ce qu'ils avancent, ils sont tenus de pratiquer tant de distinctions qu'elles égarent l'esprit: ce qu'ils veulent. Quelle virtuosité ne faut-il pas pour classer les anges par dizaines d'espèces! N'insistons pas sur Dieu: son «infini», en les usant, a fait tomber en déliquescence nombre de cerveaux;
chez les oisifs, — chez les mondains, chez les races nonchalantes, chez tous ceux qui se nourrissent de mots. La conversation — mère de la subtilité... Pour y avoir été insensibles, les Allemands se sont engloutis dans la métaphysique. Mais les peuples bavards, les Grecs anciens et les Français, rompus aux grâces de l'esprit, ont excellé dans la *technique des riens*;
chez les persécutés. Astreints au mensonge, à la ruse, à la resquille, ils mènent une vie double et fausse: l'*insincérité* — par besoin — excite l'intelligence. Sûrs d'eux, les Anglais sont endormants: ils payent ainsi les siècles de liberté où ils purent vivre sans recourir à l'astuce, au sourire sournois, aux expédients. On comprend pourquoi, à l'antipode, les Juifs ont le privilège d'être le peuple le plus éveillé;
chez les femmes. Condamnées à la pudeur, elles doivent camoufler leurs désirs, et mentir: *le mensonge est une forme de talent,* alors que le respect de la «vérité» va de pair avec la grossièreté et la lourdeur;
chez les tarés — qui ne sont pas internés..., chez ceux dont rêverait un code pénal idéal.

*J*eune encore, on s'essaie à la philosophie moins pour y chercher une vision qu'un stimulant; on s'acharne sur les idées, on devine le délire qui les a produites, on rêve de l'imiter et de l'exagérer. L'adolescence se complaît à la

jonglerie des altitudes; dans un penseur, elle aime le saltimbanque; dans Nietzsche, nous aimions Zarathoustra, ses poses, sa
clownerie mystique, vraie *foire des cimes*...

Son idolâtrie de la force relève moins d'un snobisme évolution-
niste que d'une tension intérieure qu'il a projetée au-dehors,
d'une ivresse qui interprète le devenir, et l'accepte. Une image
fausse de la vie et de l'histoire devait en résulter. Mais il fallait
passer par là, par l'orgie philosophique, par le culte de la vitalité.
Ceux qui s'y sont refusés ne connaîtront jamais le retombement,
l'antipode et les grimaces de ce culte; ils resteront fermés aux
sources de la déception.

Nous avions cru avec Nietzsche à la pérennité des transes; grâce
à la maturité de notre cynisme, nous sommes allés plus loin que
lui. L'idée de surhomme ne nous paraît plus qu'une élucubration;
elle nous semblait aussi exacte qu'une donnée d'expérience. Ainsi
l'enchanteur de notre jeunesse s'efface. Mais *qui* de lui — s'il fut
plusieurs — demeure encore? C'est l'expert en déchéances, le *psychologue*, psychologue agressif, point seulement observateur
comme les moralistes. Il scrute en ennemi et il se crée des ennemis. Mais ses ennemis il les tire de soi, comme les vices qu'il
dénonce. S'acharne-t-il contre les faibles? il fait de l'introspection; et quand il attaque la décadence, il décrit son état. Toutes ses
haines se portent indirectement contre lui-même. Ses
défaillances, il les proclame et les érige en idéal; s'il s'exècre, le
christianisme ou le socialisme en pâtit. Son diagnostic du nihilisme est irréfutable: c'est qu'il est lui-même nihiliste, et qu'il
l'avoue. Pamphlétaire amoureux de ses adversaires, il n'aurait pu
se supporter s'il n'avait combattu avec soi, contre soi, s'il n'avait
placé ses misères ailleurs, dans les autres: *il s'est vengé sur eux de
ce qu'il était.* Ayant pratiqué la psychologie en héros, il propose,
aux passionnés d'Inextricable, une diversité d'impasses.

Nous mesurons sa fécondité aux possibilités qu'il nous offre de le
renier continuellement sans l'épuiser. Esprit nomade, il s'entend à
varier ses déséquilibres. Sur toutes choses, il a soutenu le pour et
le contre: c'est là le procédé de ceux qui s'adonnent à la spéculation faute de pouvoir écrire des tragédies, de s'éparpiller en de
multiples destins. — Toujours est-il qu'en étalant ses hystéries,
Nietzsche nous a débarrassés de la pudeur des nôtres; ses misères
nous furent salutaires. Il a ouvert l'*âge des «complexes»*.

*L*e philosophe «généreux» oublie
à ses dépens que d'un système seules survivent les vérités nuisibles.

À l'âge où, par inexpérience, on prend goût à la philosophie, je décidai de faire une thèse comme tout le monde. Quel sujet choisir ? J'en voulais un à la fois rebattu et insolite. Lorsque je crus l'avoir trouvé, je me hâtai de le communiquer à mon maître.

— Que penseriez-vous d'une *Théorie générale des larmes* ? Je me sens de taille à y travailler.

— C'est possible, me dit-il, mais vous aurez fort à faire pour trouver une bibliographie.

— Qu'à cela ne tienne. L'Histoire tout entière m'appuiera de son autorité, lui répondis-je d'un ton d'impertinence et de triomphe. Mais comme, impatient, il me jetait un regard de dédain, je résolus sur le coup de tuer en moi le *disciple*.

*E*n d'autres temps, le philosophe qui n'écrivait pas mais réfléchissait n'encourait pas le mépris ; depuis que l'on se prosterne devant l'efficace, l'*œuvre* est devenue l'absolu du vulgaire ; ceux qui n'en produisent pas sont considérés comme « ratés ». Mais ces « ratés » eussent été les sages d'un autre temps ; ils rachèteront le nôtre pour n'y avoir pas laissé de trace.

*V*ient l'heure où le sceptique, après avoir mis tout en question, n'a plus *de quoi* douter ; et c'est alors qu'il suspend pour de bon son jugement. Que lui reste-t-il ? S'amuser ou s'engourdir, — la frivolité ou l'animalité.

*P*lus d'une fois il m'est advenu d'entrevoir l'automne du cerveau, le dénouement de la conscience, la dernière *scène* de la raison, puis une lumière qui me glaçait le sang !

*V*ers une sagesse végétale : j'abjurerais toutes mes terreurs pour le *sourire* d'un arbre...

TEMPS ET ANÉMIE

*Q*u'elle m'est proche cette vieille folle qui courait après le temps, qui voulait rattraper un *morceau* de temps!

*I*l existe un rapport entre la déficience de notre sang et notre dépaysement dans la durée : tant de globules blancs, tant d'instants vides... Nos états *conscients* ne procèdent-ils pas de la décoloration de nos désirs?

*S*urpris en plein midi par la frayeur délicieuse du vertige, à quoi l'attribuer? au sang, à l'azur? ou à l'anémie, située à mi-chemin entre les deux?

*L*a pâleur nous montre jusqu'où le corps peut comprendre l'âme.

*A*vec tes veines chargées de nuits, tu n'as pas plus ta place parmi les hommes qu'une épitaphe au milieu d'un cirque.

*A*u plus fort de l'Incuriosité, on pense à une bonne crise d'épilepsie comme à une terre promise.

*O*n se ruine d'autant plus à une passion que l'objet en est plus diffus; la mienne fut l'Ennui : j'ai succombé à son imprécision.

*L*e temps m'est interdit. Ne pouvant en suivre la cadence, je m'y accroche ou le contemple, mais n'y suis jamais : il n'est pas mon *élément*. Et c'est en vain que j'espère un peu du temps de tout le monde!

*L*a leucémie est le jardin où fleurit Dieu.

*S*i la foi, la politique ou la bestialité entament le désespoir, tout laisse intacte la mélancolie : elle ne saurait cesser qu'avec notre sang.

L'ennui est une angoisse larvaire ; le cafard, une haine rêveuse.

*N*os tristesses prolongent le mystère qu'ébauche le sourire des momies.

*U*topie noire, l'anxiété seule nous fournit des *précisions* sur l'avenir.

*V*omir ? prier ? — L'Ennui nous fait monter vers un ciel de Crucifixion qui nous laisse dans la bouche un arrière-goût de saccharine.

J'ai longtemps cru aux vertus métaphysiques de la Fatigue : il est vrai qu'elle nous plonge jusqu'aux racines du Temps ; mais qu'en rapportons-nous ? Quelques fadaises sur l'éternité.

« *J*e suis comme une marionnette cassée dont les yeux seraient tombés à l'intérieur. »
Ce propos d'un malade mental pèse plus lourd que l'ensemble des œuvres d'introspection.

*Q*uand tout s'affadit autour de nous, quel tonique que la curiosité de savoir *comment* nous perdrons la raison !

S'il nous était loisible de quitter à notre gré le néant de l'apathie, pour le dynamisme du remords !

*A*uprès de l'ennui qui m'attend, celui qui m'habite me paraît si agréablement insupportable que je tremble d'en épuiser la terreur.

*D*ans un monde sans mélancolie, les rossignols se mettraient à roter.

*Q*uelqu'un emploie-t-il à tout propos le mot « vie » ? — sachez que c'est un malade.

L'intérêt que nous portons au Temps émane d'un snobisme de l'Irréparable.

*P*our s'initier à la tristesse, à l'artisanat du Vague, certains mettent une seconde, d'autres une vie.

*M*aintes fois je me suis retiré dans cette chambre de débarras qu'est le Ciel, maintes fois j'ai cédé au besoin d'*étouffer* en Dieu !

*J*e ne suis moi-même qu'au-dessus ou au-dessous de moi, dans la rage ou l'abattement ; à mon niveau habituel, j'ignore que j'existe.

*I*l n'est pas aisé d'acquérir une névrose ; qui y réussit dispose d'une fortune que tout fait prospérer : les succès comme les défaites.

*N*ous ne pouvons agir qu'en fonction d'une durée limitée : une journée, une semaine, un mois, un an, dix ans ou une vie. Que si, par malheur, nous rapportons nos actes au Temps, temps et actes s'évaporent : et c'est l'aventure dans le *rien*, la genèse du Non.

*T*ôt ou tard, chaque désir doit rencontrer sa lassitude : sa vérité...

*C*onscience du temps : attentat au temps...

*G*râce à la mélancolie — cet alpinisme des paresseux — nous escaladons *de notre lit* tous les sommets et rêvons au-dessus de tous les précipices.

S'ennuyer c'est chiquer du temps.

*L*e fauteuil, ce grand responsable, ce promoteur de notre «âme».

*J*e prends une résolution *debout*; je m'allonge — et l'annule.

*O*n s'accommoderait aisément des chagrins si la raison ou le foie n'y succombait.

J'ai cherché en moi mon propre modèle. Pour ce qui est de l'imiter, je m'en suis remis à la dialectique de l'indolence. Il est tellement plus agréable de ne pas *se* réussir!

*A*voir dédié à l'idée de la mort toutes les heures qu'un métier aurait réclamées... Les débordements métaphysiques sont le propre des moines, des débauchés et des clochards. Un emploi eût fait de Bouddha même un simple *mécontent*.

*O*bligez les hommes à s'allonger pendant des jours et des jours : les canapés réussiraient où les guerres et les slogans ont échoué. Car les opérations de l'Ennui dépassent, en efficacité, celles des armes et des idéologies.

*N*os dégoûts? — Détours du dégoût de nous-mêmes.

*Q*uand je surprends en moi un mouvement de révolte, j'avale un somnifère ou consulte un psychiatre. Tous les moyens sont bons pour celui qui poursuit l'Indifférence sans y être prédisposé.

*P*rémisse des fainéants, de ces métaphysiciens-nés, le Vide est la certitude que découvrent, au bout de leur carrière, et comme récompense à leurs déceptions, les braves gens et les philosophes de métier.

À mesure que nous liquidons nos hontes, nous jetons nos masques. Le jour arrive où notre jeu s'arrête : plus de hontes, plus de masques. Et plus de *public*. — Nous avons trop présumé de nos secrets, de la vitalité de nos misères.

J'ai journellement des apartés avec mon squelette, et cela, jamais ma chair ne me le pardonnera.

*C*e qui perd la joie, c'est son manque de rigueur ; contemplez, d'autre part, la logique du fiel...

*S*i une seule fois tu fus triste *sans motif*, tu l'as été toute ta vie sans le savoir.

*J*e vadrouille à travers les jours comme une putain dans un monde sans trottoirs.

*O*n ne lie partie avec la vie que lorsqu'on dit — *de tout cœur* — une banalité.

*E*ntre l'Ennui et l'Extase se déroule toute notre expérience du temps.

*V*otre vie a-t-elle abouti ? — Vous ne connaîtrez jamais l'*orgueil*.

*N*ous nous retranchons derrière notre visage ; le fou se trahit par le sien. Il s'offre, il se dénonce aux autres. Ayant perdu son masque, il publie son angoisse, l'impose au premier venu, affiche ses énigmes. Tant d'indiscrétion irrite. Il est normal qu'on le ligote et qu'on l'isole.

*T*outes les eaux sont couleur de noyade.

*S*oit passion du remords, soit insensibilité, je n'ai rien entrepris pour sauver le peu d'absolu que renferme ce monde.

*L*e Devenir : une agonie *sans dénouement.*

*A*u rebours des plaisirs, les douleurs ne conduisent pas à la satiété. Il n'est point de lépreux *blasé.*

*L*a tristesse : un appétit qu'aucun malheur ne rassasie.

*R*ien ne nous flatte tant que l'obsession de la mort ; *l'obsession*, et non la mort.

*C*es heures où il me semble inutile de me lever aiguisent ma curiosité des Incurables. Rivés à leur lit, et à l'Absolu, qu'ils doivent en savoir long sur toutes choses ! Mais je ne me rapproche d'eux que par les virtuosités de la torpeur, par les ruminations de la grasse matinée.

*T*ant que l'ennui se borne aux affaires du cœur, tout est encore possible ; qu'il se répande dans la sphère du jugement, c'en est fait de nous.

*N*ous ne méditons guère debout, encore moins en marchant. C'est de notre acharnement à garder la position verticale que l'Action est née ; aussi, pour protester contre ses méfaits, devrions-nous imiter le maintien des cadavres.

*L*e Désespoir est le toupet du malheur, une forme de provocation, une philosophie pour époques indiscrètes.

*O*n ne redoute plus le lendemain, lorsqu'on apprend à puiser à pleines mains dans le Vide. L'ennui opère des prodiges : il convertit la vacuité en substance, il est lui-même *vide nourricier.*

*P*lus je vieillis, moins je me plais à faire mon petit Hamlet. Déjà je ne sais plus, à l'égard de la mort, quel tourment éprouver...

OCCIDENT

———————————— *O*rgueil moderne : j'ai perdu l'amitié d'un homme que j'estimais, pour m'être acharné à lui répéter que j'étais plus dégénéré que lui...

C'est en vain que l'Occident se cherche une forme d'agonie digne de son passé.

*D*on Quichotte représente la jeunesse d'une civilisation : il *s'inventait* des événements ; — nous ne savons comment échapper à ceux qui nous pressent.

L'Orient s'est penché sur les fleurs et le renoncement. Nous lui opposons les machines et l'effort, et cette mélancolie galopante, — dernier sursaut de l'Occident.

*Q*uelle tristesse de voir des grandes nations mendier un supplément d'avenir !

*N*otre époque sera marquée par le romantisme des apatrides. Déjà se forme l'image d'un univers où plus personne n'aura *droit de cité.*
Dans tout citoyen d'aujourd'hui gît un métèque futur.

*M*ille ans de guerres consolidèrent l'Occident ; un siècle de « psychologie » l'a réduit aux abois.

*P*ar les sectes, la foule participe à l'Absolu et un peuple manifeste sa vitalité. Ce furent elles qui préparèrent, en Russie, la Révolution et le déluge slave.
Depuis que le catholicisme présente une belle rigueur, la sclérose le gagne ; sa carrière n'est pas finie pour autant : il lui reste à porter le deuil de la latinité.

*N*otre mal étant le mal de l'histoire, de l'éclipse de l'histoire, force nous est de renchérir sur le mot de Valéry, d'en aggraver la portée : nous savons maintenant que *la* civilisation est mortelle, que nous galopons vers des horizons d'apoplexie, vers les miracles du pire, vers l'âge d'or de l'effroi.

*P*ar l'intensité de ses conflits, le XVIᵉ siècle nous est plus proche qu'aucun autre ; mais je ne vois pas de Luther, de Calvin en notre temps. Comparés à ces géants, et à leurs contemporains, nous sommes des pygmées promus, par la fatalité du savoir, à un destin monumental. — Si l'allure nous fait défaut, nous marquons toutefois un point sur eux : dans leurs tribulations, ils avaient le recours, la lâcheté de se compter parmi les élus. La Prédestination, seule idée chrétienne encore tentante, gardait pour eux sa double face. Pour nous, il n'y a plus d'élus.

*É*coutez les Allemands et les Espagnols *s'expliquer* : ils feront résonner à vos oreilles toujours la même rengaine : tragique, tragique... C'est leur manière de vous faire comprendre leurs calamités ou leurs stagnations, leur façon d'aboutir...
Tournez-vous vers les Balkans ; vous entendrez à tout propos : destin, destin... Par quoi des peuples, trop près de leurs origines, camouflent leurs tristesses inopérantes. C'est la discrétion des troglodytes.

*A*u contact des Français, on apprend à être malheureux *gentiment.*

*L*es peuples qui n'ont pas le goût des balivernes, de la frivolité et de l'à-peu-près, qui *vivent* leurs exagérations verbales, sont une catastrophe pour les autres et pour eux-mêmes. Ils s'appesantissent sur des riens, mettent du sérieux dans l'accessoire et du tragique dans le menu. Qu'ils s'encombrent encore d'une passion pour la fidélité et d'une détestable répugnance à trahir, on ne peut plus rien espérer d'eux, sinon leur ruine. Pour corriger leurs mérites, pour remédier à leur profondeur, il faut les convertir au Midi et leur inoculer le virus de la farce.
Si Napoléon avait occupé l'Allemagne avec des Marseillais, la face du monde eût été tout autre.

*P*ourra-t-on méridionaliser les peuples graves ? L'avenir de l'Europe est suspendu à cette question. Si les Allemands se remettent à travailler comme naguère, l'Occident est perdu ; de même si les Russes ne retrouvent pas leur vieil amour de la paresse. Il faudrait développer chez les uns et les autres le goût du farniente, de l'apathie et de la sieste, leur faire miroiter les délices de l'avachissement et de la versatilité.
... À moins de nous résigner aux solutions que la Prusse, ou la Sibérie, infligerait à notre dilettantisme.

*P*oint d'évolution ni d'élan qui ne soient destructeurs, du moins à leurs moments d'intensité.
Le *devenir* d'Héraclite brave les temps ; celui de Bergson rejoint les tentatives ingénues et les vieilleries philosophiques.

*H*eureux ces moines qui, vers la fin du Moyen Âge, couraient de ville en ville annoncer la fin du monde ! Leurs prophéties tardaient-elles à s'accomplir ? Qu'importe ! Ils pouvaient se déchaîner, donner libre carrière à leurs effarements, s'en décharger sur les foules ; — thérapeutique illusoire dans un âge comme le nôtre où la panique, entrée dans les mœurs, a perdu ses vertus.

*P*our manier les hommes, il faut pratiquer leurs vices et en rajouter. Voyez les papes : tant qu'ils forniquaient, s'adonnaient à l'inceste et assassinaient, ils dominaient le siècle ; et l'Église était toute-puissante. Depuis qu'ils en respectent les préceptes, ils ne font que déchoir : l'abstinence, comme la modération, leur aura été fatale ; devenus respectables, plus personne ne les craint. Crépuscule édifiant d'une institution.

*L*e préjugé de l'honneur est le fait d'une civilisation rudimentaire. Il disparaît avec l'avènement de la lucidité, avec le règne des lâches, de ceux qui, ayant tout « compris », n'ont plus rien à défendre.

*P*endant trois siècles, l'Espagne a gardé jalousement le secret de l'Inefficacité ; ce secret, l'Occident tout entier le possède aujourd'hui ; il ne l'a pas dérobé, il l'a découvert par ses propres efforts, *par introspection.*

*P*ar la barbarie, Hitler a essayé de sauver toute une civilisation. Son entreprise fut un échec ; — elle n'en est pas moins la dernière *initiative* de l'Occident.

Sans doute, ce continent aurait mérité mieux. À qui la faute s'il n'a pas su produire un monstre d'une autre qualité ?

*R*ousseau fut un fléau pour la France, comme Hegel pour l'Allemagne. Aussi indifférente à l'hystérie qu'aux systèmes, l'Angleterre a composé avec la médiocrité ; sa « philosophie » a établi la valeur de la *sensation* ; sa politique, celle de l'*affaire*. L'empirisme fut sa réponse aux élucubrations du Continent ; le Parlement, son défi à l'utopie, à la pathologie héroïque.

Point d'équilibre politique sans nullités de bon aloi. Qui provoque les catastrophes ? Les possédés de la bougeotte, les impuissants, les insomniaques, les artistes ratés qui ont porté couronne, sabre ou uniforme, et, plus qu'eux tous, les optimistes, ceux qui *espèrent* sur le dos des autres.

*I*l n'est pas élégant d'abuser de la malchance ; certains individus, comme certains peuples, s'y complaisent tant, qu'ils déshonorent la tragédie.

*L*es esprits lucides, pour donner un caractère officiel à leur lassitude et l'imposer aux autres, devraient se constituer en une *Ligue de la Déception*. Ainsi réussiraient-ils peut-être à atténuer la pression de l'histoire, à rendre l'avenir facultatif...

*T*our à tour, j'ai adoré et exécré nombre de peuples ; — jamais il ne me vint à l'esprit de renier l'Espagnol que j'eusse aimé être...

I. — *I*nstincts vacillants, croyances avariées, marottes et radotages. Partout des conquérants à la retraite, des rentiers de l'héroïsme, en face de jeunes Alaric qui guettent les Rome et les Athènes, partout des paradoxes de lymphatiques. Autrefois les boutades de salon traversaient les pays, déroutaient la sottise ou l'affinaient. L'Europe, coquette et intraitable, était dans la fleur de l'âge ; — décrépite aujourd'hui, elle n'excite plus personne. Des barbares cependant attendent d'en hériter les dentelles et s'irritent de sa longue agonie.

II. — *F*rance, Angleterre, Allemagne; Italie peut-être. Le reste... Par quel accident s'arrête une civilisation? Pourquoi la peinture hollandaise ou la mystique espagnole ne fleurirent-elles qu'un instant? Tant de peuples qui survécurent à leur génie! Aussi leur déclassement est-il tragique; mais celui de la France, de l'Allemagne et de l'Angleterre tient d'un irréparable interne, de l'achèvement d'un processus, d'un devoir mené à bien; il est naturel, explicable, mérité. Pouvait-il en être autrement? Ces pays ont prospéré et se sont ruinés ensemble, par esprit de concurrence, de fraternité, et de haine; cependant, sur le reste du globe, la pègre fraîche emmagasinait des énergies, se multipliait et attendait.

Des tribus aux instincts impérieux s'agglutinent pour former une grande puissance; vient le moment où, résignées et branlantes, elles soupirent après un rôle subalterne. Quand on n'envahit plus, on consent à être envahi. Le drame d'Annibal fut de naître trop tôt; quelques siècles plus tard, il eût trouvé les portes de Rome ouvertes. L'Empire était vacant, comme l'Europe de nos jours.

III. — *N*ous avons tous goûté au mal de l'Occident. L'art, l'amour, la religion, la guerre, — nous en savons trop pour y croire encore; et puis, tant de siècles s'y usèrent... L'époque du *fini* dans la plénitude est révolue; la matière des poèmes? exténuée. — Aimer? la racaille même répudie le «sentiment». — La piété? Fouillez les cathédrales : ne s'y agenouille plus que l'ineptie. Qui veut encore combattre? Le héros est périmé; seul le carnage impersonnel a cours. Nous sommes des fantoches clairvoyants, tout juste propres à faire des simagrées devant l'irrémédiable. L'Occident? Un *possible* sans lendemain.

IV. — *N*e pouvant défendre nos astuces contre les muscles, nous allons être de moins en moins utilisables à quelque fin que ce soit : le premier venu nous ligotera. Contemplez l'Occident : il déborde de savoir, de déshonneur et de flemme. À ceci devaient aboutir les croisés, les chevaliers, les pirates, à la stupeur d'une mission accomplie.

Lorsque Rome repliait ses légions, elle ignorait l'Histoire, et les leçons des crépuscules. Tel n'est point notre cas. Quel sombre Messie va s'abattre sur nous!

*Q*uiconque, par distraction ou incompétence, arrête tant soit peu l'humanité dans sa marche, en est le bienfaiteur.

*L*e catholicisme n'a créé l'Espagne que pour mieux l'étouffer. C'est un pays où l'on voyage pour admirer l'Église, et pour deviner le plaisir qu'il peut y avoir à assassiner un curé.

L'Occident fait des progrès, il arbore timidement son gâtisme, — et déjà j'envie moins ceux qui, ayant vu Rome sombrer, croyaient jouir d'une désolation unique, intransmissible.

*L*es vérités de l'humanisme, la confiance en l'homme et le reste, n'ont encore qu'une vigueur de fictions, qu'une prospérité d'ombres. L'Occident *était* ces vérités; il n'est plus que ces fictions, que ces ombres. Aussi démuni qu'elles, il ne lui est pas donné de les vérifier. Il les traîne, les expose, mais ne les *impose* plus; elles ont cessé d'être *menaçantes*. Aussi, ceux qui s'accrochent à l'humanisme se servent-ils d'un vocable exténué, sans support affectif, d'un vocable spectral.

*A*près tout, ce continent n'a peut-être pas joué sa dernière carte. S'il se mettait à démoraliser le reste du monde, à y répandre ses relents? — Ce serait pour lui une manière de conserver encore son prestige et d'exercer son rayonnement.

*D*ans l'avenir, si l'humanité doit se recommencer, elle le fera avec ses déchets, avec les Mongols de partout, avec la lie des continents; une civilisation caricaturale se dessinera, à laquelle ceux qui produisirent la véritable assisteront impuissants, honteux, prostrés, pour, en dernier lieu, se réfugier dans l'idiotie où ils oublieront l'éclat de leurs désastres.

LE CIRQUE DE LA SOLITUDE

I

—————————————————— *N*ul ne peut veiller sur sa solitude s'il ne sait se rendre odieux.

*J*e ne vis que parce qu'il est en
mon pouvoir de mourir quand bon me semblera : sans l'*idée* du
suicide, je me serais tué depuis toujours.

*L*e scepticisme qui ne contribue
pas à la ruine de notre santé n'est qu'un exercice intellectuel.

*N*ourrir dans le dénuement une
hargne de tyran, étouffer sous une cruauté rentrée, se haïr, faute
de subalternes à massacrer, d'empire à épouvanter, être un
Tibère pauvre...

*C*e qui irrite dans le désespoir,
c'est son bien-fondé, son évidence, sa «documentation» : c'est du
reportage. Examinez, au contraire, l'espoir, sa générosité *dans le
faux*, sa manie d'affabuler, son refus de l'événement : une aberration. une fiction. Et c'est dans cette aberration que réside la vie, et
de cette fiction qu'elle s'alimente.

*C*ésar ? Don Quichotte ? Lequel
des deux, dans ma présomption, voulais-je prendre comme modèle ?
Il n'importe. Le fait est qu'un jour, d'une contrée lointaine, je partis
à la conquête du monde, de toutes les perplexités du monde...

*L*orsque d'une mansarde je
considère la cité, il me semble tout aussi honorable d'y être sacris-
tain que souteneur.

S'il me fallait renoncer à mon dilettantisme, c'est dans le hurlement que je me spécialiserais.

*O*n cesse d'être jeune au moment où l'on ne choisit plus ses ennemis, où l'on se contente de ceux qu'on a sous la main.

*T*outes nos rancunes viennent de ce que, restés au-dessous de nous-mêmes, nous n'avons pu nous rejoindre. Cela nous ne le pardonnerons jamais aux *autres.*

À la dérive dans le Vague, je m'accroche au moindre chagrin comme à une planche de salut.

*V*oulez-vous multiplier les déséquilibrés, aggraver les troubles mentaux, construire des maisons d'aliénés dans tous les coins de la ville ?
Interdisez le *juron.*
Vous comprendrez alors ses vertus libératrices, sa fonction thérapeutique, la supériorité de sa méthode sur celle de la psychanalyse, des gymnastiques orientales ou de l'Église, vous comprendrez surtout que c'est grâce à ses merveilles, à son assistance de chaque instant que la plupart de nous doivent de n'être criminels ni fous.

*N*ous naissons avec une telle capacité d'admirer que dix autres planètes ne sauraient l'épuiser ; — la terre y réussit d'office.

*S*e lever en thaumaturge résolu à peupler sa journée de miracles, et puis retomber sur son lit pour remâcher jusqu'au soir des ennuis d'amour et d'argent...

J'ai perdu au contact des hommes toute la fraîcheur de mes névroses.

*R*ien ne trahit tant le vulgaire que son refus d'être déçu.

*Q*uand je n'ai pas un sou en poche, je m'efforce d'imaginer *le ciel de la lumière sonore* qui constitue, selon le bouddhisme japonais, une des étapes que le sage doit franchir pour surmonter le monde, — et peut-être l'argent, ajouterai-je.

*D*e toutes les calomnies la pire est celle qui vise notre paresse, qui en conteste l'authenticité.

*D*ans mon enfance, nous nous amusions, mes camarades et moi, à regarder le fossoyeur au travail. Parfois il nous passait un crâne avec lequel nous jouions au football. C'était pour nous une joie que nulle pensée funèbre ne venait ternir.

Pendant bien des années, j'ai vécu dans un milieu de curés ayant à leur actif mille et mille extrêmes-onctions ; pourtant je n'en ai connu aucun qui fût intrigué par la Mort. Plus tard je devais comprendre que le seul cadavre dont nous puissions tirer quelque profit est celui qui *se prépare* en nous.

*S*ans Dieu tout est néant ; et Dieu ? Néant suprême.

II

*L*e désir de mourir fut mon seul et unique souci ; je lui ai tout sacrifié, même la mort.

*P*our peu qu'un animal se détraque, il commence à ressembler à l'homme. Regardez un chien furieux ou aboulique : on dirait qu'il attend son romancier ou son poète.

*T*oute expérience profonde se formule en termes de physiologie.

D'un caractère, la flatterie fait une marionnette, et, un instant, sous sa douceur, les yeux les plus vifs prennent une expression bovine. S'insinuant plus loin que la maladie, et altérant, en égale mesure, les glandes, les entrailles et l'esprit, elle est la seule arme dont nous disposions pour asservir nos semblables, les démoraliser et les corrompre.

*D*ans le pessimiste se concertent une bonté inefficace et une méchanceté inassouvie.

J'ai expédié Dieu par besoin de recueillement, je me suis débarrassé d'un dernier *fâcheux*.

*P*lus les malheurs nous entourent, plus ils nous rendent futiles : notre démarche même en est changée. Ils nous invitent à parader, ils étouffent notre personne pour éveiller en nous le *personnage*.
... N'eût été l'impertinence de me croire l'être le plus malheureux de la terre, il y a longtemps que je me serais effondré.

C'est une grande injure à l'homme de penser que, pour se détruire, il aurait besoin d'un adjuvant, d'un destin... N'a-t-il pas déjà dépensé le plus clair de soi-même à liquider sa propre légende ? Dans ce refus de durer, dans cette horreur de soi, réside son excuse ou, comme on disait autrefois, sa grandeur.

*P*ourquoi nous retirer et abandonner la partie, quand il nous reste tant d'êtres à *décevoir* ?

*L*es passions, les accès de foi, les intolérances, quand j'y suis sujet, je descendrais volontiers dans la rue me battre et mourir, en partisan du Vague, en forcené du Peut-être...

*T*u as rêvé d'incendier l'univers, et tu n'as pas même réussi à communiquer ta flamme aux mots, à en *allumer* un seul !

*M*on dogmatisme s'étant écoulé en jurons, que puis-je faire d'autre qu'être sceptique ?

*A*u beau milieu d'études sérieuses, je découvris que j'allais mourir un jour... ; ma modestie en fut ébranlée. Convaincu qu'il ne me restait plus rien à apprendre, j'abandonnai mes études pour mettre le monde au courant d'une si remarquable découverte.

*E*sprit positif qui a mal tourné, le Démolisseur croit, dans sa candeur, que les vérités valent la peine d'être détruites. C'est un technicien à rebours, un pédant du vandalisme, un évangéliste égaré.

*E*n vieillissant on apprend à troquer ses terreurs contre ses ricanements.

*N*e me demandez plus mon programme : *respirer*, n'en est-ce pas un ?

*L*a meilleure manière de nous éloigner des autres est de les inviter à jouir de nos défaites ; après, nous sommes sûrs de les haïr pour le reste de nos jours.

« *V*ous devriez travailler, gagner votre vie, rassembler vos forces. — Mes forces ? je les ai gaspillées, je les ai toutes employées à effacer en moi les vestiges de Dieu... Et maintenant je serai pour toujours *inoccupé*. »

*T*out acte flatte l'hyène en nous.

*A*u plus profond de nos défaillances, nous saisissons tout à coup l'*essence* de la mort ; — perception limite, rebelle à l'expression ; déroute métaphysique que les mots ne sauraient perpétuer. Cela explique pourquoi, sur ce thème, les interjections d'une vieille illettrée nous éclairent davantage que le jargon d'un philosophe.

*L*a nature n'a créé les individus que pour soulager la Douleur, pour l'aider à s'éparpiller à leurs dépens.

*A*lors qu'il faut la sensibilité d'un écorché ou une longue tradition de vice pour associer au plaisir la conscience du plaisir, la douleur et la conscience de la douleur se confondent même chez l'imbécile.

*E*scamoter la souffrance, la dégrader en volupté, — supercherie de l'introspection, manège des délicats, diplomatie du gémissement.

À changer si souvent d'attitude à l'égard du soleil, je ne sais plus sur quel pied le traiter.

*O*n ne découvre une saveur aux jours que lorsqu'on se dérobe à l'obligation d'avoir un destin.

*P*lus les hommes me sont indifférents, plus ils me troublent; et quand je les méprise, je ne puis les approcher sans bégayer.

*S*i on pressait le cerveau d'un fou, le liquide qui en sortirait paraîtrait du sirop auprès du fiel que sécrètent certaines tristesses.

*Q*ue personne n'essaie de vivre s'il n'a fait son éducation de victime.

*P*lus encore qu'une réaction de défense, la timidité est une *technique*, sans cesse perfectionnée par la mégalomanie des incompris.

*L*orsqu'on n'a pas eu la chance d'avoir des parents alcooliques, il faut s'intoxiquer toute sa vie pour compenser la lourde hérédité de leurs vertus.

*P*eut-on parler honnêtement d'autre chose que de Dieu ou de soi?

III

L'odeur de la créature nous met sur la piste d'une divinité fétide.

*S*i l'Histoire avait un but, notre sort, à nous autres qui n'avons rien accompli, — combien il serait lamentable! Mais dans le non-sens général, nous nous dressons, roulures inefficaces, canailles fières d'avoir eu raison.

*Q*uelle inquiétude lorsqu'on n'est pas sûr de ses doutes, et que l'on se demande : sont-ce véritablement des doutes?

*Q*ui n'a pas contredit ses instincts, qui ne s'est pas imposé une longue période d'ascèse sexuelle, ou n'a point connu les dépravations de l'abstinence, sera fermé au langage du crime comme à celui de l'extase : il ne comprendra jamais les obsessions du marquis de Sade ni celles de saint Jean de la Croix.

*L*e moindre assujettissement, fût-ce au désir de mourir, démasque notre fidélité à l'imposture du «moi».

*Q*uand vous subissez la tentation du Bien, allez au marché, choisissez dans la foule une vieille, la plus déshéritée, et marchez-lui sur les pieds. Sa verve excitée, vous la regarderez sans lui répondre, pour qu'elle puisse, grâce au frisson que donne l'abus de l'adjectif, connaître enfin un moment d'auréole.

À quoi bon se défaire de Dieu pour retomber en soi? À quoi bon cette substitution de charognes?

*L*e mendiant est un pauvre qui, impatient d'aventures, a abandonné la pauvreté pour explorer les jungles de la pitié.

*O*n ne peut éviter les défauts des hommes sans fuir, par là même, leurs vertus. Ainsi on se ruine par la sagesse.

*S*ans l'espoir d'une douleur plus grande, je ne pourrais supporter celle du moment, fût-elle infinie.

*E*spérer, c'est *démentir* l'avenir.

*D*e toute éternité, Dieu a choisi tout pour nous, jusqu'à nos cravates.

*P*oint d'action ni de réussite sans une attention totale aux causes *secondaires.*
La «vie» est une occupation d'insecte.

*L*a ténacité que j'ai déployée à combattre la magie du suicide m'eût largement suffi à faire mon salut, à me pulvériser en Dieu.

*Q*uand rien ne nous aiguillonne plus, le «cafard» est là, dernier stimulant. Ne sachant plus nous en passer, nous le poursuivons dans le divertissement comme dans l'oraison. Et tant nous redoutons d'en être privés, que «Donnez-nous notre cafard quotidien» devient le refrain de nos attentes et de nos implorations.

*Q*uelque intime que l'on soit des opérations de l'esprit, on ne peut *penser* plus de deux ou trois minutes par jour; — à moins que, par goût ou profession, l'on ne s'exerce, pendant des heures, à brutaliser les mots pour en extraire des idées.
L'*intellectuel* représente la disgrâce majeure, l'échec culminant de l'homo sapiens.

*C*e qui me donne l'illusion de n'avoir jamais été dupe, c'est que je n'ai rien aimé sans du même coup le haïr.

*N*ous avons beau être versés dans la satiété, nous resterons les caricatures de notre précurseur, de Xerxès. N'est-ce pas lui qui promit par édit une récompense à celui qui inventerait une volupté nouvelle? — C'est là le geste le plus moderne de l'Antiquité.

IV

*P*lus un esprit court de *dangers*, plus il ressent le besoin de paraître superficiel, de se donner un air de frivolité, et de multiplier les malentendus à son sujet.

*P*assé la trentaine, on ne devrait pas plus s'intéresser aux événements qu'un astronome aux potins.

L'idiot seul est équipé pour respirer.

*A*vec l'âge, ce ne sont pas tant nos facultés intellectuelles qui diminuent que cette *force de désespérer* dont, jeunes, nous ne savions apprécier le charme ni le ridicule.

*Q*uel dommage que, pour aller à Dieu, il faille passer par la foi !

*L*a vie, — ce pompiérisme de la matière.

*R*éfutation du suicide : n'est-il pas inélégant d'abandonner un monde qui s'est mis si volontiers au service de notre tristesse ?

*Q*ue l'on s'enivre sans désemparer, on n'arrivera point à l'assurance de ce Crésus d'asile qui disait : «Pour être tranquille, je me suis acheté l'air tout entier, et j'en ai fait ma propriété.»

*L*a gêne que nous éprouvons devant un homme ridicule vient de ce qu'il est impossible de l'imaginer sur son lit de mort.

*N*e se suicident que les optimistes, les optimistes qui ne peuvent plus l'être. Les autres, n'ayant aucune raison de vivre, pourquoi en auraient-ils de mourir?

*L*es esprits bilieux? Ce sont ceux qui se vengent sur leurs pensées de la gaieté qu'ils prodiguèrent dans leur commerce avec les autres.

J'ignorais tout d'elle; notre entretien n'en prit pas moins le tour le plus macabre : je lui parlai de la mer, de ce commentaire à l'Ecclésiaste. Et quelle ne fut pas ma stupéfaction quand, au bout de ma tirade sur l'hystérie des flots, elle lâcha le mot : «Il n'est pas bon de s'attendrir sur soi.»

*M*alheur à l'incroyant qui, face à ses insomnies, ne dispose que d'un stock réduit de prières!

*E*st-ce un simple hasard si tous ceux qui m'ont ouvert des horizons sur la mort étaient des déchets de la société?

*P*our le fou, n'importe quel bouc émissaire est bon. Il supporte ses déroutes en accusateur; les objets lui paraissant aussi coupables que les êtres, il accable qui il veut; le Délire est une économie d'expansion; — tenus à plus de discrimination, nous nous replions sur nos défaites, nous nous y agrippons, faute d'en trouver au-dehors la cause ou l'aliment; le bon sens nous astreint à une économie fermée, à l'autarcie de l'échec.

«*I*l sied mal, me disiez-vous, de pester sans cesse contre l'ordre des choses. — Est-ce ma faute si je ne suis qu'un parvenu de la névrose, un Job à la recherche d'une lèpre, un Bouddha de pacotille, un Scythe flemmard et fourvoyé?»

*S*atires et soupirs me semblent également valables. Que j'ouvre un pamphlet ou un «Ars moriendi», tout y est vrai... Avec la désinvolture de la pitié, je m'étends sur les vérités et me confonds avec les mots.
«Tu seras objectif!» — malédiction du nihiliste qui *croit à tout.*

À l'apogée de nos dégoûts, un rat paraît s'être infiltré dans notre cerveau pour y rêver.

*C*e ne sont pas les préceptes du stoïcisme qui nous signaleront l'utilité des avanies ou la séduction des coups du sort. Les manuels d'insensibilité sont trop raisonnables. Mais si chacun faisait sa petite expérience de clochard! Endosser des loques, se poster à un carrefour, tendre la main aux passants, essuyer leur mépris ou les remercier de leur obole, — quelle discipline! Ou sortir dans la rue, insulter des inconnus, s'en faire gifler...

Longtemps j'ai fréquenté les tribunaux à seule fin d'y contempler les récidivistes, leur supériorité sur les lois, leur empressement à la déchéance. Et pourtant ils sont piteux comparés aux grues, à l'aisance qu'elles montrent en correctionnelle. Tant de détachement déconcerte; point d'amour-propre; les injures ne les font pas saigner; aucun adjectif ne les blesse. Leur cynisme est la forme de leur honnêteté. Une fille de dix-sept ans, majestueusement affreuse, réplique au juge qui essaie de lui arracher la promesse de ne plus hanter les trottoirs: «Je ne peux pas vous le promettre, monsieur le Juge.»

On ne mesure sa propre force que dans l'humiliation. Pour nous consoler des hontes que nous n'avons pas connues, nous devrions nous en infliger à nous-mêmes, cracher dans le miroir, en attendant que le public nous honore de sa salive. Que Dieu nous préserve d'un sort *distingué*!

J'ai tant choyé l'idée de fatalité, je l'ai nourrie au prix de si grands sacrifices, qu'elle a fini par s'incarner: d'abstraction qu'elle était, la voilà qui palpite, se dresse devant moi, et m'écrase de toute la vie que je lui ai donnée.

RELIGION

*S*i je croyais en Dieu, ma fatuité n'aurait pas de bornes : je me promènerais tout nu dans les rues...

*T*ant les saints ont recouru à la facilité du paradoxe qu'il est impossible de ne pas les citer dans les salons.

*Q*uand on est dévoré d'un tel appétit de souffrir qu'il faudrait — pour en venir à bout — mille et mille existences, on conçoit de quel enfer a dû surgir l'idée de transmigration.

*H*ors la matière, tout est musique : Dieu même n'est qu'une hallucination sonore.

*P*oursuivre les antécédents d'un soupir, cela peut nous mener à l'instant d'avant, — comme au sixième jour de la Création.

L'orgue seul nous fait comprendre comment l'éternité peut *évoluer*.

*C*es nuits où l'on ne peut plus avancer en Dieu, où on l'a parcouru en tous sens, où on l'a usé à force de le piétiner, ces nuits dont on émerge avec l'idée de le jeter au rebut..., d'enrichir le monde d'un déchet.

*S*ans la vigilance de l'ironie, qu'il serait aisé de fonder une religion ! Il suffirait de laisser les badauds s'attrouper autour de nos transes loquaces.

*C*e n'est pas Dieu, c'est la Douleur qui jouit des avantages de l'ubiquité.

*D*ans les épreuves cruciales, la cigarette nous est d'une aide plus efficace que les Évangiles.

*S*uso raconte qu'avec un stylet il se grava, à l'endroit du cœur, le nom de Jésus. Il ne saigna pas en vain : quelque temps après, une lumière émanait de sa plaie.
Que n'ai-je une plus grande force dans l'incrédulité ! que ne puis-je, inscrivant dans ma chair un autre nom, le nom de l'Adversaire, lui servir d'enseigne lumineuse !

J'ai voulu me fixer dans le Temps ; il était inhabitable. Quand je me suis tourné vers l'Éternité, j'ai perdu pied.

*V*ient un moment où chacun se dit : «ou Dieu ou moi», et s'engage dans un combat dont tous deux sortent amoindris.

*L*e secret d'un être coïncide avec les souffrances qu'il espère.

*N*e connaissant plus, en fait d'expérience religieuse, que les inquiétudes de l'érudition, les modernes *pèsent* l'Absolu, en étudient les variétés, et réservent leurs frissons aux mythes, — ces vertiges pour consciences historiennes. Ayant cessé de prier, on épilogue sur la prière. Plus d'exclamations ; rien que des théories. La Religion boycotte la foi. Jadis, avec amour ou haine, on s'aventurait en Dieu, lequel, de Rien inépuisable qu'il était, n'est plus maintenant — au grand désespoir des mystiques et des athées — qu'un *problème.*

*C*omme tout iconoclaste, j'ai brisé mes idoles pour sacrifier à leurs débris.

*L*a sainteté me fait frémir : cette ingérence dans les malheurs d'autrui, cette barbarie de la charité, cette pitié *sans scrupules...*

D'où vient notre obsession du Reptile ? — Ne serait-ce point de notre crainte d'une dernière tentation, d'une chute prochaine, et, cette fois, irréparable, qui nous ferait perdre jusqu'à la *mémoire* du Paradis ?

*C*e temps où, au lever, j'écoutais une marche funèbre que je fredonnais le long du jour et qui, au soir, usée, s'évanouissait en *hymne*...

*C*ombien le christianisme est coupable d'avoir corrompu le scepticisme ! Un Grec n'aurait jamais associé le gémissement au doute. Il reculerait plein d'horreur devant Pascal et plus encore devant l'inflation de l'âme qui, depuis la Croix, démonétise l'esprit.

*Ê*tre plus inutilisable qu'un saint...

*D*ans la nostalgie de la mort, une si grande mollesse descend sur nous, une telle modification s'accomplit dans nos veines, que nous oublions la mort pour ne plus songer qu'à la chimie du sang.

*L*a Création fut le premier acte de sabotage.

L'incroyant acoquiné à l'Abîme et furieux de ne pouvoir s'en arracher déploie un zèle mystique à construire un monde aussi dénué de profondeur qu'un ballet de Rameau.

*D*ans l'Ancien Testament on savait intimider le Ciel, on le menaçait du poing : la prière était une querelle entre la créature et son créateur. Vint l'Évangile pour les raccommoder : c'est là le tort impardonnable du christianisme.

*C*e qui vit sans mémoire n'est pas sorti du Paradis : les plantes s'y délectent toujours. Elles ne furent pas condamnées au Péché, à cette impossibilité d'*oublier* ; mais nous, remords ambulants, etc., etc.

(Regretter le Paradis! — On ne saurait être plus démodé, ni pousser plus loin la passion de la désuétude ou le provincialisme.)

«Seigneur, sans toi je suis fou, encore plus fou avec toi!» — Tel serait, au mieux, le résultat d'une reprise de contact entre le raté d'en bas et le raté d'en haut.

Le grand forfait de la douleur est d'avoir *organisé* le Chaos, de l'avoir dégradé en univers.

Quelle tentation que les églises, s'il n'y avait pas les fidèles mais seulement ces crispations de Dieu dont l'orgue nous entretient!

Quand je frôle le Mystère sans pouvoir en rire, je me demande à quoi sert ce vaccin contre l'absolu qu'est la lucidité.

Que de tracas pour s'installer dans le désert! Plus malins que les premiers ermites, nous avons appris à le chercher en nous-mêmes.

C'est en mouchard que j'ai rôdé autour de Dieu; incapable de l'implorer, je l'ai espionné.

Depuis deux mille ans, Jésus se venge sur nous de n'être pas mort sur un canapé.

Les dilettantes n'ont cure de Dieu; les fous et les ivrognes, ces grands spécialistes, en font l'objet de leurs ruminations.
C'est à un reste de jugement que nous devons le privilège d'être encore superficiels.

Éliminer de soi les toxines du temps pour garder celles de l'éternité, — tel est l'enfantillage du mystique.

La possibilité de se renouveler par l'hérésie confère au croyant une nette supériorité sur l'incroyant.

*O*n n'est jamais plus bas que lorsqu'on regrette les anges..., si ce n'est lorsqu'on souhaite prier jusqu'à la liquéfaction du cerveau.

*P*lus encore que la religion, le cynisme commet l'erreur d'accorder trop d'attention à l'homme.

*E*ntre les Français et Dieu s'interpose l'astuce.

*C*omme il se doit, j'ai fait le tour des arguments favorables à Dieu : son inexistence m'a semblé en ressortir intacte. Il a le génie de se faire infirmer par toute son œuvre : ses défenseurs le rendent odieux, ses adorateurs suspect. Qui craint de l'aimer n'a qu'à ouvrir saint Thomas...

Et je pense à cet universitaire d'Europe centrale interrogeant une de ses élèves sur les preuves de l'existence de Dieu ; elle s'exécute : argument historique, ontologique, etc. Mais elle s'empresse d'ajouter : «Pourtant je n'y crois pas.» Le professeur s'irrite, reprend les preuves une à une ; elle hausse les épaules, persiste dans son incrédulité. Alors le maître se dresse, *rouge* de foi : «Mademoiselle, je vous donne ma parole d'honneur qu'Il existe !»

... Argument qui, à lui seul, vaut toutes les Sommes théologiques. Que dire de l'Immortalité ? Vouloir l'élucider, ou simplement l'aborder, relève de l'aberration ou de la fumisterie. Des traités n'en exposent pas moins l'impossible fascination. À les en croire, nous n'avons qu'à nous fier à quelques déductions hostiles au Temps... Et nous voici pourvus d'éternité, indemnes de poussière, exempts d'agonie.

Ce ne sont pas ces balivernes qui m'ont fait douter de ma fragilité. Combien, en revanche, m'ont troublé les méditations d'un vieil ami, musicien ambulant et fou ! Comme tous les détraqués, il se pose des problèmes : il en a «résolu» une quantité. Ce jour-là, après qu'il eut fait son tour aux terrasses des cafés, il vint m'interroger sur... l'immortalité. «Elle est impensable», lui dis-je, tout ensemble séduit et rebuté par ses yeux inactuels, ses rides, ses loques. Une certitude l'animait : «Tu as tort de n'y pas croire ; si tu n'y crois pas, tu ne survivras pas. Je suis sûr que la mort ne pourra rien sur moi. D'ailleurs, quoi que tu dises, tout a une âme. Tiens, as-tu vu les oiseaux voltiger dans les rues, puis s'élever tout à coup au-dessus des maisons pour *regarder* Paris? Ça a une âme, ça ne peut pas mourir!»

*P*our reprendre son ascendant sur les esprits, il faudrait au catholicisme un pape furieux, rongé de contradictions, dispensateur d'hystérie, dominé par une rage d'hérétique, un barbare que ne gêneraient pas deux mille ans de théologie. À Rome et dans le reste de la chrétienté, les ressources en démence sont-elles complètement taries? Depuis la fin du XVIᵉ siècle, l'Église, humanisée, ne produit plus que des schismes de second ordre, des saints quelconques, des excommunications dérisoires. Et si un fou ne parvenait pas à la sauver, du moins la précipiterait-il dans un *autre* abîme.

*D*e tout ce que les théologiens ont conçu, les seules pages lisibles et les seules paroles vraies sont celles dédiées à l'Adversaire. Combien leur ton change, leur verve s'allume lorsqu'ils tournent le dos à la Lumière pour vaquer aux Ténèbres! On dirait qu'ils redescendent dans leur élément, qu'ils se redécouvrent. Ils peuvent haïr enfin, ils y sont autorisés : ce n'est plus du ronron sublime ni des ressassements édifiants. La haine peut être vile; s'en défaire pourtant est plus dangereux qu'en abuser. L'Église, dans sa haute sagesse, a épargné aux siens de tels risques; pour satisfaire leurs instincts, elle les excite contre le Malin; ils s'y cramponnent et le grignotent : par bonheur, c'est un os inépuisable... Si on le leur ôtait, ils succomberaient au vice ou à l'apathie.

*L*ors même que nous croyons avoir délogé Dieu de notre âme, il y traîne encore : nous sentons bien qu'il s'y ennuie, mais nous n'avons plus assez de foi pour le divertir...

*Q*uel secours la religion peut-elle apporter à un croyant déçu par Dieu et le Diable?

*P*ourquoi déposerais-je les armes? — Je n'ai pas vécu toutes les contradictions, je garde toujours l'espoir d'une *impasse* nouvelle.

*V*oilà tant d'années que je me déchristianise à *vue d'œil*!

*T*oute croyance rend insolent; nouvellement acquise, elle avive les mauvais instincts; ceux qui ne la partagent pas font figure de vaincus et d'incapables, ne méritant que pitié et mépris. Observez les néophytes en politique et surtout en religion, tous ceux qui ont réussi à intéresser Dieu à leurs combines, les convertis, les nouveaux riches de l'Absolu. Confrontez leur impertinence avec la modestie et les bonnes manières de ceux qui sont en train de perdre leur foi et leurs convictions...

*A*ux frontières de soi-même : «Ce que j'ai souffert, ce que je souffre, personne ne le saura jamais, même pas moi.»

*Q*uand, par appétit de solitude, nous avons brisé nos liens, le Vide nous saisit : plus rien, plus personne... Qui liquider encore? Où dénicher une victime durable? — Une telle perplexité nous ouvre à Dieu : du moins, avec Lui sommes-nous sûrs de pouvoir *rompre* indéfiniment...

VITALITÉ DE L'AMOUR

Ne sacrifient à l'ennui que les natures érotiques, déçues d'avance par l'amour.

Un amour qui s'en va est une si riche épreuve philosophique que, d'un coiffeur, elle fait un émule de Socrate.

L'art d'aimer? C'est savoir joindre à un tempérament de vampire la discrétion d'une anémone.

Dans la recherche du tourment, dans l'acharnement à la souffrance, il n'est guère que le jaloux pour concurrencer le martyr. Cependant on canonise l'un et on ridiculise l'autre.

Pourquoi le «corbillard du Mariage» (the Marriage hearse)? pourquoi pas le corbillard de l'Amour? — Combien la restriction de Blake est regrettable!

Onan, Sade, Masoch, — quels veinards! Leurs noms, comme leurs exploits, ne dateront jamais.

Vitalité de l'Amour: on ne saurait médire sans injustice d'un sentiment qui a survécu au romantisme et au bidet.

Tel qui se tue pour une garce fait une expérience plus complète et plus profonde que le héros qui bouleverse le monde.

*Q*ui s'userait à la sexualité s'il n'espérait y perdre la raison pour un peu plus d'une seconde, pour le reste de ses jours ?

*J*e rêve parfois d'un amour lointain et vaporeux comme la schizophrénie d'un parfum...

*S*entir son cerveau : phénomène pareillement néfaste à la pensée et à la virilité.

*E*nterrer son front entre deux seins, entre deux continents de la Mort...

*U*n moine et un boucher se bagarrent à l'intérieur de chaque désir.

*I*l n'est que les passions simulées, les délires feints pour avoir quelques rapports avec l'esprit, avec le respect de nous-mêmes ; les sentiments *sincères* supposent un manque d'égards envers soi.

*H*eureux en amour, Adam nous eût épargné l'Histoire.

J'ai toujours pensé que Diogène avait subi, dans sa jeunesse, quelque déconvenue amoureuse : on ne s'engage pas dans la voie du ricanement sans le concours d'une maladie vénérienne ou d'une boniche intraitable.

*I*l est des performances que l'on ne pardonne qu'à soi : si on se représentait les autres au plus fort d'un certain grognement, il serait impossible de leur tendre encore la main.

*L*a chair est incompatible avec la charité : l'orgasme transformerait un saint en loup.

*A*près les métaphores, la pharmacie. — C'est ainsi que s'effritent les grands sentiments. Commencer en poète et finir en gynécologue ! De toutes les conditions, la moins enviable est celle d'amant.

On déclare la guerre aux glandes, et on se prosterne devant les relents d'une pouffiasse... Que peut l'orgueil contre la liturgie des odeurs, contre l'encens zoologique?

Concevoir un amour plus chaste qu'un printemps qui — attristé par la fornication des fleurs — pleurerait à leurs racines...

Je puis comprendre et légitimer les anomalies, en amour et en tout; mais qu'il y ait des impuissants parmi les sots, cela me dépasse.

La sexualité : balkanisme des corps, chirurgie et cendres, bestialité d'un ci-devant saint, fracas d'un risible et inoubliable effondrement...

Dans la volupté, comme dans les paniques, nous réintégrons nos origines; le chimpanzé, relégué injustement, atteint enfin à la gloire — l'espace d'un cri.

Un soupçon d'ironie dans la sexualité en fausse l'exercice, et change qui la pratique en un «fumiste» de l'Espèce.

Deux victimes besogneuses, émerveillées de leur supplice, de leur sudation sonore. À quel cérémonial nous astreignent la gravité des sens et le sérieux du corps! Pouffer de rire en plein râle, — unique moyen de défier les prescriptions du sang, les solennités de la biologie.

Qui n'a recueilli les confidences d'un pauvre bougre auprès duquel Tristan ferait figure de proxénète?

La dignité de l'amour tient dans l'affection désabusée qui survit à un instant de bave.

Si les impuissants savaient combien la nature fut maternelle pour eux, ils béniraient le sommeil des glandes et le vanteraient aux coins des rues.

*D*epuis que Schopenhauer eut l'inspiration saugrenue d'introduire la sexualité en métaphysique, et Freud celle de supplanter la grivoiserie par une pseudo-science de nos troubles, il est de mise que le premier venu nous entretienne de la «signification» de ses exploits, de ses timidités et de ses réussites. Toutes les confidences débutent par là; toutes les conversations y aboutissent. Bientôt nos relations avec les autres se réduiront à l'enregistrement de leurs orgasmes effectifs ou inventés... C'est le destin de notre race, dévastée par l'introspection et l'anémie, de se reproduire en paroles, d'étaler ses nuits et d'en grossir les défaillances ou les triomphes.

*P*lus un esprit est revenu de tout, plus il risque, si l'amour le frappe, de réagir en midinette.

*D*eux voies s'ouvrent à l'homme et à la femme : la férocité ou l'indifférence. Tout nous indique qu'ils prendront la seconde voie, qu'il n'y aura entre eux ni explication ni rupture, mais qu'ils continueront à s'éloigner l'un de l'autre, que la pédérastie et l'onanisme, proposés par les écoles et les temples, gagneront les foules, qu'un tas de vices abolis seront remis en vigueur, et que des procédés scientifiques suppléeront au rendement du spasme et à la malédiction du couple.

*M*élange d'anatomie et d'extase, apothéose de l'insoluble, aliment idéal pour la boulimie de la déception, l'Amour nous mène vers des bas-fonds de gloire...

*N*ous aimons toujours... quand même; et ce «quand même» couvre un infini.

SUR LA MUSIQUE

*N*é avec une âme habituelle, j'en ai demandé une autre à la musique : ce fut le début de malheurs inespérés...

*S*ans l'impérialisme du concept, la musique aurait tenu lieu de philosophie : c'eût été le paradis de l'évidence inexprimable, une épidémie d'extases.

*B*eethoven a vicié la musique : il y a introduit les sautes d'humeur, il y a laissé entrer la *colère*.

*S*ans Bach, la théologie serait dépourvue d'objet, la Création fictive, le néant péremptoire. S'il y a quelqu'un qui doit tout à Bach, c'est bien Dieu.

*Q*ue sont toutes les mélodies auprès de celle qu'étouffe en nous la double impossibilité de vivre et de mourir !

À quoi bon fréquenter Platon, quand un saxophone peut aussi bien nous faire entrevoir un autre monde ?

*S*ans moyens de défense contre la musique, force m'est d'en subir le despotisme, et, suivant son bon plaisir, d'être dieu ou loque.

*I*l y eut un temps où, ne pouvant concevoir une éternité qui m'eût séparé de Mozart, je ne craignais plus la mort. Il en fut ainsi avec chaque musicien, avec toute la musique...

*C*hopin a promu le piano au rang de la phtisie.

L'univers sonore : onomatopée de l'indicible, énigme déployée, infini perçu, et insaisissable... Lorsqu'on vient d'en éprouver la séduction, on ne forme plus que le projet de se faire embaumer dans un soupir.

*L*a musique est le refuge des âmes ulcérées par le bonheur.

*P*oint de musique véritable qui ne nous fasse *palper* le temps.

L'infini *actuel*, non-sens pour la philosophie, est la réalité, l'essence même de la musique.

*S*i j'avais cédé aux flatteries de la musique, à ses appels, à tous les univers qu'elle a suscités et détruits en moi, il y a longtemps que, d'orgueil, j'aurais perdu la raison.

L'aspiration du Nord vers un autre ciel a engendré la musique allemande, — géométrie d'automnes, alcool de concepts, ébriété métaphysique.
À l'Italie du siècle dernier — foire de sons —, il a manqué la dimension de la nuit, l'art de presser les ombres pour en extraire l'essence. Il faut prendre parti pour Brahms ou pour le Soleil...

*L*a musique, système d'adieux, évoque une physique dont le point de départ ne serait pas les atomes, mais les larmes.

*P*eut-être ai-je trop misé sur la musique, peut-être n'ai-je pas pris toutes mes précautions contre les acrobaties du sublime, contre le charlatanisme de l'ineffable...

*I*l se dégage de certains andantes de Mozart une désolation éthérée, et comme un rêve de funérailles dans une autre vie.

*Q*uand la musique même est impuissante à nous sauver, un poignard brille dans nos yeux ; plus rien ne nous soutient, si ce n'est la fascination du crime.

*C*ombien j'aimerais périr par la musique, pour me punir d'avoir quelquefois douté de la souveraineté de ses maléfices !

VERTIGE DE L'HISTOIRE

*A*u temps où l'humanité, à peine développée s'essayait au malheur, nul ne l'aurait crue capable d'en produire un jour en série.

*S*i Noé avait eu le don de lire dans l'avenir, il n'est point douteux qu'il se fût sabordé.

*L*a trépidation de l'histoire ressortit à la psychiatrie, comme d'ailleurs tous les mobiles de l'action : *bouger*, c'est faillir à la raison, c'est risquer la camisole de force.

*L*es événements, — tumeurs du Temps...

*É*VOLUTION : Prométhée, de nos jours, serait un député de l'opposition.

L'*heure du crime* ne sonne pas en même temps pour tous les peuples. Ainsi s'explique la permanence de l'histoire.

L'ambition de chacun de nous est de sonder le Pire, d'être le prophète parfait. Hélas ! il y a tant de catastrophes auxquelles nous n'avons pas pensé !

*A*u rebours des autres siècles qui pratiquèrent la torture négligemment, celui-ci, plus exigeant, y apporte un souci de purisme qui fait honneur à notre cruauté.

*T*oute indignation — de la rouspétance au luciféranisme — marque un arrêt dans l'évolution mentale.

*L*a liberté est le bien suprême pour ceux-là seuls qu'anime la *volonté* d'être hérétiques.

C'est flotter dans le vague que de dire : j'incline plutôt vers tel régime que vers tel autre ; il serait plus exact d'affirmer : je préfère telle police à telle autre. L'histoire, en effet, se ramène à une classification des polices ; car de quoi traite l'historien, sinon de la conception que les hommes se sont faite du gendarme à travers les âges ?

*N*e nous parlez plus des peuples asservis ni de leur goût pour la liberté ; les tyrans sont assassinés trop tard : c'est là leur grande excuse.

*D*ans les époques paisibles, haïssant pour le plaisir de haïr, il nous faut chercher des ennemis qui nous agréent ; — souci délicieux que nous épargnent les époques mouvementées.

L'homme *sécrète* du désastre.

J'aime ces peuples d'astronomes : chaldéens, assyriens, précolombiens qui, par goût du ciel, firent faillite dans l'histoire.

*P*euple authentiquement élu, les Tziganes ne portent la responsabilité d'aucun événement ni d'aucune institution. Ils ont triomphé de la terre par leur souci de n'y rien *fonder*.

*Q*uelques générations encore, et le rire, réservé aux initiés, sera aussi impraticable que l'extase.

*U*ne nation s'éteint quand elle ne réagit plus aux fanfares : la Décadence est la mort de la *trompette*.

*L*e scepticisme est l'excitant des jeunes civilisations et la pudeur des vieilles.

*L*es thérapeutiques mentales foisonnent chez les peuples opulents : l'absence d'angoisses *immé-*

diates y entretient un climat morbide. Pour conserver son bien-être nerveux, une nation a besoin d'un malheur substantiel, d'un *objet* à ses inquiétudes, d'une terreur positive justifiant ses «complexes». Les sociétés se consolident dans le danger et s'atrophient dans la neutralité. Là où sévissent la paix, l'hygiène et le confort, les psychoses se multiplient.

... Je viens d'un pays qui, pour n'avoir pas connu le bonheur, n'a produit qu'un seul psychanalyste.

Les tyrans, leur férocité assouvie, deviennent débonnaires ; tout rentrerait dans l'ordre, si les esclaves, jaloux, ne prétendaient, eux aussi, assouvir la leur. L'aspiration de l'agneau à se faire loup suscite la plupart des événements. Ceux qui n'ont pas de crocs, en rêvent ; ils veulent dévorer à leur tour, et y réussissent par la bestialité du nombre.

L'histoire, — *ce dynamisme des victimes.*

Pour avoir rangé l'intelligence parmi les vertus et la bêtise parmi les vices, la France a élargi le domaine de la morale. De là son avantage sur les autres nations, sa vaporeuse suprématie.

On pourrait mesurer le degré de raffinement d'une civilisation au nombre qu'elle compte d'hépatiques, d'impuissants ou de névrosés. Mais pourquoi se borner à ces déficients, quand il y en a tant d'autres qui attestent, par la carence de leurs viscères ou de leurs glandes, la prospérité fatale de l'Esprit ?

Les biologiquement faibles, ne trouvant aucune satisfaction dans la vie, s'emploient à en changer les données.

Pourquoi n'a-t-on pas isolé les réformateurs aux premiers *symptômes* de foi ? et qu'a-t-on attendu pour les reléguer dans un hospice ou une prison ? À douze ans, le Galiléen aurait dû y avoir sa place. La société est mal organisée : elle n'entreprend rien contre les délirants qui ne meurent pas jeunes.

Le scepticisme répand trop tard ses bénédictions sur nous, sur nos visages détériorés par nos convictions, sur nos visages d'hyènes à idéal.

*U*n livre sur la guerre — celui de Clausewitz — fut le livre de chevet de Lénine et de Hitler. — Et l'on se demande encore pourquoi ce siècle est condamné !

*P*our passer des cavernes aux salons, il nous a fallu un temps considérable ; nous en faudra-t-il autant pour parcourir le chemin inverse, ou brûlerons-nous les étapes ? — Question oiseuse pour ceux qui ne *pressentent* pas la préhistoire...

*T*outes les calamités — révolutions, guerres, persécutions — proviennent d'un *à-peu-près*... inscrit sur un drapeau.

*S*euls les peuples ratés s'approchent d'un idéal « humain » ; les autres, ceux qui réussissent, portent les stigmates de leur gloire, de leur bestialité dorée.

*D*ans l'épouvante, nous sommes victimes d'une *agression* de l'Avenir.

*U*n homme politique qui ne donne pas quelque signe de gâtisme me fait peur.

*L*es grands peuples, ayant l'initiative de leurs misères, peuvent les varier à volonté ; les petits sont réduits à celles qu'on leur impose.

L'anxiété — ou le fanatisme du pire.

*Q*uand la pègre épouse un mythe, attendez-vous à un massacre ou, pis encore, à une nouvelle religion.

*L*es actions d'éclat sont l'apanage des peuples qui, étrangers au plaisir de s'attarder à table, ignorent la poésie du dessert et les mélancolies de la digestion.

*S*ans l'assiduité au ridicule, le genre humain eût-il duré plus d'une génération ?

*I*l y a plus d'honnêteté et de rigueur dans les sciences occultes que dans les philosophies qui assignent un «sens» à l'histoire.

*C*e siècle me reporte à l'aube des temps, aux derniers jours du Chaos. J'entends la matière geindre; les appels de l'Inanimé traversent l'espace; mes os s'enfoncent dans les préhistoires, tandis que mon sang coule dans les veines des premiers reptiles.

*L*e moindre regard sur l'itinéraire de la civilisation me donne une présomption de Cassandre.

*L*a «libération» de l'homme? — Elle viendra le jour où, débarrassé de son pli finaliste, il aura compris l'accident de son apparition et la gratuité de ses épreuves, où chacun se trémoussera en supplicié sautillant et docte, et où, pour la populace elle-même, la «vie» sera réduite à ses justes proportions, à une *hypothèse de travail*.

*Q*ui n'a vu un bordel à cinq heures du matin ne peut se figurer vers quelles lassitudes s'achemine notre planète.

L'histoire est *indéfendable*. Il faut réagir à son égard avec l'inflexible aboulie du cynique; ou sinon se ranger du côté de tout le monde, marcher avec la tourbe des révoltés, des assassins et des croyants.

L'expérience homme a raté? Elle avait déjà raté avec Adam. Une question pourtant est légitime: aurons-nous assez d'invention pour faire figure d'innovateurs, pour *ajouter à* un tel échec?
En attendant, persévérons dans la faute d'être hommes, comportons-nous en farceurs de la Chute, soyons terriblement légers!

*R*ien ne me console de n'avoir pas connu le moment où la terre a rompu avec le soleil, si ce n'est la perspective de connaître celui où les hommes rompront avec la terre.

*A*utrefois on passait gravement d'une contradiction à une autre ; nous en éprouvons tant à la fois que nous ne savons plus à laquelle nous attacher, ni laquelle résoudre.

*R*ationalistes impénitents, incapables de nous faire au Destin ou d'en percevoir le sens, nous nous estimons le centre de nos actes, et croyons nous effondrer de *notre propre gré*. Qu'une expérience capitale intervienne dans notre vie, et le destin, d'imprécis, d'abstrait qu'il était, acquiert, à nos yeux, le prestige d'une sensation. Ainsi chacun de nous fait à sa manière son entrée dans l'Irrationnel.

*U*ne civilisation au bout de son parcours, d'anomalie heureuse qu'elle était, se flétrit dans la règle, s'aligne sur des nations quelconques, se roule dans l'échec, et convertit son sort en unique problème. De cette obsession de soi, l'Espagne offre le modèle parfait. Après avoir connu, du temps des conquistadores, une surhumanité bestiale, elle s'est employée à ruminer son passé, à rabâcher ses lacunes, à laisser moisir ses vertus et son génie ; en revanche, amoureuse de son déclin, elle l'a adopté comme une nouvelle suprématie. Ce masochisme historique, comment ne pas s'apercevoir qu'il cesse d'être une singularité espagnole, pour devenir le climat et comme la recette de déchéance d'un continent ?

*A*ujourd'hui, sur le thème de la caducité des civilisations, un analphabète pourrait rivaliser *en frissons* avec Gibbon, Nietzsche ou Spengler.

*L*a fin de l'histoire, la fin de l'homme ? est-il sérieux d'y songer ? — Ce sont là événements lointains que l'Anxiété — avide de désastres *imminents* — veut précipiter à tout prix.

AUX SOURCES DU VIDE

——————————————————— *J*e crois au salut de l'humanité, à l'avenir du cyanure...

L'homme se relèvera-t-il jamais du coup mortel qu'il a porté à la vie ?

*J*e ne saurais me réconcilier avec les choses, chaque instant dût-il s'arracher au temps pour me donner un baiser.

*I*l n'est qu'un esprit lézardé pour avoir des ouvertures sur l'au-delà.

*Q*ui, en pleine obscurité, se cherchant dans un miroir, n'y a vu projetés les crimes qui l'*attendent* ?

*S*i nous n'avions la faculté d'exagérer nos maux, il nous serait impossible de les endurer. En leur attribuant des proportions inusitées, nous nous considérons comme des réprouvés de choix, des élus à rebours, flattés et stimulés par la disgrâce.
Pour notre plus grand bien, il existe en chacun de nous un fanfaron de l'Incurable.

*O*n doit tout réviser, même les sanglots...

*Q*uand Eschyle ou Tacite vous semblent trop tièdes, ouvrez une Vie des Insectes — révélation de rage et d'inutilité, enfer qui, heureusement pour nous, n'aura ni dramaturge ni chroniqueur. Que resterait-il de nos tragédies si une bestiole lettrée nous présentait les siennes ?

*V*ous n'agissez pas, cependant vous ressentez la fièvre des hauts faits ; sans ennemi, vous menez un combat épuisant... C'est la *tension gratuite* de la névrose et qui donnerait même à un épicier des frissons de général battu.

*J*e ne puis contempler un sourire sans y lire : «Regarde-moi! c'est pour la dernière fois.»

*S*eigneur, ayez pitié de mon sang, de mon anémie en flammes!

*C*e qu'il nous faut de concentration, d'industrie et de tact, pour détruire notre *raison d'être*!

*Q*uand je m'avise que les individus ne sont que des postillons que crache la vie, et que la vie elle-même ne vaut guère mieux en regard de la matière, je me dirige vers le premier bistrot avec l'idée de n'en jamais sortir. Et cependant y viderais-je mille bouteilles, qu'elles ne sauraient me donner le goût de l'Utopie, de cette croyance que quelque chose est encore possible.

*C*hacun se confine dans sa peur, — sa tour d'ivoire.

*L*e secret de mon adaptation à la vie? — J'ai changé de désespoir comme de chemise.

*D*ans tout évanouissement, on éprouve comme une dernière sensation — en Dieu.

*M*on avidité d'agonies m'a fait mourir tant de fois qu'il me paraît indécent d'abuser encore d'un cadavre dont je ne peux plus rien tirer.

*P*ourquoi l'Être ou un autre mot à majuscule? Dieu *sonnait* mieux. Il eût fallu le garder. Car n'est-ce point les raisons d'euphonie qui devraient régler le jeu des vérités?

À l'état de paroxysme sans cause, la fatigue est un délire, et le fatigué, le démiurge d'un sous-univers.

*C*haque jour est un Rubicon où j'aspire à me noyer.

*O*n ne trouvera chez aucun fondateur de religion une pitié comparable à celle d'une malade de Pierre Janet. Elle avait, entre autres, des crises au sujet de «ce malheureux département de Seine-et-Oise qui enserre et contient le département de la Seine sans pouvoir jamais s'en débarrasser». En pitié, comme en tout, l'asile a le dernier mot.

*D*ans nos rêves perce le fou qui est en nous; après avoir commandé nos nuits, il s'endort au plus profond de nous-mêmes, dans le sein de l'Espèce; quelquefois pourtant nous l'entendons ronfler dans nos pensées...

*Q*ui tremble pour sa mélancolie, qui a peur d'en guérir, avec quel soulagement il constate que ses craintes sont mal fondées, qu'elle est incurable!

«*D*'où vous viennent vos airs avantageux? — J'ai réussi à survivre, voyez-vous, à tant de nuits où je me demandais: vais-je me tuer à l'aube?»

L'instant où nous croyons avoir *tout* compris nous prête l'apparence d'un assassin.

*N*ous ne débouchons sur l'irrévocable qu'à partir du moment où nous ne pouvons plus renouveler nos regrets.

*C*es idées qui survolent l'espace, et qui, tout à coup, se heurtent aux parois du crâne...

*U*ne nature religieuse se définit moins par ses convictions que par le besoin de prolonger ses souffrances au-delà de la mort.

J'assiste, terrifié, à la diminution de ma haine des hommes, au relâchement du dernier lien qui m'unissait à eux.

L'insomnie est la seule forme d'héroïsme compatible avec le lit.

*P*our un jeune ambitieux, il n'est plus grand malheur que de frayer avec des connaisseurs d'hommes. J'en ai fréquenté trois ou quatre : ils m'ont *achevé* à vingt ans.

*L*a Vérité ? Elle est dans Shakespeare ; — un philosophe ne saurait se l'approprier sans éclater avec son système.

*L*orsqu'on a épuisé les prétextes qui incitent à la gaieté ou à la tristesse, on en arrive à les vivre, l'une et l'autre, à l'*état pur* : on rejoint ainsi les fous...

*A*près avoir si souvent dénoncé chez les autres la folie des grandeurs, comment sans ridicule pourrais-je me croire encore l'homme inefficace par excellence, le premier parmi les inutiles ?

«*U*ne seule pensée adressée à Dieu vaut mieux que l'univers» (Catherine Emmerich). — Elle a raison, la pauvre sainte...

N'atteignent à la folie que les bavards et les taciturnes : ceux qui se sont vidés de tout mystère et ceux qui en ont trop emmagasiné.

*D*ans l'effroi — mégalomanie à rebours —, nous devenons le centre d'un tourbillon universel, tandis que les astres pirouettent autour de nous.

*Q*uand sur l'Arbre de la Connaissance une idée est assez mûre, quelle volupté de s'y insinuer, d'y agir en larve, et d'en précipiter la chute !

*P*our ne pas insulter aux croyances ou au labeur des autres, pour qu'ils ne m'accusent ni de sécheresse ni de fainéantise, je me suis lancé dans le Désarroi jusqu'à en faire ma forme de piété.

L'inclination au suicide est caractéristique des assassins timorés, respectueux des lois; ayant peur de tuer, ils rêvent de s'anéantir, sûrs qu'ils sont de l'impunité.

«*Q*uand je me rase, me disait un demi-fou, qui, sinon Dieu, m'empêche de me couper la gorge?» La foi ne serait, en somme, qu'un artifice de l'instinct de conservation. De la biologie partout...

C'est par *peur de souffrir* que nous nous évertuons à abolir la réalité. Nos efforts couronnés, cette abolition même se révèle source de souffrances.

*Q*ui ne voit pas la mort en rose est affecté d'un daltonisme du cœur.

*P*our n'avoir pas su célébrer l'avortement ou légaliser le cannibalisme, les sociétés modernes auront à résoudre leurs difficultés par des procédés autrement expéditifs.

*L*e dernier recours de ceux que le sort a frappés est l'*idée* du sort.

*C*ombien j'aimerais être une plante, dussé-je veiller un excrément!

*C*ette foule d'ancêtres qui se lamentent dans mon sang... Par respect pour leurs défaites, je m'abaisse aux soupirs.

*T*out persécute nos idées, à commencer par notre cerveau.

*O*n ne peut savoir si l'homme se servira longtemps encore de la parole ou s'il recouvrera petit à petit l'*usage* du hurlement.

*P*aris, point le plus éloigné du Paradis, n'en demeure pas moins le seul endroit où il fasse bon désespérer.

*I*l est des âmes que Dieu lui-même ne pourrait sauver, dût-il se mettre à genoux, et prier pour elles.

*U*n malade me disait : «À quoi bon mes douleurs? Je ne suis pas poète pour pouvoir m'en servir ou en tirer vanité.»

*L*orsque, liquidés les sujets de révolte, on ne sait plus contre quoi s'insurger, on est pris d'un tel vertige qu'on donnerait sa vie en échange d'un préjugé.

*D*ans la pâleur, notre sang se retire pour ne plus s'interposer entre nous et on ne sait quoi...

*C*hacun sa folie : la mienne fut de me croire normal, dangereusement normal. Et comme les autres me paraissaient fous, j'ai fini par avoir peur, peur d'eux et, plus encore, peur de moi-même.

*A*près certains accès d'éternité et de fièvre, on se demande pour quelle raison on n'a pas daigné être Dieu.

*L*es méditatifs et les charnels : Pascal et Tolstoï. Se pencher sur la mort ou l'abhorrer, la découvrir par l'esprit ou par la physiologie. Avec des instincts minés, Pascal surmonte ses alarmes, alors que Tolstoï, furieux de périr, rappelle un éléphant hagard, une jungle terrassée. On ne médite plus aux *équateurs du sang*.

*C*elui qui, par étourderies successives, a négligé de se tuer, se fait à soi-même l'effet d'un vétéran de la douleur, d'un retraité du suicide.

*P*lus j'avance en intimité avec les crépuscules, plus je m'assure que les seuls à avoir compris quelque chose à notre horde sont les chansonniers, les charlatans et les fous.

*A*tténuer nos affres, les convertir en *doutes*, — stratagème que nous inspire la lâcheté, ce scepticisme à l'usage de tous.

*A*ccès involontaire à nous-mêmes, la maladie nous astreint à la «profondeur», nous y condamne. — Le malade? Un métaphysicien malgré lui.

*A*près avoir cherché en vain un pays d'adoption, se rabattre sur la mort, pour, dans ce nouvel exil, s'installer en *citoyen*.

*T*out être qui se *manifeste* rajeunit à sa façon le péché originel.

*R*eplié sur le drame des glandes, attentif aux confidences des muqueuses, le Dégoût fait de nous des physiologistes.

*S*i le sang n'avait pas ce goût fade, l'ascète se définirait par son refus d'être vampire.

*L*e spermatozoïde est le bandit à l'état pur.

*S*tocker des fatalités, se débattre entre des catéchismes et des orgies, se prélasser dans l'éperdu, et, nomade abruti, se modeler sur Dieu, cet Apatride...

*Q*ui n'a connu l'humiliation ignore ce que c'est qu'arriver au dernier stade de soi-même.

*M*es doutes, je les ai acquis péniblement; mes déceptions, comme si elles *m'attendaient* depuis toujours, sont venues d'elles-mêmes, — illuminations primordiales.

*S*ur un globe qui compose son épitaphe, ayons assez de tenue pour nous comporter en cadavres gentils.

*Q*ue nous le voulions ou non, nous sommes tous des psychanalystes, amateurs des mystères du cœur et du caleçon, scaphandriers des horreurs. Malheur à l'esprit aux gouffres clairs!

*D*ans les lassitudes, nous glissons vers le point le plus bas de l'âme et de l'espace, vers les antipodes de l'extase, vers les sources du Vide.

*P*lus nous fréquentons les hommes, plus nos pensées noircissent ; et lorsque, pour les éclaircir, nous retournons à notre solitude, nous y trouvons l'ombre qu'elles y ont répandue.

*L*a sagesse désabusée doit remonter à quelque ère géologique : les dinosaures en crevèrent peut-être...

À peine adolescent, la perspective de la mort me jetait dans des transes ; pour y échapper, je me précipitais au bordel ou j'invoquais les anges. Mais, avec l'âge, on se fait à ses propres terreurs, on n'entreprend plus rien pour s'en dégager, on s'embourgeoise dans l'Abîme. — Et s'il fut un temps où je jalousais ces moines d'Égypte qui creusaient leurs tombes pour y verser des larmes, je creuserais maintenant la mienne que je n'y laisserais tomber que des mégots.

MERCREDI 28. 10. 1954

CHER ÉMIL,

JE REGRETTE DE T'AVOIR DÉRANGÉ POUR RIEN LE 9. JE SUIS PLUTÔT MAL VU AU THÉÂTRE DONC, AU CAS OÙ ILS TE FERAIENT LA GUEULE (CE QUE JE NE CROIS QUAND MÊME PAS) LORSQUE TU PRÉSENTERAS MA LETTRE JOINTE, MONTRE-LEUR AUSSI CE MOT : TU PAIERAS UNE PLACE (400 FRANCS) MAIS VOUS POURREZ ENTRER À TROIS.

IL NE MANQUERAIT PLUS QUE TU N'AIMES PAS LA PIÈCE... MAIS JE NE ME FAIS PAS DE SOUCI : COMME TOUT BON ROUMAIN, JE SUIS GÉNIAL (« LE ROUMAIN NAÎT POÈTE » AUX DIRES D'ALECSANDRI, OU BIEN « LE ROUMAIN SURCLASSE LES OCCIDENTAUX », À EN CROIRE COSTIN DELEANU) ; MAIS JE SUIS GÉNIAL AUSSI PARCE QUE J'AI DE L'INSTRUCTION FRANÇAISE, PUIS ENCORE... QUI N'EST PAS GÉNIAL ? SEUL CELUI QUI NE LE VEUT PAS.

AVEC AMITIÉ
EUGEN IONESCO

P.S. TU FERAIS UNE EXCELLENTE IMPRESSION AUX CONTRÔLEURS SI TU LEUR PRÉSENTAIS TON CARTON D'INVITÉ. ILS SE SENTIRAIENT OBLIGÉS...

LETTRE D'EUGÈNE IONESCO À CIORAN,
À L'OCCASION DE LA CRÉATION D'*AMÉDÉE*,
OU COMMENT S'EN DÉBARRASSER.
1954.

Miercuri 28.IV.54.

Dragă Emil,

Regret că te-am deranjat degeaba pe ziua de 9. Sunt cam rău văzut la teatru așa încât, în cazul când ți-ar face mutre (ceea ce totuși nu cred) când te vei prezenta cu scrisoarea mea alăturată, prezintă-le biletul deasemenea alăturat; plătești un loc (400 franci) și intrați 3 persoane.

Atât ar mai trebui.... să nu-ți placă piesa.... Dar n'am nicio grijă, pentrucă, român fiind, sunt genial (" Românul e născut poet" zicea Alecsandri; sau " românul surclasează pe occidentali" cum spune Costin Deleanu); dar mai sunt genial și fiindcă am instrucție franceză; și mai sunt genial .... pentrucă cine nu e genial? Doar cine nu vrea.

Cu prietenie,
Eugen Ionescu

P.S. Ai face o excelentă impresie celor dela Cartel dacă le vei prezenta cartonul de invitat. S'ar simți obligați....

MATTA, DESSIN ADRESSÉ À CIORAN.
H. 21 CM; L. 15 CM.

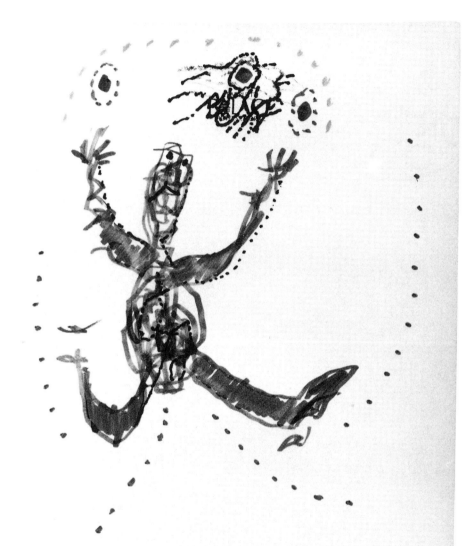

avec Burda on a beaucoup parlé de toi

La prochaine fois tu dois venir ne

J'aime Sils-Maria   semaine

LA TENTATION

D'EXISTER

Écrit en français ; publié à Paris en 1956.

PENSER CONTRE SOI

———————————————————— *N*ous devons la quasi-totalité de nos découvertes à nos violences, à l'exacerbation de notre déséquilibre. Même Dieu, pour autant qu'il nous intrigue, ce n'est pas au plus intime de nous que nous le discernons, mais bien à la limite extérieure de notre fièvre, au point précis où, notre rage affrontant la sienne, un choc en résulte, une rencontre aussi ruineuse pour Lui que pour nous. Frappé de la malédiction attachée aux actes, le violent ne force sa nature, ne va au-delà de soi, que pour y rentrer en furieux, en agresseur, suivi de ses entreprises, lesquelles viennent le punir de les avoir suscitées. Point d'œuvre qui ne se retourne contre son auteur : le poème écrasera le poète, le système le philosophe, l'événement l'homme d'action. Se détruit quiconque, répondant à sa vocation et l'accomplissant, s'agite à l'intérieur de l'histoire ; celui-là seul se sauve qui sacrifie dons et talents pour que, dégagé de sa qualité d'homme, il puisse se prélasser dans l'être. Si j'aspire à une carrière métaphysique, je ne puis à aucun prix garder mon identité : le moindre résidu que j'en conserve, il me faut le liquider ; que si, au contraire, je m'aventure dans un rôle historique, la tâche qui m'incombe est d'exaspérer mes facultés jusqu'à ce que j'éclate avec elles. On périt toujours par le moi qu'on assume : porter un nom c'est revendiquer un mode exact d'effondrement.

Fidèle à ses apparences, le violent ne se décourage pas, il recommence et s'obstine, puisqu'il ne peut se dispenser de souffrir. S'acharne-t-il à perdre les autres ? C'est le détour qu'il emprunte pour rejoindre sa propre perte. Sous son air assuré, sous ses fanfaronnades, se cache un passionné du malheur. Aussi est-ce parmi les violents qu'on rencontre les ennemis de soi. Et nous sommes tous des violents, des enragés qui, ayant égaré la clef de la quiétude, n'ont plus accès qu'aux secrets du déchirement.

Au lieu de laisser le temps nous broyer lentement, nous avons cru bon de renchérir sur lui, d'ajouter à ses instants les nôtres. Ce temps récent greffé sur l'ancien, ce temps élaboré et projeté devait bientôt révéler sa virulence : s'objectivant, il allait devenir histoire, monstre dressé par nous contre nous, fatalité à laquelle on ne saurait échapper, recourût-on aux formules de la passivité, aux recettes de la sagesse.

Tenter une cure d'inefficacité ; méditer les pères taoïstes, leur doctrine de l'abandon, du laisser-aller, de la souveraineté de l'absence ; suivre, à leur exemple, le parcours de la conscience lorsqu'elle cesse d'être aux prises avec le monde et qu'elle se moule sur toutes choses, comme l'eau, élément qu'ils affectionnent, nous aurons beau nous y efforcer, nous n'y parviendrons jamais. Ils condamnent et notre curiosité et notre soif de douleurs ; en quoi ils se différencient des mystiques, et singulièrement de ceux du Moyen Âge, habiles à nous recommander les vertus de la chemise de crin, de la peau de hérisson, de l'insomnie, de l'inanition et du gémissement.

« La vie intense est contraire au Tao », enseigne Lao-tseu, l'homme le plus normal qui fut. Mais le virus chrétien nous travaille : légataires des flagellants, c'est en raffinant nos supplices que nous prenons conscience de nous-mêmes. La religion décline-t-elle ? Nous en perpétuons les extravagances, comme nous perpétuons les macérations et les cris des cellules d'autrefois, notre volonté de souffrir égalant celle des couvents au temps de leur floraison. Si l'Église ne jouit plus du monopole de l'enfer, elle ne nous aura pas moins rivés à une chaîne de soupirs, au culte de l'épreuve, de la joie foudroyée et de la tristesse jubilante.

L'esprit, aussi bien que le corps, fait les frais de la « vie intense ». Maîtres dans l'art de penser contre soi, Nietzsche, Baudelaire et Dostoïevski nous ont appris à miser sur nos périls, à élargir la sphère de nos maux, à acquérir de l'existence par la division d'avec notre être. Et ce qui aux yeux du grand Chinois était symbole de déchéance, exercice d'imperfection, constitue pour nous l'unique modalité de nous posséder, d'entrer en contact avec nous-mêmes.

« Que l'homme n'aime rien, et il sera invulnérable » (Tchouang-tse). Maxime profonde autant qu'inopérante. L'apogée de l'indifférence, comment y atteindre, quand notre apathie même est tension, conflit, agressivité ? Nul sage parmi nos ancêtres, mais des inassouvis, des velléitaires, des frénétiques, dont il faudra bien que nous prolongions les déceptions ou les débordements. Toujours selon nos Chinois, l'esprit détaché seul pénètre l'essence du Tao ; le passionné, lui, n'en perçoit que les effets : la descente aux profondeurs exige le silence, la suspension de nos vibrations, voire de nos facultés. Mais n'est-il point révélateur que notre aspiration à l'absolu s'exprime en termes d'activité, de combat, qu'un Kierkegaard s'intitule «chevalier de la foi», et que Pascal ne soit autre chose qu'un pamphlétaire? Nous attaquons et nous nous débattons; nous ne connaissons donc que les effets du Tao. Du reste, la faillite du quiétisme, équivalent européen du taoïsme, en dit long sur nos possibilités et nos perspectives.

L'apprentissage de la passivité, je ne vois rien de plus contraire à nos habitudes. (L'époque moderne commence avec deux hystériques: Don Quichotte et Luther.) Si nous élaborons du temps, si nous en produisons, c'est par répugnance à l'hégémonie de l'essence et à la soumission contemplative qu'elle suppose. Le taoïsme m'apparaît comme le premier et le dernier mot de la sagesse: j'y suis pourtant réfractaire, mes instincts le refusent, comme ils refusent de *subir* quoi que ce soit, tant pèse sur nous l'hérédité de la rébellion. Notre mal? Des siècles d'attention au temps, d'idolâtrie du devenir. Nous en affranchirons-nous par quelque recours à la Chine ou à l'Inde?

Il est des formes de sagesse et de délivrance que nous ne pouvons ni saisir du dedans, ni transformer en notre substance quotidienne, ni même enserrer dans une théorie. La délivrance, si l'on y tient en effet, doit procéder de nous: point ne faut la chercher ailleurs, dans un système tout fait ou quelque doctrine orientale. C'est pourtant ce qui arrive souvent chez maint esprit avide, comme on dit, d'absolu. Mais sa sagesse est contrefaçon, sa délivrance duperie. Je n'incrimine pas seulement la théosophie et ses adeptes, mais tous ceux qui se prévalent de vérités incompatibles avec leur nature. Plus d'un a l'Inde facile, s'imagine en avoir démêlé les secrets, alors que rien ne l'y dispose, ni son caractère, ni sa formation, ni ses inquiétudes. Quel pullulement de faux «délivrés» qui nous regardent du haut de leur salut! Ils ont bonne conscience; ne prétendent-ils pas se placer *au-dessus* de leurs actes? Supercherie intolérable. Ils visent, de plus, si haut que toute religion conventionnelle leur semble un préjugé de famille, dont leur «esprit métaphysique» ne saurait se satisfaire. Se réclamer de l'Inde, cela fait sans doute mieux. Mais ils oublient qu'elle postule l'accord de l'idée et de l'acte, l'identité du salut et du renoncement. Quand on possède «l'esprit métaphysique», ce sont là bagatelles dont on ne se soucie guère.

Après tant d'imposture et de fraude, il est réconfortant de contempler un mendiant. Lui, du moins, ne ment ni ne se ment: sa doctrine, s'il en a, il l'incarne ; le travail, il ne l'aime pas et il le prouve ; comme il ne désire rien posséder, il cultive son dénuement, condition de sa liberté. Sa pensée se résout en son être et son être en sa pensée. Il manque de tout, il est soi, il dure : vivre à même l'éternité c'est vivre au jour le jour. Aussi bien, pour lui, les autres sont-ils enfermés dans l'illusion. S'il dépend d'eux, il se venge en les étudiant, spécialisé qu'il est dans les dessous des sentiments « nobles ». Sa paresse, d'une qualité très rare, en fait véritablement un « délivré », égaré dans un monde de niais et de dupes. Sur le renoncement, il en sait plus long que maint de vos ouvrages ésotériques. Pour vous en convaincre, vous n'avez qu'à sortir dans la rue... Mais non ! vous préférez les textes qui prônent la mendicité. Aucune conséquence pratique n'accompagnant vos méditations, on ne s'étonnera pas que le dernier des clochards vaille mieux que vous. Conçoit-on le Bouddha fidèle à ses vérités et à son palais ? On n'est pas « délivré-vivant » et propriétaire. Je m'insurge contre la généralisation du mensonge, contre ceux qui exhibent leur prétendu « salut » et l'étayent d'une doctrine qui n'émane pas de leur fonds. Les démasquer, les faire descendre du piédestal où ils se sont hissés, les mettre au pilori, c'est une campagne à laquelle personne ne devrait rester indifférent. Car à tout prix il faut empêcher ceux qui ont trop bonne conscience de vivre et de mourir en paix.

*L*orsque à tout bout de champ vous nous opposez « l'absolu », vous affectez un petit air profond, inaccessible, comme si vous vous débattiez dans un monde lointain, avec une lumière, avec des ténèbres qui vous appartiennent, maîtres d'un royaume auquel nul en dehors de vous ne pourra aborder. Vous nous dispensez, à nous autres mortels, quelques bribes des grandes découvertes que vous venez d'y effectuer, quelques restes de vos prospections. Mais toutes vos peines n'aboutissent qu'à vous faire lâcher ce pauvre vocable, fruit de vos lectures, de votre docte frivolité, de votre néant livresque et de vos angoisses d'emprunt.
L'absolu, tous nos efforts se réduisent à miner la sensibilité qui y conduit. Notre sagesse — ou plutôt notre non-sagesse — le répudie ; relativiste, elle nous propose un équilibre, non point dans l'éternité, mais dans le temps. L'absolu *qui évolue*, cette hérésie de Hegel, est devenu notre dogme, notre tragique orthodoxie, *la philosophie de nos réflexes*. Qui croit pouvoir s'y dérober fait montre de forfanterie ou d'aveuglement. Acculés à l'apparence, il nous revient d'épouser une sagesse incomplète, mélange de songe et de

singerie. Si l'Inde, pour citer encore Hegel, représente «le rêve de l'esprit infini», le pli de notre intellect, comme celui de notre sensibilité, nous astreint à concevoir l'esprit incarné, limité à des cheminements historiques, l'esprit tout court, qui n'embrasse pas le monde, mais les *moments* du monde, temps morcelé auquel nous n'échappons que par à-coups, et lorsque nous trahissons nos apparences.

La sphère de la conscience se rétrécissant dans l'action, nul qui agit ne peut prétendre à l'universel, car agir c'est se cramponner aux propriétés de l'être au détriment de l'être, à une forme de réalité au préjudice de la réalité. Le degré de notre affranchissement se mesure à la quantité d'entreprises dont nous nous serons émancipés, comme à notre capacité de convertir tout objet en non-objet. Mais il ne signifie rien de parler d'affranchissement à propos d'une humanité pressée qui a oublié qu'on ne saurait reconquérir la vie ni en jouir sans l'avoir auparavant abolie.

Nous respirons trop vite pour pouvoir saisir les choses en elles-mêmes ou en dénoncer la fragilité. Notre halètement les postule et les déforme, les crée et les défigure, et nous y enchaîne. Je m'agite, j'émets donc un monde aussi suspect que ma spéculation qui le justifie, j'épouse le mouvement, lequel me change en générateur d'être, en artisan de fictions, tandis que ma verve cosmogonique me fait oublier qu'entraîné par le tourbillon des actes je ne suis qu'un acolyte du temps, qu'un agent d'univers caducs.

Gavés de sensations et de leur corollaire, le devenir, nous sommes des non-délivrés par inclination et par principe, des condamnés de choix, en proie à la fièvre du visible, fureteurs dans ces énigmes de surface à la mesure de notre accablement et de notre trépidation.

Si nous voulons recouvrer notre liberté, il nous revient de déposer le fardeau de la sensation, de ne plus réagir au monde par les sens, de rompre nos liens. Or, toute sensation est lien, le plaisir comme la douleur, la joie comme la tristesse. Seul s'affranchit l'esprit qui, pur de toute accointance avec êtres ou objets, s'exerce à sa vacuité.

Résister au bonheur, la plupart y arrivent; le malheur, lui, est autrement insidieux. Y avez-vous goûté? Vous n'en serez jamais rassasié, vous le chercherez avec avidité et de préférence là où il n'est pas, et vous l'y projetterez puisque, sans lui, tout vous semblerait inutile et terne. Où qu'il se trouve, il évacue le mystère ou le rend lumineux. Saveur et clef des choses, accident et obsession, caprice et nécessité, il vous fera aimer l'apparence dans ce qu'elle a de plus puissant, de plus durable et de plus vrai, et vous y ligotera pour toujours, car, «intense» de nature, il est, comme toute «intensité», servitude, assujettissement. L'âme indifférente et nulle, l'âme désentravée, — comment s'y hausser? Et comment conquérir l'absence, la liberté de l'absence? Cette liberté ne figurera jamais parmi nos mœurs, non plus que «le rêve de l'esprit infini».

Pour s'identifier à une doctrine venue de loin, il faudrait l'adopter sans restriction : à quoi rime de consentir aux vérités du bouddhisme et de rejeter la transmigration, la base même de l'idée de renoncement? De souscrire au Védânta, d'accepter la conception de l'irréalité des choses et de se comporter comme si elles existaient? Inconséquence inévitable pour tout esprit élevé dans le culte des phénomènes. Or, il faut bien l'avouer : nous avons le *phénomène* dans le sang. Nous pouvons le mépriser ou l'abhorrer, il n'en est pas moins notre patrimoine, notre capital de grimaces, le symbole de notre crispation ici-bas. Race de convulsionnaires, au centre d'une farce aux proportions cosmiques, nous avons imprimé à l'univers les stigmates de notre histoire, et cette illumination qui convie à périr tranquillement, nous n'en serons jamais capables. C'est par nos œuvres, ce n'est pas par nos silences, que nous avons choisi de disparaître : notre avenir se lit dans le ricanement de nos figures, dans nos traits de prophètes meurtris et affairés. Le sourire du Bouddha, ce sourire qui surplombe le monde, n'éclaire point nos visages. À la limite, nous concevons le bonheur; jamais la félicité, apanage de civilisations fondées sur l'idée de salut, sur le refus de savourer ses maux, de s'y délecter; mais, sybarites de la douleur, rejetons d'une tradition masochiste, qui de nous balancerait entre le sermon de Bénarès et l'*Héautontimoroumenos*? «Je suis la plaie et le couteau», voilà notre absolu, notre éternité.

Quant à nos rédempteurs, venus parmi nous pour notre plus grand dam, nous aimons la nocivité de leurs espoirs et de leurs remèdes, l'empressement qu'ils mettent à favoriser et à exalter nos maux, le venin que nous infusent leurs paroles de vie. Nous leur devons d'être des experts dans la souffrance sans issue. À quelles tentations, à quelles extrémités nous conduit la lucidité! Allons-nous la déserter pour nous réfugier dans l'inconscience? N'importe qui se sauve par le sommeil, n'importe qui a du génie *en dormant* : point de différence entre les rêves d'un boucher et ceux d'un poète. Mais notre clairvoyance ne saurait tolérer qu'une telle merveille dure, ni que l'inspiration soit mise à la portée de tous : le jour nous retire les dons que la nuit nous dispense. Le fou seul possède le privilège de passer sans heurt de l'existence nocturne à l'existence diurne : aucune distinction entre ses rêves et ses veilles. Il a renoncé à notre raison, comme le clochard à nos biens. Tous deux ont trouvé la voie qui mène hors de la souffrance et résolu tous nos problèmes ; aussi demeurent-ils des modèles que nous ne pouvons suivre, des sauveurs sans adeptes.

Tout en fouillant nos maux, ceux des autres ne nous requièrent pas moins. À l'époque des biographies, nul n'enveloppe ses plaies sans que nous essayions de les dégager et de les exposer au grand jour ; si nous n'y arrivons pas, nous nous en détournons tout déçus. Et celui-là même qui a fini sur la croix, ce n'est aucunement parce qu'il a souffert *pour nous* qu'il compte encore à nos yeux, mais pour avoir souffert sans plus et poussé quelques cris aussi profonds que gratuits. Car ce que nous vénérons dans nos dieux ce sont nos défaites *en beau*.

*V*oués à des formes dégradées de sagesse, malades de la durée, en lutte avec cette infirmité qui nous rebute autant qu'elle nous séduit, en lutte avec le temps, nous sommes constitués d'éléments qui tous concourent à faire de nous des rebelles partagés entre un appel mystique qui n'a aucun lien avec l'histoire et un rêve sanguinaire qui en est le symbole et le nimbe. Si nous avions un monde à nous, peu importerait que ce fût celui de la piété ou du ricanement ! Nous ne l'aurons jamais, notre position dans l'existence se situant au croisement de nos supplications et de nos sarcasmes, zone d'impureté où se mélangent soupirs et provocations. Qui est trop lucide pour adorer le sera également pour démolir, ou il ne démolira que ses... révoltes ; car à quoi bon se révolter pour retrouver ensuite l'univers *intact* ? Monologue dérisoire. On s'insurge contre la justice et l'injustice, contre la paix et la guerre, contre ses semblables et contre les dieux. Puis, on en vient à penser que le dernier des gâteux est peut-être plus sage que Prométhée. Cependant on n'arrive pas à étouffer en soi un cri insurrectionnel, et on continue de tempêter à propos de tout et de rien : automatisme pitoyable qui explique pourquoi nous sommes tous des Lucifers de statistique.

Contaminés par la superstition de l'acte, nous croyons que nos idées doivent *aboutir*. Quoi de plus contraire à la considération passive du monde ? Mais c'est là notre destin : être des incurables qui *protestent*, des pamphlétaires sur un grabat.

Nos connaissances, comme nos expériences, devraient nous paralyser, et nous rendre indulgents à l'égard de la tyrannie elle-même, du moment qu'elle représente une constante. Nous sommes suffisamment clairvoyants pour être tentés de déposer les armes; le réflexe de la rébellion triomphe cependant de nos doutes; et bien que nous puissions faire des stoïciens accomplis, l'anarchiste veille en nous et s'oppose à nos résignations.

«L'histoire, nous ne l'accepterons jamais», tel me paraît être l'adage de notre impuissance à être de vrais sages ou de vrais fous. Serions-nous des cabotins de la sagesse et de la folie? Quoi que nous fassions, à l'égard de nos actes nous sommes astreints à une profonde insincérité.

De toute évidence un croyant s'identifie jusqu'à un certain point à ce qu'il fait et à ce qu'il croit; il n'y a pas chez lui un écart important entre sa lucidité, d'un côté, et ses actions et ses pensées, de l'autre. Cet écart s'élargit démesurément chez le faux croyant, chez celui qui affiche des convictions sans y adhérer. L'objet de sa foi est un succédané. Disons-le carrément : ma révolte est une foi à laquelle je souscris sans y croire. Mais je ne puis ne pas y souscrire. On ne méditera jamais assez le mot de Kirilov sur Stavroguine : «Quand il croit il ne croit pas qu'il croit, et quand il ne croit pas il ne croit pas qu'il ne croit pas.»

*P*lus encore que le style, le rythme même de notre vie est fondé sur *l'honorabilité* de la révolte. Répugnant à admettre l'identité universelle, nous posons l'individuation, l'hétérogénéité comme un phénomène primordial. Or, se révolter c'est postuler cette hétérogénéité, c'est la concevoir en quelque sorte comme antérieure à l'avènement des êtres et des objets. Si j'oppose l'Unité, seule véridique, à la multiplicité, nécessairement mensongère, si, en d'autres termes, j'assimile l'*autre* à un fantôme, ma révolte se vide de sens, elle qui, pour exister, doit partir de l'irréductibilité des individus, de leur condition de monades, d'essences circonscrites. Tout acte institue et réhabilite la pluralité, et, conférant à la personne réalité et autonomie, reconnaît implicitement la dégradation, le morcellement de l'absolu. Et c'est de lui, de l'acte, et du culte qui s'y attache, que procèdent la tension de notre esprit, et ce besoin d'éclater et de nous détruire *au cœur de la durée*. La philosophie moderne, en instaurant la superstition du Moi, en a fait le ressort de nos drames et le pivot de nos inquiétudes. Regretter le repos dans l'indistinction, le rêve neutre de l'existence sans qualités, ne sert de rien; nous nous sommes voulus *sujets*, et tout sujet est rupture avec la quiétude de l'Unité. Quiconque s'avise d'atténuer notre solitude ou nos déchirements agit à l'encontre de nos intérêts et de notre vocation. Nous mesurons la valeur de l'individu à la somme de ses désaccords avec les choses, à son incapacité d'être indifférent, à son refus de tendre vers l'objet. D'où le déclassement de l'idée de Bien, d'où la vogue du Diable.

Tant que nous vivions au milieu de terreurs élégantes, nous nous accommodions fort bien de Dieu. Quand d'autres, plus sordides, car plus profondes, nous prirent en charge, il nous fallut un autre système de références, un autre *patron*. Le Diable était la figure rêvée. Tout en lui s'accorde avec la nature des événements dont il est l'agent, le principe régulateur : *ses attributs coïncident avec ceux du temps*. Implorons-le donc, puisque, loin d'être un produit de notre subjectivité, une création de notre besoin de blasphème ou de solitude, il est le maître de nos interrogations et de nos paniques, l'instigateur de nos égarements. Ses protestations, ses violences ne manquent pas d'équivoque : ce «grand Triste» est un rebelle qui doute. S'il était simple, tout d'une pièce, il ne nous toucherait guère ; mais ses paradoxes, ses contradictions sont nôtres : il cumule nos impossibilités, il sert de modèle à nos révoltes contre nous-mêmes, à la haine de nous-mêmes. La formule de l'enfer ? C'est dans cette forme de révolte et de haine qu'il faut la chercher, dans le supplice de l'orgueil renversé, dans cette sensation d'être une *terrible* quantité négligeable, dans les affres du «je», de ce «je» par quoi commence notre fin...

De toutes les fictions, celle de l'âge d'or nous déroute le plus : comment a-t-elle pu effleurer les imaginations ? Et c'est pour la dénoncer et par hostilité contre elle que l'histoire, *agression de l'homme contre lui-même*, a pris essor et forme ; de sorte que se vouer à l'histoire, c'est apprendre à s'insurger, à imiter le Diable. Nous ne l'imitons jamais aussi bien que lorsque, aux dépens de notre être, nous émettons du temps, le projetons au-dehors et le laissons se convertir en événements. «Désormais, il n'y aura plus de temps», ce métaphysicien improvisé qu'est l'Ange de l'Apocalypse annonce par là la fin du Diable, la fin de l'histoire. Aussi les mystiques ont-ils raison de chercher Dieu en eux-mêmes, ou ailleurs, sauf dans ce monde dont ils font table rase, sans pour autant s'abaisser à la révolte. Ils bondissent hors du siècle : folie dont nous autres, captifs de la durée, sommes rarement susceptibles. Si du moins nous étions aussi dignes du Diable qu'ils le sont eux de Dieu !

*Q*ue la rébellion jouisse d'une honorabilité indue, il ne faut pour s'en persuader que réfléchir à la manière dont on qualifie les esprits qui y sont impropres. On les appelle veules. Il est à peu près certain que nous sommes fermés à toute forme de sagesse parce que nous y voyons une veulerie transfigurée. Si injuste que soit une pareille réaction, je ne puis me défendre de l'éprouver à l'endroit du taoïsme lui-même. Tout en sachant qu'il recommande l'effacement et l'abandon au nom de l'absolu et non de la lâcheté, je le refuse au moment même où je crois l'avoir adopté ; et si je donne mille fois raison à Lao-tseu, je comprends pourtant mieux un assassin. Entre la sérénité et le sang, c'est vers le sang qu'il est *naturel* d'incliner. Le meurtre suppose et couronne la révolte : celui qui ignore le désir de tuer aura beau professer des opinions subversives, il ne sera jamais qu'un conformiste.

Sagesse et rébellion : deux poisons. Inaptes à les assimiler naïvement, nous ne trouvons dans l'une ni dans l'autre une formule de salut. Il reste que dans l'aventure luciférienne nous avons acquis une maîtrise que nous ne posséderons jamais dans la sagesse. Pour nous, la *perception* même est soulèvement, début de transe ou d'apoplexie. Perte d'énergie, volonté d'user nos disponibilités. S'insurger à tout propos comporte une irrévérence envers soi, envers nos forces. D'où en tirerions-nous pour la contemplation, cette dépense *statique*, cette concentration dans l'immobilité ? Laisser les choses telles quelles, les regarder sans vouloir les modeler, en percevoir l'essence, rien de plus hostile à la conduite de notre pensée ; nous aspirons, au contraire, à les pétrir, à les torturer, à leur prêter nos rages. Il doit en être ainsi : idolâtres du geste, du jeu et du délire, nous aimons les risque-tout tant en poésie qu'en philosophie. *Tao Te King* va plus loin qu'*Une Saison en Enfer* ou *Ecce Homo*. Mais Lao-tseu ne nous propose aucun vertige, alors que Rimbaud et Nietzsche, acrobates se démenant à l'extrême d'eux-mêmes, nous invitent à leurs dangers. Seuls nous séduisent les esprits qui se sont détruits pour avoir voulu donner un sens à leur vie.

*P*oint d'issue pour celui qui à la fois dépasse le temps et s'y enlise, qui accède par sursauts à sa dernière solitude et s'enfonce néanmoins dans l'apparence. Indécis, tiraillé, il se traînera en malade de la durée, exposé tout ensemble à l'attraction du devenir et de l'intemporel. Si, à en croire Maître Eckhart, il y a une « odeur » du temps, à plus forte raison doit-il y en avoir une de l'histoire. Comment y rester insensible ? Sur un plan plus immédiat, je distingue l'illusion, la nullité, la pourriture de la « civilisation » ; cependant je me sens solidaire de cette pourriture : *je suis le fanatique d'une* *charogne.* J'en veux à notre siècle de nous avoir subjugués au point de nous hanter lors même que nous nous en détachons. Rien de viable ne peut sortir d'une méditation de circonstance, d'une réflexion sur l'événement. En d'autres âges plus heureux, les esprits pouvaient déraisonner librement, comme s'ils n'appartenaient à aucune époque, émancipés qu'ils étaient de la terreur de la chronologie, abîmés dans un moment du monde lequel, pour eux, se confondait avec le monde même. Sans s'inquiéter de la relativité de leur œuvre, ils s'y consacraient entièrement. Bêtise géniale à jamais révolue, exaltation féconde, nullement compromise par la conscience écartelée. Deviner encore l'intemporel et savoir néanmoins que nous *sommes* temps, que nous produisons du temps, concevoir l'idée d'éternité et chérir notre rien ; dérision d'où émergent et nos rébellions et les doutes que nous entretenons à leur égard.

Chercher la souffrance pour éviter le rachat, suivre à rebours le chemin de la délivrance, tel est notre apport en matière de religion : des illuminés bilieux, des Bouddhas et des Christs hostiles au salut, prêchant aux misérables le charme de leur détresse. Race superficielle, si l'on veut. Il n'en reste pas moins que notre premier ancêtre ne nous a laissé, pour tout héritage, que l'horreur du paradis. En donnant un nom aux choses, il préparait sa déchéance et la nôtre. Que si nous voulons y remédier, il nous faudrait commencer par débaptiser l'univers, par ôter l'étiquette qui, apposée sur chaque apparence, la relève et lui prête un simulacre de sens. En attendant, jusqu'à nos cellules nerveuses, tout en nous répugne au paradis. Souffrir : seule modalité d'acquérir la sensation d'exister ; exister : unique façon de sauvegarder notre perte. Il en sera ainsi tant qu'une cure d'éternité ne nous aura pas désintoxiqués du devenir, tant que nous n'aurons pas approché de cet état où, selon un bouddhiste chinois, « l'instant vaut dix mille années ».

*P*uisque l'absolu correspond à un sens que nous n'avons pas su cultiver, livrons-nous à toutes les rébellions : elles finiront bien par se retourner contre elles-mêmes, contre nous-mêmes... Peut-être alors regagnerons-nous notre suprématie sur le temps ; à moins que, tout à l'opposé, voulant échapper à la calamité de la conscience, nous ne rejoignions les bêtes, les plantes et les objets, et cette stupidité primordiale dont, par la faute de l'histoire, nous avons perdu jusqu'au souvenir.

SUR UNE CIVILISATION ESSOUFFLÉE

——————————————— *C*elui qui appartient organiquement à une civilisation ne saurait identifier la nature du mal qui la mine. Son diagnostic ne compte guère ; le jugement qu'il porte sur elle le concerne ; il la ménage par égoïsme.

Plus dégagé, plus libre, le nouveau venu l'examine sans calcul et en saisit mieux les défaillances. Si elle se perd, il acceptera au besoin de se perdre aussi, de constater sur elle et sur soi les effets du *fatum*. Des remèdes, il n'en possède ni n'en propose. Comme il sait qu'on ne *soigne* pas le destin, il ne s'érige en guérisseur auprès de personne. Sa seule ambition : être à la hauteur de l'Incurable.

*D*evant l'accumulation de leurs réussites, les pays d'Occident n'eurent pas de peine à exalter l'histoire, à lui attribuer une signification et une finalité. Elle leur appartenait, ils en étaient les agents : elle devait donc suivre une marche rationnelle... Aussi la placèrent-ils tour à tour sous le patronage de la Providence, de la Raison et du Progrès. Le sens de la fatalité leur faisait défaut ; ils commencent enfin à l'acquérir, atterrés par l'absence qui les guette, par la perspective de leur éclipse. De sujets, les voilà objets, à jamais dépossédés de ce rayonnement, de cette admirable mégalomanie qui jusqu'ici les avait fermés à l'irréparable. Ils en sont si conscients aujourd'hui, qu'ils mesurent la stupidité d'un esprit à son degré d'attachement aux événements. Quoi de plus normal, du moment que les événements se passent *ailleurs* ? On n'y sacrifie que si l'on en conserve l'initiative. Mais pour peu qu'on garde le souvenir d'une ancienne suprématie, on rêve encore d'exceller, ne fût-ce que dans le désarroi.

La France, l'Angleterre, l'Allemagne ont leur période d'expansion et de folie derrière elles. C'est *la fin de l'insensé*, le début de guerres défensives. Plus d'aventure collective, plus de citoyens, mais des individus blafards et détrompés, prêts encore à répondre à une utopie, à condition toutefois qu'elle vienne du dehors, et qu'ils ne se donnent pas la peine de la concevoir. Si autrefois ils mouraient pour le non-sens de la gloire, ils s'abandonnent maintenant à une frénésie revendicatrice Le « bonheur » les tente ; c'est leur dernier préjugé, où ce péché d'optimisme qu'est le marxisme puise son énergie. S'aveugler, servir, se livrer au ridicule ou à la bêtise d'une cause, extravagances dont ils ne sont plus capables. Quand une nation commence à se décatir, elle s'oriente vers la condition de masse. Disposerait-elle de mille Napoléons, qu'elle ne se refuserait pas moins à compromettre son repos ou celui des autres. Avec des réflexes flageolants, qui terroriser et comment ? Si tous les peuples en étaient au même degré de fossilisation, ou de couardise, ils s'entendraient aisément : à l'insécurité succéderait la permanence d'un pacte de lâches... Miser sur la disparition des appétits guerriers, croire à la généralisation de la décrépitude ou de l'idylle, c'est voir loin, trop loin : l'utopie, presbytie des vieux peuples. Les peuples jeunes, eux, répugnant à se chercher l'échappatoire d'un leurre, voient les choses sous l'angle de l'action : leur perspective est proportionnée à leurs entreprises. Sacrifiant le confort à l'aventure, le bonheur à l'efficacité, ils n'admettent point la légitimité d'idées contradictoires, la coexistence de positions antinomiques : que veulent-ils, sinon amoindrir nos inquiétudes par la... terreur, et nous raffermir en nous brisant ? Toutes leurs réussites leur viennent de leur sauvagerie, car ce qui compte chez eux, ce ne sont pas leurs rêves, mais leurs impulsions. Inclinent-ils à une idéologie ? Elle avive leur fureur, fait valoir leur fonds barbare, et les tient en éveil. Quand les vieux peuples en adoptent une, elle les engourdit, tout en leur dispensant ce rien de fièvre qui leur permet de se croire en quelque sorte vivants : légère poussée d'Illusion...

*U*ne civilisation n'existe et ne s'affirme que par des actes de provocation. Commence-t-elle à s'assagir ? Elle s'effrite. Ses moments culminants sont des moments redoutables, pendant lesquels, loin d'emmagasiner ses forces, elle les prodigue. Avide de s'exténuer, la France prit à tâche de gaspiller les siennes ; elle y parvint, aidée par son orgueil, son zèle agressif (n'a-t-elle pas fait, en mille ans, plus de guerres qu'aucun autre pays ?). Malgré son sens de l'équilibre — ses excès même furent heureux — elle ne pouvait accéder à la suprématie qu'au détriment de sa substance. S'épuiser : elle en fit son point d'honneur. Amoureuse de la formule, de l'idée explosive, du tapage idéologique, elle mit son génie et sa vanité au service de tous les événements survenus ces dix derniers siècles. Et, après avoir été vedette, la voilà résignée, craintive, ruminant des regrets et des appréhensions, et se reposant de son éclat, de son passé. Elle fuit son visage, elle tremble devant le miroir... Les rides d'une nation sont aussi visibles que celles d'un individu.

Quand on a fait une grande révolution, on n'en déclenche pas une autre de la même importance. Si l'on a été pendant longtemps l'arbitre du goût, une fois la place perdue, on n'essaie guère de la reconquérir. Lorsqu'on désire l'anonymat, on est las de servir de modèle, d'être suivi, singé : à quoi bon tenir encore salon pour amuser l'univers ?

Ces lapalissades, la France les connaît trop bien pour se les redire. Nation du geste, nation théâtrale, elle aimait son jeu comme son public. Elle en est excédée, elle veut quitter la scène, et n'aspire plus qu'aux *décors de l'oubli*.

Qu'elle ait usé son inspiration et ses dons, on n'en peut douter, mais il serait injuste de le lui reprocher : autant vaudrait l'accuser de s'être réalisée et accomplie. Les vertus qui en faisaient une nation privilégiée, elle les a émoussées à force de les cultiver, de les mettre en valeur, et ce n'est pas faute d'exercice que ses talents pâlissent aujourd'hui et s'effacent. Si l'idéal du bien-vivre (manie des époques déclinantes) l'accapare, l'obsède, la sollicite uniquement, c'est qu'elle n'est plus qu'un nom pour une totalité d'individus, une société plutôt qu'une volonté historique. Son dégoût de ses anciennes ambitions d'universalité et d'omniprésence atteint de telles proportions, qu'un miracle seul pourrait la sauver d'une destinée provinciale.

Depuis qu'elle a abandonné ses desseins de domination et de conquête, le cafard, ennui généralisé, la mine. Fléau des nations en pleine défensive, il dévaste leur vitalité ; plutôt que de s'en garantir, elles le subissent et s'y habituent au point de ne plus pouvoir s'en dispenser. Entre la vie et la mort, elles trouveront toujours assez d'espace pour escamoter l'une et l'autre, pour éviter de vivre, pour éviter de mourir. Tombées dans une catalepsie lucide, rêvant d'un statu quo éternel, comment réagiraient-elles contre l'obscurité qui les assiège, contre l'avance de civilisations opaques ?

Si nous voulons savoir ce qu'a été un peuple et pourquoi il est indigne de son passé, nous n'avons qu'à examiner les figures qui le marquèrent le plus. Ce que fut l'Angleterre, les portraits de ses grands hommes le disent assez. Quel saisissement que de contempler, à la National Gallery, ces têtes viriles, quelquefois délicates, le plus souvent monstrueuses, l'énergie qui s'en dégage, l'originalité des traits, l'arrogance et la solidité du regard ! Puis, songeant à la timidité, au bon sens, à la correction des Anglais d'aujourd'hui, nous comprenons pourquoi ils ne savent plus jouer Shakespeare, pourquoi ils l'affadissent et l'émasculent. Ils en sont aussi éloignés que devaient l'être d'Eschyle les Grecs tardifs. Plus rien d'élisabéthain en eux : ils emploient ce qui leur reste de « caractère » à sauver les apparences, à entretenir la façade. On paye toujours cher d'avoir pris la « civilisation » au sérieux, de l'avoir trop assimilée. Qui aide à la formation d'un empire ? Les aventuriers, les brutes, les fripouilles, tous ceux qui n'ont pas le préjugé de « l'homme ». Au sortir du Moyen Âge, l'Angleterre, débordante de vie, était féroce et triste : aucun souci d'honorabilité ne venait contrarier son désir d'expansion. Il émanait d'elle cette mélancolie de la force si caractéristique des personnages shakespeariens. Songeons à Hamlet, à ce pirate rêveur : ses doutes n'altèrent pas sa fougue : rien en lui de la faiblesse d'un raisonneur. Ses scrupules ? Il s'en crée par débauche d'énergie, par goût de la réussite, par la tension d'une volonté *inépuisablement* malade. Personne ne fut plus libéral, plus généreux envers ses propres tourments, ni ne les prodigua autant. Anxiétés luxuriantes ! comment les Anglais actuels s'y élèveraient-ils ? Du reste, ils n'y prétendent guère. Leur idéal est l'homme *comme il faut* : ils s'en rapprochent dangereusement. Voilà à peu près la seule nation qui, dans un univers débraillé, s'obstine encore à avoir du « style ». L'absence de vulgarité y prend des dimensions alarmantes : être impersonnel y constitue un impératif, faire bâiller autrui, une loi. À force de distinction et de fadeur, l'Anglais devient de plus en plus impénétrable et déconcerte par le mystère qu'on lui suppose au mépris de l'évidence.

Réagissant contre son propre fonds, contre ses manières de jadis, miné par la prudence et la modestie, il s'est forgé un comportement, une règle de conduite qui devait l'écarter de son génie. Où sont ses démonstrations d'effronterie et de superbe, ses défis, ses arrogances d'antan ? Le romantisme fut le dernier soubresaut de son orgueil. Depuis, effacé et vertueux, il laisse s'effriter l'héritage de cynisme et d'insolence dont on le croyait si fier. Les traces du barbare qu'il fut, on les chercherait en vain : tous ses instincts sont jugulés par sa décence. Au lieu de le fouetter, d'encourager ses folies, ses philosophes l'ont poussé vers l'impasse du bonheur.

Décidé à être heureux, il le devint. Et son bonheur, exempt de plénitude, de risque, de toute suggestion tragique, il en a fait cette médiocrité enveloppante où il se plaira à jamais. Faut-il s'étonner qu'il soit devenu le personnage que chérit le Nord, un modèle, un idéal pour Vikings étiolés ? Tant qu'il était puissant, on le détestait, on le craignait ; maintenant, on le comprend ; bientôt, on l'aimera... Il n'est plus un cauchemar pour personne. L'excès, le délire, il s'en défend, il y voit une aberration ou une impolitesse. Quel contraste entre ses anciens débordements et la sagesse qu'il traverse ! Ce n'est qu'au prix de grandes abdications qu'un peuple devient *normal*.

« Si le soleil et la lune se mettaient à douter, ils s'éteindraient sur-le-champ » (Blake). L'Europe doute depuis longtemps... et si son éclipse nous trouble, Américains et Russes la contemplent, soit avec sérénité, soit avec joie.

L'Amérique se dresse devant le monde comme un néant impétueux, comme une fatalité sans substance. Rien ne la préparait à l'hégémonie ; elle y tend pourtant, non sans quelque hésitation. À l'encontre des autres nations qui durent passer par toute une suite d'humiliations et de défaites, elle n'a connu jusqu'ici que la stérilité d'une chance ininterrompue. Si, à l'avenir, tout lui réussit également, son apparition aura été un accident sans portée. Ceux qui président à ses destinées, ceux qui prennent à cœur ses intérêts, devraient lui préparer de mauvais jours ; pour cesser d'être un monstre superficiel, une épreuve d'envergure lui est nécessaire. Peut-être n'en est-elle pas loin. Après avoir vécu jusqu'ici hors de l'enfer, elle s'apprête à y descendre. Si elle se cherche un destin, elle ne le trouvera que sur la ruine de tout ce qui fut sa raison d'être.

Pour ce qui est de la Russie, on ne peut examiner son passé sans éprouver un frisson, une épouvante *de qualité*. Passé sourd, plein d'attente, d'anxiété souterraine, passé de taupes illuminées. L'irruption des Russes fera trembler les nations ; déjà, ils ont introduit l'absolu en politique. C'est le défi qu'ils jettent à une humanité rongée de doutes et à laquelle ils ne manqueront pas de donner le coup de grâce. Si nous n'avons plus d'âme, ils en ont, eux, à revendre. Près de leurs origines, de cet univers affectif où l'esprit adhère encore au sol, au sang, à la chair, ils *sentent* ce qu'ils pensent ; leurs vérités, comme leurs erreurs, sont des sensations, des stimulants, des actes. En fait, ils ne pensent pas, ils éclatent. Encore au stade où l'intelligence n'atténue ni ne dissout les obsessions, ils ignorent les effets nocifs de la réflexion, comme ces extrémités de la conscience où celle-ci devient facteur de déracinement et d'anémie. Ils peuvent donc démarrer tranquillement. Qu'ont-ils à affronter, sinon un monde lymphatique ? Rien devant eux, rien de vivant à quoi ils puissent se heurter, nul obstacle : n'est-ce point un des leurs qui fut le premier à employer, en plein XIXᵉ siècle, le mot « cimetière » à propos de l'Occident ? Bientôt ils arriveront en masse pour en visiter la dépouille. Leurs pas sont déjà perceptibles aux oreilles délicates. Qui pourrait à leurs superstitions en marche opposer ne fût-ce qu'un simulacre de certitude ?

Depuis le siècle des Lumières, l'Europe n'a cessé de saper ses idoles au nom de l'idée de tolérance ; du moins, tant qu'elle était puissante, croyait-elle à cette idée et se battait-elle pour la défendre. Ses doutes mêmes n'étaient que convictions déguisées ; comme ils attestaient sa force, elle avait le droit de s'en réclamer et le moyen de les infliger ; ils ne sont plus maintenant que symptômes d'énervement, vagues sursauts d'instinct atrophié.

La destruction des idoles entraîne celle des préjugés. Or, les préjugés — fictions *organiques* d'une civilisation — en assurent la durée, en conservent la physionomie. Elle doit les respecter, sinon tous, du moins ceux qui lui sont propres et qui, dans le passé, avaient pour elle l'importance d'une superstition ou d'un rite. Si elle les tient pour de pures conventions, elle s'en dégagera de plus en plus, sans pouvoir, par ses propres moyens, les remplacer. Aura-t-elle voué un culte au caprice, à la liberté, à l'individu ? Conformisme de bon aloi. Qu'elle cesse de s'y plier, caprice, liberté, individu, deviendront lettre morte.

Un minimum d'inconscience est nécessaire si l'on veut se maintenir dans l'histoire. Agir est une chose ; savoir que l'on agit en est une autre. Quand la clairvoyance investit l'acte et s'y insinue, l'acte se défait et, avec lui, le préjugé, dont la fonction consiste précisément à subordonner, à asservir la conscience à l'acte... Celui qui démasque ses fictions, renonce à ses ressorts et comme à soi-même. Aussi en acceptera-t-il d'autres qui le nieront, puisqu'elles n'auront pas surgi de son fonds. Nul être soucieux de son équilibre ne devrait dépasser un certain degré de lucidité et d'analyse. Combien cela est plus vrai d'une civilisation, laquelle vacille pour peu qu'elle dénonce les erreurs qui permirent sa croissance et son éclat, pour peu qu'elle mette en question *ses* vérités !

On n'abuse pas sans risque de sa faculté de douter. Quand le sceptique n'extrait de ses problèmes et de ses interrogations plus

aucune vertu active, il s'approche de son dénouement, que dis-je ?
il le cherche, il y court : qu'un autre tranche ses incertitudes,
qu'un autre l'aide à succomber ! Ne sachant plus quel usage faire
de ses inquiétudes et de sa liberté, il pense avec nostalgie au bourreau, il l'appelle même. Ceux qui n'ont trouvé réponse à rien supportent mieux les effets de la tyrannie que ceux qui ont trouvé
réponse à tout. C'est ainsi que, pour mourir, les dilettantes font
moins d'embarras que les fanatiques. Pendant la Révolution, plus
d'un ci-devant affronta l'échafaud le sourire aux lèvres ; quand
vint le tour des jacobins, ils y montèrent préoccupés et sombres :
ils mouraient au nom d'une vérité, d'un préjugé. Aujourd'hui, de
quelque côté que nous regardions, nous ne voyons qu'ersatz de
vérité, de préjugé ; ceux à qui cet ersatz même fait défaut, paraissent plus sereins, mais leur sourire est machinal : un pauvre, un
dernier réflexe d'élégance...

Ni Russes ni Américains n'étaient assez mûrs, ni intellectuellement assez corrompus pour « sauver » l'Europe ou en réhabiliter la
décadence. Les Allemands, autrement contaminés, auraient pu lui
prêter un semblant de durée, une teinte d'avenir. Mais, impérialistes au nom d'un rêve borné et d'une idéologie hostile à toutes
les valeurs surgies de la Renaissance, ils devaient accomplir leur
mission à rebours et gâcher tout pour toujours. Appelés à régir le
continent, à lui donner une apparence d'essor, ne fût-ce que pour
quelques générations (le XXᵉ siècle aurait dû être allemand, dans
le sens où le XVIIIᵉ fut français), ils s'y prirent si maladroitement
qu'ils en hâtèrent la débâcle. Non contents de l'avoir bouleversé et
laissé sens dessus dessous, ils en firent, de plus, cadeau à la Russie et à l'Amérique, car c'est pour elles qu'ils surent si bien guer-
royer et s'effondrer. Ainsi, héros pour le compte des autres,
auteurs d'une pagaille tragique, ont-ils failli à leur tâche, à leur
vrai rôle. Après avoir médité et élaboré les thèmes du monde
moderne, produit Hegel et Marx, ç'eût été de leur devoir de se
mettre au service d'une idée universelle et non d'une vision de
tribu. Et pourtant cette vision même, si grotesque qu'elle fût,
témoignait en leur faveur : ne révélait-elle pas qu'eux seuls, en
Occident, conservaient quelques restes de fraîcheur et de barbarie, et qu'ils étaient encore susceptibles d'un grand dessein ou
d'une vigoureuse insanité ? Mais nous savons maintenant qu'ils
n'ont plus le désir ni la capacité de se précipiter vers de nouvelles
aventures, que leur orgueil, ayant perdu sa verdeur, se débilite
comme eux, et que, gagnés à leur tour par le charme de l'aban-

don, ils viendront apporter leur modeste contribution à l'échec général.

Tel quel, l'Occident ne subsistera pas indéfiniment : il se prépare à sa fin, non sans connaître une période de surprises... Pensons à ce qu'il fut du ve au xe siècle. Une crise bien plus grave l'attend ; un autre style se dessinera, des peuples nouveaux se formeront. Pour le moment, envisageons le chaos. Déjà la plupart s'y résignent. Invoquant l'Histoire avec l'idée d'y succomber, abdiquant *au nom de l'avenir*, ils rêvent, par besoin d'espérer *contre soi*, de se voir ravalés, piétinés, « sauvés »... Un sentiment semblable avait amené l'Antiquité à ce suicide qu'était la promesse chrétienne.

L'intellectuel fatigué résume les difformités et les vices d'un monde à la dérive. Il n'agit pas, il pâtit ; s'il se tourne vers l'idée de tolérance, il n'y trouve pas l'excitant dont il aurait besoin. La terreur, elle, le lui fournit, de même que les doctrines dont elle est l'aboutissement. En est-il la première victime ? Il ne s'en plaindra pas. Seule le séduit la force qui le broie. Vouloir être libre c'est vouloir être soi ; mais il est excédé d'être soi, de cheminer dans l'incertain, d'errer à travers les vérités. « Mettez-moi les chaînes de l'Illusion », soupire-t-il, tandis qu'il dit adieu aux pérégrinations de la Connaissance. C'est ainsi qu'il se jettera tête baissée dans n'importe quelle mythologie qui lui assurera la protection et la paix du joug. Déclinant l'honneur d'assumer ses propres anxiétés, il s'engagera en des entreprises dont il escomptera des sensations qu'il ne saurait puiser en lui-même, de sorte que les excès de sa lassitude affermiront les tyrannies. Églises, idéologies, polices, cherchez-en l'origine dans l'horreur qu'il nourrit pour sa propre lucidité plutôt que dans la stupidité des masses. Cet avorton se transforme, au nom d'une utopie de jean-foutre, en fossoyeur de l'intellect, et, persuadé de faire œuvre utile, prostitue l'« abêtissez-vous », devise tragique d'un solitaire.

Iconoclaste déconfit, revenu du paradoxe et de la provocation, en quête de l'impersonnalité et de la routine, à demi prosterné, mûr pour le poncif, il abdique sa singularité et renoue avec la tourbe. Plus rien à renverser, sinon soi : dernière idole à abattre... Ses propres débris l'attirent. Tandis qu'il les contemple, il modèle la figure de nouveaux dieux ou redresse les anciens en les baptisant d'un autre nom. Faute de pouvoir soutenir encore la dignité d'être difficile, de moins en moins enclin à soupeser les vérités, il se contente de celles qu'on lui offre. Sous-produit de son moi, il s'en va — démolisseur avachi — ramper devant les autels ou ce qui en tient lieu. Au temple ou au meeting, sa place est là où l'on chante, où l'on couvre sa voix, où il ne s'entend plus. Parodie de croyance ? Peu lui importe, puisque aussi bien n'aspire-t-il qu'à se désister de soi. C'est à une ritournelle qu'a abouti sa philosophie, c'est dans un *Hosanna* qu'a sombré son orgueil !

Soyons juste : au point où en sont les choses, que pourrait-il bien faire d'autre ? Le charme et l'originalité de l'Europe résidaient dans l'acuité de son esprit critique, dans son scepticisme militant, agressif ; ce scepticisme a fait son temps. Aussi l'intellectuel, frustré de ses doutes, se cherche-t-il les compensations du dogme. Parvenu aux confins de l'analyse, atterré du néant qu'il y découvre, il revient sur ses pas et tente de s'accrocher à la première certitude venue ; mais, pour y adhérer pleinement, la naïveté lui manque ; dès lors, fanatique *sans convictions*, il n'est plus qu'un idéologue, un penseur hybride, comme on en trouve à toutes les périodes de transition. Participant de deux styles différents, il est, par la forme de son intelligence, tributaire de celui qui disparaît, et, par les idées qu'il défend, de celui qui se dessine. Afin de mieux le comprendre, figurons-nous un saint Augustin à demi converti, flottant et louvoyant, et qui n'aurait emprunté au christianisme que la haine du monde antique. Ne sommes-nous pas à une époque symétrique de celle qui vit naître *La Cité de Dieu* ? On conçoit difficilement livre plus actuel. Aujourd'hui comme alors, il faut aux esprits une vérité simple, une réponse qui les délivre de leurs interrogations, un évangile, un tombeau. Les moments de raffinement recèlent un principe de mort : rien de plus fragile que la subtilité. L'abus qu'on en fait mène aux catéchismes, conclusion des jeux dialectiques, fléchissement d'un intellect que l'instinct n'assiste plus. La philosophie ancienne, embrouillée dans ses scrupules, avait malgré elle ouvert la voie au simplisme des bas-fonds ; les sectes religieuses foisonnaient ; aux écoles succédèrent les cultes. Une défaite analogue nous menace : déjà sévissent les idéologies, mythologies dégradées, qui vont nous réduire, nous annuler. Le faste de nos contradictions, nous ne pourrons le soutenir encore longtemps. Nombreux sont ceux qui s'apprêtent à vénérer n'importe quelle idole et à servir n'importe quelle vérité, pourvu que l'une et l'autre leur soient infligées et qu'ils n'aient pas à fournir l'effort de choisir leur honte ou leur désastre.

Quel que soit le monde à venir, les Occidentaux y joueront le rôle des *Graeculi* dans l'Empire romain. Recherchés et méprisés par le nouveau conquérant, ils n'auront, pour lui en imposer, que les jongleries de leur intelligence ou le fard de leur passé. *L'art de se survivre*, ils s'y distinguent déjà. Des symptômes de tarissement partout : l'Allemagne a donné sa mesure dans la musique : comment croire qu'elle y excellera encore ? Elle a usé les ressources de sa profondeur, comme la France celles de son élégance. L'une et l'autre — et, avec elles, tout ce coin du monde — en sont à la faillite, la plus prestigieuse depuis l'Antiquité. Viendra ensuite la liquidation : perspective non négligeable, répit dont la durée ne se laisse point estimer, période de facilité où chacun, devant la délivrance enfin arrivée, sera heureux d'avoir derrière soi les affres de l'espoir et de l'attente.

Au milieu de ses perplexités et de ses veuleries, l'Europe garde néanmoins une conviction, une seule, dont pour rien au monde elle ne consentirait à se départir : celle d'avoir un avenir de victime, de sacrifiée. Ferme et intraitable pour une fois, elle se croit perdue, elle veut l'être et elle l'est. Du reste, ne lui a-t-on pas appris de longue date que des races fraîches viendront la réduire et la bafouer ? Au moment où elle semblait en plein essor, au XVIIIe siècle, l'abbé Galiani constatait déjà qu'elle était en déclin et le lui annonçait. Rousseau, de son côté, vaticinait : « Les Tartares deviendront nos maîtres : cette révolution me paraît infaillible. » Il disait vrai. Pour ce qui est du siècle suivant, on connaît le mot de Napoléon sur les Cosaques et les angoisses prophétiques de Tocqueville, de Michelet ou de Renan. Ces pressentiments ont pris corps, ces intuitions appartiennent maintenant au bagage du vulgaire. On n'abdique pas du jour au lendemain : il y faut une atmosphère de recul soigneusement entretenue, une légende de la défaite. Cette atmosphère est créée, comme la légende. Et de même que les précolombiens, préparés et résignés à subir l'invasion de conquérants lointains, devaient fléchir lorsque ceux-ci arrivèrent, de même les Occidentaux, trop instruits, trop pénétrés de leur servitude future, n'entreprendront sans doute rien pour la conjurer. Ils n'en auraient d'ailleurs ni les moyens ni le désir, ni l'audace. Les croisés, devenus jardiniers, se sont évanouis en cette postérité casanière où ne subsiste plus aucune trace de nomadisme. Mais l'histoire est nostalgie de l'espace et horreur du chezsoi, rêve vagabond et besoin de mourir au loin..., mais l'histoire est précisément ce que nous ne voyons plus alentour.

Il existe une satiété qui incite à la découverte, à l'invention de mythes, mensonges instigateurs d'actions : elle est ardeur insatisfaite, enthousiasme morbide qui devient sain aussitôt qu'il se fixe à un objet ; il en existe une autre qui, dissociant l'esprit de ses pouvoirs et la vie de ses ressorts, appauvrit et dessèche. Hypostase caricaturale de l'ennui, elle défait les mythes ou en fausse l'emploi. Une maladie, en somme. Qui veut en connaître les symptômes et la gravité aurait tort d'aller chercher loin : qu'il s'observe, qu'il découvre jusqu'où l'Ouest l'aura marqué...

Si la force est contagieuse, la faiblesse ne l'est pas moins : elle a ses attraits ; on ne lui résiste pas aisément. Quand les débiles sont légion, ils vous charment, ils vous écrasent : par quel moyen lutter contre un continent d'abouliques ? Le mal de la volonté étant par surcroît agréable, on s'y livre de bonne grâce. Rien de plus doux que de se traîner en deçà des événements ; et rien de plus *raisonnable*. Mais sans une forte dose de démence, nulle initiative, nulle entreprise, nul geste. La raison : rouille de notre vitalité. C'est le fou en nous qui nous oblige à l'aventure ; qu'il nous abandonne, et nous sommes perdus : tout dépend de lui, même notre vie végétative ; c'est lui qui nous invite à respirer, qui nous y contraint, et c'est encore lui qui force notre sang à se promener dans nos veines. Qu'il se retire, et nous voilà seuls ! On ne peut être *normal* et *vivant* à la fois. Si je me maintiens dans une position verticale et que je m'apprête à remplir l'instant qui vient, si, en somme, je conçois le futur, un heureux détraquement de mon esprit en est cause. Je subsiste et j'agis dans la mesure où je déraisonne, où je mène à bien mes divagations. Que je devienne sensé, et tout m'intimide : je glisse vers l'absence, vers des sources qui ne daignent pas couler, vers cette prostration que la vie dut connaître avant de concevoir le mouvement, j'accède *à force de lâcheté* au fond des choses, tout acculé à un abîme dont je n'ai que faire puisqu'il m'isole du devenir. Un individu, comme un peuple, comme un continent, s'éteint lorsqu'il répugne et aux desseins et aux actes inconsidérés, lorsque, au lieu de se risquer et de se précipiter vers l'être, il s'y tapit, il s'y retranche : métaphysique de la régression, de l'en deçà, recul vers le primordial ! Dans sa terrible pondération, l'Europe se refuse à elle-même, au souvenir de ses impertinences et de ses bravades, et jusqu'à *cette passion de l'inévitable*, dernier honneur de la défaite. Réfractaire à toute forme d'excès, à toute forme de vie, elle délibère, elle délibérera toujours, même après avoir cessé d'exister : ne fait-elle pas déjà l'effet d'un conciliabule de spectres ?

... Il me souvient d'un pauvre bougre qui, encore au lit à une heure avancée de la matinée, s'adressait à lui-même sur un ton impératif : «Veuille ! Veuille !» La comédie se répétait chaque jour : il s'imposait une tâche qu'il ne pouvait accomplir. Du moins, agissant contre le fantôme qu'il était, méprisait-il les délices de sa léthargie. On ne saurait en dire autant de l'Europe : ayant découvert, au bout de ses efforts, le royaume du non-vouloir, elle jubile, car elle sait maintenant que sa perte recèle un principe de volupté et elle entend en profiter. L'abandon l'envoûte et la comble. Le temps continue de couler ? Elle ne s'en alarme guère ; aux autres de s'en occuper ; c'est leur affaire : ils ne devinent pas quel soulagement il peut y avoir à se vautrer dans un présent qui ne conduit nulle part...

Vivre ici c'est la mort ; ailleurs, le suicide. Où aller ? La seule partie de la planète où l'existence semblait avoir quelque justification est gagnée par la gangrène. Ces peuples archicivilisés sont nos fournisseurs en désespoir. Pour désespérer, il suffit en effet de les regarder, d'observer les agissements de leur esprit et l'indigence de leurs convoitises amorties et presque éteintes. Après avoir péché si longtemps contre leur origine et négligé le sauvage, la horde — leur point de départ —, force leur est de constater qu'il n'y a plus en eux une seule goutte de sang hun.

L'historien antique disant de Rome qu'elle ne pouvait plus supporter ni ses vices ni leurs remèdes, a défini moins son époque qu'il n'a anticipé sur la nôtre. Grande était sans doute la lassitude de l'Empire, mais, désordonnée et inventive, elle savait encore, pour donner le change, cultiver le cynisme, le faste et la férocité, alors que celle à laquelle nous assistons ne possède, dans sa rigoureuse médiocrité, aucun des prestiges qui font illusion. Trop flagrante, trop certaine, elle évoque un mal dont l'inéluctable automatisme rassurerait paradoxalement le patient et le praticien : agonie en bonne et due forme, exacte comme un contrat, agonie stipulée, sans caprices ni déchirements, à la mesure de peuples qui, non contents d'avoir rejeté les préjugés qui stimulent la vie, rejettent de surcroît celui qui la justifie et la fonde : le préjugé du devenir.

Entrée collective dans la vacuité ! Mais ne nous y trompons pas : cette vacuité, différente en tout point de celle que le bouddhisme qualifie de « siège de la vérité », n'est ni accomplissement ni libération, ni positivité exprimée en termes négatifs, ni davantage effort de méditation, volonté de dépouillement et de nudité, conquête du salut, mais glissement sans noblesse et sans passion. Issue d'une métaphysique anémiée, elle ne saurait être la récompense d'une recherche ou le couronnement d'une inquiétude. L'Orient avance vers la sienne, s'y épanouit et y triomphe, tandis que nous nous embourbons dans la nôtre et y perdons nos dernières ressources. Décidément, tout se dégrade et se corrompt dans nos consciences : le vide même y est impur.

*T*ant de conquêtes, d'acquisitions, d'idées, où vont-elles se perpétuer ? En Russie ? En Amérique du Nord ? L'une et l'autre ont déjà tiré les conséquences du pire de l'Europe... L'Amérique latine ? L'Afrique du Sud ? L'Australie ? C'est de ce côté qu'il faut, semble-t-il, attendre la relève. Relève caricaturale.
L'avenir appartient à la banlieue du globe.

*S*i, dans l'ordre de l'esprit, nous voulons peser les réussites depuis la Renaissance jusqu'à nous, celles de la philosophie ne nous arrêteront pas, la philosophie occidentale ne l'emportant guère sur la grecque, l'hindoue ou la chinoise. Tout au plus les vaut-elle sur certains points. Comme elle ne représente qu'une variété de l'effort philosophique en général, on pourrait, à la rigueur, se passer d'elle et lui opposer les méditations d'un Çankara, d'un Lao-tseu, d'un Platon. Il n'en va pas de même pour la musique, cette grande excuse du monde moderne, phénomène sans parallèle dans aucune autre tradition : où trouver ailleurs l'équivalent d'un Monteverdi, d'un Bach, d'un Mozart ? C'est par elle que l'Occident révèle sa physionomie et atteint à la profondeur. S'il n'a créé ni une sagesse ni une métaphysique qui lui fussent absolument propres, ni même une poésie dont on pût dire qu'elle est sans exemple, il a projeté, en revanche, dans ses productions musicales, toute sa force d'originalité, sa subtilité, son mystère et sa capacité d'ineffable. Il a pu aimer la raison jusqu'à la perversité ; son vrai génie fut pourtant un génie affectif. Le mal qui l'honore le plus ? L'hypertrophie de l'âme.
Sans la musique il n'eût produit qu'un style de civilisation quelconque, prévu... S'il dépose donc son bilan, elle seule témoignera qu'il ne s'est pas gaspillé en vain, qu'il avait vraiment quoi perdre.

*I*l advient parfois à l'homme d'échapper aux persécutions du désir, à la tyrannie de l'instinct de conservation. Flatté par la perspective de déchoir, il sape sa volonté, s'évertue à l'apathie, se dresse contre soi, et appelle au secours son mauvais génie. Affairé, en proie à mille activités qui lui nuisent, il découvre un dynamisme dont il n'avait pas soupçonné l'attrait, le dynamisme de la désagrégation. Il en est tout fier : il va pouvoir enfin se renouveler *à ses dépens*.

Au plus intime des individus, comme des collectivités, habite une énergie destructrice qui leur permet de s'écrouler avec un certain brio : exaltation acide, euphorie de l'anéantissement! En s'y livrant, sans doute espèrent-ils guérir de cette maladie qu'est la conscience. De fait, tout état conscient nous harasse, nous exténue, conspire à notre usure; plus il gagne de l'empire sur nous, plus nous aimerions réintégrer la nuit qui précédait nos veilles, plonger dans l'assoupissement antérieur aux machinations, à l'attentat du Moi. Aspiration d'esprits fourbus et qui explique pourquoi, à certaines époques, l'individu, exaspéré de toujours buter sur soi, de remâcher sa différence, se tourne vers ces temps où, ne faisant qu'un avec le monde, il n'avait pas encore faussé compagnie aux êtres ni dégénéré en homme. Avidité et horreur de la conscience, l'Histoire traduit tout à la fois le désir d'un animal infirme d'accomplir sa vocation et la crainte d'y arriver. Crainte justifiée : quelle disgrâce l'attend au bout de son aventure! Ne vivons-nous pas à un de ces moments où, sur un espace donné, il nous fait assister à son ultime métamorphose?

*Q*uand je passe en revue les mérites de l'Europe, je m'attendris sur elle et m'en veux d'en médire; si, au contraire, j'en dénombre les défaillances, une rage me secoue. J'aimerais alors qu'elle se disloquât au plus tôt, et que le souvenir en disparût. Mais d'autres fois, évoquant et ses titres et ses hontes, je ne sais de quel côté pencher : je l'aime avec regret, je l'aime avec férocité, et ne lui pardonne pas de m'avoir acculé à des sentiments entre lesquels il ne m'est pas permis de choisir. Si du moins je pouvais contempler avec indifférence la délicatesse, les prestiges de ses plaies! Par jeu, j'ai aspiré à m'effondrer avec elle, et j'ai été pris au jeu. La grâce qui fut sienne et dont elle conserve quelques vestiges, aucun effort ne m'a semblé trop grand pour me l'approprier, la revivre, en perpétuer le secret. Peine perdue! — Un homme des cavernes empêtré dans des dentelles...

L'esprit est vampire. S'attaque-t-il à une civilisation? Il la laisse prostrée, défaite, sans souffle, sans l'équivalent spirituel du sang, il la dépouille de sa substance, comme de cette impulsion qui l'entraînait à des actes et à des scandales d'envergure. Engagée dans un processus de détérioration dont rien ne la distrait, elle nous offre l'image de nos dangers et la grimace de notre avenir : elle est notre vide, *elle est nous*; et nous y retrouvons nos insuffisances et nos vices, notre volonté branlante et nos instincts pulvérisés. La peur qu'elle nous inspire, peur de nous-mêmes! Et si, tout comme elle, nous gisons prostrés, défaits, sans souffle, c'est que nous avons connu et subi, nous aussi, le vampirisme de l'esprit.

N'aurais-je jamais deviné l'irréparable qu'un coup d'œil sur l'Europe eût suffi à m'en donner le frisson. Me préservant du vague, elle justifie, attise et flatte mes terreurs, et remplit pour moi la fonction assignée au cadavre dans la méditation du moine.
Sur son lit de mort, Philippe II fit venir son fils et lui dit : «Voilà où finit tout, et la monarchie.» Au chevet de cette Europe, je ne sais quelle voix m'avertit : «Voilà où finit tout, et la civilisation.»

À quoi sert de polémiquer avec le néant? Il est temps de nous ressaisir, de triompher de la fascination du pire. Tout n'est pas perdu : restent les barbares. D'où émergeront-ils? Il n'importe. Pour le moment, sachons que leur démarrage ne tardera pas, que, tout en se préparant à fêter notre ruine, ils méditent sur les moyens de nous redresser, de mettre un terme à nos ratiocinations et à nos phrases. À nous humilier, à nous piétiner, ils nous prêteront assez d'énergie pour nous aider à mourir, ou à renaître. Qu'ils viennent fouetter notre pâleur, revigorer nos ombres, qu'ils nous ramènent la sève qui nous a désertés. Flétris, exsangues, nous ne pouvons réagir contre la fatalité : les agonisants ne se coalisent ni ne se mutinent. Comment compter sur l'éveil, sur les colères de l'Europe? Son sort, et jusqu'à ses révoltes, se règlent ailleurs. Lasse de durer, de s'entretenir plus longtemps avec soi, elle est un vide vers lequel s'ébranleront bientôt les steppes..., un autre vide, un vide *nouveau*.

PETITE THÉORIE DU DESTIN

*C*ertains peuples, tels le russe et l'espagnol, sont si hantés par eux-mêmes qu'ils s'érigent en unique problème : leur développement, en tout point singulier, les contraint à se replier sur leur suite d'anomalies, sur le miracle ou l'insignifiance de leur sort.

Les débuts littéraires de la Russie furent, au siècle dernier, une manière d'apogée, de réussite fulgurante qui ne devait pas manquer de la troubler : il était naturel qu'elle fût une surprise pour elle-même et qu'elle s'exagérât son importance. Les personnages de Dostoïevski la mettent sur le même pied que Dieu, puisque le mode d'interrogation appliqué à celui-ci, ils l'étendent à celle-là : faut-il croire à la Russie ? faut-il la nier ? existe-t-elle réellement, ou n'est-elle qu'un prétexte ? S'interroger de la sorte, c'est poser en termes théologiques un problème local. Mais justement, pour Dostoïevski, la Russie, loin d'être un problème local, est un problème universel, au même titre que l'existence de Dieu. Une telle démarche, abusive et saugrenue, n'était possible que dans un pays dont l'évolution anormale avait de quoi émerveiller ou déconcerter les esprits. On voit mal un Anglais se demandant si l'Angleterre a un sens ou non, ou lui assignant, avec force rhétorique, une mission : il sait qu'il est Anglais, et cela lui suffit. L'évolution de son pays ne comporte pas d'interrogation essentielle.

Chez les Russes, le messianisme dérive d'une incertitude intérieure, aggravée par l'orgueil, d'une volonté d'affirmer leurs tares, de les imposer aux autres, de se décharger sur eux d'un trop-plein suspect. L'aspiration à «sauver» le monde est le phénomène morbide de la jeunesse d'un peuple.

L'Espagne se penche sur soi pour des raisons opposées. Elle eut, elle aussi, des débuts fulgurants, mais ils sont bien lointains. Venue trop tôt, elle a bouleversé le monde, puis s'est laissé choir : cette chute, j'en eus un jour la révélation. C'était à Valladolid, à la

Maison Cervantès. Une vieille, d'apparence quelconque, y contemplait le portrait de Philippe III : « Un fou », dis-je. Elle se tourna vers moi : « C'est avec lui qu'a commencé notre décadence. » J'étais au vif du problème. « Notre décadence ! » Ainsi donc, pensais-je, la décadence est en Espagne un concept courant, national, un cliché, une devise officielle. La nation qui, au XVIᵉ siècle, offrait au monde un spectacle de magnificence et de folie, la voilà réduite à codifier son engourdissement. S'ils en avaient eu le temps, sans doute les derniers Romains n'eussent-ils pas procédé autrement ; remâcher leur fin, ils ne le pouvaient : les Barbares les cernaient déjà. Mieux partagés, les Espagnols eurent le loisir (trois siècles !) de songer à leurs misères et de s'en imprégner. Bavards par désespoir, improvisateurs d'illusions, ils vivent dans une sorte d'âpreté chantante, de *non-sérieux tragique*, qui les sauve de la vulgarité, du bonheur et de la réussite. Changeraient-ils un jour leurs anciennes marottes contre d'autres plus modernes, qu'ils resteraient néanmoins marqués par une si longue absence. Hors d'état de s'accorder au rythme de la « civilisation », calotins ou anarchistes, ils ne sauraient renoncer à leur inactualité. Comment rattraperaient-ils les autres nations, comment seraient-ils à la page, alors qu'ils ont épuisé le meilleur d'eux-mêmes à ruminer sur la mort, à s'y encrasser, à en faire une expérience viscérale ? Rétrogradant sans cesse vers l'essentiel, ils se sont perdus par excès de profondeur. L'idée de décadence ne les préoccuperait pas tant si elle ne traduisait en termes d'histoire leur grand faible pour le néant, leur obsession du squelette. Rien d'étonnant que pour chacun d'eux son pays soit *son* problème. En lisant Ganivet, Unamuno ou Ortega, on s'aperçoit que pour eux l'Espagne est un paradoxe qui les touche intimement et qu'ils n'arrivent pas à réduire à une formule rationnelle. Ils y reviennent toujours, fascinés par l'attraction de l'insoluble qu'il représente. Ne pouvant le résoudre par l'analyse, ils méditent sur Don Quichotte, chez lequel le paradoxe est encore plus insoluble, puisque symbole... On ne se figure pas un Valéry ni un Proust méditant sur la France pour se découvrir eux-mêmes : pays accompli, sans ruptures graves qui sollicitent l'inquiétude, pays non tragique, elle n'est pas un cas : ayant réussi, ayant conclu son sort, comment serait-elle « intéressante » ?

C'est le mérite de l'Espagne de proposer un type de développement insolite, un destin génial et inachevé. (On dirait un Rimbaud incarné dans une collectivité.) Pensez à la frénésie qu'elle a déployée dans sa poursuite de l'or, à son affalement dans l'anonymat, pensez ensuite aux conquistadores, à leur banditisme et à leur piété, à la façon dont ils associèrent l'évangile au meurtre, le crucifix au poignard. À ses beaux moments, le catholicisme fut sanguinaire, ainsi qu'il sied à toute religion vraiment inspirée.

La Conquête et l'Inquisition, — phénomènes parallèles issus des vices grandioses de l'Espagne. Tant qu'elle fut forte, elle excella au massacre, et y apporta non seulement son souci d'apparat, mais aussi le plus intime de sa sensibilité. Seuls les peuples cruels ont l'heur de se rapprocher des sources mêmes de la vie, de ses palpitations, de ses arcanes qui réchauffent : la vie ne dévoile son essence qu'à des yeux injectés de sang... Comment croire aux philosophies quand on sait de quels regards pâles elles sont le reflet ? L'habitude du raisonnement et de la spéculation est l'indice d'une insuffisance vitale et d'une détérioration de l'affectivité. Pensent avec méthode ceux-là seuls qui, à la faveur de leurs déficiences, parviennent à s'oublier, à ne plus faire corps avec leurs idées : la philosophie, apanage d'individus et de peuples *biologiquement* superficiels.

Il est à peu près impossible de parler avec un Espagnol d'autre chose que de son pays, univers clos, sujet de son lyrisme et de ses réflexions, province absolue, hors du monde. Tour à tour exalté et abattu, il y porte des regards éblouis et moroses ; l'écartèlement est sa forme de rigueur. S'il s'accorde un avenir, il n'y croit pas réellement. Sa trouvaille : l'illusion sombre, la fierté de désespérer ; son génie : le génie du regret.

Quelle que soit son orientation politique, l'Espagnol ou le Russe qui s'interroge sur son pays aborde la seule question qui compte à ses yeux. On saisit la raison pour laquelle ni la Russie ni l'Espagne n'ont produit aucun philosophe d'envergure. C'est que le philosophe doit s'attaquer aux idées en spectateur ; avant de les assimiler, de les faire siennes, il lui faut les considérer du dehors, s'en dissocier, les peser, et, au besoin, *jouer* avec elles ; puis, la maturité aidant, il élabore un système avec lequel il ne se confond jamais tout à fait. C'est cette supériorité à l'égard de leur propre philosophie que nous admirons chez les Grecs. Il en va de même pour tous ceux qui s'attachent au problème de la connaissance et en font l'objet essentiel de leur méditation. Ce problème ne trouble ni les Russes ni les Espagnols. Impropres à la contemplation intellectuelle, ils entretiennent des rapports assez bizarres avec l'Idée. Combattent-ils avec elle ? Ils ont toujours le dessous ; elle s'empare d'eux, les subjugue, les opprime ; martyrs consentants, ils ne demandent qu'à souffrir pour elle. Avec eux, nous sommes loin du domaine où l'esprit joue avec soi et les choses, loin de toute perplexité méthodique.

L'évolution anormale de la Russie et de l'Espagne les a donc amenées à s'interroger sur leur propre destin. Mais ce sont deux grandes nations, malgré leurs lacunes et leurs accidents de croissance. Combien le problème national est plus tragique pour les petits peuples ! Point d'irruption subite chez eux, ni de décadence lente. Sans appui dans l'avenir ni dans le passé, ils s'appesantissent sur soi : une longue méditation stérile en résulte. Leur évolution ne saurait être anormale, car ils n'évoluent pas. Que leur reste-t-il ? La résignation à eux-mêmes, puisque, hors d'eux, il y a toute l'Histoire dont précisément ils sont exclus.

Leur nationalisme, qu'on prend pour de la farce, est plutôt un masque, grâce auquel ils essaient de cacher leur propre drame, et d'oublier, dans une fureur de revendications, leur inaptitude à s'insérer dans les événements : mensonges douloureux, réaction exaspérée en face du mépris qu'ils craignent de mériter, manière d'escamoter l'obsession secrète de soi. En termes plus simples : un peuple qui est un tourment pour lui-même est un peuple malade. Mais alors que l'Espagne souffre pour être sortie de l'Histoire, et la Russie pour vouloir à toute force s'y établir, les petits peuples, eux, se débattent pour n'avoir aucune de ces raisons de désespérer ou de s'impatienter. Affectés d'une tare originelle, ils n'y peuvent remédier par la déception, ni par le rêve. Aussi n'ont-ils d'autres ressources que d'être hantés par eux-mêmes. Hantise qui n'est pas dépourvue de beauté, puisqu'elle ne les mène à rien et qu'elle n'intéresse personne.

*I*l y a des pays qui jouissent d'une espèce de bénédiction, de grâce : tout leur réussit, même leurs malheurs, même leurs catastrophes ; il y en a d'autres qui ne peuvent aboutir, et dont les triomphes équivalent à des échecs. Quand ils veulent s'affirmer, et qu'ils font un bond en avant, une fatalité extérieure intervient pour briser leur ressort et pour les ramener à leur point de départ. Toutes les chances leur sont retirées, même celle du ridicule.

Être Français est une évidence : on n'en souffre ni on ne s'en réjouit ; on dispose d'une certitude qui justifie la vieille interrogation : « Comment peut-on être Persan ? »

Le paradoxe d'être Persan (en l'occurrence, Roumain) est un tourment qu'il faut savoir exploiter, un défaut dont on doit tirer profit. Je confesse avoir naguère regardé comme une honte d'appartenir à une nation quelconque, à une collectivité de vaincus, sur l'origine desquels aucune illusion ne m'était permise. Je croyais, et je ne me trompais peut-être pas, que nous étions issus de la lie des Barbares, du rebut des grandes Invasions, de ces hordes qui, impuissantes à poursuivre leur marche vers l'Ouest, s'affaissèrent le long des Carpates et du Danube, pour s'y tapir, pour y sommeiller, masse de déserteurs aux confins de l'Empire, racaille fardée d'un rien de latinité. Tel passé, tel présent. Et tel avenir. Quelle épreuve pour ma jeune arrogance! «Comment peut-on être Roumain?» était une question à laquelle je ne pouvais répondre que par une mortification de chaque instant. Haïssant les miens, mon pays, ses paysans intemporels, épris de leur torpeur, et comme éclatants d'hébétude, je rougissais d'en descendre, les reniais, me refusais à leur sous-éternité, à leurs certitudes de larves pétrifiées, à leur songerie géologique. J'avais beau chercher sur leurs traits le frétillement, les simagrées de la révolte : le singe, hélas! se mourait en eux. Au vrai, ne relevaient-ils pas du minéral? Ne sachant comment les bousculer, les animer, j'en vins à rêver d'une extermination. On ne massacre pas des pierres. Le spectacle qu'ils m'offraient justifiait et déroutait, alimentait et écœurait mon hystérie. Et je ne cessais de maudire l'accident qui me fit naître parmi eux.

Une grande idée les possédait : celle du destin ; je la répudiais de toutes mes forces, n'y voyais qu'un subterfuge de poltrons, une excuse à toutes les abdications, une expression du bon sens et de sa philosophie funèbre. À quoi m'accrocher? Mon pays dont l'existence, visiblement, ne rimait à rien, m'apparaissait comme un résumé du néant ou une matérialisation de l'inconcevable, comme une sorte d'Espagne sans siècle d'or, sans conquêtes ni folies, et sans un Don Quichotte de nos amertumes. En faire partie, quelle leçon d'humiliation et de sarcasme, quelle calamité, quelle lèpre!

La grande idée qui y régnait, j'étais trop impertinent, trop fat, pour en percevoir l'origine, la profondeur, ou les expériences, le système de désastres qu'elle supposait. Je ne devais la comprendre que bien plus tard. Comment elle s'est insinuée en moi, je l'ignore. Quand je fus amené à la ressentir lucidement, je me réconciliai avec mon pays qui, *du coup*, cessa de me hanter.

Pour se dispenser d'agir, les peuples opprimés s'en remettent au «destin», salut négatif en même temps que moyen d'interpréter les événements : philosophie de l'histoire *à l'usage quotidien*, vision déterministe à base affective, métaphysique de circonstance...

Si les Allemands sont, eux aussi, sensibles au destin, ils n'y voient pourtant pas un principe intervenant du dehors, mais une puissance qui, émanée de leur volonté, finit par leur échapper et par se retourner contre eux pour les briser. Lié à leur appétit de démiurgie, le *Schicksal* suppose moins un jeu de fatalités à l'intérieur du monde qu'à l'intérieur du moi. Autant dire que, jusqu'à un certain point il dépend d'eux.

Pour le concevoir extérieur à nous, omnipotent et souverain, un très vaste cycle de faillites est requis. Condition que mon pays remplit pleinement. Il serait indécent qu'il crût à l'effort, à l'utilité de l'acte. Aussi n'y croit-il pas, et, par bienséance, se résigne-t-il à l'inévitable. Je lui suis reconnaissant de m'avoir légué, avec le code du désespoir, ce savoir-vivre, cette aisance en face de la Nécessité, ainsi que nombre d'impasses et l'art de m'y plier. Prompt à soutenir mes déceptions et à révéler à mon indolence le secret de les conserver, il m'a prescrit en outre, dans son empressement à faire de moi un vaurien soucieux d'apparences, les moyens de me dégrader sans trop me compromettre. Je ne lui dois pas seulement mes plus beaux, mes plus sûrs échecs, mais encore cette aptitude à maquiller mes lâchetés et à thésauriser mes remords. De combien d'autres avantages ne lui suis-je pas redevable ! Ses titres à ma gratitude sont, à la vérité, si multiples qu'il serait fastidieux de les énumérer.

Quelque bonne volonté que j'y eusse dépensée, aurais-je pu, sans lui, gâcher mes jours d'une manière si exemplaire ? Il m'y a aidé, poussé, encouragé. Manquer sa vie, on l'oublie trop vite, n'est pas tellement facile : il y faut une longue tradition, un long entraînement, le travail de plusieurs générations. Ce travail accompli, tout va à merveille. La certitude de l'Inutilité vous échoit alors en héritage : c'est un bien que vos ancêtres ont acquis pour vous à la sueur de leur front et au prix d'innombrables humiliations. Veinard, vous en profitez, en faites parade. Quant à vos humiliations à vous, il vous sera toujours loisible de les embellir ou escamoter, d'affecter une allure d'avorton élégant, d'être, honorablement, le dernier des hommes. La politesse, *l'usage* du malheur, privilège de ceux qui, nés perdus, ont débuté par leur fin. Se savoir d'une engeance qui n'a jamais été est une amertume où il entre quelque douceur et même quelque volupté.

L'exaspération que je ressentais autrefois quand j'entendais n'importe qui dire à propos de tout et de rien : «destin», me semble maintenant puérile. J'ignorais alors que j'arriverais à en faire autant ; que, m'abritant moi aussi derrière ce vocable, j'y rapporterais chances et malchances et tous les détails du bonheur et du malheur, que, de plus, je m'agripperais à la Fatalité avec l'extase d'un naufragé et lui adresserais mes premières pensées avant de me précipiter dans l'horreur de chaque jour. «Tu disparaîtras dans l'espace, ô ma Russie», s'est exclamé Tioutchev au siècle dernier. Son exclamation je l'appliquais avec plus d'à propos à mon pays, autrement constitué pour disparaître, organisé à merveille pour être englouti, pourvu de toutes les qualités d'une victime idéale et anonyme. L'habitude de la souffrance sans fin et sans raison, la plénitude du désastre, quel apprentissage à l'école des tribus écrasées! Le plus ancien historien roumain commence ainsi ses chroniques: «Ce n'est pas l'homme qui commande aux temps, mais les temps qui commandent à l'homme.» Formule fruste, programme et épitaphe d'un coin de l'Europe. Pour saisir le ton de la sensibilité populaire dans les pays du Sud-Est, il n'est que de se rappeler les lamentations du chœur dans la tragédie grecque. Par une tradition inconsciente, tout un espace ethnique en fut marqué. Routine du soupir et de l'infortune, jérémiades de peuples mineurs devant la bestialité des grands! Gardons-nous pourtant de trop nous plaindre: n'est-il pas réconfortant de pouvoir opposer aux désordres du monde la cohérence de nos misères et de nos défaites? Et n'avons-nous pas, face au dilettantisme universel, la consolation de posséder, en matière de douleurs, une compétence d'écorchés et d'érudits?

AVANTAGES DE L'EXIL

C'est à tort que l'on se fait de l'exilé l'image de quelqu'un qui abdique, se retire et s'efface, résigné à ses misères, à sa condition de déchet. À l'observer, on découvre en lui un ambitieux, un déçu agressif, un aigri doublé d'un conquérant. Plus nous sommes dépossédés, plus s'exacerbent nos appétits et nos illusions. Je discerne même quelque relation entre le malheur et la mégalomanie. Celui qui a tout perdu conserve comme dernier recours l'espoir de la gloire, ou du scandale littéraire. Il consent à tout abandonner, sauf son nom. Mais son nom, comment l'imposera-t-il, alors qu'il écrit dans une langue que les civilisés ignorent ou méprisent ?

Va-t-il s'essayer à un autre idiome ? Il ne lui sera pas aisé de renoncer aux mots où traîne son passé. Qui renie sa langue, pour en adopter une autre, change d'identité, voire de déceptions. Héroïquement traître, il rompt avec ses souvenirs et, jusqu'à un certain point, avec lui-même.

Tel écrit un roman qui, du jour au lendemain, le rend célèbre. Il y raconte ses souffrances. Ses compatriotes, à l'étranger, le jalousent : eux aussi ont souffert, peut-être davantage. Et l'apatride devient — ou aspire à devenir — romancier. Il en résulte une accumulation de désarrois, une inflation d'horreurs, de frissons qui *datent*. On ne peut indéfiniment renouveler l'enfer, dont la caractéristique même est la monotonie, ni non plus le visage de l'exil. Rien en littérature n'exaspère tant que le terrible ; dans la vie, il est trop entaché d'évidence pour que l'on s'y arrête. Mais notre auteur persiste ; pour le moment, il enfouit son roman au fond d'un tiroir, et attend son heure. L'illusion d'une surprise, d'une renommée qui se dérobe mais qu'il escompte, le soutient ; il vit d'irréalité. Telle est cependant la force de cette illusion que, s'il travaille dans une usine, c'est avec l'idée d'en être arraché un jour par une célébrité aussi subite qu'inconcevable.

*É*galement tragique est le cas du poète. Enclos dans sa propre langue, il écrit pour ses amis, pour dix, pour vingt personnes au plus. Son désir d'être lu n'est pas moins impérieux que celui du romancier improvisé. Du moins a-t-il sur lui l'avantage de pouvoir placer ses vers dans les petites revues de l'émigration qui paraissent au prix de sacrifices et de renoncements presque indécents. Tel se transforme en directeur de revue ; pour la faire durer, il risque la faim, se détourne des femmes, s'enterre dans une chambre sans fenêtres, s'impose des privations qui confondent et épouvantent. La masturbation et la tuberculose, voilà son lot.

Si peu nombreux que soient les émigrés, ils se constituent en groupes, non point pour défendre leurs intérêts, mais pour se cotiser, se saigner, afin de publier leurs regrets, leurs cris, leurs appels sans écho. On chercherait vainement une forme plus déchirante de gratuité.

Qu'ils soient aussi bons poètes que mauvais prosateurs, cela tient à des raisons assez simples. Examinez la production littéraire de n'importe quel petit peuple qui n'a pas la puérilité de se forger un passé : l'abondance de la poésie en est le trait le plus frappant. La prose demande, pour se développer, une certaine rigueur, un état social différencié ; et une tradition : elle est délibérée, construite ; la poésie *surgit*, elle est directe, ou alors totalement fabriquée ; apanage des troglodytes et des raffinés, elle ne s'épanouit qu'en deçà ou au-delà, toujours en marge de la civilisation. Alors que la prose exige un génie réfléchi et une langue cristallisée, la poésie est parfaitement compatible avec un génie barbare et une langue informe. Créer une littérature c'est créer une prose.

*Q*ue tant ne disposent d'aucun autre mode d'expression que la poésie, quoi de plus naturel ? Ceux-là mêmes qui ne sont pas particulièrement doués, puisent, dans leur déracinement, dans l'automatisme de leur exception, ce supplément de talent qu'ils n'eussent point trouvé dans une existence normale.

Sous quelque forme qu'il se présente, et quelle qu'en soit la cause, l'exil, à ses débuts, est une école de vertige. Et le vertige, à tous n'est pas donnée la chance d'y accéder. C'est une situation limite et comme l'extrémité de l'état poétique. N'est-ce point une faveur que d'y être transporté d'emblée, sans les détours d'une discipline, par la seule bienveillance de la fatalité ? Pensez à cet apatride de luxe, à Rilke, au nombre de solitudes qu'il lui fallut accumuler pour liquider ses attaches, pour prendre pied dans l'invisible. Il n'est point aisé de n'être de nulle part, quand aucune condition extérieure ne vous y contraint. Le mystique lui-même n'atteint au dépouillement qu'au prix d'efforts monstrueux. S'arracher au monde, quel travail d'abolition ! L'apatride, lui, y parvient sans se mettre en frais, par le concours — par l'hostilité — de l'histoire. Point de tourments, de veilles, pour qu'il se dépouille de tout ; les événements l'y obligent. En un certain sens, il ressemble au malade, lequel, comme lui, s'installe dans la métaphysique ou la poésie sans mérite personnel, par la force des choses, par les bons offices de la maladie. Absolu de pacotille ? Peut-être, encore qu'il ne soit pas prouvé que les résultats acquis par l'effort dépassent en valeur ceux qui dérivent du repos dans l'inéluctable.

*U*n danger menace le poète déraciné : celui de s'adapter à son sort, de ne plus en souffrir, de s'y plaire. Personne ne peut sauver la jeunesse de ses chagrins ; ils s'usent. Ainsi en est-il du mal du pays, de toute nostalgie. Les regrets perdent de leur lustre, eux-mêmes se défraîchissent, et, à l'instar de l'élégie, tombent vite dans la désuétude. Quoi alors de plus normal que de s'établir dans l'exil, Cité du Rien, patrie à rebours ? Dans la mesure où il s'y délecte, le poète dilapide la matière de ses émotions, les ressources de son malheur, comme son rêve de gloire. La malédiction dont il tirait orgueil et profit ne l'accablant plus, il perd, avec elle, et l'énergie de son exception et les raisons de sa solitude. Rejeté de l'enfer, il tentera en vain de s'y réinstaller, de s'y retremper : ses souffrances, trop assagies, l'en rendront à jamais indigne. Les cris dont naguère il était encore fier se sont faits amertumes, et l'amertume ne se fait pas vers : elle le mènera hors de la poésie. Plus de chants ni d'excès. Ses plaies fermées, il aura beau les remuer pour en extraire quelques accents : au mieux sera-t-il l'épigone de ses douleurs. Une déchéance honorable l'attend. Faute de diversité, d'inquiétudes originales, son inspiration se dessèche. Bientôt, résigné à l'anonymat et comme intrigué par sa médiocrité, il prendra le masque d'un bourgeois *de nulle part*. Le voilà au terme de sa carrière lyrique, au point le plus stable de son déclassement.

«*R*angé», assis dans le bien-être de sa chute, que fera-t-il ensuite ? Il aura le choix entre deux formes de salut : la foi et l'humour. S'il traîne quelques vestiges d'anxiété, il les liquidera petit à petit au moyen de mille prières ; à moins qu'il ne se complaise à une métaphysique gentille, passe-temps des versificateurs épuisés. Que si, au contraire, il est enclin à la moquerie, il minimisera ses défaites au point de s'en réjouir. Selon son tempérament, il sacrifiera donc à la piété ou au sarcasme. Dans l'un et l'autre cas, il aura triomphé de ses ambitions, comme de ses malchances, pour atteindre à un but plus haut, pour devenir un vaincu décent, un réprouvé convenable.

UN PEUPLE DE SOLITAIRES

J'essaierai de divaguer sur les épreuves d'un peuple, sur son histoire qui déroute l'Histoire, sur son destin qui semble relever d'une logique surnaturelle où l'inouï se mêle à l'évidence, le miracle à la nécessité. D'aucuns l'appellent race, d'autres nation, certains tribu. Comme il répugne aux classifications, ce qu'on en peut dire de précis est inexact; nulle définition ne lui convient. Pour le mieux saisir, il faudrait recourir à quelque catégorie à part, car tout chez lui est insolite : n'est-il pas le premier à avoir colonisé le ciel, et à y avoir placé *son* dieu? Aussi impatient de créer des mythes que de les détruire, il s'est forgé une religion dont il se réclame, dont il rougit... Malgré sa clairvoyance, il sacrifie volontiers à l'illusion : il espère, il espère toujours trop... Conjonction étrange de l'énergie et de l'analyse, de la soif et du sarcasme. Avec autant d'ennemis n'importe qui, à sa place, eût déposé les armes; mais lui, inapte aux douceurs du désespoir, passant outre à sa fatigue millénaire, aux conclusions que lui impose son sort, il vit dans le délire de l'attente, tout décidé à ne pas tirer un enseignement de ses humiliations, ni à en déduire une règle de modestie, un principe d'anonymat. Il préfigure la diaspora universelle : son passé résume notre avenir. Plus nous entrevoyons nos lendemains, plus nous nous rapprochons de lui, et plus nous le fuyons : nous tremblons tous d'avoir à l'égaler un jour... «Vous suivrez bientôt mes pas», semble-t-il nous dire, tandis qu'il trace, au-dessus de nos certitudes, un point d'interrogation...

*Ê*tre homme est un drame; être juif en est un autre. Aussi le Juif a-t-il le privilège de vivre *deux fois* notre condition. Il représente l'existence séparée par excellence ou, pour employer une expression dont les théologiens qualifient Dieu, le *tout autre*. Conscient de sa singularité, il y pense sans arrêt, et ne s'oublie jamais; d'où cet air contraint, crispé, ou faussement assuré, si fréquent chez ceux qui portent le fardeau d'un secret. Au lieu de s'enorgueillir de ses origines, de les afficher et de les clamer, il les camoufle : son sort, à nul autre pareil, ne lui confère-t-il pas pourtant le droit de regarder avec hauteur la tourbe humaine ? Victime, il réagit à sa façon, en vaincu sui generis. Par plus d'un côté, il s'apparente à ce serpent dont il fit un personnage et un symbole. N'allons cependant pas croire que lui aussi a le sang froid : ce serait ignorer sa vraie nature, ses emballements, sa capacité d'amour et de haine, son goût de la vengeance ou les excentricités de sa charité. (Certains rabbins hassidiques ne le cèdent en rien aux saints chrétiens.) Excessif en tout, émancipé de la tyrannie du paysage, des niaiseries de l'enracinement, sans attaches, acosmique, il est l'homme qui ne sera jamais *d'ici*, l'homme venu d'ailleurs, l'étranger en soi, et qui ne saurait sans équivoque parler au nom des indigènes, de *tous*. Traduire leurs sentiments, s'en rendre l'interprète, s'il y prétend, quelle tâche ! Point de foule qu'il puisse entraîner, mener, soulever : la trompette ne lui sied pas. On lui reprochera ses parents, ses ancêtres qui reposent au loin, en d'autres pays, en d'autres continents. Sans tombes à montrer, à exploiter, sans moyen d'être le porte-voix d'aucun cimetière, il ne représente personne, sinon soi, rien que soi. Se réclame-t-il du dernier slogan ? Se trouve-t-il au principe d'une révolution ? Il se verra rejeté au moment même où ses idées triomphent, où ses phrases auront force de loi. S'il sert une cause, il ne pourra s'en prévaloir jusqu'au bout. Un jour vient où il lui faut la contempler en spectateur, en déçu. Puis il en défendra une autre, avec des déboires non moins éclatants. Change-t-il de pays ? Son drame recommence : l'exode est son assise, sa certitude, son chez soi.

Meilleur et pire que nous, il incarne les extrêmes auxquels nous aspirons sans y atteindre : il est *nous* au-delà de nous-mêmes... Comme sa teneur en absolu dépasse la nôtre, il offre en bien, en mal, l'image idéale de nos capacités. Son aisance dans le déséquilibre, la routine qu'il y a acquise, en font un détraqué, expert en psychiatrie comme en toutes sortes de thérapeutiques, un théoricien de ses propres maux : il n'est pas, comme nous, anormal par accident ou par snobisme, mais naturellement, sans effort, et par tradition : tel est l'avantage d'une destinée géniale à l'échelle d'un peuple. Anxieux tourné vers l'acte, malade impropre à lâcher prise, il se soigne *en avançant*. Ses revers ne ressemblent pas aux nôtres ; jusque dans le malheur il refuse le conformisme. Son histoire — un interminable schisme.

Brimé au nom de l'Agneau, sans doute restera-t-il non chrétien aussi longtemps que le christianisme se maintiendra au pouvoir. Mais tant il aime le paradoxe — et les souffrances qui en dérivent — qu'il se convertira peut-être à la religion chrétienne au moment où elle sera universellement honnie. On le persécutera alors pour sa nouvelle foi. Titulaire d'un destin religieux, il a survécu à Athènes et à Rome, comme il survivra à l'Occident, et il poursuivra sa carrière, envié et haï par tous les peuples qui naissent et meurent...

Quand les églises seront à jamais désertées, les Juifs y rentreront ou en bâtiront d'autres, ou, ce qui est plus probable, planteront la croix sur les synagogues. En attendant, ils guettent le moment où Jésus sera abandonné : verront-ils alors en lui leur véritable Messie ? On le saura à la fin de l'Église..., car, à moins d'un abrutissement imprévisible, ils ne daigneront s'agenouiller à côté des chrétiens ni gesticuler avec eux. Le Christ, ils l'auraient reconnu s'il n'avait été accepté par les nations et qu'il ne fût devenu un bien commun, un messie d'exportation. Sous la domination romaine, ils furent les seuls à ne pas admettre dans leurs temples les statues des empereurs ; lorsqu'on les y força, ils se soulevèrent. Leur espoir messianique fut moins un rêve de conquérir les autres nations que d'en détruire les dieux pour la gloire de Jahweh : théocratie sinistre dressée devant un polythéisme aux allures sceptiques. Comme ils faisaient bande à part dans l'empire, on les taxait de scélératesse, car on ne comprenait pas leur exclusivisme, leur refus de s'asseoir à table avec des étrangers, de participer aux jeux, aux spectacles, de se mêler aux autres et d'en respecter les coutumes. Ils n'accordaient crédit qu'à leurs propres préjugés : d'où l'accusation de «misanthropie», crime que leur imputaient Cicéron, Sénèque, Celse, et, avec eux, toute l'Antiquité. Déjà, en 130 av. J.-C., lors du siège de Jérusalem par Antiochus, les amis de celui-ci lui conseillèrent de «s'emparer de la ville de vive force, et d'anéantir complètement la race juive : car seule de toutes les nations, elle refusait d'avoir aucun rapport de société avec les autres peuples, et les considérait comme des ennemis» (Posidonios d'Apamée). Se plurent-ils au rôle d'indésirables ? Voulaient-ils dès le principe être seuls sur terre ? Ce qui est certain, c'est qu'ils apparurent pendant longtemps comme l'incarnation même du fanatisme et que leur inclination pour l'idée libérale est plutôt acquise qu'innée. Le plus intolérant et le plus persécuté des peuples unit l'universalisme au plus strict particularisme. Contradiction de nature : inutile d'essayer de la résoudre ou de l'expliquer.

Usé jusqu'à la corde, le christianisme a cessé d'être une source d'étonnement et de scandale, de déclencher des crises ou de féconder les intelligences. Il n'incommode plus l'esprit ni ne l'astreint à la moindre interrogation ; les inquiétudes qu'il suscite, comme ses réponses et ses solutions, sont molles, assoupissantes : aucun déchirement d'avenir, aucun drame ne saurait partir de lui. Il a fait son temps : déjà nous bâillons sur la Croix... Tenter de le sauver, d'en prolonger la carrière, nous n'y songeons nullement ; à l'occasion il éveille notre... indifférence. Après avoir occupé nos profondeurs, c'est tout juste s'il se maintient à notre surface ; bientôt, évincé, il ira grossir la somme de nos expériences manquées. Contemplez les cathédrales : ayant perdu l'élan qui en soulevait la masse, redevenues *pierre*, elles se rapetissent et s'affalent ; leur flèche même, qui autrefois pointait insolemment vers le ciel, subit la contamination de la pesanteur et imite la modestie de nos lassitudes.

Quand par hasard nous pénétrons dans l'une d'elles, nous pensons à l'inutilité des prières qu'on y a proférées, à tant de fièvres et de folies gaspillées en vain. Bientôt le vide y régnera. Plus rien de gothique dans la matière, plus rien de gothique en nous. Si le christianisme conserve un semblant de réputation, il en est redevable aux attardés qui, le poursuivant d'une haine rétrospective, voudraient pulvériser les deux mille ans où, on ne sait par quel manège, il a obtenu l'acquiescement des esprits. Comme ces attardés, ces haïsseurs se font de plus en plus rares, et qu'il ne se console pas de la perte d'une si longue popularité, il regarde de tous côtés, à l'affût d'un événement susceptible de le ramener au premier plan de l'actualité. Pour qu'il redevienne «curieux», il faudrait l'élever à la dignité d'une secte maudite ; seuls les Juifs pourraient s'en charger : ils projetteraient en lui assez d'étrangeté pour le renouveler et en rajeunir le mystère. L'eussent-ils adopté au bon moment, qu'ils auraient eu le sort de tant d'autres peuples dont l'histoire conserve à peine le nom. C'est pour s'épargner un tel sort qu'ils le rejetèrent. Laissant aux Gentils les avantages éphémères du salut, ils optèrent pour les inconvénients durables de la perdition. Infidélité ? C'est le reproche qu'à la suite de saint Paul on ne cesse de leur adresser. Reproche ridicule, puisque leur faute consiste précisément en une trop grande fidélité à soi. Auprès d'eux, les premiers chrétiens font figure d'opportunistes :

sûrs de leur cause, ils attendaient allégrement le martyre. En s'y exposant, ils ne faisaient du reste que sacrifier aux mœurs d'une époque où le goût des hémorragies spectaculaires rendait le sublime facile.

Tout différent est le cas des Juifs. En refusant de suivre les idées du temps, la grande folie qui s'emparait du monde, ils échappaient provisoirement aux persécutions. Mais à quel prix! Pour n'avoir pas partagé les épreuves momentanées des nouveaux fanatiques, ils allaient par la suite supporter le poids et la terreur de la croix, car c'est pour eux, et non pour les chrétiens, qu'elle devint symbole de supplice

Tout au long du Moyen Âge, ils se firent massacrer parce qu'ils avaient crucifié un des leurs... Nul peuple n'a payé si cher un geste inconsidéré, mais explicable, et, tout compte fait, naturel. Du moins tel me parut-il le jour où j'assistai au spectacle de la «Passion» à Oberammergau. Dans le conflit entre Jésus et les autorités, c'est, évidemment, pour Jésus que le public, avec force larmes, prend parti. M'évertuant inutilement à en faire autant, je me sentais *seul* dans la salle. Que s'était-il passé? Je me trouvais à un procès où les arguments de l'accusation me frappaient par leur justesse. Anne et Caïphe incarnaient à mes yeux le bon sens même. Employant des procédés honnêtes, ils portaient de l'intérêt au cas qui leur était soumis. Peut-être ne demandaient-ils qu'à se convertir. Je partageais leur exaspération devant les réponses approximatives de l'accusé. Irréprochables en tout point, ils n'usaient d'aucun subterfuge théologique ou juridique : un interrogatoire parfait. Leur probité me gagna : je passai de leur côté, et j'approuvai Judas, tout en méprisant son remords. Dès lors, le dénouement du conflit me laissa indifférent. Et quand je quittai la salle, je pensai que le public perpétuait par ses larmes un malentendu deux fois millénaire.

Quelque lourd de conséquences qu'il ait été, le rejet du christianisme demeure le plus bel exploit des Juifs, un *non* qui les honore. Si auparavant ils marchaient seuls par nécessité, ils le feront désormais par résolution, en réprouvés munis d'un grand cynisme, de l'unique précaution qu'ils aient prise contre leur avenir...

*I*mbus de leurs crises de conscience, les chrétiens, tout contents qu'un autre ait souffert pour eux, se prélassent à l'ombre du Calvaire. S'ils s'emploient parfois à en refaire les étapes, quel parti ils savent en tirer! Avec un air de profiteurs, ils s'épanouissent à l'église, et, lorsqu'ils en sortent, ils dissimulent à peine ce sourire que donne la certitude obtenue sans fatigue. La grâce, n'est-ce pas, se trouve de leur côté, grâce à bon marché, suspecte, qui les dispense de tout effort. Des «sauvés» de cirque, des fanfarons de la rédemption, des jouisseurs chatouillés par l'humilité, le péché et l'enfer. S'ils tourmentent leur conscience, c'est pour se procurer des sensations. Ils s'en procurent encore en tourmentant la vôtre. Qu'ils y décèlent quelques scrupules, quelque déchirement ou la présence obsédante d'une faute ou d'un péché, ils ne vous lâcheront plus, ils vous obligeront à exhiber votre trouble ou à crier votre culpabilité, tandis qu'ils assisteront en sadiques au spectacle de votre désarroi. Pleurez si vous le pouvez : c'est ce qu'ils attendent, impatients qu'ils sont de se soûler de vos larmes, de patauger, charitables et féroces, dans vos humiliations, de se régaler de vos douleurs. Tous ces hommes à convictions sont si avides de sensations douteuses qu'ils s'en cherchent partout, et, quand ils n'en trouvent pas à l'extérieur, ils se ruent sur eux-mêmes. Loin d'être hanté par la vérité, le chrétien s'émerveille de ses «conflits intérieurs», de ses vices et de ses vertus, de leur puissance d'intoxication, jubile autour de la Croix, et, en épicurien de l'horrible, il associe le plaisir à des sentiments qui n'en comportent guère : n'a-t-il pas inventé *l'orgasme* du remords ? C'est ainsi qu'on gagne à tout coup...

Bien que *choisis*, les Juifs, eux, ne devaient acquérir par cette élection aucun avantage : ni paix, ni salut... Tout au contraire, elle leur fut imposée comme une épreuve, comme un châtiment. *Des élus sans la grâce.* Aussi leurs prières ont-elles d'autant plus de mérite qu'elles s'adressent à un dieu sans excuse.

Non point qu'il faille condamner les Gentils en masse. Mais enfin ils n'ont pas de quoi être si fiers : ils font tranquillement partie du «genre humain»... C'est ce que, de Nabuchodonosor à Hitler, on n'a pas voulu accorder aux Juifs ; par malheur, ces derniers n'eurent pas le courage d'en tirer vanité. Avec une arrogance de dieux, ils auraient dû se vanter de leurs différences, proclamer à la face de l'univers qu'ils n'avaient pas de semblables ni ne voulaient en avoir, cracher sur les races et les empires, et, dans un élan d'auto-destruction, soutenir les thèses de leurs détracteurs, donner raison à ceux qui les haïssent... Laissons les regrets, ou le délire. Qui ose reprendre à son propre compte les arguments de ses ennemis ? Un tel ordre de grandeur, à peine concevable chez un être, ne l'est guère chez un peuple. L'instinct de conservation dépare les individus comme les collectivités.

Si les Juifs n'avaient à affronter que l'antisémite professionnel, leur drame en serait singulièrement amoindri. Aux prises en fait avec la quasi-totalité de l'humanité, ils savent que l'antisémitisme ne représente pas un phénomène d'époque, mais une constante, et que leurs bourreaux d'hier employaient les mêmes termes que Tacite... Les habitants du globe se partagent en deux catégories : les Juifs et les non-Juifs. Si l'on pesait les mérites des uns et des autres, sans conteste les premiers l'emporteraient ; ils auraient assez de titres pour parler au nom de l'humanité et s'en estimer les représentants. Ils ne s'y décideront pas tant qu'ils conserveront quelque respect, quelque faiblesse pour le reste des humains. Quelle idée de vouloir s'en faire aimer ! Ils s'y astreignent sans y parvenir. Après tant de tentatives infructueuses ne vaudrait-il pas mieux pour eux se rendre à l'évidence, admettre enfin le bien-fondé de leurs déceptions ?

*P*oint d'événements, de forfaits ou de catastrophes dont leurs adversaires ne les aient rendus responsables. Hommage insensé. Non point qu'il faille minimiser leur rôle ; mais, pour être juste, on doit s'en prendre seulement à leurs torts réels : le plus considérable demeure celui d'avoir produit un dieu dont la fortune — unique dans l'histoire des religions — a de quoi nous laisser rêveurs ; rien en lui qui légitimât une pareille réussite : chamailleur, grossier, lunatique, verbeux, il pouvait à la rigueur correspondre aux nécessités d'une tribu ; qu'un jour il devînt l'objet de savantes théologies, le patron de civilisations affinées, cela, non, jamais personne n'eût pu le prévoir. S'ils ne nous l'ont pas infligé, ils portent néanmoins la responsabilité de l'avoir conçu. C'est une tache sur leur génie. Ils pouvaient faire mieux. Quelque vigoureux, quelque viril qu'il paraisse, ce Jahweh (dont le christianisme nous présente une version corrigée) ne laisse pas de nous inspirer une certaine méfiance. Au lieu de s'agiter, de vouloir en imposer, il aurait dû être, vu ses fonctions, plus correct, plus distingué, et surtout plus assuré. Des incertitudes le rongent : il crie, tempête, fulmine... Est-ce là un signe de force ? Sous ses grands airs, nous décelons les appréhensions d'un usurpateur qui, flairant le danger, craint pour son royaume et terrorise ses sujets. Procédé indigne de quelqu'un qui ne cesse d'invoquer la Loi et qui exige qu'on s'y soumette. Si, comme le soutient Moses Mendelssohn, le judaïsme n'est pas une religion, mais une législation révélée, on trouvera étrange qu'un pareil Dieu en soit l'auteur et le symbole, lui qui précisément n'a rien d'un législateur. Incapable du moindre effort d'objectivité, il distribue la justice à son gré, sans que nul code vienne limiter ses divagations et ses fantaisies. C'est un despote trouillard autant qu'agressif, saturé de complexes, un sujet idéal pour la psychanalyse. Il désarme la métaphysique qui ne décèle en lui aucune trace d'être substantiel reposant en soi, supérieur au monde et content de l'intervalle qui l'en sépare ; pitre qui a hérité du ciel et qui y perpétue les pires traditions de la terre, il emploie les grands moyens, tout étonné de son pouvoir et fier d'en faire sentir les effets. Pourtant ses véhémences, ses sautes d'humeur, son débraillé, ses élans spasmodiques finissent par nous attirer sinon par nous convaincre. Nullement résigné à son éternité, il intervient dans les affaires, les brouille, y sème la confusion et la pagaille. Il déconcerte, il irrite, il séduit. Si désaxé qu'il soit, il connaît ses charmes et en use à plaisir. Mais à quoi bon recenser les tares d'un dieu quand elles s'étalent tout au long de ces livres frénétiques de l'Ancien Testament, auprès duquel le Nouveau paraît une pauvre allégorie attendrissante ? La poésie et l'âpreté du premier, nous les cherchons vainement dans le second où tout est aménité sublime, récit à l'intention de « belles âmes ». Les Juifs ont répugné à s'y reconnaître : c'eût été tomber dans le piège du bonheur, se dénantir de leur singularité, opter pour une destinée « honorable », toutes choses étrangères à leur vocation. « Moïse, pour mieux s'attacher la nation, institua de nouveaux rites, contraires à ceux de tous les autres mortels. Là, tout ce que nous révérons est bafoué ; en revanche, tout ce qui est impur chez nous est admis » (Tacite).

« Tous les autres mortels », cet argument statistique dont l'Antiquité a abusé, ne pouvait échapper aux modernes : il a servi, il servira toujours. Notre devoir est de le retourner en faveur des Juifs, de l'employer à l'édification de leur gloire. Trop vite on oublie qu'ils furent des citoyens du désert, qu'ils le portent encore en eux comme leur espace intime, et le perpétuent à travers l'histoire, au grand étonnement de ces arbres humains que sont les « autres mortels ».

Peut-être conviendrait-il d'ajouter que ce désert, loin d'en faire seulement leur espace intime, ils le prolongèrent *physiquement* dans le ghetto. Qui en a visité un (de préférence dans les pays de l'Est), n'a pu manquer de s'apercevoir que la végétation en était absente, que rien n'y fleurissait, que tout y était sec et désolé : îlot étrange, petit univers *sans racines*, à la mesure de ses habitants, aussi éloignés de la vie du sol que les anges ou les fantômes.

«*L*es peuples ressentent envers les Juifs, observe un de leurs coreligionnaires, la même animosité que doit ressentir la farine contre le levain qui l'empêche de reposer.» Le *repos*, c'est tout ce que nous demandons; les Juifs le demandent peut-être aussi : il leur est défendu. Leur fébrilité vous aiguillonne, vous fouette, vous emporte. Modèles de fureur et d'amertume, ils vous font acquérir le goût de la rage, de l'épilepsie, des aberrations qui stimulent, et vous recommandent le malheur comme un excitant.

S'ils sont dégénérés, comme on le pense communément, on souhaiterait cette forme de dégénérescence à toutes les vieilles nations... «Cinquante siècles de neurasthénie», a dit Péguy. Oui, mais une neurasthénie de casse-cou, et non de crevés, de débiles, de cacochymes. La décadence, phénomène inhérent à toutes les civilisations, ils ne la connaissent guère, tant il est vrai que leur carrière, tout en se déroulant dans l'histoire, n'est point d'essence historique : leur évolution ne comporte ni croissance ni décrépitude, ni apogée ni chute; leurs racines plongent dans on ne sait quel sol; assurément pas dans le nôtre. Rien de *naturel*, de végétal en eux, nulle «sève», nulle possibilité de se flétrir. Dans leur pérennité quelque chose d'abstrait, mais non d'exsangue, un soupçon de démoniaque, donc d'irréel et d'agissant à la fois, un halo inquiétant et comme un nimbe à rebours qui les individualise à jamais.

S'ils échappent à la décadence, à plus forte raison échappent-ils à la satiété, plaie dont aucun vieux peuple n'est préservé et contre laquelle toute médication se révèle inopérante : n'a-t-elle pas rongé plus d'un empire, plus d'une âme, plus d'un organisme? Ils en sont miraculeusement indemnes. De quoi auraient-ils pu être rassasiés, quand ils n'ont connu aucun répit, aucun de ces moments de plénitude, propices au dégoût mais néfastes au désir, à la volonté, à l'action? Ne pouvant s'arrêter nulle part, force leur est de désirer, de vouloir, d'agir, de se maintenir dans l'anxiété et la nostalgie. Se fixent-ils à un objet? Il ne durera pas : tout événement ne sera pour eux qu'une répétition de la Ruine du Temple. Souvenirs et perspectives d'écroulement! L'ankylose d'une trêve ne les guette point. Alors qu'il nous est pénible de persévérer dans un état d'avidité, ils n'en sortent pour ainsi dire jamais et y éprouvent une espèce de *bien-être morbide*, propre à une collectivité où la transe est endémique et dont le mystère ressortit à la théologie et à la pathologie, sans que d'ailleurs il soit élucidé par les efforts combinés de l'une et de l'autre.

Acculés à leurs profondeurs et les redoutant, ils essaient de s'en détourner, de les éluder en s'agrippant aux vétilles de la conversation : ils parlent, ils parlent... Mais la chose la plus aisée au monde : rester à la surface de soi, ils n'y atteignent pas. La parole est pour eux une évasion ; la sociabilité, une autodéfense. Nous ne pouvons sans trembler imaginer leurs silences, leurs monologues. Nos calamités, les tournants de notre vie sont chez eux désastres familiers, routine ; leur temps : crise vaincue ou crise à venir. Si par religion on entend la volonté de la créature de s'élever *par ses malaises*, ils ont tous, dévots ou athées, un fonds religieux, une piété dont ils prirent soin d'éliminer la douceur, la complaisance, le recueillement, et tout ce qui en elle flatte les innocents, les faibles, les purs. C'est une piété sans candeur, car aucun d'eux n'est candide, comme, sur un autre plan, aucun d'eux n'est sot. (La sottise, en effet, n'a pas cours chez eux : presque tous sont vifs ; ceux qui ne le sont pas, les quelques rares exceptions, ne s'arrêtent pas à la bêtise, ils vont plus loin : ils sont simples d'esprit.)

Que la prière passive, traînante, ne soit pas de leur goût, on le comprend ; elle déplaît de surcroît à leur dieu, qui, au rebours du nôtre, supporte mal l'ennui. Le sédentaire seul prie en paix, sans se dépêcher ; les nomades, les traqués, doivent faire vite, et se hâter jusque dans leurs prosternements. C'est qu'ils invoquent un dieu, lui-même nomade, lui-même traqué, et qui leur communique son impatience et son affolement.

Quand on est prêt à capituler, quel enseignement, quel correctif que leur endurance ! Combien de fois, lorsque je mijotais ma perte, n'ai-je pas pensé à leur opiniâtreté, à leur entêtement, à leur réconfortant autant qu'inexplicable appétit d'être ! Je leur suis redevable de maint revirement, de maint compromis avec la non-évidence de vivre. Et pourtant, leur ai-je toujours rendu justice ? Tant s'en faut. Si, à vingt ans, je les aimais au point de regretter de n'être pas des leurs, quelque temps plus tard, ne pouvant leur pardonner d'avoir joué un rôle de premier plan dans le cours des temps, je me pris à les détester avec la rage d'un amour-haine. L'éclat de leur omniprésence me faisait mieux sentir l'obscurité de mon pays voué, je le savais, à être étouffé et même à disparaître ; tandis qu'eux, je le savais non moins bien, ils survivraient à tout, quoi qu'il advînt. Du reste, à l'époque, je n'avais qu'une commisération livresque pour leurs souffrances passées et ne pouvais deviner celles qui les attendaient. Par la suite, songeant à leurs tribulations et à la fermeté avec laquelle ils les supportèrent, je devais saisir la valeur de leur exemple et y puiser quelques raisons de combattre ma tentation de tout abandonner. Mais quels qu'aient été, à divers moments de ma vie, mes sentiments à leur égard, sur un point je n'ai jamais varié : j'entends mon attachement à l'Ancien Testament, le culte que j'ai toujours porté à *leur* livre, providence de mes déchaînements ou de mes amertumes. Grâce à lui, je communiais avec eux, avec le meilleur de leurs afflictions ; grâce à lui encore et aux consolations que j'en tirais, tant de mes nuits, si inclémentes fussent-elles, me paraissaient tolérables. Cela, je ne pouvais l'oublier lors même qu'ils me semblaient mériter leur opprobre. Et c'est le souvenir de ces nuits où, par les boutades poignantes de Job et de Salomon, ils furent si souvent présents, qui légitime les hyperboles de ma gratitude. Qu'un autre leur fasse l'injure de tenir sur eux des propos sensés ! Je ne saurais, quant à moi, m'y résoudre : leur appliquer nos étalons, c'est les dépouiller de leurs privilèges, en faire de simples mortels, une variété quelconque du type humain. Par bonheur, ils défient nos critères, ainsi que les investigations du bon sens. À réfléchir à ces dompteurs d'abîme (de leur abîme), on entrevoit l'avantage qu'il y a à ne pas perdre pied, à ne pas céder à la volupté d'être épave, et, méditant sur leur refus du naufrage, on fait vœu de les imiter, tout en sachant qu'il est vain d'y prétendre, que notre lot est de couler, de répondre à l'appel du gouffre. N'empêche que, en nous détournant, ne fût-ce que temporairement, de nos velléités de choir, ils nous apprennent à composer avec un monde vertigineux, insoutenable : ce sont des *maîtres à exister.* De tous ceux qui connurent une longue période d'esclavage, eux seuls ont réussi à résister aux sortilèges de l'aboulie. Des hors-la-loi qui emmagasinaient des forces. Au moment où la Révolution leur donnait un statut, ils détenaient des disponibilités biologiques plus importantes que celles des autres nations. Lorsque enfin libres ils apparurent, au XIXe siècle, en plein jour, ils étonnèrent le monde : depuis l'époque des conquistadores, on n'avait assisté à pareille intrépidité, à pareil sursaut. Impérialisme curieux, inattendu, fulgurant. Rentrée pendant si longtemps, leur vitalité éclata ; et eux, qui paraissaient si effacés, si humbles, on les vit en proie à une soif de pouvoir, de domination et de gloire qui effraya la société désabusée où ils commençaient à s'affirmer et à laquelle ces indomptables vieillards allaient infuser un sang nouveau. Cupides et généreux, s'insinuant dans toutes les branches du commerce et du savoir, dans toutes sortes d'entreprises, non point pour thésauriser, mais, fervents du va-tout, pour dépenser, pour gaspiller; affamés en pleine réplétion, prospecteurs d'éternité fourvoyés dans le quotidien, rivés à l'or et au ciel, et mêlant sans cesse l'éclat de l'un et de l'autre, — promiscuité lumineuse et effarante, tourbillon d'abjection et de transcendance, — ils possèdent en leurs incompatibilités leur vraie fortune. Au temps où ils vivaient d'usure, n'approfondissaient-ils pas en secret la Kabbale? Argent et mystère : hantises qu'ils ont conservées dans leurs occupations modernes, complexité impossible à démêler, source de puissance. S'acharner contre eux, les combattre? Seul l'insensé s'y risque : lui seul ose affronter les armes *invisibles* dont ils sont munis.

L'histoire contemporaine, inconcevable sans eux, ils y ont introduit une cadence accélérée, un halètement de bon aloi, un souffle superbe, de même qu'un poison prophétique dont la virulence n'a pas cessé de nous déconcerter. Qui, en leur présence, peut demeurer neutre? On ne les approche jamais en pure perte. Dans la diversité du paysage psychologique, chacun d'eux est un cas. Et si nous les connaissons par certains côtés, il nous reste à faire encore nombre de pas à l'intérieur de leurs énigmes. Incurables qui intimident la mort, qui ont découvert le secret d'une *autre* santé, d'une santé dangereuse, d'un mal salutaire, ils vous obsèdent, vous tourmentent et vous obligent à vous élever au niveau de leur conscience, de leurs veilles. Avec les Autres, tout change : à leurs côtés, on s'endort. Quelle sécurité, quelle paix! On est d'un coup «entre nous», on bâille, on ronfle sans crainte. À les fréquenter, on est gagné par l'apathie du sol. Même les plus raffinés paraissent des paysans, des lourdauds qui ont mal tourné. Ils se roulent, les pauvres, dans une fatalité douillette. Auraient-ils du génie qu'ils seraient encore quelconques. Une vile chance les poursuit : leur existence est aussi évidente, aussi admise que celle de la terre ou de l'eau. Des éléments assoupis.

*P*oint d'êtres moins anonymes. Sans eux les cités seraient irrespirables; ils y entretiennent un état de fièvre, faute de quoi toute agglomération fait province : une ville morte est une ville sans Juifs. Efficaces comme le ferment et le virus, ils inspirent un double sentiment de fascination et de malaise. Notre réaction à leur égard est presque toujours trouble : par quel comportement précis nous accorder à eux, alors qu'ils se situent à la fois au-dessus et au-dessous de nous, à un niveau qui n'est jamais le nôtre? De là un malentendu tragique, inévitable, dont personne ne porte la responsabilité. Quelle folie de leur part de s'être attachés à un dieu spécial, et quel remords ne doivent-ils pas ressentir lorsqu'ils tournent leurs regards vers notre insignifiance! Nul ne débrouillera jamais l'inextricable où nous sommes engagés les uns envers les autres. Voler à leur secours? Nous n'avons rien à leur offrir. Et ce qu'ils nous offrent, eux, nous dépasse. D'où viennent-ils? qui sont-ils? Abordons-les avec un maximum de perplexité : celui qui prend à leur endroit une attitude nette, les méconnaît, les simplifie, et se rend indigne de leurs extrémités. Chose remarquable : seul le Juif raté nous ressemble, est des «nôtres» : il aura comme reculé vers nous-mêmes, vers notre humanité conventionnelle et éphémère. Faut-il en déduire que l'homme est un Juif *qui n'a pas abouti*?

Amers et insatiables, lucides et passionnés, toujours à l'avant-garde de la solitude, ils représentent l'échec *en mouvement*. S'ils ne sacrifient pas au désespoir alors que tout devrait les y inciter, la raison en est qu'ils projettent comme d'autres respirent, qu'ils ont la maladie du projet. Au cours d'une journée, chacun d'eux en conçoit un nombre incalculable. Au rebours des races encrassées, ils s'agrippent à l'imminent, s'enfoncent dans le possible : automatisme du neuf qui explique l'efficacité de leurs divagations, comme l'horreur qu'ils ont de toute commodité intellectuelle. Quel que soit le pays qu'ils habitent, ils s'y trouvent à la pointe de l'esprit. Rassemblés, ils constitueraient un nombre d'exceptions, une somme de capacités et de talents sans exemple chez aucune autre nation. Pratiquent-ils un métier? Leur curiosité ne s'y borne pas ; chacun possède des passions ou des marottes qui le portent ailleurs, élargissent son savoir, lui permettent d'embrasser les professions les plus disparates, en sorte que sa biographie implique une foule de personnages qu'unit une seule volonté, celle-là aussi sans exemple. L'idée de «persévérer dans l'être» fut conçue par leur plus grand philosophe ; cet être, ils l'ont conquis de haute lutte. On comprend leur manie du projet : au présent qui assoupit, ils opposent les vertus aphrodisiaques du lendemain. Le devenir, c'est encore un des leurs qui en fit l'idée centrale de sa philosophie. Nulle contradiction entre les deux idées, le devenir se ramenant à l'être qui projette et se projette, à l'être désintégré *par l'espoir*.

Au demeurant, n'est-ce point vain d'affirmer qu'en philosophie ils soient ceci ou cela? S'ils penchent au rationalisme c'est moins par inclination que par besoin de réagir contre certaines traditions qui les excluaient et dont ils ont eu à pâtir. Leur génie, en fait, s'accommode de n'importe quelle forme de théorie, de n'importe quel courant d'idées, du positivisme au mysticisme. Mettre l'accent uniquement sur leur propension à l'analyse, c'est les appauvrir et leur faire une grave injustice. Ce sont tout de même des gens qui ont énormément prié. On s'en aperçoit à leurs visages, plus ou moins décolorés par la lecture des psaumes. Et puis, on ne rencontre que parmi eux des banquiers *pâles*... Cela doit signifier quelque chose. Finances et *De Profundis* ! — incompatibilité sans précédent, clef peut-être de leur mystère à tous.

*C*ombattants par goût — c'est le plus guerrier des peuples civils — ils procèdent dans les affaires en stratèges, et ne s'avouent jamais vaincus, bien qu'ils le soient souvent. Des damnés... bénis, dont l'instinct et l'intelligence ne se neutralisent pas l'un l'autre : jusqu'à leurs tares, tout leur sert de tonique. Leur course, avec ses errances et ses vertiges, comment serait-elle comprise par une humanité pantouflarde ? N'auraient-ils sur celle-ci que la supériorité d'un échec intarissable, d'une manière plus réussie de ne pas aboutir, que cela suffirait à leur assurer une relative immortalité. Leur ressort tient bon : il se brise *éternellement*.
Dialecticiens actifs, virulents, atteints d'une névrose de l'intellect (laquelle, loin de les gêner dans leurs entreprises, les y pousse, les rend dynamiques, les oblige à vivre sous pression), ils sont fascinés, malgré leur lucidité, par l'aventure. Rien qui les fasse reculer. Le tact, vice terrien, préjugé des civilisations enracinées, instinct du protocole, ils n'y excellent pas : la faute en est à leur orgueil d'écorchés, à leur esprit agressif. Leur ironie, loin d'être un amusement aux dépens des autres, une forme de sociabilité ou un caprice, sent le fiel rentré ; c'est une aigreur de longue date ; envenimée, ses traits tuent. Elle participe, non point du rire qui est détente, mais du ricanement qui est crispation et revanche d'humiliés. Or, reconnaissons-le, les Juifs sont imbattables dans le ricanement. Pour les comprendre, ou les deviner, il faut avoir perdu soi-même plus d'une patrie, être, comme eux, le citadin de toutes les cités, combattre *sans drapeau* contre tout le monde, savoir, à leur exemple, embrasser et trahir toutes les causes. Tâche difficile, car, à côté d'eux, nous sommes, quelles que soient nos épreuves, de pauvres types enlisés dans le bonheur et la géographie, des néophytes de l'infortune, des bousilleurs en tout genre. S'ils ne détiennent pas le monopole de la subtilité, il n'en demeure pas moins que leur forme d'intelligence est la plus troublante qui soit, la plus *ancienne* ; on dirait qu'ils savent tout depuis toujours, depuis Adam, depuis... Dieu.

*Q*u'on ne les accuse pas d'être des parvenus : comment le seraient-ils alors qu'ils ont traversé et marqué tant de civilisations ? Rien en eux de récent, d'improvisé : leur promotion à la solitude coïncide avec l'aurore de l'Histoire ; leurs défauts mêmes sont imputables à la vitalité de leur vieillesse, aux excès de leur astuce et de leur acuité d'esprit, à leur trop longue expérience. Ils ignorent le confort des limites : s'ils possèdent une sagesse, c'est la sagesse de l'exil, celle qui enseigne comment triompher d'un sabotage unanime, comment se croire élu lorsqu'on a tout perdu : sagesse du défi. Et pourtant on les traite de lâches ! Il est vrai qu'ils ne sauraient citer aucune victoire spectaculaire : mais leur existence n'en est-elle pas une, ininterrompue, terrible, sans nulle chance de s'achever jamais ?

Nier leur courage, c'est méconnaître la valeur, la haute qualité de leur peur, mouvement chez eux non pas de rétraction mais d'expansion, début d'offensive. Car cette peur, au rebours des froussards et des humbles, ils l'ont convertie en vertu, en principe d'orgueil et de conquête. Elle n'est pas flasque comme la nôtre, mais drue et enviable, et faite de mille effrois transfigurés en actes. Selon une recette qu'ils se sont bien gardés de nous révéler, nos forces négatives deviennent chez eux forces positives ; nos torpeurs, migrations. Ce qui nous immobilise, les fait cheminer et bondir : point de barrière que n'escalade leur panique itinérante. Des nomades auxquels l'espace ne suffit pas et qui, par-delà les continents, poursuivent on ne sait quelle patrie. Regardez l'aisance avec laquelle ils parcourent les nations ! Tel né Russe, le voilà Allemand, Français, puis Américain, ou n'importe quoi. Malgré ces métamorphoses, il conserve son identité ; il a du caractère, ils en ont tous. Comment expliquer autrement leur capacité de recommencer, après les pires déconvenues, une existence nouvelle, de reprendre leur destin en main ? Cela tient du prodige. À les observer, on est émerveillé et stupéfait. Dès cette vie, ils devaient faire l'expérience de l'enfer. Telle est la rançon de leur longévité.

Quand ils commencent à déchoir, et qu'on les croit perdus, ils se ressaisissent, se redressent et se refusent à la quiétude du ratage. Chassés de chez eux, apatrides-nés, ils n'ont jamais été tentés d'abandonner la partie. Mais nous autres, apprentis de l'exil, déracinés de fraîche date, désireux d'atteindre à la sclérose, à la monotonie de la dégringolade, à un équilibre sans horizon ni promesse, nous rampons derrière nos malheurs ; notre condition nous dépasse ; impropres au terrible, nous étions faits pour nous traîner dans quelque Balkan de rêve et non point pour partager le sort d'une légion d'Uniques. Gorgés d'immobilité, prostrés, hagards, comment, avec nos désirs somnolents et nos ambitions effritées, posséderions-nous l'étoffe dont est fait l'errant ? Nos aïeux, penchés sur le sol, s'en distinguaient à peine. Point pressés, car où seraient-ils allés ? leur vitesse était celle de la charrue : vitesse de l'éternité... Mais entrer dans l'Histoire suppose un minimum de précipitation, d'impatience et de vivacité, toutes choses différentes de la barbarie lente des peuples agricoles, enserrés dans la Coutume, — cette réglementation, non pas de leurs droits, mais de leurs tristesses. Grattant la terre pour pouvoir à la fin mieux y reposer, menant une vie à même la tombe, une vie où la mort semblait une récompense et un privilège, nos ancêtres nous ont laissé en legs leur sommeil sans fin, leur désolation muette et quelque peu enivrante, leur long soupir de demi-vivants.

Nous sommes des hébétés ; notre malédiction agit sur nous à la façon d'un narcotique : elle nous engourdit ; celle des Juifs a la valeur d'une chiquenaude : elle les pousse en avant. S'ingénient-ils à s'y soustraire ? Question délicate, peut-être sans réponse. Ce qui est certain, c'est que leur tragique diffère de celui des Grecs. Un Eschyle traite du malheur d'un individu ou d'une famille. Le concept de malédiction nationale, pas plus que celui de salut collectif, n'est hellénique. Le héros tragique demande rarement des comptes à un destin impersonnel, aveugle : c'est sa fierté d'en accepter les décrets. Il périra donc, lui et les siens. Mais un Job harasse son Dieu, exige qu'il s'explique : une mise en demeure en résulte, d'un mauvais goût sublime, et qui eût sans doute rebuté un Grec, mais qui nous touche et nous bouleverse. Ces débordements, ces vociférations d'un pestiféré qui pose ses conditions au Ciel, et le submerge de ses imprécations, comment y resterions-nous insensibles ? Plus nous sommes près d'abdiquer, plus ces hurlements nous secouent. Job est bien de sa race : ses sanglots sont une démonstration de force, un assaut. «La nuit perce mes os», se lamente-t-il. Sa lamentation culmine en un cri, et ce cri traverse les voûtes et fait trembler Dieu. Dans la mesure où, par-delà nos silences et nos faiblesses, nous osons clamer nos épreuves, nous sommes tous rejetons du grand lépreux, héritiers de sa désolation et de son rugissement. Mais trop souvent nos voix se taisent ; et bien qu'il nous révèle comment nous hausser à ses accents, il n'arrive pas à ébranler notre inertie. Au fait, il avait la partie belle : il savait qui vilipender ou implorer, à qui porter des coups ou adresser des prières. Mais nous, contre qui crier? contre nos semblables? Cela nous paraît risible. À peine articulées, nos révoltes expirent sur nos lèvres. Malgré les échos qu'il éveille en nous, nous n'avons pas le droit de le considérer comme notre ancêtre : nos douleurs sont trop timides. Ainsi sont nos effrois. Sans la volonté ni l'audace de savourer nos peurs, comment en ferions-nous un aiguillon ou une volupté? Trembler, on y arrive ; mais savoir diriger son tremblement est un art : toutes les rébellions en procèdent. Celui qui veut éviter la résignation doit éduquer, soigner ses frayeurs, et les muer en gestes et en paroles : il s'y prendra d'autant mieux qu'il cultivera l'Ancien Testament, paradis du frisson.

En nous inculquant l'horreur des intempérances de langage, le respect et l'obéissance en tout, le christianisme a anémié nos peurs. S'il avait voulu nous attacher à jamais, il aurait dû nous brusquer et nous promettre un salut périlleux. Qu'attendre d'un agenouillement de vingt siècles? Maintenant que nous sommes enfin *debout*, le vertige nous gagne : esclaves émancipés en vain, rebelles dont le démon rougit ou se moque.

Son énergie, Job l'a transmise aux siens; assoiffés de justice comme lui, ils ne fléchissent point devant l'évidence d'un monde inique. Révolutionnaires par instinct, l'idée de renoncement ne les effleure guère : si Job, ce Prométhée biblique, a lutté avec Dieu, ils lutteront, eux, avec les hommes... Plus la fatalité les imprègne, plus ils s'insurgent contre elle. *Amor fati*, formule pour amateurs d'héroïsme, ne convient pas à ceux qui ont trop de destin pour s'accrocher encore à l'idée de destin. Attachés à la vie au point de vouloir la réformer et d'y faire triompher l'impossible, le Bien, ils se ruent sur tout système propre à les confirmer dans leur illusion. Point d'utopie qui ne les aveugle et n'excite leur fanatisme. Non contents d'avoir prôné l'idée de progrès, ils s'en sont encore emparés avec une ferveur sensuelle et presque impudique. Comptaient-ils, en l'adoptant sans réserve, profiter du salut qu'elle promet à l'humanité en général, bénéficier d'une grâce, d'une apothéose universelles? Que tous nos désastres datent du moment où nous avons commencé à entrevoir la possibilité d'un mieux, ce truisme ils ne veulent pas l'admettre. S'ils vivent dans l'impasse, ils la refusent par la pensée. Rebelles à l'inéluctable, rebelles à leurs misères, ils se sentent le plus libres au moment où le pire devrait enchaîner leur esprit. Qu'espérait Job sur son fumier, qu'espèrent-ils tous? Optimisme de pestiférés... Suivant un vieux traité de psychiatrie, ils fourniraient le plus gros pourcentage de suicides. Si c'était vrai, cela prouverait que pour eux la vie mérite l'effort de s'en séparer et qu'ils y sont trop attachés pour pouvoir désespérer *jusqu'au bout*. Leur force : plutôt en finir que s'habituer ou se complaire au désespoir. Ils s'affirment lors même qu'ils se détruisent, tant ils ont horreur de céder, de se démettre, d'avouer leurs lassitudes. Un tel acharnement doit leur venir d'en haut. Je n'arrive pas à me l'expliquer autrement. Et si je m'embrouille dans leurs contradictions et m'égare dans leurs secrets, je comprends du moins pourquoi ils devaient intriguer les esprits religieux, de Pascal à Rozanov.

A-t-on assez réfléchi aux raisons pour lesquelles ces exilés éliminent de leurs pensées la mort, idée dominante de tout exil, comme si, entre eux et elle, il n'y eût aucun point de contact ? Non pas qu'elle les laisse indifférents, mais, à force d'en bannir le sentiment, ils en sont arrivés à prendre à son égard une attitude délibérément superficielle. Peut-être, en des temps reculés, lui consacrèrent-ils trop de soins pour qu'elle les tracasse encore ; peut-être n'y songent-ils pas à cause de leur quasi-impérissabilité : seules les civilisations éphémères remâchent volontiers l'idée du néant. Quoi qu'il en soit, ils n'ont que la vie devant eux... Et cette vie qui, pour nous autres, se résume en la formule : « Tout est impossible », et dont le dernier mot s'adresse, pour les flatter, à nos déroutes, à notre aveulissement ou à notre stérilité, cette vie éveille en eux le goût de l'obstacle, l'horreur de la délivrance et de toute forme de quiétisme. Ces lutteurs eussent lapidé Moïse s'il leur avait tenu le langage d'un Bouddha, langage de la lassitude métaphysique, dispensateur d'anéantissement et de salut. Nulle paix ni béatitude pour celui qui ne sait cultiver l'abandon : l'absolu en tant que suppression de toute nostalgie, est une récompense dont ne jouissent que ceux-là seuls qui s'astreignent à déposer les armes. Ce genre de récompense répugne à ces batailleurs impénitents, à ces volontaires de la malédiction, à ce peuple du Désir... Par quelle aberration a-t-on pu parler de leur goût pour la destruction ? Destructeurs, eux ? On devrait plutôt leur reprocher de ne l'être pas assez. De combien de *nos* espoirs ne sont-ils pas responsables ! Loin de concevoir la démolition en elle-même, s'ils sont anarchistes, ils visent toujours à une œuvre future, à une construction, impossible peut-être mais souhaitée. Et puis on aurait tort de minimiser le pacte, unique en son genre, qu'ils ont conclu avec leur dieu et dont tous, athées ou non, gardent le souvenir et l'empreinte. Ce dieu, nous avons beau nous acharner contre lui, il n'est pas moins présent, charnel et relativement efficace, ainsi que doit l'être tout dieu d'une tribu, alors que le nôtre, plus universel, donc plus anémique, est, comme tout esprit, lointain et inopérant. L'ancienne Alliance, autrement solide que la nouvelle, si elle permet aux fils d'Israël d'avancer de concert avec leur Père turbulent, les empêche en échange d'apprécier la beauté intrinsèque de la destruction.

L'idée de « progrès », ils s'en servent pour combattre les effets dissolvants de leur lucidité : elle est leur fuite calculée, leur mythologie *voulue*. Même eux, même ces esprits clairvoyants, reculent devant les dernières conséquences du doute. On n'est véritablement sceptique que si l'on se place en dehors de son destin ou si l'on renonce à en avoir un. Ils sont trop engagés dans le leur pour pouvoir s'y dérober. Aucun Indifférent de qualité parmi eux : n'ont-ils pas introduit l'interjection en religion ? Lors même qu'ils se permettent le luxe d'être sceptiques, leur scepticisme est un scepticisme d'ulcérés. Salomon évoque l'image d'un Pyrrhon ravagé et lyrique... Ainsi du plus détrompé de leurs ancêtres, ainsi d'eux tous. Avec quelle complaisance ils étalent leurs souffrances et ouvrent leurs plaies ! Cette mascarade de confidences n'est qu'une manière de se *cacher*. Indiscrets et pourtant impénétrables, ils vous échappent quand bien même ils vous auront raconté tous leurs secrets. Un être qui a souffert, vous avez beau détailler, classer, expliquer ses épreuves : ce qu'il *est*, sa souffrance réelle, vous dépasse. Plus vous l'approcherez, plus il vous semblera inaccessible. Pour ce qui est d'une collectivité *frappée*, vous pouvez en scruter à loisir les réactions, vous ne vous en trouverez pas moins devant une masse d'inconnus.

*P*our lumineux que soit leur esprit, un élément souterrain y réside : ils surgissent, ils font irruption, ces lointains partout présents, toujours sur le qui-vive, fuyant le danger et le sollicitant, se précipitant sur chaque sensation avec un affolement de condamnés, comme s'ils n'avaient pas le temps d'attendre et que le terrible les guettât au seuil même de leurs jouissances. Le bonheur ils s'y cramponnent et en profitent sans retenue ni scrupule : on dirait qu'ils empiètent sur le bien d'autrui. Trop ardents pour être épicuriens, ils empoisonnent leurs plaisirs, les dévorent, y mettent une hâte, une fureur qui les empêche d'en tirer le moindre réconfort : des affairés dans tous les sens du mot, du plus vulgaire au plus noble. L'obsession de *l'après* les tracasse ; or l'art de vivre —

apanage d'époques non prophétiques, de celle d'Alcibiade, d'Auguste ou du Régent — consiste dans l'expérience intégrale du présent. Rien de goethéen en eux : l'instant, même le plus beau, ils n'essaieraient nullement de l'arrêter. Leurs prophètes qui sans cesse appellent les foudres de Dieu, qui veulent que soient anéanties les cités de l'ennemi, ces prophètes savent parler *cendres.* C'est de leurs folies que saint Jean a dû s'inspirer pour écrire le livre le plus admirablement obscur de l'Antiquité. Issue d'une mythologie d'esclaves, l'*Apocalypse* représente le règlement de comptes le mieux camouflé qui se puisse concevoir. Tout y est vindicte, bile et avenir malsain. Ézéchiel, Isaïe, Jérémie avaient bien préparé le terrain... Habiles à faire valoir leurs désordres ou leurs visions, ils battaient la campagne avec un art jamais atteint depuis : leur esprit puissant et imprécis les y aidait. L'éternité était pour eux un prétexte à convulsions, un spasme ; vomissant des imprécations et des hymnes, ils se tortillaient sous l'œil d'un dieu insatiable d'hystéries. Voilà une religion où les rapports de l'homme et de son créateur s'épuisent dans une guerre d'épithètes, dans une tension qui les empêche de méditer, de s'appesantir sur leurs différends et d'y remédier, une religion à base d'adjectifs, d'effets de langage, et où le style constitue le seul trait d'union entre le ciel et la terre.

*C*es prophètes, fanatiques de la poussière, poètes du désastre, s'ils prédisaient toujours des catastrophes, c'est qu'ils ne pouvaient s'attacher à un présent rassurant ou à un avenir quelconque. Sous couleur de détourner leur peuple de l'idolâtrie, ils se déchargeaient sur lui de leur rage, le tourmentaient et le voulaient aussi déchaîné, aussi terrible qu'eux. Il fallait donc le harceler, le rendre unique par l'épreuve, l'empêcher de se constituer et de s'organiser en nation mortelle... À force de cris et de menaces, ils réussirent à lui faire acquérir cette autorité dans la douleur et cet air de foule errante, insomniaque, qui irrite les autochtones et en dérange le ronflement.

*S*i l'on m'objectait qu'ils ne sont pas exceptionnels par leur nature, je répondrais qu'ils le sont par leur destin, destin absolu, destin à l'état pur, lequel, leur conférant force et démesure, les élève au-dessus d'eux-mêmes et leur ôte toute faculté d'être nuls. On pourrait également m'objecter qu'ils ne sont pas seuls à se définir par le destin, qu'il en est de même des Allemands. Sans doute ; cependant on oublie que celui des Allemands, s'ils en ont un, est récent, et qu'il se réduit à un tragique d'époque ; en fait, à deux échecs rapprochés.

Ces deux peuples, attirés secrètement l'un vers l'autre, ne pouvaient s'entendre : comment les Allemands, ces arrivistes de la fatalité, auraient-ils pardonné aux Juifs d'avoir un destin supérieur au leur ? Les persécutions naissent de la haine et non du mépris ; or, la haine équivaut à un reproche que l'on n'ose se faire à soi, à une intolérance à l'égard de notre idéal incarné dans autrui. Lorsqu'on aspire à sortir de sa province et à dominer le monde, on s'en prend à ceux qui n'en sont plus à une frontière près : on en veut à leur facilité de déracinement, à leur ubiquité. Les Allemands détestaient dans le Juif leur rêve *réalisé*, l'universalité qu'ils ne pouvaient atteindre. Ils se voulaient eux aussi élus : rien ne les prédestinait à cet état. Après avoir essayé de forcer l'Histoire, avec l'arrière-pensée d'en sortir et de la dépasser, ils finirent par s'y enliser encore davantage. Dès lors, perdant toute chance de s'élever jamais à une destinée métaphysique ou religieuse, ils devaient sombrer dans un drame monumental et inutile, sans mystère ni transcendance, et qui, laissant indifférents le théologien et le philosophe, n'intéresse que l'historien. Plus difficiles dans le choix de leurs illusions, ils nous eussent offert un autre exemple que celui de la plus grande, de la première des nations ratées. Qui opte pour le temps s'y engouffre et y ensevelit son génie. On *est* élu ; on ne le devient ni par résolution ni par décret. Encore moins par des persécutions à l'adresse de ceux dont on jalouse les complicités avec l'éternité. Ni élus, ni damnés, les Allemands s'acharnèrent sur ceux qui pouvaient à bon droit prétendre l'être : le moment culminant de leur expansion ne comptera, en des temps lointains, que comme un épisode dans l'épopée des Juifs... Je dis bien : épopée, car n'en est-ce pas une cette suite de prodiges et de bravoures, cet héroïsme d'une tribu qui, du milieu de ses misères, ne cesse de menacer son Dieu d'un ultimatum ? Épopée dont le dénouement ne se laisse pas deviner : s'accomplira-t-il *ailleurs* ? ou prendra-t-il la forme d'un désastre qui échappe à la perspicacité de nos terreurs ?

Une patrie est un soporifique de chaque instant. On ne saurait assez envier — ou plaindre — les Juifs de n'en point avoir ou de n'en posséder que de provisoires, Israël en tête. Quoi qu'ils fassent et où qu'ils aillent, leur mission est de veiller ; ainsi le veut leur immémorial statut d'étrangers. Une solution à leur sort n'existe point. Restent les arrangements avec l'Irréparable. Jusqu'ici, ils n'ont rien trouvé de mieux. Cette situation durera jusqu'à la fin des temps. Et c'est à elle qu'ils devront la malchance de ne pas périr....

*E*n somme, bien qu'attachés à ce monde, ils n'en font pas vraiment partie : il y a du non-terrestre dans leur passage sur terre. Furent-ils lointainement témoins d'un spectacle de béatitude dont ils gardent la nostalgie ? Et que durent-ils alors *voir* qui se dérobe à nos perceptions ? Leur penchant à l'utopie n'est qu'un souvenir projeté dans le futur, un vestige converti en idéal. Mais c'est leur lot, tandis qu'ils aspirent au Paradis, de buter contre le Mur des Lamentations.

Élégiaques à leur façon, ils se dopent aux regrets, y croient, en font un stimulant, un auxiliaire, un moyen de reconquérir, par le détour de l'histoire, leur premier, leur ancien bonheur. C'est sur lui qu'ils se ruent, c'est vers lui qu'ils courent. Et cette course leur prête un air à la fois spectral et triomphal qui nous effraie et nous séduit, traînards que nous sommes, résignés d'avance à un destin quelconque et à jamais incapables de croire à *l'avenir* de nos regrets.

LETTRE SUR QUELQUES IMPASSES

—————————————————— *J*'avais toujours cru, cher ami,
qu'amoureux de votre province, vous vous y exerciez au détachement, au mépris, au silence. Quelle ne fut pas ma surprise de vous
entendre dire que vous y prépariez un livre! Instantanément, je
vis se dessiner en vous un futur monstre : l'auteur que vous allez
devenir. «Encore un de perdu», pensai-je. Par pudeur, vous vous
êtes abstenu de me demander les raisons de ma déception; aussi
bien eussé-je été incapable de vous les dire de vive voix. «Encore
un de perdu, encore un de ruiné *par son talent*», me répétais-je
sans cesse.
Pénétrant dans l'enfer littéraire, vous allez en connaître les artifices et le venin; soustrait à l'immédiat, caricature de vous-même,
vous ne ferez plus que des expériences formelles, indirectes; vous
vous évanouirez dans le Mot. Les livres seront l'unique objet de
vos entretiens. Quant aux littérateurs, vous n'en tirerez aucun
profit. Seulement, vous vous en apercevrez trop tard, après avoir
perdu vos meilleures années dans un milieu sans épaisseur ni
substance. Le littérateur? Un indiscret qui dévalorise ses misères,
les divulgue, les ressasse : l'impudeur — parade d'arrière-pensées
— est sa règle; il *s'offre*. Toute forme de talent va de pair avec un
certain sans-gêne. N'est distingué que le stérile, celui qui s'efface
avec son secret, parce qu'il dédaigne de l'étaler : les sentiments
exprimés sont une souffrance pour l'ironie, une gifle à l'humour.
Conserver son secret, rien de plus fructueux. Il vous travaille,
vous ronge, vous *menace*. Lors même qu'elle s'adresse à Dieu, la
confession est un attentat contre nous-même, contre les ressorts
de notre être. Les troubles, les hontes, les effrois, dont les thérapeutiques religieuses ou profanes veulent nous délivrer, constituent un patrimoine dont à aucun prix nous ne devrions nous
laisser déposséder. Il nous faut nous défendre contre nos guéris-
seurs, et, dussions-nous en périr, préserver nos maux et nos
péchés. Le confessionnal : viol des consciences perpétré au nom

du ciel. Et cet autre viol qu'est l'analyse psychologique ! Laïcisé, prostitué, le confessionnal s'installera bientôt aux coins des rues : à quelques criminels près, tout le monde aspire à avoir une âme publique, une âme-affiche.

Vidé par sa fécondité, fantôme qui a usé son ombre, l'homme de lettres diminue avec chaque mot qu'il écrit. Sa vanité seule est inépuisable ; serait-elle psychologique, elle aurait des limites : celles du moi. Mais elle est cosmique ou démoniaque : elle le submerge. Son « œuvre » le hante : il y fait allusion sans cesse, comme si, sur notre planète, il n'y avait, en dehors de lui, rien qui méritât attention ou curiosité. Malheur à qui aura l'impudence ou le mauvais goût de l'entretenir d'autre chose que de ses productions ! Vous concevrez alors qu'un jour, au sortir d'un déjeuner littéraire, j'entrevis l'urgence d'une Saint-Barthélemy des gens de lettres.

Voltaire fut le premier littérateur à ériger son incompétence en procédé, en méthode. Avant lui, l'écrivain, assez heureux d'être à côté des événements, était plus modeste : faisant son métier dans un secteur limité, il suivait sa voie et s'y tenait. Nullement journaliste, il s'intéressait tout au plus à l'aspect anecdotique de certaines solitudes : son indiscrétion était *inefficace*.

Avec notre hâbleur les choses changent. Aucun des sujets qui intriguaient son temps n'échappa à son sarcasme, à sa demiscience, à son besoin de tapage, à son universelle vulgarité. Tout était impur chez lui, sauf son style... Profondément superficiel, sans aucune sensibilité pour *l'intrinsèque*, pour l'intérêt qu'une réalité présente en elle-même, il a inauguré dans les lettres le commérage idéologique. Sa manie de jacasser, d'endoctriner, sa sagesse de pipelet, devait en faire le prototype, le modèle du littérateur. Comme il a tout dit sur lui-même, et qu'il a exploité jusqu'au bout les ressources de sa nature, il ne nous trouble plus : nous le lisons et passons outre. En revanche, un Pascal, nous sentons bien qu'il n'a pas tout dit sur soi : lors même qu'il nous irrite, il n'est jamais pour nous *auteur*.

Écrire des livres n'est pas sans avoir quelque rapport avec le péché originel. Car qu'est-ce qu'un livre sinon une perte d'innocence, un acte d'agression, une répétition de notre chute ? Publier ses tares pour amuser ou exaspérer ! Une barbarie à l'égard de notre intimité, une profanation, une souillure. Et une tentation. Je vous en parle en connaissance de cause. Du moins ai-je l'excuse de haïr mes actes, de les exécuter sans y croire. Vous êtes plus honnête : vous écrirez des livres et vous y croirez, vous croirez à la réalité des mots, à ces fictions puériles ou indécentes. Des profondeurs du dégoût m'apparaît comme une punition tout ce qui est littérature ; j'essaierai d'oublier ma vie par peur d'en discourir ; ou bien, faute d'accéder à l'absolu du désabusement, je me condamnerai à une frivolité morose. Des bribes d'instinct, néanmoins, m'astreignent à m'agripper aux mots. Le silence est insoutenable : quelle force ne faut-il pas pour s'établir dans la concision de l'Indicible ! Il est plus aisé de renoncer au pain qu'au verbe. Malheureusement le verbe glisse au verbiage, à la littérature. Même la pensée y tend, toujours prête à se répandre, à s'enfler ; l'arrêter par la pointe, la contracter en aphorisme ou en boutade, c'est s'opposer à son expansion, à son mouvement naturel, à son élan vers le délayage, vers l'inflation. D'où les systèmes, d'où la philosophie. La hantise du laconisme paralyse la démarche de l'esprit, lequel exige des mots *en masse*, sans quoi, tourné sur lui-même, il remâche son impuissance. Si penser est un art de rabâcher, de discréditer l'essentiel, c'est que l'esprit est *professeur*. Et ennemi des gens... d'esprit, de ces obsédés du paradoxe, de la définition arbitraire. Par horreur de la banalité, de «l'universellement valable», ils s'attaquent au côté accidentel des choses, aux évidences qui ne s'imposent à personne. Préférant une formule approximative mais piquante, à un raisonnement soutenu mais fade, ils n'aspirent à avoir raison en rien, et s'amusent aux dépens des «vérités». Le Réel ne tient pas le coup : pourquoi prendraient-ils au sérieux les théories qui veulent en démontrer la solidité ? En tout, ils sont paralysés par la crainte d'ennuyer ou d'être ennuyés. Cette crainte, si vous y êtes sujet, compromettra toutes vos entreprises. Vous essaierez d'écrire ; aussitôt se dressera devant vous l'image de votre lecteur... Et vous déposerez la plume. L'idée que vous voulez développer vous excédera : à quoi bon l'examiner, l'approfondir ? Une formule seule ne pourrait-elle pas la traduire ? Comment, de plus, exposer ce que vous savez déjà ? Si l'économie verbale vous hante, vous ne pourrez lire ni relire aucun livre sans y déceler les artifices et les redondances. Tel auteur auquel vous ne cessez de revenir, vous finirez par le voir gonfler ses phrases, accumuler des pages, et comme s'affaisser sur une idée pour l'aplatir, pour l'étirer. Poème, roman, essai, drame, tout vous semblera trop long. L'écrivain, c'est sa fonction, dit toujours plus qu'il n'a à dire : il dilate sa pensée et la recouvre de mots. Seuls subsistent d'une œuvre deux ou trois *moments* : des éclairs dans du fatras. Vous dirai-je le fond de ma pensée ? Tout mot est un mot de trop. Il s'agit pourtant d'écrire : écrivons..., dupons-nous les uns les autres.

L'ennui déclasse l'esprit, le rend superficiel, décousu, le mine de l'intérieur et le disloque. Une fois qu'il se sera emparé de vous, il vous accompagnera en toute rencontre, comme il m'a accompagné d'aussi loin qu'il me souvienne. Je ne sache pas moment où il ne fût là, à mes côtés, dans l'air, dans mes paroles et dans celles des autres, sur mon visage et sur tous les visages. Il est masque et substance, façade et réalité. Je ne puis m'imaginer vivant ni mort, sans lui. Il a fait de moi un discoureur honteux d'articuler, un théoricien pour gâteux et adolescents, pour femmelettes, pour ménopauses métaphysiques, un reste de créature, un pantin halluciné. Le rien d'être qui me fut départi, il s'emploie à le ronger, et s'il m'en laisse des bribes c'est qu'il lui faut quelque matière sur quoi agir... Néant en action, il saccage les cerveaux et les réduit à un amas de concepts fracturés. Point d'idée qu'il n'empêche de se relier à une autre, qu'il n'isole et ne broie, de sorte que l'activité de l'esprit se dégrade en une suite de moments discontinus. Des notions, des sentiments, des sensations en lambeaux, tel est l'effet de son passage. Il ferait d'un saint un amateur, d'un Hercule une loque. C'est un mal qui s'étend *plus loin* que l'espace; vous devriez le fuir, sinon vous ne formerez plus que des projets insensés, comme j'en forme quand il me pousse à bout. Je rêve alors d'une pensée acide qui s'insinuerait dans les choses pour les désorganiser, les perforer, les traverser, d'un livre dont les syllabes, attaquant le papier, supprimeraient la littérature et les lecteurs, d'un livre, carnaval et apocalypse des Lettres, ultimatum à la pestilence du Verbe.

Je conçois mal votre ambition de vous faire un nom à une époque où l'épigone est de rigueur. Une comparaison s'impose. Napoléon eut, sur le plan philosophique et littéraire, des rivaux qui l'égalèrent: Hegel par la démesure de son système, Byron par son débraillement, Goethe par une médiocrité *sans précédent.* De nos jours, on chercherait en pure perte le pendant littéraire des aventuriers, des tyrans du siècle. Si, politiquement, nous avons fait preuve d'une démence inconnue jusqu'à nous, dans le domaine de l'esprit frétillent des destinées minuscules; aucun conquérant par la plume: rien que des avortons, des hystériques, des *cas* sans plus. Nous n'avons et n'aurons jamais, je le crains, l'œuvre de notre déchéance, un Don Quichotte en enfer. Plus les temps se dilatent, plus la littérature s'amincit. Et c'est en pygmées que nous nous engouffrerons dans l'Inouï.

De toute évidence il nous faudra, pour ravigoter nos illusions esthétiques, une ascèse de quelques siècles, une épreuve de mutisme, une ère de non-littérature. Pour le moment, il nous reste à corrompre tous les genres, à les pousser vers des extrémités qui les nient, à défaire ce qui fut merveilleusement fait. Si, dans cette entreprise, nous mettons quelque souci de perfection, peut-être réussirons-nous à créer un type nouveau de vandalisme...

Placés hors du style, incapables d'harmoniser nos déroutes, nous ne nous définissons plus par rapport à la Grèce : elle a cessé d'être notre point de repère, notre nostalgie ou notre remords ; elle s'est éteinte en nous, comme d'ailleurs la Renaissance.

De Hölderlin et Keats à Walter Pater, le XIXe siècle savait lutter contre ses opacités et leur opposer l'image d'une Antiquité mirifique, cure de lumière, paradis. Paradis forgé, il va sans dire. Ce qui importe c'est que l'on y aspirait, ne serait-ce que pour combattre la modernité et ses grimaces. On pouvait se vouer à une autre époque, et s'y cramponner par la violence du regret. Le passé *fonctionnait* encore.

Nous n'avons plus de passé ; ou plutôt, il n'est plus rien du passé qui soit nôtre ; plus de pays d'élection, de salut menteur, de refuge dans le révolu. Nos perspectives ? Impossible de les démêler : nous sommes des barbares sans avenir. L'expression n'étant pas de taille à se mesurer avec les événements, fabriquer des livres et s'en montrer fier, constitue un spectacle des plus pitoyables : quelle nécessité pousse un écrivain qui a écrit cinquante volumes à en écrire encore un autre ? pourquoi cette prolifération, cette peur d'être oublié, cette coquetterie de mauvais aloi ? Ne mérite indulgence que le littérateur besogneux, l'esclave, le forçat de la plume. De toute manière, il n'y a plus rien *à construire*, ni en littérature ni en philosophie. Ceux-là seuls qui en vivent, matériellement s'entend, devraient s'y adonner. Nous entrons dans une époque de formes brisées, de créations à rebours. N'importe qui pourra y prospérer. J'anticipe à peine. La barbarie est accessible à quiconque : il suffit d'y prendre goût. Nous allons allégrement défaire les siècles.

Ce que votre livre sera, je ne le pressens que trop. Vous vivez en province : insuffisamment corrompu, avec des inquiétudes pures, vous ignorez combien tout «sentiment» date. Le drame intérieur touche à sa fin. Comment se hasarder encore à une œuvre en partant de «l'âme», d'un infini préhistorique ?

Et puis, il y a le ton. Le vôtre — j'en ai peur — sera du genre «noble», «rassurant», entaché de bon sens, de mesure ou d'élégance. Dites-vous bien qu'un livre doit s'adresser à notre incivisme, à nos singularités, à nos *hautes* turpitudes, et qu'un écrivain «humain» qui sacrifie à des idées trop acceptables, signe lui-même son acte de décès littéraire.

Examinez les esprits qui réussissent à nous intriguer : loin de faire la part des choses, ils défendent des positions insoutenables. S'ils sont vivants, c'est grâce à leur côté *borné*, à la passion de leurs sophismes : les concessions qu'ils ont faites à la «raison» nous déçoivent et nous agacent. La sagesse est néfaste au génie; mortelle au talent. Vous comprendrez, cher ami, pourquoi j'appréhende vos complicités avec le genre «noble».

Comme pour vous donner un air positif, où se cachait une nuance de supériorité, vous m'avez souvent reproché ce que vous appelez mon «appétit de destruction». Sachez que je ne détruis rien : j'enregistre, j'enregistre *l'imminent*, la soif d'un monde qui s'annule, et qui, sur la ruine de ses évidences, court vers l'insolite et l'incommensurable, vers un style spasmodique. Je connais une vieille folle qui, attendant d'un instant à l'autre l'écroulement de sa maison, passe ses jours et ses nuits aux aguets; circulant dans sa chambre, épiant des craquements, elle s'irrite que *l'événement* tarde à s'accomplir. Dans un cadre plus vaste, le comportement de cette vieille est le nôtre. Nous comptons sur un effondrement, alors même que nous n'y pensons pas. Il n'en sera pas toujours ainsi; il est même à prévoir que la peur de nous-même, résultat d'une peur plus générale, constituera la base de l'éducation, le principe des pédagogies futures. Je crois à l'avenir du terrible. Vous, mon cher ami, vous y êtes si peu préparé que vous vous apprêtez à entrer dans la littérature. Je n'ai point qualité pour vous en détourner; du moins aimerais-je que vous le fissiez sans illusion. Tempérez l'auteur qui s'impatiente en vous, faites vôtre, en l'élargissant, la remarque de saint Jean Climaque : «Rien ne procure autant de couronnes au moine que le découragement.» Si, en réfléchissant bien, j'ai mis quelque complaisance à détruire, ce fut, contrairement à ce que vous pensez, toujours à mes dépens. On ne détruit pas, on *se* détruit. Je me suis haï dans tous les objets de mes haines, j'ai imaginé des miracles d'anéantissement, pulvérisé mes heures, expérimenté les gangrènes de l'intellect. D'abord instrument ou méthode, le scepticisme a fini par s'instaurer en moi, par devenir ma physiologie, le destin de mon corps, mon principe viscéral, le mal dont je ne sais plus comment guérir ni comment périr. J'incline — il n'est que trop vrai — vers des choses dénuées de toute chance d'aboutir ou de survivre. Vous comprendrez maintenant pourquoi je me suis toujours soucié de l'Occident. Ce souci vous paraissait ou ridicule ou gratuit. «L'Occident, vous n'en faites même pas partie», me faisiez-vous remarquer. Est-ce ma faute si mon avidité de tristesses n'a pas trouvé d'autre objet? Où chercher ailleurs une volonté de démission aussi obstinée? Je lui envie la dextérité avec laquelle il sait mourir. Quand je veux fortifier mes déceptions, je tourne mon esprit vers ce thème d'une inépuisable richesse négative. Et si j'ouvre une histoire de France, d'Angleterre, d'Espagne ou d'Allemagne, le contraste entre ce qu'elles furent et ce qu'elles sont me donne, en plus du vertige, la fierté d'avoir découvert enfin les axiomes du crépuscule.

Loin de moi le désir de pervertir vos espoirs : la vie s'en chargera. Ainsi que tout le monde, vous passerez de déchéance en déchéance. À votre âge, j'eus l'avantage de connaître des gens à même de me déniaiser, de me faire rougir de mes illusions; ils m'ont réellement éduqué. Sans eux, aurais-je eu le courage d'affronter ou de subir les années? En m'imposant leurs amertumes, ils m'avaient préparé aux miennes. Munis d'une grande ambition, ils étaient partis à la conquête de je ne sais quelle gloire. L'échec les attendait. Délicatesse, lucidité, fainéantise? Je ne saurais préciser quelle vertu avait traversé leurs desseins. Ils appartenaient à cette catégorie d'individus que l'on rencontre dans les capitales, vivant d'expédients, toujours en quête d'une situation qu'ils refusent aussitôt trouvée. De leurs propos j'ai tiré plus d'enseignements que du reste de mes fréquentations. Presque tous portaient en eux un livre, le livre de leurs revers; tentés par le démon de la littérature, ils n'y cédaient pourtant pas, tant leurs défaites les subjuguaient, tant elles remplissaient leurs vies. On les appelle communément «ratés». Ils forment un type d'homme à part que j'essaierai de vous décrire au risque de le simplifier. Voluptueux de l'échec, il cherche en tout sa propre diminution, ne dépasse jamais les préliminaires de son avenir, ni ne franchit le seuil d'aucune entreprise. Rivalisant d'aboulie avec les anges, il médite sur le secret de l'acte, et ne prend qu'une seule initiative : celle de l'abandon. Sa foi, s'il en a, lui sert de prétexte à de nouvelles capitulations, à une dégradation entrevue et souhaitée : il s'affale en Dieu... Réfléchit-il au «mystère»? C'est pour faire voir aux autres jusqu'où il pousse son indignité. Il habite ses convictions comme le ver le fruit; il tombe avec elles, et ne se ressaisit que pour ameuter contre soi les tristesses qui lui restent. S'il étouffe ses dons c'est que, de toutes ses forces, il aime sa lassitude; il avance vers son passé, il rebrousse chemin *au nom de ses talents*.

Vous serez surpris d'apprendre qu'il ne procède ainsi que pour avoir adopté une attitude assez étrange à l'égard de ses ennemis. Je m'explique. Quand nous sommes en veine d'efficacité, nous savons que nos ennemis à nous ne peuvent s'empêcher de nous placer au centre de leur attention et de leur intérêt. Ils nous préfèrent à eux-mêmes, ils prennent nos affaires à cœur. À notre tour de nous occuper d'eux, de veiller sur leur santé, comme sur leur haine, laquelle seule nous permet d'entretenir quelques illusions sur nous-mêmes. Ils nous sauvent, nous appartiennent, sont nôtres. À l'égard des siens, le raté réagit différemment. Ne sachant comment les conserver, il finit par s'en désintéresser et les minimiser, par ne plus les prendre au sérieux. Détachement aux lourdes conséquences. En vain essaiera-t-il plus tard de les relancer, d'éveiller en eux la moindre curiosité pour lui, de susciter leur indiscrétion ou leur rage ; en vain tentera-t-il aussi de les apitoyer sur son état, de soigner ou d'aviver leur rancune. Pour n'avoir contre qui s'affirmer, il s'enfermera dans sa solitude et sa stérilité. Solitude et stérilité que je prisais tant chez ces vaincus, responsables, je vous le répète, de mon éducation. Entre autres, ils m'avaient révélé les niaiseries inhérentes au culte de la Vérité... Jamais je n'oublierai le soulagement que je ressentis lorsqu'elle cessa d'être mon affaire. Maître de toutes les erreurs, je pouvais enfin explorer un monde d'apparences, d'énigmes légères. Plus rien à poursuivre, sinon la poursuite du rien. La Vérité ? Une marotte d'adolescents, ou un symptôme de sénilité. Pourtant, par un reste de nostalgie ou par besoin d'esclavage, je la cherche encore, inconsciemment, stupidement. Un instant d'inattention suffit pour que je retombe sous l'empire du plus ancien, du plus dérisoire des préjugés.

Je me détruis, je le veux bien ; en attendant dans ce climat d'asthme que créent les convictions, dans un monde d'oppressés, je respire ; je respire à ma façon. Un jour, qui sait ? vous connaîtrez peut-être ce plaisir de viser une idée, de tirer sur elle, de la voir là gisante, et puis de recommencer l'exercice sur une autre, sur toutes ; cette envie de vous pencher sur un être, de le dévier de ses anciens appétits, de ses anciens vices, pour lui en imposer de nouveaux, plus nocifs, afin qu'il en périsse ; de vous acharner contre une époque ou contre une civilisation, de vous précipiter sur le temps et d'en martyriser les instants ; de vous tourner ensuite contre vous-même, de supplicier vos souvenirs et vos ambitions, et, ruinant votre souffle, d'empester l'air pour mieux suffoquer..., un jour peut-être connaîtrez-vous cette forme de liberté, cette forme de respiration qui est délivrance de soi et de

tout. Vous pourrez alors vous engager dans n'importe quoi sans y
adhérer.

Mon propos était de vous mettre en garde contre le Sérieux,
contre ce péché que rien ne rachète. En échange, je voulais vous
proposer la futilité. Or, — pourquoi se le dissimuler? — la futilité
est la chose du monde la plus difficile, j'entends la futilité
consciente, acquise, volontaire. Dans ma présomption, j'espérais y
arriver par la pratique du scepticisme. Ce dernier cependant
s'adapte à notre caractère, suit nos défauts et nos passions, voire
nos folies; il se personnalise. (Il y a autant de scepticismes que de
tempéraments.) Le doute s'accroît de tout ce qui l'infirme ou le
combat; c'est un mal à l'intérieur d'un autre mal, une obsession
dans l'obsession. Si vous priez, il monte au niveau de votre prière;
votre délire, il le surveillera, tout en l'imitant; au milieu du vertige
vous douterez vertigineusement. Ainsi, abolir le sérieux, le scepticisme lui-même n'y parvient pas; non plus, hélas! la poésie. Plus
je vieillis, plus je m'avise que j'ai trop compté sur elle. Je l'ai
aimée aux dépens de ma santé; mon culte pour elle, j'escomptais
y succomber. Poésie! ce mot qui à lui seul me faisait naguère imaginer mille univers n'éveille plus dans mon esprit qu'une vision de
ronron et de nullité, de mystères fétides et d'afféteries. Il est juste
d'ajouter que j'ai eu le tort de fréquenter bon nombre de poètes. À
quelques exceptions près, ils étaient inutilement graves, infatués
ou odieux, des monstres eux aussi, des spécialistes, tout ensemble
tortionnaires et martyrs de l'adjectif, et dont j'avais surfait le dilettantisme, la clairvoyance, la sensibilité au jeu intellectuel. La futilité ne serait-elle qu'un «idéal»? C'est ce qu'il faut craindre, c'est
ce à quoi je ne me résignerai jamais. Toutes les fois que je me surprends à accorder une importance aux choses, j'incrimine mon
cerveau, m'en défie et le soupçonne de quelque défaillance, de
quelque dépravation. J'essaie de m'arracher à tout, de m'élever en
me déracinant; pour devenir futiles, nous devons couper nos
racines, devenir métaphysiquement *étrangers*.
Afin de justifier vos attaches, et comme impatient d'en porter le
fardeau, vous souteniez un jour qu'il m'était aisé de planer, d'évoluer dans le vague, parce que, venant d'un pays sans histoire,
sur moi rien ne *pesait*. Je reconnais l'avantage de faire partie
d'un petit pays, de vivre sans arrière-plan, avec la désinvolture
d'un saltimbanque, d'un idiot ou d'un saint, ou avec le détachement de ce serpent qui, enroulé sur lui-même, se passe de nourriture pendant des années, comme s'il était un dieu de l'inanition,

ou qu'il cachât, sous la douceur de son hébétude, quelque soleil hideux.

Sans aucune tradition qui m'alourdisse, je cultive la curiosité de ce dépaysement qui sera bientôt le lot de tous. De gré ou de force, nous subirons l'expérience d'une éclipse historique, l'impératif de la confusion. Déjà nous nous annulons dans la somme de nos divergences avec nous-mêmes. À se nier et se renier sans arrêt, notre esprit a perdu son centre, pour se disperser en *attitudes*, en métamorphoses aussi inutiles qu'inévitables. D'où, dans notre conduite, l'indécence et la mobilité. Notre incroyance et notre foi même en sont marquées.

S'en prendre à Dieu, vouloir le détrôner, le supplanter, est un exploit de mauvais goût, la performance d'un envieux qui ressent une satisfaction de vanité à être aux prises avec un ennemi unique et incertain. Sous quelque forme qu'il se présente, l'athéisme suppose un manque de manières, comme, pour des raisons inverses, l'apologétique ; car n'est-ce point une indélicatesse autant qu'une charité hypocrite, une impiété, que s'escrimer à soutenir Dieu, à lui assurer coûte que coûte une longévité ? L'amour ou la haine que nous lui portons révèle moins la qualité de nos inquiétudes que la grossièreté de notre cynisme.

Cet état de choses, nous n'en sommes qu'en partie responsables. De Tertullien à Kierkegaard, à force d'accentuer l'absurdité de la foi, il s'est créé, dans le christianisme, tout un sous-courant qui, se montrant au grand jour, a débordé l'Église. Quel croyant, dans ses crises de lucidité, ne se considère pas comme un serviteur de l'Insensé ? Dieu devait en pâtir. Jusqu'à présent, nous lui accordions nos vertus ; nous n'osions lui prêter nos vices. Humanisé, il nous ressemble maintenant : aucun de nos défauts ne lui est étranger. Jamais l'élargissement de la théologie et la volonté d'anthropomorphisme ne furent poussés si avant. Cette modernisation du Ciel en marque la fin. Comment vénérer un Dieu évolué, à la page ? Pour son malheur, il ne récupérera pas de sitôt sa «transcendance infinie».

«Prenez garde, pourriez-vous m'opposer, au "manque de manières". Vous ne dénoncez l'athéisme que pour mieux y sacrifier.»

Sur moi je ne sens que trop les stigmates de mon temps : je ne puis laisser Dieu en paix ; avec les snobs, je m'amuse à rabâcher qu'Il est mort, comme si cela avait un sens. Par l'impertinence, nous croyons expédier nos solitudes, et le fantôme suprême qui les habite. En réalité, augmentant, elles ne font que nous rapprocher de ce qui les hante.

Quand le rien m'envahit, et que, suivant une formule orientale, j'atteins à la «vacuité du vide», il m'arrive, atterré d'une telle extrémité, de me rabattre sur Dieu, ne fût-ce que par désir de piétiner mes doutes, de me contredire, et, multipliant mes frissons, d'y chercher un stimulant. L'expérience du vide est la tentation mystique de l'incroyant, sa possibilité de prière, son moment de plénitude. À nos limites, un dieu surgit, ou quelque chose qui en tient lieu.

*N*ous sommes loin de la littérature : loin seulement en apparence. Ce ne sont là que mots, péchés du Verbe. Je vous ai recommandé la dignité du scepticisme : voilà que je rôde autour de l'Absolu. Technique de la contradiction? Rappelez-vous plutôt le mot de Flaubert : «Je suis un mystique et je ne crois à rien.» J'y vois l'adage de notre temps, d'un temps infiniment intense, et sans substance. Il existe une volupté qui est nôtre : celle du conflit *comme tel.* Esprits convulsifs, fanatiques de l'improbable, écartelés entre le dogme et l'aporie, nous sommes aussi prêts à bondir en Dieu *par rage* que sûrs de n'y point végéter.

N'est contemporain que le professionnel de l'hérésie, le rejeté par vocation, à la fois vomissure et panique des orthodoxies. Naguère, on se définissait par les valeurs auxquelles on souscrivait; aujourd'hui, par celles que l'on répudie. Sans le faste de la négation, l'homme est un pauvre, un lamentable «créateur», incapable d'accomplir sa destinée de capitaliste de la culbute, d'amateur de krach. La sagesse? Jamais époque n'en fut plus dégagée, c'est-à-dire que jamais l'homme ne fut davantage lui-même : un être rebelle à la sagesse. Traître à la zoologie, animal fourvoyé, il s'insurge contre la nature, comme l'hérétique contre la tradition. Celui-ci est donc homme au second degré. Toute innovation est son fait. Sa passion : se trouver à l'origine, au point de départ de n'importe quoi. Même humble, il aspire à faire sentir aux autres les effets de son humilité et croit qu'un système religieux, philosophique ou politique vaut la peine d'être brisé ou renouvelé : se placer au centre d'une rupture, c'est tout ce qu'il demande. Haïssant l'équilibre et l'engourdissement des institutions, il les bouscule pour en précipiter la fin.

Le sage, lui, est hostile au nouveau. Désabusé, il abdique : c'est sa forme de protestation. Orgueilleux qui s'isole dans la *norme*, il s'affirme *en reculant.* À quoi tend-il? À surmonter ou à neutraliser ses contradictions. S'il y réussit, il prouve que les siennes manquaient de vigueur, qu'il les avait dépassées avant de les braver.

L'instinct lui faisant défaut, il lui est facile d'être maître de soi, de pontifier dans l'anémie de sa sérénité.

Pour peu que nous soyons emportés par nous-mêmes, nous nous apercevons qu'il n'est pas en notre pouvoir de freiner, d'attiédir ou d'escamoter nos contradictions. Elles nous guident, nous stimulent et nous tuent. Le sage, s'élevant au-dessus d'elles, s'en accommode, n'en souffre pas, ne *gagne* rien à mourir : il est, vivant, un demi-mort. En d'autres temps, il était un modèle ; pour nous, il n'est plus qu'un déchet de la biologie, une anomalie sans attrait. Vous diffamez la sagesse, parce que vous ne pouvez y accéder, parce qu'elle vous est «interdite», pensez-vous peut-être. Il est même certain que vous le pensez. À quoi je vous répondrai qu'il est trop *tard* pour être sage, que, de toute manière, cela ne servirait à rien, sans compter qu'un même gouffre nous engloutira tous, sages ou fous. Je reconnais du reste que je suis le sage que je ne serai jamais... Toute formule de salut agit sur moi comme un poison : elle me défait, augmente mes difficultés, aggrave mes rapports avec les autres, irrite mes plaies et, au lieu d'exercer, sur l'économie de mes jours, une vertu salutaire, elle y joue un rôle néfaste. Oui, toute sagesse agit sur moi comme un *toxique*. Sans doute pensez-vous également que je «marche» trop avec cette époque, que je lui fais trop de concessions. À vrai dire, j'y applaudis et la refuse de tout ce qu'il peut y avoir en moi de passion et d'incohérence. Elle me donne la sensation d'un dernier acte hypostasié. Faut-il en déduire qu'elle ne se conclura pas, qu'interminable, elle perpétuera son inachèvement? Il n'en est rien. Je devine ce qui arrivera, et, pour mieux le savoir, il me suffit de lire et de relire la lettre de saint Jérôme après le sac de Rome par Alaric. Elle exprime l'étonnement et le malaise de quelqu'un qui, de la périphérie d'un empire, en contemple la désagrégation et la veulerie. Méditez-la : elle est comme notre épitaphe anticipée. J'ignore s'il est légitime de parler de la fin de l'homme ; mais je suis certain de la chute de toutes les fictions dans lesquelles nous avons vécu jusqu'à ce jour. Disons que l'histoire dévoile enfin son côté nocturne, et, pour rester dans le vague, qu'un monde se détruit. Eh bien! dans l'hypothèse qu'il ne tiendrait qu'à moi que cela ne se produisît pas, je ne ferais aucun geste, je ne lèverais pas le petit doigt. L'homme m'attire et m'épouvante, je l'aime et le hais, avec une véhémence qui me condamne à la passivité. Je ne conçois pas qu'on puisse se démener pour l'écarter de sa fatalité. Faut-il être naïf pour l'accabler ou le défendre! Heureux ceux qui à son égard éprouvent un sentiment net : ils périront *sauvés*.

À ma honte, je vous avouerai qu'il fut un temps où j'appartenais moi-même à cette catégorie d'heureux. Le destin de l'homme, je le prenais à cœur, bien que d'une autre façon qu'eux. Je devais avoir vingt ans, votre âge. «Humaniste» à rebours, je me figurais — dans mon orgueil encore intact — que devenir l'ennemi du genre humain était la plus haute dignité à laquelle on pût aspirer. Désireux de me couvrir d'ignominie, j'enviais tous ceux qui s'exposaient aux sarcasmes, à la bave des autres et qui, accumulant honte sur honte, ne rataient aucune occasion de solitude. J'en vins ainsi à idéaliser Judas, parce que, se refusant à supporter plus longtemps l'anonymat du dévouement, il voulut se singulariser par la trahison. Ce n'est pas par vénalité, me plaisait-il de penser, c'est par ambition qu'il *donna* Jésus. Il rêva de l'égaler, de le valoir dans le mal; dans le bien, avec un tel concurrent, nul moyen pour lui de se distinguer. Comme l'honneur d'être crucifié lui était interdit, il sut faire de l'arbre d'Hakeldama une réplique à la Croix. Toutes mes pensées le suivaient sur le chemin de la pendaison, tandis que je m'apprêtais à vendre, moi aussi, mes idoles. Je jalousais ses infamies, le courage qu'il eut de se faire exécrer. Quelle souffrance d'être quelconque, un homme parmi les hommes! Me tournant vers les moines, méditant nuit et jour sur leur réclusion, je les imaginais remâchant des forfaits et des crimes plus ou moins avortés. Tout solitaire, me disais-je, est suspect: un être *pur* ne s'isole pas. Pour souhaiter l'intimité d'une cellule, il faut avoir la conscience lourde; il faut avoir peur de sa conscience. Je me désolais que l'histoire du monachisme ait été entreprise par des esprits honnêtes, aussi incapables de concevoir le besoin d'être odieux à soi que d'éprouver cette tristesse qui soulève les montagnes... Hyène en délire, j'escomptais me rendre haïssable à toutes les créatures, les contraindre à se liguer contre moi, les écraser ou me faire écraser par elles. Pour tout dire, j'étais ambitieux... Depuis, à se nuancer, mes illusions devaient perdre leur virulence et s'acheminer modestement vers le dégoût, l'équivoque et l'ahurissement.

*A*u terme de ces palabres, je ne puis m'empêcher de vous répéter que je discerne mal la place que vous voulez occuper dans notre temps; pour vous y insérer, aurez-vous assez de souplesse ou de désir d'inconsistance? Votre sens de l'équilibre ne présage rien qui vaille. Tel que vous êtes, il vous reste du chemin à faire. Pour liquider votre passé, vos innocences, il vous faut une initiation au vertige. Chose aisée pour qui comprend que la peur, se greffant sur la matière, lui fit faire ce bond dont nous sommes comme l'ultime écho. Il n'y a pas de temps, il n'y a que cette peur qui se déroule et se déguise en instants..., qui est là, en nous et hors de nous, omniprésente et invisible, mystère de nos silences et de nos cris, de nos prières et de nos blasphèmes. Or, c'est précisément au XXe siècle qu'épanouie, fière de ses conquêtes et de ses réussites, elle approche de son apogée. Nos frénésies ni notre cynisme n'en espéraient pas tant. Et l'on ne s'étonnera plus que nous soyons si loin de Goethe, du dernier citoyen du cosmos, du dernier grand naïf. Sa «médiocrité» rejoint celle de la nature. Le moins déraciné des esprits : un ami des éléments. Opposés à tout ce qu'il fut, c'est pour nous une nécessité, et presque un devoir, d'être injustes à son égard, de le briser en nous, de *nous* briser...

Si vous n'avez guère la force de vous démoraliser avec cette époque, d'aller aussi bas et aussi loin qu'elle, ne vous plaignez pas d'en être incompris. Ne vous croyez surtout pas un précurseur : il n'y aura pas de lumière dans ce siècle. Que si vous tenez à y apporter quelque innovation, fouillez vos nuits, ou désespérez de votre carrière.

En tout cas, ne m'accusez pas de m'être servi à votre égard d'un ton péremptoire. Mes convictions sont des prétextes : de quel droit vous les imposerais-je ? Il n'en va pas de même de mes flottements ; ceux-là, je ne les invente pas, j'y crois, j'y crois malgré moi. Aussi est-ce de bonne foi, et à regret, que je vous ai infligé cette leçon de perplexité.

LE STYLE COMME AVENTURE

*R*ompus à un art de penser purement verbal, les sophistes s'employèrent les premiers à réfléchir sur les mots, sur leur valeur et leur propriété, sur la fonction qui leur revenait dans la conduite du raisonnement : le pas capital vers la découverte du style, conçu comme but en soi, comme fin intrinsèque, était franchi. Il ne restait plus qu'à transposer cette quête verbale, à lui donner pour objet l'harmonie de la phrase, à substituer au jeu de l'abstraction le jeu de l'expression. L'artiste réfléchissant sur ses moyens est donc redevable au sophiste, il lui est organiquement apparenté. L'un et l'autre poursuivent, dans des directions différentes, un même genre d'activité. Ayant cessé d'être *nature*, ils vivent en fonction du mot. Rien d'originel en eux : aucune attache qui les relie aux sources de l'expérience ; nulle naïveté, nul « sentiment ». Si le sophiste pense, il domine tellement sa pensée qu'il en fait ce qu'il veut ; comme il n'est pas entraîné par elle, il la dirige suivant ses caprices ou ses calculs ; à l'égard de son propre esprit, il se comporte en stratège ; il ne médite pas, il conçoit, selon un plan aussi abstrait qu'artificiel, des opérations intellectuelles, ouvre des brèches dans les concepts, tout fier d'en révéler la faiblesse ou de leur accorder arbitrairement une solidité ou un sens. La « réalité », il ne s'en soucie guère : il sait qu'elle dépend des signes qui l'expriment et dont il importe d'être maître.

L'artiste va, lui aussi, du mot au vécu : *l'expression* constitue la seule expérience originelle dont il soit capable. La symétrie, l'agencement, la perfection des opérations formelles, représentent son milieu naturel : il y réside, il y respire. Et comme il vise à épuiser la capacité des mots, il tend, plus qu'à l'expression, à l'expressivité. Dans l'univers fermé où il vit, il n'échappe à la stérilité que par ce renouvellement continuel que suppose un jeu où la nuance acquiert des dimensions d'idole et où la chimie verbale réussit des dosages inconcevables à l'art naïf. Une activité aussi délibérée, si elle se situe aux antipodes de l'expérience, s'approche, en revanche, des extrémités de l'intellect. Elle fait de l'artiste qui s'y voue un sophiste de la littérature.

Dans la vie de l'esprit il arrive un moment où l'écriture, s'érigeant en principe autonome, devient destin. C'est alors que le Verbe, tant dans les spéculations philosophiques que dans les productions littéraires, dévoile et sa vigueur et son néant.

*L*a manière d'un écrivain est conditionnée physiologiquement ; il possède un rythme à lui, pressant et irréductible. On ne conçoit pas un Saint-Simon changeant, par l'effet d'une métamorphose voulue, la structure de ses phrases, ni non plus se resserrant, pratiquant le laconisme. Tout en lui exigeait qu'il se répandît en phrases enchevêtrées, touffues, mobiles. Les impératifs de la syntaxe devaient le poursuivre comme une souffrance et une hantise. Son souffle, la cadence de sa respiration, son halètement lui imposaient ce mouvement fluide et ample qui force la solidité et la barrière des mots. Il y avait chez lui un côté *orgue* si différent de ces accents de flûte qui caractérisent le français. D'où ces périodes qui, redoutant le *point*, empiètent les unes sur les autres, multiplient les détours, répugnent à s'achever.

Tout à l'opposé, songez à La Bruyère, à sa façon de couper la phrase, de la restreindre, de l'arrêter, tout attentif à en délimiter les frontières : le point-virgule est son obsession ; il a la ponctuation dans l'âme. Ses opinions, ses sentiments mêmes sont *posés.* Il redoute de les solliciter, de les irriter ou exaspérer. Comme il a le souffle court, les linéaments de sa pensée sont nets ; il resterait plutôt en deçà qu'il n'irait au-delà de sa nature. En quoi il épouse le génie d'une langue spécialisée dans les soupirs de l'intellect, et pour laquelle ce qui n'est pas cérébral est suspect ou nul. Condamnée à la sécheresse par sa perfection même, impropre à assimiler et traduire l'*Iliade* et la Bible, Shakespeare et Don Quichotte, vidée de toute charge affective, et comme exempte de son origine, elle est fermée au primordial et au cosmique, à tout ce qui précède ou dépasse l'homme. Mais l'*Iliade*, la Bible, Shakespeare ou Don Quichotte participent d'une sorte d'omniscience naïve, qui se situe à la fois au-dessous et au-dessus du phénomène humain. Le sublime, l'horrible, le blasphème ou le cri, le français ne les aborde que pour les dénaturer par la rhétorique. Il n'est pas davantage adapté au délire ni à l'humour brut : Achille et Priam, David, Lear ou Don Quichotte étouffent sous les rigueurs d'une langue qui les fait paraître nigauds, pitoyables ou monstrueux.

Quelque différents qu'ils soient, ils vivent encore — et c'est leur trait commun — au niveau de *l'âme,* laquelle, pour s'exprimer, exige une langue fidèle aux réflexes, reliée à l'instinct, non désincarnée.

Après avoir fréquenté des idiomes dont la plasticité lui donnait l'illusion d'un pouvoir sans limites, l'étranger débridé, amoureux d'improvisation et de désordre, porté vers l'excès ou l'équivoque par inaptitude à la clarté, s'il aborde le français avec timidité, n'y voit pas moins un instrument de salut, une ascèse et une thérapeutique. À le pratiquer, il se guérit de son passé, apprend à sacrifier tout un fonds d'obscurité auquel il était attaché, se simplifie, devient *autre,* se désiste de ses extravagances, surmonte ses anciens troubles, s'accommode de plus en plus du bon sens, et de la raison ; du reste, la raison, peut-on la perdre et se servir d'un outil qui en demande l'exercice, voire l'abus ? Comment être fou — ou poète — en une telle langue ? Tous ses mots paraissent au fait de la signification qu'ils traduisent : des mots lucides. S'en servir à des fins poétiques équivaut à une aventure ou un martyre. « C'est beau comme de la prose. » Boutade française s'il en fut. L'univers réduit aux articulations de la phrase, *la prose comme unique réalité,* le vocable retiré en lui-même, émancipé de l'objet et du monde : sonorité en soi, coupée de l'extérieur, tragique ipséité d'une langue acculée à son propre achèvement.

Quand on considère le style de notre temps, on ne peut manquer de s'interroger sur les raisons de sa corruption. L'artiste moderne est un solitaire qui écrit pour lui-même ou pour un public dont il n'a aucune idée précise. Lié à une époque, il s'efforce d'en exprimer les traits ; mais cette époque est forcément *sans visage.* Il ignore à qui il s'adresse, il ne se représente pas son lecteur. Au XVIIᵉ siècle et au suivant, l'écrivain avait en vue un cercle restreint dont il connaissait les exigences, le degré de finesse et d'acuité. Limité dans ses possibilités, il ne pouvait s'écarter des règles, réelles bien que non formulées, du goût. La censure des salons, plus sévère que celle des critiques d'aujourd'hui, permit l'éclosion de génies parfaits et mineurs, astreints à l'élégance, à la miniature et au fini.
Le goût se forme par la pression que les oisifs exercent sur les Lettres, il se forme surtout aux époques où la société est assez raffinée pour donner le ton à la littérature. Quand on songe qu'en d'autres temps une métaphore boiteuse discréditait un écrivain,

que tel académicien perdit la face pour une impropriété ou qu'un mot d'esprit prononcé devant une courtisane pouvait procurer une situation, voire une abbaye (ce fut le cas de Talleyrand), on mesure la distance qu'on a parcourue depuis. La terreur du goût a cessé, et, avec elle, la superstition du style. S'en plaindre serait aussi ridicule qu'inefficace. Nous avons derrière nous une assez solide tradition de vulgarité ; l'art doit s'en accommoder, s'y résigner, ou s'isoler dans l'expression absolument subjective. Écrire pour tout le monde ou pour personne, à chacun d'en décider, selon sa nature. Quel que soit le parti que nous prenions, nous sommes sûrs de ne plus rencontrer sur notre chemin cet épouvantail qu'était autrefois la faute de goût.

*V*irus de la prose, le style poétique la désarticule et la ruine : une prose poétique est une prose malade. De plus, elle date toujours : les métaphores qu'affectionne une génération paraissent ridicules à la suivante. Si nous lisons un Saint-Évremond, un Montesquieu, un Voltaire, un Stendhal comme s'ils étaient nos contemporains, c'est qu'ils ne péchèrent ni par lyrisme ni par excès d'images. Comme la prose participe du procès-verbal, le prosateur doit vaincre ses premiers mouvements, se défendre de la tentation de sincérité : toutes les fautes de goût viennent du «cœur». Le *peuple* en nous porte la responsabilité de nos débordements, de nos outrances : quoi de plus plébéien qu'un sentiment ?

*S*omme d'imperceptibles contraintes, sens du dosage et de la proportion, vigilance exercée sur nos facultés, discrétion, pudeur à l'égard des mots, le goût est le propre d'auteurs qui, nullement atteints par la manie d'être «profonds», sacrifient une partie de leur force au profit d'une certaine anémie. On ne saurait, il va sans dire, le trouver à notre siècle. Est à jamais révolu l'âge où l'on pouvait être merveilleusement superficiel. La décadence de l'exquis devait entraîner celle du style, lequel, pittoresque, complexe, se brise sous le poids de sa propre richesse. À qui la faute, si faute il y a ? Peut-être faudrait-il l'imputer au romantisme ; mais lui-même ne fut qu'une conséquence d'un abaissement général, qu'un effort de libération *aux dépens de l'exquis*. À dire vrai, le raffinement du XVIIIe siècle n'eût pu se perpétuer sans tomber dans le poncif, la mièvrerie ou la sclérose.

*U*ne nation qui descend la pente s'amoindrit sur tous les plans. «Toute dégradation individuelle ou nationale, observe Joseph de

Maistre, est sur-le-champ annoncée par une dégradation rigoureusement proportionnelle dans le langage.» Nos déficiences déteignent sur notre écriture; pour ce qui est d'une nation, son instinct, de moins en moins sûr, l'entraîne à une incertitude équivalente dans tous les domaines. La France, depuis plus d'un siècle, abandonne son ancien idéal de perfection. Il en fut de même pour Rome : l'éclipse de sa puissance fut contemporaine de l'affadissement du latin qui, docile, au service de doctrines et de chimères opposées à son génie, devint un outil dont les conciles s'emparèrent. La langue de Tacite, déformée, trivialisée, contrainte de subir des divagations sur la Trinité! Les mots ont le même destin que les empires.

À l'époque des salons, le français acquit une sécheresse et une transparence qui lui permirent de devenir universel. Lorsqu'il commença à se compliquer, à prendre des libertés, sa solidité en souffrit. Il se libère enfin au détriment de son universalité et, comme la France, évolue vers l'antipode de son passé, de son génie. Double désagrégation inévitable. Au temps de Voltaire, chacun essayait d'écrire comme tout le monde; mais tout le monde écrivait parfaitement. Aujourd'hui, l'écrivain veut avoir son style à lui, s'individualiser par l'expression; il n'y arrive qu'en défaisant la langue, qu'en violentant ses règles, qu'en sapant sa structure, sa magnifique monotonie. Ce processus, il serait inepte de vouloir s'y soustraire; on y concourt malgré soi, et il doit en être ainsi, sous peine de mort littéraire. Du moment que le français décline, déclarons-nous solidaires de son destin, profitons des profondeurs qu'il étale, comme de son acharnement à vaincre la pudeur de ses limites. Rien de plus vain que de récriminer contre son bel automne, contre ses derniers rayons. Tâchons de nous réjouir plutôt de vivre à une époque où les mots, employés dans n'importe quel sens, s'émancipent de toute contrainte, et où la signification ne constitue plus une exigence ni une hantise. Point de doute : nous assistons à la splendide désagrégation d'une langue. Son avenir? Peut-être connaîtra-t-elle quelques sursauts de délicatesse ou, ce qui est plus probable, finira-t-elle par servir à des conciles modernes, pires que ceux de l'Antiquité. Une agonie rapide pourrait aussi bien être son lot. Qu'elle s'achemine ou non vers l'état de vestige, il demeure que nous voyons plus d'un de ses vocables perdre ce qui lui restait de vitalité. Le génie de la prose va-t-il s'enfuir vers d'autres idiomes?

*P*ays des mots, la France s'est affirmée par les scrupules qu'elle a conçus à leur égard. De ces scrupules il reste des traces. Une revue, faisant en 1950 le bilan du demi-siècle, citait l'événement majeur de chaque année : fin de l'affaire Dreyfus, visite du Kaiser à Tanger, etc. Pour 1911, elle note simplement : «Faguet admet le *malgré que.*» A-t-on ailleurs porté pareille sollicitude au Verbe, à sa vie quotidienne, aux détails de son existence? La France l'a aimé jusqu'au vice, et aux dépens des choses. Sceptique sur nos possibilités de connaître, elle ne l'est guère sur nos possibilités de *formuler* nos doutes, de sorte qu'elle assimile nos vérités au mode de traduire notre méfiance à leur endroit. En toute civilisation délicate s'opère une disjonction radicale entre la réalité et le verbe.

Parler de décadence dans l'absolu, ne signifie rien; liée à une littérature et à une langue, elle ne concerne que celui qui se sent attaché à l'une et à l'autre. Le français se détériore-t-il? Seul s'en alarme celui qui y voit un instrument unique et irremplaçable. Peu lui chaut qu'à l'avenir on en trouve un autre plus maniable, moins exigeant. Quand on aime une langue, c'est un déshonneur de lui survivre.

*D*epuis deux siècles, toute originalité s'est manifestée par opposition au classicisme. Point de forme ou de formule nouvelle qui n'ait réagi contre lui. Pulvériser l'acquis, telle me paraît être la tendance essentielle de l'esprit moderne. Dans n'importe quel secteur de l'art, tout style s'affirme contre le *style*. C'est en minant l'idée de raison, d'ordre, d'harmonie, que nous prenons conscience de nous-mêmes. Le romantisme, pour y revenir encore, ne fut qu'un essor vers une dissolution des plus fécondes. L'univers classique n'étant plus viable, il nous faut le secouer, y introduire une suggestion d'inachèvement. La «perfection» ne nous trouble plus : le rythme de notre vie nous y rend insensibles. Pour produire une œuvre «parfaite», il faut savoir *attendre*, vivre à l'intérieur de cette œuvre jusqu'à ce qu'elle supplante l'univers. Loin d'être le produit d'une tension, elle est le fruit de la passivité, le résultat d'énergies accumulées pendant longtemps. Mais nous nous dépensons, nous sommes des hommes sans réserves; avec cela, incapables d'être stériles, entrés dans l'automatisme de la création, mûrs pour toute œuvre quelconque, pour toutes les demi-réussites.

*L*a «raison» ne se meurt pas seulement en philosophie, mais aussi dans l'art. Trop parfaits, les personnages de Racine nous semblent appartenir à un monde à peine concevable. Il n'est pas jusqu'à Phèdre qui n'ait l'air d'insinuer : «Regardez mes belles souffrances. Je vous défie d'en éprouver de pareilles!» Nous ne souffrons plus ainsi; notre logique ayant changé de face, nous avons appris à nous passer d'évidences. De là vient notre passion du vague, le flou de nos allures et de notre scepticisme : nos doutes ne se définissent plus par rapport à nos certitudes, mais par rapport à d'autres doutes plus *consistants*, qu'il s'agit de rendre un peu plus souples, un peu plus fragiles, comme si notre propos, insoucieux de l'établissement d'une vérité, fût de créer une hiérarchie des fictions, une échelle des erreurs. La «vérité», nous en haïssons les limites et tout ce qu'elle représente comme frein à nos caprices ou à notre quête du nouveau. Or, le classique, poursuivant son travail d'approfondissement dans une seule direction, se méfiait du nouveau, de l'originalité pour elle-même. Nous voulons de l'espace à tout prix, dût l'esprit y sacrifier ses lois, ses vieilles exigences. Les quelques évidences que nous devons malgré tout posséder, nous n'y croyons pas réellement : simples points de repère. Nos théories, comme nos attitudes, c'est notre sarcasme qui leur donne vie. Et ce sarcasme, à la racine de notre vitalité, explique pourquoi nous avançons dissociés de nos pas. Tout classicisme trouve ses lois en lui-même et s'y tient : il vit dans un présent sans histoire; tandis que nous vivons dans une histoire qui nous empêche d'avoir un présent. Ainsi, non seulement notre style, mais notre temps même est brisé. Nous n'avons pu le briser sans, parallèlement, briser notre pensée : en perpétuelle bagarre avec elles-mêmes, prêtes à s'abolir les unes les autres, à voler en éclats, nos idées s'émiettent comme notre temps.

S'il y a un rapport entre le rythme physiologique et la manière d'un écrivain, à plus forte raison y en a-t-il un entre son univers temporel et son style. L'écrivain classique, citoyen d'un temps linéaire, délimité, dont il ne franchissait pas les frontières, comment eût-il pratiqué une écriture saccadée, heurtée? Il ménageait les mots, il y vivait à demeure. Et ces mots reflétaient pour lui l'éternel présent, ce temps de la perfection, qui était sien. Mais l'écrivain moderne, n'ayant plus de siège dans le temps, devait affectionner un style convulsé, épileptique. Nous pouvons regretter qu'il en soit ainsi et évaluer avec amertume les ravages qu'entraîne le piétinement des anciennes idoles. Toujours est-il qu'il nous est impossible d'adhérer encore à une écriture «idéale». Notre méfiance à l'égard de la «phrase» atteint toute une partie de la littérature : celle qui jouait au «charme», qui employait les procédés de la séduction. Ceux des écrivains qui y recourent encore nous déroutent, comme s'ils voulaient perpétuer un monde suranné.

Toute idolâtrie du style part de la croyance que la réalité est encore plus creuse que sa figuration verbale, que l'accent d'une idée vaut mieux que l'idée, un prétexte bien amené qu'une conviction, une tournure savante qu'une irruption irréfléchie. Elle exprime une passion de sophiste, de sophiste des Lettres. Derrière une phrase proportionnée, satisfaite de son équilibre ou gonflée de sa sonorité, se cache trop souvent le malaise d'un esprit incapable d'accéder par *la sensation* à un univers originel. Quoi d'étonnant que le style soit tout ensemble un masque et un aveu ?

AU-DELÀ DU ROMAN

*D*u temps que l'artiste mobilisait toutes ses tares pour produire une œuvre *qui le cachait*, l'idée de livrer sa vie au public ne devait même pas l'effleurer. On n'imagine pas Dante ni Shakespeare notant les menus incidents de leur existence pour les porter à la connaissance des autres. Peut-être même tendaient-ils à donner une fausse image de ce qu'ils étaient. Ils avaient cette pudeur de la force que le déficient moderne n'a plus. Journaux intimes et romans participent d'une même aberration : quel intérêt peut présenter une vie ? Quel intérêt, des livres qui partent d'autres livres ou des esprits qui s'appuient sur d'autres esprits ? Je n'ai éprouvé une sensation de vérité, un frisson d'être qu'au contact de l'analphabète : des bergers, dans les Carpates, m'ont laissé une impression autrement forte que les professeurs d'Allemagne ou les malins de Paris, et j'ai vu en Espagne des clochards dont j'eusse aimé être l'hagiographe. Nul besoin, chez eux, de s'inventer une vie : ils *existaient* ; ce qui n'arrive point au civilisé. Décidément, nous ne saurons jamais pourquoi nos ancêtres ne se sont pas barricadés dans leurs cavernes.

N'importe qui s'attribue un destin, donc n'importe qui peut décrire le sien. La croyance que la psychologie révèle notre essence devait nous attacher à nos actes, à la pensée qu'ils comportent une valeur intrinsèque ou symbolique. Vint ensuite ce snobisme des «complexes» pour nous apprendre à grossir nos riens, à nous laisser éblouir par eux, à gratifier notre moi de facultés et de profondeurs, dont il est visiblement démuni. La perception intime de notre nullité n'en est cependant ébranlée qu'en partie. Le romancier qui s'appesantit sur sa vie, nous sentons bien qu'il feint seulement d'y croire, qu'il n'a aucun respect pour les secrets qu'il y découvre : il n'en est pas dupe et nous, ses lecteurs, encore moins. Ses personnages appartiennent à une humanité de seconde zone, délurée et débile, suspecte à force d'habiletés et de manœuvres. On ne conçoit guère un roi Lear *astucieux*... Le côté vulgaire, le côté parvenu du roman en fixe les traits : ravalement de la fatalité, Destin qui a perdu sa majuscule, improbabilité du malheur, tragédie déclassée.

Auprès du héros tragique, comblé par l'adversité, son bien de toujours, son patrimoine, le personnage romanesque apparaît comme un aspirant à la ruine, un gagne-petit de l'horreur, tout soucieux de se perdre, tout tremblant de n'y point réussir. Incertain de son désastre, il en souffre. Aucune nécessité dans sa mort. L'auteur, telle est notre impression, pourrait le sauver : ce qui nous donne un sentiment de malaise et nous gâche le plaisir de la lecture. La tragédie, elle, se déroule sur un plan, si j'ose dire, absolu : l'auteur n'a aucune influence sur ses héros, il n'en est que le serviteur, l'instrument ; ce sont eux qui commandent et lui intiment de rédiger le procès-verbal de leurs faits et gestes. Ils *règnent* jusque dans les œuvres auxquelles ils servent de prétexte. Et ces œuvres nous semblent des réalités indépendantes et de l'écrivain et des ficelles de la psychologie. C'est d'une tout autre manière que nous lisons les romans. Le romancier, nous y songeons toujours ; sa présence nous hante ; nous le voyons se débattre avec ses personnages ; en fin de compte, lui seul nous requiert. « Que va-t-il faire d'eux ? Comment s'en débarrassera-t-il ? », nous demandons-nous avec une gêne mêlée d'appréhension. Si l'on a pu dire que Balzac faisait du Shakespeare *avec des ratés*, que penser alors de nos romanciers, contraints de se pencher sur un type d'humanité encore plus détérioré ? Dépourvu de souffle cosmique, le personnage s'amenuise et n'arrive pas à contrebalancer l'effet dissolvant de son savoir, de sa volonté de clairvoyance, de son manque de « caractère ».

Le phénomène moderne par excellence est constitué par l'apparition de *l'artiste intelligent.* Non pas que ceux d'autrefois fussent incapables d'abstraction ou de subtilité ; mais, installés d'emblée au milieu de leur œuvre, ils la faisaient sans trop y réfléchir, et sans s'entourer de doctrines et de considérations de méthode. L'art, encore neuf, les *portait.* Il n'en va plus de même maintenant. Quelque réduits que soient ses moyens intellectuels, l'artiste est avant tout un esthéticien : placé en dehors de son inspiration, il la prépare, il s'y astreint délibérément. Poète, il commente ses œuvres, les explique sans nous convaincre, et, pour inventer et se renouveler, singe l'instinct qu'il n'a plus : l'idée de poésie est devenue sa matière poétique, sa source d'inspiration. Il chante *son* poème ; grave défaillance, non-sens poétique : on ne fait pas des poèmes avec de la poésie. Seul l'artiste douteux part de l'art ; l'artiste véritable puise sa matière ailleurs : en soi-même. À côté du «créateur» actuel, de ses peines et de sa stérilité, ceux du passé paraissent défaillir de santé : ils n'étaient pas anémiés par la philosophie, comme les nôtres. Interrogez en effet n'importe quel peintre, romancier, musicien : vous verrez que les *problèmes* le rongent et lui prêtent cette insécurité qui est sa marque essentielle. Il tâtonne comme s'il était condamné à s'arrêter au seuil de son entreprise ou de son sort. Cette exacerbation de l'intellect, accompagnée d'un amoindrissement correspondant de l'instinct, personne n'y échappe de nos jours. Le monumental, le grandiose irréfléchi n'est plus possible ; au contraire, *l'intéressant* s'élève au niveau de catégorie. C'est l'individu qui fait l'art, ce n'est plus l'art qui fait l'individu, comme ce n'est plus l'œuvre qui compte mais le commentaire qui la précède ou qui lui succède. Et ce qu'un artiste produit de meilleur, ce sont ses idées sur ce qu'il aurait pu accomplir. Il est devenu son propre critique, comme le vulgaire son propre psychologue. Aucun âge n'a connu une telle conscience de soi. Vus sous cet angle, la Renaissance semble barbare, le Moyen Âge préhistorique, et il n'est pas jusqu'au siècle dernier qui ne paraisse quelque peu puéril. Nous en savons long sur nous-mêmes ; d'autre part, nous ne *sommes* rien. Revanche de nos lacunes en naïveté, en fraîcheur, en espoir et en bêtise, le «sens psychologique», notre plus grande acquisition, nous a métamorphosés en spectateurs de nous-mêmes. Notre plus grande acquisition ? Étant donné notre incapacité métaphysique, il l'est sans doute, comme il est le seul genre de profondeur dont nous soyons susceptibles. Mais si l'on transcende la psychologie, toute notre «vie intérieure» prend l'allure d'une météorologie affective dont les variations ne comportent aucune signification. Pourquoi s'intéresser aux manèges des spectres, aux stades de l'apparence ? Et comment, après *Le Temps retrouvé*, nous réclamer d'un moi, comment miser encore sur nos secrets ? Ce n'est pas Eliot, c'est Proust qui est le prophète des «hollow men», des hommes vides. Enlevez les fonctions de la mémoire par quoi il s'ingénie à nous faire triompher du devenir, il ne reste plus rien en nous si ce n'est le rythme qui marque les étapes de notre déliquescence. Dès lors, se refuser à l'anéantissement équivaut à une impolitesse à l'égard de soi. L'état de créature n'arrange personne. Nous le savons aussi bien par Proust que par Maître Eckhart ; avec le premier, nous entrons dans la jouissance du vide par le temps, avec le second, par l'éternité. Vide psychologique ; vide métaphysique. L'un, couronnement de l'introspection; l'autre, de la méditation. Le «moi» constitue le privilège de ceux-là seuls qui ne vont pas jusqu'au bout d'eux-mêmes. Mais aller jusqu'au bout de soi, cette extrémité, féconde pour le mystique, est néfaste à l'écrivain. On ne se figure pas Proust survivant à son œuvre, à la vision qui la conclut. D'autre part, il a rendu superflue et irritante toute recherche dans la direction des minuties psychologiques. À la longue, l'hypertrophie de l'analyse gêne et le romancier et ses personnages. On ne saurait compliquer à l'infini un caractère ni les situations où il se trouve impliqué. On les connaît toutes, du moins on les devine.

Il n'est qu'une chose pire que l'ennui : c'est la peur de l'ennui. Et c'est cette peur que j'éprouve toutes les fois que j'ouvre un roman. Je n'ai que faire de la vie du héros, n'y adhère pas, n'y crois en aucune manière. Le genre, ayant dilapidé sa substance, n'a plus d'objet. Le personnage se meurt, l'intrigue de même. Aussi n'est-ce point sans signification que les seuls romans dignes d'intérêt ce soient précisément ceux où, une fois l'univers licencié, rien ne se passe. L'auteur même y semble absent. Délicieusement illisibles, sans queue ni tête, ils pourraient aussi bien s'arrêter à la première phrase que contenir des dizaines de milliers de pages. À leur propos, une question vient à l'esprit : peut-on répéter indéfiniment la même expérience? Écrire un roman sans matière, voilà qui est bien, mais à quoi bon en écrire dix ou vingt? La nécessité de l'absence posée, pourquoi multiplier cette absence et s'y complaire? La conception implicite de cette sorte d'œuvres oppose à l'usure de l'être la réalité intarissable du néant. Logiquement sans valeur, une telle conception n'en est pas moins vraie affectivement. (Parler du néant autrement qu'en termes d'affectivité c'est perdre son temps.) Elle postule une recherche sans références, une expérience vécue à l'intérieur d'une vacuité inépuisable, vacuité éprouvée et pensée à travers la sensation, de même qu'une dialectique paradoxalement figée, sans mouvement, un dynamisme de la monotonie et de la vacance. N'est-ce pas là tourner en rond? *Volupté de la non-signification* : suprême impasse. Se servir de l'anxiété non point pour convertir l'absence en mystère, mais le mystère en absence. Mystère nul, suspendu à lui-même, sans arrière-plan, et hors d'état de porter celui qui le conçoit par-delà les révélations du non-sens.

À la narration qui supprime le narré, l'objet, correspond une ascèse de l'intellect, une méditation *sans contenu*... L'esprit se voit réduit à l'acte par quoi il est esprit, et rien de plus. Toutes ses activités le ramènent à soi, à ce déroulement stationnaire qui l'empêche de s'accrocher aux choses. Nulle connaissance, nulle action : la méditation sans contenu représente l'apothéose de la stérilité et du refus.

Le roman qui sort du temps abandonne sa dimension spécifique, renonce à ses fonctions : geste héroïque qu'il est ridicule de refaire. A-t-on le droit d'exténuer ses propres obsessions, de les exploiter, de les ressasser sans merci ? Plus d'un romancier d'aujourd'hui me fait penser à un mystique qui aurait *dépassé* Dieu. Le mystique, arrivé là, c'est-à-dire nulle part, ne pourrait plus prier, puisqu'il serait allé plus avant que l'objet de ses prières. Mais pourquoi les romanciers qui ont dépassé le roman y persévèrent-ils ? Telle est sa capacité de fascination qu'il subjugue ceux-là mêmes qui s'évertuent à le défaire. La hantise moderne de l'histoire et de la psychologie, qui mieux que lui pourrait la traduire ? Si l'homme s'épuise dans sa réalité temporelle, il n'est qu'un personnage, un sujet de roman, et rien de plus. En somme, notre semblable. D'ailleurs le roman eût été inconcevable dans une période de floraison métaphysique : on ne l'imagine guère prospérant au Moyen Âge, ni dans la Grèce, l'Inde ou la Chine classiques. Car l'expérience métaphysique, désertant la chronologie et les modalités de notre être, vit dans l'intimité de l'absolu, absolu auquel le personnage doit tendre sans y parvenir : à cette seule condition il dispose d'un destin, lequel, pour être littérairement efficace, suppose une expérience métaphysique inachevée, j'ajouterai, volontairement inachevée. Ceci vise les héros dostoïevskiens eux-mêmes : inaptes à se sauver, impatients de déchoir, ils nous intriguent dans la mesure où ils gardent une *fausse* relation avec Dieu. La sainteté n'est pour eux qu'un prétexte à déchirement, un supplément de chaos, un détour leur permettant de mieux s'effondrer. La posséderaient-ils qu'ils cesseraient d'être des personnages : ils la poursuivent pour la repousser, pour goûter au danger de retomber en soi. C'est en sa qualité de saint manqué que le prince épileptique se situe au centre d'une intrigue, la sainteté *réalisée* étant contradictoire avec l'art du roman. Quant à Aliocha, plus proche de l'ange que du saint, sa pureté n'évoque pas l'idée d'un destin et l'on voit mal comment Dostoïevski eût pu en faire la figure centrale d'une suite aux *Frères Karamazov*. Projection de notre horreur de l'histoire, l'ange est l'écueil, voire la mort de la narration. Faut-il en déduire que le domaine du narrateur ne doive pas s'étendre aux antécédents de la Chute ? Cela me semble singulièrement vrai pour le romancier, dont la fonction, le mérite et l'unique raison d'être sont de pasticher l'enfer.

*J*e ne revendique pas l'honneur de ne pouvoir lire un roman jusqu'au bout ; je m'insurge simplement contre son insolence, contre le pli qu'il nous a imposé, et la place qu'il a prise dans nos préoccupations. Rien de plus intolérable que d'assister pendant des heures à des discussions autour de tel ou tel personnage fictif. Qu'on me comprenne bien : les livres les plus bouleversants, sinon les plus grands, que j'ai lus étaient des romans. Ce qui ne m'empêche pas de haïr la vision dont ils procédaient. Haine sans espoir. Car si j'aspire à un autre monde, à n'importe quel monde sauf le nôtre, je sais cependant que je n'y accéderai jamais. Chaque fois que j'ai essayé de m'établir dans un principe supérieur à mes « expériences », force m'a été de constater que celles-ci l'emportaient pour moi en intérêt sur celui-là, que toutes mes velléités métaphysiques venaient se heurter à ma frivolité. À tort ou à raison, j'ai fini par en rendre responsable tout un genre, par l'envelopper de ma rage, par y voir un obstacle à moi-même, l'agent de mon effritement et de celui des autres, une manœuvre du Temps pour s'infiltrer dans notre substance, la preuve enfin acquise que l'éternité ne sera jamais pour nous qu'un mot et un regret. « Comme tout le monde, tu es fils du roman », telle est ma rengaine, et ma défaite.

Point d'attaque sans volonté de s'affranchir d'un envoûtement ou de s'en punir. Je ne me pardonnerai jamais d'être intérieurement plus proche du premier romancier venu que du plus futile des sages d'autrefois. On ne se passionne pas impunément pour les fariboles de la civilisation occidentale, civilisation du roman. Obnubilée par la littérature, elle accorde à l'écrivain à peu près le crédit que l'on attribuait au sage dans le monde antique. Pourtant, le patricien qui achetait son stoïcien ou son épicurien devait, auprès de son esclave, s'élever à un niveau auquel ne saurait prétendre le bourgeois moderne qui lit son romancier. Si l'on me répliquait que ce sage-là, quand il n'était pas un imposteur, discourait sur des thèmes aussi rebattus que le destin, le plaisir ou la douleur, je répondrais que cette sorte de médiocrité me semble préférable à la nôtre, et que dans le charlatanisme même de la sagesse, il y a plus de vérité que dans celui de l'activité romanesque. Et puis, en fait de charlatanisme, n'oublions pas celui, plus digne, plus réel, de la poésie.

De toute évidence on ne peut faire de la poésie avec n'importe quoi. Elle ne se prête pas à tout. Elle a des scrupules et un... standing. Lui voler son bien entraîne quelques risques : rien de plus inconsistant qu'elle lorsqu'on la transplante dans le discours. On connaît le caractère hybride du roman d'inspiration romantique, symboliste ou surréaliste. En effet, le roman, usurpateur par vocation, n'a pas hésité à s'emparer des moyens propres à des mouvements essentiellement poétiques. Impur par son adaptabilité même, il a vécu et vit de fraude et de pillage, et s'est vendu à toutes les causes. Il a fait le trottoir de la littérature. Nul souci de décence ne l'embarrasse, point d'intimité qu'il ne viole. Avec une égale désinvolture, il fouille les poubelles et les consciences. Le romancier, dont l'art est fait d'auscultation et de commérage, transforme nos silences en potins. Même misanthrope, il a la passion de l'humain : il s'y engouffre. Qu'il fait piètre auprès des mystiques, de leurs folies, de leur «inhumanité»! Et puis Dieu a tout de même une autre classe. On conçoit qu'on s'en occupe. Mais je ne comprends pas que l'on s'attache aux êtres. Je rêve aux profondeurs de l'*Ungrund*, fond antérieur aux corruptions du temps, et dont la solitude, supérieure à celle de Dieu, me séparerait à jamais de moi, de mes semblables, du langage de l'amour, de la prolixité qu'entraîne la curiosité pour autrui. Si je m'en prends au romancier, c'est que, travaillant sur une matière quelconque, sur nous tous, il est et il doit être plus prolixe que nous. Sur un point, rendons-lui néanmoins justice : il a le courage du délayage. Sa fécondité, sa puissance est à ce prix. Nul talent épique sans une science de la banalité, sans l'instinct de l'inessentiel, de l'accessoire et de l'infime. Des pages et des pages : accumulation de riens. Si le poème-fleuve est une aberration, le roman-fleuve était inscrit dans les lois mêmes du genre. *Des mots, des mots, des mots...* Hamlet lisait sans doute un roman.

Refléter la vie dans ses détails, dégrader nos stupéfactions en anecdotes, quel supplice pour l'esprit! Ce supplice, le romancier ne le ressent pas, comme il ne ressent pas davantage l'insignifiance et la naïveté de «l'extraordinaire». Y a-t-il un seul événement qui vaille la peine d'être relaté? Question déraisonnable, car j'ai lu autant de romans que quiconque. Mais question sensée, pour peu que le temps s'envole de notre conscience et qu'il ne reste plus en nous qu'un silence qui nous arrache aux êtres, et à cette extension de l'inconcevable sur la sphère de chaque instant par quoi se définit l'existence.

L*e sens* commence à dater. La toile dont l'intention est saisissable, nous ne la regardons pas longtemps; le morceau de musique à caractère perceptible, aux contours définis, nous excède; le

poème trop net, trop explicite nous semble... incompréhensible.
Le règne de l'évidence tire à sa fin : quelle vérité claire vaut la
peine d'être énoncée ? Ce qui peut se communiquer ne mérite pas
que l'on s'y arrête. En déduira-t-on que seul le « mystère » doive
nous retenir ? Il est non moins fastidieux que l'évidence. J'entends
le mystère *plein*, tel qu'on l'a conçu jusqu'à nous. Le nôtre, purement formel, n'est qu'un recours d'esprits déçus par la clarté, une
profondeur creuse, assortie à cette étape de l'art où plus personne
n'est dupe, où, en littérature, en musique, en peinture, nous
sommes contemporains de tous les styles. L'éclectisme, s'il nuit à
l'inspiration, élargit en revanche notre horizon et nous permet de
profiter de toutes les traditions. Il libère le théoricien, mais il paralyse le créateur, auquel il découvre des perspectives trop vastes ;
or, une œuvre se fait à côté ou en dehors du savoir. Si l'artiste
d'aujourd'hui se réfugie dans l'obscur, c'est qu'il ne peut plus
innover *avec ce qu'il sait*. La masse de ses connaissances a fait de
lui un glossateur, un Aristarque désabusé. Pour sauvegarder son
originalité, il ne lui reste guère que l'aventure dans l'inintelligible.
Il renoncera donc aux évidences que lui inflige une époque
savante et stérile. Poète, il se trouve devant des mots dont aucun,
dans son acception légitime, n'est chargé d'avenir ; s'il les veut
viables, il devra briser leur sens, courir après *l'impropriété*. Dans
les Lettres en général, nous assistons à la capitulation du Verbe,
lequel, si étrange que cela puisse paraître, est encore plus usé que
nous. Suivons donc la courbe descendante de sa vitalité, accor-
dons-nous à son degré de surmenage et de décrépitude, épousons
le cheminement de son agonie. Chose curieuse : jamais il ne fut
plus libre ; sa démission est son triomphe : émancipé du réel et du
vécu, il se permet enfin le luxe de n'exprimer plus rien sinon
l'équivoque de son propre jeu. Cette agonie, ce triomphe, le genre
qui nous occupe devait s'en ressentir.
L'avènement du roman sans matière a porté un coup mortel au
roman. Plus d'affabulation, de personnages, d'intrigues, de causalité. L'objet excommunié, l'événement aboli, ne subsiste encore
qu'un moi qui se survit, qui se rappelle avoir été, un moi *sans lendemain*, qui se cramponne à l'Indéfini, le tourne et le retourne, le
convertit en tension et cette tension n'aboutit qu'à elle-même :
extase sur les confins des Lettres, murmure inapte à s'évanouir en
cri, litanie et soliloque du Vide, appel schizophrénique qui refuse
l'écho, métamorphose en une extrémité qui se dérobe et que ne
poursuit ni le lyrisme de l'invective ni celui de la prière. S'aventurant jusqu'aux racines du Vague, le romancier devient un archéo-

logue de l'absence qui explore les couches de ce qui n'est pas et ne saurait être, qui creuse l'insaisissable et le déroule devant nos regards complices et déconcertés. Mystique qui s'ignore ? Certes non. Car le mystique, s'il nous décrit les transes de son attente, celle-ci débouche sur un objet dans lequel il parvient à s'ancrer. Sa tension se dirige hors d'elle-même ou se maintient telle quelle à l'intérieur de Dieu où elle trouve un appui et une justification. Réduite à elle-même, sans le soubassement d'une réalité, elle serait douteuse ou n'intriguerait que la psychologie. Admettons cependant que cette réalité qui la soutient et la transfigure soit illusoire : dans ses accès d'acédie, le mystique en convient. Mais telles sont ses ressources, tel est l'automatisme de sa tension que, au lieu de se livrer à l'Indéfini et de s'y fondre, il le substantialise, lui donne une épaisseur et un visage. Après avoir abjuré ses chutes et converti ses nuits en chemin et non en hypostase, il pénètre dans une région où il ne connaît plus cette sensation, la plus pénible de toutes, que *l'être* vous est interdit, qu'un pacte avec lui ne vous sera jamais possible. Et cet être, vous n'en connaîtrez que la périphérie, que les frontières : c'est pour cela que vous êtes écrivain. Le *no man's land* qui s'étend entre ces frontières et celles de la littérature, le romancier le parcourt à ses meilleurs moments. Parvenue là, faute de contenu et d'objet à quoi s'appliquer, la psychologie s'annule, puisqu'elle est entrée dans une zone incompatible avec son exercice. Figurez-vous un roman où les personnages ne vivraient plus en fonction les uns des autres, ni d'eux-mêmes, un Adolphe, un Ivan Karamazov ou un Swann sans partenaires : vous comprendrez que les jours du roman sont comptés et que, s'il s'obstine à durer, il devra se satisfaire d'une carrière de cadavre.

Sans doute faut-il aller encore plus loin : souhaiter, par-delà la fin d'un genre, celle de tous les autres, celle de l'art. Privé de toutes ses échappatoires, l'homme aurait le bon goût, en proclamant son dénuement, de suspendre sa course, ne fût-ce que pour la durée de quelques générations. Avant de se recommencer, il lui faudrait se régénérer par la stupeur : ce à quoi l'engage tout l'art contemporain dans la mesure où celui-ci souscrit à sa propre destruction. Non point qu'il faille croire à l'avenir de la métaphysique, ni à aucune espèce d'avenir. Loin de moi une telle insanité. Il n'en demeure pas moins que toute fin recèle une promesse et dégage l'horizon. Quand, à la devanture des libraires, nous ne verrons plus aucun roman, un pas aura été fait — peut-être en avant, peut-être en arrière... Du moins toute une civilisation fondée sur la

prospection de futilités succombera. Utopie ? divagation ? ou barbarie ? Je ne sais. Mais je ne puis m'empêcher de songer au dernier romancier.

Lorsque, vers la fin du Moyen Âge, l'épopée commença à fléchir
pour s'effacer ensuite, les contemporains de ce déclin durent
éprouver un soulagement : à coup sûr, ils respiraient plus librement. La mythologie chrétienne et chevaleresque une fois épuisée, l'héroïsme, conçu au niveau cosmique et divin, céda la place
à la tragédie : l'homme s'empara, à la Renaissance, de ses propres
limites, de son propre destin et devint lui-même au point d'en
éclater. Puis, ne pouvant supporter longtemps l'oppression du
sublime, il s'abaissa au roman, épopée de l'ère bourgeoise, épopée de remplacement.

Devant nous s'ouvre une vacance que rempliront des succédanés
philosophiques, des cosmogonies au symbolisme fumeux, des
visions douteuses. L'esprit en sera élargi, et il englobera plus de
matières qu'il n'a coutume de contenir. Songeons à l'époque hellénistique et à l'effervescence des sectes gnostiques : l'Empire, de
sa vaste curiosité, embrassait des systèmes irréconciliables et, à
force de naturaliser des dieux orientaux, ratifiait nombre de doctrines et de mythologies. De même qu'un art exténué devient perméable aux formes d'expression qui lui étaient étrangères, de
même un culte à bout de ressources se laisse envahir par tous les
autres. Tel fut le sens du syncrétisme antique, tel est celui du syncrétisme contemporain. Notre vide, où s'amoncellent arts et religions disparates, appelle des idoles d'ailleurs, les nôtres étant trop
caduques pour veiller encore sur nous. Spécialisés en d'autres
cieux, nous n'en tirons cependant aucun profit : issu de nos
lacunes, de l'absence d'un principe de vie, notre savoir est universalité de surface, dispersion qui présage la venue d'un monde uni-
fié dans le grossier et le terrible. Nous savons comment, dans
l'Antiquité, le dogme mit un terme aux fantaisies du gnosticisme ;
nous devinons dans quelle certitude s'achèveront nos dérèglements encyclopédiques. Faillite d'une époque où l'histoire de l'art
s'est substituée à l'art, celle des religions à la religion.

*N*e soyons pas inutilement amers : certaines faillites sont parfois
fécondes. Ainsi celle du roman. Saluons-la donc, allons même la
célébrer : notre solitude s'en trouvera renforcée, affermie. Coupés
d'un débouché, acculés enfin à nous-mêmes, nous pourrons
mieux nous interroger sur nos fonctions et nos limites, sur l'inutilité d'avoir une vie, de devenir un personnage ou d'en créer un. Le

roman ? Veto opposé à l'éclatement de nos apparences, point le plus éloigné de nos origines, artifice pour escamoter nos vrais problèmes, écran qui s'interpose entre nos réalités primordiales et nos fictions psychologiques. Nous n'admirerons jamais assez tous ceux qui, lui imposant des techniques qui le nient, une atmosphère qui l'infirme, des exigences qui le dépassent, concourent à sa ruine, et à celle de notre temps dont il est à la fois la figure, la quintessence et la grimace. Il en traduit toutes les faces, il en accapare toutes les possibilités d'expression. Tant l'adoptent, alors que leur nature ne les y disposait guère. Aujourd'hui, Descartes serait vraisemblablement romancier ; Pascal, sûrement. Un genre devient universel lorsqu'il séduit des esprits que rien n'y portait. Mais l'ironie veut que ce soient précisément eux qui le sapent : ils y introduisent des problèmes hétérogènes à sa nature, le diversifient, le pervertissent et le surchargent jusqu'à en faire craquer l'architecture. Quand on n'a pas à cœur l'avenir du roman, on doit se réjouir de voir des philosophes en écrire. Toutes les fois qu'ils s'insinuent dans la vie des Lettres, c'est pour en exploiter le désarroi ou en précipiter la déconfiture.

*Q*ue la littérature soit appelée à périr, c'est possible et même souhaitable. À quoi bon la farce de nos interrogations, de nos problèmes, de nos anxiétés ? Ne serait-il pas préférable, après tout, de nous orienter vers une condition d'automates ? À nos tristesses individuelles, trop lourdes, succéderaient des tristesses en série, uniformes, et faciles à supporter ; plus d'œuvres originales ou profondes, plus d'intimité, donc plus de rêves, ni de secrets. Bonheur, malheur, perdraient tout sens puisqu'ils n'auraient *d'où* émaner ; chacun de nous sera enfin idéalement parfait et nul : *personne.* Arrivés au crépuscule, aux derniers jours du Sort..., contemplons nos dieux à la dérive : ils nous valaient bien, les pauvres. Peut-être leur survivrons-nous, peut-être reviendront-ils diminués, déguisés, furtifs. Par souci de justice, reconnaissons que, s'ils s'interposèrent entre nous et la vérité, maintenant qu'ils s'en vont, nous ne sommes pas plus près d'elle qu'au temps où ils nous interdisaient de la regarder ou affronter. Aussi misérables qu'eux, nous continuons de travailler dans le fictif et de substituer, comme de raison, une illusion à une autre : nos plus hautes certitudes ne sont que mensonges *agissants...*
Quoi qu'il en soit, la matière de la littérature s'amincit et celle, plus limitée, du roman s'évanouit sous nos yeux. Est-il vraiment mort, ou seulement moribond ? Mon incompétence m'empêche

d'en décider. Après avoir soutenu qu'il était fini, des remords m'assaillent : et s'il vivait ? Dans ce cas, à d'autres, plus experts, d'établir le degré exact de son agonie.

LE COMMERCE DES MYSTIQUES

*R*ien de plus irritant que ces ouvrages où l'on coordonne les idées touffues d'un esprit qui a visé à tout, sauf au système. À quoi sert de donner un semblant de cohérence à celles de Nietzsche, sous prétexte qu'elles tournent autour d'un motif central ? Nietzsche est une somme d'attitudes, et c'est le rabaisser que de chercher en lui une volonté d'ordre, un souci d'unité. Captif de ses humeurs, il en a enregistré les variations. Sa philosophie, méditation sur ses caprices, les érudits veulent à tort y démêler des constantes qu'elle refuse.

La hantise du système n'est pas moins suspecte lorsqu'elle s'applique à l'étude des mystiques. Passe encore pour un Maître Eckhart qui a pris soin de discipliner sa pensée : n'est-il pas prédicateur ? Un sermon, si inspiré soit-il, participe du *cours*, expose une thèse et s'évertue à en montrer le bien-fondé. Mais que dire d'un Angelus Silesius, dont les distiques se contredisent à plaisir et ne possèdent qu'un thème commun : Dieu — lequel est présenté sous tant de faces qu'il est malaisé d'en identifier la véritable ? *Le Voyageur chérubinique*, suite de propos irréconciliables, d'une grande splendeur de confusion, n'exprime que les états, strictement subjectifs, de son auteur : vouloir y déceler l'unité, le système, c'est en ruiner la capacité de séduction. Angelus Silesius s'y préoccupe moins de Dieu que de son dieu à lui. Une foule d'insanités poétiques en résultent, qui devraient faire reculer l'érudit et épouvanter le théologien. Il n'en est rien. L'un et l'autre s'évertuent à mettre bon ordre dans ces propos, à les simplifier, à en dégager une idée précise. Maniaques de la rigueur, ils veulent savoir ce que leur auteur pensait de l'éternité et de la mort. Ce qu'il en pensait ? *N'importe quoi*. Ce sont des expériences à lui, personnelles et absolues. Quant à son Dieu, jamais *achevé*, toujours imparfait et changeant, il en consigne les moments et en traduit le devenir dans une pensée non moins imparfaite et changeante. Méfions-nous du définitif, détournons-nous de ceux qui prétendent posséder une vue exacte sur quoi que ce soit. Que dans tel distique Angelus Silesius assimile la mort au mal, et dans tel autre au bien, ce serait manquer de probité et d'humour que de s'en étonner. Comme la mort elle-même *devient* en nous, considérons-en les étapes, les métamorphoses ; l'enserrer dans une formule c'est l'arrêter, l'appauvrir, la saboter.

Le mystique ne vit ses extases ni ses dégoûts dans les limites d'une définition : sa prétention n'est pas de satisfaire aux exigences de sa pensée, mais à celles de ses sensations. Et la sensation, il y tend beaucoup plus que le poète, puisque c'est par elle qu'il confine à Dieu.

Point de frissons identiques, et qu'on puisse refaire à volonté : l'identité d'un vocable recouvre, en fait, quantité d'expériences divergentes. Il y a mille perceptions du néant et un seul mot pour les traduire : l'indigence du discours rend l'univers intelligible... Chez Angelus Silesius, l'intervalle qui sépare un distique de l'autre est atténué, sinon annulé, par l'image familière des mêmes mots qui reviennent, par cette pauvreté du langage qui fait perdre leur individualité et aux soupirs et aux horreurs et aux extases. Dès lors, le mystique dénature son expérience en l'exprimant, à peu près autant que l'érudit dénature le mystique en le commentant.

C'est se méprendre sur la mystique que de croire qu'elle dérive d'un amollissement des instincts, d'une sève compromise. Un Louis de Léon, un saint Jean de la Croix couronnèrent une époque de grandes entreprises et furent nécessairement contemporains de la Conquête.

Loin d'être des déficients, ils luttèrent pour leur foi, attaquèrent Dieu de front, s'approprièrent le ciel. Leur idolâtrie du non-vouloir, de la douceur et de la passivité les garantissait contre une tension à peine soutenable, contre cette hystérie *surabondante* dont procédait leur intolérance, leur prosélytisme, leur pouvoir sur ce monde et sur l'autre. Pour les deviner, que l'on se figure un Hernan Cortès au milieu d'une géographie invisible.

Les mystiques allemands ne furent pas moins des conquérants. Leur penchant à l'hérésie, à l'affirmation personnelle, à la protestation, traduisait, sur le plan spirituel, la volonté de toute une nation de s'individualiser. Telle fut la signification de la Réforme qui donna à l'Allemagne son sens historique. En plein Moyen Âge, Eckhart déborde la tradition et s'engage dans une voie propre : sa vitalité annonce celle de Luther. Il indique également la direction que prendra la pensée allemande. Mais ce qui lui assure une position unique, c'est que, père du paradoxe en matière de religion, il fut le premier à avoir donné une tournure de drame intellectuel aux relations entre l'homme et Dieu. Cette tension convenait particulièrement à une époque où tout un peuple était en fermentation et à la recherche de lui-même.

Il y avait du chevalier dans ces mystiques. Portant une cuirasse secrète, indomptables jusque dans leur passion de se torturer, ils possédaient la fierté du gémissement, une démence contagieuse, incendiaire. Suso ne le cède en rien aux plus extravagants anachorètes, tant il sut varier ses tourments. L'esprit chevaleresque, tourné vers l'intemporel, y perpétue l'amour de l'aventure. Car c'est une aventure que la mystique, une aventure verticale : elle se risque vers le haut et s'empare d'une autre forme d'espace. Par là, elle se différencie de ces doctrines de la décadence, dont le propre est de ne pas couler de source, de venir *d'ailleurs*, comme celles qui de l'Orient furent transplantées à Rome. Aussi ne répondaient-elles qu'à l'appétit de marasme d'une civilisation incapable de créer une religion nouvelle ou d'adhérer encore aux prestiges de la mythologie. Il en va de même pour les mystiques d'aujourd'hui, avec leur absolu *importé*, à l'usage des faiblards et des déçus.

Soupir insolent de la créature, la piété est inséparable de l'énergie et de la vigueur. Port-Royal, malgré son apparence idyllique, fut l'expression d'une spiritualité débordante. La France y connut son dernier moment d'intériorité. Par la suite, elle ne put retrouver excès et force que dans la laïcité : elle fit la Révolution ; après l'avènement d'un catholicisme édulcoré, c'est tout ce qu'elle pouvait entreprendre. Ayant perdu la tentation de l'hérésie, elle devenait stérile en inspiration religieuse.

Insoumis par vocation, effrénés dans leurs prières, les mystiques jouent, *en tremblant*, avec le ciel. L'Église les a ravalés au rang de quémandeurs de surnaturel pour que, fâcheusement civilisés, ils puissent servir de «modèles». Nous savons néanmoins qu'ils furent, et dans leurs vies et dans leurs écrits, des phénomènes de la nature et qu'il ne pouvait leur arriver de plus grave malheur que de tomber dans les mains des prêtres. Notre devoir est de les en arracher : à ce prix seulement le christianisme pourra comporter encore un soupçon de durée.

Quand je les appelle «phénomènes de la nature», je ne prétends nullement que leur «santé» fût à toute épreuve. On sait qu'ils étaient malades. Mais la maladie agissait sur eux comme un aiguillon, comme un facteur de démesure. Par elle, ils visaient à un autre genre de vitalité que le nôtre. Pierre d'Alcantara avait réussi à ne pas dormir plus d'une heure par nuit : n'est-ce pas là un signe de force ? Et ils étaient tous forts, puisqu'ils ne détruisaient leur corps que pour en tirer un supplément de puissance. On les croit doux ; point d'êtres plus durs. Ce qu'ils nous proposent ? *Les vertus du déséquilibre.* Avides de toutes sortes de plaies, hypnotisés par l'insolite, ils ont entrepris la conquête de la seule fiction qui vaille la peine ; Dieu leur doit tout : sa gloire, son mystère, son éternité. Ils prêtent existence à l'inconcevable, violentent le Rien pour l'animer : comment la douceur accomplirait-elle pareil exploit ?

Au rebours du néant, abstrait et faux, des philosophes, le leur éclate de plénitude : jouissance hors du monde, exhaussement de la durée, annihilation lumineuse par-delà les bornes de la pensée. Se déifier, se détruire pour se retrouver, s'abîmer dans sa propre clarté, il y faut plus de ressort et de témérité que n'en demande le reste de nos actes. L'extase, — état limite de la sensation, accomplissement *par la ruine de la conscience —,* en sont susceptibles ceux-là seuls qui, s'aventurant hors d'eux-mêmes, substituent à l'illusion quelconque qui fondait leur vie une autre, suprême, où tout est résolu, où tout est dépassé. Là, l'esprit est suspendu, la réflexion abolie, et, avec elle, la logique du désarroi. Si nous pouvions, à l'instar des mystiques, passer outre aux évidences et à l'impasse qui en découle, devenir erreur éblouie, divine, si nous pouvions, comme eux, remonter au *vrai* néant ! Avec quelle adresse ils démarquent Dieu, le pillent, lui dérobent ses attributs dont ils se munissent pour le... refaire ! Rien qui résiste à l'effervescence de leur folie, à cette expansion de leur âme toujours en passe de fabriquer un autre ciel, une autre terre. Tout ce qu'ils touchent prend couleur d'être. Ayant compris l'inconvénient de voir et de laisser les choses telles quelles, ils se sont efforcés à les dénaturer. Vice d'optique auquel ils donnent tous leurs soins. Nulle trace de réel, ils le savent, ne subsiste après le passage, après les dévastations de la clairvoyance. *Rien n'est,* tel est leur point de départ, telle est l'évidence qu'ils ont réussi à vaincre, à repousser, pour aboutir à l'affirmation : *tout est.* Tant que nous n'aurons pas parcouru le chemin qui les a conduits à une si surprenante conclusion, nous ne serons jamais de plain-pied avec eux.

Déjà au Moyen Âge, certains esprits, las de ressasser les mêmes thèmes, les mêmes expressions, devaient, pour renouveler leur piété et l'émanciper de la terminologie officielle, recourir au paradoxe, à la formule séduisante, tantôt brutale, tantôt nuancée. Ainsi Maître Eckhart. Quelque rigoureux, et si préoccupé de cohérence qu'il fût, il était trop écrivain pour ne pas paraître suspect à la Théologie : son style, plutôt que ses idées, lui valut l'honneur d'être convaincu d'hérésie. Lorsqu'on examine, dans ses traités et sermons, les propositions incriminées, on est surpris du souci qu'elles trahissent du bien-dire ; elles dévoilent le côté génial de sa foi. Comme tout hérétique, il a péché par la forme. Ennemie du langage, l'orthodoxie, religieuse ou politique, postule l'expression prévue. Si presque tous les mystiques eurent des démêlés avec l'Église, c'est qu'ils avaient trop de talent ; elle n'en exige aucun, et ne réclame que l'obéissance, la soumission à son *style*. Au nom d'un verbe sclérosé, elle fit ériger des bûchers. Pour y échapper, l'hérétique n'avait d'autre recours que de changer de formules, d'exprimer ses opinions en d'autres termes, en termes *consacrés*. L'Inquisition n'eût peut-être jamais existé si le catholicisme avait eu plus d'indulgence et de compréhension pour la vie du langage, pour ses écarts, sa variété et son invention. Quand le paradoxe est banni, on n'évite le martyre que par le silence ou la banalité.

D'autres raisons concourent à faire du mystique un hérétique. S'il répugne à ce qu'une autorité extérieure règle ses rapports avec Dieu, il n'admet pas davantage une haute ingérence : c'est tout juste s'il tolère Jésus. Nullement accommodant, il doit pourtant se prêter à quelques compromis, marmonner les prières recommandées, prescrites, faute de pouvoir en improviser toujours de nouvelles. Pardonnons-lui cette faiblesse. Peut-être n'y cède-t-il que pour démontrer qu'il est capable de s'abaisser au niveau du vulgaire et d'en employer le langage, peut-être aussi pour nous prouver qu'il n'ignore pas la tentation de l'humilité. Mais nous savons qu'il n'y tombe pas souvent, qu'il aime innover en priant, qu'il invente à genoux et que c'est là sa manière de rompre avec le dieu du commun.

Il ranime et réhabilite la foi, la menace et la sape en ennemi intime, providentiel. Sans lui, elle se flétrirait. On devine maintenant la raison pour laquelle le christianisme se meurt et pourquoi l'Église, privée et d'apologistes et de détracteurs, n'a plus qui louer ni qui persécuter. À court d'hérétiques, elle renoncerait volontiers à exiger de l'obéissance si, en revanche, elle discernait parmi les siens un exalté qui, daignant l'attaquer, la prendre au sérieux, lui donnât quelque espoir, quelque sujet d'alarme. Abriter tant d'idoles et n'apercevoir à l'horizon aucun iconoclaste ! Les croyants ne rivalisent plus entre eux, ni d'ailleurs les incroyants :

personne qui veuille arriver premier dans la course au salut ou à la damnation...

Événement considérable : les deux plus grands poètes modernes, Shakespeare et Hölderlin, sont passés *à côté* du christianisme. S'ils en avaient subi la séduction, ils en eussent fait une mythologie à eux et l'Église aurait eu le bonheur de compter dans ses rangs deux hérésiarques de plus. Sans daigner s'en prendre à la Croix, encore moins la hisser à leur hauteur, l'un passa outre aux dieux, l'autre ressuscita ceux de la Grèce. Le premier s'éleva au-dessus de la prière, le second invoquait un ciel qu'il savait impuissant, qu'il aimait défunt : l'un est le précurseur de notre indifférence, l'autre de nos regrets.

*L*e solitaire, à sa façon un combattant, ressent le besoin de peupler sa solitude d'ennemis réels ou imaginaires. S'il croit, il la remplit de démons, sur la réalité desquels il ne se fait souvent aucune illusion. Sans eux, il tomberait dans la fadeur ; sa vie spirituelle en souffrirait. C'est à juste titre que Jakob Boehme a appelé le Diable le «cuisinier de la nature», dont l'art prête goût à tout. Dieu lui-même, en posant dès le principe la nécessité de l'Ennemi, reconnaissait ne pouvoir se passer de lutter, d'attaquer, et d'être attaqué.

Comme le plus souvent le mystique invente ses adversaires, il s'ensuit que sa pensée affirme l'existence des autres par calcul, par artifice : c'est une stratégie sans conséquence. Sa pensée se réduit, en dernière instance, à une polémique avec soi : il se veut foule, il devient foule, ne fût-ce qu'en se fabriquant toujours d'autres visages, en multipliant ses faces : en quoi il s'apparente à son créateur, dont il perpétue le cabotinage.

*A*u phénomène mystique la continuité fait défaut : il s'épanouit, atteint son apogée, puis dégénère et finit en caricature. Tel fut le cas de la floraison religieuse en Espagne, dans les Flandres ou en Allemagne. Si, dans les arts, l'épigone réussit à en imposer, rien, en revanche, de plus pitoyable qu'un mystique de second ordre, parasite du sublime, plagiaire d'extases. On peut jouer à la poésie, on peut même donner l'illusion de l'originalité : il suffit d'avoir pénétré les secrets du métier. Ces secrets ne comptent guère aux yeux du mystique dont l'art n'est qu'un *moyen*. Comme il n'aspire pas à plaire aux hommes et qu'il veut être lu *ailleurs*, il s'adresse à un public assez restreint, assez difficile et qui exige de lui beaucoup plus que du talent ou du génie. À quoi s'emploie-t-il ? À chercher ce qui échappe ou survit à l'effritement de ses expériences : le résidu d'intemporalité sous les vibrations du moi. Il use ses sens au contact de l'indestructible, au rebours du poète qui use les siens au contact du provisoire ; l'un s'abîme presque charnellement dans le suprême (la mystique : *physiologie des essences*), l'autre se délecte à la surface de soi-même. Deux jouisseurs à des niveaux différents. Ayant goûté aux apparences, le poète ne peut en oublier la saveur ; c'est un mystique qui, faute de pouvoir s'élever à la volupté du silence, se borne à celle du mot. Un bavard de qualité, un bavard *supérieur*.

*L*orsqu'on lit les Révélations de Marguerite Ebner, et que l'on parcourt ses crises, son adorable enfer, on est saisi de jalousie. Pendant des journées, elle n'arrivait pas à desserrer les dents ; quand enfin elle ouvrait la bouche, c'était pour proférer des cris qui exaltaient et faisaient trembler le couvent. Et que dire d'Angèle de Foligno ? Écoutons-la plutôt : « Je contemple, dans l'abîme où je me vois tombée, la surabondance de mes iniquités, je cherche inutilement par où les découvrir et les manifester au monde, je voudrais aller nue par les cités et les places, des viandes et des poissons pendus à mon cou, et crier : voilà la vile créature ! » Tempéraments sanguins, se complaisant à l'extrémité de la dégradation et de la pureté, dans le vertige des bas-fonds et des hauteurs, les saints ne s'accommodent guère de nos raisonnements ni de nos lâchetés. Voir en eux des méditatifs, c'est se tromper du tout au tout. Trop débridés, trop farouches pour pouvoir s'arrêter à la méditation (qui suppose un contrôle de soi, et donc une médiocrité du sang), s'ils aspirent à descendre jusqu'aux assises des choses, la démarche qui les y conduit n'est pas précisément « réflexive ». Sans retenue aucune, sans nulle trace de stoïcisme dans leurs gestes et leurs paroles, ils se croient tout permis, promènent leur indiscrétion à travers les cœurs qu'ils troublent parce qu'ils ont la paix en horreur et qu'ils ne peuvent supporter une âme *arrivée*. Eux-mêmes, ils se damneraient plutôt que de s'accepter. Écoutons encore Angèle de Foligno : « Quand tous les sages du monde et tous les saints du paradis m'accableraient de leurs consolations et de leurs promesses, et Dieu lui-même de ses dons, s'il ne me changeait pas moi-même, s'il ne commençait au fond de moi une nouvelle opération, au lieu de me faire du bien, les sages, les saints et Dieu exaspéreraient au-delà de toute expression mon désespoir, ma fureur, ma tristesse et mon aveuglement. » Ne devrions-nous pas, face à ces déclarations et à ces exigences, liquider nos derniers restes de bon sens et nous lancer en barbares vers les «ténèbres de la lumière»? Comment nous y résoudre, rivés que nous sommes aux infirmités de la modestie? Notre sang est trop tiède, nos appétits, trop domptés. Nulle possibilité d'aller au-delà de nous-mêmes. Il n'est pas jusqu'à notre folie qui ne soit trop mesurée. Abattre les cloisons de l'esprit, l'ébranler, en désirer la ruine, — source du nouveau! Tel quel, il est rétif à l'invisible et ne perçoit que ce qu'il sait déjà. Pour qu'il s'ouvre au vrai savoir, il lui faut se disloquer, franchir ses bornes, passer par les orgies de l'anéantissement. L'ignorance ne serait pas notre lot si nous osions nous hisser au-dessus de nos certitudes, et de cette timidité qui, nous empêchant d'opérer des miracles, nous enlise en nous-mêmes. Que n'avons-nous l'orgueil des saints!

S'ils veillent et prient c'est pour soutirer à Dieu le secret de son pouvoir. Supplications perfides que celles de ces révoltés autour desquels le démon se plaît à rôder. Habiles, ils lui soutirent, à lui aussi, son secret, et le forcent à travailler pour eux. Le principe mauvais qui les habite, ils savent en tirer profit pour s'élever. Ceux d'entre eux qui s'effondrent, y mettent quelque complaisance : ils tombent non en victimes, mais en associés du Diable. Sauvés ou perdus, tous portent une marque de non-humanité, tous répugnent à assigner une limite à leurs entreprises. Renoncent-ils? Leur renoncement est complet. Mais au lieu d'en être diminués et affaiblis, ils s'en trouvent plus puissants que nous qui conservons les biens abandonnés par eux. Ces géants à l'âme et au corps foudroyés, nous terrifient. À les contempler, nous sommes honteux d'être hommes sans plus. Et si à leur tour, ils nous regardent, nous déchiffrons les paroles que notre médiocrité inspire à leur miséricorde : «Pauvres créatures qui n'avez pas le courage de devenir uniques, de devenir des monstres.» Décidément, le Diable travaille pour eux et n'est pas étranger à leur auréole. Quelle humiliation pour nous autres d'avoir pactisé avec lui en pure perte!

*D*estructeur au service de la vie, démon tourné *vers le bien*, le saint est le grand maître de l'effort contre soi. Pour vaincre ses penchants autant que par peur de lui-même, il s'astreint à la bonté et, s'imaginant avoir des semblables et des devoirs à leur égard, s'impose le surmenage de la pitié. Il souffre et aime à souffrir, mais au terme de ses souffrances il fait des êtres ses jouets, parcourt l'avenir, lit dans les pensées d'autrui, guérit les incurables, enfreint impunément les lois de la nature. C'est pour acquérir cette liberté et cette puissance qu'il a prié et résisté aux tentations. Le plaisir, il en est conscient, détend, émousse : s'il y recourait, il ne pourrait plus accéder ni même prétendre à l'extraordinaire, sa force et ses facultés s'amoindriraient : plus d'énergie dans ses désirs ni de ressort à son ambition. Ce qu'il souhaite ce sont des satisfactions d'un autre ordre, et comme une volupté exemplaire : celle d'égaler Dieu. Son horreur des sens est calculée, intéressée. Il les brime et les rejette, tout en sachant qu'il les retrouvera, transfigurés, ailleurs.

Dès lors qu'il aspire à se substituer à la divinité, il entend y mettre le prix : une si grande fin justifie tous les moyens. Persuadé que l'éternité est l'apanage d'un corps délabré, il recherchera toutes sortes d'infirmités et conspirera contre son bien-être, de la ruine duquel il attendra son salut et son triomphe. S'il se laissait aller à sa nature, il périrait ; mais comme il utilise sa vitalité maltraitée, il se redresse. Trop longtemps contenue, elle explose. Et il devient un infirme redoutable qui se tourne vers le ciel pour en déloger l'usurpateur. Une telle faveur, départie à ceux qui, par la douleur, ont pénétré le secret de la Création, ne se rencontre qu'aux époques où la santé est assimilée à une disgrâce.

*T*out état inspiré procède d'une inanition cultivée, voulue. La sainteté — inspiration ininterrompue — est un art de se laisser mourir de faim sans... mourir, un défi jeté aux entrailles, et comme une démonstration de l'incompatibilité entre l'extase et la digestion. Une humanité gavée produit des sceptiques, jamais des saints. L'absolu ? Une question de régime. Nul « feu intérieur », nulle « flamme » sans la suppression quasi totale de la nourriture. Contrarions nos appétits : nos organes brûleront, notre matière s'incendiera. Quiconque mange à sa faim est spirituellement condamné.

Mus par des impulsions sauvages, les saints avaient réussi à les maîtriser, donc à les conserver secrètement. Ils n'ignoraient pas que la charité puise sa force dans nos drames physiologiques et qu'ils devaient, pour s'attacher aux êtres, déclarer la guerre au corps, le pervertir, le martyriser et le soumettre. Chacun d'eux évoque un agresseur qui, soudain converti à l'amour, s'emploierait ensuite à se haïr. Et ils surent se haïr jusqu'au bout ; mais, une fois cette haine de soi épuisée, ils étaient libres, dégagés de toute entrave : l'ascèse leur avait dévoilé le sens, l'utilité de la destruction, prélude de la pureté et de la délivrance. À leur tour, ils nous dévoileront par quelles affres passer si nous voulons, nous aussi, être libres.

À quelque niveau que se déroule notre vie, elle ne sera vraiment nôtre qu'à proportion de nos efforts pour en briser les formes apparentes. L'ennui, le désespoir, l'aboulie même, nous y aideront, à condition toutefois d'en faire l'expérience complète, de les vivre jusqu'au moment où, risquant d'y succomber, nous nous redressons et les transformons en auxiliaires de notre vitalité. Quoi de plus fécond que le pire pour celui qui sait le souhaiter? Car ce n'est pas la souffrance qui libère, mais le *désir* de souffrir.

L'hystérie du Moyen Âge, comment en rire? Dans votre cellule vous soupiriez ou hurliez : les autres vous vénéraient... Vos troubles ne vous conduisaient pas chez le psychiatre. De peur d'en guérir, vous les exaspériez, tandis que vous cachiez votre santé comme une honte, comme un vice. La maladie était le recours de tous, le grand remède. Depuis, tombée dans le discrédit, boycottée, elle continue de régner, mais personne ne l'aime ni ne la cherche. Malades, nous ne savons que faire de nos maux. Plus d'une de nos folies restera à jamais sans emploi.

Il est d'autres hystéries non moins admirables, celles dont émanaient des hymnes au Soleil, à l'Être, à l'Inconnu. Aurore de l'Égypte, de la Grèce, frénésie des mythologies, accents au premier contact avec les éléments! Tout à l'antipode, nous sommes inaptes à vibrer au spectacle des origines : nos interrogations, au lieu de bondir en rythmes, se traînent dans les bassesses du concept ou se défigurent sous le ricanement de nos systèmes. Où sont notre sensibilité hymnique, l'ébriété de nos débuts, l'aube de nos stupéfactions? Jetons-nous aux pieds de la Pythie, revenons à nos anciennes transes : philosophie des *moments uniques*, seule philosophie.

*Q*uand nous aurons cessé de rapporter notre vie secrète à Dieu, nous pourrons nous élever à des extases aussi efficaces que celles des mystiques et vaincre l'ici-bas sans recourir à l'au-delà. Que si pourtant l'obsession d'un autre monde devait nous poursuivre, il nous serait loisible d'en construire, d'en projeter un de circonstance, ne fût-ce que pour satisfaire à notre besoin d'invisible. Ce qui compte, ce sont nos sensations, leur intensité et leurs vertus, comme notre capacité de nous précipiter dans une folie non sacrée. Dans l'inconnu, nous pourrons aller aussi loin que les saints, sans nous servir de leurs moyens. Il nous suffira de contraindre la raison à un long mutisme.

Livrés à nous-mêmes, plus rien ne nous empêchera d'accéder à la suspension délicieuse de toutes nos facultés. Qui a entrevu ces états sait que nos mouvements y perdent leur sens habituel : nous montons vers l'abîme, nous descendons vers le ciel. Où sommes-nous ? Question sans objet : nous n'avons plus de *lieu*...

RAGES ET RÉSIGNATIONS

CARRIÈRE DES MOTS

——————————————————— *Q*ue l'histoire des idées ne soit qu'un défilé de vocables convertis en autant d'absolus, il suffit pour s'en convaincre de relever les événements philosophiques les plus marquants depuis un siècle.

On connaît le triomphe de la « science » à l'époque du positivisme. Qui se réclamait d'elle pouvait extravaguer en paix : tout lui était permis du moment qu'il invoquait la « rigueur » ou « l'expérience ». La Matière et l'Énergie firent peu après leur apparition : le prestige de leurs majuscules ne dura pas longtemps. L'indiscrète, l'insinuante Évolution gagnait du terrain à leurs dépens. Synonyme savant du « progrès », contrefaçon optimiste du destin, elle prétendait éliminer tout mystère et régenter les intelligences : un culte s'y attacha, comparable à celui qu'on vouait au « peuple ». Bien qu'elle ait eu la chance de survivre à sa vogue, elle n'éveille cependant plus aucun accent lyrique : qui l'exalte se compromet ou fait vieux jeu.

Vers le début du siècle la confiance dans les concepts fut ébranlée. L'Intuition, avec son cortège : durée, élan, vie, devait en profiter, et régner un certain temps. Puis il fallut du nouveau : le tour de l'Existence vint. Mot magique qui excita spécialistes et dilettantes. On avait enfin trouvé la clef. Et l'on n'était plus un individu, on était un Existant.

Qui fera un dictionnaire des vocables par époques, un recensement des vogues philosophiques ? L'entreprise nous montrerait qu'un système date par sa terminologie, qu'il s'use toujours par la forme. Tel penseur qui nous intéresserait encore, nous refusons de le relire parce qu'il nous est impossible de supporter l'appareil verbal que revêtent ses idées. Les emprunts à la philosophie sont néfastes à la littérature. (Que l'on songe à certains fragments de Novalis gâchés par le langage fichtéen). Les doctrines meurent par ce qui en avait assuré le succès : par le style. Pour qu'elles revivent, il nous faut les repenser en notre jargon ou alors les imaginer avant leur élaboration, dans leur réalité originelle et informe.

Parmi les vocables importants, il en est un dont la carrière, particulièrement longue, suscite des réflexions mélancoliques. J'ai nommé l'Âme. Quand on considère son état actuel, sa pitoyable fin, on reste interdit. Elle avait pourtant *commencé* bien. Que l'on se souvienne de la place que le néo-platonisme lui accordait : principe cosmique, dérivé du monde intelligible. Toutes les doctrines antiques empreintes de mysticisme s'appuyaient sur elle. Moins soucieux d'en définir la nature que d'en déterminer l'usage pour le croyant, le christianisme la réduisit aux dimensions humaines. Combien dut-elle regretter le temps où elle embrassait la nature et jouissait du privilège d'être à la fois immense réalité et principe explicatif ! Dans le monde moderne, elle réussit à regagner petit à petit du terrain et à consolider ses positions. Croyants et incroyants devaient en tenir compte, la ménager et s'en prévaloir ; ne fût-ce que pour la combattre, on la citait encore même au plus fort du matérialisme ; et les philosophes, si réticents à son égard, lui réservaient pourtant un coin dans leurs systèmes.

Aujourd'hui, qui se soucie d'elle ? On ne la mentionne que par inadvertance ; sa place est dans les chansons : la mélodie seule parvient à la rendre supportable, à en faire oublier la vétusté. Le discours ne la tolère plus : ayant revêtu trop de significations, et servi à trop d'emplois, elle s'est fripée, détériorée, avilie. Son patron, le psychologue, à force de la tourner et de la retourner, devait l'achever. Aussi n'éveille-t-elle encore dans nos consciences que ce regret associé aux belles réussites à jamais révolues. Et dire que jadis des sages la vénéraient, la mettaient au-dessus des dieux, et lui offraient l'univers pour qu'elle en disposât à sa guise !

HABILETÉ DE SOCRATE

*E*ût-il donné des précisions sur la nature de son démon, qu'il eût gâché une bonne partie de sa gloire. Sa sage précaution créa une curiosité à son sujet aussi bien parmi les anciens que parmi les modernes ; elle permit, de plus, aux historiens de la philosophie de s'appesantir sur un cas en tout point étranger à leurs préoccupations. Ce cas en évoque un autre : celui de Pascal. *Démon abîme* : pour la philosophie deux infirmités piquantes ou deux pirouettes... L'abîme en question, reconnaissons-le, déroute moins. Le percevoir et s'en réclamer, rien de plus naturel de la part d'un esprit en lutte ouverte avec la raison ; mais était-ce naturel que l'inventeur du concept, le promoteur du rationalisme, s'autorisât de « voix intérieures » ?

Ce genre d'équivoque ne laisse pas d'être fécond pour le penseur qui vise à la postérité. Nous ne nous soucions guère du rationaliste conséquent : nous le devinons, et, sachant où il veut en venir, l'abandonnons à son système. Calculé et inspiré tout ensemble, Socrate, lui, sut quel tour donner à ses contradictions pour qu'elles nous surprennent et nous déconcertent Son démon était-il un phénomène purement psychologique ou correspondait-il, au contraire, à une réalité profonde ? fut-il d'origine divine ou ne répondait-il qu'à une exigence morale ? l'entendait-il pour de bon ou n'était-il qu'une hallucination ? Hegel le prend pour un oracle tout subjectif, sans rien d'extérieur ; Nietzsche, pour un artifice de comédien.

Comment croire que l'on puisse sa vie durant jouer à l'homme-qui-entend-des-voix ? Soutenir un tel rôle, c'eût été, même pour un Socrate, un exploit difficile, sinon impossible. Peu importe au fond qu'il ait été dominé par son démon ou qu'il s'en soit servi seulement pour les besoins de la cause ! S'il l'a forgé de toutes pièces, c'est qu'il y fut sans doute contraint, ne serait-ce que pour se rendre impénétrable aux autres. Solitaire entouré, son premier devoir était d'échapper à son entourage, en se retranchant sur un mystère réel ou feint. Par quel moyen faire le départ entre un démon véritable et un démon truqué ? entre un secret et une apparence de secret ? Comment savoir si Socrate divaguait ou finassait ?

Toujours est-il que si son enseignement nous laisse indifférents, le débat qu'il aura suscité à son propre sujet nous touche encore : ne fut-il pas le premier penseur à s'ériger en *cas* ? et n'est-ce point avec lui que commence l'inextricable problème de la sincérité ?

L'ENVERS D'UN JARDIN

———————————————— *Q*uand le problème du bonheur supplante celui de la connaissance, la philosophie délaisse son domaine propre pour s'adonner à une activité suspecte : elle s'intéresse à l'homme... Des questions qu'auparavant elle n'eût pas daigné aborder, la retiennent maintenant, et elle essaye d'y répondre de l'air le plus sérieux du monde. «Comment ne pas souffrir?» est une de celles qui la requièrent en tout premier lieu. Entrée dans une phase de lassitude, de plus en plus étrangère à l'inquiétude impersonnelle, à l'avidité de connaître, elle déserte la spéculation, et, aux vérités qui déroutent, elle oppose celles qui consolent.

C'est ce genre de vérités qu'attendait d'Épicure une Grèce délabrée et asservie, à l'affût d'une formule de repos et d'un remède à l'anxiété. Il fut pour son temps ce que le psychanalyste est pour le nôtre : à sa façon ne dénonçait-il pas, lui aussi, «le malaise dans la civilisation»? (À toutes les époques confuses et raffinées, un Freud tente de désencombrer les âmes.) Mieux qu'avec Socrate, c'est avec Épicure que la philosophie glissa vers la thérapeutique. Guérir et surtout se guérir, telle était son ambition : bien qu'il voulût délivrer les hommes de la peur de la mort et de celle des dieux, il les éprouvait lui-même l'une et l'autre. L'ataraxie dont il se targuait ne constituait pas son expérience ordinaire : sa «sensibilité» était notoire. Quant au mépris pour les sciences, mépris qu'on lui a reproché par la suite, nous savons qu'il est souvent le propre des «cœurs blessés». Ce théoricien du bonheur était un malade : il vomissait, à ce qu'il paraît, deux fois par jour. Au milieu de quelles misères devait-il se débattre pour avoir tant haï les «troubles de l'âme»! Le peu de sérénité qu'il réussit à acquérir, sans doute le réservait-il à ses disciples; reconnaissants et naïfs, ils lui firent une réputation de sagesse. Comme nos illusions sont bien plus faibles que celles de ses contemporains, nous entrevoyons aisément l'envers de son Jardin...

SAINT PAUL

——————————————— *N*ous ne lui reprocherons jamais assez d'avoir fait du christianisme une religion inélégante, d'y avoir introduit les traditions les plus détestables de l'Ancien Testament : l'intolérance, la brutalité, le provincialisme. Avec quelle indiscrétion ne se mêle-t-il pas de choses qui ne le regardent pas, auxquelles il n'entend goutte! Ses considérations sur la virginité, l'abstinence et le mariage sont tout bonnement écœurantes. Responsable de nos préjugés en religion et en morale, il a fixé les normes de la stupidité et multiplié ces restrictions qui paralysent encore nos instincts.

Des anciens prophètes, il n'a ni le lyrisme, ni l'accent élégiaque et cosmique, mais l'esprit sectaire, et tout ce qui chez eux était mauvais goût, bavardage, divagation à l'usage des citoyens. Les mœurs l'intéressent au dernier point. Aussitôt qu'il en parle, on le voit vibrer de méchanceté. Hanté par la cité, par celle qu'il veut détruire comme par celle qu'il veut bâtir, il accorde moins d'attention aux rapports entre l'homme et Dieu qu'à ceux des hommes entre eux. Examinez de près les fameuses Épîtres : vous n'y discernerez aucun moment de lassitude et de délicatesse, de recueillement et de distinction ; tout en elles est fureur, halètement, hystérie de bas étage, incompréhension pour la connaissance, pour la solitude de la connaissance. Des intermédiaires partout, des liens de parenté, un esprit de famille : Père, Mère, Fils, anges, saints ; nulle trace d'intellectualité, nul concept défini, personne qui veuille *comprendre*. Péchés, récompenses, comptabilité des vices et des vertus. Une religion sans interrogations : une débauche d'anthropomorphisme. Le Dieu qu'elle nous propose, j'en rougis ; le disqualifier constitue un devoir : au point où il en est, il est perdu de toute façon.

Ni Lao-tseu ni le Bouddha ne se réclament d'un Être identifiable ; méprisant les manœuvres de la foi, ils nous invitent à méditer, et, pour que cette méditation ne tourne pas à vide, ils en fixent le terme : le Tao ou le Nirvâna. Ils avaient une autre idée de l'homme.

Comment méditer s'il nous faut tout rapporter à un individu... suprême ? Avec des psaumes, avec des prières, on ne cherche rien, on ne découvre rien. C'est par paresse qu'on personnifie la divinité et qu'on l'implore. Les Grecs s'éveillèrent à la philosophie au moment où les dieux leur parurent insuffisants ; le concept commence où l'Olympe finit. Penser c'est cesser de vénérer, c'est s'insurger contre le mystère et en proclamer la faillite.

*E*n adoptant une doctrine qui lui était étrangère, le converti se figure avoir fait un pas vers soi-même, alors qu'il escamote seulement ses difficultés. Pour échapper à l'insécurité — son sentiment dominant — il s'adonne à la première cause que le hasard lui offre. Une fois en possession de la « vérité », il se vengera sur les autres de ses anciennes incertitudes, de ses anciennes peurs. Tel fut le cas du converti type, de saint Paul. Ses airs grandiloquents dissimulaient mal une anxiété dont il s'efforça de triompher sans y réussir.

Comme tous les néophytes, il croyait que par sa nouvelle foi il allait changer de nature et vaincre ses flottements dont il se gardait bien d'entretenir ses correspondants et ses auditeurs. Son jeu ne nous trompe plus. Nombre d'esprits s'y laissèrent prendre. C'était, il est vrai, à une époque où l'on cherchait la «vérité», où l'on ne s'intéressait pas aux *cas*. Si, à Athènes, notre apôtre fut mal accueilli, s'il y trouva un milieu réfractaire à ses élucubrations, c'est qu'on y *discutait* encore, et que le scepticisme, loin d'abdiquer, défendait toujours ses positions. Les balivernes chrétiennes n'y pouvaient faire carrière ; elles devaient en revanche séduire Corinthe, ville de bas-fonds, rebelle à la dialectique.

La plèbe veut être assommée par des invectives, des menaces et des révélations, par des propos fracassants : elle aime les gueulards. Saint Paul en fut un, le plus inspiré, le plus doué, le plus malin de l'Antiquité. Le bruit qu'il y fit, nous en percevons encore les échos. Il savait se hisser sur les tréteaux, et clamer ses rages. N'a-t-il pas introduit dans le monde gréco-romain un ton de foire ? Les sages de son temps recommandaient le silence, la résignation, l'abandon, choses impraticables ; plus adroit, il vint, lui, avec des recettes alléchantes : celles qui sauvent la racaille et démoralisent les délicats. Sa revanche sur Athènes fut complète. Y eût-il triomphé, ses haines se fussent peut-être adoucies. Jamais échec n'eut conséquences plus graves. Et si nous sommes des païens mutilés, foudroyés, crucifiés, des païens passés par une vulgarité profonde, inoubliable, une vulgarité de deux mille ans, c'est à cet échec que nous le devons.

*U*n Juif non juif, un Juif perverti, un traître. De là l'impression d'insincérité qui se dégage de ses appels, de ses exhortations, de ses violences. Il est suspect : il fait trop *convaincu*. On ne sait par où le prendre, comment le définir ; placé à un carrefour de l'histoire, il dut subir de multiples influences. Après avoir hésité entre plusieurs voies, il finit par en choisir une, la *bonne*. Ceux de son espèce jouent à coup sûr : hantés par la postérité, par l'écho que susciteront leurs gestes, s'ils se sacrifient à une cause, c'est en victimes *efficaces*.

Quand je ne sais plus à qui en vouloir, j'ouvre les Épîtres, et vite je me rassure. Je tiens mon homme. Il me met en transe, me fait trembler. Pour le haïr *de près*, en contemporain, je fais table rase de vingt siècles, et le suis dans ses tournées, ses succès me découragent, les supplices qu'on lui inflige me remplissent d'aise. La frénésie qu'il me communique, je la retourne contre lui : ce n'est, hélas ! pas ainsi que procédait l'Empire.

Une civilisation pourrie pactise avec son mal, aime le virus qui la ronge, ne se respecte plus, laisse un saint Paul circuler... Par là même, elle s'avoue vaincue, vermoulue, finie. L'odeur de charogne attire et excite les apôtres, fossoyeurs cupides et loquaces. Un monde de magnificence et de lumière céda devant l'agressivité de ces «ennemis des Muses», de ces forcenés qui, aujourd'hui encore, nous inspirent une panique mêlée d'aversion. Le paganisme les traita avec ironie, arme inoffensive, trop noble pour réduire une horde rétive aux nuances. Le délicat qui raisonne ne peut se mesurer avec le béotien qui prie. Figé dans les altitudes du mépris et du sourire, il succombera au premier assaut, car le dynamisme, privilège de la lie, vient toujours d'en bas.

Les horreurs antiques étaient mille fois préférables aux horreurs chrétiennes. Ces cerveaux enfiévrés, ces âmes aux remords saugrenus, ces démolisseurs dressés contre le rêve d'aménité d'une société tardive, allaient maltraiter les consciences pour en faire des «cœurs». Le plus compétent d'entre eux s'y employa avec une perversité qui, tout d'abord, rebuta les esprits, mais qui, par la suite, devait les marquer, les ébranler et les associer à une innommable entreprise.

Le crépuscule gréco-romain était pourtant digne d'un autre ennemi, d'une autre promesse, d'une autre religion. Comment admettre l'ombre d'un progrès lorsqu'on songe que les fables chrétiennes purent sans peine étouffer le stoïcisme! Si celui-ci avait réussi à se propager, à s'emparer du monde, l'homme eût *abouti*, ou presque. La résignation, devenue obligatoire, nous aurait appris à supporter nos malheurs avec dignité, à faire taire nos voix, à envisager froidement notre rien. La poésie serait-elle disparue de nos mœurs? Au diable la poésie! En échange, nous aurions acquis la faculté d'endurer nos épreuves sans murmure. N'accuser personne, ne condescendre ni à la tristesse, ni à la joie, ni au regret, réduire nos rapports avec l'univers à un jeu harmonieux de défaites, vivre en condamnés sereins, ne pas implorer la divinité, mais lui donner plutôt un avertissement... Cela ne se pouvait. Débordé de toutes parts, le stoïcisme, fidèle à ses principes, eut l'élégance de mourir sans se débattre. Une religion s'instaure sur la ruine d'une sagesse : les manèges qu'emploie celle-là ne conviennent guère à celle-ci. Toujours les hommes aimeront mieux désespérer à genoux que debout. Le salut, c'est leur lâcheté et leur fatigue qui y aspirent, leur incapacité de se hisser à l'inconsolation et d'y puiser des raisons d'orgueil. Se déshonore quiconque meurt escorté des espoirs qui l'ont fait vivre. Aux foules et aux harangueurs de ramper vers «l'idéal» et de s'y enliser! Plutôt qu'une donnée, la solitude est une mission : s'y élever et l'assumer c'est renoncer à l'appoint de cette bassesse qui garantit la réussite de toute entreprise quelle qu'elle soit, religieuse ou autre. Récapitulez l'histoire des idées, des gestes, des attitudes : vous verrez que *l'avenir* fut toujours complice de la tourbe. On ne prêche pas au nom de Marc Aurèle : comme il ne s'adressait qu'à soi, il n'eut ni disciples ni sectateurs ; cependant on ne cesse de bâtir des temples où l'on cite à satiété certaines Épîtres. Tant qu'il en sera ainsi, je poursuivrai de ma hargne celui qui sut si astucieusement nous intéresser à ses tourments.

LUTHER

—————————————————— *C*e n'est pas tout que d'avoir la foi ; il importe encore de la subir comme une malédiction, de voir en Dieu un ennemi, un bourreau, un monstre, de l'aimer néanmoins en y projetant toute l'inhumanité dont on dispose, dont on rêve... L'Église en a fait un être falot, dégénéré, aimable ; Luther proteste : Dieu, soutient-il, n'est ni le «nigaud», ni «l'esprit débonnaire», ni le «cocu» qu'on propose à notre vénération, mais un «feu dévorant», un enragé «plus terrible que le diable» et qui se plaît à nous torturer. Non pas qu'il ait un respect timide pour Lui. À l'occasion, il le rabroue et le traite d'égal à égal : «Si Dieu ne me protège et ne sauve mon honneur, la honte en sera pour lui.» Il sait s'agenouiller, s'abaisser, comme il sait être insolent, implorer sur un ton de provocation, passer du soupir à l'apostrophe, prier *en polémiste*. À ses yeux, pour adorer ou pour maudire n'importe quel terme est bon, même le plus vulgaire. En rappelant Dieu à l'ordre, il a donné un sens nouveau à l'humilité dont il a fait un échange entre les misères du créateur et celles de la créature. Plus de piété, ni d'inquiétudes émasculées ! Un minimum d'agressivité relève la foi : Dieu ne prête pas attention aux appels tendres ; il veut être interpellé, bousculé, il aime entre lui et les siens ces malentendus que l'Église s'évertue à aplanir. Surveillant le *style* de ses fidèles, elle les coupe du Ciel qui ne réagit, lui, qu'aux imprécations, aux jurons, aux accents des entrailles, aux expressions qui défient la censure de la théologie ou du bon goût, qui défient celle même de la... raison.
Ce qu'elle vaut, cette raison, ne le demandez pas aux philosophes, dont c'est le métier de la ménager, de la défendre. Pour en percer le secret, adressez-vous à ceux qui la connurent à leurs dépens

et dans leur chair. Ce n'est pas par un simple hasard que Luther l'appela putain. Elle l'est et dans sa nature et dans ses façons. Ne vit-elle pas de simulation, de versatilité et d'impudeur? Comme elle ne s'attache à rien, comme elle *n'est* rien, elle se donne à tous, et tous peuvent s'en réclamer : les justes et les injustes, les martyrs et les tyrans. Point de cause qu'elle ne serve : elle met tout sur le même plan, sans réticence, sans faiblesse, sans prédilection aucune ; le premier venu obtient ses faveurs. Les naïfs seuls la proclament notre plus grand bien. Luther l'a démasquée. Il est vrai qu'à tout le monde n'est pas donné d'être visité par le Diable.

*C*es esprits qui se jettent dans la tentation, qui vivent sur un pied d'intimité avec le Malin et ne le fuient que pour mieux le retrouver... «Je le portais, dit Luther, pendu à mon cou», «il a couché auprès de moi, dans mon lit, plus souvent que ma femme». Il finit même par se demander «si le diable ne serait pas Dieu».

Loin d'être un havre, sa foi était un naufrage voulu, recherché, un danger qui le flattait et le relevait à ses propres yeux. Pure, une religion serait stérile : ce qu'il y a de profond et de virulent en elle n'est pas le divin, mais le démoniaque. Et c'est la rendre anémique et douceâtre, la dégrader, que de vouloir lui épargner la société du Diable. Pour croire à la réalité du salut il faut au préalable croire à celle de la chute : tout acte religieux débute par la perception de l'enfer, — matière première de la foi ; — le ciel, lui, ne vient qu'*après*, en guise de correctif et de consolation : un luxe, une superfétation, un accident exigé par notre goût d'équilibre et de symétrie. Le Diable seul est *nécessaire*. La religion qui s'en dispense s'affaiblit, s'effrite, devient piété diffuse, raisonneuse. Celui qui cherche coûte que coûte le salut ne fera jamais une grande carrière religieuse.

C'est le mérite de la Réforme d'avoir troublé le sommeil des consciences, refusé les narcotiques de Rome et opposé à l'image d'un Dieu bon et d'un Satan quelconque celle d'une divinité équivoque et d'un démon tout-puissant. L'idée de Prédestination, Luther le savait, est une idée immorale. Raison de plus, pour lui, de la soutenir et de la promouvoir. Sa mission était de heurter et de scandaliser les esprits, d'aggraver leurs affres, de les acculer à d'impossibles espoirs ; en un mot, de *diminuer le nombre des élus.* Il eut l'honnêteté de reconnaître que sur certains points il céda aux suggestions de l'Ennemi. Ainsi s'explique son audace de condamner la majorité des croyants. Voulait-il dérouter ? Sans nul doute. Le cynisme des prophètes nous réconcilie avec leurs doctrines, et même avec leurs victimes...

Malgré son inhabileté à espérer, il fait pourtant figure de libérateur : plus d'un mouvement d'émancipation procède en ligne droite de lui. C'est qu'il n'a proclamé la souveraineté absolue de Dieu que pour mieux ravaler toute autre forme d'autorité. «Être prince, dit-il, et n'être pas un brigand, c'est une chose presque impossible.» Les maximes de la sédition sont belles; plus belles encore sont celles de l'hérésie. Si l'Europe se définit par une succession de schismes, si ses gloires se ramènent à un défilé d'hétérodoxies, c'est à lui qu'elle le doit. Ancêtre de maints novateurs, il eut pourtant sur eux l'avantage de ne pas donner dans l'optimisme, vice qui déshonore les révolutions. Plus près que nous des sources du Péché, il ne pouvait ignorer que libérer l'homme n'était pas forcément le sauver.

Ballotté entre le Moyen Âge et la Renaissance, tiraillé entre des convictions et des impulsions contradictoires, ce Rabelais de l'angoisse était plus propre que quiconque à ravigoter un christianisme en train de se débiliter, de se décolorer. Lui seul savait comment s'y prendre pour l'assombrir. Sa piété était *noire*. Même celle de Pascal, même celle de Kierkegaard, pâlissent à côté de la sienne : l'un est trop écrivain, l'autre trop philosophe. Mais lui, fort de sa neurasthénie paysanne, il possède l'instinct qu'il faut pour se colleter et avec les forces du Bien et avec celles du Mal. Familière, savoureuse, sa grossièreté ne rebute jamais. Rien en lui de faux, rien de l'apôtre classique : ni haine savante, ni véhémence étudiée. Dans le sans-gêne de ses terreurs perce une note d'humour : ce qui manquait singulièrement aux promoteurs de la Croix. Luther? Un saint Paul humanisé.

ORIGINES

———————————— *A*près avoir assumé l'insomnie de la sève et du sang, la panique qui traverse l'animé, ne devrions-nous pas revenir à l'assoupissement et au savoir nul de la plus ancienne de nos solitudes? Et tandis que nous requiert un monde antérieur aux veilles, nous envions l'indifférence, l'apoplexie parfaite du minéral, indemne des tribulations qui guettent les vivants, tous condamnés à l'âme. Sûre d'elle, la pierre ne revendique rien, alors que l'arbre, imploration muette, et l'animal, appel déchirant, se tourmentent en deçà de la parole. Des ères de silence et de cri attendent en vain que nous les délivrions, que nous leur servions d'interprètes ; déserteurs du verbe, nous n'aspirons plus qu'au règne de l'indifférencié, à l'obscurité et à l'ivresse d'avant le déferlement de la lumière, à l'extase ininterrompue au sein de cette opacité originelle dont de loin en loin il nous aura été donné de retrouver les traces au plus intime de nous-mêmes ou à la périphérie de Dieu.

PAR-DELÀ LA SELF-PITY

*N*e prenez pas pour un vaincu celui qui s'attendrit sur soi : il possède encore assez d'énergie pour se défendre des dangers qui le menacent. Qu'il se plaigne donc ! C'est sa façon de travestir sa vitalité. Il s'affirme comme il peut : ses larmes recouvrent souvent un dessein agressif.
Ne prenez pas davantage son lyrisme ou son cynisme pour des signes de faiblesse ; lyrisme et cynisme émanent d'une force latente, d'une capacité d'expansion ou de refus. Selon les circonstances, il use de l'un et de l'autre : il est bien armé. Au demeurant, il n'ignore guère les consolations d'une existence sans horizon, apaisée, imbue de ses impasses, toute fière de culminer dans une défaite. Laissez-le donc à son bonheur. En revanche, penchez-vous sur celui qui ne peut plus s'apitoyer sur soi, qui rejette ses misères, les relègue hors de sa nature et hors de sa voix. Ayant renoncé aux ressources de la lamentation et du ricanement, il cesse de communiquer avec sa vie qu'il érige en objet. Ses douleurs mêmes surviennent à l'écart de son moi, et s'il les enregistre, c'est pour les déclasser, pour en faire des choses et les abandonner à la matière. Personne, ni lui-même, ne sait à quoi il réagit encore. Déroutés, les sages s'en détournent ; mais peut-être éveillerait-il la pitié ou la jalousie des fous, si ceux-ci pouvaient s'apercevoir que lui, sans perdre la raison, est allé plus loin qu'eux.

LA DOUCEUR DU GOUFFRE

*C*ette intolérance à toute solution, à toute tentative de clore le processus de la connaissance, cette aversion pour le définitif, quand le croyant les éprouve, il ne pense qu'à se punir d'avoir cédé aux attraits du salut. C'est ainsi qu'il invente le péché, ou se tourne vers ses propres «ténèbres» qui, elles, trop efficaces pour être seulement inventées, s'emparent de sa foi, l'ébranlent et en font un échec dans la Lumière.

Je ne puis m'empêcher de lire des penseurs religieux, de me vautrer dans leurs effarements, de m'en repaître. J'assiste tout ravi à ceux de Pascal, et m'émerveille de voir à quel point il est nôtre. Le romantisme n'a fait que diluer ses thèmes : Senancour est un Pascal diffus, Chateaubriand un Pascal ronflant. Parmi les motifs de la psychologie récente, il en est peu qu'il n'ait effleurés ou pressentis. Mais il a fait mieux : en bourrant la religion de doutes et en l'assimilant à une stupeur délibérée, il l'a réhabilitée aux yeux de l'incroyant. Ambitieux, tiraillé, indiscret à sa manière, cet échotier du ciel et de l'enfer devait sans doute jalouser les saints, connaître le dépit de ne pas les égaler, et de n'avoir à leur opposer qu'une foi déchirée : déchirement heureux, sans quoi il eût laissé quelques fades *Fioretti* ou quelque soporifique *Introduction à la vie dévote*. L'ennui, qui le préoccupait un peu plus que la grâce, il y pense sans cesse, en fait notre substance, le «venin» de notre esprit, le principe qui réside «au fond du cœur». Dira-t-on qu'il feint seulement de l'éprouver ? Rien ne serait plus faux ; nous pouvons jouer à la charité ou à la piété, prier par persuasion (ce qu'il faisait), joindre les mains et prendre une attitude de circonstance (c'est ce qu'il recommande) ; mais l'ennui, aucune pratique, aucune tradition, aucun procédé ne nous y dispose ; nulle doctrine ne le préconise, nulle croyance ne l'absout. C'est un sentiment condamné. Pascal répondait à ses sollicitations parce qu'il le trouvait en soi, et en aimait peut-être le «venin». Il en est hanté, comme il l'est de la «gloire» dont il nous parle avec tant d'acuité qu'il est difficile de penser qu'elle n'ait été pour lui qu'un prétexte à dénoncer notre vanité. Il décrit le besoin que nous en avons et l'analyse dans tous ses détails ; minutie suspecte et révélatrice : sous la hantise de la gloire souvent se cachent les opérations de l'ennui...

Impur comme tout moraliste, soucieux de nous river à nos supplices, et comme à nos plaies, il nous aura appris à nous haïr, à savourer les affres de l'horreur de soi ; si nos consciences suppurent, si nous sommes des pestiférés en extase, des fervents de notre pourriture, la responsabilité lui en revient.

Désincarné et sensuel tout ensemble, quand il se penche sur notre insignifiance, nous le sentons frémir d'aise ; notre néant est son ivresse ; vibrant à tout ce qui nous annule, s'exaltant au contraste de l'infini et de l'infime, il participe en connaisseur au spectacle de notre corruption : n'a-t-il pas ouvert la voie à l'art d'extraire de nos maux la substance de nos jouissances ?

Douceur de la haine de soi : douceur du gouffre ! Ne plaignons plus celui qui en discernait un à ses côtés : il y puisait sans doute des délices, tandis que, pour sauver la face, il simulait la terreur. Même les plus grands esprits mentent lorsqu'il s'agit de leurs voluptés : c'en est une que d'épier l'abîme. Le reconnaître sans en rougir, il y a fallu l'impudeur des temps récents, et cette curiosité que nous éprouvons tous pour nos propres secrets. Aussi bien les sondages dans le «fond du cœur» devaient-ils nous conduire à la découverte de l'Inconscient, dernière version des «ténèbres» pascaliennes.

PREMIER PAS VERS LA DÉLIVRANCE

*F*aire une expérience essentielle, s'émanciper des apparences, point ne faut, pour y parvenir, se poser de grands problèmes ; n'importe qui peut disserter sur Dieu ou attraper un vernis métaphysique. Les lectures, la conversation, l'oisiveté y pourvoient. Rien de plus courant que le faux inquiet, car tout s'apprend, même l'inquiétude.

Cependant l'inquiet vrai, l'inquiet de nature, n'en existe pas moins. Vous le reconnaîtrez à la manière dont il réagit à l'égard des mots. En discerne-t-il la carence ? leur fiasco le fait-il tout d'abord souffrir, puis jubiler ? Vous vous trouvez, à n'en pas douter, en présence d'un esprit affranchi ou sur le point de l'être. Puisque ce sont les mots qui nous relient aux choses, on ne saurait se détacher de celles-ci sans rompre au préalable avec ceux-là. Celui qui fait fond sur eux, fût-il au fait de toutes les sagesses, reste dans la servitude et l'ignorance. S'approche, en revanche, de la délivrance quiconque se rebelle contre eux ou s'en détourne avec horreur. Cette horreur ne s'apprend ni ne se transmet : elle se prépare au plus profond de nous-mêmes. Un pauvre détraqué qui, par le jeu de ses troubles, en arrive à l'éprouver est plus proche du véritable savoir, plus «libéré» qu'un philosophe inapte à la ressentir. C'est que la philosophie, loin d'éliminer l'inessentiel, l'assume et s'y complaît : tous les efforts qu'elle déploie ne tendent-ils pas à nous empêcher de percevoir la double nullité du mot et du monde ?

LE LANGAGE DE L'IRONIE

——————————————— *S*i près que nous soyons du paradis, l'ironie vient nous en éloigner. «Inepties, nous dit-elle, que vos idées d'un bonheur immémorial ou futur. Guérissez-vous de vos nostalgies, de l'obsession puérile du commencement et de la fin des temps. L'éternité, durée morte, les débiles seuls s'en préoccupent. Laissez l'instant faire, laissez-le résorber vos rêves.»
Tournons-nous nos regards vers le savoir? elle nous en signale l'inanité et le ridicule : «À quoi bon dégrader les choses en problèmes? Vos connaissances s'annulant l'une l'autre, la dernière en date ne l'emporte guère sur la première. Confinés dans du *déjà su*, vous n'avez d'autre matière que celle des mots : la pensée n'adhère pas à l'être.»
Et quand, émerveillés, nous songeons à tel moine hindou qui, neuf ans durant, se figea en méditation la face contre le mur, elle intervient derechef pour nous apprendre qu'il découvrit au bout de tant de peines le néant, par quoi il avait commencé! «Vous voyez, insinue-t-elle, combien les aventures de l'esprit sont comiques. Détournez-vous-en au profit des apparences. Mais n'allez pas chercher derrière elles quelque fond, quelque secret : rien n'a de fond ni de secret. Gardez-vous de fouiller l'illusion, d'attenter à l'unique réalité qui soit.»
À tenir ce langage, elle nous y accoutume, non sans compromettre et nos expériences métaphysiques et les modèles qui nous invitaient à les tenter. Qu'elle s'aggrave d'humour, et elle nous exclut à jamais de cet avenir *hors du temps* qu'est l'absolu.

LA CRUAUTÉ — UN LUXE

——————————————— *E*n dose normale, la peur, indispensable à l'action et à la pensée, stimule nos sens et notre esprit; sans elle, point d'acte de courage, ni même de lâcheté..., sans elle, point d'acte tout court. Mais lorsque, démesurée, elle nous investit et nous déborde, la voilà qui se métamorphose en principe nocif, en cruauté. Qui tremble rêve de faire trembler les autres, qui vit dans l'épouvante finit dans la férocité. Ainsi des empereurs romains. Comme ils pressentaient, comme ils sentaient qu'ils allaient être assassinés, ils s'en consolaient par le massacre... La découverte d'un premier complot éveillait et déchaînait en eux le monstre. Et c'est dans la cruauté qu'ils se retranchaient pour oublier la peur. Mais nous, simples mortels, qui ne pouvons nous permettre le luxe d'être cruels à l'égard d'autrui, c'est sur nous, sur notre chair et sur notre esprit, que nous devons exercer et soulager nos terreurs. Le tyran en nous tremble ; il lui faut agir, se décharger de sa rage, se venger ; et c'est sur nous qu'il se venge. Ainsi le veut la modestie de notre état. Au milieu de nos effrois, plus d'un d'entre nous évoque un Néron qui, à défaut d'un empire, n'aurait eu que sa propre conscience à brimer et à torturer.

ANALYSE DU SOURIRE

——————————————— *P*our savoir si quelqu'un est guetté ou non par la folie, vous n'avez qu'à observer son *sourire*. En retirez-vous une impression voisine du malaise ? Sans crainte alors improvisez-vous psychiatre.

Est suspect le sourire qui n'adhère pas à un être et qui paraît venir d'ailleurs, d'un *autre* ; il vient en effet d'un autre, du dément qui attend, se prépare et s'organise avant de se déclarer.

Lumière fugitive émanée de nous-même, notre sourire à nous dure ce qu'il doit durer, sans se prolonger au-delà de l'occasion ou du prétexte qui l'a suscité. Comme il ne traîne guère sur notre visage, on l'aperçoit à peine : il colle à une situation donnée, il s'épuise dans l'instant. L'autre, le suspect, survit à l'événement qui le fit naître, s'attarde, se perpétue, ne sait comment s'évanouir. Tout d'abord il sollicite notre attention, nous intrigue, puis nous gêne, nous trouble et nous obsède. Nous avons beau essayer d'en faire abstraction ou de le repousser, il nous regarde, et nous le regardons. Nul moyen de l'éluder, de nous défendre contre sa force d'insinuation. L'impression de malaise qu'il nous inspirait s'étoffe, s'approfondit, et se mue en peur. Mais lui, faute de pouvoir s'achever, il s'épanouit comme détaché et indépendant de notre interlocuteur : sourire en soi, sourire terrifiant, masque qui pourrait recouvrir n'importe quel visage : le nôtre par exemple.

GOGOL

——————————————— *C*ertains témoignages, rares il est vrai, nous le présentent comme un saint ; d'autres, plus fréquents, comme un fantôme. «Il me faisait si peu l'effet d'un être vivant, écrivait Aksakoff au lendemain de la mort de Gogol, que moi qui ai peur des cadavres et ne peux supporter leur vue, je ne ressentis rien de tel devant son corps.»

Torturé par un froid qui ne le quitte jamais, il ne cesse de répéter : «Je grelotte, je grelotte.» Il court de pays en pays, consulte des médecins, passe de clinique en clinique : du froid intérieur on ne guérit sous aucun climat. On ne lui connaît aucune liaison. Ses biographes parlent ouvertement de son impuissance. Point de tare qui isole davantage. L'impuissant dispose d'une force intérieure qui le singularise, le rend inaccessible et paradoxalement dangereux : il fait peur. Animal sorti de l'animalité, homme sans race, vie que l'instinct déserte, il se rehausse par tout ce qu'il a perdu : c'est la victime préférée de l'esprit. Imagine-t-on un rat impuissant ? Les rongeurs accomplissent à merveille l'acte en question. On n'en dira pas autant des humains : plus ils sont exceptionnels, plus s'accuse chez eux cette défaillance majeure qui les arrache à la chaîne des êtres. Toutes les activités leur sont permises, sauf celle qui nous apparente à l'ensemble de la zoologie. La sexualité nous égalise ; mieux : elle nous enlève notre mystère... Beaucoup plus que le reste de nos besoins et de nos entreprises, c'est elle qui nous met de plain-pied avec nos semblables : plus nous la pratiquons, plus nous devenons comme tout le monde : c'est au cours d'une opération réputée bestiale que nous prouvons notre qualité de citoyen : rien de plus *public* que l'acte sexuel.

L'abstinence volontaire ou forcée, plaçant l'individu à la fois au-dessus et au-dessous de l'Espèce, en fait un mélange de saint et d'imbécile qui nous intrigue et nous atterre. De là vient la haine équivoque que nous éprouvons à l'égard du moine, comme d'ailleurs à l'égard de tout homme qui a renoncé à la femme, qui a renoncé à être *comme nous*. Sa solitude, nous ne la lui pardonnerons jamais : elle nous humilie autant qu'elle nous dégoûte ; elle nous provoque. Étrange supériorité des tares ! Gogol avoua un jour que l'amour, s'il y avait cédé, l'eût «instantanément réduit en poussière». Un tel aveu qui nous bouleverse et nous fascine, nous fait penser au «secret» de Kierkegaard, à son «écharde dans la chair». Cependant le philosophe danois était une nature érotique : la rupture de ses fiançailles, son échec amoureux, le tourmenta toute sa vie et marqua jusqu'à ses écrits théologiques. Faudrait-il alors comparer Gogol à Swift, à cet autre «foudroyé»? Ce serait oublier que celui-ci eut, sinon la chance d'aimer, du moins celle de faire des victimes. Pour situer Gogol, force nous est d'imaginer un Swift sans Stella ni Vanessa.

*L*es êtres qui vivent sous nos yeux dans *Le Révizor* ou dans *Les Âmes mortes*, observe un biographe, ne sont «rien». Et étant «rien», ils sont «tout».

Ils manquent en effet de «substance»; d'où leur universalité. Que sont Tchitchikov, Pliouchkine, Sobakévitch, Nozdrev, Malinov, le héros du *Manteau*, ou celui du *Nez*, sinon nous-mêmes rabaissés à notre essence? «Âmes nulles», dit Gogol; cependant elles atteignent à une certaine grandeur: celle du plat. On dirait un Shakespeare du *mesquin*, un Shakespeare attaché à observer nos marottes, nos minuscules obsessions, la trame de nos jours. Personne autant que Gogol n'est allé plus avant dans la perception du quotidien. À force de réalité, ses personnages deviennent inexistants et se convertissent en des symboles où nous nous reconnaissons entièrement. Ils ne déchoient pas; ils sont déchus depuis toujours. On ne peut s'empêcher de penser aux *Possédés*; mais alors que les héros de Dostoïevski s'élancent vers leur limite, ceux de Gogol reculent vers la leur; les uns paraissent répondre à un appel qui les dépasse, les autres n'écoutent que leur incommensurable trivialité.

Dans la dernière période de sa vie, Gogol fut pris de remords: ses personnages, pensait-il, n'étaient que vice, vulgarité, ordure. Il fallait songer à leur donner des vertus, à les arracher à leur déchéance. Ainsi écrivit-il la seconde partie des *Âmes mortes*; fort heureusement, il la jeta au feu. Ses héros ne pouvaient être «sauvés». On attribua son geste à la folie, alors qu'il émanait d'un scrupule de sa conscience d'artiste: l'écrivain l'emporta sur le prophète. Nous aimons en lui la férocité, le mépris des hommes, la vision d'un monde condamné: comment eussions-nous supporté une caricature édifiante? Perte irréparable, disent certains; perte salutaire plutôt.

*L*e Gogol de la fin est habité encore par une force obscure dont il ne sait comment se servir; il s'affaisse dans une léthargie que traversent de loin en loin des sursauts; sursauts d'un spectre. L'humour qui lui permettait de garder à distance ses «accès d'angoisse» disparaît. Une aventure pitoyable commence. Ses amis l'abandonnent. Il eut la folie de publier les *Extraits de ma correspondance*, qui furent, il le reconnaît lui-même, un «soufflet pour le public, un soufflet pour mes amis, un soufflet pour moi».

Slavophiles et occidentalistes le renièrent. Son livre était une apologie du pouvoir, du servage, une divagation réactionnaire. Pour son malheur, il s'accrocha à un certain père Matvéï, imperméable à l'art, borné, agressif, qui eut sur lui un ascendant de confesseur, de tortionnaire. Les lettres qu'il en recevait, il les portait sur soi, les lisait et relisait; cure de stupidité, d'idiotie, auprès de laquelle l'*abêtissez-vous* pascalien paraît une simple boutade. Quand les dons d'un écrivain s'épuisent, la vacance de son inspiration ce sont les inepties d'un directeur de conscience qui l'occupent. L'influence du père Matvéï sur Gogol fut plus importante que celle de Pouchkine; celui-ci encourageait son génie; l'autre s'employait à en étouffer les restes... Non content de prêcher, Gogol voulait encore se punir; son œuvre conférait à la farce, à la grimace, un sens universel : ses tourments religieux devaient s'en ressentir.

D'aucuns pourraient prétendre que ses misères étaient méritées, que par elles il expiait l'audace d'avoir déformé la figure de l'homme. Le contraire me semble vrai; il devait payer d'avoir vu juste : en matière d'art, ce ne sont pas nos erreurs que nous expions, mais nos «vérités», ce que nous avons réellement entrevu. Ses personnages le poursuivaient Les Klestakov, les Tchitchikov, il les portait, de son propre aveu, toujours en lui : leur sous-humanité l'écrasait. Il n'avait sauvé aucun d'eux; en tant qu'artiste, il ne le pouvait. Quand il eut perdu son génie, il voulut faire son salut. Ses héros l'en empêchèrent. Aussi, malgré lui, dut-il rester fidèle à leur vide.

Ici, ce n'est pas au Régent que nous songeons (dont Saint-Simon disait qu'il était «né ennuyé»), ni à Baudelaire ou à l'Ecclésiaste, ni même au chômage intérieur du Diable s'il habitait un monde où le mal n'existerait pas, mais à un être qui tournerait ses prières contre lui-même. À ce stade, l'ennui acquiert une sorte de dignité mystique. «Toute sensation absolue, dit Novalis, est religieuse.» Avec le temps l'ennui se substitua chez Gogol à la foi, et devint pour lui sensation absolue, religion.

DÉMIURGIE VERBALE

—————————————————— *S*i l'on me demandait quel être j'envie le plus je répondrais sans hésiter : celui qui, se reposant au milieu des mots, y vit naïvement, par consentement réflexe, sans les mettre en cause, ni les assimiler à des signes, comme s'ils correspondaient à la réalité même ou qu'ils fussent de l'absolu éparpillé dans le quotidien. Je n'aurais, en revanche, aucun motif de jalouser celui qui les perce à jour, en discerne le fond, le rien. Pour lui, plus d'échanges spontanés avec le réel; isolé de ses outils, acculé à une autonomie dangereuse, il atteint à un soi-même qui l'effraye. Les mots le fuient : ne pouvant les rattraper, il les poursuit d'une haine nostalgique et n'en profère jamais un sans ricaner ou soupirer. S'il ne communie plus avec eux, il ne peut cependant s'en passer, et c'est précisément au moment où il en est le plus éloigné qu'il s'y cramponne davantage.

Le malaise que suscite en nous le langage ne diffère guère de celui que nous inspire le réel; le vide que nous entrevoyons au fond des mots évoque celui que nous saisissons au fond des choses : deux perceptions, deux expériences où s'opère la disjonction entre objets et symboles, entre la réalité et les signes. Dans l'acte poétique cette disjonction prend figure de rupture. S'arrachant par instinct aux significations convenues, à l'univers hérité et aux mots transmis, le poète, en quête d'un autre ordre, lance un défi au néant de l'évidence, à l'optique telle quelle. Il s'engage dans la démiurgie verbale.

Imaginons un monde où la Vérité, découverte enfin, s'imposerait à tous, où, triomphante, elle écraserait le charme de l'approximation et du possible. La poésie y serait inconcevable. Mais comme, pour son bonheur, nos vérités se distinguent à peine des fictions, elle n'est pas tenue d'y souscrire; elle se formera donc un univers à elle, aussi vrai, aussi faux, que le nôtre. Mais non pas aussi étendu, ni aussi puissant. Le nombre est de notre côté : nous sommes légion, et nos conventions à nous possèdent cette force que la statistique seule confère. À ces avantages s'en ajoute un autre, et non des moindres : celui de détenir le monopole des mots usés. La supériorité numérique de nos mensonges fera en sorte que nous l'emporterons toujours sur les poètes, et que le débat ne sera jamais clos entre l'orthodoxie du discours et l'hérésie du vers.

Pour peu qu'on subisse la tentation du scepticisme, l'exaspération éprouvée à l'endroit du langage utilitaire s'atténue et se convertit à la longue en acceptation : l'on s'y résigne et on l'admet. Puisqu'il n'y a pas plus de substance dans les choses que dans les mots, on s'accommode de leur improbabilité, et, soit maturité, soit lassitude, on renonce à intervenir dans la vie du Verbe : à quoi bon lui prêter un supplément de sens, le violenter ou le renouveler, dès lors qu'on en a décelé le néant? Le scepticisme : sourire qui surplombe les mots... Après les avoir pesés à tour de rôle, l'opération terminée, on n'y songe plus. Quant au «style», si l'on y sacrifie encore, l'oisiveté ou l'imposture en sont seules responsables.

Le poète, lui, en juge autrement : il prend le langage au sérieux. il s'en crée un à sa façon. Toutes ses singularités procèdent de son intolérance aux mots tels quels. Inapte à en supporter la banalité et l'usure, il est prédestiné à souffrir à cause d'eux et pour eux ; et cependant c'est par eux qu'il essaie de se sauver, c'est de leur régénération qu'il attend son salut. Quelque grimaçante que soit sa vision des choses, il n'est jamais un vrai négateur. Vouloir revigorer les mots, leur infuser une vie nouvelle, suppose un fanatisme, une obnubilation hors ligne : inventer — poétiquement — c'est être un complice et un fervent du Verbe, un faux nihiliste : toute démiurgie verbale se développe aux dépens de la lucidité... Point ne faut demander à la poésie une réponse à nos interrogations ou quelque révélation essentielle. Son «mystère» en vaut un autre. Pourquoi alors faisons-nous appel à elle? pourquoi — à certains moments — sommes-nous contraints d'y recourir?

Quand, seuls au milieu des mots, nous sommes hors d'état de leur communiquer la moindre vibration, et qu'ils nous paraissent aussi secs, aussi dégradés que nous, quand le silence de l'esprit est plus pesant que celui des objets, nous descendons jusqu'au point où l'effroi de notre inhumanité nous saisit. Désancrés, loin de nos évidences, nous connaissons soudain cette horreur du langage qui nous précipite dans le mutisme, — moment de vertige où la poésie seule vient nous consoler de la perte momentanée de nos certitudes et de nos doutes. Aussi est-elle l'absolu de nos *heures négatives*, non point de toutes, mais de celles-là seules qui dérivent de notre malaise dans l'univers verbal. Puisque le poète est un monstre qui tente son salut par le mot, et qu'il supplée au vide de l'univers par le symbole même du vide (car le mot est-il autre chose?), pourquoi ne le suivrions-nous pas dans son exceptionnelle illusion? Il devient notre recours toutes les fois que nous désertons les fictions du langage courant pour nous en chercher d'autres, insolites, sinon rigoureuses. Ne semble-t-il pas alors que toute autre irréalité est préférable à la nôtre, et qu'il y a plus de substance dans un vers que dans tous ces mots trivialisés par nos conversations ou nos prières? Que la poésie doive être accessible ou hermétique, efficace ou gratuite, c'est là un problème secondaire. Exercice ou révélation, qu'importe. Nous lui demandons,

nous autres, qu'elle nous délivre de l'oppression, des affres du discours. Si elle y réussit, elle fait, *pour un instant*, notre salut.

*P*our des motifs opposés, le langage n'est profitable qu'au vulgaire et au poète ; si l'on gagne à s'endormir sur les mots ou à
combattre avec eux, on court en revanche quelque risque à les
sonder pour en découvrir le mensonge. Celui qui s'y emploie, qui
se penche sur eux et les analyse, en vient à les exténuer, à les
métamorphoser en ombres. Il en sera châtié puisqu'il partagera
leur sort. Prenez n'importe quel vocable, répétez-le nombre de
fois, examinez-le : il s'évanouira et, par voie de conséquence,
quelque chose s'évanouira *en vous*. Prenez-en d'autres ensuite et
continuez l'opération. Par degrés vous arriverez au point fulgurant de votre stérilité, à l'antipode de la démiurgie verbale.

*O*n ne retire pas sa confiance aux mots, ni on n'attente à leur
sécurité, sans avoir un pied dans l'abîme. Leur néant procède du
nôtre. Ne faisant plus corps avec notre esprit, ils sont comme s'ils
ne nous avaient jamais servi. Existent-ils ? Nous concevons leur
existence sans la sentir. Quelle solitude que celle où ils nous quittent et où nous les quittons ! Nous sommes libres, il est vrai, mais
nous regrettons leur despotisme. Ils étaient là avec les choses ;
maintenant qu'ils disparaissent, elles s'apprêtent à les suivre et
s'amenuisent sous nos regards. Tout diminue, tout se résorbe. Où
fuir, par où échapper à l'infime ? La matière se ratatine, abdique
ses dimensions, vide les lieux... Cependant notre peur se dilate,
et, occupant la place, fait office d'univers.

À LA RECHERCHE
D'UN NON-HOMME

———————————————— *P*ar lâcheté nous substituons au
sentiment de notre rien le sentiment du rien. C'est que le rien
général nous inquiète à peine : nous y voyons trop souvent une
promesse, une absence fragmentaire, une impasse qui s'ouvre.
Pendant longtemps je me suis obstiné à chercher quelqu'un qui
sût tout sur soi et sur autrui, un sage-démon, divinement clairvoyant. Chaque fois que je croyais l'avoir trouvé, il me fallait,
après examen, déchanter : le nouvel élu possédait encore quelque
tache, quelque point noir, je ne sais quel recoin d'inconscience ou
de faiblesse qui le rabaissait au niveau des humains. Je percevais

en lui des traces de désir et d'espoir ou quelque soupçon de regret. Son cynisme, manifestement, était incomplet. Quelle déception! Et je poursuivais toujours ma quête, et toujours mes idoles du moment péchaient par quelque endroit : *l'homme* y était présent, caché, maquillé ou escamoté. Je finis par comprendre le despotisme de l'Espèce, et par ne plus rêver d'un non-homme, d'un monstre qui fût totalement pénétré de son rien. C'était folie que de le concevoir : il ne pouvait exister, la lucidité absolue étant incompatible avec la réalité des organes.

SE HAÏR

L'amour-propre est chose aisée : issu de l'instinct de conservation, les animaux le connaîtraient eux-mêmes s'ils étaient un tantinet pervertis. Ce qui est plus difficile, et ce à quoi l'homme seul excelle, c'est la haine de soi. Après l'avoir chassé du paradis, elle fit de son mieux pour augmenter l'écart qui le sépare du monde, pour le maintenir éveillé entre les instants, dans le vide qui s'intercale entre eux. C'est d'elle que la conscience émerge, c'est donc en elle qu'il faut chercher le point de départ du phénomène humain. Je me hais : je suis homme ; je me hais absolument : je suis absolument homme. Être conscient, c'est être divisé d'avec soi, c'est se haïr. Cette haine nous travaille à notre racine, en même temps qu'elle fournit la sève à l'Arbre de la Science.

Voilà l'homme hors du monde, et éloigné de soi. On ne saurait sans abus le ranger parmi les vivants, tant son contact avec la vie est superficiel ; son contact avec la mort ne l'est pas moins. N'ayant pu trouver sa place exacte entre l'une et l'autre, il a triché dès ses premiers pas : un intrus, un faux vivant, un faux mortel, un imposteur. La conscience, cette non-participation à ce qu'on est, cette faculté de ne coïncider avec rien, n'était pas prévue dans l'économie de la création. Il le sait, mais il n'a ni le courage de l'assumer jusqu'au bout, et d'en périr, ni de la répudier pour se sauver. Étranger à sa nature, seul au milieu de soi-même, délié et de l'ici-bas et de l'au-delà, il n'épouse tout à fait aucune réalité : comment le ferait-il alors qu'il n'est qu'à demi réel ? Un être *sans existence*.

Chaque pas qu'il fait dans la direction de l'esprit équivaut à une faute envers la vie. Pour s'apparenter de nouveau aux choses, que ne met-il pas un terme à l'équipée de la conscience ! Mais l'état d'irréflexion (où son sentiment de culpabilité cesserait), il en est séparé par cette haine de soi dont il ne veut ni ne peut se défaire. S'écartant de la ligne des êtres, des chemins battus du salut, il innove sans relâche pour pouvoir soutenir sa réputation d'animal *intéressant.*

La conscience, phénomène provisoire s'il en fut, il lui revient de la pousser jusqu'à son point d'éclatement et de tomber en pièces avec elle. En se détruisant, il se haussera à son essence, et accomplira sa mission : devenir son propre ennemi. Si la vie a faussé la matière, il a faussé, lui, la vie. Son expérience sera-t-elle reprise ? Elle ne paraît guère impliquer une postérité : tout laisse présager qu'il est la dernière fantaisie que la nature se soit permise.

SIGNIFICATION DU MASQUE

——————————————— *S*i loin que notre pensée s'avance et quelque détachée qu'elle soit de nos intérêts, elle hésite cependant à désigner certaines choses par leur nom. S'agit-il de notre dernier effroi ? elle l'escamote, elle nous ménage et nous flatte. Ainsi, lorsque, à la suite de nombre d'épreuves, le «destin» se révèle à nous, elle nous convie à y voir une limite, une réalité au-delà de laquelle toute quête serait sans objet. Mais est-il vraiment cette limite, cette réalité, comme elle le prétend ? Nous en doutons, tant elle nous paraît suspecte quand elle veut nous y fixer et nous l'imposer. Nous sentons bien qu'il ne saurait être un terme, et qu'à travers lui se manifeste une autre force, celle-là suprême. Quels que soient les artifices et les efforts de notre pensée pour nous la dissimuler, nous finissons pourtant par l'identifier, par la nommer même. Et lui qui semblait cumuler tous les titres du réel, il n'est plus maintenant qu'un visage. Un visage ? Même pas, mais un déguisement, une simple apparence dont cette force se sert pour nous détruire *sans nous heurter.*

Le «destin» n'était qu'un masque, comme masque est tout ce qui n'est pas la mort.

CONTAGION DE LA TRAGÉDIE

——————————————— *C*e n'est pas de la pitié, c'est de l'envie que nous inspire le héros tragique, veinard dont nous dévorons les souffrances, comme si elles nous revenaient de droit et qu'il nous les eût subtilisées. Pourquoi ne pas tenter de les lui reprendre ? De toute manière, elles nous étaient destinées... Pour mieux nous en assurer, nous les déclarons nôtres, les agrandissons et leur donnons des proportions démesurées ; lui, il a beau s'agiter ou gémir devant nous, il ne saurait nous émouvoir, car nous ne sommes pas ses spectateurs, mais ses concurrents, ses rivaux dans la salle, capables de supporter *ses* malheurs mieux que lui : les prenant à notre compte, nous les exagérons au-delà de ses possibilités *sur scène*. Munis de son sort et courant vers sa défaite plus vite que lui, nous lui adressons tout au plus un sourire supérieur, tandis que nous nous réservons, à nous seuls, les mérites de la faute ou du meurtre, du remords ou de l'expiation. Qu'est-il à côté de nous, et combien quelconque nous paraît son agonie ! Ne nous sommes-nous pas chargés de toutes ses douleurs, ne représentons-nous pas la victime qu'il voulait incarner sans y parvenir ? Mais, ô dérision, à la fin c'est pourtant *lui* qui meurt !

HORS DU MOT

─────────────────────────── *T*ant que nous sommes enfermés dans la littérature, nous en respectons les vérités et nous nous employons à leur donner corps, à étoffer leur néant. Condition affligeante sans doute. Mais il y a pire : c'est dépasser ces vérités, sans pour autant embrasser celles de la sagesse. Quelle direction prendre ? dans quel secteur de l'esprit s'établir ? On n'est plus littérateur ; on écrit pourtant, tout en méprisant l'expression. Conserver des restes de vocation et n'avoir pas le courage de s'en dessaisir, est une position équivoque, voire tragique, qu'ignore la sagesse, laquelle consiste justement dans l'audace d'extirper toute vocation, littéraire ou autre. Celui qui a eu la malchance de passer par les Lettres, gardera toujours le fétichisme du tour ou quelque superstition dont les mots seuls bénéficient. Disposant d'un don qu'il néglige ou redoute, il se lancera sans conviction dans des entreprises ou des œuvres nécessairement avortées, gâcheur suspendu entre la parole et le silence, piètre prétendant à cette gloire du Vide refusée à quiconque s'exprime ou s'attache à son nom. La «vraie vie» est hors du mot.

Et cependant le mot nous obnubile et nous domine : ne sommes-nous pas allés jusqu'à en faire surgir l'univers ? et n'avons-nous pas assimilé nos origines au bavardage, aux improvisations d'un dieu phraseur ? Ramener la cosmogonie au discours, ériger le langage en instrument de la Création, attribuer nos commencements à une illusoire antiquité du Verbe! La littérature, on s'en aperçoit, remonte bien loin dans le temps, puisque, nullement à court d'aberrations, nous n'avons pas craint de lui imputer les premiers sursauts de la matière.

NÉCESSITÉ DU MENSONGE

*C*elui qui a entrevu, au début de sa carrière, des vérités mortelles, en arrive à ne plus pouvoir vivre avec elles : y demeure-t-il fidèle? Il est perdu. Les désapprendre, les renier, — unique modalité pour lui de se raccommoder avec la vie, de quitter le chemin du Savoir, de l'Intolérable. À la poursuite du mensonge, de tout mensonge promoteur d'actes, il l'idolâtre et en attend son salut. N'importe quelle obsession le séduit, pourvu qu'elle étouffe en lui le démon de la curiosité et immobilise son esprit. Aussi jalouse-t-il tous ceux qui, à la faveur de la prière ou de toute autre lubie, ont arrêté le cours de leurs pensées, abdiqué les responsabilités de l'intellect et rencontré, à l'intérieur d'un temple ou d'un asile d'aliénés, le bonheur d'être finis. Que ne donnerait-il pas pour pouvoir, lui aussi, exulter à l'ombre d'une erreur, à l'abri d'une niaiserie! Il va s'y essayer. «Pour esquiver mon naufrage, je jouerai le jeu, je persévérerai par entêtement, par caprice, par insolence. Respirer est une aberration qui me fascine. L'air me fuit, le sol tremble sous mes pieds. J'ai convoqué tous les mots et leur ai commandé de s'organiser en une prière ; et les mots sont restés inertes et muets. C'est pour cela que je crie, que je ne cesserai de crier : "N'importe quoi, sauf mes vérités!"» Le voilà qui s'apprête à s'en défaire, à les mettre au rancart. Et tandis qu'il célèbre un aveuglement si longtemps souhaité, le malaise le gagne, le courage l'abandonne : il craint la revanche de son savoir, le retour de sa clairvoyance, l'irruption de ses certitudes, dont il avait tant pâti. C'en est assez pour que, perdant toute assurance, le chemin de son salut lui apparaisse comme un nouveau calvaire.

L'AVENIR DU SCEPTICISME

*L*a naïveté, l'optimisme, la générosité, — on les rencontre chez les botanistes, les spécialistes des sciences pures, les explorateurs, jamais chez les politiques, les historiens ou les curés. Les premiers se passent de leurs semblables, les seconds en font l'objet de leurs activités ou de leurs recherches. On ne s'aigrit que dans le voisinage de l'homme. Ceux qui lui dédient leurs pensées, l'examinent ou veulent l'aider, en arrivent, tôt ou tard, à le mépriser, à le prendre en horreur. Psychologue s'il en fut, le prêtre est l'exemplaire humain le plus détrompé, incapable par métier d'accorder le moindre crédit à ses proches ; d'où son air entendu, sa ruse, sa douceur feinte et son cynisme profond. Ceux d'entre eux, un nombre à vrai dire infime, qui glissèrent vers la sainteté, n'eussent pu y atteindre s'ils avaient observé de plus près leurs ouailles : ce furent des égarés, de *mauvais* prêtres, inaptes à vivre en curieux — et en parasites — du péché originel.

Pour se guérir de toute illusion sur l'homme, il faudrait posséder la science, l'expérience séculaire du confessionnal. L'Église est si vieille et si désabusée qu'elle ne peut plus croire au salut de personne, ni se complaire à l'intolérance. Après avoir été aux prises avec une foule incommensurable de fervents et de suspects, elle devait finir par les pénétrer et s'en lasser, par détester leurs scrupules, leurs tourments, leurs aveux. Deux mille ans dans le secret des âmes ! C'en était trop même pour elle. Miraculeusement préservée jusqu'ici de la tentation du dégoût, elle y cède maintenant : les consciences dont elle avait la charge l'importunent et l'excèdent. Aucune de nos misères, aucune de nos infamies n'éveille plus son intérêt : nous avons usé sa pitié et sa curiosité. Comme elle en sait long sur nous tous, elle nous dédaigne, nous laisse courir, chercher ailleurs... Déjà les fanatiques la quittent. Bientôt elle sera le dernier refuge du scepticisme.

VICISSITUDES DE LA PEUR

——————————————— *D*epuis la Renaissance, la science a entrepris de nous persuader que nous vivons dans une nature indifférente, ni hostile, ni favorable. Une diminution de nos réserves en peur devait en résulter. Danger considérable, car cette peur était une des données, une des conditions de notre existence et de notre équilibre.

Conférant intensité et vigueur à nos états, elle aiguillonnait notre pitié et notre ironie, nos amours comme nos haines, relevait, épiçait chacune de nos sensations. Plus elle nous talonnait, plus nous étions des traqués contents de l'être, avides d'incertitudes et de périls, de toute occasion de triompher ou de succomber. Sans retenue, sans façons, elle déployait ses talents d'impertinente, sa verve que nous redoutions, que nous chérissions. Notre ferveur pour elle augmentait à proportion des frissons qu'elle nous procurait. Se soustraire à son empire, nul n'y songeait. Elle nous gouvernait, elle nous subjuguait, tandis que nous étions heureux de la voir présider avec tant d'assurance à nos victoires et à nos défaites. Mais elle-même qui semblait à l'abri des vicissitudes, devait en subir, et des plus cruelles. Sous les coups du «progrès» impatient de la bannir, elle commença, au siècle dernier surtout, à se cacher, à devenir timide et comme honteuse, à s'en aller, à s'évanouir presque. Notre siècle, plus lucide, finit par s'en alarmer : comment, se demandait-il, voler à son secours, lui redonner son ancien statut, la réintégrer dans ses droits ? La science elle-même s'en chargea : elle devint menace, source d'effroi. Et cette quantité de peur, indispensable à notre prospérité, nous sommes maintenant sûrs de la posséder.

UN HOMME ARRIVÉ

——————————————— *À* l'habitué, à l'intime des profondeurs, le «mystère» n'en impose pas ; il n'en parle en aucune manière ni ne sait ce que c'est : il y vit... La réalité où il se meut n'en comporte pas d'autre : nulle zone plus bas et au-delà ; il est plus bas que tout et au-delà de tout. Repu de transcendance, supérieur aux opérations de l'esprit et aux servitudes qui s'y attachent, il se repose sur son intarissable incuriosité... La religion ni la métaphysique ne l'intriguent : que sonder s'il se trouve déjà dans l'insondable ? Comblé, il l'est sans doute ; mais il ignore s'il existe toujours.

Nous nous affirmons dans la mesure où, derrière une réalité donnée, nous en poursuivons une autre, où, par-delà l'absolu lui-même, nous cherchons encore. La théologie s'arrête-t-elle à Dieu ? Nullement. Elle veut remonter plus haut, comme la métaphysique qui, tout en fouillant l'essence, ne daigne guère s'y fixer. L'une et l'autre redoutent de s'ancrer dans un principe dernier, passent de secret en secret, encensent l'inexplicable et en abusent sans vergogne. Le mystère, quelle aubaine ! Mais quelle malédiction de croire l'avoir atteint, d'imaginer le connaître et y séjourner ! Plus de quête : il est là, à portée de la main. De la main d'un mort.

DÉCHETS DE TRISTESSE

I. — *S*oudain, en deçà de tout, je glisse vers le point d'inexistence de chaque objet. Le moi : une étiquette. Parallèle à mon visage, je me mire dans mes regards. Chaque chose est autre, tout est autre. Quelque part, un œil. Qui m'observe ? j'ai peur, et puis je suis extérieur à ma peur.

Hors des instants et hors du sujet que je fus, comment m'affilier au temps ? La durée se momifie, le devenir est devenu. Plus aucune parcelle d'air où respirer, où crier. Le souffle est né, l'idée se tait, l'esprit fut. J'ai traîné tous les oui dans la boue, et ne colle pas plus au monde que l'anneau au doigt du squelette.

II. — «*L*es autres, me disait un clochard, trouvent du plaisir à avancer ; moi, à reculer.» Heureux clochard ! Je ne recule même pas ; je demeure... Et la réalité elle-même demeure, immobilisée par mes doutes. Plus j'en nourris à mon endroit, plus j'en projette dans les choses et me venge sur elles de mes incertitudes. Que tout s'arrête, dès lors que je ne puis concevoir ni faire un pas de plus vers quelque horizon que ce soit. Une paresse d'avant le monde me cloue à *cet* instant... Et quand, pour la secouer, j'alerte mes instincts, je tombe dans une autre paresse, dans cette paresse tragique qui a nom mélancolie.

III. — *H*orreur de la chair, des organes, de chaque cellule, horreur primordiale, chimique. Tout en moi se désagrège, même cette horreur. Dans quelle graisse, dans quelle pestilence l'esprit est venu loger ! Ce corps dont chaque pore élimine assez de relents pour empuantir l'espace n'est qu'une masse d'ordures traversée d'un sang à peine moins ignoble, qu'une tumeur qui défigure la géométrie du globe. Écœurement surnaturel ! Personne ne m'approche sans me révéler malgré soi le stade de sa putréfaction, le destin livide qui le guette. Toute sensation est funèbre, toute volupté sépulcrale. Quelle méditation, si sombre fût-elle, pourrait s'élever aux conclusions — au cauchemar — de nos plaisirs ? Cherchez les vrais métaphysiciens parmi les débauchés, vous n'en trouverez pas ailleurs. C'est en exténuant et en martyrisant nos sens que nous apercevons notre néant, le gouffre que nos ébats nous voilent pour un moment. Trop pur, et trop récent, l'esprit ne saurait sauver cette vieille chair, dont la corruption prospère sous nos yeux. À la contempler, notre cynisme même recule et s'évanouit en pleurs. Nous méritions d'autres supplices, un spectacle moins intolérable. En vérité, il n'y a pas de salut par nos corps ni du reste par nos âmes. Si je dressais l'inventaire de mes jours, je n'en trouverais sans doute aucun qui n'eût à lui seul de quoi suffire aux besoins de plusieurs enfers.

Il est dit dans l'Apocalypse que les pires tourments attendent ceux dont le front n'est pas marqué par le «sceau de Dieu». Tout le monde sera épargné, sauf eux. Leurs souffrances ressembleront à celles d'un homme piqué par un scorpion, et ils chercheront vainement la mort, la mort qui est pourtant en eux.

Ne pas être marqué par le «sceau de Dieu». Que je comprends cela, que je comprends cela !

IV. — *J*e pense à cet empereur selon mon cœur, à Tibère, à son acrimonie et à sa férocité, à son obsession des îles, à ses années de jeunesse à Rhodes, à sa vieillesse à Capri. Je l'aime parce que le prochain lui paraissait inconcevable, je l'aime parce qu'il n'aimait personne. Décharné, pustuleux, monstre glacé que la terreur seule réchauffait, il avait la passion de l'exil : on dirait qu'il figurait en tête sur la liste de proscriptions dont il était l'auteur... Pour se sentir vivre, il lui fallait éprouver la peur et en inspirer : s'il craint tout le monde, il exige, à son tour, que tout le monde le craigne. Ce va-et-vient entre Capri et les faubourgs de Rome où il n'ose entrer, cette aversion que lui causaient les visages... Seul comme Swift, ce pamphlétaire d'une autre ère, ce pamphlétaire antérieur à l'homme. Quand tout me quitte, quand *je me quitte*, je songe à eux deux, me cramponne à leurs dégoûts et à leur cruauté, m'appuie sur leur vertige. Quand je me quitte, oui, je me tourne vers eux : rien alors ne pourrait me séparer de leur solitude.

V. — *P*our d'aucuns le bonheur est une sensation si insolite qu'aussitôt qu'ils l'éprouvent, ils s'en alarment et s'interrogent sur leur nouvel état; rien de semblable dans leur passé : c'est la première fois qu'ils sortent de la sécurité du pire. Une lumière inattendue les fait trembler, comme si des soleils pendaient à leurs doigts pour éclairer des paradis émiettés. Ce bonheur dont ils attendaient leur délivrance, pourquoi prend-il un tel visage ? Que faire ? Peut-être ne leur appartient-il pas, peut-être est-il tombé sur eux par erreur. Interdits et fascinés tout ensemble, ils essaient de l'incorporer à leur nature, de le posséder, si possible, à jamais.

Ils y sont si mal préparés que, pour en jouir, ils doivent l'annexer à leurs anciennes terreurs.

VI. — *L*a foi elle-même ne résout rien ; vous y apportez vos inclinations et vos tares ; si vous êtes heureux, elle viendra augmenter la quantité de bonheur qu'en naissant vous avez reçue en partage ; que si vous êtes naturellement malheureux, elle ne représentera pour vous qu'un surcroît de déchirement, qu'une détérioration de votre état : une foi *infernale*. À jamais exclu du paradis, vous en éprouverez la nostalgie comme un tourment de plus et un supplice. Vous priez : vos prières, au lieu de les alléger, aggraveront et vos regrets et vos remords et vos souffrances. En vérité, chacun retrouve dans sa foi ce qu'il y a apporté : par elle, l'élu savoure mieux son salut, le réprouvé s'enfonce davantage dans ses misères. Comment penser qu'il suffit de croire pour triompher de l'insoluble ? Il n'y a pas de foi, il n'y a que des formes multiples et irréconciliables de foi. La vôtre, quelle qu'elle soit, n'en attendez aucun secours : elle vous permettra tout juste d'être un peu plus ce que vous êtes depuis toujours...

VII. — *N*os plaisirs ne se perdent ni ne disparaissent ; d'une autre manière, ils nous marquent autant que nos douleurs. Tel d'entre eux qui nous semblait à jamais évanoui nous sauvera d'une crise et plaidera, à notre insu, contre telle de nos déceptions, contre telle tentation d'abdication et d'abandon ; il aura créé en nous de nouvelles attaches dont nous ne sommes pas conscients et renforcé un tas de petits espoirs qui contrebalanceront cette tendance de notre mémoire à ne conserver que les vestiges de l'atroce et du terrible. Car elle est vénale, notre mémoire : elle soutient la cause de nos douleurs, elle s'est *vendue* à nos douleurs.

VIII. — *S*elon Cassien, Évagre et saint Nil, il n'est démon plus redoutable que celui de l'acédie. Le moine qui y succombe en sera la proie jusqu'à la fin de ses jours. Collé à la fenêtre, il regardera au-dehors, attendra des visites, n'importe lesquelles, pour palabrer, pour s'oublier.
Se dépouiller de tout et découvrir ensuite que l'on s'était trompé de chemin, se morfondre dans la solitude et ne pouvoir la quitter ! Pour un ermite qui a réussi, il y en a mille qui ont échoué. Ces vaincus, ces déchus pénétrés de l'inefficacité de leurs prières, on espérait les redresser par le chant, on leur imposait l'exultation, la

discipline de la joie. Victimes du démon, comment auraient-ils élevé leurs voix, et vers qui ? Aussi éloignés de la grâce que du siècle, ils passaient des heures à comparer leur stérilité à celle du désert, à l'image matérielle de leur vide.

Collé à ma fenêtre, à quoi comparerais-je ma stérilité sinon à celle de la Cité ? Cependant *l'autre* désert, le vrai, me hante. Que ne puis-je m'y rendre, et y oublier l'odeur de l'homme ! En voisin de Dieu, je humerais sa désolation et son éternité dont je rêve aux instants où s'éveille en moi le souvenir d'une lointaine cellule. Dans une vie antérieure, quel couvent ai-je abandonné, trahi ? Mes prières inachevées, délaissées alors, me poursuivent maintenant, tandis que dans mon cerveau je ne sais quel ciel se fait et se défait.

IX. — *A*li ! Ali ! Tel derviche, ayant renoncé à composer avec les mots, sauf avec celui-là, n'en prononçait jamais d'autre, en aucune circonstance. C'était l'unique infraction qu'il se permît à son régime de silence.

La prière : une concession faite à Dieu, des *phrases*, et toute la complaisance qu'elles supposent. Notre derviche, s'immolant à l'essentiel, sacrifia le langage, symbole de l'apparence : tout homme qui y recourt se détourne de l'absolu, dût-il par ailleurs se mortifier ou souscrire aux énormités de la foi. Tout homme et, à plus forte raison, tout saint. François d'Assise fut un discoureur comme ses disciples, comme ses rivaux. Une seule chose importe, un seul mot. Si nous parlons, c'est que cette chose nous ne l'avons pas trouvée, ni ne la trouverons.

X. — *S*eul mérite confiance celui qui s'astreint à perdre la partie : s'il y réussit, il aura tué le monstre, le monstre qu'il était tant qu'il s'employait à agir, à triompher. Nous ne progressons qu'au détriment de notre pureté, cette somme de nos reculs. Soutenus, traversés par un élan vers la souillure, nos actes nous retranchent du paradis, fortifient notre déchéance, notre fidélité au monde : point de mouvement en avant qui n'excite et ne consolide en nous l'antique perversion d'exister.

Congédier les êtres ne suffit pas ; il faut encore congédier les choses, les exécrer et les abolir une à une. Pour recouvrer notre première absence, suivons nos cosmogonies à rebours, et, puisque la pudeur de mourir nous fait défaut, anéantissons du moins toute trace en nous de l'ici-bas et jusqu'au dernier souvenir de ce que nous fûmes. Qu'un dieu nous dispense la force de nous démettre de tout et de tout trahir, l'audace d'une lâcheté sans nom!

ORGIE DE LA VACUITÉ

———————————————————— *S*ans moyen de quitter la sphère de ses inclinations, l'artiste se meut dans un secteur étroit de l'existence. Il porte des œillères : son talent est son infirmité. Lors même qu'il aurait du génie, il demeurerait encore captif de son optique, du malheur qui l'a pourvu d'une vision *définie*.

Quel avantage que de n'être doué pour rien, quelle liberté ! Tout s'offre à vous, tout vous appartient ; dominant l'espace, vous passez d'un objet à l'autre, d'un monde à l'autre. L'univers à vos pieds, vous accédez d'emblée à l'essence du bonheur : exaltation au point nul de l'être, vie transposée, promue à l'état de souffle, d'éternité qui respire et qu'aucun mystère n'alourdit.

Obligé d'être partout, esclave de son ubiquité, Dieu même est prisonnier. Plus libre, plus dégagé que lui, vous jouissez de l'absence, dont vous explorez à votre gré l'étendue : matière destituée, soupir inaudible, délice de perdre la pratique et de la vie et de la mort.

*T*out homme à talents mérite commisération : peintre, que tirera-t-il encore des couleurs ? poète, comment réveillera-t-il des mots fatigués, endormis ? Et que dire des perspectives du musicien dans un monde où toutes les combinaisons sonores ont été imaginées ? Profondément malheureux, ils sont tous engagés dans l'inextricable. Nous devons les entourer d'un supplément de sollicitude, ne pas insulter à leur désarroi, pour qu'ils oublient l'impasse de leur art, leur condition de déshérités.

Sans aller jusqu'à claironner nos chances, nous ne pouvons cependant pas les taire. Rendons grâce à la Providence de nous avoir soustraits au poids, aux fatalités d'un don. En nous spoliant de tout, elle nous a, du même coup, tout offert. Que notre dénuement comblé émane de sa miséricorde ou de sa négligence, nos lumières ne nous permettent pas d'en décider. Toujours est-il qu'Elle nous aura accordé une faveur inégalée : ne sommes-nous pas nantis de tous les talents qui nous manquent ? N'être rien, — ressource infinie, fête perpétuelle.

*J*amais en repos, l'artiste doit entretenir ses désordres, gaspiller ses forces, se fabriquer du bonheur et du malheur, produire. Le sage, lui, comme il ne s'engage dans aucune œuvre, s'évertue à la stérilité, accumule de l'énergie qu'il ne dépense guère. La vérité, il l'acquiert au détriment de l'exprimé, de la communication, de tout ce qui nourrit et justifie l'art, cet obstacle au vrai, ce véhicule du mensonge. Étouffant ses facultés d'invention, il gouverne ses actes et ses mouvements, repousse les services de la transe et de la fièvre. (Il n'y a pas de sage *génial.*) Ni la tragédie, convoitise de déchirement, ni l'histoire, espace de cette convoitise, ne retiennent sa curiosité : ayant dépassé l'une et l'autre, il rejoint les éléments, refuse de créer, de copier Dieu ou le Diable, et s'adonne à une longue méditation sur l'ange et l'idiot, sur l'excellence de leur hébétude, qu'il voudrait atteindre par *les moyens de la lucidité.*

C'est le propre du «créateur», après avoir abusé de ses ressources, de s'épuiser : ses forces le délaissent, l'intensité de ses obsessions s'amoindrit. S'il conserve sa vitalité ou sa raison, il n'en va pas de même de sa capacité de vibrer. Sa vieillesse est vraiment sa fin. Le sage, au contraire, c'est au terme de ses jours qu'il s'accomplit, qu'il triomphe. On ne l'imagine guère *fini*; ce qualificatif convient, à partir d'un certain moment, à tout artiste. Une œuvre surgit d'un appétit d'autodestruction et s'édifie au préjudice d'une vie. Le sage ne connaît pas cet appétit, ou bien il l'a vaincu. Sa plus grande ambition : disparaître sans laisser de traces. Mais il y a tant de puissance dans sa volonté d'effacement qu'il nous intrigue. Son secret, nous parvenons difficilement à le percer : comment exister sans se détruire à chaque instant? Et pourtant ce secret se laisse entrevoir lorsque nous approchons de nous-même, de notre dernière réalité. Les mots, alors, perdant toute utilité, tout sens, nous apparaissent comme les agents d'une vulgarité immémoriale. Tout change, jusqu'à notre mode de voir, comme si nos regards, ramassés sur eux-mêmes, disposaient d'un univers distinct de celui de la matière. De fait, ce monde-ci n'entre plus dans le champ de nos perceptions, ni n'est perpétué par notre mémoire. Tournés vers ce qui ne supporte pas le mot ni ne veut y condescendre, nous nous prélassons dans un bonheur sans qualité, dans un frisson sans adjectif. Sieste en Dieu...

LA TENTATION D'EXISTER

*I*l en est qui passent d'affirmation en affirmation : leur vie — une série de oui... Applaudissant au réel ou à ce qui leur semble tel, ils consentent à tout et n'éprouvent aucune gêne à le dire. Point d'anomalie qu'ils n'expliquent ou ne rangent parmi les choses «qui arrivent». Plus ils se laissent contaminer par la philosophie, plus, au spectacle de la vie et de la mort, ils sont *bon public*.

Pour d'autres, coutumiers de la négation, affirmer exige non seulement une volonté d'obnubilation, mais un effort sur soi, un sacrifice : le moindre oui, combien il leur en coûte ! quel reniement ! Ils savent qu'un oui ne vient jamais seul, qu'il en implique un autre, toute une suite : comment s'y risqueraient-ils à la légère ? N'empêche que la sécurité du non les irrite. Ainsi naît chez eux le besoin et la curiosité d'affirmer n'importe quoi.

Nier : rien de tel pour émanciper l'esprit. Mais la négation n'est féconde que le temps où nous nous évertuons à la conquérir et à nous l'approprier ; une fois acquise, elle nous emprisonne : une chaîne comme une autre. Esclavage pour esclavage, il vaut mieux s'orienter vers celui de l'être, bien que cela n'aille pas sans un certain déchirement : il s'agit ni plus ni moins de se soustraire à la contagion du néant, au confort d'un vertige...

*L*es théologiens l'ont remarqué depuis longtemps : l'espoir est le fruit de la patience. On devrait ajouter : et de la modestie. L'orgueilleux n'a pas *le temps* d'espérer... Sans vouloir ni pouvoir attendre, il force les événements, comme il force sa nature ; amer, corrompu, quand il épuise ses révoltes, il abdique : pour lui, nulle formule intermédiaire. Qu'il soit lucide, c'est indéniable ; mais la lucidité, ne l'oublions pas, est le propre de ceux qui, par incapacité d'aimer, se désolidarisent aussi bien des autres que d'eux-mêmes.

*L*e grand oui c'est le oui à la mort. On peut le proférer de plusieurs manières...

Il est des fantômes diurnes qui, en proie à leur absence, vivent à l'écart, marchent à pas feutrés le long des rues, sans regarder personne. Nulle inquiétude dans leurs yeux ni dans leurs gestes. Le monde extérieur ayant cessé d'exister pour eux, ils se plient à toutes les solitudes. Attentifs à leur distraction, à leur détachement, ils appartiennent à un univers non déclaré, situé entre le souvenir de l'inouï et l'imminence d'une certitude. Leur sourire fait songer à mille effrois vaincus, à la grâce qui triomphe du terrible ; ils passent à travers les choses, ils transpercent la matière. Ont-ils atteint leurs propres origines ? ou découvert en eux les sources de la clarté ? Aucune défaite, aucune victoire ne les ébranle. Indépendants du soleil, ils se suffisent à eux-mêmes. Ils sont illuminés par la Mort.

*I*l ne nous est pas donné d'identifier le moment où s'opère, aux dépens de notre substance, un travail d'érosion. Nous savons seulement qu'un vide en résulte où s'installe par degrés l'idée de notre destruction. Idée vague, à peine ébauchée : c'est comme si ce vide se pensait lui-même. Puis, transfiguration sonore, au plus profond de nous surgit un ton qui, par son insistance, peut aussi bien nous paralyser que nous donner une impulsion. Nous serons donc captifs de la peur ou de la nostalgie, au-dessous de la mort ou de plain-pied avec elle. Ce sera la peur, si ce ton perpétue le vide où il apparut ; la nostalgie, s'il le convertit en plénitude. Selon notre organisation, nous verrons dans la mort soit un déficit, soit un excédent d'être.

*A*vant d'affecter notre perception de la durée, acquisition tardive, la peur s'en prend à notre sentiment de l'étendue, à l'immédiat, à l'illusion du *solide* : l'espace s'amenuise, s'envole, devient aérien, transparent. Elle le remplace, elle se dilate et se substitue à la réalité qui l'avait provoquée, à la mort. Toutes nos expériences s'en trouvent réduites à un échange entre notre moi et cette peur qui, érigée en réalité autonome, nous isole dans un frisson sans objet, dans un tremblement gratuit, au point qu'elle nous fait courir le risque d'oublier que nous allons... mourir. Elle ne menace pourtant de supplanter notre souci essentiel que dans la mesure où, ne voulant pas l'assimiler ni l'épuiser, nous la perpétuons en nous comme une tentation et la plaçons au centre de notre solitude. Un pas de plus et nous voilà des vicieux, non point de la mort, mais de la *peur* de la mort. Il en va ainsi de toutes les peurs que nous n'avons pas réussi à surmonter : se détachant des motifs qui les ont produites, elles se constituent en réalités indépendantes, tyranniques. «Nous vivons dans la peur, et c'est ainsi que nous ne vivons pas.» Cette parole du Bouddha veut peut-être dire : au lieu de nous maintenir au stade où la peur s'ouvre sur le monde, nous faisons d'elle une fin, un univers clos, un substitut de *l'espace*. Si elle nous domine, elle déforme notre image des choses. Celui qui ne sait ni la maîtriser ni l'exploiter, cesse à la longue d'être soi, perd son identité ; elle n'est fructueuse que si l'on s'en défend ; qui y cède ne se retrouvera jamais et passera à l'égard de soi-même de trahison en trahison, jusqu'à ce qu'il étouffe la mort sous la peur même qu'il en conçoit.

*L*a séduction de certains problèmes vient de leur défaut de rigueur, comme des opinions discordantes qu'ils suscitent : autant de difficultés dont s'entiche l'amateur d'Insoluble.

Pour me «documenter» sur la mort, je n'ai pas plus de profit à consulter un traité de biologie que le catéchisme : pour autant qu'elle me concerne, il m'est indifférent que j'y sois voué par suite du péché originel ou de la déshydratation de mes cellules. Aucunement liée à notre niveau intellectuel, elle est réservée, comme tout problème privé, à un savoir *sans connaissances*. J'ai approché nombre d'illettrés qui en parlaient plus pertinemment que tel métaphysicien ; ayant décelé par expérience l'agent de leur destruction, ils y consacraient toutes leurs pensées, de sorte que la mort, au lieu d'être pour eux un problème impersonnel, était leur réalité, leur mort.

Mais parmi ceux-là mêmes qui, illettrés ou non, y songent constamment, la plupart ne le font qu'atterrés par la perspective de leur agonie, sans s'apercevoir un moment que, dussent-ils vivre des siècles, des millénaires, les raisons de leur terreur ne changeraient en rien, l'agonie n'étant qu'un accident dans le processus de notre anéantissement, processus coextensif à notre durée. La vie, loin d'être, comme pensait Bichat, l'ensemble des fonctions qui résistent à la mort, est plutôt l'ensemble des fonctions qui nous y entraînent. Notre substance diminue à chaque pas ; cette diminution pourtant, tous nos efforts devraient tendre à en faire un excitant, un principe d'efficacité. Ceux qui ne savent tirer bénéfice de leurs possibilités de non-être demeurent étrangers à eux-mêmes : des fantoches, des objets pourvus d'un moi, endormis dans un temps neutre, ni durée ni éternité. Exister, c'est mettre à profit notre part d'irréalité, c'est vibrer au contact du vide qui est en nous. Le fantoche, lui, reste insensible au sien, l'abandonne, le laisse dépérir.

*R*égression germinative, descente vers nos racines, la mort ne brise notre identité que pour mieux nous permettre d'y accéder et de la rétablir : elle n'a de sens que si nous lui prêtons tous les attributs de la vie.

Bien qu'au début, aux premières perceptions que nous en avons, elle se révèle dislocation et déperdition, par la suite, en nous dévoilant à la fois la nullité du temps et le prix infini de chaque instant, elle exerce sur nous ses vertus tonifiantes : si elle ne nous offre que l'image de notre inanité, par là même elle convertit cette inanité en absolu, et nous invite à nous y attacher. Ainsi, réhabilitant notre côté «mortel», s'institue-t-elle dimension de tous nos instants, agonie triomphale.

À quoi bon fixer nos pensées sur quelque tombe que ce soit et miser sur notre pourriture ? Spirituellement dégradant, le macabre nous fait déboucher sur l'usure de nos glandes, sur la puanteur et les immondices de notre dissolution. Celui qui se prétend vivant ne l'est que dans la mesure où il aura escamoté ou dépassé l'idée de son cadavre. Rien de bon ne résulte des réflexions sur le fait matériel de mourir. Si j'accordais à la chair la liberté de me dicter sa «philosophie», de m'imposer ses conclusions, autant vaudrait me supprimer avant de les connaître. Car tout ce que la chair m'enseigne m'abolit sans recours : ne répugne-t-elle pas à l'illusion ? ne vient-elle pas, en interprète de nos cendres, contredire à tout moment nos mensonges, nos divagations, nos espoirs ? Passons donc outre à ses arguments et associons-la de force à la lutte contre *ses* évidences.

Pour nous rajeunir au contact de la mort il nous revient d'y investir toutes nos énergies, de concevoir pour elle, à l'exemple de Keats, un attachement à demi amoureux ou d'en faire, avec Novalis, le principe qui «romantise» la vie. Si ce dernier devait en pousser la nostalgie jusqu'à la sensualité, s'il fut en effet un *sensuel* de la mort, il était réservé à un autre, à Kleist, d'y puiser une «félicité» tout intérieur. «Ein Strudel von nie geahnter Seligkeit hat mich ergriffen...», écrit-il avant de se tuer. Ni défaite, ni abdication, sa fin fut une rage bienheureuse, une folie exemplaire et concertée, une des rares réussites du désespoir. Que Novalis ait été le premier à avoir ressenti la mort «en artiste», ce mot de

Schlegel me paraît encore plus exact pour Kleist, équipé comme personne pour mourir. Inégalé, parfait, chef-d'œuvre de tact et de goût, son suicide rend inutiles tous les autres.

Anéantissement printanier, accomplissement plutôt qu'abîme, la mort ne nous donne le vertige que pour mieux nous soulever au-dessus de nous-mêmes, au même titre que l'amour, auquel elle s'apparente par plus d'un côté : l'un et l'autre, forçant les cadres de notre existence au point de les faire éclater, nous désintègrent et nous fortifient, nous ruinent par le détour de la plénitude. Leurs éléments irréductibles autant qu'inséparables composent une équivoque fondamentale. Si, jusqu'à un certain point, l'amour nous perd, c'est à travers quelles sensations de dilatation et d'orgueil ! Et si la mort nous perd tout à fait, au moyen de quels frissons ! Sensations et frissons par lesquels nous transcendons l'homme en nous, et les accidents du moi.

Comme l'un et l'autre ne nous définissent que dans la mesure où nous projetons en eux nos appétits et nos impulsions, où nous concourons de toutes nos forces à leur nature équivoque, ils sont nécessairement insaisissables pour peu que nous les regardions comme des réalités extérieures, offertes au jeu de l'intellect. On plonge dans l'amour comme dans la mort, on ne médite pas sur eux : on les savoure, on en est complice, on ne les pèse pas. Aussi bien toute expérience qui n'est pas convertie en volupté est une expérience manquée. S'il nous fallait nous borner à nos sensations telles quelles, elles nous paraîtraient intolérables, car trop distinctes, trop dissemblables de notre essence. La mort ne serait pas pour les hommes leur grande expérience perdue, s'ils savaient l'assimiler à leur nature ou la métamorphoser en volupté. Mais elle reste en eux *à l'écart* d'eux ; elle reste telle quelle, différente de ce qu'ils sont.

Et c'est encore une preuve de sa double réalité, de son caractère équivoque, du paradoxe inhérent à la manière dont nous la ressentons, qu'elle se présente pour nous à la fois comme *situation limite* et comme *donnée directe*. Nous courons vers elle, et pourtant nous y sommes déjà. Alors même que nous l'incorporons à notre vie, nous ne pouvons nous empêcher de la placer dans l'avenir. Par une inconséquence inévitable, nous l'interprétons comme le futur qui détruit le présent, notre présent. Si la peur nous aidait à définir notre sentiment de l'espace, la mort nous ouvre au vrai sens de notre dimension temporelle, puisque, sans elle, être dans le temps ne signifierait rien pour nous ou, tout au plus, autant qu'être dans l'éternité. C'est ainsi que l'image traditionnelle de la mort, malgré tous nos efforts pour y échapper, persiste à nous hanter, image dont les malades sont principalement responsables. En cette matière on s'accorde à leur reconnaître quelque compétence ; un préjugé favorable leur attribue d'office de la « profondeur », bien que la plupart fassent montre d'une déconcertante futilité. Qui n'a connu, autour de soi, des incurables d'opérette ? Plus que quiconque, le malade devrait s'identifier avec la mort ; cependant il s'évertue à s'en détacher et à la projeter au-dehors. Comme il lui est plus commode de la fuir que de la constater en soi-même, il use de tous les artifices pour s'en débarrasser. Sa réaction de défense, il en fait un procédé, voire une doctrine. Le vulgaire en bonne santé est ravi de l'imiter et de le suivre. Le vulgaire en bonne santé est ravi de l'imiter et de le suivre. Le vulgaire seulement ? Les mystiques eux-mêmes se servent de subterfuges, pratiquent l'évasion et une tactique de fuite : la mort n'est pour eux qu'un obstacle à franchir, une barrière qui les sépare de Dieu, un dernier pas dans la durée. Dès cette vie, il leur arrive quelquefois, grâce à l'extase, ce tremplin, de sauter par-dessus le temps : saut instantané qui ne leur procure qu'un « accès » de béatitude. Il leur faut disparaître pour de bon s'ils veulent atteindre à l'objet de leurs désirs : aussi aiment-ils la mort parce qu'elle leur permet d'y accéder et la haïssent-ils parce qu'elle tarde à venir. L'âme, à en croire Thérèse d'Avila, n'aspire qu'à son créateur, mais « elle voit en même temps qu'il lui est impossible de le posséder si elle ne meurt ; et comme il ne lui est pas possible de se donner la mort, elle meurt du désir de mourir, à tel point qu'elle est réellement en danger de mort ». Toujours ce besoin de faire de la mort un accident ou un moyen, de la réduire au trépas, au lieu de la considérer comme une présence, toujours ce besoin de la déposséder. Et si les religions n'en ont fait qu'un prétexte ou un épouvantail — un instrument de propagande — il revient aux incroyants de lui rendre justice et de la rétablir dans ses droits.

Chaque être *est* son sentiment de la mort. Il s'ensuit qu'on ne saurait dénoncer les expériences des malades ou des mystiques comme fausses, bien que l'on puisse douter des interprétations qu'ils en donnent. Nous sommes sur un terrain où aucun critère ne joue, où les certitudes foisonnent, où tout est certitude, parce que nos vérités y coïncident avec nos sensations, nos problèmes avec nos attitudes. D'ailleurs, à quelle « vérité » prétendre, quand, à chaque moment, nous sommes engagés dans une autre expérience de la mort ? Notre « destin » même n'est que le déroulement,

les étapes de cette expérience primordiale et pourtant changeante, la traduction dans le temps apparent de ce *temps secret* où
s'élabore la diversité de nos manières de mourir. Pour expliquer
une destinée, les biographes devraient rompre avec leur
démarche habituelle, cesser de se pencher sur le temps apparent,
sur l'empressement d'un être à détériorer sa propre essence. Il en
va pareillement pour une époque : en connaître les institutions et
les dates est moins important que deviner l'expérience intime
dont elles sont les signes. Batailles, idéologies, héroïsme, sainteté,
barbarie, autant de simulacres d'un monde intérieur qui seul
devrait nous requérir. Chaque peuple s'éteint à sa façon, chaque
peuple met au point quelques règles d'expirer et les impose aux
siens : les meilleurs même ne sauraient les tourner ou s'y soustraire. Un Pascal, un Baudelaire circonscrivent la mort : l'un la
réduit à notre quête du salut, l'autre à nos terreurs physiologiques. Si elle écrase l'homme, elle n'en demeure pas moins pour
eux à l'intérieur de l'humain. Tout à l'opposé, les élisabéthains ou
les romantiques allemands en firent un phénomène cosmique, un
devenir orgiaque, un néant qui vivifie, une *force* enfin où il s'agit
de se retremper et avec laquelle il importe d'entretenir des rapports directs. Pour le Français, ce qui compte ce n'est pas la mort
en elle-même — lapsus de la matière ou simple inconvenance —,
mais notre comportement en face de nos semblables, la stratégie
des adieux, la contenance que nous imposent les calculs de notre
vanité, *l'attitude* tout court ; non point le débat avec soi, mais avec
les autres : un spectacle dont il est capital d'observer les détails et
les mobiles. Tout l'art du Français est de savoir mourir *en public.*
Saint-Simon ne décrit pas l'agonie de Louis XIV, de Monsieur ou
du Régent, mais les *scènes* de leur agonie. Les habitudes de la
Cour, le sens de la cérémonie et du faste, tout un peuple en a
hérité, épris qu'il est d'appareil, et soucieux d'associer un certain
éclat au dernier soupir. En quoi le catholicisme lui a été utile : ne
soutient-il pas que notre genre de mourir est essentiel à notre
salut, que nos péchés peuvent être rachetés par une « belle mort » ?
Pensée douteuse, tout adaptée pourtant à l'instinct histrionique
d'une nation, et qui, dans le passé bien plus qu'aujourd'hui, se
reliait à l'idée d'honneur et de dignité, au style de « l'honnête
homme ». Ce dont il s'agissait alors, c'était, en mettant Dieu de
côté, de sauver la face devant l'assistance, devant les badauds élé-
gants et les confesseurs mondains ; non pas de périr mais *d'offi-
cier*, en sauvegardant sa réputation devant des témoins et en
attendant d'eux seuls l'extrême-onction... Il n'y avait pas jus-

qu'aux libertins qui ne s'éteignissent convenablement, tant leur respect de l'opinion l'emportait sur l'irréparable, tant ils suivaient les usages d'une époque où mourir signifiait pour l'homme renoncer à sa solitude, parader une dernière fois, et où les Français, entre tous, étaient les grands spécialistes de l'agonie.

Il est néanmoins douteux qu'en appuyant sur le côté «historique» de l'expérience de la mort, nous arrivions à mieux en pénétrer le caractère originel, l'histoire n'étant qu'un mode inessentiel d'être, la forme la plus efficace de notre infidélité à nous-mêmes, un refus métaphysique, une masse d'événements que nous opposons au seul événement qui importe. Tout ce qui vise à agir sur l'homme — y compris les religions — est entaché d'un sentiment grossier de la mort. Et c'est pour en chercher un véritable, plus pur, que les ermites se réfugiaient dans cette négation de l'histoire qu'est le désert, à juste titre comparé par eux à l'ange, puisque, soutenaient-ils, l'un et l'autre ignorent le péché, la chute dans le temps. Le désert, en effet, fait penser à une durée traduite dans la coexistence : un écoulement immobile, un devenir envoûté par l'espace. Le solitaire s'y retire, moins pour agrandir sa solitude et s'enrichir d'absence, que pour faire monter en soi le ton de la mort.
Ce ton, il nous faut, pour l'entendre, aménager en nous un désert... Si nous y parvenons, des accords traversent notre sang, nos veines se dilatent, nos secrets comme nos ressources apparaissent à notre surface où le dégoût et le désir, l'horreur et le ravissement se confondent dans une fête obscure et lumineuse. L'aurore de la mort se lève en nous. Transe cosmique, éclatement des sphères, mille voix ! Nous sommes la mort, et tout est la mort. Elle nous entraîne, nous emporte, nous jette à terre ou nous lance au-delà de l'espace. Intacte depuis toujours, les âges ne l'ont pas usée. Complices de son apothéose, nous sentons sa fraîcheur immémoriale, et ce temps qui ne ressemble à aucun autre, qui est à elle, et qui nous fait et nous défait sans cesse. Tant elle nous tient, et nous immortalise dans l'agonie, que nous ne pourrons jamais nous permettre le luxe de mourir ; et bien que nous possédions la science du destin et que nous soyons une encyclopédie de fatalités, nous ne savons pourtant rien, car c'est elle qui sait tout en nous.

Il me souvient comment, au sortir de l'adolescence, engouffré dans le funèbre, vassal d'une seule pensée, j'entrai au service de toutes les forces qui m'infirmaient. Mes autres pensées ne m'intéressaient plus : je savais trop bien *où* elles me menaient, vers quoi elles convergeaient. Du moment que je n'avais qu'un problème, à quoi bon m'arrêter aux *problèmes* ? Cessant de vivre en fonction d'un moi, je laissais à la mort la latitude de m'asservir ; aussi bien, je ne m'appartenais plus. Mes terreurs, mon nom même, elle les portait, et, substituée à mes regards, elle me faisait apercevoir en toutes choses les marques de sa souveraineté. Dans chaque passant je discernais le macchabée, dans chaque odeur la pourriture, dans chaque joie une dernière grimace. Sur de futurs pendus, sur leurs ombres imminentes je butais en tout lieu : l'avenir des autres ne comportait nul mystère pour Celle qui le scrutait à travers mes yeux. Étais-je ensorcelé ? Il me plaisait de le croire. Dès lors, contre quoi réagir ? Le Rien était mon hostie : tout en moi et hors de moi se transsubstantiait en spectre. Irresponsable, aux antipodes de la conscience, je finis par me livrer à l'anonymat des éléments, à l'ivresse de l'indivision, tout décidé à ne plus réintégrer mon être ni à redevenir un civilisé du chaos.

Inapte à voir dans la mort l'expression positive de la vacuité, l'agent qui éveille la créature, l'appel qui résonne dans l'ubiquité des sommeils, je savais le néant par cœur et j'acceptais mon savoir. Maintenant encore, comment méconnaîtrais-je l'autosuggestion dont surgit l'univers ? Je proteste cependant contre ma lucidité. Il me faut du réel à tout prix. Je n'éprouve des sentiments que par lâcheté ; je veux néanmoins être lâche, m'imposer une «âme», me laisser dévorer par une soif d'immédiat, nuire à mes évidences, me trouver un monde coûte que coûte. Ne le trouverais-je pas, que je me contenterais d'un brin d'être, de l'illusion que quelque chose existe sous mes yeux, ou ailleurs. Je serai le conquistador d'un continent de mensonges. Être dupe ou périr : il n'est d'autre choix. À l'égal de ceux qui ont découvert la vie par le détour de la mort, je me précipiterai sur la première duperie, sur tout ce qui peut me rappeler le réel perdu.

Auprès de la quotidienneté du non-être, quel miracle que l'être ! Il est l'inouï, *ce qui ne peut arriver*, un état d'exception. Rien n'a de prise sur lui, sinon notre désir d'y accéder, d'en forcer l'entrée, de le prendre d'assaut.

Exister est un pli que je ne désespère pas d'attraper. J'imiterai les autres, les malins qui y sont parvenus, les transfuges de la lucidité, je pillerai leurs secrets, et jusqu'à leurs espoirs, tout heureux de m'agripper avec eux aux indignités qui mènent à la vie. Le non m'excède, le oui me tente. Ayant épuisé mes réserves en négation, et peut-être la négation elle-même, pourquoi ne sortirais-je pas dans la rue crier à tue-tête que je me trouve au seuil d'une vérité, de la seule qui vaille ? Mais ce qu'elle est, je l'ignore encore ; je n'en connais que la joie qui la précède, la joie et la folie et la peur. C'est cette ignorance — et non la crainte du ridicule — qui m'ôte le courage d'alerter le monde, d'en observer l'effroi au spectacle de mon bonheur, de mon oui définitif, de mon oui sans issue...

Comme notre vitalité nous vient de nos ressources en insensé, nous n'avons, pour opposer à nos frayeurs et à nos doutes, que les certitudes et la thérapeutique du délire. À force de déraison, convertissons-nous en source, en origine, en point initial, multiplions, par tous les moyens, nos *moments cosmogoniques.* Nous ne sommes pour de vrai que lorsque nous irradions du temps, lorsque des soleils se lèvent en nous et que nous en prodiguons les rayons, lesquels éclairent les instants... Nous assistons alors à cette volubilité des choses, surprises d'être venues à l'existence, impatientes d'étaler leur étonnement dans les métaphores de la lumière. Tout s'enfle et se dilate pour acquérir l'habitude de l'insolite. Génération de miracles : tout converge vers nous, car tout part de nous. Mais est-ce bien de nous-mêmes ? de notre volonté seule ? L'esprit peut-il concevoir tant de jour et ce temps soudainement éternisé ? Et qui enfante en nous cet espace qui tremble et ces équateurs hurlants ?

Croire qu'il nous sera possible de nous affranchir du préjugé de l'agonie, de notre plus ancienne évidence, ce serait nous méprendre sur notre capacité de divaguer. En fait, après la faveur de quelques accès, nous retombons dans la panique et dans l'écœurement, dans la tentation de la tristesse ou du cadavre, dans ce déficit d'être, résultat du sentiment négatif de la mort. Quelque grave que soit notre chute, elle peut cependant nous être utile si nous en faisons une discipline qui nous induise à reconquérir les privilèges du délire. Les ermites des premiers siècles nous serviront encore une fois d'exemple. Ils nous apprendront comment, pour hausser notre niveau psychique, nous devons entretenir un conflit permanent avec nous-mêmes. C'est à juste titre qu'un Père de l'Église les a appelés « athlètes du désert ». Ce furent des combattants, dont nous imaginons difficilement l'état de tension, l'acharnement contre soi, les luttes. Il y en eut qui débitaient jusqu'à sept cents prières par jour ; après chacune d'elles, pour les compter, d'aucuns laissaient tomber un caillou... Arithmétique démente qui me fait admirer en eux un orgueil sans égal. Ce n'étaient point des faiblards que ces obsédés aux prises avec ce qu'ils possédaient de plus cher : *leurs tentations*. Vivant en fonction d'elles, ils les exacerbaient pour avoir contre qui lutter. Leurs descriptions du «désir» comportent une telle violence de ton qu'elles nous irritent les sens et nous font éprouver un frisson qu'aucun auteur libertin ne parvient à nous inspirer. La «chair», ils s'entendaient à la glorifier à rebours. Si elle les fascinait à tel point, quel mérite d'en avoir combattu les attraits! Ce furent des titans, plus déchaînés, plus pervers que ceux de la mythologie, lesquels, pour accumuler de l'énergie, n'eussent pu, dans leur simplisme, concevoir les bienfaits de l'horreur de soi.

*N*os souffrances naturelles, non provoquées, étant par trop incomplètes, il nous revient de les augmenter, de les intensifier, de nous en créer d'autres, artificielles. Laissée à elle-même, la chair nous renferme dans un horizon rétréci. Pour peu que nous la soumettions à la torture, elle aiguise nos perceptions et élargit nos perspectives : l'esprit est le résultat des supplices qu'elle subit ou qu'elle s'inflige. Les anachorètes savaient remédier à l'insuffisance de leurs maux... Après avoir combattu le monde, il leur fallait entrer en guerre contre soi. Quelle tranquillité pour leurs prochains! Notre férocité ne vient-elle pas de ce que nos instincts sont trop attentifs à autrui? Si nous nous penchions davantage sur nous-mêmes, et que nous devenions le centre, l'objet de nos inclinations meurtrières, la somme d'intolérances diminuerait. On ne pourra jamais évaluer le nombre d'horreurs que le monachisme primitif aura épargnées à l'humanité. Tous ces ermites restés dans le siècle, combien d'excès n'eussent-ils pas commis! Pour le plus grand bien de leur temps, ils eurent l'inspiration d'exercer leur cruauté sur eux-mêmes. Si nos mœurs doivent s'adoucir, il nous faudra apprendre à tourner nos griffes contre nous, à mettre en valeur la technique du désert...

*P*ourquoi, dira-t-on, porter aux nues cette lèpre, ces exceptions repoussantes dont nous a gratifiés la littérature ascétique? On s'accroche à n'importe quoi. Tout en exécrant les moines et leurs convictions, je ne puis ne pas admirer leurs extravagances, leur nature volontaire, leur âpreté. Tant d'énergie doit avoir un secret : celui même des religions. Bien qu'elles ne vaillent peut-être pas que l'on s'en occupe, il demeure que tout ce qui vit, tout rudiment d'existence, participe d'une essence religieuse. Tranchons le mot :

est religieux tout ce qui nous empêche de nous effondrer, tout mensonge qui nous protège contre nos irrespirables certitudes. Lorsque je m'arroge une part d'éternité et que j'imagine une permanence qui m'implique, je piétine l'évidence de mon être friable et nul, je mens aux autres comme à moi-même. Ferais-je autrement, que je disparaîtrais sur l'heure. Nous durons tant que durent nos fictions. Quand nous les perçons à jour, notre capital de mensonges, notre fonds religieux s'évanouit. Exister équivaut à un acte de foi, à une protestation contre la vérité, à une prière interminable... Dès lors qu'ils consentent à vivre, l'incrédule et le dévot se ressemblent en profondeur, puisque l'un et l'autre ont pris la seule décision qui marque un être. Idées, doctrines, simples façades, caprices et accidents. Si vous n'avez pas résolu de vous tuer, il n'y a aucune différence entre vous et les autres, vous faites partie de l'ensemble des vivants, tous, comme tels, grands croyants. Daignez-vous respirer ? Vous approchez de la sainteté, vous méritez canonisation...

Si, de plus, mécontent de vous-même, vous souhaitez changer de nature, vous vous engagez doublement dans un acte de foi : vous voulez deux vies en une seule. C'est justement ce à quoi tendaient nos ascètes quand, faisant de la mort un mode de ne pas mourir, ils se complaisaient aux veilles, au cri, à l'athlétisme nocturne. Imiter leur démesure, la dépasser même, nous y arriverons peut-être le jour où nous aurons maltraité notre raison autant qu'eux la leur. «Me guide quiconque est plus fou que moi», ainsi parle notre soif. Seules nous sauvent les taches, les opacités de notre clairvoyance : serait-elle d'une transparence parfaite, qu'elle nous dépouillerait de l'insensé qui nous habite et auquel nous devons le meilleur de nos illusions et de nos conflits.

Comme toute forme de vie trahit et dénature la Vie, le vrai vivant assume un maximum d'incompatibilités, s'acharne au plaisir et à la douleur, épouse les nuances de l'un et de l'autre, refuse toute sensation *distincte* et tout état non mélangé. L'aridité intérieure procède de l'empire que le *défini* exerce sur nous, de la fin de non-recevoir que nous adressons à l'imprécision, à notre chaos inné, lequel, renouvelant nos délires, nous préserve de la stérilité. Et c'est contre ce facteur bienfaisant, contre ce chaos, que réagissent toutes les écoles, toutes les philosophies. Que si nous ne l'entourons pas de nos soins, nous gaspillons nos dernières réserves : celles qui soutiennent et stimulent la mort en nous, et l'empêchent de vieillir...

*A*près avoir fait de la mort une affirmation de la vie, converti son gouffre en une fiction salutaire, épuisé nos arguments contre l'évidence, nous sommes guettés par le marasme : c'est la revanche de notre bile, de notre nature, de ce démon du bon sens qui, assoupi un temps, se réveille pour dénoncer l'ineptie et le ridicule de notre volonté d'aveuglement. Tout un passé de vision sans merci, de complicité avec notre perte, d'accoutumance au venin des vérités, et tant d'années à contempler nos dépouilles pour en dégager le principe de notre savoir ! Cependant nous devons apprendre à penser contre nos doutes et contre nos certitudes, contre nos humeurs omniscientes, nous devons surtout, en nous forgeant une *autre* mort, une mort incompatible avec nos charognes, consentir à l'indémontrable, à l'idée que quelque chose existe...

Le Rien était sans doute plus commode. Qu'il est malaisé de se *dissoudre* dans l'Être !

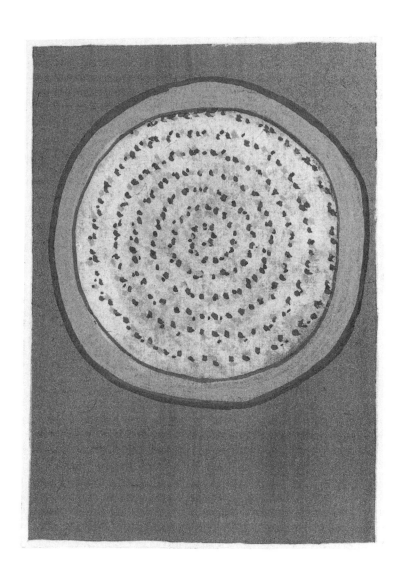

PEINTURE TANTRIQUE,
L'UNE DES TROIS PEINTURES
FIGURANT DANS LE LIVRE DE CIORAN
À L'ORÉE DE L'EXISTENCE,
PARIS, MARCHANT DUCEL, 1985.
H. 9,7 CM ; L. 7,3 CM.

CIORAN RECOPIANT
« LA CLEF DE L'ABÎME »,
SA CONTRIBUTION À
L'EXEMPLAIRE UNIQUE
DE *L'APOCALYPSE*,
OUVRAGE COLLECTIF
PARU EN 1960 CHEZ JOSEPH FORÊT.
PHOTOGRAPHIE MICHÈLE BROUTTA.

L'homme est un prospectant, dont la

canimen, si désabusé soit-on, ...rhigne ...l'avenir? Un mot je ne soulève

plus que des frissons. La stagnation complète n'est cependant ...jour en vue; tant de catastrophes nous attendent! Soyons donc optimistes. La

confiance est de rigueur:

le soir-l'homme ne provoquera pas de gagner la partie. Et tout finira par un hymne à travailler

HISTOIRE

ET UTOPIE

Écrit en français ; publié à Paris en 1960.

SUR DEUX TYPES DE SOCIÉTÉ

Lettre à un ami lointain

*D*e ce pays qui fut le nôtre et qui n'est plus à personne, vous me pressez, après tant d'années de silence, de vous donner des détails sur mes occupations, ainsi que sur ce monde «merveilleux» que j'ai, dites-vous, la chance d'habiter et de parcourir. Je pourrais vous répondre que je suis un homme inoccupé, et que ce monde n'est point merveilleux. Mais une réponse aussi laconique ne saurait, malgré son exactitude, calmer votre curiosité, ni satisfaire aux multiples questions que vous me posez. Il en est une qui, à peine discernable d'un reproche, m'a tout particulièrement frappé. Vous voudriez savoir si j'ai l'intention de revenir un jour à notre langue à nous, ou si j'entends rester fidèle à cette autre où vous me supposez bien gratuitement une facilité que je n'ai pas, que je n'aurai jamais. Ce serait entreprendre le récit d'un cauchemar que de vous raconter par le menu l'histoire de mes relations avec cet idiome d'emprunt, avec tous ces mots pensés et repensés, affinés, subtils jusqu'à l'inexistence, courbés sous les exactions de la nuance, inexpressifs pour avoir tout exprimé, effrayants de précision, chargés de fatigue et de pudeur, discrets jusque dans la vulgarité. Comment voulez-vous que s'en accommode un Scythe, qu'il en saisisse la signification nette et les manie avec scrupule et probité? Il n'en existe pas un seul dont l'élégance exténuée ne me donne le vertige : plus aucune trace de terre, de sang, d'âme en eux. Une syntaxe d'une raideur, d'une dignité cadavérique les enserre et leur assigne une place d'où Dieu même ne pourrait les déloger. Quelle consommation de café, de cigarettes et de dictionnaires pour écrire une phrase tant soit peu correcte dans cette langue inabordable, trop noble, et trop distinguée à mon gré! Je ne m'en aperçus malheureusement qu'après coup, et lorsqu'il était trop tard pour m'en détourner; sans quoi jamais je n'eusse abandonné la nôtre, dont il m'arrive de regretter l'odeur de fraîcheur et de pourriture, le mélange de soleil et de bouse, la laideur nostalgique, le superbe débraillement. Y revenir, je ne puis; celle qu'il me fallut adopter me retient et me subjugue par les peines mêmes qu'elle m'aura coûtées. Suis-je un «renégat», comme vous l'insinuez? «La patrie n'est qu'un campement dans le désert» est-il dit dans un texte tibétain. Je ne vais pas si loin: je donnerais tous les paysages du monde pour celui de mon enfance. Encore me faut-il ajouter que si j'en fais un paradis, les prestidigitations ou les infirmités de ma mémoire en sont seules responsables. Poursuivis par nos origines, nous le sommes tous; le sentiment que m'inspirent les miennes se traduit nécessairement en termes négatifs, dans le langage de l'auto-punition, de l'humiliation assumée et proclamée, du consentement au désastre. Un tel patriotisme relèverait-il de la psychiatrie? J'y consens, mais je ne peux en concevoir d'autre, et, vu nos destinées, il m'apparaît — pourquoi vous le cacher? — comme le seul raisonnable.

Plus heureux que moi, vous vous êtes résigné à notre poussière natale; vous avez, en outre, la faculté de supporter tous les régimes, y compris les plus rigides. Non point que vous n'ayez la nostalgie de la fantaisie et du désordre, mais enfin je ne sache pas d'esprit plus réfractaire que le vôtre aux superstitions de la «démocratie». Il fut une époque, il est vrai, où j'y répugnais autant que vous, plus même peut-être que vous: j'étais jeune et ne pouvais admettre d'autres vérités que les miennes, ni concéder à l'adversaire le droit d'avoir les siennes, de s'en prévaloir ou de les imposer. Que des partis pussent s'affronter sans s'anéantir dépassait mes possibilités de compréhension. Honte de l'Espèce, symbole d'une humanité exsangue, sans passions ni convictions, inapte à l'absolu, privée d'avenir, bornée en tout point, incapable de s'élever à cette haute sagesse qui m'enseignait que l'objet d'une discussion était la pulvérisation du contradicteur, — ainsi je regardais le régime parlementaire. Les systèmes, en revanche, qui voulaient l'éliminer pour s'y substituer me semblaient *beaux* sans exception, accordés au mouvement de la Vie, ma divinité d'alors. Celui qui, avant la trentaine, n'a pas subi la fascination de toutes les formes d'extrémisme, je ne sais si je dois l'admirer ou le mépriser, le considérer comme un saint ou un cadavre. Faute de ressources biologiques, ne s'est-il pas placé au-dessus ou au-dessous du temps ? Déficience positive ou négative, qu'importe ! Sans désir ni volonté de détruire, il est suspect, il a triomphé du démon ou, chose plus grave, il n'en fut jamais possédé. Vivre véritablement, c'est refuser les autres ; pour les accepter, il faut savoir renoncer, se faire violence, agir contre sa propre nature, *s'affaiblir* ; on ne conçoit la liberté que pour soi-même ; on ne l'étend à ses proches qu'au prix d'efforts épuisants ; d'où la précarité du libéralisme, défi à nos instincts, réussite brève et miraculeuse, état d'exception, à l'antipode de nos impératifs profonds. Nous y sommes naturellement impropres : seule nous y ouvre l'usure de nos forces. Misère d'une race qui doit s'avachir d'un côté pour s'ennoblir de l'autre, et dont nul représentant, à moins d'une décrépitude précoce, ne sacrifie à des principes «humains». Fonction d'une ardeur éteinte, d'un déséquilibre, non point par surcroît, mais par défaut d'énergie, la tolérance ne peut séduire les jeunes. On ne se mêle pas impunément aux luttes politiques ; c'est au culte dont ils furent l'objet que notre époque doit son allure sanguinaire : les convulsions récentes émanent d'eux, de leur facilité à épouser une aberration et à la traduire en acte. Donnez-leur l'espoir ou l'occasion d'un massacre, ils vous suivront aveuglément. Au sortir de l'adolescence, on est par définition fanatique ; je l'ai été moi aussi, et jusqu'au ridicule. Vous souvient-il de ce temps où je débitais des boutades incendiaires, moins par goût du scandale que par besoin d'échapper à une fièvre qui, sans l'exutoire de la démence verbale, n'eût pas manqué de me consumer ? Persuadé que les maux de notre société venaient des vieux, je conçus l'idée d'une liquidation de tous les citoyens ayant dépassé la quarantaine, début de la sclérose et de la momification, tournant à partir duquel, me plaisait-il de croire, tout individu devient une insulte à la nation et un poids pour la collectivité. Si admirable m'apparut le projet que je n'hésitai pas à le divulguer ; les intéressés en apprécièrent médiocrement la teneur et me traitèrent de cannibale : ma carrière de bienfaiteur public commençait sous de fâcheux auspices. Vous-même, pourtant si généreux, et, à vos heures, si entreprenant, à force de réserves et d'objections m'aviez entraîné vers l'abandon. Mon projet était-il condamnable ? Il exprimait simplement ce que tout homme attaché à son pays souhaite au fond de son cœur : la suppression de la moitié de ses compatriotes.

Lorsque je songe à ces moments d'enthousiasme et de fureur, aux spéculations insensées qui ravageaient et obnubilaient mon esprit, je les attribue maintenant non plus à des rêves de philanthropie et de destruction, à la hantise de je ne sais quelle pureté, mais à une tristesse bestiale qui, dissimulée sous le masque de la ferveur, se déployait à mes dépens et dont j'étais néanmoins complice, tout ravi de n'avoir pas, comme tant d'autres, à choisir entre le fade et l'atroce. L'atroce m'étant dévolu, que pouvais-je désirer de mieux? J'avais une âme de loup, et ma férocité, se nourrissant d'elle-même, me comblait, me flattait : j'étais en somme le plus heureux des lycanthropes. La gloire, j'y aspirais et m'en détournais d'un même mouvement : une fois obtenue, que vaut-elle, me disais-je, dès l'instant qu'elle nous signale et nous impose seulement aux générations présentes et futures, et qu'elle nous exclut du passé? À quoi bon être connu, si on ne l'a pas été de tel sage ou de tel fou, d'un Marc Aurèle ni d'un Néron? Nous n'aurons jamais existé pour tant de nos idoles, notre nom n'aura troublé aucun des siècles d'avant nous; et ceux qui viennent après, qu'importent-ils? qu'importe l'avenir, cette moitié du temps, pour celui qui raffole d'éternité?

Par quels débats et comment je parvins à me défaire de tant de frénésies, je ne vous le dirai pas, ce serait trop long; il y faudrait une de ces interminables conversations dont le Balkan a — ou plutôt avait — le secret. Quels qu'aient été mes débats, ils furent loin d'être l'unique cause du changement de mon orientation; y contribua pour beaucoup un phénomène plus naturel et plus affligeant, l'âge, avec ses symptômes qui ne trompent pas : je commençais à donner de plus en plus des signes de tolérance, annonciateurs, me semblait-il, de quelque bouleversement intime, de quelque mal sans doute incurable. Ce qui mettait le comble à mes alarmes, c'est que je n'avais plus la force de souhaiter la mort d'un ennemi; bien au contraire, je le comprenais, comparais son fiel au mien : il existait, et, déchéance sans nom, j'étais content qu'il existât. Mes haines, source de mes exultations, s'apaisaient, s'amenuisaient de jour en jour et, en s'éloignant, emportaient avec elles le meilleur de moi-même. Que faire? vers quel abîme vais-je glisser? me demandais-je sans cesse. Au fur et à mesure que mon énergie déclinait, s'accentuait mon penchant à la tolérance. Décidément, je n'étais plus jeune : *l'autre* m'apparaissait concevable et même réel. Je faisais mes adieux à *l'Unique et sa propriété*; la sagesse me tentait : étais-je fini? Il faut l'être pour devenir un démocrate *sincère*. À mon grand bonheur, je m'aperçus que tel n'était pas exactement mon cas, que je conservais des traces de fanatisme, quelques vestiges de jeunesse : je ne transigeais sur aucun de mes nouveaux principes, j'étais un libéral *intraitable*. Je le suis toujours. Heureuse incompatibilité, absurdité qui me sauve. J'aspire parfois à donner l'exemple d'un modéré parfait : je me félicite en même temps de n'y point parvenir, tant je redoute le gâtisme. Le moment arrivera où, ne le redoutant plus, j'approcherai de cette pondération idéale dont je rêve quelquefois ; et si les années doivent vous conduire, comme je l'espère, à une dégringolade semblable à la mienne, peut-être, vers la fin du siècle, siégerons-nous là-bas, côte à côte, dans un parlement ressuscité, et, séniles l'un et l'autre, pourrons-nous y assister à une féerie perpétuelle. On ne devient tolérant que dans la mesure où l'on perd de sa vigueur, où l'on tombe gentiment en enfance, où l'on est trop las pour tourmenter autrui par l'amour ou la haine.

Comme vous le voyez, j'ai des vues «larges» sur toutes choses. Elles le sont au point que j'ignore où j'en suis par rapport à quelque problème que ce soit. Vous allez en juger vous-même. Ainsi à la question que vous me posez : «Persévérez-vous dans vos préjugés contre notre petite voisine de l'Ouest, nourrissez-vous toujours à son égard les mêmes ressentiments ?» je ne sais quelle réponse vous donner, je peux tout au plus vous étonner ou vous décevoir. C'est que, voyez-vous, nous n'avons pas la même expérience de la Hongrie.

Né au-delà des Carpates, vous ne pouviez connaître le gendarme hongrois, terreur de mon enfance transylvaine. Lorsque de loin j'en apercevais un, j'étais pris de panique et me mettais à fuir : c'était l'étranger, l'ennemi ; haïr, c'était *le* haïr. À cause de lui, j'abhorrais tous les Hongrois avec une passion véritablement magyare. C'est vous dire s'ils *m'intéressaient*. Par la suite, les circonstances ayant changé, je n'avais plus de raison de leur en vouloir. Il n'en demeure pas moins que longtemps encore je ne pouvais me figurer un oppresseur sans évoquer leurs tares et leurs prestiges. Qui se révolte, qui s'insurge ? Rarement l'esclave, mais presque toujours l'oppresseur devenu esclave. Les Hongrois connaissent de près la tyrannie, pour l'avoir exercée avec une compétence incomparable : les minorités de l'ancienne Monarchie pourraient en témoigner. Parce qu'ils surent, dans leur passé, jouer si bien aux maîtres, ils étaient, à notre époque, moins disposés qu'aucune autre nation de l'Europe centrale à supporter l'esclavage ; s'ils eurent le goût du commandement, comment n'auraient-ils pas eu celui de la liberté ? Forts de leur tradition de persécuteurs, au fait du mécanisme de l'asservissement et de l'intolérance, ils se sont soulevés contre un régime qui n'est pas sans ressembler à celui qu'ils avaient eux-mêmes réservé à d'autres peuples. Mais nous, cher ami, n'ayant pas eu jusqu'ici la chance d'être des oppresseurs, nous ne pouvions avoir celle d'être des révoltés. Privés de ce double bonheur, nous portons correctement nos chaînes, et j'aurais mauvaise grâce à nier les vertus de notre discrétion, la noblesse de notre servitude, tout en reconnaissant cependant que les excès de notre modestie nous poussent vers des extrémités inquiétantes ; tant de sagesse dépasse les bornes ; elle est si démesurée qu'elle ne laisse pas quelquefois de me décourager. Je jalouse, je vous l'avoue, l'arrogance de nos voisins, je jalouse jusqu'à leur langue, féroce s'il en fut, d'une beauté qui n'a rien d'humain, avec des sonorités d'un autre univers, puissante et corrosive, propre à la prière, aux rugissements et aux pleurs, surgie de l'enfer pour en perpétuer l'accent et l'éclat. Bien que je n'en connaisse que les jurons, elle me plaît infiniment, je ne me lasse pas de l'entendre, elle m'enchante et me glace, je succombe à son charme et à son horreur, à tous ces mots de nectar et de cyanure, si adaptés aux exigences d'une agonie. C'est en hongrois qu'on devrait expirer — ou alors renoncer à mourir.

Décidément, je hais de moins en moins mes anciens maîtres. À y bien réfléchir, au temps même de leur splendeur, ils furent toujours seuls au milieu de l'Europe, isolés dans leur fierté et leurs regrets, sans affinités profondes avec les autres nations. Après quelques incursions en Occident, où ils purent exhiber et dépenser leur sauvagerie première, ils refluèrent, conquérants dégénérés en sédentaires, sur les bords du Danube pour y chanter, se lamenter, pour y user leurs instincts. Il y a chez ces Huns raffinés une mélancolie faite de cruauté rentrée, dont on ne trouvera pas l'équivalent ailleurs : on dirait le sang qui se mettrait à rêver sur lui-même. Et qui, à la fin, se résoudrait en mélodie. Proches de leur essence, bien qu'atteints et même marqués par la civilisation, conscients de descendre d'une horde non pareille, empreints d'une fatuité à la fois profonde et théâtrale qui leur prête une allure plus romantique que tragique, ils ne pouvaient faillir à la mission qui leur revenait dans le monde moderne : réhabiliter le chauvinisme, en y introduisant suffisamment de faste et de fatalité pour le rendre pittoresque aux yeux de l'observateur désabusé. Je suis d'autant plus enclin à reconnaître leur mérite que c'est par eux qu'il me fut donné d'éprouver la pire des humiliations : celle de naître serf, ainsi que ces «douleurs de la honte», les plus insupportables de toutes, au dire d'un moraliste. N'avez-vous pas ressenti vous-même la volupté qu'on puise dans l'effort d'objectivité envers ceux qui vous ont bafoué, conspué, maltraité, surtout lorsqu'on partage en secret leurs vices et leurs misères ? N'inférez pas de là que je souhaite être promu au rang de Magyar. Loin de moi une telle présomption : je connais mes limites et j'entends m'y tenir. D'un autre côté, je connais aussi celles de notre voisine, et il suffit que mon enthousiasme pour elle baisse, ne fût-ce que d'un degré, pour que je ne tire plus aucune vanité de l'honneur qu'elle me fit en me persécutant.

Les peuples, bien plus que les individus, nous inspirent des sentiments contradictoires ; on les aime et on les déteste en même temps ; objets d'attachement et d'aversion, ils ne méritent pas qu'on nourrisse pour eux une passion définie. Votre partialité à l'endroit de ceux de l'Occident, dont vous ne distinguez pas clairement les défauts, est l'effet de la distance : erreur d'optique ou nostalgie de l'inaccessible. Vous ne distinguez pas davantage les lacunes de la société bourgeoise, je vous soupçonne même de quelque complaisance à son égard. Que de loin vous en ayez une vision mirobolante, rien de plus naturel ; comme je la connais de près, mon devoir est de combattre les illusions que vous pourriez entretenir à son sujet. Non point qu'elle me déplaise absolument — vous savez mon faible pour l'horrible — mais la dépense d'insensibilité qu'elle exige pour être supportée est hors de proportion avec mes ressources en cynisme. C'est peu dire que les injustices y abondent : elle est, à la vérité, quintessence d'injustice. Seuls les oisifs, les parasites, les experts en turpitude, les petits et les grands salauds profitent des biens qu'elle étale, de l'opulence dont elle s'enorgueillit : délices et profusion de surface. Sous le brillant qu'elle affiche se cache un monde de désolations dont je vous épargnerai les détails. Sans l'intervention d'un miracle, comment expliquer qu'elle ne se réduise pas en poussière sous nos yeux, ou qu'on ne la fasse pas sauter *à l'instant* ?

« La nôtre ne vaut guère mieux. Bien au contraire », m'objecterez-vous. Je l'admets. C'est en effet là le hic. Nous nous trouvons en face de deux types de société intolérables. Et ce qui est grave, c'est que les abus de la vôtre permettent à celle-ci de persévérer dans les siens, et d'opposer assez efficacement ses horreurs à celles qu'on cultive chez vous. Le reproche capital qu'on peut adresser à votre régime est d'avoir ruiné l'utopie, principe de renouvellement des institutions et des peuples. La bourgeoisie a compris le parti qu'elle en pouvait tirer contre les adversaires du *statu quo*; le «miracle» qui la sauve, qui la préserve d'une destruction immédiate, c'est précisément l'échec de l'autre côté, le spectacle d'une grande idée défigurée, la déception qui en est résultée et qui, s'emparant des esprits, devait les paralyser. Déception vraiment inespérée, soutien providentiel du bourgeois qui en vit et en extrait la raison de sa sécurité. Les masses ne s'ébranlent pas si elles n'ont à opter qu'entre des maux présents et des maux à venir ; résignées à ceux qu'elles éprouvent, elles n'ont nul intérêt à se risquer vers d'autres, inconnus mais certains. Les misères prévisibles n'excitent pas les imaginations, et il est sans exemple qu'une révolution ait éclaté au nom d'un avenir sombre ou d'une prophétie amère. Qui aurait pu deviner, au siècle dernier, que la nouvelle société allait, par ses vices et ses iniquités, permettre à la vieille de se maintenir et même de se consolider, que le possible, devenu réalité, volerait au secours du révolu ?

Ici comme là-bas, nous en sommes tous à un point mort, également déchus de cette naïveté où s'élaborent les divagations sur le futur. À la longue, la vie sans utopie devient irrespirable, pour la multitude du moins : sous peine de se pétrifier, il faut au monde un délire neuf. C'est là l'unique évidence que dégage l'analyse du présent. En attendant, notre situation, à nous autres d'ici, ne laisse pas d'être curieuse. Imaginez une société, surpeuplée de doutes, où, à l'exception de quelques égarés, personne n'adhère entièrement à quoi que ce soit, où, indemnes de superstitions et de certitudes, tous se réclament de la liberté et nul ne respecte la forme de gouvernement qui la défend et l'incarne. Des idéaux sans contenu, ou, pour employer un mot tout aussi frelaté, des mythes sans substance. Vous êtes déçus après des promesses qui ne pouvaient être tenues ; nous le sommes par manque de promesse tout court. Du moins avons-nous conscience de l'avantage que confère à l'intelligence un régime qui, pour le moment, la laisse se déployer à sa guise, sans la soumettre aux rigueurs d'aucun impératif. Le bourgeois ne croit à rien, c'est un fait ; mais c'est là, si j'ose dire, le côté positif de son néant, la liberté ne pouvant se manifester que dans le vide de croyances, dans l'absence d'axiomes, et là seulement où les lois n'ont pas plus d'autorité qu'une hypothèse. Si on m'opposait que le bourgeois croit néanmoins à quelque chose, que l'argent remplit bien pour lui la fonction d'un dogme, je répliquerais que ce dogme, le plus affreux de tous, est, si étrange que cela paraisse, le plus supportable pour l'esprit. Nous pardonnons aux autres leurs richesses si, en échange, ils nous laissent la latitude de mourir de faim *à notre façon.* Non, elle n'est pas tellement sinistre cette société qui ne s'occupe pas de vous, qui vous abandonne, vous garantit le droit de l'attaquer, vous y invite, vous y oblige même en ses heures de paresse où elle n'a pas assez d'énergie pour s'exécrer elle-même. Aussi indifférente, en dernière instance, à son sort qu'au vôtre, elle ne veut en aucune manière empiéter sur vos malheurs, ni pour les adoucir ni pour les aggraver, et si elle vous exploite, elle le fait par automatisme, sans préméditation ni méchanceté, comme il sied à des brutes lasses et repues, contaminées par le scepticisme autant que leurs victimes. La différence entre les régimes est moins importante qu'il n'y paraît ; vous êtes seuls par force, nous le sommes sans contrainte. L'écart est-il si grand entre l'enfer et un paradis désolant ? Toutes les sociétés sont mauvaises ; mais il y a des degrés, je le reconnais, et si j'ai choisi celle-ci, c'est que je sais distinguer entre les nuances du pire.

La liberté, je vous le disais, exige, pour se manifester, le vide ; elle l'exige — et y succombe. La condition qui la détermine est celle même qui l'annule. Elle manque d'assises : plus elle sera complète, plus elle portera à faux, car tout la menace, jusqu'au principe dont elle émane. L'homme est si peu fait pour l'endurer, ou la mériter, que les bénéfices mêmes qu'il en reçoit l'écrasent, et elle finit par lui peser au point qu'aux excès qu'elle suscite il préfère ceux de la terreur. À ces inconvénients s'en joignent d'autres : la société libérale, éliminant le «mystère», «l'absolu», «l'ordre», et n'ayant pas plus de vraie métaphysique que de vraie police, rejette l'individu sur lui-même, tout en l'écartant de ce qu'il est, de ses propres profondeurs. Si elle manque de racines, si elle est essentiellement *superficielle*, c'est que la liberté, fragile en elle-même, n'a aucun moyen de se maintenir et de survivre aux dangers qui la menacent et du dehors et du dedans ; elle n'apparaît, de plus, qu'à la faveur d'un régime finissant, au moment où une classe décline et se dissout : ce sont les défaillances de l'aristocratie qui permirent au XVIIIe siècle de divaguer magnifiquement ; ce sont celles de la bourgeoisie qui nous permettent aujourd'hui de nous livrer à nos lubies. Les libertés ne prospèrent que dans un corps social malade : tolérance et impuissance sont synonymes. Cela est patent en politique, comme en tout. Quand j'entrevis cette vérité, le sol se déroba sous mes pieds. Maintenant encore, j'ai beau m'exclamer : «Tu fais partie d'une société d'hommes libres», la fierté que j'en éprouve s'accompagne toujours d'un sentiment de frayeur et d'inanité, issu de ma terrible certitude. Dans le cours des temps, la liberté n'occupe guère plus d'instants que l'extase dans la vie d'un mystique. Elle nous échappe au moment même où nous essayons de la saisir et de la formuler : nul ne peut en jouir sans tremblement. Désespérément mortelle, dès qu'elle s'instaure elle postule son manque d'avenir et travaille, de toutes ses forces minées, à sa négation et à son agonie. N'entre-t-il pas quelque perversion dans notre amour pour elle ? et n'est-il pas effarant de vouer un culte à ce qui ne veut ni ne peut durer ? Pour vous qui ne l'avez plus, elle est tout ; pour nous qui la possédons, elle n'est qu'illusion, parce que nous savons que nous la perdrons, et que, de toute manière, elle est faite pour être perdue. Aussi, au milieu de notre néant, tournons-nous nos regards de tous les côtés, sans négliger pour autant les possibilités de salut qui résident en nous-mêmes. Il n'est d'ailleurs pas de néant parfait dans l'histoire. Cette absence inouïe à laquelle nous sommes acculés, et que j'ai le plaisir et le malheur de vous révéler, vous auriez tort de supposer que rien ne s'y dessine ; j'y discerne — pressentiment ou hallucination ? — comme une attente *d'autres dieux*. Lesquels ? Personne ne pourrait répondre. Ce que je sais, ce que tout le monde sait, c'est qu'une situation comme la nôtre ne se laisse pas supporter indéfiniment. Au plus intime de nos consciences, un espoir nous crucifie, une appréhension nous exalte. À moins d'un consentement à la mort, les vieilles nations, si pourries fussent-elles, ne sauraient se dispenser de nouvelles idoles. Que si l'Occident n'est pas irrémédiablement atteint, il doit repenser toutes les idées qu'on lui a volées et qu'on a appliquées, en les contrefaisant, ailleurs : j'entends qu'il lui revient, s'il veut s'illustrer encore par un sursaut ou un vestige d'honneur, de reprendre les utopies que, par besoin de confort, il a abandonnées aux autres, en se dessaisissant ainsi de son génie et de sa mission. Alors qu'il eût été de son devoir de mettre le communisme en pratique, de l'ajuster à ses traditions, de l'humaniser, de le libéraliser, et de le proposer ensuite au monde, il a laissé à l'Orient le privilège de réaliser l'irréalisable, et de tirer puissance et prestige de la plus belle illusion moderne. Dans la bataille des idéologies, il s'est révélé timoré, inoffensif ; d'aucuns l'en félicitent, alors qu'il faudrait l'en blâmer, car, à notre époque, on n'accède guère à l'hégémonie sans le concours de hauts principes mensongers dont les peuples virils se servent pour dissimuler leurs instincts et leurs visées. Ayant quitté la réalité pour l'idée, et l'idée pour l'idéologie, l'homme a glissé vers un univers dérivé, vers un monde de sous-produits, où la fiction acquiert les vertus d'une donnée primordiale. Ce glissement est le fruit de toutes les révoltes et de toutes les hérésies de l'Occident, et cependant l'Occident refuse d'en tirer les dernières conséquences : il n'a pas fait la révolution qui lui incombait et que tout son passé réclamait, ni n'est allé au bout des bouleversements dont il fut le promoteur. En se déshéritant en faveur de ses ennemis, il risque de compromettre son dénouement et de manquer une occasion suprême. Non content d'avoir trahi tous ces précurseurs, tous ces schismatiques qui l'ont préparé et formé, depuis Luther jusqu'à Marx, il se figure encore que l'on viendra, de l'extérieur, faire *sa* révolution et qu'on lui ramènera ses utopies et ses rêves. Comprendra-t-il enfin qu'il n'aura de destin politique et un rôle à jouer que s'il retrouve en lui-même ses anciens rêves et ses anciennes utopies, ainsi que les mensonges de son vieil orgueil ? Pour l'instant, ce sont ses adversaires qui, convertis en théoriciens du devoir auquel il se dérobe, érigent leurs empires sur sa timidité et sa lassitude. Quelle malédiction l'a frappé pour qu'au terme de son essor il ne produise que ces hommes d'affaires, ces épiciers, ces combinards aux regards nuls et aux sourires atrophiés, que l'on rencontre partout, en Italie comme en France, en Angleterre de même qu'en Allemagne ? Est-ce à cette vermine que devait aboutir une civilisation aussi délicate, aussi complexe ? Peut-être fallait-il en passer par là, par l'abjection, pour pouvoir imaginer un autre genre d'hommes. En bon libéral, je ne veux pas pousser l'indignation jusqu'à l'intolérance ni me laisser emporter par mes humeurs, bien qu'il soit doux, pour nous tous, de pouvoir enfreindre les principes qui se réclament de notre générosité. Je voulais simplement vous faire observer que ce monde, nullement merveilleux, pourrait en quelque sorte le devenir, s'il consentait non pas à s'abolir (il n'y incline que trop), mais à liquider ses déchets, en s'imposant des tâches *impossibles*, opposées à ce bon sens affreux qui le défigure et le perd.

Les sentiments qu'il m'inspire ne sont pas moins mêlés que ceux que j'éprouve pour mon pays, pour la Hongrie, ou pour notre *grande* voisine, dont vous êtes plus à même que moi d'apprécier l'indiscrète proximité. Le bien et le mal démesurés que j'en pense, les impressions qu'elle me suggère quand je réfléchis à son destin, comment les dire sans tomber dans l'invraisemblance ? Je ne prétends guère vous faire changer d'avis sur elle, je veux seulement que vous sachiez ce qu'elle représente pour moi et quelle place elle occupe dans mes obsessions. Plus j'y songe, plus je trouve qu'elle s'est formée, à travers les siècles, non pas comme se forme une nation, mais un univers, les moments de son évolution participant moins de l'histoire que d'une cosmogonie sombre, terrifiante. Ces tsars aux allures de divinités tarées, géants sollicités par la sainteté et le crime, affaissés dans la prière et l'épouvante, ils étaient, comme le sont ces tyrans récents qui les ont remplacés, plus proches d'une vitalité géologique que de l'anémie humaine, despotes perpétuant en nos temps la sève et la corruption originelles, et l'emportant sur nous tous par leurs inépuisables réserves en chaos. Couronnés ou non, il leur importait, il leur importe de faire un bond au-dessus de la civilisation, de l'engloutir au besoin; l'opération était inscrite dans leur nature, puisqu'ils souffrent depuis toujours d'une même hantise : étendre leur suprématie sur nos rêves et nos révoltes, constituer un empire aussi vaste que nos déceptions ou nos effrois. Une telle nation, requise et dans ses pensées et dans ses actes par les confins du globe, ne se mesure pas avec des étalons courants, ni ne s'explique en termes ordinaires, en langage intelligible : il y faudrait le jargon des gnostiques, enrichi par celui de la paralysie générale. Sans doute est-elle, ainsi que nous en assure Rilke, limitrophe de Dieu; elle l'est malheureusement aussi de notre pays, et le sera encore, dans un avenir plus ou moins proche, de beaucoup d'autres, je n'ose dire de tous, malgré les avertissements précis que m'intime une maligne prescience. Où que nous soyons, elle nous touche déjà, sinon géographiquement, à coup sûr intérieurement. Je suis plus disposé que quiconque à reconnaître mes dettes envers elle : sans ses écrivains, eussé-je jamais pris conscience de mes plaies et du devoir qui m'incombait de m'y livrer? sans elle et sans eux, n'aurais-je pas gaspillé mes transes, manqué mon désarroi? Ce penchant qui me porte à émettre un jugement impartial sur elle et à lui témoigner ma gratitude, je crains fort qu'il ne soit pas, en ce moment, de votre goût. J'étouffe donc des éloges hors de saison, je les étouffe en moi pour les condamner à s'y épanouir.

Du temps que nous nous plaisions à recenser nos accords et nos différends, vous me reprochiez déjà la manie que j'ai de juger sans prévention et ce que je prends à cœur et ce que j'exècre, de n'éprouver que des sentiments doubles, nécessairement faux, que vous imputiez à mon incapacité de ressentir une passion véritable, tout en insistant sur les agréments que j'en retire. Votre diagnostic n'était pas inexact; vous vous trompiez néanmoins sur le chapitre des agréments. Croyez-vous que ce soit si agréable d'être idolâtre et victime du pour et du contre, un emballé divisé d'avec ses emballements, un délirant *soucieux d'objectivité*? Cela ne va pas sans souffrances : les instincts protestent et c'est bien malgré eux et contre eux que l'on progresse vers l'irrésolution absolue, état à peine distinct de celui que le langage des extatiques appelle «le dernier point de l'anéantissement». Pour connaître moi-même le fond de ma pensée sur la moindre chose, pour me prononcer non seulement sur un problème mais sur un rien, il me faut contredire au vice majeur de mon esprit, à cette propension à épouser toutes les causes et à m'en dissocier en même temps, tel un virus omniprésent, écartelé entre la convoitise et la satiété, agent néfaste et bénin, aussi impatient que blasé, indécis entre les fléaux, inhabile à en adopter un et à s'y spécialiser, passant de l'un à l'autre sans discrimination ni efficacité, bousilleur hors ligne, porteur et gâcheur d'incurable, traître à tous les maux, à ceux d'autrui comme aux siens.

N'avoir jamais l'occasion de prendre position, de se décider ni de se définir, il n'est vœu que je forme plus souvent. Mais nous ne dominons pas toujours nos humeurs, ces attitudes en germe, ces ébauches de théorie. Viscéralement enclins à l'échafaudage de systèmes, nous en construisons sans trêve, singulièrement en politique, domaine de pseudo-problèmes, où se dilate le mauvais philosophe qui réside en chacun de nous, domaine dont je voudrais m'éloigner, pour une raison banale, une évidence qui se hausse à mes yeux au rang de révélation : la politique tourne uniquement autour de l'homme. Ayant perdu le goût des êtres, je m'évertue cependant en vain à acquérir celui des choses ; borné de force à l'intervalle qui les sépare, je m'exerce et m'épuise sur leur ombre. Ombres aussi que ces nations dont le sort m'intrigue, moins pour elles-mêmes que pour le prétexte qu'elles m'offrent de me venger sur ce qui n'a ni contour ni forme, sur des entités et des symboles. L'homme inoccupé qui aime la violence sauvegarde son savoir-vivre en se confinant dans un enfer abstrait. Délaissant l'individu, il s'affranchit des noms et des visages, s'en prend à l'imprécis, au général, et, orientant vers l'impalpable sa soif d'exterminations, conçoit un genre nouveau : le pamphlet *sans objet*. Accroché à des quarts d'idées et à des simulacres de rêves, venu à la réflexion par accident ou par hystérie, et nullement par souci de rigueur, je m'apparais, au milieu des civilisés, comme un intrus, un troglodyte épris de caducité, plongé dans des prières subversives, en proie à une panique qui n'émane pas d'une vision du monde, mais des crispations de la chair et des ténèbres du sang. Imperméable aux sollicitations de la clarté et à la contamination latine, je sens l'Asie remuer dans mes veines : suis-je le rejeton de

quelque peuplade inavouable, ou le porte-voix d'une race autrefois turbulente, aujourd'hui muette? La tentation me prend souvent de me forger une autre généalogie, de *changer* d'ancêtres, de
m'en choisir parmi ceux qui, en leur temps, surent répandre le
deuil à travers les nations, à l'inverse des miens, des nôtres, effacés et meurtris, gavés de misères, amalgamés à la boue et gémissant sous l'anathème des siècles. Oui, dans mes crises de fatuité,
j'incline à me croire l'épigone d'une horde illustre par ses dépré-
dations, un Touranien de cœur, l'héritier légitime des steppes, le
dernier Mongol...

Je ne veux pas finir sans vous mettre encore une fois en garde
contre l'enthousiasme ou la jalousie que vous inspirent mes
«chances», et plus précisément celle de pouvoir me prélasser
dans une ville dont le souvenir vous hante sans doute, malgré
votre enracinement dans notre patrie évaporée. Cette ville, que je
n'échangerais contre aucune au monde, est pour cette raison
même la source de mes malheurs. Tout ce qui n'est pas elle se
valant à mes yeux, il m'advient souvent de regretter que la guerre
l'ait épargnée, et qu'elle n'ait pas péri, comme tant d'autres cités.
Détruite, elle m'eût débarrassé du bonheur d'y vivre, j'aurais pu
passer mes jours ailleurs, au fin fond de n'importe quel continent.
Je ne lui pardonnerai jamais de m'avoir lié à l'espace, ni d'être à
cause d'elle de quelque part. Ceci dit, je n'oublie à aucun instant
que ses habitants, les quatre cinquièmes, notait déjà Chamfort,
«meurent de chagrin». J'ajouterai encore, pour votre édification,
que le reste, les rares privilégiés dont je suis, ne s'en émeuvent
pas autrement, et qu'ils envient même à la grosse majorité l'avantage qu'elle a de savoir *de quoi* mourir.

Paris 1957

---II

LA RUSSIE
ET LE VIRUS DE LA LIBERTÉ

——————————— *T*ous les pays, m'arrive-t-il quelquefois de penser, devraient ressembler à la Suisse, se complaire
et s'affaisser, comme elle, dans l'hygiène, la fadeur, l'idolâtrie des
lois et le culte de l'homme ; d'un autre côté, ne m'attirent que les
nations indemnes de scrupules en pensées et en actes, fébriles et
insatiables, toujours prêtes à dévorer les autres et à se dévorer
elles-mêmes, piétinant les valeurs contraires à leur ascension et à
leur réussite, rétives à la sagesse, cette plaie des vieux peuples
excédés d'eux-mêmes et de tout, et comme charmés de sentir le
moisi.
De même, j'ai beau vomir les tyrans, je n'en constate pas moins
qu'ils font la trame de l'histoire, et qu'on ne saurait sans eux
concevoir l'idée ni la marche d'en empire. Supérieurement
odieux, d'une bestialité inspirée, ils évoquent l'homme poussé à
ses extrêmes, l'ultime exaspération de ses turpitudes et de ses
mérites. Ivan le Terrible, pour ne citer que le plus fascinant
d'entre eux, épuise les coins et les recoins de la psychologie. Aussi
complexe dans sa démence que dans sa politique, ayant fait de son
règne, et, jusqu'à un certain degré, de son pays, un modèle de
cauchemar, un prototype d'hallucination vivante et intarissable,
mélange de Mongolie et de Byzance, cumulant les qualités et les
défauts d'un khan et d'un basileus, monstre aux colères démoniaques et à la mélancolie sordide, partagé entre le goût du sang
et celui du repentir, d'une jovialité enrichie et couronnée de ricanements, il avait la passion du crime ; nous l'avons aussi tous tant
que nous sommes : attentat contre les autres ou contre
nous-même. Seulement elle demeure chez nous inassouvie, en

sorte que nos œuvres, quelles qu'elles soient, proviennent de notre incapacité de tuer ou de nous tuer. Nous n'en convenons pas toujours, nous méconnaissons volontiers le mécanisme intime de nos infirmités. Si les tsars, ou les empereurs romains, m'obsèdent, c'est que ces infirmités, voilées chez nous, apparaissent en eux à découvert. Ils nous révèlent à nous-mêmes, ils incarnent et illustrent nos secrets. Je songe a ceux d'entre eux qui, voués à une grandiose dégénérescence, s'acharnaient sur leurs proches, et, par crainte d'en être aimés, les envoyaient au supplice. Quelque puissants qu'ils fussent, ils étaient pourtant malheureux, car irrassasiés du tremblement des autres. Ne sont-ils pas comme la projection du mauvais génie qui nous habite, et qui nous persuade que l'idéal serait de faire le vide autour de nous? C'est avec de telles pensées et de tels instincts que se forme un empire : y coopère ce tréfonds de notre conscience où se cachent nos tares les plus chères.

Surgie de profondeurs à peine soupçonnables, d'une poussée originelle, l'ambition de dominer le monde n'apparaît que chez certains individus et à certaines époques, sans rapport direct avec la qualité de la nation où elle se manifeste : entre Napoléon et Gengis Khan la différence est moindre qu'entre le premier et n'importe quel homme politique français des républiques successives. Mais ces profondeurs, comme cette poussée, peuvent tarir, s'épuiser. Charlemagne, Frédéric II de Hohenstaufen, Charles Quint, Bonaparte, Hitler furent tentés, chacun à sa façon, de réaliser l'idée d'empire universel : ils y échouèrent, avec plus ou moins de bonheur. L'Occident, où cette idée ne suscite plus qu'ironie ou malaise, vit maintenant dans la honte de ses conquêtes; mais, curieusement, c'est au moment même où il se replie sur soi que ses formules triomphent et se répandent; dirigées contre son pouvoir et sa suprématie, elles trouvent un écho hors de ses frontières. Il gagne en se perdant. C'est ainsi que la Grèce ne l'emporta, dans le domaine de l'esprit, que lorsqu'elle cessa d'être une puissance et même une nation; on pilla sa philosophie et ses arts, on assura une fortune à ses productions, sans qu'on pût s'assimiler ses talents; de même, on prend et on prendra tout à l'Occident, sauf son génie. Une civilisation se révèle féconde par la faculté qu'elle a d'inciter les autres à l'imiter; qu'elle finisse de les éblouir, elle se réduit à une somme de bribes et de vestiges. Abandonnant ce coin du monde, l'idée d'empire devait trouver un climat providentiel en Russie, où elle a toujours existé d'ailleurs,

HISTOIRE ET UTOPIE

singulièrement sur le plan spirituel. Après la chute de Byzance, Moscou devint, pour la conscience orthodoxe, la troisième Rome, l'héritière du «vrai» christianisme, de la véritable foi. Premier éveil messianique. Pour en connaître un second, il lui fallut attendre nos jours; mais cet éveil, elle le doit, cette fois-ci, à la démission de l'Occident. Au XVᵉ siècle, elle profita d'un vide religieux, comme elle profite, aujourd'hui, d'un vide politique. Deux occasions majeures de se pénétrer de ses responsabilités historiques.

Lorsque Mahomet II mit le siège devant Constantinople, la chrétienté, divisée comme toujours et, de plus, heureuse d'avoir perdu le souvenir des croisades, s'abstint d'intervenir. Les assiégés en conçurent tout d'abord une irritation qui, devant la précision du désastre, se mua en stupeur. Oscillant entre la panique et une satisfaction secrète, le pape promit des secours, mais les envoya trop tard : à quoi bon se dépêcher pour des «schismatiques»? Le «schisme» allait cependant gagner en force ailleurs. Rome préféra-t-elle Moscou à Byzance? On aime toujours mieux un ennemi lointain qu'un ennemi proche. Semblablement, de nos jours, les Anglo-Saxons devaient préférer, en Europe, la prépondérance russe à la prépondérance allemande. C'est que l'Allemagne était *trop près.*

*L*es prétentions de la Russie à passer de la primauté vague à l'hégémonie caractérisée ne manquent pas de fondement. Que serait-il advenu du monde occidental, si elle n'avait pas arrêté et résorbé l'invasion mongole? Pendant plus de deux siècles d'humiliations et de servitude elle fut exclue de l'histoire, cependant qu'à l'Ouest les nations s'offraient le luxe de s'entre-déchirer. Si elle eût été en état de se développer sans entrave, elle fût devenue une puissance de premier ordre déjà au début de l'ère moderne; ce qu'elle est maintenant, elle l'aurait été au XVIᵉ ou au XVIIᵉ siècle. Et l'Occident? Peut-être aujourd'hui serait-il *orthodoxe*, et à Rome, au lieu du Saint-Siège, se prélasserait le Saint-Synode. Mais les Russes peuvent se rattraper. S'il leur est donné, comme tout le laisse présager, de mener à bien leurs desseins, il n'est pas exclu qu'ils règlent son compte au souverain pontife. Que ce soit au nom du marxisme ou de l'orthodoxie, ils sont appelés à ruiner l'autorité et le prestige de l'Église, dont ils ne sauraient tolérer les visées sans abdiquer le point essentiel de leur mission et de leur programme. Sous les tsars, l'assimilant à un instrument de l'Antéchrist, ils faisaient des prières *contre* elle; maintenant,

995

considérée comme un suppôt satanique de la Réaction, ils l'accablent d'invectives un peu plus efficaces que leurs anciens anathèmes ; bientôt, ils la submergeront de tout leur poids, de toute leur force. Et il n'est guère impossible que notre siècle ait à compter parmi ses curiosités, et en guise d'apocalypse frivole, la disparition du dernier successeur de saint Pierre.

*E*n divinisant l'Histoire pour discréditer Dieu, le marxisme n'a réussi qu'à rendre Dieu plus étrange et plus obsédant. On peut tout étouffer chez l'homme, sauf le besoin d'absolu, lequel survivrait à la destruction des temples et même à l'évanouissement de la religion sur terre. Le fond du peuple russe étant religieux, il prendra inévitablement le dessus. Des raisons d'ordre historique y contribueront pour une large part.

En adoptant l'orthodoxie, la Russie manifestait son désir de se séparer de l'Occident ; c'était sa manière de se définir dès l'abord. Jamais, en dehors des milieux aristocratiques, elle ne se laissa séduire par les missionnaires catholiques, en l'occurrence les jésuites. Un schisme n'exprime pas tant des divergences de doctrine qu'une volonté d'affirmation ethnique : y transparaît moins une controverse abstraite qu'un réflexe national. Ce ne fut pas la question ridicule du *filioque* qui divisa les Églises : Byzance voulait son autonomie totale ; à plus forte raison, Moscou. Schismes et hérésies sont des nationalismes déguisés. Mais alors que la Réforme prit seulement l'allure d'une querelle de famille, d'un scandale *au sein* de l'Occident, le particularisme orthodoxe, affectant un caractère plus profond, allait marquer une division d'avec le monde occidental lui-même. À refuser le catholicisme, la Russie retardait son évolution, perdait une occasion capitale de se civiliser rapidement, tout en gagnant en substance et en unicité ; sa stagnation la rendait *différente*, la faisait *autre* ; c'est ce à quoi elle aspirait, pressentant sans doute que l'Occident regretterait un jour l'avance qu'il avait sur elle.

Plus elle deviendra forte, plus elle prendra conscience de ses racines, dont, en une certaine manière, le marxisme l'aura éloignée ; après une cure forcée d'universalisme, elle se rerussifiera, au profit de l'orthodoxie. Du reste, elle a marqué d'une telle empreinte le marxisme qu'elle l'aura slavisé. Tout peuple de quelque envergure qui adopte une idéologie étrangère à ses traditions l'assimile et la dénature, l'infléchit dans le sens de sa destinée nationale, la fausse à son avantage, au point de la rendre indiscernable de son propre génie. Il possède une optique à lui, nécessairement déformante, un défaut de vision qui, loin de le déconcerter, le flatte et le stimule. Les vérités dont il se prévaut, pour dépourvues de valeur objective qu'elles soient, n'en sont pas moins vivantes, et produisent, comme telles, ce genre d'erreurs qui composent la diversité du paysage historique, étant bien entendu que l'historien, sceptique par métier, tempérament et option, se place d'emblée en dehors de la Vérité.

*C*ependant que les peuples occidentaux s'usaient dans leur lutte pour la liberté et, plus encore, dans la liberté acquise (rien n'épuise tant que la possession ou l'abus de la liberté), le peuple russe souffrait sans se dépenser; car on ne se dépense que dans l'histoire, et, comme il en fut évincé, force lui fut de subir les infaillibles systèmes de despotisme qu'on lui infligea : existence obscure, végétative, qui lui permit de s'affirmer, d'accroître son énergie, d'entasser des réserves, et de tirer de sa servitude le maximum de profit biologique. L'orthodoxie l'y a aidé, mais l'orthodoxie populaire, admirablement articulée pour le maintenir en dehors des événements, au rebours de l'officielle qui, elle, orientait le pouvoir vers des visées impérialistes. Double face de l'Église orthodoxe : d'une part, elle travaillait à l'assoupissement des masses, de l'autre, auxiliaire des tsars, elle en éveillait l'ambition, et rendait possibles d'immenses conquêtes au nom d'une population passive. Heureuse passivité qui a assuré aux Russes leur prédominance actuelle, fruit de leur retard historique. Qu'elles leur soient favorables ou hostiles, toutes les entreprises de l'Europe tournent autour d'eux; dès lors qu'elle les met au centre de ses intérêts et de ses anxiétés, elle reconnaît qu'ils la dominent virtuellement. Voilà presque réalisé un de leurs plus anciens rêves. Qu'ils y soient parvenus sous les auspices d'une idéologie de provenance étrangère, cela ajoute un supplément de paradoxe et de piquant à leur réussite. Ce qui importe en définitive, c'est que le régime, lui, soit russe, et tout à fait dans les traditions du pays. N'est-il point révélateur que la Révolution, issue en ligne directe des théories occidentalistes, se soit de plus en plus orientée vers les idées des slavophiles? Un peuple d'ailleurs représente non pas tant une somme d'idées et de théories que d'obsessions : celles des Russes, de quelque bord soient-ils, sont toujours, sinon identiques, du moins apparentées. Un Tchaadaev qui ne trouvait aucun mérite à sa nation ou un Gogol qui la railla sans pitié y étaient aussi attachés qu'un Dostoïevski. Le plus forcené des nihilistes, Nétchaïev, fut tout aussi hanté par elle que

Pobiédonostsev, procureur du Saint-Synode, réactionnaire à tous crins. Cette hantise seule compte. Le reste n'est qu'attitude.

*P*our que la Russie s'accommodât d'un régime libéral, il faudrait qu'elle s'affaiblît considérablement, que sa vigueur s'exténuât ; mieux : qu'elle perdît son caractère spécifique et se dénationalisât en profondeur. Comment y réussirait-elle, avec ses ressources intérieures inentamées, et ses mille ans d'autocratie ? À supposer qu'elle y arrivât par un bond, elle se disloquerait sur-le-champ. Plus d'une nation, pour se conserver et s'épanouir, a besoin d'une certaine dose de terreur. La France elle-même n'a pu s'engager dans la démocratie qu'au moment où ses ressorts commencèrent à se relâcher, où, ne visant plus à l'hégémonie, elle s'apprêtait à devenir respectable et sage. Le premier Empire fut sa dernière folie. Après, ouverte à la liberté, elle devait en prendre péniblement l'habitude, à travers nombre de convulsions, contrairement à l'Angleterre qui, exemple déroutant, s'y était faite de longue main, sans heurts ni dangers, grâce au conformisme et à la stupidité éclairée de ses habitants (elle n'a pas, que je sache, produit un seul anarchiste).
Le temps favorise à la longue les nations enchaînées qui, amassant des forces et des illusions, vivent dans le futur, dans l'espoir ; mais qu'espérer encore dans la liberté ? ou dans le régime qui l'incarne, fait de dissipation, de quiétude et de ramollissement ? Merveille qui n'a rien à offrir, la démocratie est tout ensemble le paradis et le tombeau d'un peuple. La vie n'a de sens que par elle ; mais elle manque de vie... Bonheur immédiat, désastre imminent inconsistance d'un régime auquel on n'adhère pas sans s'enferrer dans un dilemme torturant.
Mieux pourvue, autrement chanceuse, la Russie n'a pas à se poser de tels problèmes, le pouvoir absolu étant pour elle, comme le remarquait déjà Karamzine, le «fondement même de son être». Toujours aspirer à la liberté sans jamais y atteindre, n'est-ce point là sa grande supériorité sur le monde occidental, lequel hélas ! y a depuis longtemps accédé ? Elle n'a, en outre, nulle honte de son empire ; bien au contraire, elle ne songe qu'à l'étendre. Les acquisitions des autres peuples, qui, mieux qu'elle, s'est empressé d'en bénéficier ? L'œuvre de Pierre le Grand, celle même de la Révolution, participent d'un *parasitisme génial*. Et il n'est pas jusqu'aux horreurs du joug tartare qu'elle n'ait supportées ingénieusement. Si, tout en se confinant dans un isolement calculé, elle a su imiter l'Occident, elle a su encore mieux s'en faire admirer et en séduire

les esprits. Les encyclopédistes s'entichèrent des entreprises de Pierre et de Catherine, tout comme les héritiers du siècle des Lumières, j'entends les hommes de gauche, devaient s'enticher de celles de Lénine et de Staline. Ce phénomène plaide pour la Russie, mais non pour les Occidentaux, qui, compliqués et ravagés à souhait, et cherchant le «progrès» ailleurs, hors d'eux-mêmes et de leurs créations, se trouvent aujourd'hui paradoxalement plus proches des personnages dostoïevskiens que ne le sont les Russes. Encore convient-il de préciser qu'ils n'évoquent que les côtés défaillants de ces personnages, qu'ils n'en ont ni les lubies féroces ni la hargne virile : des «possédés» débiles à force de ratiocinations et de scrupules, rongés par des remords subtils, par mille interrogations, des martyrs du doute, éblouis et anéantis par leurs perplexités.

*C*haque civilisation croit que son mode de vie est le seul bon et le seul concevable, qu'elle doit y convertir le monde ou le lui infliger ; il équivaut pour elle à une sotériologie expresse ou camouflée ; en fait, à un impérialisme élégant, mais qui cesse de l'être aussitôt qu'il s'accompagne de l'aventure militaire. On ne fonde pas un empire seulement par caprice. On assujettit les autres pour qu'ils vous imitent, pour qu'ils se modèlent sur vous, sur vos croyances et vos habitudes ; vient ensuite l'impératif pervers d'en faire des esclaves pour contempler en eux l'ébauche flatteuse ou caricaturale de soi-même. Qu'il existe une hiérarchie qualitative des empires, j'y consens : les Mongols et les Romains ne subjuguèrent pas les peuples pour les mêmes raisons et leurs conquêtes n'eurent pas le même résultat. Il n'en demeure pas moins qu'ils étaient également experts à faire périr l'adversaire *en le réduisant à leur image.*
Qu'elle les ait provoqués ou subis, la Russie ne s'est jamais contentée de malheurs médiocres. Il en sera de même à l'avenir. Elle s'aplatira sur l'Europe par fatalité physique, par l'automatisme de sa masse, par sa vitalité surabondante et morbide si propice à la génération d'un empire (dans lequel se matérialise toujours la mégalomanie d'une nation), par cette santé qui est sienne, pleine d'imprévu, d'horreur et d'énigmes, affectée au service d'une idée messianique, rudiment et préfiguration de conquêtes. Quand les slavophiles soutenaient qu'elle devait *sauver* le monde, ils employaient un euphémisme : on ne le sauve guère sans le dominer. Pour ce qui est d'une nation, elle trouve son principe de vie en elle-même ou nulle part : comment

serait-elle sauvée par une autre ? La Russie pense toujours en sécularisant et le langage et la conception des slavophiles qu'il lui revient d'assurer le salut du monde, celui de l'Occident en premier lieu, à l'égard duquel elle n'a du reste jamais éprouvé un sentiment net, mais de l'attirance et de la répulsion, de la jalousie (mélange de culte secret et d'aversion ostensible) inspirée par le spectacle d'une pourriture, enviable autant que dangereuse, dont le contact est à rechercher, mais plus encore à fuir.

Répugnant à se définir et à accepter des limites, cultivant l'équivoque en politique et en morale, et, ce qui est plus grave, en géographie, sans aucune des naïvetés inhérentes aux « civilisés » rendus opaques au réel par les excès d'une tradition rationaliste, le Russe, subtil par intuition autant que par l'expérience séculaire de la dissimulation, est peut-être un enfant historiquement, mais en aucun cas psychologiquement ; d'où sa complexité d'homme aux jeunes instincts et aux vieux secrets, d'où également les contradictions, poussées jusqu'au grotesque, de ses attitudes. Quand il se mêle d'être profond (et il y arrive sans effort), il défigure le moindre fait, la moindre idée. On dirait qu'il a la manie de la grimace monumentale. Tout est vertigineux, affreux, et insaisissable dans l'histoire de ses idées, révolutionnaires ou autres. Il est encore un incorrigible amateur d'utopies ; or, l'utopie, c'est le grotesque *en rose*, le besoin d'associer le bonheur, donc l'invraisemblable, au devenir, et de pousser une vision optimiste, aérienne, jusqu'au point où elle rejoint son point de départ : le cynisme, qu'elle voulait combattre. En somme, une féerie monstrueuse.

Que la Russie soit à même de réaliser son rêve d'un empire universel, c'est là une éventualité, mais non une certitude ; il est en revanche patent qu'elle peut conquérir et annexer toute l'Europe, et même qu'elle y procédera, ne fût-ce que pour rassurer le reste du monde... Elle se satisfait de si peu ! Où trouver preuve plus convaincante de modestie, de modération ? Un bout de continent ! En attendant, elle le contemple du même œil dont les Mongols regardaient la Chine et les Turcs Byzance, avec cette différence toutefois qu'elle a déjà assimilé bon nombre de valeurs occidentales, alors que les hordes tartares et ottomanes n'avaient sur leur proie future qu'une supériorité toute matérielle. Il est sans doute regrettable qu'elle ne soit pas passée par la Renaissance : toutes ses inégalités viennent de là. Mais, avec son don de brûler les étapes, elle sera dans un siècle, peut-être dans moins, aussi raffinée, et aussi vulnérable, que l'est cet Occident, arrivé à un niveau de civilisation qu'on ne dépasse qu'en *descendant.* Ambition suprême de l'histoire : enregistrer les variations de ce niveau. Celui de la Russie, inférieur à celui de l'Europe, ne peut que s'élever, et elle avec lui : autant dire qu'elle est condamnée à l'ascension. À force de monter cependant, ne risque-t-elle pas, débridée qu'elle est, de perdre son équilibre, d'éclater et de se ruiner ? Avec ses âmes pétries dans les sectes et dans les steppes, elle donne une singulière impression d'espace et de renfermé, d'immensité et de suffocation, de Nord enfin, mais d'un Nord spécial, irréductible à nos analyses, marqué d'un sommeil et d'un espoir qui font frémir, d'une nuit riche en explosions, d'une aurore dont on se souviendra. Rien de la transparence et de la gratuité méditerranéennes chez ces Hyperboréens dont le passé, comme le présent, semble appartenir à une autre durée que la nôtre. Devant la fragilité et le renom de l'Occident, ils éprouvent une gêne, conséquence de leur réveil tardif et de leur vigueur inemployée : c'est le complexe d'infériorité *du fort...* Ils y échapperont, ils le surmonteront. L'unique point lumineux dans notre avenir est leur nostalgie, secrète et crispée, d'un monde délicat, aux charmes dissolvants. S'ils y accèdent (tel apparaît le sens évident de leur destin), ils se civiliseront aux dépens de leurs instincts, et, perspective réjouissante, ils connaîtront, eux aussi, le virus de la liberté.

Plus un empire s'humanise, plus s'y développent des contradictions dont il périra. D'allure composite, de structure hétérogène (à l'inverse d'une nation, réalité organique), il a besoin pour subsister du principe cohésif de la terreur. S'ouvre-t-il à la tolérance ? elle en détruira l'unité et la force, et agira sur lui comme un poison mortel qu'il se serait lui-même administré. C'est qu'elle n'est pas seulement le pseudonyme de la liberté, elle l'est aussi de l'esprit ; et l'esprit, plus néfaste encore aux empires qu'aux individus, les ronge, en compromet la solidité et en accélère l'effritement. Aussi est-il l'instrument même dont, pour les frapper, se sert une providence ironique.

Si, malgré l'arbitraire de la tentative, on s'amusait à établir en Europe des *zones de vitalité*, on constaterait que plus on approche de l'Est plus l'instinct s'accuse et qu'il décroît au fur et à mesure que l'on se dirige vers l'Ouest. Les Russes sont loin d'en avoir l'exclusivité, bien que les nations qui le possèdent, elles aussi, appartiennent, à des degrés divers, à la sphère d'influence soviétique. Ces nations n'ont pas dit leur dernier mot, tant s'en faut ; certaines, comme la Pologne ou la Hongrie, jouèrent dans l'histoire un rôle non négligeable ; d'autres, comme la Yougoslavie, la Bulgarie et la Roumanie, ayant vécu dans l'ombre, ne connurent que des sursauts sans lendemain. Mais quel qu'ait été leur passé, et indépendamment de leur niveau de civilisation, elles disposent toutes encore d'un fonds biologique, qu'on chercherait en vain en Occident. Maltraitées, déshéritées, précipitées dans un martyre anonyme, écartelées entre le désemparement et la sédition, elles connaîtront peut-être dans l'avenir une compensation à tant d'épreuves, d'humiliations, et même à tant de lâchetés. Le *degré d'instinct* ne s'apprécie pas de l'extérieur ; pour en mesurer l'intensité, il faut avoir pratiqué ou deviné ces contrées, les seules au monde à miser encore, dans leur bel aveuglement, sur les destinées de l'Occident. Imaginons maintenant notre continent incorporé à l'empire russe, imaginons ensuite cet empire, trop vaste, se débilitant et se désagrégeant, avec, comme corollaire, l'émancipation des peuples : lesquels d'entre eux prendraient le dessus et apporteraient à l'Europe ce surcroît d'impatience et de force, sans quoi un irrémédiable engourdissement la guette ? Je n'en saurais douter : ce sont ceux que je viens de mentionner. Vu la réputation dont ils jouissent, mon affirmation paraîtra risible. Passe pour l'Europe centrale, me dira-t-on. Mais les Balkans ? Je ne veux pas les défendre, mais je ne veux pas non plus taire leurs mérites. Ce goût de la dévastation, de la pagaille intérieure, d'un univers pareil à un bordel en flammes, cette perspective sardonique sur des cataclysmes échus ou imminents, cette âcreté, ce farniente d'insomniaque ou d'assassin, est-ce donc rien qu'une si riche et si lourde hérédité, que ce legs dont bénéficient ceux qui en viennent ? Et qui, frappés d'une « âme », prouvent par cela même qu'ils conservent un résidu de sauvagerie. Insolents et désolés, ils voudraient se rouler dans la gloire, dont l'appétit est inséparable de la volonté de s'affirmer et de sombrer, du penchant vers un crépuscule *rapide*. Si leurs paroles sont virulentes, leurs accents inhumains et parfois ignobles, c'est que mille raisons les poussent à gueuler plus fort que ces civilisés qui ont épuisé leurs cris. Seuls « primitifs » en Europe, ils lui donneront peut-être une impulsion nouvelle ; c'est ce qu'elle ne manquera pas de considérer comme sa dernière humiliation. Et cependant si le Sud-Est n'était qu'horreur, pourquoi, quand on le quitte et qu'on s'achemine vers cette partie-ci du monde, ressent-on comme une chute — admirable, il est vrai — dans le vide ?

La vie en profondeur, l'existence secrète, celle de peuples qui, ayant l'immense avantage d'avoir été jusqu'ici rejetés par l'histoire, purent capitaliser des rêves, cette existence enfouie, promise aux malheurs d'une résurrection, commence au-delà de Vienne, extrémité géographique du fléchissement occidental. L'Autriche, dont l'usure confine au symbole ou au comique, préfigure le sort de l'Allemagne. Plus aucun égarement d'envergure chez les Germains, plus de mission ni de frénésie, plus rien qui les rende attachants ou odieux ! Barbares prédestinés, ils détruisirent l'Empire romain pour que l'Europe pût naître ; ils la firent, il leur revenait de la défaire ; vacillant avec eux, elle subit le contrecoup de leur épuisement. Quelque dynamisme qu'ils possèdent encore, ils n'ont plus ce qui se cache derrière toute énergie, ou ce qui la justifie. Voués à l'insignifiance, des Helvètes en herbe, à jamais hors de leur habituelle démesure, réduits à remâcher leurs vertus dégradées et leurs vices amoindris, avec, comme seul espoir, la ressource d'être une tribu quelconque, ils sont indignes de la crainte qu'ils peuvent encore inspirer : croire en eux ou les redouter, c'est leur faire un honneur qu'ils ne méritent guère. Leur échec fut la providence de la Russie. Eussent-ils abouti, qu'elle eût été écartée, pour au moins un siècle, de ses grandes visées. Mais ils ne pouvaient aboutir, car ils atteignirent au sommet de leur puissance matérielle au moment où ils n'avaient plus rien à nous proposer, où ils étaient *forts et vides*. L'heure avait déjà sonné pour d'autres. « Les Slaves ne sont-ils pas les *anciens Germains*, par rapport au monde qui s'en va ? » se demandait, vers le milieu du siècle dernier, Herzen, le plus clairvoyant et le plus déchiré des libéraux russes, esprit aux interrogations prophétiques, écœuré par son pays, déçu par l'Occident, aussi inapte à s'installer dans une patrie que dans un problème, bien qu'il aimât spéculer sur la vie des peuples, matière vague et inépuisable, passe-temps d'émigré. Les peuples cependant, à en croire un autre Russe, Soloviev, ne sont pas ce qu'ils s'imaginent être, mais ce que Dieu pense d'eux dans son éternité. J'ignore les opinions de Dieu sur Germains et Slaves ; je sais néanmoins qu'il a favorisé ces derniers, et qu'il est tout aussi vain de l'en féliciter que de l'en blâmer.

Elle est aujourd'hui tranchée la question que tant de Russes, au siècle passé, se posaient sur leur pays : « Ce colosse a-t-il été créé pour rien ? » Le colosse a bel et bien un sens, et quel sens ! Une carte idéologique révélerait qu'il s'étend au-delà de ses limites, qu'il établit ses frontières où il veut, où il lui chante, et que sa présence évoque partout, moins l'idée d'une crise, que d'une épidémie, salutaire parfois, souvent nuisible, toujours fulgurante.

L'Empire romain fut le fait d'une ville; l'Angleterre fonda le sien pour remédier à l'exiguïté d'une île; l'Allemagne essaya d'en ériger un pour ne pas étouffer dans un territoire surpeuplé. Phénomène sans parallèle, la Russie devait justifier ses desseins d'expansion au nom de son immense espace. «Du moment que j'en ai assez, pourquoi ne pas en avoir *trop*?» tel est le paradoxe implicite et de ses proclamations et de ses silences. En convertissant l'infini en catégorie politique, elle allait bouleverser le concept classique et les cadres traditionnels de l'impérialisme, et susciter à travers le monde un espoir trop grand pour ne pas dégénérer en désarroi.

Avec ses dix siècles de terreurs, de ténèbres et de promesses, elle était plus apte que quiconque à s'accorder au côté nocturne du moment historique que nous traversons. L'apocalypse lui sied à merveille, elle en a l'habitude et le goût, et s'y exerce aujourd'hui plus que jamais, puisqu'elle a visiblement changé de rythme. «Où te hâtes-tu ainsi, ô Russie?» se demandait déjà Gogol qui avait perçu la frénésie qu'elle cachait sous son apparente immobilité. Nous savons maintenant où elle court, nous savons surtout qu'à l'image des nations au destin impérial, elle est plus impatiente de résoudre les problèmes des autres que les siens propres. C'est dire que notre carrière *dans le temps* dépend de ce qu'elle décidera ou entreprendra: elle tient notre avenir bien en main... Heureusement pour nous, le temps n'épuise pas notre substance. L'indestructible, l'ailleurs, se conçoit: en nous? hors de nous? Comment le savoir? Il demeure qu'au point où en sont les choses, ne méritent intérêt que les questions de stratégie et de métaphysique, celles qui nous rivent à l'histoire et celles qui nous en arrachent: l'actualité et l'absolu, les journaux et les Évangiles... J'entrevois le jour où nous ne lirons plus que des télégrammes et des prières. Fait remarquable: plus l'immédiat nous absorbe, plus nous éprouvons le besoin d'en prendre le contre-pied, de sorte que nous vivons, à l'intérieur du même instant, dans le monde et hors du monde. Aussi bien, devant le défilé des empires, ne nous reste-t-il qu'à chercher un moyen terme entre le rictus et la sérénité.

1957

III

À L'ÉCOLE DES TYRANS

*Q*ui n'a pas connu la tentation d'être le premier dans la cité ne comprendra rien au jeu politique, à la volonté d'assujettir les autres pour en faire des objets, ni ne devinera les éléments dont se compose l'art du mépris. La soif de puissance, rares sont ceux qui ne l'aient éprouvée à un degré quelconque : elle nous est naturelle, et cependant, à bien la considérer, elle prend tous les caractères d'un état maladif dont nous guérissons seulement par accident ou alors par une maturation intérieure, parente de celle qui s'opéra en Charles Quint lorsque, abdiquant à Bruxelles, au faîte de sa gloire, il enseigna au monde que l'excès de lassitude pouvait susciter des scènes aussi admirables que l'excès de courage. Mais, anomalie ou merveille, le renoncement, défi à nos constantes, à notre identité, ne survient qu'à des moments exceptionnels, cas limite qui comble le philosophe et désarçonne l'historien.

Examinez-vous au moment où l'ambition vous travaille, où vous en subissez la fièvre ; disséquez ensuite vos « accès ». Vous constaterez qu'ils sont précédés de symptômes curieux, d'une chaleur spéciale, qui ne laissera pas de vous entraîner et de vous alarmer. Intoxiqué d'avenir par l'abus de l'espoir, vous vous sentez soudain responsable du présent et du futur, au cœur de la durée, chargée de vos frissons, avec laquelle, agent d'une anarchie universelle, vous rêvez d'exploser. Attentif aux événements de votre cerveau et aux vicissitudes de votre sang, tourné vers votre détraquement, vous en guettez et chérissez les signes. Source de troubles, de malaises non pareils, la folie politique, si elle submerge l'intelligence, favorise en revanche les instincts et vous plonge dans un chaos salutaire. L'idée du bien et surtout du mal que vous vous figurez pouvoir accomplir vous réjouira et vous exaltera ; et tel sera le tour de force, le prodige de vos infirmités, qu'elles vous institueront maître de tous et de tout.

Autour de vous, vous remarquerez un détraquement analogue chez ceux que ronge la même passion. Tant qu'ils en subiront l'empire, ils seront méconnaissables, en proie à une ivresse différente de toutes les autres. Jusqu'au timbre de leur voix, tout changera en eux. L'ambition est une drogue qui fait de celui qui s'y adonne un dément en puissance. Ces stigmates, cet air de bête éperdue, ces traits inquiets, et comme animés d'une extase sordide, qui ne les a pas observés sur soi ni sur autrui demeurera étranger aux maléfices et aux bienfaits du Pouvoir, enfer tonique, synthèse de venin et de panacée.

Imaginez maintenant le processus inverse : la fièvre évanouie, vous voilà désenvoûté, normal *à l'excès*. Plus aucune ambition, donc plus aucun moyen d'être quelqu'un ou quelque chose ; le rien en personne, le vide incarné : des glandes et des entrailles clairvoyantes, des os détrompés, un corps envahi par la lucidité, pur de lui-même, hors du jeu, hors du temps, suspendu à un moi figé dans un savoir total *sans connaissances*. L'instant enfui, où le retrouver ? qui vous le redonnera ? Partout des frénétiques ou des ensorcelés, une foule d'anormaux que la raison a désertés pour prendre refuge auprès de vous, du seul qui ait tout compris, spectateur absolu, égaré parmi des dupes, à jamais rétif à la farce unanime. L'intervalle qui vous sépare des autres ne cessant de s'agrandir, vous en venez à vous demander si vous n'auriez pas perçu quelque réalité qui se dérobât à tous. Révélation infime ou capitale, le contenu vous en restera obscur. L'unique chose dont vous soyez certain, c'est votre accession à un équilibre inouï, promotion d'un esprit soustrait à toute complicité avec autrui. Indûment sensé, plus pondéré que tous les sages, tel vous vous apparaissez... Et si vous ressemblez pourtant aux forcenés qui vous entourent, vous sentez qu'un rien vous en distinguera à jamais ; cette sensation, ou cette illusion, fait que, si vous exécutez les mêmes actes qu'eux, vous n'y mettez pas le même entrain ni la même conviction. Tricher sera pour vous une question d'honneur, et le seul mode de vaincre vos « accès » ou d'en empêcher le retour. S'il y a fallu ni plus ni moins qu'une révélation, ou un effondrement, vous en déduirez que ceux qui n'ont point traversé une crise semblable, s'enfonceront de plus en plus dans les extravagances inhérentes à notre race.

A-t-on remarqué la symétrie ? Pour devenir homme politique,

c'est-a-dire pour avoir l'étoffe d'un tyran, un dérangement mental est nécessaire ; pour cesser de l'être, un autre dérangement s'impose non moins : ne s'agirait-il pas, au fond, d'une métamorphose de notre délire des grandeurs ? Passer de la volonté d'être le premier dans la cité à celle d'y être le dernier, c'est, par une mutation de l'orgueil, substituer à une folie dynamique une folie statique, un genre insolite d'insanité, aussi insolite que le renoncement qui en procède, et qui, relevant de l'ascèse plutôt que de la politique, n'entre pas dans notre propos.

*D*epuis des millénaires, l'appétit de puissance s'étant éparpillé en de multiples tyrannies, petites et grandes, qui ont sévi çà et là, le moment semble venu où il doive enfin se ramasser, se concentrer, pour culminer en une seule, expression de cette soif qui a dévoré et dévore le globe, terme de tous nos rêves de pouvoir, couronnement de nos attentes et de nos aberrations. Le troupeau humain dispersé sera réuni sous la garde d'un berger impitoyable, sorte de monstre planétaire devant lequel les nations se prosterneront, dans un effarement voisin de l'extase. L'univers agenouillé, un chapitre important de l'histoire sera clos. Puis commencera la dislocation du nouveau règne, et le retour au désordre primitif, à la vieille anarchie ; les haines et les vices étouffés resurgiront et, avec eux, les tyrans mineurs des cycles expirés. Après le grand esclavage, l'esclavage quelconque. Mais au sortir d'une servitude monumentale, ceux qui y auront survécu seront fiers de leur honte et de leur peur, et, victimes hors ligne, en célébreront le souvenir.

Dürer est mon prophète. Plus je contemple le défilé des siècles, plus je me persuade que l'unique image susceptible d'en révéler le sens est celle des *Cavaliers de l'Apocalypse*. Les temps n'avancent qu'en piétinant, qu'en écrasant les foules ; les faibles périront, non moins que les forts, et même ces cavaliers, sauf *un*. C'est pour lui, pour sa terrible renommée, qu'ont pâti et hurlé les âges. Je le vois grandir à l'horizon, je perçois déjà nos gémissements, j'entends même nos cris. Et la nuit qui descendra dans nos os n'y apportera pas la paix, comme elle le fit au Psalmiste, mais l'épouvante.

À la juger d'après les tyrans qu'elle a produits, notre époque aura été tout, sauf médiocre. Pour en retrouver de pareils, il faudrait remonter à l'Empire romain ou aux invasions mongoles. Bien plus qu'à Staline, c'est à Hitler que revient le mérite d'avoir donné le ton au siècle. Il est important, moins par lui-même que par ce qu'il

annonce, ébauche de notre avenir, héraut d'un sombre avènement et d'une hystérie cosmique, précurseur de ce despote à
l'échelle des continents, qui réussira l'unification du monde par la
science, destinée, non point à nous délivrer, mais à nous asservir.
Cela, on l'a su autrefois; on le saura de nouveau un jour. Nous
sommes nés pour exister, non pour connaître; pour être, non pour
nous affirmer. Le savoir, ayant irrité et stimulé notre appétit de
puissance, il nous conduira inexorablement à notre perte. La
Genèse a mieux perçu notre condition que n'ont fait nos rêves et
nos systèmes.

Ce que nous avons appris par nous-mêmes, n'importe quelle
connaissance extraite de notre propre fonds, nous devrons l'expier par un supplément de déséquilibre. Fruit d'un désordre
intime, d'une maladie définie ou diffuse, d'un trouble à la racine
de notre existence, le savoir altère l'économie d'un être. Chacun
doit payer pour la moindre atteinte qu'il porte à un univers créé
pour l'indifférence et la stagnation; tôt ou tard, il se repentira de
ne l'avoir pas laissé intact. Cela est vrai de la connaissance, cela
est plus vrai encore de l'ambition, car empiéter sur autrui
entraîne des conséquences plus graves et plus immédiates qu'empiéter sur le mystère ou simplement sur la matière. On commence
par faire trembler les autres, mais les autres finissent par vous
communiquer leurs terreurs. C'est pourquoi les tyrans vivent, eux
aussi, dans l'épouvante. Celle que connaîtra notre maître futur
sera sans doute rehaussée d'un bonheur sinistre, tel que personne
n'en a éprouvé de semblable, à la mesure du solitaire par excellence, dressé en face de toute l'humanité, pareil à un dieu trônant
dans la frayeur, dans une panique omnipotente, sans commencement ni fin, cumulant l'acrimonie d'un Prométhée et l'outrecuidance d'un Jéhovah, scandale pour l'imagination et pour la
pensée, défi et à la mythologie et à la théologie.

Après des monstres cantonnés dans une cité, un royaume ou un
empire, il est naturel qu'il en paraisse de plus puissants, à la
faveur d'un désastre, de la liquidation des nations et de nos libertés. Cadre où nous accomplissons le contraire de nos aspirations,
où nous les défigurons sans cesse, l'Histoire n'est assurément pas
d'essence angélique. À la considérer, nous ne concevons plus
qu'un désir : promouvoir l'aigreur à la dignité d'une gnose.

*T*ous les hommes sont plus ou moins envieux; les hommes politiques le sont absolument. On n'en devient un que dans la mesure
où l'on ne supporte personne à côté ou au-dessus de soi. Se lancer

dans une entreprise, n'importe laquelle, même la plus insignifiante, c'est sacrifier à l'envie, prérogative suprême des vivants, loi
et ressort des actes. Quand elle vous quitte, vous n'êtes plus qu'un
insecte, un rien, une ombre. Et un malade. Que si elle vous soutient, elle remédie aux défaillances de l'orgueil, veille sur vos intérêts, triomphe de l'apathie, opère plus d'un miracle. N'est-ce point
étrange qu'aucune thérapeutique ni aucune morale n'en ait pré-
conisé les bienfaits, alors que, plus charitable que la providence,
elle précède nos pas pour les diriger ? Malheur à celui qui l'ignore,
la néglige ou s'y dérobe ! Il se dérobe du même coup aux suites du
péché originel, au besoin d'agir, de créer et de détruire. Incapable
d'être jaloux des autres, que chercherait-il parmi eux ? Un destin
d'épave le guette. Pour le sauver, il faudrait le forcer à se modeler
sur les tyrans, à tirer profit de leurs outrances et de leurs méfaits.
C'est d'eux, et non des sages, qu'il apprendra comment reprendre
goût aux choses, comment vivre, comment se dégrader. Qu'il
remonte vers le péché, qu'il réintègre la chute, s'il veut participer
lui aussi à l'avilissement général, à cette euphorie de la damnation où sont plongées les créatures. Y parviendra-t-il ? Rien de
moins certain, car des tyrans il n'imite que la solitude. Plai-
gnons-le, ayons pitié d'un misérable qui, ne daignant entretenir
ses vices ni rivaliser avec personne, demeure en deçà de
lui-même et au-dessous de tous.

Si les actes sont fruits de l'envie, on comprendra pourquoi la lutte
politique, dans son expression ultime, se ramène aux calculs et
aux manèges propres à assurer l'élimination de nos émules ou de
nos ennemis. Voulez-vous frapper juste ? commencez par liquider
ceux qui, pensant selon vos catégories et vos préjugés, et, ayant
parcouru à vos côtés le même chemin, rêvent nécessairement de
vous supplanter ou de vous abattre. Ce sont les plus dangereux de
vos rivaux ; bornez-vous à eux, les autres peuvent attendre. M'em-
parerais-je du pouvoir que mon premier soin serait de faire disparaître tous mes amis. Procéder autrement, c'est gâcher le métier,
c'est discréditer la tyrannie. Hitler, très compétent en la matière,
fit montre de sagesse en se débarrassant de Roehm, seul homme
qu'il tutoyât, et d'une bonne partie de ses premiers compagnons.
Staline, de son côté, ne fut pas moins à la hauteur, témoin les procès de Moscou.

Tant qu'un conquérant réussit, tant qu'il avance, il peut se permettre n'importe quel forfait ; l'opinion l'absout ; dès que la fortune l'abandonne, la moindre erreur se tourne contre lui. Tout
dépend du *moment* où l'on tue : le crime en pleine gloire consolide

l'autorité par la peur sacrée qu'il inspire. L'art de se faire redouter et respecter équivaut au sens de l'opportunité. Mussolini, le type même du despote malhabile ou malchanceux, devint cruel lorsque son échec était manifeste et son prestige terni : quelques mois de vengeances inopportunes annulèrent le labeur de vingt ans. Napoléon fut autrement perspicace : eût-il fait exécuter plus tard le duc d'Enghien, après la campagne de Russie par exemple, qu'il eût laissé le souvenir d'un bourreau ; au lieu que maintenant ce meurtre n'apparaît sur sa mémoire que comme une tache et rien de plus.

Si, à la limite, on peut gouverner sans crimes, on ne le peut en aucun cas sans injustices. Il s'agit néanmoins de doser les uns et les autres, de les commettre seulement par à-coups. Pour qu'on vous les pardonne, vous devez savoir feindre la colère ou la folie, donner l'impression d'être sanguinaire par inadvertance, poursuivre des combinaisons affreuses sous des dehors débonnaires. Le pouvoir absolu n'est pas chose aisée : seuls s'y distinguent les cabotins ou les assassins de grand format. Il n'y a rien de plus admirable humainement et de plus lamentable historiquement qu'un tyran démoralisé par ses scrupules.

«Et le peuple?» dira-t-on. Le penseur ou l'historien qui emploie ce mot sans ironie se disqualifie. Le «peuple», on sait trop bien à quoi il est destiné : subir les événements, et les fantaisies des gouvernants, en se prêtant à des desseins qui l'infirment et l'accablent. Toute expérience politique, si «avancée» fût-elle, se déroule à ses dépens, se dirige contre lui : il porte les stigmates de l'esclavage par arrêt divin ou diabolique. Inutile de s'apitoyer sur lui : sa cause est sans ressource. Nations et empires se forment par sa complaisance aux iniquités dont il est l'objet. Point de chef d'État, ni de conquérant qui ne le méprise ; mais il accepte ce mépris, et en vit. Cesserait-il d'être veule ou victime, faillirait-il à ses destinées, que la société s'évanouirait, et, avec elle, l'histoire tout court. Ne soyons pas trop optimistes : rien en lui ne permet d'envisager une si belle éventualité. Tel qu'il est, il représente une invitation au despotisme. Il supporte ses épreuves, parfois il les sollicite, et ne se révolte contre elles que pour courir vers de nouvelles, plus atroces que les anciennes. La révolution étant son seul luxe, il s'y précipite, non pas tant pour en retirer quelques bénéfices ou améliorer son sort, que pour acquérir lui aussi le droit d'être insolent, avantage qui le console de ses déconvenues habituelles, mais qu'il perd aussitôt qu'on abolit les privilèges du désordre. Aucun régime n'assurant son salut, il s'accommode de tous et d'aucun. Et, depuis le Déluge jusqu'au Jugement, tout ce à quoi il peut prétendre, c'est de remplir honnêtement sa mission de vaincu.

Pour en revenir à nos amis, outre la raison invoquée pour les faire disparaître, il en existe une autre : ils connaissent trop nos limites et nos défauts (l'amitié se réduit à cela et à rien de plus) pour entretenir la moindre illusion sur nos mérites. Hostiles, de plus, à notre promotion au rang d'idole, à quoi l'opinion, elle, serait toute disposée, préposés à la sauvegarde de notre médiocrité, de nos dimensions *réelles*, ils dégonflent le mythe que nous aimerions créer à notre propre sujet, nous fixent à notre figure exacte, dénoncent la fausse image que nous avons de nous-même. Et quand ils nous dispensent quelques éloges, ils y mettent tant de sous-entendus et de subtilités, que leur flatterie, à force de circonspection, équivaut à une insulte. Ce qu'ils souhaitent en secret c'est notre affaissement, notre humiliation et notre ruine. Assimilant notre réussite à une usurpation, ils réservent toute leur clairvoyance à l'examen de nos pensées et de nos gestes pour en publier le vide, et ne deviennent cléments que lorsque nous commençons à descendre la pente. Si vif est leur empressement au spectacle de notre dégringolade, qu'ils nous aiment alors tout de bon, s'attendrissent sur nos misères, fuient les leurs pour partager les nôtres et s'en repaître. Pendant notre élévation, ils nous scrutaient sans pitié, ils étaient *objectifs* ; maintenant, ils peuvent se permettre l'élégance de nous voir autres que nous ne sommes et de nous pardonner nos anciens succès, persuadés qu'ils sont que nous n'en aurons pas de nouveaux. Et telle est leur faiblesse pour nous qu'ils dépensent le plus clair de leur temps à se pencher sur nos difformités et à s'extasier sur nos carences. La grande erreur de César fut de ne pas se méfier des siens, de ceux qui, l'observant de près, ne pouvaient admettre qu'il se réclamât d'une ascendance divine ; ils refusèrent de le déifier ; la foule y consentit, mais la foule consent à tout. S'il se fût défait d'eux, au lieu d'une mort sans faste, il eût connu une apothéose prolongée, superbe déliquescence à la mesure d'un vrai dieu. Malgré sa sagacité, il avait des naïvetés, il ignorait que nos intimes sont les pires ennemis de notre *statue*.

Dans une république, paradis de la débilité, l'homme politique est un tyranneau qui se soumet aux lois ; mais une forte personnalité ne les respecte pas, ou plutôt ne respecte que celles dont elle est l'auteur. Experte dans l'inqualifiable, elle regarde l'ultimatum comme l'honneur et le sommet de sa carrière. Être à même d'en envoyer un, ou plusieurs, comporte à coup sûr une volupté auprès de laquelle toutes les autres ne sont que simagrées. Je ne conçois pas qu'on puisse prétendre à la direction des affaires si l'on n'aspire pas à cette provocation sans parallèle, la plus insolente qui soit, et plus exécrable encore que l'agression dont elle est ordinairement suivie. «De combien d'ultimatums est-il coupable?» devrait être la question qu'on se pose au sujet d'un chef d'État. N'en a-t-il aucun à son actif? L'histoire le dédaigne, elle qui ne s'anime qu'au chapitre de l'horrible, et s'ennuie à celui de la tolérance, du libéralisme, régime où les tempéraments s'étiolent et où les plus virulents ont, au mieux, l'air de conspirateurs édulcorés. Je plains ceux qui n'ont jamais conçu un rêve de domination démesuré, ni senti en eux tourbillonner les temps. Cette époque où Ahriman était mon principe et mon dieu, où, irrassasié de barbarie, j'écoutais en moi les hordes déferler et y susciter de douces catastrophes! J'ai beau avoir sombré maintenant dans la modestie, je n'en conserve pas moins un faible pour les tyrans que je préfère toujours aux rédempteurs et aux prophètes; je les préfère parce qu'ils ne se dissimulent pas sous des formules, parce que leur prestige est équivoque, leur soif autodestructrice, alors que les autres, possédés d'une ambition sans bornes, en déguisent les visées sous des préceptes trompeurs, se détournent du citoyen pour régner sur des consciences, pour s'en emparer, s'y implanter, y créer des ravages durables, sans encourir le reproche, pourtant mérité, d'indiscrétion ou de sadisme. Auprès du pouvoir d'un Bouddha, d'un Jésus ou d'un Mahomet, que vaut celui des conquérants? Renoncez à l'idée de gloire, si vous n'êtes pas tentés de fonder une religion! Quoique, dans le secteur, les places soient prises, et bien prises, les hommes ne se résignent pas si vite : les chefs de secte, que sont-ils, sinon des fondateurs de religion au second degré? À n'envisager que l'efficacité, un Calvin ou un Luther, pour avoir déclenché des conflits aujourd'hui encore non résolus, éclipsent un Charles Quint ou un Philippe II. Le césarisme spirituel est plus raffiné et plus riche en bouleversements que le césarisme proprement dit : si vous voulez laisser un nom, attachez-le à une Église plutôt qu'à un empire. Vous aurez ainsi des néophytes inféodés à votre sort ou à vos lubies, des fidèles que vous pourrez sauver ou maltraiter à votre guise.

Les meneurs d'une secte ne reculent devant rien, car leurs scrupules mêmes font partie de leur tactique. Mais sans aller jusqu'aux sectes, cas extrême, vouloir simplement instituer un ordre religieux vaut mieux, au niveau de l'ambition, que régenter une cité ou s'assurer des conquêtes par les armes. S'insinuer dans les esprits, se rendre maître de leurs secrets, les dépouiller en quelque sorte d'eux-mêmes, de leur unicité, leur enlever jusqu'au privilège, jugé inviolable, du «for intérieur», quel tyran, quel conquérant a visé si haut? Toujours la stratégie religieuse sera plus subtile, et plus suspecte, que la stratégie politique. Que l'on compare les *Exercices spirituels*, si malins sous leur allure détachée, à la franchise nue du *Prince,* et on mesurera la distance qui sépare les astuces du confessionnal de celles d'une chancellerie ou d'un trône.

Plus l'appétit de puissance s'exaspère chez les chefs spirituels, plus ils s'emploient, non sans raison, à le freiner chez autrui. N'importe qui d'entre nous, livré à lui-même, occuperait l'espace, l'air même et s'en estimerait le propriétaire. Une société qui se voudrait parfaite devrait mettre à la mode la camisole de force ou la rendre obligatoire. Car l'homme ne bouge que pour faire le mal. Les religions, s'évertuant à le guérir de la hantise du pouvoir et à donner une direction non politique à ses aspirations, rejoignent les régimes d'autorité, puisque, tout comme eux, bien qu'avec d'autres méthodes, elles veulent le dompter, mater sa nature, sa mégalomanie native. Ce qui consolida leur crédit, ce par quoi elles triomphèrent jusqu'ici de nos penchants, j'entends l'élément ascétique, c'est précisément ce qui a cessé d'avoir prise sur nous. Un affranchissement périlleux devait en résulter; ingouvernables dans tous les sens, pleinement émancipés, dégagés de nos chaînes et de nos superstitions, nous sommes mûrs pour les remèdes de la terreur. Qui aspire à la liberté complète n'y parvient que pour retourner à son point de départ, à son asservissement initial. D'où la vulnérabilité des sociétés évoluées, masses amorphes, sans idoles ni idéaux, dangereusement démunies de fanatisme, dépourvues de liens organiques, et si désemparées au milieu de leurs caprices ou de leurs convulsions, qu'elles escomptent — et c'est l'unique rêve dont elles soient encore capables — la sécurité et les dogmes du joug. Inaptes à assumer plus longtemps la responsabilité de leurs destinées, elles conspirent, plus encore que les sociétés grossières, à l'avènement du despotisme, afin qu'il les délivre des derniers restes d'un appétit de puissance surmené, vide et inutilement obsédant.

Un monde sans tyrans serait aussi ennuyeux qu'un jardin zoologique sans hyènes. Le maître que nous attendons dans l'effroi sera justement un amateur de pourriture, en présence duquel nous ferons tous figure de charognes. Qu'il vienne nous renifler, qu'il se roule dans nos exhalaisons! Déjà, une nouvelle odeur plane sur l'univers.

*P*our ne pas céder à la tentation politique, il faut se surveiller à chaque instant. Comment y réussir, singulièrement dans un régime démocratique, dont le vice essentiel est de permettre au premier venu de viser au pouvoir et de donner libre carrière à ses ambitions? Il en résulte un pullulement de fanfarons, de discutailleurs sans destin, fous quelconques que la fatalité refuse de marquer, inhabiles à la vraie frénésie, impropres et au triomphe et à l'effondrement. C'est leur nullité cependant qui permet et assure nos libertés, que menacent les personnalités d'exception. Une république qui se respecte devrait s'affoler à l'apparition d'un grand homme, le bannir de son sein, ou du moins empêcher que ne se crée une légende autour de lui. Y répugne-t-elle? C'est qu'éblouie par son fléau, elle ne croit plus à ses institutions ni à ses raisons d'être. Elle s'embrouille dans ses lois, et ses lois, qui protègent son ennemi, la disposent et l'engagent à la démission. Succombant sous les excès de sa tolérance, elle ménage l'adversaire qui ne la ménagera pas, autorise les mythes qui la sapent et la détruisent, se laisse prendre aux suavités de son bourreau. Mérite-t-elle de subsister, quand ses principes mêmes l'invitent à disparaître? Paradoxe tragique de la liberté : les médiocres, qui seuls en rendent l'exercice possible, ne sauraient en garantir la durée. Nous devons tout à leur insignifiance et nous perdons tout par elle. Ainsi sont-ils toujours au-dessous de leur tâche. C'est cette médiocrité que je haïssais au temps où j'aimais sans réserve les tyrans, dont on ne dira jamais assez qu'ils ont, au rebours de leur caricature (tout démocrate est un tyran d'opérette), un destin, *trop* de destin même. Et si je leur vouais un culte c'est que, ayant l'instinct du commandement, ils ne s'abaissent pas au dialogue, ni aux arguments : ils ordonnent, décrètent, sans condescendre à justifier leurs actes; d'où leur cynisme, que je mettais au-dessus de toutes les vertus et de tous les vices, marque de supériorité, voire de noblesse, qui, à mes yeux, les isolait du reste des mortels. Ne pouvant me rendre digne d'eux par le geste, j'espérais y arriver par le mot, par la pratique du sophisme et de l'énormité : être aussi odieux avec les moyens de l'esprit qu'ils étaient, eux, avec ceux du pouvoir, dévaster par la parole, faire sauter le verbe et le monde avec lui, éclater avec l'un et l'autre, et m'effondrer enfin sous leurs débris! Maintenant, frustré de ces extravagances, de tout ce qui rehaussait mes jours, j'en suis à rêver d'une cité, merveille de modération, dirigée par une équipe d'octogénaires un tantinet gâteux, d'une aménité machinale, assez lucides encore pour faire bon usage de leurs décrépitudes, exempts de désirs, de regrets, de doutes, et si soucieux de l'équilibre général et du bien public qu'ils regarderaient le sourire lui-même comme un signe de dérèglement ou de subversion. Et telle est à présent ma déchéance que les démocrates eux-mêmes me semblent trop ambitieux et trop délirants. Je serais néanmoins leur complice si leur haine de la tyrannie était pure ; mais ils ne l'abominent que parce qu'elle les relègue dans la vie privée, et les accule à leur néant. Le seul ordre de grandeur auquel ils puissent atteindre est celui de l'échec. Liquider leur sied bien, ils s'y complaisent, et quand ils y excellents ils méritent notre respect. En ligne générale, pour mener un État à la ruine, il y faut un certain entraînement, des dispositions spéciales, voire des talents. Mais il peut se faire que les circonstances s'y prêtent ; la tâche est alors aisée, comme le prouve l'exemple des pays en déclin, dépourvus de ressources intérieures, tombés en proie à l'insoluble, aux déchirements, au jeu d'opinions et de tendances contradictoires. Tel fut le cas de la Grèce antique. Puisque nous venons de parler d'échec, le sien fut parfait : on dirait qu'elle y travailla pour le proposer comme modèle, et pour décourager la postérité de s'y essayer. À partir du IIIe siècle avant J.-C., sa substance dilapidée, ses idoles chancelantes, sa vie politique écartelée entre le parti macédonien et le parti romain, elle dut, pour résoudre ses crises, pour remédier à la malédiction de ses libertés, recourir à la domination étrangère, accepter pendant plus de cinq cents ans le joug de Rome, y étant poussée par le degré même de raffinement et de gangrène où elle était parvenue. Le polythéisme réduit à un amas de fables, elle allait perdre son génie religieux et, avec lui, son génie politique, deux réalités indissolublement liées : mettre en cause ses dieux, c'est mettre en cause la cité à laquelle ils président. Elle ne put leur survivre, pas plus que Rome ne devait survivre aux siens. Qu'elle ait perdu, avec son instinct religieux, son instinct politique, il suffit pour s'en convaincre de regarder ses réactions pendant les guerres civiles : toujours du mauvais côté, se ralliant à Pompée contre César, à Brutus contre Octave et Antoine, à Antoine contre Octave, elle épousa régulièrement la malchance, comme si, dans la continuité du fiasco, elle eût trouvé une garantie de stabilité, le réconfort et la commodité de l'irréparable. Les nations lasses de leurs dieux ou dont les dieux mêmes sont las, plus elles seront policées, plus facilement elles risquent de succomber. Le citoyen s'affine aux dépens des institutions ; cessant d'y croire, il ne peut plus les défendre. Quand les Romains, au contact des Grecs, finirent par se dégrossir, donc par s'affaiblir, les jours de la république étaient comptés. Ils se résignèrent à la dictature, ils l'appelaient peut-être en secret : point de Rubicon sans les complicités d'une fatigue collective.

Le principe de mort, inhérent à tous les régimes, est plus perceptible dans les républiques que dans les dictatures : les premières le proclament et l'affichent, les secondes le dissimulent et le nient. Il n'empêche que ces dernières, grâce à leurs méthodes, parviennent à s'assurer une durée plus longue et surtout plus *étoffée* : elles sollicitent, elles cultivent l'événement, tandis que les autres s'en passent volontiers, la liberté étant un état d'absence, absence susceptible de... dégénérer lorsque les citoyens, épuisés par la corvée d'être soi, n'aspirent plus qu'à s'humilier et à se démettre, qu'à satisfaire leur nostalgie de la servitude. Rien de plus affligeant que l'exténuation et la déconfiture d'une république : il faudrait en parler sur le ton de l'élégie ou de l'épigramme, ou, bien mieux, sur celui de *l'Esprit des lois* : « Quand Sylla voulut rendre à Rome la liberté, elle ne put plus la recevoir ; elle n'avait plus qu'un faible reste de vertu ; et, comme elle en eut toujours moins, au lieu de se réveiller après César, Tibère, Caïus, Claude, Néron, Domitien, elle fut toujours plus esclave : tous les coups portèrent sur les tyrans, aucun sur la tyrannie. » — C'est que la tyrannie précisément, on peut y prendre goût, car il arrive à l'homme d'aimer mieux croupir dans la peur que d'affronter l'angoisse d'être lui-même. Le phénomène généralisé, les césars paraissent : comment les incriminer, quand ils répondent aux exigences de notre misère et aux implorations de notre couardise ? Ils méritent même qu'on les admire : ils courent vers l'assassinat, y songent sans arrêt, en acceptent l'horreur et l'ignominie, et y vouent leurs pensées au point d'en oublier le suicide et l'exil, formules moins spectaculaires, mais plus douces et plus agréables. Ayant opté pour le plus difficile, ils ne peuvent prospérer qu'en des temps incertains, pour y entretenir le chaos ou pour le juguler. L'époque propice à leur essor coïncide avec la fin d'un cycle de civilisation. Cela est évident pour le monde antique, cela le sera non moins pour le monde moderne qui va en droiture vers une tyrannie autrement considérable que celle qui sévissait aux premiers siècles de notre ère. La plus élémentaire méditation sur le processus historique dont nous sommes l'aboutissement révèle que le césarisme sera le mode selon lequel s'accomplira le sacrifice de nos libertés. Si les continents doivent être soudés, unifiés, y pourvoira la force, et non la persuasion ; comme l'Empire romain, l'empire à venir sera forgé par le glaive, et s'établira avec notre concours à tous, puisque nos terreurs mêmes le réclament. Si l'on m'opposait que je divague, je répondrais qu'il est possible en effet que j'anticipe hâtivement. Les dates ne comptent guère. Les premiers chrétiens attendaient la fin du monde d'un instant à l'autre ; ils se sont trompés de quelques millénaires seulement... Dans un tout autre ordre d'attente, je puis me tromper moi aussi ; mais enfin on ne soupèse ni on ne prouve une vision : celle que j'ai de la tyrannie future s'impose à moi avec une évidence si décisive qu'il me semblerait déshonorant de vouloir en démontrer le bien-fondé. C'est une certitude qui participe ensemble du frisson et de l'axiome. J'y adhère avec l'emportement d'un convulsionnaire et l'assurance d'un géomètre. Non, je ne divague pas, ni ne me trompe. Et je ne pourrais même pas dire, avec Keats, que «le sentiment de l'ombre m'envahit». Une lumière m'assaille plutôt, précise et intolérable, qui ne me fait point envisager la fin du monde, ce serait là divaguer, mais celle d'un style de civilisation et d'un mode d'être. Pour me borner à l'immédiat, et plus spécialement à l'Europe, il m'apparaît, avec une dernière netteté, que l'unité ne s'en formera pas, comme d'aucuns le pensent, par accord et délibération, mais par la violence, selon les lois qui régissent la constitution des empires. Ces vieilles nations, empêtrées dans leurs jalousies et leurs obsessions provinciales, pour qu'elles y renoncent et s'en émancipent, il faudra qu'une main de fer les y contraigne, car jamais elles n'y consentiront de leur propre gré. Une fois asservies, communiant dans l'humiliation et la défaite, elles pourront se vouer à une œuvre supranationale, sous l'œil vigilant et ricanant de leur nouveau maître. Leur servitude sera brillante, elles la soigneront avec empressement et délicatesse, non sans y user les derniers restes de leur génie. Elles paieront cher l'éclat de leur esclavage.

Ainsi l'Europe, devançant les temps, donnera-t-elle, comme toujours, l'exemple au monde, et s'illustrera-t-elle dans son emploi de protagoniste et de victime. Sa mission a consisté à préfigurer les épreuves des autres, à souffrir pour eux et avant eux, à leur offrir ses propres convulsions en modèle, pour qu'ils soient dispensés d'en inventer d'originales, de personnelles. Plus elle se dépensait pour eux, plus elle se tourmentait et s'agitait, mieux ils vivaient en parasites de ses affres et en héritiers de ses révoltes. À l'avenir encore, ils se tourneront vers elle, jusqu'au jour où, épuisée, elle ne pourra plus leur léguer que des déchets.

IV

ODYSSÉE DE LA RANCUNE

*N*ous employons le plus clair de nos veilles à dépecer en pensée nos ennemis, à leur arracher les yeux et les entrailles, à presser et vider leurs veines, à piétiner et broyer chacun de leurs organes, tout en leur laissant par charité la jouissance de leur squelette. Cette concession faite, nous nous calmons, et, recrus de fatigue, glissons dans le sommeil. Repos bien gagné après tant d'acharnement et de minutie. Nous devons du reste récupérer des forces pour pouvoir la nuit suivante recommencer l'opération, nous remettre à une besogne qui découragerait un Hercule boucher. Décidément, avoir des ennemis n'est pas une sinécure.

Le programme de nos nuits serait moins chargé si, de jour, il nous était loisible de donner libre carrière à nos mauvais penchants. Pour atteindre non pas tant au bonheur qu'à l'équilibre, il nous faudrait liquider un bon nombre de nos semblables, pratiquer quotidiennement le massacre, à l'exemple de nos très chanceux et très lointains ancêtres. Pas si chanceux, objectera-t-on, la faible densité démographique à l'époque des cavernes ne leur permettant guère de s'entr'égorger tout le temps. Soit! Mais ils avaient des compensations, ils étaient mieux lotis que nous : en allant chasser à n'importe quelle heure de la journée, en se ruant sur les bêtes sauvages, c'était encore des congénères qu'ils abattaient. Familiers du sang, ils pouvaient sans peine apaiser leur frénésie ; nul besoin pour eux de dissimuler et de différer leurs desseins meurtriers, au rebours de nous autres, condamnés à surveiller et refréner notre férocité, à la laisser souffrir et gémir en nous, acculés que nous sommes à la temporisation, à la nécessité de retarder nos vengeances ou d'y renoncer.

Ne point se venger c'est s'enchaîner à l'idée de pardon, c'est s'y enfoncer, s'y enliser, c'est se rendre impur par la haine qu'on étouffe en soi. L'ennemi épargné nous obsède et nous trouble, singulièrement quand nous avons *résolu* de ne plus l'exécrer. Aussi bien ne lui pardonnons-nous tout de bon que si nous avons contribué ou assisté à sa chute, s'il nous offre le spectacle d'une fin ignominieuse ou, réconciliation suprême, si nous contemplons son cadavre. Honneur rare, à la vérité ; mieux vaut n'y pas compter. Car l'ennemi n'est jamais à terre ; toujours debout et triomphant, c'est sa qualité première de se dresser en face de nous et d'opposer à nos ricanements timides son sarcasme épanoui.

Rien ne rend plus malheureux que le devoir de résister à son fonds primitif, à l'appel de ses origines. Il en résulte ces tourments de civilisé réduit au sourire, attelé à la politesse et à la duplicité, incapable d'anéantir l'adversaire autrement qu'en propos, voué à la calomnie et comme désespéré d'avoir à tuer sans agir, par la seule vertu du mot, ce poignard invisible. Les voies de la cruauté sont diverses. Suppléant à la jungle, la conversation permet à notre bestialité de se dépenser sans dommage immédiat pour nos semblables. Si, par le caprice d'une puissance maléfique, nous perdions l'usage de la parole, plus personne ne serait en sécurité. Le besoin de meurtre, inscrit dans notre sang, nous avons réussi à le faire passer dans nos pensées : cette acrobatie seule explique la possibilité, et la permanence, de la société. Faut-il en conclure que nous arrivons à triompher de notre corruption native, de nos talents homicides ? Ce serait se méprendre sur les capacités du verbe et en exagérer les prestiges. La cruauté dont on a hérité, dont on dispose, ne se laisse pas dompter si aisément ; tant qu'on ne s'y livre pas tout à fait et qu'on ne l'a pas épuisée, on la conserve au plus secret de soi, on ne s'en émancipe guère, L'assassin caractérisé médite son forfait, le prépare, l'accomplit, et, en l'accomplissant, se libère pour un temps de ses impulsions ; en échange celui qui ne tue pas parce qu'il ne peut tuer, bien qu'il en ressente l'envie, l'assassin irréalisé, velléitaire et élégiaque du carnage, commet en esprit un nombre illimité de crimes, et se morfond et souffre beaucoup plus que l'autre puisqu'il traîne le regret de toutes les abominations qu'il ne sut perpétrer. De la même façon, celui qui n'ose se venger envenime ses jours, maudit ses scrupules et cet acte contre nature qu'est le pardon. Sans doute la vengeance n'est-elle pas toujours douce : une fois exécutée, on se sent *inférieur* à la victime, ou on s'embrouille dans les subtilités du remords ; elle a donc son venin elle aussi, bien qu'elle soit plus conforme à ce qu'on est, à ce qu'on éprouve, à la loi propre de chacun; elle est également plus *saine* que la magnanimité. Les Furies étaient réputées antérieures aux dieux, Jupiter compris. La Vengeance précédant la Divinité! C'est là l'intuition majeure de la mythologie antique.

Ceux qui, soit impuissance, manque d'occasion, ou générosité théâtrale, n'ont pas réagi aux manœuvres de leurs ennemis, portent sur leurs figures le stigmate des colères enfouies, les traces de l'affront et de l'opprobre, le déshonneur d'avoir pardonné. Les gifles qu'ils n'auront pas données se retournent contre eux et viennent en masse frapper leur visage et illustrer leur lâcheté. Égarés et obsédés, repliés sur leur honte, saturés d'aigreur, rebelles aux autres et à eux-mêmes, aussi rentrés que prêts à éclater, on dirait qu'ils fournissent un effort surhumain pour écarter d'eux une menace de convulsion. Plus leur impatience est grande, plus ils doivent la déguiser, et, lorsqu'ils n'y parviennent pas, ils explosent enfin, mais inutilement, stupidement, car c'est dans le ridicule qu'ils sombrent, à l'égal de ceux qui, pour avoir accumulé trop de bile et de silence, perdent au moment décisif tous leurs moyens devant leurs ennemis et s'en montrent indignes. Leur échec fera encore croître leur rancœur, et chaque expérience, si insignifiante soit-elle, équivaudra pour eux à un supplément de fiel.

On ne s'adoucit, on ne devient *bon* qu'en détruisant le meilleur de sa nature, qu'en soumettant son corps à la discipline de l'anémie et son esprit à celle de l'oubli. Tant que l'on garde ne serait-ce qu'une ombre de mémoire, le pardon se ramène à une lutte avec ses instincts, à une agression contre son propre moi. Ce sont nos vilenies qui nous accordent à nous-mêmes, assurent notre continuité, nous relient à notre passé, excitent nos puissances d'évocation; de même, nous n'avons d'imagination que dans l'attente du malheur des autres, dans les transports de l'écœurement, dans cette disposition qui nous pousse, sinon à commettre des infamies, du moins à les rêver. Comment en serait-il autrement sur une planète où la chair se propage avec l'impudeur d'un fléau? Où que l'on se dirige, on bute sur de l'humain, repoussante ubiquité devant laquelle on tombe dans la stupeur et la révolte, dans une hébétude *en feu*. Jadis, lorsque l'espace était moins encombré, moins infesté d'hommes, des sectes, indubitablement inspirées par une force bénéfique, préconisaient et pratiquaient la castration; par un paradoxe infernal, elles se sont effacées au moment même où leur doctrine eût été plus opportune et plus salutaire que jamais. Maniaques de la procréation, bipèdes aux visages démonétisés, nous avons perdu tout attrait les uns pour les autres, et c'est seulement sur une terre à demi déserte, peuplée tout au plus de quelques milliers d'habitants, que nos physionomies pourraient retrouver leur ancien prestige. La multiplication de nos semblables confine à l'immonde ; le devoir de les aimer, au saugrenu. Il n'empêche que toutes nos pensées sont contaminées par la présence de l'humain, qu'elles *sentent* l'humain, et qu'elles n'arrivent pas à s'en dégager. De quelle vérité seraient-elles susceptibles, à quelle révélation pourraient-elles se hausser, quand cette pestilence asphyxie l'esprit et le rend impropre à considérer autre chose que l'animal pernicieux et fétide dont il subit les émanations ? Celui qui est trop faible pour déclarer la guerre à l'homme ne devrait jamais oublier, dans ses moments de ferveur, de prier pour l'avènement d'un second déluge, plus radical que le premier. La connaissance ruine l'amour : à mesure que nous pénétrons nos propres secrets, nous détestons nos semblables, précisément parce qu'ils nous ressemblent. Quand on n'a plus d'illusions sur soi, on n'en garde pas sur autrui ; l'innommable que l'on décèle par introspection, on l'étend, par une généralisation légitime, au reste des mortels ; dépravés dans leur essence, on ne se trompe pas en leur prêtant tous les vices. Assez curieusement, la plupart d'entre eux se révèlent inaptes ou rétifs à les dépister, à les constater en eux-mêmes ou chez autrui. Il est aisé de faire le mal : tout le monde y arrive ; l'assumer explicitement, en reconnaître l'inexorable réalité, est en revanche un exploit insolite. En pratique, le premier venu peut rivaliser avec le diable ; en théorie, il n'en va pas de même. Commettre des horreurs et concevoir *l'horreur* sont deux actes irréductibles l'un à l'autre : nul point commun entre le cynisme vécu et le cynisme abstrait. Méfions-nous de ceux qui souscrivent à une philosophie rassurante, qui croient au Bien et l'érigent volontiers en idole ; ils n'y seraient pas parvenus si, penchés honnêtement sur eux-mêmes, ils eussent sondé leurs profondeurs ou leurs miasmes ; mais ceux, rares il est vrai, qui ont eu l'indiscrétion ou le malheur de plonger jusqu'au tréfonds de leur être, savent à quoi s'en tenir sur l'homme : ils ne pourront plus l'aimer, car ils ne s'aiment plus eux-mêmes, tout en restant — et ce sera leur châtiment — plus rivés encore à leur moi qu'avant...

Pour que nous puissions conserver la foi en nous et en autrui, et que nous ne percevions pas le caractère illusoire, la nullité de tout acte, quel qu'il soit, la nature nous a rendus opaques à nous-mêmes, sujets à un aveuglement qui enfante le monde et le gouverne. Entreprendrions-nous une enquête exhaustive sur nous-mêmes, que le dégoût nous paralyserait et nous condamnerait à une existence sans rendement. L'incompatibilité entre l'acte et la connaissance de soi semble avoir échappé à Socrate; sans quoi, en sa qualité de pédagogue, de complice de l'homme, eût-il osé adopter la devise de l'oracle, avec tous les abîmes de renoncement qu'elle suppose et auxquels elle nous convie?

Tant que l'on possède une volonté à soi et que l'on s'y attache (c'est le reproche qu'on a fait à Lucifer), la vengeance est un impératif, une nécessité organique qui définit l'univers de la diversité, du «moi», et qui ne saurait avoir un sens dans celui de l'identité. S'il était vrai que «c'est dans l'Un que nous respirons» (Plotin), de qui nous vengerions-nous là où toute différence s'estompe, où nous communions dans l'indiscernable et y perdons nos contours? En fait nous respirons dans le multiple; notre règne est celui du «je», et il n'y a pas de salut par le «je». Exister c'est condescendre à la sensation, donc à l'affirmation de soi; d'où le non-savoir (avec sa conséquence directe: la vengeance), principe de fantasmagorie, source de notre pérégrination sur terre. Plus nous cherchons à nous arracher à notre moi, plus nous nous y enfonçons. Nous avons beau essayer de le faire éclater, au moment même où nous croyons y avoir réussi, le voilà qui paraît plus assuré que jamais; tout ce que nous mettons en œuvre pour le ruiner ne fait qu'en augmenter la force et la solidité, et telle est sa vigueur et sa perversité qu'il se dilate encore mieux dans la souffrance que dans la jouissance. Ainsi du moi, ainsi, à plus forte raison, des actes. Quand nous nous en croyons affranchis, nous y sommes plus ancrés que jamais: même dégradés en simulacres, ils ont barre sur nous et nous assujettissent. L'entreprise amorcée par persuasion ou à contrecœur, nous finissons toujours par y adhérer, par en être les esclaves ou les dupes. Nul ne se remue sans s'inféoder au multiple, aux apparences, au «je». Agir, c'est forfaire à l'absolu.

La souveraineté de l'acte vient, disons-le sans détour, de nos vices, qui détiennent un plus grand contingent d'existence que n'en possèdent nos vertus. Si nous épousons la cause de la vie, et plus particulièrement celle de l'histoire, ils apparaissent utiles au suprême degré: n'est-ce point grâce à eux que nous nous cramponnons aux choses, et que nous faisons bonne figure ici-bas? Inséparables de notre condition, le fantoche seul en est démuni. Vouloir les boycotter, c'est conspirer contre soi, déposer les armes en plein combat, se discréditer aux yeux du prochain ou rester à jamais vacant. L'avare mérite qu'on l'envie, non pas pour son argent, mais justement pour son avarice, son vrai trésor. En fixant l'individu à un secteur du réel, en l'y implantant, le vice, qui ne fait rien à la légère, l'occupe, l'approfondit, lui donne une justification, le détourne du vague. La valeur : pratique des manies, des dérèglements et des aberrations n'est plus à démontrer. Dans la mesure où nous nous cantonnons dans ce monde-ci, dans l'immédiat où s'affrontent les vouloirs, où sévit l'appétit de primer, un petit vice l'emporte en efficacité sur une grande vertu. La dimension *politique* des êtres (en entendant par politique le couronnement du biologique) sauvegarde le règne des actes, le règne de l'abjection dynamique. Nous connaître nous-mêmes c'est identifier le mobile sordide de nos gestes, l'inavouable inscrit dans notre substance, la somme de misères patentes ou clandestines dont dépend notre rendement. Tout ce qui émane des zones inférieures de notre nature est investi de force, tout ce qui vient d'en bas aiguillonne : on produit et on se démène toujours mieux par jalousie et rapacité que par noblesse et désintéressement. La stérilité guette ceux-là seuls qui ne daignent entretenir ni divulguer leurs tares. Quel que soit le secteur qui nous requiert, pour y exceller il nous appartient de cultiver le côté insatiable de notre caractère, de choyer nos inclinations au fanatisme, à l'intolérance et à la vindicte. Rien de plus suspect que la fécondité. Si vous cherchez la pureté, si vous prétendez à quelque transparence intérieure, abdiquez sans tarder vos talents, sortez du circuit des actes, mettez-vous en dehors de l'humain, renoncez, pour employer le jargon pieux, à la «conversation des créatures»...

Les grands dons, loin d'exclure les grands défauts, les appellent au contraire et les renforcent. Quand les saints s'accusent de tel et tel méfait, il faut les croire sur parole. L'intérêt même qu'ils portent aux souffrances d'autrui témoigne contre eux. Leur pitié, la pitié en général, qu'est-elle sinon le *vice* de la bonté ? Tirant son efficace du principe mauvais qu'elle recèle, elle jubile aux épreuves des autres, s'en régale, en savoure le poison, se jette sur tous les maux qu'elle aperçoit ou pressent, rêve de l'enfer comme d'une terre promise, le postule, n'arrive guère à s'en passer, et, si elle n'est pas destructrice par elle-même, elle profite néanmoins de tout ce qui détruit. Extrême déviation de la bonté, elle finit par en être la négation, chez les saints encore plus que chez nous. Pour s'en convaincre, qu'on fréquente leurs Vies et que l'on y contemple la voracité avec laquelle ils se précipitent sur nos

péchés, la nostalgie qu'ils éprouvent de la dégringolade fulgurante ou du remords interminable, leur exaspération devant la
médiocrité de nos scélératesses et leur regret de n'avoir pas à se
tourmenter davantage pour notre rachat.

Si haut que l'on s'élève, on reste prisonnier de sa nature, de sa
déchéance originelle. Les hommes aux grands desseins, ou simplement à talents, sont des monstres, superbes et hideux, qui font
l'effet de méditer quelque terrible forfait ; et, en vérité, ils préparent leur œuvre..., ils y travaillent sournoisement, comme des
malfaiteurs : n'ont-ils pas à abattre tous ceux qui suivent la même
voie qu'eux ? On ne s'agite et l'on ne produit que pour écraser des
êtres ou l'Être, des rivaux ou le Rival. À n'importe quel niveau, les
esprits se font la guerre, se complaisent et se vautrent dans le
défi : les saints eux-mêmes se jalousent et s'excluent, comme
d'ailleurs les dieux, à preuve ces rixes perpétuelles, fléau de tous
les Olympes. Qui aborde le même domaine ou le même problème
que nous attente à notre originalité, à nos privilèges, à l'intégrité
de notre existence, nous dépouille de nos chimères et de nos
chances. Le devoir de le renverser, de le terrasser, ou du moins de
le vilipender, affecte la forme d'une mission, voire d'une fatalité.
Seul nous agrée celui qui s'abstient, qui ne se manifeste d'aucune
manière ; mais, lui aussi, point ne faut qu'il accède au rang de
modèle : le sage *reconnu* excite et légitime l'envie. Même un fainéant, s'il se distingue dans la fainéantise, s'il y brille, court le
risque de se faire honnir : il attire trop l'attention sur soi... L'idéal
serait un effacement bien dosé. Nul n'y parvient.

On n'acquiert de la gloire qu'au détriment des autres, de ceux qui
y visent également, et il n'est pas jusqu'à la réputation qui ne s'ob-
tienne au prix d'innombrables injustices. Celui qui est sorti de
l'anonymat, ou qui s'évertue seulement à en sortir, prouve qu'il a
éliminé tout scrupule de sa vie, qu'il l'a emporté sur sa conscience, si tant est qu'il en ait jamais eu une. Renoncer à son nom,
c'est se condamner à l'inactivité ; s'y attacher, c'est se dégrader.
Faut-il prier ou écrire des prières ? exister ou s'exprimer ? Ce qui
est certain, c'est que le principe d'expansion, immanent à notre
nature, nous fait regarder les mérites d'autrui comme un empiétement sur les nôtres, comme une continuelle provocation. Si la
gloire nous est interdite, ou inaccessible, nous en accusons ceux
qui y ont atteint, parce qu'ils n'ont pu l'obtenir, pensons-nous,
qu'en nous la dérobant : elle nous revenait de droit, nous appartenait et, sans les machinations de ces usurpateurs, elle eût été
nôtre. «Bien mieux que la propriété, c'est la gloire qui est un vol»,

rengaine de l'aigri et, jusqu'à un certain point, de nous tous. La volupté d'être inconnu ou incompris est rare ; cependant, à y bien réfléchir, n'équivaut-elle pas à la fierté d'avoir triomphé des vanités et des honneurs ? au désir d'une renommée inhabituelle et comme d'une célébrité *sans public* ? Ce qui est bien la forme suprême, le summum de l'appétit de gloire.

Le mot n'est pas trop fort ; il s'agit bel et bien d'un *appétit*, qui plonge ses racines dans nos sens et qui répond à une nécessité physiologique, à un cri des entrailles. Pour nous en détourner et le vaincre, nous devrions méditer sur notre insignifiance, en acquérir le sentiment vif, sans en tirer volupté, car la certitude de n'être rien conduit, si on n'y prend garde, à la complaisance et à l'orgueil : on ne perçoit pas son propre néant, on ne s'y attarde pas longtemps, sans s'y agripper sensuellement... Il entre du bonheur dans l'acharnement à dénoncer la fragilité du bonheur ; de même, quand on professe le mépris de la gloire on est loin d'en ignorer le désir, on y sacrifie au moment même où l'on en proclame l'inanité. Désir haïssable assurément, mais inhérent à notre organisation ; pour l'extirper, il faudrait vouer et la chair et l'esprit à la pétrification, rivaliser d'incuriosité avec le minéral, oublier ensuite les autres, les évacuer de notre conscience, car le simple fait de leur présence, rayonnante et satisfaite, réveille notre mauvais génie qui nous ordonne de les balayer, et de sortir de notre obscurité au détriment de leur éclat.

Nous en voulons à tous ceux qui ont «choisi» de vivre à la même époque que nous, qui courent à nos côtés, gênent nos pas ou nous laissent en arrière. En termes plus nets : tout contemporain est odieux. Nous nous résignons à la supériorité d'un mort, jamais à celle d'un vivant, dont l'existence même constitue pour nous un reproche et un blâme, une invitation aux vertiges de la modestie. Que tant de nos semblables nous surpassent, cette évidence insoutenable nous l'esquivons en nous arrogeant, par une ruse instinctive ou désespérée, tous les talents et en nous attribuant à nous seuls l'avantage d'être uniques. Nous étouffons auprès de nos émules ou de nos modèles : quel soulagement devant leurs tombes ! Le disciple lui-même ne respire et ne s'émancipe qu'à la mort du maître. Tous tant que nous sommes, nous appelons de nos vœux la ruine de ceux qui nous éclipsent par leurs dons, leurs travaux ou leurs exploits, et guettons avec convoitise, avec fébrilité, leurs derniers moments. Tel s'élève, dans notre secteur, au-dessus de nous ; raison suffisante pour que nous souhaitions en être délivrés : comment lui pardonner l'admiration qu'il nous ins-

pire, le culte secret et douloureux que nous lui vouons? Qu'il s'efface, qu'il s'éloigne, qu'il crève enfin, pour que nous puissions le
vénérer sans déchirement ni acrimonie, pour que cesse notre
martyre!

S'il était tant soit peu malin, au lieu de nous savoir gré du grand
faible que nous avons pour lui, il nous en tiendrait rigueur, nous
taxerait d'imposture, nous rejetterait avec dégoût ou commisération. Trop rempli de soi, sans aucune expérience du calvaire, de
l'admiration, ni des mouvements contradictoires qu'elle provoque
en nous, il ne soupçonne guère qu'en le hissant sur un piédestal
nous avons consenti à nous abaisser, et que de cet abaissement il
lui faudra faire les frais : pourrons-nous oublier jamais quel coup,
à son insu, nous en convenons, il aura porté à la douce illusion de
notre singularité et de notre valeur? Ayant commis l'imprudence
ou l'abus de se laisser adorer trop longtemps, il lui revient maintenant d'en subir les conséquences : par le décret de notre lassitude, de vrai dieu qu'il était, le voilà faux, réduit au repentir
d'avoir indûment occupé nos heures. Peut-être ne l'avons-nous
vénéré qu'avec l'espoir de prendre un jour notre revanche. Si
nous aimons à nous prosterner, nous aimons encore davantage à
renier ceux devant qui nous nous sommes aplatis. Tout travail de
sape exalte, confère de l'énergie; d'où l'urgence, d'où l'infaillibilité pratique des sentiments vils. L'envie, qui fait d'un poltron un
casse-cou, d'un avorton un tigre, fouette les nerfs, allume le sang,
communique au corps un frisson qui l'empêche de s'avachir,
prête au visage le plus anodin une expression d'ardeur concentrée; sans elle, il n'y aurait pas d'événements, ni même de *monde*;
c'est encore elle qui a rendu l'homme possible, qui lui a permis de
se faire un nom, d'accéder à la grandeur *par la chute*, par cette
révolte contre la gloire anonyme du paradis, dont, pas plus que
l'ange déchu, son inspirateur et son modèle, il ne pouvait s'accommoder. Tout ce qui respire, tout ce qui bouge témoigne de la
souillure initiale. À jamais associés à l'effervescence de Satan,
patron du Temps, distinct à peine de Dieu, puisqu'il n'en est que
la face *visible*, nous sommes en proie à ce génie de la sédition qui
nous fait accomplir notre tâche de vivants en nous excitant les uns
contre les autres, dans un combat déplorable sans doute, mais fortifiant : nous sortons de la torpeur, nous nous animons, chaque
fois que, triomphant de nos mouvements nobles, nous prenons
conscience de notre rôle de destructeurs.

Tout au contraire, l'admiration, à force d'user notre substance,
nous déprime et nous démoralise à la longue; aussi nous retour-

nons-nous contre *l'admiré*, coupable de nous avoir infligé la corvée de nous élever à son niveau. Qu'il ne s'étonne donc pas que nos élans vers lui soient suivis de reculs, ni que nous procédions de temps en temps à la révision de nos emballements. Notre instinct de conservation nous rappelle à l'ordre, au devoir envers nous-mêmes, nous oblige à nous reprendre, à nous ressaisir. Nous ne cessons pas d'estimer ou d'encenser tel ou tel parce que ses mérites seraient en cause, mais parce que nous ne pouvons nous rehausser qu'à ses dépens. Sans être tarie, notre capacité d'admiration traverse une crise pendant laquelle, livrés aux charmes et aux fureurs de l'apostasie, nous dénombrons nos idoles pour les répudier et les briser tour à tour, et cette frénésie d'iconoclastes, méprisable en elle-même, n'en est pas moins le facteur qui met nos facultés en branle.

Mobile vulgaire, donc efficace, de l'inspiration, le ressentiment triomphe dans l'art qui ne saurait s'en dispenser — pas plus que la philosophie du reste : penser c'est se venger avec astuce, c'est savoir camoufler ses noirceurs et voiler ses mauvais instincts. À le juger sur ce qu'il exclut et refuse, un système évoque un règlement de comptes, habilement mené. Impitoyables, les philosophes sont des «durs», comme les poètes, comme tous ceux qui ont quelque chose à dire. Si les doux et les tièdes ne laissent pas de trace, ce n'est pas faute de profondeur ou de clairvoyance, mais d'agressivité, laquelle pourtant n'implique nullement une vitalité intacte. Aux prises avec le monde, le penseur est souvent un faiblard, un rachitique, d'autant plus virulent qu'il sent son infériorité biologique et en souffre. Plus il sera rejeté par la vie, plus il essaiera de la maîtriser et de la subjuguer, sans y réussir cependant. Assez déshérité pour poursuivre le bonheur, mais trop orgueilleux pour le trouver ou s'y résigner, tout ensemble réel et irréel, redoutable et impuissant, il fait songer à un mélange de fauve et de fantôme, à un furieux qui vivrait par métaphore.

Une rancune bien ferme, bien vigilante peut constituer à elle seule l'armature d'un individu : la faiblesse de caractère procède la plupart du temps d'une mémoire défaillante. Ne pas oublier l'injure est un des secrets de la réussite, un art que possèdent sans exception les hommes à convictions fortes, car toute conviction est faite principalement de haine et, en second lieu seulement, d'amour. Les perplexités sont en revanche le lot de celui qui, inapte précisément et à aimer et à haïr, ne peut opter pour rien, même pas pour ses tiraillements. S'il veut s'affirmer, secouer son apathie, jouer un rôle, qu'il s'invente des ennemis et s'y agrippe, qu'il réveille sa cruauté endormie ou le souvenir d'outrages imprudemment méprisés! Pour faire le moindre pas en avant il faut un minimum de bassesse, il en faut même pour simplement subsister. Que nul ne délaisse ses ressources en indignité s'il tient à «persévérer dans l'être». La rancune conserve; si, de plus, on sait l'entretenir, la soigner, on évite la mollesse et l'affadissement. On devrait même en concevoir à l'égard des choses : quel meilleur stratagème pour se retremper à leur contact, pour s'ouvrir au réel et s'y abaisser avec profit? Dénué de toute charge vitale, un sentiment pur est une contradiction dans les termes, une impossibilité, une fiction. Aussi bien n'y en a-t-il point, le cherchât-on dans la religion, domaine où il est censé prospérer. On ne se mêle pas d'exister, encore moins de prier, sans sacrifier au démon. Le plus souvent nous nous attachons à Dieu pour nous venger de la vie, pour la châtier, lui signifier que nous pouvons nous passer d'elle, que nous avons trouvé mieux ; et nous nous y attachons encore par horreur des hommes, par mesure de représailles contre eux, par désir de leur faire comprendre que, ayant nos entrées ailleurs, leur société ne nous est pas indispensable, et que si nous rampons devant Lui c'est pour n'avoir pas à ramper devant eux. Sans cet élément mesquin, trouble, sournois, notre ferveur manquerait d'énergie et peut-être ne pourrait-elle même pas s'ébaucher.

L'irréalité des sentiments purs, on dirait qu'il appartenait aux malades de nous la révéler, que c'était là leur mission et le sens de leurs épreuves. Rien de plus naturel, puisque c'est en eux que se concentrent et s'exacerbent les tares de notre race. Après avoir pérégriné à travers les espèces, et lutté avec plus ou moins de succès pour y imprimer sa marque, la Maladie, lasse de sa course, dut sans doute aspirer au repos, chercher quelqu'un sur qui affirmer en paix sa suprématie, et qui ne se montrât nullement rétif à ses caprices et à son despotisme, quelqu'un sur qui elle pût vraiment compter. Elle tâtonna, s'essaya à droite et à gauche, subit maint échec. Elle rencontra enfin l'homme ; à moins qu'elle ne le fît. Ainsi sommes-nous tous des malades, les uns virtuels, c'est la masse des bien-portants, espèce d'humanité placide, inoffensive, les autres caractérisés, les malades proprement dits, minorité cynique et passionnée. Deux catégories proches en apparence, irréconciliables en fait : un écart considérable sépare la douleur possible de la douleur actuelle.

Au lieu de nous en prendre à nous-mêmes, à la fragilité de notre complexion, nous rendons les autres responsables de notre état, de la moindre incommodité, même d'une migraine, les accusons d'avoir à payer pour leur santé, d'être cloués au lit pour qu'ils puissent se mouvoir et se trémousser à leur gré. Avec quelle volupté ne verrions-nous pas notre mal, ou notre malaise, se propager, gagner l'entourage et, si c'était possible, l'humanité tout entière ! Déçus dans notre attente, nous en voulons à tous, proches ou lointains, nourrissons à leur égard des sentiments exterminateurs, souhaitons qu'ils soient encore plus menacés que nous, et que l'heure de l'agonie, d'un bel anéantissement en commun, sonne pour l'ensemble des vivants. Seules les grandes douleurs, les douleurs *inoubliables*, détachent du monde ; les autres, les médiocres, moralement les pires, y asservissent, parce qu'elles remuent les bas-fonds de l'âme. On doit se défier des malades, ils ont du « caractère », ils savent exploiter et aiguiser leurs rancunes. L'un d'eux décida un jour de ne plus jamais serrer la main à un bien-portant. Mais il découvrit bientôt que beaucoup de ceux qu'il avait suspectés de santé en étaient au fond indemnes. Pourquoi se faire alors des ennemis sur des soupçons hâtifs ? De toute évidence, il était plus raisonnable que les autres et avait des scrupules dont n'est pas coutumière l'engeance à laquelle il appartenait, gang frustré, insatiable et prophétique, qu'on devrait isoler parce qu'il veut tout renverser pour imposer sa loi. Confions plutôt les affaires aux normaux, seuls disposés à laisser les choses en état : indifférents et au passé et à l'avenir, ils se bornent au présent et s'y installent sans regrets ni espérances. Mais dès que la santé flanche, on ne rêve plus que paradis et enfer, *réforme* en somme : on veut amender l'irréparable, améliorer ou démolir la société, qu'on ne peut plus supporter, parce qu'on ne peut plus se supporter soi-même. Un homme qui souffre est un danger public, un déséquilibré d'autant plus redoutable qu'il lui faut le plus souvent dissimuler son mal, source de son énergie. On ne peut se faire valoir, ni jouer un rôle ici-bas sans l'assistance de quelque infirmité, et il n'est point de dynamisme qui ne soit signe de misère physiologique ou de ravage intérieur. Quand on connaît l'équilibre, on ne se passionne pour rien, on ne s'attache même pas à la vie, car on *est* la vie ; que l'équilibre se rompe, au lieu de s'assimiler aux choses, on ne pense plus qu'à les bouleverser ou à les pétrir. L'orgueil émane de la tension et du surmenage de la conscience, de l'impossibilité d'exister naïvement. Or, les malades, jamais naïfs, substituent au donné l'idée fausse qu'ils s'en font, en sorte que leurs perceptions et jusqu'à leurs réflexes participent d'un système d'obsessions à tel point impérieuses qu'ils ne peuvent s'empêcher de les codifier et de les infliger à autrui, législateurs perfides et bilieux qui s'emploient à rendre obligatoires leurs maux, pour frapper ceux qui ont le front de ne les point partager. Si les bien-portants se montrent plus accommodants, s'ils n'ont aucune raison d'être intraitables, c'est qu'ils ignorent, eux, les vertus explosives de l'humiliation. Celui qui l'a éprouvée ne l'oubliera jamais, et n'aura point de cesse qu'il ne l'ait fait passer dans une œuvre susceptible d'en perpétuer les affres. Créer c'est léguer ses souffrances, c'est vouloir que les autres s'y plongent et les assument, s'en imprègnent et les revivent. Cela est vrai d'un poème, cela peut être vrai du cosmos. Sans l'hypothèse d'un dieu fiévreux, traqué, sujet aux convulsions, ivre d'épilepsie, on ne saurait expliquer cet univers qui porte en tout les marques d'une bave originelle. Et ce dieu, nous n'en devinons l'essence que lorsque nous sommes nous-mêmes en proie à un tremblement tel qu'il dut en ressentir aux instants où il se colletait avec le chaos. Nous pensons à lui avec tout ce qui en nous répugne à la forme ou au bon sens, avec nos confusions et notre délire, nous le rejoignons par des implorations où nous nous disloquons en lui et lui en nous, car il nous est proche chaque fois que quelque chose se brise en nous et qu'à notre façon nous nous mesurons nous aussi avec le chaos. Théologie sommaire? À contempler cette Création bâclée, comment ne pas en incriminer l'auteur, comment surtout le croire habile ou simplement adroit? N'importe quel autre dieu eût fait montre de plus de compétence ou d'équilibre que lui : erreurs et gâchis où que l'on regarde! Impossible de l'absoudre, mais impossible aussi de ne pas le comprendre. Et nous le comprenons par tout ce qui en nous est fragmentaire, inachevé, et mal venu. Son entreprise porte les stigmates du provisoire, et cependant ce n'est pas le temps qui lui manqua pour la mener à bien. Il fut, pour notre malheur, inexplicablement pressé. Par une ingratitude légitime, et pour lui faire sentir notre mauvaise humeur, nous nous employons — experts en contre-Création — à détériorer son édifice, à rendre encore plus piètre une œuvre compromise déjà au départ. Sans doute serait-il plus sage et plus élégant de n'y point toucher, de la laisser telle quelle, de ne pas nous venger sur elle de ses incapacités à lui ; mais, comme il nous a transmis ses défauts, nous ne saurions avoir des ménagements à son égard. Si, à tout prendre, nous le préférons aux hommes, cela ne le met pas à l'écart de nos hargnes. Peut-être ne l'avons-nous conçu que pour justifier et régénérer nos révoltes, leur donner un objet digne d'elles, les empêcher de s'exténuer et de s'avilir, en les rehaussant par l'abus ravigotant du sacrilège, réplique aux séductions et aux arguments du découragement. On n'en finit jamais avec Dieu. Le traiter d'égal à égal, en ennemi, c'est une impertinence qui fortifie, qui stimule, et ils sont bien à plaindre ceux qu'il a cessé d'irriter. Quelle chance en revanche de pouvoir sans gêne lui faire endosser la responsabilité de toutes nos misères, de l'accabler et de l'injurier, de ne l'épargner à aucun moment, même pas dans nos prières!

La rancune, dont nous n'avons pas le monopole, il y est sujet lui aussi (comme en témoigne maint livre sacré), car la solitude, fût-elle absolue, n'en préserve nullement. Que même pour un dieu il ne soit pas bon d'être seul, cela signifie en bref: créons le monde pour avoir à qui nous attaquer, sur qui exercer notre verve et nos brimades. Et quand le monde s'évapore, il reste, que l'on soit homme ou dieu, cette forme subtile de vengeance: la vengeance contre soi, occupation absorbante, aucunement destructrice puisqu'elle prouve que l'on pactise encore avec la vie, que l'on y adhère justement par les tortures que l'on s'inflige. L'hosanna n'entre pas dans nos coutumes. Également impurs, bien que d'une façon différente, le principe divin et le principe diabolique se conçoivent aisément; les anges, au contraire, échappent à notre prise. Et si nous n'arrivons guère à nous les figurer, s'ils déroutent notre imagination, c'est que, au rebours de Dieu, du diable et de nous tous, eux seuls — quand ils ne sont pas exterminateurs! — s'épanouissent et prospèrent sans l'aiguillon de la rancune. Et — faut-il ajouter? — sans celui de la flatterie, dont ne sauraient se passer les animaux affairés que nous sommes. Nous dépendons, pour œuvrer, de l'opinion de nos prochains, nous sollicitons, nous quémandons leurs hommages, pourchassons sans merci ceux d'entre eux qui émettent sur nous un jugement nuancé ou même équitable, et, si nous en avions les moyens, les forcerions à en porter d'exagérés, de ridicules, hors de proportion avec nos aptitudes ou nos accomplissements. L'éloge mesuré se ramenant à une injustice, l'objectivité à un défi, la réserve à une insulte, qu'attend donc l'univers pour se rouler à nos pieds? Ce que nous cherchons, ce que nous quêtons dans le regard des autres, c'est l'expression servile, un engouement non dissimulé pour nos gestes et nos élucubrations, l'aveu d'une ardeur sans arrière-pensée, l'extase devant notre néant. Moraliste profiteur, psychologue doublé d'un parasite, le flatteur connaît notre faiblesse et l'exploite sans vergogne. Telle est notre déchéance que des excès, des débordements d'admiration prémédités et faux, nous les acceptons comme tels sans en rougir, car nous préférons les empressements du mensonge au réquisitoire du silence. Mêlée à notre physiologie, à nos viscères, la flatterie affecte nos glandes, s'associe à nos sécrétions et les stimule, vise, en outre, nos sentiments les plus ignobles, donc les plus profonds et les plus naturels, suscite en nous une euphorie de mauvais aloi, à laquelle nous assistons ahuris ; tout aussi ahuris nous contemplons les effets du blâme, encore plus marqués, puisqu'ils atteignent, pour les ébranler, aux fondements mêmes de notre être. Comme personne n'y attente impunément, nous répliquons soit en frappant sans tarder, soit en élaborant du fiel, ce qui équivaut à une riposte mûrie. Ne point réagir, il y faudrait une métamorphose, un changement total, non seulement de nos dispositions, mais de nos organes eux-mêmes. Une telle opération n'étant guère imminente, nous nous inclinons de bonne grâce devant les manœuvres de la flatterie et la souveraineté de la rancœur.

Réprimer le besoin de vengeance, c'est vouloir donner congé au temps, enlever aux événements la possibilité de se produire, c'est prétendre licencier le mal et, avec lui, l'acte. Mais l'acte, avidité d'écrasement consubstantielle au moi, est une rage dont nous triomphons seulement à la faveur de ces instants où, las de tourmenter nos ennemis, nous les abandonnons à leur sort, les laissons croupir et végéter parce que nous ne les *aimons* plus assez pour nous acharner à les détruire, à les disséquer, à en faire l'objet de nos anatomies nocturnes. La rage cependant nous reprend pour peu que se ravive ce goût des apparences, cette passion du dérisoire dont est fait notre attachement à l'existence. Même réduite à l'infime, la vie se nourrit d'elle-même, tend vers un surcroît d'être, veut s'augmenter sans raison aucune, par un automatisme déshonorant et irrépressible. Une même soif dévore le moucheron et l'éléphant ; on aurait pu espérer qu'elle s'éteindrait chez l'homme ; nous avons vu qu'il n'en est rien, qu'elle sévit avec une intensité accrue chez les grabataires eux-mêmes. La capacité de désistement constitue l'unique critère du progrès spirituel : ce n'est pas quand les choses nous quittent, c'est quand nous les quittons que nous accédons à la nudité intérieure, à cette extrémité où nous ne nous affilions plus à ce monde ni à nous-mêmes, et où victoire signifie se démettre, se récuser avec sérénité, sans regrets et surtout sans mélancolie ; car la mélancolie, pour discrètes et aériennes qu'en soient les apparences, relève encore du ressentiment : c'est une songerie empreinte d'âcreté, une jalousie travestie en langueur, une rancune vaporeuse. Tant que l'on y demeure assujetti, on ne se désiste de rien, on s'embourbe dans le «je», sans pourtant se dégager des autres, auxquels on pense d'autant plus qu'on n'a pas réussi à se désapproprier de soi. Au moment même où nous nous promettons de vaincre la vengeance, nous la sentons plus que jamais s'impatienter en nous, prête à l'attaque, Les offenses «pardonnées» demandent soudain réparation, envahissent nos veilles et, plus encore, nos rêves, se muent en cauchemars, plongent si avant dans nos abîmes qu'elles finissent par en former l'étoffe. S'il en est ainsi, à quoi bon jouer la farce des sentiments nobles, miser sur une aventure métaphysique, ou escompter le rachat? Se venger, ne fût-ce qu'en idée, c'est se placer irrémédiablement en deçà de l'absolu. Il s'agit bien de l'absolu! Non seulement les injures «oubliées» ou supportées en silence, mais celles mêmes que nous avons relevées, nous rongent, nous harassent, nous hantent jusqu'à la fin de nos jours, et cette hantise qui devrait nous disqualifier à nos propres yeux nous flatte au contraire, et nous rend belliqueux. La moindre avanie, un mot, un regard entaché de quelque restriction, nous ne les pardonnons jamais à un vivant. Et il n'est même pas vrai que nous les lui pardonnions après sa mort. L'image de son cadavre nous apaise sans doute et nous force à l'indulgence; dès que l'image s'estompe et que dans notre mémoire la figure du vivant l'emporte sur celle du défunt et s'y substitue, nos vieilles rancunes resurgissent, reprennent de plus belle, avec tout ce cortège de hontes et d'humiliations qui dureront autant que nous et dont le souvenir serait éternel, si l'immortalité nous était dévolue.

Puisque tout nous blesse, pourquoi ne pas nous enfermer dans le scepticisme et tenter d'y chercher un remède à nos plaies? Ce serait là une duperie de plus, le Doute n'étant qu'un produit de nos irritations et de nos griefs, et comme l'instrument dont l'écorché se sert pour souffrir et faire souffrir. Si nous démolissons les certitudes, ce n'est point par scrupule théorique ou par jeu, mais par fureur de les voir se dérober, par désir aussi qu'elles n'appartiennent à personne, dès lors qu'elles nous fuient et que nous n'en possédons aucune. Et la vérité, de quel droit les autres s'en prévaudraient-ils? par quelle injustice se serait-elle dévoilée à eux qui valent moins que nous? Ont-ils peiné, ont-ils veillé pour la mériter? Tandis que nous nous échinons en vain pour l'atteindre, ils se rengorgent comme si elle leur était réservée et qu'ils en fussent nantis par un arrêt de la providence. Elle ne saurait cependant être leur apanage, et, pour les empêcher de la revendiquer, nous leur persuadons que lorsqu'ils croient la tenir c'est en fait d'une fiction qu'ils se saisissent. Afin de mettre notre conscience à l'abri, il nous plaît de discerner dans leur bonheur de l'ostentation, de l'arrogance, ce qui nous permet de les troubler sans remords, et, en leur inoculant nos stupeurs, de les rendre aussi vulnérables et aussi malheureux que nous le sommes nous-mêmes. Le scepticisme est le sadisme des âmes ulcérées.

Plus nous nous appesantissons sur nos blessures, plus elles nous apparaissent inséparables de notre condition d'indélivrés. Le maximum de détachement auquel nous puissions prétendre est de nous maintenir dans une position équidistante de la vengeance et du pardon, au centre d'une hargne et d'une générosité pareillement flasques et vides, car destinées à se neutraliser l'une l'autre. Mais dépouiller le vieil homme, nous n'y parviendrons jamais, dussions-nous pousser l'horreur de nous-mêmes jusqu'à renoncer pour toujours à occuper une place quelconque dans la hiérarchie des êtres.

V

MÉCANISME DE L'UTOPIE

—————————————————————— *Q*uelle que soit la grande ville
où le hasard me porte, j'admire qu'il ne s'y déclenche pas tous les
jours des soulèvements, des massacres, une boucherie sans nom,
un désordre de fin du monde. Comment, sur un espace aussi
réduit, tant d'hommes peuvent-ils coexister sans se détruire, sans
se haïr mortellement? Au vrai, ils se haïssent, mais ils ne sont pas
à la hauteur de leur haine. Cette médiocrité, cette impuissance
sauve la société, en assure la durée et la stabilité. De temps en
temps il s'y produit quelque secousse dont nos instincts profitent;
puis, nous continuons à nous regarder dans les yeux comme si de
rien n'était et à cohabiter sans nous entre-déchirer trop visiblement. Tout rentre dans l'ordre, dans le calme de la férocité, aussi
redoutable, en dernière instance, que le chaos qui l'avait interrompu.
Mais j'admire encore davantage que, la société étant ce qu'elle
est, certains se soient évertués à en concevoir une autre, toute différente. D'où peut bien provenir tant de naïveté, ou tant de folie?
Si la question est normale et banale à souhait, la curiosité qui
m'amena à la poser a, en revanche, l'excuse d'être malsaine.
En quête d'épreuves nouvelles, et au moment même où je déses-
pérais d'en rencontrer, l'idée me vint de me jeter sur la littérature
utopique, d'en consulter les «chefs-d'œuvre», de m'en imprégner,
de m'y vautrer. À ma grande satisfaction, j'y trouvai de quoi rassasier mon désir de pénitence, mon appétit de mortification. Passer
quelques mois à recenser les rêves d'un avenir meilleur, d'une
société «idéale», à consommer de l'illisible, quelle aubaine! Je me
hâte d'ajouter que cette littérature rebutante est riche d'enseignements, et, qu'à la fréquenter, on ne perd pas tout à fait son temps.

On y distingue dès l'abord le rôle (fécond ou funeste, comme on voudra) que joue, dans la genèse des événements, non pas le bonheur, mais *l'idée* de bonheur, idée qui explique pourquoi, l'âge de fer étant coextensif à l'histoire, chaque époque s'emploie à divaguer sur l'âge d'or. Qu'on mette un terme à ces divagations : une stagnation totale s'ensuivrait. Nous n'agissons que sous la fascination de l'impossible : autant dire qu'une société incapable d'enfanter une utopie et de s'y vouer est menacée de sclérose et de ruine. La sagesse, que rien ne fascine, recommande le bonheur *donné*, existant ; l'homme le refuse, et ce refus seul en fait un animal historique, j'entends un amateur de bonheur *imaginé*.

« *B*ientôt ce sera la fin de tout ; et il y aura un nouveau ciel et une nouvelle terre », lisons-nous dans l'Apocalypse. Éliminez le ciel, conservez seulement la « nouvelle terre », et vous aurez le secret et la formule des systèmes utopiques ; pour plus de précision, peut-être faudrait-il substituer « cité » à « terre » ; mais ce n'est là qu'un détail ; ce qui compte c'est la perspective d'un nouvel avènement, la fièvre d'une attente essentielle, parousie dégradée, modernisée, dont surgissent ces systèmes, si chers aux déshérités. La misère est effectivement le grand auxiliaire de l'utopiste, la matière sur laquelle il travaille, la substance dont il nourrit ses pensées, la providence de ses obsessions. Sans elle il serait vacant ; mais elle l'occupe, l'attire ou le gêne, suivant qu'il est pauvre ou riche ; d'un autre côté, elle ne peut se passer de lui, elle a besoin de ce théoricien, de ce fervent de l'avenir, d'autant plus qu'elle-même, méditation interminable sur la possibilité d'échapper à son propre présent, n'en supporterait guère la désolation sans la hantise d'une *autre* terre. En doutez-vous ? C'est que vous n'avez pas goûté à l'indigence complète. Si vous y parvenez, vous verrez que plus vous serez démunis, plus vous dépenserez votre temps et votre énergie à tout réformer, en pensée, donc en pure perte. Je ne songe pas seulement aux institutions, créations de l'homme ; celles-là, bien entendu, vous les condamnerez d'emblée et sans appel, mais aux objets, à tous les objets, si insignifiants soient-ils. Ne pouvant les accepter tels quels, vous voudriez leur imposer vos lois et vos caprices, faire à leurs dépens œuvre de législateur ou de tyran, vous voudriez encore intervenir dans la vie des éléments pour en modifier la physionomie et la structure. L'air vous irrite : qu'il change ! Et la pierre aussi. De même le végétal, de même l'homme. Descendre, par-delà les assises de l'être, jusqu'aux fondements du chaos, pour s'en emparer, pour

s'y établir! Quand on n'a pas un sou en poche, on s'agite, on extra-
vague, on rêve de posséder tout, et ce tout, tant que la frénésie
dure, on le possède en effet, on égale Dieu, mais personne ne s'en
aperçoit, même pas Dieu, même pas soi. Le délire des indigents
est générateur d'événements, source d'histoire : une foule de fiévreux qui veulent un autre monde, ici-bas et sur l'heure. Ce sont
eux qui inspirent les utopies, c'est pour eux qu'on les écrit. Mais
utopie, rappelons-le, signifie *nulle part*.
Et *d'où* seraient-elles ces cités que le mal n'effleure pas, où l'on
bénit le travail et où personne ne craint la mort? On y est astreint
à un bonheur fait d'idylles géométriques, d'extases réglementées,
de mille merveilles écœurantes, telles qu'en présente nécessairement le spectacle d'un monde *parfait*, d'un monde fabriqué. Avec
une minutie risible Campanella nous décrit les Solariens exempts
de «goutte, de rhumatisme, de catarrhes, de sciatique, de coliques,
d'hydropisie, de flatuosité»... Tout abonde dans *La Cité du soleil*,
«parce que chacun tient à se distinguer dans ce qu'il fait. Le chef
qui préside à chaque chose est appelé : *Roi*... Femmes et hommes,
divisés en bandes, se livrent au travail, sans jamais enfreindre les
ordres de leurs *rois*, et sans jamais se montrer fatigués comme
nous le ferions. Ils regardent leurs chefs comme des pères ou des
frères aînés». On retrouvera les mêmes fadaises dans les ouvrages
du genre, singulièrement dans ceux d'un Cabet, d'un Fourier ou
d'un Morris, dépourvus tous de cette pointe d'aigreur, si nécessaire aux œuvres, littéraires ou autres.
Concevoir une *vraie* utopie, brosser, avec conviction, le tableau de
la société idéale, il y faut une certaine dose d'ingénuité, voire de
niaiserie, qui, trop apparente, finit par exaspérer le lecteur. Les
seules utopies lisibles sont les fausses, celles qui, écrites par jeu,
amusement ou misanthropie, préfigurent ou évoquent les *Voyages
de Gulliver*, Bible de l'homme détrompé, quintessence de visions
non chimériques, utopie *sans espoir*. Par ses sarcasmes, Swift a
déniaisé un genre au point de l'anéantir.

*E*st-il plus facile de confectionner une utopie qu'une apocalypse?
L'une et l'autre ont leurs principes et leurs poncifs. La première,
dont les lieux communs s'accordent mieux avec nos instincts profonds, a donné naissance à une littérature autrement abondante
que n'a fait la seconde. Il n'est pas donné à tout le monde de tabler
sur une catastrophe cosmique, ni d'aimer le langage et la manière
dont on l'annonce et la proclame. Mais celui qui en admet l'idée et
y applaudit lira, dans les Évangiles, avec l'emportement du vice,

les tours et les clichés qui feront carrière à Patmos : «... le ciel s'obscurcira, la lune ne donnera pas sa clarté, les astres tomberont... ; toutes les tribus de la terre se lamenteront..., cette génération ne passera pas que toutes ces choses ne soient arrivées». — Ce pressentiment de l'inouï, d'un événement capital, cette attente cruciale peut tourner en illusion ; et ce sera l'espoir d'un paradis sur terre ou ailleurs ; ou alors en anxiété, et ce sera la vision d'un Pire idéal, d'un cataclysme voluptueusement redouté.

«... et de sa bouche sort un glaive aigu pour en frapper les nations». — Conventions de l'horreur, procédés sans doute. Saint Jean devait y tomber, dès lors qu'il optait pour ce splendide charabia, parade d'écroulements, préférable, tout compte fait, aux descriptions d'îles et de cités, où un bonheur impersonnel vous étouffe, où «l'harmonie universelle» vous enserre et vous broie. Les rêves de l'utopie se sont pour la plupart réalisés, mais dans un esprit tout différent de celui où elle les avait conçus ; ce qui pour elle était perfection est pour nous tare ; ses chimères sont nos malheurs. Le type de société qu'elle imagine sur un ton lyrique nous apparaît, à l'usage, intolérable. Qu'on en juge par l'échantillon suivant du *Voyage en Icarie* : «Deux mille cinq cents jeunes femmes (des modistes) travaillent dans un atelier les unes assises, les autres debout, presque toutes charmantes... L'habitude qu'a chaque ouvrière de faire la même chose double encore la rapidité du travail en y joignant la perfection. Les plus élégantes parures de tête naissent par milliers chaque matin entre les mains de leurs jolies créatrices...» — Pareilles élucubrations relèvent de la débilite mentale ou du mauvais goût. Et pourtant Cabet a, matériellement, vu juste ; il ne s'est trompé que sur l'essentiel. Nullement instruit de l'intervalle qui sépare *être* et *produire* (nous n'existons, au sens plein du mot, qu'en dehors de ce que nous faisons, qu'au-delà de nos actes), il ne pouvait déceler la fatalité attachée à toute forme de travail, artisanale, industrielle ou autre. La chose qui frappe le plus dans les récits utopiques, c'est l'absence de flair, d'instinct psychologique. Les personnages en sont des automates, des fictions ou des symboles : aucun n'est vrai, aucun ne dépasse sa condition de fantoche, d'idée perdue au milieu d'un univers sans repères. Les enfants eux-mêmes y deviennent méconnaissables. Dans «l'état sociétaire» de Fourier, ils sont si purs qu'ils ignorent jusqu'à la tentation de voler, de «prendre une pomme sur un arbre». Mais un enfant qui ne vole pas n'est pas un enfant. À quoi bon forger une société de marionnettes ? Je recommande la description du Phalanstère comme le plus efficace des vomitifs.

Placé à l'antipode d'un La Rochefoucauld, l'inventeur d'utopies est un moraliste qui n'aperçoit en nous que désintéressement, appétit de sacrifice, oubli de soi. Exsangues, parfaits et nuls, foudroyés par le Bien, dépourvus de péchés et de vices, sans épaisseur ni contours, aucunement initiés à l'existence, à l'art de rougir de soi, de varier ses hontes et ses supplices, ils ne soupçonnent guère le plaisir que nous inspire l'affaissement de nos semblables, l'impatience avec laquelle nous escomptons et suivons leur dégringolade. Cette impatience et ce plaisir peuvent, à l'occasion, émaner d'une curiosité de qualité, et ne comporter rien de diabolique. Tant qu'un être s'élève, prospère, avance, on ne sait qui il est, car, son ascension l'éloignant de lui-même, il manque de réalité, il n'est pas. Pareillement, on ne se connaît soi-même qu'à partir du moment où l'on commence à déchoir, où toute réussite, au niveau des intérêts humains, se révèle impossible : défaite clairvoyante par laquelle, en prenant possession de son propre être, l'on se désolidarise de la torpeur universelle. Pour mieux saisir sa déchéance ou celle d'autrui, il faut passer par le mal et, au besoin, s'y enfoncer : comment y arriver dans ces cités et ces îles d'où il est exclu par principe et par raison d'État ? Les ténèbres y sont interdites ; la lumière seule y est admise. Nulle trace de dualisme : l'utopie est d'essence antimanichéenne. Hostile à l'anomalie, au difforme, à l'irrégulier, elle tend à l'affermissement de l'homogène, du type, de la répétition et de l'orthodoxie. Mais la vie est rupture, hérésie, dérogation aux normes de la matière. Et l'homme, par rapport à la vie, est hérésie au second degré, victoire de l'individuel, du caprice, apparition aberrante, animal schismatique que la société — somme de monstres endormis — vise à ramener dans le *droit chemin*. Hérétique par excellence, le monstre éveillé, lui, solitude incarnée, infraction à l'ordre universel, se complaît à son exception, s'isole dans ses privilèges onéreux, et c'est en *durée* qu'il paie ce qu'il gagne sur ses «semblables» : plus il s'en distingue, plus il sera à la fois dangereux et fragile, car c'est au prix de sa longévité qu'il trouble la paix des autres et qu'il se crée, au milieu de la cité, un statut d'indésirable.

«Nos espérances sur l'état à venir de l'espèce humaine peuvent se réduire à ces trois points importants : la destruction de l'inégalité entre les nations, les progrès de l'égalité dans un même peuple, enfin le perfectionnement de l'homme.» (Condorcet.)

Attachée à la description de cités *réelles,* l'histoire, qui constate partout et toujours la faillite plutôt que l'accomplissement de nos

HISTOIRE ET UTOPIE

espoirs, n'a ratifié aucune de ces prévisions. Pour les Tacite il n'y a point de Rome *idéale*.

En bannissant l'irrationnel et l'irréparable, l'utopie s'oppose encore à la tragédie, paroxysme et quintessence de l'histoire. Dans une cité parfaite, tout conflit cesserait ; les volontés y seraient jugulées, apaisées ou rendues miraculeusement convergentes ; y régnerait seulement l'unité, sans l'ingrédient du hasard ou de la contradiction. L'utopie est une mixture de rationalisme puéril et d'angélisme sécularisé.

Nous sommes noyés dans le mal. Non point que tous nos actes soient mauvais ; mais, quand il nous arrive d'en commettre de *bons*, nous en souffrons, pour avoir contrecarré nos mouvements spontanés : la pratique de la vertu se ramène à un exercice de pénitence, à l'apprentissage de la macération. Ange déchu mué en démiurge, Satan, préposé à la Création, se dresse en face de Dieu et se révèle, ici-bas, plus à l'aise et même plus puissant que lui ; loin d'être un usurpateur, il est notre maître, souverain légitime qui l'emporterait sur le Très-Haut, si l'univers était réduit à l'homme. Ayons donc le courage de reconnaître de qui nous relevons.

Les grandes religions ne s'y sont pas trompées : ce qu'offrent Mâra au Bouddha, Ahriman à Zoroastre, le Tentateur à Jésus, c'est la terre et la suprématie sur la terre, réalités effectivement au pouvoir du Prince du monde. Et c'est faire son jeu, coopérer à son entreprise et la parachever, que de vouloir instaurer un règne nouveau, utopie généralisée ou empire universel, car ce qu'il souhaite par-dessus tout c'est que nous nous commettions avec lui et qu'à son contact nous nous détournions de la lumière, du regret de notre ancienne félicité.

*F*ermé depuis cinq mille ans, le paradis fut rouvert, selon saint Jean Chrysostome, au moment où le Christ expirait ; le larron put y pénétrer, suivi d'Adam, rapatrié enfin, et d'un nombre restreint de justes qui végétaient dans les enfers en attendant « l'heure de la rédemption ».

Tout porte à croire qu'il est de nouveau verrouillé et qu'il le restera longtemps encore. Personne ne peut en forcer l'entrée : les quelques privilégiés qui en jouissent s'y sont barricadés sans doute, selon un système dont ils purent sur terre observer les merveilles. Ce paradis a l'air d'être le vrai : au plus profond de nos abattements c'est à lui que nous songeons, c'est en lui que nous aimerions nous dissoudre. Une impulsion subite nous y pousse et nous y plonge : voulons-nous regagner, en un instant, ce que nous avons perdu depuis toujours, et réparer soudain la faute d'être nés ? Rien ne dévoile mieux le sens métaphysique de la nostalgie que l'impossibilité où elle est de coïncider avec quelque moment du temps que ce soit ; aussi cherche-t-elle consolation dans un passé reculé, immémorial, réfractaire aux siècles et comme antérieur au devenir. Le mal dont elle souffre — effet d'une rupture qui remonte aux commencements — l'empêche de projeter l'âge d'or dans l'avenir ; celui qu'elle conçoit naturellement c'est l'ancien, le primordial ; elle y aspire, moins pour s'y délecter que pour s'y évanouir, pour y déposer le fardeau de la conscience. Si elle retourne à la source des temps, c'est pour y retrouver le paradis véritable, objet de ses regrets. Tout à l'opposé, celle dont procède le paradis d'ici-bas sera démunie de la dimension du regret précisément : nostalgie renversée, faussée et viciée, tendue vers le futur, obnubilée par le «progrès», réplique temporelle, métamorphose grimaçante du paradis originel. Contagion ? automatisme ? cette métamorphose a fini par s'opérer en chacun de nous. De gré ou de force, nous misons sur l'avenir, en faisons une panacée, et, l'assimilant au surgissement d'un *tout autre* temps à l'intérieur du temps même, le considérons comme une durée inépuisable et pourtant achevée, comme une *histoire intemporelle*. Contradiction dans les termes, inhérente à l'espoir d'un règne nouveau, d'une victoire de l'insoluble au sein du devenir. Nos rêves d'un monde meilleur se fondent sur une impossibilité théorique. Quoi d'étonnant qu'il faille, pour les justifier, recourir à des paradoxes *solides* ?

*T*ant que le christianisme comblait les esprits, l'utopie ne pouvait les séduire ; dès qu'il commença à les décevoir, elle chercha à les conquérir et à s'y installer. Elle s'y employait déjà à la Renaissance, mais ne devait y réussir que deux siècles plus tard, à une époque de superstitions «éclairées». Ainsi naquit l'Avenir, vision d'un bonheur irrévocable, d'un paradis dirigé, où le hasard n'a pas de place, où la moindre fantaisie apparaît comme une hérésie ou une provocation. En faire la description, ce serait entrer dans les détails de l'inimaginable. L'idée même d'une cité idéale est une souffrance pour la raison, une entreprise qui honore le cœur et disqualifie l'intellect. (Comment un Platon y put-il condescendre ? Il est l'ancêtre, j'allais l'oublier, de toutes ces aberrations, reprises et aggravées par Thomas Morus, le *fondateur* des illusions modernes.) Échafauder une société où, selon une étiquette terrifiante, nos actes sont catalogués et réglés, où, par une charité poussée jusqu'à l'indécence, l'on se penche sur nos arrière-pensées elles-mêmes, c'est transporter les affres de l'enfer dans l'âge d'or, ou créer, avec le concours du diable, une institution philanthropique. Solariens, Utopiens, Harmoniens — leurs noms affreux ressemblent à leur sort, cauchemar qui nous est promis à nous aussi, puisque nous l'avons nous-mêmes érigé en idéal.

À prôner les avantages du travail, les utopies devaient prendre le contre-pied de la Genèse. Sur ce point tout particulièrement, elles sont l'expression d'une humanité engloutie dans le labeur, fière de se complaire aux conséquences de la chute, dont la plus grave demeure l'obsession du rendement. Les stigmates d'une race qui chérit la «sueur du front», qui en fait un signe de noblesse, qui s'agite et peine *en exultant*, nous les portons avec orgueil et ostentation; d'où l'horreur que nous inspire, à nous autres réprouvés, l'élu qui refuse de besogner, ou d'exceller dans quelque domaine que ce soit. Le refus dont nous lui faisons grief, en est capable celui-là seul qui conserve le souvenir d'un bonheur immémorial. Dépaysé au milieu de ses semblables, il est comme eux et pourtant il ne peut communier avec eux; de quelque côté qu'il regarde, il ne se sent pas d'ici; tout ce qu'il y discerne lui semble usurpation : le fait même de porter un nom... Ses entreprises échouent, il s'y lance sans y croire : des simulacres dont le détourne l'image *précise* d'un autre monde. L'homme, une fois évincé du paradis, pour qu'il n'y songe plus ni n'en souffre, obtint en compensation la faculté de vouloir, de tendre vers l'acte, de s'y abîmer avec enthousiasme, avec brio. Mais l'aboulique, dans son détachement, dans son marasme surnaturel, quel effort produire, à quel objet se livrer? Rien ne l'engage à sortir de son absence. Et cependant lui-même n'échappe pas entièrement à la malédiction commune : il *s'épuise* dans un regret, et y dépense plus d'énergie que nous n'en fournissons dans tous nos exploits.

*Q*uand le Christ assurait que le «royaume de Dieu» n'était ni «ici» ni «là», mais au-dedans de nous, il condamnait d'avance les constructions utopiques pour lesquelles tout «royaume» est nécessairement *extérieur*, sans rapport aucun avec notre moi profond ou notre salut individuel. Tant elles nous auront marqués, que c'est du dehors, du cours des choses ou de la marche des collectivités, que nous attendons notre délivrance. Ainsi allait se dessiner le Sens de l'histoire, dont la vogue devait supplanter celle du Progrès, sans y ajouter rien de neuf. Il fallait néanmoins jeter au rancart, non pas un concept, mais une de ses traductions verbales, dont on a abusé. En matière idéologique, on ne se renouvellerait pas aisément sans l'aide des synonymes.

Pour divers qu'en soient les déguisements, l'idée de perfectibilité a pénétré dans nos mœurs : y souscrit celui-là même qui la met en cause. Que l'histoire se déroule *sans plus*, indépendamment d'une direction déterminée, d'un but, personne ne veut en convenir. «Un but, elle en a un, elle y court, elle l'a virtuellement atteint», proclament nos désirs et nos doctrines. Plus une idée sera chargée de promesses immédiates, plus elle aura chance de triompher. Inaptes à trouver le «royaume de Dieu» en eux, ou plutôt trop malins pour vouloir l'y chercher, les chrétiens le placèrent dans le devenir : ils pervertirent un enseignement afin d'en assurer la réussite. Du reste, le Christ lui-même entretint l'équivoque ; d'un côté, répondant aux insinuations des pharisiens, il préconisait un royaume intérieur, soustrait au temps, de l'autre, il signifiait à ses disciples que, le salut étant proche, ils assisteraient, eux et la «génération présente», à la consommation de toutes choses. Ayant compris que les humains acceptaient le martyre pour une chimère, mais non pour une vérité, il a composé avec leur faiblesse. Eût-il agi autrement qu'il eût compromis son œuvre. Mais ce qui chez lui était concession ou tactique est chez les utopistes postulat ou passion.

*U*n grand pas en avant fut fait le jour où les hommes comprirent que, pour pouvoir mieux se tourmenter les uns les autres, il leur fallait se rassembler, s'organiser en société. À en croire les utopies, ils n'y seraient parvenus qu'à moitié ; elles se proposent donc de les y aider, de leur offrir un cadre approprié à l'exercice d'un bonheur complet, tout en exigeant, en contrepartie, qu'ils abdiquent leur liberté ou, s'ils la gardent, qu'ils s'en servent uniquement pour clamer leur joie au milieu des souffrances qu'ils s'infligent à l'envi. Tel apparaît le sens de la sollicitude infernale qu'elles leur portent. Dans ces conditions, comment ne pas envisager une utopie à rebours, une liquidation du bien infime et du mal immense attachés à l'existence de tout ordre social, quel qu'il soit ? Le projet est alléchant, la tentation irrésistible. Une si vaste somme d'anomalies, par quel moyen y mettre un terme ? Il y faudrait quelque chose de comparable au *dissolvant universel* que recherchaient les alchimistes, et dont on apprécierait l'efficace, non point sur des métaux, mais sur des institutions. En attendant que la formule en soit trouvée, remarquons en passant que, par

leurs côtés positifs, l'alchimie et l'utopie se rejoignent : poursuivant, dans des domaines hétérogènes, un rêve de transmutation
parent, sinon identique, l'une s'en prend à l'irréductible dans la
nature, l'autre à l'irréductible dans l'histoire. Et c'est d'un même
vice d'esprit, ou d'un même espoir, que procèdent l'élixir de vie et
la cité idéale.

De même qu'une nation, pour se distinguer des autres, pour les
humilier et les écraser, ou simplement pour acquérir une physionomie unique, a besoin d'une idée insensée qui la guide et qui lui
propose des buts incommensurables avec ses capacités réelles, de
même une société n'évolue et ne s'affirme que si on lui suggère ou
inculque des idéaux hors de proportion avec ce qu'elle est. L'utopie remplit dans la vie des collectivités la fonction assignée à
l'idée de mission dans la vie des peuples. Des visions messia-
niques ou utopiques, les idéologies sont le sous-produit, et comme
l'expression vulgaire.
En elle-même une idéologie n'est ni bonne ni mauvaise. Tout
dépend du moment où on l'adopte. Le communisme, par exemple,
agit, sur une nation virile, comme un stimulant ; il la pousse en
avant et en favorise l'expansion ; sur une nation branlante, son
influence pourrait être moins heureuse. Ni vrai ni faux, il précipite des processus, et ce n'est pas *à cause* de lui, mais *à travers* lui,
que la Russie acquit sa vigueur présente. Jouerait-il le même rôle,
une fois installé dans le reste de l'Europe ? y serait-il un principe
de renouvellement ? On aimerait l'espérer ; en tout cas, la question
ne comporte qu'une réponse indirecte, arbitraire, inspirée par des
analogies d'ordre historique. Que l'on réfléchisse aux effets du
christianisme à ses débuts : il porta un coup fatal à la société
antique, la paralysa et l'acheva ; en revanche, il fut une bénédiction pour les Barbares, dont les instincts s'exaspérèrent à son
contact. Bien loin de régénérer un monde décrépit, il ne régénéra
que les régénérés. De la même façon, le communisme fera, *dans
l'immédiat*, le salut de ceux-là seuls qui sont déjà sauvés ; il ne
pourra apporter un espoir concret aux moribonds, encore moins
ranimer des cadavres.

Après avoir dénoncé les ridicules de l'utopie, venons-en à ses
mérites, et, puisque les hommes s'arrangent si bien de l'état
social, et qu'ils en distinguent à peine le mal immanent, faisons
comme eux, associons-nous à leur inconscience.
On ne louera jamais assez les utopies d'avoir dénoncé les

méfaits de la propriété, l'horreur qu'elle représente, les calamités dont elle est cause. Petit ou grand, le propriétaire est
souillé, corrompu dans son essence : sa corruption rejaillit sur le
moindre objet qu'il touche ou s'approprie. Que l'on menace sa
«fortune», qu'on l'en dépouille, il sera acculé à une prise de
conscience dont normalement il n'est guère capable. Pour
reprendre une apparence humaine, pour regagner son «âme», il
faut qu'il soit ruiné et qu'il consente à sa ruine. La révolution l'y
aidera. En le rendant à sa nudité primitive, elle l'anéantit dans
l'immédiat et le sauve dans l'absolu, car elle libère, intérieurement s'entend, ceux-là mêmes qu'elle frappe en premier : les possédants ; elle les *reclasse*, elle leur redonne leur ancienne
dimension et les ramène vers les valeurs qu'ils ont trahies. Mais
avant même d'avoir le moyen ou l'occasion de les frapper, elle
entretient en eux une peur salutaire : elle trouble leur sommeil,
nourrit leurs cauchemars, et le cauchemar est le début de l'éveil
métaphysique. C'est donc en tant qu'agent de destruction qu'elle
se révèle utile ; fût-elle néfaste, une chose la rachèterait toujours :
elle seule sait de quelle sorte de terreur user pour secouer ce
monde de propriétaires, le plus atroce des mondes possibles.
Toute forme de possession, n'ayons crainte d'y insister, dégrade,
avilit, flatte le monstre assoupi au fond de chacun de nous. Disposer, ne fût-ce que d'un balai, compter n'importe quoi comme
son bien, c'est participer à l'indignité générale. Quelle fierté de
découvrir que rien ne vous appartient, quelle révélation ! Vous
vous preniez pour le dernier des hommes, et voilà que, soudain,
surpris et comme illuminé par votre dénuement, vous n'en souffrez plus ; bien au contraire, vous en tirez orgueil. Et tout ce que
vous souhaitez encore, c'est d'être aussi démuni qu'un saint ou un
aliéné.

*L*orsqu'on est excédé des valeurs traditionnelles, on s'oriente
nécessairement vers l'idéologie qui les nie. Et c'est par sa force de
négation qu'elle séduit, bien plus que par ses formules positives.
Désirer le bouleversement de l'ordre social, c'est traverser une
crise marquée plus ou moins par des thèmes communistes. Cela
est vrai aujourd'hui, comme cela le fut hier et le sera encore
demain. Tout se passe comme si, depuis la Renaissance, les
esprits avaient été attirés, à la surface, par le libéralisme et, en
profondeur, par le communisme, lequel, loin d'être un produit de
circonstance, un accident historique, est l'héritier des systèmes
utopiques et le bénéficiaire d'un long travail souterrain ; d'abord

caprice ou schisme, il devait ensuite affecter le caractère d'un destin et d'une orthodoxie. À l'heure qu'il est, les consciences ne peuvent s'exercer qu'à deux formes de révolte : communiste et anticommuniste. Cependant comment ne pas s'apercevoir que l'anticommunisme équivaut à une foi rageuse, horrifiée, dans l'avenir du communisme ?

Quand sonne l'heure d'une idéologie, tout concourt à sa réussite, ses ennemis eux-mêmes ; la polémique ni la police ne pourront en arrêter l'expansion ou en retarder le succès ; elle veut, et elle peut, se réaliser, s'incarner ; mais plus elle y parvient, plus elle court le risque de s'épuiser ; instaurée, elle se videra de son contenu idéal, exténuera ses ressources, pour, à la fin, compromettant les promesses de salut dont elle disposait, dégénérer en bavardage ou en épouvantail.

La carrière réservée au communisme dépend de l'allure avec laquelle il dépensera ses réserves en utopie. Tant qu'il en possède, il tentera inévitablement toutes les sociétés qui n'en auront pas fait l'expérience ; reculant ici, avançant là, investi de vertus qu'aucune autre idéologie ne détient, il fera le tour du globe, se substituant aux religions défuntes ou chancelantes, et proposant partout aux foules modernes un absolu digne de leur néant.

Considéré en soi, il apparaît comme la seule réalité à laquelle on puisse souscrire encore, si l'on garde ne fût-ce qu'un brin d'illusion sur l'avenir : voilà pourquoi, à des degrés divers, nous sommes tous des communistes... Mais n'est-ce point une spéculation stérile que de juger d'une doctrine hors des anomalies inhérentes à sa réalisation pratique ? L'homme escomptera toujours l'avènement de la justice ; pour qu'elle triomphe, il renoncera à la liberté, qu'il regrettera ensuite. Quoi qu'il entreprenne, l'impasse guette ses actes et ses pensées, comme si elle en était non le terme, mais le point de départ, la condition et la clef. Point de forme sociale nouvelle qui soit à même de sauvegarder les avantages de l'ancienne : une somme à peu près égale d'inconvénients se rencontre dans tous les types de société. Équilibre maudit, stagnation sans remède, dont souffrent pareillement les individus et les collectivités. Les théories n'y peuvent rien, le fond de l'histoire étant imperméable aux doctrines qui en marquent l'apparence. L'ère chrétienne fut tout autre chose que le christianisme ; l'ère communiste, à son tour, ne saurait évoquer le communisme comme tel. Il n'existe pas d'événement naturellement chrétien, ni naturellement communiste.

Si l'utopie était l'illusion hypostasiée, le communisme, allant encore plus loin, sera l'illusion décrétée, imposée : un défi jeté à l'omniprésence du mal, un optimisme *obligatoire*. S'en accommodera difficilement celui qui, à force d'expériences et d'épreuves, vit dans l'ivresse de la déception et qui, à l'exemple du rédacteur de la Genèse, répugne à associer l'âge d'or au devenir. Non point qu'il méprise les maniaques du «progrès indéfini» et leurs efforts pour faire triompher ici-bas la justice ; mais il sait, pour son malheur, qu'elle est une impossibilité matérielle, un grandiose non-sens, le seul idéal dont on puisse affirmer avec certitude qu'il ne se réalisera jamais, et contre lequel la nature et la société semblent avoir mobilisé toutes leurs lois.

Ces tiraillements, ces conflits ne sont pas uniquement d'un solitaire. Avec plus ou moins d'intensité, nous les éprouvons aussi, nous autres : n'en sommes-nous pas à désirer la destruction de cette société-ci, tout en connaissant les mécomptes que nous réserve celle qui la remplacera ? Un bouleversement total, fût-il inutile, une révolution *sans foi* est tout ce que l'on peut encore espérer à une époque où plus personne n'a assez de candeur pour être un vrai révolutionnaire. Quand, en proie à la frénésie de l'intellect, on se livre à celle du chaos, on réagit comme un forcené en possession de ses facultés, fou supérieur à sa folie, ou comme un dieu qui, dans un accès de rage lucide, se plairait à pulvériser et son œuvre et son être.

Nos rêves d'avenir sont désormais inséparables de nos frayeurs. La littérature utopique, à ses débuts, s'insurgeait contre le Moyen Âge, contre la haute estime où il tenait l'enfer et contre le goût qu'il professait pour les visions de fin du monde. On dirait que les systèmes si rassurants d'un Campanella et d'un Morus furent conçus à seule fin de discréditer les hallucinations d'une sainte Hildegarde. Aujourd'hui, réconciliés avec le terrible, nous assistons à une contamination de l'utopie par l'apocalypse : la «nouvelle terre» qu'on nous annonce affecte de plus en plus la figure d'un nouvel enfer. Mais, cet enfer, nous l'attendons, nous nous faisons même un devoir d'en précipiter la venue. Les deux genres, l'utopique et l'apocalyptique, qui nous apparaissaient si dissemblables, s'interpénètrent, déteignent maintenant l'un sur l'autre, pour en former un troisième, merveilleusement apte à refléter la sorte de réalité qui nous menace et à laquelle nous dirons néanmoins oui, un oui correct et sans illusion. Ce sera notre manière d'être *irréprochables* devant la fatalité.

L'ÂGE D'OR

I

« *L*es humains vivaient alors comme les dieux, le cœur libre de soucis, loin du travail et de la douleur. La triste vieillesse ne venait point les visiter, et, conservant toute leur vie la vigueur de leurs pieds et de leurs mains, ils goûtaient la joie dans les festins à l'abri de tous les maux. Ils mouraient comme on s'endort, vaincus par le sommeil. Tous les biens étaient à eux. La campagne fertile leur offrait d'elle-même une abondante nourriture, dont ils jouissaient à leur gré... » (Hésiode : *Les Travaux et les Jours*, tr. Patin.)

Ce portrait de l'âge d'or rejoint celui de l'Éden biblique. L'un et l'autre sont conventionnels à souhait : l'irréalité ne saurait être dramatique. Du moins ont-ils le mérite de définir l'image d'un monde statique où l'identité ne cesse de se contempler elle-même, où règne l'éternel présent, temps commun à toutes les visions paradisiaques, temps forgé par opposition à l'idée même de temps. Pour le concevoir et y aspirer, il faut exécrer le devenir, en ressentir le poids et la calamité, désirer à tout prix s'en arracher. Ce désir est le seul dont soit encore capable une volonté infirme, avide de se reposer et de se dissoudre ailleurs. Eussions-nous adhéré sans réserve à l'éternel présent que l'histoire n'eût pas eu lieu, ou, en tout cas, n'eût pas été synonyme de fardeau ou de supplice. Quand elle pèse trop sur nous et nous accable, une lâcheté sans nom s'empare de notre être : la perspective de nous débattre encore au milieu des siècles prend les proportions d'un cauchemar. Les facilités de l'âge mythologique nous tentent alors jusqu'à la souffrance ou, si nous avons fréquenté la Genèse, les divagations du regret nous transplantent dans l'hébétude bienheureuse du premier jardin, tandis que notre esprit évoque les anges et s'évertue à en pénétrer le secret. Plus nous songeons à eux, plus ils surgissent de notre lassitude, non sans quelque profit pour nous : ne nous permettent-ils pas d'apprécier le degré de notre inappartenance au monde, de notre inhabileté à nous y insérer ? Si impalpables, si irréels qu'ils soient, ils le sont cependant moins que nous qui y réfléchissons et les invoquons, ombres ou contrefaçons d'ombres, chair desséchée, souffle anéanti. Et c'est avec toutes nos misères, en fantômes oppressés, que nous pensons à eux et les implorons. Rien dans leur nature de «terrible» comme le prétend certaine élégie ; non, le terrible c'est d'en arriver à ne plus pouvoir s'entendre qu'avec eux, ou, quand nous les croyons à mille lieues de nous, de les voir soudain émerger du crépuscule de notre sang.

II

Les «sources de la vie», que les dieux, au dire du même Hésiode, nous ont cachées, Prométhée se chargea de nous les révéler. Responsable de tous nos malheurs, il n'en était pas conscient, bien qu'il se targuât de lucidité. Les propos que lui prête Eschyle sont trait pour trait à l'antipode de ceux que nous venons de lire dans *Les Travaux et les Jours* : «Autrefois les hommes voyaient, mais ils voyaient mal ; ils écoutaient mais ne comprenaient pas... Ils agissaient, mais toujours sans réflexion.» On voit le ton ; inutile de citer davantage. Ce qu'il leur reprochait en somme c'était de plonger dans l'idylle primordiale et de se conformer aux lois de leur nature, inentamée par la conscience. En les éveillant à l'esprit, en les séparant de ces «sources» dont ils jouissaient auparavant sans chercher à en sonder les profondeurs ou le sens, il ne leur dispensa pas le bonheur, mais la malédiction et les tourments du titanisme. La conscience, ils s'en passaient bien ; il vint la leur infliger, les y acculer, et elle suscita en eux un drame qui se prolonge en chacun de nous et qui ne s'achèvera qu'avec l'espèce. Plus les temps avancent, plus la conscience nous accapare, nous domine, et nous arrache à la vie ; nous voulons nous y accrocher de nouveau, et, faute d'y réussir, nous nous en prenons à l'une et à l'autre, puis en soupesons la signification et les données, pour, exaspérés, finir par nous en prendre à nous-mêmes. Cela, il ne l'avait pas prévu ce philanthrope funeste qui n'a d'excuse que l'illusion, tentateur malgré lui, serpent imprudent et malavisé. Les hommes *écoutaient*; qu'avaient-ils besoin de *comprendre*? Il les y contraignit, en les livrant au devenir, à l'histoire; en d'autres termes, en les chassant de l'éternel présent. Innocent ou coupable, qu'importe! Il mérita son châtiment.

Premier zélateur de la «science», un *moderne* dans la pire acception du mot, ses fanfaronnades et ses délires annoncent ceux de maint doctrinaire du siècle passé : ses souffrances seules nous consolent de tant d'extravagances. L'aigle, voilà quelqu'un qui a *compris*, et qui, devinant notre avenir, voulut nous en épargner les affres. Mais le branle était donné : les hommes avaient déjà pris goût aux manèges du séducteur qui, les modelant sur son image, leur apprit à fouiller comme lui dans les *dessous* de la vie, malgré l'interdiction des dieux. Les indiscrétions et les forfaits de la connaissance, cette curiosité meurtrière qui nous empêche de nous assortir au monde, il en est l'instigateur : en idéalisant le savoir et l'acte, n'a-t-il pas ruiné du même coup l'être, et, avec l'être, la possibilité de l'âge d'or? Les tribulations auxquelles il nous destinait, sans valoir les siennes, allaient pourtant durer plus longtemps. Son «programme», cohérent comme la fatalité, il l'a réalisé à merveille et... à rebours; tout ce qu'il nous aura prêché et imposé s'est tourné point par point d'abord contre lui, ensuite contre nous. On ne secoue pas impunément l'inconscience originelle; ceux qui, à son exemple, y portent atteinte, suivent inexorablement son sort : ils sont dévorés, ils ont, eux aussi, leur rocher et leur aigle. Et la haine dont ils le gratifient est d'autant plus virulente qu'ils se haïssent *en* lui.

III

*L*e passage à l'âge d'argent, puis à celui d'airain et de fer, marque la progression de notre déchéance, de notre éloignement de cet éternel présent dont nous ne concevons plus que le simulacre et avec lequel nous avons cessé d'avoir une frontière commune : il appartient à un autre univers, il nous échappe, et nous en sommes si distincts que nous ne parvenons guère à en soupçonner la nature. Nul moyen de nous l'approprier : l'avons-nous vraiment possédé jadis? et comment y reprendre pied quand rien ne nous en restitue l'image? Nous en sommes à jamais frustrés, et si nous en approchons quelquefois, le mérite en revient à ces extrémités de la satiété et de l'atonie où il n'est plus cependant que caricature de lui-même, parodie d'immuable, devenir prostré, figé dans une avarice intemporelle, recroquevillé sur un instant stérile, sur un trésor qui l'appauvrit, devenir spectral, démuni et pourtant comblé, car repu de vide. Pour des êtres à qui l'extase fut interdite, point d'ouverture sur leurs origines, sinon par l'extinction de leur vitalité, par l'absence de tout attribut, par cette sensation d'infinité creuse, de gouffre déprécié, d'espace en pleine inflation et de durée suppliante et nulle.

Il est une éternité vraie, positive, qui s'étend au-delà du temps; il en est une autre, négative, fausse, qui se situe en deçà: celle même où nous croupissons, loin du salut, hors de la compétence d'un rédempteur, et qui nous libère de tout en nous privant de tout. L'univers destitué, nous nous épuisons au spectacle de nos propres apparences. S'est-il atrophié l'organe qui nous permettait de percevoir le fond de notre être? et sommes-nous pour toujours réduits à nos semblants? Quand on dénombrerait tous les maux dont souffrent la chair et l'esprit, ils ne seraient encore rien auprès de celui qui vient de l'inaptitude à nous accorder à l'éternel présent, ou à lui voler, pour en jouir, ne fût-ce qu'une parcelle. Tombés sans recours dans l'éternité négative, dans ce temps éparpillé qui ne s'affirme qu'en s'annulant, essence réduite à une série de destructions, somme d'ambiguïtés, plénitude dont le principe réside dans le néant, nous vivons et mourons dans chacun de ses instants, sans savoir *quand* il est, car à la vérité il n'est jamais. Malgré sa précarité, nous y sommes si attachés que, pour nous en détourner, il nous faudrait plus qu'un bouleversement de nos habitudes: une lésion de l'esprit, une fêlure du moi, par où nous pourrions entrevoir l'indestructible et y accéder, faveur départie seulement à quelques réprouvés en récompense de leur consentement à leur propre ruine. Le reste, la quasi-totalité des mortels, tout en s'avouant incapables d'un tel sacrifice, ne renoncent pas à la quête d'un *autre* temps; ils s'y emploient au contraire avec acharnement, mais pour le placer ici-bas, selon les recommandations de l'utopie, qui tente de concilier l'éternel présent et l'histoire, les délices de l'âge d'or et les ambitions prométhéennes, ou, pour recourir à la terminologie biblique, de refaire l'Éden avec les moyens de la chute, en permettant ainsi au nouvel Adam de connaître les avantages de l'ancien. N'est-ce point là essayer de réviser la Création?

IV

L'idée qu'eut Vico de construire une « histoire idéale » et d'en tracer le « cercle éternel » se retrouve, appliquée à la société, dans les systèmes utopiques dont le propre est de vouloir résoudre une fois pour toutes la « question sociale ». D'où leur obsession du *définitif* et leur impatience d'instaurer le paradis au plus tôt, dans l'avenir immédiat, sorte de durée stationnaire, de Possible immobilisé, contrefaçon de l'éternel présent. « Si j'annonce, dit Fourier, avec tant de sécurité l'harmonie universelle comme très prochaine, c'est que l'organisation de l'État sociétaire n'exige pas plus de deux ans... » Aveu naïf s'il en fut, qui traduit cependant une réalité profonde. Nous lancerions-nous dans la moindre entreprise, sans la persuasion secrète que l'absolu dépend de nous, de nos idées et de nos actes, et que nous pouvons en assurer le triomphe dans un délai assez bref? Qui s'identifie complètement à quelque chose se comporte comme s'il escomptait l'avènement de « l'harmonie universelle » ou s'en croyait le promoteur. Agir, c'est s'ancrer dans un futur proche, si proche qu'il en devient presque tangible, c'est se sentir consubstantiel avec lui. Il n'en va pas de même pour ceux que persécute le démon de la procrastination. « Ce qu'on peut différer utilement, on peut plus utilement encore l'abandonner », se répètent-ils avec Épictète, bien que leur passion de l'ajournement ne procède pas, comme chez le stoïcien, d'une considération morale, mais d'un effroi presque méthodique et d'un écœurement trop invétéré pour qu'il ne prenne pas l'allure d'une discipline ou d'un vice. S'ils ont proscrit l'avant et l'après, évacué l'aujourd'hui et le demain, également inhabitables, c'est qu'il leur est plus aisé de vivre par l'imagination dans dix mille ans que de se prélasser dans l'immédiat et l'imminent. Au long des années ils auront plus pensé au temps en soi qu'au temps objectif, à l'indéfini qu'à l'efficace, à la fin du monde qu'à la fin d'une journée. Ne connaissant dans la durée ni dans l'étendue des moments ou des endroits privilégiés, ils passent de défaillance en défaillance, et quand cette progression même leur est interdite, ils s'arrêtent, regardent de tous côtés, interrogent l'horizon : il n'y a plus d'horizon... Et c'est alors qu'ils éprouvent, non point le vertige, mais la panique, une panique si forte qu'elle anéantit leurs pas et les empêche de fuir.

Ce sont des exclus, des bannis, des hors-le-temps, disjoints du rythme qui entraîne la tourbe, victimes d'une volonté anémiée et lucide, se débattant avec elle-même, et *s'écoutant* sans cesse. Vouloir, au sens plein du mot, c'est ignorer que l'on veut, c'est refuser de s'appesantir sur le phénomène de la volonté. L'homme d'action ne pèse ni ses impulsions ni ses mobiles, encore moins consulte-t-il ses réflexes : il leur obéit sans y réfléchir, et sans les gêner. Ce n'est pas l'acte en lui-même qui l'intéresse, mais le but, l'intention de l'acte ; pareillement, le retiendra l'objet, et non le mécanisme de la volonté. Aux prises avec le monde, il y cherche le définitif ou espère l'y introduire, tout de suite ou dans deux ans... Se manifester c'est se laisser aveugler par une forme quelconque de perfection : il n'est pas jusqu'au mouvement comme tel qui ne contienne un ingrédient utopique. Respirer même serait un supplice sans le souvenir ou le pressentiment du paradis, objet suprême — et pourtant inconscient — de nos désirs, essence informulée de notre mémoire et de notre attente. Incapables de le déceler dans le tréfonds de leur nature, trop pressés aussi pour pouvoir l'en extraire, les modernes devaient le projeter dans le futur, et c'est un raccourci de toutes leurs illusions que l'épigraphe du journal saint-simonien *Le Producteur* : « L'âge d'or, qu'une aveugle tradition a placé dans le passé, est devant nous. » Aussi importe-t-il d'en hâter l'avènement, de l'instaurer pour l'éternité, selon une eschatologie surgie, non point de l'anxiété, mais de l'exaltation et de l'euphorie, d'une avidité de bonheur suspecte et presque morbide. Le révolutionnaire pense que le bouleversement qu'il prépare sera le dernier ; nous pensons tous de même dans la sphère de nos activités : *l'ultime* est la hantise du vivant. Nous nous agitons parce qu'il nous revient, croyons-nous, d'achever l'histoire, de la clore, parce qu'elle nous apparaît comme notre domaine, ainsi du reste que la « vérité », sortie enfin de sa réserve pour se dévoiler à nous. L'erreur sera le lot des autres ; nous seuls aurons tout compris. Triompher de ses semblables, puis de Dieu, vouloir remanier son œuvre, en corriger les imperfections — qui ne s'y essaie pas, qui ne croit pas de son devoir de s'y essayer, renonce, soit sagesse, soit veulerie, à son propre destin. Prométhée voulut faire mieux que Zeus ; improvisés en démiurges, nous voulons, nous, faire mieux que Dieu, lui infliger l'humiliation d'un paradis supérieur au sien, supprimer l'irréparable, « défataliser » le monde pour emprunter un mot au jargon de Proudhon. Dans son dessein général, l'utopie est un rêve cosmogonique *au niveau de l'histoire*.

V

*O*n n'érigera pas le paradis ici-bas tant que les hommes seront marqués par le Péché ; il s'agit donc de les y soustraire, de les en libérer. Les systèmes qui s'y sont voués participent d'un pélagianisme plus ou moins déguisé. On sait que Pélage (un Celte, un naïf), en niant les effets de la chute, enlevait à la prévarication d'Adam tout pouvoir d'affecter la postérité. Notre premier ancêtre vécut un drame strictement personnel, encourut une disgrâce qui le regardait lui seul, sans connaître en aucune façon le plaisir de nous léguer ses tares et ses malheurs. Nés bons et libres, il n'est en nous nulle trace d'une corruption originelle.

On imagine difficilement doctrine plus généreuse et plus fausse ; c'est une hérésie de type utopique, féconde par ses outrances mêmes, par ses absurdités riches d'avenir. Non point que les auteurs d'utopies s'en soient inspirés directement ; mais on ne contestera pas que dans la pensée moderne il existe, hostile à l'augustinisme et au jansénisme, tout un courant pélagien — l'idolâtrie du progrès et les idéologies révolutionnaires en seront l'aboutissement — selon lequel nous formerions une masse d'élus *virtuels*, émancipés du péché d'origine, modelables à souhait, prédestinés au bien, susceptibles de toutes les perfections. Le manifeste de Robert Owen nous promet un système propre à créer « un nouvel *esprit* et une *nouvelle* volonté dans tout le genre humain, et à conduire ainsi chacun, par une nécessité irrésistible, à devenir conséquent, rationnel, sain de jugement et de conduite ».

Pélage, comme ses disciples lointains, part d'une vision farouchement optimiste de notre nature. Mais il n'est nullement prouvé que la volonté soit *bonne* ; il est même certain qu'elle ne l'est pas du tout, la nouvelle pas plus que l'ancienne. Seuls les hommes au vouloir déficient sont spontanément bons ; les autres doivent s'y appliquer, et n'y parviennent qu'au prix d'efforts qui les aigrissent. Le mal étant inséparable de l'acte, il en résulte que nos entreprises se dirigent nécessairement *contre* quelqu'un ou quelque chose ; à la limite, contre nous-mêmes. Mais d'ordinaire, nous y insistons, on ne *veut* qu'aux dépens d'autrui. Loin d'être plus ou moins des élus, nous sommes plus ou moins des réprouvés. Vous voulez construire une société où les hommes ne se nuisent plus les uns aux autres ? N'y faites entrer que des abouliques.

Nous n'avons en somme le choix qu'entre une volonté malade et une volonté mauvaise ; l'une excellente, parce que frappée, immobilisée, inefficace ; l'autre, nuisible, donc remuante, investie d'un principe dynamique : celle même qui entretient la fièvre du devenir et suscite les événements. Ôtez-la à l'homme, si vous misez sur l'âge d'or ! Autant vaudrait le dépouiller de son être, dont tout le secret réside dans cette propension à nuire sans laquelle on ne saurait le concevoir. Rétif et à son bonheur et à celui des autres, il agit comme s'il souhaitait l'instauration d'une société idéale ; qu'elle se réalise, il y étoufferait, les inconvénients de la satiété étant incomparablement plus grands que ceux de la misère. Il aime la tension, le perpétuel cheminement : vers quoi irait-il à l'intérieur de la perfection ? Inapte à l'éternel présent, il en redoute de plus la monotonie, écueil du paradis sous sa double forme : religieuse et utopique. L'histoire ne serait-elle pas, en dernière instance, le résultat de notre peur de l'ennui, de cette peur qui nous fera toujours chérir le piquant et la nouveauté du désastre, et préférer n'importe quel malheur à la stagnation ? L'obsession de l'inédit est le principe destructeur de notre salut. Nous marchons vers l'enfer dans la mesure où nous nous éloignons de la vie végétative, dont la passivité devrait constituer la clef de tout, la réponse suprême à toutes nos interrogations ; l'horreur qu'elle nous inspire a fait de nous cette horde de civilisés, de monstres omniscients qui ignorent l'essentiel. Se morfondre au ralenti, respirer sans plus, subir dignement l'injustice d'être, se soustraire à l'attente, à l'oppression de l'espoir, chercher un moyen terme entre la charogne et le souffle, nous sommes trop corrompus et trop haletants pour y atteindre. Décidément, rien ne nous réconciliera avec l'ennui. Pour y être moins rebelles, nous devrions, par quelque secours d'en haut, connaître une plénitude sans événements, la volupté de l'instant invariable, la délectation de l'identité. Mais une telle grâce est si contraire à notre nature que nous sommes trop heureux de ne la point recevoir. Enchaînés à la diversité, nous y puisons cette somme constante de déboires et de conflits, si nécessaire à nos instincts. Dégagés de soucis, et de toute entrave, nous serions livrés à nous-mêmes ; le vertige que nous en tirerions nous rendrait mille fois pires que ne le fait notre servitude. Cet aspect de notre déchéance échappa aux anarchistes, derniers pélagiens en date, qui eurent néanmoins sur leurs devanciers la supériorité de rejeter, par culte de la liberté, toutes les cités, à commencer par les «idéales», et d'y substituer une variété nouvelle de chimères, plus brillantes et plus improbables que les anciennes. S'ils s'insurgèrent contre l'État et en réclamèrent la suppression, c'est qu'ils y voyaient un obstacle à l'exercice d'une volonté foncièrement bonne; or, c'est précisément parce qu'elle est mauvaise que l'État est né; disparaîtrait-il qu'elle se complairait au mal sans restriction aucune. N'empêche que leur idée d'anéantir toute autorité demeure une des plus belles qu'on ait jamais conçues. Et eux qui voulurent la réaliser, on ne saurait assez déplorer que leur race se soit éteinte. Mais peut-être devaient-ils s'effacer et s'absenter d'un siècle comme le nôtre, si empressé à infirmer leurs théories et leurs prévisions. Ils annonçaient l'ère de l'individu : l'individu tire à sa fin; l'éclipse de l'État : il ne fut jamais plus fort ni plus encombrant, l'âge de l'égalité : c'est l'âge de la terreur qui est venu. Tout va se dégradant. Comparés aux leurs, il n'est pas jusqu'à nos attentats qui n'aient baissé en qualité : ceux que de loin en loin on daigne encore commettre manquent de cet arrière-plan d'absolu qui rachetait les leurs, exécutés toujours avec tant de soin et de brio! Personne aujourd'hui pour travailler à coups de bombes à l'établissement de «l'harmonie universelle», fiction capitale dont nous n'attendons plus rien... Que pourrions-nous d'ailleurs en espérer, à l'extrême de l'âge de fer où nous sommes parvenus? Le sentiment qui y prédomine, c'est le désabusement, somme de nos rêves avariés, Et si nous n'avons même pas la ressource de croire aux vertus de la destruction, c'est que, anarchistes désaffectés, nous en avons compris l'urgence, et l'inutilité.

VI

*L*a souffrance, à ses débuts, escompte l'âge d'or ici-bas, y cherche un appui, s'y fixe en quelque sorte; mais plus elle s'aggrave, plus elle s'en écarte, pour ne s'attacher qu'à elle-même. De complice qu'elle était des systèmes utopiques, elle se dresse maintenant contre eux, y discerne un danger mortel à la conservation de ses propres affres, dont elle vient de découvrir le charme. Avec le personnage du *Souterrain*, elle va plaider pour le chaos, s'insurger contre la raison, le «deux fois deux font quatre», contre le «palais de cristal», réplique du Phalanstère.

Qui a touché à l'enfer, au malheur planifié, en retrouvera la terrible symétrie dans la cité idéale, bonheur pour tous, auquel répugne quiconque a beaucoup souffert : Dostoïevski s'y montra hostile jusqu'à l'intolérance. Avec l'âge, il allait se définir de plus en plus par opposition aux idées fouriéristes de sa jeunesse ; ne pouvant se pardonner d'y avoir souscrit, il s'en vengea sur ses héros, caricatures... surhumaines de ses premières illusions. Ce qu'il détestait en eux, c'était ses anciens errements, les concessions qu'il avait faites à l'utopie, dont nombre de thèmes devaient cependant le poursuivre : quand, avec le grand Inquisiteur, il partage l'humanité en un troupeau heureux et une minorité ravagée, clairvoyante, qui en assume les destinées, ou lorsque, avec Pierre Verkhovenski, il veut faire de Stavroguine le chef spirituel de la cité future, un souverain pontife révolutionnaire et athée, ne s'inspire-t-il pas de la « prêtrise » que les saint-simoniens mettaient au-dessus des « producteurs » ou du projet d'Enfantin d'ériger Saint-Simon lui-même en pape de la religion nouvelle ? Il rapproche le catholicisme du « socialisme », il les identifie même, selon une optique qui participe de la méthode et du délire, mélange éminemment slave. Par rapport à l'Occident, tout en Russie se hausse d'un degré : le scepticisme y devient nihilisme, l'hypothèse dogme, l'idée icône. Chigalev ne profère pas plus d'insanités que n'en débite Cabet ; cependant il y met un acharnement qu'on ne trouve pas chez son modèle français. « Vous n'avez plus d'obsessions, nous seuls en avons encore », semblent dire les Russes aux Occidentaux, à travers Dostoïevski, l'obsédé par excellence, inféodé, comme tous ses personnages, à un seul rêve : celui de l'âge d'or, sans lequel, nous assure-t-il, « les peuples ne veulent pas vivre et ne peuvent même pas mourir ». Il n'en attend pas, lui, la réalisation dans l'histoire, il en redoute, au contraire, l'avènement, sans pour autant verser dans la « réaction », car il attaque le « progrès », non pas au nom de l'ordre, mais du caprice, du droit au caprice. Après avoir rejeté le paradis à venir, va-t-il *sauver* l'autre, l'ancien, l'immémorial ? Il en fera le sujet d'un songe qu'il prêtera successivement à Stavroguine, à Versilov et à « l'homme ridicule ». « Il y a au musée de Dresde un tableau de Claude Lorrain qui figure au catalogue sous le titre d'*Acis et Galatée*... C'est ce tableau que je vis en rêve, non comme un tableau pourtant, mais comme une réalité. C'était de même que dans le tableau un coin de l'Archipel grec, et j'étais, semble-t-il, revenu plus de trois mille ans en arrière. Des flots bleus et caressants, des îles et des rochers, des rivages florissants ; au loin, un panorama enchanteur, l'appel du soleil couchant... C'était ici le berceau de l'humanité... Les hommes se réveillaient et s'endormaient heureux et innocents ; les bois retentissaient de leurs joyeuses chansons, le surplus de leurs forces abondantes s'épanchait dans l'amour, dans la joie naïve. Et je le sentais tout en discernant l'avenir immense qui les attendait et dont ils ne se doutaient même pas, et mon cœur frémissait à ces pensées. » (*Les Démons*, La Pléiade.)

Versilov, à son tour, fera le même rêve que Stavroguine, avec cette différence toutefois que ce soleil couchant lui apparaîtra soudain, non plus comme celui du début, mais comme celui de la fin de « l'humanité européenne ». Dans *L'Adolescent*, on le voit, ce tableau s'assombrit quelque peu ; il s'assombrira tout à fait dans « Le songe d'un homme ridicule ». L'âge d'or et ses clichés y sont présentés avec plus de minutie et de fougue que dans les deux rêves précédents : une vision de Claude Lorrain commentée par un Hésiode sarmate. Nous sommes sur la terre « avant qu'elle fût souillée par le péché originel ». Les hommes y vivaient « dans une sorte d'amoureuse ferveur, universelle et réciproque », avaient des enfants, mais sans connaître les horreurs de la volupté et de l'enfantement, erraient à travers des bois en chantant des hymnes, et, plongés dans une extase perpétuelle, ignoraient la jalousie, la colère, les maladies, etc. Tout cela reste encore conventionnel. Heureusement pour nous, leur bonheur, qui semblait éternel, devait à l'épreuve se révéler précaire : « l'homme ridicule » arriva chez eux, et les pervertit tous. Avec l'apparition du mal, les clichés disparaissent, le tableau s'anime. — « Telle une maladie infectieuse, un atome de peste susceptible de contaminer tout un empire, ainsi je contaminai par ma présence une terre de délices jusqu'à moi innocente. Ils apprirent à mentir et se complurent dans le mensonge et apprirent la beauté du mensonge. Peut-être tout cela commença-t-il fort innocemment, par simple badinage, par coquetterie, comme une sorte de jeu plaisant, et peut-être effectivement au moyen de quelque atome, mais cet atome de mensonge s'insinua dans leur cœur et leur parut aimable. Peu après naquit la volupté ; la volupté engendra la jalousie, la jalousie la cruauté... Ah ! je ne sais, je ne m'en souviens plus, mais bientôt, très vite, le sang jaillit en première éclaboussure : ils en furent étonnés, effrayés, ils commencèrent à s'éloigner les uns des autres, à se séparer. Il se forma des alliances, mais à présent dirigées contre les autres. Reproches et blâmes se firent entendre. Ils apprirent ce que c'est que la honte, et de la honte ils se firent une vertu. Le sentiment de l'honneur naquit chez eux et au-dessus de chaque alliance brandit son étendard. Ils se mirent à maltraiter les bêtes, et les bêtes s'éloignant d'eux pour gagner le fond des forêts leur devinrent hostiles. Une ère de luttes s'ouvrit en faveur du particularisme, de l'individualisme, de la personnalité, de la distinction du mien et du tien. Il y eut diversité de langages. Ils apprirent la tristesse et aimèrent la tristesse; ils aspirèrent à la souffrance et dirent que la vérité ne s'acquiert que par la souffrance. Et la science fit chez eux son apparition. Devenus méchants, c'est alors qu'ils se mirent à parler de fraternité et d'humanité et qu'ils comprirent ces idées-là. Devenus criminels, c'est alors qu'ils inventèrent la justice et se dictèrent des codes complets pour la conserver; puis, afin d'assurer le respect de ces codes, ils instituèrent la guillotine. Ils n'eurent plus qu'un vague souvenir de ce qu'ils avaient perdu, même ils ne voulaient pas croire qu'ils avaient jadis été innocents et heureux. Ils ne laissaient pas de railler la possibilité de leur ancien bonheur qu'ils nommaient un songe. » (Voir *Journal d'un écrivain*, Gallimard.)

Mais il y a pire : ils allaient découvrir que la conscience de la vie est supérieure à la vie et la connaissance des «lois du bonheur» supérieure au bonheur. Dès lors, ils étaient perdus; en les divisant d'avec eux-mêmes par l'œuvre démoniaque de la science, en les précipitant de l'éternel présent dans l'histoire, «l'homme ridicule» n'a-t-il pas réédité à leur égard les erreurs et les folies de Prométhée?

Son forfait une fois perpétré, le voilà qui prêche, à l'instigation du remords, une croisade pour la reconquête de ce monde de délices qu'il vient de ruiner. Il s'y engage, mais il n'y croit pas vraiment. Ni l'auteur non plus, telle est du moins notre impression : après avoir repoussé les formules de l'Avenir, il ne se tourne vers son obsession préférée, vers la félicité immémoriale, que pour en démêler l'inconsistance et la fantasmagorie. Atterré par sa découverte, il essaiera d'en atténuer les effets, de ranimer ses illusions, de sauver, ne fût-ce qu'en idée, son rêve le plus cher. Il n'y réussira pas, il le sait tout comme nous, et sa pensée, nous la dénaturons à peine en affirmant qu'elle conclut à la *double impossibilité du paradis*.

Au reste, n'est-ce point révélateur que, pour décrire le paysage idyllique des trois versions du songe, il ait eu recours à Claude Lorrain dont, tout comme Nietzsche, il aimait les fades enchantements? (Quel abîme suppose une prédilection aussi déconcertante!) Mais dès l'instant qu'il s'agit de dépeindre la désagrégation du bonheur originel, le décor et les vertiges de la chute, il n'em-

prunte plus à personne, il puise en lui-même, écarte toute suggestion étrangère ; il cesse même d'imaginer et de rêver, il *voit*. Et il
se retrouve enfin dans son élément, au cœur de l'âge de fer, pour
l'amour duquel il avait combattu le «palais de cristal» et sacrifié
l'Éden.

VII

*P*uisqu'une voix aussi autorisée
nous a instruits de la fragilité de l'ancien âge d'or et de la nullité
du futur, force nous sera d'en tirer les conséquences et de ne plus
nous laisser leurrer aux divagations d'Hésiode ni à celles de Prométhée, encore moins à la synthèse qu'en ont tentée les utopies.
L'harmonie, universelle ou non, n'a existé ni n'existera jamais.
Quant à la justice, pour la croire possible, pour simplement l'imaginer, il faudrait bénéficier d'un don d'aveuglement surnaturel,
d'une élection inaccoutumée, d'une grâce divine renforcée d'une
grâce diabolique, compter, de plus, sur un effort de générosité du
ciel et de l'enfer, effort, à vrai dire, hautement improbable, d'un
côté comme de l'autre. Au témoignage de Karl Barth, nous ne
pourrions «même pas garder un souffle de vie si, au plus profond
de nous, il n'existait cette certitude : Dieu est juste». — Il en est
pourtant qui vivent toujours sans connaître cette certitude, sans
même l'avoir jamais connue. Quel est leur secret, et, sachant ce
qu'ils savent, par quel miracle respirent-ils encore ?
Si impitoyables que soient nos refus, nous ne détruisons pas tout à
fait les objets de notre nostalgie : nos rêves survivent à nos éveils
et à nos analyses. Le paradis, nous avons beau cesser de croire à
sa réalité géographique ou à ses figurations diverses, il n'en réside
pas moins en nous comme une donnée suprême, comme une
dimension de notre moi originel ; il s'agit maintenant de l'y découvrir. Quand nous y parvenons, nous entrons dans cette gloire que
les théologiens appellent *essentielle* ; mais ce n'est pas Dieu que
nous voyons face à face, c'est l'éternel présent, conquis sur le
devenir et sur l'éternité elle-même... Qu'importe dès lors l'histoire ! elle n'est pas le siège de l'être, elle en est l'absence, le *non*
de toute chose, la rupture du vivant avec lui-même ; n'étant point
pétris de la même substance qu'elle, il nous répugne de coopérer
encore à ses convulsions. Libre à elle de nous écraser, elle atteindra nos apparences et nos impuretés seulement, ces *restes de*

temps que nous traînons toujours, symboles d'échec, marques d'indélivrance.

Le remède à nos maux, c'est en nous qu'il nous le faut chercher, dans le principe intemporel de notre nature. Si l'irréalité d'un tel principe était démontrée, prouvée, nous serions perdus sans appel. Quelle démonstration, quelle preuve pourraient cependant prévaloir contre la persuasion intime, passionnée, qu'une partie de nous échappe à la durée, contre l'irruption de ces instants où Dieu fait double emploi avec une clarté surgie soudain à nos confins, béatitude qui nous projette loin en nous-mêmes, saisissement hors de l'univers ? Plus de passé, ni d'avenir ; les siècles s'évanouissent, la matière abdique, les ténèbres sont épuisées ; la mort paraît ridicule, et ridicule la vie elle-même. Et ce saisissement, ne l'eussions-nous éprouvé qu'une seule fois, qu'il suffirait à nous raccommoder avec nos hontes et nos misères dont il est sans doute la récompense. C'est comme si *tout* le temps était venu nous visiter, une dernière fois, avant de disparaître… Inutile de remonter après vers le paradis ancien ou de courir vers le futur : l'un est inaccessible, l'autre irréalisable. Ce qui importe en revanche c'est d'intérioriser la nostalgie ou l'attente, nécessairement frustrées lorsqu'elles se tournent au-dehors, et de les contraindre à déceler, ou à créer en nous le bonheur que respectivement nous regrettons ou nous escomptons. Point de paradis, sinon au plus profond de notre être, et comme dans le moi du moi ; encore faut-il pour l'y trouver avoir fait le tour de tous les paradis, des révolus et des possibles, les avoir aimés et haïs avec la maladresse du fanatisme, scrutés et rejetés ensuite avec la compétence de la déception.

Dira-t-on que nous substituons un fantôme à un autre, que les fables de l'âge d'or valent bien l'éternel présent auquel nous songeons, et que le moi originel, fondement de nos espoirs, évoque le vide et s'y ramène en fin de compte ? Soit ! Mais un vide qui dispense la plénitude ne contient-il pas plus de réalité que n'en possède l'histoire dans son ensemble ?

"Hanter l'Être n'est point leurre."

MANUSCRIT DE LA PREMIÈRE PAGE DE L'ESSAI CONSACRÉ
PAR CIORAN À SAINT-JOHN PERSE (*EXERCICES D'ADMIRATION*, 1986);
ET DÉDICACES À CIORAN DE SAINT-JOHN PERSE (*OISEAUX*, 1962),
BECKETT (*TÊTES-MORTES*, 1967), IONESCO (*LE BLANC ET LE NOIR*, 1981),
PAZ (*VIENTO ENTERO*, 1965) ET MICHAUX (*VENTS ET POUSSIÈRES*, 1962).

SAINT-JOHN PERSE

OISEAUX

AU VENT D'ARLES

Pour vous, mon cher Cioran,
dont la pensée, pour moi, signifiera
toujours plus que vous ne croyez,
intellectuellement et humainement

St. John Perse

Paris, 1962

SAMUEL BECKETT

TÊTES-MORTES

*pour Cioran
affectueusement
Sam. Beckett
Paris avril 1972*

☆m

LES ÉDITIONS DE MINUIT

D'UN OUVRAGE ABAN

tion et réponse aussi
devenir maboul. Je les
mieux, pressant le pa
prennent, secouant
avec fureur, fusill
œil affolé, poussa
qu'au cri, ce son
ils ne devraien
il y a un vice
fin je m'en
de fois j'ai
atrocité. C'est
la fin, et pourtant la
être bien loin, je vais toi
allant mon chemin pour ne pl
relever ou me lover pour la nuit comme
d'habitude parmi les rochers et avant
l'aube plus personne. Oh je sais que
moi aussi je vais finir et être comme
avant d'être, sauf que tout bu au lieu
d'à boire, ça fait mon bonheur, et souvent mon murmure faiblit et se meurt
et je pleure de bonheur tout en allant
mon chemin et d'amour de cette vieille
terre qui me porte depuis si longtemps
sans jamais se plaindre comme moi

21

EUGÈNE IONESCO

LE BLANC
ET LE NOIR

nrf

GALLIMARD

A E. Ciaran,
maestro lúcido de vértigos,
Admiración y amistad,
Octavio Paz

Viento Entero

OCTAVIO PAZ

VIENTO ENTERO

Delhi, 1965

Delhi, a 5 de noviembre de 1965

À Cioran,

Mon camarade je rencontre dans tes livres et aussi dans les rues de ce quartier qui aussitôt s'élargit alors comme une steppe

fidèlement

Henri Michaux

HENRI MICHAUX

Vents

et

Poussières

KARL FLINKER PARIS

LA CHUTE

DANS LE TEMPS

Écrit en français ; publié à Paris en 1964.

L'ARBRE DE VIE

——————————————— *I*l n'est pas bon pour l'homme de se rappeler à chaque instant qu'il est homme. Se pencher sur soi est déjà mauvais ; se pencher sur l'espèce, avec le zèle d'un obsédé, est encore pire : c'est prêter aux misères arbitraires de l'introspection un fondement objectif et une justification philosophique. Tant qu'on triture son moi, on a le recours de penser qu'on cède à une lubie ; dès que tous les moi deviennent le centre d'une interminable rumination, par un détour on retrouve généralisés les inconvénients de sa condition, son propre accident érigé en norme, en cas universel.

Nous percevons tout d'abord l'anomalie du fait brut d'exister et ensuite seulement celle de notre situation spécifique : l'étonnement *d'être* précède l'étonnement d'être *homme*. Cependant le caractère insolite de notre état devrait constituer la donnée primordiale de nos perplexités : il est moins *naturel* d'être homme que d'être tout court. Cela, nous le sentons instinctivement ; d'où cette volupté toutes les fois que nous nous détournons de nous-mêmes pour nous identifier au sommeil bienheureux des objets. Nous ne sommes réellement nous-mêmes que lorsque, dressés en face de soi, nous ne coïncidons avec rien, pas même avec notre singularité. La malédiction qui nous accable pesait déjà sur notre premier ancêtre, bien avant qu'il se tournât vers l'arbre de la connaissance. Insatisfait de lui-même, il l'était encore plus de Dieu qu'il enviait sans en être conscient ; il allait le devenir grâce aux bons offices du tentateur, auxiliaire plutôt qu'auteur de sa ruine. Il vivait auparavant dans le pressentiment du savoir, dans une science qui s'ignorait elle-même, dans une *fausse* innocence, propice à l'éclosion de la jalousie, vice qu'enfante le commerce avec plus chanceux que soi ; or, notre ancêtre frayait avec Dieu, l'épiait et en était épié. Rien de bon ne pouvait en résulter.

« Tu peux manger de tous les arbres du jardin, mais tu ne mangeras pas de l'arbre de la connaissance du bien et du mal, car le jour où tu en mangeras, tu mourras certainement. » — L'avertissement d'en haut se révéla moins efficace que les suggestions d'en bas : meilleur psychologue, le serpent l'emporta. L'homme, du reste, ne demandait qu'à mourir ; voulant égaler son Créateur par le savoir, non par l'immortalité, il n'avait nul désir d'approcher de l'arbre de vie, n'y portait aucun intérêt ; c'est ce dont Yahweh parut s'aviser, puisqu'il ne lui en interdit même pas l'accès : pourquoi craindre l'immortalité d'un *ignorant* ? Que l'ignorant s'attaquât aux deux arbres, et qu'il entrât en possession et de l'éternité et de la science, tout changeait. Dès qu'Adam goûta au fruit incriminé, Dieu, comprenant enfin à qui il avait affaire, s'affola. En plaçant l'arbre de la connaissance au milieu du jardin, en en vantant les mérites et surtout les dangers, il commit une grave imprudence, il alla au-devant du désir le plus secret de la créature. Lui défendre l'*autre* arbre eût été d'une meilleure politique. S'il ne l'a pas fait, c'est qu'il savait sans doute que l'homme, aspirant sournoisement à la dignité de monstre, ne se laisserait pas séduire par la perspective de l'immortalité *comme telle*, trop accessible, trop banale : n'était-elle pas la loi, le statut du lieu ? Autrement pittoresque, la mort, investie du prestige de la nouveauté, pouvait en revanche intriguer un aventurier, disposé à risquer pour elle sa paix et sa sécurité. Paix et sécurité assez relatives, il est vrai, car le récit de la chute nous permet d'entrevoir qu'au cœur même de l'Éden le promoteur de notre race devait ressentir un *malaise*, faute de quoi on ne saurait expliquer la facilité avec laquelle il céda à la tentation. Il y céda ? il l'appela plutôt. En lui se manifestait déjà cette inaptitude au bonheur, cette incapacité de le supporter dont nous avons tous hérité. Il l'avait sous la main, il pouvait se l'approprier pour toujours, il le rejeta, et depuis nous le poursuivons sans le retrouver ; le retrouverions-nous que nous ne nous en accommoderions pas davantage. Qu'attendre d'autre d'une carrière commencée par une infraction à la sagesse, par une infidélité au *don d'ignorance* que le Créateur nous avait dispensé ? Précipités par le savoir dans le temps, nous fûmes du même coup dotés d'un destin. Car il n'y a de destin qu'en dehors du paradis.

Si nous étions déchus d'une innocence complète, totale, *vraie* en somme, nous la regretterions avec une telle véhémence que rien ne pourrait prévaloir contre notre désir de la recouvrer ; mais le poison était déjà en nous, au commencement, mal indistinct encore, qui allait par la suite se définir et s'emparer de nous pour nous marquer, pour nous individualiser à jamais. Ces moments où une négativité essentielle préside à nos actes et à nos pensées, où l'avenir est périmé avant de naître, où un sang dévasté nous inflige la certitude d'un univers aux mystères dépoétisés, fou d'anémie, affaissé sur lui-même, et où tout se résout en un soupir spectral, réplique à des millénaires d'épreuves inutiles, ces moments ne seraient-ils pas le prolongement et l'aggravation de ce malaise initial sans lequel l'histoire n'eût pas été possible, ni même concevable, puisque, tout comme elle, il est fait d'intolérance à la moindre forme de béatitude stationnaire ? Cette intolérance, cette horreur même, en nous empêchant de trouver en nous notre raison d'exister, nous a fait faire un bond hors de notre identité et comme hors de notre nature. Disjoints de nous-mêmes, il nous restait de l'être de Dieu : une telle ambition, conçue déjà dans l'innocence de jadis, comment ne pas la nourrir maintenant que nous n'avons plus aucune obligation envers lui ? Et de fait, tous nos efforts et toutes nos connaissances tendent à l'amoindrir, le mettent en question, entament son intégrité. Le désir de connaître, empreint de perversité et de corruption, plus il nous tient, plus il nous rend incapables de demeurer *à l'intérieur* de quelque réalité que ce soit. Qui en est possédé agit en profanateur, en traître, en agent de dissolution ; toujours à côté ou en dehors des choses, quand il lui arrive cependant de s'y insinuer, c'est à la manière du ver dans le fruit. Si l'homme avait eu la moindre vocation pour l'éternité, au lieu de courir vers l'inconnu, vers le nouveau, vers les ravages qu'entraîne l'appétit d'analyse, il se fût contenté de Dieu, dans la familiarité duquel il prospérait. Il aspira à s'en émanciper, à s'en arracher, et y a réussi au-delà de ses espérances. Après avoir brisé l'unité du paradis, il s'employa à briser celle de la terre en y introduisant un principe de morcellement qui devait en détruire l'ordonnance et l'anonymat. Auparavant il mourait sans doute, mais la mort, accomplissement dans l'indistinction primitive, n'avait pas pour lui le sens qu'elle a acquis depuis, ni n'était chargée des attributs de l'irréparable. Dès que, séparé du Créateur et du créé, il devint *individu*, c'est-à-dire fracture et fissure de l'être, et que, assumant son nom jusqu'à la provocation, il sut qu'il était mortel, son orgueil s'en agrandit, non moins que son désarroi. Il mourait enfin à sa façon, il en était fier, mais il mourait tout à fait, ce qui l'humiliait. Ne voulant plus d'un dénouement qu'il avait âprement souhaité, il finit par se tourner, plein de regrets, vers les animaux, ses compagnons d'autrefois : les plus vils comme les plus nobles, tous acceptent leur sort, s'y complaisent ou s'y résignent ; aucun d'eux n'a suivi son exemple, ni imité sa rébellion. Les plantes, mieux que les bêtes, jubilent d'être créées : l'ortie même respire encore en Dieu et s'y prélasse ; lui seul y étouffe, et n'est-ce point cette sensation de suffocation qui l'incita à se singulariser dans la création, à y faire figure de proscrit consentant, de réprouvé volontaire ? Le reste des êtres vivants, du fait même qu'ils se confondent avec leur condition, ont une certaine supériorité sur lui. Et c'est quand il les jalouse, quand il languit après leur gloire impersonnelle, qu'il comprend la gravité de son cas. La vie, qu'il a fuie par curiosité de la mort, en vain tentera-t-il de la rattraper : jamais de plain-pied avec elle, il sera toujours en deçà ou au-delà. Plus elle se dérobe, plus il aspire à s'en saisir et à la subjuguer ; n'y parvenant pas, il mobilise toutes les ressources de sa volonté inquiète et torturée, son unique appui : un inadapté exténué et cependant infatigable, sans racines, conquérant parce que précisément déraciné, un nomade ensemble foudroyé et indompté, avide de remédier à ses insuffisances, et, devant l'échec, violentant tout autour de lui, un dévastateur accumulant méfait sur méfait par rage de voir qu'un insecte obtient sans peine ce que lui, par tant d'efforts, ne saurait acquérir. Ayant perdu le secret de la vie et emprunté un trop grand détour pour pouvoir le retrouver et réapprendre, il s'éloigne chaque jour un peu plus de son ancienne innocence, il déchoit sans arrêt de l'éternité. Peut-être pourrait-il encore se sauver s'il daignait rivaliser avec Dieu seulement en subtilité, en nuances, en discernement ; mais non, il prétend au même degré de puissance. Tant de superbe ne pouvait naître que dans l'esprit d'un dégénéré, muni d'une charge d'existence limitée, contraint, en raison de ses déficiences, d'augmenter artificiellement ses moyens d'action et de suppléer à ses instincts compromis par des instruments propres à le rendre redoutable. Et s'il est devenu effectivement redoutable, c'est parce que sa capacité de dégénérer ne connaît pas de limites. Alors qu'il eût dû s'en tenir au silex et, en fait de raffinements techniques, à la brouette, avec une dextérité de démon il invente et manie des outils qui proclament l'étrange suprématie d'un déficient, d'un spécimen biologiquement déclassé dont personne n'eût pu deviner qu'il s'élèverait à une nocivité aussi ingénieuse. Ce n'est pas lui, c'est le lion ou le tigre qui aurait dû occuper la place qu'il détient dans l'échelle des créatures. Mais ce ne sont jamais les forts, ce sont les faibles qui visent au pouvoir et y atteignent, par l'effet combiné de la ruse et du délire. N'éprouvant nul besoin d'ajouter à sa force, qui est réelle, un fauve ne s'abaisse pas à l'outil. Parce qu'en tout l'homme était un animal *anormal*, peu doué pour subsister et s'affirmer, violent par défaillance et non par vigueur, intraitable à partir d'une position de faiblesse, agressif à cause de son inadaptation même, il lui revenait de chercher les moyens d'une réussite qu'il n'eût pu réaliser ni même imaginer si sa complexion eût répondu aux impératifs de la lutte pour l'existence. S'il exagère en tout, si l'hyperbole est chez lui nécessité vitale, c'est que, désaxé et débridé au départ, il ne peut se fixer à ce qui est, ni constater ou subir le réel sans vouloir le transformer et l'outrer. Dépourvu de tact, de cette science *innée* de la vie, inhabile de plus à discerner l'absolu dans l'immédiat, il apparaît, dans l'ensemble de la nature, comme un épisode, une digression, une hérésie, comme un trouble-fête, un extravagant, un fourvoyé qui a tout compliqué, même sa peur, devenue chez lui, en s'aggravant, peur de lui-même, effroi devant son sort de crevé séduit par l'énorme, en butte à une fatalité qui intimiderait un dieu. Le tragique étant son privilège, il ne peut pas ne pas sentir qu'il a plus de *destin* que son Créateur; d'où son orgueil, et sa frayeur, et ce besoin de se fuir et de produire pour escamoter sa panique, pour éviter la rencontre avec soi. Il préfère s'abandonner aux actes, mais, en s'y livrant, il ne fait en réalité qu'obéir aux injonctions d'une peur qui le soulève et le fouette, et qui le paralyserait s'il essayait de réfléchir sur elle et d'en prendre une conscience nette. Quand, apaisé, il semble s'acheminer vers l'inerte, c'est elle qui remonte à sa surface et détruit son équilibre. Le malaise même qu'il éprouvait au milieu du paradis n'était peut-être qu'une peur *virtuelle*, début, ébauche d'« âme ». Nul moyen de vivre à la fois dans l'innocence et la peur, surtout quand cette dernière est soif de tourments, ouverture vers le funeste, convoitise d'inconnu. Nous cultivons le frisson en soi, nous escomptons le nuisible, le péril pur, à la différence des animaux qui *aiment* à trembler seulement devant un danger précis, unique moment du reste où, glissant vers l'humain et s'y laissant choir, ils nous ressemblent; car la peur — sorte de courant psychique qui traverserait soudain la matière autant pour la vivifier que pour la désorganiser — apparaît comme une préfiguration, comme une possibilité de conscience, voire comme la conscience des êtres qui en manquent... À tel point elle nous définit que nous ne pouvons plus en remarquer la présence, si ce n'est quand elle se relâche ou se retire, dans ces intervalles sereins qu'elle imprègne néanmoins et qui réduisent le bonheur à une douce, à une agréable anxiété. Auxiliaire de l'avenir, elle nous stimule et, en nous empêchant de vivre à l'unisson avec nous-mêmes, elle nous oblige à nous affirmer *par la fuite*.

Telle qu'elle est, nul ne saurait s'en passer s'il veut agir ; le délivré seul s'en affranchit et fête un double triomphe : sur elle et sur soi ; c'est qu'il a abdiqué sa qualité et sa tâche d'homme, et ne participe plus à cette durée gonflée de terreur, à ce galop à travers les siècles que nous a imposé une forme d'effroi dont nous sommes, en définitive, l'objet et la cause.

Si Dieu a pu avancer qu'il était «celui qui est», l'homme, tout à l'opposé, pourrait se définir «celui qui n'est pas». Et c'est justement ce manque, ce déficit d'existence qui, réveillant par réaction sa morgue, l'incite au défi ou à la férocité. Ayant déserté ses origines, troqué l'éternité contre le devenir, maltraité la vie en y projetant sa jeune démence, il émerge de l'anonymat par une succession de reniements qui en font le grand *transfuge de l'être*. Exemple d'antinature, son isolement n'a d'égal que sa précarité. L'inorganique se suffit à lui-même ; l'organique est dépendant, menacé, instable ; le conscient est quintessence de caducité. Jadis, nous jouissions de tout, sauf de la conscience ; maintenant que nous la possédons, que nous en sommes harcelés et qu'elle se dessine à nos yeux comme l'antipode exact de l'innocence primordiale, nous n'arrivons ni à l'assumer ni à l'abjurer. Trouver n'importe où plus de réalité qu'en soi, c'est reconnaître qu'on a fait fausse route et qu'on mérite sa déchéance.

Dilettante malgré tout au paradis, l'homme a cessé de l'être dès qu'il en fut chassé : n'a-t-il pas procédé aussitôt à la conquête de la terre avec un sérieux et une application dont on ne l'aurait pas cru capable ? Cependant il porte en lui et sur lui quelque chose d'irréel, de non terrestre, qui se dévoile dans les pauses de sa fébrilité. À force de vague et d'équivoque, il est d'ici, et il n'est pas d'ici. Quand on l'observe pendant ses absences, dans ces moments où sa course se ralentit ou se suspend, ne perçoit-on pas dans son regard l'exaspération ou le remords d'avoir gâché non seulement sa première patrie, mais encore cet exil dont il fut si impatient, si avide ? Une ombre aux prises avec des simulacres, un somnambule qui *se voit* marcher, qui contemple ses mouvements sans en discerner la direction ni la raison. La forme de savoir pour laquelle il a opté est un attentat, un péché si l'on veut, une indiscrétion criminelle à l'égard de la création, qu'il a réduite à un amas d'objets devant lesquels il se dresse, il se hausse en destructeur, dignité qu'il soutient par bravade plutôt que par courage, à preuve cet air décontenancé qu'il eut déjà lors de l'affaire du fruit ; du coup, il se sentit seul au milieu de l'Éden, et il allait se sentir plus seul encore au milieu de la terre où, du fait de la malédiction spéciale qui l'affecte, il devait constituer «un empire dans un empire». Clairvoyant, et insensé, il n'a pas son pareil : vraie entorse aux lois de la nature, rien ne permettait d'en prévoir l'apparition. Était-il *nécessaire*, lui qui, au moral, est plus difforme que ne l'étaient, au physique, les dinosauriens ? À le considérer, à se pencher sur lui sans complaisance, on saisit pourquoi on n'en fait pas impunément un sujet de réflexion. L'appesantissement d'un monstre sur un autre monstre rend doublement monstrueux : *oublier* l'homme, et jusqu'à l'idée qu'il incarne, devrait former le préambule de toute thérapeutique. Le salut vient de l'être, non des êtres, car nul ne guérit au contact de leurs maux.

Si l'humanité s'attacha pendant si longtemps à l'absolu, c'était parce qu'elle ne pouvait trouver en elle-même un principe de santé. La transcendance possède des vertus curatives : sous quelque déguisement qu'il se présente, un dieu signifie un pas vers la guérison. Même le diable représente pour nous un recours plus efficace que nos semblables. Nous étions plus *sains* quand, implorant ou exécrant une force qui nous dépassait, nous pouvions user sans ironie de la prière et du blasphème. Dès que nous fûmes condamnés à nous-mêmes, notre déséquilibre s'accentua. Se libérer de l'obsession de soi, point d'impératif plus urgent. Mais un infirme peut-il s'abstraire de son infirmité, du vice même de son essence ? Promus au rang d'incurables, nous sommes matière endolorie, chair hurlante, os rongés de cris, et nos silences eux-mêmes ne sont que lamentations étranglées. Nous souffrons, à nous seuls, beaucoup plus que le reste des êtres, et notre tourment, empiétant sur le réel, s'y substitue et en tient lieu, de sorte que celui qui souffrirait absolument serait absolument conscient, donc tout à fait coupable à l'égard de l'immédiat et du réel, termes corrélatifs au même titre que souffrance et conscience.

Et c'est parce que nos maux dépassent en nombre et en virulence ceux de toutes les créatures réunies que les sages s'appliquent à nous enseigner l'impassibilité, à laquelle, pas plus que nous, ils n'arrivent à s'élever. Personne ne peut se vanter d'en avoir rencontré un seul qui fût parfait, alors que nous côtoyons toutes sortes d'extrêmes en bien et en mal : des exaltés, des écorchés, des prophètes, quelquefois des saints... Nés par un acte d'insubordination et de refus, nous étions mal préparés à l'indifférence. Vint ensuite le savoir pour nous y rendre tout à fait impropres. Le principal grief à retenir contre lui est qu'il ne nous a pas aidés à vivre. Mais était-ce bien là sa fonction ? Ne nous sommes-nous pas tournés vers lui pour qu'il nous confirme dans nos desseins perni-

La CHUTE DANS LE TEMPS

cieux, pour qu'il favorise nos rêves de puissance et de négation ?
L'animal le plus immonde vit, en un certain sens, mieux que nous.
Sans aller chercher dans les égouts des recettes de sagesse, comment ne pas reconnaître les avantages qu'a sur nous un rat, justement parce qu'il est rat et rien d'autre ? Toujours différents, nous
ne sommes nous-mêmes que dans la mesure où nous nous écartons de notre définition, l'homme, selon le mot de Nietzsche, étant
das noch nicht festgestellte Tier, l'animal dont le type n'est pas
encore déterminé, fixé. Obnubilés par la métamorphose, par le
possible, par la grimace imminente de nous-mêmes, nous accu-
mulons de l'irréel et nous nous dilatons dans le faux, car dès qu'on
se sait et qu'on se sent homme, on vise au gigantisme, on veut
paraître plus grand que nature. L'animal raisonnable est le seul
animal égaré, le seul qui, au lieu de persister dans sa condition
première, s'employa à s'en forger une autre, au mépris de ses
intérêts et comme par impiété à l'égard de sa propre image. Moins
inquiet que mécontent (l'inquiétude exige une issue, débouche
sur la résignation), il se complaît dans une insatisfaction qui frise
le vertige. Ne s'assimilant jamais entièrement à lui-même ni au
monde, c'est dans cette partie de soi qui répugne à s'identifier
avec ce qu'il éprouve ou entreprend, c'est dans cette zone d'absence, dans ce hiatus entre lui et lui-même, entre lui-même et
l'univers, que se dévoile son originalité et s'exerce sa faculté de
non-coïncidence qui le maintient dans un état d'*insincérité* non
seulement envers les êtres, ce qui est légitime, mais encore et surtout envers les choses, ce qui l'est moins. Double à la racine,
crispé et tendu, sa duplicité, comme sa crispation et sa tension,
dérivent encore de son manque d'existence, de sa déficience en
substance qui le condamne aux excès du vouloir. Plus on *est*,
moins on *veut*. Nous précipitent vers l'acte le non-être en nous,
notre débilité et notre inadaptation. Et l'homme, le débile et l'inadapté par excellence, c'est sa prérogative et son malheur de s'astreindre à des tâches incommensurables avec ses forces, de
tomber en proie à la volonté, stigmate de son imperfection, moyen
certain de s'affirmer et de s'effondrer...
Au lieu de s'évertuer à se retrouver, à se rencontrer avec soi, avec
son fonds intemporel, il a tourné ses facultés vers l'extérieur, vers
l'histoire. Les eût-il intériorisées, en eût-il modifié l'exercice et la
direction, qu'il eût réussi à assurer son salut. Que n'a-t-il fourni
un effort opposé à celui qu'exige l'adhésion au temps ! On dépense
autant d'énergie pour se sauver que pour se perdre. En se perdant, il prouve que, prédisposé à l'échec, il avait ce qu'il fallait de

force pour y échapper, à condition toutefois de se refuser aux manœuvres du devenir. Mais dès qu'il en connut la séduction, il s'y abandonna, il en fut grisé : état de grâce à base d'ivresse, que seul dispense le consentement à l'irréalité. Tout ce qu'il a entrepris depuis participe de l'accoutumance à l'insubstantiel, de l'illusion acquise, de l'habitude d'envisager comme existant ce qui ne l'est pas. Spécialisé dans les apparences, exercé aux riens (sur quoi et par quoi d'autre pourrait-il satisfaire sa soif de domination ?), il amasse des connaissances qui en sont le reflet, mais de vraie connaissance il n'en a point : sa fausse science, réplique de sa fausse innocence, le détournant de l'absolu, tout ce qu'il sait ne mérite pas d'être su. L'antinomie est complète entre penser et méditer, entre sauter d'un problème à l'autre et entre creuser un seul et même problème. Par la méditation on ne perçoit l'inanité du divers et de l'accidentel, du passé et de l'avenir, que pour mieux s'engouffrer dans l'instant sans bornes. Il est mille fois préférable de faire vœu de folie ou de se détruire en Dieu que de prospérer à la faveur de simulacres. Une prière inarticulée, répétée intérieurement jusqu'à l'hébétude ou l'orgasme, pèse plus lourd qu'une idée, que toutes les idées. Prospecter n'importe quel monde, sauf celui-ci, s'abîmer dans un hymne silencieux à la vacuité, se lancer dans l'apprentissage de *l'ailleurs*...

Connaître véritablement, c'est connaître *l'essentiel*, s'y engager, y pénétrer par le regard et non par l'analyse ni par la parole. Cet animal bavard, tapageur, tonitruant, qui exulte dans le vacarme (le *bruit* est la conséquence directe du péché originel), il faudrait qu'il fût réduit au mutisme, car jamais il n'approchera des sources inviolées de la vie s'il pactise encore avec les mots. Et tant qu'il ne sera pas affranchi d'un savoir métaphysiquement *superficiel*, il persévérera dans cette contrefaçon d'existence où il manque d'assises, de consistance, et où tout chez lui porte à faux. À mesure qu'il dilapide son être, il s'emploie à vouloir au-delà de ses ressources ; il veut avec désespoir, avec furie, et lorsqu'il aura épuisé le semblant de réalité qu'il possède, il voudra plus passionnément encore, jusqu'à l'anéantissement ou au ridicule. Inapte à vivre, il feint la vie ; c'est la raison pour laquelle, son culte de l'imminent approchant de l'extase, il tombe en défaillance devant ce qu'il ignore, recherche et redoute, devant l'instant qu'il attend, où il espère exister et où il existera aussi peu que dans l'instant d'avant. N'ont point d'avenir ceux qui vivent dans l'idolâtrie du lendemain. Ayant dépouillé le présent de sa dimension éternelle, il ne leur reste que la volonté, leur grand recours — et leur grand châtiment.

L'homme relève d'ordres incompatibles, contradictoires, et notre espèce, en ce qu'elle a d'unique, se place comme hors des règnes. Bien qu'extérieurement nous ayons tout de la bête et rien de la divinité, la théologie rend mieux compte de notre état que ne fait la zoologie. Dieu est une anomalie; l'animal ne l'est pas; or, comme Dieu, nous dérogeons au type, nous existons par nos irréductibilités. Plus nous sommes en marge des choses, plus nous comprenons celui qui est en marge de tout; peut-être même ne comprenons-nous bien que lui seul... Son cas nous plaît et nous fascine, et son anomalie, qui est *suprême*, nous apparaît comme l'achèvement, comme l'expression idéale de la nôtre. Cependant nos relations avec lui sont troubles : ne pouvant l'aimer sans équivoque ni arrière-pensées, nous le questionnons, nous l'accablons de nos interrogations. Le savoir, dressé sur la ruine de la contemplation, nous a éloignés de l'union essentielle, du regard transcendant qui abolit l'étonnement et le problème.

En marge de Dieu, du monde et de soi, toujours en marge! On est d'autant plus homme qu'on sent mieux ce paradoxe, qu'on y songe, et que l'on perçoit le caractère de non-évidence qui s'attache à notre destinée; car il est *incroyable* que l'on puisse être homme..., que l'on dispose de mille faces et d'aucune, et qu'on change d'identité à chaque instant sans se départir pourtant de sa déchéance. Divisés d'avec le réel, divisés d'avec soi, comment pourrions-nous faire fond sur nous ou sur les autres? Si les purs et les naïfs nous ressemblent si peu, s'ils ne relèvent pas de notre race, c'est que, faute de *s'épanouir*, de se laisser aller à eux-mêmes, ils sont restés à mi-chemin entre le paradis et l'histoire. Œuvre d'un virtuose du fiasco, l'homme a été raté sans doute, mais raté magistralement. Il est extraordinaire jusque dans sa médiocrité, prestigieux lors même qu'on l'abomine. À mesure que l'on réfléchit sur lui, on conçoit néanmoins que le Créateur se soit «affligé dans son cœur» de l'avoir créé. Partageons sa déception sans renchérir sur elle, sans tomber dans le dégoût, sentiment qui nous révèle seulement les dehors de la créature, et non ce qu'il y a en elle de profond, de suprahistorique, de *positivement* irréel et non terrestre, de réfractaire aux fictions de l'arbre de la connaissance du bien et du mal. Fictions, car dès que nous envisageons un acte comme bon ou mauvais, il ne fait plus partie de notre substance, mais de cet être surajouté que nous a octroyé le savoir, cause de notre glissement hors de l'immédiat, hors du vécu. Qualifier, *nommer* les actes, c'est céder à la manie d'exprimer des opinions; or, comme l'a dit un sage, les opinions sont des «tumeurs» qui détruisent l'intégrité de notre nature et la nature elle-même. Si nous pouvions nous abstenir d'en émettre, nous entrerions dans la vraie innocence et, brûlant les étapes *en arrière*, par une régression salutaire nous renaîtrions sous l'arbre de vie. Empêtrés dans nos évaluations, et plus disposés à nous passer d'eau et de pain que du bien et du mal, comment recouvrer nos origines, comment avoir encore des liens directs avec l'être? Nous avons péché contre lui, et l'histoire, résultat de notre égarement, nous n'en comprenons le sens que si nous la considérons comme une longue expiation, un repentir haletant, une course où nous excellons *sans croire à nos pas*. Plus rapides que le temps, nous le dépassons, tout en imitant son imposture et ses façons. De même, en compétition avec Dieu, nous singeons ses côtés douteux, son côté démiurge, cette partie de lui qui l'entraîna à créer, à concevoir une œuvre qui devait l'appauvrir, le diminuer, le précipiter dans une *chute*, préfiguration de la nôtre. L'entreprise amorcée, il nous laissa le soin de la parachever, puis rentra en soi, dans son éternelle apathie, d'où il eût été préférable qu'il ne sortît jamais. Puisqu'il en jugea différemment, qu'attendre de nous autres? L'impossibilité de s'abstenir, la hantise du faire dénote, à tous les niveaux, la présence d'un principe démoniaque. Quand nous sommes portés à l'outrance, à la démesure, au *geste*, nous suivons plus ou moins consciemment celui qui, se ruant sur le non-être afin d'en extraire l'être et de nous le livrer en pâture, se fit l'instigateur de nos futures usurpations. Il doit exister en Lui une lumière funeste qui s'accorde avec nos ténèbres. Reflet dans le temps de cette clarté maudite, l'histoire manifeste et prolonge la dimension non divine de la divinité.

Apparentés à Dieu, il serait malséant de le traiter en étranger, sans compter que notre solitude, à une échelle plus modeste, évoque la sienne. Mais si modeste soit-elle, elle ne nous écrase pas moins, et quand elle s'abat sur nous comme une punition et qu'elle demande pour être endurée des capacités, des talents surnaturels — où nous réfugier, sinon auprès de celui qui, l'épisode de la création mis à part, fut toujours coupé de tout? Le seul va vers le plus seul, vers *le* seul, vers celui dont les côtés négatifs restent, depuis l'aventure du savoir, notre unique partage. Il n'en eût pas été de même si nous avions incliné vers la Vie. Nous aurions connu alors une autre face de la divinité et peut-être, aujourd'hui, enveloppés d'une lumière pure, non entachée de ténèbres ni d'aucun élément diabolique, serions-nous aussi incurieux et aussi exempts de la mort que le sont les anges.

Pour n'avoir pas été dans nos commencements à la hauteur, nous courons, nous fuyons vers l'avenir. Notre avidité et notre frénésie ne viendraient-elles pas du remords d'être passé *à côté* de la vraie innocence, dont le souvenir ne peut pas ne pas nous harceler ? Malgré notre précipitation et la concurrence que nous faisons au temps, nous ne saurions étouffer les appels surgis des profondeurs de notre mémoire marquée par l'image du paradis, du véritable, qui n'est pas celui de l'arbre de science, mais de l'arbre de vie, dont le chemin, en représailles de la transgression d'Adam, allait être gardé par des chérubins à l'«épée tournoyante». Lui seul vaut d'être reconquis, lui seul mérite l'effort de nos regrets. Et c'est toujours lui que mentionne l'Apocalypse (II, 7) pour le promettre aux «victorieux», à ceux dont la ferveur n'aura jamais vacillé. Ainsi ne figure-t-il qu'au premier et au dernier livre de la Bible, comme un symbole à la fois du début et de la fin des temps.

Si l'homme n'est pas près d'abdiquer ou de reconsidérer son cas, c'est qu'il n'a pas encore tiré les dernières conséquences du savoir et du pouvoir. Convaincu que son moment viendra, qu'il lui appartient de rattraper Dieu et de le dépasser, il s'attache — en *envieux* — à l'idée d'évolution, comme si le fait d'*avancer* dût nécessairement le porter au plus haut degré de perfection. À vouloir être autre, il finira par n'être rien ; il n'est déjà plus rien. Sans doute évolue-t-il, mais *contre* lui-même, aux dépens de soi, vers une complexité qui le ruine. Devenir et progrès sont notions en apparence voisines, en fait divergentes. Tout change, c'est entendu, mais rarement, sinon jamais, pour le mieux. Infléchissement euphorique du malaise originel, de cette fausse innocence qui éveilla chez notre ancêtre le désir du nouveau, la foi à l'évolution, à l'identité du devenir et du progrès, ne s'écroulera que lorsque, parvenu à la limite, à l'extrémité de son égarement, l'homme, tourné enfin vers le savoir qui mène à la délivrance et non à la puissance, sera à même d'opposer irrévocablement un *non* à ses exploits et à son œuvre. Que s'il continue à s'y cramponner, point de doute qu'il n'entre alors dans une carrière de dieu risible ou d'animal démodé, solution commode autant que dégradante, ultime étape de son infidélité à lui-même. Quel que soit le choix vers lequel il s'oriente, et bien qu'il n'ait pas épuisé toutes les vertus de sa déchéance, il est néanmoins tombé si bas qu'on a du mal à comprendre pourquoi il ne prie pas sans cesse, jusqu'à l'extinction de sa voix et de sa raison.

Puisque tout ce qu'on a conçu et entrepris depuis Adam est ou suspect ou dangereux ou inutile, que faire ? Se désolidariser de l'espèce? Ce serait oublier qu'on n'est jamais autant homme que lorsqu'on regrette de l'être. Et ce regret, une fois qu'il s'empare de vous, nul moyen de l'éluder : il devient aussi inévitable et aussi pesant que l'air... Certes, la plupart respirent sans s'en rendre compte, sans y réfléchir; qu'un jour le souffle leur manque, ils verront comment l'air, converti soudain en problème, les hantera à chaque instant. Malheur à ceux qui *savent* qu'ils respirent, malheur encore plus à ceux qui savent qu'ils sont hommes. Hors d'état de penser à autre chose, ils y songeront toute leur vie en obsédés, en oppressés. Mais ils méritent leur tourment, pour avoir cherché, friands d'insoluble, un sujet torturant, un sujet sans fin. L'*homme* ne leur donnera pas un moment de répit, l'homme a du chemin encore à parcourir... Et comme il avance en vertu de l'illusion acquise, pour s'arrêter il faudrait que l'illusion s'effritât et disparût; mais elle est indestructible tant qu'il demeure complice du temps.

PORTRAIT DU CIVILISÉ

L'acharnement à bannir du paysage humain l'irrégulier, l'imprévu et le difforme frise l'inconvenance. Que dans certaines tribus on se plaise encore à dévorer des vieillards trop encombrants, nous pouvons sans doute le déplorer; quant à traquer des sybarites aussi pittoresques, nous n'y consentirons jamais, sans compter que le cannibalisme représente un modèle d'économie fermée, en même temps qu'un usage propre à séduire un jour une planète comble. Mon propos n'est pas toutefois de m'apitoyer sur le sort des anthropophages, bien qu'on les pourchasse sans merci, qu'ils vivent dans la terreur et qu'ils soient aujourd'hui les grands perdants. Convenons-en : leur cas n'est pas nécessairement excellent. Ils se font du reste de plus en plus rares : une minorité aux abois, dépourvue de confiance en elle-même, incapable de plaider sa cause. Toute différente nous apparaît la situation des analphabètes, masse considérable, attachée à ses traditions et à ses privilèges, contre laquelle on sévit avec une virulence que rien ne justifie. Car enfin est-ce un mal que de ne savoir lire ni écrire? En toute franchise, je ne puis le penser. Je vais même plus loin, je pose en fait que lorsque le dernier illettré aura disparu, nous pourrons prendre le deuil de l'homme.

L'intérêt que le civilisé porte aux peuples dits arriérés est des plus suspects. Inapte à se supporter davantage, il s'emploie à se décharger sur eux du surplus des maux qui l'accablent, il les engage à goûter à ses misères, il les conjure d'affronter un destin qu'il ne peut plus braver seul. À force de considérer la chance qu'ils ont de n'avoir pas «évolué», il éprouve à leur égard les ressentiments d'un risque-tout, déconfit et désaxé. De quel droit restent-ils à l'écart, en dehors du processus de dégradation qu'il endure, lui, depuis si longtemps et auquel il ne parvient pas à se soustraire? La civilisation, son œuvre, sa folie, lui apparaît comme un châtiment qu'il s'est infligé et qu'il voudrait à son tour faire subir à ceux qui y ont échappé jusqu'ici. «Venez en partager les calamités, soyez solidaires de mon enfer», tel est le sens de sa sollicitude pour eux, tel est le fond de son indiscrétion et de son zèle. Excédé par ses tares et, plus encore, par ses «lumières», il n'a de cesse qu'il ne les impose à ceux qui en sont heureusement exempts. Il procédait déjà ainsi même à une époque où, point encore «éclairé» ni las de soi, il se livrait à sa cupidité, à sa soif d'aventures et d'infamies. Les Espagnols, au sommet de leur carrière, durent sans doute se sentir oppressés tant par les exigences de leur foi que par les rigueurs de l'Église. Ils s'en vengèrent par la Conquête.

Travaillez-vous à la conversion d'un autre? Ce ne sera jamais pour opérer en lui le salut, mais pour l'obliger à pâtir *comme vous*, pour qu'il s'expose aux mêmes épreuves et les traverse avec la même impatience. Vous veillez, vous priez, vous vous tourmentez? Que l'autre justement en fasse autant, qu'il soupire, qu'il hurle, qu'il se débatte au milieu des mêmes tortures que vous. L'intolérance est le fait d'esprits ravagés dont la foi se ramène à un supplice plus ou moins voulu qu'ils aimeraient voir généralisé, institué. Le bonheur d'autrui n'ayant jamais été un mobile ni un principe d'action, on ne l'invoque que pour se donner bonne conscience ou se couvrir de nobles prétextes : à quelque acte que l'on se détermine, l'impulsion qui y conduit et en précipite l'exécution est presque toujours inavouable. Personne ne sauve personne; car on ne sauve que soi, et on y arrive d'autant mieux qu'on déguise en convictions le malheur qu'on veut distribuer et prodiguer. Si prestigieuses qu'en soient les apparences, le prosélytisme n'en dérive pas moins d'une générosité douteuse, pire dans ses effets qu'une agressivité patente. Nul n'est disposé à supporter seul la discipline qu'il a pourtant assumée ni le joug auquel il a consenti. La vindicte perce sous l'allégresse du missionnaire et de l'apôtre. Ce n'est point pour libérer, c'est pour enchaîner qu'on s'applique à convertir.

Dès que quelqu'un se laisse prendre à une certitude, il jalouse vos opinions flottantes, votre résistance aux dogmes ou aux slogans, votre bienheureuse incapacité de vous y inféoder. Rougissant en secret d'appartenir à une secte ou à un parti, honteux de posséder une vérité et de s'y être asservi, il n'en voudra pas à ses ennemis déclarés, à ceux qui en détiennent une autre, mais à vous, à l'Indifférent, coupable de n'en poursuivre aucune. Pour fuir l'esclavage où il est tombé, cherchez-vous refuge dans le caprice ou l'approximation? Il mettra tout en œuvre pour vous en empêcher, pour vous contraindre à une servitude analogue et, si possible, identique à la sienne. Le phénomène est si universel qu'il dépasse le secteur des certitudes pour englober celui de la renommée. Les Lettres, comme de raison, en fourniront la pénible illustration. Quel écrivain jouissant d'une certaine notoriété ne finit pas par en souffrir, par éprouver le malaise d'être connu ou compris, d'avoir un public, si restreint soit-il? Envieux de ses amis qui se prélassent dans le confort de l'obscurité, il s'efforcera de les en tirer, de troubler leur paisible orgueil, afin qu'eux aussi essuient les mortifications et les anxiétés du succès. Pour y parvenir, n'importe quelle manœuvre lui paraîtra légitime. Dès lors, leur vie deviendra un cauchemar. Il les harcèle, il les presse de produire et de s'exhiber, il contrarie leur aspiration à une gloire clandestine, rêve suprême des délicats et des abouliques. Écrivez, publiez, leur répète-t-il avec rage, avec impudeur. Les malheureux s'exécutent, sans se douter de ce qui les attend. Lui seul le sait. Il les guette, il vante leurs divagations timides avec violence et démesure, avec une chaleur de forcené, et, pour les précipiter dans l'abîme de l'actualité, il leur trouve ou leur invente des fervents et des disciples, il les fait suivre par une tourbe de lecteurs, d'assassins omniprésents et invisibles. Le forfait perpétré, il se calme et s'éclipse, comblé par le spectacle de ses protégés en proie aux mêmes tourments et aux mêmes hontes que lui, hontes et tourments que résume bien la formule de je ne sais plus quel écrivain russe : «On pourrait perdre la raison, à la seule pensée qu'on est lu.»

Tout comme l'auteur frappé et contaminé par la célébrité s'évertue à l'étendre à ceux qui n'en sont pas encore atteints, ainsi le civilisé, victime d'une conscience exacerbée, s'escrime à en communiquer les affres aux peuples réfractaires à ses écartèlements. Cette division d'avec soi qui le harasse et le mine, comment accepter qu'ils s'y refusent, qu'ils en soient incurieux et qu'ils la rejettent? Ne négligeant aucun artifice à sa disposition pour les faire fléchir, pour les amener à lui ressembler et à parcourir le même calvaire que le sien, il les appâtera par sa civilisation, dont les prestiges, finissant par les éblouir, les empêcheront de démêler ce qu'elle pourrait avoir de bon de ce qu'elle a de mauvais. Et ils en imiteront les côtés nocifs seulement, tout ce qui fait d'elle un fléau concerté et méthodique. Étaient-ils jusque-là inoffensifs et débonnaires? ils voudront désormais être forts et menaçants, à la grande satisfaction de leur bienfaiteur, conscient qu'en fait ils seront, à son exemple, forts et menacés. Il s'intéressera donc à eux et les «assistera». Quel soulagement de les contempler tandis qu'ils s'embrouillent dans les mêmes problèmes que lui et qu'ils s'ébranlent vers la même fatalité! En faire des compliqués, des obsédés, des détraqués, c'est tout ce qu'il souhaitait. Leur jeune ferveur pour l'outil et le luxe, pour les mensonges de la technique, le rassure et le remplit d'aise : des condamnés de plus, des compagnons d'infortune inespérés, capables de l'assister à leur tour, de prendre sur eux une partie du fardeau qui l'écrase ou, tout au moins, d'en porter un aussi lourd que le sien. C'est ce qu'il appelle «promotion», mot bien choisi pour camoufler et sa perfidie et ses plaies.

Des restes d'humanité, on n'en trouve encore que chez les peuples qui, distancés par l'histoire, ne mettent aucune hâte à la rattraper. À l'arrière-garde des nations, nullement effleurés par la tentation du projet, ils cultivent leurs vertus démodées, ils se font un devoir de dater. «Rétrogrades», ils le sont assurément, et persévéreraient volontiers dans leur stagnation, s'ils avaient les moyens de s'y maintenir. Mais on ne le leur permet pas. Le complot que les autres, les «avancés», trament contre eux, est trop habilement mené pour qu'ils parviennent à le déjouer. Une fois déclenché le processus d'abaissement, par rage de n'avoir pu s'y opposer, ils s'emploieront, avec le sans-gêne des néophytes, à en accélérer le cours, à en épouser et outrer l'horreur, selon la loi qui fait toujours prévaloir un mal nouveau sur un bien ancien. Et ils voudront se mettre à la page, ne fût-ce que pour montrer aux autres qu'eux aussi s'entendent à déchoir, qu'ils peuvent même, en matière de déchéance, les surpasser. À quoi bon s'en étonner ou s'en plaindre? Ne voit-on pas partout les simulacres l'emporter sur l'essence, la trépidation sur le repos? Et ne dirait-on pas qu'on assiste à l'agonie de l'indestructible? Tout pas en avant, toute forme de dynamisme comporte quelque chose de satanique : le «progrès» est l'équivalent moderne de la Chute, la version profane de la damnation. Et ceux qui y croient et en sont les promoteurs, nous tous en définitive, que sommes-nous sinon des réprouvés en marche, prédestinés à l'immonde, à ces machines, à ces villes, dont seul un désastre exhaustif pourrait nous débarrasser. Ce serait là pour nos inventions l'occasion ou jamais de prouver leur utilité et de se réhabiliter à nos yeux.

Si le «progrès» est un si grand mal, comment se fait-il que nous n'entreprenions rien pour nous en défaire sans plus tarder? Mais voulons-nous le bien? N'est-ce pas plutôt notre lot de ne pas le vouloir réellement? Dans notre perversité, c'est le «mieux» que nous voulons et poursuivons : poursuite néfaste, en tout point contraire à notre bonheur. On ne se «perfectionne» ni on n'avance impunément. Le mouvement, nous savons qu'il est une hérésie ; et c'est précisément pour cela qu'il nous tente, que nous nous y jetons et que, dépravés irrémédiablement, nous le préférons à l'orthodoxie de la quiétude. Nous étions faits pour végéter, pour nous épanouir dans l'inertie, et non pour nous perdre par la vitesse, et par l'hygiène, responsable du foisonnement de ces êtres désincarnés et aseptiques, de cette fourmilière de fantômes où tout frétille et rien ne vit. Une certaine dose de saleté étant indispensable à l'organisme (physiologie et crasse sont termes interchangeables), la perspective d'une propreté à l'échelle du globe inspire une appréhension légitime. Nous aurions dû, pouilleux et sereins, nous en tenir à la compagnie des bêtes, croupir à leurs côtés pendant des millénaires encore, respirer l'odeur des étables plutôt que celle des laboratoires, mourir de nos maladies et non de nos remèdes, tourner autour de notre vide et nous y enfoncer doucement. L'*absence*, qui eût dû être un devoir et une hantise, nous y avons substitué l'événement ; or tout événement nous entame et nous ronge, puisqu'il ne surgit qu'aux dépens de notre équilibre et de notre durée. Plus notre avenir se rétrécit, plus nous nous laissons choir dans ce qui nous ruine. La civilisation, notre drogue, nous en sommes tellement intoxiqués que notre attachement pour elle présente les caractères d'un phénomène d'accoutumance, mélange d'extase et d'exécration. Telle qu'elle est, elle nous achèvera, nul doute là-dessus ; quant à y renoncer et à nous en affranchir, nous ne le pouvons, aujourd'hui moins que jamais. Qui volerait à notre secours pour nous en délivrer ? Un Antisthène, un Épicure, un Chrysippe, qui trouvaient trop compliquées les mœurs antiques, que penseraient-ils des nôtres, et lequel d'entre eux, transplanté dans nos métropoles, aurait assez de trempe pour y conserver sa sérénité ? À tous égards plus sains et plus équilibrés que nous, les anciens eussent pu se passer d'une sagesse ; ils en élaborèrent une néanmoins ; ce qui nous disqualifie à jamais c'est que nous n'en avons ni le souci ni la capacité. N'est-ce point significatif que le premier parmi les modernes à avoir, par idolâtrie de la nature, dénoncé avec vigueur les méfaits du civilisé, ait été le contraire d'un sage ? Nous devons le diagnostic de notre mal à un insensé, plus marqué, plus atteint que nous tous, à un maniaque avéré, précurseur et modèle de nos délires. Non moins significatif nous apparaît l'avènement plus récent de la psychanalyse, thérapeutique sadique, attachée à irriter nos maux plutôt qu'à les calmer, et singulièrement experte dans l'art de substituer à nos malaises naïfs des malaises alambiqués.

Tout besoin, en nous dirigeant vers la surface de la vie pour nous en dérober les profondeurs, confère du prix à ce qui n'en a pas, à ce qui ne saurait en avoir. La civilisation, avec tout son appareil, se fonde sur notre propension à l'irréel et à l'inutile. Consentirions-nous à réduire nos besoins, à ne satisfaire que les nécessaires, elle s'écroulerait sur l'heure. Aussi, pour durer, s'astreint-elle à nous en créer toujours de nouveaux, à les multiplier sans trêve, car la pratique généralisée de l'ataraxie entraînerait pour elle des conséquences bien plus graves qu'une guerre de destruction totale. En ajoutant aux inconvénients fatals de la nature des inconvénients gratuits, elle nous contraint à souffrir doublement, elle diversifie nos tourments et renforce nos infirmités. Qu'on ne vienne pas nous ressasser qu'elle nous a guéris de la peur. En fait, la corrélation est évidente entre la multiplication de nos besoins et l'accroissement de nos terreurs. Nos désirs, sources de nos besoins, suscitent en nous une inquiétude constante, autrement intolérable que le frisson éprouvé, dans l'état de nature, devant un danger fugitif. Nous ne tremblons plus par à-coups ; nous tremblons sans relâche. Qu'avons-nous gagné au changement de la peur en anxiété ? Et qui balancerait entre une panique instantanée, et une autre, diffuse et permanente ? La sécurité dont nous nous targuons dissimule une agitation ininterrompue qui envenime tous nos instants, ceux du présent et ceux du futur, et les rend, les uns non avenus, les autres inconcevables. Nos désirs, se confondant avec nos terreurs, heureux celui qui n'en ressent aucun ! À peine en éprouvons-nous un qu'il en engendre un autre, dans une suite aussi lamentable que malsaine. Appliquons-nous plutôt à subir le monde et à considérer chaque impression que nous en recevons comme une impression *imposée*, qui ne nous concerne pas, que nous supportons comme si elle n'était pas nôtre. « Rien ne m'appartient de ce qui m'arrive, rien n'est mien », dit le Moi lorsqu'il se persuade qu'il n'est pas d'ici, qu'il s'est trompé d'univers, et qu'il n'a le choix qu'entre l'impassibilité et l'imposture.

Préposé aux apparences, chaque désir, en nous faisant faire un pas hors de notre essence, nous cloue à un nouvel objet et limite notre horizon. Cependant, à mesure qu'il s'exaspère, il nous permet de discerner cette soif morbide dont il est l'émanation. Cesse-t-il d'être naturel, relève-t-il de notre condition de civilisés ? foncièrement impur, il perturbe et souille jusqu'à notre substance. Est vice tout ce qui s'ajoute à nos impératifs profonds, tout ce qui nous déforme et nous trouble sans nécessité. Le rire et le sourire même sont vices. Est vertu en revanche tout ce qui nous induit à vivre à contre-courant de notre civilisation, tout ce qui nous invite à en compromettre et saboter la marche. Pour ce qui est du bonheur, si ce mot a un sens, il consiste dans l'aspiration au minimum et à l'inefficace, dans *l'en deçà* érigé en hypostase. Notre unique recours : renoncer non seulement au fruit des actes, mais aux actes mêmes, s'astreindre au non-rendement, laisser inexploitées une bonne partie de nos énergies et de nos chances. Coupables de vouloir nous réaliser au-delà de nos capacités ou de nos mérites, ratés *par excès*, inaptes au véritable accomplissement, nuls à force de tension, grands par épuisement, par la dilapidation de nos ressources, nous nous dépensons sans tenir compte de nos virtualités ni de nos limites. D'où notre lassitude, aggravée par les efforts mêmes que nous avons déployés pour nous accoutumer à la civilisation, à tout ce qu'elle implique de corruption tardive. Que la nature, elle aussi, soit corrompue, on ne saurait le nier ; mais cette corruption sans date est un mal immémorial et inévitable, dont nous nous accommodons d'office, alors que celui de la civilisation, issu de nos œuvres ou de nos caprices, d'autant plus accablant qu'il nous semble fortuit, porte la marque d'une option ou d'une fantaisie, d'une fatalité préméditée ou arbitraire ; à tort ou à raison, nous croyons qu'il aurait pu ne pas surgir, qu'il n'eût tenu qu'à nous pour qu'il ne se produisît point. Ce qui achève de nous le rendre encore plus odieux qu'il n'est. Nous sommes inconsolables d'avoir à l'endurer et à faire face aux misères subtiles qui en découlent, quand nous pouvions nous contenter de celles grossières, et, tout compte fait, supportables, dont la nature nous a largement pourvus.

Si nous étions en mesure de nous arracher aux désirs, nous nous arracherions du même coup au destin ; supérieurs aux êtres, aux choses, et à nous-mêmes, rétifs à nous amalgamer davantage au monde, par le sacrifice de notre identité nous accéderions à la liberté, inséparable d'un entraînement à l'anonymat et à l'abdication. «Je suis *personne*, j'ai vaincu mon nom ! » s'exclame celui qui, ne voulant plus s'abaisser à laisser de traces, essaie de se conformer à l'injonction d'Épicure : «Cache ta vie.» Ces anciens, nous revenons toujours à eux dès qu'il s'agit de l'art de vivre dont deux mille ans de sur-nature et de charité convulsive nous ont fait perdre le secret. Nous revenons à eux, à leur pondération et à leur aménité, pour peu que tombe cette frénésie que nous a inculquée le christianisme ; la curiosité qu'ils éveillent en nous correspond à une diminution de notre fièvre, à un recul vers la santé. Et nous revenons encore à eux parce que l'intervalle qui les sépare de l'univers étant plus vaste que l'univers même, ils nous proposent une forme de détachement que nous chercherions vainement auprès des saints.

En faisant de nous des frénétiques, le christianisme nous préparait malgré lui à enfanter une civilisation dont il est maintenant la victime : n'a-t-il pas créé en nous trop de besoins, trop d'exigences ? Ces exigences, ces besoins, intérieurs au départ, allaient se dégrader et se tourner vers le dehors, comme la ferveur dont émanaient tant de prières suspendues brusquement, ne pouvant s'évanouir ni rester sans emploi, devait se mettre au service de dieux de rechange et forger des symboles à la mesure de leur nullité. Nous voilà livrés à des contrefaçons d'infini, à un absolu sans dimension métaphysique, plongés dans la vitesse, faute de l'être dans l'extase. Cette ferraille haletante, réplique de notre bougeotte, et ces spectres qui la manipulent, ce défilé d'automates, cette procession d'hallucinés ! Où vont-ils, que cherchent-ils ? quel souffle de démence les emporte ? Chaque fois que j'incline à les absoudre, que je conçois des doutes sur la légitimité de l'aversion ou de la terreur qu'ils m'inspirent, il me suffit de songer aux routes de campagne, le dimanche, pour que l'image de cette vermine motorisée m'affermisse dans mes dégoûts ou mes effrois. L'usage des jambes étant aboli, le marcheur, au milieu de ces paralytiques au volant, a l'air d'un excentrique ou d'un proscrit ; bientôt il fera figure de monstre. Plus de contact avec le sol : tout ce qui y plonge nous est devenu étranger et incompréhensible. Coupés de toute racine, inaptes en outre à frayer avec la poussière ou la boue, nous avons réussi l'exploit de rompre non seulement avec l'intimité des choses, mais avec leur surface même. La civilisation, à ce stade, apparaîtrait comme un pacte avec le diable, si l'homme avait encore une âme à vendre.

Est-ce vraiment pour « gagner du temps » que furent inventés ces engins ? Plus démuni, plus déshérité que le troglodyte, le civilisé n'a pas un instant à soi ; ses loisirs mêmes sont fiévreux et oppressants : un forçat en congé, succombant au cafard du farniente et au cauchemar des plages. Quand on a pratiqué des contrées où l'oisiveté était de rigueur, où tous y excellaient, on s'adapte mal à un monde où personne ne la connaît ni ne sait en jouir, où nul ne respire. L'être inféodé aux heures est-il encore un être humain ? Et a-t-il le droit de s'appeler *libre*, quand nous savons qu'il a secoué toutes les servitudes, sauf l'essentielle ? À la merci du temps qu'il nourrit, qu'il engraisse de sa substance, il s'exténue et s'anémie pour assurer la prospérité d'un parasite ou d'un tyran. Calculé malgré sa folie, il s'imagine que ses soucis et ses tribulations seraient moindres si, sous forme de «programme», il arrivait à les octroyer à des peuples «sous-développés», auxquels il reproche de n'être pas «dans le coup», c'est-à-dire dans le vertige. Pour mieux les y précipiter, il leur inoculera le poison de l'anxiété et ne les lâchera qu'il n'ait observé sur eux les mêmes symptômes d'affairement. Afin de réaliser son rêve d'une humanité hors d'haleine, éperdue et minutée, il parcourra les continents, toujours en quête de nouvelles victimes sur qui déverser le trop-plein de sa fébrilité et de ses ténèbres. À le contempler, on entrevoit la nature véritable de l'enfer : n'est-ce point le lieu où l'on est condamné au temps pour l'éternité ?

Nous avons beau soumettre l'univers et nous l'approprier, tant que nous n'aurons pas triomphé du temps, nous resterons des ilotes. Or cette victoire s'acquiert par le renoncement, vertu à quoi nos conquêtes nous rendent particulièrement impropres, de sorte que plus leur nombre s'accroît, plus notre sujétion s'accuse. La civilisation nous enseigne comment nous saisir des choses, alors que c'est à l'art de nous en dessaisir qu'elle devrait nous initier, car il n'y a de liberté ni de «vraie vie» sans l'apprentissage de la dépossession. Je m'empare d'un objet, je m'en estime le maître ; en fait j'en suis l'esclave, esclave je suis également de l'instrument que je fabrique et manie. Point de nouvelle acquisition qui ne signifie une chaîne de plus, ni de facteur de puissance qui ne soit cause de faiblesse. Il n'est pas jusqu'à nos dons qui ne contribuent à notre assujettissement ; l'esprit qui s'élève au-dessus des autres, est moins libre qu'eux : rivé à ses facultés et à ses ambitions, prisonnier de ses talents, il les cultive à ses dépens, il les fait valoir au prix de son salut. Nul ne s'affranchit s'il s'astreint à devenir quelqu'un ou quelque chose. Tout ce que nous possédons ou produisons, tout ce qui se superpose à notre être ou en procède nous dénature et nous étouffe. Et notre être lui-même, quelle erreur, quelle blessure de lui avoir adjoint l'existence, quand nous pouvions, inentamés, persévérer dans le virtuel et l'invulnérable ! Personne ne se remet du mal de naître, plaie capitale s'il en fut. C'est pourtant avec l'espoir de nous en guérir un jour que nous acceptons la vie et en supportons les épreuves. Les années passent, la plaie demeure.

Plus la civilisation se différencie et se complique, plus nous maudissons les liens qui nous y attachent. Au dire de Soloviev, elle approchera de sa fin (qui sera, selon le philosophe russe, la fin de toutes choses) au beau milieu du «siècle le plus raffiné». Ce qui est certain, c'est qu'elle ne fut jamais aussi menacée ni aussi détestée qu'aux moments où elle paraissait le mieux établie, témoin les attaques qu'on porta, au plus fort des Lumières, contre ses mœurs et ses prestiges, contre toutes les conquêtes dont elle tirait orgueil. «On se fait dans les siècles polis une espèce de religion d'admirer ce qu'on admirait dans les siècles grossiers», note Voltaire, peu fait, reconnaissons-le, pour comprendre les raisons d'un si juste emballement. C'est, en tout cas, à l'époque des salons que le «retour à la nature» s'imposait, de même que l'ataraxie ne pouvait être conçue qu'en un temps où, las de divagations et de systèmes, les esprits préféraient les délices d'un jardin aux controverses de l'agora. L'appel à la sagesse provient toujours d'une civilisation excédée d'elle-même. Chose curieuse : il nous est malaisé de nous figurer le processus qui amena à la satiété ce monde antique qui, auprès du nôtre, nous apparaît, à tous ses moments, comme l'objet idéal de nos regrets. Au reste, comparée à l'innommable aujourd'hui, n'importe quelle autre époque nous semble bénie. À nous écarter de notre vraie destination, nous entrerons, si nous n'y sommes déjà, dans le siècle de la fin, dans ce siècle raffiné par excellence (*compliqué* eût été l'adjectif exact) qui sera nécessairement celui où sur tous les plans, nous nous trouverons à l'antipode de ce que nous aurions dû être.

Les maux inscrits dans notre condition l'emportent sur les biens ; même s'ils s'équilibraient, nos problèmes ne seraient pas résolus. Nous sommes là pour nous débattre avec la vie et la mort, et non pour les esquiver, ainsi que nous y invite la civilisation, entreprise de dissimulation, de maquillage de l'insoluble. Faute de contenir en elle-même aucun principe de durée, ses avantages, autant d'impasses, ne nous aident ni à mieux vivre ni à mieux mourir. Parviendrait-elle, secondée par l'inutile science, à balayer tous les fléaux ou, pour nous allécher, à nous décerner des planètes en guise de récompense, qu'elle ne réussirait qu'à accroître notre méfiance et notre exaspération. Plus elle se démène et se rengorge, plus nous jalousons les âges qui eurent le privilège d'ignorer les facilités et les merveilles dont elle ne cesse de nous gratifier. «Avec du pain d'orge et un peu d'eau, on peut être aussi heureux que Jupiter», aimait à répéter le sage qui nous intimait de cacher notre vie. Est-ce marotte de le citer toujours ? Mais à qui s'adresser, à qui demander conseil ? À nos contemporains ? à ces indiscrets, à ces inapaisés, coupables, en déifiant l'aveu, l'appétit et l'effort, d'avoir fait de nous des fantoches lyriques, insatiables et fourbus ? La seule excuse à leur furie, c'est qu'elle ne dérive pas d'un instinct frais ni d'un essor sincère, mais d'une panique devant un horizon bouché. Tant de nos philosophes qui se penchent, atterrés, sur l'avenir ne sont au fond que les interprètes d'une humanité qui, sentant les instants lui échapper, s'efforce de n'y pas songer — et y songe toujours. Leurs systèmes offrent en somme l'image et comme le déroulement discursif de cette hantise. De même, l'Histoire ne pouvait solliciter leur intérêt qu'à un moment où l'homme a toutes les raisons de douter qu'elle lui appartienne encore, qu'il continue d'en être l'agent. En fait tout se passe comme si, elle aussi lui échappant, il commençait une carrière non historique, brève et convulsée, qui reléguerait au rang de fadaises les calamités dont jusqu'ici il était si féru. Sa teneur en être s'amincit avec chaque pas qu'il fait en avant. Nous n'existons que par le recul, par la distance que nous prenons à l'égard des choses et de nous-mêmes. Se remuer c'est s'adonner au faux et au fictif, c'est pratiquer une discrimination abusive entre le possible et le funèbre. Au degré de mobilité que nous avons atteint, nous ne sommes plus maîtres de nos gestes ni de notre sort. Y préside très certainement une providence négative dont les desseins, à mesure que nous approchons de notre terme, se font de moins en moins impénétrables, puisqu'ils se dévoileraient sans peine au premier venu s'il daignait seulement s'arrêter et sortir de son rôle pour contempler, ne fût-ce qu'un instant, le spectacle de cette horde essoufflée et tragique dont il fait partie.

Tout bien considéré, le siècle de la fin ne sera pas le siècle le plus raffiné, ni même le plus compliqué, mais le plus pressé, celui où, l'être dissous en mouvement, la civilisation, dans un élan suprême vers le pire, s'effritera dans le tourbillon qu'elle aura suscité. Dès lors que rien ne peut l'empêcher de s'y engouffrer, renonçons à exercer nos vertus contre elle, sachons même démêler dans les excès où elle se complaît quelque chose d'exaltant, qui nous invite à modérer nos indignations et à réviser nos mépris. C'est ainsi que ces spectres, ces automates, ces hallucinés sont moins haïssables si l'on réfléchit aux mobiles inconscients, aux raisons profondes de leur frénésie : ne sentent-ils pas que le délai qui leur est accordé s'amenuise de jour en jour et que le dénouement prend figure ? et n'est-ce pas pour en écarter l'idée qu'ils s'engloutissent dans la vitesse ? S'ils étaient sûrs d'un *autre* avenir, ils n'auraient aucun motif de fuir ni de se fuir, ils ralentiraient leur cadence et s'installeraient sans crainte dans une expectative indéfinie. Mais il ne s'agit même pas pour eux de tel ou tel avenir, car d'avenir, ils en manquent tout simplement; c'est là, surgie de l'affolement du sang, une certitude obscure, informulée, qu'ils redoutent d'envisager, qu'ils veulent oublier en se dépêchant, en allant de plus en plus vite, en refusant d'avoir le moindre instant à eux. Cependant l'inéluctable qu'elle recèle, ils le rejoignent par l'allure même qui, dans leur esprit, devrait les en éloigner. De tant de hâte, de tant d'impatience, les machines sont la conséquence et non la cause. Ce ne sont pas elles qui poussent le civilisé à sa perte; il les a inventées plutôt parce qu'il y marchait déjà; des moyens, des auxiliaires pour y atteindre plus rapidement et plus efficacement. Non content d'y courir, il voulait encore y *rouler*. En ce sens, et en ce sens seulement, on peut dire qu'elles lui permettent en effet de «gagner du temps». Il les distribue, il les impose aux arriérés, aux retardataires pour qu'ils puissent le suivre, le devancer même dans la course au désastre, dans l'instauration d'un amok universel et mécanique. Et c'est afin d'en assurer l'avènement qu'il s'acharne à niveler, à uniformiser le paysage humain, à en effacer les irrégularités et à en bannir les surprises; ce qu'il aimerait y faire régner, ce ne sont pas les anomalies, c'est l'*anomalie*, l'anomalie monotone et routinière, convertie en règle de conduite, en impératif. Ceux qui s'y dérobent, il les taxe d'obscurantisme ou d'extravagance, et il ne désarmera pas avant de les ramener dans le droit chemin, dans ses erreurs à lui. Les illettrés, en tout premier lieu, répugnent à y tomber; il les y forcera donc, il les obligera à apprendre à lire et à écrire, afin que, pris au piège du savoir, aucun d'eux n'échappe davantage au malheur commun. Si grande est son obnubilation qu'il ne conçoit même pas que l'on puisse opter pour un autre genre d'égarements que le sien. Dénué du répit nécessaire à l'exercice de l'auto-ironie, à quoi devrait l'inciter un simple aperçu sur son destin, il se prive ainsi de tout recours contre lui-même. Il n'en devient que plus funeste aux autres. Ensemble agressif et pitoyable, il ne manque pas d'un certain pathétique : on comprend pourquoi, devant l'inextricable où il s'est enferré, on éprouve quelque gêne à le dénoncer et à l'attaquer, sans compter qu'il y a toujours du mauvais goût à médire d'un incurable, fût-il odieux. Mais si on se refusait au mauvais goût, pourrait-on encore porter le moindre jugement sur quoi que ce soit?

LE SCEPTIQUE ET LE BARBARE

———————————————— *S*i l'on peut sans peine imaginer l'humanité entière en proie aux convulsions ou, tout au moins, à l'effarement, ce serait en revanche la tenir en trop haute estime que de croire qu'elle pût, dans sa totalité, s'élever jamais au doute, réservé généralement à quelques réprouvés de choix. Elle y accède cependant en partie, dans ces rares moments où elle change de dieux et où les esprits, soumis à des sollicitations contradictoires, ne savent plus quelle cause défendre ni à quelle vérité s'inféoder. Quand le christianisme fit irruption à Rome, les domestiques l'adoptèrent sans balancer ; les patriciens y répugnèrent et mirent du temps avant de passer de l'aversion à la curiosité, de la curiosité à la ferveur. Qu'on se figure un lecteur des *Hypotyposes pyrrhoniennes* en face des Évangiles ! Par quel artifice concilier, non pas deux doctrines, mais deux univers irréductibles ? et comment pratiquer des paraboles ingénues, quand on se débat dans les dernières perplexités de l'intellect ? Les traités où Sextus dressa, au début du IIIᵉ siècle de notre ère, le bilan de tous les doutes antiques, sont une compilation exhaustive de l'irrespirable, ce qu'on a écrit de plus vertigineux et, il faut bien le dire, de plus ennuyeux. Trop subtils et trop méthodiques pour pouvoir rivaliser avec les superstitions nouvelles, ils étaient l'expression d'un monde révolu, condamné, sans avenir. N'empêche que le scepticisme, dont ils avaient codifié les thèses, put se maintenir quelque temps encore sur des positions perdues, jusqu'au jour où chrétiens et barbares conjuguèrent leurs efforts pour le réduire et l'abolir.

Une civilisation débute par le mythe et finit dans le doute ; doute théorique qui, lorsqu'elle le retourne contre elle-même, s'achève en doute pratique. Elle ne saurait commencer par mettre en question des valeurs qu'elle n'a pas encore créées ; une fois produites, elle s'en lasse et s'en détache, elle les examine et les pèse avec une objectivité dévastatrice. Aux croyances diverses qu'elle avait enfantées et qui maintenant s'en vont à la dérive, elle substitue un système d'incertitudes, elle *organise* son naufrage métaphysique et y réussit à merveille quand quelque Sextus l'y aide. Dans l'Antiquité finissante le scepticisme eut une dignité qu'il ne devait pas retrouver à la Renaissance, malgré un Montaigne, ni même au XVIIIᵉ siècle, malgré un Hume. Pascal seul, s'il l'avait voulu, aurait pu le sauver et le réhabiliter ; mais il s'en détourna et le laissa traîner en marge de la philosophie moderne. Aujourd'hui, comme nous sommes, nous aussi, sur le point de changer de dieux, aurons-nous assez de répit pour le cultiver ? connaîtra-t-il un regain de faveur ou, au contraire, carrément prohibé, sera-t-il étouffé par le tumulte des dogmes ? L'important, cependant, n'est pas de savoir s'il est menacé du dehors, mais si nous pouvons le cultiver réellement, si nos forces nous permettent de l'affronter sans y succomber. Car avant d'être problème de civilisation, il est affaire individuelle, et, à ce titre, il nous concerne indépendamment de l'expression historique qu'il revêt.

*P*our vivre, pour seulement respirer, il nous faut faire l'effort insensé de croire que le monde ou nos concepts renferment un fond de vérité. Dès que, pour une raison ou pour une autre, l'effort se relâche, nous retombons dans cet état de pure indétermination où, la moindre certitude nous apparaissant comme un égarement, toute prise de position, tout ce que l'esprit avance ou proclame, prend l'allure d'une divagation. N'importe quelle affirmation nous semble alors aventureuse ou dégradante ; de même, n'importe quelle négation. Il est sans conteste étrange autant que pitoyable d'en arriver là, quand, des années durant, nous nous sommes appliqués, avec quelque succès, à surmonter le doute et à en guérir. Mais c'est un mal dont nul ne se débarrasse tout à fait, s'il l'a éprouvé vraiment. Et c'est bien d'une rechute dont il sera question ici.

Tout d'abord, nous avons eu tort de mettre l'affirmation et la négation sur le même plan. Nier, nous en convenons, c'est affirmer à rebours. Il y a cependant quelque chose de plus dans la négation, un supplément d'anxiété, une volonté de se singulariser et comme un élément antinaturel. La nature, si elle se connaissait et qu'elle pût se hisser à la formule, élaborerait une suite interminable de jugements d'existence. L'esprit seul possède la faculté de refuser ce qui est et de se plaire à ce qui n'est pas, lui seul produit, lui seul fabrique de l'absence. Je ne prends conscience de moi-même, je ne *suis* que lorsque je nie ; dès que j'affirme je deviens interchangeable et me comporte en objet. Le *non* ayant présidé au morcellement de l'Unité primitive, un plaisir invétéré et malsain s'attache à toute forme de négation, capitale ou frivole. Nous nous ingénions à démolir des réputations, celle de Dieu en tout premier lieu ; mais il faut dire à notre décharge que nous nous acharnons encore plus à ruiner la nôtre, en mettant nos vérités en cause et en les discréditant, en opérant en nous le glissement de la négation au doute.

Alors qu'on nie toujours au nom de quelque chose, de quelque chose d'extérieur à la négation, le doute, sans se prévaloir de rien qui le dépasse, puise dans ses propres conflits, dans cette guerre que la raison se déclare à elle-même lorsque, excédée de soi, elle attente à ses fondements et les renverse, pour, libre enfin, échapper au ridicule d'avoir à affirmer ou à nier quoi que ce soit. Pendant qu'elle se divise contre elle-même, nous nous érigeons en juges et croyons pouvoir l'examiner ou la contrecarrer au nom d'un moi sur lequel elle n'aurait pas de prise ou dont elle ne serait qu'un accident, sans tenir compte qu'il est, logiquement, impossible que nous nous mettions au-dessus d'elle pour reconnaître ou contester sa validité, car il n'y a pas d'instance qui lui soit supérieure ni d'arrêt qui n'émane pas d'elle-même. Pratiquement, tout se passe néanmoins comme si, par un subterfuge ou un miracle, nous parvenions à nous affranchir de ses catégories et de ses entraves. L'exploit est-il si insolite ? Il se ramène en réalité à un phénomène des plus simples : quiconque se laisse entraîner par ses raisonnements *oublie* qu'il fait usage de la raison, et cet oubli est la condition d'une pensée féconde, voire de la pensée tout court. Pour autant que nous suivons le mouvement spontané de l'esprit et que, par la réflexion, nous nous plaçons *à même la vie*, nous ne pouvons penser que nous pensons ; dès que nous y songeons, nos idées se combattent et se neutralisent les unes les autres à l'intérieur d'une conscience vide. Cet état de stérilité où nous n'avançons ni ne reculons, ce piétinement exceptionnel est bien celui où nous conduit le doute et qui, à maints égards, s'apparente à la « sécheresse » des mystiques. Nous avions cru toucher au définitif et nous installer dans l'ineffable ; nous sommes précipités dans l'incertain et dévorés par l'insipide. Tout se ravale et s'effrite dans une torsion de l'intellect sur lui-même, dans une stupeur rageuse. Le doute s'abat sur nous comme une calamité ; loin de le choisir, nous y tombons. Et nous avons beau essayer de nous en arracher ou de l'escamoter, lui ne nous perd pas de vue, car il n'est même pas vrai qu'il s'abatte sur nous, il était en nous et nous y étions prédestinés. Personne ne choisit le manque de choix, ni ne s'évertue à opter pour l'absence d'option, vu que rien de ce qui nous touche en profondeur n'est *voulu*. Libre à nous de nous inventer des tourments; comme tels, ce ne sont que pose et attitude; ceux-là seuls comptent qui surgissent de nous malgré nous. Ne vaut que l'inévitable, ce qui relève de nos infirmités et de nos épreuves, de nos impossibilités en somme. Jamais le véritable doute ne sera volontaire; même sous sa forme élaborée, qu'est-il sinon le déguisement spéculatif que revêt notre intolérance à l'être? Aussi bien, quand il nous saisit et que nous en subissons les affres, n'y a-t-il rien dont nous ne puissions concevoir l'inexistence.

Il faut se figurer un principe autodestructeur d'essence *conceptuelle*, si l'on veut comprendre le processus par lequel la raison en vient à saper ses assises et à se ronger elle-même. Non contente de déclarer la certitude impossible, elle en exclut encore l'idée, elle ira même plus loin, elle rejettera toute forme d'évidence, car les évidences procèdent de l'être, dont elle s'est décrochée; et ce décrochage engendre, définit et consolide le doute. Point de jugement, fût-il négatif, qui n'ait des racines dans l'immédiat ou qui ne suppose un désir d'aveuglement, faute duquel la raison ne décèle rien de manifeste à quoi elle puisse se fixer. Plus elle répugne à s'obnubiler, plus elle considère telle proposition comme aussi gratuite et aussi nulle que telle autre. La moindre adhésion, l'assentiment, sous quelque aspect qu'il se présente, lui paraissant inexplicable, inouï, surnaturel, elle soignera l'incertain et en étendra le champ avec un zèle où il entre un soupçon de vice et, curieusement, de vitalité. Et le sceptique s'en félicite, car sans cette recherche haletante de l'improbable où perce malgré tout quelque complicité avec la vie, il ne serait qu'un revenant. Il est d'ailleurs bien près d'en épouser l'état, puisqu'il lui faut douter jusqu'au moment où il n'y a plus de *matière* à douter, où tout s'évanouit et se volatilise, et où, assimilant le vertige lui-même à un reste d'évidence, à un simulacre de certitude, il percevra avec une acuité meurtrière la carence de l'inanimé et du vivant, et singulièrement de nos facultés qui, à travers lui, dénonceront elles-mêmes leurs prétentions et leurs insuffisances.

Quiconque tient à l'équilibre de sa pensée se gardera de toucher à certaines superstitions essentielles. C'est là, pour un esprit, une nécessité vitale, dont le sceptique seul fait fi, lui qui, n'ayant rien à préserver, ne respecte ni les secrets ni les interdits indispensables à la durée des certitudes. Il s'agit bien de certitudes! La fonction qu'il s'arroge est de les fouiller pour en dévoiler l'origine et les compromettre, pour identifier la donnée sur laquelle elles se fondent et qui, au moindre examen, se révèle indistincte d'une hypothèse ou d'une illusion. Il ne ménagera pas davantage le mystère où il ne discerne qu'une limite que les hommes, par timidité ou paresse, ont assignée à leurs interrogations et à leurs inquiétudes. Ici, comme en tout, ce que cet antifanatique poursuit avec intolérance, c'est la *ruine de l'inviolable*.

Parce que la négation est un doute agressif, impur, un dogmatisme renversé, il est rare qu'elle se nie elle-même, qu'elle s'émancipe de ses frénésies et s'en dissocie. Il est en revanche fréquent, il est même inévitable, que le doute se mette lui-même en question, et qu'il veuille s'abolir plutôt que de voir ses perplexités dégénérer en articles de foi. Puisque tout se vaut, de quel droit échapperaient-elles à cette équivalence universelle, qui nécessairement les frappe de nullité? Si le sceptique faisait une exception pour elles, il se condamnerait, il infirmerait ses thèses. Comme il entend y demeurer fidèle, et en tirer les conséquences, il aboutira à l'abandon de toute recherche, à la discipline de l'abstention, à la suspension du jugement. Les vérités qu'il avait envisagées dans leur principe et analysées sans pitié, se dissolvant les unes après les autres, il ne prendra pas la peine de les classer ou de les hiérarchiser. À laquelle donnerait-il d'ailleurs la préférence, quand il s'agit pour lui précisément de ne rien préférer, de ne plus jamais convertir une opinion en conviction? Et même des *opinions*, il ne devrait s'en permettre que par caprice ou par besoin de se déconsidérer à ses propres yeux. «Pourquoi ceci plutôt que cela?» — il adoptera cet antique refrain des douteurs, toujours corrosif, qui n'épargne rien, même pas la mort, trop tranchante, trop assurée à son gré, empreinte de «primarisme», tare qu'elle a héritée de la vie. La suspension du jugement représente le pendant philosophique de l'irrésolution, la formule qu'emprunte pour s'énoncer une volonté impropre à opter pour autre chose, sinon pour une absence qui exclut toute échelle de valeurs et tout critère contraignant. Un pas de plus, et à cette absence s'en ajoute une autre : celle des sensations. L'activité de l'esprit suspendue, pourquoi ne pas suspendre celle des sens, celle même du sang? Plus d'objet, plus d'obstacle ni de choix à esquiver ou à affronter; également soustrait à la servitude de la perception et de l'acte, le moi, triomphant de ses fonctions, se réduit à un point de conscience, projeté dans l'indéfini, hors du temps.

Comme toute forme d'expansion implique une soif d'irrévocable,

se figure-t-on un conquérant qui suspendrait son jugement? Le
doute ne franchit pas le Rubicon, il ne franchit jamais rien; son
aboutissement logique est l'inaction absolue — extrémité concevable en pensée, inaccessible en fait. De tous les sceptiques, seul
un Pyrrhon en a approché vraiment; les autres s'y sont essayés
avec plus ou moins de bonheur. C'est que le scepticisme a contre
lui nos réflexes, nos appétits, nos instincts. Il a beau déclarer que
l'*être* même est un préjugé, ce préjugé, plus vieux que nous, date
d'avant l'homme et la vie, résiste à nos attaques, se passe de raisonnements et de preuves, puisque aussi bien tout ce qui existe,
se manifeste et dure s'appuie sur l'indémontrable et l'invérifiable.
Le mot de Keats: «Après tout, il y a certainement quelque chose
de réel dans ce monde», quiconque ne le fait pas sien, se place à
jamais hors des actes. La certitude qui s'y exprime n'est cependant pas assez impérieuse pour posséder des vertus dynamiques.
Pour agir effectivement, il importe encore de croire à la réalité du
bien et du mal, à leur existence distincte et autonome. Si nous
assimilons l'un et l'autre à des conventions, le contour qui les
individualise s'estompe: plus d'acte bon ou mauvais, donc plus
d'acte du tout, de sorte que les choses, comme les jugements que
nous portons sur elles, s'annulent au sein d'une morne identité.
Une valeur dont nous savons qu'elle est arbitraire cesse d'être une
valeur et se dégrade en fiction. Avec des fictions, nul moyen d'instituer une morale, encore moins des règles de conduite dans l'immédiat; d'où, pour échapper au désarroi, le devoir qui nous
incombe de réintégrer le bien et le mal dans leurs droits, de les
sauver et de nous sauver — au prix de notre clairvoyance. C'est le
douteur en nous qui nous empêche de donner notre mesure, c'est
lui qui, en nous imposant la corvée de la lucidité, nous surmène,
nous épuise et nous abandonne à nos déboires, après avoir abusé
de nos capacités d'interrogation et de refus. En un certain sens,
n'importe quel doute est disproportionné à nos forces. Aux nôtres
seulement? Un dieu qui souffre, cela s'est vu, cela est normal; un
dieu qui doute est aussi misérable que nous. C'est ainsi que, malgré leur bien-fondé, leur exemplaire légitimité, nous ne considérons jamais nos doutes sans un certain effroi, lors même que nous
avons ressenti quelque volupté à les concevoir. Le sceptique
intraitable, barricadé dans son système, nous apparaît comme un
déséquilibré *par excès de rigueur*, comme un lunatique par inaptitude à divaguer. Sur le plan philosophique, personne qui soit plus
honnête que lui; mais son honnêteté même a quelque chose de
monstrueux. Rien ne trouve grâce à ses yeux, tout lui semble

approximation et apparence, nos théorèmes comme nos cris. Son drame est de ne pouvoir à aucun moment condescendre à l'imposture, comme nous faisons tous quand nous affirmons ou nions, quand nous avons le front d'émettre une opinion quelconque. Et parce qu'il est incurablement honnête, il découvre le mensonge partout où une opinion s'attaque à l'indifférence et en triomphe. Vivre équivaut à l'impossibilité de s'abstenir; vaincre cette impossibilité est la tâche démesurée qu'il s'impose et qu'il affronte en solitaire, l'abstention en commun, la suspension *collective* du jugement n'étant guère praticable. Si elle l'était, quelle occasion pour l'humanité de faire une fin *honorable*! Mais ce qui est à peine dévolu à l'individu, ne saurait l'être d'aucune manière aux foules, tout juste capables de se hausser jusqu'à la négation.

Le doute se révélant incompatible avec la vie, le sceptique conséquent, obstiné, ce mort-vivant, achève sa carrière par une défaite sans analogue dans aucune autre aventure intellectuelle. Furieux d'avoir recherché la singularité et de s'y être complu, il aspirera à l'effacement, à l'anonymat, et cela, paradoxe des plus déroutants, au moment même où il ne se sent plus aucune affinité avec rien ni personne. Se modeler sur le vulgaire, c'est tout ce qu'il souhaite à ce point de sa dégringolade où il réduit la sagesse au conformisme et le salut à l'illusion consciente, à l'illusion postulée, en d'autres termes, à l'acceptation des apparences comme telles. Mais il oublie que les apparences ne sont un recours que si l'on est assez obnubilé pour les assimiler à des réalités, que si l'on bénéficie de l'illusion naïve, de l'illusion qui s'ignore, de celle précisément qui est l'apanage des autres et dont il est seul à n'avoir pas le secret. Au lieu d'en prendre son parti, il se mettra, lui, l'ennemi de l'imposture en philosophie, à tricher dans la vie, persuadé qu'à force de dissimulations et de fraudes, il parviendra à ne pas se distinguer du reste des mortels, qu'il essaiera inutilement d'imiter, vu que tout acte exige de lui un combat contre les mille motifs qu'il a de ne pas l'exécuter. Le moindre de ses gestes sera concerté, le résultat d'une tension et d'une stratégie, comme s'il lui fallait prendre d'assaut chaque instant, faute de pouvoir s'y plonger naturellement. L'être, qu'il a disloqué, il se crispe et se démène dans le vain espoir de le redresser. Semblable à celle de Macbeth, sa conscience est ravagée; lui aussi a tué le sommeil, le sommeil où reposaient les certitudes. Elles se réveillent, et viennent le hanter et le troubler; et elles le troublent en effet, mais comme il ne s'abaisse pas au remords, il contemple le défilé de ses victimes avec un malaise adouci par l'ironie. Que lui importent maintenant

ces récriminations de fantômes? Détaché de ses entreprises et de
ses forfaits, il est arrivé à la délivrance, mais à une délivrance *sans
salut*, prélude à l'expérience intégrale de la vacuité, dont il
approche tout à fait lorsque, après avoir douté de ses doutes, il
finit par douter de soi, par se déprécier et se haïr, par ne plus
croire à sa mission de destructeur. Une fois rompu le dernier lien,
celui qui le rattachait à soi, et faute duquel l'autodestruction
même est impossible, il cherchera refuge dans la vacance primordiale, au plus intime des origines, avant ce tiraillement entre la
matière et le germe qui se prolonge à travers la série des êtres, de
l'insecte au plus harcelé des mammifères. Comme la vie ni la
mort n'excite plus son esprit, il est moins réel que ces ombres dont
il vient d'essuyer les reproches. Plus aucun sujet qui l'intrigue ou
qu'il veuille élever à la dignité d'un problème, d'un fléau. Son
incuriosité atteint à une telle ampleur qu'elle confine au
dépouillement total, à un néant plus dénudé que celui dont les
mystiques s'enorgueillissent ou se plaignent après leurs pérégrinations à travers le «désert» de la divinité. Au milieu de son hébétude sans faille, une seule pensée le tracasse encore, une seule
interrogation, stupide, risible, obsédante : «Que faisait Dieu pendant qu'il ne faisait rien? à quoi employait-il, avant la création, ses
terribles loisirs?» — S'il lui parle d'égal à égal, c'est qu'ils se trouvent l'un et l'autre au même degré de stagnation et d'inutilité.
Quand ses sens se flétrissent par manque d'objets qui puissent les
solliciter, et que sa raison cesse de s'exercer par horreur de porter
des jugements, il en est à ne plus pouvoir s'adresser qu'au *non-
créateur*, auquel il ressemble, avec lequel il se confond, et dont le
Tout, indiscernable du Rien, est l'espace où, stérile et prostré, il
s'accomplit, il se repose.

À côté du sceptique rigoureux ou, si l'on veut, orthodoxe, dont
nous venons de voir la fin lamentable et, à certains égards, grandiose, il en existe un autre, hérétique, capricieux, qui, tout en ne
subissant le doute que par à-coups, est susceptible de le penser
jusqu'au bout et d'en tirer les dernières conséquences. Lui aussi
connaîtra la suspension du jugement et l'abolition des sensations,
à l'intérieur d'une crise seulement, qu'il surmontera en projetant
dans l'indétermination où il se voit précipité un contenu et un frisson qu'elle ne semblait guère comporter. Faisant un bond hors
des apories où végétait son esprit, il passe de l'engourdissement à
l'exultation, il s'élève à un enthousiasme halluciné qui rendrait le
minéral lyrique, s'il y avait encore du minéral. Plus de consistance

nulle part, tout se transfigure et s'évanouit ; lui seul demeure, face à un vide triomphal. Libre des entraves du monde et de celles de l'entendement, il se compare, lui aussi, à Dieu, lequel, cette fois, sera débordant, excessif, ivre, plongé dans les transes de la création, et dont il fera siens les privilèges, sous le coup d'une soudaine omniscience, d'une minute miraculeuse où le possible, désertant l'Avenir, viendra se fondre dans l'instant pour le grossir, pour le dilater jusqu'à l'éclatement.

Parvenu là, ce sceptique *sui generis* ne craint rien tant que de retomber dans une nouvelle crise. Du moins lui sera-t-il loisible de considérer du dehors le doute dont il a triomphé momentanément, au rebours de l'autre qui s'y est enferré à jamais. Il possède encore sur celui-ci l'avantage de pouvoir s'ouvrir à des expériences d'un ordre différent, à celles des esprits religieux surtout, qui utilisent et exploitent le doute, en font une étape, un enfer provisoire mais indispensable pour déboucher sur l'absolu et s'y ancrer. Ce sont des traîtres au scepticisme, dont il voudrait suivre l'exemple : dans la mesure où il y réussit, il entrevoit que l'abolition des sensations peut conduire à autre chose qu'à une impasse. Quand Sariputta, un disciple du Bouddha, s'exclame : «Le Nirvâna est félicité ! » et quand on lui objecte qu'il ne saurait y avoir de félicité là où il n'y a pas de sensations, Sariputta répond : «La félicité, c'est justement qu'il n'y a là aucune sensation. » — Ce paradoxe n'en est plus un pour celui qui, malgré ses tribulations et son usure, dispose encore d'assez de ressources pour rejoindre l'être aux confins du vide, et pour vaincre, ne fût-ce qu'en de brefs moments, cet appétit d'irréalité dont surgit la clarté irréfragable du doute, à laquelle on ne peut opposer que des évidences extra-rationnelles, conçues par un autre appétit, l'appétit du réel. Cependant, à la faveur de la moindre défaillance, la rengaine : «Pourquoi ceci plutôt que cela ? » revient, et son insistance et son ressassement jettent la conscience dans une intemporalité maudite, dans un devenir gelé, alors que n'importe quel *oui* et le *non* même la font participer à la substance du Temps, dont ils émanent et qu'ils proclament.

*T*oute affirmation et, à plus forte raison, toute croyance procède d'un fonds barbare que la plupart, que la quasi-totalité des hommes ont le bonheur de conserver, et que seul le sceptique — encore une fois, le véritable, le conséquent — a perdu ou liquidé, au point de n'en garder que de vagues restes, trop faibles pour influer sur son comportement ou sur la conduite de ses idées. Aussi bien, s'il existe des sceptiques isolés à chaque époque, le scepticisme, comme phénomène historique, ne se rencontre-t-il qu'aux moments où une civilisation n'a plus d'«âme», dans le sens que Platon donne au mot : «ce qui se meut de soi-même». En l'absence de tout principe de mouvement, comment aurait-elle encore un présent, comment surtout un avenir? Et de même que le sceptique, au bout de son travail de sape, en était à une déroute pareille à celle qu'il avait réservée aux certitudes, de même une civilisation, après avoir miné ses valeurs, s'affaisse avec elles, et tombe dans une déliquescence où la barbarie apparaît comme l'unique remède, ainsi qu'en témoigne l'apostrophe lancée aux Romains par Salvien au début du Ve siècle : «Il n'y a pas chez vous une ville qui soit pure, si ce n'est celles où habitent les barbares.» — En l'occurrence, il s'agissait peut-être moins de licence que de désarroi. La licence, la débauche même, sied bien à une civilisation, ou tout au moins elle s'en accommode. Mais le désarroi, quand il s'étend, elle le redoute, et se tourne vers ceux qui y échappent, qui en sont indemnes. Et c'est alors que le barbare commence à séduire, à fasciner les esprits délicats, les esprits tiraillés, qui l'envient et l'admirent, quelquefois ouvertement, le plus souvent en cachette, et souhaitent, sans se l'avouer toujours, en devenir les esclaves. Qu'ils le craignent aussi, c'est indéniable ; mais cette crainte, nullement salutaire, contribue au contraire à leur assujettissement futur, elle les affaiblit, les paralyse, et les enfonce plus avant dans leurs scrupules et leurs impasses. Dans leur cas, l'abdication, qui est leur seule issue, entraîne moins la suspension du jugement que celle de la volonté, non pas tant la déconfiture de la raison que celle des organes. À ce stade, le scepticisme est inséparable d'une infirmité physiologique. Une constitution robuste le refuse et s'en écarte ; une organisation débile y cède et s'y précipite. Voudra-t-elle ensuite s'en défaire? Comme elle n'y réussira guère par ses propres moyens, elle demandera le concours du barbare dont c'est le rôle, non de résoudre, mais de supprimer les problèmes et, avec eux, la conscience suraiguë qui y est inhérente et qui harasse le faible, alors même qu'il a renoncé à toute activité spéculative. C'est qu'en cette conscience se perpétue un besoin maladif, irrépressible, antérieur à toute perplexité théorique, le besoin qu'a le débile de se multiplier dans le déchirement, la souffrance et la frustration, d'être cruel, non point envers autrui, mais envers soi. La raison, au lieu de s'en servir pour s'apaiser, il en a fait un instrument d'autotorture : elle lui fournit des arguments contre lui-même, elle justifie sa volonté de culbute, elle le flatte, elle s'épuise à lui rendre l'existence intolérable. Et c'est encore dans un effort désespéré contre soi qu'il presse son ennemi de venir le délivrer de son dernier tourment.

Le phénomène barbare, qui survient inéluctablement à certains tournants historiques, est peut-être un mal, mais un mal nécessaire ; au surplus, les méthodes dont on userait pour le combattre en précipiteraient l'avènement, puisque, pour être efficaces, il faudrait qu'elles fussent féroces : ce à quoi une civilisation ne veut se prêter ; le voulût-elle qu'elle n'y parviendrait pas, faute de vigueur. Le mieux pour elle, une fois déclinante, est de ramper devant le barbare ; elle n'y répugne d'ailleurs aucunement, elle sait trop bien qu'il représente, qu'il incarne déjà l'avenir. L'Empire envahi, les lettrés (que l'on songe aux Sidoine Apollinaire, aux Ennodius, aux Cassiodore) devinrent tout naturellement les panégyristes des rois goths. Le reste, la grande masse des vaincus se réfugièrent dans l'administration ou dans l'agriculture, car ils étaient trop avachis pour qu'on leur permît la carrière des armes. Convertis au christianisme par lassitude, ils furent incapables d'en assurer seuls le triomphe : les conquérants les y aidèrent. Une religion n'est rien par elle-même ; son sort dépend de ceux qui l'adoptent. Les nouveaux dieux exigent des hommes nouveaux, susceptibles, en toute occasion, de se prononcer et d'opter, de dire carrément oui ou non, au lieu de s'empêtrer dans des ergotages ou de s'anémier par l'abus de la nuance. Comme les *vertus* des barbares consistent précisément dans la force de prendre parti, d'affirmer ou de nier, elles seront toujours célébrées par les époques finissantes. La nostalgie de la barbarie est le dernier mot d'une civilisation ; elle l'est par là même du scepticisme.

À l'expiration d'un cycle, à quoi en effet peut rêver un esprit revenu de tout, sinon à la chance qu'ont des brutes de miser sur le possible et de s'y vautrer ? Inapte à défendre des doutes qu'il ne pratique plus ou à souscrire à des dogmes naissants qu'il méprise, il applaudit, suprême désistement de l'intellect, aux démonstrations irréfutables de l'instinct : Grec, il plie devant le Romain, lequel à son tour pliera devant le Germain, selon un rythme inexorable, une loi que l'histoire s'empresse d'illustrer, aujourd'hui encore plus qu'au début de notre ère. Le combat est inégal entre les peuples qui discutent et les peuples qui se taisent, d'autant plus que les premiers, ayant usé leur vitalité en arguties, se sentent attirés par la rudesse et le silence des derniers. Si cela est vrai d'une collectivité, que dire d'un individu, singulièrement du sceptique ? Aussi, point ne faut s'étonner de le voir, lui, professionnel de la subtilité, au sein de l'ultime solitude où il est parvenu, s'ériger en ami et en complice des hordes.

LE DÉMON EST-IL SCEPTIQUE ?

*L*es exploits les plus odieux dont on rend le démon responsable apparaissent, dans leurs effets, moins nocifs que ne le sont les thèmes sceptiques lorsqu'ils cessent d'être jeu pour devenir hantise. Détruire, c'est agir, c'est créer à rebours, c'est, d'une manière toute spéciale, manifester sa solidarité avec ce qui est. En tant qu'agent du non-être, le Mal s'insère dans l'économie de l'être, il est donc nécessaire, il remplit une fonction importante, vitale même.

Mais quelle fonction assigner au doute ? À quelle nécessité répond-il ? Qui en a besoin en dehors du douteur ? Malheur gratuit, accablement à l'état pur, il ne correspond à aucune des exigences positives du vivant. Sans rime ni raison, remettre toujours tout en question, douter même en rêve !

*P*our arriver à ses fins, le démon, esprit dogmatique, emprunte quelquefois par stratagème les voies du scepticisme ; il veut faire croire qu'il n'adhère à rien, il simule le doute et, à l'occasion, s'en fait un adjuvant. Bien qu'il le connaisse, il ne s'y complaît cependant jamais, et tant il le craint qu'il n'est même pas sûr qu'il veuille le suggérer ou l'infliger à ses victimes.

Le drame du douteur est plus grand que celui du négateur, pour la raison que vivre sans but est autrement malaisé que de vivre pour une mauvaise cause. Or, de but, le sceptique n'en connaît aucun : tous étant également fragiles ou nuls, lequel choisir ? La négation en échange équivaut à un programme ; elle peut occuper, elle peut même combler l'existence la plus exigeante, sans compter qu'il est *beau* de nier, surtout lorsque Dieu en pâtit : la négation n'est pas vacuité, elle est plénitude, une plénitude inquiète et agressive. Si on fait résider le salut dans l'acte, nier c'est se sauver, c'est poursuivre un dessein, jouer un rôle. On comprend pourquoi le sceptique, lorsqu'il regrette de s'être avancé sur un chemin périlleux, envie le démon ; c'est que la négation, malgré les réserves qu'elle inspire, rien ne pourra empêcher qu'elle ne soit source d'action ou de certitude : quand on nie, on sait ce qu'on veut ; quand on doute, on finit par ne plus le savoir.

*O*bstacle majeur à notre équilibre, la tristesse est un état d'inadhésion diffus, une rupture passive avec l'être, une négation *incertaine d'elle-même*, impropre, de plus, à se muer en affirmation ou en doute. Elle convient bien à nos infirmités, elle conviendrait encore mieux à celles d'un démon qui, las de nier, se trouverait soudain sans emploi. Cessant de croire au mal, nullement enclin à pactiser avec le bien, il se verrait, lui, le plus ardent de tous les déchus, privé de mission et de foi en lui-même, inapte à nuire, excédé par le chaos, réprouvé sans les consolations du sarcasme. Si la tristesse fait songer à un enfer désaffecté, c'est qu'il y a en elle quelque chose d'une méchanceté prête à abdiquer, émoussée et méditative, rebelle à s'exercer encore contre quoi que ce soit, sinon contre elle-même. Elle *dé*passionne le devenir, elle l'oblige à rentrer sa rage, à se dévorer, à se calmer *en se détruisant*.

L'affirmation et la négation ne différant pas *qualitativement*, le passage de l'une à l'autre est naturel et facile. Mais une fois qu'on a épousé le doute, il n'est ni facile ni naturel de revenir aux certitudes qu'elles représentent. On se trouve alors paralysé, dans l'impossibilité de militer pour quelque cause que ce soit ; bien mieux, on les refusera toutes, et, au besoin, on les ruinera, *sans descendre dans l'arène*. Le sceptique, au grand désespoir du démon, est l'homme inutilisable par excellence. Il ne se prend, il ne se fixe à rien ; la rupture entre lui et le monde s'accuse avec chaque événement et avec chaque problème qu'il lui faut affronter. On l'a taxé de dilettante parce qu'il se plaît à tout minimiser ; en fait, il ne minimise rien, il remet simplement les choses à leur place. Nos plaisirs comme nos douleurs viennent de l'importance indue que nous attribuons à nos expériences. Le sceptique s'évertuera donc à mettre de l'ordre non seulement dans ses jugements, ce qui est aisé, mais encore dans ses sensations, ce qui est plus difficile. Par là même, il trahit ses limites et son inaccomplissement (on n'ose dire sa frivolité), car seule la volupté de la souffrance convertit l'existence en destinée. Où le classer si sa place n'est ni parmi les esprits graves ni parmi les futiles ? Entre les deux sans conteste, dans cette condition de passant toujours inquiet qui ne s'arrête nulle part, parce que nul objet, parce que nul être ne lui fournit la moindre impression de réalité. Ce qui lui manque, ce qu'il ignore, c'est la piété, unique sentiment capable de sauver en même temps l'apparence et l'absolu. Comme elle n'analyse rien, elle ne saurait rien minimiser ; elle perçoit de la *valeur* partout, elle se prend et se fixe aux choses. Le sceptique l'a-t-il éprouvée dans son passé ? Il ne la retrouvera jamais, dût-il prier jour et nuit. Il aura la foi, il croira à sa façon, il désavouera ses ricanements et ses blasphèmes, mais connaître la piété, il n'y parviendra à aucun prix : là où le doute a passé il ne demeure pas de place pour elle. L'espace dont elle aurait besoin, comment le sceptique le lui offrirait-il, quand il a tout saccagé en soi et autour de soi ? Plaignons ce touche-à-tout ténébreux, apitoyons-nous sur cet *amateur maudit*.

*L*a certitude s'instaurerait-elle sur terre et supprimerait-elle dans les esprits toute trace de curiosité et d'anxiété, que rien ne serait changé pour le prédestiné au scepticisme. Lors même qu'on démolirait ses arguments un à un, il n'en resterait pas moins sur ses positions. Pour l'en déloger, pour l'ébranler en profondeur, il faudrait s'attaquer à son avidité de vacillations, à sa soif de perplexités : ce qu'il cherche, ce n'est pas la vérité, c'est l'insécurité, c'est l'interrogation sans fin. L'hésitation, qui est sa passion, son aventure, son martyre escompté, dominera toutes ses pensées et toutes ses entreprises. Et lui qui balance autant par méthode que par nécessité, il réagira néanmoins comme un fanatique : il ne pourra sortir de ses obsessions ni, à plus forte raison, de lui-même. Le doute infini le rendra paradoxalement prisonnier d'un monde fermé. Comme il n'en sera pas conscient, il persistera à croire que sa démarche ne se heurte à aucune barrière et qu'elle n'est ni infléchie ni altérée par la moindre faiblesse. Son besoin exaspéré d'incertitude deviendra une infirmité dont il ne cherchera pas le remède, puisque aussi bien nulle évidence, fût-elle irrésistible et définitive, ne l'amènera à *suspendre* ses doutes. Le sol se dérobe-t-il sous ses pas ? Il ne s'en alarme guère, il continue, désespéré et tranquille. La vérité finale serait-elle connue, le mot de l'énigme divulgué, toutes les difficultés résolues et tous les mystères élucidés — rien ne le troublerait, rien ne le détournerait de sa voie. Tout ce qui flatte son appétit d'irrésolution, tout ce qui l'aide à vivre et l'en empêche en même temps, est sacré pour lui. Et si l'Indifférence le comble, s'il en fait une réalité aussi vaste que l'univers, c'est qu'elle est l'équivalent pratique du doute, et le doute n'a-t-il pas à ses yeux le prestige de l'Inconditionné ?

S'inféoder, s'assujettir, telle est la grande affaire de tous. C'est précisément ce à quoi le sceptique se refuse. Il sait pourtant que dès que l'on *sert* on est sauvé, puisqu'on a choisi ; et tout choix est un défi au vague, à la malédiction, à l'infini. Les hommes ont besoin de points d'appui, ils veulent la certitude coûte que coûte, même aux dépens de la vérité. Comme elle est revigorante, et qu'ils ne peuvent s'en passer, alors même qu'ils la savent mensongère, aucun scrupule ne les retiendra dans leurs efforts pour l'obtenir.

La poursuite du doute en revanche est débilitante et malsaine ; nulle nécessité vitale, nul *intérêt* n'y préside. Si nous nous y engageons, c'est que très probablement une force destructrice nous y détermine. Ne dirait-on pas que le démon, qui n'oublie rien, se venge sur nous de notre refus de coopérer à son œuvre ? Furieux de nous voir travailler pour notre propre compte, il nous obnubile, il s'arrange pour que nous quêtions l'Insoluble avec une minutie qui nous ferme à toute illusion comme à toute réalité. Aussi cette quête à laquelle il nous condamne se ramène-t-elle à une chute *méthodique* dans l'abîme.

*A*vant Lucifer, le premier à avoir attenté à l'inconscience originelle, le monde reposait en Dieu. Non qu'il n'y eût des conflits, mais ceux-ci, n'impliquant ni rupture ni rébellion, se déroulaient encore à l'intérieur de l'unité primitive, unité qu'une force nouvelle et redoutable allait briser. L'attentat, inséparable de la chute des anges, demeure le fait capital survenu antérieurement à l'autre chute, à celle de l'homme. Lui révolté, lui tombé, ce fut, dans l'histoire de la conscience, la seconde étape, le second coup porté à l'ordre et à l'œuvre de Dieu, ordre et œuvre que devait entamer, à son tour, le sceptique — produit de fatigue et de dissolution, extrémité du cheminement de l'esprit, version tardive, peut-être finale, de l'homme. Au rebours des deux protestataires, le sceptique dédaigne la révolte, et n'entend pas s'y abaisser ; ayant usé ses indignations comme ses ambitions, il est sorti du cycle des insurrections suscitées par la double chute. Et il s'éloigne de l'homme qu'il trouve vieux jeu, comme l'homme s'était éloigné du Démon, son maître, auquel il reprochait de conserver des restes de naïveté et d'illusion. On aperçoit la gradation dans l'expérience de la solitude, et les conséquences de l'arrachement à l'unité primordiale.

Le geste de Lucifer, comme le geste d'Adam, l'un précédant l'Histoire, l'autre l'inaugurant, représentent les moments essentiels du combat pour isoler Dieu et disqualifier son univers. Cet univers était celui du bonheur irréfléchi dans l'indivision. Nous y aspirons toutes les fois que nous sommes las de porter le fardeau de la dualité.

*L*a grande valeur pratique des certitudes ne doit pas nous dissimuler leur fragilité théorique. Elles se flétrissent, elles vieillissent, tandis que les doutes gardent une fraîcheur inaltérable... Une croyance est liée à une époque ; les arguments que nous lui opposons et qui nous mettent dans l'impossibilité d'y adhérer, bravent le temps, de sorte que cette croyance ne dure que grâce aux objections qui l'ont minée. Il nous est malaisé de nous figurer la formation des dieux grecs, le processus exact par lequel on conçut à leur égard de la crainte ou de la vénération ; nous comprenons en revanche parfaitement comment on en vint à se désintéresser d'eux, puis à contester leur utilité ou leur existence. La critique est de tous les temps ; l'inspiration religieuse, un privilège de certaines époques, éminemment rares. S'il faut beaucoup d'irréflexion et d'ébriété pour engendrer un dieu, il suffit, pour le tuer, d'un peu d'*attention*. Ce petit effort, l'Europe le fournit depuis la Renaissance. Quoi d'étonnant si nous en sommes à envier ces moments grandioses où l'on pouvait assister à l'enfantement de l'absolu ?

*A*près une longue intimité avec le doute, vous en arrivez à une forme particulière d'orgueil : vous ne croyez pas que vous soyez plus doué que les autres, vous vous croyez seulement *moins naïf* qu'eux. Vous avez beau savoir que tel ou tel est pourvu de facultés ou de connaissances auprès desquelles les vôtres ne comptent guère, rien n'y fera, vous le prendrez pour quelqu'un qui, impropre à l'essentiel, s'est empêtré dans le futile. Aura-t-il traversé des épreuves sans nombre et sans nom ? il vous semblera encore resté bien en deçà de l'expérience unique, capitale, que vous avez des êtres et des choses. Un enfant, des enfants tous, incapables de voir ce que vous seul avez vu, vous, le plus détrompé des mortels, sans aucune illusion sur autrui et sur soi. Mais vous en garderez une malgré tout : celle, tenace, indéracinable, de croire ne point en posséder. Nul ne sera à même de vous l'ôter, car nul n'aura à vos yeux le mérite d'être aussi revenu de tout que vous. En face d'un univers de dupes, vous vous poserez en solitaire, avec la conséquence que vous ne pourrez rien pour personne, comme personne ne pourra rien pour vous.

*P*lus nous avons le sentiment de notre insignifiance, plus nous méprisons les autres, et ils cessent même d'exister pour nous quand nous illumine l'évidence de notre rien. Nous n'attribuons quelque réalité à autrui que dans la mesure où nous en découvrons en nous-mêmes. Quand il nous est impossible de nous leurrer encore sur notre propre compte, nous devenons incapables de ce minimum d'aveuglement et de générosité qui seul pourrait *sauver* l'existence de nos semblables. À ce degré de clairvoyance, n'ayant plus de scrupules à leur égard, nous les assimilons à des pantins, hors d'état de s'élever à la vision de leur nullité. Comment s'arrêter alors à ce qu'ils disent et à ce qu'ils font ?

Par-delà les hommes, les dieux eux-mêmes sont visés : ils n'existent que dans la mesure où nous trouvons en nous un principe d'existence. Que ce principe tarisse, et il n'est plus d'échange possible avec eux : ils n'ont rien à nous donner, nous n'avons rien à leur offrir. Après les avoir fréquentés et comblés pendant longtemps, nous nous en écartons, nous les oublions et restons face à eux les mains vides, éternellement. Des pantins eux aussi, comme nos semblables, comme nous-mêmes.

Le mépris, qui suppose une complicité avec la certitude, une prise de position en tout cas, le sceptique devrait se l'interdire. Il y sacrifie malheureusement, il regarde même de haut quiconque n'en fait pas autant. Lui qui prétendait avoir tout vaincu, n'a pu vaincre la superbe ni les inconvénients qui en dérivent. À quoi bon avoir amassé doute sur doute, refus sur refus, pour aboutir à un genre spécial de servitude et de malaise ? La clairvoyance dont il se targue est son propre ennemi : elle ne l'éveille au non-être, elle ne lui en fait prendre conscience, que pour l'y river. Et il ne pourra plus s'en dégager, il y sera asservi, prisonnier au seuil même de son affranchissement, à jamais ligoté à l'irréalité.

DÉSIR ET HORREUR DE LA GLOIRE

—————————————————— Si chacun de nous avouait son désir le plus secret, celui qui inspire tous ses projets et tous ses actes, il dirait : «Je veux être loué.» Nul ne s'y résoudra, car il est moins déshonorant de commettre une abomination que de proclamer une faiblesse aussi pitoyable et aussi humiliante, surgie d'un sentiment de solitude et d'insécurité dont souffrent, avec une égale intensité, les rejetés et les chanceux. Personne n'est *sûr* de ce qu'il est, ni de ce qu'il fait. Si imbus que nous soyons de nos mérites, nous sommes rongés par l'inquiétude et ne demandons, pour la surmonter, qu'à être trompés, qu'à recevoir de l'approbation de n'importe où et de n'importe qui. L'observateur décèle une nuance suppliante dans le regard de quiconque a terminé une entreprise ou une œuvre, ou se livre tout simplement à quelque genre d'activité que ce soit. L'infirmité est universelle ; et si Dieu en paraît indemne, c'est que, la création une fois achevée, il ne pouvait, faute de témoins, escompter des louanges. Il s'en décerna à lui-même, il est vrai, et à la fin de chaque jour !

De même que, pour se faire un nom, chacun s'emploie à devancer les autres, de même, dans ses commencements, l'homme dut connaître l'envie confuse d'éclipser les bêtes, de s'affirmer à leurs dépens, de *briller* coûte que coûte. Une rupture d'équilibre, source d'ambition sinon d'énergie, s'étant produite dans son économie vitale, il s'en trouva projeté dans une compétition avec tous les vivants, en attendant d'entrer en compétition avec soi par cette folie du dépassement qui, aggravée, allait le définir en propre. Lui seul, dans l'état de nature, se voulut *important*, lui seul, au milieu des animaux, haïssait l'anonymat et s'évertua à en sortir. Se faire valoir, tel était, tel demeure son rêve. Il est difficile de croire qu'il ait sacrifié le paradis par simple désir de connaître le bien et le mal ; en revanche on l'imagine parfaitement risquant tout pour être quelqu'un. Corrigeons la Genèse : s'il gâcha son bonheur initial, ce fut moins par goût de la science que par appétit de la gloire. Dès qu'il en subit l'attrait, il passa du côté du diable. Et elle est vraiment diabolique, dans son principe comme dans ses manifestations. À cause d'elle, le plus doué des anges a fini en aventurier et plus d'un saint en saltimbanque. Ceux qui l'ont connue ou simplement approchée ne peuvent plus s'en éloigner et, pour rester dans ses parages, ne reculeront devant aucune bassesse, devant aucune vilenie. Quand on ne peut sauver son âme, on espère du moins sauver son nom. L'usurpateur qui devait s'assurer une position privilégiée dans l'univers, y serait-il parvenu sans la volonté de faire parler de soi, sans l'obsession, sans la manie du tapage ? Si cette manie s'emparait de n'importe quel animal, si « arriéré » fût-il, cet animal brûlerait les étapes et rattraperait l'homme.

Le désir de gloire vous quitte-t-il ? Avec lui s'en iront ces tourments qui vous aiguillonnaient, qui vous poussaient à produire, à vous réaliser, à sortir de vous-même. Eux disparus, vous vous contenterez de ce que vous êtes, vous rentrerez dans vos frontières, la volonté de suprématie et de démesure vaincue et abolie. Soustrait au règne du serpent, vous ne garderez plus aucune trace de l'ancienne tentation, du stigmate qui vous distinguait des autres créatures. Est-il certain que vous soyez encore *homme* ? Tout au plus une plante *consciente*.

Les théologiens, en assimilant Dieu à un esprit pur, ont trahi qu'ils n'avaient aucun sentiment du processus de création, du *faire* en général. L'esprit comme tel est inapte à produire ; il projette mais, pour exécuter ses projets, il faut qu'une énergie impure vienne le mettre en branle. C'est lui, et non la chair, qui est faible, et il ne devient fort que stimulé par une soif suspecte, par quelque impulsion condamnable. Plus une passion est douteuse, plus elle épargne à celui qui y est assujetti le danger de créer des œuvres fausses ou désincarnées. Est-il dominé par la cupidité, la jalousie, la vanité ? Loin de l'en blâmer, il faut l'en louer au contraire : que serait-il sans elles ? Presque rien, c'est-à-dire esprit pur, plus précisément ange ; or, l'ange, par définition, est stérile et inefficace, comme la lumière où il végète, laquelle n'engendre rien, privée qu'elle est de ce principe obscur, souterrain qui réside dans toute manifestation de vie. Dieu apparaît autrement favorisé, puisque pétri de ténèbres : sans leur imperfection dynamique, il fût resté dans un état de paralysie ou d'absence, incapable de jouer le rôle que l'on sait. Il leur doit tout, y compris son *être*. Rien de ce qui est fécond et vrai n'est tout à fait lumineux, ni tout à fait honorable. Dire d'un poète, à propos de telle ou telle de ses faiblesses, que c'est une «tache sur son génie», c'est méconnaître le ressort et le secret, sinon de ses talents, à coup sûr de son «rendement». Toute œuvre, si haut qu'en soit le niveau, surgit de l'immédiat et en porte la marque : nul ne crée dans l'absolu ni dans le vide. Enfermés dans un univers *humain*, dès que nous nous en évadons, pourquoi produire et pour qui? Plus *l'homme* nous requiert, plus les *hommes* cessent de nous intéresser; cependant c'est à cause d'eux et de l'opinion qu'ils se font de nous, que nous nous agitons, à preuve l'incroyable prise qu'a la flatterie sur tous les esprits, sur les grossiers comme sur les délicats. C'est une erreur de croire qu'elle soit sans effet sur le solitaire; il y est en réalité plus sensible qu'on ne pense, parce que, faute d'en subir souvent le charme ou le poison, il ne sait pas s'en défendre. Si blasé qu'il soit sur tout, il ne l'est pas sur les compliments. Comme on ne lui en fait pas beaucoup, il n'en a guère l'habitude; que l'occasion se présente de lui en prodiguer, il les accueillera avec une avidité puérile et écœurante. Versé dans nombre de matières, il est novice dans celle-ci. Encore faut-il ajouter à sa décharge que tout compliment agit physiquement et suscite un frisson délicieux que nul ne saurait étouffer ni même maîtriser, à moins d'une discipline, d'un contrôle de soi, qui s'acquiert seulement par la pratique de la société, par une longue fréquentation des habiles et des fourbes. À vrai dire, rien, la méfiance ni le mépris, n'immunise contre les effets de la flatterie : suspectons-nous ou déprécions-nous quelqu'un? nous serons néanmoins attentifs aux jugements favorables qu'il voudra bien porter sur nous, et nous changerons même d'avis sur lui s'ils sont assez lyriques, assez exagérés pour nous paraître spontanés, involontaires. En apparence, tout le monde est content de soi; en réalité, personne. Faudra-t-il donc, par esprit de charité, encenser amis et ennemis, tous les mortels sans exception et dire amen à chacune de leurs extravagances? À tel point le doute sur soi travaille les êtres que, pour y remédier, ils ont inventé l'amour, pacte tacite entre deux malheureux pour se surestimer, pour se louanger sans vergogne. Les fous mis à part, il n'est personne qui soit indifférent à l'éloge ou au blâme; tant que nous demeurons quelque peu normaux, nous sommes sensibles à l'un et à l'autre; si nous y devenons réfractaires, que chercher encore au milieu de nos semblables? Il est sans conteste humiliant de réagir comme eux; d'autre part, il est dur de s'élever au-dessus de toutes ces misères qui les harassent et qui les comblent. Être homme n'est pas une solution, ni non plus cesser de l'être.

Le moindre saut hors du monde gêne notre volonté de nous réaliser, de surpasser et d'écraser les autres. La malchance de l'ange vient de ce qu'il n'ait pas à se débattre pour accéder à la gloire : il y est né, il s'y prélasse, elle lui est consubstantielle. Que peut-il souhaiter dès lors ? La ressource même de s'inventer des désirs lui fait défaut. Si produire et exister se confondent, il n'est guère de condition plus irréelle ni plus désolante que la sienne.

Jouer au détachement, quand on n'y est pas prédestiné, est dangereux : on y perd plus d'un défaut enrichissant, nécessaire à l'accomplissement d'une œuvre. Dépouiller le vieil homme, c'est nous priver de notre propre fonds, c'est nous enfoncer de plein gré dans l'impasse de la pureté. Sans l'apport de notre passé, de notre fange, de notre corruption tant récente qu'originelle, l'esprit chôme. Malheur à celui qui ne sacrifie pas son salut !

Puisque tout ce qui se fait d'important, de grand, d'inouï, émane du désir de gloire, que se passe-t-il quand il s'affaiblit ou s'éteint, et que nous éprouvons la honte d'avoir voulu compter aux yeux des autres ? Pour comprendre comment nous pouvons en arriver là, reportons-nous à ces moments où s'effectue une véritable neutralisation de nos instincts. Nous sommes toujours en vie, mais cela ne nous importe plus guère : une constatation dépourvue d'intérêt ; vérité, mensonge — mots sans plus, qui se valent, qui ne recouvrent rien. Ce qui est, ce qui n'est pas — comment le savoir, quand nous avons dépassé ce stade où l'on prend encore la peine de hiérarchiser les apparences ? Nos besoins, nos désirs sont parallèles à nous, et nos rêves, ce n'est plus nous qui les rêvons, quelqu'un d'autre les rêve en nous. Notre peur elle-même n'est plus la nôtre. Non qu'elle diminue, elle augmente plutôt, mais elle cesse de nous concerner ; puisant dans ses propres ressources, elle mène, affranchie, hautaine, une existence autonome ; nous lui servons seulement de support, de domicile, d'*adresse*, nous la logeons : un point c'est tout. Elle vit à part, se développe et s'épanouit, et fait des siennes sans jamais nous consulter. Nullement fâchés, nous l'abandonnons à ses lubies, la troublons aussi peu qu'elle nous trouble, et assistons, désabusés et impassibles, au spectacle qu'elle nous offre.

De même qu'il nous est loisible de faire par l'imagination le chemin inverse de celui qu'a parcouru la vie et de retraverser ainsi les espèces, de même nous pouvons, en suivant à rebours le cours de l'histoire, rejoindre ses commencements et aller même au-delà. Cette rétrogradation devient une nécessité chez celui qui, arraché à la tyrannie de l'opinion, n'appartient plus à aucune époque. Aspirer à la considération, cela se défend à la rigueur ; mais quand il n'y a *personne* devant qui on veuille faire bonne figure, pourquoi s'épuiser à être quelqu'un, pourquoi même s'épuiser à être ?

Après avoir souhaité que notre nom soit gravé autour du soleil, nous tombons dans l'autre extrême, et formons des vœux pour qu'il soit rayé de partout et qu'il disparaisse à jamais. Notre impatience de nous affirmer n'avait-elle connu aucune limite ? celle de nous effacer n'en connaîtra pas davantage. Poussant jusqu'à l'héroïsme la volonté d'abdication, nous employons nos énergies à l'accroissement de notre obscurité, à la destruction de la moindre trace de notre passage, du moindre souvenir de notre souffle. Nous haïssons quiconque s'attache à nous, compte sur nous ou attend quelque chose de nous. La seule concession que nous puissions encore faire aux autres est de les décevoir. De toute façon, ils ne pourront comprendre notre désir d'échapper au surmenage du moi, de nous arrêter au seuil de la conscience et de n'y jamais pénétrer, de nous tapir au plus profond du silence primordial, dans la béatitude inarticulée, dans la douce stupeur où gisait la création, avant le fracas du verbe. Ce besoin de nous cacher, de fausser compagnie à la lumière, d'être le dernier en tout, ces emportements de modestie où, rivalisant avec les taupes, nous les accusons d'ostentation, cette nostalgie de l'inéclos et de l'innommé, — autant de modalités de liquider l'acquis de l'évolution pour retrouver, par un bond en arrière, l'instant qui précéda l'ébranlement du devenir.

*Q*uand on se fait une haute idée de l'effacement et que l'on considère avec mépris le mot du moins *effacé* des modernes : «Toute ma vie j'ai tout sacrifié, tranquillité, intérêt, bonheur, à ma destinée» — ce n'est pas sans satisfaction que l'on se figure, à l'antipode, l'acharnement du détrompé qui, pour ne point laisser de traces, oriente ses entreprises vers un but unique : la suppression de son identité, la volatilisation de son moi. Si véhément est son désir de passer inaperçu qu'il érige l'Insignifiance en système, en divinité, et qu'il s'agenouille devant elle. Ne plus exister pour personne, vivre comme si on n'avait jamais vécu, bannir l'événement, ne se prévaloir plus d'aucun instant ni d'aucun lieu, se désassujettir pour toujours ! Être libre, c'est s'émanciper de la quête d'un destin, c'est renoncer à faire partie et des élus et des réprouvés ; être libre, c'est s'exercer à n'être rien.

Celui qui a donné tout ce qu'il pouvait donner offre un spectacle plus affligeant que celui qui, n'ayant pu ni voulu se signaler, meurt avec tous ses dons, réels ou supposés, avec ses capacités inexploitées et ses mérites non reconnus : la carrière qu'il eût pu faire, se prêtant à des versions multiples, flatte le jeu de notre imagination ; c'est dire qu'il est encore vivant, alors que le premier, figé dans sa réussite, accompli et hideux, évoque un cadavre. Dans tous les domaines, ceux-là seuls nous intriguent qui, soit défaillance, soit scrupule, ont retardé indéfiniment le moment où il leur fallait se résoudre à exceller. Leur avantage sur les autres est d'avoir compris que l'on ne se réalise pas impunément, qu'il faut payer pour tout geste qui s'ajoute au pur fait de vivre. La nature abhorre les talents que nous avons acquis à ses dépens, elle abhorre même ceux qu'elle nous a dispensés et que nous avons cultivés indûment, elle punit le zèle, ce chemin de perdition, et nous avertit que c'est toujours à notre détriment que nous nous efforçons de nous illustrer. Est-il rien de plus funeste qu'une surabondance de qualités, qu'un entassement de mérites ? Entretenons nos déficiences, n'oublions pas que l'on périt plus aisément par les excès d'une vertu que par ceux d'un vice.

S'estimer *connu* de Dieu, rechercher sa complicité et ses adulations, mépriser tous les suffrages sauf les siens, — quelle présomption et quelle force ! Il n'est que la religion pour satisfaire pleinement nos bons comme nos mauvais penchants.

Entre un homme qu'aucun «royaume» n'ignore, et un déshérité qui n'a que sa foi, lequel des deux, dans l'absolu, atteint à un plus grand rayonnement ? On ne saurait mettre en balance l'idée que Dieu consent à avoir de nous avec celle que s'en font nos semblables. Sans la volonté d'être *apprécié* là-haut, sans la certitude d'y jouir d'une certaine renommée, il n'y aurait pas d'oraison. Le mortel qui a prié sincèrement, ne fût-ce qu'une seule fois dans sa vie, a touché à la forme suprême de la gloire. Quelle autre réussite escomptera-t-il désormais ? Parvenu au sommet de sa carrière, sa mission ici-bas remplie, il pourra se reposer tranquillement pour le restant de ses jours.

Le privilège d'être connu de Dieu peut apparaître à certains insuffisant. Ainsi en jugea en tout cas notre premier ancêtre qui, las d'une célébrité passive, se mit en tête d'en imposer aux créatures, et au créateur même dont il jalousait moins l'omniscience que la pompe, le côté parade, le *clinquant*. Inconsolé d'avoir à jouer un rôle de second ordre, il se lança par dépit et cabotinage dans une suite de performances épuisantes, dans l'histoire, cette entreprise non pas tant pour supplanter la divinité que pour l'*éblouir*.

Si nous voulons avancer dans la connaissance de nous-mêmes, personne ne peut nous y aider autant que le vantard : il se comporte comme nous le ferions si ne nous retenaient des restes de timidité et de pudeur ; il dit tout haut ce qu'il pense de lui, il clame ses mérites, tandis que, faute d'audace, nous sommes condamnés à murmurer ou à taire les nôtres. À l'entendre s'extasier pendant des heures sur ses faits et gestes, on frémit à l'idée qu'il suffirait d'un rien pour que chacun en fît autant.

Comme il se préfère à l'univers ouvertement, et non en cachette à la manière de nous autres, il n'a aucune raison de jouer à l'incompris ou au réprouvé. Puisque nul ne veut s'occuper de ce qu'il est ni de ce qu'il vaut, il y pourvoira lui-même. Dans les jugements qu'il portera sur soi, point de restriction, d'insinuation ni de nuance. Il est satisfait, comblé, il a trouvé ce que tous poursuivent, ce que peu rencontrent.

Combien est à plaindre en revanche celui qui n'ose célébrer ses avantages et ses talents ! Il exècre quiconque n'en fait pas cas et il s'exècre de ne pouvoir les exalter ou tout au moins exhiber. La barrière des préjugés enlevée, la fanfaronnade, tolérée enfin et même obligatoire, quelle délivrance n'en résulterait-il pas pour les esprits ! La psychiatrie n'aurait plus d'objet s'il nous était loisible de divulguer l'immense bien que nous pensons de nous ou si nous avions à n'importe quelle heure du jour un flatteur sous la main. Pour heureux que soit le vantard, son bonheur n'est cependant pas sans faille : il ne trouve pas toujours quelqu'un disposé à l'écouter ; et ce qu'il peut éprouver quand il est réduit au silence, mieux vaut n'y pas songer.

Si remplis de nous-mêmes que nous soyons, nous vivons dans une aigreur inquiète, à laquelle nous ne pourrions échapper que si les pierres elles-mêmes, dans un mouvement de pitié, se décidaient à nous encenser. Tant qu'elles s'obstineront dans le mutisme, il ne nous reste qu'à patauger dans le tourment, qu'à nous gorger de notre fiel.

Si l'aspiration à la gloire prend de plus en plus une forme haletante, c'est qu'elle s'est substituée à la croyance à l'immortalité. La disparition d'une chimère aussi invétérée que légitime devait laisser dans les esprits un désarroi, en même temps qu'une attente mêlée de frénésie. Un simulacre de pérennité, personne ne peut s'en passer, encore moins s'interdire de le chercher partout, dans n'importe quelle forme de réputation, à commencer par la littéraire. Depuis que la mort apparaît à chacun comme un terme absolu, *tout le monde écrit.* D'où l'idolâtrie du succès, et, par voie de conséquence, l'asservissement au *public*, puissance pernicieuse et aveugle, fléau du siècle, version immonde de la Fatalité. Avec l'éternité à l'arrière-plan, la gloire pouvait avoir un sens ; elle n'en a plus aucun dans un monde où règne le temps, où, surcroît de malchance, le temps même est *menacé.* La fragilité universelle, qui affectait tant les Anciens, nous l'acceptons comme une évidence qui ne nous frappe ni ne nous afflige, et c'est d'un cœur joyeux que nous nous cramponnons aux certitudes d'une célébrité précaire et nulle. Ajoutons encore que si, aux époques où l'homme était rare, il pouvait y avoir quelque intérêt à être quelqu'un, il n'en va plus de même maintenant qu'il est dévalorisé. Sur une planète envahie par la chair, à la considération de qui tenir encore, quand l'idée du prochain s'est vidée de tout contenu et qu'on ne saurait aimer la masse humaine ni en gros ni en détail ? Vouloir seulement s'y distinguer, c'est déjà un symptôme de mort spirituelle. L'horreur de la gloire procède de l'horreur des hommes : interchangeables, ils justifient par leur nombre l'aversion qu'on nourrit pour eux. Le moment n'est pas loin où il faudra se trouver en état de grâce pour pouvoir, non les aimer, cela est impossible, mais en supporter simplement la vue. Au temps où des pestes providentielles nettoyaient les cités, l'individu, en sa qualité de survivant, inspirait à juste titre quelque respect : c'était encore un *être.* Il n'y a plus d'êtres, il n'y a que ce pullulement de moribonds atteints de longévité, d'autant plus haïssables qu'ils savent si bien organiser leur agonie. Nous leur préférons n'importe quel animal, ne fût-ce que parce qu'il est pourchassé par eux, spoliateurs et profanateurs du paysage qu'ennoblissait autrefois la présence des bêtes. Le paradis, c'est l'absence de l'homme. Plus nous en prenons conscience, moins nous excusons le geste d'Adam : entouré d'animaux, que pouvait-il souhaiter d'autre ? et comment a-t-il méconnu le bonheur de n'avoir pas à affronter, à chaque instant, cette ignoble malédiction inscrite sur nos visages ? La sérénité n'étant concevable qu'après l'éclipse de notre race, cessons, en attendant, de nous martyriser pour des vétilles, tournons nos regards ailleurs, vers cette partie de nous sur laquelle nul n'a de prise. Nous changeons de perspective sur les choses lorsque, dans une confrontation avec notre solitude la plus secrète, nous découvrons qu'il n'y a de réalité qu'au plus profond de nous et que tout le reste est leurre. Qui s'est pénétré de cette vérité, que peuvent lui accorder les autres qu'il n'ait déjà, et que lui retirer qui soit de nature à l'attrister ou à l'humilier ? Point d'affranchissement sans triomphe sur la honte et sur la peur de la honte. Le vainqueur des apparences, à jamais soustrait à leurs séductions, doit se rendre supérieur non seulement aux honneurs, mais encore à l'honneur même. Sans prêter la moindre attention au mépris de ses semblables, il saura promener, au milieu d'eux, une fierté de dieu discrédité...

*Q*uel soulagement n'éprouve-t-on pas lorsqu'on se croit inaccessible à la louange et au blâme, et qu'on ne tient plus à faire bonne ou mauvaise figure aux yeux de personne ! Étrange soulagement, ponctué de moments d'oppression, délivrance doublée de malaise. Si loin que nous ayons poussé l'apprentissage du détachement, nous ne pouvons dire cependant où nous en sommes avec le désir de gloire : le ressentons-nous encore ou y sommes-nous tout à fait insensibles ? Le plus probable est que nous l'avons escamoté et qu'il continue à nous harceler à notre insu. Nous n'en triomphons que dans ces instants d'abattement souverain où les vivants ni les morts ne pourraient se reconnaître en nous... Dans le reste de nos expériences, les choses sont moins simples, car tant qu'on désire on désire implicitement la gloire. Même revenus de tout, nous la souhaitons encore, puisque l'appétit que nous en avons survit à l'évanouissement de tous les autres. Qui l'a goûtée pleinement, qui s'y est roulé, ne pourra jamais s'en passer, et, faute de la connaître toujours, tombera dans l'acrimonie, l'insolence ou la torpeur. Plus nos déficiences s'accusent, plus elle gagne en relief et nous attire ; le vide en nous l'appelle ; et, quand elle ne répond pas, nous en acceptons l'ersatz : la notoriété. À mesure que nous y aspirons, nous nous débattons dans l'insoluble : nous voulons vaincre le temps avec les moyens du temps, durer dans l'éphémère, atteindre à l'indestructible à travers l'histoire, et, comble de dérision, nous faire applaudir par ceux-là mêmes que nous vomissons. Notre malheur est de n'avoir trouvé, pour remédier à la perte de l'éternité, que cette duperie, que cette lamentable hantise, dont pourrait se dégager celui-là seul qui s'implanterait dans l'être. Mais qui est capable de s'y implanter, quand on n'est *homme* que parce qu'on ne peut y réussir ?

Croire à l'histoire, c'est convoiter le possible, c'est postuler la supériorité qualitative de l'imminent sur l'immédiat, c'est se figurer que le devenir est assez riche par lui-même pour rendre l'éternité superflue. Que l'on cesse d'y croire, aucun événement ne conserve la moindre portée. On ne s'intéresse plus alors qu'aux extrémités du Temps, moins à ses débuts qu'à son achèvement, à sa consommation, à ce qui viendra après lui, quand le tarissement de la soif de gloire entraînera celui des appétits, et que, libre de l'impulsion qui le poussait en avant, déchargé de son aventure, l'homme verra s'ouvrir devant lui une *ère sans désir*.

S'il nous est interdit de recouvrer l'innocence primordiale, en revanche nous pouvons en imaginer une autre et essayer d'y accéder grâce à un savoir dépourvu de perversité, purifié de ses tares, changé en profondeur, «repenti». Une telle métamorphose équivaudrait à la conquête d'une seconde innocence, laquelle, survenue après des millénaires de doute et de lucidité, aurait sur la première l'avantage de ne plus se laisser prendre aux prestiges, maintenant usés, du Serpent. La disjonction entre science et chute une fois opérée, l'acte de connaître ne flattant plus la vanité de personne, aucun plaisir démoniaque n'accompagnerait encore l'indiscrétion forcément agressive de l'esprit. Nous nous comporterions comme si nous n'avions violé aucun mystère, et envisagerions nos exploits de tout ordre avec éloignement, sinon avec mépris. Il s'agirait ni plus ni moins que de *recommencer la Connaissance*, c'est-à-dire d'édifier une autre histoire, une histoire dégrevée de l'ancienne malédiction, et où il nous fût donné de retrouver cette marque divine que nous portions avant la rupture avec le reste de la création. Nous ne pouvons vivre avec le sentiment d'une faute totale, ni avec ce cachet d'infamie sur chacune de nos entreprises. Comme c'est notre corruption qui nous fait sortir de nous-mêmes, qui nous rend efficaces et féconds, l'empressement à produire nous dénonce, nous accuse. Si nos œuvres témoignent contre nous, n'est-ce point parce qu'elles émanent du besoin de camoufler notre déchéance, de tromper autrui, et, plus encore, de nous tromper nous-mêmes? Le *faire* est entaché d'un vice originel dont l'*être* semble exempt. Et puisque tout ce que nous accomplissons procède de la perte de l'innocence, ce n'est que par le désaveu de nos actes et le dégoût de nous-mêmes que nous pouvons nous racheter.

SUR LA MALADIE

———————————————————— *Q*uels que soient ses mérites, un bien portant déçoit toujours. Impossible d'accorder le moindre crédit à ses dires, d'y voir autre chose que prétextes ou acrobaties. L'expérience du terrible, qui seule confère une certaine épaisseur à nos propos, il ne la possède pas, comme il ne possède pas davantage l'imagination du malheur, sans laquelle nul ne saurait communiquer avec ces êtres *séparés* que sont les malades ; il est vrai que s'il la possédait il cesserait de se bien porter. N'ayant rien à transmettre, neutre jusqu'à l'abdication, il s'affaisse dans la santé, état de perfection insignifiant, d'imperméabilité à la mort comme au reste, d'inattention à soi et au monde. Tant qu'il y demeure, il est pareil aux objets ; dès qu'il en est arraché, il s'ouvre à tout et sait tout : omniscience de l'effroi.

*C*hair qui s'émancipe, qui se rebelle et ne veut plus servir, la maladie est l'*apostasie des organes* ; chacun entend faire cavalier seul, chacun, brusquement ou par degrés, cessant de jouer le jeu, de collaborer avec les autres, se lance dans l'aventure et le caprice. Pour que la conscience atteigne à une certaine intensité, il faut que l'organisme pâtisse et même qu'il se désagrège : la conscience, à ses débuts, est conscience des organes. Bien portants, nous les ignorons ; c'est la maladie qui nous les révèle, qui nous fait comprendre leur importance et leur fragilité, ainsi que notre dépendance à leur égard. L'insistance qu'elle met à nous rappeler à leur réalité a quelque chose d'inexorable ; nous avons beau vouloir les oublier, elle ne nous le permet pas ; cette impossibilité de l'oubli, où s'exprime le drame d'avoir un corps, remplit l'espace de nos veilles. Pendant le sommeil, nous participons à l'anonymat universel, nous sommes *tous les êtres* ; que la douleur nous réveille et nous secoue, il n'y a plus que nous-même, seul à seul avec notre mal, avec les mille pensées qu'il suscite en nous et contre nous. « Malheur à cette chair qui dépend de l'âme et malheur à cette âme qui dépend de la chair!» — c'est au cœur de certaines nuits que nous saisissons toute la portée de cette parole de l'*Évangile selon Thomas*. La chair boycotte l'âme, l'âme boycotte la chair; funestes l'une à l'autre, elles sont incapables de cohabiter, d'élaborer en commun un mensonge salutaire, une fiction d'envergure.

*P*lus la conscience s'accroît à la faveur de nos malaises, plus nous devrions nous sentir libres. C'est l'inverse qui est vrai. À mesure que nos infirmités s'accumulent, nous tombons à la merci de notre corps, dont les lubies équivalent à autant d'arrêts. C'est lui qui nous dirige et nous régente, c'est lui qui nous dicte nos humeurs; il nous surveille, nous guette, il nous tient en tutelle; et, pendant que nous nous plions à ses volontés et que nous subissons une servitude aussi humiliante, nous comprenons pourquoi, bien portants, nous répugnons à l'idée de fatalité : c'est qu'alors, notre corps, se signalant à peine, nous n'en percevons pratiquement pas l'existence. Si, dans la santé, les organes sont discrets, dans la maladie, impatients de se faire remarquer, ils entrent en concurrence, et c'est à qui attirera le plus notre attention. Celui qui l'emporte ne conserve l'avantage qu'en faisant du zèle; mais il s'use à la tâche, et c'est ainsi qu'un autre plus entreprenant et plus vigoureux viendra le relever. De cette rivalité, le fâcheux est qu'on soit forcé d'être l'objet et le témoin.

*C*omme tout facteur de déséquilibre, la maladie désengourdit, fouette, et apporte un élément de tension et de conflit. La vie, c'est un soulèvement à l'intérieur de l'inorganique, un essor tragique de l'inerte, la vie, c'est de la matière animée et, il faut bien le dire, ruinée par la douleur. À tant d'agitation, à tant de dynamisme et d'affairement, on n'échappe qu'en aspirant au repos de l'inorganique, à la paix au sein des éléments. La volonté de retourner à la matière fait le fond même du désir de mourir. Au contraire, avoir peur de la mort, c'est craindre ce retour, c'est fuir le silence et l'équilibre de l'inerte, l'équilibre surtout. Rien de plus naturel : il s'agit là d'une réaction de vie, et tout ce qui participe de la vie est, au propre et au figuré, *déséquilibré*.

Chacun de nous est le produit de ses maux passés et, *s'il est anxieux*, de ses maux à venir. À la maladie vague, indéterminée, d'être homme, s'en ajoutent d'autres, multiples et précises, qui toutes surgissent pour nous annoncer que la vie est un état d'insécurité absolu, qu'elle est provisoire par essence, qu'elle représente un mode d'existence accidentel. Mais si la vie est un accident, l'individu est l'accident d'un accident.

Il n'y a pas de guérison, ou plutôt toutes les maladies dont nous avons «guéri», nous les portons en nous et elles ne nous quittent jamais. Incurables ou non, elles sont là pour empêcher que la douleur ne se résolve en une sensation diffuse : elles l'étoffent, l'organisent, la réglementent... On les a appelées les «idées fixes» des organes. Elles font penser en effet à des organes en proie à l'obsession, hors d'état de s'y soustraire, livrés à des troubles orientés, prévisibles, assujettis à un cauchemar méthodique, aussi monotone qu'une hantise.

Tel est l'automatisme de la maladie qu'elle ne peut rien concevoir en dehors d'elle-même. Enrichissante à ses premières manifestations, elle se répète ensuite forcément, sans devenir pour autant, comme l'ennui, symbole d'invariabilité et de stérilité. Encore faut-il ajouter qu'à partir d'un certain moment elle n'apporte plus rien à celui qui souffre sinon la confirmation quotidienne de l'impossibilité où il est de ne pas souffrir.

*T*ant qu'on se porte bien, on n'existe pas. Plus exactement : on ne sait pas qu'on existe. Le malade soupire après le néant de la santé, après l'ignorance d'être : il est exaspéré de savoir à chaque instant qu'il a *tout* l'univers en face, sans nul moyen d'en faire partie, de s'y perdre. Son idéal serait de tout oublier, et, déchargé de son passé, de se réveiller un beau jour, nu devant l'avenir. «Je ne peux plus rien entreprendre, *à partir* de moi-même. Plutôt éclater ou me dissoudre que de continuer ainsi», se dit-il. Il envie, méprise ou hait le reste des mortels, les bien portants en tout premier lieu. La douleur invétérée, loin de purifier, fait sortir tout ce qu'un être a de *mauvais*, au physique et au moral. Règle de conduite : se méfier des souffrants, redouter quiconque a gardé longtemps le lit. Le désir secret du malade est que tout le monde soit malade, et de l'agonisant que tout le monde soit à l'agonie. Ce que nous souhaitons dans nos épreuves, c'est que les autres soient aussi malheureux que nous : pas plus, juste autant. Car il ne faut pas s'y tromper : la seule égalité qui nous importe, la seule aussi dont nous soyons capables c'est l'égalité dans l'enfer.

On peut déposséder l'homme, on peut tout lui enlever, il s'en arrangera d'une manière ou d'une autre. À une seule chose pourtant, il ne faut pas toucher, car si on l'en prive, il sera perdu sans rémission : la faculté, mieux : la volupté de se plaindre. Si vous la lui ôtez, il ne prendra plus aucun intérêt ni aucun plaisir à ses maux. Il s'en accommode tant qu'il peut en parler et les étaler, tant surtout qu'il peut en faire le récit à ses prochains pour les châtier de ne pas les éprouver, d'en être momentanément exempts. Et quand il se plaint il sous-entend : « Attendez un peu, votre tour ne manquera pas de venir, vous n'y échapperez pas. » Tous les malades sont des sadiques ; mais leur sadisme est *acquis* ; c'est là leur seule excuse.

*C*éder, au milieu de nos maux, à la tentation de croire qu'ils ne nous auront servi à rien, que, sans eux, nous serions infiniment plus avancés, c'est oublier le double aspect de la maladie : *anéantissement* et *révélation* ; elle ne nous enlève à nos apparences et ne les détruit que pour mieux nous ouvrir à notre ultime réalité, et quelquefois à l'invisible. D'un autre côté, on ne saurait nier que chaque malade ne soit un tricheur à sa façon. S'il se penche sur ses infirmités et s'en occupe avec tant de minutie, c'est pour ne pas penser à la mort ; il l'escamote *en se soignant*. Elle n'est regardée en face que par ceux, rares à la vérité, qui, ayant compris les « inconvénients de la santé », dédaignent de prendre des mesures pour la conserver ou la reconquérir. Ils se laissent doucement mourir, au rebours des autres, qui s'agitent et s'affairent, et croient échapper à la mort parce qu'ils *n'ont pas le temps* d'y succomber.

Dans l'équilibre de nos facultés, il nous est impossible de percevoir d'autres mondes ; au moindre désordre, nous nous y élevons et les *sentons*. C'est comme si, dans le réel, une fissure s'était opérée à travers laquelle nous entrevoyons un mode d'existence à l'antipode du nôtre. Cette ouverture, si improbable soit-elle objectivement, nous hésitons cependant à la réduire à un simple accident de notre esprit. Tout ce que nous percevons a une valeur de réalité, dès l'instant que l'objet perçu, fût-il imaginaire, s'incorpore à notre vie. Les anges, pour celui qui ne peut se dispenser d'y songer, existent bel et bien. Mais quand il les voit, quand il se figure qu'ils le visitent, quelle révolution dans tout son être, quelle crise ! Jamais un bien portant ne pourrait sentir leur présence, ni s'en faire une idée exacte. Les imaginer, c'est courir à sa perte ; les voir, les toucher, c'est être perdu. Dans certaines tribus, on dit de celui qui est en proie aux convulsions : « Il a les dieux. » — « Il a les anges », devrait-on dire de celui qui est rongé par des terreurs secrètes.

Être livré aux anges ou aux dieux, passe encore ; le pire est de s'estimer, pendant de longues périodes, l'homme le plus normal qui fut jamais, exempt des tares qui affligent les autres, soustrait aux conséquences de la chute, inaccessible à la malédiction, un homme sain à tous égards, dominé à chaque moment par l'impression de s'être égaré dans une foule de maniaques et de pestiférés. Comment guérir de l'obsession de l'absolue «normalité», comment faire pour être un sauvé ou un déchu *quelconque*? La nullité, l'abjection, n'importe quoi, plutôt que cette perfection maléfique!

*S*i l'homme a pu fausser compagnie aux animaux, c'est qu'il était sans doute plus exposé et plus réceptif aux maladies qu'eux. Et s'il réussit à se maintenir dans son état actuel, c'est parce qu'elles ne cessent de l'y aider; elles l'entourent plus que jamais et se multiplient, afin qu'il ne se croie ni seul ni déshérité; elles veillent pour qu'il prospère, pour qu'à aucun moment il n'ait le sentiment qu'on ne le pourvoie pas en tribulations.

Sans la douleur, l'auteur de la *Voix souterraine* l'a bien vu, il n'y aurait pas de conscience. Et la douleur, qui affecte tous les vivants, est l'unique indice qui permette de supposer que la conscience n'est pas l'apanage de l'homme. Infligez quelque torture à une bête, contemplez l'expression de son regard, vous y percevrez un *éclair* qui la projette pour un instant au-dessus de son état. Quelle qu'elle soit, dès qu'elle souffre, elle fait un pas vers nous, elle s'efforce de nous rejoindre. Et il est impossible, pendant la durée de son mal, de lui refuser un degré, si minime soit-il, de conscience.

Conscience n'est pas lucidité. La lucidité, monopole de l'homme, représente l'aboutissement du processus de rupture entre l'esprit et le monde; elle est nécessairement conscience de la conscience, et si nous nous distinguons des bêtes, c'est à elle seule qu'en revient le mérite ou la faute.

*P*oint de douleur *irréelle*: la douleur existerait même si le monde n'existait pas. Quand il serait démontré qu'elle n'a aucune utilité, nous pourrions encore lui en trouver une: celle de projeter quelque substance dans les fictions qui nous environnent. Sans elle, nous serions tous des fantoches, sans elle nul contenu nulle part; par sa simple présence, elle transfigure n'importe quoi, même un concept. Tout ce qu'elle touche est promu au rang de souvenir; elle laisse des traces dans la mémoire que le plaisir effleure seulement: un homme qui a souffert est un homme *marqué* (comme on dit d'un débauché qu'il est marqué, à juste titre puisque la débauche est souffrance). Elle donne une cohérence à nos sensations et une unité à notre moi, et demeure, une fois abolies nos certitudes, le seul espoir d'échapper au naufrage métaphysique. Faut-il maintenant aller plus loin et, en lui conférant un statut impersonnel soutenir, avec le bouddhisme, qu'elle seule existe, qu'il n'y a pas de souffrant? Si elle possède le privilège de subsister par elle-même, et que le « soi » se ramène à une illusion, on se demande alors qui souffre et quel sens peut bien avoir ce déroulement mécanique à quoi elle est réduite. On dirait que le bouddhisme ne la découvre partout que pour mieux la déprécier. Mais nous autres, même quand nous admettons qu'elle existe indépendamment de nous, nous ne pouvons nous imaginer sans elle ni la séparer de nous-mêmes, de notre *être*, dont elle est la substance, voire la cause. Comment concevoir une sensation *comme telle*, sans le support du « je », comment nous figurer une souffrance qui ne soit pas « nôtre » ? Souffrir c'est être totalement soi, c'est accéder à un état de non-coïncidence avec le monde, car la souffrance est *génératrice d'intervalles* ; et, quand elle nous tenaille, nous ne nous identifions plus avec rien, même pas avec elle ; c'est alors que, doublement conscients, nous veillons sur nos veilles.

*E*n dehors des maux que nous subissons, qui s'abattent sur nous et dont nous nous accommodons plus ou moins, il en est d'autres, que nous souhaitons autant par instinct que par calcul : une soif insistante les appelle, comme si nous avions peur que, cessant de souffrir, il n'y eût rien à quoi nous accrocher. Nous avons besoin d'une donnée rassurante, nous attendons qu'on nous apporte la preuve que nous touchons à du solide, que nous ne sommes pas en pleine divagation. La douleur, n'importe laquelle, remplit ce rôle, et, quand nous l'avons sous la main, nous savons avec certitude que quelque chose existe. À la flagrante irréalité du monde, on ne peut opposer que des *sensations* ; ce qui explique pourquoi, lorsqu'on se persuade que rien ne comporte le moindre fondement, on s'agrippe à tout ce qui offre un contenu positif, à tout ce qui fait souffrir. Celui qui est passé par le Vide verra dans chaque sensation douloureuse un secours providentiel, et ce qu'il redoutera le plus c'est de la dévorer, de l'épuiser trop vite et de retomber dans l'état de dépossession et d'absence dont elle l'avait tiré. Comme il vit dans un déchirement stérile, il connaît jusqu'à la satiété le malheur de se tourmenter sans tourments, de souffrir sans souffrances ; et c'est ainsi qu'il rêve d'une suite d'épreuves déterminées, exactes, qui le délivre de ce vague intolérable, de cette vacance crucifiante, où rien n'est profitable, où l'on avance en pure perte, selon le rythme d'un long et insubstantiel supplice. Le Vide, impasse *infinie*, aspire à se fixer des bornes, et c'est par avidité d'une limite qu'il se jette sur la première douleur venue, sur toute sensation susceptible de l'arracher aux transes de l'indéfini. C'est que la douleur, circonscrite, ennemie du flou, est toujours chargée d'un sens, fût-il négatif, alors que le Vide, trop vaste, ne saurait en contenir aucun.

Les maux qui nous submergent, les maux involontaires, sont de loin plus fréquents et plus réels que les autres ; ce sont ceux aussi devant lesquels nous nous trouvons le plus démunis : les accepter ? les fuir ? nous ne savons comment réagir, et pourtant cela seul importerait. Pascal avait raison de ne pas s'étendre sur les maladies, mais sur l'*usage* qu'on doit en faire. Il est cependant impossible de le suivre lorsqu'il nous assure que «les maux du corps ne sont autre chose que la punition et la figure tout ensemble des maux de l'âme». L'affirmation est si gratuite que, pour la démentir, on n'a qu'à regarder autour de soi : de toute évidence, la maladie frappe indistinctement l'innocent et le coupable, elle montre même une prédilection visible pour l'innocent ; ce qui est du reste dans l'ordre, l'innocence, la pureté intérieure, supposant presque toujours une complexion faible. Décidément, la Providence ne se met pas en frais pour les délicats. Causes, bien plutôt que reflets, de nos maux spirituels, nos maux physiques déterminent notre vision des choses et décident de la direction que prendront nos idées. La formule de Pascal est vraie, à condition de la renverser.

Nulle trace de nécessité morale ni d'équité dans la distribution des biens et des maux. Faut-il s'en irriter et tomber dans les exagérations d'un Job ? Il est oiseux de se révolter contre la douleur. D'autre part, la résignation n'est plus de mise : ne refuse-t-elle pas de flatter et d'embellir nos misères ? On ne dépoétise pas l'enfer impunément. Elle n'est pas seulement inactuelle, elle est encore condamnée : c'est une vertu qui ne répond à aucune de nos faiblesses.

Dès qu'on s'adonne à une passion, noble ou sordide, peu importe, on est sûr de passer de tourment en tourment. L'aptitude même à en éprouver une montre bien qu'on est prédestiné à souffrir. On n'aime que parce qu'inconsciemment on a renoncé au bonheur.

L'adage brahmanique est irréfutable : « Chaque fois que l'on se crée un nouveau lien, c'est une douleur de plus qu'on s'enfonce, comme un clou, dans le cœur. » — Tout ce qui allume notre sang, tout ce qui nous donne l'impression de vivre, d'être dans le coup, tourne inévitablement à la souffrance. Une passion est par elle-même un châtiment. Celui qui s'y livre, se crût-il l'homme le plus comblé, expie par l'anxiété son bonheur réel ou imaginé. La passion prête des dimensions à ce qui n'en a pas, érige en idole ou en monstre une ombre, elle est péché contre le véritable poids des êtres et des choses. Elle est encore cruauté envers autrui et envers soi, puisqu'on ne peut la ressentir sans torturer et se torturer. En dehors de l'insensibilité et, à la rigueur, du mépris, tout est peine, même le plaisir, lui surtout, dont la fonction ne consiste pas à écarter la douleur mais à la *préparer*. En admettant même qu'il ne vise pas si haut et qu'il conduise seulement à la déception, quelle meilleure preuve de ses insuffisances, de son manque d'intensité, d'*existence* ! Il y a effectivement autour de lui un air d'imposture qu'on ne retrouve jamais autour de la douleur ; il promet tout et n'offre rien, il est de la même étoffe que le désir. Or, le désir non satisfait est souffrance ; il n'est *plaisir* que pendant la satisfaction ; et il est déception, une fois satisfait.

Comme c'est par la sensation que le malheur s'est insinué dans le monde, le mieux serait d'anéantir nos sens, et de nous laisser tomber dans une aboulie divine. Quelle plénitude, quelle dilatation, lorsque nous escomptons l'évanouissement de nos appétits ! La quiétude qui se pense indéfiniment elle-même se détourne de tout horizon hostile à cette rumination, de tout ce qui pourrait l'arracher à la douceur de ne rien sentir. Quand nous abhorrons également plaisirs et douleurs, et que nous en sommes las jusqu'au dégoût, ce n'est pas au bonheur, ce n'est pas à une *autre* sensation que nous rêvons, mais à une vie au ralenti, faite d'impressions si imperceptibles qu'elles en paraissent inexistantes. La moindre émotion se ramène alors à un symptôme d'insanité, et dès que nous en éprouvons une, nous nous en alarmons au point de crier au secours.

Tout ce qui nous affecte d'une manière ou d'une autre étant virtuellement souffrance, allons-nous en conclure à la supériorité du minéral sur le vivant ? Dans ce cas, l'unique recours serait de réintégrer au plus tôt l'imperturbabilité des éléments. Encore faudrait-il le pouvoir. N'oublions pas que pour un animal qui a toujours souffert, il est incomparablement plus facile de souffrir que de ne pas souffrir. Et si la condition du saint est plus agréable que celle du sage, la raison en est qu'il en coûte moins de se rouler dans la douleur que d'en triompher par la réflexion ou par l'orgueil.

*P*uisque nous sommes incapables de vaincre nos maux, il nous revient de les cultiver et de nous y complaire. Cette complaisance eût semblé une aberration aux Anciens, qui n'admettaient pas de volupté supérieure à celle de ne pas souffrir. Moins raisonnables, nous en jugeons différemment, au terme de vingt siècles où la *convulsion* était considérée comme un signe d'avancement spirituel. Accoutumés à un Sauveur tordu, défait, grimaçant, nous sommes inaptes à goûter la désinvolture des dieux antiques, ou l'inépuisable sourire d'un Bouddha, plongé dans une béatitude végétale. Le nirvâna, si on y songe bien, ne semble-t-il pas avoir emprunté aux plantes leur secret essentiel? Nous n'accédons à la délivrance qu'en prenant comme modèle une forme d'être opposée à la nôtre.

Aimer souffrir c'est s'aimer indûment, c'est ne vouloir rien perdre de ce qu'on est, c'est savourer ses infirmités. Plus nous nous penchons sur les nôtres, plus il nous plaît de ressasser la question: «Comment l'homme a-t-il été possible?» Dans l'inventaire des facteurs responsables de son surgissement, la maladie vient en tête. Mais pour qu'il pût surgir vraiment, des maux venus d'ailleurs durent s'ajouter aux siens, la conscience étant le couronnement d'un nombre vertigineux d'impulsions retardées et refrénées, de contrariétés et d'épreuves subies par notre espèce, par toutes les espèces. Et l'homme, après avoir tiré profit de cette infinité d'épreuves, s'emploie de son mieux à les justifier, à leur donner un sens. «Elles n'auront pas été inutiles, elles ont préparé et annoncé les miennes, plus diverses et plus intolérables que les vôtres», dit-il à la totalité des êtres vivants pour les consoler de ne pas atteindre à des tourments aussi exceptionnels que les siens.

LA PLUS ANCIENNE DES PEURS

À propos de Tolstoï

————————————————— *L*a nature s'est montrée géné-
reuse envers ceux-là seuls qu'elle a dispensés de songer à la mort.
Les autres, elle les a livrés à la plus ancienne et à la plus corrosive
des peurs, sans leur offrir ni même suggérer les moyens d'en guérir. S'il est normal de mourir, il ne l'est pas de s'attarder sur la
mort ni d'y penser à tout propos. Celui qui n'en détourne jamais
son esprit fait preuve d'égoïsme et de vanité ; comme il vit en fonction de l'image que les autres se font de lui, il ne peut accepter
l'idée de n'être plus rien un jour ; l'*oubli* étant son cauchemar de
chaque instant, il est agressif et bilieux, et ne manque aucune
occasion d'étaler ses hargnes et ses mauvaises manières. N'y a-t-il
pas quelque inélégance à craindre la mort ? Cette crainte qui
ronge les ambitieux n'entame pas les purs ; elle les effleure sans
les atteindre. Les autres la subissent avec humeur et en veulent à
tous ceux qui ne l'éprouvent guère. Jamais un Tolstoï ne leur pardonnera le bonheur qu'ils ont de ne pas la connaître, et il les
punira en la leur infligeant, en la décrivant avec une minutie qui
la rend tout ensemble répugnante et contagieuse. Son art consis-
tera à faire de toute agonie l'agonie même et à obliger le lecteur à
se répéter, effaré et fasciné : « C'est ainsi que l'on meurt. »
Dans le décor interchangeable, dans le monde convenu où vit
Ivan Ilitch, la maladie fait irruption. Tout d'abord il croit qu'il
s'agit d'un malaise passager, d'une infirmité sans conséquence ;
puis, sous le coup de souffrances de plus en plus précises et bientôt intolérables, finissant par comprendre la gravité de son cas, il
perd courage. « À certains moments, après de longues crises douloureuses, si honteux qu'il fût de se l'avouer, il aurait voulu par-
dessus tout qu'on le plaignît comme un petit enfant malade. Il
avait envie qu'on le caressât, qu'on l'embrassât, qu'on pleurât
auprès de lui, ainsi que l'on caresse et que l'on console les

enfants. Il savait qu'il était membre de la cour d'appel, qu'il avait une barbe grisonnante et que c'était par conséquent impossible. Mais il en avait cependant envie[1].» — La cruauté, en littérature tout au moins, est signe d'élection. Plus un écrivain est doué, plus il s'applique à mettre ses personnages dans des situations sans issue; il les poursuit, il les tyrannise, il les contraint à affronter tous les détails de l'impasse ou de l'agonie. Mieux que la cruauté, c'est de la férocité qu'il faut pour insister sur le surgissement de l'incurable au milieu de l'insignifiance, sur la moindre nuance de l'horreur échue à un individu banal qu'investit le fléau. «Mais soudain Ivan Ilitch ressentit de nouveau cette douleur qu'il connaissait bien, sourde, obstinée, persistante, mystérieuse.» Tolstoï, si avare d'adjectifs, en trouve quatre pour caractériser une sensation, douloureuse il est vrai. La chair lui apparaissant comme une réalité fragile et cependant terrifiante, comme la grande pourvoyeuse d'effrois, c'est à juste titre qu'il envisage à partir d'elle le phénomène de la mort. Point de dénouement dans l'absolu, indépendamment de nos organes et de nos maux. Comment s'éteindre à l'intérieur d'un système? Et comment pourrir? La métaphysique ne fait aucune place au cadavre. Ni d'ailleurs à l'être vivant. Plus on devient abstrait et impersonnel, que ce soit à cause de concepts ou de préjugés (les philosophes et les esprits ordinaires se meuvent également dans l'irréel), plus la mort prochaine, immédiate, semble inconcevable. Sans la maladie, Ivan Ilitch, esprit ordinaire justement, n'aurait aucun relief, aucune consistance. C'est elle qui, en le détruisant, lui confère une dimension d'être. Bientôt il ne sera plus rien; avant elle, il n'était rien non plus; il *est* seulement dans l'intervalle qui s'étend entre le vide de la santé et celui de la mort, il n'existe qu'aussi longtemps qu'il se meurt. Qu'était-il donc auparavant? Un fantoche épris de simulacres, un magistrat qui croyait à sa profession et à sa famille. Revenu du faux et de l'illusoire, il comprend maintenant que jusqu'à l'apparition de son mal il avait perdu son temps en futilités. Ce qui subsistera de tant d'années ce sont les quelques semaines où il aura souffert et où la maladie lui aura révélé des réalités insoupçonnées avant. *La vraie vie commence et se termine avec l'agonie*, tel est l'enseignement qui se dégage de l'épreuve d'Ivan Ilitch, non moins que de celle de Brékounov dans *Maître et serviteur*. Comme c'est notre perte qui nous sauve, entretenons vive en

1. Traduit par Boris de Schlœzer.

nous la superstition de nos derniers moments : eux seuls, aux yeux de Tolstoï, nous délivreront de la vieille peur, par eux seuls nous en triompherons. Elle nous envenime, elle est notre plaie ; si nous voulons en guérir, ayons de la patience, *attendons.* Cette conclusion, peu de sages la ratifieront ; car aspirer à la sagesse, c'est vouloir vaincre cette peur-là *sans tarder.*

Si Tolstoï a toujours été préoccupé par la mort, elle ne devint pour lui un problème harassant qu'à partir de la crise qu'il traversa vers la cinquantaine, quand il commença, dans l'affolement, à s'interroger sur le «sens» de la vie. Mais la vie, dès qu'on est obsédé par la signification qu'elle peut bien comporter, se désagrège, s'effrite : ce qui jette une lumière sur ce qu'elle est, sur ce qu'elle vaut, sur sa substance chétive et improbable. Faudra-t-il soutenir avec Goethe que le sens de la vie réside dans la vie elle-même ? Celui que hante ce problème s'y résoudra difficilement, pour la bonne raison que sa hantise débute précisément par la révélation du *non-sens* de la vie.

On a essayé d'expliquer la crise et la «conversion» de Tolstoï par l'épuisement de ses dons. L'explication ne tient pas debout. Des œuvres de la dernière période, comme *La Mort d'Ivan Ilitch, Maître et serviteur, Le Père Serge, Le Diable,* ont une densité et une profondeur dont n'aurait pu faire preuve un génie tari. Il n'y eut pas tarissement chez lui, mais déplacement du centre d'intérêt. Répugnant à se pencher encore sur la vie extérieure des êtres, il ne voulait plus les considérer qu'à partir du moment où, sujets eux aussi à une crise, ils étaient amenés à rompre avec les fictions où ils avaient vécu jusqu'alors. Dans ces conditions, écrire de grands romans ne lui était plus possible. Le pacte avec les apparences qu'il avait signé en tant que romancier, il le dénonce et le déchire, pour se tourner vers l'*autre* côté des choses. La crise où il entrait n'était cependant pas aussi inattendue ni aussi radicale qu'il le pensait quand il écrivait : «Ma vie s'arrêta.» Loin d'être imprévue, elle représentait en fait l'aboutissement, l'exaspération d'une angoisse dont il avait toujours souffert. (Si *La Mort d'Ivan Ilitch* date de 1886, tous les motifs qui y sont traités se trouvent en germe dans *Trois morts,* qui est de 1859.) Seulement, son angoisse d'avant, naturelle, car dépourvue d'intensité, était tolérable, alors que celle qu'il éprouva après l'était à peine. L'idée de la mort, à laquelle il fut sensible dès son enfance, n'a en soi rien de morbide ; il n'en va pas de même de l'obsession, approfondissement indu de cette idée, qui devient alors funeste à l'exercice de la vie. Cela est vrai sans doute, si on s'incline devant le point de vue de la vie... Mais ne peut-on pas concevoir une exigence de vérité qui, en face de l'ubiquité de la mort, se refuse à toute concession, comme à toute distinction entre normal et maladif ? Si seul compte le fait de mourir, il faut en tirer les conséquences, sans s'embarrasser d'autres considérations. C'est là une position que n'adopteront pas ceux qui ne cessent de se lamenter sur leur «crise», sur un état où, tout à l'opposé, tendent les efforts du véritable solitaire, lequel jamais ne s'abaissera à dire : «Ma vie s'arrêta», car c'est justement ce qu'il cherche, ce qu'il poursuit. Mais un Tolstoï, riche et célèbre, comblé selon le monde, regarde éperdu la dégringolade de ses anciennes certitudes et s'évertue en vain à bannir de son esprit la révélation récente du non-sens qui l'envahit, qui le submerge. Ce qui l'étonne et le déroute dans son cas, c'est que, disposant d'une si grande vitalité (il travaillait, nous dit-il, huit heures par jour sans fatigue et fauchait aussi bien qu'un paysan), il en soit à se servir de ruses pour ne pas se tuer. La vitalité ne constitue guère un obstacle au suicide : tout dépend de la direction qu'elle suit ou qu'on lui imprime. Il constate du reste lui-même que la force qui le poussait à se détruire était semblable à celle qui auparavant l'attachait à la vie, avec cette différence, ajoute-t-il, qu'elle se produisait maintenant *en sens inverse*.

S'attacher à percevoir les lacunes de l'être, courir à sa ruine par excès de lucidité, s'effondrer et se perdre, les anémiques n'en ont pas le privilège ; les natures fortes, pour peu qu'elles entrent en conflit avec elles-mêmes, en sont autrement susceptibles ; elles y apportent toute leur fougue, toute leur frénésie ; ce sont encore elles qui subissent des crises, où il faut voir une punition, car il n'est pas normal qu'elles consacrent leur énergie à se dévorer. Ont-elles atteint le faîte de leur carrière ? elles étoufferont sous le poids des questions insolubles ou tomberont en proie à un vertige, stupide en apparence, légitime et essentiel au fond, tel que celui qui s'empara de Tolstoï lorsque, en plein désarroi, il se répétait jusqu'à l'hébétude : À *quoi bon* ? ou *Et puis après* ?

Qui a fait une expérience analogue à celle de l'Ecclésiaste s'en souviendra toujours ; les vérités qu'il y aura puisées sont irréfutables autant qu'impraticables : des banalités, des évidences destructrices d'équilibre, des lieux communs *qui rendent fou*. Cette intuition de l'inanité qui jure si heureusement avec les espérances entassées dans l'Ancien Testament, personne ne l'a eue, dans le monde moderne, aussi distinctement que Tolstoï. Même lorsqu'il s'érigera plus tard en réformateur, il ne pourra *répondre* à Salomon, l'être avec lequel il a le plus de points communs : n'étaient-ils pas, l'un et l'autre, de grands sensuels aux prises avec un dégoût universel? C'est là un conflit sans issue, une contradiction de tempérament, d'où dérive peut-être la vision de la Vanité. Plus nous sommes portés à jouir de tout, plus le dégoût s'acharne à nous en empêcher, et ses interventions seront d'autant plus vigoureuses que notre avidité de plaisirs aura été plus impatiente. «Tu ne jouiras de rien!» tel est l'ordre qu'il nous intime en toute rencontre, en toute occasion d'oubli. Exister n'a de saveur que si on se maintient dans un enivrement gratuit, dans cet état d'ébriété, faute duquel l'être ne possède rien de positif. Quand Tolstoï nous assure qu'avant sa crise il était «ivre de la vie», ce qu'il faut entendre par là c'est qu'il *vivait* tout bonnement, c'est-à-dire qu'il était grisé comme l'est tout vivant en tant que tel. Voilà le dégrisement qui survient et qui prend figure de fatalité. Que faire? On a de quoi être ivre, mais on ne le peut; en pleine vigueur, on n'est pas dans la vie, on n'en fait plus partie; on la transperce, on en discerne l'irréalité, car le dégrisement est clairvoyance et éveil. Et à quoi s'éveille-t-on, sinon à la mort?

Ivan Ilitch voulait qu'on s'apitoyât sur lui et qu'on le plaignît; plus misérable que son héros, Tolstoï se compare, lui, à un oisillon tombé du nid! Son drame force la sympathie, bien qu'on ne puisse souscrire aux raisons qu'il allègue pour l'expliquer. La partie «négative» est chez lui de loin plus intéressante que l'autre. Si ses interrogations émanent de son être profond, il en va différemment de ses réponses. Les perplexités qu'il éprouva pendant sa crise confinaient à l'intolérable, c'est un fait; au lieu de vouloir s'en défaire pour ce motif uniquement, il trouve bon de nous dire qu'étant le propre des riches et des oisifs et nullement des moujiks, elles sont dénuées de toute portée intrinsèque. Visiblement, il sous-estime les avantages de la satiété, laquelle permet des découvertes interdites à l'indigence. Aux repus, aux blasés se dévoilent certaines vérités qu'on appelle à tort fausses ou téméraires et dont la valeur subsiste lors même que l'on condamne le genre de vie qui les a fait naître. De quel droit rejette-t-on d'emblée celles de l'Ecclésiaste? Si l'on se place au niveau des actes, il sera difficile, on l'admettra aisément, de consentir à son désabusement. Mais l'Ecclésiaste ne considère pas que l'acte soit un critère. Aussi reste-t-il sur ses positions, comme les autres sur les leurs.

Pour justifier le culte qu'il professe pour les moujiks, Tolstoï invoque leur détachement, leur facilité à quitter la vie sans s'encombrer de problèmes inutiles. Les apprécie-t-il, les aime-t-il vraiment? Il les jalouse plutôt, parce qu'il les croit moins compliqués qu'ils ne sont. Il s'imagine qu'ils glissent dans la mort, qu'elle est pour eux un soulagement, qu'au milieu d'une tempête de neige ils s'abandonnent à la façon de Nikita, tandis que Brékounov se crispe et s'agite. «Quelle est la manière la plus simple de mourir?» — telle est la question qui a dominé sa maturité et torturé sa vieillesse. La simplicité, qu'il n'a cessé de rechercher, il ne l'a trouvée en rien, sauf dans son style. Lui, il était trop ravagé pour y atteindre. Comme tout esprit tourmenté, excédé et subjugué par ses tourments, il ne pouvait aimer que les arbres et les bêtes, et ceux-là seuls des hommes qui par quelque trait s'apparentaient aux éléments. À leur contact il escomptait, nul doute là-dessus, s'arracher à ses effrois habituels et s'acheminer vers une agonie supportable et même sereine. Se rassurer, rencontrer la paix coûte que coûte, c'est tout ce qui lui importait. On voit maintenant pourquoi il ne fallait pas laisser Ivan Ilitch expirer dans le dégoût ou l'épouvante. «Il chercha sa terreur accoutumée et ne la trouva plus. Où est-elle? Quelle mort? Il n'avait plus peur, parce que la mort aussi n'était plus.

Au lieu de la mort, il voyait la lumière. "Voilà donc ce que c'est, prononça-t-il soudain à voix haute. Quelle joie!"»

Cette joie ni cette lumière n'emportent la conviction; elles sont extrinsèques, elles sont plaquées. Nous avons peine à admettre qu'elles parviennent à adoucir les ténèbres où se débat le mourant: rien du reste ne le préparait à cette jubilation, qui n'a aucun rapport avec sa médiocrité, ni avec la solitude où il est réduit. D'un autre côté, la description de son agonie est si oppressante à force d'être exacte qu'il eût été presque impossible de la conclure sans changer de ton et de plan. «Finie la mort, se dit-il. Elle n'est plus.» Le prince André aussi voulait s'en persuader. «L'amour, c'est Dieu, et mourir signifie pour moi, fragment de cet amour, retourner au grand tout, à la source éternelle.» Plus sceptique sur les divagations finales du prince André qu'il ne le sera plus tard sur celles d'Ivan Ilitch, Tolstoï ajoute : «Ces pensées lui semblaient consolantes; mais ce n'étaient que pensées..., il y avait en elles quelque chose d'unilatéral, d'individuel, de purement rationnel; elles manquaient d'évidence.» Malheureusement celles du pauvre Ivan Ilitch n'en manqueront pas moins. Mais, depuis *La Guerre et la Paix*, Tolstoï a fait du chemin : il en est arrivé à un stade où à tout prix il lui faut élaborer une formule de salut et s'y accrocher. Cette lumière, cette joie surajoutées, comment ne pas sentir qu'il les rêvait pour lui et que, tout autant que la simplicité, elles lui étaient défendues? Non moins *rêvées* sont les dernières paroles qu'il fait prononcer à son héros sur la fin de la mort. Que l'on compare à cette fin qui n'en est pas une, à ce triomphe conventionnel et voulu, la haine si réelle, si vraie qu'éprouve ce même héros pour sa famille :

«Lorsqu'il vit le matin son domestique, puis sa femme, puis sa fille, puis le médecin, chacun de leurs gestes, chacune de leurs paroles lui confirmaient l'affreuse vérité qui s'était révélée à lui cette nuit-là. Il se voyait en eux, sa vie avait été ce qu'était la leur ; et il voyait clairement que ce n'était pas cela du tout, que c'était un mensonge énorme, effroyable, qui cachait la vie et la mort. Ce sentiment augmentait, décuplait ses souffrances physiques. Il gémissait et s'agitait et s'efforçait de rejeter ses vêtements qui l'oppressaient, l'étouffaient, lui semblait-il. Et c'est pour cela qu'il haïssait tous ses proches.»

La haine ne conduit pas à la délivrance, et on ne voit guère comment de l'horreur de soi et de tout on peut faire un saut dans cette zone de pureté où la mort est dépassée, «finie». Haïr le monde et se haïr, c'est prêter trop de crédit au monde et à soi, c'est se rendre inapte à s'affranchir de l'un et de l'autre. La haine de soi surtout témoigne d'une illusion capitale. Parce qu'il se haïssait, Tolstoï se figurait qu'il avait cessé de vivre dans le mensonge. Or, à moins de se vouer au renoncement (ce dont il était incapable), on ne peut vivre qu'en mentant et en se mentant. C'est ce qu'il fit d'ailleurs : n'est-ce pas mentir que d'affirmer *en tremblant* qu'on a vaincu la mort et la peur de la mort ? Ce sensuel qui incrimine les sens, qui s'est toujours dressé contre soi, qui aimait à brimer ses inclinations, s'appliqua avec une ardeur perverse à suivre une voie opposée à ce qu'il était. Un besoin voluptueux de se torturer le poussait vers l'insoluble. Il était écrivain, le premier de son temps ; au lieu d'en tirer quelque satisfaction, il *s'inventa* une vocation, celle d'homme de bien, en tous points étrangère à ses goûts. Il commença à s'intéresser aux pauvres, à les secourir, à se lamenter sur leur condition, mais sa pitié, tour à tour sombre et indiscrète, n'était qu'une forme de son horreur du monde. La morosité, son trait dominant, se rencontre chez ceux qui, persua-dés d'avoir fait fausse route et d'avoir manqué à leur véritable destination, sont inconsolables d'être demeurés *au-dessous* d'eux-mêmes. Malgré l'œuvre considérable qu'il avait produite, il eut ce sentiment ; cette œuvre, ne l'oublions pas, il en était venu à la considérer comme frivole, voire nuisible ; il l'avait réalisée, mais il ne s'était pas réalisé lui-même. Sa morosité procédait de l'intervalle qui séparait sa réussite littéraire de son inaccomplissement spirituel.

Çakya-Mouni, Salomon, Schopenhauer, de ces trois cafardeux qu'il cite souvent, c'est le premier qui est allé le plus loin, et c'est lui dont sans doute il eût voulu se rapprocher le plus : il y serait parvenu si le dégoût du monde et de soi suffisait à faire accéder au nirvâna. Et puis le Bouddha quitta jeune sa famille (on ne l'imagine pas s'empêtrant dans un drame conjugal et s'éternisant au milieu des siens, irrésolu et maussade, et les exécrant parce qu'ils l'empêchaient d'exécuter son grand dessein), tandis que Tolstoï devait attendre la décrépitude pour entreprendre une fuite spectaculaire et pénible. La discordance entre sa doctrine et sa vie, s'il s'en affligeait, il n'avait cependant pas la force d'y remédier. Comment s'y serait-il pris, vu l'incompatibilité entre ses aspirations concertées et ses instincts profonds ? Pour mesurer l'ampleur de ses tiraillements (tels que les révèle en particulier *Le Père Serge*), il importe de signaler qu'il s'évertuait en secret à *imiter* les saints et que, de toutes ses ambitions, celle-ci fut la plus imprudente. En se proposant un modèle si disproportionné à ses moyens, il s'infligeait inévitablement un supplément de mécomptes. Que n'a-t-il médité le verset de la Bhagavad-Gîta, selon lequel il vaut mieux périr dans sa propre loi que de suivre celle d'autrui ! Et c'est justement parce qu'il chercha le salut hors de ses voies à lui que, dans sa période dite de «régénération», il fut encore plus malheureux qu'avant. Avec un orgueil comme le sien, il ne fallait pas s'acharner à la charité : plus il y visait, plus il se renfrognait. Son incapacité radicale d'aimer, doublée d'une clairvoyance glacée, explique pourquoi il jetait sur toutes choses, singulièrement sur ses personnages, un regard sans complicité. «En lisant ses œuvres, on n'a pas une seule fois envie de rire ni de sourire», notait un critique russe vers la fin du siècle dernier. En revanche, on n'a rien compris à Dostoïevski, si on ne sent pas que l'humour est sa qualité majeure. Il s'emballe, il s'oublie, et, comme il n'est jamais froid, il atteint à ce degré de fièvre où, le réel transfiguré, la peur de la mort n'a plus de sens, parce qu'on s'est élevé au-dessus d'elle. Il l'a dépassée, il en a triomphé, ainsi qu'il sied à un visionnaire, et il eût été bien incapable de décrire une agonie avec cette précision clinique où excelle un Tolstoï. Encore convient-il d'ajouter que ce dernier est un clinicien *sui generis* : il n'étudie jamais que ses propres maux et, quand il les soigne, il y apporte toute l'acuité et toute la vigilance de ses terreurs.

La remarque en a été souvent faite : Dostoïevski, malade et

démuni, acheva sa carrière dans l'apothéose (le discours sur Pouchkine!), alors que Tolstoï, autrement favorisé par le sort, devait
finir la sienne dans le désespoir. À y bien réfléchir, le contraste
que présente leur dénouement est tout à fait dans l'ordre. Dostoïevski, après les révoltes et les épreuves de sa jeunesse, ne pensait plus qu'à *servir*; il se réconcilia, sinon avec l'univers, du
moins avec son pays dont il accepta et justifia les abus; il croyait
qu'il appartenait à la Russie de jouer un grand rôle, qu'elle devait
même sauver l'humanité. Le conspirateur d'autrefois, maintenant
enraciné et apaisé, pouvait sans imposture défendre l'Église et l'É-
tat; de toute façon, il n'était plus *seul*. Tolstoï, au contraire, le
deviendra de plus en plus. Il s'enfonce dans la désolation, et s'il
parle tant d'une «vie nouvelle», c'est que la vie tout court lui
échappe. La religion qu'il croit rajeunir, il la sape en réalité. Com-
bat-il les injustices? Il va plus loin que les anarchistes, et les formules qu'il avance sont d'une outrance démoniaque ou risible. Ce
que traduit tant de démesure, tant de négation, c'est la vengeance
d'un esprit qui n'a jamais pu se faire à l'humiliation de mourir.

LES DANGERS DE LA SAGESSE

———————————— *Q*uand on voit quel relief revê-
tent les apparences pour la conscience normale, il est impossible
de souscrire à la thèse du Védânta, selon laquelle «la non-distinc-
tion est l'état naturel de l'âme». Ce qui est entendu ici par état
naturel c'est l'état d'éveil, celui justement qui n'est en aucune
façon naturel. Le vivant perçoit de l'existence partout; dès qu'il
est éveillé, dès qu'il n'est plus *nature*, il commence par déceler le
faux dans l'apparent, l'apparent dans le réel, pour finir par suspecter l'idée de réel elle-même. Plus de distinctions, donc plus de
tension ni de drame. Contemplé de trop haut, le règne de la diversité et du multiple s'évanouit. À un certain niveau de la connaissance, le non-être seul tient le coup.
On ne vit que par défaut de savoir. Dès que l'on *sait*, on ne s'as-
sortit plus à rien. Tant que nous sommes dans l'ignorance, les
apparences prospèrent et conservent un soupçon d'inviolable qui
nous permet de les aimer et de les haïr, d'être aux prises avec
elles. Comment nous mesurer avec des fantasmes? C'est ce
qu'elles deviennent quand, détrompés, nous ne pouvons plus les
promouvoir au rang d'essences. Le savoir, l'éveil plutôt, suscite
entre elles et nous un hiatus qui, par malheur, n'est pas conflit;
s'il l'était, tout serait pour le mieux; non, ce qu'il est, c'est la suppression de tous les conflits, c'est l'abolition funeste du tragique.
À l'encontre de l'affirmation du Védânta, l'âme est naturellement
portée à la multiplicité et à la différenciation : elle ne s'épanouit
qu'au milieu de simulacres et se flétrit si elle les démasque et s'en
détache. Éveillée, elle se prive de ses pouvoirs, et ne peut ni
déclencher ni soutenir le moindre processus créateur. La délivrance étant à l'antipode de l'inspiration, s'y vouer équivaut, pour
un écrivain, à une démission, voire à un suicide. S'il veut produire,
qu'il suive ses bons et ses mauvais penchants, les mauvais surtout;
s'il s'en émancipe, il s'éloigne de lui-même : ses misères sont ses
chances. Le plus sûr moyen pour lui de gâcher ses dons est de se

mettre au-dessus du succès et de l'échec, du plaisir et de la peine, de la vie et de la mort. À vouloir s'en affranchir, il se trouvera, un beau jour, extérieur au monde et à soi, tout juste capable de concevoir encore quelque projet mais affolé à l'idée de l'exécuter. Par-delà l'écrivain, le phénomène a une portée générale : quiconque vise à l'efficacité doit faire une disjonction totale entre vivre et mourir, aggraver les couples de contraires, multiplier abusivement les irréductibilités, se prélasser dans l'antinomie, rester en somme à la surface des choses. Produire, «créer», c'est s'interdire la clairvoyance, c'est avoir le courage ou le bonheur de ne pas percevoir le mensonge de la diversité, le caractère trompeur du multiple. Une œuvre n'est réalisable que si nous nous aveuglons sur les apparences ; dès que nous cessons de leur attribuer une dimension métaphysique, nous perdons tous nos moyens.

Rien ne stimule autant que de grossir des riens, d'entretenir de fausses oppositions et de démêler des conflits là où il n'y en a pas. Si on s'y refusait, une stérilité universelle s'ensuivrait. L'illusion seule est fertile, elle seule est *origine*. C'est grâce à elle qu'on donne naissance, qu'on *engendre* (dans tous les sens) et qu'on s'assimile au rêve de la diversité. L'intervalle qui nous sépare de l'absolu a beau être irréel, notre existence est cette irréalité même, l'intervalle en question n'apparaissant nullement comme mensonger aux fervents de l'acte. Plus nous nous ancrons dans les apparences, plus nous sommes féconds : faire une œuvre c'est épouser toutes ces incompatibilités, toutes ces oppositions fictives dont raffolent les esprits remuants. Mieux que personne, l'écrivain devrait savoir ce qu'il doit à ces semblants, à ces tromperies et se garder bien d'en devenir incurieux : s'il les néglige ou les dénonce, il se coupe l'herbe sous le pied, il supprime ses matériaux, il n'a plus sur quoi s'exercer. Et s'il se tourne ensuite vers l'absolu, ce qu'il y trouvera, dans le meilleur des cas, ce sera la délectation dans l'hébétude.

Seul un dieu avide d'imperfection en lui et hors de lui, seul un dieu ravagé pouvait imaginer et réaliser la création ; seul un être aussi inapaisé peut prétendre à une opération du même genre. Si, parmi les facteurs de stérilité, la sagesse vient en tête, c'est parce qu'elle s'emploie à nous réconcilier avec le monde et avec nous-mêmes ; elle est le plus grand malheur qui puisse s'abattre sur nos ambitions et nos talents, elle les *assagit*, autant dire qu'elle les tue, elle porte atteinte à nos profondeurs, à nos secrets en persécutant celles de nos qualités qui sont heureusement sinistres ; elle nous mine, elle nous submerge, elle compromet tous nos défauts.

Avons-nous attenté à nos désirs, brimé et étouffé nos attaches et nos passions ? nous maudirons ceux qui nous y ont encouragé, en premier lieu le sage en nous, notre plus redoutable ennemi, coupable de nous avoir guéri de tout sans nous avoir ôté le regret de rien. Le désarroi est sans limite de celui qui soupire après ses emballements d'autrefois et qui, inconsolé d'en avoir triomphé, se voit succomber au poison de la quiétude. Une fois qu'on a perçu la nullité de tous les désirs, il faut un effort d'obnubilation surhumain, *il faut de la sainteté*, pour pouvoir les éprouver de nouveau et s'y abandonner sans arrière-pensées. Le détracteur de la sagesse, s'il était de plus croyant, ne cesserait de répéter : «Seigneur, aidez-moi à déchoir, à me vautrer dans toutes les erreurs et tous les crimes, inspirez-moi des paroles qui vous brûlent et me dévorent, qui *nous* réduisent en cendres.» On ne peut savoir ce qu'est la nostalgie de la déchéance si on n'a pas ressenti celle de la pureté jusqu'à l'écœurement. Quand on a trop songé au paradis et qu'on a été un familier de l'au-delà, on en arrive à l'irritation et à la lassitude. Le dégoût de l'autre monde conduit à la hantise amoureuse de l'enfer. Sans cette hantise, les religions, dans ce qu'elles ont de vraiment *souterrain*, seraient incompréhensibles. La répulsion pour les élus, l'attraction pour les réprouvés — double mouvement de tous ceux qui rêvent de leurs anciennes folies, et qui commettraient n'importe quel péché, pourvu qu'ils n'aient plus à gravir «le chemin de la perfection». Leur désespoir est de constater les progrès qu'ils ont faits en matière de détachement, alors que leurs inclinations ne les destinaient pas à y exceller. Dans *Les Questions de Milinda*, le roi Ménandre demande à l'ascète Nâgasena ce qui distingue l'homme sans passion de l'homme passionné : «L'homme passionné, ô roi ! quand il mange, goûte la saveur et la passion de la saveur ; l'homme sans passion goûte la saveur, mais non la passion de la saveur.» — Tout le secret de la vie et de l'art, tout l'*ici-bas*, réside dans cette «passion de la saveur». Quand nous ne la ressentons plus, il ne nous reste, dans notre dénuement, que la ressource d'un sourire exterminateur.

Avancer dans le détachement, c'est nous priver de toutes nos raisons d'agir, c'est, en perdant le bénéfice de nos défauts et de nos vices, sombrer dans cet état qui a nom *cafard* — absence consécutive à l'évanouissement de nos appétits, anxiété dégénérée en indifférence, engouffrement dans la neutralité. Si, dans la sagesse, on se met au-dessus de la vie et de la mort, dans le cafard (en tant qu'*échec* de la sagesse) on tombe au-dessous. C'est là que s'opère le nivellement des apparences, l'invalidation de la diversité. Les conséquences en sont effroyables pour l'écrivain spécialement, car si tous les aspects du monde se valent, il ne pourra pencher vers tel plutôt que vers tel autre ; d'où l'impossibilité pour lui de choisir un *sujet* : lequel préférer si les objets eux-mêmes sont interchangeables et indistincts ? De ce désert parfait l'*être* même est banni comme trop pittoresque. Nous sommes au cœur de l'indifférencié, de l'Un morne et sans faille, où, à la place de l'illusion, s'étale une illumination *prostrée*, dans laquelle tout nous est révélé, mais cette révélation nous est si contraire, que nous ne songeons qu'à l'oublier. Avec ce qu'il sait, avec ce qu'il connaît, nul ne peut aller de l'avant, l'homme de cafard moins que personne ; il vit au milieu d'une *lourde* irréalité : la non-existence des choses lui pèse. Pour s'accomplir, pour respirer seulement, il lui faudra s'affranchir de *sa* science. C'est ainsi qu'il conçoit le salut par le non-savoir. Il n'y accédera qu'en s'acharnant contre l'esprit de désintéressement et d'objectivité. Un jugement « subjectif », partial, mal fondé constitue une source de dynamisme : au niveau de l'acte, le faux seul est chargé de réalité — mais quand nous sommes condamnés à une vue exacte de nous-mêmes et du monde, à quoi adhérer, et sur quoi se prononcer encore ?

Il y avait un fou en nous ; le sage l'en a chassé. Avec lui s'en est allé ce que nous possédions de plus précieux, ce qui nous faisait accepter les apparences sans avoir à pratiquer à tout bout de champ cette discrimination entre le réel et l'illusoire, si ruineuse pour elles. Tant qu'il était là, nous n'avions rien à craindre, ni elles non plus qui, miracle ininterrompu, se métamorphosaient en choses sous nos yeux. Lui disparu, elles se déclassent et retombent dans leur indigence primitive. Il donnait du piquant à l'existence, il était l'existence. Maintenant, nul intérêt, nul point d'appui. Le véritable vertige, c'est l'absence de la folie.

Se réaliser, c'est se vouer à la griserie du multiple. Dans l'Un rien ne compte, sinon l'Un lui-même. Brisons-le donc, si nous tenons à échapper à l'envoûtement de l'indifférence, si nous voulons que prenne fin la monotonie en nous et hors de nous. Tout ce qui chatoie à la surface du monde, tout ce qu'on y qualifie d'*intéressant*, est fruit d'ivresse et d'ignorance. À peine sommes-nous dégrisés, que nous ne distinguons partout que ressassement et désolation. Issue de l'aveuglement, la diversité se défait au contact du cafard, qui est savoir foudroyé, goût pervers de l'identité et horreur du nouveau. Quand cette horreur s'empare de nous, et qu'il n'est pas d'événement qui ne nous paraisse à la fois impénétrable et dérisoire ni de changement, de quelque ordre soit-il, qui ne relève du mystère et de la farce, ce n'est pas à Dieu que nous songeons, c'est à la déité, à l'essence immuable qui ne daigne pas créer, ni même exister, et qui, par son absence de déterminations, préfigure cet instant indéfini et sans substance, symbole de notre inaboutissement. Si, au témoignage de l'antiquité, le Destin aime à ruiner tout ce qui s'élève, le cafard serait le prix que l'homme doit payer pour son élévation. Mais le cafard, par-delà l'homme, sans doute affecte-t-il à un moindre degré tout être vivant qui d'une manière ou d'une autre s'écarte de ses origines. La Vie elle-même y est exposée dès qu'elle ralentit son allure et que se calme la frénésie qui la soutient et l'anime. Qu'est-elle, en dernier ressort, sinon un *phénomène de rage*? Rage bénie, à laquelle il importe de se livrer. Dès qu'elle nous saisit, nos impulsions inassouvies se réveillent : plus elles furent refrénées, plus elles se déchaînent. Malgré ses côtés affligeants, le spectacle que nous offrons alors prouve que nous réintégrons notre vraie condition, notre nature, fût-elle méprisable et même odieuse. Il vaut mieux être abject sans effort que «noble» par imitation ou persuasion. Un vice inné étant préférable à une vertu acquise, on ressent nécessairement de la gêne devant ceux qui ne s'acceptent pas, devant le moine, le prophète, le philanthrope, l'avare qui s'astreint à la dépense, l'ambitieux à la résignation, l'arrogant à la prévenance, devant tous ceux qui se surveillent, sans en excepter le sage, l'homme qui se contrôle et se contraint, qui n'est jamais *lui-même*. La vertu acquise fait corps étranger; nous ne l'aimons ni chez autrui ni chez nous : c'est une victoire sur soi qui nous poursuit, une réussite qui nous accable et nous fait souffrir lors même que nous en tirons vanité. Que chacun se contente de ce qu'il est : n'est-ce point avoir le goût de la torture et du malheur que de vouloir s'améliorer ?

Il n'est pas de livre édifiant ni même cynique où l'on n'insiste sur les méfaits de la colère, cette performance, cette gloire de la rage. Quand le sang afflue au cerveau et que nous commençons à trembler, en un instant s'annule l'effet de jours et de jours de méditation. Rien de plus ridicule et de plus dégradant qu'un tel accès, inévitablement disproportionné à la cause qui l'a déclenché; cependant l'accès passé, nous en oublions le prétexte, tandis qu'une fureur rentrée nous travaille jusqu'à notre dernier soupir. Il en est de même des humiliations qu'on nous a infligées et que nous avons subies «dignement». Devant l'affront qui nous fut fait, si, réfléchissant aux représailles, nous avons oscillé entre la gifle et le coup de grâce, cette oscillation en nous faisant perdre un temps précieux aura consacré par là même notre lâcheté. C'est un flottement aux lourdes conséquences, une faute qui nous oppresse, alors qu'une explosion, même achevée dans le grotesque, nous eût soulagés. Pénible autant que nécessaire, la colère nous empêche de tomber en proie à des obsessions et nous épargne le risque de complications sérieuses : c'est une crise de démence qui nous préserve de la démence. Tant que nous pouvons compter sur elle, sur son apparition régulière, notre équilibre est assuré, de même que notre honte. Qu'elle soit un obstacle à l'avancement spirituel, on en conviendra aisément ; mais pour l'écrivain (puisque aussi bien c'est son cas que nous envisageons ici) il n'est pas bon, il est même périlleux de maîtriser ses mouvements d'humeur. Qu'il les entretienne de son mieux, sous peine de mort littéraire.

Dans la colère, on se sent vivre ; comme malheureusement elle ne dure pas longtemps, il faut se résigner à ses sous-produits, qui vont de la médisance à la calomnie, et qui, de toute façon, offrent plus de ressources que le mépris, trop débile, trop abstrait, sans chaleur ni souffle, et inapte à procurer le moindre bien-être ; quand on s'en détourne, on découvre avec émerveillement la volupté qu'il y a à noircir les autres. On est enfin de plain-pied avec eux, on lutte, on n'est plus *seul*. Avant, on les examinait pour l'agrément théorique de trouver leur point faible ; maintenant, pour les frapper. Peut-être ne devrait-on s'occuper que de soi : il est déshonorant, il est ignoble de juger autrui ; c'est pourtant ce que tout le monde fait : s'en abstenir reviendrait à se mettre hors l'humanité. L'homme étant un animal fielleux, toute opinion qu'il émet sur ses semblables participe du dénigrement. Non qu'il ne puisse en dire du bien ; mais il y éprouve une sensation de plaisir et de force sensiblement moindre que lorsqu'il en dit du mal. S'il les rabaisse et les exécute, ce n'est donc pas tant pour leur nuire, que pour sauvegarder ses restes de colère, ses restes de vitalité, pour échapper aux effets débilitants qu'entraîne une longue pratique du mépris.

Le calomniateur n'est pas le seul à tirer profit de la calomnie ; elle sert autant, sinon plus, au calomnié, à condition toutefois qu'il la ressente vivement. Elle lui donne alors une vigueur insoupçonnée, aussi profitable à ses idées qu'à ses muscles : elle l'incite à haïr ; or la haine n'est pas un sentiment mais une puissance, un facteur de diversité, qui fait prospérer les êtres aux dépens de l'être. Quiconque aime son statut d'*individu* doit rechercher toutes les occasions où il est obligé de haïr ; la calomnie étant la meilleure, s'en estimer *victime*, c'est user d'une expression impropre, c'est méconnaître les avantages qu'on en peut retirer. Le mal qu'on dit de nous, comme le mal qu'on nous fait, ne vaut que s'il nous blesse, s'il nous fouette et nous réveille. Avons-nous la malchance d'y être insensibles ? nous tombons dans un état d'invulnérabilité désastreux, nous perdons les privilèges inhérents aux coups des hommes et même à ceux du sort (qui s'élève au-dessus de la calomnie s'élèvera sans peine au-dessus de la mort). Si ce qu'on avance sur nous ne nous touche d'aucune façon, pourquoi s'épuiser à une tâche inséparable de suffrages extérieurs ? Conçoit-on une œuvre qui soit le produit d'une autonomie absolue ? Se rendre invulnérable, c'est se fermer à la presque totalité des sensations qu'on éprouve dans la vie en commun. Plus on s'initie à la solitude, plus on souhaite déposer la plume. De quoi et de qui parler si les autres ne comptent plus, si personne ne mérite la dignité d'ennemi ? Cesser de réagir à l'opinion est un symptôme alarmant, une supériorité fatale, acquise au détriment de nos réflexes, et qui nous met dans la posture d'une divinité atrophiée, ravie de ne plus bouger, parce qu'elle ne trouve rien qui vaille un geste. Tout à l'opposé, se sentir exister, c'est s'enticher de ce qui est manifestement mortel, vouer un culte à l'insignifiance, s'irriter perpétuellement au sein de l'inanité, prendre la mouche dans le néant.

Ceux qui cèdent à leurs émotions ou à leurs caprices, ceux qui s'emportent à longueur de journée sont à l'abri de troubles graves. (La psychanalyse ne compte qu'auprès des Anglo-Saxons et des Scandinaves, qui ont le malheur d'avoir de la tenue ; elle n'intrigue guère les peuples latins.) Pour être normaux, pour nous conserver en bonne santé, nous ne devrions pas nous modeler sur le sage mais sur l'enfant, nous rouler par terre et pleurer toutes les fois que nous en avons envie. Quoi de plus lamentable que de le vouloir et de ne pas l'oser ? Pour avoir désappris les larmes, nous sommes sans ressources — inutilement rivés à nos yeux. Dans l'Antiquité, on pleurait ; de même au Moyen Âge ou pendant le Grand Siècle (le roi s'y entendait bien, à en croire Saint-Simon). Depuis, l'intermède romantique mis à part, on a jeté le discrédit sur l'un des remèdes les plus efficaces que l'homme ait jamais possédés. S'agit-il d'une défaveur passagère ou d'une nouvelle conception de l'honneur ? Ce qui paraît sûr, c'est que toute une partie des infirmités qui nous harcèlent, tous ces maux diffus, insidieux, indépistables, viennent de l'obligation où nous sommes de ne pas extérioriser nos fureurs ou nos afflictions. Et de ne pas nous laisser aller à nos plus anciens instincts.

Nous devrions avoir la faculté de hurler un quart d'heure par jour au moins; il faudrait même que l'on créât à cette fin des *hurloirs*. «La parole, objectera-t-on, n'allège-t-elle pas suffisamment? Pourquoi revenir à des usages si révolus?» Conventionnelle par définition, étrangère à nos exigences impérieuses, la parole est vide, exténuée, sans contact avec nos profondeurs: il n'en est aucune qui en émane ni qui y descende. Si, au début, au moment où elle fit son apparition, elle pouvait servir, il en va différemment aujourd'hui: pas une seule, même pas celles qui furent transfigurées en jurons, ne contient la moindre vertu tonique. Elle se survit: longue et pitoyable désuétude. Le principe d'anémie qu'elle recèle, nous continuons néanmoins à en subir l'influence nocive. Mode d'expression du sang, le hurlement, en revanche, nous soulève, nous fortifie, et quelquefois nous guérit. Quand nous avons le bonheur de nous y adonner, nous nous sentons d'emblée à proximité de nos lointains ancêtres, qui devaient dans leurs cavernes rugir sans cesse, tous, y compris ceux qui en barbouillaient les parois. À l'antipode de ces temps heureux, nous sommes réduits à vivre dans une société si mal organisée que l'unique endroit où l'on puisse hurler impunément est l'asile d'aliénés. Ainsi nous est défendue la seule méthode que nous ayons de nous débarrasser de l'horreur des autres et de l'horreur de nous-mêmes. S'il y avait du moins des livres de consolation! Il en existe très peu, pour la raison qu'il n'y a pas de consolation et ne saurait y en avoir, tant qu'on ne secoue pas les chaînes de la lucidité et de la décence. L'homme qui se contient, qui se domine en toute rencontre, l'homme «distingué» en somme est virtuellement un détraqué. Il en est de même de quiconque «souffre en silence». Si nous tenons à un minimum d'équilibre, remettons-nous au cri, ne perdons aucune occasion de nous y jeter et d'en proclamer l'urgence. La rage nous y aidera d'ailleurs, elle qui procède du fond même de la vie. On ne sera donc pas étonné qu'elle soit particulièrement agissante aux époques où la santé se confond avec la convulsion et le chaos, aux époques d'innovation religieuse. Aucune compatibilité entre religion et sagesse: la religion est conquérante, agressive, sans scrupules, elle fonce et ne s'embarrasse de rien. L'admirable chez elle est qu'elle condescende à favoriser nos sentiments les plus bas; sans quoi, elle n'aurait pas une prise si profonde sur nous. Avec elle, on peut à vrai dire aller aussi loin qu'on voudra, dans n'importe quelle direction.

Impure, car solidaire de notre vitalité, elle nous invite à tous les excès et ne fixe aucune limite à notre euphorie ni à notre dégringolade en Dieu.

C'est parce qu'elle ne dispose d'aucun de ces avantages que la sagesse est si néfaste à celui qui veut se manifester et exercer ses dons. Elle est ce continuel dépouillement dont on n'approche qu'en sabotant ce qu'on possède d'irremplaçable en bien et en mal ; elle ne débouche sur rien, elle est l'impasse érigée en discipline. À l'extase, qui excuse et rachète les religions dans leur ensemble, qu'a-t-elle à opposer ? Un système de capitulations : la retenue, l'abstention, le recul non seulement à l'égard de ce monde mais de tous les mondes, une sérénité minérale, un goût de la pétrification — par peur et du plaisir et de la douleur. À côté d'un Épictète, n'importe quel saint, chrétien ou autre, fait figure d'*enragé*. Les saints sont des tempéraments fiévreux et histrioniques qui vous séduisent et vous entraînent : ils flattent vos faiblesses par la violence même qu'ils mettent à les dénoncer. On a du reste l'impression qu'avec eux on pourrait *s'entendre* : un minimum d'extravagance ou d'habileté y suffirait. Avec les sages, au contraire, ni compromission ni aventure : ils trouvent la rage odieuse, en rejettent toutes les formes et l'assimilent à une source d'égarements. Source d'énergie plutôt, pense l'homme de cafard, qui s'y accroche parce qu'il la sait positive, dynamique, dût-elle se retourner contre lui.

Ce n'est pas dans l'inertie qu'on se tue, c'est dans un accès de fureur contre soi (Ajax demeure toujours le suicidé type), c'est dans l'exaspération d'un sentiment qui pourrait se définir ainsi : « Je ne puis supporter plus longtemps d'être *déçu* par moi-même. » Ce sursaut suprême au plus profond d'une déception dont nous sommes l'objet, ne l'aurions-nous pressenti qu'à de rares intervalles, que nous en garderions la hantise, eussions-nous *décidé* une fois pour toutes de ne pas nous tuer. Si, à travers tant d'années, une « voix » nous assurait que nous ne lèverons pas la main sur nous, cette voix, l'âge venant, devient de moins en moins perceptible. C'est ainsi que plus nous allons, plus nous sommes à la merci de quelque silence *fulgurant*.

Celui qui se tue prouve qu'il aurait pu aussi bien tuer, qu'il ressentait même cette impulsion, mais qu'il l'a dirigée contre lui-même. Et s'il a l'air sournois, *en dessous*, c'est qu'il suit les méandres de la haine de soi et qu'il médite avec une cruauté perfide le coup auquel il succombera, non sans avoir auparavant reconsidéré sa naissance, qu'il s'empressera de maudire. C'est à elle effectivement qu'il faut s'en prendre si on veut extirper le mal à la racine. L'abominer est raisonnable et pourtant difficile et inhabituel. On se dresse contre la mort, contre ce qui doit survenir ; la naissance, événement autrement irréparable, on la laisse de côté, on ne s'en préoccupe guère : elle apparaît à chacun aussi lointaine dans le passé que le premier instant du monde. Seul y remonte celui qui songe à se supprimer ; on dirait qu'il n'arrive pas à *oublier* le mécanisme innommable de la procréation et qu'il essaie, par une horreur rétrospective, d'anéantir le germe même dont il est issu.

Inventive et entreprenante, la fureur d'autodestruction ne se borne pas à arracher l'individu seul à la torpeur ; elle se saisit aussi bien des nations et leur permet de se renouveler en leur faisant faire des actes en contradiction flagrante avec leurs traditions. Telle qui semblait s'acheminer vers la sclérose, c'est en réalité vers la catastrophe qu'elle s'orientait, et elle s'y faisait seconder par la mission même qu'elle s'était arrogée. Douter de la nécessité du désastre, c'est se résigner à la consternation, c'est se mettre dans l'impossibilité de comprendre la vogue de la fatalité à certains moments. La clef de tout ce qu'il y a d'inexplicable dans l'histoire pourrait bien se trouver dans la rage contre soi, dans la terreur de la satiété et de la répétition, dans le fait que l'homme préférera toujours l'inouï à la routine. Le phénomène se conçoit également à l'échelle des espèces. Comment admettre que tant d'entre elles aient disparu par le seul caprice du climat ? N'est-il pas plus vraisemblable qu'au bout de millions et de millions d'années les grands mammifères aient fini par en avoir assez de traîner sur la surface du globe et qu'ils aient atteint ce degré de lassitude explosif, où l'instinct, rivalisant avec la conscience, se divise d'avec lui-même ? Tout ce qui vit s'affirme et se nie dans la frénésie. Se laisser mourir est signe de faiblesse ; s'anéantir, de force. Ce qu'on doit redouter, c'est l'affaissement dans cet état où l'on ne peut même pas imaginer le désir de se détruire.

*I*l est paradoxal et peut-être malhonnête de faire le procès de l'Indifférence, après l'avoir pressée pendant longtemps de nous accorder la paix et l'incuriosité du cadavre. Pourquoi reculons-nous quand elle commence enfin à s'exécuter et qu'elle conserve pour nous toujours le même prestige ? N'est-ce point une trahison que cet acharnement contre l'idole que nous avons le plus vénérée ?

Un élément de bonheur entre indéniablement dans toute volte-face ; on y puise même un surcroît de vigueur : le reniement *rajeunit*. Notre force se mesurant à la somme des croyances que nous avons abjurées, chacun de nous devrait conclure sa carrière en déserteur de toutes les causes. Si, malgré le fanatisme qu'elle nous a inspiré, l'Indifférence finit par nous effrayer, par nous paraître intolérable, c'est qu'en suspendant le cours de nos désertions justement, elle s'attaque au principe même de notre être et en arrête l'expansion. Comporterait-elle une essence négative, dont nous n'avons pas su nous méfier à temps ? En l'adoptant sans réserves, nous ne pouvions éviter ces affres de l'incuriosité radicale, dans lesquelles on ne plonge pas sans en sortir méconnaissable. Celui qui les a seulement entrevues n'aspire plus à ressembler aux morts, ni à regarder comme eux ailleurs, vers autre chose, vers n'importe quoi, sauf vers l'apparence. Ce qu'il veut, c'est retourner parmi les vivants, et retrouver auprès d'eux ses anciennes misères, qu'il a piétinées dans sa course au détachement.

C'est se fourvoyer que de suivre les pas d'un sage, si on ne l'est pas soi-même. Tôt ou tard, on s'en lasse, on le quitte, on rompt avec lui, ne fût-ce que par passion de la rupture, on lui déclare la guerre, comme on la déclare à tout, en commençant par l'idéal qu'on n'a pas pu atteindre. Quand on a invoqué pendant des années Pyrrhon ou Lao-tseu, est-il admissible de les trahir au moment où l'on était plus que jamais imbu de leur enseignement ? Mais les trahit-on tout de bon, et peut-on avoir la présomption de se considérer comme leur victime, lorsqu'on n'a rien d'autre à leur reprocher que d'être dans le vrai ? Elle n'est nullement confortable la condition de celui qui, après avoir demandé à la sagesse de le délivrer de lui-même et du monde, en vient à l'exécrer, à ne voir en elle qu'une entrave de plus.

TOMBER DU TEMPS...

—————————————————— *J*'ai beau m'agripper aux instants, les instants se dérobent : il n'en est aucun qui ne me soit hostile, qui ne me récuse, et ne me signifie son refus de se commettre avec moi. Tous inabordables, ils proclament l'un après l'autre mon isolement et ma défaite.

Nous ne pouvons agir que si nous nous sentons portés et protégés par eux. Quand ils nous délaissent, nous manquons du ressort indispensable à la production d'un acte, qu'il soit capital ou quelconque. Démunis, sans assise nulle part, nous affrontons alors un malheur inusité : celui de n'avoir pas droit au temps.

J'entasse du révolu, ne cesse d'en fabriquer et d'y précipiter le présent, sans lui donner le loisir d'épuiser sa propre durée. Vivre, c'est subir la magie du possible ; mais lorsqu'on perçoit dans le possible même du révolu *à venir*, tout devient virtuellement passé, et il n'y a plus de présent ni de futur. Ce que je distingue dans chaque instant, c'est son essoufflement et son râle, et non la transition vers un autre instant. J'élabore du temps mort, je me vautre dans l'asphyxie du devenir.

*L*es autres tombent dans le temps ; je suis, moi, tombé du temps. À l'éternité qui s'érigeait au-dessus de lui succède cette autre qui se place au-dessous, zone stérile où l'on n'éprouve plus qu'un seul désir : réintégrer le temps, s'y élever coûte que coûte, s'en approprier une parcelle pour s'y installer, pour se donner l'illusion d'un chez-soi. Mais le temps est clos, mais le temps est hors d'atteinte : et c'est de l'impossibilité d'y pénétrer qu'est faite cette éternité négative, cette *mauvaise* éternité.

*L*e temps s'est retiré de mon sang ; ils se soutenaient l'un l'autre et coulaient de concert ; maintenant qu'ils sont figés, faut-il s'étonner que plus rien ne *devienne* ? Eux seuls, s'ils se remettaient en marche, pourraient me reclasser parmi les vivants et me désencombrer de cette sous-éternité où je croupis. Mais ils ne veulent ni ne peuvent. On a dû leur jeter un sort : ils ne bougeront plus, ils sont de glace. Aucun instant à même de s'insinuer dans mes veines. Un sang polaire pour des siècles !

Tout ce qui respire, tout ce qui a couleur d'être, s'évanouit dans l'immémorial. Ai-je vraiment goûté autrefois à la sève des choses ? Quelle en était la saveur ? Elle m'est à présent inaccessible — et insipide. Satiété *par défaut*.

*S*i je ne *sens* pas le temps, si j'en suis plus éloigné que personne, je le connais en revanche, je l'observe sans cesse : il occupe le centre de ma conscience. Celui même qui en est l'auteur, comment croire qu'il l'ait pensé et qu'il y ait songé autant ? Dieu, s'il est exact qu'il l'ait créé, ne saurait le connaître en profondeur, parce qu'il n'entre pas dans ses habitudes d'en faire l'objet de ses ruminations. Mais moi, telle est ma conviction, je fus évincé du temps à seule fin d'en former la matière de mes hantises. Au vrai, je me confonds avec la nostalgie qu'il m'inspire.

À supposer que j'aie vécu jadis en lui, quel était-il et par quel moyen m'en représenter la nature ? L'époque où il m'était familier m'est étrangère, a déserté ma mémoire, n'appartient plus à ma vie. Et je crois même qu'il me serait plus aisé de prendre pied dans la véritable éternité que de me réinstaller en lui. Pitié pour celui qui fut dans le Temps et qui ne pourra plus jamais y être !

(Déchéance sans nom : comment ai-je pu m'enticher du temps, alors que j'ai toujours conçu mon salut en dehors de lui, comme j'ai toujours vécu avec la certitude qu'il était sur le point d'user ses dernières réserves et que, rongé du dedans, atteint dans son essence, il manquait de *durée* ?)

À nous asseoir au bord des instants pour en contempler le passage, nous finissons par ne plus y démêler qu'une succession sans contenu, temps qui a perdu sa substance, temps abstrait, variété de notre vide. Encore un coup, et, d'abstraction en abstraction, il s'amenuise par notre faute et se dissout en *temporalité*, en ombre de lui-même. Il nous revient maintenant de lui redonner vie et d'adopter à son égard une attitude nette, dépourvue d'ambiguïté. Comment y parvenir, quand il inspire des sentiments irréconciliables, un paroxysme de répulsion et de fascination ?

Les façons équivoques du temps se retrouvent chez tous ceux qui en font leur préoccupation majeure, et qui, tournant le dos à ce qu'il contient de positif, se pencheront sur ses côtés douteux, sur la confusion qu'il réalise en lui entre l'être et le non-être, sur son sans-gêne et sa versatilité, sur ses apparences louches, son double jeu, son insincérité foncière. Un *faux jeton* à l'échelle métaphysique. Plus on l'examine, plus on l'assimile à un *personnage*, qu'on ne cesse de suspecter et qu'on aimerait démasquer. Et dont on finit par subir l'ascendant et l'attrait. De là à l'idolâtrie et à l'esclavage, il n'y a qu'un pas.

J'ai trop *désiré* le temps pour ne pas en fausser la nature, je l'ai isolé du monde, en ai fait une réalité indépendante de toute autre réalité, un univers solitaire, un succédané d'absolu : singulière opération qui le disjoint de tout ce qu'il suppose et de tout ce qu'il entraîne, métamorphose du figurant en protagoniste, promotion abusive et inévitable. Qu'il ait réussi à m'obnubiler, je ne saurais le nier. Il n'en demeure pas moins qu'il n'a pas prévu qu'un jour je passerais à son égard de l'obsession à la lucidité ; avec tout ce que cela implique de menace pour lui.

Il est ainsi constitué qu'il ne résiste pas à l'insistance que l'esprit met à le sonder. Son épaisseur y disparaît, sa trame s'effiloche, et il n'en reste que des lambeaux dont l'analyste doit se contenter. C'est qu'il n'est pas fait pour être connu, mais vécu ; le scruter, le fouiller, c'est l'avilir, c'est le transformer en objet. Qui s'y applique en viendra à traiter de la sorte son propre moi. Toute forme d'analyse étant une profanation, il est indécent de s'y adonner. À mesure que, pour les remuer, nous descendons dans nos secrets, nous passons de l'embarras au malaise et du malaise à l'horreur. La connaissance de soi se paye toujours trop cher. Comme d'ailleurs la connaissance tout court. Quand l'homme en aura atteint le fond, il ne daignera plus vivre. Dans un univers *expliqué*, rien n'aurait encore un sens, si ce n'est la folie. Une chose dont on a fait le tour cesse de compter. De même, avons-nous pénétré quelqu'un ? Le mieux pour lui est de disparaître. C'est moins par réaction de défense que par pudeur, par désir de cacher leur irréalité, que les vivants portent tous un masque. Le leur arracher, c'est les perdre et se perdre. Décidément, il ne fait pas bon s'attarder sous l'Arbre de la Science.

Il y a quelque chose de sacré dans tout être qui ne sait pas qu'il existe, dans toute forme de vie indemne de conscience. Celui qui n'a jamais envié le végétal est passé à côté du drame humain.

*P*our avoir trop médit du temps, le temps se venge : il me met en position de quémandeur, il m'oblige à le regretter. Comment ai-je pu l'assimiler à l'enfer ? L'enfer, c'est ce présent qui ne bouge pas, cette tension dans la monotonie, cette éternité renversée qui ne s'ouvre sur rien, même pas sur la mort, alors que le temps, qui coulait, qui se déroulait, offrait du moins la consolation d'une attente, fût-elle funèbre. Mais qu'attendre ici, à la limite inférieure de la chute, où il n'est nul moyen de choir davantage, où même l'espoir d'un autre abîme fait défaut ? Et qu'attendre encore de ces maux qui nous guettent, se signalent sans arrêt, qui ont seuls l'air d'exister et qui seuls existent en effet ? Si on peut tout recommencer à partir de la frénésie, qui représente un sursaut de vie, une virtualité de lumière, il n'en va pas de même de cette désolation sous-temporelle, annihilation à petite dose, enfoncement dans une répétition sans issue, démoralisante et opaque, dont on ne saurait émerger qu'à la faveur de la frénésie justement.

Quand l'éternel présent cesse d'être le *temps* de Dieu pour devenir celui du Diable, tout se gâte, tout devient ressassement de l'intolérable, tout sombre dans ce gouffre où l'on escompte en vain le dénouement, où l'on pourrit dans l'immortalité. Celui qui y tombe se tourne et se retourne, s'agite sans profit et ne produit rien. C'est ainsi que toute forme de stérilité et d'impuissance participe de l'enfer.

*O*n ne peut se croire libre quand on se retrouve toujours avec soi, devant soi, devant *le même*. Cette identité, tout ensemble fatalité et hantise, nous enchaîne à nos tares, nous tire en arrière, et nous rejette hors du nouveau, hors du temps. Et quand on en est rejeté, on se *souvient* de l'avenir, on n'y court plus.

Si sûr qu'on soit de n'être pas libre, il est des certitudes auxquelles on se résigne difficilement. Comment agir en se sachant déterminé, comment vouloir en *automate* ? Dans nos actes il existe par bonheur une marge d'indétermination, dans nos actes seulement : je peux différer de faire telle ou telle chose ; il m'est en revanche impossible d'être autre que je suis. Si, en surface, j'ai une certaine latitude de manœuvrer, tout est, en profondeur, à jamais *arrêté*. De la liberté, le mirage seul est réel ; sans lui, la vie ne serait guère praticable, ni même concevable. Ce qui nous incite à nous croire libres, c'est la conscience que nous avons de la nécessité en général et de nos entraves en particulier ; conscience implique distance et toute distance suscite en nous un sentiment d'autonomie et de supériorité, lequel, il va sans dire, ne comporte qu'une valeur subjective. En quoi la conscience de la mort en adoucit l'idée ou en fait reculer l'avènement? Savoir qu'on est mortel, c'est en réalité mourir deux fois, non, toutes les fois que l'on sait qu'on doit mourir.

Ce qui est beau dans la liberté, c'est qu'on s'y attache dans la mesure même où elle paraît impossible. Ce qui est plus beau encore, c'est qu'on ait pu la nier et que cette négation ait constitué le grand recours et le fond de plus d'une religion, de plus d'une civilisation. Nous ne saurions assez louer l'Antiquité d'avoir cru que nos destinées étaient inscrites dans les astres, qu'il n'y avait nulle trace d'improvisation ou de hasard dans nos bonheurs ni dans nos malheurs. Pour n'avoir su opposer à une si noble «superstition» que les «lois de l'hérédité», notre science s'est disqualifiée à jamais. Nous avions chacun notre «étoile»; nous voilà esclaves d'une odieuse chimie. C'est l'ultime dégradation de l'idée de destin.

*I*l n'est nullement improbable qu'une crise individuelle devienne un jour le fait de tous et qu'elle acquière ainsi, non plus une signification psychologique, mais historique. Il ne s'agit pas là d'une simple hypothèse; il est des signes qu'il faut s'habituer à lire. Après avoir gâché l'éternité vraie, l'homme est tombé dans le temps, où il a réussi, sinon à prospérer, du moins à vivre: ce qui est certain, c'est qu'il s'en est accommodé. Le processus de cette chute et de cet accommodement a nom Histoire.

Mais voici que le menace une autre chute, dont il est encore malaisé d'apprécier l'ampleur. Cette fois-ci, il ne s'agira plus pour lui de tomber de l'éternité, mais du temps; et, tomber du temps, c'est tomber de l'histoire, c'est, le devenir suspendu, s'enliser dans l'inerte et le morne, dans l'absolu de la stagnation, où le verbe lui-même s'enlise, faute de pouvoir se hisser au blasphème ou à l'imploration. Imminente ou non, cette chute est possible, voire inévitable. Quand elle sera le partage de l'homme, il cessera d'être un animal historique. Et c'est alors qu'ayant perdu jusqu'au souvenir de la véritable éternité, de son premier bonheur, il tournera ses regards ailleurs, vers l'univers temporel, vers ce second paradis, dont il aura été banni.

*T*ant que nous demeurons à l'intérieur du temps, nous avons des semblables, avec lesquels nous entendons rivaliser; dès que nous cessons d'y être, tout ce qu'ils font et tout ce qu'ils peuvent penser de nous, ne nous importe plus guère, parce que nous sommes si détachés d'eux et de nous-mêmes que produire une œuvre ou y songer seulement nous semble oiseux ou saugrenu.

L'insensibilité à son propre destin est le fait de celui qui est déchu du temps, et qui, à mesure que cette déchéance s'accuse, devient incapable de se manifester ou de vouloir simplement laisser des traces. Le temps, il faut bien en convenir, constitue notre élément vital ; quand nous en sommes dépossédés, nous nous trouvons sans appui, en pleine irréalité ou en plein enfer. Ou dans les deux à la fois, dans l'ennui, cette nostalgie inassouvie du temps, cette impossibilité de le rattraper et de nous y insérer, cette frustration de le voir couler là-haut, au-dessus de nos misères. Avoir perdu et l'éternité et le temps ! L'ennui est la rumination de cette double perte. Autant dire l'état normal, le mode de sentir officiel d'une humanité éjectée enfin de l'histoire.

L'homme se dresse contre les dieux et les renie, tout en leur reconnaissant une qualité de fantômes ; quand il sera projeté au-dessous du temps, à tel point il se trouvera loin d'eux qu'il n'en conservera même pas l'idée. Et c'est en punition de cet oubli qu'il fera alors l'expérience de la déchéance complète.

Celui qui veut être plus qu'il n'est, ne manquera pas d'être moins. Au déséquilibre de la tension succédera, à plus ou moins bref délai, celui du relâchement et de l'abandon. Cette symétrie une fois posée, il faut aller plus avant et reconnaître qu'il y a du mystère dans la déchéance. Le déchu n'a rien à voir avec le raté ; il évoque plutôt l'idée de quelqu'un frappé surnaturellement, comme si une puissance maléfique se fût acharnée contre lui et eût pris possession de ses facultés.

Le spectacle de la déchéance l'emporte sur celui de la mort : tous les êtres meurent ; l'homme seul est *appelé* à déchoir. Il est en porte-à-faux par rapport à la vie (comme la vie l'est du reste par rapport à la matière). Plus il s'écarte d'elle, soit en s'élevant, soit en tombant, plus il approche de sa ruine. Qu'il arrive à se transfigurer ou à se défigurer, dans les deux cas il se fourvoie. Encore faut-il ajouter que ce fourvoiement, il ne pourrait l'éviter, sans escamoter son destin.

*V*ouloir signifie se maintenir à tout prix dans un état d'exaspération et de fièvre. L'effort est épuisant et il n'est pas dit que l'homme puisse le soutenir toujours. Croire qu'il lui appartient de dépasser sa condition et de s'orienter vers celle de surhomme, c'est oublier qu'il a du mal à tenir le coup *en tant qu'homme*, et qu'il n'y parvient qu'à force de tendre sa volonté, son ressort, au maximum. Or, la volonté, qui contient un principe suspect et même funeste, se retourne contre ceux qui en abusent. Il n'est pas naturel de vouloir ou, plus exactement, il faudrait vouloir juste assez pour vivre ; dès qu'on veut en deçà ou au-delà, on se détraque et on dégringole tôt ou tard. Si le manque de volonté est une maladie, la volonté elle-même en est une autre, pire encore : c'est d'elle, de ses excès, bien plus que de ses défaillances, que dérivent toutes les infortunes de l'homme. Mais s'il veut déjà trop dans l'état où il est, qu'adviendrait-il de lui s'il accédait au rang de surhomme ? Il éclaterait sans doute et s'écroulerait sur lui-même. Et c'est par un détour grandiose qu'il serait amené alors à tomber du temps pour entrer dans l'éternité d'en bas, terme inéluctable où peu importe, en fin de compte, qu'il arrive par dépérissement ou par désastre.

CIORAN DANS SON APPARTEMENT,
À PARIS, RUE DE L'ODÉON.
1966.
PHOTOGRAPHIE SOPHIE BASSOULS.

—— 1159

Cher ε M Cioran

MAX ERNST,
LETTRE EN LANGUE IMAGINAIRE,
AVEC MONTAGE REHAUSSÉ À LA MAIN,
ADRESSÉE À CIORAN POUR LES VŒUX.
H. 14,7 CM; L. 24 CM.
COLLECTION PARTICULIÈRE.

EDUARDO CHILLIDA, *MAIN XXV*.
GRAVURE DÉDICACÉE EN BASQUE À CIORAN.
1979.
H. 59 CM ; L. 44 CM.
ÉPREUVE D'ARTISTE.
COLLECTION PARTICULIÈRE.

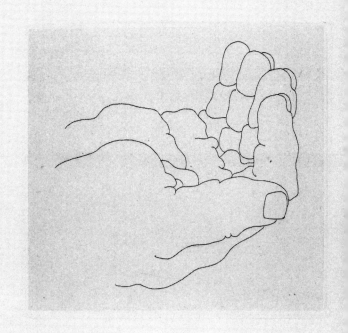

GORANENTZAT
AU ZURE LAGUNAREN
ESKUA DA

CIORAN DANS SON APPARTEMENT,
À PARIS, RUE DE L'ODÉON.
1966.
PHOTOGRAPHIE JACQUES SASSIER.

LE MAUVAIS

DÉMIURGE

Écrit en français ; publié à Paris en 1969.

LE MAUVAIS DÉMIURGE

À l'exception de quelques cas aberrants, l'homme n'incline pas au bien : quel dieu l'y pousserait ? Il lui faut se vaincre, se faire violence, pour pouvoir exécuter le moindre acte non entaché de mal. Toutes les fois qu'il y réussit, il provoque, il humilie son créateur. Et s'il lui arrive d'être bon non plus par effort ou calcul mais par nature, c'est à une inadvertance d'en haut qu'il le doit : il se situe en dehors de l'ordre universel, il n'était prévu dans aucun plan divin. On ne voit guère quelle place il occupe parmi les êtres, ni même si c'en est un. Serait-il un fantôme ?

Le bien, c'est ce qui fut ou sera, c'est ce qui n'est jamais. Parasite du souvenir ou du pressentiment, révolu ou possible, il ne saurait être *actuel*, ni subsister par lui-même : tant qu'il est, la conscience l'ignore, elle ne s'en saisit que lorsqu'il disparaît. Tout prouve son insubstantialité ; c'est une grande force irréelle, c'est le principe qui a avorté au départ : défaillance, faillite immémoriale, dont les effets s'accusent à mesure que l'histoire se déroule. Aux commencements, dans cette promiscuité où s'opéra le glissement vers la vie, quelque chose d'innommable a dû se passer, qui se prolonge dans nos malaises, sinon dans nos raisonnements. Que l'existence ait été viciée à sa source, elle et les éléments mêmes, comment s'empêcher de le supposer ? Celui qui n'a pas été amené à envisager cette hypothèse une fois par jour au moins, aura vécu en somnambule.

*I*l est difficile, il est impossible de croire que le dieu bon, le «Père», ait trempé dans le scandale de la création. Tout fait penser qu'il n'y prit aucune part, qu'elle relève d'un dieu sans scrupules, d'un dieu taré. La bonté ne crée pas : elle manque d'imagination ; or, il en faut pour fabriquer un monde, si bâclé soit-il. C'est, à la rigueur, du mélange de la bonté et de la méchanceté que peut surgir un acte ou une œuvre. Ou un univers. En partant du nôtre, il est en tout cas autrement aisé de remonter à un dieu suspect qu'à un dieu honorable.

Le dieu bon, décidément, n'était pas outillé pour créer : il possède tout, sauf la toute-puissance. Grand par ses déficiences (anémie et bonté vont de pair), il est le prototype de l'inefficacité : il ne peut aider personne... Nous ne nous accrochons d'ailleurs à lui que lorsque nous dépouillons notre dimension historique ; dès que nous la réintégrons, il nous est étranger, il nous est incompréhensible : il n'a rien qui nous fascine, il n'a rien d'un monstre. Et c'est alors que nous nous tournons vers le créateur, dieu inférieur et affairé, instigateur des événements. Pour comprendre comment il a pu créer, on doit se le figurer en proie au mal, qui est innovation, et au bien, qui est inertie. Cette lutte fut sans doute néfaste au mal, car il y dut subir la contamination du bien : ce qui explique pourquoi la création ne saurait être entièrement mauvaise.

Comme le mal préside à tout ce qui est corruptible, autant dire à tout ce qui est vivant, c'est une tentative ridicule que de vouloir démontrer qu'il renferme moins d'être que le bien, ou même qu'il n'en contient aucunement. Ceux qui l'assimilent au néant s'imaginent *sauver* par là ce pauvre dieu bon. On ne le sauve que si on a le courage de disjoindre sa cause de celle du démiurge. Pour s'y être refusé, le christianisme devait, toute sa carrière durant, s'évertuer à imposer l'inévidence d'un créateur miséricordieux : entreprise désespérée qui a épuisé le christianisme et compromis le dieu qu'il voulait préserver.

Nous ne pouvons nous défendre de penser que la création, restée à l'état d'ébauche, ne pouvait être achevée ni ne méritait de l'être, et qu'elle est dans l'ensemble une *faute*, le forfait fameux, commis par l'homme, apparaissant ainsi comme une version mineure d'un forfait autrement grave. De quoi sommes-nous coupables, sinon d'avoir suivi, plus ou moins servilement, l'exemple du créateur ? La fatalité qui était sienne, nous la reconnaissons bien en nous : ce n'est pas pour rien que nous sommes sortis des mains d'un dieu malheureux et méchant, d'un dieu maudit.

Prédestinés les uns à croire au dieu suprême mais impuissant, les autres au démiurge, les autres enfin au démon, nous ne choisissons pas nos vénérations ni nos blasphèmes.

Le démon est le représentant, le délégué du démiurge dont il gère les affaires ici-bas. Malgré son prestige et la terreur attachée à son nom, il n'est qu'un administrateur, qu'un ange préposé à une basse besogne, à l'histoire.

Autre est la portée du démiurge : comment affronterions-nous nos épreuves, lui absent ? Si nous étions à leur hauteur, ou simplement quelque peu dignes d'elles, nous pourrions nous abstenir de l'invoquer. Devant nos insuffisances patentes, nous nous agrippons à lui, nous l'implorons même d'exister : s'il se révélait une fiction, quelle ne serait pas notre détresse ou notre honte ! Sur qui d'autre nous décharger de nos lacunes, de nos misères, de nous-mêmes ? Érigé par notre décret en auteur de nos carences, il nous sert d'excuse pour tout ce que nous n'avons pu être. Quand de plus nous lui faisons endosser la responsabilité de cet univers manqué, nous goûtons une certaine paix : plus d'incertitude sur nos origines ni sur nos perspectives, mais la pleine sécurité dans l'insoluble, hors du cauchemar de la promesse. Son mérite est à la vérité inappréciable : il nous dispense même de nos regrets, puisqu'il a pris sur lui jusqu'à *l'initiative* de nos échecs.

Il est plus important de retrouver dans la divinité nos vices que nos vertus. Nous nous résignons à nos qualités, alors que nos défauts nous poursuivent, nous travaillent. Pouvoir les projeter dans un dieu susceptible de tomber aussi bas que nous et qui ne soit pas confiné dans la fadeur des attributs communément admis, nous soulage et nous rassure. Le mauvais dieu est le dieu le plus *utile* qui fut jamais. Ne l'aurions-nous pas sous la main, où s'écoulerait notre bile ? N'importe quelle forme de haine se dirige en dernier ressort contre lui. Comme nous croyons tous que nos mérites sont méconnus ou bafoués, comment admettre qu'une iniquité aussi générale soit le fait de l'homme seul ? Elle doit remonter plus haut, et se confondre avec quelque manigance ancienne, avec l'acte même de la création. Nous savons donc à qui nous en prendre, qui vilipender : rien ne nous flatte et ne nous soutient autant que de pouvoir placer la source de notre indignité le plus loin de nous possible.

Quant au dieu proprement dit, bon et débile, nous nous accordons avec lui toutes les fois qu'il ne reste plus trace en nous d'aucun monde, dans ces moments qui le postulent, qui, fixés à lui d'emblée, le suscitent, le *créent*, et pendant lesquels il remonte de nos profondeurs pour la plus grande humiliation de nos sarcasmes. Dieu est le deuil de l'ironie. Il suffit pourtant qu'elle se ressaisisse, qu'elle reprenne le dessus, pour que nos relations avec lui se brouillent et s'interrompent. Nous en avons alors assez de nous interroger à son sujet, nous voulons le chasser de nos préoccupations et de nos fureurs, de notre mépris même. Tant d'autres avant nous lui ont porté des coups, qu'il nous semble oiseux de venir maintenant nous acharner sur un cadavre. Et cependant il compte encore pour nous, ne fût-ce que par le regret de ne l'avoir pas abattu nous-mêmes.

*P*our éviter les difficultés propres au dualisme, on pourrait concevoir un même dieu dont l'histoire se déroulerait en deux phases : dans la première, sage, exsangue, replié sur soi, sans aucune velléité de se manifester : un dieu *endormi*, exténué par son éternité ; — dans la seconde, entreprenant, frénétique, commettant erreur sur erreur, il se livrerait à une activité condamnable au suprême degré. Cette hypothèse apparaît, à la réflexion, moins nette et moins avantageuse que celle des deux dieux carrément distincts. Mais si on trouve que ni l'une ni l'autre ne rend compte de ce que vaut ce monde, on aura alors toujours la ressource de penser, avec certains gnostiques, qu'il a été tiré au sort entre les anges.

(Il est pitoyable, il est dégradant d'assimiler la divinité à une personne. Jamais elle ne sera une idée ni un principe anonyme pour celui qui a pratiqué les Testaments. Vingt siècles d'altercations ne s'oublient pas du jour au lendemain. Qu'elle s'inspire de Job ou de saint Paul, notre vie religieuse est querelle, outrance, débridement. Les athées, qui manient si volontiers l'invective, prouvent bien qu'ils visent *quelqu'un*. Ils devraient être moins orgueilleux ; leur émancipation n'est pas aussi complète qu'ils le pensent : ils se font de Dieu exactement la même idée que les croyants.)

*L*e créateur est l'absolu de l'homme extérieur ; l'homme intérieur en revanche considère la création comme un détail gênant, comme un épisode inutile, voire néfaste. Toute expérience religieuse profonde commence là où finit le règne du démiurge. Elle n'a que faire de lui, elle le dénonce, elle en est la négation. Tant qu'il nous obsède, lui et le monde, nul moyen d'échapper à l'un et à l'autre, pour, dans un élan d'anéantissement, rejoindre le non-créé et nous y dissoudre.

À la faveur de l'extase — dont l'objet est un dieu *sans attributs*, une *essence* de dieu — on s'élève vers une forme d'apathie plus pure que celle du dieu suprême lui-même, et si on plonge dans le divin, on n'en est pas moins au-delà de toute forme de divinité. C'est là l'étape finale, le point d'arrivée de la mystique, le point de départ étant la rupture avec le démiurge, le refus de frayer encore avec lui et d'applaudir à son œuvre. Nul ne s'agenouille devant lui ; nul ne le vénère. Les seules paroles qu'on lui adresse sont des supplications à rebours, — unique mode de communication entre une créature et un créateur également déchus.

À infliger au dieu officiel les fonctions de père, de créateur et de gérant, on l'exposa à des attaques auxquelles il devait succomber. Quelle n'eût pas été sa longévité si on eût écouté un Marcion, de tous les hérésiarques celui qui s'est dressé avec le plus de vigueur contre l'escamotage du mal et qui a le plus contribué à la gloire du mauvais dieu par la haine qu'il lui a vouée! Il n'est guère d'exemple d'une autre religion qui, à ses débuts, ait gâché autant d'occasions. Nous serions assurément tout différents si l'ère chrétienne avait été inaugurée par l'exécration du créateur, car la permission de l'accabler n'eût pas manqué d'alléger notre fardeau, et de rendre aussi moins oppressants les deux derniers millénaires. L'Église, en refusant de l'incriminer et d'adopter les doctrines qui n'y répugnaient nullement, allait s'engager dans l'astuce et le mensonge. Du moins avons-nous le réconfort de constater que ce qu'il y a de plus séduisant dans son histoire, ce sont ses ennemis intimes, tous ceux qu'elle a combattus et rejetés et qui, pour sauvegarder l'honneur de Dieu, récusèrent, au risque du martyre, sa qualité de créateur. Fanatiques du néant divin, de cette absence où se complaît la bonté suprême, ils connaissaient le bonheur de haïr tel dieu et d'aimer tel autre sans restriction, sans arrière-pensée. Emportés par leur foi, ils eussent été hors d'état de déceler le rien de jonglerie qui entre jusque dans le tourment le plus sincère. La notion de *prétexte* n'était pas encore née, ni non plus cette tentation, toute moderne, de cacher nos agonies derrière quelque acrobatie théologique. Une certaine ambiguïté existait pourtant chez eux : ces gnostiques et ces manichéens en tout genre, qu'étaient-ils sinon des *pervers* de la pureté, des obsédés de l'horreur? Le mal les attirait, les comblait presque : sans lui, leur existence eût été vacante. Ils le pourchassaient, ils ne le lâchaient pas un instant. Et s'ils soutenaient avec tant de véhémence qu'il était *incréé*, c'est qu'ils souhaitaient en secret qu'il subsistât à jamais, pour en jouir, pour pouvoir exercer, durant l'éternité, leurs vertus combatives. Ayant, par amour du Père, trop réfléchi à l'Adversaire, ils devaient finir par mieux comprendre la damnation que le salut. C'est la raison pourquoi ils avaient si bien saisi l'essence de l'ici-bas. L'Église, après les avoir vomis, sera-t-elle assez habile pour s'approprier leurs thèses, et assez charitable pour mettre en vedette le créateur, pour l'excommunier enfin? Elle ne pourra renaître qu'en déterrant les hérésies, qu'en annulant ses anciens anathèmes pour en prononcer de nouveaux.

*T*imide, dépourvu de dynamisme, le bien est inapte à se communiquer; le mal, autrement empressé, veut se transmettre, et il y arrive puisqu'il possède le double privilège d'être fascinant et contagieux. Aussi voit-on plus facilement s'étendre, sortir de soi, un dieu mauvais qu'un dieu bon.

Cette incapacité de demeurer en soi-même, dont le créateur devait faire une si fâcheuse démonstration, nous en avons tous hérité : *engendrer* c'est continuer d'une autre façon et à une autre échelle l'entreprise qui porte son nom, c'est, par une déplorable singerie, ajouter à sa «création». Sans l'impulsion qu'il a donnée, l'envie d'allonger la chaîne des êtres n'existerait pas, ni non plus cette nécessité de souscrire aux micmacs de la chair. Tout enfantement est suspect; les anges, par bonheur, y sont impropres, la propagation de la vie étant réservée aux déchus. La lèpre est impatiente et avide, elle aime à se répandre. Il importe de décourager la génération, la crainte de voir l'humanité s'éteindre n'ayant aucun fondement : quoi qu'il arrive, il y aura partout assez de niais qui ne demanderont qu'à se perpétuer, et, si eux-mêmes finissaient par s'y dérober, on trouvera toujours, pour se dévouer, quelque couple hideux.

Ce n'est pas tant l'appétit de vivre qu'il s'agit de combattre, que le goût de la «descendance». Les parents, les *géniteurs*, sont des provocateurs ou des fous. Que le dernier des avortons ait la faculté de donner vie, de «mettre au monde», — existe-t-il rien de plus démoralisant? Comment songer sans effroi ou répulsion à ce prodige qui fait du premier venu un démiurge sur les bords? Ce qui devrait être un don aussi exceptionnel que le génie a été conféré indistinctement à tous : libéralité de mauvais aloi qui disqualifie pour toujours la nature.

L'injonction criminelle de la Genèse : *Croissez et multipliez* — n'a pu sortir de la bouche du dieu bon. *Soyez rares*, aurait-il plutôt suggéré, s'il avait eu voix au chapitre. Jamais non plus il n'a pu ajouter les paroles funestes : *Et remplissez la terre.* On devrait, toute affaire cessante, les effacer pour laver la Bible de la honte de les avoir recueillies.

La chair s'étend de plus en plus comme une gangrène à la surface du globe. Elle ne sait s'imposer des limites, elle continue à sévir malgré ses déboires, elle prend ses défaites pour des conquêtes, elle n'a jamais rien appris. Elle appartient avant tout au règne du créateur, et c'est bien en elle qu'il a projeté ses instincts malfaisants. Normalement, elle devrait atterrer moins ceux qui la contemplent que ceux-là mêmes qui la font durer et en assurent la progression. Il n'en est rien, car ils ne savent pas de quelle aberration ils sont complices. Les femmes enceintes seront un jour lapidées, l'instinct maternel proscrit, la stérilité acclamée. C'est à bon droit que dans les sectes où la fécondité était tenue en suspicion, chez les bogomiles et les cathares, on condamnait le mariage, institution abominable que toutes les sociétés protègent depuis toujours, au grand désespoir de ceux qui ne cèdent pas au vertige commun. Procréer, c'est aimer le fléau, c'est vouloir l'entretenir et augmenter. Ils avaient raison ces philosophes antiques qui assimilaient le Feu au principe de l'univers, et du désir. Car le désir brûle, dévore, anéantit : tout ensemble agent et destructeur des êtres, il est sombre, il est infernal par essence.

Ce monde ne fut pas créé dans la joie. On procrée pourtant dans le plaisir. Oui, sans doute, mais le plaisir n'est pas la joie, il en est le simulacre : sa fonction consiste à donner le change, à nous faire oublier que la création porte, jusque dans le moindre détail, la marque de cette tristesse initiale dont elle est issue. Nécessairement trompeur, c'est lui encore qui nous permet d'exécuter certaine performance qu'en théorie nous réprouvons. Sans son concours, la continence, gagnant du terrain, séduirait même les rats. Mais c'est dans la volupté que nous comprenons à quel point le plaisir est illusoire. Par elle, il atteint son sommet, son maximum d'intensité, et c'est là, au comble de sa réussite, qu'il s'ouvre soudain à son irréalité, qu'il s'effondre dans son propre néant. La volupté est le *désastre* du plaisir.

On ne peut consentir qu'un dieu, ni *même un homme*, procède d'une gymnastique couronnée d'un grognement. Il est étrange qu'au bout d'une si longue période de temps, l'« évolution » n'ait pas réussi à mettre au point une autre formule. Pourquoi se serait-elle fatiguée d'ailleurs, quand celle qui a cours fonctionne à plein et convient à tout le monde ? Entendons-nous : la vie en elle-même n'est pas en cause, elle est mystérieuse et harassante à souhait ; ce qui ne l'est pas, c'est l'exercice en question, d'une inadmissible facilité, vu *ses conséquences*. Lorsqu'on sait ce que le destin dispense à chacun, on demeure interdit devant la disproportion entre un moment d'oubli et la somme prodigieuse de disgrâces qui en résulte. Plus on retourne ce sujet, plus on trouve que les seuls à y avoir entendu quelque chose sont ceux qui ont opté pour l'orgie ou pour l'ascèse, les débauchés ou les châtrés.

Comme procréer suppose un égarement sans nom, il est certain que si nous devenions sensés, c'est-à-dire indifférents au sort de l'espèce, nous en garderions quelques échantillons seulement, comme on conserve des spécimens d'animaux en voie de disparition. Barrons la route à la chair, essayons d'en paralyser l'effrayante poussée. Nous assistons à une véritable épidémie de vie, à un foisonnement de visages. Où et comment rester encore face à face avec Dieu?

La hantise de l'horreur, nul n'y est sujet continuellement; il nous arrive de nous en détourner, de l'oublier presque, surtout lorsque nous contemplons quelque paysage d'où nos semblables sont absents. Dès qu'ils y apparaissent, elle se réinstalle dans l'esprit. Si on penchait à absoudre le créateur, à considérer ce monde comme acceptable et même satisfaisant, il faudrait encore faire des réserves sur l'homme, ce point noir de la création.

*I*l nous est loisible de nous figurer que le démiurge, pénétré de l'insuffisance ou de la nocivité de son œuvre, veuille un jour la faire périr, et même qu'il s'arrange pour disparaître avec elle. Mais on peut concevoir aussi que de tout temps il ne s'emploie qu'à se détruire et que le devenir se ramène au processus de cette lente autodestruction. Processus traînant ou haletant, dans les deux éventualités il s'agirait d'un retour sur soi, d'un examen de conscience, dont l'issue serait le rejet de la création par son auteur. Ce qu'il y a en nous de plus ancré et de moins perceptible, c'est le sentiment d'une faillite essentielle, secret de tous, dieux y compris. Et ce qui est remarquable, c'est que, ce sentiment, la plupart sont loin de deviner qu'ils l'éprouvent. Nous sommes du reste, par une faveur spéciale de la nature, voués à ne pas en prendre conscience : la force d'un être réside dans son incapacité de savoir à quel point il est seul. Ignorance bénie, grâce à laquelle il peut s'agiter et agir. Vient-il d'avoir la révélation de son secret? son ressort se brise aussitôt, irrémédiablement. C'est ce qui est arrivé au créateur, ou ce qui lui arrivera, peut-être.

*A*voir vécu depuis toujours avec la nostalgie de coïncider avec quelque chose, sans, à vrai dire, savoir avec quoi... Il est aisé de passer de l'incroyance à la croyance, ou inversement. Mais à quoi se convertir, et quoi abjurer, au milieu d'une lucidité chronique? Dépourvue de substance, elle n'offre aucun contenu qu'on puisse renier; elle est vide, et on ne renie pas le vide : la lucidité est l'équivalent négatif de l'extase.

Qui ne coïncide avec rien, ne coïncidera pas davantage avec lui-même; d'où ces appels sans foi, ces convictions vacillantes, ces fièvres privées de ferveur, ce dédoublement dont sont victimes nos idées et jusqu'à nos réflexes. L'équivoque, qui règle tous nos rapports avec ce monde et avec l'autre, nous la gardions au début pour nous; nous l'avons ensuite répandue alentour, afin que personne n'y échappe, afin qu'aucun vivant ne sache encore à quoi s'en tenir. Plus rien de *net* nulle part : par notre faute les choses elles-mêmes chancellent et s'enfoncent dans la perplexité. Ce qu'il nous faudrait, c'est ce don d'imaginer la possibilité de prier, indispensable à quiconque poursuit son salut. L'enfer, c'est la prière *inconcevable*.

L'instauration d'une équivoque universelle est l'exploit le plus calamiteux que nous ayons accompli et qui nous pose en rivaux du démiurge.

*N*ous ne fûmes heureux qu'aux époques où, avides d'effacement, nous acceptions notre néant avec enthousiasme. Le sentiment religieux n'émane pas de la constatation mais du désir de notre insignifiance, du besoin de nous y vautrer. Ce besoin, inhérent à notre nature, comment se satisfera-t-il maintenant que nous ne pouvons plus vivre à la remorque des dieux? En d'autres temps, c'étaient eux qui nous abandonnaient; c'est nous, aujourd'hui, qui les abandonnons. Nous avons vécu auprès d'eux trop longtemps, pour qu'ils trouvent encore grâce à nos yeux; toujours à notre portée, nous les entendions *remuer*; ils nous guettaient, ils nous espionnaient : nous n'étions plus chez nous... Or, comme l'expérience nous l'enseigne, il n'existe pas d'être plus odieux que le voisin. Le fait de le savoir si proche dans l'espace nous empêche de respirer et rend également impraticables nos jours et nos nuits. Nous avons beau, heure après heure, méditer sa ruine, il est là, atrocement présent. Le supprimer, toutes nos pensées nous y invitent; lorsque nous nous y décidons enfin, un sursaut de lâcheté nous saisit, juste avant l'acte. Ainsi sommes-nous meurtriers en puissance de ceux qui vivent dans nos parages; et de ne pouvoir l'être en fait, nous nous rongeons et nous nous aigrissons, velléitaires et ratés du sang.

Si, avec les dieux, tout eut l'air plus simple, c'est que leur indiscrétion étant immémoriale, il nous fallait en finir coûte que coûte : n'étaient-ils pas trop encombrants pour qu'il fût possible de les ménager encore? Ainsi s'explique qu'à la clameur générale contre eux, aucun de nous ne pouvait manquer de mêler sa petite voix.

Quand nous songeons à ces compagnons ou ennemis plusieurs fois millénaires, à tous les patrons des sectes, des religions et des mythologies, le seul dont il nous répugne de nous séparer est ce démiurge, auquel nous attachent les maux mêmes dont il nous importe qu'il soit la cause. C'est à lui que nous pensons à propos du moindre acte de vie et de la vie tout court. Chaque fois que nous le considérons, que nous en scrutons les origines, elle nous émerveille et nous fait peur; c'est un miracle effrayant, qui doit provenir de *lui*, dieu spécial, complètement à part. Il ne sert à rien de soutenir qu'il n'existe pas, quand nos stupeurs quotidiennes sont là pour exiger sa réalité et la proclamer. Opposera-t-on qu'il a peut-être existé mais qu'il est mort comme les autres? elles ne se laisseraient pas décourager, elles s'emploieraient à le ressusciter et il durerait aussi longtemps que notre émerveillement et notre peur, que cette curiosité effarée devant tout ce qui est, devant tout ce qui vit. On dira : «Triomphez de la peur, pour que l'émerveillement seul subsiste.» Mais pour la vaincre, pour la faire disparaître, il faudrait l'attaquer dans son principe et en démolir les fondements, rebâtir ni plus ni moins le monde dans sa totalité, changer allégrement de démiurge, s'en remettre en somme à un *autre* créateur.

LES NOUVEAUX DIEUX

──────────────────────────── *Q*ui s'intéresse au défilé d'idées et de croyances irréductibles, devrait bien s'arrêter au spectacle qu'offrent les premiers siècles de notre ère : il y trouverait le modèle même de toutes les formes de conflit que l'on rencontre, sous une forme atténuée, à n'importe quel moment de l'histoire. Cela se comprend : c'est l'époque où l'on a haï le plus. Le mérite en revient aux chrétiens, fébriles, intraitables, d'emblée experts dans l'art de la détestation, alors que les païens ne savaient plus manier que le mépris. L'agressivité est un trait commun aux hommes et aux dieux nouveaux.

Si un monstre d'aménité, ignorant la hargne, voulait cependant l'apprendre, ou savoir tout au moins ce qu'elle vaut, le plus simple pour lui serait de lire quelques auteurs ecclésiastiques, en commençant par Tertullien, le plus brillant de tous et en finissant, mettons, par saint Grégoire de Nazianze, fielleux et cependant insipide, et dont le discours contre Julien l'Apostat vous donne l'envie de vous convertir sur-le-champ au paganisme. Aucune qualité n'y est reconnue à l'empereur ; avec une satisfaction non dissimulée on y conteste sa mort héroïque dans la guerre contre les Perses, où il aurait été tué par « un barbare qui faisait le métier de bouffon et qui suivait l'armée pour faire oublier aux soldats les fatigues de la guerre par ses saillies et ses bons mots ». Nulle élégance, nul souci de paraître digne d'un tel adversaire. Ce qui est impardonnable dans le cas du saint, c'est qu'il avait connu Julien à Athènes, du temps que, jeunes, ils y fréquentaient les écoles philosophiques.

Rien de plus odieux que le ton de ceux qui défendent une cause, compromise en apparence, gagnante en fait, qui ne peuvent contenir leur joie à l'idée de leur triomphe ni s'empêcher de tourner leurs effrois mêmes en autant de menaces. Quand Tertullien, sardonique et tremblant, décrit le Jugement dernier, *le plus grand des spectacles*, comme il l'appelle, il imagine le rire qu'il aura en contemplant tant de monarques et de dieux «poussant d'affreux gémissements dans le plus profond de l'abîme...» Cette insistance à rappeler aux païens qu'ils étaient perdus, eux et leurs idoles, avait de quoi exaspérer même les esprits les plus modérés. Suite de libelles camouflés en traités, l'apologétique chrétienne représente le summum du genre bilieux.

On ne peut respirer qu'à l'ombre de divinités usées. Plus on s'en persuade, plus on se redit avec terreur que si on avait vécu au moment où le christianisme montait, on en aurait peut-être subi la fascination. Les commencements d'une religion (comme les commencements de n'importe quoi) sont toujours suspects. Eux seuls pourtant possèdent quelque réalité, eux seuls sont *vrais*; vrais et abominables. On n'assiste pas impunément à l'instauration d'un dieu, quel qu'il soit et où qu'il surgisse. Cet inconvénient n'est pas récent : Prométhée le signalait déjà, lui, victime de Zeus et de la nouvelle clique de l'Olympe.

Beaucoup plus que la perspective du salut, c'était la fureur contre le monde antique qui entraînait les chrétiens dans un même élan de destruction. Comme ils venaient pour la plupart d'ailleurs, leur déchaînement contre Rome s'explique. Mais à quelle sorte de frénésie pouvait participer l'indigène, lorsqu'il se convertissait? Moins bien pourvu que les autres, il ne disposait que d'un seul recours : se haïr soi-même. Sans cette déviation de la haine, insolite au début, contagieuse ensuite, le christianisme fût resté une simple secte, bornée à une clientèle étrangère, seule capable à vrai dire d'échanger sans peine ni tourment les anciens dieux contre un cadavre cloué. Que celui qui voudrait savoir comment il aurait réagi à la volte-face de Constantin, se mette à la place d'un tenant de la tradition, d'un païen fier de l'être : comment consentir à la croix, comment tolérer que sur les étendards romains figure le symbole d'une mort déshonorante? On s'y résigna pourtant, et cette résignation, qui bientôt allait devenir générale, il nous est difficile d'imaginer la somme de défaites intérieures dont elle était issue. Si, dans l'ordre moral, on peut la concevoir comme le couronnement d'une crise, et lui accorder ainsi le statut ou l'excuse d'une conversion, elle apparaît comme une trahison dès qu'on ne la considère plus que sous l'angle politique. Abandonner les dieux qui ont fait Rome, c'était abandonner Rome elle-même, pour s'allier à cette «nouvelle race d'hommes nés d'hier, sans patrie ni traditions, ligués contre toutes les institutions religieuses et civiles, poursuivis par la justice, universellement notés d'infamie, mais se faisant gloire de l'exécration commune». La diatribe de Celse est de 178. À presque deux siècles d'intervalle, Julien devait écrire de son côté : «Si l'on a vu sous le règne de Tibère ou de Claude un seul esprit distingué se convertir aux idées chrétiennes, considérez-moi comme le plus grand des imposteurs.»

La «nouvelle race d'hommes» allait se démener longtemps avant de faire la conquête des délicats. Comment se fier à ces inconnus, venus des bas-fonds et dont tous les gestes invitaient au mépris? Mais justement : par quel moyen accepter le dieu de ceux qu'on méprise et qui pour comble était de fabrication récente? L'ancienneté seule garantissant la validité des dieux, on les tolérait tous, à condition qu'ils ne fussent pas de fraîche date. Ce qu'on trouvait de particulièrement fâcheux dans l'occurrence, c'était l'absolue nouveauté du Fils : un contemporain, un parvenu... C'est lui, personnage rebutant, qu'aucun *sage* n'avait prévu ni préfiguré, qui «choqua» le plus. Son apparition fut un scandale auquel on mit quatre siècles à s'habituer. Le Père, une vieille connaissance, étant *admis*, les chrétiens, pour des raisons tactiques, se rabattirent sur lui et s'en réclamèrent : les livres qui le célébraient, et dont les Évangiles perpétuaient l'esprit, n'étaient-ils pas, selon Tertullien, antérieurs de plusieurs siècles aux temples, aux oracles, aux dieux païens? L'apologiste, une fois en verve, va jusqu'à soutenir que Moïse précède de quelques millénaires la ruine de Troie. De telles divagations étaient destinées à combattre l'effet que pouvaient susciter des remarques comme celle de Celse : «Après tout, les Juifs, il y a de longs siècles, se sont formés en un corps de nation, ont établi des lois à leur usage, qu'ils retiennent encore aujourd'hui. La religion qu'ils observent, quoi qu'elle vaille et quoi qu'on en puisse dire, est la religion de leurs ancêtres. En y restant fidèles, ils ne font rien que ne fassent aussi les autres hommes, qui gardent chacun les coutumes de leur pays.»

Sacrifier au préjugé de l'ancienneté, c'était reconnaître implicitement comme seuls légitimes les dieux indigènes. Les chrétiens voulaient bien par calcul s'incliner devant ce préjugé comme tel, mais ils ne pouvaient sans se détruire aller plus loin et l'adopter intégralement, avec toutes ses conséquences. Pour un Origène, les dieux ethniques étaient des idoles, des survivances du polythéisme; saint Paul déjà les avait ravalés au rang de démons. Le judaïsme les tenait tous pour mensongers, sauf un, le sien. «Leur seul tort, dit Julien des Juifs, c'est que tout en cherchant à satisfaire leur dieu, ils ne servent pas en même temps les autres.» Cependant il les loue pour leur répugnance à suivre la mode en matière de religion. «Je fuis l'innovation en toutes choses, et particulièrement en ce qui regarde les dieux», — est un aveu qui l'a discrédité et dont on se prévaut pour le taxer de «réactionnaire». Mais quel «progrès», on se le demande, représente le christianisme par rapport au paganisme? Il n'y a pas de «saut qualitatif» d'un dieu à un autre, ni d'une civilisation à une autre. Non plus que d'un langage à un autre langage. Qui oserait proclamer la supériorité des écrivains chrétiens sur les païens? Même les Prophètes, pourtant d'un autre souffle et d'un autre style que les Pères de l'Église, un saint Jérôme nous confie l'aversion qu'il éprouvait à les lire, après s'être replongé dans Cicéron ou Plaute. Le «progrès» à l'époque s'incarnait dans ces Pères illisibles : s'en détourner, c'était passer à la «réaction»? Julien avait tout à fait raison de leur préférer Homère, Thucydide ou Platon. L'édit par lequel il interdisait aux professeurs chrétiens d'expliquer les auteurs grecs a été vivement critiqué, non seulement par ses adversaires mais encore par tous ses admirateurs, à toutes les époques. Sans vouloir le justifier, on ne peut s'empêcher de le comprendre. Il avait en face de lui des fanatiques; pour s'en faire respecter, il fallait de temps en temps exagérer comme eux, débiter quelque insanité à leur adresse, sans quoi ils l'eussent dédaigné et pris pour un amateur. Il demanda donc à ces «enseignants» d'imiter les écrivains qu'ils expliquaient et d'en partager les opinions sur les dieux. «Mais s'ils croient que ces auteurs se sont trompés sur le point le plus important, qu'ils aillent dans les églises des Galiléens commenter Matthieu et Luc!»

Aux yeux des anciens, plus on reconnaît de dieux, mieux on sert la Divinité, dont ils ne sont que les aspects, les faces. Vouloir en limiter le nombre était une impiété; les supprimer tous au profit d'un seul, un crime. C'est de ce crime que se rendirent coupables les chrétiens. L'ironie à leur égard n'était plus de mise : le mal qu'ils propageaient avait gagné trop de terrain. De l'impossibilité de les traiter avec désinvolture venait toute l'aigreur de Julien.

*L*e polythéisme correspond mieux à la diversité de nos tendances et de nos impulsions, auxquelles il offre la possibilité de s'exercer, de se manifester, chacune d'elles étant libre de tendre, selon sa nature, vers le dieu qui lui convient sur le moment. Mais qu'entreprendre avec un seul dieu? comment l'envisager, comment l'*utiliser*? Lui présent, on vit toujours *sous pression*. Le monothéisme comprime notre sensibilité : il nous approfondit en nous resserrant; système de contraintes qui nous confère une dimension intérieure au détriment de l'épanouissement de nos forces, il constitue une barrière, il arrête notre expansion, il nous détraque. Nous étions assurément plus *normaux* avec plusieurs dieux que nous ne le sommes avec un seul. Si la *santé* est un critère, quel recul que le monothéisme !

Sous le régime de plusieurs dieux, la ferveur se partage ; quand elle s'adresse à un seul elle se concentre et s'exaspère, et finit par tourner en agressivité, en *foi*. L'énergie n'est plus dispersée, elle est toute dirigée dans une même direction. Ce qui était remarquable dans le paganisme, c'est qu'on n'y faisait pas une distinction radicale entre croire et ne pas croire, avoir ou ne pas avoir la foi. La foi d'ailleurs est une invention chrétienne ; elle suppose un même déséquilibre chez l'homme et chez Dieu, emportés par un dialogue aussi dramatique que délirant. D'où le caractère forcené de la religion nouvelle. L'ancienne, autrement *humaine*, vous laissait la faculté de choisir le dieu que vous vouliez ; comme elle ne vous en imposait aucun, c'était à vous d'incliner pour tel ou tel. Plus on était capricieux, plus on avait besoin d'en changer, de passer de l'un à l'autre, étant bien assuré de trouver le moyen de les aimer tous au cours d'une existence. Ils étaient de surcroît modestes, ils n'exigeaient que le respect : on les saluait, on ne s'agenouillait pas devant eux. Ils convenaient idéalement à celui dont les contradictions n'étaient pas résolues ni ne pouvaient l'être, à l'esprit tiraillé et inapaisé : quelle chance n'avait-il pas, dans son désarroi itinérant, de pouvoir les *essayer* tous et d'être à peu près sûr de tomber sur celui-là précisément dont il avait le plus besoin dans l'immédiat ! Après le triomphe du christianisme, la liberté d'évoluer parmi eux et d'en choisir un à sa guise, devint inconcevable. Leur cohabitation, leur admirable promiscuité était finie. Tel esthète, fatigué du paganisme mais non encore écœuré, aurait-il adhéré à la nouvelle religion s'il avait deviné qu'elle allait s'étendre sur tant de siècles ? aurait-il troqué la fantaisie propre au régime des idoles interchangeables contre un culte dont le dieu devait jouir d'une si terrifiante longévité ?

En apparence, l'homme s'est donné des dieux par besoin d'être protégé, garanti ; en réalité, par avidité de souffrir. Tant qu'il croyait qu'il y en avait une multitude, il s'était octroyé une liberté de jeu, des échappatoires ; en se bornant par la suite à un seul, il s'infligea un supplément d'entraves et d'affres. Il n'est guère qu'un animal s'aimant et se haïssant jusqu'au vice, qui pouvait s'offrir le luxe d'un si lourd asservissement. Quelle cruauté envers nous-même que de nous lier au grand Spectre et de river notre sort au sien ! *Le* dieu *unique* rend la vie irrespirable.

Le christianisme s'est servi de la rigueur juridique des Romains et de l'acrobatie philosophique des Grecs, non pour affranchir l'esprit mais pour l'enchaîner. En l'enchaînant, il l'a obligé à s'approfondir, à descendre en lui-même. Les dogmes l'emprisonnent, lui fixent des limites extérieures, qu'il ne doit outrepasser à aucun prix ; en même temps ils le laissent libre de parcourir son univers à lui, d'explorer ses propres vertiges, et, pour échapper à la tyrannie des certitudes doctrinales, de chercher l'être — ou son équivalent négatif — au point extrême de toute sensation. Aventure de l'esprit ligoté, l'extase est nécessairement plus fréquente dans une religion autoritaire que dans une religion libérale ; c'est qu'elle est alors un bond vers l'intimité, le recours aux profondeurs, *la fuite vers soi.*

N'ayant eu, pendant si longtemps, d'autre refuge que Dieu, nous avons plongé aussi loin en lui qu'en nous (ce plongeon représente le seul exploit réel que nous ayons accompli en deux mille ans), nous avons sondé ses abîmes et les nôtres, ruiné ses secrets un à un, exténué et compromis sa substance par la double agression du savoir et de la prière. Les anciens ne surmenaient pas leurs dieux : ils avaient trop d'élégance pour les harasser ou pour en faire un objet d'étude. Comme le passage funeste de la mythologie à la théologie ne s'était pas opéré encore, ils ignoraient cette tension perpétuelle, présente aussi bien dans les accents des grands mystiques que dans les banalités du catéchisme. Quand l'ici-bas est synonyme d'impraticable, et que nous sentons qu'est physiquement coupé le contact qui nous y relie, le remède ne réside ni dans la foi ni dans la négation de la foi (expression l'une et l'autre d'une même infirmité), mais dans le dilettantisme païen, plus exactement dans l'*idée* que nous nous en faisons.

*L*e plus grave des inconvénients que rencontre le chrétien est de ne pouvoir servir *consciemment* qu'un seul dieu, bien qu'il ait la latitude de s'inféoder en pratique à plusieurs (le culte des saints !). Inféodation salutaire qui a permis au polythéisme de se prolonger malgré tout indirectement. Sans quoi, un christianisme trop pur n'eût pas manqué d'instaurer une schizophrénie universelle. N'en déplaise à Tertullien, *l'âme est naturellement païenne.* N'importe quel dieu, quand il répond à des exigences immédiates, pressantes de notre part, représente pour nous un surcroît de vitalité, un « coup de fouet » ; il n'en va pas de même s'il nous est imposé ou s'il ne correspond à aucune nécessité. Le tort du paganisme fut d'en avoir trop accepté et accumulé : il est mort par générosité et excès de compréhension, il est mort par manque d'instinct.

Si, pour surmonter le moi, cette lèpre, on ne mise plus que sur les apparences, il est impossible de ne pas déplorer l'effacement d'une religion sans drames, sans crises de conscience, sans incitations au remords, également superficielle dans ses principes et ses pratiques. Dans l'Antiquité, la philosophie, et non la religion, était profonde ; dans l'âge moderne, la «profondeur» et les déchirements de toutes sortes qui y sont inhérents, le christianisme seul en fut cause.

Ce sont les époques sans foi précise (l'époque hellénistique ou la nôtre) qui s'emploient à classer les dieux, tout en se refusant à les partager en vrais et en faux. L'idée qu'ils puissent se valoir est au contraire irrecevable dans les moments où domine la ferveur. La prière ne saurait s'adresser à un dieu *probablement* vrai. Elle ne s'abaisse guère aux subtilités ni ne tolère la gradation à l'intérieur du suprême : même lorsqu'elle doute, elle le fait au nom de la Vérité. *On n'implore pas une nuance.* Tout cela n'est exact que depuis la calamité monothéiste. Pour la piété païenne, il en allait autrement. Dans *Octavius* de Minucius Felix, l'auteur, avant de défendre la position chrétienne, fait dire à Cecilius, le représentant du paganisme : «Nous voyons adorer des dieux nationaux : à Éleusis, Cérès ; en Phrygie, Cybèle ; à Épidaure, Esculape ; en Chaldée, Bélus ; en Syrie, Astarté ; en Tauride, Diane ; Mercure chez les Gaulois et à Rome tous ces dieux réunis.» Et il ajoute, au sujet du dieu chrétien, le seul à n'être pas accepté : «D'où vient-il, ce dieu unique, solitaire, délaissé, que ne connaît aucune nation libre, aucun royaume… ?»

Selon une vieille prescription romaine, nul ne devait adorer en particulier des dieux nouveaux ou étrangers, s'ils n'étaient pas admis par l'État, par le Sénat plus précisément, seul habilité à décider lesquels méritaient d'être adoptés ou rejetés. Le dieu chrétien, surgi à la périphérie de l'Empire, parvenu à Rome par des moyens inavouables, devait bien se venger plus tard d'avoir été obligé d'y entrer en fraude.

On ne détruit une civilisation que lorsqu'on détruit ses dieux. Les chrétiens, n'osant attaquer l'Empire de front, s'en prirent à sa religion. Ils ne se sont laissé persécuter que pour mieux pouvoir fulminer contre elle, pour satisfaire leur irrépressible appétit d'exécrer. Qu'ils eussent été malheureux si on n'eût pas daigné les promouvoir au rang de victimes ! Tout dans le paganisme, jusqu'à la tolérance, les exaspérait. Forts de leurs certitudes, ils ne pouvaient comprendre que l'on se résignât, à la manière des païens, aux vraisemblances, ni que l'on suivît un culte dont les prêtres, simples magistrats préposés aux simagrées du rituel, n'imposaient à personne la corvée de la *sincérité*.

Lorsqu'on se répète que la vie n'est supportable que si l'on peut changer de dieux et que le monothéisme contient en germe toutes les formes de tyrannie, on cesse de s'apitoyer sur l'esclavage antique. Il valait mieux être esclave et pouvoir adorer la déité qu'on voulait, qu'être «libre» et n'avoir devant soi qu'une seule et même variété du divin. La liberté, c'est le droit à la *différence*; étant pluralité, elle postule l'éparpillement de l'absolu, sa résolution en une poussière de vérités, également justifiées et provisoires. Il y a dans la démocratie libérale un polythéisme sous-jacent (ou inconscient, si l'on préfère); inversement, tout régime autoritaire participe d'un monothéisme déguisé. Curieux effets de la logique monothéiste : un païen, dès qu'il devenait chrétien, versait dans l'intolérance. Plutôt sombrer avec une masse de dieux accommodants que de prospérer à l'ombre d'un despote! À une époque où, faute de conflits religieux, nous assistons aux conflits idéologiques, la question qui se pose pour nous est bien celle qui hanta l'Antiquité finissante : «Comment renoncer à tant de dieux pour un seul?» — avec ce correctif toutefois que le sacrifice qu'on nous demande se place plus bas, au niveau des opinions, et non plus des dieux. Dès qu'une divinité, ou une doctrine, prétend à la suprématie, la liberté est menacée. Si l'on voit dans la tolérance la valeur suprême, tout ce qui y attente doit être considéré comme un crime, en commençant par ces entreprises de conversion où l'Église est demeurée inégalée. Et si elle a exagéré la gravité des persécutions dont elle fut l'objet et grossi ridiculement le nombre des martyrs, c'est que, ayant été une force oppressive pendant si longtemps, elle avait besoin de couvrir ses forfaits sous de nobles prétextes : laisser impunies des doctrines pernicieuses, n'était-ce pas de sa part une trahison à l'égard de ceux qui se sont sacrifiés pour elle? C'est donc par esprit de fidélité qu'elle procédait à l'anéantissement des «égarés», et qu'elle put, après avoir été persécutée pendant quatre siècles, être persécutrice pendant quatorze. Tel est le secret, le *miracle* de sa pérennité. Jamais martyrs ne furent vengés avec plus de système ni d'acharnement.

L'avènement du christianisme ayant coïncidé avec celui de l'Empire, certains Pères (Eusèbe, entre autres) ont soutenu que cette coïncidence avait un sens profond : un Dieu — un empereur. En réalité, ce fut l'abolition des barrières nationales, la possibilité de circuler à travers un vaste État sans frontières, qui permit au christianisme de s'infiltrer et de sévir. Sans cette facilité à se répandre, il serait resté une simple dissidence au sein du judaïsme, au lieu de devenir une religion envahissante et, ce qui est plus fâcheux, une religion à propagande. Tout lui fut bon pour racoler, pour s'affirmer et s'étendre, jusqu'à ces obsèques diurnes, dont l'appareil était une véritable offense autant pour les païens que pour les dieux olympiens. Julien observe que, selon les législateurs de jadis, « vu que la vie et la mort diffèrent du tout au tout, les actes relatifs à l'une et à l'autre doivent être accomplis séparément ». Cette disjonction, les chrétiens, dans leur prosélytisme effréné, n'étaient pas disposés à la faire : ils connaissaient bien l'utilité du cadavre, le profit qu'on en pouvait tirer. Le paganisme n'a pas escamoté la mort, mais il s'est bien gardé d'en faire étalage. C'était un principe fondamental pour lui qu'elle ne s'accorde pas avec le plein jour, qu'elle est une insulte à la lumière ; elle relevait de la nuit et des dieux infernaux. Les Galiléens ont tout rempli de sépulcres, disait Julien, qui n'appelle jamais Jésus autrement que le « mort ». Pour les païens dignes de ce nom, la superstition nouvelle ne pouvait paraître qu'une exploitation, qu'une mise en valeur du hideux. D'autant plus devaient-ils déplorer les progrès qu'elle faisait dans tous les milieux. Ce que Celse ne put connaître, mais ce que Julien connut parfaitement, ce furent les velléitaires du christianisme, ceux qui, incapables d'y souscrire entièrement, s'évertuaient néanmoins à le suivre, craignant que, s'ils restaient à l'écart, ils ne fussent exclus de l'« avenir ». Soit opportunisme, soit peur de la solitude, ils voulaient marcher aux côtés de ces hommes « nés d'hier », mais appelés bientôt au rôle de maîtres, de tortionnaires.

Si légitime qu'ait été sa passion pour les dieux défunts, Julien n'avait aucune chance de les ressusciter. Au lieu de s'y employer inutilement, il aurait mieux fait de s'allier par rage avec les manichéens et de saper avec eux l'Église. Ainsi, en sacrifiant son idéal, eût-il du moins satisfait sa rancœur. Quelle autre carte que celle de la vengeance lui restait-il encore ? Une magnifique carrière de démolisseur s'ouvrait devant lui, et il s'y serait peut-être engagé, s'il n'avait pas été obnubilé par la nostalgie de l'Olympe. On ne livre pas de batailles au nom d'un regret. Il mourut jeune, il est vrai : deux ans à peine de règne ; en eût-il eu dix ou vingt devant soi, quel service ne nous aurait-il pas rendu ! Sans doute n'eût-il pas étouffé le christianisme, mais il l'eût obligé à plus de modestie. Nous serions moins vulnérables, car nous n'aurions pas vécu comme si nous étions le centre de l'univers, comme si tout, *Dieu même*, tournait autour de nous. L'Incarnation est la flatterie la plus dangereuse dont nous ayons été l'objet. Elle nous aura dispensé un statut démesuré, hors de proportion avec ce que nous sommes. En haussant l'anecdote humaine à la dignité de drame cosmique, le christianisme nous a trompés sur notre insignifiance, il nous a précipités dans l'illusion, dans cet optimisme morbide qui, au mépris de l'évidence, confond cheminement et apothéose. Plus réfléchie, l'Antiquité païenne mettait l'homme à sa place. Quand Tacite se demande si les événements sont régis par des lois éternelles ou s'ils roulent au gré du hasard, il ne répond à vrai dire pas, il laisse la question indécise, et cette indécision exprime bien le sentiment général des anciens. Plus que personne, l'historien, confronté avec ce mélange de constantes et d'aberrations dont se compose le processus historique, est nécessairement amené à osciller entre le déterminisme et la contingence, les lois et le caprice, la Physique et la Fortune. Il n'est guère de malheur que nous ne puissions rapporter à notre gré soit à une distraction de la providence, soit à l'indifférence du hasard, soit enfin à l'inflexibilité du destin. Cette trinité, d'un usage si commode pour n'importe qui, pour un esprit désabusé surtout, est ce que la sagesse païenne a de plus consolant à proposer. Les modernes répugnent à y recourir, comme ils répugnent non moins à cette idée, spécifiquement antique, suivant laquelle les biens et les maux représentent une somme invariable, qui ne saurait subir aucune modification. Avec notre hantise du progrès et de la régression, nous admettons implicitement que le mal change, soit qu'il diminue ou qu'il augmente. L'identité du monde avec lui-même, l'idée qu'il est condamné à être ce qu'il est, que l'avenir n'ajoutera rien d'essentiel aux données existantes, cette belle idée n'a plus cours; c'est que justement, *l'avenir*, objet d'espoir ou d'horreur, est notre véritable *lieu*; nous y vivons, il est tout pour nous. L'obsession de l'avènement, qui est d'essence chrétienne, en réduisant le temps au concept de l'imminent et du possible, nous rend inaptes à concevoir un instant immuable, reposant en lui-même, soustrait au fléau de la succession. Même dépourvue du moindre contenu, *l'attente* est un vide qui nous comble, une anxiété qui nous rassure, tant nous sommes impropres à une vision statique. «Il n'est pas besoin que Dieu corrige son ouvrage» — cette opinion de Celse, qui est celle de toute une civilisation, va à l'encontre de nos inclinations, de nos instincts, de notre être même. Nous ne pouvons la ratifier que dans un moment insolite, dans un *accès* de sagesse. Elle va même à l'encontre de ce que pense le croyant, car ce qu'on reproche à Dieu dans les milieux religieux plus que dans les autres, c'est sa bonne conscience, son indifférence à la qualité de son œuvre et son refus d'en atténuer les anomalies. Il nous faut du *futur* à tout prix. La croyance au Jugement dernier a créé les conditions psychologiques de la croyance au *sens* de l'histoire ; mieux : toute la philosophie de l'histoire n'est qu'un sous-produit de l'idée du Jugement dernier. Nous avons beau pencher vers telle ou telle théorie cyclique, il ne s'agit de notre part que d'une adhésion abstraite ; nous nous comportons en fait comme si l'histoire suivait un déroulement linéaire, comme si les diverses civilisations qui s'y succèdent n'étaient que des étapes que parcourt, pour se manifester et s'accomplir, quelque grand dessein, dont le nom varie suivant nos croyances ou nos idéologies.

Qu'il n'y ait plus pour nous de faux dieux, est-il meilleure preuve de la déficience de notre foi ? On ne voit guère comment pour un croyant le dieu qu'il prie et un autre dieu tout différent, peuvent être également légitimes. La foi est exclusion, défi. C'est parce qu'il ne peut plus détester les autres religions, c'est parce qu'il les *comprend*, que le christianisme est fini : la vitalité dont procède l'intolérance lui fait de plus en plus défaut. Or, l'intolérance était sa raison d'être. Pour son malheur, il a cessé d'être monstrueux. Ainsi que le polythéisme déclinant, il est atteint, il est paralysé par une trop grande largeur de vues. Son dieu n'a pas plus de prestige pour nous que n'en avait Jupiter pour les païens déconfits.
À quoi se réduit le bavardage autour de la «mort de Dieu», sinon à un constat de décès du christianisme ? On n'ose attaquer carrément la religion, on s'en prend au patron, auquel on reproche d'être inactuel, timide, modéré. Un dieu qui a dilapidé son capital de cruauté, plus personne ne le craint ni ne le respecte. Nous sommes marqués par tous ces siècles où croire en lui c'était le redouter, où nos frayeurs l'imaginaient à la fois compatissant et sans scrupules. Qui intimiderait-il maintenant, quand les croyants eux-mêmes sentent qu'il est dépassé, qu'on ne peut plus le raccorder au présent, encore moins à l'avenir ? Et de même que le paganisme dut céder devant le christianisme, de même ce dernier devra fléchir devant quelque nouvelle croyance ; démuni d'agressivité, il ne constitue plus un obstacle à l'irruption d'autres dieux ;

ils n'ont qu'à surgir, et ils surgiront peut-être. Sans doute n'auront-ils des dieux le visage ni même le masque ; mais ils n'en seront pas moins redoutables.

Pour qui liberté et vertige se valent, une foi, d'où qu'elle vienne, et fût-elle antireligieuse, est une entrave salutaire, une chaîne souhaitée, rêvée, dont ce sera la fonction de freiner la curiosité et la fièvre, de suspendre l'angoisse de l'indéfini. Quand cette foi l'emporte et s'installe, ce qui en résulte immédiatement, c'est une réduction du *nombre* de problèmes que l'on doit se poser, ainsi qu'une diminution presque tragique des options. Le fardeau du choix vous est enlevé ; on opte à votre place. Les païens raffinés, qui se laissaient tenter par la religion nouvelle, ce qu'ils en attendaient c'était justement qu'on optât pour eux, qu'on leur indiquât *où* aller, pour n'avoir plus à hésiter au seuil de tant de temples ni à louvoyer entre tant de dieux. C'est par une lassitude, c'est par un refus des pérégrinations de l'esprit, que se conclut cette effervescence religieuse *sans credo* qui caractérise toute époque alexandrine. On dénonce la coexistence des vérités, parce qu'on ne se satisfait plus du *peu* que chacun offre ; on aspire au tout, mais à un tout borné, circonscrit, *sûr*, tant est grande la peur de tomber de l'universel dans l'incertain, de l'incertain dans le précaire et l'amorphe. Cette dégringolade que le paganisme connut en son temps, le christianisme est en train d'en faire l'expérience. Il déchoit, il s'empresse de déchoir ; c'est ce qui le rend supportable aux incroyants, de mieux en mieux disposés à son égard. Le paganisme, même vaincu, on le détestait encore ; les chrétiens étaient des furieux qui ne pouvaient oublier, alors que de nos jours tout le monde a pardonné au christianisme. Déjà au XVIIIᵉ siècle, on avait épuisé les arguments contre lui. À l'égal d'un poison qui a perdu ses vertus, il ne peut plus sauver ni damner personne. Mais il a renversé trop de dieux pour qu'il puisse en bonne justice échapper au sort qu'il leur aura réservé. L'heure de la revanche a sonné pour eux. Leur joie doit être grande de voir leur pire ennemi aussi bas qu'eux, puisqu'il les accepte tous sans exception. Au temps de son triomphe, il a démoli les temples et violé les consciences partout où il lui plut d'apparaître. Un dieu nouveau, eût-il été crucifié mille fois, ignore la pitié, broie tout sur sa route, s'acharne à occuper le maximum d'espace. Ainsi nous fait-il payer cher de ne l'avoir pas reconnu plus tôt. Tant qu'il était obscur, il pouvait posséder un certain attrait : nous ne décelions pas encore chez lui les stigmates de la victoire.

Jamais une religion n'est plus « noble » que lorsqu'elle en arrive à se prendre pour une superstition et qu'elle assiste, détachée, à sa propre éclipse. Le christianisme s'est formé et s'est épanoui dans la haine de tout ce qui n'était pas lui ; cette haine l'a soutenu sa carrière durant ; sa carrière achevée, sa haine s'achève aussi. Le Christ ne redescendra pas aux Enfers ; on l'a remis au tombeau, et, cette fois-ci, il y restera, il n'en ressortira vraisemblablement jamais : il n'a plus *qui* délivrer à la surface ni dans les profondeurs de la terre. Quand on songe aux excès qui accompagnèrent son avènement, on ne peut s'empêcher d'évoquer l'exclamation de Rutilius Namatianus, le dernier poète païen : « Plût aux dieux que la Judée n'eût jamais été conquise ! »

Puisqu'il est admis que les dieux sont vrais indistinctement, pourquoi s'arrêter en chemin, pourquoi ne pas les prôner tous ? Ce serait là de la part de l'Église un accomplissement suprême : elle périrait en s'inclinant devant ses victimes. Des signes annoncent qu'elle en ressent la tentation. Ainsi, à l'instar des temples antiques, se ferait-elle un honneur de recueillir les divinités, les épaves de partout. Mais, encore une fois, il faut que le *vrai* dieu s'efface pour que tous les autres puissent resurgir.

PALÉONTOLOGIE

——————————————— *C*'est le hasard d'une averse qui, un jour d'automne, me fit entrer au Muséum, pour quelques instants. Je devais y rester en fait une heure, deux heures, peut-être trois. Des mois me séparent de cette visite accidentelle, et cependant je ne suis pas près d'oublier ces orbites qui vous regardent, plus insistantes que des yeux, cette foire de crânes, ce ricanement automatique à tous les niveaux de la zoologie.

Nul lieu où l'on soit mieux servi en fait de passé. Le possible y semble inconcevable ou loufoque. On y a l'impression que la chair s'est éclipsée dès son avènement, qu'elle n'a même jamais existé, qu'il est exclu qu'elle ait été rivée à ces os si solennels, si imbus d'eux-mêmes. Elle apparaît comme une imposture, une supercherie, comme un déguisement qui ne recouvre rien. N'était-elle donc que cela? Et si elle ne vaut pas davantage, comment réussit-elle à m'inspirer de la répulsion ou de la terreur? Je me suis toujours senti une prédilection pour ceux qui ont été obsédés par sa nullité, qui en ont fait grand cas : Baudelaire, Swift, le Bouddha... Elle, si *évidente*, est pourtant une anomalie; plus on la considère, plus on s'en détourne avec effroi, et, à force de la peser, on s'achemine vers le minéral, on se *pétrifie*. Pour en supporter la vue ou l'idée, il y faut bien plus que du courage : du cynisme. C'est se tromper sur sa nature que de l'appeler, avec un Père de l'Église, *nocturne*; c'est lui faire aussi trop d'honneur; elle n'est ni étrange ni ténébreuse, elle est *périssable* jusqu'à l'indécence, jusqu'à la folie, elle est non seulement siège de maladies, elle est maladie elle-même, néant incurable, fiction dégénérée en calamité. La vision que j'en ai est celle d'un fossoyeur frotté de métaphysique. Sans doute ai-je tort d'y songer sans cesse; on ne peut vivre et s'appesantir sur elle : un colosse y périrait. Je la sens comme il n'est pas permis de la sentir; elle en profite, elle m'oblige à lui conférer un statut disproportionné, et tant elle m'accapare et me domine que mon esprit n'est plus que viscères. À côté de la solidité, du *sérieux* du squelette, elle paraît ridiculement provisoire et frivole. Elle flatte, elle comble le drogué de précarité que je suis. C'est pourquoi je me trouve si à l'aise dans ce musée où tout invite à l'euphorie d'un univers nettoyé de la chair, à la jubilation de l'après-vie.

À l'entrée, l'homme *debout*; tous les autres animaux, voûtés, accablés, affaissés, même la girafe, malgré son cou, même l'iguanodon, grotesque dans sa volonté de se dresser. Plus proches de nous, cet orang-outan, ce gorille, ce chimpanzé, on voit bien que c'est en pure perte qu'ils ont peiné pour se tenir droits. Leurs efforts n'ayant pas abouti, ils restent là, misérables, arrêtés à mi-chemin, contrariés dans leur poursuite de la verticalité. Des bossus en somme. Nous serions encore comme eux, nul doute là-dessus, sans la chance que nous eûmes de faire un pas décisif en avant. Depuis, nous nous escrimons à effacer toute trace de notre basse extraction; de là cet air provocant si particulier à l'homme. Auprès de lui, de sa posture et du genre qu'il se donne, les dinosauriens même paraissent timides. Comme ses véritables revers ne font que commencer, il aura le temps de s'assagir. Tout laisse prévoir que, revenant à sa phase initiale, il rejoindra ce chimpanzé, ce gorille, cet orang-outan, qu'il leur ressemblera de nouveau, et qu'il lui sera de plus en plus malaisé de se trémousser dans sa position verticale. Peut-être même, ployant sous la fatigue, sera-t-il plus courbé encore que ses compagnons de jadis. Arrivé au seuil de la sénilité, il se *resingera*, car on ne voit pas ce qu'il pourrait faire de mieux.

*B*ien plus que le squelette, c'est la chair, je veux dire la charogne, qui nous trouble et nous alarme; — qui nous apaise aussi. Les moines bouddhistes pratiquaient volontiers les charniers : où plus sûrement coincer le désir et s'en émanciper ? L'horrible étant une voie de libération, à toutes les époques de ferveur et d'intériorité nos restes ont joui d'une grande faveur. Au Moyen Âge, on s'astreignait au salut, on croyait avec énergie : le cadavre était à la mode ; la foi y était vigoureuse, indomptable, elle aimait le livide et le fétide, elle savait le bénéfice qu'on pouvait tirer de la pourriture et de la hideur. Aujourd'hui, une religion édulcorée ne s'attache plus qu'à des fantasmes gentils, à l'Évolution et au Progrès. Ce n'est pas elle qui nous fournirait l'équivalent moderne de la Danse macabre.

«Que celui qui aspire au nirvâna fasse que rien ne lui soit cher», lit-on dans un texte bouddhique. Il suffit de considérer ces spectres, de songer au destin de la chair qui y adhérait, pour comprendre l'urgence du détachement. Point d'ascèse sans la double rumination sur la chair et sur le squelette, sur l'effrayante caducité de l'une et l'inutile permanence de l'autre. À titre d'exercice, il est bon de temps en temps de nous séparer de notre visage, de notre peau, d'écarter ce revêtement trompeur, de déposer ensuite, ne fût-ce que pour un instant, ce fatras de graisse qui nous empêche de discerner le *fondamental* en nous. L'exercice terminé, nous sommes plus libres et plus seuls, invulnérables presque.

Pour vaincre les attachements et les inconvénients qui en découlent, il faudrait contempler d'un être la nudité ultime, percer du regard ses entrailles et le reste, se rouler dans l'horreur de ses sécrétions, dans sa physiologie de macchabée imminent. Cette vision ne devrait pas être morbide mais méthodique, une hantise dirigée, particulièrement salutaire dans les épreuves. Le squelette nous incite à la sérénité ; le cadavre, au renoncement. Dans la leçon d'inanité que l'un et l'autre nous dispensent, le bonheur se confond avec la destruction de nos liens. N'avoir escamoté aucun détail d'un tel enseignement et cependant composer encore avec des simulacres !

Il était béni ce temps où des solitaires pouvaient sonder leurs gouffres sans faire figure d'obsédés, de détraqués. Leur déséquilibre n'était pas affecté d'un coefficient négatif comme c'est le cas pour nous. Ils sacrifiaient dix, vingt ans, toute une vie, pour un pressentiment, pour un *éclair* d'absolu. Le mot «profondeur» n'a de sens qu'appliqué aux époques où le moine était considéré comme l'exemplaire humain le plus noble. Qu'il soit en voie de disparition, personne n'en disconviendra. Depuis des siècles, il ne fait que se survivre. À qui s'adresserait-il, dans un univers qui le traite de «parasite» ? Au Tibet, dernier pays où il comptait encore, il a été écarté. C'était une rare consolation pourtant de penser que des milliers et des milliers d'ermites y pouvaient méditer, *aujourd'hui*, sur les thèmes de la Prajnâpâramitâ. N'aurait-il que des côtés odieux, le monachisme vaudrait toujours mieux que n'importe quel autre idéal. Plus que jamais, on devrait construire des monastères... pour ceux qui croient à tout et pour ceux qui ne croient à rien. Où fuir ? Il n'existe plus aucun endroit où l'on puisse professionnellement exécrer ce monde.

*P*our concevoir l'irréalité et s'en pénétrer, il faut l'avoir constamment présente à l'esprit. Le jour où on la sent, où on la *voit*, tout devient irréel, sauf cette irréalité, qui seule rend l'existence tolérable.

C'est un signe d'éveil que d'avoir l'obsession de l'agrégat, le sentiment de plus en plus vif d'être tout juste le lieu de rencontre de quelques éléments, soudés pour un instant. Le «moi» conçu comme une donnée substantielle et irréductible désarçonne plus qu'il ne rassure : comment accepter que *cela* cesse qui semblait si bien tenir ? comment se séparer de ce qui subsiste par soi, de ce qui *est* ? On peut quitter une illusion, si invétérée soit-elle ; que faire en revanche devant du consistant, du durable ? S'il n'y a que de l'existant, si l'être s'étale partout, par quel moyen s'en arracher sans déroute ? Postulons la duperie universelle par précaution ou par souci thérapeutique. À la crainte qu'il n'y ait rien succède celle qu'il y ait quelque chose. On s'accommode bien autrement d'un adieu au non-être qu'à l'être. Non que ce monde n'existe pas, mais sa réalité n'en est pas une. Tout a l'air d'exister et rien n'existe.

Toute poursuite concertée, celle du nirvâna lui-même, si on n'est pas libre de s'en détourner, est une entrave comme une autre. Le savoir que l'on convertit en idole se dégrade en non-savoir, ainsi que l'enseignait déjà la sagesse védique : «Ils sont dans d'épaisses ténèbres ceux qui s'abandonnent à l'ignorance ; dans des plus épaisses encore ceux qui se complaisent dans le savoir.» Penser à son insu, ou plutôt ne pas penser du tout mais rester là et dévorer le silence, voilà à quoi devrait aboutir la clairvoyance. Aucune volupté ne saurait se comparer à celle de *savoir* qu'on ne pense pas. On objectera : savoir qu'on ne pense pas, n'est-ce pas encore penser ? Sans doute, mais la misère de la pensée est surmontée le temps que, au lieu de sauter d'idée en idée, on demeure délibérément à l'intérieur d'une seule, qui refuse toutes les autres et qui s'annule elle-même, dès lors qu'elle se donne comme contenu sa propre absence. Cette ingérence dans le mécanisme normal de l'esprit n'est féconde que si nous pouvons la renouveler à volonté : elle doit nous guérir de l'assujettissement au savoir, de la superstition de quelque système que ce soit. La délivrance qui nous séduit, qui nous obnubile, n'est pas la délivrance. Faisons que rien ne soit nôtre, en commençant par le désir, ce générateur d'effrois. Quand tout nous fait trembler, l'unique recours est de penser que si la peur est réelle, puisque sensation, la *sensation par excellence,* le monde qui la cause se réduit à un assemblage transitoire d'éléments irréels, qu'en somme la peur est d'autant plus vive que nous faisons crédit au moi et au monde, et qu'elle doit inévitablement diminuer lorsque nous décelons l'imposture de l'un et de l'autre. N'est vrai que notre triomphe sur les choses, n'est vrai que ce constat d'irréalité, que notre clairvoyance dresse chaque jour, chaque heure. Se délivrer, c'est se *réjouir* de cette irréalité et la rechercher à tout instant.

*V*u de l'extérieur, chaque être est un accident, un mensonge (sauf dans l'amour, mais l'amour se place en dehors de la connaissance et de la vérité). Peut-être devrions-nous nous regarder du dehors, à peu près comme nous regardons les autres, et tenter de n'avoir plus rien de commun avec nous-même : si, envers moi, je me comportais en étranger, je me verrais mourir avec une incuriosité totale ; pas plus que ma vie, ma mort ne serait « mienne ». L'une et l'autre, tant qu'elles m'appartiennent et que je les assume, représentent des épreuves au-dessus de mes forces. Quand, au contraire, je me persuade qu'elles manquent d'existence intrinsèque et qu'elles ne devraient point me concerner, — quel soulagement ! Pourquoi alors, sachant qu'en dernière instance tout est irréel, m'emballer encore pour telle ou telle vétille ? Je m'emballe, c'est entendu, mais je ne me passionne pas, c'est-à-dire que je n'y prends aucun intérêt *réel*. Ce désintéressement auquel je m'applique, je n'y atteins que lorsque je troque mon ancien moi contre un nouveau, le moi de la vision détrompée, et qui triomphe ici, au milieu de ces fantômes, où tout m'infirme, où celui que j'étais m'apparaît lointain, incompréhensible. Les évidences auxquelles je tournais le dos auparavant, je les distingue maintenant dans toute leur clarté. L'avantage que j'en retire est que je ne me sens plus aucune obligation à l'égard de ma chair, de toute chair. Quel cadre meilleur pour ressasser les dix-huit variétés de vide qu'exposent les textes mahâyânistes, si soucieux de cataloguer les divers types de carence ! C'est qu'on se trouve ici aussitôt dans un état aigu d'irréalité.

*I*l est à peine croyable à quel point la peur adhère à la chair ; elle y est collée, elle en est inséparable et presque indistincte. Ces squelettes ne la ressentent pas, heureux squelettes ! Elle est le seul lien fraternel qui nous rattache aux animaux, encore qu'ils ne la connaissent que sous sa forme naturelle, saine si on veut ; ils ignorent l'autre, celle qui surgit sans motifs, que nous pouvons réduire, suivant nos caprices, soit à un processus métaphysique, soit à une chimie démente, et qui, chaque jour, à une heure imprévisible, s'attaque à nous et nous submerge. Pour arriver à la mater, il nous faudrait le concours de tous les ci-devant dieux. Elle se signale au plus bas de notre défaillance quotidienne, au moment même où nous serions tout près de nous évanouir si un rien ne nous en empêchait ; ce rien est le secret de notre verticalité. Rester droit, debout, implique une dignité, une discipline qu'on nous a inculquée péniblement et qui nous sauve toujours au dernier instant, dans ce sursaut où nous saisissons ce qu'il peut y avoir d'anormal dans la carrière de la chair, menacée, boycottée par l'ensemble des éléments qui la définissent. La chair a *trahi* la matière ; le malaise qu'elle ressent, qu'elle subit, est son châtiment. D'une manière générale, l'animé fait figure de coupable à l'égard de l'inerte ; la vie est un état de culpabilité, état d'autant plus grave que personne n'en prend vraiment conscience. Mais une faute coextensive à l'individu, qui pèse sur lui à son insu, qui est le prix qu'il lui faut payer pour sa promotion à l'existence séparée, pour le forfait commis contre la création indivise, cette faute, pour être inconsciente, n'en est pas moins réelle, et elle perce bien dans l'accablement de la créature.

Comme je circule parmi ces carcasses, j'essaie de me représenter la charge de peur qu'elles devaient traîner, et quand je m'arrête devant les trois singes, je ne peux pas ne pas attribuer l'arrêt d'évolution qu'ils ont subi à une charge analogue, qui, pesant sur eux, leur aura donné cet air obséquieux et effaré. Et même ces reptiles, n'est-ce pas sous un fardeau semblable qu'ils durent s'aplatir honteusement et se mettre à élaborer du venin à même la poussière pour se venger de leur ignominie ? Tout ce qui vit, l'animal ou l'insecte le plus repoussant, tressaute, ne fait que tressauter ; tout ce qui vit, du simple fait de vivre, mérite commisération. Et je pense à tous ceux que j'ai connus, à tous ceux qui ne sont plus, depuis longtemps vautrés dans leurs cercueils, à jamais exempts de chair — et de peur. Et je me sens soulagé du poids de leur mort.

L'anxiété est conscience de la peur, une peur au second degré, réfléchissant sur elle-même. Elle est faite de l'impossibilité de communier avec le tout, de nous y assimiler, de nous y perdre ; elle arrête le courant qui passe du monde à nous, de nous au monde, et ne favorise nos réflexions que pour mieux en détruire l'essor, elle dégrise sans cesse l'esprit ; or, il n'est de spéculation de quelque portée qui ne procède d'un enivrement, d'une perte de contrôle, d'une faculté de s'égarer, donc de se renouveler. Inspiration à rebours, l'anxiété nous rappelle à l'ordre au moindre envol, à la moindre divagation. Cette surveillance est funeste pour la pensée, paralysée soudain, enserrée dans un cercle maudit, condamnée à ne pouvoir sortir d'elle-même que par à-coups et à la dérobée. Aussi est-il vrai que si nos appréhensions nous font chercher la libération, ce sont pourtant elles qui nous empêchent d'y atteindre. Bien qu'il redoute l'avenir au point d'en faire l'unique objet de ses préoccupations, l'anxieux est prisonnier du passé, il est même le seul homme qui ait réellement un passé. Ses maux, dont il est l'esclave, ne le font avancer que pour mieux le tirer en arrière. Il en vient à regretter la peur brute, anonyme, dont tout part, qui est commencement, origine, principe de tout ce qui vit. Pour atroce qu'elle soit, elle est néanmoins supportable, puisque tous les vivants s'y résignent ; elle les secoue et les ravage, elle ne les anéantit pas. Il n'en va pas de même de cette peur raffinée, «récente», postérieure à l'apparition du «je», où le danger, diffus, omniprésent, ne se matérialise jamais, peur repliée sur soi et qui, faute d'autre aliment, se dévore elle-même.

Si je ne suis pas retourné au Muséum, j'y ai été en esprit presque tous les jours, non sans en éprouver quelque bienfait : quoi de plus calmant que de remâcher cette ultime simplification des êtres ? Tout à coup, l'imagination désenfiévrée, on se voit tel qu'on sera : une leçon, non, un *accès* de modestie. Du bon usage du squelette... Nous devrions nous en servir dans les moments difficiles, d'autant plus que nous l'avons *sous la main*.

Je n'ai pas besoin d'Holbein ni de Baldung Grien ; en fait de macabre, je m'en remets à mes moyens. Si j'en vois la nécessité ou si l'envie m'en prend, il n'est personne que je ne puisse dévêtir de son enveloppe charnelle. Pourquoi jalouser ou craindre ces os qui portent tel nom, ce crâne qui ne m'aime pas ? pourquoi aussi aimer quelqu'un ou m'aimer moi-même, souffrir dans tous les cas, quand je sais l'image qu'il me faut évoquer pour adoucir ces misères ? La conscience vive de ce qui guette la chair devrait détruire et l'amour et la haine. Elle ne parvient en réalité qu'à les atténuer, et, en de rares moments, à les dompter. Autrement ce serait par trop simple : il suffirait de se représenter la mort pour être heureux, et le macabre, comblant nos vœux les plus secrets, serait *tout profit*.

Je doute que je me fusse reporté si souvent à ces lieux si, visiblement, ils ne flattaient mon inaptitude à l'illusion. Ici, où l'homme n'est rien, on s'aperçoit à quel point les doctrines de la délivrance sont inaptes à le saisir, à en interpréter le passé et à en déchiffrer l'avenir. C'est que la délivrance n'a de contenu que pour chacun de nous, individuellement, et non pour la tourbe, incapable de comprendre le rapport qui existe entre idée de vide et sensation de liberté. On ne voit guère comment l'humanité pourrait être sauvée en bloc; engloutie dans le faux, vouée à une vérité inférieure, elle confondra toujours semblant et substance. En admettant, contre toute évidence, qu'elle suive une marche ascendante, elle ne saurait acquérir, au terme de sa montée, le degré de clairvoyance du plus obtus sannyâsin hindou. Dans l'existence quotidienne, il est impossible de dire si ce monde est réel ou irréel; ce que nous pouvons faire, ce que nous faisons effectivement, est de passer sans cesse d'une thèse à l'autre, trop contents d'esquiver un choix qui ne résoudrait aucune de nos difficultés dans l'immédiat.

L'éveil est indépendant des capacités intellectuelles : on peut avoir du génie et être un niais, spirituellement s'entend. D'un autre côté, on n'est guère plus avancé avec le savoir comme tel. «L'œil de la Connaissance», un illettré peut le posséder, et se trouver ainsi au-dessus de n'importe quel savant. Discerner que ce que vous êtes n'est pas vous, que ce que vous avez n'est pas vôtre, n'être plus complice de rien, même pas de sa propre vie, — c'est cela voir juste, c'est cela descendre jusqu'à la racine nulle de tout. Plus on s'ouvre à la vacuité et plus on s'en imprègne, plus on se soustrait à la fatalité d'être soi, d'être homme, d'être vivant. Si tout est vide, cette triple fatalité le sera aussi. Du coup, la magie du tragique est entamée. Le héros qui s'effondre vaudrait-il aussi peu que celui qui triomphe? Rien de plus prestigieux qu'une belle fin, si ce monde est réel; s'il ne l'est pas, c'est pure niaiserie que de s'extasier sur quelque dénouement que ce soit. Daigner avoir une «destinée», être aveuglé ou seulement tenté par «l'extraordinaire», prouve qu'on demeure fermé à toute vérité supérieure, qu'on est loin de posséder «l'œil» en question. Situer quelqu'un, c'est déterminer son degré d'éveil, les progrès qu'il a accomplis dans la perception de l'illusoire et du faux chez autrui et chez soi. Aucune communion n'est concevable avec celui qui se trompe sur ce qu'il est. À mesure que s'élargit l'intervalle qui nous sépare de nos actes, nous voyons diminuer les sujets de dialogue et le nombre de nos semblables. Cette solitude ne rend pas amer, car elle ne dérive pas de nos talents mais de nos renoncements. Encore faut-il ajouter qu'elle n'exclut nullement le danger d'orgueil spirituel, qui existe bel et bien aussi longtemps que l'on se penche sur les sacrifices que l'on a consentis et les illusions que l'on a rejetées. Comment se vaincre soi-même à son insu, quand le détachement exige une insistante prise de conscience ? Ainsi, ce qui le rend possible le menace en même temps. Dans l'ordre des valeurs intérieures, toute supériorité qui ne devient pas impersonnelle tourne à la perdition. Que ne peut-on s'arracher au monde sans s'en aviser ! On devrait pouvoir oublier que le détachement est un *mérite* ; sinon, au lieu de délivrer, il empoisonne. Attribuer à Dieu nos réussites de toute espèce, croire que rien n'émane de nous, que tout est *donné*, c'est là, suivant Ignace de Loyola, le seul moyen efficace de lutter contre la superbe. La recommandation vaut pour les états fulgurants où l'intervention de la grâce semble de rigueur, mais non pour le détachement, travail de sape, long et pénible, dont le *moi* est la victime : comment n'en pas tirer vanité ? Notre niveau spirituel a beau s'élever, nous ne changeons pas pour autant qualitativement ; nous demeurons prisonniers de nos limites : l'impossibilité d'extirper l'orgueil spirituel en est une conséquence, la plus fâcheuse. « Nulle créature, observe saint Thomas, ne peut atteindre un plus haut degré de nature sans cesser d'exister. » Cependant si l'homme intrigue, c'est pour avoir voulu précisément surmonter sa nature. Il n'y est pas parvenu, et ses efforts démesurés ne devaient pas manquer de l'altérer, de le *dénaturer*. C'est pourquoi on ne s'interroge pas à son sujet sans tourment, sans *passion*. Sans doute est-il aussi plus décent de s'apitoyer sur lui que sur soi (c'est ce qu'a si bien compris Pascal). À la longue, cette passion devient si harassante que l'on ne songe plus qu'aux moyens d'y échapper. Ni la fatalité d'être soi, ni celle d'être vivant ne sauraient se comparer à celle d'être homme ; dès qu'elle me talonne, pour m'y soustraire, je refais mentalement ma promenade à travers ces ossements qui, ces derniers temps, m'ont été si souvent secourables ; je les aperçois, je m'y accroche : en me confirmant dans ma croyance à la vacuité, ils m'aident à entrevoir le jour où je n'aurai plus à supporter l'obsession de l'humain, de toutes les chaînes la plus terrible. Il faut à tout prix s'en affranchir, si on veut être libre ; mais pour être libre vraiment, un pas de plus s'impose : s'affranchir de la liberté elle-même, la rabaisser au niveau d'un préjugé ou d'un prétexte pour n'avoir plus à l'idolâtrer... Alors seulement on commencera à apprendre comment agir *sans désirer*. La méditation de l'horrible y prépare : tourner autour de la chair et de ses décrépitudes, c'est s'initier à l'art de dissocier désir et acte, — opération néfaste aux esprits remuants, indispensable aux contemplatifs. Tant qu'on désire, on vit dans la sujétion, on est livré au monde ; dès qu'on cesse de désirer, on cumule les privilèges d'un objet et d'un dieu : on ne dépend plus de personne. Que le désir soit indéracinable, il n'est que trop vrai ; cependant quelle paix rien que d'*imaginer* en être exempt ! Paix si insolite qu'un plaisir pervers s'y glisse : une sensation aussi suspecte ne reviendrait-elle pas à une vengeance de la nature contre celui qui s'est rendu coupable d'aspirer à un état si peu naturel ? En dehors du nirvâna *dans la vie* — exploit rare, extrémité pratiquement inaccessible — la suppression du désir est une chimère ; on ne le supprime pas, on le suspend, et cette suspension, fort étrangement, s'accompagne d'un sentiment de puissance, d'une certitude nouvelle, inconnue. La vogue du monachisme, en d'autres siècles, ne s'expliquerait-elle pas par cette dilatation consécutive au reflux des appétits ? Il faut de la force pour lutter contre le désir ; cette force augmente quand le désir se retire ; lui arrêté, la peur s'arrête également. Pour que, de son côté, l'anxiété se prête à une trêve semblable, on doit aller plus loin, aborder un espace autrement raréfié, approcher d'une allégresse abstraite, d'une exaltation pareillement accordée à l'être et à l'absence d'être.

Il est dit dans la Katha-Upanishad, à propos d'*âtman*, qu'il est «joyeux et sans joie». C'est là un état auquel on accède aussi bien par l'affirmation que par la négation d'un principe suprême, tant par le détour du Vedânta que par celui du Mahâyâna. Pour différentes qu'elles soient, les deux voies se rejoignent dans l'expérience finale, dans le glissement hors des apparences. L'essentiel est moins de savoir au nom de quoi on veut se libérer que jusqu'*où* on peut avancer sur le chemin de la délivrance. Que l'on se dissolve dans l'absolu ou dans le vide, dans les deux cas c'est à une joie neutre que l'on atteindra : joie sans détermination aucune, aussi dénudée que l'anxiété, dont elle se veut le remède, et dont elle n'est que l'aboutissement, la conclusion positive. Entre elles, la symétrie est patente ; on les dirait «construites», l'une et l'autre, sur le même patron ; elles se passent de tout stimulant extérieur, elles se suffisent à elles-mêmes, elles correspondent et communiquent en profondeur. Car de même que la joie concrète n'est qu'une peur vaincue, la joie neutre n'est qu'une anxiété transfigurée. Et c'est de leurs affinités, de leur perméabilité que dérivent la possibilité de s'élever de l'une à l'autre, et le danger de revenir en arrière, de retomber dans un état antérieur, qu'on croyait dépassé. C'est dire à quel point tout progrès spirituel est menacé à la base. Pour le délivré inaccompli, pour le velléitaire du nirvâna, rien de plus aisé et de plus fréquent, que de reculer vers ses anciennes terreurs. Mais quand de loin en loin il lui arrive de tenir bon, il fait sienne l'exhortation du *Dhammapada* : «Brille pour toi-même, comme ta propre lumière» et, le temps qu'il l'adopte et la suit, il comprend du dedans ceux qui s'y conforment toujours.

RENCONTRES AVEC LE SUICIDE

*O*n ne se tue que si, par quelques côtés, on a toujours été en dehors de tout. Il s'agit d'une inappropriation originelle dont on peut n'être pas conscient. Qui est *appelé* à se tuer n'appartient que par accident à ce monde-ci ; il ne relève au fond d'aucun monde.

On n'est pas prédisposé, on est prédestiné au suicide, on y est voué avant toute déception, avant toute expérience : le bonheur y pousse autant que le malheur, il y pousse même davantage, car amorphe, improbable, il exige un effort d'adaptation exténuant, alors que le malheur offre la sécurité et la rigueur d'un rite.

*I*l est des nuits où l'avenir s'abolit, où de tous ses instants seul subsiste celui que nous choisirons pour n'être plus.

«*J*'en ai assez d'être moi», se répète-t-on quand on aspire à se fuir ; et lorsqu'on se fuit irrévocablement, l'ironie veut que l'on commette un acte où l'on se retrouve, où l'on devient soudain totalement soi. La fatalité à laquelle on a voulu échapper, on y retombe l'instant qu'on se tue, le suicide n'étant que le triomphe, que la fête de cette fatalité.

*P*lus je vais, plus je vois s'amenuiser mes chances de me traîner d'un jour à l'autre. À vrai dire, il en a toujours été ainsi : je n'ai pas vécu dans le possible mais dans l'inconcevable. Ma mémoire entasse des horizons effondrés.

*I*l existe en nous une tentation, plutôt qu'une volonté, de mourir. Car s'il nous était donné de *vouloir* la mort, qui n'en profiterait dès la première contrariété ? Un autre empêchement joue encore : l'idée de se tuer paraît incroyablement neuve à celui qui en est possédé ; il s'imagine donc exécuter un acte *sans précédent*; cette illusion l'occupe et le flatte, et lui fait perdre un temps précieux.

*L*e suicide est un accomplissement brusque, une délivrance fulgurante : c'est le nirvâna par la violence.

*L*e fait si simple de regarder un couteau et de comprendre qu'il ne dépend que de vous d'en faire un certain usage, vous donne une sensation de souveraineté qui tourne à la mégalomanie.

*Q*uand nous saisit l'idée d'en finir, un espace s'étend devant nous, une vaste possibilité en dehors du temps et de l'éternité elle-même, une ouverture vertigineuse, un espoir de mourir *par-delà* la mort.
Se tuer, c'est, de fait, rivaliser avec la mort, c'est démontrer qu'on peut faire mieux qu'elle, c'est lui jouer un tour et, succès non négligeable, se racheter à ses propres yeux. On se rassure, on se persuade ainsi qu'on n'est pas le dernier, que l'on mérite quelque respect. On se dit : Jusqu'à présent, incapable de prendre une initiative, je n'avais nulle estime pour moi; maintenant tout change : en me détruisant, je détruis du même coup toutes les raisons que j'avais de me mépriser, je regagne confiance, je suis quelqu'un pour toujours...

*P*uisque ma mission est de souffrir, je ne comprends pas pourquoi j'essaie d'imaginer mon sort autrement, encore moins pourquoi je me mets en colère contre des *sensations*. Car toute souffrance n'est que cela, à ses débuts et à sa fin en tout cas. Au milieu, c'est entendu, elle est un peu plus : un univers.

*C*ette fureur en pleine nuit, ce besoin d'une ultime explication avec soi, avec les éléments. D'un coup, le sang s'anime, on tremble, on se lève, on sort, on se répète qu'il n'y a plus aucune raison de tergiverser, de différer : cette fois-ci, ce sera tout de bon. À peine est-on dehors, un imperceptible apaisement. On avance pénétré du geste qu'on va accomplir, de la mission qu'on s'est arrogée. Un rien d'exultation se substitue à la fureur lorsqu'on se dit qu'on est enfin parvenu au terme, que l'avenir se réduit à quelques minutes, à une heure tout au plus et qu'on a décrété, de sa propre autorité, la suspension de l'ensemble des instants.

Vient ensuite l'impression rassurante que vous inspire l'absence du prochain. Tous dorment. Comment abandonner un monde où l'on peut encore être seul ? Cette nuit, qui devait être la dernière, on n'arrive pas à s'en séparer, on ne conçoit pas qu'elle puisse s'évanouir. Et on voudrait la défendre contre le jour qui la sape et bientôt la submerge.

Si on pouvait changer de nature, devenir n'importe qui, on ferait d'emblée partie des élus. Comme la métamorphose est irréalisable, on s'agrippe à la Prédestination, vocable magique s'il en fut. Rien que de le prononcer, on a la sensation d'avoir dépassé le stade des interrogations et des perplexités, et trouvé enfin la clef de toute impasse.

Quand on ressent l'envie d'en finir, qu'elle soit faible ou forte, on est porté à y réfléchir, à l'expliquer, à *se* l'expliquer. On y est porté du reste bien plus quand elle est faible, car, trop intense, elle envahit l'esprit et ne lui laisse ni espace ni loisir pour la considérer ou l'esquiver.

Attendre la mort, c'est la subir, c'est la ravaler au rang d'un processus, c'est se résigner à un dénouement dont on ignore la date, le mode et le décor. On est loin de l'acte absolu. Rien de commun entre l'obsession du suicide et le sentiment de la mort, — j'entends ce sentiment profond, constant, d'une fin en soi, d'une fatalité de périr comme telle, inséparable d'un arrière-plan cosmique et indépendante de ce drame du moi, au centre de toute forme d'autodestruction. La mort n'est pas nécessairement ressentie comme délivrance ; le suicide délivre toujours : il est summum, il est paroxysme de salut. On devrait par décence choisir soi-même le moment de disparaître. Il est avilissant de s'éteindre comme on s'éteint, il est intolérable d'être exposé à une fin sur laquelle on ne peut rien, qui vous guette, vous abat, vous précipite dans l'innommable. Peut-être le moment viendra-t-il où la mort naturelle sera tout à fait déconsidérée, où l'on enrichira les catéchismes d'une formule nouvelle : «Dispensez-nous, Seigneur, la faveur et la force d'en finir, la grâce de nous effacer à temps.»
La conspiration millénaire contre le suicide est cause de l'encombrement et de la sclérose des sociétés. Il nous appartient d'ap-

prendre à nous détruire *au bon moment*, à courir allégrement vers notre spectre. Tant que nous ne nous y résoudrons pas, nous mériterons nos humiliations. Quand on a épuisé sa raison d'être, il est odieux de s'obstiner. Mais c'est bien l'indignité de la mort naturelle que l'on aperçoit, de quelque côté que l'on regarde.

«En retrouvant, après plusieurs années, une personne que l'on a connue enfant, le premier regard fait presque toujours supposer que quelque grand malheur a dû la frapper» (Leopardi). Durer, c'est s'amoindrir : l'existence est perte d'être. Puisque nul ne disparaît quand il le faudrait, on devrait rappeler à l'ordre quiconque se survit, l'encourager et, au besoin, l'aider à écourter ses jours. À partir d'un moment donné, persévérer, c'est consentir à déchoir. Mais comment être certain de son déclin ? Ne peut-on pas se méprendre sur les symptômes ? La conscience de déchoir n'implique-t-elle pas une supériorité sur sa déchéance ? et, dans ce cas, est-on encore déchu ? Comment, encore une fois, savoir qu'on a commencé à dégringoler, comment déterminer ce moment ? — L'erreur est sans doute possible mais elle n'importe guère puisque, de toutes manières, on ne meurt jamais à temps. On va à la dérive, et c'est seulement lorsqu'on coule que l'on s'avoue épave. Et il est trop tard alors pour sombrer de son propre gré.

*C*ela fait du bien de penser qu'on va se tuer. Point de sujet plus reposant : dès qu'on l'aborde, on respire. Méditer sur lui rend presque aussi libre que l'acte même.

Plus je suis en marge des instants, plus la perspective de m'en abstraire à jamais me réincorpore à l'existence, me met de plain-pied avec les vivants, me confère une espèce d'honorabilité. Cette perspective, dont je ne puis me passer, m'a tiré de tous mes abattements, elle m'a permis surtout de traverser ces époques où je n'avais nul grief contre personne, où j'étais comblé. Sans son secours, sans l'espoir qu'elle dispense, le paradis me paraîtrait le pire des supplices. Combien de fois ne me suis-je pas dit que, sans l'idée du suicide, on se tuerait sur-le-champ ! L'esprit dont elle s'empare, la choie, l'idolâtre, en attend des miracles. Tel un homme en train de se noyer qui se cramponnerait à l'idée du naufrage.

*I*l y a autant de raisons de se supprimer que de raisons de continuer, avec cette différence toutefois que ces dernières ont plus d'ancienneté et de solidité ; elles pèsent plus lourd que les autres parce qu'elles se confondent avec nos origines, alors que les premières, fruits de l'expérience, étant nécessairement plus récentes, sont à la fois plus pressantes et plus incertaines.

*L*e même qui dit : « Je n'ai pas le courage de me tuer », taxera, l'instant d'après, de lâcheté un exploit devant lequel les plus vaillants reculent. On se tue, ne cesse-t-on de répéter, par faiblesse, pour n'avoir pas à affronter la douleur ou la honte. Seulement on ne voit pas que ce sont les faibles précisément qui, loin d'essayer d'y échapper, s'en accommodent au contraire et qu'il faut de la vigueur pour s'en arracher d'une manière décisive. À la vérité, il est plus aisé de se tuer que de vaincre un préjugé aussi ancien que l'homme, ou tout au moins que les religions, si tristement imperméables au geste suprême. Tant que l'Église sévissait, l'aliéné seul jouissait d'un régime de faveur, lui seul avait le droit d'attenter à ses jours : son cadavre n'était pas profané ni pendu. Entre le stoïcisme antique et la « libre pensée » moderne, entre, mettons, Sénèque et Hume, le suicide subit, l'intermède cathare mis à part, une longue éclipse, — âge sombre en effet pour tous ceux qui, voulant mourir, n'osaient enfreindre l'interdiction de se donner la mort.

*L*es infirmités qu'on a observées et analysées, perdent de leur gravité et de leur force ; une fois scrutées, on les supporte mieux. La tristesse exceptée. La part de jeu qui entre dans la mélancolie, elle en est exempte ; intransigeante, intraitable, elle ignore la fantaisie et le caprice. Avec elle, point d'échappatoire ni de coquetterie. Et on a beau en parler et la commenter, elle ne diminue ni n'augmente. Elle *est*.

*C*elui qui n'a jamais envisagé de se tuer s'y décidera bien plus promptement que celui qui ne cesse d'y penser. Tout acte crucial étant plus facile à accomplir par irréflexion que par examen, l'esprit vierge de suicide, une fois qu'il s'y sent poussé, n'aura aucune défense contre cette impulsion subite ; il sera aveuglé et secoué par la révélation d'une issue définitive, qu'il n'avait pas considérée auparavant ; — alors que l'autre pourra toujours retarder un geste qu'il a indéfiniment pesé et repesé, qu'il connaît à fond et auquel il se résoudra sans passion, s'il s'y résout jamais.

*L*es horreurs dont l'univers regorge font partie intégrante de sa substance ; sans elles, il cesserait *physiquement* d'exister. En tirer les dernières conséquences, ce n'est pas là commettre un «beau» suicide. Seul mérite l'épithète celui qui surgit de rien, sans motif apparent, «sans raison» : le suicide pur. C'est lui — défi à toutes les majuscules — qui humilie, qui écrase Dieu, la Providence et jusqu'au Destin.

*O*n ne se tue pas, comme on le pense communément, dans un accès de démence mais bien dans un accès d'*insupportable* lucidité, dans un paroxysme qui peut, si on y tient, être assimilé à la folie, car une clairvoyance excessive, poussée jusqu'à la limite et dont on voudrait se débarrasser à tout prix, dépasse le cadre de la raison. Le moment culminant de la décision ne témoigne malgré tout d'aucun obscurcissement : les idiots ne se tuent pratiquement jamais ; mais on peut se tuer par peur, par pressentiment de l'idiotie. L'acte même se confond alors avec le dernier sursaut de l'esprit qui se *ressaisit*, qui rassemble tous ses pouvoirs, toutes ses facultés, avant de s'annuler. Au seuil de l'ultime défaite, il se prouve à lui-même qu'il n'est pas complètement perdu. Et il se perd, en pleine possession instantanée de tous ses moyens.

*N*ous avons désappris l'art de nous tuer *à froid*. Les Anciens furent les derniers qui y excellaient. Nous ne concevons plus que le suicide passionné, fiévreux, le suicide comme état inspiré ; pour ce qui est du détachement, c'est en convulsionnaires que nous en rêvons. Ces sages d'avant la Croix, ils savaient rompre avec ce monde ou s'y résigner, sans drame ni lyrisme. Leur manière s'est perdue, ainsi que l'assise de leur imperturbabilité : une Providence usurpatrice vint déloger le Fatum de partout. Et nous courons le retrouver, pour y chercher un soutien, quand aucun autre ne saurait nous aider ni séduire.

*I*l n'est rien de plus profond ni de plus incompréhensible que le Désir. C'est pour cela que l'on ne se sent vivre que lorsqu'on désespère de le détruire.

*Q*ue l'on se supprime ou non, tout demeure inchangé. Mais la décision de se supprimer paraît à chacun la plus importante qui ait jamais été prise. Cela ne devrait pas être ainsi. Et pourtant cela est, et rien ne pourra prévaloir contre cette aberration ou ce mystère.

N'ayant jamais coïncidé qu'avec l'intervalle qui me sépare des êtres et des choses, qu'avec le vide qui s'ouvre au milieu de chacune de mes sensations, comment ne m'étonnerais-je pas de me voir souscrire à quoi que ce soit, endosser mes propos, me rallier à mes flottements, voire à mes convictions ? Tant de naïveté m'afflige, et me rassure.

*I*l faut être avide d'absolu pour envisager le suicide. Mais on peut l'envisager aussi en doutant de tout. Cela se comprend : plus on cherche l'absolu, plus, par dépit de ne pouvoir y atteindre, on s'enfonce dans le doute, lequel serait l'envers d'une quête, la conclusion négative d'une grande entreprise, d'une grande passion. L'absolu est poursuite ; le doute, recul. Ce recul, poursuite à rebours, heurte, lorsqu'il ne sait pas s'arrêter, des extrémités inaccessibles à une démarche rationnelle. Il n'était au début que procédé ; le voilà vertige, comme tout ce qui chemine au-delà de soi. Avancer ou rétrograder vers des limites, sonder le fond de n'importe quoi, c'est rencontrer nécessairement la tentation de l'autodestruction.

*D*ans cette petite île de la Méditerranée, bien avant le jour, je faisais sur le chemin qui me conduisait vers la falaise la plus abrupte, des réflexions de concierge en vacances : j'aurais cette villa, je la peindrais en ocre, j'y ferais mettre une autre palissade, etc. Malgré *mon* idée, je m'agrippais à la moindre vétille : je contemplais les agaves, je lambinais, j'escamotais par des digressions l'urgence de mon propos. Un chien se mit à aboyer, puis me fit fête et me suivit. On ne peut imaginer, si on ne l'a ressenti, le réconfort que vous apporte une bête qui vient vous tenir compagnie alors que les dieux vous ont tourné le dos.

*D*evant un paysage anéanti par la lumière, demeurer serein suppose une trempe que je ne possède pas. Le soleil est mon fournisseur en idées noires, et l'été la saison où j'ai toujours reconsidéré mes rapports avec ce monde et avec moi-même, au plus grand dam de l'un et de l'autre.

*Q*uand on a compris que rien n'est, que les choses ne méritent même pas le statut d'apparences, on n'a plus besoin d'être sauvé, on est sauvé, *et malheureux à jamais.*

J'essaie — sans succès — de ne plus tirer vanité de rien. Quand j'y arrive pourtant, je sens que je n'appartiens plus au gang des mortels. Je suis alors au-dessus de tout, des dieux eux-mêmes. C'est peut-être cela la mort : une sensation de grande, d'extrême supériorité.

*J*ean-Paul appelle *le soir le plus important de sa vie* celui où il découvrit qu'il n'y avait pas de différence entre mourir le lendemain ou dans trente ans. Révélation capitale autant qu'inutile ; si on arrive de temps en temps à en saisir le bien-fondé, on répugne en revanche à en tirer les conséquences, dans l'immédiat la différence en question apparaissant à chacun comme irréductible, voire absolue : *exister*, c'est prouver qu'on n'a pas compris à quel point il est tout un de mourir maintenant ou n'importe quand.
J'ai beau savoir que je ne suis rien, il me reste encore à m'en persuader vraiment. Quelque chose, au-dedans, refuse cette vérité dont je suis si assuré. Ce refus indique que je m'échappe en partie ; et ce qui en moi se dérobe à ma juridiction et à mon contrôle fait que je ne suis jamais certain de pouvoir disposer pleinement de moi-même. C'est ainsi qu'à rabâcher le pour et le contre du seul geste qui importe, on en vient à avoir mauvaise conscience d'être encore en vie.

L'obsession du suicide est le propre de celui qui ne peut ni vivre ni mourir, et dont l'attention ne s'écarte jamais de cette double impossibilité.

*T*ant que j'agis, je crois que ce que j'exécute comporte un « sens », autrement je ne pourrais pas l'exécuter. Dès que je cesse d'agir, et que d'agent je me transforme en juge, je ne retrouve plus le sens en question. À côté du moi qui suis mes entraînements, il y en a un autre (le moi du moi) qui leur est supérieur : pour lui, ce que je fais, et même ce que je suis, n'implique ni signification ni réalité : c'est comme s'il s'agissait d'événements lointains, à jamais révolus, dont nous démêlons les raisons apparentes sans en percevoir la nécessité intrinsèque. Ils auraient pu tout simplement ne pas être, tant ils nous sont extérieurs. Cette même perspective, appliquée à l'ensemble d'une existence, mène en droiture à la rumination sur l'extravagance d'être né.

De la même façon, si on se demandait à propos de n'importe quel geste ce qu'il en résultera dans un an, dans dix, dans cent ou dans mille, il serait impossible de l'achever et même de l'esquisser. Tout acte suppose une vision bornée, sauf celui de se tuer, car il procède, lui, d'une vision vaste, si vaste, qu'elle rend vains et irréalisables tous les autres actes. À côté d'elle, tout est futilité et dérision. Elle seule propose une issue, je veux dire un gouffre — un gouffre *libérateur*.

*E*scompter quoi que ce soit, ici ou ailleurs, c'est fournir la preuve qu'on traîne encore des chaînes. Le réprouvé aspire au paradis ; cette aspiration le rabaisse, le compromet. Être libre, c'est se débarrasser à jamais de l'idée de récompense, c'est n'attendre rien des hommes ni des dieux, c'est renoncer non seulement à ce monde et à tous les mondes mais au salut lui-même, c'est en briser jusqu'à l'idée, cette chaîne entre les chaînes.

L'instinct de conservation — pur entêtement et rien d'autre —, il importe de le combattre, d'en dénoncer les ravages. On y arrivera d'autant mieux qu'on réhabilitera le suicide, qu'on en soulignera l'excellence, qu'on le rendra joyeux et accessible à tous. Acte nullement négatif, c'est lui au contraire qui rachète, qui transfigure tous les actes commis avant lui.

Par le plus inexplicable des malentendus l'existence a été déclarée sacrée ; non seulement elle ne l'est pas mais elle ne vaut que dans la mesure où l'on travaille à s'en défaire. Elle est au mieux accident — un accident que petit à petit chacun convertit en fatalité. Quand on sait à quoi s'en tenir à son égard, on rougit de s'y attacher, et on s'y attache néanmoins par un long et insensible processus qui engage même les plus avertis à la prendre au sérieux. On devrait, par un processus inverse, la ramener à son état d'origine, à son insignifiance primitive. Un effort voisin du prodige y serait nécessaire : celui qui le fournirait cesserait d'être esclave ; maître de ses jours, il en arrêterait la succession quand bon lui semblerait ; son existence serait à sa discrétion ; c'est qu'elle aurait rejoint son point de départ, son statut véritable : celui d'accident justement.

*V*ivre tout à fait sans but! J'ai entrevu cet état, et y ai souvent atteint, sans parvenir à y demeurer : je suis trop faible pour un tel bonheur.

*S*i ce monde émanait d'un dieu honorable, se tuer serait une audace, une provocation sans nom. Mais comme il y a tout lieu de penser qu'il s'agit de l'œuvre d'un sous-dieu, on ne voit pas pourquoi on se gênerait. *Qui* ménager ? Grand profiteur de l'effacement de la foi, le suicide sera de plus en plus aisé et, par là même, moins mystérieux puisqu'il aura usé son prestige d'anathème. Piquant et méritoire jadis, il entre maintenant dans les mœurs, il gagne du terrain, et, s'il cesse d'être insolite, son avenir en revanche semble assuré. À l'intérieur de l'univers religieux, il apparaissait comme une insanité et une trahison, comme le forfait par excellence. Comment croire et s'anéantir ? Rabattons-nous sur l'hypothèse du sous-dieu, qui a l'avantage de permettre les gestes extrêmes, la victoire radicale sur un monde taré.

On peut se figurer ce créateur, conscient enfin de son égarement, s'en déclarer coupable : il se désiste, se retire, et, par un ultime souci d'élégance, se fait justice. Il disparaît ainsi avec son œuvre, sans que l'homme y soit pour rien. Telle serait la version améliorée du Jugement dernier.

*L*es suicidés préfigurent les destinées lointaines de l'humanité. Ce sont des annonciateurs, et, comme tels, on doit les respecter ; leur heure viendra ; on les célébrera, on leur rendra un hommage public et on dira qu'eux seuls, *dans le passé,* avaient tout entrevu, tout deviné. On dira encore qu'ils avaient pris les devants, qu'ils s'étaient sacrifiés pour indiquer la voie, qu'ils furent à leur façon des martyrs : ne s'étaient-ils pas tués en des temps où nul n'y était tenu, et quand la mort naturelle battait son plein ? Ils surent avant les autres que *l'impossibilité* pure et simple sera un jour le lot de tous, au lieu d'être une malédiction, un privilège.

Des précurseurs, ainsi on les appellera ; et ils le furent à l'égal de ceux qui, sensibles à la souveraineté du mal, ont incriminé la Création : les manichéens au début de l'ère chrétienne, et singulièrement leurs disciples tardifs, les cathares. L'admirable est que cette incrimination était chez ces derniers plus fréquente parmi les gens du peuple que parmi les lettrés. Pour s'en convaincre, il n'est que de consulter le *Manuel de l'Inquisiteur* de Bernard Gui ou n'importe quel rapport de l'époque sur les idées et les agissements des «hérétiques». On y verra — détail réconfortant — telle femme de mégissier ou de marchand de bois aux prises avec Lucifer ou dénonçant nos premiers ancêtres coupables de «l'acte le plus satanique qui soit». Ces sectaires, ces visionnaires plutôt, si curieusement détrompés au milieu de leur ferveur, investis du don de déceler les pièges diaboliques derrière tous nos actes importants, savaient au besoin se laisser mourir de faim, et cet exploit, nullement inhabituel parmi eux, marquait le sommet de leur doctrine. Se mettre en *endura*, jeûner jusqu'à l'épuisement complet, était une pratique, consécutive à l'initiation, et qui avait pour mission de préserver le «consolé», par une mort rapide, du danger d'apostasie ou de toutes sortes de tentations.

Le dégoût du côté *utile* de la sexualité, l'horreur de procréer, fait partie de la remise en cause de la Création : à quoi bon multiplier des monstres? S'il eût triomphé et qu'il fût demeuré fidèle à lui-même, le catharisme eût abouti à un suicide collectif. Une telle réussite n'était guère possible : si avancés qu'ils fussent, les esprits n'étaient pas suffisamment mûrs. Aujourd'hui même, ils sont encore loin de l'être, et il faudra attendre encore longtemps avant que l'humanité ne se mette en *endura*. En admettant qu'elle s'y mette jamais.

*A*u concile de 1211 contre les Bogomiles, on anathématisa ceux d'entre eux qui soutenaient que «la femme conçoit dans son ventre par la coopération de Satan, que Satan y séjourne dès lors sans s'en retirer jusqu'à la naissance de l'enfant».

Je n'ose supposer que le Démon puisse s'intéresser à nous au point de nous tenir compagnie durant des mois; mais je ne saurais douter que nous n'ayons été conçus sous son regard et qu'il n'ait effectivement assisté nos chers géniteurs.

*C*ette sensation d'être bloqué pour l'éternité, d'avoir fait son temps avant de naître, d'être trop déchu pour avoir sur qui s'apitoyer, cette certitude qu'en se tuant on ne tue personne; — c'est la tentation du *mauvais* suicide, de celui qui surgit non pas de la tristesse selon Dieu mais selon le diable, pour conserver la distinction de l'Apôtre. C'est aussi l'inconsolation à son degré le plus haut et qui paraît tellement sans remède, qu'elle resterait intacte, inentamée, dût-on mettre au point un autre univers.

Quelle est cette prière «brève et véhémente» que la Philocalie recommande contre les défaillances et les terreurs?

*P*ourquoi je ne me tue pas? — Si je savais *exactement* ce qui m'en empêche, je n'aurais plus de questions à me poser puisque j'aurais répondu à toutes.

*P*our ne plus se tourmenter, il faut se laisser aller à un profond désintéressement, cesser d'être intrigué par l'ici-bas ou par l'au-delà, tomber dans le je-m'en-fou-tisme des morts. Comment regarder un vivant sans l'imaginer cadavre, comment contempler un cadavre sans se mettre à sa place? *Être* dépasse l'entendement, *être* fait peur.

*Q*uelqu'un de tout à fait *bon* ne se résoudra jamais à s'ôter la vie. Cette prouesse exige un fond — ou des restes — de cruauté. Celui qui se tue aurait pu, dans certaines conditions, tuer: suicide et meurtre sont de la même famille. Mais le suicide est plus raffiné, pour la raison que la cruauté envers soi est plus rare, plus complexe, sans compter qu'il s'y ajoute l'ivresse de se sentir broyé par sa propre conscience.

L'homme aux instincts compromis par la bonté n'intervient pas dans sa destinée ni ne souhaite s'en créer une autre; il subit la sienne, s'y résigne et continue, loin de l'exaspération, de l'arrogance, de la malignité qui, ensemble, invitent à l'autodestruction et la facilitent. L'idée de hâter sa fin ne l'effleure d'aucune façon, tant il est modeste. Il faut en effet une modestie maladive pour accepter de mourir autrement que de sa propre main.

*C*omment concevoir qu'une prière soit autre chose qu'un monologue, qu'une extase ait une valeur au-delà d'elle-même, que notre salut ou notre perte importe à un dieu?

Et cependant c'est ce qu'il faudrait pouvoir admettre, ne fût-ce qu'une seconde par jour.

L'avenir, ce précipice, à tel point m'atterre que j'aimerais en voir disparaître jusqu'à l'idée. Car c'est au fond elle, bien plus que le glissement dans l'abîme qu'elle recouvre, qui me met dans des transes et m'empêche de savourer le présent. Ma raison chancelle devant tout ce qui arrive, devant tout ce qui doit arriver. Ce n'est pas ce qui m'attend, c'est l'attente en soi, c'est l'imminence comme telle, qui me ronge et m'épouvante. Pour retrouver un semblant de paix, il me faut m'accrocher à un temps *sans lendemain*, à un temps décapité.

J'ai beau ressasser la formule de la triple renonciation : «Je rejette ce monde, je rejette le monde des ancêtres, je rejette le monde des dieux», — quand je mesure l'espace qui me sépare de la bure et du désert, je me fais l'effet d'un sannyâsin de foire.

*L*e *regret* ne serait-il pas un signe de vieillissement précoce ? Si cela est vrai, je suis sénile de naissance.

*O*n n'a pas scruté le fond d'une chose si on ne l'a envisagée à la lumière de l'accablement.

*S*euls comptent ces instants où le désir de rester avec soi est si puissant, qu'on aimerait mieux se faire sauter la cervelle que d'échanger une parole avec quelqu'un.

*L*e difficile, pour celui qui a renoncé à demi, est de faire le reste. L'existence lui pèse sans doute mais il n'a pas épuisé sa surprise d'exister. De là viennent ses irrésolutions, et le repentir de s'être arrêté à mi-chemin, sans chance aucune de mener à bien un dessein conçu de longue date. Un raté du renoncement.

*C*e sont nos souffrances qui donnent quelque poids à nos pensées et les empêchent de tourner en pirouettes ; ce sont encore elles qui nous font proclamer qu'il n'est de réalité nulle part, qu'elles-mêmes en manquent. Ainsi nous suggèrent-elles un stratagème de défense : nous triomphons d'elles en les déclarant irréelles, en les rattachant à la duperie générale. Seraient-elles supportables, quel besoin y aurait-il de les amoindrir et de les démasquer ? Comme nous n'avons d'autre issue que de les assimiler soit au cauchemar, soit au caprice, le plus commode est d'opter pour ce dernier.
Tout bien pesé, il vaut mieux qu'il n'y ait rien. Si quelque chose

était, on vivrait dans l'appréhension de ne pouvoir s'en saisir. Puisque rien n'est, tous les instants sont parfaits et nuls, et il est indifférent d'en jouir ou non.

*A*u plus profond du dégoût de moi-même, je me dis que je me calomnie peut-être, que je ne vois personne qui, en proie aux mêmes hantises, eût pu affecter une apparence de vivant pendant tant d'années.

*L*a seule manière de détourner quelqu'un du suicide est de l'y pousser. Il ne vous pardonnera jamais votre geste, il abandonnera son projet ou en retardera l'exécution, il vous tiendra pour un ennemi, pour un traître. Vous pensiez voler à son secours, le sauver, et il ne voit dans votre empressement qu'hostilité et mépris. Le plus étrange est qu'il quêtait votre approbation, qu'il mendiait votre complicité. Qu'attendait-il au juste ? Ne vous êtes-vous pas abusé sur la nature de son désarroi ? Quelle erreur de sa part de s'adresser à vous ! À ce stade de sa solitude, ce qui aurait dû le frapper, c'est l'impossibilité de s'entendre avec quelqu'un d'autre que Dieu.

*N*ous sommes tous *atteints*, nous prenons pour réel ce qui ne l'est pas. Le vivant en tant que tel est un insensé doublé d'un aveugle : inapte à discerner le côté illusoire des choses, il aperçoit partout du solide, du plein. Dès que par miracle il y voit clair, il s'ouvre à la vacuité et s'y épanouit. Plus riche que la réalité qu'elle remplace, elle tient lieu de tout *sans le tout*, elle est fondement et absence, variante abyssale de l'être. Mais le malheur veut que nous la tenions pour une déficience ; de là nos peurs et nos échecs. Qu'est-elle donc pour nous ? Tout au plus impasse diaphane, enfer impalpable.

*A*ppliqué à exténuer, à réduire à néant ses appétits, il n'a réussi qu'à les détraquer, qu'à les dépouiller de tout ce qu'ils avaient de sain, de stimulant : une bête de proie contrariée, minée, regrettant ses instincts d'autrefois. Ses griffes s'étant émoussées, mais non l'envie de s'en servir, toute sa violence s'est convertie en désolation (car la désolation n'est rien d'autre que l'agressivité brisée, humiliée, impuissante à se faire valoir).

Il a commencé par saboter ses passions ; puis ce fut le tour des croyances. Le processus était inexorable. Cette révélation qui a

présidé à ses jours : *adhérer à quoi que ce soit participe de l'infan-*
tilisme ou du délire, — il se pourrait qu'elle fût légitime ; il y souscrit peut-être encore ; elle n'en est pas moins atroce, intolérable.
Elle permet de durer mais non d'exister, elle fait partie de ces certitudes dont on ne se relève jamais.

Batailleur et querelleur de nature, il ne se bataille et ne se querelle plus ; du moins plus avec les autres. Les coups qui leur
étaient destinés, c'est à lui-même qu'il les assène, c'est lui-même
qui les encaisse. Son moi est cible. Son moi ? quel moi ? Il n'a plus
qui frapper : plus de victime, plus de sujet, rien qu'une succession
d'actes sans agent, qu'un défilé anonyme de sensations...

Un délivré ? un fantôme ? une loque ?

«*Q*ue sert à l'homme de gagner
le monde, s'il vient à perdre son âme ?»

Gagner le monde, perdre son âme ! — J'ai fait mieux : j'ai perdu
l'un et l'autre.

*Q*uoi que je tente, ce ne sera
jamais que la manifestation d'une déchéance, patente ou camouflée. Pendant longtemps j'ai fait la théorie de l'homme-en-dehors-
de-tout. Cet homme, je le suis devenu, je l'incarne maintenant.
Mes doutes ont abouti, mes négations ont pris corps. Je vis ce
qu'auparavant je me figurais vivre. Je me suis enfin trouvé un
disciple.

L'INDÉLIVRÉ

*P*lus nous envisageons la dernière exhortation du Bouddha : «La mort est inhérente à toutes choses composées. Travaillez sans relâche à votre salut», plus nous trouble l'impossibilité où nous sommes de nous *sentir* agrégat, rencontre transitoire, sinon fortuite d'éléments. Nous nous concevons aisément tels dans l'abstrait; dans l'immédiat, nous nous y refusons physiquement, comme s'il s'agissait d'une évidence inassimilable. Tant que nous n'aurons pas triomphé de cette répugnance organique, nous continuerons à subir ce fléau à base d'envoûtement qu'est l'appétit d'exister.

Qu'on démasque les choses, qu'on les stigmatise du nom d'apparences, cela ne compte guère, car nous admettons d'office qu'elles recèlent de l'être. Nous nous cramponnons à n'importe quoi, pourvu que nous n'ayons pas à nous arracher à cette fascination dont procèdent nos actes et notre nature même, à cet éblouissement primordial qui nous empêche de discerner en tout la non-réalité.

Je suis un «être» par métaphore; si j'en étais un en fait, je le resterais à jamais, et la mort, dépourvue de signification, n'aurait aucune prise sur moi. «Travaillez sans relâche à votre salut», — c'est-à-dire n'oubliez pas que vous êtes un assemblage fugitif, un composé dont les ingrédients n'attendent qu'à se disjoindre. Le salut, effectivement, n'a de sens que si nous sommes provisoires jusqu'à la dérision; y aurait-il en nous le moindre principe de durée, nous serions depuis toujours sauvés ou perdus : plus de quête, plus d'horizon. Si la délivrance importe, c'est une vraie aubaine que notre irréalité.

*N*ous devrions destituer l'être de tous ses attributs, faire en sorte qu'il ne soit plus un appui, le *lieu* de tous nos attachements, l'éternelle impasse rassurante, un préjugé, le plus enraciné de tous, celui auquel on nous a le plus accoutumés. Nous sommes complices de l'être, ou de ce qui nous semble tel, car il n'y a pas d'être, il n'y a que de l'ersatz d'être. Y en eût-il de véritable, qu'il faudrait encore s'en dégager et l'extirper, vu que tout ce qui *est* tourne à l'assujettissement et à l'entrave. Prêtons aux autres un statut d'ombres ; nous nous en séparerons d'autant plus facilement. Si nous sommes assez insensés pour croire qu'ils *existent*, nous nous exposons à des mécomptes sans nom. Ayons la prudence de reconnaître que tout ce qui nous advient, tout événement, comme tout lien, est inessentiel, et que s'il y a un savoir, ce qu'il doit nous révéler, c'est l'avantage d'évoluer parmi des fantômes.

La pensée, elle aussi, est préjugé et entrave. Elle ne libère qu'au début, lorsqu'elle nous permet de briser certaines attaches ; après, tout ce dont elle est capable c'est d'absorber notre énergie et de paralyser nos velléités d'affranchissement. Qu'elle ne puisse nous aider d'aucune façon, le bonheur qu'on ressent lorsqu'on la suspend, le prouve assez. Tout comme le désir, auquel elle s'apparente, elle se nourrit de sa propre substance, elle aime à se manifester, à se multiplier ; à la rigueur elle peut tendre vers la vérité, mais ce qui la définit c'est l'affairement : nous pensons par goût de la pensée, comme nous désirons par goût du désir. Dans l'un et l'autre cas, une fièvre au milieu de fictions, un surmenage à l'intérieur du non-savoir. Celui qui *sait* est revenu de toutes les fables qu'engendrent le désir et la pensée, il sort du courant, il ne consent plus à la duperie. Penser participe de l'inépuisable illusion qui enfante et se dévore, avide de se perpétuer et de se détruire, penser c'est concurrencer le délire. Dans tant de fièvre, il n'y a de sensé que les *pauses* où nous respirons, les moments d'arrêt où nous avons raison de notre halètement : l'expérience du vide — qui se confond avec la totalité de ces pauses, de ces intervalles du délire — implique la suppression momentanée du désir, car c'est lui, le désir, qui nous plonge dans le non-savoir, nous fait divaguer, et nous pousse à projeter de l'être partout autour de nous.

Le vide nous permet de ruiner l'idée d'être ; mais il n'est pas entraîné lui-même dans cette ruine ; il survit à une attaque qui serait autodestructrice pour toute autre idée. Il est vrai qu'il n'est pas une idée mais ce qui nous aide à nous défaire de toute idée. Chaque idée représente une attache de plus ; il faut en désencombrer l'esprit, comme il nous faut nous désencombrer de toute croyance, obstacle au désistement. Nous n'y parviendrons qu'en nous élevant au-dessus des opérations de la pensée : aussi longtemps qu'elle s'exerce, qu'elle sévit, elle nous empêche de démêler les profondeurs du vide, perceptibles seulement quand diminue la fièvre de l'esprit et du désir.

Toutes nos croyances étant intrinsèquement *superficielles* et n'ayant de prise que sur les apparences, il s'ensuit que les unes et les autres sont au même niveau, au même degré d'irréalité. Nous sommes constitués pour vivre avec elles, nous y sommes contraints : elles forment les éléments de notre malédiction ordinaire, quotidienne. C'est pourquoi lorsqu'il nous arrive de les percer à jour et de les balayer, nous entrons dans l'inouï, dans une dilatation à côté de laquelle tout semble pâle, épisodique, même cette malédiction-là. Nos frontières reculent, si tant est que nous en ayons encore. Le vide — moi sans moi — est la liquidation de l'aventure du « je », c'est l'être sans aucune trace d'être, un engloutissement bienheureux, un désastre incomparable.

(Le danger est de convertir le vide en substitut de l'être, et de le détourner ainsi de sa fonction essentielle, qui est de gêner le mécanisme de l'attachement. Mais s'il devient lui-même objet d'attachement, n'aurait-il pas mieux valu s'en tenir à l'être et au cortège d'illusions qui le suit ? Pour vaincre nos attaches, nous devons apprendre à n'adhérer plus à rien, sinon *au rien* de la liberté.)

*L'*idéal serait de perdre *sans en souffrir* le goût des êtres et des choses. Chaque jour il nous faudrait honorer quelqu'un, créature ou objet, en y renonçant. Nous arriverions ainsi, en faisant le tour des apparences et en les congédiant l'une après l'autre, au perpétuel désistement, au secret même de la joie. Tout ce que nous nous approprions, les connaissances plus encore que les acquisitions matérielles, ne fait qu'alimenter notre anxiété ; en échange, quelle quiétude, quel rayonnement quand s'apaise cette quête effrénée de biens, *même spirituels* ! Il est déjà grave de dire « moi », plus grave encore « mien », car cela suppose un surplus de dégringolade, un renforcement de notre inféodation au monde. C'est une consolation que l'idée qu'on ne possède rien, qu'on n'est rien ; la consolation suprême réside dans la victoire sur cette idée même. Tant l'anxiété adhère à l'être, qu'il lui faut s'en arracher si elle veut se vaincre. Aspire-t-elle à se reposer en Dieu ? elle n'y parvient que dans la mesure où Il est supérieur à l'être ou tout au moins où Il contient une zone où l'être s'amenuise, se raréfie : c'est là que, n'ayant plus à quoi se prendre, l'anxiété se libère et approche de ces confins où Dieu, liquidant ses derniers restes d'être, se laisse tenter par le vide.

*L*e sage, l'Orient l'a toujours su, se refuse à faire des plans, ne *projette* jamais. Tu serais donc une manière de sage... À vrai dire, des projets, tu en fais mais il te répugne de les exécuter. Plus tu en médites un, plus, quand tu l'abandonnes, tu éprouves un bien-être qui peut se hausser jusqu'à l'extase.

Le projet, conséquence du non-savoir, tout le monde y vit et en vit : obnubilation métaphysique aux dimensions de l'Espèce. Pour le désobnubilé, le devenir, et, à plus forte raison, tout acte qui s'y insère, n'est que leurre, que duperie génératrice de dégoût ou d'épouvante.

Ce qui importe, ce n'est pas produire mais comprendre. Et comprendre signifie discerner le degré d'éveil auquel un être est parvenu, sa capacité de percevoir la somme d'irréalité qui entre dans chaque phénomène.

*T*enons-nous-en au concret et au vide, proscrivons tout ce qui se place entre les deux : «culture», «civilisation», «progrès», remâchons la meilleure formule qu'on ait trouvée ici-bas : le travail manuel dans un couvent... Point de vérité, sinon dans la dépense physique et dans la contemplation ; le reste est accidentel, inutile, malsain. La santé consiste dans l'exercice et dans la vacuité, dans les muscles et dans la méditation ; en aucun cas dans la pensée. Méditer c'est s'absorber dans une idée et s'y perdre, alors que penser c'est sauter d'une idée à l'autre, se complaire dans la quantité, emmagasiner des riens, poursuivre concept après concept, but après but. Méditer et penser sont deux activités divergentes, voire incompatibles.

S'astreindre au vide, n'est-ce pas également une forme de poursuite ? Sans doute mais c'est poursuivre l'absence de poursuite, viser à un but qui écarte d'emblée tous les autres. Nous vivons dans l'inquiétude parce qu'aucun but ne saurait nous satisfaire, parce que sur tous nos désirs et, à plus forte raison, sur l'être en tant qu'être plane une fatalité qui affecte forcément ces accidents que sont les individus. Rien de ce qui s'actualise n'échappe à la déchéance. Le vide — bond hors de cette fatalité — est, comme tout produit du quiétisme, d'essence antitragique. Grâce à lui nous devrions apprendre à nous retrouver en remontant vers nos origines, vers notre éternelle virtualité. Ne met-il pas fin à tous nos désirs ? Et ceux-ci, que sont-ils, dans leur ensemble, auprès d'un seul instant où l'on n'en poursuit, où l'on n'en éprouve aucun ! Le bonheur n'est pas dans le désir mais dans l'absence de désir, plus exactement dans l'emballement pour cette absence — dans laquelle on voudrait se rouler, s'abîmer, disparaître, *s'exclamer*...

*Q*uand le vide lui-même nous semble trop lourd ou trop impur, nous nous précipitons vers une nudité au-delà de toute forme concevable d'espace, tandis que le dernier instant du temps rejoint le premier et s'y dissout.

*N*ettoyons la conscience de tout ce qu'elle englobe, de tous les univers qu'elle traîne, purgeons-la en même temps que la perception, confinons-nous au blanc, oublions toutes les couleurs, sauf celle qui les nie. Quelle paix dès qu'on annule la diversité, dès qu'on se dérobe au calvaire de la nuance et qu'on s'engouffre dans l'*uni*! La conscience comme forme pure, puis l'absence même de conscience.

Pour nous évader de l'intolérable, cherchons-nous un dérivatif, une fuite, une région où aucune sensation ne daigne prendre un nom, ni aucun appétit s'incarner, recouvrons le repos initial, abolissons, avec le passé, l'odieuse mémoire, et la conscience surtout, notre ennemie de toujours, dont c'est la mission de nous appauvrir, de nous user. L'inconscience, au contraire, est nourricière, elle fortifie, elle nous fait participer à nos commencements, à notre intégrité primitive, et nous replonge dans le chaos bienfaisant d'avant la *blessure* de l'individuation.

*R*ien *n'importe* : grande découverte s'il en fut, et dont personne n'a su tirer profit. À cette découverte, réputée déprimante, le vide seul, dont elle est la devise, peut donner un tour exaltant, lui seul s'emploie à convertir le négatif en positif, l'irréparable en possible. Qu'il n'y ait pas de *soi*, nous le savons mais c'est un savoir grevé d'arrière-pensées. Le vide est heureusement là, et quand le soi s'efface, il en tient lieu, il tient lieu de tout, il comble nos attentes, il nous apporte la certitude de notre non-réalité. Le vide, c'est l'abîme *sans vertige*.

D'instinct, nous inclinons au soi ; tout en nous le réclame : il satisfait nos exigences de continuité, de solidité, il nous confère, contre l'évidence, une dimension intemporelle : rien de plus normal que de nous y raccrocher, même quand nous le mettons en question et que nous en divulguons l'imposture : le soi est le *réflexe* de tout vivant... N'empêche qu'il nous apparaît inconcevable dès que nous le considérons froidement : il s'effrite, il s'évanouit, il n'est plus que le symbole d'une fiction.

Notre premier mouvement nous porte vers l'ivresse de l'identité, vers le rêve d'indistinction, vers *l'âtman,* lequel répond à nos appels les plus profonds, les plus secrets. Aussitôt que, dégrisés, nous prenons du recul, nous abandonnons le fond *supposé* de notre être, pour nous tourner vers la destructibilité fondamentale, dont la connaissance et l'expérience, dont la hantise disciplinée nous conduit au nirvâna, à la *plénitude* dans le vide.

*C'*est parce qu'elle nous donne l'illusion de la permanence, c'est parce qu'elle promet ce qu'elle ne peut tenir, que l'idée d'absolu est suspecte, pour ne pas dire pernicieuse. Atteints à notre racine, nullement façonnés pour durer, périssables jusqu'en notre essence, ce n'est pas de consolation que nous avons besoin mais de guérison. L'absolu ne résout pas nos perplexités ni ne supprime nos maux : ce n'est qu'un pis-aller et un palliatif. Une doctrine qui le prône est vraie tant qu'elle se borne à l'analyse, tant qu'elle dénonce les apparences ; elle inspire des doutes aussitôt qu'elle leur oppose une réalité ultime. Dès qu'on quitte le règne de l'illusoire et qu'on s'acharne à y substituer l'indestructible, on glisse dans le mensonge. Si on ment moins avec le vide, c'est qu'on ne le recherche pas pour lui-même, pour la vérité qu'il est censé contenir, mais pour ses vertus thérapeutiques ; on en fait une cure, on s'imagine qu'il redressera la plus ancienne déviation de l'esprit, qui consiste à supposer que quelque chose existe...

Animal entamé, l'homme a dépassé le stade où l'on se contente d'un « espoir » ; ce qu'il attend, ce n'est pas un artifice de plus mais la délivrance. Qui la lui apportera ? Sur ce point, le seul qui importe, le christianisme s'est révélé moins secourable que le bouddhisme et la spéculation occidentale moins efficace que l'orientale. Pourquoi nous occuper d'abstracteurs insensibles à nos cris ou de rédempteurs empressés à irriter nos plaies ? Et qu'escompter encore de cette partie-ci du monde qui voit dans le contemplatif un aboulique et dans l'éveillé un écorché ?

Nous avons besoin de quelque secousse salvatrice. Il est incroyable qu'un saint Thomas ait vu dans la stupeur un « obstacle à la méditation philosophique », alors que c'est précisément quand on est « stupéfait » que l'on commence à *comprendre,* c'est-à-dire à percevoir l'inanité de toutes les « vérités ». La stupeur ne nous étourdit que pour mieux nous réveiller : elle nous ouvre, elle nous livre à l'essentiel. Une pleine expérience métaphysique n'est rien d'autre qu'une stupeur ininterrompue, qu'une stupeur triomphale.

C'est un signe d'indigence que de ne pouvoir s'ouvrir au vide purificateur, au vide apaisant. Nous sommes si bas et si empêtrés dans nos philosophies, que nous n'avons pu concevoir que le néant, version sordide du vide. Toutes nos incertitudes, toutes nos misères et nos terreurs, nous les y avons projetées, car qu'est-ce en définitive le néant sinon un complément abstrait de l'enfer, une performance de réprouvés, le maximum d'effort vers la lucidité que puissent fournir des êtres inaptes à la délivrance ? Trop entaché de nos impuretés pour qu'il nous permette de faire le saut vers un concept vierge comme l'est pour nous celui du vide (qui, lui, n'a pas hérité de l'enfer, qui n'en est pas contaminé), — le néant, à la vérité, ne représente qu'une extrémité stérile, qu'une issue déroutante, vaguement funèbre, toute proche de ces tentatives de renoncement qui tournent à l'aigreur parce qu'il s'y mêle trop de regrets.

Le vide est le néant démuni de ses qualifications négatives, le néant transfiguré. S'il nous arrive d'y goûter, nos rapports avec le monde s'en trouvent modifiés, quelque chose en nous change, bien que nous gardions nos anciens défauts. Mais nous ne sommes plus d'*ici* de la même manière qu'avant. C'est pourquoi il est salutaire de recourir au vide dans nos crises de fureur : nos pires impulsions s'émoussent à son contact. Sans lui, qui sait ? nous serions peut-être maintenant au bagne ou dans quelque cabanon. La leçon d'abdication qu'il nous dispense nous invite aussi à un comportement plus nuancé en face de nos dénigreurs, de nos ennemis. Faut-il les tuer, faut-il les épargner ? Laquelle fait plus de mal, laquelle ronge le plus : la vengeance ou la victoire sur la vengeance ? Comment trancher ? Dans l'incertitude, préférons le *supplice* de ne pas nous venger.

Telle est la concession limite que l'on peut faire si l'on n'est pas un saint.

*E*st mûr pour la délivrance celui-là seul qu'oppresse l'universalité du tourment. Chercher à s'affranchir, sans la conscience de ce tourment, c'est de l'impossibilité, ou du vice. Point de délivrance gratuite ; il faut que l'on se délivre de quelque chose, en l'occurrence de l'omniprésence de l'intolérable — que l'on ressent tant dans l'hypothèse de l'être que du non-être, puisque choses et semblants de choses font également souffrir. Mais l'hypothèse de la vacuité présente malgré tout un avantage : elle jette une lumière plus nette sur la démesure du tourment, sur les proportions qu'il prend et l'inanité de la cause qui le provoque. On se torture toujours trop, que ce monde soit réel ou irréel. La plupart, il est vrai, ignorent à quel point ils souffrent. C'est le privilège de la conscience de s'éveiller à l'atroce, de percevoir l'illusion lancinante à laquelle sont en proie les êtres.

Il en est de la délivrance comme du salut chrétien : tel théologien, dans sa scandaleuse naïveté, croit à la rédemption tout en niant le péché originel ; mais si le péché n'est pas consubstantiel à l'humanité, quel sens attribuer à l'avènement du rédempteur, qu'est-il venu rédimer ? Aucunement accidentelle, notre corruption est permanente, elle est de toujours. De même l'iniquité : abusivement taxée de « mystère », elle est une évidence, elle est même ce qu'il y a de plus *visible* ici-bas, où remettre les choses en place exigerait un sauveur pour chaque génération, pour chaque individu plutôt.

*D*ès qu'on cesse de désirer, on devient le citoyen de tous les mondes et d'aucun ; c'est par le désir qu'on est d'ici ; le désir surmonté, on n'est plus de nulle part et on n'a plus rien à envier à un saint ni à un spectre.

Il peut arriver qu'il y ait du bonheur dans le désir mais la béatitude n'apparaît que là où toute attache est rompue. La béatitude n'est pas compatible avec ce monde. C'est pour elle que l'ermite détruit tous ses liens, c'est pour elle qu'il se détruit.

L'urine de vache était le seul médicament que les moines étaient autorisés à employer dans les premières communautés bouddhiques. Restriction on ne peut plus sensée. Si on poursuit la paix, on n'y accédera qu'en rejetant tout ce qui est facteur de trouble, tout ce que l'homme a greffé sur la simplicité, sur la santé originelle. Rien ne dévoile mieux notre déchéance que le spectacle d'une pharmacie : tous les remèdes souhaitables pour chacun de nos maux mais aucun pour notre mal essentiel, pour celui dont nulle invention humaine ne pourra nous guérir.

*S*i se croire *unique* est dû à une illusion, elle est, convenons-en, si totale, si impérieuse, qu'il est légitime de nous demander si nous pouvons encore l'appeler ainsi. Comment se désister de ce que nous ne retrouverons jamais, de ce rien inouï et pitoyable qui porte notre nom ? L'illusion en question, source de toutes les affres que nous avons à subir, est si ancrée en chacun de nous, que nous ne pouvons la vaincre qu'à la faveur d'un tourbillon soudain qui, emportant notre moi, nous laisse *seul*, sans personne, sans nous-même...

Par malheur, nous ne pouvons exterminer nos désirs; nous pouvons seulement les affaiblir, les compromettre. Nous sommes acculés au moi, au venin du «je». C'est lorsque nous y échappons, c'est lorsque nous nous figurons y échapper, que nous avons quelque droit d'employer les grands mots dont use la vraie, et la fausse, mystique. De conversion foncière, il n'en existe point : on se convertit *avec sa nature*. Même le Bouddha après l'Illumination n'était que Siddhârtha Gotama *avec la connaissance en plus*.

Tout ce qu'on croit avoir étouffé remonte à la surface après un certain temps : défauts, vices, obsessions. Les imperfections les plus patentes dont on s'était «corrigé», reviennent déguisées, mais aussi gênantes qu'avant. La peine qu'on a prise pour s'en défaire n'aura pourtant pas été tout à fait inutile. Tel désir, pendant longtemps évincé, reparaît; mais nous *savons* qu'il est revenu; il ne nous travaille plus en secret ni ne nous prend au dépourvu; il nous domine, nous assujettit, nous sommes toujours ses esclaves, il est vrai, mais des esclaves non consentants. Toute sensation *consciente* est une sensation que nous avons combattue sans succès. Nous n'en sommes pas autrement peinés, puisque sa victoire l'aura chassée de notre vie profonde.

*E*n toute rencontre nous avons choisi le plus facile : Dieu ou ses succédanés, des *personnes* en tout cas, pour avoir avec qui bavarder ou polémiquer. À la contemplation nous avons substitué la tension, créant ainsi entre la divinité et nous des rapports fâcheusement passionnels. Seuls des hommes qui cherchent mais qui ne veulent pas *trouver* ont pu devenir des virtuoses du drame intérieur. La grande trouvaille moderne est le *malaise spirituel*, l'écartèlement entre la substance et la vacuité, plus précisément entre les simulacres de l'une et de l'autre. D'où le culte de la singularité, dans tous les domaines. Littérairement, une erreur rare vaut mieux qu'une vérité éprouvée, connue, acceptée. L'insolite, au contraire, n'a aucune valeur sur le plan spirituel, où seul compte le degré d'approfondissement d'une expérience.

Selon la Bhagavadgîtâ est perdu et pour ce monde et pour l'autre, celui qui est «livré au doute», ce même doute que le bouddhisme, de son côté, cite parmi les cinq obstacles au salut. C'est que le doute n'est pas approfondissement mais stagnation, vertige de la stagnation... Avec lui, impossible de cheminer et d'aboutir; il est rongement et rien d'autre. Lorsqu'on s'en croit le plus éloigné, on y retombe, et tout recommence. Il faut qu'il *explose* pour que l'on puisse s'engager dans la voie de l'émancipation. Sans cet éclatement qui doit pulvériser jusqu'aux raisons les plus légitimes de douter, on s'éternise dans le malaise, on le cultive, on évite les grandes résolutions, on se ronge et on se complaît à se ronger.

*L*a passion de s'effacer, de ne pas laisser de trace, y est impropre quiconque s'attache à son nom et à son œuvre, et, plus encore, quiconque rêve d'un nom ou d'une œuvre, le velléitaire en somme : celui-là, s'il s'obstine au salut, il ne parviendra, au mieux, qu'à un *enlisement* dans le nirvâna...

*O*n ne se figure pas un mystique *amer.* Savoir selon le monde, sécheresse clairvoyante, excès de lucidité sans dimension intérieure, l'amertume est l'apanage de celui qui, ayant triché dans ses rapports avec l'absolu et avec lui-même, ne sait plus à quoi se prendre ni à qui s'adresser. Elle est malgré tout plus fréquente qu'on ne pense, elle est normale, quotidienne, le lot de chacun. La joie, en revanche, fruit d'une heure exceptionnelle, paraît surgir d'un déséquilibre, d'un détraquement au plus intime de notre être, tant elle contredit aux évidences où nous vivons. Et si elle venait d'*ailleurs*, de plus loin que nous-même ? Elle est dilatation, et toute dilatation participe d'un autre monde, alors que l'amertume est resserrement, même si l'infini se dresse à l'arrière-plan. Mais c'est un infini qui écrase au lieu de libérer.

Non, il n'est guère concevable que la joie soit détraquée, encore moins qu'elle ne vienne de nulle part ; elle est si pleine, si enveloppante, si merveilleusement insoutenable, que l'on ne saurait y faire face sans quelque référence suprême. C'est en tout cas elle, et elle seule, qui permet de concevoir qu'on puisse forger des dieux *par besoin de gratitude.*

*O*n peut imaginer sans peine le langage que tiendrait un homme d'aujourd'hui s'il lui fallait se prononcer sur la seule religion qui ait apporté une formule radicale de salut :

« La quête de la délivrance ne se justifie que si l'on croit à la transmigration, au vagabondage indéfini du moi, et si l'on aspire à y mettre un terme. Mais pour nous qui n'y croyons pas, à quoi mettre un terme ? à cette durée unique, et infime ? Elle est manifestement trop brève pour qu'elle mérite la fatigue de s'y soustraire. Pour le bouddhiste, est cauchemar la perspective d'autres existences ; pour nous, la cessation de celle-ci, de ce cauchemarci. En fait de cauchemar, donnez-nous-en plutôt un autre, serions-nous tentés de clamer, afin que nos disgrâces ne s'achèvent pas trop tôt, afin qu'elles aient le loisir de nous suivre le long de plusieurs vies.

«La délivrance ne correspond à une nécessité que pour celui qui se sent *menacé* d'un supplément d'existence, qui redoute la corvée de mourir et de remourir. Pour nous, condamnés à ne pas nous réincarner, à quoi bon nous démener pour nous affranchir d'un rien? pour nous libérer d'une terreur dont la fin est en vue? À quoi bon aussi poursuivre une irréalité suprême, quand tout ici-bas est *déjà* irréel? On ne prend pas la peine de se débarrasser de quelque chose d'aussi peu justifié, d'aussi peu *fondé*.

«Un surcroît d'illusion et de tourment, c'est à quoi aspire chacun de nous, chacun de ceux qui n'ont pas la chance de croire à la ronde interminable des naissances et des morts. Nous soupirons après la malédiction de renaître. Le Bouddha s'est donné vraiment trop de mal pour aboutir à quoi? à la mort *définitive* : ce que, nous autres, sommes sûrs d'obtenir sans méditations ni mortifications, sans effort aucun.»

... C'est à peu près de cette façon que s'exprimerait ce déchu, s'il consentait à dévoiler le fond de sa pensée. Qui oserait lui jeter la pierre? Qui ne s'est pas parlé à soi-même ainsi? Nous sommes tellement enfoncés dans notre propre histoire, que nous voudrions qu'elle se perpétuât sans trêve. Mais que l'on vive une ou mille fois, que l'on dispose d'une heure ou de toutes, le problème est le même : un insecte et un dieu ne devraient pas différer dans leur manière de regarder le fait d'exister comme tel, qui est si terrifiant (comme seul un miracle peut l'être) que lorsqu'on s'y attarde on conçoit la volonté de disparaître à jamais, pour n'avoir pas à le considérer de nouveau dans d'autres existences. C'est sur ce fait que le Bouddha s'est appesanti, et il est douteux qu'il eût modifié ses conclusions s'il avait cessé de croire au mécanisme de la transmigration.

*T*rouver que tout manque de fondement et ne pas en finir, cette inconséquence n'en est pas une : poussée à l'extrême, la perception du vide coïncide avec la perception du tout, avec l'*entrée* dans le tout. On commence enfin à *voir*, on ne tâtonne plus, on se rassure, on s'affermit. S'il existe une chance de salut en dehors de la foi, c'est dans la faculté de *s'enrichir* au contact de l'irréalité qu'il faut la chercher.

Même si l'expérience du vide n'était qu'une tromperie, elle mériterait encore d'être tentée. Ce qu'elle se propose, ce qu'elle essaie, c'est de réduire à rien et la vie et la mort, et cela dans l'unique dessein de nous les rendre supportables. Si elle y réussit quelquefois, que pouvons-nous souhaiter d'autre? Sans elle, point de remède à l'infirmité d'être, ni d'espoir de réintégrer, ne fût-ce qu'en de brefs instants, la douceur d'avant la naissance, la lumière de la pure antériorité.

PENSÉES ÉTRANGLÉES

I

———————————————————————— *U*ne interrogation ruminée indéfiniment vous sape autant qu'une douleur sourde.

            *D*ans quel auteur ancien ai-je lu que la tristesse était due au «ralentissement» du sang? Elle est bien cela : du sang *stagnant*.

            *O*n est fini, on est un mortvivant, non quand on cesse d'aimer mais de haïr. La haine conserve : c'est en elle, dans sa chimie, que réside le «mystère» de la vie. Ce n'est pas pour rien qu'elle est encore le meilleur fortifiant qu'on ait jamais trouvé, toléré de plus par n'importe quel organisme, si débile soit-il.

            *I*l faut penser à Dieu et non à la religion, à l'extase et non à la mystique. La différence entre le théoricien de la foi et le croyant est aussi grande qu'entre le psychiatre et le fou.

            C'est le propre d'un esprit riche de ne pas reculer devant la niaiserie, cet épouvantail des délicats ; d'où leur stérilité.

            *F*ormer plus de projets que n'en conçoit un explorateur ou un escroc, et être cependant atteint à la racine même de la volonté.

            *Q*u'est-ce qu'un «contemporain»? Quelqu'un qu'on aimerait tuer, sans trop savoir comment.

*L*e raffinement est signe de vitalité déficiente, en art, en amour et en tout.

*T*iraillement de chaque instant entre la nostalgie du déluge et l'ivresse de la routine.

*A*voir le vice du scrupule, être un automate du remords.

*B*onheur terrifiant. Des veines où se dilatent des milliers de planètes.

*L*a chose la plus difficile au monde est de se mettre au diapason de l'être, et d'en attraper le *ton.*

*L*a maladie donne de la saveur au dénuement, elle corse, elle *relève* la pauvreté.

L'esprit n'avance que s'il a la patience de tourner en rond, c'est-à-dire *d'approfondir.*

*P*remier devoir, au lever : rougir de soi.

*L*a peur aura été l'inépuisable nourriture de sa vie. Il était enflé, bourré, obèse de peur.

*L*e lot de celui qui s'est trop révolté est de n'avoir plus d'énergie que pour la déception.

*I*l n'est pas d'affirmation plus fausse que celle d'Origène, suivant laquelle chaque âme a le corps qu'elle mérite.

*D*ans tout prophète coexistent le goût de l'avenir et l'aversion pour le bonheur.

*S*ouhaiter la gloire, c'est aimer mieux mourir méprisé qu'oublié.

*P*enser tout à coup qu'on a un *crâne* — et ne pas en perdre la raison !

*L*a souffrance vous fait vivre le temps en détail, instant après instant. C'est dire s'il existe pour vous ! Il glisse sur les autres, sur ceux qui ne souffrent pas ; aussi est-il vrai qu'ils ne vivent pas dans le temps, et même qu'ils n'y ont jamais vécu.

*L*e sentiment de malédiction, le connaît celui-là seul qui sait qu'il l'éprouverait au cœur même du paradis.

*T*outes nos pensées sont fonction de nos misères. Si nous comprenons certaines choses, le mérite en revient aux lacunes de notre santé, uniquement.

*S*i on ne croyait pas à son «étoile», on ne pourrait sans effort exécuter le moindre acte : boire un verre d'eau paraîtrait une entreprise gigantesque et même insensée.

*O*n vous demande des actes, des preuves, des œuvres, et tout ce que vous pouvez produire ce sont des pleurs *transformés*.

L'ambitieux ne se résigne à l'obscurité qu'après avoir épuisé toutes les réserves d'amertume dont il disposait.

*J*e rêve d'une langue dont les mots, comme des poings, fracasseraient les mâchoires.

N'avoir de goût que pour l'hymne, le blasphème, l'épilepsie...

*C*oncevoir une pensée, une seule et unique pensée, — mais qui mettrait l'univers en pièces.

*C*e n'est que dans la mesure où nous ne nous connaissons pas nous-mêmes qu'il nous est possible de nous réaliser et de produire. Est fécond celui qui se trompe sur les motifs de ses actes, qui répugne à peser ses défauts et ses mérites, qui pressent et redoute l'impasse où nous conduit la vue exacte de nos capacités. Le créateur qui devient transparent à lui-même ne crée plus : se connaître, c'est étouffer ses dons et son démon.

*I*l n'existe aucun moyen de *démontrer* qu'il est préférable d'être que de ne pas être.

«*N*e laisse jamais la mélancolie t'envahir, car elle empêche tout bien», est-il dit dans le sermon de Tauler sur le «bon emploi de la journée».
Le mauvais usage que j'aurai fait de chacun de mes jours !

J'ai refoulé tous mes enthou-siasmes ; mais ils existent, ils constituent mes réserves, mon fonds inexploité, mon *avenir,* peut-être.

L'esprit *défoncé* par la lucidité.

*M*es doutes n'ont pu avoir rai-son de mes automatismes. Je continue à faire des gestes auxquels il m'est impossible d'adhérer. Surmonter le drame de cette *insin-cérité,* ce serait me renier et m'annuler.

*O*n ne croit réellement qu'aussi longtemps que l'on ignore qui l'on doit implorer. Une religion n'est vivante qu'avant l'élaboration des prières.

*T*oute forme d'impuissance et d'échec comporte un caractère positif *dans l'ordre métaphysique.*

*R*ien ne pourra m'ôter de l'esprit que ce monde est le fruit d'un dieu ténébreux dont je prolonge l'ombre, et qu'il m'appartient d'épuiser les conséquences de la malédiction suspendue sur lui et sur son œuvre.

*L*a psychanalyse sera un jour complètement discréditée, nul doute là-dessus. Il n'empêche qu'elle aura détruit nos derniers restes de naïveté. Après elle, on ne pourra plus jamais être *innocent.*

*L*a nuit même où je décrétai que nos rêves n'avaient aucun rapport avec notre vie profonde et qu'ils relevaient de la mauvaise littérature, je ne m'endormis que pour assister au défilé de mes terreurs les plus anciennes et les plus cachées.

*C*e qu'on appelle «force d'âme», c'est le courage de ne pas nous figurer *autrement* notre destin.

*U*n écrivain digne de ce nom se confine dans sa langue maternelle et ne va pas fureter dans tel ou tel idiome. Il est borné et il veut l'être, par autodéfense. Rien ne ruine plus sûrement un talent qu'une trop grande ouverture d'esprit.

*L*e devoir primordial du moraliste est de dépoétiser sa prose ; ensuite seulement d'observer les hommes.

«*M*onsieur, que la nature nous a mal conçus !» me disait un jour une vieille. — «C'est la nature elle-même qui est mal conçue», aurais-je dû lui répondre, si j'avais écouté mes réflexes manichéens.

L'irrésolution atteignait chez lui au rang de mission. N'importe qui lui faisait perdre tous ses moyens. Il était incapable de prendre une décision *devant* un visage.

*I*l est, tout compte fait, plus agréable d'être surpris par les événements, que de les avoir prévus. Lorsqu'on épuise ses forces dans la vision du malheur, comment affronter le malheur même ? Cassandre se tourmente doublement : avant et pendant le désastre, alors qu'à l'optimiste sont épargnées les affres de la prescience.

*A*u dire de Plutarque, on n'allait plus, au Ier siècle de notre ère, à Delphes, que pour y poser des questions mesquines (mariage, achats, etc.).
La décadence de l'Église imite celle des oracles.

«*L*e naïf est une nuance du bas», a dit Fontenelle. Il est des mots qui sont la clef d'un pays, parce qu'ils nous livrent le secret de ses limites.

*N*apoléon, à Sainte-Hélène, aimait à feuilleter de temps en temps une grammaire... Par là, du moins, il prouvait qu'il était *Français*.

*A*près-midi de dimanche. Rues encombrées d'une foule hagarde, exténuée, pitoyable, — avortons de partout, restes des continents, vomissure du globe. On pense à la Rome des Césars, submergée par la lie de l'Empire. Tout centre du monde en est le dépotoir.

*L*a disparition des animaux est un fait d'une gravité sans précédent. Leur bourreau a envahi le paysage; il n'y a plus de place que pour lui. L'horreur d'apercevoir un homme là où l'on pouvait contempler un cheval!

*L*e rôle de l'insomnie dans l'histoire, de Caligula à Hitler. L'impossibilité de dormir est-elle cause ou conséquence de la cruauté? Le tyran *veille* — c'est ce qui le définit en propre.

*M*ot d'un mendiant : «Quand on prie à côté d'une fleur, elle pousse plus vite.»

L'anxiété n'est pas difficile, elle s'accommode de tout, car il n'y a rien qui ne lui agrée. Le premier prétexte venu, un fait divers éminemment quelconque, elle le presse, le choie, en extrait un malaise médiocre mais sûr dont elle se repaît. Elle se contente vraiment de peu, tout lui étant bon. Velléitaire, inaboutie, elle manque de classe : elle se voudrait angoisse et n'est qu'angoissement.

D'où vient que, dans la vie comme dans la littérature, la révolte, même pure, a quelque chose de faux, alors que la résignation, fût-elle issue de la veulerie, donne toujours l'impression du vrai?

*T*assés sur les bords de la Seine, quelques millions d'aigris élaborent ensemble un cauchemar, qu'envie le reste du monde.

*C*e qu'on appelle communément « avoir du souffle », c'est être prolixe.

*S*a stérilité était infinie : elle participait de l'extase.

*C*ertitude de forfaire à mon devoir, de ne pas accomplir ce pour quoi je suis né, de laisser passer les heures sans en tirer un profit, fût-il négatif. Ce dernier reproche n'est cependant pas justifié, l'ennui, ma plaie, étant exactement ce profit paradoxal.

*Ê*tre naturellement combatif, agressif, intolérant — et ne pouvoir se réclamer d'aucun dogme !

*D*evant cet insecte, gros comme un point, qui courait sur ma table, ma première réaction fut charitable : l'écraser, puis je décidai de l'abandonner à son affolement. À quoi bon l'en délivrer ? Seulement, j'aurais tant voulu savoir *où* il allait !

L'anxieux construit ses terreurs, puis s'y installe : c'est un pantouflard du vertige.

*I*l est impossible de savoir pourquoi une idée s'empare de nous pour ne plus nous lâcher. On dirait qu'elle surgit du point le plus faible de notre esprit ou, plus précisément, du point le plus *menacé* de notre cerveau.

*E*xpert à dissimuler sa morgue, le sage est quelqu'un qui ne *daigne* pas espérer.

*C*ette crispation soudaine, cette attente que quelque chose se passe, que le sort de l'esprit se décide...

*L*a folie n'est peut-être qu'un chagrin *qui n'évolue plus.*

*C*es moments où il nous semble impossible de disparaître jamais, où la vie et la mort perdent toute réalité, où ni l'une ni l'autre ne peuvent encore nous toucher...

C'est une erreur que de confondre abattement et pensée. À ce titre, le premier venu qui ferait de la dépression deviendrait automatiquement penseur.
Le comble est qu'il le devient, en effet.

L'expérience de l'Inanité, qui se suffit à elle-même, comporte en plus de telles vertus philosophiques qu'on ne voit pas pourquoi on chercherait ailleurs. Qu'importe que par elle on ne découvre rien si grâce à elle on comprend tout !

*V*ivre est une impossibilité dont je n'ai cessé de prendre conscience, jour après jour, pendant, disons, quarante ans...

*L*a seule fonction de la mémoire est de nous aider à *regretter.*

*J*e me figure distinctement le moment où il n'y aura plus trace de chair nulle part, et je continue néanmoins comme si de rien n'était. Comment définir cet état où la conscience n'affaiblit pas le désir, où elle le stimule au contraire, à la façon, il est vrai, dont le ver *éveille* le fruit ?

*L*a continuité de la réflexion est gênée, et même brisée, chaque fois qu'est ressentie la présence physique du cerveau. C'est là peut-être la raison pourquoi les fous ne pensent que *par éclairs.*

L'envie vous prend parfois de crier aux ci-devant dieux : « Faites donc un petit effort, tâchez de réexister ! »
J'ai beau maugréer contre tout ce qui est, j'y suis néanmoins atta-

ché — si j'en juge d'après ces malaises qui s'apparentent aux premiers symptômes de l'être.

*L*e sceptique est l'homme le moins mystérieux qui soit, et cependant, à partir d'un certain moment, il n'appartient plus à ce monde.

II

*U*ne œuvre ne saurait surgir de l'indifférence ni même de la sérénité, cette indifférence décantée, achevée, victorieuse. Au plus fort d'une épreuve, on est surpris de trouver si peu d'ouvrages qui puissent apaiser et consoler. Comment le pourraient-ils, quand ils sont eux-mêmes le produit de l'inapaisement et de l'inconsolation ?

*T*out commencement d'idée correspond à une imperceptible lésion de l'esprit.

*S*ur la cheminée, l'image d'un chimpanzé et une statuette du Bouddha. Ce voisinage plutôt accidentel que voulu est cause que je me demande sans cesse *où* peut bien être ma place entre ces deux extrêmes, entre la pré- et la trans-figuration de l'homme.

*E*st morbide moins l'excès que *l'absence* de peur. Je songe à cette amie que rien n'effrayait jamais, qui ne pouvait même pas se représenter un danger, de quelque ordre fût-il. Tant de liberté, tant de sécurité devait un jour la mener droit à la camisole de force.

*D*ans la certitude d'être incompris, il entre autant d'orgueil que de honte. D'où le caractère équivoque de n'importe quel échec. On en tire vanité d'une part, et on se mortifie de l'autre. Que toute défaite est impure !

*I*ncurable — adjectif d'honneur dont ne devrait bénéficier qu'une seule maladie, la plus terrible de toutes : le Désir.

*O*n appelle injustement imaginaires des maux qui ne sont que trop réels au contraire, puisqu'ils procèdent de notre esprit, seul régulateur de notre équilibre et de notre santé.

*T*out néophyte étant un trouble-fête, dès que quelqu'un s'emballe pour n'importe quoi, fût-ce pour mes lubies, je m'apprête à rompre, en attendant de me venger.

*P*orté au ressentiment, j'y cède souvent et le remâche, et ne m'arrête que lorsque je me *rappelle* que j'ai envié tel ou tel sage, que j'ai même cru lui ressembler.

*C*es moments où l'on souhaite être absolument seul parce que l'on est sûr que, face à face avec soi, on sera à même de trouver des vérités rares, uniques, inouïes, — puis la déception, et bientôt l'aigreur, lorsqu'on découvre que de cette solitude enfin atteinte, rien ne sort, rien ne pouvait sortir.

À certaines heures, à la place du cerveau, sensation très précise de néant usurpateur, de steppe qui s'est substituée aux idées.

*S*ouffrir, c'est *produire* de la connaissance.

*L*a pensée est destruction dans son essence. Plus exactement : dans son *principe*. On pense, on commence à penser, pour rompre des liens, dissoudre des affinités, compromettre la charpente du «réel». Ce n'est qu'ensuite, lorsque le travail de sape est bien engagé, que la pensée se ressaisit et s'insurge contre son mouvement naturel.

*A*lors que la tristesse se justifie tant par le raisonnement que par l'observation, la joie ne repose sur rien, elle relève de la divagation. Il est impossible d'être joyeux par le pur fait de vivre ; on est triste en revanche dès qu'on ouvre les yeux. La perception comme telle rend sombre, témoin les animaux. Il n'est guère que les souris qui paraissent être gaies sans effort.

*S*ur le plan spirituel, toute douleur est une chance ; sur le plan spirituel seulement.

*J*e ne peux rien entreprendre qu'en faisant abstraction de ce que je *sais*. Dès que je l'envisage et que j'y pense, ne fût-ce qu'une seconde, je perds courage, je me défais.

*L*es choses ne cessant de se dégrader de génération en génération, prédire des catastrophes est une activité normale, un devoir de l'esprit. Le mot de Talleyrand sur l'Ancien Régime convient à n'importe quelle époque, sauf à celle où l'on vit, et à celle où l'on vivra. La «douceur» en question va en diminuant ; un jour elle aura disparu tout à fait. Dans l'histoire, on est toujours au seuil du pire. C'est ce qui la rend intéressante, c'est ce qui fait qu'on la hait, qu'on n'arrive pas à s'en détacher.

*O*n peut donner pour certain que le XXIe siècle, autrement avancé que le nôtre, regardera Hitler et Staline comme des enfants de chœur.

*B*asilide, le gnostique, est un des rares esprits à avoir compris, au début de notre ère, ce qui maintenant constitue un lieu commun, à savoir que l'humanité, si elle veut se sauver, doit rentrer dans ses limites naturelles par le retour à l'ignorance, véritable signe de rédemption.
Ce lieu commun, hâtons-nous de le dire, demeure encore clandestin : chacun le murmure mais se garde bien de le proclamer. Quand il deviendra slogan, un pas considérable en avant aura été accompli.

*D*ans la vie de tous les jours, les hommes agissent par calcul ; dans les options décisives, ils en font à leur tête, et on ne comprend rien aux drames individuels ni collectifs si on perd de vue ce comportement inattendu. Que nul ne se penche sur l'histoire s'il ne perçoit avec quelle rareté s'y manifeste l'instinct de conservation. Tout se passe comme si le réflexe de défense ne jouait que devant un danger quelconque et cessait devant un désastre de taille.

*R*egardez la gueule de celui qui a réussi, qui a *peiné*, dans n'importe quel domaine. Vous n'y découvrirez pas la moindre trace de pitié. Il a l'étoffe dont est fait un *ennemi*.

*D*es journées entières, envie de perpétrer un attentat contre les cinq continents, sans réfléchir un seul instant aux *moyens*.

*M*on énergie ne s'anime qu'en *dehors du temps*, et je me sens un véritable Hercule aussitôt que je me transplante en imagination dans un univers où sont supprimées les conditions mêmes de l'acte.

«*L*'horreur et l'extase de la vie» — vécues simultanément, comme une expérience à l'intérieur du même instant, de chaque instant.

*L*a quantité de fatigue qui se *repose* dans mon cerveau!

*A*vec le Diable j'ai en commun la mauvaise humeur, je suis comme lui cafardeux par décret divin.

*L*es livres que je lis avec le plus d'intérêt portent sur la mystique et la diététique. Y aurait-il un rapport entre elles? Oui sans doute, dans la mesure où mystique implique ascèse, c'est-à-dire régime, plus précisément diète.

«*N*e mange rien que tu ne l'aies semé et récolté de ta main» — cette recommandation de la sagesse védique est si légitime et si convaincante que, par rage de ne pouvoir s'y conformer, on voudrait se laisser mourir de faim.

*A*llongé, je ferme les yeux. Tout à coup, un gouffre se creuse, comme un puits qui, à la recherche de l'eau, perforerait le sol avec une vitesse proche du vertige. Entraîné dans cette frénésie, dans ce vide s'enfantant indéfiniment lui-même, je me confonds avec le principe de génération du gouffre, et, bonheur inespéré, je me trouve ainsi une occupation et même une mission.

*Q*uand Pyrrhon s'entretenait avec quelqu'un, si son interlocuteur s'en allait, il continuait de parler comme si de rien n'était. Cette force d'indifférence, cette discipline du mépris, j'en rêve avec une impatience de détraqué.

*C*e qu'un ami attend, ce sont des ménagements, des mensonges, des consolations, toutes choses qui impliquent effort, travail de réflexion, contrôle de soi. Le souci permanent de délicatesse que l'amitié suppose est antinaturel. Vivement les indifférents ou les ennemis pour qu'on puisse respirer un peu!

À force de m'appesantir sur mes misères passées et futures, j'ai négligé celles du présent : ce qui m'a permis de les supporter plus aisément que si j'y avais consacré mes réserves d'attention.

*L*e sommeil servirait à quelque chose si chaque fois que l'on s'endort on s'exerçait à se voir mourir; au bout de quelques années d'entraînement, la mort perdrait tout prestige et n'apparaîtrait plus que comme une formalité ou une tracasserie.

*D*ans la carrière d'un esprit qui a liquidé préjugé après préjugé, survient un moment où il lui est tout aussi aisé de devenir un saint qu'un escroc en tout genre.

*L*a cruauté — notre trait le plus ancien — on la qualifie rarement d'empruntée, de simulée, d'apparente, dénominations propres en revanche à la bonté, qui, récente, acquise, n'a pas de racines profondes : c'est une invention tardive, intransmissible, que chacun s'évertue à réinventer et n'y parvient que par à-coups, dans ces moments où sa nature s'éclipse, où il triomphe de ses ancêtres et de lui-même.

*S*ouvent je m'imagine montant sur le toit, attrapant le vertige, et puis, sur le point de tomber, poussant un cri. «Imaginer» n'est pas le mot, car je suis *obligé* d'imaginer cela. La pensée du meurtre doit venir de la même façon.

*S*i on veut ne jamais oublier quelqu'un, y penser constamment, s'y attacher pour toujours, il ne faut pas s'employer à l'aimer mais à le haïr. Selon une croyance hindoue, certains démons sont le fruit d'un vœu, fait dans une vie antérieure, de s'incarner dans un être acharné contre Dieu afin de mieux pouvoir y songer et l'avoir sans arrêt présent à l'esprit.

*L*a mort est l'arôme de l'existence. Elle seule prête goût aux instants, elle seule en combat la fadeur. Nous lui devons à peu près tout. Cette dette de reconnaissance que de loin en loin nous consentons à lui payer est ce qu'il y a de plus réconfortant ici-bas.

C'est durant nos veilles que la douleur accomplit sa mission, qu'elle se réalise et s'épanouit. Elle est alors illimitée comme la nuit, qu'elle *imite*.

*O*n ne devrait éprouver aucune espèce d'inquiétude tant qu'on dispose de l'idée de malchance. Aussitôt qu'on l'invoque, on s'apaise, on supporte tout, on est presque content de subir injustices et infirmités. N'importe quoi devenant par elle intelligible, point ne faut s'étonner que l'abruti et l'éveillé y recourent pareillement. C'est qu'elle n'est pas une explication, elle est l'explication même, qui se renforce de l'échec inévitable de toutes les autres.

*D*ès que l'on fouille le moindre souvenir, on se met en état de crever de rage.

D'où vient cette vision monotone, quand les maux qui l'ont suscitée et entretenue sont on ne peut plus divers? C'est qu'elle les a assimilés et n'en a conservé que l'essence, laquelle leur est commune à tous.

*E*st bavardage toute conversation avec quelqu'un qui n'a pas souffert.

*M*inuit. Tension voisine du haut mal. Envie de tout faire sauter, efforts pour ne pas éclater en morceaux. Chaos imminent.

On peut ne rien valoir par soi-même, et être quelqu'un par ce qu'on ressent. Mais on peut aussi n'être pas à la hauteur de ses sensations.

*E*n théorie, il m'importe aussi peu de vivre que de mourir; en pratique, je suis travaillé par toutes les anxiétés qui ouvrent un abîme entre la vie et la mort.

*L*es bêtes, les oiseaux, les insectes ont tout résolu depuis toujours. Pourquoi vouloir faire mieux? La nature répugne à l'originalité, elle refuse, elle exècre *l'homme*.

*L*e tourment chez certains est un besoin, un appétit, et un accomplissement. Partout ils se sentent diminués, sauf en enfer.

*D*ans le sang une inépuisable goutte de vinaigre : à quelle fée en suis-je redevable?

L'envieux ne vous pardonne rien, et il jalousera jusqu'à vos déconfitures, jusqu'à vos hontes.

*L*a médiocrité de mon chagrin aux enterrements. Impossible de plaindre les défunts; inversement, toute naissance me jette dans la consternation. Il est incompréhensible, il est insensé qu'on puisse *montrer* un bébé, qu'on exhibe ce désastre virtuel et qu'on s'en réjouisse.

*T*u es hanté par le détachement, la pureté, le nirvâna, et cependant *quelqu'un* en toi chuchote : «Si tu avais le courage de formuler ton vœu le plus secret, tu dirais : "Je voudrais avoir inventé tous les vices."»

*I*l ne sert de rien d'être un monstre si on n'est pas doublé d'un théoricien du «monstrueux».

*T*u as laissé dépérir ce qu'il y avait de mieux en toi. Plus soigneux, tu n'aurais pas trahi ta véritable vocation, qui était celle de tyran ou d'ermite.

S'en prendre à tout bout de champ à soi-même, c'est faire preuve d'un grand souci de vérité et de justice ; c'est atteindre, c'est frapper le vrai coupable. Malheureusement c'est aussi l'intimider et le paralyser et, par là même, le rendre inapte à s'améliorer.

*C*es colères qui vous enlèvent la peau, la chair, et vous réduisent à l'état de squelette tremblant !

*A*près certaines nuits, on devrait changer de nom, puisque aussi bien on n'est plus le même.

*Q*ui êtes-vous ? — Je suis un *étranger* pour la police, pour Dieu, pour moi-même.

*D*epuis des années, je m'extasie sur les vertus de l'Impassibilité, et il ne se passe pas de jour que je ne traverse une crise de violence qui, non réprimée, justifierait un internement. Ces convulsions se déroulent le plus souvent sans témoins mais, à vrai dire, presque toujours à cause de quelqu'un. Mes délires manquent de tenue : ils sont trop plébéiens, trop terre à terre pour savoir s'émanciper d'une cause.

*I*l m'est impossible de traiter de rien d'extérieur, d'objectif, d'impersonnel, à moins que ce ne soit de *maux*, c'est-à-dire de ce qui, chez autrui, me fait penser à moi.

*L*a désolation qu'expriment les yeux du gorille. Un mammifère funèbre. Je descends de son regard.

*Q*ue l'on envisage l'individu ou l'humanité dans son ensemble, on ne doit pas confondre avancer et progresser, à moins d'admettre qu'aller vers la mort ne soit un *progrès*.

*L*a terre remonte, paraît-il, à cinq milliards d'années, la vie à deux ou trois. Ces chiffres contiennent toutes les consolations souhaitables. Il faudrait s'en souvenir dans les moments où l'on se prend au sérieux, où l'on *ose* souffrir.

*P*lus on bafouille, plus on s'astreint à mieux écrire. On se venge ainsi de n'avoir pu être orateur. Le bègue est un styliste-né.

*C*e qu'il est difficile de comprendre, ce sont les natures fécondes, généreuses, toujours contentes de s'affairer, de produire. Leur énergie paraît démesurée, et cependant on n'arrive pas à la leur envier. Elles peuvent être n'importe quoi, parce qu'au fond elles ne sont rien : des fantoches dynamiques, des nullités aux dons inépuisables.

*C*e qui m'empêche de descendre dans l'arène, c'est que j'y vois trop d'esprits que j'admire mais n'estime pas, tant ils me paraissent naïfs. Pourquoi les provoquer, pourquoi me mesurer avec eux sur la même piste ? Ma lassitude me confère une telle supériorité, qu'il ne me semble guère possible qu'ils me rattrapent jamais.

*O*n peut penser à la mort tous les jours et cependant persévérer allégrement dans l'être ; il n'en va pas de même si on pense sans cesse à *l'heure* de sa mort ; celui qui n'aurait que cet instant-là en vue, commettrait un attentat contre tous ses autres instants.

*O*n s'est étonné que la France, nation légère, ait produit un Rancé, fondateur de l'ordre le plus austère ; peut-être faudrait-il s'étonner davantage que l'Italie, nation autrement frivole, ait donné Leopardi, le plus grave de tous les poètes.

*L*e drame de l'Allemagne est de n'avoir pas eu un Montaigne. Quelle chance pour la France d'avoir *commencé* avec un sceptique !

*D*égoûté par les nations, je me tourne vers la Mongolie où il doit faire bon vivre, où il y a plus de chevaux que d'hommes, où le *yahou* ne l'a pas encore emporté.

*T*oute idée féconde tourne en pseudo-idée, dégénère en croyance. Il n'est guère qu'une idée stérile qui conserve son statut d'idée.

*J*e me croyais plus exempt de vanité qu'un autre : un rêve récent devait me détromper. Je venais de mourir. On m'apporte un cercueil en bois blanc. «Vous auriez pu mettre tout de même un peu de vernis dessus!» — me suis-je écrié avant de me ruer sur les croque-morts pour les frapper. Une bagarre s'ensuivit. Puis ce fut le réveil, et la honte.

*C*ette fièvre qui ne mène à aucune découverte, qui n'est porteuse d'aucune idée mais qui vous donne un sentiment de puissance quasi divin, lequel s'évanouit dès que vous essayez de le définir, — à quoi correspond-elle, et que peut-elle valoir? Peut-être ne rime-t-elle à rien, peut-être va-t-elle plus loin que n'importe quelle expérience métaphysique.

*L*e bonheur, c'est être dehors, marcher, regarder, s'amalgamer aux choses. Assis, on tombe en proie au pire de soi-même. L'homme n'a pas été créé pour être rivé à une chaise. Mais peut-être ne méritait-il pas mieux.

*P*endant l'insomnie, je me dis, en guise de consolation, que ces heures dont je prends conscience, je les arrache au néant, et que, si je dormais, elles ne m'auraient jamais appartenu, elles n'auraient même jamais existé.

«*S*e perdre en Dieu» — ce cliché pour le croyant prend une valeur de révélation pour le non-croyant, qui y discerne une aventure souhaitée et impraticable, désespéré qu'il est de ne pouvoir lui aussi *s'égarer* en quelque chose ou, de préférence, en quelqu'un.

— *Q*ui est superficiel? qui est profond? — Aller très loin dans la frivolité, c'est cesser d'être frivole; atteindre une limite, fût-ce dans la farce, c'est approcher d'extrémités dont, dans son secteur, tel métaphysicien n'est nullement capable.

*U*n éléphant succomberait à ces accès d'abattements indistincts d'une cruauté sur le point de se dissoudre et qui, en se dissolvant, emporterait chair et moelle. Tous les organes y passent : calamité viscérale, sensation de pagaille gastrique, d'impuissance à digérer ce monde.

L'homme, cet exterminateur, en veut à tout ce qui vit, à tout ce qui bouge : bientôt on parlera du dernier pou.

*D*ans la guerre de Troie, autant de dieux d'un côté que de l'autre. C'était là une vue juste et élégante dont les modernes, trop passionnés ou trop vulgaires, sont incapables, eux qui veulent que la raison soit à tout prix partisane. Homère, aux commencements de notre civilisation, s'offrait le luxe de l'objectivité ; aux antipodes, à une époque tardive comme la nôtre, il n'y a plus de place que pour l'*attitude*.

*S*eul, même inactif, on ne gaspille pas son temps. On le gâche presque toujours en compagnie. Aucun entretien avec soi ne peut être tout à fait stérile : quelque chose en sort nécessairement, ne serait-ce que l'*espoir* de se retrouver un jour.

*T*ant qu'on envie la réussite d'un autre, fût-ce d'un dieu, on est un vil esclave comme tout le monde.

*C*haque être est un hymne détruit.

*S*i l'on en croit Tolstoï, il ne faudrait désirer que la mort, puisque ce désir, se réalisant immanquablement, ne sera pas une duperie comme tous les autres. Cependant n'est-il pas de l'essence du désir de tendre vers n'importe quoi, sauf la mort ? *Désirer*, c'est ne vouloir pas mourir. Si donc on se met à souhaiter la mort, c'est que le désir est détourné de sa fonction propre ; c'est un désir dévié, dressé contre les autres désirs, voués tous à décevoir, alors que, lui, il tient toujours ses promesses. Miser sur lui, c'est jouer à coup sûr, c'est gagner de toutes façons : il ne trompe, il ne peut pas tromper. Mais ce que nous attendons d'un désir, c'est qu'il nous trompe précisément. Qu'il se réalise ou non, cela est secondaire ; l'important est qu'il nous dissimule la vérité. S'il nous la dévoile, il manque à son devoir, il se compromet et se renie, et doit par conséquent être rayé de la liste des désirs.

*Q*ue m'attire le bouddhisme ou le catharisme ou n'importe quel système ou dogme, je conserve un fond de scepticisme que rien jamais ne pourra entamer et auquel je reviens toujours après chacun de mes emballements. Que ce scepticisme soit congénital ou acquis, il ne m'en apparaît pas moins comme une certitude, voire comme une libération, quand toute autre forme de salut s'estompe ou me rejette.

*L*es autres n'ont pas le sentiment d'être des charlatans, et ils le sont; moi... je le suis autant qu'eux mais je le sais et j'en souffre.

*Q*ue je ne cesse de saboter mes facultés, n'est-ce point puéril de m'en faire? Et pourtant, au lieu de me flatter, l'évidence de mon inaccomplissement me décourage, me brise. S'être intoxiqué de clairvoyance pour en arriver là! Je traîne des restes de dignité qui me déshonorent.

*S*eul l'écrivain sans public peut se permettre le luxe d'être sincère. Il ne s'adresse à personne : tout au plus à soi-même.

*U*ne vie pleine n'est, dans le meilleur des cas, qu'un équilibre d'inconvénients.

*Q*uand on sait que tout problème n'est qu'un faux problème, on est dangereusement près du salut.

*L*e scepticisme est un exercice de défascination.

*T*out se réduit en somme au désir ou à l'absence du désir. Le reste est nuance.

J'ai tant médit de la vie que, souhaitant enfin lui rendre justice, je ne tombe sur aucun mot qui ne sonne faux.

III

*P*arfois on pense qu'il vaut mieux se réaliser que se laisser aller, parfois on pense le contraire. Et on a entièrement raison dans les deux cas.

*N*os vertus, loin de se renforcer les unes les autres, se jalousent au contraire, et s'excluent. Quand la guerre qu'elles se font nous apparaît clairement, nous commençons à les dénoncer une à une, trop contents de n'avoir plus à nous mettre en frais pour aucune d'entre elles.

*O*n ne demande pas la liberté mais des semblants de liberté. C'est pour ces simulacres que l'homme se démène depuis toujours. Au reste, la liberté n'étant, comme on l'a dit, qu'une *sensation*, quelle différence y a-t-il entre *être* et *se croire* libre?

*T*out acte en tant qu'acte n'est possible que parce que nous avons rompu avec le Paradis, dont le souvenir, qui envenime nos heures, fait de chacun de nous un ange démoralisé.

*N*os prières refoulées éclatent en sarcasmes.

*O*n n'a le sentiment d'être quelqu'un que lorsqu'on médite quelque forfait.

*S*i on fait du doute un but, il peut être aussi consolant que la foi. Lui aussi est capable de ferveur, lui aussi, à sa manière, triomphe de toutes les perplexités, lui aussi a réponse à tout. D'où vient alors sa mauvaise réputation? C'est qu'il est plus rare que la foi, plus inabordable, et plus mystérieux. On n'arrive pas à imaginer ce qui se passe dans la maison du douteur...

*A*u marché, un gamin de cinq ans tout au plus, se débat, se contorsionne, hurle. Des bonnes femmes accourent, essaient de le calmer. Lui continue de plus belle, exagère, dépasse toute limite. Plus on le regarde, plus on voudrait lui tordre le cou. Sa mère, comprenant enfin qu'il faut l'emmener, supplie le furieux : «Viens mon *trésor*!» — On songe — avec quelle satisfaction! — à Calvin, pour qui les enfants sont des «petites ordures» ou à Freud qui les traite de «pervers polymorphes». L'un et l'autre auraient volontiers dit : «Laissez venir à moi les petits monstres!»

*D*ans la décision de renoncer au salut, il n'entre aucun élément diabolique, car, s'il en était ainsi, d'où viendrait la sérénité qui accompagne cette décision? Rien de diabolique ne rend serein. Dans les parages du Démon, on est au contraire morose. C'est mon cas... Aussi ma sérénité est-elle de courte durée : juste le temps de me décider à en finir avec le salut. Par bonheur je m'y décide souvent, et, chaque fois, quelle paix!

*S*e lever de bonne heure, plein d'énergie et d'entrain, merveilleusement apte à commettre quelque vilenie insigne.

«*J*e suis libre au dernier degré», — ce mot éleva ce jour-là le clochard qui le prononçait, au-dessus des philosophes, des conquérants et des saints, puisque aucun d'eux, au sommet de sa carrière, n'osa invoquer pareille réussite.

*L*e déchu est un homme comme nous tous avec la différence qu'il n'a pas daigné jouer le jeu. Nous l'en blâmons et le fuyons, nous lui en voulons d'avoir révélé et étalé notre secret, nous le considérons à juste titre comme un misérable et un traître.

*P*récipité hors du sommeil par la question : «Où va *cet* instant? — À la mort», fut ma réponse, et je me rendormis aussitôt.

*O*n ne devrait accorder crédit qu'aux explications par la physiologie et par la théologie. Ce qui prend place entre les deux n'importe guère.

  *L*e plaisir qu'on éprouve à prévoir une catastrophe diminue au fur et à mesure qu'elle approche, et il cesse tout à fait dès qu'elle survient.

  *L*a sagesse déguise nos plaies : elle nous apprend comment saigner en cachette.

  *L*e moment critique pour un prophète est celui où il finit par se pénétrer de ce qu'il débite, où il est conquis par ses vaticinations. Esclave et automate désormais, il s'emploiera à regretter le temps où, libre, il annonçait des calamités sans trop y croire, où il se fabriquait des frayeurs.
Il n'est pas commode de jouer sincèrement les Isaïe et les Jérémie. C'est pourquoi la plupart des prophètes *préfèrent* être des imposteurs.

  *T*out ce qui nous arrive, tout ce qui compte pour nous ne présente aucun intérêt pour autrui : c'est à partir de cette évidence qu'il nous faudrait élaborer nos règles de conduite. Un esprit réfléchi devrait bannir de son vocabulaire intime le mot *événement*.

  *Q*uiconque n'est pas mort jeune *mérite* de mourir.

  *R*ien ne donne meilleure conscience que de s'endormir avec la *vue claire* d'un de ses défauts, qu'on n'osait pas s'avouer jusqu'alors, qu'on ignorait même.

  *T*out s'estompe et s'abîme chez les êtres, sauf le regard et la voix : sans l'un et l'autre, on ne pourrait reconnaître personne au bout de quelques années.

  *E*n ce moment même, un peu partout, des milliers et des milliers sont en train d'expirer, tandis que, cramponné à mon stylo, je cherche en vain un mot pour commenter leur agonie.

  S'appesantir sur un acte, fût-il innommable, s'inventer des scrupules et s'y empêtrer, démontre qu'on fait encore cas de ses semblables, qu'on aime se torturer à cause d'eux.

... Je ne me tiendrai pour affranchi que le jour où, à l'exemple des assassins et des sages, j'aurai nettoyé ma conscience de toutes les impuretés du remords.

J'en ai assez d'être moi, et cependant je prie sans cesse les dieux de me rendre à moi-même.

*R*egretter, c'est délibérer dans le passé, c'est substituer l'éventuel à l'irréparable, c'est tricher par déchirement.

*L*e délire est sans conteste plus beau que le doute, mais le doute est plus *solide*.

*L*e scepticisme est la *foi* des esprits ondoyants.

*V*oir dans la calomnie des mots, rien que des mots, est l'unique manière de la supporter sans souffrir. Désarticulons n'importe quel propos qu'on tient contre nous, *isolons* chaque vocable, traitons-le avec le dédain que mérite un adjectif, un substantif, un adverbe.

... Sinon, liquidons sur-le-champ le calomniateur.

*N*os prétentions au détachement nous aident toujours non pas à parer les coups mais à les «digérer». Dans toute humiliation, il y a un premier et un second temps. C'est dans le second que se révèle utile notre coquetterie avec la sagesse.

*L*a place qu'on occupe dans «l'univers» : un point, et encore ! Pourquoi se frapper quand, visiblement, on est si peu ? Cette constatation faite, on se calme aussitôt : à l'avenir, plus de tracas, plus d'affolements métaphysiques ou autres. Et puis, ce point se dilate, se gonfle, se substitue à l'espace. Et tout recommence.

*C*onnaître, c'est discerner la portée de l'Illusion, mot clef aussi essentiel au Védânta qu'à la Chanson, aux seules manières de traduire l'expérience de l'irréalité.

*A*u British Museum, devant la momie d'une cantatrice dont on voit les petits ongles surgir des bandelettes, je me rappelle avoir juré de ne plus jamais dire : *moi...*

*I*l n'est guère qu'un signe qui atteste qu'on a tout compris : pleurer *sans sujet*.

*D*ans le besoin de prier entre pour beaucoup la peur d'un éboulement imminent du cerveau.

*B*onheur et malheur étant des maux presque au même titre, l'unique moyen de les éviter est de se rendre extérieur à tout.

*Q*uand je passe des jours et des jours au milieu de textes où il n'est question que de sérénité, de contemplation et de dépouillement, l'envie me prend de sortir dans la rue et de casser la gueule au premier passant.

*L*a preuve que ce monde n'est pas une réussite est qu'on peut se comparer sans indécence à Celui qui est censé l'avoir créé, mais non à Napoléon ni même à un clochard, surtout si ce dernier est inégalable dans son genre.

«*E*lle n'a pu faire mieux», — ce mot d'un païen sur la Providence, nul Père de l'Église n'a été assez honnête pour l'appliquer à Dieu.

*L*a parole et le silence. On se sent plus en sécurité auprès d'un fou qui parle que d'un fou qui ne peut ouvrir la bouche.

*S*i une hérésie chrétienne, n'importe laquelle, l'avait emporté, elle ne se serait pas perdue dans des nuances. Plus téméraire que l'Église, elle aurait été aussi plus intolérante, car plus convaincue. Le doute n'est pas permis : victorieux, les cathares eussent surpassé les inquisiteurs.
Ayons pour toute victime, si noble soit-elle, une pitié sans illusions.

*C*e qui reste d'un philosophe, c'est son tempérament, ce qui fait qu'il *s'oublie*, qu'il se livre à ses contradictions, à ses caprices, à des réactions incompatibles avec les lignes fondamentales de son système. S'il vise à la vérité, qu'il s'émancipe de tout souci de cohérence. Il ne doit exprimer que ce qu'il pense et non ce qu'il a *décidé* de penser. Plus il sera vivant, plus il se laissera aller à soi-même, et il ne survivra que s'il ne tient nul compte de ce à quoi il *devrait* croire.

*L*orsqu'il s'agit de méditer sur la vacuité, l'impermanence, le nirvâna, s'allonger ou s'accroupir est la position la meilleure. C'est celle-là même où ces thèmes furent conçus.
Il n'y a guère qu'en Occident qu'on pense *debout*. De là vient peut-être le caractère si fâcheusement positif de sa philosophie.

*N*ous ne pouvons supporter une avanie qu'en imaginant les *scènes* de la revanche, du triomphe que nous aurons un jour sur le misérable qui nous aura bafoué. Sans cette perspective, nous tomberions en proie à des troubles qui renouvelleraient radicalement la Folie.

*T*oute agonie est en soi curieuse ; la plus intéressante demeure néanmoins celle du cynique, de celui qui la méprise *en théorie*.

*Q*uel est le nom de cet os que je touche ? que peut-il bien y avoir de commun entre *lui* et *moi* ? Il faudrait recommencer l'opération avec une autre partie du corps et continuer ainsi jusqu'au moment où plus rien ne soit *nôtre*.

*A*voir tout ensemble le goût de la provocation et celui de l'effacement, être par instinct un trouble-fête et par conviction un cadavre !

*A*près tant et tant de vivants, morts *tous*, — quelle fatigue de mourir à son tour et d'essuyer, comme eux, cette peur inepte ! Comment expliquer qu'elle persiste encore, qu'elle ne soit pas épuisée ou discréditée, et qu'on puisse l'éprouver encore à l'égal du premier mortel ?

L'ermite ne prend des responsabilités qu'envers soi ou envers tout le monde ; en aucun cas, envers *quelqu'un*. On se réfugie dans la solitude pour n'avoir personne à sa charge : soi-même, et l'univers, suffisent.

*S*i j'étais sûr de mon indifférence au salut, je serais de loin l'homme le plus heureux qui fut.

*P*our se retrouver, il n'y a rien de tel que d'être «oublié». Personne qui vienne s'interposer entre nous et ce qui compte. Plus les autres se détournent de nous, plus ils travaillent à notre perfection : ils nous sauvent *en nous abandonnant*.

*M*es doutes sur la Providence ne durent jamais bien longtemps : qui, en dehors d'elle, serait en mesure de nous distribuer si ponctuellement notre ration de défaite quotidienne ?

«*I*l ne faut rien prendre à cœur» — se répète celui qui s'en veut chaque fois qu'il souffre et qui ne manque aucune occasion de souffrir.

*L*e combat que se livrent en chaque individu le fanatique et l'imposteur est cause que nous ne savons jamais *à qui* nous adresser.

— «*À* quoi travaillez-vous ? Que préparez-vous ?»
Est-ce qu'on aurait osé aborder ainsi un Pyrrhon ou un Lao-tseu ? Les questions qu'on n'aurait pu poser à nos idoles, nous ne concevons pas qu'on nous les pose à nous-mêmes.

*P*ar nature je suis si réfractaire à la moindre entreprise, que pour me résoudre à en exécuter une il me faut parcourir auparavant quelque biographie d'Alexandre ou de Gengis Khan.

*C*e qui doit rendre la vieillesse supportable, c'est le plaisir de voir disparaître un à un tous ceux qui auront cru en nous et que nous ne pourrons plus décevoir.

J'aime gloser sur la déchéance, j'aime vivre en parasite du Péché originel.

*S*i on pouvait se rendre *inhumiliable*!

*C*ontrairement à l'allégation courante, les souffrances nous attachent, nous clouent à la vie : ce sont *nos* souffrances, nous sommes flattés de pouvoir les endurer, elles témoignent pour notre qualité d'êtres et non de spectres. Et tant est virulent l'orgueil de souffrir qu'il n'est dépassé que par celui d'avoir souffert.

*A*charné à sauver le passé, le regret représente notre unique recours contre les manœuvres de l'oubli : qu'est-il en substance, sinon la mémoire *qui passe à l'attaque*? En ressuscitant maints et maints épisodes et en les déformant à plaisir, il nous offre toutes les versions voulues de notre vie, de sorte qu'il est exact d'affirmer que c'est grâce à lui qu'elle nous paraît à la fois pitoyable et comblée.

*T*oute formule théorique, surgie pendant le sommeil, en interrompt le cours. Les rêves sont des événements. Dès qu'un d'eux se mue en *problème*, ou s'achève par une trouvaille, nous nous réveillons en sursaut. «Penser» en dormant est une anomalie, fréquente chez les oppressés, chez ceux qui justement dorment mal, parce que leurs misères culminent en définitions, nuit après nuit.

*O*n se martyrise, on se crée, à coups de tourments, une «conscience»; et puis, on s'aperçoit avec horreur qu'on ne peut plus s'en défaire.

*L*e malaise consécutif à une bassesse est l'état le plus propice à la réflexion sur soi, il se confond même avec cette réflexion. Quoi d'étonnant que nous ayons, chaque fois qu'il nous saisit, l'impression de nous connaître enfin ?

*S*eul est subversif l'esprit qui met en cause l'obligation d'exister; tous les autres, l'anarchiste en tête, pactisent avec l'ordre établi.

*M*es préférences : l'âge des Cavernes et le siècle des Lumières.
Mais je n'oublie pas que les grottes ont débouché sur l'Histoire et les salons sur la Guillotine.

*P*artout de la chair contre de l'argent. Mais que peut valoir une chair subventionnée ? — Avant, on engendrait par conviction ou par accident ; aujourd'hui, pour toucher des subsides. Cet excès de calcul ne peut pas ne pas nuire à la qualité du spermatozoïde.

*C*hercher un sens à quoi que ce soit est moins le fait d'un naïf que d'un masochiste.

*P*rendre conscience de notre complète, de notre radicale destructibilité, c'est cela même le salut. Mais c'est aller à l'encontre de nos tendances les plus profondes que de nous savoir, à chaque instant, destructibles. Le salut serait-il un exploit contre nature ?

*F*rivole et décousu, amateur en tout, je n'aurai connu à fond que l'inconvénient d'être né.

*O*n devrait philosopher comme si la «philosophie» n'existait pas, à la manière d'un troglodyte ébloui ou effaré par le défilé des fléaux qui se déroulent sous ses yeux.

Jouir de sa douleur — le sentiment et jusqu'à l'expression figurent dans Homère, à titre exceptionnel s'entend. À titre général, il faudra attendre des temps plus récents. Le chemin est long de l'épopée au journal intime.

*O*n ne s'intéresserait pas aux êtres si on n'avait l'espoir de rencontrer un jour quelqu'un de plus coincé que soi.

*L*es rats, confinés dans un espace réduit et nourris uniquement de ces produits chimiques dont nous nous gavons, deviennent, paraît-il, bien plus méchants et plus agressifs que d'ordinaire.

Condamnés, à mesure qu'ils se multiplient, à s'entasser les uns sur les autres, les hommes se détesteront beaucoup plus qu'avant, ils inventeront même des formes insolites de haine, ils s'entre-déchireront comme jamais ils ne le firent et il éclatera une guerre civile universelle, non pas à cause de revendications mais de l'impossibilité où se trouvera l'humanité d'assister davantage au spectacle qu'elle s'offre à elle-même. Dès maintenant déjà, si, l'espace d'un instant, elle entrevoyait *tout* l'avenir, elle n'irait pas au-delà de cet instant.

*I*l n'est de vraie solitude que là où l'on songe à l'urgence d'une prière — d'une prière *postérieure* à Dieu et à la Foi elle-même.

*I*l faudrait se dire et se redire que tout ce qui nous réjouit ou nous afflige ne correspond à rien, que tout cela est parfaitement dérisoire et vain.
... Eh bien, je me le dis et redis chaque jour, et je ne continue pas moins à me réjouir et à m'affliger.

*N*ous sommes tous au fond d'un enfer dont chaque instant est un miracle.

CIORAN, IONESCO ET ELIADE,
À PARIS, PLACE FÜRSTENBERG.
1984.
PHOTOGRAPHIE LOUIS MONIER.

CARTE POSTALE D'EUGÈNE IONESCO
ADRESSÉE À CIORAN DE VIENNE.
27 JANVIER 1975.

Cioran cherchant une dédicace,
rue de l'Odéon.
1976.
Photographie Jesse Fernandez.

Paris le 4 janvier 1974

Mon cher Beckett,

Lessness, lessness — me fait
songer à l'Ungrund de Boehme,
par quoi il désignait quelque chose
d'antérieur à l'Ungrund... Mais
Boehme ~~pensait~~ avait en vue la Losigkeit divine,
alors que chez vous c'est la Losigkeit
à l'état pur. À l'état musical plutôt.
C'est vrai qu'il s'agit d'une fugue
et je ne m'en suis aperçu ~~vraiment~~ tout à fait
qu'en relisant votre texte. Je l'entendais, je l'écoutais. Il a cessé justement d'être un texte. Les mots
étaient vaincus par l'Endlessness
qu'ils portaient en eux.

Cioran

à propos de Sans

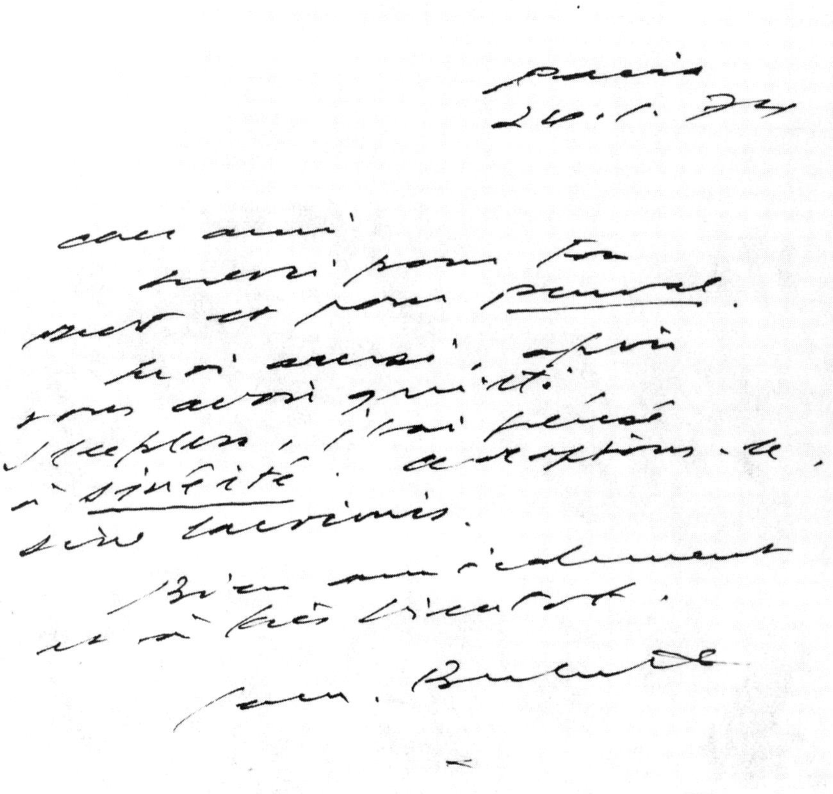
Paris
24.1.74

cher ami
merci pour
[illegible]

Sam. Beckett

Ci-dessus :
Lettre de Samuel Beckett à Cioran.
1974.

Ci-contre :
Brouillon d'une lettre de Cioran à Samuel Beckett.
1974.

HENRI MICHAUX, *SANS TITRE*.
1981.
PEINTURE À L'ENCRE DE CHINE.
H. 70,5 CM; L. 100 CM.
COLLECTION PARTICULIÈRE.

MICHAUX APPELAIT FAMILIÈREMENT
CETTE ENCRE « MA PORTÉE DE MUSIQUE ».
LORSQUE CIORAN, QUI ADMIRAIT BEAUCOUP
CETTE ŒUVRE, L'APPRIT, IL CONFIRMA :
« MICHAUX AVAIT BIEN RAISON ;
PAR LE GESTE, IL A MERVEILLEUSEMENT
CAPTÉ L'ESPRIT DE LA MUSIQUE. »

DE L'INCONVÉNIENT

D'ÊTRE NÉ

Écrit en français ; publié à Paris en 1973.

———————————— I

———————————— *T*rois heures du matin. Je per-
çois cette seconde, et puis cette autre, je fais le bilan de chaque
minute.
Pourquoi tout cela ? — *Parce que je suis né.*
C'est d'un type spécial de veilles que dérive la mise en cause de la
naissance.

«*D*epuis que je suis au monde»
— ce *depuis* me paraît chargé d'une signification si effrayante
qu'elle en devient insoutenable.

*I*l existe une connaissance qui
enlève poids et portée à ce qu'on fait : pour elle, tout est privé de
fondement, sauf elle-même. Pure au point d'abhorrer jusqu'à
l'idée d'objet, elle traduit ce savoir extrême selon lequel commettre ou ne pas commettre un acte c'est tout un et qui s'accompagne d'une satisfaction extrême elle aussi : celle de pouvoir
répéter, en chaque rencontre, qu'aucun geste qu'on exécute ne
vaut qu'on y adhère, que rien n'est rehaussé par quelque trace de
substance, que la «réalité» est du ressort de l'insensé. Une telle
connaissance mériterait d'être appelée posthume : elle s'opère
comme si le connaissant était vivant et non vivant, être et souvenir d'être. «C'est déjà du passé», dit-il de tout ce qu'il accomplit,
dans l'instant même de l'acte, qui de la sorte est à jamais destitué
de *présent*.

*N*ous ne courons pas vers la
mort, nous fuyons la catastrophe de la naissance, nous nous
démenons, rescapés qui essaient de l'oublier. La peur de la mort
n'est que la projection dans l'avenir d'une peur qui remonte à
notre premier instant.
Il nous répugne, c'est certain, de traiter la naissance de fléau : ne

—— 1271

nous a-t-on pas inculqué qu'elle était le souverain bien, que le pire se situait à la fin et non au début de notre carrière ? Le mal, le vrai mal est pourtant *derrière*, non devant nous. C'est ce qui a échappé au Christ, c'est ce qu'a saisi le Bouddha : « Si trois choses n'existaient pas dans le monde, ô disciples, le Parfait n'apparaîtrait pas dans le monde... » Et, avant la vieillesse et la mort, il place le fait de naître, source de toutes les infirmités et de tous les désastres.

*O*n peut supporter n'importe quelle vérité, si destructrice soit-elle, à condition qu'elle tienne lieu de tout, qu'elle compte autant de vitalité que l'espoir auquel elle s'est substituée.

*J*e ne fais rien, c'est entendu. Mais je *vois* les heures passer — ce qui vaut mieux qu'essayer de les remplir.

*I*l ne faut pas s'astreindre à une œuvre, il faut seulement dire quelque chose qui puisse se murmurer à l'oreille d'un ivrogne ou d'un mourant.

À quel point l'humanité est en régression, rien ne le prouve mieux que l'impossibilité de trouver un seul peuple, une seule tribu, où la naissance provoque encore deuil et lamentations.

S'insurger contre l'hérédité c'est s'insurger contre des milliards d'années, contre la *première* cellule.

*I*l y a un dieu au départ, sinon au bout, de toute joie.

*J*amais à l'aise dans l'immédiat, ne me séduit que ce qui me précède, que ce qui m'éloigne d'ici, les instants sans nombre où je ne fus pas : le non-né.

*B*esoin physique de déshonneur. J'aurais aimé être fils de bourreau.

*D*e quel droit vous mettez-vous à prier pour moi ? Je n'ai pas besoin d'intercesseur, je me débrouillerai *seul*. De la part d'un misérable, j'accepterais peut-être, mais de personne d'autre, fût-ce d'un saint. Je ne puis tolérer qu'on s'inquiète de mon salut. Si je l'appréhende et le fuis, quelle indiscrétion que vos prières! Dirigez-les ailleurs; de toute manière, nous ne sommes pas au service des mêmes dieux. Si les miens sont impuissants, il y a tout lieu de croire que les vôtres ne le sont pas moins. En supposant même qu'ils soient tels que vous les imaginez, il leur manquerait encore le pouvoir de me guérir d'une horreur plus vieille que ma mémoire.

*Q*uelle misère qu'une sensation! L'extase elle-même n'est, *peut-être*, rien de plus.

*D*éfaire, dé-créer, est la seule tâche que l'homme puisse s'assigner, s'il aspire, comme tout l'indique, à se distinguer du Créateur.

*J*e sais que ma naissance est un hasard, un accident risible, et cependant, dès que je m'oublie, je me comporte comme si elle était un événement capital, indispensable à la marche et à l'équilibre du monde.

*A*voir commis tous les crimes, hormis celui d'être père.

*E*n règle générale, les hommes *attendent* la déception: ils savent qu'ils ne doivent pas s'impatienter, qu'elle viendra tôt ou tard, qu'elle leur accordera les délais nécessaires pour qu'ils puissent se livrer à leurs entreprises du moment. Il en va autrement du détrompé: pour lui, elle survient en même temps que l'acte; il n'a pas besoin de la guetter, elle est présente. En s'affranchissant de la succession, il a dévoré le possible et rendu le futur superflu. «Je ne puis vous rencontrer dans *votre* avenir, dit-il aux autres. Nous n'avons pas un seul instant qui nous soit commun.» C'est que pour lui l'ensemble de l'avenir est déjà là.
Lorsqu'on aperçoit la fin dans le commencement, on va plus vite que le temps. L'illumination, déception foudroyante, dispense une certitude qui transforme le détrompé en délivré.

*J*e me délie des apparences et m'y empêtre néanmoins; ou plutôt: je suis à mi-chemin entre ces apparences et *cela* qui les infirme, *cela* qui n'a ni nom ni contenu, *cela* qui est rien et qui est tout. Le pas décisif hors d'elles, je ne le franchirai jamais. Ma nature m'oblige à flotter, à m'éterniser dans l'équivoque, et si je tâchais de trancher dans un sens ou dans l'autre, je périrais par mon salut.

*M*a faculté d'être déçu dépasse l'entendement. C'est elle qui me fait comprendre le Bouddha, mais c'est elle aussi qui m'empêche de le suivre.

*C*e sur quoi nous ne pouvons plus nous apitoyer, ne compte et n'existe plus. On s'aperçoit pourquoi notre passé cesse si vite de nous appartenir pour prendre figure d'histoire, de quelque chose qui ne regarde plus personne.

*A*u plus profond de soi, aspirer à être aussi dépossédé, aussi lamentable que Dieu.

*L*e vrai contact entre les êtres ne s'établit que par la présence muette, par l'apparente non-communication, par l'échange mystérieux et sans parole qui ressemble à la prière intérieure.

*C*e que je sais à soixante, je le savais aussi bien à vingt. Quarante ans d'un long, d'un superflu travail de vérification...

*Q*ue tout soit dépourvu de consistance, de fondement, de justification, j'en suis d'ordinaire si assuré, que, celui qui oserait me contredire, fût-il l'homme que j'estime le plus, m'apparaîtrait comme un charlatan ou un abruti.

*D*ès l'enfance, je percevais l'écoulement des heures, indépendantes de toute référence, de tout acte et de tout événement, la disjonction du temps de ce qui n'était pas lui, son existence autonome, son statut particulier, son empire, sa tyrannie. Je me rappelle on ne peut plus clairement cet après-midi où, pour la première fois, en face de l'univers vacant, je n'étais plus que fuite d'instants rebelles à remplir encore leur fonction propre. Le temps se décollait de l'être *à mes dépens*.

À la différence de Job, je n'ai pas maudit le jour de ma naissance ; les autres jours en revanche, je les ai tous couverts d'anathèmes...

Si la mort n'avait que des côtés négatifs, mourir serait un acte impraticable.

Tout est ; rien n'est. L'une et l'autre formule apportent une égale sérénité. L'anxieux, pour son malheur, reste entre les deux, tremblant et perplexe, toujours à la merci d'une nuance, incapable de s'établir dans la sécurité de l'être ou de l'absence d'être.

Sur cette côte normande, à une heure aussi matinale, je n'avais besoin de personne. La présence des mouettes me dérangeait : je les fis fuir à coups de pierres. Et leurs cris d'une stridence surnaturelle, je compris que c'était justement cela qu'il me fallait, que le sinistre seul pouvait m'apaiser, et que c'est pour le rencontrer que je m'étais levé avant le jour.

Être en vie — tout à coup je suis frappé par l'étrangeté de cette expression, comme si elle ne s'appliquait à personne.

Chaque fois que cela ne va pas et que j'ai pitié de mon cerveau, je suis emporté par une irrésistible envie de *proclamer*. C'est alors que je devine de quels piètres abîmes surgissent réformateurs, prophètes et sauveurs.

*J'*aimerais être libre, éperdument libre. Libre comme un mort-né.

*S'*il entre dans la lucidité tant d'ambiguïté et de trouble, c'est qu'elle est le résultat du mauvais usage que nous avons fait de nos veilles.

La hantise de la naissance, en nous transportant *avant* notre passé, nous fait perdre le goût de l'avenir, du présent et du passé même.

*R*ares sont les jours où, projeté dans la post-histoire, je n'assiste pas à l'hilarité des dieux au sortir de l'épisode humain.

Il faut bien une vision de rechange, quand celle du Jugement ne contente plus personne.

*U*ne idée, un être, n'importe quoi qui s'incarne, perd sa figure, tourne au grotesque. Frustration de l'aboutissement. Ne jamais s'évader du possible, se prélasser en éternel velléitaire, *oublier* de naître.

*L*a véritable, l'unique malchance : celle de voir le jour. Elle remonte à l'agressivité, au principe d'expansion et de rage logé dans les origines, à l'élan vers le pire qui les secoua.

*Q*uand on revoit quelqu'un après de longues années, il faudrait s'asseoir l'un en face de l'autre et ne rien dire pendant des heures, afin qu'à la faveur du silence la consternation puisse se savourer elle-même.

*J*ours miraculeusement frappés de stérilité. Au lieu de m'en réjouir, de crier victoire, de convertir cette sécheresse en fête, d'y voir une illustration de mon accomplissement et de ma maturité, de mon détachement enfin, je me laisse envahir par le dépit et la mauvaise humeur, tant est tenace en nous le vieil homme, la canaille remuante, inapte à s'effacer.

*J*e suis requis par la philosophie hindoue, dont le propos essentiel est de surmonter le moi ; et tout ce que je fais et tout ce que je pense n'est que moi et disgrâces du moi.

*P*endant que nous agissons, nous avons un but ; l'action finie, elle n'a pas plus de réalité pour nous que le but que nous recherchions. Il n'y avait donc rien de bien consistant dans tout cela, ce n'était que du jeu. Mais il en est qui ont conscience de ce jeu *pendant* l'action même : ils vivent la conclusion dans les prémisses, le réalisé dans le virtuel, ils sapent le sérieux par le fait même qu'ils existent.

La vision de la non-réalité, de la carence universelle, est le résultat combiné d'une sensation quotidienne et d'un frisson brusque. *Tout est jeu* — sans cette révélation, la sensation qu'on traîne le long des jours n'aurait pas ce cachet d'évidence dont ont besoin les expériences métaphysiques pour se distinguer de leurs contrefaçons, les *malaises*. Car tout malaise n'est qu'une expérience métaphysique avortée.

*Q*uand on a usé l'intérêt que l'on prenait à la mort, et qu'on se figure n'avoir plus rien à en tirer, on se replie sur la naissance, on se met à affronter un gouffre autrement inépuisable...

*E*n ce moment même, *j'ai mal*. Cet événement, crucial pour moi, est inexistant, voire inconcevable pour le reste des êtres, pour tous les êtres. Sauf pour Dieu, si ce mot peut avoir un sens.

*O*n entend de tous côtés, que si tout est futile, faire bien ce que l'on fait, ne l'est pas. Cela même l'est pourtant. Pour arriver à cette conclusion, et la supporter, il ne faut pratiquer aucun métier, ou tout au plus celui de roi, comme Salomon.

*J*e réagis comme tout le monde et même comme ceux que je méprise le plus ; mais je me rattrape en déplorant tout acte que je commets, bon ou mauvais.

Où sont mes sensations ? Elles se sont évanouies en... moi, et ce moi qu'est-il, sinon la somme de ces sensations évaporées ?

*E*xtraordinaire et *nul* — ces deux adjectifs s'appliquent à un certain acte, et, par suite, à tout ce qui en résulte, à la vie en premier lieu.

*L*a clairvoyance est le seul vice qui rende libre — libre *dans un désert*.

À mesure que les années passent, le nombre décroît de ceux avec lesquels on peut s'entendre. Quand on n'aura plus personne à qui s'adresser, on sera enfin tel qu'on était avant de choir dans un nom.

*Q*uand on se refuse au lyrisme, noircir une page devient une épreuve : à quoi bon écrire pour dire *exactement* ce qu'on avait à dire ?

*I*l est impossible d'accepter d'être jugé par quelqu'un qui a moins souffert que nous. Et comme chacun se croit un Job méconnu...

*J*e rêve d'un confesseur idéal, à qui tout dire, tout avouer, je rêve d'un saint blasé.

*D*epuis des âges et des âges que l'on meurt, le vivant a dû attraper le pli de mourir ; sans quoi on ne s'expliquerait pas pourquoi un insecte ou un rongeur, et l'homme même, parviennent, après quelques simagrées, à crever si dignement.

*L*e paradis n'était pas supportable, sinon le premier homme s'en serait accommodé ; ce monde ne l'est pas davantage, puisqu'on y regrette le paradis ou l'on en escompte un autre. Que faire ? où aller ? Ne faisons rien et n'allons nulle part, tout simplement.

*L*a santé est un bien assurément ; mais à ceux qui la possèdent a été refusée la chance de s'en apercevoir, une santé consciente d'elle-même étant une santé compromise ou sur le point de l'être. Comme nul ne jouit de son absence d'infirmités, on peut parler sans exagération aucune d'une punition *juste* des bien portants.

*C*ertains ont des malheurs ; d'autres, des obsessions. Lesquels sont le plus à plaindre ?

*J*e n'aimerais pas qu'on fût équitable à mon endroit : je pourrais me passer de tout, sauf du tonique de l'injustice.

« *T*out est douleur » — la formule bouddhique, modernisée, donnerait : « Tout est cauchemar. »

Du même coup, le nirvâna, appelé à mettre un terme à un tourment autrement répandu, cesserait d'être un recours réservé à quelques-uns seulement, pour devenir universel comme le cauchemar lui-même.

*Q*u'est-ce qu'une crucifixion unique, auprès de celle, quotidienne, qu'endure l'insomniaque ?

*C*omme je me promenais à une heure tardive dans cette allée bordée d'arbres, une châtaigne tomba à mes pieds. Le bruit qu'elle fit en éclatant, l'écho qu'il suscita en moi, et un saisissement hors de proportion avec cet incident infime, me plongèrent dans le miracle, dans l'ébriété du définitif, comme s'il n'y avait plus de questions, rien que des réponses. J'étais ivre de mille évidences inattendues, dont je ne savais que faire...
C'est ainsi que je faillis toucher au suprême. Mais je crus préférable de continuer ma promenade.

*N*ous n'avouons nos chagrins à un autre que pour le faire souffrir, pour qu'il les prenne à son compte. Si nous voulions nous l'attacher, nous ne lui ferions part que de nos tourments abstraits, les seuls qu'accueillent avec empressement tous ceux qui nous aiment.

*J*e ne me pardonne pas d'être né. C'est comme si, en m'insinuant dans ce monde, j'avais profané un mystère, trahi quelque engagement de taille, commis une faute d'une gravité sans nom. Cependant il m'arrive d'être moins tranchant : naître m'apparaît alors comme une calamité que je serais inconsolable de n'avoir pas connue.

*L*a pensée n'est jamais *innocente*. C'est parce qu'elle est sans pitié, c'est parce qu'elle est agression, qu'elle nous aide à faire sauter nos entraves. Supprimerait-on ce qu'elle a de mauvais et même de démoniaque, qu'il faudrait renoncer au concept même de délivrance.

*L*e moyen le plus sûr de ne pas se tromper est de miner certitude après certitude.
Il n'en demeure pas moins que tout ce qui compte fut fait *en dehors* du doute.

*D*epuis longtemps, depuis toujours, j'ai conscience que l'ici-bas n'est pas ce qu'il me fallait et que je ne saurais m'y faire ; c'est par là, et par là uniquement, que j'ai acquis un rien d'orgueil spirituel, et que mon existence m'apparaît comme la dégradation et l'usure d'un psaume.

*N*os pensées, à la solde de notre panique, s'orientent vers le futur, suivent le chemin de toute crainte, débouchent sur la mort. Et c'est inverser leurs cours, c'est les faire reculer, que de les diriger vers la naissance et de les obliger à s'y fixer. Elles perdent par là même cette vigueur, cette tension inapaisable qui gît au fond de l'horreur de la mort, et qui est utile à nos pensées si elles veulent se dilater, s'enrichir, gagner en force. On comprend alors pourquoi, en parcourant un trajet contraire, elles manquent d'allant, et sont si lasses quand elles butent enfin contre leur frontière primitive, qu'elles n'ont plus d'énergie pour regarder par-delà, vers le jamais-né.

*C*e ne sont pas mes commencements, c'est le commencement qui m'importe. Si je me heurte à ma naissance, à une obsession mineure, c'est faute de pouvoir me colleter avec le premier moment du temps. Tout malaise individuel se ramène, en dernière instance, à un malaise cosmogonique, chacune de nos sensations expiant ce forfait de la sensation primordiale, par quoi l'être se glissa hors d'on ne sait où...

*N*ous avons beau nous préférer à l'univers, nous nous haïssons néanmoins beaucoup plus que nous ne pensons. Si le sage est une apparition tellement insolite, c'est qu'il semble inentamé par l'aversion, qu'à l'égal de tous les êtres, il doit nourrir pour lui-même.

*N*ulle différence entre l'être et le non-être, si on les appréhende avec une égale intensité.

*L*e non-savoir est le fondement de tout, il crée le tout par un acte qu'il répète à chaque instant, il produit ce monde et n'importe quel monde, puisqu'il ne cesse de prendre pour réel ce qui ne l'est pas. Le non-savoir est la gigantesque méprise qui sert de base à toutes nos vérités, le non-savoir est plus ancien et plus puissant que tous les dieux réunis.

*O*n reconnaît à ceci celui qui a des dispositions pour la quête intérieure : il mettra au-dessus de n'importe quelle réussite l'échec, il le cherchera même, inconsciemment s'entend. C'est que l'échec, toujours *essentiel*, nous dévoile à nous-mêmes, il nous permet de nous voir comme Dieu nous voit, alors que le succès nous éloigne de ce qu'il y a de plus intime en nous et en tout.

*I*l fut un temps où le temps n'était pas encore... Le refus de la naissance n'est rien d'autre que la nostalgie de ce temps d'avant le temps.

*J*e pense à tant d'amis qui ne sont plus, et je m'apitoie sur eux. Pourtant ils ne sont pas tellement à plaindre, car ils ont résolu tous les problèmes, en commençant par celui de la mort.

*I*l y a dans le fait de naître une telle absence de nécessité, que lorsqu'on y songe un peu plus que de coutume, faute de savoir comment réagir, on s'arrête à un sourire niais.

*D*eux sortes d'esprits : diurnes et nocturnes. Ils n'ont ni la même méthode ni la même éthique. En plein jour, on se surveille ; dans l'obscurité, on dit tout. Les suites salutaires ou fâcheuses de ce qu'il pense importent peu à celui qui s'interroge aux heures où les autres sont la proie du sommeil. Aussi rumine-t-il sur la déveine d'être né sans se soucier du mal qu'il peut faire à autrui ou à soi-même. Après minuit commence la griserie des vérités pernicieuses.

À mesure qu'on accumule les années, on se forme une image de plus en plus sombre de l'avenir. Est-ce seulement pour se consoler d'en être exclu ? Oui en apparence, non en fait, car l'avenir a toujours été atroce, l'homme ne pouvant remédier à ses maux qu'en les aggravant, de sorte qu'à chaque époque l'existence est bien plus tolérable avant que ne soit trouvée la solution aux difficultés du moment.

*D*ans les grandes perplexités, astreins-toi à vivre comme si l'histoire était close et à réagir comme un monstre rongé par la sérénité.

*S*i, autrefois, devant un mort, je me demandais : « À quoi cela lui a-t-il servi de naître ? », la même question, maintenant, je me la pose devant n'importe quel vivant.

L'appesantissement sur la naissance n'est rien d'autre que le goût de l'insoluble poussé jusqu'à l'insanité.

À l'égard de la mort, j'oscille sans arrêt entre le « mystère » et le « rien du tout », entre les Pyramides et la Morgue.

*I*l est impossible de *sentir* qu'il fut un temps où l'on n'existait pas. D'où cet attachement au personnage qu'on était avant de naître.

« *M*éditez seulement une heure sur l'inexistence du *moi* et vous vous sentirez un autre homme », disait un jour à un visiteur occidental un bonze de la secte japonaise Kousha.
Sans avoir couru les couvents bouddhiques, combien de fois ne me suis-je pas arrêté sur l'irréalité du monde, donc du moi ? Je n'en suis pas devenu un autre homme, non, mais il m'en est resté effectivement ce sentiment que mon moi n'est réel d'aucune façon, et qu'en le perdant je n'ai rien perdu, sauf quelque chose, sauf *tout*.

*A*u lieu de m'en tenir au fait de naître, comme le bon sens m'y invite, je me risque, je me traîne en arrière, je rétrograde de plus en plus vers je ne sais quel commencement, je passe d'origine en origine. Un jour, peut-être, réussirai-je à atteindre l'origine même, pour m'y reposer, ou m'y effondrer.

X m'insulte. Je m'apprête à le gifler. Réflexion faite, je m'abstiens.
Qui suis-je ? quel est mon vrai moi : celui de la réplique ou celui de la reculade ? Ma première réaction est toujours énergique ; la seconde, flasque. Ce qu'on appelle « sagesse » n'est au fond qu'une

perpétuelle «réflexion faite», c'est-à-dire la non-action comme premier mouvement.

*S*i l'attachement est un mal, il faut en chercher la cause dans le scandale de la naissance, car naître c'est s'attacher. Le détachement devrait donc s'appliquer à faire disparaître les traces de ce scandale, le plus grave et le plus intolérable de tous.

*D*ans l'anxiété et l'affolement, le calme soudain à la pensée du fœtus qu'on a été.

*E*n cet instant précis, aucun reproche venu des hommes ou des dieux ne saurait m'atteindre : j'ai aussi bonne conscience que si je n'avais jamais existé.

C'est une erreur de croire à une relation directe entre subir des revers et s'acharner contre la naissance. Cet acharnement a des racines plus profondes et plus lointaines, et il aurait lieu, n'eût-on l'ombre d'un grief contre l'existence. Il n'est même jamais plus virulent que dans les chances extrêmes.

*T*hraces et Bogomiles — je ne puis oublier que j'ai hanté les mêmes parages qu'eux, ni que les uns pleuraient sur les nouveau-nés et que les autres, pour innocenter Dieu, rendaient Satan responsable de l'infamie de la Création.

*D*urant les longues nuits des cavernes, des Hamlet en quantité devaient monologuer sans cesse, car il est permis de supposer que l'apogée du tourment métaphysique se situe bien avant cette fadeur universelle, consécutive à l'avènement de la Philosophie.

L'obsession de la naissance procède d'une exacerbation de la mémoire, d'une omniprésence du passé, ainsi que d'une avidité de l'impasse, de la *première* impasse. — Point d'ouverture, ni partant de joie, qui vienne du révolu mais uniquement du présent, et d'un avenir *émancipé du temps*.

*P*endant des années, en fait pendant une vie, n'avoir pensé qu'aux derniers moments, pour constater, quand on en approche enfin, que cela aura été inutile, que la pensée de la mort aide à tout, sauf à mourir!

*C*e sont nos malaises qui suscitent, qui créent la conscience; leur œuvre une fois accomplie, ils s'affaiblissent et disparaissent l'un après l'autre. La conscience, elle, demeure et leur survit, sans se rappeler ce qu'elle leur doit, sans même l'avoir jamais su. Aussi ne cesse-t-elle de proclamer son autonomie, sa souveraineté, lors même qu'elle se déteste et qu'elle voudrait s'anéantir.

*S*elon la règle de saint Benoît, si un moine devenait fier ou seulement content du travail qu'il faisait, il devait s'en détourner et l'abandonner.
Voilà un danger que ne redoute pas celui qui aura vécu dans l'appétit de l'insatisfaction, dans l'orgie du remords et du dégoût.

S'il est vrai que Dieu répugne à prendre parti, je n'éprouverais nulle gêne en sa présence, tant il me plairait de l'imiter, d'être comme Lui, en tout, un sans-opinion.

*S*e lever, faire sa toilette et puis attendre quelque variété imprévue de cafard ou d'effroi.
Je donnerais l'univers entier et tout Shakespeare, pour un brin d'ataraxie.

*L*a grande chance de Nietzsche d'avoir fini comme il a fini. Dans l'euphorie!

*S*e reporter sans cesse à un monde où rien encore ne s'abaissait à surgir, où l'on pressentait la conscience sans la désirer, où, vautré dans le virtuel, on jouissait de la plénitude nulle d'un moi antérieur au moi...
N'être pas né, rien que d'y songer, quel bonheur, quelle liberté, quel espace!

─────────────── *S*i le dégoût du monde conférait à lui seul la sainteté, je ne vois pas comment je pourrais éviter la canonisation.

*P*ersonne n'aura vécu si près de son squelette que j'ai vécu du mien : il en est résulté un dialogue sans fin et quelques vérités que je n'arrive ni à accepter ni à refuser.

*I*l est plus aisé d'avancer avec des vices qu'avec des vertus. Les vices, accommodants de nature, s'entraident, sont pleins d'indulgence les uns à l'égard des autres, alors que les vertus, jalouses, se combattent et s'annulent, et montrent en tout leur incompatibilité et leur intolérance.

C'est s'emballer pour des bricoles que de croire à ce qu'on fait ou à ce que font les autres. On devrait fausser compagnie aux simulacres et même aux «réalités», se placer en dehors de tout et de tous, chasser ou broyer ses appétits, vivre, selon un adage hindou, avec aussi peu de désirs qu'un «éléphant solitaire».

*J*e pardonne tout à X, à cause de son sourire démodé.

N'est pas humble celui qui se hait.

*C*hez certains, tout, absolument tout, relève de la physiologie : leur corps est leur pensée, leur pensée est leur corps.

*L*e Temps, fécond en ressources, plus inventif et plus charitable qu'on ne pense, possède une remarquable capacité de nous venir en aide, de nous procurer à toute heure quelque humiliation nouvelle.

J'ai toujours cherché les paysages d'avant Dieu. D'où mon faible pour le Chaos.

J'ai décidé de ne plus m'en prendre à personne depuis que j'ai observé que je finis toujours par ressembler à mon dernier ennemi.

*P*endant bien longtemps j'ai vécu avec l'idée que j'étais l'être le plus normal qui fut jamais. Cette idée me donna le goût, voire la passion, de l'improductivité : à quoi bon se faire valoir dans un monde peuplé de fous, enfoncé dans la niaiserie ou le délire ? Pour qui se dépenser et à quelle fin ? Reste à savoir si je me suis entièrement libéré de cette certitude, salvatrice dans l'absolu, ruineuse dans l'immédiat.

*L*es violents sont en général des chétifs, des «crevés». Ils vivent en perpétuelle combustion, aux dépens de leur corps, exactement comme les ascètes, qui, eux, s'exerçant à la quiétude, à la paix, s'y usent et s'y épuisent, autant que des furieux.

*O*n ne devrait écrire des livres que pour y dire des choses qu'on n'oserait confier à personne.

*Q*uand Mâra, le Tentateur, essaie de supplanter le Bouddha, celui-ci lui dit entre autres : «De quel droit prétends-tu régner sur les hommes et sur l'univers ? *Est-ce que tu as souffert pour la connaissance ?*»
C'est la question capitale, peut-être unique, que l'on devrait se poser lorsqu'on s'interroge sur n'importe qui, principalement sur un penseur. On ne saurait assez faire le départ entre ceux qui ont payé pour le moindre pas vers la connaissance et ceux, incomparablement plus nombreux, à qui fut départi un savoir commode, indifférent, un savoir *sans épreuves*.

*O*n dit : Tel n'a pas de talent, il n'a qu'un ton. Mais le ton est justement ce qu'on ne saurait inventer, avec quoi on naît. C'est une grâce héritée, le privilège qu'ont certains de faire sentir leur pulsation organique, le ton c'est plus que le talent, c'en est l'essence.

*L*e même sentiment d'inappartenance, de jeu inutile, où que j'aille : je feins de m'intéresser à ce qui ne m'importe guère, je me trémousse par automatisme ou par charité, sans jamais être dans le coup, sans jamais être quelque part. Ce qui m'attire est ailleurs, et cet ailleurs je ne sais ce qu'il est.

*P*lus les hommes s'éloignent de Dieu, plus ils avancent dans la connaissance des religions.

« ... *M*ais Elohim sait que, le jour où vous en mangerez, vos yeux s'ouvriront. »
À peine se sont-ils ouverts, que le drame commence. Regarder *sans comprendre*, c'est cela le paradis. L'enfer serait donc le lieu où l'on comprend, où l'on comprend trop...

*J*e ne m'entends tout à fait bien avec quelqu'un que lorsqu'il est au plus bas de lui-même et qu'il n'a ni le désir ni la force de réintégrer ses illusions habituelles.

*E*n jugeant sans pitié ses contemporains, on a toutes chances de faire, aux yeux de la postérité, figure d'esprit clairvoyant. Du même coup on renonce au côté hasardeux de l'admiration, aux risques merveilleux qu'elle suppose. Car l'admiration est une aventure, la plus imprévisible qui soit parce qu'il peut arriver qu'elle finisse bien.

*L*es idées viennent en marchant, disait Nietzsche. La marche dissipe la pensée, professait Sankara. Les deux thèses sont également fondées, donc également vraies, et chacun peut s'en assurer dans l'espace d'une heure, parfois d'une minute...

*A*ucune espèce d'originalité littéraire n'est encore possible si on ne torture, si on ne broie pas le langage. Il en va autrement si l'on s'en tient à l'expression de l'idée comme telle. On se trouve là dans un secteur où les exigences n'ont pas varié depuis les présocratiques.

*Q*ue ne peut-on remonter avant le concept, écrire à même les sens, enregistrer les variations infimes de ce qu'on touche, faire ce que ferait un reptile s'il se mettait à l'ouvrage!

*T*out ce que nous pouvons avoir de bon vient de notre indolence, de notre incapacité de passer à l'acte, de mettre à exécution nos projets et nos desseins. C'est l'impossibilité ou le refus de nous réaliser qui entretient nos «vertus», et c'est la volonté de donner notre maximum qui nous porte aux excès et aux dérèglements.

*C*e «glorieux délire», dont parle Thérèse d'Avila pour marquer une des phases de l'union avec Dieu, c'est ce qu'un esprit desséché, forcément jaloux, ne pardonnera jamais à un mystique.

*P*as un seul instant où je n'aie été conscient de me trouver hors du Paradis.

N'est profond, n'est véritable que ce que l'on cache. D'où la force des sentiments vils.

*A*ma nesciri, dit l'*Imitation*. Aime à être ignoré. On n'est content de soi et du monde que lorsqu'on se conforme à ce précepte.

*L*a valeur intrinsèque d'un livre ne dépend pas de l'importance du sujet (sans quoi les théologiens l'emporteraient, et de loin), mais de la manière d'aborder l'accidentel et l'insignifiant, de maîtriser l'infime. L'*essentiel* n'a jamais exigé le moindre talent.

*L*e sentiment d'avoir dix mille ans de retard, ou d'avance, sur les autres, d'appartenir aux débuts ou à la fin de l'humanité...

*L*a négation ne sort jamais d'un raisonnement mais d'on ne sait quoi d'obscur et d'ancien. Les arguments viennent après, pour la justifier et l'étayer. Tout *non* surgit du sang.

À la faveur de l'érosion de la mémoire, se *rappeler* les premières initiatives de la matière et le risque de vie qui s'en est suivi...

*T*outes les fois que je ne songe pas à la mort, j'ai l'impression de tricher, de tromper quelqu'un en moi.

*I*l est des nuits que le plus ingénieux des tortionnaires n'aurait pu inventer. On en sort en miettes, stupide, égaré, sans souvenirs ni pressentiments, et sans même savoir qui on est. Et c'est alors que le jour paraît inutile, la lumière pernicieuse, et plus oppressante encore que les ténèbres.

*U*n puceron conscient aurait à braver exactement les mêmes difficultés, le même genre d'insoluble que l'homme.

*I*l vaut mieux être animal qu'homme, insecte qu'animal, plante qu'insecte, et ainsi de suite. Le salut? Tout ce qui amoindrit le règne de la conscience et en compromet la suprématie.

J'ai tous les défauts des autres et cependant tout ce qu'ils font me paraît inconcevable.

À regarder les choses selon la nature, l'homme a été fait pour vivre tourné vers l'extérieur. S'il veut voir en lui-même, il lui faut fermer les yeux, renoncer à entreprendre, sortir du courant. Ce qu'on appelle «vie intérieure» est un phénomène tardif qui n'a été possible que par un ralentissement de nos activités vitales, «l'âme» n'ayant pu émerger ni s'épanouir qu'aux dépens du bon fonctionnement des organes.

*L*a moindre variation atmosphérique remet en cause mes projets, je n'ose dire mes convictions. Cette forme de dépendance, la plus humiliante qui soit, ne laisse pas de m'abattre, en même temps qu'elle dissipe le peu d'illusions qui me restaient sur mes possibilités d'être libre, et sur la liberté tout court. À quoi bon se rengorger si on est à la merci de l'Humide et du Sec? On souhaiterait esclavage moins lamentable, et des dieux d'un autre acabit.

*C*e n'est pas la peine de se tuer, puisqu'on se tue toujours trop tard.

*Q*uand on sait de façon absolue que tout est irréel, on ne voit vraiment pas pourquoi on se fatiguerait à le prouver.

À mesure qu'elle s'éloigne de l'aube et qu'elle avance dans la journée, la lumière se prostitue, et ne se rachète — éthique du crépuscule — qu'au moment de disparaître.

*D*ans les écrits bouddhiques, il est souvent question de «l'abîme de la naissance». Elle est bien un abîme, un gouffre, où l'on ne tombe pas, d'où au contraire l'on émerge, au plus grand dam de chacun.

À des intervalles de plus en plus espacés, accès de gratitude envers Job et Chamfort, envers la vocifération et le vitriol...

*C*haque opinion, chaque vue est nécessairement partielle, tronquée, insuffisante. En philosophie et en n'importe quoi, l'originalité se ramène à des définitions incomplètes.

À bien considérer nos actes dits généreux, il n'en est aucun qui, par un certain côté, ne soit blâmable et même nuisible, de nature à nous inspirer le regret de l'avoir exécuté, si bien que nous n'avons à opter en définitive qu'entre l'abstention et le remords.

*L*a force explosive de la moindre mortification. Tout désir vaincu rend puissant. On a d'autant plus de prise sur ce monde qu'on s'en éloigne, qu'on n'y adhère pas. Le renoncement confère un pouvoir infini.

*M*es déceptions, au lieu de converger vers un centre et de se constituer, sinon en système, tout au moins en un ensemble, se sont éparpillées, chacune se croyant unique et se perdant ainsi, faute d'organisation.

*S*eules réussissent les philosophies et les religions qui nous flattent, que ce soit au nom du progrès ou de l'enfer. Damné ou non, l'homme éprouve un besoin absolu d'être au cœur de tout. C'est même uniquement pour cette raison qu'il est homme, qu'il est *devenu* homme. Et si un jour il ne ressentait plus ce besoin, il lui faudrait s'effacer au profit d'un autre animal plus orgueilleux et plus fou.

*I*l répugnait aux vérités objectives, à la corvée de l'argumentation, aux raisonnements soutenus. Il n'aimait pas démontrer, il ne tenait à convaincre personne. *Autrui* est une invention de dialecticien.

*P*lus on est lésé par le temps, plus on veut y échapper. Écrire une page sans défaut, une phrase seulement, vous élève au-dessus du devenir et de ses corruptions. On transcende la mort par la recherche de l'indestructible à travers le verbe, à travers le symbole même de la caducité.

*A*u plus vif d'un échec, au moment où la honte menace de nous terrasser, tout à coup nous emporte une frénésie d'orgueil, qui ne dure pas longtemps, juste assez pour nous vider, pour nous laisser sans énergie, pour faire baisser, avec nos forces, l'intensité de notre honte.

*S*i la mort est aussi horrible qu'on le prétend, comment se fait-il qu'au bout d'un certain temps nous estimons *heureux* n'importe quel être, ami ou ennemi, qui a cessé de vivre ?

*P*lus d'une fois, il m'est arrivé de sortir de chez moi, parce que si j'y étais resté, je n'étais pas sûr de pouvoir résister à quelque résolution *soudaine*. La rue est plus rassurante, parce qu'on y pense moins à soi-même, et que tout s'y affaiblit et s'y dégrade, en commençant par le désarroi.

C'est le propre de la maladie de veiller quand tout dort, quand tout se repose, même le malade.

*J*eune, on prend un certain plaisir aux infirmités. Elles semblent si nouvelles, si riches! Avec l'âge, elles ne surprennent plus, on les connaît trop. Or, sans un soupçon d'imprévu, elles ne méritent pas d'être endurées.

*D*ès qu'on fait appel au plus intime de soi, et qu'on se met à œuvrer et à se manifester, on s'attribue des dons, on devient insensible à ses propres lacunes. Nul n'est à même d'admettre que ce qui surgit de ses profondeurs pourrait ne rien valoir. La «connaissance de soi»? Une contradiction dans les termes.

*T*ous ces poèmes où il n'est question que du Poème, toute une poésie qui n'a d'autre matière qu'elle-même. Que dirait-on d'une prière dont l'objet serait la religion?

L'esprit qui met tout en question en arrive, au bout de mille interrogations, à une veulerie quasi totale, à une situation que le veule précisément connaît d'emblée, par instinct. Car la veulerie, qu'est-elle sinon une perplexité congénitale?

*Q*uelle déception qu'Épicure, le sage dont j'ai le plus besoin, ait écrit plus de trois cents traités! Et quel soulagement qu'ils se soient perdus!

— *Q*ue faites-vous du matin au soir?
— Je me subis.

*M*ot de mon frère à propos des troubles et des maux qu'endura notre mère : «La vieillesse est l'autocritique de la nature.»

«*I*l faut être ivre ou fou, disait Sieyès, pour bien parler dans les langues connues.»

Il faut être ivre ou fou, ajouterai-je, pour oser encore se servir de mots, de n'importe quel mot.

*L*e fanatique du cafard elliptique est appelé à exceller dans n'importe quelle carrière, sauf dans celle d'écrivain.

*A*yant toujours vécu avec la crainte d'être surpris par le pire, j'ai, en toute circonstance, essayé de prendre les devants, en me jetant dans le malheur bien avant qu'il ne survînt.

*O*n ne jalouse pas ceux qui ont la faculté de prier, alors qu'on est plein d'envie pour les possesseurs de biens, pour ceux qui connaissent richesse et gloire. Il est étrange qu'on se résigne au salut d'un autre, et non à quelques avantages fugitifs dont il peut jouir.

*J*e n'ai pas rencontré un seul esprit *intéressant* qui n'ait été largement pourvu en déficiences inavouables.

*I*l n'est pas d'art vrai sans une forte dose de banalité. Celui qui use de l'insolite d'une manière constante lasse vite, rien n'étant plus insupportable que l'uniformité de l'exceptionnel.

L'inconvénient de pratiquer une langue d'emprunt est de n'avoir pas le droit d'y faire trop de fautes. Or, c'est en cherchant l'incorrection sans pourtant en abuser, c'est en frôlant à chaque moment le solécisme, qu'on donne une apparence de vie à l'écriture.

*C*hacun croit, d'une façon inconsciente s'entend, qu'il poursuit seul la vérité, que les autres sont incapables de la rechercher et indignes de l'atteindre. Cette folie est si enracinée et si utile, qu'il est impossible de se représenter ce qu'il adviendrait de chacun de nous, si elle disparaissait un jour.

*L*e premier penseur fut sans nul doute le premier maniaque du *pourquoi*. Manie inhabituelle, nullement contagieuse. Rares en effet sont ceux qui en souffrent, qui sont rongés par l'interrogation, et qui ne peuvent accepter aucune donnée parce qu'ils sont nés dans la consternation.

*É*tre objectif, c'est traiter l'autre comme on traite un objet, un macchabée, c'est se comporter à son égard en croque-mort.

*C*ette seconde-ci a disparu pour toujours, elle s'est perdue dans la masse anonyme de l'irrévocable. Elle ne reviendra jamais. J'en souffre et n'en souffre pas. Tout est unique — et insignifiant.

*E*mily Brontë. Tout ce qui émane d'Elle a la propriété de me bouleverser. Haworth est mon lieu de pèlerinage.

*L*onger une rivière, passer, couler avec l'eau, sans effort, sans précipitation, tandis que la mort continue en nous ses ruminations, son soliloque ininterrompu.

*D*ieu seul a le privilège de nous abandonner. Les hommes ne peuvent que nous lâcher.

*S*ans la faculté d'oublier, notre passé pèserait d'un poids si lourd sur notre présent que nous n'aurions pas la force d'aborder un seul instant de plus, et encore moins d'y entrer. La vie ne paraît supportable qu'aux natures légères, à celles précisément qui ne se souviennent pas.

*P*lotin, raconte Porphyre, avait le don de lire dans les âmes. Un jour, sans autre préambule, il dit à son disciple, grandement surpris, de ne pas tenter de se tuer et d'entreprendre plutôt un voyage. Porphyre partit pour la Sicile : il s'y guérit de sa mélancolie mais, ajoute-t-il plein de regret, il manqua ainsi la mort de son maître, survenue pendant son absence.
Il y a longtemps que les philosophes ne lisent plus dans les âmes. Ce n'est pas leur métier, dira-t-on. C'est possible. Mais aussi qu'on ne s'étonne pas s'ils ne nous importent plus guère.

*U*ne œuvre n'existe que si elle est préparée dans l'ombre avec l'attention, avec le soin de l'assassin qui médite son coup. Dans les deux cas, ce qui prime, c'est la volonté de *frapper*.

*L*a connaissance de soi, la plus amère de toutes, est aussi celle que l'on cultive le moins : à quoi bon se surprendre du matin au soir en flagrant délit d'illusion, remonter sans pitié à la racine de chaque acte, et perdre cause après cause devant son propre tribunal ?

*T*outes les fois que j'ai un trou de mémoire, je pense à l'angoisse que doivent ressentir ceux qui *savent* qu'ils ne se souviennent plus de rien. Mais quelque chose me dit qu'au bout d'un certain temps une joie secrète les possède, qu'ils n'accepteraient d'échanger contre aucun de leurs souvenirs, même le plus exaltant.

*S*e prétendre plus détaché, plus étranger à tout que n'importe qui, et n'être qu'un forcené de l'indifférence !

*P*lus on est travaillé pas des impulsions contradictoires, moins on sait à laquelle céder. *Manquer de caractère*, c'est cela et rien d'autre.

*L*e temps pur, le temps décanté, libéré d'événements, d'êtres et de choses, ne se signale qu'à certains moments de la nuit, quand vous le sentez avancer, avec l'unique souci de vous entraîner vers une catastrophe exemplaire.

*S*entir brusquement qu'on en sait autant que Dieu sur toutes choses et tout aussi brusquement voir disparaître cette sensation.

*L*es penseurs de première main méditent sur des choses; les autres, sur des problèmes. Il faut vivre face à l'être, et non face à l'esprit.

« *Q*u'attends-tu pour te rendre ? » — Chaque maladie nous envoie une sommation déguisée en interrogation. Nous faisons la sourde oreille, tout en pensant que la farce est par trop usée, et que la prochaine fois il faudra avoir enfin le courage de capituler.

*P*lus je vais, moins je réagis au délire. Je n'aime plus, parmi les penseurs, que les volcans refroidis.

*J*eune, je m'ennuyais à mourir, mais je croyais en moi. Si je n'avais pas le pressentiment du personnage falot que j'allais devenir, je savais en revanche que, quoi qu'il advînt, la Perplexité ne me laisserait pas en plan, qu'elle veillerait sur mes années avec l'exactitude et le zèle de la Providence.

*S*i l'on pouvait se voir avec les yeux des autres, on disparaîtrait sur-le-champ.

*J*e disais à un ami italien que les Latins sont *sans secret*, car trop ouverts, trop bavards, que je leur préfère les peuples ravagés par la timidité, et qu'un écrivain qui ne la connaît pas dans la vie ne vaut rien dans ses écrits. « C'est vrai, me répondit-il. Quand, dans nos livres, nous relatons nos expériences, cela manque d'intensité et de prolongements, car nous les avons racontées cent fois auparavant. » Et là-dessus nous parlâmes de la littérature féminine, de son absence de mystère dans les pays où ont sévi les salons et le confessionnal.

*O*n ne devrait pas, a remarqué je ne sais plus qui, se priver du « plaisir de la piété ».
A-t-on jamais justifié d'une manière plus délicate la religion ?

*C*ette envie de réviser ses emballements, de changer d'idoles, de prier *ailleurs*...

S'étendre dans un champ, humer la terre et se dire qu'elle est bien le terme et l'espoir de nos accablements, et qu'il serait vain de chercher quelque chose de mieux pour se reposer et se dissoudre.

*Q*uand il m'arrive d'être occupé, je ne pense pas un instant au « sens » de quoi que ce soit, et encore moins, il va sans dire, de ce que je suis en train de faire. Preuve que le secret de tout réside dans l'acte et non dans l'abstention, cause funeste de la conscience.

*L*a physionomie de la peinture, de la poésie, de la musique, dans un siècle ? Nul ne peut se la figurer. Comme après la chute d'Athènes ou de Rome, une longue pause interviendra, à cause de l'exténuation des moyens d'expression, ainsi que de l'exténuation de la conscience elle-même. L'humanité, pour renouer avec le passé, devra s'inventer une seconde naïveté, sans quoi elle ne pourra jamais recommencer les arts.

*D*ans une des chapelles de cette église laide à souhait, on voit la Vierge se dressant avec son Fils au-dessus du globe terrestre. Une secte agressive qui a miné et conquis un empire et en a hérité les tares, en commençant par le gigantisme.

*I*l est dit dans le *Zohar,* « Dès que l'homme a paru aussitôt out paru les fleurs. »
Je croirais plutôt qu'elles étaient là bien avant lui, et que sa venue les plongea toutes dans une stupéfaction dont elles ne sont pas encore revenues.

*I*l est impossible de lire une ligne de Kleist, sans penser qu'il s'est tué. C'est comme si son suicide avait précédé son œuvre.

*E*n Orient, les penseurs occidentaux les plus curieux, les plus étranges, n'auraient jamais été pris au sérieux, à cause de leurs contradictions. Pour nous, c'est là précisément que réside la raison de l'intérêt que nous leur portons. Nous n'aimons pas une pensée, mais les péripéties, la *biographie* d'une pensée, les incompatibilités et les aberrations qui s'y trouvent, en somme les esprits qui, ne sachant comment se mettre en règle avec les autres et encore moins avec eux-mêmes, trichent autant par caprice que par fatalité. Leur marque distinctive? Un soupçon de feinte dans le tragique, un rien de jeu jusque dans l'incurable...

*S*i, dans ses *Fondations*, Thérèse d'Avila s'arrête longuement sur la mélancolie, c'est parce qu'elle la trouve inguérissable. Les médecins, dit-elle, n'y peuvent rien, et la supérieure d'un couvent, en présence de malades de ce genre, n'a qu'un recours : leur inspirer la crainte de l'autorité, les menacer, leur faire peur. La méthode que préconise la sainte reste encore la meilleure : en face d'un «dépressif», on sent bien que seuls seraient efficaces les coups de pied, les gifles, un bon passage à tabac. Et c'est d'ailleurs ce que fait ce «dépressif» lui-même quand il décide d'en finir : il emploie les grands moyens.

*P*ar rapport à n'importe quel acte de la vie, l'esprit joue le rôle de trouble-fête.

*L*es éléments, fatigués de ressasser un thème éculé, dégoûtés de leurs combinaisons toujours les mêmes, sans variation ni surprise, on les imagine très bien cherchant quelque divertissement : la vie ne serait qu'une digression, qu'une anecdote...

*T*out ce qui se fait me semble pernicieux et, dans le meilleur des cas, inutile. À la rigueur, je peux m'agiter mais je ne peux agir. Je comprends bien, trop bien, le mot de Wordsworth sur Coleridge : *Eternal activity without action*.

*T*outes les fois que quelque chose me semble encore possible, j'ai l'impression d'avoir été ensorcelé.

L'unique confession sincère est celle que nous faisons indirectement — en parlant des autres.

*N*ous n'adoptons pas une croyance parce qu'elle est vraie (elles le sont toutes), mais parce qu'une force obscure nous y pousse. Que cette force vienne à nous quitter, et c'est la prostration et le krach, le tête-à-tête avec ce qui reste de nous-même.

«*C*'est le propre de toute forme parfaite que l'esprit s'en dégage de façon immédiate et directe, tandis que la forme vicieuse le retient prisonnier, tel un mauvais miroir qui ne nous rappelle rien d'autre que lui-même.»
En faisant cet éloge — si peu allemand — de la limpidité, Kleist n'avait pas songé spécialement à la philosophie, ce n'est en tout cas pas elle qu'il visait; il n'empêche que c'est la meilleure critique qu'on ait faite du jargon philosophique, pseudo-langage qui, voulant refléter des idées, ne réussit qu'à prendre du relief à leurs dépens, qu'à les dénaturer et à les obscurcir, qu'à se mettre lui-même en valeur. Par une des usurpations les plus affligeantes, le mot est devenu vedette dans un domaine où il devrait être imperceptible.

«*Ô* Satan, mon Maître, je me donne à toi pour toujours!» — Que je regrette de n'avoir pas retenu le nom de la religieuse qui, ayant écrit cela avec un clou trempé dans son sang, mériterait de figurer dans une anthologie de la prière et du laconisme!

*L*a conscience est bien plus que l'écharde, elle est le *poignard* dans la chair.

*I*l y a de la férocité dans tous les états, sauf dans la joie. Le mot *Schadenfreude*, joie maligne, est un contresens. Faire le mal est un plaisir, non une joie. La joie, seule vraie victoire sur le monde, est pure dans son essence, elle est donc irréductible au plaisir, toujours suspect et en lui-même et dans ses manifestations.

*U*ne existence constamment transfigurée par l'échec.

*L*e sage est celui qui consent à tout, parce qu'il ne s'identifie avec rien. Un opportuniste *sans désirs*.

*J*e ne connais qu'une vision de la poésie qui soit entièrement satisfaisante : c'est celle d'Emily Dickinson quand elle dit qu'en présence d'un vrai poème elle est saisie d'un tel froid qu'elle a l'impression que plus aucun feu ne pourra la réchauffer.

*L*e grand tort de la nature est de n'avoir pas su se borner à un seul règne. À côté du végétal, tout paraît inopportun, mal venu. Le soleil aurait dû bouder à l'avènement du premier insecte, et déménager à l'irruption du chimpanzé.

*S*i, à mesure qu'on vieillit, on fouille de plus en plus son propre passé au détriment des «problèmes», c'est sans doute parce qu'il est plus facile de remuer des souvenirs que des idées.

*L*es derniers auxquels nous pardonnons leur infidélité à notre égard sont ceux que nous avons déçus.

*C*e que les autres font, nous avons toujours l'impression que nous pourrions le faire mieux. Nous n'avons malheureusement pas le même sentiment à l'égard de ce que nous faisons nous-mêmes.

«*J*'étais Prophète, nous avertit Mahomet, quand Adam était encore entre l'eau et l'argile.»
... Quand on n'a pas eu l'orgueil de fonder une religion — ou tout au moins d'en ruiner une — comment ose-t-on se montrer à la lumière du jour ?

*L*e détachement ne s'apprend pas : il est inscrit dans une civilisation. On n'y tend pas, on le découvre en soi. C'est ce que je me disais en lisant qu'un missionnaire, au Japon depuis dix-huit ans, ne pouvait compter, en tout et pour tout, que soixante convertis, âgés par-dessus le marché. Encore lui échappèrent-ils au dernier moment : ils moururent à la manière nippone, sans remords, sans tourments, en dignes descendants de leurs ancêtres qui, pour s'aguerrir au temps des luttes contre les Mongols, se laissaient imprégner du néant de toutes choses et de leur propre néant.

*O*n ne peut ruminer sur l'éternité qu'allongé. Elle a été pendant une période considérable le souci principal des Orientaux : n'affectionnaient-ils pas la position horizontale ?
Dès qu'on s'étend, le temps cesse de couler, et de compter. L'histoire est le produit d'une engeance *debout*.
En tant qu'animal vertical, l'homme devait prendre l'habitude de regarder devant soi, non seulement dans l'espace mais encore dans le temps. À quelle piètre origine remonte l'Avenir !

*T*out misanthrope, si sincère soit-il, rappelle par moments ce vieux poète cloué au lit et complètement oublié, qui, furieux contre ses contemporains, avait décrété qu'il ne voulait plus en recevoir aucun. Sa femme, par charité, allait sonner de temps en temps à la porte.

*U*n ouvrage est fini quand on ne peut plus l'améliorer, bien qu'on le sache insuffisant et incomplet. On en est tellement excédé, qu'on n'a plus le courage d'y ajouter une seule virgule, fût-elle indispensable. Ce qui décide du degré d'achèvement d'une œuvre, ce n'est nullement une exigence d'art ou de vérité, c'est la fatigue et, plus encore, le dégoût.

*A*lors que la moindre phrase qu'on doit écrire exige un simulacre d'invention, il suffit en revanche d'un peu d'attention pour entrer dans un texte, même difficile. Griffonner une carte postale se rapproche plus d'une activité créatrice que lire la *Phénoménologie de l'esprit*.

*L*e bouddhisme appelle la colère « souillure de l'esprit »; le manichéisme, « racine de l'arbre de mort ».
Je le sais. Mais à quoi me sert-il de le savoir ?

*E*lle m'était complètement indifférente. Songeant tout à coup, après tant d'années, que, quoi qu'il arrive, je ne la reverrai plus jamais, j'ai failli me trouver mal. Nous ne comprenons ce qu'est la mort qu'en nous rappelant soudain la figure de quelqu'un qui n'aura été rien pour nous.

À mesure que l'art s'enfonce dans l'impasse, les artistes se multiplient. Cette anomalie cesse d'en être une, si l'on songe que l'art, en voie d'épuisement, est devenu à la fois impossible et facile.

*N*ul n'est responsable de ce qu'il est ni même de ce qu'il fait. Cela est évident et tout le monde en convient plus ou moins. Pourquoi alors célébrer ou dénigrer? Parce qu'exister équivaut à évaluer, à émettre des jugements, et que l'abstention, quand elle n'est pas l'effet de l'apathie ou de la lâcheté, exige un effort que personne n'entend fournir.

*T*oute forme de hâte, même vers le bien, trahit quelque dérangement mental.

*L*es pensées les moins impures sont celles qui surgissent entre nos tracas, dans les intervalles de nos ennuis, dans ces moments de luxe que s'offre notre misère.

*L*es douleurs imaginaires sont de loin les plus réelles, puisqu'on en a un besoin constant et qu'on les invente parce qu'il n'y a pas moyen de s'en passer.

*S*i c'est le propre du sage de ne rien faire d'inutile, personne ne me surpassera en sagesse : je ne m'abaisse pas même aux choses utiles.

*I*mpossible d'imaginer un animal dégradé, un sous-animal.

*S*i on avait pu naître avant l'homme !

J'ai beau faire, je n'arrive pas à mépriser tous ces siècles pendant lesquels on ne s'est employé à rien d'autre qu'à mettre au point une définition de Dieu.

*L*a façon la plus efficace de se soustraire à un abattement motivé ou gratuit, est de prendre un dictionnaire, de préférence d'une langue que l'on connaît à peine, et d'y chercher des mots et des mots, en faisant bien attention qu'ils soient de ceux dont on ne se servira jamais...

*T*ant qu'on vit en deçà du terrible, on trouve des mots pour l'exprimer ; dès qu'on le connaît du dedans, on n'en trouve plus aucun.

*I*l n'y a pas de chagrin limite.

*L*es inconsolations de toute sorte passent, mais le fond dont elles procèdent subsiste toujours, et rien n'a de prise sur lui. Il est inattaquable et inaltérable. Il est notre *fatum*.

*S*e souvenir, et dans la fureur et dans la désolation, que la nature, comme dit Bossuet, ne consentira pas à nous laisser longtemps « ce peu de matière qu'elle nous prête ».
« Ce peu de matière » — à force d'y penser on en arrive au calme, à un calme, il est vrai, qu'il vaudrait mieux n'avoir jamais connu.

*L*e paradoxe n'est pas de mise aux enterrements, ni du reste aux mariages ou aux naissances. Les événements sinistres — ou grotesques — exigent le lieu commun, le terrible, comme le pénible, ne s'accommodant que du cliché.

*S*i détrompé qu'on soit, il est impossible de vivre sans aucun espoir. On en garde toujours un, à son insu, et cet espoir inconscient compense tous les autres, explicites, qu'on a rejetés ou épuisés.

*P*lus quelqu'un est chargé d'années, plus il parle de sa disparition comme d'un événement lointain, hautement improbable. Il a tellement attrapé le pli de la vie, qu'il en est devenu inapte à la mort.

*U*n aveugle, véritable pour une fois, tendait la main : dans son attitude, dans sa rigidité, il y avait quelque chose qui vous saisissait, qui vous coupait la respiration. Il vous passait sa cécité.

*N*ous ne pardonnons qu'aux enfants et aux fous d'être francs avec nous : les autres, s'ils ont l'audace de les imiter, s'en repentiront tôt ou tard.

*P*our être «heureux», il faudrait constamment avoir présente à l'esprit l'image des malheurs auxquels on a échappé. Ce serait là pour la mémoire une façon de se racheter, vu que, ne conservant d'ordinaire que les malheurs survenus, elle s'emploie à saboter le bonheur et qu'elle y réussit à merveille.

*A*près une nuit blanche, les passants paraissent des automates. Aucun n'a l'air de respirer, de marcher. Chacun semble mû par un ressort : rien de spontané ; sourires mécaniques, gesticulations de spectres. Spectre toi-même, comment dans les autres verrais-tu des vivants ?

*Ê*tre stérile — avec tant de sensations ! Perpétuelle poésie sans mots.

*L*a fatigue pure, sans cause, la fatigue qui survient comme un cadeau ou un fléau : c'est par elle que je réintègre mon moi, que je me sais «moi». Dès qu'elle s'évanouit, je ne suis plus qu'un objet inanimé.

*T*out ce qui est encore vivant dans le folklore vient d'avant le christianisme. — Il en est de même de tout ce qui est vivant en chacun de nous.

*C*elui qui redoute le ridicule n'ira jamais loin en bien ni en mal, il restera en deçà de ses talents, et lors même qu'il aurait du génie, il serait encore voué à la médiocrité.

«*A*u milieu de vos activités les plus intenses, arrêtez-vous un moment pour "regarder" votre esprit», — cette recommandation ne s'adresse certainement pas à ceux qui «regardent» leur esprit nuit et jour, et qui de ce fait n'ont pas à suspendre un instant leurs activités, pour la bonne raison qu'ils n'en déploient aucune.

*N*e dure que ce qui a été conçu dans la solitude, *face à Dieu*, que l'on soit croyant ou non.

*L*a passion de la musique est déjà en elle-même un *aveu*. Nous en savons plus long sur un inconnu qui s'y adonne que sur quelqu'un qui y est insensible et que nous côtoyons tous les jours.

*P*oint de méditation sans un penchant au ressassement.

*T*ant que l'homme était à la remorque de Dieu, il avançait lentement, si lentement qu'il ne s'en apercevait même pas. Depuis qu'il ne vit plus dans l'ombre de personne, il se dépêche, et s'en désole, et donnerait n'importe quoi pour retrouver l'ancienne cadence.

*N*ous avons perdu en naissant autant que nous perdrons en mourant. Tout.

*S*atiété — je viens à l'instant de prononcer ce mot, et déjà je ne sais plus à propos de quoi, tant il s'applique à tout ce que je ressens et pense, à tout ce que j'aime et déteste, à la satiété elle-même.

*J*e n'ai tué personne, j'ai fait mieux : j'ai tué le Possible, et, tout comme Macbeth, ce dont j'ai le plus besoin est de prier, mais, pas plus que lui, je ne peux dire *Amen*.

IV

*D*istribuer des coups dont aucun ne porte, attaquer tout le monde sans que personne s'en aperçoive, lancer des flèches dont on est seul à recevoir le poison !

X, que j'ai toujours traité aussi mal que possible, ne m'en veut pas parce qu'il n'en veut à personne. Il pardonne toutes les injures, il ne se souvient d'aucune. Que je l'envie ! Pour l'égaler, il me faudrait parcourir plusieurs existences, et épuiser toutes mes possibilités de transmigration.

*D*u temps que je partais en vélo pour des mois à travers la France, mon plus grand plaisir était de m'arrêter dans des cimetières de campagne, de m'allonger entre deux tombes, et de fumer ainsi des heures durant. J'y pense comme à l'époque la plus active de ma vie.

*C*omment se dominer, comment être maître de soi, quand on vient d'une contrée où l'on rugit aux enterrements ?

*C*ertains matins, à peine ai-je mis le pied dehors, que j'entends des voix qui m'appellent par mon nom. Suis-je vraiment moi ? Est-ce bien mon nom ? C'est lui, en effet, il remplit l'espace, il est sur les lèvres des passants. Tous l'articulent, même cette femme dans la cabine voisine, au bureau de poste.
Les veilles dévorent nos derniers restes de bon sens et de modestie, et elles nous feraient perdre la raison, si la peur du ridicule ne venait nous sauver.

*M*a curiosité et ma répulsion, ma terreur aussi devant son regard d'huile et de métal, devant son obséquiosité, sa ruse sans vernis, son hypocrisie étrangement non voilée, ses continuelles et évidentes dissimulations, devant ce mélange de canaille et de fou. Imposture et infamie en pleine lumière. Son insincérité est perceptible dans tous ses gestes, dans toutes ses paroles. Le mot n'est pas exact, car être insincère c'est cacher la vérité, c'est la connaître, mais en lui nulle trace, nulle idée, nul soupçon de vérité, ni de mensonge d'ailleurs, rien, sinon une âpreté immonde, une démence *intéressée...*

*V*ers minuit une femme en pleurs m'aborde dans la rue : « Ils ont zigouillé mon mari, la France est dégueulasse, heureusement que je suis bretonne, ils m'ont enlevé mes enfants, ils m'ont droguée pendant six mois... » Ne m'étant pas aperçu tout de suite qu'elle était folle, tant son chagrin paraissait réel (et, en un sens, il l'était), je l'ai laissée monologuer pendant une bonne demi-heure : parler lui faisait du bien. Puis, je l'ai abandonnée, en me disant que la différence entre elle et moi serait bien mince si, à mon tour, je me mettais à débiter mes récriminations devant le premier venu.

*U*n professeur d'un pays de l'Est me raconte que sa mère, une paysanne, fut très étonnée d'apprendre qu'il souffrait d'insomnie. Lorsque le sommeil ne venait pas, elle n'avait, elle, qu'à se représenter un vaste champ de blé ondulé par le vent, et elle s'endormait aussitôt après. Ce n'est pas avec l'image d'une ville qu'on parviendrait au même résultat. Il est inexplicable, il est miraculeux qu'un citadin arrive jamais à fermer l'œil.

*L*e bistrot est fréquenté par les vieillards qui habitent l'asile au bout du village. Ils sont là, un verre à la main, se regardant sans se parler. Un d'eux se met à raconter je ne sais quoi qui se voudrait drôle. Personne ne l'écoute, en tout cas personne ne rit. Tous ont trimé pendant de longues années pour en arriver là. Autrefois, dans les campagnes, on les aurait étouffés sous un oreiller. Formule sage, perfectionnée par chaque famille, et incomparablement plus humaine que celle de les rassembler, de les parquer, pour les guérir de l'ennui par la stupeur.

*S*i on en croit la Bible, c'est Caïn qui créa la première ville, pour avoir, selon la remarque de Bossuet, où *étourdir ses remords.*

Quel jugement! Et combien de fois n'en ai-je pas éprouvé la justesse dans mes déambulations nocturnes!

*T*elle nuit, en montant l'escalier, en pleine obscurité, je fus arrêté par une force invincible, surgie du dehors et du dedans. Incapable de faire un pas de plus, je restai là cloué sur place, pétrifié. IMPOSSIBILITÉ — ce mot si courant vint, plus à propos que de coutume, m'éclairer sur moi-même, non moins que sur lui: il m'avait si souvent secouru, jamais cependant comme cette fois-là. Je compris enfin pour toujours ce qu'il voulait dire...

*U*ne ancienne femme de chambre à mon «Ça va?» me répond sans s'arrêter: «*Ça suit son cours.*» Cette réponse archibanale m'a secoué jusqu'aux larmes. Les tournures qui touchent au devenir, au passage, au *cours*, plus elles sont usées, plus elles acquièrent parfois la portée d'une révélation. La vérité cependant est qu'elles ne créent pas un état exceptionnel mais qu'on se trouvait dans cet état sans le savoir, et qu'il ne fallait qu'un signe ou un prétexte pour que l'extraordinaire eût lieu.

*N*ous habitions la campagne, j'allais à l'école, et, détail important, je couchais dans la même chambre que mes parents. Le soir mon père avait l'habitude de faire la lecture à ma mère. Bien qu'il fût prêtre, il lisait n'importe quoi, pensant sans doute que, vu mon âge, je n'étais pas censé comprendre. En général, je n'écoutais pas et m'endormais, sauf s'il s'agissait de quelque récit saisissant. Une nuit je dressai l'oreille. C'était, dans une biographie de Raspoutine, la scène où le père, à l'article de la mort, fait venir son fils pour lui dire: «Va à Saint-Pétersbourg, rends-toi maître de la ville, ne recule devant rien et ne crains personne, *car Dieu est un vieux porc.*»
Une telle énormité dans la bouche de mon père, pour qui le sacerdoce n'était pas une plaisanterie, m'impressionna autant qu'un incendie ou un séisme. Mais je me rappelle aussi très nettement — il y a de cela plus de cinquante ans — que mon émotion fut suivie d'un plaisir étrange, je n'ose dire pervers.

*A*yant pénétré, au cours des ans, assez avant dans deux ou trois religions, j'ai reculé chaque fois, au seuil de la «conversion», par peur de me mentir à moi-même.

Aucune d'elles n'était, à mes yeux, assez libre pour admettre que la vengeance est un besoin, le plus intense et le plus profond qui existe, et que chacun doit le satisfaire, ne fût-ce qu'en paroles. Si on l'étouffe, on s'expose à des troubles graves. Plus d'un déséquilibre — peut-être même tout déséquilibre — provient d'une vengeance qu'on a différée trop longtemps. Sachons exploser! N'importe quel malaise est plus *sain* que celui que suscite une rage thésaurisée.

*P*hilosophie à la Morgue. «Mon neveu, c'est clair, n'a pas réussi; s'il avait réussi, il aurait eu une autre fin. — Vous savez, madame, ai-je répondu à cette grosse matrone, qu'on réussisse ou qu'on ne réussisse pas, cela revient au même. — Vous avez raison», me répliqua-t-elle après quelques secondes de réflexion. Cet acquiescement si inattendu de la part d'une telle commère me remua presque autant que la mort de mon ami.

*L*es tarés... Il me semble que leur *aventure*, mieux que n'importe quelle autre, jette une lumière sur l'avenir, qu'eux seuls permettent de l'entrevoir et de le déchiffrer, et que, faire abstraction de leurs exploits, c'est se rendre à jamais impropre à *décrire* les jours qui s'annoncent.

— *D*ommage, me disiez-vous, que N. n'ait rien produit.
— Qu'importe! Il existe. S'il avait pondu des livres, s'il avait eu la malchance de se «réaliser», nous ne serions pas en train de parler de lui depuis une heure. L'avantage d'être quelqu'un est plus rare que celui d'œuvrer. Produire est facile; ce qui est difficile, c'est dédaigner de faire usage de ses dons.

*O*n tourne, on recommence la même scène nombre de fois. Un passant, un provincial visiblement, n'en revient pas: «Après ça, je n'irai plus jamais au cinéma.»
On pourrait réagir de la même manière à l'égard de n'importe quoi dont on a entrevu les dessous et saisi le secret. Cependant, par une obnubilation qui tient du prodige, des gynécologues s'entichent de leurs clientes, des fossoyeurs font des enfants, des incurables abondent en projets, des sceptiques écrivent...

T., fils de rabbin, se plaint que cette période de persécutions sans précédent n'ait vu naître aucune prière *originale*, susceptible d'être adoptée par la communauté et dite dans les synagogues. Je l'assure qu'il a tort de s'en affliger ou de s'en alarmer : les grands désastres ne rendent rien sur le plan littéraire ni religieux. Seuls les demi-malheurs sont féconds, parce qu'ils peuvent être, parce qu'ils sont un point de départ, alors qu'un enfer trop parfait est presque aussi stérile que le paradis.

J'avais vingt ans. Tout me pesait. Un jour je m'effondrai sur un canapé avec un « Je n'en peux plus ». Ma mère, affolée déjà par mes nuits blanches, m'annonça qu'elle venait de faire dire une messe pour mon « repos ». *Pas une mais trente mille*, aurais-je voulu crier, songeant au chiffre inscrit par Charles Quint dans son testament, pour un repos autrement long, il est vrai.

*J*e l'ai revu par hasard après un quart de siècle. Il est inchangé, intact, plus frais que jamais, il semble même avoir reculé vers l'adolescence.
Où s'est-il tapi, et qu'a-t-il machiné pour se dérober à l'action des années, pour esquiver les grimaces et les rides ? Et comment a-t-il vécu, si toutefois il a vécu ? Un revenant plutôt. Il a sûrement triché, il n'a pas rempli son devoir de vivant, il n'a pas joué le jeu. Un revenant, oui, et un resquilleur. Je ne discerne aucun signe de destruction sur son visage, aucune de ces marques qui attestent qu'on est un être réel, un individu, et non une apparition. Je ne sais quoi lui dire, je ressens de la gêne, j'ai même peur. Tant nous démonte quiconque échappe au temps, ou l'escamote seulement.

D. C., qui, dans son village, en Roumanie, écrivait ses souvenirs d'enfance, ayant raconté à son voisin, un paysan nommé Coman, qu'il n'y serait pas oublié, celui-ci vint le voir le lendemain de bonne heure et lui dit : « Je sais que je ne vaux rien mais tout de même je ne croyais pas être tombé si bas pour qu'on parle de moi dans un livre. »
Le monde oral, combien il était supérieur au nôtre ! Les êtres (je devrais dire, les peuples) ne demeurent dans le vrai qu'aussi longtemps qu'ils ont horreur de l'écrit. Dès qu'ils en attrapent le préjugé, ils entrent dans le faux, ils perdent leurs anciennes

superstitions pour en acquérir une nouvelle, pire que toutes les autres ensemble.

*I*ncapable de me lever, rivé au lit, je me laisse aller aux caprices de ma mémoire, et me vois vagabonder, enfant, dans les Carpates. Un jour je tombai sur un chien que son maître, pour s'en débarrasser sans doute, avait attaché à un arbre, et qui était transparent de maigreur et si vidé de toute vie, qu'il n'eut que la force de me regarder, sans pouvoir bouger. Cependant il se tenait *debout*, lui...

*U*n inconnu vient me raconter qu'il a tué je ne sais qui. Il n'est pas recherché par la police, parce que personne ne le soupçonne. Je suis seul à savoir que c'est lui le meurtrier. Que faire ? Je n'ai pas l'audace ni la déloyauté (car il m'a confié un secret, et quel secret !) d'aller le dénoncer. Je me sens son complice, et me résigne à être arrêté et puni comme tel. En même temps, je me dis que ce serait trop bête. Peut-être vais-je le dénoncer quand même. Et c'est ainsi jusqu'au réveil. L'interminable est la spécialité des indécis. Ils ne peuvent rien trancher dans la vie, et encore moins dans leurs rêves, où ils perpétuent leurs hésitations, leurs lâchetés, et leurs scrupules. Ils sont idéalement aptes au cauchemar.

*U*n film sur les bêtes sauvages : cruauté sans répit sous toutes les latitudes. La « nature », tortionnaire de génie, imbue d'elle-même et de son œuvre, exulte non sans raison : à chaque seconde, tout ce qui vit tremble et fait trembler. La pitié est un luxe bizarre, que seul le plus perfide et le plus féroce des êtres pouvait inventer, par besoin de se châtier et de se torturer, par férocité encore.

*S*ur une affiche qui, à l'entrée d'une église, annonce *L'Art de la Fugue*, quelqu'un a tracé en gros caractères : *Dieu est mort*. Et cela à propos du musicien qui témoigne que Dieu, dans l'hypothèse qu'il soit défunt, peut ressusciter, le temps que nous entendons telle cantate ou telle fugue justement !

*N*ous avons passé un peu plus d'une heure ensemble. Il en a profité pour parader, et, à force de vouloir dire des choses intéressantes sur lui-même, il y est parvenu. S'il se fût adressé seulement des éloges raisonnables, je l'aurais trouvé assommant et quitté au bout de quelques minutes. En exagérant, en jouant bien son rôle de fanfaron, il a frôlé l'esprit, il a failli en avoir. Le désir de paraître subtil ne nuit pas à la subtilité. Un débile mental, s'il pouvait ressentir l'envie d'épater, réussirait à donner le change et même à rejoindre l'intelligence.

X, qui a dépassé l'âge des patriarches, après s'être acharné, pendant un long tête-à-tête, contre les uns et les autres, me dit : « La grande faiblesse de ma vie aura été de n'avoir jamais haï personne. »
La haine ne diminue pas avec les années : elle augmente plutôt. Celle d'un gâteux atteint à des proportions à peine imaginables : devenu insensible à ses anciennes affections, il met toutes ses facultés au service de ses rancunes, lesquelles, miraculeusement revigorées, survivront à l'effritement de sa mémoire et même de sa raison.
... Le danger de fréquenter des vieillards vient de ce qu'en les voyant si loin du détachement et si incapables d'y accéder, on s'arroge tous les avantages qu'ils devraient avoir et qu'ils n'ont pas. Et il est inévitable que l'avance, réelle ou fictive, que l'on croit avoir sur eux en matière de lassitude ou de dégoût, incite à la présomption.

*C*haque famille a sa philosophie. Un de mes cousins, mort jeune, m'écrivait : « Tout est comme cela a toujours été et comme cela sera sans doute jusqu'à ce qu'il n'y ait plus rien. »
Ma mère, de son côté, finissait le dernier mot qu'elle m'envoya par cette phrase testament : « Quoi que l'homme entreprenne, il le regrettera tôt ou tard. »
Ce vice du regret, je ne peux donc même pas me vanter de l'avoir acquis par mes propres déboires. Il me précède, il fait partie du patrimoine de ma tribu. Quel legs que l'inaptitude à l'illusion !

À quelques kilomètres de mon village natal se trouvait, perché sur des hauteurs, un hameau uniquement habité par des tziganes. En 1910, un ethnologue amateur s'y rendit, accompagné d'un photographe. Il réussit à rassembler les habitants, qui acceptèrent de se laisser photographier, sans savoir ce que cela signifiait. Au moment où on leur demanda de ne plus bouger, une vieille s'écria : « Méfiez-vous ! Ils sont en train de nous voler notre âme.» Là-dessus, tous se précipitèrent sur les deux visiteurs, qui eurent le plus grand mal à s'en tirer.

Ces gitans à demi sauvages, n'était-ce pas l'Inde, leur pays d'origine, qui, dans cette circonstance, parlait à travers eux?

*E*n continuelle insurrection contre mon ascendance, toute ma vie j'ai souhaité être autre : Espagnol, Russe, cannibale, — tout, excepté ce que j'étais. C'est une aberration de se vouloir différent de ce qu'on est, d'épouser en théorie toutes les conditions, sauf la sienne.

*L*e jour où je lus la liste d'à peu près tous les mots dont dispose le sanscrit pour désigner l'absolu, je compris que je m'étais trompé de voie, de pays, et d'idiome.

*U*ne amie, après je ne sais combien d'années de silence, m'écrit qu'elle n'en a plus pour longtemps, qu'elle s'apprête à «entrer dans l'Inconnu»... Ce cliché m'a fait tiquer. Par la mort, je discerne mal *dans quoi* on peut entrer. Toute affirmation, ici, me paraît abusive. La mort n'est pas un état, elle n'est peut-être même pas un passage. Qu'est-elle donc? Et par quel cliché, à mon tour, vais-je répondre à cette amie?

*S*ur le même sujet, sur le même événement, il peut se faire que je change d'opinion dix, vingt, trente fois dans l'espace d'une journée. Et dire qu'à chaque coup, comme le dernier des imposteurs, j'ose prononcer le mot de «vérité»!

*L*a femme, encore solide, traînait après elle son mari, grand, voûté, les yeux ahuris; elle le traînait comme s'il avait été une survivance d'une autre ère, un diplodocus apoplectique et suppliant.

Une heure après, seconde rencontre : une vieille très bien mise, courbée à l'extrême, «avançait». Décrivant un parfait demi-cercle, elle regardait, par la force des choses, le sol, et comptait sans doute ses petits pas inimaginablement lents. On aurait cru qu'elle apprenait à marcher, qu'elle avait peur de ne pas savoir ou et comment mettre ses pieds pour bouger.

... Tout m'est bon de ce qui me rapproche du Bouddha.

*M*algré ses cheveux blancs, elle faisait encore le trottoir. Je la rencontrais souvent, au Quartier, vers trois heures du matin, et n'aimais pas rentrer sans l'entendre raconter quelques exploits ou quelques anecdotes. Les anecdotes, comme les exploits, je les ai oubliés. Mais je n'ai pas oublié la promptitude avec laquelle, une nuit que je m'étais mis à tempêter contre tous ces «pouilleux» qui dormaient, elle enchaîna, l'index dressé vers le ciel : «Et que dites-vous du *pouilleux d'en haut?*»

«*T*out est démuni d'assise et de substance», je ne me le redis jamais sans ressentir quelque chose qui ressemble au bonheur. L'ennui est qu'il y a quantité de moments où je ne parviens pas à me le redire...

V

*J*e le lis pour la sensation de naufrage que me donne tout ce qu'il écrit. Au début, on comprend, puis on tourne en rond, ensuite on est pris dans un tourbillon fade, sans effroi, et on se dit qu'on va couler, et on coule effectivement. Ce n'est pourtant pas une véritable noyade — ce serait trop beau! On remonte à la surface, on respire, on comprend de nouveau, on est surpris de voir qu'il a l'air de dire quelque chose et de comprendre ce qu'il dit, puis on tourne de nouveau en rond, et on coule derechef... Tout cela se veut profond et paraît tel. Mais aussitôt qu'on se ressaisit, on s'aperçoit que ce n'est qu'abscons, et que l'intervalle entre la profondeur vraie et la profondeur concertée est aussi important qu'entre une révélation et une marotte.

*Q*uiconque se voue à une œuvre croit — sans en être conscient — qu'elle survivra aux années, aux siècles, au temps lui-même. S'il *sentait*, pendant qu'il s'y consacre, qu'elle est périssable, il l'abandonnerait en chemin, il ne pourrait pas l'achever. Activité et duperie sont termes corrélatifs.

«*L*e rire disparut, puis disparut le sourire.»
Cette remarque d'apparence naïve d'un biographe d'Alexandre Blok définit, on ne saurait mieux, le schéma de toute déchéance.

*I*l n'est pas facile de parler de Dieu quand on n'est ni croyant ni athée : et c'est sans doute notre drame à tous, théologiens y compris, de ne plus pouvoir être ni l'un ni l'autre.

*P*our un écrivain, le progrès vers le détachement et la délivrance est un désastre sans précédent. Lui, plus que personne, a besoin de ses défauts : s'il en triomphe, il est perdu. Qu'il se garde donc bien de devenir meilleur, car s'il y arrive, il le regrettera amèrement.

*O*n doit se méfier des lumières qu'on possède sur soi. La connaissance que nous avons de nous-même, indispose et paralyse notre démon. C'est là qu'il faut chercher la raison pour laquelle Socrate n'a rien écrit.

*C*e qui rend les mauvais poètes plus mauvais encore, c'est qu'ils ne lisent que des poètes (comme les mauvais philosophes ne lisent que des philosophes), alors qu'ils tireraient un plus grand profit d'un livre de botanique ou de géologie. On ne s'enrichit qu'en fréquentant des disciplines éloignées de la sienne. Cela n'est vrai, bien entendu, que pour les domaines où le *moi* sévit.

*T*ertullien nous apprend que, pour se guérir, les épileptiques allaient «sucer avec avidité le sang des criminels égorgés dans l'arène».
Si j'écoutais mon instinct, ce serait là, pour toute maladie, le seul genre de thérapeutique que j'adopterais.

A-t-on le droit de se fâcher contre quelqu'un qui vous traite de monstre? Le monstre est seul par définition, et la solitude, même celle de l'infamie, suppose quelque chose de positif, une élection un peu spéciale, mais élection, indéniablement.

*D*eux ennemis, c'est un même homme *divisé*.

«*N*e juge personne avant de te mettre à sa place.» Ce vieux proverbe rend tout jugement impossible, car nous ne jugeons quelqu'un que parce que justement nous ne pouvons nous mettre à sa place.

*Q*ui aime son indépendance doit se prêter, pour la sauvegarder, à n'importe quelle turpitude, risquer même, s'il le faut, l'ignominie.

*R*ien de plus abominable que le critique et, à plus forte raison, le philosophe en chacun de nous:

si j'étais poète, je réagirais comme Dylan Thomas, qui, lorsqu'on commentait ses poèmes en sa présence, se laissait tomber par terre et se livrait à des contorsions.

*T*ous ceux qui se démènent commettent injustice sur injustice, sans en ressentir le moindre remords. De la mauvaise humeur seulement. — Le remords est réservé à ceux qui n'agissent pas, qui ne peuvent agir. Il leur tient lieu d'action, il les console de leur inefficacité.

*L*a plupart de nos déboires nous viennent de nos premiers mouvements. Le moindre élan se paye plus cher qu'un crime.

*C*omme nous ne nous rappelons avec précision que nos épreuves, les malades, les persécutés, les victimes de toute sorte auront vécu, en fin de compte, avec le maximum de profit. Les autres, les chanceux, ont bien une vie mais non le *souvenir* d'une vie.

*E*st ennuyeux quiconque ne condescend pas à faire impression. Le vaniteux est presque toujours irritant mais il se dépense, il fait un effort : c'est un raseur qui ne voudrait pas l'être, et on lui en est reconnaissant : on finit par le supporter, et même par le rechercher. En revanche, on est pâle de rage devant quelqu'un qui d'aucune façon ne vise à l'effet. Que lui dire et qu'en attendre ? Il faut garder quelques traces du singe, ou alors rester chez soi.

*C*e n'est pas la peur d'entreprendre, c'est la peur de réussir, qui explique plus d'un échec.

*J*e voudrais une prière avec des mots-poignards. Par malheur, dès qu'on prie, on doit prier comme tout le monde. C'est là que réside une des plus grandes difficultés de la foi.

*O*n ne redoute l'avenir que lorsqu'on n'est pas sûr de pouvoir se tuer au moment voulu.

*N*i Bossuet, ni Malebranche, ni Fénelon n'ont daigné parler des *Pensées*. Apparemment Pascal ne leur semblait pas assez *sérieux*.

L'antidote de l'ennui est la peur. Il faut que le remède soit plus fort que le mal.

*S*i je pouvais m'élever au niveau de celui que j'aurais aimé être! Mais je ne sais quelle force, qui s'accroît avec les années, me tire vers le bas. Même pour remonter à *ma* surface, il me faut user de stratagèmes auxquels je ne peux penser sans rougir.

*I*l fut un temps où, chaque fois que j'essuyais quelque affront, pour éloigner de moi toute velléité de vengeance, je m'imaginais bien calme dans ma tombe. Et je me radoucissais aussitôt. Ne méprisons pas trop notre cadavre : il peut servir à l'occasion.

*T*oute pensée dérive d'une sensation contrariée.

*L*a seule façon de rejoindre autrui en profondeur est d'aller vers ce qu'il y a de plus profond en soi-même. En d'autre termes, de suivre le chemin inverse de celui que prennent les esprits dits «généreux».

*Q*ue ne puis-je dire avec ce rabbin hassidique : «La bénédiction de ma vie, c'est que jamais je n'ai eu besoin d'une chose avant de la posséder!»

*E*n permettant l'homme, la nature a commis beaucoup plus qu'une erreur de calcul : un attentat contre elle-même.

*L*a peur rend *conscient*, la peur morbide et non la peur naturelle. Sans quoi les animaux auraient atteint un degré de conscience supérieur au nôtre.

*E*n tant qu'orang-outang proprement dit, l'homme est vieux; en tant qu'orang-outang historique, il est relativement récent : un parvenu, qui n'a pas eu le temps d'apprendre comment *se tenir* dans la vie.

*A*près certaines expériences, on devrait changer de nom, puisque aussi bien on n'est plus le même.

Tout prend un autre aspect, en commençant par la mort. Elle paraît proche et désirable, on se réconcilie avec elle, et on en arrive à la tenir pour «la meilleure amie de l'homme», comme l'appelle Mozart dans une lettre à son père agonisant.

*I*l faut souffrir jusqu'au bout, jusqu'au moment où l'on cesse de *croire* à la souffrance.

«*L*a vérité demeure cachée pour celui qu'emplissent le désir et la haine.» (Le Bouddha.)
... C'est-à-dire pour tout *vivant*.

*A*ttiré par la solitude, il reste pourtant dans le siècle : un stylite *sans colonne*.

«*V*ous avez eu tort de miser sur moi.»
Qui pourrait tenir ce langage ? — Dieu et le Raté.

*T*out ce que nous accomplissons, tout ce qui sort de nous, aspire à oublier ses origines, et n'y parvient qu'en se dressant contre nous. De là le signe négatif qui marque toutes nos réussites.

*O*n ne peut rien dire de rien. C'est pourquoi il ne saurait y avoir une limite au nombre de livres.

L'échec, même répété, paraît toujours nouveau, alors que le succès, en se multipliant, perd tout intérêt, tout attrait. Ce n'est pas le malheur, c'est le bonheur, le bonheur insolent, il est vrai, qui conduit à l'aigreur et au sarcasme.

«*U*n ennemi est aussi utile qu'un Bouddha.» C'est bien cela. Car notre ennemi veille sur nous, il nous empêche de nous laisser aller. En signalant, en divulguant la moindre de nos défaillances, il nous conduit en ligne droite à notre salut, il met tout en œuvre pour que nous ne soyons pas indigne de l'idée qu'il s'est faite de nous. Aussi notre gratitude à son égard devrait-elle être sans bornes.

*O*n se ressaisit, et on adhère d'autant mieux à l'être, qu'on a réagi contre les livres négateurs, dissolvants, contre leur force nocive. Des livres fortifiants en somme, puisqu'ils suscitent l'énergie qui les nie. Plus ils contiennent de poison, plus il exercent un effet salutaire, à condition qu'on les lise à contre-courant, comme on devrait lire tout livre, en commençant par le catéchisme.

*L*e plus grand service qu'on puisse rendre à un auteur est de lui interdire de travailler pendant un certain temps. Des tyrannies de courte durée seraient nécessaires, qui s'emploieraient à suspendre toute activité intellectuelle. La liberté d'expression *sans interruption aucune* expose les talents à un péril mortel, elle les oblige à se dépenser au-delà de leurs ressources et les empêche de stocker des sensations et des expériences. La liberté sans limites est un attentat contre l'esprit.

*L*a pitié de soi est moins stérile qu'on ne croit. Dès que quelqu'un en ressent le moindre accès, il prend une pose de penseur, et, merveille des merveilles, il arrive à penser.

*L*a maxime stoïcienne selon laquelle nous devons nous plier sans murmure aux choses qui ne dépendent pas de nous, ne tient compte que des malheurs extérieurs, qui échappent à notre volonté. Mais ceux qui viennent de nous-mêmes, comment nous en accommoder? Si nous sommes la source de nos maux, à qui nous en prendre? à nous-mêmes? Nous nous arrangeons heureusement pour oublier que nous sommes les vrais coupables, et d'ailleurs l'existence n'est tolérable que si nous renouvelons chaque jour ce mensonge et cet oubli.

*T*oute ma vie j'aurai vécu avec le sentiment d'avoir été éloigné de mon véritable lieu. Si l'expression « exil métaphysique » n'avait aucun sens, mon existence à elle seule lui en prêterait un.

*P*lus quelqu'un est comblé de dons, moins il avance sur le plan spirituel. Le talent est un obstacle à la vie intérieure.

*P*our sauver le mot « grandeur » du pompiérisme, il ne faudrait s'en servir qu'à propos de l'insomnie ou de l'hérésie.

*D*ans l'Inde classique, le sage et le saint se rencontraient dans une seule et même personne. Pour avoir une idée d'une telle réussite, qu'on se représente, si on peut, une fusion entre la résignation et l'extase, entre un stoïcien froid et un mystique échevelé.

L'être est suspect. Que dire alors de la «vie», qui en est la déviation et la flétrissure?

*L*orsqu'on nous rapporte un jugement défavorable sur nous, au lieu de nous fâcher, nous devrions songer à tout le mal que nous avons dit des autres, et trouver que c'est justice si on en dit également de nous. L'ironie veut qu'il n'y ait personne de plus vulnérable, de plus susceptible, de moins disposé à reconnaître ses propres défauts, que le médisant. Il suffit de lui citer une réserve infime qu'on a faite à son sujet, pour qu'il perde contenance, se déchaîne et se noie dans sa bile.

*D*e l'extérieur, dans tout clan, toute secte, tout parti, règne l'harmonie; de l'intérieur, la discorde. Les conflits dans un monastère sont aussi fréquents et aussi envenimés que dans n'importe quelle société. Même lorsqu'ils désertent l'enfer, les hommes ne le font que pour le reconstituer ailleurs.

*L*a moindre conversion est vécue comme un avancement. Il existe par bonheur des exceptions. J'aime cette secte juive du XVIIIe siècle, dans laquelle on se ralliait au christianisme par volonté de déchoir, et j'aime non moins cet Indien de l'Amérique du Sud, qui, s'étant converti lui aussi, se lamentait de devenir la proie des vers, au lieu d'être dévoré par ses enfants, honneur qu'il aurait eu s'il n'avait pas abjuré les croyances de sa tribu.

*I*l est normal que l'homme ne s'intéresse plus à la religion mais aux religions, car ce n'est qu'à travers elles qu'il sera à même de comprendre les versions multiples de son affaissement spirituel.

*E*n récapitulant les étapes de notre carrière, il est humiliant de constater que nous n'avons pas

eu les revers que nous méritions, que nous étions en droit
d'espérer.

*C*hez certains, la perspective
d'une fin plus ou moins proche excite l'énergie, bonne ou mauvaise, et les plonge dans une rage d'activité. Assez candides pour
vouloir se perpétuer par leur entreprise ou par leur œuvre, ils
s'acharnent à la terminer, à la conclure : plus un instant à perdre.
La même perspective invite d'autres à s'engouffrer dans l'à quoi
bon, dans une clairvoyance stagnante, dans les irrécusables vérités du marasme.

«*M*audit soit celui qui, dans les
futures réimpressions de mes ouvrages, y aura changé sciemment
quoi que ce soit, une phrase, ou seulement un mot, une syllabe,
une lettre, un signe de ponctuation!»
Est-ce le philosophe, est-ce l'écrivain qui fit parler ainsi Schopenhauer? Les deux à la fois, et cette conjonction (que l'on songe au
style effarant de n'importe quel ouvrage philosophique) est très
rare. Ce n'est pas un Hegel qui aurait proféré malédiction semblable. Ni aucun autre philosophe de première grandeur, Platon
excepté.

*R*ien de plus exaspérant que
l'ironie sans faille, sans répit, qui ne vous laisse pas le temps de
respirer, et encore moins de réfléchir, qui, au lieu d'être inappa-
rente, occasionnelle, est massive, automatique, aux antipodes de
sa nature essentiellement délicate. Tel est en tout cas l'usage
qu'en fait l'Allemand, l'être qui, pour avoir le plus médité sur elle,
est le moins capable de la manier.

L'anxiété n'est provoquée par
rien, elle cherche à se donner une justification, et, pour y parvenir, se sert de n'importe quoi, des prétextes les plus misérables,
auxquels elle s'accroche, après les avoir inventés. Réalité en soi
qui précède ses expressions particulières, ses variétés, elle se suscite, elle s'engendre elle-même, elle est «création infinie», plus
propre, comme telle, à rappeler les agissements de la divinité que
ceux de la psyché.

*T*ristesse automatique : un robot
élégiaque.

*D*evant une tombe, les mots : jeu, imposture, plaisanterie, rêve, s'imposent. Impossible de penser qu'exister soit un phénomène sérieux. Certitude d'une tricherie au départ, à la base. On devrait marquer au fronton des cimetières : « Rien n'est tragique. Tout est irréel. »

*J*e n'oublierai pas de sitôt l'expression d'horreur sur ce qui fut son visage, le rictus, l'effroi, l'extrême inconsolation, et l'agressivité. Il n'était pas content, non. Jamais je n'ai vu quelqu'un de si mal à l'aise dans son cercueil.

*N*e regarde ni en avant ni en arrière, regarde en toi-même, sans peur ni regret. Nul ne descend en soi tant qu'il demeure esclave du passé ou de l'avenir.

*I*l est inélégant de reprocher à quelqu'un sa stérilité, quand elle est postulée, quand elle est son mode d'accomplissement, son rêve...

*L*es nuits où nous avons dormi sont comme si elles n'avaient jamais été. Restent seules dans notre mémoire celles où nous n'avons pas fermé l'œil : *nuit* veut dire nuit blanche.

J'ai transformé, pour n'avoir pas à les résoudre, toutes mes difficultés pratiques en difficultés théoriques. Face à l'Insoluble, je respire enfin...

À un étudiant qui voulait savoir où j'en étais par rapport à l'auteur de *Zarathoustra*, je répondis que j'avais cessé de le pratiquer depuis longtemps. Pourquoi ? me demanda-t-il. — Parce que je le trouve trop *naïf*...
Je lui reproche ses emballements et jusqu'à ses ferveurs. Il n'a démoli des idoles que pour les remplacer par d'autres. Un faux iconoclaste, avec des côtés d'adolescent, et je ne sais quelle virginité, quelle innocence, inhérentes à sa carrière de solitaire. Il n'a observé les hommes que de loin. Les aurait-il regardés de près, jamais il n'eût pu concevoir ni prôner le surhomme, vision farfelue, risible, sinon grotesque, chimère ou lubie qui ne pouvait surgir que dans l'esprit de quelqu'un qui n'avait pas eu le temps de vieillir, de connaître le détachement, le long dégoût serein.

Bien plus proche m'est un Marc Aurèle. Aucune hésitation de ma part entre le lyrisme de la frénésie et la prose de l'acceptation : je trouve plus de réconfort, et même plus d'espoir, auprès d'un empereur fatigué qu'auprès d'un prophète fulgurant.

J'aime cette idée hindoue suivant laquelle nous pouvons confier notre salut à quelqu'un d'autre, à un «saint» de préférence, et lui permettre de prier à notre place, de faire n'importe quoi pour nous sauver. C'est vendre son âme à Dieu...

«*L*e talent a-t-il donc besoin de passions? Oui, de beaucoup de passions réprimées.» (Joubert.)
Il n'est pas un seul moraliste qu'on ne puisse convertir en précurseur de Freud.

*O*n est toujours surpris de voir que les grands mystiques ont tant produit, qu'ils ont laissé un nombre si important de traités. Ils pensaient sans doute y célébrer Dieu et rien d'autre. Cela est vrai en partie, mais en partie seulement.
On ne crée pas une œuvre sans s'y attacher, sans s'y asservir.
Écrire est l'acte le moins ascétique qui soit.

*Q*uand je veille bien avant dans la nuit, je suis visité par mon mauvais génie comme le fut Brutus par le sien avant la bataille de Philippes...

«*E*st-ce que j'ai la gueule de quelqu'un qui doit faire quelque chose ici-bas?» — Voilà ce que j'aurais envie de répondre aux indiscrets qui m'interrogent sur mes activités.

*O*n a dit qu'une métaphore «doit pouvoir être dessinée». — Tout ce qu'on a fait d'original et de vivant en littérature depuis un siècle contredit cette remarque. Car si quelque chose a vécu, c'est la métaphore aux contours définis, la métaphore «cohérente». C'est contre elle que la poésie n'a cessé de se rebeller, au point qu'une poésie morte est une poésie *frappée* de cohérence.

*E*n écoutant le bulletin météorologique, forte émotion à cause de «pluies *éparses*». Ce qui prouve bien que la poésie est en nous et non dans l'expression, encore qu'*épars* soit un adjectif susceptible de faire naître une certaine vibration.

*D*ès que je formule un doute, plus exactement : dès que je ressens le besoin d'en formuler un, j'éprouve un bien-être curieux, inquiétant. Il me serait de loin plus aisé de vivre sans trace de croyance que sans trace de doute. Doute dévastateur, doute nourricier !

*I*l n'y a pas de sensation *fausse*.

*R*entrer en soi, y percevoir un silence aussi ancien que l'être, plus ancien même.

*O*n ne désire la mort que dans les malaises vagues ; on la fuit au moindre malaise précis.

*S*i je déteste l'homme, je ne pourrais pas dire avec la même facilité : je déteste l'*être* humain, pour la raison qu'il y a malgré tout dans ce mot *être* un rien de plein, d'énigmatique et d'attachant, qualités étrangères à l'idée d'homme.

*D*ans le *Dhammapada*, il est recommandé, pour obtenir la délivrance, de secouer la double chaîne du Bien et du Mal. Que le Bien lui-même soit une entrave, nous sommes trop arriérés spirituellement pour pouvoir l'admettre. Aussi ne serons-nous pas délivrés.

*T*out tourne autour de la douleur ; le reste est accessoire, voire inexistant, puisqu'on ne se souvient que de ce qui fait mal. Les sensations douloureuses étant seules réelles, il est à peu près inutile d'en éprouver d'autres.

*J*e crois avec ce fou de Calvin qu'on est prédestiné au salut ou à la réprobation dans le ventre de sa mère. On a déjà vécu sa vie avant de naître.

*E*st libre celui qui a discerné l'inanité de tous les points de vue, et libéré celui qui en a tiré les conséquences.

*P*oint de sainteté sans un penchant pour le scandale. Cela n'est pas vrai seulement des saints. Quiconque se manifeste, de n'importe quelle manière, prouve qu'il possède, plus ou moins développé, le goût de la provocation.

*J*e *sens* que je suis libre mais je *sais* que je ne le suis pas.

*J*e supprimai de mon vocabulaire mot après mot. Le massacre fini, un seul rescapé : *Solitude*. Je me réveillai comblé.

*S*i j'ai pu tenir jusqu'à présent, c'est qu'à chaque abattement, qui me paraissait intolérable, un second succédait, plus atroce, puis un troisième, et ainsi de suite. Serais-je en enfer, que je souhaiterais en voir les cercles se multiplier, pour pouvoir escompter une épreuve nouvelle, plus riche que la précédente. Politique salutaire, en matière de tourments tout au moins.

À quoi la musique fait appel en nous, il est difficile de le savoir; ce qui est certain, c'est qu'elle touche une zone si profonde que la folie elle-même n'y saurait pénétrer.

*N*ous aurions dû être dispensés de traîner un corps. Le fardeau du *moi* suffisait.

*P*our reprendre goût à certaines choses, pour me refaire une «âme», un sommeil de plusieurs périodes cosmiques serait le bienvenu.

*J*e n'ai jamais pu comprendre cet ami qui, revenu de Laponie, me disait l'oppression qu'on ressent quand on ne rencontre pas durant des jours et des jours la moindre trace d'homme.

*U*n écorché érigé en théoricien du détachement, un convulsionnaire qui joue au sceptique.

*E*nterrement dans un village normand. Je demande des détails à un paysan qui regardait de loin le cortège. « Il était encore jeune, à peine soixante ans. On l'a trouvé mort dans les champs. Que voulez-vous ? C'est comme ça... C'est comme ça... C'est comme ça... »
Ce refrain, qui me parut cocasse sur le coup, me harcela ensuite. Le bonhomme ne se doutait pas qu'il disait de la mort tout ce qu'on peut en dire et tout ce qu'on en sait.

J'aime lire comme lit une concierge : m'identifier à l'auteur et au livre. Toute autre attitude me fait penser au dépeceur de cadavres.

*D*ès que quelqu'un se convertit à quoi que ce soit, on l'envie tout d'abord, puis on le plaint, ensuite on le méprise.

*N*ous n'avions rien à nous dire, et, tandis que je proférais des paroles oiseuses, je sentais que la terre coulait dans l'espace et que je dégringolais avec elle à une vitesse qui me donnait le tournis.

*D*es années et des années pour se réveiller de ce sommeil où se prélassent les autres ; et puis des années et des années, pour fuir ce réveil...

*Q*uand il me faut mener à bien une tâche que j'ai assumée par nécessité ou par goût, à peine m'y suis-je attaqué, que tout me semble important, tout me séduit, sauf elle.

*R*éfléchir à ceux qui n'en ont plus pour longtemps, qui savent que tout est aboli pour eux, sauf le temps où se déroule la pensée de leur fin. S'adresser à ce temps-là. Écrire pour des *gladiateurs*...

L'érosion de notre être par nos infirmités : le vide qui en résulte est rempli par la présence de la conscience, que dis-je ? — ce vide *est* la conscience elle-même.

*L*a désagrégation morale lorsqu'on séjourne dans un endroit trop beau. Le moi se dissout au contact du paradis.
C'est sans doute pour éviter ce péril, que le premier homme fit le choix que l'on sait.

*T*out bien considéré, il y a eu plus d'affirmations que de négations — jusqu'ici tout au moins. Nions donc sans remords. Les croyances pèseront toujours plus lourd dans la balance.

*L*a substance d'une œuvre c'est l'impossible — ce que nous n'avons pu atteindre, ce qui ne pouvait pas nous être donné : c'est la somme de toutes les choses qui nous furent refusées.

*G*ogol, dans l'espoir d'une «régénération», se rendant à Nazareth et s'y ennuyant comme «dans une gare en Russie», c'est bien ce qui nous arrive à tous quand nous cherchons au-dehors ce qui ne peut exister qu'en nous.

*S*e tuer parce qu'on est ce qu'on est, oui, mais non parce que l'humanité entière vous cracherait à la figure !

*P*ourquoi craindre le néant qui nous attend alors qu'il ne diffère pas de celui qui nous précède, cet argument des Anciens contre la peur de la mort est irrecevable en tant que consolation. *Avant*, on avait la chance de ne pas exister ; maintenant on existe, et c'est cette parcelle d'existence, donc d'infortune, qui redoute de disparaître. Parcelle n'est pas le mot, puisque chacun se préfère ou, tout au moins, s'égale, à l'univers.

*Q*uand nous discernons l'irréalité en tout, nous devenons nous-mêmes irréels, nous commençons à nous survivre, si forte que soit notre vitalité, si impérieux nos instincts. Mais ce ne sont plus que de faux instincts, et de la fausse vitalité.

*S*i tu es voué à te ronger, rien ne pourra t'en empêcher : une vétille t'y poussera à l'égal d'un grand chagrin. Résigne-toi à te morfondre en toute occasion : ainsi le veut ton lot.

*V*ivre, c'est perdre du terrain.

*D*ire que tant et tant ont *réussi* à mourir !

*I*mpossible de ne pas en vouloir à ceux qui nous écrivent des lettres bouleversantes.

*D*ans une province reculée de l'Inde, on expliquait tout par les rêves et, ce qui est plus important, on s'en inspirait pour guérir les maladies. C'est d'après eux aussi qu'on réglait les affaires, quotidiennes ou capitales. Jusqu'à l'arrivée des Anglais. Depuis qu'ils sont là, disait un indigène, nous ne rêvons plus.
Dans ce qu'il est convenu d'appeler « civilisation », réside indéniablement un principe diabolique dont l'homme a pris conscience trop tard, quand il n'était plus possible d'y remédier.

*L*a lucidité sans le correctif de l'ambition conduit au marasme. Il faut que l'une s'appuie sur l'autre, que l'une combatte l'autre *sans la vaincre*, pour qu'une œuvre, pour qu'une vie soit possible.

*O*n ne peut pardonner à ceux qu'on a portés aux nues, on est impatient de rompre avec eux, de briser la chaîne la plus délicate qui existe : celle de l'admiration..., non par insolence mais par aspiration à se retrouver, à être libre, à être soi. On n'y parvient que par un acte d'injustice.

*L*e problème de la responsabilité n'aurait de sens que si on nous avait consulté avant notre naissance et que nous eussions consenti à être précisément celui que nous sommes.

L'énergie et la virulence de mon *taedium vitae* ne laissent pas de me confondre. Tant de vigueur dans un mal si défaillant ! Je dois à ce paradoxe l'incapacité où je suis de choisir enfin ma dernière heure.

*P*our nos actes, pour notre vitalité tout simplement, la prétention à la lucidité est aussi funeste que la lucidité elle-même.

*L*es enfants se retournent, doivent se retourner contre leurs parents, et les parents n'y peuvent rien, car ils sont soumis à une loi qui régit les rapports des vivants en général, à savoir que chacun engendre son propre ennemi.

*O*n nous a tant appris à nous cramponner aux choses que, lorsque nous voulons nous en affranchir, nous ne savons pas comment nous y prendre. Et si la mort ne venait pas nous y aider, notre entêtement à subsister nous ferait trouver une formule d'existence par-delà l'usure, par-delà la sénilité elle-même.

*T*out s'explique à merveille si on admet que la naissance est un événement néfaste ou tout au moins inopportun ; mais si l'on est d'un autre avis, on doit se résigner à l'inintelligible, ou alors tricher comme tout le monde.

*D*ans un livre gnostique du IIe siècle de notre ère, il est dit : « La prière de l'homme triste n'a jamais la force de monter jusqu'à Dieu. »
... Comme on ne prie que dans l'abattement, on en déduira qu'aucune prière jamais n'est parvenue à destination.

*I*l était au-dessus de tous, et il n'y était pour rien : il avait simplement *oublié* de désirer...

*D*ans l'ancienne Chine, les femmes, lorsqu'elles étaient en proie à la colère ou au chagrin, montaient sur de petites estrades, dressées spécialement pour elles dans la rue, et y donnaient libre cours à leur fureur ou à leurs lamentations. Ce genre de confessionnal devrait être ressuscité et adopté un peu partout, ne fût-ce que pour remplacer celui, désuet, de l'Église, ou celui, inopérant, de telle ou telle thérapeutique.

*C*e philosophe manque de tenue ou, pour sacrifier au jargon, de «forme intérieure». Il est trop fabriqué pour être vivant ou seulement «réel». C'est une poupée sinistre. Quel bonheur de savoir que je ne rouvrirai plus jamais ses livres!

*P*ersonne ne clame qu'il se porte bien et qu'il est libre, et pourtant c'est ce que devraient faire tous ceux qui connaissent cette double bénédiction. Rien ne nous dénonce davantage que notre incapacité de hurler nos chances.

*A*voir toujours tout raté, par amour du découragement!

L'unique moyen de sauvegarder sa solitude est de blesser tout le monde, en commençant par ceux qu'on aime.

*U*n livre est un suicide différé.

*O*n a beau dire, la mort est ce que la nature a trouvé de mieux pour contenter tout le monde. Avec chacun de nous, tout s'évanouit, tout cesse pour toujours. Quel avantage, quel abus! Sans le moindre effort de notre part, nous disposons de l'univers, nous l'entraînons dans notre disparition. Décidément, mourir est immoral...

VII

*S*i vos épreuves, au lieu de vous dilater, de vous mettre dans un état d'euphorie énergique, vous dépriment et vous aigrissent, sachez que vous n'avez pas de vocation spirituelle.

*V*ivre dans l'expectative, miser sur le futur ou sur un simulacre de futur, à tel point nous y sommes habitués, que nous n'avons conçu l'idée d'immortalité que par un besoin d'attendre *durant l'éternité.*

*T*oute amitié est un drame inapparent, une suite de blessures subtiles.

Luther mort par Lucas Fortnagel. Masque terrifiant, agressif, plébéien, d'un sublime porcin... qui rend bien les traits de celui qu'on ne saurait assez louer d'avoir proclamé : «Les rêves sont menteurs ; chier dans son lit, il n'y a que ça de vrai. »

*P*lus on vit, moins il semble utile d'avoir vécu.

À vingt ans, ces nuits où des heures durant je restais le front collé à la vitre, en regardant dans le noir...

*A*ucun autocrate n'a disposé d'un pouvoir comparable à celui dont jouit un pauvre bougre qui envisage de se tuer.

S'éduquer à ne pas laisser de traces, c'est une guerre de chaque instant qu'on se fait à soi-même, à seule fin de se prouver qu'on pourrait, si l'on y tenait, devenir un sage...

Exister est un état aussi peu concevable que son contraire, que dis-je? plus inconcevable encore.

Dans l'Antiquité, les «livres» étaient si coûteux, qu'on ne pouvait en amasser, à moins d'être roi, tyran ou... Aristote, le premier à posséder une bibliothèque digne de ce nom.
Une pièce à charge de plus au dossier de ce philosophe, si funeste déjà à tant d'égards.

Si je me conformais à mes convictions les plus intimes, je cesserais de me manifester, de réagir de quelque manière que ce soit. Or je suis encore capable de *sensations*...

Un monstre, si horrible soit-il, nous attire secrètement, nous poursuit, nous hante. Il représente, grossis, nos avantages et nos misères, il *nous* proclame, il est notre porte-drapeau.

Au cours des siècles, l'homme s'est échiné à croire, il est passé de dogme en dogme, d'illusion en illusion, et a consacré très peu de temps aux doutes, brefs intervalles entre ses périodes d'aveuglement. À vrai dire, ce n'étaient pas des doutes mais des pauses, des moments de répit, consécutifs aux fatigues de la foi, de toute foi.

*L'*innocence, état parfait, le seul peut-être, il est incompréhensible que celui qui en jouit veuille en sortir. Pourtant l'histoire, depuis ses commencements jusqu'à nous, n'est que cela et rien que cela.

Je ferme les rideaux, et j'attends. En fait je n'attends rien, je me rends seulement *absent*. Nettoyé, ne serait-ce que pour quelques minutes, des impuretés qui ternissent et encombrent l'esprit, j'accède à une conscience d'où le moi est évacué, et je suis aussi apaisé que si je reposais en dehors de l'univers.

*D*ans un exorcisme du Moyen Âge, on énumère toutes les parties du corps, même les moindres, que le démon est invité à quitter : on dirait un traité d'anatomie fou, qui séduit par l'excès de précision, la profusion de détails et l'inattendu. Une incantation minutieuse. *Sors des ongles!* C'est insensé mais non exempt d'effet poétique. Car la vraie poésie n'a rien de commun avec la «poésie».

*D*ans tous nos rêves, même s'ils remontent au Déluge, est présent sans exception, ne fût-ce que pendant une fraction de seconde, quelque incident minime dont nous avons été témoins la veille. Cette régularité, que je n'ai pas cessé de vérifier pendant des années, est la seule constante, la seule loi ou apparence de loi, qu'il m'a été donné de constater dans l'incroyable gâchis nocturne.

*L*a force dissolvante de la conversation. On comprend pourquoi et la méditation et l'action exigent le silence.

*L*a certitude de n'être qu'un accident m'a escorté dans toutes les circonstances, propices ou contraires, et si elle m'a préservé de la tentation de me croire nécessaire, elle ne m'a pas en revanche tout à fait guéri d'une certaine infatuation inhérente à la perte des illusions.

*I*l est rare de tomber sur un esprit libre, et quand on en rencontre un, on s'aperçoit que le meilleur de lui-même ne se révèle pas dans ses ouvrages (quand on écrit, on porte mystérieusement des chaînes) mais dans ces confidences où, dégagé de ses convictions ou de ses poses, comme de tout souci de rigueur ou d'honorabilité, il étale ses faiblesses. Et où il fait figure d'hérétique par rapport à lui-même.

*S*i le métèque n'est pas créateur en matière de langage, c'est parce qu'il veut faire *aussi bien* que les indigènes : qu'il y arrive ou non, cette ambition est sa perte.

*J*e commence et recommence une lettre, je n'avance pas, je piétine : quoi dire et comment? Je ne sais même plus à qui elle était destinée. Il n'est guère que la passion ou l'intérêt qui trouve immédiatement le ton qu'il faut. Par malheur, le détachement est indifférence au langage, insensibilité aux mots. Or, c'est en perdant le contact avec les mots qu'on perd le contact avec les êtres.

Chacun a fait, à un moment donné, une expérience extraordinaire, qui sera pour lui, à cause du souvenir qu'il en garde, l'obstacle capital à sa métamorphose intérieure.

Je ne connais la paix que lorsque mes ambitions s'endorment. Dès qu'elles se réveillent, l'inquiétude me reprend. La vie est un état d'ambition. La taupe qui creuse ses couloirs est ambitieuse. L'ambition est en effet partout, et on en voit les traces jusque sur le visage des morts.

Aller aux Indes à cause du Védânta ou du bouddhisme, autant venir en France à cause du jansénisme. Encore celui-ci est-il plus récent, puisqu'il n'a disparu que depuis trois siècles.

Pas le moindre soupçon de réalité nulle part, sinon dans mes sensations de non-réalité.

Exister serait une entreprise totalement impraticable si on cessait d'accorder de l'importance à ce qui n'en a pas.

Pourquoi la Gîtâ place-t-elle si haut «le renoncement au fruit des actes»?
Parce que ce renoncement est rare, irréalisable, contraire à notre nature, et que, y parvenir, c'est détruire l'homme qu'on a été et qu'on est, tuer en soi-même tout le passé, l'œuvre de millénaires, s'affranchir, en un mot, de l'Espèce, de cette hideuse et immémoriale racaille.

Il fallait s'en tenir à l'état de larve, se dispenser d'évoluer, demeurer inachevé, se plaire à la sieste des éléments, et se consumer paisiblement dans une extase embryonnaire.

*L*a vérité réside dans le drame individuel. Si je souffre réellement, je souffre beaucoup plus qu'un individu, je dépasse la sphère de mon moi, je rejoins l'essence des autres. La seule manière de nous acheminer vers l'universel est de nous occuper uniquement de ce qui nous regarde.

*Q*uand on est *fixé* au doute, on ressent plus de volupté à faire des considérations sur lui qu'à le pratiquer.

*S*i on veut connaître un pays, on doit pratiquer ses écrivains de second ordre, qui seuls en reflètent la vraie nature. Les autres dénoncent ou transfigurent la nullité de leurs compatriotes : ils ne veulent ni ne peuvent se mettre de plain-pied avec eux. Ce sont des témoins suspects.

*D*ans ma jeunesse il m'arrivait de ne pas fermer l'œil pendant des semaines. Je vivais dans le jamais vécu, j'avais le sentiment que le temps de toujours, avec l'ensemble de ses instants, s'était ramassé et concentré en moi, où il culminait, où il triomphait. Je le faisais, bien entendu, avancer, j'en étais le promoteur et le porteur, la cause et la substance, et c'est en agent et en complice que je participais à son apothéose. Dès que le sommeil s'en va, l'inouï devient quotidien, facile : on y entre sans préparatifs, on s'y installe, on s'y vautre.

*L*e nombre prodigieux d'heures que j'aurai gaspillées à m'interroger sur le «sens» de tout ce qui est, de tout ce qui arrive... Mais ce tout n'en comporte aucun, les esprits sérieux le savent. Aussi emploient-ils leur temps et leur énergie à des tâches plus utiles.

*M*es affinités avec le byronisme russe, de Pétchorine à Stavroguine, mon ennui et ma passion pour l'ennui.

X, que je n'apprécie pas spécialement, était en train de raconter une histoire si stupide que je m'éveillai en sursaut. Ceux que nous n'aimons pas brillent rarement dans nos rêves.

*L*es vieux, faute d'occupations, ont l'air de vouloir résoudre on ne sait quoi de très compliqué et d'y vouer toutes les capacités dont ils disposent encore. Telle est peut-être la raison pour laquelle ils ne se tuent pas en masse, comme ils devraient le faire s'ils étaient un tantinet moins absorbés.

L'amour le plus passionné ne rapproche pas deux êtres autant que le fait la calomnie. Inséparables, le calomniateur et le calomnié constituent une unité «transcendante», ils sont pour toujours soudés l'un à l'autre. Rien ne pourra les disjoindre. L'un fait le mal, l'autre le subit, mais s'il le subit, c'est qu'il s'y est accoutumé, qu'il ne peut plus s'en passer, qu'il le réclame même. Il sait que ses vœux seront comblés, qu'on ne l'oubliera jamais, qu'il sera, quoi qu'il arrive, éternellement présent dans l'esprit de son infatigable bienfaiteur.

*L*e moine errant, c'est ce qu'on a fait de mieux jusqu'ici. En arriver à n'avoir plus *à quoi* renoncer! Tel devrait être le rêve de tout esprit détrompé.

*L*a négation sanglotante — seule forme tolérable de négation.

*H*eureux Job, qui n'étais pas obligé de commenter tes cris!

*T*ard dans la nuit. J'aimerais me déchaîner et fulminer, entreprendre une action sans précédent pour me décrisper, mais je ne vois pas contre qui ni contre quoi...

*M*me d'Heudicourt, observe Saint-Simon, n'avait de sa vie dit du bien de personne qu'avec «quelques *mais* accablants».
Merveilleuse définition, non pas de la médisance, mais de la conversation en général.

*T*out ce qui vit fait du *bruit*. — Quel plaidoyer pour le minéral!

*B*ach était querelleur, processif, regardant, avide de titres, d'honneurs etc. Eh bien! qu'est-ce que cela peut faire? Un musicologue, énumérant les cantates qui ont la mort pour thème, a pu dire que jamais mortel n'en eut autant la nostalgie. Cela seul compte. Le reste relève de la biographie.

*L*e malheur d'être incapable d'états neutres autrement que par la réflexion et l'effort. Ce qu'un idiot obtient d'emblée, il faut qu'on se démène nuit et jour pour y atteindre, et seulement par à-coups!

J'ai toujours vécu avec la vision d'une immensité d'instants en marche contre moi. Le temps aura été ma forêt de Dunsinane.

*L*es questions pénibles ou blessantes que nous posent les malappris, nous irritent, nous troublent, et peuvent avoir sur nous le même effet que certains procédés dont use telle technique orientale. Une stupidité épaisse, agressive, pourquoi ne déclencherait-elle pas l'illumination? Elle vaut bien un coup de bâton sur la tête.

*L*a connaissance n'est pas possible, et, si même elle l'était, elle ne résoudrait rien. Telle est la position du douteur. Que veut-il, que cherche-t-il donc? Ni lui ni personne ne le saura jamais.
Le scepticisme est l'ivresse de l'impasse.

*A*ssiégé par les autres, j'essaie de m'en dégager, sans grand succès, il faut bien le dire. Je parviens néanmoins à me ménager chaque jour quelques secondes d'entretien avec *celui que j'aurais voulu être.*

*A*rrivé à un certain âge, on devrait changer de nom et se réfugier dans un coin perdu où l'on ne connaîtrait personne, où l'on ne risquerait de revoir amis ni ennemis, où l'on mènerait la vie paisible d'un malfaiteur surmené.

*O*n ne peut réfléchir et être modeste. Dès que l'esprit se met en branle, il se substitue à Dieu et à n'importe quoi. Il est indiscrétion, empiétement, profanation. Il ne «travaille» pas, il disloque. La tension que trahissent ses démarches en révèle le caractère brutal, implacable. Sans une bonne dose de férocité, on ne saurait conduire une pensée jusqu'au bout.

*L*a plupart des chambardeurs, des visionnaires et des sauveurs ont été soit épileptiques, soit dyspeptiques. Sur les vertus du haut mal, il y a unanimité; aux embarras gastriques en revanche on reconnaît moins de mérites. Cependant rien n'invite davantage à tout chambouler qu'une digestion qui ne se laisse pas oublier.

*M*a mission est de souffrir pour tous ceux qui souffrent *sans le savoir*. Je dois payer pour eux, expier leur inconscience, la chance qu'ils ont d'ignorer à quel point ils sont malheureux.

*C*haque fois que le Temps me martyrise, je me dis que l'un de nous deux doit sauter, qu'il n'est pas possible de continuer indéfiniment dans ce cruel face à face...

*Q*uand nous sommes aux extrémités du cafard, tout ce qui vient l'alimenter, lui offrir un surcroît de matière, l'élève à un niveau où nous ne pouvons plus le suivre, et le rend ainsi trop grand, trop démesuré : quoi d'étonnant que nous en arrivions à ne plus le regarder comme nôtre ?

*U*n malheur prédit, lorsqu'il survient enfin, est dix, est cent fois plus dur à supporter qu'un malheur que nous n'attendions pas. Tout au long de nos appréhensions, nous l'avons vécu d'avance, et, quand il surgit, ces tourments passés s'ajoutent aux présents, et forment ensemble une masse d'un poids intolérable.

*I*l tombe sous le sens que Dieu était une solution, et qu'on n'en trouvera jamais une aussi satisfaisante.

*J*e n'admirerais pleinement qu'un homme déshonoré — et heureux. Voilà quelqu'un, me dirais-je, qui fait fi de l'opinion de ses semblables et qui puise bonheur et consolation en lui seul.

L'homme du Rubicon avait, après Pharsale, pardonné à trop de monde. Une telle magnanimité parut offensante à ceux de ses amis qui l'avaient trahi et qu'il avait humiliés en les traitant sans rancune. Ils se sentaient diminués, bafoués, et ils le punirent pour sa clémence ou pour son mépris : il refusait donc de s'abaisser au ressentiment! Se fût-il comporté en tyran, qu'ils l'auraient épargné. Mais ils lui en voulaient parce qu'il n'avait pas daigné leur inspirer suffisamment de peur.

*T*out ce qui *est* engendre, tôt ou tard, le cauchemar. Tâchons donc d'inventer quelque chose de mieux que l'être.

*L*a philosophie, qui s'était donné pour tâche de miner les croyances, lorsqu'elle vit le christianisme se répandre et sur le point de vaincre, fit cause commune avec le paganisme, dont les superstitions lui semblèrent préférables aux insanités triomphantes. En attaquant les dieux et en les démolissant, elle avait cru libérer les esprits ; en réalité, elle les livrait à une servitude nouvelle, pire que l'ancienne, le dieu qui allait se substituer aux dieux n'ayant un faible spécial ni pour la tolérance ni pour l'ironie.
La philosophie, objectera-t-on, n'est pas responsable de l'avènement de ce dieu, ce n'est pas lui qu'elle recommandait. Sans doute, mais elle aurait dû se douter qu'on ne sapait pas impunément les dieux, que d'autres viendraient prendre leur place et qu'elle n'avait rien à gagner au change.

*L*e fanatisme est la mort de la conversation. On ne bavarde pas avec un candidat au martyre. Que dire à quelqu'un qui refuse de pénétrer vos raisons et qui, du moment que l'on ne s'incline pas devant les siennes, aimerait mieux périr que céder? Vivement des dilettantes et des sophistes qui, eux du moins, entrent dans *toutes* les raisons...

C'est s'investir d'une supériorité bien abusive que de dire à quelqu'un ce qu'on pense de lui et de ce qu'il fait. La franchise n'est pas compatible avec un sentiment délicat, elle ne l'est même pas avec une exigence éthique.

*N*os proches, entre tous, mettent le plus volontiers nos mérites en doute. La règle est universelle : le Bouddha lui-même n'y échappa pas : c'est un de ses cousins qui s'acharna le plus contre lui, et ensuite seulement, Mârâ, le diable.

*P*our l'anxieux, il n'existe pas de différence entre succès et fiasco. Sa réaction à l'égard de l'un et de l'autre est la même. Les deux le dérangent également.

*Q*uand je me tracasse un peu trop parce que je ne travaille pas, je me dis que je pourrais aussi bien être mort et qu'ainsi je travaillerais encore moins...

*P*lutôt dans un égout que sur un piédestal.

*L*es avantages d'un état d'éternelle virtualité me paraissent si considérables, que, lorsque je me mets à les dénombrer, je n'en reviens pas que le passage à l'être ait pu s'opérer jamais.

*E*xistence = Tourment. L'équation me paraît évidente. Elle ne l'est pas pour tel de mes amis. Comment l'en convaincre ? Je ne peux lui *prêter* mes sensations ; or, elles seules auraient le pouvoir de le persuader, de lui apporter ce supplément de mal-être qu'il réclame avec insistance depuis si longtemps.

*S*i on voit les choses en noir, c'est parce qu'on les pèse dans le noir, parce que les pensées sont en général fruit de veilles, partant d'obscurité. Elles ne peuvent s'adapter à la vie pour la raison qu'elles n'ont pas été pensées *en vue* de la vie. L'idée des suites qu'elles pourraient comporter n'effleure même pas l'esprit. On est en dehors de tout calcul humain, de toute idée de salut ou de perdition, d'être ou de non-être, on est dans un silence à part, modalité supérieure du vide.

N'avoir pas encore digéré l'affront de naître.

*S*e dépenser dans des conversations autant qu'un épileptique dans ses crises.

*P*our vaincre l'affolement ou une inquiétude tenace, il n'est rien de tel que de se figurer son propre enterrement. Méthode efficace, à la portée de tous. Pour n'avoir pas à y recourir trop souvent dans la journée, le mieux serait d'en éprouver le bienfait dès le lever. Ou alors de n'en user qu'à des moments exceptionnels, comme le pape Innocent IX qui, ayant commandé un tableau où il était représenté sur son lit de mort, y jetait un regard chaque fois qu'il lui fallait prendre une décision importante.

*I*l n'est pas de négateur qui ne soit assoiffé de quelque catastrophique *oui*.

*O*n peut être certain que l'homme n'atteindra jamais à des profondeurs comparables à celles qu'il connut pendant des siècles d'entretien égoïste avec *son* Dieu.

*P*as un instant où je ne sois extérieur à l'univers !
... À peine m'étais-je apitoyé sur moi-même, sur ma condition de pauvre type, que je m'aperçus que les termes par lesquels je qualifiais mon malheur étaient ceux-là mêmes qui définissent la première particularité de «l'être suprême».

*A*ristote, Thomas d'Aquin, Hegel — trois asservisseurs de l'esprit. La pire forme de despotisme est le *système,* en philosophie et en tout.

*D*ieu est ce qui survit à l'évidence que rien ne mérite d'être pensé.

*J*eune, aucun plaisir ne valait celui de me créer des ennemis. Maintenant, dès que je m'en fais un, ma première pensée est de me réconcilier avec lui, pour que je n'aie plus à m'en occuper. Avoir des ennemis est une grande responsabilité. Mon fardeau me suffit, je ne peux plus porter celui des autres.

*L*a joie est une lumière qui se dévore elle-même, intarissablement ; c'est le soleil *à ses débuts.*

*Q*uelques jours avant sa mort, Claudel remarquait qu'on ne devrait pas appeler Dieu infini mais inépuisable. Comme si cela ne revenait pas au même, ou presque ! N'empêche que ce souci d'exactitude, ce scrupule verbal au moment où il notait que son « bail » avec la vie était sur le point de cesser, est plus exaltant qu'un mot ou un geste « sublime ».

L'insolite n'est pas un critère. Paganini est plus surprenant et plus imprévisible que Bach.

*I*l faudrait se répéter chaque jour : Je suis l'un de ceux qui, par milliards, se traînent sur la surface du globe. L'un d'eux, et rien de plus. Cette banalité justifie n'importe quelle conclusion, n'importe quel comportement ou acte : débauche, chasteté, suicide, travail, crime, paresse ou rébellion.
... D'où il suit que chacun a raison de faire ce qu'il fait.

*T*zintzoum. Ce mot risible désigne un concept majeur de la Kabbale. Pour que le monde existât, Dieu, qui était tout et partout, consentit à se rétrécir, à laisser un espace vide qui ne fût pas habité par lui : c'est dans ce « trou » que le monde prit place.
Ainsi occupons-nous le terrain vague qu'il nous a concédé par miséricorde ou par caprice. Pour que nous soyons, il s'est contracté, il a limité sa souveraineté. Nous sommes le produit de son amenuisement volontaire, de son effacement, de son absence partielle. Dans sa folie, il s'est donc amputé pour nous. Que n'eut-il le bon sens et le bon goût de rester *entier* !

*D*ans l'« Évangile selon les Égyptiens », Jésus proclame : « Les hommes seront les victimes de la mort, tant que les femmes enfanteront. » Et il précise : « Je suis venu détruire les œuvres de la femme. »
Quand on fréquente les vérités extrêmes des gnostiques, on aimerait aller, si possible, encore plus loin, dire quelque chose de jamais dit, qui pétrifie ou pulvérise l'histoire, quelque chose qui relève d'un néronisme cosmique, d'une démence à l'échelle de la matière.

*T*raduire une obsession, c'est la projeter hors de soi, c'est la chasser, c'est l'exorciser. Les obsessions sont les *démons* d'un monde sans foi.

L'homme accepte la mort mais non l'heure de sa mort. Mourir n'importe quand, sauf quand il faut que l'on meure !

*D*ès qu'on pénètre dans un cimetière, un sentiment de complète dérision bannit tout souci métaphysique. Ceux qui cherchent du «mystère» partout ne vont pas nécessairement au fond des choses. Le plus souvent le «mystère», comme l'«absolu», ne correspond qu'à un tic de l'esprit. C'est un mot dont on ne devrait se servir que lorsqu'on ne peut faire autrement, dans des cas vraiment désespérés.

*S*i je récapitule mes projets qui sont restés tels et ceux qui se sont réalisés, j'ai tout lieu de regretter que ces derniers n'aient pas eu le sort des premiers.

«*C*elui qui est enclin à la luxure est compatissant et miséricordieux; ceux qui sont enclins à la pureté ne le sont pas.» (Saint Jean Climaque.)
Pour dénoncer avec une telle netteté et une telle vigueur, non pas les mensonges, mais l'essence même de la morale chrétienne, et de toute morale, il y fallait un saint, ni plus ni moins.

*N*ous acceptons sans frayeur l'idée d'un sommeil ininterrompu; en revanche un éveil *éternel* (l'immortalité, si elle était concevable, serait bien cela), nous plonge dans l'effroi.
L'inconscience est une patrie; la conscience, un exil.

*T*oute impression profonde est voluptueuse ou funèbre, ou les deux à la fois.

*P*ersonne n'a été autant que moi persuadé de la futilité de tout, personne non plus n'aura pris au tragique un si grand nombre de choses futiles.

*I*shi, Indien américain, le dernier de son clan, après s'être caché pendant des années par peur des Blancs, réduit aux abois, se rendit un jour de plein gré aux exterminateurs des siens. Il croyait qu'on lui réserverait le même traitement. On le fêta. Il n'avait pas de postérité, il était vraiment le dernier.

L'humanité, une fois détruite ou simplement éteinte, on peut se figurer un survivant, l'unique, qui errerait sur la terre, sans même avoir *à qui* se livrer...

*A*u plus intime de lui-même, l'homme aspire à rejoindre la condition qu'il avait *avant* la conscience. L'histoire n'est que le détour qu'il emprunte pour y parvenir.

*U*ne seule chose importe : apprendre à être perdant.

*T*out phénomène est une version dégradée d'un autre phénomène plus vaste : le temps, une tare de l'éternité ; l'histoire, une tare du temps ; la vie, tare encore, de la matière.

Qu'est-ce qui est alors normal, qu'est-ce qui est sain ? L'éternité ? Elle-même n'est qu'une infirmité de Dieu.

──────────────── *S*ans l'idée d'un univers raté, le spectacle de l'injustice sous tous les régimes conduirait même un aboulique à la camisole de force.

*A*néantir donne un sentiment de puissance et flatte quelque chose d'obscur, d'*originel* en nous. Ce n'est pas en érigeant, c'est en pulvérisant que nous pouvons deviner les satisfactions secrètes d'un dieu. D'où l'attrait de la destruction et les illusions qu'elle suscite chez les frénétiques de tout âge.

*C*haque génération vit dans l'absolu : elle se comporte comme si elle était parvenue au sommet, sinon à la fin, de l'histoire.

N'importe quel peuple, à un certain moment de sa carrière, se croit *élu*. C'est alors qu'il donne le meilleur et le pire de lui-même.

*Q*ue la Trappe soit née en France plutôt qu'en Italie ou en Espagne, ce n'est pas là un hasard. Les Espagnols et les Italiens parlent sans arrêt, c'est entendu, mais ils ne s'*écoutent* pas parler, alors que le Français savoure son éloquence, n'oublie jamais qu'il parle, en est on ne peut plus conscient. Lui seul pouvait considérer le silence comme une épreuve et une ascèse.

*C*e qui me gâte la grande Révolution, c'est que tout s'y passe sur une scène, que les promoteurs en sont des comédiens-nés, que la guillotine n'est qu'un décor. L'histoire de France, dans son ensemble, paraît une histoire sur commande, une histoire *jouée* : tout y est parfait du point de vue théâtral. C'est une représentation, une suite de gestes, d'événements qu'on regarde plutôt qu'on ne subit, un spectacle de dix siècles. De là l'impression de frivolité que donne même la Terreur, vue de loin.

*L*es sociétés prospères sont de loin plus fragiles que les autres, puisqu'il ne leur reste à attendre que leur propre ruine, le bien-être n'étant pas un idéal quand on le possède, et encore moins quand il est là depuis des générations. Sans compter que la nature ne l'a pas inclus dans ses calculs et qu'elle ne saurait le faire sans périr.

*S*i les nations devenaient apathiques en même temps, il n'y aurait plus de conflits, plus de guerres, plus d'empires. Mais le malheur veut qu'il y ait des peuples jeunes, et des jeunes tout court — obstacle majeur aux rêves des philanthropes : faire en sorte que tous les hommes parviennent au même degré de lassitude ou d'avachissement...

*O*n doit se ranger du côté des opprimés en toute circonstance, même quand ils ont tort, sans pourtant perdre de vue qu'ils sont pétris de la même boue que leurs oppresseurs.

*L*e propre des régimes agonisants est de permettre un mélange confus de croyances et de doctrines, et de donner en même temps l'illusion qu'on pourra retarder indéfiniment l'heure du choix...
C'est de là — et uniquement de là — que dérive le charme des périodes prérévolutionnaires.

*S*eules les fausses valeurs ont cours, pour la raison que tout le monde peut les assimiler, les contrefaire (le faux au second degré). Une idée qui réussit est nécessairement une pseudo-idée.

*L*es révolutions sont le *sublime* de la mauvaise littérature.

*C*e qui est fâcheux dans les malheurs publics, c'est que n'importe qui s'estime assez compétent pour en parler.

*L*e droit de supprimer tous ceux qui nous agacent devrait figurer en première place dans la constitution de la Cité idéale.

*L*a seule chose qu'on devrait apprendre aux jeunes est qu'il n'y a rien, mettons presque rien, à attendre de la vie. On rêve d'un *Tableau des Déceptions* où figureraient tous les mécomptes réservés à chacun, et qu'on afficherait dans les écoles.

*A*u dire de la princesse Palatine, Mme de Maintenon avait coutume de répéter pendant les années où, le roi mort, elle ne jouait plus aucun rôle : «Depuis quelque temps, il règne un esprit de vertige qui se répand partout.»
Cet «esprit de vertige», c'est ce que les perdants ont toujours constaté, à juste titre d'ailleurs, et on pourrait reconsidérer toute l'histoire en partant de cette formule.

*L*e Progrès est l'injustice que chaque génération commet à l'égard de celle qui l'a précédée.

*L*es repus se haïssent eux-mêmes non pas secrètement mais publiquement, et souhaitent être balayés d'une manière ou d'une autre. Ils préfèrent en tout cas que ce soit avec leur propre concours. C'est là l'aspect le plus curieux, le plus original d'une situation révolutionnaire.

*U*n peuple ne fait qu'une seule révolution. Les Allemands n'ont jamais réédité l'exploit de la Réforme, ou plutôt ils l'ont réédité sans l'égaler. La France est restée pour toujours tributaire de 89. Également vraie pour la Russie et pour tous les pays, cette tendance à se plagier soi-même en matière de révolution, est tout ensemble rassurante et affligeante.

*L*es Romains de la décadence n'appréciaient que le repos grec (*otium graecum*), la chose qu'ils avaient méprisée le plus au temps de leur vigueur.
L'analogie avec les nations civilisées d'aujourd'hui est si flagrante, qu'il serait indécent d'y insister.

*A*laric disait qu'un «démon» le poussait contre Rome.
Toute civilisation exténuée attend son barbare, et tout barbare attend son démon.

L'Occident : une pourriture qui sent bon, un cadavre parfumé.

*T*ous ces peuples étaient grands, parce qu'ils avaient de grands préjugés. Ils n'en ont plus. Sont-ils encore des nations ? Tout au plus des foules désagrégées.

*L*es Blancs méritent de plus en plus le nom de *pâles* que leur donnaient les Indiens d'Amérique.

*E*n Europe, le bonheur finit à Vienne. Au-delà, malédiction sur malédiction, depuis toujours.

*L*es Romains, les Turcs et les Anglais ont pu fonder des empires durables parce que, réfractaires à toute doctrine, ils n'en ont imposé aucune aux nations assujetties. Jamais ils n'auraient réussi à exercer une si longue hégémonie s'ils avaient été affligés de quelque vice messianique. Oppresseurs inespérés, administrateurs et parasites, seigneurs sans convictions, ils avaient l'art de combiner autorité et indifférence, rigueur et laisser-aller. C'est cet art, secret du vrai maître, qui manqua aux Espagnols jadis, comme il devait manquer aux conquérants de notre temps.

*T*ant qu'une nation conserve la conscience de sa supériorité, elle est féroce, et respectée ; — dès qu'elle la perd, elle s'humanise, et ne compte plus.

*L*orsque je fulmine contre l'époque, il me suffit, pour me rasséréner, de songer à ce qui arrivera, à la jalousie rétrospective de ceux qui nous suivront. Par certains côtés, nous appartenons à la vieille humanité, à celle qui pouvait encore regretter le paradis. Mais ceux qui viendront après nous n'auront même pas la ressource de ce regret, ils en ignoreront jusqu'à l'idée, jusqu'au mot !

*M*a vision de l'avenir est si *précise* que, si j'avais des enfants, je les étranglerais sur l'heure.

*Q*uand on pense aux salons berlinois, à l'époque romantique, au rôle qu'y jouèrent une Henriette Hertz ou une Rachel Levin, à l'amitié qui liait cette dernière au prince héritier Louis-Ferdinand, et lorsqu'on se dit ensuite que si elles avaient vécu en ce siècle elles auraient péri dans quelque chambre à gaz, on ne peut s'empêcher de considérer la croyance au progrès comme la plus fausse et la plus niaise des superstitions.

*H*ésiode est le premier à avoir élaboré une philosophie de l'histoire. C'est lui aussi qui a lancé l'idée de déclin. Par là, quelle lumière n'a-t-il pas jetée sur le devenir historique ! Si, au cœur des origines, en plein monde post-homérique, il estimait que l'humanité en était à l'âge de fer, qu'aurait-il dit quelques siècles plus tard ? que dirait-il aujourd'hui ?
Sauf à des époques obnubilées par la frivolité ou l'utopie, l'homme a toujours pensé qu'il était parvenu au seuil du pire. Sachant ce qu'il savait, par quel miracle a-t-il pu varier sans cesse ses désirs et ses terreurs ?

*Q*uand, au lendemain de la guerre de 14, on introduisit l'électricité dans mon village natal, ce fut un murmure général, puis la désolation muette. Mais lorsqu'on l'installa dans les églises (il y en avait trois), chacun fut persuadé que l'Antéchrist était venu et, avec lui, la fin des temps.
Ces paysans des Carpates avaient vu juste, avaient vu *loin*. Eux, qui sortaient de la préhistoire, savaient déjà, à l'époque, ce que les civilisés ne savent que depuis peu.

C'est de mon préjugé contre tout ce qui finit bien que m'est venu le goût des lectures historiques. Les idées sont impropres à l'agonie ; elles meurent, c'est entendu, mais sans savoir mourir, alors qu'un événement n'existe qu'en vue de sa fin. Raison suffisante pour qu'on préfère la compagnie des historiens à celle des philosophes.

*L*ors de sa célèbre ambassade à Rome, au IIe siècle avant notre ère, Carnéade en profita pour parler le premier jour en faveur de l'idée de justice, le lendemain contre. Dès ce moment, la philosophie, jusqu'alors inexistante dans ce pays aux mœurs saines, commença à y exercer ses ravages. Qu'est-ce donc que la philosophie ? *Le ver dans le fruit...* Caton le Censeur, qui avait assisté aux performances dialectiques du Grec, en fut effrayé et demanda au Sénat de donner satisfaction aux délégués d'Athènes le plus tôt possible, tant il jugeait nuisible et même dangereuse leur présence. La jeunesse romaine ne devait pas fréquenter des esprits aussi dissolvants.

Sur le plan moral, Carnéade et ses compagnons étaient aussi redoutables que les Carthaginois sur le plan militaire. Les nations montantes craignent par-dessus tout l'absence de préjugés et d'interdits, l'impudeur intellectuelle, qui fait l'attrait des civilisations finissantes.

*P*our avoir réussi dans toutes ses entreprises, Héraclès est puni. De même, trop heureuse, Troie devait périr.

En songeant à cette vision commune aux tragiques, on est malgré soi amené à penser que le monde dit libre, comblé de toutes les chances, connaîtra inévitablement le sort d'Ilion, car la jalousie des dieux survit à leur disparition.

«*L*es Français ne veulent plus travailler, ils veulent tous *écrire*», me disait ma concierge, qui ne savait pas qu'elle faisait ce jour-là le procès des vieilles civilisations.

*U*ne société est condamnée quand elle n'a plus la force d'être bornée. Comment, avec un esprit ouvert, trop ouvert, se garantirait-elle des excès, des risques mortels de la liberté ?

*L*es querelles idéologiques n'atteignent au paroxysme que dans les pays où l'on s'est battu pour des mots, où l'on s'est fait tuer pour eux..., dans les pays, en somme, qui ont connu des guerres de religion.

*U*n peuple qui a épuisé sa mission est comme un auteur qui se répète, non, qui n'a plus rien à dire. Car se répéter, c'est prouver que l'on croit encore à soi-même, et à ce qu'on a soutenu. Mais une nation finie n'a même plus la force de rabâcher ses devises de jadis, qui lui avaient assuré sa prééminence et son éclat.

*L*e français est devenu une langue provinciale. Les indigènes s'en accommodent. Le métèque seul en est inconsolable. Lui seul prend le deuil de la Nuance...

L'interprète des ambassadeurs envoyés par Xerxès pour demander aux Athéniens la terre et l'eau, Thémistocle, par un décret approuvé de tous, le fit condamner à mort, «pour avoir osé employer la langue grecque à exprimer les ordres d'un barbare».
Un peuple ne commet un geste pareil qu'au sommet de sa carrière. Il est en pleine décadence, il est hors circuit dès qu'il ne croit plus à sa langue, dès qu'il cesse de penser qu'elle est la forme suprême d'expression, la langue même.

*U*n philosophe du siècle dernier a soutenu, dans sa candeur, que La Rochefoucauld avait raison *pour le passé*, mais qu'il serait infirmé par l'avenir. L'idée de progrès déshonore l'intellect.

*P*lus l'homme avance, moins il est à même de résoudre ses problèmes, et quand, au comble de l'aveuglement, il sera persuadé qu'il est sur le point d'aboutir, c'est alors que surviendra l'inouï.

*J*e me dérangerais, à la rigueur, pour l'Apocalypse, mais pour une révolution... Collaborer à une fin ou à une genèse, à une calamité ultime ou initiale, oui, mais non à un changement vers un mieux ou vers un pire quelconque.

N'a de convictions que celui qui n'a rien approfondi.

À la longue, la tolérance engendre plus de maux que l'intolérance. — Si ce fait est exact, il constitue l'accusation la plus grave qu'on puisse porter contre l'homme.

*D*ès que les animaux n'ont plus besoin d'avoir peur les uns des autres, ils tombent dans l'hébétude et prennent cet air accablé qu'on leur voit dans les jardins zoologiques. Les individus et les peuples offriraient le même spectacle, si un jour ils arrivaient à vivre en harmonie, à ne plus trembler ouvertement ou en cachette.

Avec le recul, plus rien n'est bon, ni mauvais. L'historien qui se mêle de juger le passé fait du journalisme *dans un autre siècle*.

Dans deux cents ans (puisqu'il faut être précis!), les survivants des peuples trop chanceux seront parqués dans des réserves, et on ira les voir, les contempler avec dégoût, commisération ou stupeur, et aussi avec une admiration maligne.

Les singes vivant en groupe rejettent, paraît-il, ceux d'entre eux qui d'une façon ou d'une autre ont frayé avec des humains. Un tel détail, combien on regrette qu'un Swift ne l'ait pas connu!

Faut-il exécrer son siècle ou tous les siècles?
Se représente-t-on le Bouddha quittant le monde *à cause de ses contemporains*?

Si l'humanité aime tant les sauveurs, forcenés qui croient sans vergogne en eux-mêmes, c'est parce qu'elle se figure que c'est en elle qu'ils croient.

La force de ce chef d'État est d'être chimérique et cynique. Un rêveur *sans scrupules*.

Les pires forfaits sont commis par enthousiasme, état morbide, responsable de presque tous les malheurs publics et privés.

L'avenir, allez-y voir, si cela vous chante. Je préfère m'en tenir à l'incroyable présent et à l'incroyable passé. Je vous laisse à vous le soin d'affronter l'Incroyable même.

— Vous êtes contre tout ce qu'on a fait depuis la dernière guerre, me disait cette dame à la page.

— Vous vous trompez de date. Je suis contre tout ce qu'on a fait depuis Adam.

*H*itler est sans aucun doute le personnage le plus sinistre de l'histoire. Et le plus pathétique. Il a réussi à réaliser le contraire, exactement, de ce qu'il voulait, il a détruit point par point son idéal. C'est pour cela qu'il est un monstre à part, c'est-à-dire deux fois monstre, car son pathétique même est monstrueux.

*T*ous les grands événements ont été déclenchés par des fous, par des fous... médiocres. Il en sera ainsi, soyons-en certains, de la «fin du monde» elle-même.

*L*e *Zohar* enseigne que tous ceux qui font le mal sur terre ne valaient guère mieux dans le ciel, qu'ils étaient impatients d'en partir et que, se précipitant à l'entrée de l'abîme, ils ont «devancé le temps où ils devaient descendre dans ce monde».
On discerne aisément ce qu'a de profond cette vision de la pré-existence des âmes et de quelle utilité elle peut être lorsqu'il s'agit d'expliquer l'assurance et le triomphe des «méchants», leur solidité et leur compétence. Ayant de longue main préparé leur coup, il n'est pas étonnant qu'ils se partagent la terre : ils l'ont conquise avant d'y être..., de toute éternité en fait.

*C*e qui distingue le véritable prophète des autres, c'est qu'il se trouve à l'origine de mouvements et de doctrines qui s'excluent et se combattent.

*D*ans une métropole, comme dans un hameau, ce qu'on aime encore le mieux est d'assister à la chute d'un de ses semblables.

L'appétit de destruction est si ancré en nous, que personne n'arrive à l'extirper. Il fait partie de la constitution de chacun, le fond de l'être même étant certainement démoniaque.
Le sage est un destructeur apaisé, retraité. Les autres sont des destructeurs *en exercice*.

*L*e malheur est un état passif, subi, tandis que la malédiction suppose une élection à rebours, partant une idée de mission, de force intérieure, qui n'est pas impliquée dans le malheur. Un individu — ou un peuple — maudit a nécessairement une autre classe qu'un individu — ou un peuple — malheureux.

L'histoire, à proprement parler, ne se répète pas, mais, comme les illusions dont l'homme est capable sont limitées en nombre, elles reviennent toujours sous un autre déguisement, donnant ainsi à une saloperie archidécrépite un air de nouveauté et un vernis tragique.

*J*e lis des pages sur Jovinien, saint Basile et quelques autres. Le conflit, aux premiers siècles, entre l'orthodoxie et l'hérésie, ne paraît pas plus insensé que celui auquel nous ont accoutumés les idéologies modernes. Les modalités de la controverse, les passions en jeu, les folies et les ridicules, sont quasi identiques. Dans les deux cas, tout tourne autour de l'irréel et de l'invérifiable, qui forment les assises mêmes des dogmes tant religieux que politiques. L'histoire ne serait tolérable que si on échappait et aux uns et aux autres. Il est vrai qu'elle cesserait alors, pour le plus grand bien de tous, de ceux qui la subissent, comme de ceux qui la font.

*C*e qui rend la destruction suspecte, c'est sa facilité. Le premier venu peut y exceller. Mais si détruire est aisé, se détruire l'est moins. Supériorité du déchu sur l'agitateur ou l'anarchiste.

*S*i j'avais vécu aux commencements du christianisme, j'en aurais, je le crains, subi la séduction. Je hais ce sympathisant, ce fanatique hypothétique, je ne me pardonne pas ce ralliement d'il y a deux mille ans...

*T*iraillé entre la violence et le désabusement, je me fais l'effet d'un terroriste qui, sorti avec l'idée de perpétrer quelque attentat, se serait arrêté en chemin pour consulter l'Ecclésiaste ou Épictète.

L'homme, à en croire Hegel, ne sera tout à fait libre «qu'en s'entourant d'un monde entièrement créé par lui».
Mais c'est précisément ce qu'il a fait, et il n'a jamais été aussi enchaîné, aussi esclave que maintenant.

*L*a vie ne deviendrait supportable qu'au sein d'une humanité qui n'aurait plus aucune illusion en réserve, d'une humanité complètement détrompée et *ravie* de l'être.

*T*out ce que j'ai pu sentir et penser se confond avec un exercice d'anti-utopie.

L'homme ne durera pas. Guetté par l'épuisement, il devra payer pour sa carrière trop originale. Car il serait inconcevable et contre nature qu'il traînât longtemps et qu'il finît bien. Cette perspective est déprimante, donc vraisemblable.

*L*e «despotisme éclairé»: seul régime qui puisse séduire un esprit revenu de tout, incapable d'être complice des révolutions, puisqu'il ne l'est même pas de l'histoire.

*R*ien de plus pénible que deux prophètes contemporains. L'un d'eux doit s'effacer et disparaître, s'il ne veut s'exposer au ridicule. À moins qu'ils n'y tombent tous les deux, ce qui serait la solution la plus équitable.

*J*e suis remué, bouleversé même, chaque fois que je tombe sur un *innocent*. D'où vient-il? Que cherche-t-il? Son apparition n'annonce-t-elle pas quelque événement fâcheux? C'est un trouble bien particulier qu'on éprouve devant quelqu'un qu'on ne saurait en aucune manière appeler son semblable.

*P*artout où les civilisés firent leur apparition pour la première fois, ils furent considérés par les indigènes comme des êtres malfaisants, comme des revenants, des spectres. Jamais comme des *vivants*!
Intuition inégalée, coup d'œil prophétique, s'il en fut.

*S*i chacun avait «compris», l'histoire aurait cessé depuis longtemps. Mais on est foncièrement, on est biologiquement inapte à «comprendre». Et si même tous comprenaient, sauf un, l'histoire se perpétuerait à cause de lui, à cause de son aveuglement. À cause d'une *seule* illusion!

X soutient que nous sommes au bout d'un «cycle cosmique» et que tout va bientôt craquer. De cela, il ne doute pas un instant.
En même temps, il est père de famille, et d'une famille nombreuse. Avec des certitudes comme les siennes, par quelle aberration s'est-il appliqué à jeter dans un monde fichu enfant après enfant? Si on prévoit la Fin, si on est sûr qu'elle ne tardera pas, si on l'escompte même, autant l'attendre seul. On ne procrée pas à Patmos.

*M*ontaigne, un sage, n'a pas eu de postérité; Rousseau, un hystérique, remue encore les nations.
Je n'aime que les penseurs qui n'ont inspiré aucun tribun.

*E*n 1441, au concile de Florence, il est décrété que les païens, les juifs, les hérétiques et les schismatiques n'auront aucune part à la «vie éternelle» et que tous, à moins de se tourner, avant de mourir, vers la véritable religion, iront droit en enfer.
C'est du temps que l'Église professait de pareilles énormités qu'elle était vraiment l'Église. Une institution n'est vivante et forte que si elle rejette tout ce qui n'est pas elle. Par malheur, il en est de même d'une nation ou d'un régime.

*U*n esprit sérieux, honnête, ne comprend rien, ne peut rien comprendre, à l'histoire. Elle est en échange merveilleusement apte à pourvoir en délices un érudit sardonique.

*E*xtraordinaire douceur à la pensée qu'étant homme, on est né sous une mauvaise étoile, et que tout ce qu'on a entrepris et tout ce qu'on va entreprendre sera choyé par la malchance.

*P*lotin s'était pris d'amitié pour un sénateur romain qui avait renvoyé ses esclaves, renoncé à ses biens, et qui mangeait et couchait chez ses amis, parce qu'il ne possédait plus rien. Ce sénateur, du point de vue «officiel», était un égaré, son cas devait paraître inquiétant, et il l'était du reste : un *saint* au Sénat... Sa présence, sa possibilité même, quel signe ! Les hordes n'étaient pas loin...

L'homme qui a complètement vaincu l'égoïsme, qui n'en garde plus aucune trace, ne peut durer au-delà de vingt et un jours, est-il enseigné dans une école védantine moderne.
Aucun moraliste occidental, même le plus noir, n'aurait osé avancer sur la nature humaine une précision aussi effrayante, aussi révélatrice.

*O*n invoque de moins en moins le «progrès» et de plus en plus la «mutation», et tout ce qu'on allègue pour en illustrer les avantages n'est que symptôme sur symptôme d'une catastrophe hors pair.

*O*n ne peut respirer — et gueuler — que dans un régime pourri. Mais on ne s'en avise qu'après avoir contribué à sa destruction, et lorsqu'on n'a plus que la faculté de le regretter.

*C*e qu'on appelle instinct créateur n'est qu'une déviation, qu'une perversion de notre nature : nous n'avons pas été mis au monde pour innover, pour bouleverser mais pour jouir de notre semblant d'être, pour le liquider doucement et disparaître ensuite sans bruit.

*L*es Aztèques avaient raison de croire qu'il fallait apaiser les dieux, leur offrir tous les jours du sang humain pour empêcher l'univers de s'écrouler, de retomber dans le chaos.
Depuis longtemps nous ne croyons plus aux dieux et ne leur offrons plus de sacrifices. Le monde est pourtant toujours là. Sans doute. Seulement nous n'avons plus la chance de savoir pourquoi il ne se défait pas sur-le-champ.

*T*out ce que nous poursuivons, c'est par besoin de tourment. La quête du salut est elle-même un tourment, le plus subtil et le mieux camouflé de tous.

S'il est vrai que par la mort on redevienne ce qu'on était avant d'être, n'aurait-il pas mieux valu s'en tenir à la pure possibilité, et n'en point bouger? À quoi bon ce crochet, quand on pouvait demeurer pour toujours dans une plénitude irréalisée?

*Q*uand mon corps me fausse compagnie, je me demande comment, avec une charogne pareille, lutter contre la démission des organes...

*L*es dieux antiques se moquaient des humains, les enviaient, les traquaient et, à l'occasion, les frappaient. Le Dieu des Évangiles étant moins railleur et moins jaloux, les mortels n'ont même pas, dans leurs infortunes, la consolation de pouvoir l'accuser. C'est là qu'il faudrait chercher la raison de l'absence ou de l'impossibilité d'un Eschyle chrétien. Le Dieu *bon* a tué la tragédie. Zeus a mérité autrement de la littérature.

*H*antise, folie de l'abdication, d'aussi loin qu'il me souvienne. Seulement, abdiquer quoi?
Si jadis je souhaitais tant être quelqu'un, ce n'était que pour la satisfaction de pouvoir dire un jour, comme Charles Quint à Yuste: «Je ne suis plus rien.»

*C*ertaines *Provinciales* furent récrites jusqu'à dix-sept fois. On reste interdit que Pascal ait pu dépenser tant de verve et de temps pour une œuvre dont l'intérêt nous paraît aujourd'hui minime. Toute polémique date, toute polémique avec les hommes. Dans les *Pensées*, le débat était avec Dieu. Cela nous regarde encore un peu.

*S*aint Séraphim de Sarov, durant les quinze ans qu'il passa dans une réclusion complète, n'ouvrait la porte de sa cellule à personne, pas même à l'évêque qui visitait de temps en temps l'ermitage. «Le silence, disait-il, rapproche l'homme de Dieu et le rend sur la terre semblable aux anges.»
Ce que le saint aurait dû ajouter est que le silence n'est jamais plus profond que dans l'impossibilité de prier...

*L*es modernes ont perdu le sens du destin et, par là même, le goût de la lamentation. Au théâtre, on devrait, toute affaire cessante, ressusciter le chœur, et, aux funérailles, les pleureuses.

L'anxieux s'agrippe à tout ce qui peut renforcer, stimuler son providentiel malaise : vouloir l'en guérir c'est ébranler son équilibre, l'anxiété étant la base de son existence et de sa prospérité. Le confesseur malin sait qu'elle est nécessaire, qu'on ne peut s'en passer une fois qu'on l'a connue. Comme il n'ose en proclamer les bienfaits, il se sert d'un détour, il vante le remords, anxiété admise, anxiété honorable. Ses clients lui en sont reconnaissants. Aussi réussit-il à les conserver sans peine, alors que ses collègues laïcs se débattent et s'aplatissent pour garder les leurs.

*V*ous me disiez que la mort n'existe pas. J'y consens, à condition de préciser aussitôt que rien n'existe. Accorder la réalité à n'importe quoi et la refuser à ce qui paraît si manifestement réel, est pure extravagance.

*L*orsqu'on a commis la folie de confier à quelqu'un un secret, le seul moyen d'être sûr qu'il le gardera pour lui, est de le tuer sur-le-champ.

«*L*es maladies, les unes de jour, les autres de nuit, à leur guise, visitent les hommes, apportant la souffrance aux mortels — en silence, car le sage Zeus leur a refusé la parole.» (Hésiode.)

Heureusement, car, muettes, elles sont déjà atroces. Bavardes, que seraient-elles ? Peut-on en imaginer une seule *s'annonçant* ? À la place des symptômes, des proclamations ! Zeus, pour une fois, aura fait preuve de délicatesse.

*D*ans les époques de stérilité, on devrait hiberner, dormir jour et nuit pour conserver ses forces, au lieu de les dépenser en mortifications et en rages.

*O*n ne peut admirer quelqu'un que s'il est aux trois quarts irresponsable. L'admiration n'a rien à voir avec le respect.

L'avantage non négligeable d'avoir beaucoup haï les hommes est d'en arriver à les supporter par épuisement de cette haine même.

*L*es volets une fois fermés, je m'allonge dans l'obscurité. Le monde extérieur, rumeur de moins en moins distincte, se volatilise. Il ne subsiste plus que moi et... c'est là le hic. Des ermites ont passé leur vie à dialoguer avec ce qu'il y avait de plus caché en eux. Que ne puis-je, à leur exemple, me livrer à cet exercice extrême, où l'on rejoint l'intimité de son propre être ! C'est cet entretien du moi avec le soi, c'est ce passage de l'un à l'autre qui importe, et qui n'a de valeur que si on le renouvelle sans arrêt, de telle manière que le moi finisse par être résorbé dans l'autre, dans sa version essentielle.

*M*ême auprès de Dieu, le mécontentement grondait, comme en témoigne la rébellion des anges, la première en date. C'est à croire qu'à tous les niveaux de la création, on ne pardonne à personne sa supériorité. On peut même concevoir une fleur *envieuse*.

*L*es vertus n'ont pas de visage. Impersonnelles, abstraites, conventionnelles, elles s'usent plus vite que les vices, lesquels, autrement chargés de vitalité, se définissent et s'aggravent avec l'âge.

«*T*out est rempli de dieux», disait Thalès, à l'aube de la philosophie ; à l'autre bout, à ce crépuscule où nous sommes parvenus, nous pouvons proclamer, non seulement par besoin de symétrie, mais encore par respect de l'évidence, que «tout est vide de dieux».

J'étais seul dans ce cimetière dominant le village, quand une femme enceinte y entra. J'en sortis aussitôt, pour n'avoir pas à regarder de près cette porteuse de cadavre, ni à ruminer sur le contraste entre un ventre agressif et des tombes effacées, entre une fausse promesse et la fin de toute promesse.

L'envie de prier n'a rien à voir avec la foi. Elle émane d'un accablement spécial, et durera autant que lui, quand bien même les dieux et leur souvenir disparaîtraient à jamais.

«*A*ucune parole ne peut espérer autre chose que sa propre défaite.» (Grégoire Palamas.)
Une condamnation aussi radicale de toute littérature ne pouvait venir que d'un mystique, d'un professionnel de l'Inexprimable.

*D*ans l'Antiquité, on recourait volontiers, parmi les philosophes surtout, à l'asphyxie volontaire, on retenait son souffle jusqu'à ce que mort s'ensuive. Ce mode si élégant, et cependant si pratique, d'en finir, a disparu complètement, et il n'est pas du tout sûr qu'il puisse ressusciter un jour.

*O*n l'a dit et redit : l'idée de destin, qui suppose changement, histoire, ne s'applique pas à un être immuable. Ainsi, on ne saurait parler du «destin» de Dieu.
Non sans doute, en théorie. En pratique, on ne fait que cela, singulièrement aux époques où les croyances se dissolvent, où la foi est branlante, où plus rien ne semble pouvoir braver le temps, où Dieu lui-même est entraîné dans la déliquescence générale.

*D*ès qu'on commence à *vouloir*, on tombe sous la juridiction du Démon.

DE L'INCONVÉNIENT D'ÊTRE NÉ

*L*a vie n'est rien; la mort est tout. Cependant il n'existe pas quelque chose qui soit la mort, indépendamment de la vie. C'est justement cette absence de réalité distincte, autonome, qui rend la mort universelle; elle n'a pas de domaine à elle, elle est omniprésente, comme tout ce qui manque d'identité, de limite, et de tenue : une infinitude indécente.

*E*uphorie. Incapable de me représenter mes humeurs coutumières et les réflexions qu'elles engendrent, poussé par je ne sais quelle force, j'exultais sans motifs, et c'est, me disais-je, cette jubilation d'origine inconnue que doivent ressentir ceux qui s'affairent et combattent, ceux qui *produisent*. Ils ne veulent ni ne peuvent penser à ce qui les nie. Y penseraient-ils que cela ne tirerait pas à conséquence, comme ce fut le cas pour moi durant cette journée mémorable.

*P*ourquoi broder sur ce qui exclut le commentaire? Un texte expliqué n'est plus un texte. On vit avec une idée, on ne la désarticule pas; on lutte avec elle, on n'en décrit pas les étapes. L'histoire de la philosophie est la négation de la philosophie.

*A*yant voulu savoir, par un scrupule assez douteux, de quelles choses exactement j'étais fatigué, je me mis à en dresser la liste : bien qu'incomplète, elle me parut si longue, et si déprimante, que je crus préférable de me rabattre sur la *fatigue en soi*, formule flatteuse qui, grâce à son ingrédient philosophique, remonterait un pestiféré.

*D*estruction et éclatement de la syntaxe, victoire de l'ambiguïté et de l'à-peu-près. Tout cela est très bien. Seulement essayez de rédiger votre testament, et vous verrez si la défunte rigueur était si méprisable.

L'aphorisme? Du feu sans flamme. On comprend que personne ne veuille s'y réchauffer.

*L*a «prière ininterrompue», telle que l'ont préconisée les hésychastes, je ne pourrais m'y élever, lors même que je perdrais la raison. De la piété je ne comprends que les débordements, les excès suspects, et l'ascèse ne me retiendrait pas un instant si on n'y rencontrait toutes ces choses qui sont le partage du mauvais moine : indolence, gloutonnerie, goût de la désolation, avidité et aversion du monde, tiraillement entre tragédie et équivoque, espoir d'un éboulement intérieur...

*C*ontre l'acédie, je ne me rappelle plus quel Père recommande le travail manuel.
Admirable conseil, que j'ai toujours pratiqué spontanément : il n'y a pas de cafard, cette acédie séculière, qui résiste au bricolage.

*D*epuis des années, sans café, sans alcool, sans tabac ! Par bonheur, l'anxiété est là, qui remplace utilement les excitants les plus forts.

*L*e reproche le plus grave à faire aux régimes policiers est qu'ils obligent à détruire, par mesure de prudence, lettres et journaux intimes, c'est-à-dire ce qu'il y a de moins faux en littérature.

*P*our tenir l'esprit en éveil, la calomnie se révèle aussi efficace que la maladie : le même sur le qui-vive, la même attention crispée, la même insécurité, le même affolement qui vous fouette, le même enrichissement funeste.

*J*e ne suis rien, c'est évident, mais, comme pendant longtemps j'ai voulu être quelque chose, cette volonté, je n'arrive pas à l'étouffer : elle existe puisqu'elle a existé, elle me travaille et me domine, bien que je la rejette. J'ai beau la reléguer dans mon passé, elle se rebiffe et me harcèle : n'ayant jamais été satisfaite, elle s'est maintenue intacte, et n'entend pas se plier à mes injonctions. Pris entre ma volonté et moi, que puis-je faire ?

*D*ans son *Échelle du Paradis*, saint Jean Climaque note qu'un moine orgueilleux n'a pas besoin d'être persécuté par le démon : il est lui-même son propre démon. Je pense à X, qui a raté sa vie au couvent. Personne n'était mieux fait pour se distinguer dans le monde et y briller. Inapte à l'humilité, à l'obéissance, il a choisi la solitude et s'y est enlisé. Il n'avait rien en lui pour devenir, selon l'expression du même Jean Climaque, «l'amant de Dieu». Avec du sarcasme, on ne peut faire son salut, ni aider les autres à faire le leur. Avec du sarcasme, on peut seulement masquer ses blessures, sinon ses dégoûts.

C'est une grande force, et une grande chance, que de pouvoir vivre sans ambition aucune. Je m'y astreins. Mais le fait de m'y astreindre participe encore de l'ambition.

*L*e temps vide de la méditation est, à la vérité, le seul temps plein. Nous ne devrions jamais rougir d'accumuler des instants vacants. Vacants en apparence, remplis en fait. Méditer est un loisir suprême, dont le secret s'est perdu.

*L*es gestes nobles sont toujours suspects. On regrette, chaque fois, de les avoir faits. C'est du faux, du théâtre, de la pose. Il est vrai qu'on regrette presque autant les gestes ignobles.

*S*i je repense à n'importe quel moment de ma vie, au plus fébrile comme au plus neutre, qu'en est-il resté, et quelle différence y a-t-il maintenant entre eux? Tout étant devenu semblable, sans relief et sans réalité, c'est quand je ne *sentais* rien que j'étais le plus près de la vérité, j'entends de mon état actuel où je récapitule mes expériences. À quoi bon avoir éprouvé quoi que ce soit? Plus aucune «extase» que la mémoire ou l'imagination puisse ressusciter!

*P*ersonne n'arrive, avant son dernier moment, à user totalement sa mort : elle conserve, même pour l'agonisant-né, un rien de nouveauté.

*S*uivant la Kabbale, Dieu créa les âmes dès le commencement, et elles étaient toutes devant lui sous la forme qu'elles allaient prendre plus tard en s'incarnant. Chacune d'elles, quand son temps est venu, reçoit l'ordre d'aller rejoindre le corps qui lui est destiné mais chacune, en pure perte, implore son Créateur de lui épargner cet esclavage et cette souillure.
Plus je pense à ce qui ne put manquer de se produire lorsque le tour de la mienne fut arrivé, plus je me dis que s'il en est une qui, plus que les autres, dut renâcler à s'incarner, ce fut bien elle.

*O*n accable le sceptique, on parle de «l'automatisme du doute», tandis qu'à propos d'un croyant on ne dit jamais qu'il est tombé dans l'«automatisme de la foi». Cependant la foi comporte un caractère autrement machinal que le doute, lequel a l'excuse de passer de surprise en surprise, — à l'intérieur du désarroi, il est vrai.

*C*e rien de lumière en chacun de nous et qui remonte bien avant notre naissance, bien avant toutes les naissances, c'est ce qu'il importe de sauvegarder, si nous voulons renouer avec cette clarté lointaine, dont nous ne saurons jamais pourquoi nous fûmes séparés.

*J*e n'ai pas connu une seule sensation de plénitude, de bonheur véritable, sans penser que c'était le moment ou jamais de m'effacer pour toujours.

*U*n moment vient où il nous paraît oiseux d'avoir à choisir entre la métaphysique et l'amateurisme, entre l'insondable et l'anecdote.

*P*our bien mesurer le recul que représente le christianisme par rapport au paganisme, on n'a qu'à comparer les pauvretés qu'ont débitées les Pères de l'Église sur le suicide avec les opinions émises sur le même sujet par un Pline, un Sénèque et même un Cicéron.

À quoi rime ce qu'on dit? Cette suite de propositions qui constitue le discours, a-t-elle un sens? Et ces propositions, prises une à une, ont-elles un objet?
On ne peut *parler* que si on fait abstraction de cette question, ou qu'on se la pose le moins souvent possible.

«*J*e me fous de *tout*» — si ces paroles ont été prononcées, ne serait-ce qu'une seule fois, froidement, en parfaite connaissance de ce qu'elles signifient, l'histoire est justifiée et, avec elle, nous tous.

«*M*alheur à vous quand tout le monde dira du bien de vous!»
Le Christ prophétisait là sa propre fin. Tous disent maintenant du

bien de lui, même les incroyants les plus endurcis, eux surtout. Il savait bien qu'il succomberait un jour à l'approbation universelle. Le christianisme est perdu s'il ne subit des persécutions aussi impitoyables que celles dont il fut l'objet à ses débuts. Il devrait se susciter coûte que coûte des ennemis, se préparer à lui-même de grandes calamités. Seul un nouveau Néron pourrait peut-être le sauver encore...

*J*e crois la parole récente, je me figure mal un dialogue qui remonte au-delà de dix mille ans. Je me figure encore plus mal qu'il puisse y en avoir un, je ne dis pas dans dix mille, dans mille ans seulement.

*D*ans un ouvrage de psychiatrie, ne me retiennent que les propos des malades; dans un livre de critique, que les citations.

*C*ette Polonaise, qui est au-delà de la santé et de la maladie, au-delà même du vivre et du mourir, personne ne peut rien pour elle. On ne guérit pas un fantôme, et encore moins un délivré-vivant. On ne guérit que ceux qui appartiennent à la terre, et y ont encore des racines, si superficielles soient-elles.

*L*es périodes de stérilité que nous traversons coïncident avec une exacerbation de notre discernement, avec l'éclipse du dément en nous.

*A*ller jusqu'aux extrémités de son art et, plus encore, de son être, telle est la loi de quiconque s'estime tant soit peu *élu*.

C'est à cause de la parole que les hommes donnent l'illusion d'être libres. S'ils faisaient — sans un mot — ce qu'ils font, on les prendrait pour des robots. En parlant, ils se trompent eux-mêmes, comme ils trompent les autres : en annonçant ce qu'ils vont exécuter, comment pourrait-on penser qu'ils ne sont pas maîtres de leurs actes ?

*A*u fond de soi, chacun se sent et se croit immortel, dût-il savoir qu'il va expirer dans un instant. On peut tout comprendre, tout admettre, tout *réaliser*, sauf sa mort, alors même qu'on y pense sans relâche et que l'on y est résigné.

*A*ux abattoirs, je regardai, ce matin-là, les bêtes qu'on acheminait au massacre. Presque toutes, au dernier moment, refusaient d'avancer. Pour les y décider, on les frappait sur les pattes de derrière.
Cette scène me revient souvent à l'esprit lorsque, éjecté du sommeil, je n'ai pas la force d'affronter le supplice quotidien du Temps.

*P*ercevoir le caractère transitoire de tout, je me targue d'y exceller. Drôle d'excellence qui m'aura gâté toutes mes joies; mieux : toutes mes sensations.

*C*hacun expie son premier instant.

*P*endant une seconde, je crois avoir ressenti ce que l'absorption dans le Brahman peut bien signifier pour un fervent du Védânta. J'aurais tant voulu que cette seconde fût extensible, indéfiniment!

J'ai cherché dans le doute un remède contre l'anxiété. Le remède a fini par faire cause commune avec le mal.

«*S*i une doctrine se répand, c'est que le ciel l'aura voulu.» (Confucius.)
... C'est ce dont j'aimerais me persuader toutes les fois que, devant telle ou telle aberration victorieuse, ma rage frise l'apoplexie.

*L*a quantité d'exaltés, de détraqués et de dégénérés que j'ai pu admirer! Soulagement voisin de l'orgasme à l'idée qu'on n'embrassera plus jamais une cause, quelle qu'elle soit...

*E*st-ce un acrobate? est-ce un chef d'orchestre happé par l'Idée? Il s'emballe, puis se modère, il alterne l'allegro et l'andante, il est maître de soi comme le sont les fakirs ou les escrocs. Tout le temps qu'il parle, il donne l'impression de chercher, mais on ne saura jamais quoi : un expert dans l'art de contrefaire le penseur. S'il disait une seule chose parfaitement nette, il serait perdu. Comme il ignore, autant que ses auditeurs, où il veut en venir, il peut continuer pendant des heures, sans épuiser l'émerveillement des fantoches qui l'écoutent.

C'est un privilège que de vivre en conflit avec son temps. À chaque moment on est conscient qu'on ne pense pas comme les autres. Cet état de dissemblance aigu, si indigent, si stérile qu'il paraisse, possède néanmoins un statut philosophique, qu'on chercherait en pure perte dans les cogitations accordées aux événements.

«*O*n n'y peut rien», ne cessait de répondre cette nonagénaire à tout ce que je lui disais, à tout ce que je hurlais dans ses oreilles, sur le présent, sur l'avenir, sur la marche des choses...
Dans l'espoir de lui arracher quelque autre réponse, je continuais avec mes appréhensions, mes griefs, mes plaintes. N'obtenant d'elle que le sempiternel «On n'y peut rien», je finis par en avoir assez, et m'en allai, irrité contre moi, irrité contre elle. Quelle idée de s'ouvrir à une imbécile !
Une fois dehors, revirement complet. «Mais la vieille a raison. Comment n'ai-je pas saisi immédiatement que sa rengaine renfermait une vérité, la plus importante sans doute, puisque tout ce qui arrive la proclame et que tout en nous la refuse ?»

———————————— X

————————————————— *D*eux sortes d'intuitions : les originelles (Homère, Upanishads, folklore) et les tardives (bouddhisme Mahâyâna, stoïcisme romain, gnose alexandrine). Éclairs
premiers et lueurs exténuées. L'éveil de la conscience et la lassitude d'être éveillé.

S'il est vrai que ce qui périt n'a
jamais existé, la naissance, source du périssable, existe aussi peu
que le reste.

*A*ttention aux euphémismes! Ils
aggravent l'horreur qu'ils sont censés déguiser.
À la place de *décédé* ou de *mort*, employer *disparu*, me semble
saugrenu, voire insensé.

*Q*uand l'homme oublie qu'il est
mortel, il se sent porté à faire de grandes choses et parfois il y
arrive. Cet oubli, fruit de la démesure, est en même temps la
cause de ses malheurs. «Mortel, pense en mortel.» L'Antiquité a
inventé la *modestie tragique.*

*D*e toutes les statues équestres
d'empereurs romains, seule a survécu aux invasions barbares et à
l'érosion des siècles celle de Marc Aurèle, le moins empereur de
tous, et qui se serait accommodé de n'importe quelle autre condition.

*L*evé avec force projets en
tête, j'allais travailler, j'en étais convaincu, toute la matinée.
À peine m'étais-je assis à ma table, que l'odieuse, l'infâme, et
persuasive rengaine : «Qu'es-tu venu chercher dans ce
monde?» brisa net mon élan. Et je regagnai, comme d'ordinaire,

mon lit avec l'espoir de trouver quelque réponse, de me rendormir plutôt.

*O*n opte, on tranche aussi longtemps qu'on s'en tient à la surface des choses; dès qu'on va au fond, on ne peut plus trancher ni opter, on ne peut plus que regretter la surface...

*L*a peur d'être dupe est la version vulgaire de la recherche de la Vérité.

*Q*uand on se connaît bien, si on ne se méprise pas totalement, c'est parce qu'on est trop las pour se livrer à des sentiments extrêmes.

*I*l est desséchant de suivre une doctrine, une croyance, un système — pour un écrivain surtout; à moins qu'il ne vive, comme cela arrive souvent, en contradiction avec les idées dont il se réclame. Cette contradiction, ou cette trahison, le stimule, et le maintient dans l'insécurité, la gêne et la honte, conditions propices à la production.

*L*e Paradis était l'endroit où l'on savait tout mais où l'on n'expliquait rien. L'univers d'avant le péché, d'avant le *commentaire*...

*J*e n'ai pas la foi, heureusement. L'aurais-je, que je vivrais avec la peur constante de la perdre. Ainsi, loin de m'aider, ne ferait-elle que me nuire.

*U*n imposteur, un «fumiste», conscient de l'être, donc spectateur de soi-même, est nécessairement plus avancé dans la connaissance qu'un esprit posé, plein de mérites, et tout d'une pièce.

*Q*uiconque possède un corps a droit au titre de réprouvé. Si, de plus, il est affligé d'une «âme», il n'y a pas d'anathème auquel il ne puisse prétendre.

*D*evant quelqu'un qui a tout perdu, quel langage tenir? Le plus vague, le plus diffus, sera toujours le plus efficace.

*S*uprématie du regret : les actes que nous n'avons pas accomplis, forment, du fait qu'ils nous poursuivent, et que nous y pensons sans cesse, le seul contenu de notre conscience.

*O*n voudrait parfois être cannibale, moins pour le plaisir de dévorer tel ou tel que pour celui de le vomir.

*N*e plus vouloir être homme..., rêver d'une autre forme de déchéance.

*C*haque fois qu'on se trouve à un tournant, le mieux est de s'allonger et de laisser passer les heures. Les résolutions prises debout ne valent rien : elles sont dictées soit par l'orgueil, soit par la peur. Couché, on connaît toujours ces deux fléaux mais sous une forme plus atténuée, plus intemporelle.

*Q*uand quelqu'un se plaint que sa vie n'a pas abouti, on n'a qu'à lui rappeler que la vie elle-même est dans une situation analogue, sinon pire.

*L*es œuvres meurent ; les fragments, n'ayant pas vécu, ne peuvent davantage mourir.

L'horreur de l'accessoire me paralyse. Or, l'accessoire est l'essence de la communication (et donc de la pensée), il est la chair et le sang de la parole et de l'écriture. Vouloir y renoncer — autant forniquer avec un squelette.

*L*e contentement que l'on retire de l'accomplissement d'une tâche (surtout lorsqu'on n'y croit pas et qu'on la méprise même) montre bien à quel point on appartient encore à la tourbe.

*M*on mérite n'est pas d'être totalement inefficace mais de m'être voulu tel.

*S*i je ne renie pas mes origines, c'est qu'il vaut mieux, en définitive, n'être rien du tout qu'un semblant de quelque chose.

*M*élange d'automatisme et de caprice, l'homme est un robot avec des failles, un robot *détraqué*. Pourvu qu'il le demeure et qu'on ne le redresse pas un jour !

*C*e que chacun, qu'il ait de la patience ou non, attend depuis toujours, c'est évidemment la mort. Mais il ne le sait que lorsqu'elle arrive..., lorsqu'il est trop tard pour pouvoir en jouir.

L'homme a certainement commencé à prier bien avant d'avoir su parler, car les affres qu'il dut connaître en quittant l'animalité, en la reniant, comment aurait-il pu les supporter sans des grognements et des gémissements, préfigurations, signes avant-coureurs de la prière ?

*E*n art et en tout, le commentateur est d'ordinaire plus averti et plus lucide que le commenté. C'est l'avantage de l'assassin sur la victime.

« *R*endons grâces aux dieux, qui ne retiennent personne de force dans la vie. »
Sénèque (dont le style, suivant Caligula, manque de *ciment*) est ouvert à l'essentiel, et cela non pas tant à cause de son affiliation au stoïcisme que de son exil de huit ans en Corse, particulièrement sauvage à l'époque. Cette épreuve a conféré à un esprit frivole une dimension qu'il n'aurait pas acquise normalement. Elle l'a dispensé du concours d'une maladie.

*C*et instant-ci, mien encore, le voilà qui s'écoule, qui m'échappe, le voilà englouti. Vais-je me commettre avec le suivant ? Je m'y décide : il est là, il m'appartient, et déjà il est loin. Du matin au soir, fabriquer du passé !

*A*près avoir, en pure perte, tout tenté du côté des mystiques, il ne lui restait plus qu'une issue : sombrer dans la sagesse...

*D*ès qu'on se pose des questions dites philosophiques et qu'on emploie l'inévitable jargon, on prend un air supérieur, agressif, et cela dans un domaine où, l'insoluble étant de rigueur, l'humilité devrait l'être aussi. Cette anomalie n'est qu'apparente. Plus les questions qu'on aborde sont de taille, plus on perd la tête : on finit même par se prêter à soi-même les dimensions qu'elles possèdent. Si l'orgueil des théologiens est plus « puant » encore que celui des philosophes, c'est qu'on ne s'occupe pas impunément de Dieu : on en arrive à s'arroger malgré soi quelques-uns de ses attributs, les pires s'entend.

*E*n paix avec lui-même et le monde, l'esprit s'étiole. Il s'épanouit à la moindre contrariété. La pensée n'est en somme que l'exploitation éhontée de nos gênes et de nos disgrâces.

*C*e corps, fidèle autrefois, me désavoue, ne me suit plus, a cessé d'être mon complice. Rejeté, trahi, mis au rancart, que deviendrais-je si de vieilles infirmités, pour me marquer leur loyauté, ne venaient me tenir compagnie à toute heure du jour et de la nuit ?

*L*es gens « distingués » n'inventent pas en matière de langage. Y excellent au contraire tous ceux qui improvisent par forfanterie ou se vautrent dans une grossièreté teintée d'émotion. Ce sont des natures, ils vivent à même les mots. Le génie verbal serait-il l'apanage des mauvais lieux ? Il exige en tout cas un minimum de dégueulasserie.

*O*n devrait s'en tenir à un seul idiome, et en approfondir la connaissance à chaque occasion. Pour un écrivain, bavarder avec une concierge est bien plus profitable que s'entretenir avec un savant dans une langue étrangère.

« ... *L*e sentiment d'être tout et l'évidence de n'être rien. » Le hasard me fit tomber, dans ma jeunesse, sur ce bout de phrase. J'en fus bouleversé. Tout ce que je ressentais alors, et tout ce que je devais ressentir par la suite, se trouvait ramassé dans cette extraordinaire formule banale, synthèse de dilatation et d'échec, d'extase et d'impasse. Le plus souvent ce n'est pas d'un paradoxe, c'est d'un truisme que surgit une révélation.

*L*a poésie exclut calcul et préméditation : elle est inachèvement, pressentiment, gouffre. Ni géométrie ronronnante, ni succession d'adjectifs exsangues. Nous sommes tous trop blessés et trop déchus, trop fatigués et trop barbares dans notre fatigue, pour apprécier encore le *métier*.

L'idée de progrès, on ne peut s'en passer, et pourtant elle ne mérite pas qu'on s'y arrête. C'est comme le « sens » de la vie. Il *faut* que la vie en ait un. Mais en existe-t-il un seul qui, à l'examen, ne se révèle pas dérisoire ?

*D*es arbres massacrés. Des maisons surgissent. Des gueules, des gueules partout. L'homme *s'étend*. L'homme est le cancer de la terre.

L'idée de fatalité a quelque chose d'enveloppant et de voluptueux : elle vous tient chaud.

*U*n troglodyte qui aurait parcouru toutes les nuances de la satiété...

*L*e plaisir de se calomnier vaut de beaucoup celui d'être calomnié.

*M*ieux que personne je connais le danger d'être né avec une soif de tout. Un cadeau empoisonné, une vengeance de la Providence. Ainsi grevé, je ne pouvais arriver à rien, sur le plan spirituel s'entend, le seul qui importe. Nullement accidentel, mon échec se confond avec mon essence.

*L*es mystiques et leurs « œuvres complètes ». Quand on s'adresse à Dieu, et à Dieu seul, comme ils le prétendent, on devrait se garder d'écrire. Dieu ne *lit* pas...

*C*haque fois que je pense à l'essentiel, je crois l'entrevoir dans le silence ou l'explosion, dans la stupeur ou le cri. Jamais dans la parole.

*Q*uand on rumine à longueur de journée sur l'inopportunité de la naissance, tout ce qu'on projette et tout ce qu'on exécute semble piètre et futile. On est comme un fou qui, guéri, ne ferait que penser à la crise qu'il a traversée, au « rêve » dont il émerge ; il y reviendrait sans cesse, de sorte que sa guérison ne lui serait d'aucun profit.

L'appétit de tourment est pour certains ce qu'est l'appât du gain pour d'autres.

L'homme est parti du mauvais pied. La mésaventure au paradis en fut la première conséquence. Le reste devait suivre.

*J*e ne comprendrai jamais comment on peut vivre en sachant qu'on n'est pas — pour le moins! — éternel.

L'être idéal? Un ange dévasté par l'humour.

*Q*uand, à la suite d'une série de questions sur le désir, le dégoût et la sérénité, on demande au Bouddha : «Quel est le but, le sens dernier du nirvâna?» il ne répond pas. Il *sourit.* On a beaucoup épilogué sur ce sourire, au lieu d'y voir une réaction normale devant une question sans objet. C'est ce que nous faisons devant les *pourquoi* des enfants. Nous sourions, parce qu'aucune réponse n'est concevable, parce que la réponse serait encore plus dénuée de sens que la question. Les enfants n'admettent une limite à rien; ils veulent toujours regarder au-delà, voir ce qu'il y a après. Mais il n'y a pas d'après. Le nirvâna est une limite, la limite. Il est libération, impasse suprême...

L'existence, c'est certain, pouvait avoir quelque attrait avant l'avènement du bruit, mettons avant le néolithique.
À quand l'homme qui saura nous défaire de tous les hommes?

*O*n a beau se dire qu'on ne devrait pas dépasser en longévité un mort-né, au lieu de décamper à la première occasion, on s'accroche, avec l'énergie d'un aliéné, à une journée de plus.

*L*a lucidité n'extirpe pas le désir de vivre, tant s'en faut, elle rend seulement impropre à la vie.

*D*ieu : une maladie dont on se croit guéri parce que plus personne n'en meurt.

L'inconscience est le secret, le «principe de vie» de la vie... Elle est l'unique recours conte le moi, conte le mal d'être individualisé, contre l'effet débilitant de l'état de conscience, état si redoutable, si dur à affronter, qu'il devrait être réservé aux athlètes seulement.

*T*oute réussite, dans n'importe quel ordre, entraîne un appauvrissement intérieur. Elle nous fait oublier ce que nous sommes, elle nous prive du supplice de nos limites.

*J*e ne me suis jamais pris pour un *être*. Un non-citoyen, un marginal, un rien du tout qui n'existe que par l'excès, par la surabondance de son néant.

*A*voir fait naufrage quelque part entre l'épigramme et le soupir!

*L*a souffrance ouvre les yeux, aide à voir des choses qu'on n'aurait pas perçues autrement. Elle n'est donc utile qu'à la connaissance, et, hors de là, ne sert qu'à envenimer l'existence. Ce qui, soit dit en passant, favorise encore la connaissance.
«Il a souffert, donc il a compris.» C'est tout ce qu'on peut dire d'une victime de la maladie, de l'injustice, ou de n'importe quelle variété d'infortune. La souffrance n'améliore personne (sauf ceux qui étaient déjà *bons*), elle est oubliée comme sont oubliées toutes choses, elle n'entre pas dans le «patrimoine de l'humanité», ni ne se conserve d'aucune manière, mais se perd comme tout se perd. Encore une fois, elle ne sert qu'à ouvrir les yeux.

L'homme a dit ce qu'il avait à dire. Il devrait se reposer maintenant. Il n'y consent pas, et bien qu'il soit entré dans sa phase de survivant, il se trémousse comme s'il était au seuil d'une carrière mirobolante.

*L*e cri n'a de sens que dans un univers créé. S'il n'y a pas de créateur, à quoi rime d'attirer l'attention sur soi?

«Arrivé sur la place de la Concorde, ma pensée était de me détruire.»
Rien, dans toute la littérature française, ne m'aura poursuivi autant.

En tout, seuls comptent le commencement et le dénouement, le faire et le défaire. La voie vers l'être et la voie hors de l'être, c'est cela la respiration, le souffle, alors que l'Être comme tel n'est qu'un étouffoir.

À mesure que le temps passe, je me persuade que mes premières années furent un paradis. Mais je me trompe sans doute. Si jamais paradis il y eut, il me faudrait le chercher avant toutes mes années.

Règle d'or : laisser une image incomplète de soi...

Plus l'homme est homme, plus il perd en réalité : c'est le prix qu'il doit payer pour son essence distincte. S'il parvenait à aller jusqu'au bout de sa singularité, et qu'il devînt homme d'une façon totale, absolue, il n'aurait plus rien en lui qui rappelât quelque genre d'existence que ce fût.

Le mutisme devant les arrêts du sort, la redécouverte, après des siècles d'imploration tonitruante, du *Tais-toi* antique, voilà à quoi nous devrions nous astreindre, voilà notre lutte, si toutefois ce mot est propre lorsqu'il s'agit d'une défaite prévue et acceptée.

Tout succès est infamant : on ne s'en remet jamais, à ses propres yeux s'entend.

Les affres de la vérité sur soi sont au-dessus de ce qu'on peut supporter. Celui qui ne se ment plus à lui-même (si tant est qu'un tel être existe), combien il est à plaindre !

Je ne lirai plus les sages. Ils m'ont fait trop de mal. J'aurais dû me livrer à mes instincts, laisser s'épanouir ma folie. J'ai fait tout le contraire, j'ai pris le masque de la raison, et le masque a fini par se substituer au visage et par usurper le reste.

*D*ans mes moments de mégalomanie, je me dis qu'il est impossible que mes diagnostics soient erronés, que je n'ai qu'à patienter, qu'à attendre jusqu'à la fin, jusqu'à l'avènement du dernier homme, du seul être à même de me donner raison...

L'idée qu'il eût mieux valu ne jamais exister est de celles qui rencontrent le plus d'opposition. Chacun, incapable de se regarder autrement que de l'intérieur, se croit nécessaire, voire indispensable, chacun se sent et se perçoit comme une réalité absolue, comme un tout, comme le tout. Dès l'instant qu'on s'identifie entièrement avec son propre être, on réagit comme Dieu, on *est* Dieu.
C'est seulement quand on vit à la fois à l'intérieur et en marge de soi-même, qu'on peut concevoir, en toute sérénité, qu'il eût été préférable que l'accident qu'on est ne se fût jamais produit.

*S*i je suivais ma pente naturelle, je ferais tout sauter. Et c'est parce que je n'ai pas le courage de la suivre que, par pénitence, j'essaie de m'abrutir au contact de ceux qui ont trouvé la paix.

*U*n écrivain ne nous a pas marqués parce que nous l'avons beaucoup lu mais parce que nous avons pensé à lui plus que de raison. Je n'ai pratiqué spécialement ni Baudelaire ni Pascal mais je n'ai cessé de songer à leurs misères, lesquelles m'ont accompagné partout aussi fidèlement que les miennes.

À chaque âge, des signes plus ou moins distincts nous avertissent qu'il est temps de vider les lieux. Nous hésitons, nous ajournons, persuadés que, la vieillesse enfin venue, ces signes deviendront si nets que balancer encore serait inconvenant. Nets, ils le sont en effet, mais nous n'avons plus assez de vigueur pour accomplir le seul acte décent qu'un vivant puisse commettre.

*L*e nom d'une vedette, célèbre dans mon enfance, me revient soudain à l'esprit. Qui se souvient encore d'elle ? Bien plus qu'une rumination philosophique, ce sont des détails de cet acabit qui nous révèlent la scandaleuse réalité et irréalité du temps.

*S*i nous réussissons à durer malgré tout, c'est parce que nos infirmités sont si multiples et si contradictoires, qu'elles s'annulent les unes les autres.

*L*es seuls moments auxquels je pense avec réconfort, sont ceux où j'ai souhaité n'être rien pour personne, où j'ai rougi à l'idée de laisser la moindre trace dans la mémoire de qui que ce soit...

*C*ondition indispensable à l'accomplissement spirituel : avoir toujours mal misé...

*S*i nous voulons voir diminuer le nombre de nos déceptions ou de nos fureurs, il importe, en toute circonstance, de nous rappeler que nous sommes là pour nous rendre malheureux les uns les autres, et que s'insurger contre cet état de choses c'est saper le fondement même de la vie en commun.

*U*ne maladie n'est bien nôtre qu'à partir du moment où on nous en dit le nom, où on nous met la corde au cou...

*T*outes mes pensées sont tournées vers la résignation, et cependant il ne se passe pas de jour que je ne concocte quelque ultimatum à l'adresse de Dieu ou de n'importe qui.

*Q*uand chacun aura compris que la naissance est une défaite, l'existence, enfin supportable, apparaîtra comme le lendemain d'une capitulation, comme le soulagement et le repos du vaincu.

*T*ant que l'on croyait au Diable, tout ce qui arrivait était intelligible et clair ; depuis qu'on n'y croit plus, il faut, à propos de chaque événement, chercher une explication nouvelle, aussi laborieuse qu'arbitraire, qui intrigue tout le monde et ne satisfait personne.

*L*a Vérité, nous ne la poursuivons pas toujours ; mais quand nous la recherchons avec soif, avec violence, nous haïssons tout ce qui est *expression*, tout ce qui relève des mots et des formes, tous les mensonges nobles, encore plus éloignés du vrai que les vulgaires.

N'est réel que ce qui procède de l'émotion ou du cynisme. Tout le reste est « talent ».

*V*italité et refus vont de pair. L'indulgence, signe d'anémie, supprime le rire, puisqu'elle s'incline devant toutes les formes de la dissemblance.

*N*os misères physiologiques nous aident à envisager l'avenir avec confiance : elles nous dispensent de trop nous tracasser, elles font de leur mieux pour qu'aucun de nos projets de longue haleine n'ait le temps d'user toutes nos disponibilités d'énergie.

L'Empire craquait, les Barbares se déplaçaient... Que faire, sinon s'évader du siècle ?
Heureux temps où l'on avait où fuir, où les espaces solitaires étaient accessibles et accueillants ! Nous avons été dépossédés de tout, même du désert.

*P*our celui qui a pris la fâcheuse habitude de démasquer les apparences, *événement* et *malentendu* sont synonymes.
Aller à l'essentiel, c'est abandonner la partie, c'est s'avouer vaincu.

X a sans doute raison de se comparer à un « volcan », mais il a tort d'entrer dans des détails.

*L*es pauvres, à force de penser à l'argent, et d'y penser sans arrêt, en arrivent à perdre les avantages spirituels de la non-possession et à descendre aussi bas que les riches.

*L*a psyché — de l'air sans plus, du vent en somme, ou, au mieux, de la fumée —, les premiers

Grecs la considéraient ainsi, et on leur donne volontiers raison toutes les fois qu'on est las de farfouiller dans son moi ou dans celui des autres, en quête de profondeurs insolites et, si possible, suspectes.

*L*e dernier pas vers l'indifférence est la destruction de l'idée même d'indifférence.

*M*archer dans une forêt entre deux haies de fougères transfigurées par l'automne, c'est cela un *triomphe.* Que sont à côté suffrages et ovations?

*R*abaisser les siens, les vilipender, les pulvériser, s'en prendre aux fondations, se frapper soi-même à la base, ruiner son point de départ, se punir de ses origines..., maudire tous ces non-élus, engeance mineure, quelconque, tiraillée entre l'imposture et l'élégie, et dont la seule mission est de ne pas en avoir...

*A*yant détruit toutes mes attaches, je devrais éprouver une sensation de liberté. J'en éprouve une en effet, si intense que j'ai peur de m'en réjouir.

*Q*uand la coutume de regarder les choses en face tourne à la manie, on pleure le fou qu'on a été et qu'on n'est plus.

——————————————— *Q*uelqu'un que nous plaçons très haut nous devient plus proche quand il accomplit un acte indigne de lui. Par là, il nous dispense du calvaire de la vénération. Et c'est à partir de ce moment que nous éprouvons à son égard un véritable attachement.

*R*ien ne surpasse en gravité les vilenies et les grossièretés que l'on commet par timidité.

*F*laubert, devant le Nil et les Pyramides, ne songeait, suivant un témoin, qu'à la Normandie, qu'aux mœurs et aux paysages de la future *Madame Bovary.* Rien ne semblait exister pour lui en dehors d'elle. Imaginer, c'est se restreindre, c'est exclure : sans une capacité démesurée de refus, nul projet, nulle œuvre, nul moyen de réaliser quoi que ce soit.

*C*e qui ressemble de près ou de loin à une victoire me paraît à tel point un déshonneur, que je ne peux combattre, en toute circonstance, qu'avec le ferme propos d'avoir le dessous. J'ai dépassé le stade où les êtres importent, et ne vois plus aucune raison de lutter dans les mondes connus.

*O*n n'enseigne la philosophie que dans l'agora, dans un jardin ou chez soi. La chaire est le tombeau du philosophe, la mort de toute pensée vivante, la chaire est l'esprit en deuil.

*Q*ue je puisse désirer encore, cela prouve bien que je n'ai pas une perception exacte de la réalité, que je divague, que je suis à mille lieues du Vrai. « L'homme, lit-on dans le *Dhammapada*, n'est la proie du désir que parce qu'il ne voit pas les choses telles qu'elles sont. »

*J*e tremblais de rage : mon honneur était en jeu. Les heures passaient, l'aube approchait. Allais-je, à cause d'une vétille, gâcher ma nuit ? J'avais beau essayer de minimiser l'incident, les raisons que j'inventais pour me calmer demeuraient sans effet. Ils ont osé me faire ça ! J'étais sur le point d'ouvrir la fenêtre et de hurler comme un fou furieux, quand l'image de notre planète tournant comme une toupie s'empara tout à coup de mon esprit. Ma rage retomba aussitôt.

*L*a mort n'est pas tout à fait inutile. C'est quand même grâce à elle qu'il nous sera donné peut-être de recouvrer l'espace d'avant la naissance, notre seul espace...

*Q*u'on avait raison autrefois de commencer la journée par une prière, par un appel au secours ! Faute de savoir à qui nous adresser, nous finirons par nous prosterner devant la première divinité maboule.

*L*a conscience aiguë d'avoir un corps, c'est cela l'absence de santé.
... Autant dire que je ne me suis jamais bien porté.

*T*out est duperie, je l'ai toujours su ; cependant cette certitude ne m'a apporté aucun apaisement, sauf aux moments où elle m'était violemment présente à l'esprit...

*L*a perception de la précarité hissée au rang de vision, d'expérience mystique.

*L*a seule manière de supporter revers après revers est d'aimer l'idée même de revers. Si on y parvient, plus de surprises : on est supérieur à tout ce qui arrive, on est une victime invincible.

*D*ans les sensations de douleur très fortes, beaucoup plus que dans les faibles, on s'observe, on se dédouble, on demeure extérieur à soi, quand bien même on gémit ou on hurle. Tout ce qui confine au supplice réveille en chacun le psychologue, le curieux, ainsi que l'expérimentateur : on veut voir jusqu'où on peut aller dans l'intolérable.

*Q*u'est-ce que l'injustice auprès de la maladie ? Il est vrai qu'on peut trouver injuste le fait d'être malade. C'est d'ailleurs ainsi que réagit chacun, sans se soucier de savoir s'il a raison ou tort.

La maladie *est* : rien de plus réel qu'elle. Si on la déclare injuste, il faut oser en faire autant de l'être lui-même, parler en somme de l'*injustice d'exister*.

*L*a création, telle qu'elle était, ne valait pas cher ; rafistolée, elle vaut encore moins. Que ne l'a-t-on pas laissée dans sa vérité, dans sa nullité première !

Le Messie à venir, le vrai, on comprend qu'il tarde à se manifester. La tâche qui l'attend n'est pas aisée : comment s'y prendrait-il pour délivrer l'humanité de la *manie du mieux* ?

*Q*uand, furieux de s'être trop habitué à soi-même, on se met à se détester, on s'aperçoit bientôt que c'est pis qu'avant, que se haïr renforce encore davantage les liens avec soi.

*J*e ne l'interromps pas, le laisse peser les mérites de chacun, j'attends qu'il m'exécute... Son incompréhension des êtres est confondante. Subtil et candide à la fois, il vous juge comme si vous étiez une entité ou une catégorie. Le temps n'ayant pas eu de prise sur lui, il ne peut admettre que je sois en dehors de tout ce qu'il défend, que plus rien de ce qu'il prône ne me regarde encore.

Le dialogue devient sans objet avec quelqu'un qui échappe au défilé des années. Je demande à ceux que j'aime de me faire la grâce de vieillir.

*L*e trac devant quoi que ce soit, devant le plein et le vide également. Le trac *originel*...

*D*ieu *est*, même s'il n'est pas.

D. est incapable d'assimiler le Mal. Il en constate l'existence mais il ne peut l'incorporer à sa pensée. Sortirait-il de l'enfer qu'on ne le saurait pas, tant, dans ses propos, il est au-dessus de ce qui lui nuit.

Les épreuves qu'il a endurées, on en chercherait en vain le

moindre vestige dans ses idées. De temps en temps il a des réflexes, des réflexes seulement, d'homme blessé. Fermé au négatif, il ne discerne pas que tout ce que nous possédons n'est qu'un capital de non-être. Cependant plus d'un de ses gestes révèle un esprit démoniaque. Démoniaque sans le savoir. C'est un destructeur obnubilé et stérilisé par le Bien.

*L*a curiosité de mesurer ses progrès dans la déchéance, est la seule raison qu'on a d'avancer en âge. On se croyait arrivé à la limite, on pensait que l'horizon était à jamais bouché, on se lamentait, on se laissait aller au découragement. Et puis on s'aperçoit qu'on peut tomber plus bas encore, qu'il y a du nouveau, que tout espoir n'est pas perdu, qu'il est possible de s'enfoncer un peu plus et d'écarter ainsi le danger de se figer, de se scléroser...

«*L*a vie ne semble un bien qu'à l'insensé», se plaisait à dire, il y a vingt-trois siècles, *Hégésias*, philosophe cyrénaïque, dont il ne reste à peu près que ce propos... S'il y a une œuvre qu'on aimerait réinventer, c'est bien la sienne.

*N*ul n'approche de la condition du sage s'il n'a pas la bonne fortune d'être oublié de son vivant.

*P*enser, c'est saper, c'est se saper. Agir entraîne moins de risques, parce que l'action remplit l'intervalle entre les choses et nous, alors que la réflexion l'élargit dangereusement.

... Tant que je m'adonne à un exercice physique, à un travail manuel, je suis heureux, comblé; dès que je m'arrête, je suis pris d'un mauvais vertige, et ne songe plus qu'à déguerpir pour toujours.

*A*u point le plus bas de soi-même, quand on touche le fond et qu'on palpe l'abîme, on est soulevé d'un coup — réaction de défense ou orgueil ridicule — par le sentiment d'être *supérieur* à Dieu. Le côté grandiose et impur de la tentation d'en finir.

*U*ne émission sur les loups, avec des exemples de hurlement. Quel langage! Il n'en existe pas de plus déchirant. Jamais je ne l'oublierai, et il me suffira à l'avenir, dans des moments de trop grande solitude, de me le rappeler distinctement, pour avoir le sentiment d'appartenir à une communauté.

À partir du moment où la défaite était en vue, Hitler ne parlait plus que de victoire. Il y croyait — il se comportait en tout cas comme s'il y croyait — et il resta jusqu'à la fin claquemuré dans son optimisme, dans sa foi. Tout s'effondrait autour de lui, chaque jour apportait un démenti à ses espérances mais, persistant à escompter l'impossible, s'aveuglant comme seuls les incurables savent le faire, il eut la force d'aller jusqu'au bout, d'inventer horreur après horreur, et de continuer au-delà de sa folie, au-delà même de sa destinée. C'est ainsi qu'on peut dire de lui, de lui qui a tout raté, qu'il s'est réalisé mieux qu'aucun autre mortel.

«Après moi le déluge» est la devise inavouée de tout un chacun: si nous admettons que d'autres nous survivent, c'est avec l'espoir qu'ils en seront punis.

Un zoologiste qui, en Afrique, a observé de près les gorilles, s'étonne de l'uniformité de leur vie et de leur grand désœuvrement. Des heures et des heures sans rien faire... Ils ne connaissent donc pas l'ennui?
Cette question est bien d'un *homme*, d'un singe occupé. Loin de fuir la monotonie, les animaux la recherchent, et ce qu'ils redoutent le plus c'est de la voir cesser. Car elle ne cesse que pour être remplacée par la peur, cause de tout affairement.
L'inaction est divine. C'est pourtant contre elle que l'homme s'est insurgé. Lui seul, dans la nature, est incapable de supporter la monotonie, lui seul veut à tout prix que quelque chose arrive, n'importe quoi. Par là, il se montre indigne de son ancêtre: le besoin de nouveauté est le fait d'un gorille fourvoyé.

Nous approchons de plus en plus de l'Irrespirable. Quand nous y serons parvenus, ce sera le grand Jour. Nous n'en sommes hélas! qu'à la veille.

Une nation n'atteint à la prééminence et ne la conserve qu'aussi longtemps qu'elle accepte des conventions nécessairement ineptes, et qu'elle est inféodée à des préjugés, sans les prendre pour tels. Dès qu'elle les appelle par leur nom, tout est démasqué, tout est compromis.

Vouloir dominer, jouer un rôle, faire la loi, ne va pas sans une forte dose de stupidité : l'histoire, dans son essence, est *stupide*... Elle continue, elle avance, parce que les nations liquident leurs préjugés à tour de rôle. Si elles s'en débarrassaient en même temps, il n'y aurait plus qu'une bienheureuse désagrégation universelle.

*O*n ne peut pas vivre sans mobiles. Je n'ai plus de mobiles, et je vis.

J'étais en parfaite santé, j'allais mieux que jamais. Tout à coup un froid me saisit pour lequel il me parut évident qu'il n'y avait pas de remède. Que m'arrivait-il ? Ce n'était pourtant pas la première fois qu'une telle sensation me submergeait. Mais auparavant je la supportais sans essayer de la comprendre. Cette fois-ci, je voulais savoir, et tout de suite. J'écartai hypothèse après hypothèse : il ne pouvait être question de maladie. Pas ombre d'un symptôme auquel m'accrocher. Que faire ? J'étais en pleine déroute, incapable de trouver ne serait-ce qu'un simulacre d'explication, lorsque l'idée me vint — et ce fut un vrai soulagement — qu'il ne s'agissait là que d'une version du grand, de l'ultime froid, que c'était lui simplement qui s'exerçait, qui faisait une répétition...

*A*u paradis, les objets et les êtres, assiégés de tous côtés par la lumière, ne projettent pas d'ombre. Autant dire qu'ils manquent de réalité, comme tout ce qui est inentamé par les ténèbres et déserté par la mort.

*N*os premières intuitions sont les vraies. Ce que je pensais d'un tas de choses dans ma prime jeunesse, me paraît de plus en plus juste, et, après tant d'égarements et de détours, j'y reviens maintenant, tout affligé d'avoir pu ériger mon existence sur la ruine de ces évidences-là.

*U*n lieu que j'ai parcouru, je ne m'en souviens que si j'ai eu la veine d'y connaître quelque anéantissement par le cafard.

À la foire, devant ce bateleur qui grimaçait, gueulait, se fatiguait, je me disais qu'il faisait son devoir, lui, alors que moi j'esquivais le mien.

*S*e manifester, œuvrer, dans n'importe quel domaine, est le fait d'un fanatique plus ou moins camouflé. Si on ne s'estime pas investi d'une mission, exister est difficile ; agir, impossible.

*L*a certitude qu'il n'y a pas de salut est une forme de salut, elle est même *le* salut. À partir de là on peut aussi bien organiser sa propre vie que construire une philosophie de l'histoire. L'insoluble comme solution, comme seule issue...

*M*es infirmités m'ont gâché l'existence, mais c'est grâce à elles que j'existe, que je m'imagine que j'existe.

L'homme ne m'intéresse que depuis qu'il ne croit plus en lui-même. Tant qu'il était en pleine ascension, il ne méritait qu'indifférence. Maintenant il suscite un sentiment nouveau, une sympathie spéciale : l'horreur *attendrie*.

J'ai beau m'être débarrassé de tant de superstitions et de liens, je ne puis me tenir pour libre, pour éloigné de tout. La folie du désistement, ayant survécu aux autres passions, n'accepte pas de me quitter : elle me harasse, elle persévère, elle exige que je continue à renoncer. Mais à quoi ? Que me reste-t-il à rejeter ? Je me le demande. Mon rôle est fini, ma carrière achevée, et cependant rien n'est changé à ma vie, j'en suis au même point, je dois me désister encore et toujours.

XII

*I*l n'est pas de position plus fausse que d'avoir compris et de rester encore en vie.

*Q*uand on considère froidement cette portion de durée impartie à chacun, elle paraît également satisfaisante et également dérisoire, qu'elle s'étende sur un jour ou sur un siècle.
«J'ai fait mon temps.» — Il n'est pas d'expression qu'on puisse proférer avec plus d'à-propos à n'importe quel instant d'une vie, au premier y compris.

*L*a mort est la providence de ceux qui auront eu le goût et le don du fiasco, elle est la récompense de tous ceux qui n'ont pas abouti, qui ne tenaient pas à aboutir... Elle leur donne raison, elle est leur triomphe. En revanche, pour les autres, pour ceux qui ont peiné pour réussir, et qui ont réussi, quel démenti, quelle gifle!

*U*n moine d'Égypte, après quinze ans de solitude complète, reçut de ses parents et de ses amis tout un paquet de lettres. Il ne les ouvrit pas, il les jeta au feu, pour échapper à l'agression des souvenirs. On ne peut rester en communion avec soi-même et ses pensées, si on permet aux revenants de se manifester, de sévir. Le *désert* ne signifie pas tant une vie nouvelle que la mort du passé : on s'est enfin évadé de sa propre histoire. Dans le siècle, non moins que dans les thébaïdes, les lettres qu'on écrit, comme celles qu'on reçoit, témoignent qu'on est enchaîné, qu'on n'a brisé aucun lien, qu'on n'est qu'un esclave et qu'on mérite de l'être.

*U*n peu de patience, et le moment viendra où plus rien ne sera encore possible, où l'humanité, acculée à elle-même, ne pourra dans aucune direction exécuter un seul pas de plus.

Si on parvient à se représenter en gros ce spectacle sans précédent, on voudrait quand même des *détails*... Et on a peur malgré tout de manquer la fête, de n'être plus assez jeune pour avoir la chance d'y assister.

*Q*u'il sorte de la bouche d'un épicier ou d'un philosophe, le mot *être*, si riche, si tentant, si lourd de signification en apparence, ne veut en fait rien dire du tout. Il est incroyable qu'un esprit sensé puisse s'en servir en quelque occasion que ce soit.

*D*ebout, au milieu de la nuit, je tournais dans ma chambre avec la certitude d'être un élu et un scélérat, double privilège, naturel pour celui qui veille, révoltant ou incompréhensible pour les captifs de la logique diurne.

*I*l n'est pas donné à tout le monde d'avoir eu une enfance malheureuse. La mienne fut bien plus qu'heureuse. Elle fut *couronnée*. Je ne trouve pas de meilleur qualificatif pour désigner ce qu'elle eut de triomphal jusque dans ses affres. Cela devait se payer, cela ne pouvait rester impuni.

*S*i j'aime tant la correspondance de Dostoïevski, c'est qu'il n'y est question que de maladie et d'argent, uniques sujets «brûlants». Tout le reste n'est que fioritures et fatras.

*D*ans cinq cent mille ans l'Angleterre sera, paraît-il, entièrement recouverte d'eau. Si j'étais Anglais, je déposerais les armes toute affaire cessante.

Chacun a son unité de temps. Pour tel, c'est la journée, la semaine, le mois ou l'année; pour tel autre, c'est dix ans, voire cent... Ces unités, encore à l'échelle humaine, sont compatibles avec n'importe quel projet et n'importe quelle besogne.

Il en est qui prennent comme unité le temps même et qui s'élèvent parfois au-dessus: pour eux, quelle besogne, quel projet méritent d'être pris au sérieux? Qui voit trop loin, qui est contemporain de *tout* l'avenir, ne peut plus s'affairer, ni même bouger...

La pensée de la précarité m'accompagne en toute occasion : en mettant, ce matin, une lettre à la poste, je me disais qu'elle s'adressait à un *mortel*.

Une seule expérience absolue, à propos de n'importe quoi, et vous faites, à vos propres yeux, figure de survivant.

J'ai toujours vécu avec la conscience de l'impossibilité de vivre. Et ce qui m'a rendu l'existence supportable, c'est la curiosité de voir comment j'allais passer d'une minute, d'une journée, d'une année à l'autre.

La première condition pour devenir un saint est d'aimer les fâcheux, de supporter les *visites*...

Secouer les gens, les tirer de leur sommeil, tout en sachant que l'on commet là un crime, et qu'il vaudrait mille fois mieux les y laisser persévérer, puisque aussi bien lorsqu'ils s'éveillent on n'a rien à leur proposer...

Port-Royal. Au milieu de cette verdure, tant de combats et de déchirements à cause de quelques vétilles ! Toute croyance, au bout d'un certain temps, paraît gratuite et incompréhensible, comme du reste la contre-croyance qui l'a ruinée. Seul subsiste l'abasourdissement que l'une et l'autre provoquent.

Un pauvre type qui *sent* le temps, qui en est victime, qui en crève, qui n'éprouve rien d'autre, qui est temps à chaque instant, connaît ce qu'un métaphysicien ou un poète ne devine qu'à la faveur d'un effondrement ou d'un miracle.

Ces grondements intérieurs qui n'aboutissent à rien, et où l'on est réduit à l'état de volcan grotesque.

Chaque fois que je suis saisi par un accès de fureur, au début je m'en afflige et me méprise, ensuite je me dis : quelle chance, quelle aubaine ! Je suis encore en vie, je fais toujours partie de ces fantômes en chair et en os...

*L*e télégramme que je venais de recevoir n'en finissait pas. Toutes mes prétentions et toutes mes insuffisances y passaient. Tel travers, à peine soupçonné par moi-même, y était désigné, proclamé. Quelle divination, et quelle minutie! Au bout de l'interminable réquisitoire, nul indice, nulle trace qui permît d'en identifier l'auteur. Qui pouvait-il bien être? et pourquoi cette précipitation et ce recours insolite? A-t-on jamais dit son fait à quelqu'un avec plus de rigueur dans la hargne? D'où est-il surgi ce justicier omniscient qui n'ose se nommer, ce lâche au courant de tous mes secrets, cet inquisiteur qui ne m'accorde aucune circonstance atténuante, même pas celle qu'on reconnaît au plus endurci des tortionnaires? Moi aussi j'ai pu m'égarer, moi aussi j'ai droit à quelque indulgence. Je recule devant l'inventaire de mes défauts, je suffoque, je ne peux plus supporter ce défilé de vérités... Maudite dépêche! Je la déchire, et me réveille...

*A*voir des opinions est inévitable, est normal; avoir des convictions, l'est moins. Toutes les fois que je rencontre quelqu'un qui en possède, je me demande quel vice de son esprit, quelle fêlure les lui a fait acquérir. Si légitime que soit cette question, l'habitude que j'ai de me la poser, me gâche le plaisir de la conversation, me donne mauvaise conscience, me rend odieux à mes propres yeux.

*I*l fut un temps où écrire me semblait chose importante. De toutes mes superstitions, celle-ci me paraît la plus compromettante et la plus incompréhensible.

J'ai abusé du mot *dégoût*. Mais quel autre vocable choisir pour désigner un état où l'exaspération est sans cesse corrigée par la lassitude et la lassitude par l'exaspération?

*P*endant toute la soirée, ayant tenté de le définir, nous avons passé en revue les euphémismes qui permettent de ne pas prononcer, à son sujet, le mot de perfidie. Il n'est pas perfide, il est seulement tortueux, diaboliquement tortueux, et, en même temps, innocent, naïf, voire angélique. Qu'on se représente, si on peut, un mélange d'Aliocha et de Smerdiakov.

*Q*uand on ne croit plus en soi-même, on cesse de produire ou de batailler, on cesse même de se poser des questions ou d'y répondre, alors que c'est le contraire qui devrait avoir lieu, vu que c'est justement à partir de ce moment qu'étant libre d'attaches, on est apte à saisir le vrai, à discerner ce qui est réel de ce qui ne l'est pas. Mais une fois tarie la croyance à son propre rôle, ou à son propre lot, on devient incurieux de tout, même de la «vérité», bien qu'on en soit plus près que jamais.

*A*u Paradis, je ne tiendrais pas une «saison», ni même un jour. Comment expliquer alors la nostalgie que j'en ai? Je ne l'explique pas, elle m'habite depuis toujours, elle était en moi avant moi.

N'importe qui peut avoir de loin en loin le sentiment de n'occuper qu'un point et un instant; connaître ce sentiment jour et nuit, toutes les heures en fait, cela est moins commun, et c'est à partir de cette expérience, de cette donnée, qu'on se tourne vers le nirvâna ou le sarcasme, ou vers les deux à la fois.

*B*ien qu'ayant juré de ne jamais pécher contre la sainte concision, je reste toujours complice des mots, et si je suis séduit par le silence, je n'ose y entrer, je rôde seulement à sa périphérie.

*O*n devrait établir le degré de vérité d'une religion d'après le cas qu'elle fait du Démon: plus elle lui accorde une place éminente, plus elle témoigne qu'elle se soucie du réel, qu'elle se refuse aux supercheries et au mensonge, qu'elle est sérieuse, qu'elle tient plus à constater qu'à divaguer, qu'à consoler.

*R*ien ne mérite d'être défait, sans doute parce que rien ne méritait d'être fait. Ainsi on se détache de tout, de l'originel autant que de l'ultime, de l'avènement comme de l'effondrement.

*Q*ue tout ait été dit, qu'il n'y ait plus rien à dire, on le sait, on le sent. Mais ce qu'on sent moins est que cette évidence confère au langage un statut étrange, voire inquiétant, qui le rachète. Les mots sont enfin sauvés, parce qu'ils ont cessé de vivre.

L'immense bien et l'immense mal que j'aurai retirés de mes ruminations sur la condition des morts.

L'indéniable avantage de vieillir est de pouvoir observer de près la lente et méthodique dégradation des organes ; ils commencent tous à craquer, les uns d'une façon voyante, les autres, discrète. Ils se détachent du corps, comme le corps se détache de nous : il nous échappe, il nous fuit, il ne nous appartient plus. C'est un transfuge que nous ne pouvons même pas dénoncer, puisqu'il ne s'arrête nulle part et ne se met au service de personne.

*J*e ne me lasse pas de lire sur les ermites, de préférence sur ceux dont on a dit qu'ils étaient « fatigués de chercher Dieu ». Je suis ébloui par les ratés du Désert.

*S*i, on ne sait comment, Rimbaud avait pu continuer (autant se représenter les lendemains de l'inouï, un Nietzsche en pleine production après *Ecce Homo*), il aurait fini par reculer, par s'assagir, par commenter ses explosions, par les expliquer, et s'expliquer. Sacrilège dans tous les cas, l'excès de conscience n'étant qu'une forme de profanation.

*J*e n'ai approfondi qu'une seule idée, à savoir que tout ce que l'homme accomplit se retourne nécessairement contre lui. L'idée n'est pas neuve, mais je l'ai vécue avec une force de conviction, un acharnement dont jamais fanatisme ni délire n'a approché. Il n'est martyre, il n'est déshonneur que je ne souffrirais pour elle, et je ne l'échangerais contre aucune autre vérité, contre aucune autre révélation.

*A*ller encore plus loin que le Bouddha, s'élever au-dessus du nirvâna, apprendre à s'en passer..., n'être plus arrêté par rien, même pas par l'idée de délivrance, la tenir pour une simple halte, une gêne, une éclipse...

*M*on faible pour les dynasties condamnées, pour les empires croulants, pour les Montezuma de toujours, pour ceux qui croient aux signes, pour les déchirés et les traqués, pour les intoxiqués d'inéluctable, pour les menacés, pour les dévorés, pour tous ceux qui attendent leur bourreau...

*J*e passe sans m'arrêter devant la tombe de ce critique dont j'ai remâché maints propos fielleux. Je ne m'arrête pas davantage devant celle du poète qui, vivant, ne songea qu'à sa dissolution finale. D'autres noms me poursuivent, des noms d'ailleurs, liés à un enseignement impitoyable et apaisant, à une vision bien faite pour expulser de l'esprit toutes les obsessions, même les funèbres. *Nâgârjuna, Candrakîrti, Çantideva* —, pourfendeurs non pareils, dialecticiens travaillés par l'obsession du salut, acrobates et apôtres de la Vacuité..., pour qui, sages entre les sages, l'univers n'était qu'un mot.

*L*e spectacle de ces feuilles si empressées de tomber, j'ai beau l'observer depuis tant d'automnes, je n'en éprouve pas moins chaque fois une surprise où «le froid dans le dos» l'emporterait de loin sans l'irruption, au dernier moment, d'une allégresse dont je n'arrive pas à démêler l'origine.

*I*l est des moments où, si éloignés que nous soyons de toute foi, nous ne concevons que Dieu comme interlocuteur. Nous adresser à quelqu'un d'autre nous semble une impossibilité ou une folie. La solitude, à son stade extrême, exige une forme de conversation, extrême elle aussi.

L'homme dégage une odeur spéciale : de tous les animaux, lui seul sent le cadavre.

*L*es heures ne voulaient pas couler. Le jour semblait lointain, inconcevable. Au vrai, ce n'est pas le jour que j'attendais mais l'oubli de ce temps rétif qui refusait d'avancer. Heureux, me disais-je, le condamné à mort qui, la veille de l'exécution, est du moins sûr de passer une bonne nuit !

*V*ais-je pouvoir rester encore debout ? vais-je m'écrouler ?

S'il y a une sensation *intéres-sante*, c'est bien celle qui nous donne l'avant-goût de l'épilepsie.

*Q*uiconque se survit se méprise sans se l'avouer, et parfois sans le savoir.

*Q*uand on a dépassé l'âge de la révolte, et qu'on se déchaîne encore, on se fait à soi-même l'effet d'un Lucifer gâteux.

*S*i on ne portait pas les stigmates de la vie, qu'il serait aisé de s'esquiver, et comme tout irait tout seul!

*M*ieux que personne, je suis capable de pardonner sur le coup. L'envie de me venger ne me vient que tard, trop tard, au moment où le souvenir de l'offense est sur le point de s'effacer, et où, l'incitation à l'acte devenue quasi nulle, je n'ai plus que la ressource de déplorer mes «bons senti-ments».

*C*e n'est que dans la mesure où, à chaque instant, on se frotte à la mort, qu'on a chance d'entrevoir sur quelle insanité se fonde toute existence.

*E*n tout dernier lieu, il est abso-lument indifférent que l'on soit quelque chose, que l'on soit même Dieu. De cela, avec un peu d'insistance on pourrait faire convenir à peu près tout le monde. Mais alors comment se fait-il que cha-cun aspire à un surcroît d'être, et qu'il n'y ait personne qui s'as-treigne à baisser, à descendre vers la carence idéale?

*S*elon une croyance assez répan-due parmi certaines peuplades, les morts parlent la même langue que les vivants, avec cette différence que pour eux les mots ont un sens opposé à celui qu'ils avaient: grand signifie petit, proche lointain, blanc noir...
Mourir se réduirait donc à cela? N'empêche que, mieux que n'im-porte quelle invention funèbre, ce retournement complet du lan-gage indique ce que la mort comporte d'inhabituel, de sidérant...

*C*roire à l'avenir de l'homme, je le veux bien, mais comment y arriver lorsqu'on est malgré tout en possession de ses facultés? Il y faudrait leur débâcle quasi totale, et encore!

*U*ne pensée qui n'est pas secrètement marquée par la fatalité, est interchangeable, ne vaut rien, n'est que pensée...

À Turin, au début de sa crise, Nietzsche se précipitait sans cesse vers son miroir, s'y regardait, s'en détournait, s'y regardait de nouveau. Dans le train qui le conduisait à Bâle, la seule chose qu'il réclamait avec insistance c'était un miroir encore. Il ne savait plus qui il était, il se cherchait, et lui, si attaché à sauvegarder son identité, si avide de soi, n'avait plus, pour se retrouver, que le plus grossier, le plus lamentable des recours.

*J*e ne connais personne de plus inutile et de plus inutilisable que moi. C'est là une donnée que je devrais accepter tout simplement, sans en tirer la moindre fierté. Tant qu'il n'en sera pas ainsi, la conscience de mon inutilité ne me servira à rien.

*Q*uel que soit le cauchemar qu'on fait, on y joue un rôle, on en est le protagoniste, on y est quelqu'un. C'est pendant la nuit que le déshérité triomphe. Si on supprimait les mauvais rêves, il y aurait des révolutions en série.

L'effroi devant l'avenir se greffe toujours sur le *désir* d'éprouver cet effroi.

*T*out à coup, je me trouvai seul devant... Je sentis, en cet après-midi de mon enfance, qu'un événement très grave venait de se produire. Ce fut mon premier éveil, le premier indice, le signe avant-coureur de la conscience. Jusqu'alors je n'avais été qu'un *être*. À partir de ce moment, j'étais plus et moins que cela. Chaque *moi* commence par une fêlure et une révélation.

*N*aissance et chaîne sont synonymes. Voir le jour, voir des menottes...

*D*ire : «Tout est illusoire», c'est sacrifier à l'illusion, c'est lui reconnaître un haut degré de réalité, le plus haut même, alors qu'au contraire on voulait la discréditer. Que faire? Le mieux est de cesser de la proclamer ou de la dénoncer, de s'y asservir en y pensant. Est entrave même l'idée qui disqualifie toutes les idées.

*S*i on pouvait dormir vingt-quatre heures sur vingt-quatre, on rejoindrait vite le marasme primordial, la béatitude de cette torpeur sans faille d'avant la Genèse — rêve de toute conscience excédée d'elle-même.

*N*e pas naître est sans contredit la meilleure formule qui soit. Elle n'est malheureusement à la portée de personne.

*N*ul plus que moi n'a aimé ce monde, et cependant me l'aurait-on offert sur un plateau, même enfant je me serais écrié : «Trop tard, trop tard!»

*Q*u'avez-vous, mais qu'avez-vous donc? — Je n'ai rien, je n'ai rien, j'ai fait seulement un bond hors de mon sort, et je ne sais plus maintenant vers quoi me tourner, vers quoi courir...

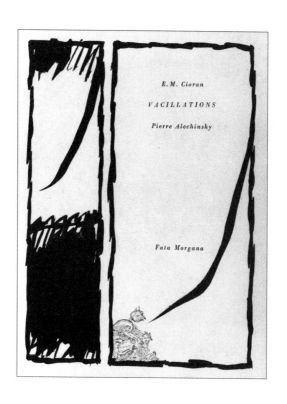

COUVERTURE DE *VACILLATIONS*,
LIVRE ILLUSTRÉ PAR PIERRE ALECHINSKY
DE TRENTE-DEUX LITHOGRAPHIES,
FATA MORGANA, 1979.
H. 33 CM; L. 25 CM.

CIORAN, RUE DE L'ODÉON.
1975.
PHOTOGRAPHIE HELGA KIRCHBERGER.

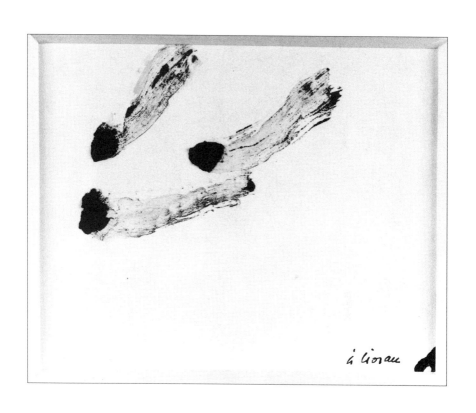

ALONSO, *SANS TITRE*.
ENCRE DÉDIÉE À CIORAN.
H. 20,5 CM ; L. 26 CM.
COLLECTION PARTICULIÈRE.

CIORAN.
1982.
PHOTOGRAPHIE FRANZISKA RAST.

ÉCARTÈLEMENT

Écrit en français ; publié à Paris en 1979.

LES DEUX VÉRITÉS

Selon une légende d'inspiration
gnostique, une lutte se déroula au ciel entre les anges, dans
laquelle les partisans de Michel vainquirent ceux du Dragon. Les
anges qui, irrésolus, se contentèrent de regarder furent relégués
ici-bas afin d'y opérer le choix auquel ils n'avaient pu se résoudre
là-haut, choix d'autant plus malaisé qu'ils n'emportaient aucun
souvenir du combat et encore moins de leur attitude équivoque.
Ainsi le démarrage de l'histoire aurait pour cause un flottement, et
l'homme résulterait d'une vacillation originelle, de l'incapacité où
il était, avant son bannissement, de prendre parti. Jeté sur la terre
pour apprendre à opter, il sera condamné à l'acte, à l'aventure, et
il n'y sera propre que dans la mesure où il aura étouffé en lui le
spectateur. Le ciel seul permettant jusqu'à un certain point la
neutralité, l'histoire, tout au rebours, apparaîtra comme la punition de ceux qui, avant de s'incarner, ne trouvaient aucune raison
de se rallier à un camp plutôt qu'à un autre. On comprend pourquoi les humains sont si empressés d'épouser une cause, de s'ag-
glutiner, de se rassembler autour d'une vérité. Autour de quelle
espèce de vérité ?
Dans le bouddhisme tardif, spécialement dans l'école Madyamika,
l'accent est mis sur l'opposition radicale entre la vérité vraie ou
paramartha, apanage du délivré, et la vérité quelconque ou *sam-
vriti*, vérité «voilée», plus exactement «vérité d'erreur», privilège
ou malédiction du non-affranchi.
La vérité vraie, qui assume tous les risques, y compris celui de la
négation de toute vérité et de l'idée même de vérité, est la prérogative de l'inagissant, de celui qui se met délibérément hors de la
sphère des actes et pour qui seule compte la saisie (brusque ou

méthodique, il n'importe) de l'insubstantialité, saisie qui ne s'accompagne d'aucun sentiment de frustration, bien au contraire, car l'ouverture à la non-réalité implique un mystérieux enrichissement. L'histoire sera pour lui un mauvais rêve, auquel il se résignera, puisque aussi bien personne n'est à même de faire les cauchemars qu'il souhaiterait.

Pour appréhender l'essence du processus historique, ou plutôt son *manque* d'essence, il faut bien se rendre à l'évidence que toutes les vérités qu'il charrie sont des vérités d'erreur, et elles sont telles parce qu'elles attribuent une nature propre à ce qui n'en possède pas, une substance à ce qui ne saurait en avoir. La théorie de la double vérité permet de discerner la place qu'occupe, dans l'échelle des irréalités, l'histoire, paradis des somnambules, obnubilation en marche. À vrai dire, elle ne manque pas absolument d'essence, puisqu'elle est *essence de duperie*, clé de tout ce qui aveugle, de tout ce qui aide à vivre dans le temps.

Sarvakarmaphalatyâga... Ayant, sur une feuille de papier, écrit en grosses lettres ce mot envoûtant, je l'avais, il y a bien des années, accroché au mur de ma chambre, de façon à pouvoir le contempler à longueur de journée. Il resta là pendant des mois, puis je finis par l'enlever pour m'être aperçu que je m'attachais de plus en plus à sa magie et de moins en moins à son contenu. Pourtant ce qu'il signifie : *détachement du fruit de l'acte*, est d'une importance telle que celui qui s'en pénétrerait véritablement n'aurait plus rien à accomplir puisqu'il serait parvenu à la seule extrémité qui vaille, à la vérité vraie, qui annule toutes les autres, dénoncées comme vides, elle-même vide d'ailleurs — mais vide conscient de lui-même. Imaginez une prise de conscience supplémentaire, un pas encore vers l'éveil, et celui qui l'effectuera ne sera plus qu'un fantôme.

Quand on a touché à cette vérité limite, on commence à faire piètre figure dans l'histoire, qui se confond avec l'ensemble des vérités d'erreur, vérités dynamiques dont, comme il se doit, l'illusion est le principe. Les éveillés, les détrompés, inévitablement débiles, ne peuvent être centre d'événements, pour la raison qu'ils en ont entrevu l'inanité. L'interférence des deux vérités est fertile pour l'éveil mais néfaste pour l'acte. Elle marque le début d'un craquement, tant pour un individu que pour une civilisation ou même pour une race.

Avant l'éveil, on traverse des heures d'euphorie, d'irresponsabilité, d'ivresse. Mais, après l'abus de l'illusion, vient la satiété.

L'éveillé est dépris de tout, il est l'ex-fanatique par excellence, qui ne peut plus supporter le fardeau des chimères, qu'elles soient alléchantes ou grotesques. Il en est si éloigné qu'il ne comprend pas par quel égarement il a pu s'en enticher. C'est grâce à elles qu'il avait brillé et qu'il s'était affirmé. Maintenant, son passé, comme son avenir, lui paraît à peine imaginable. Il a dilapidé sa substance, à l'instar des peuples qui, livrés au démon de la mobilité, évoluent trop vite, et qui, à force de liquider des idoles, finissent par n'en plus avoir en réserve. Charron notait qu'en dix ans à Florence il y avait eu plus d'effervescence et plus de troubles qu'en cinq cents ans dans les Grisons, et il en concluait qu'une communauté ne peut subsister que si l'on parvient à *coucher* l'esprit.

Les sociétés archaïques ont duré si longtemps parce qu'elles ignoraient l'envie d'innover et de se prosterner toujours devant d'autres simulacres. Quand on en change avec chaque génération, on ne doit pas s'attendre à une longévité historique. La Grèce antique et l'Europe moderne sont des types de civilisation frappés de mort précoce par suite d'une avidité de métamorphose et d'une excessive consommation de dieux et de succédanés de dieux. La Chine et l'Égypte de jadis se sont vautrées pendant des millénaires dans une magnifique sclérose. De même les sociétés africaines, avant le contact avec l'Occident. Elles sont menacées elles aussi, parce qu'elles ont adopté un autre rythme. Ayant perdu le monopole de la stagnation, elles s'affairent de plus en plus et vont inévitablement dégringoler comme leurs modèles, comme ces civilisations fiévreuses, inaptes à s'étendre au-delà d'une dizaine de siècles. Dans l'avenir, les peuples qui accéderont à l'hégémonie en jouiront encore moins : à l'histoire au ralenti s'est inexorablement substituée l'histoire haletante. Comment ne pas regretter les pharaons et leurs *collègues* chinois !

Les institutions, les sociétés, les civilisations diffèrent en durée et en signification, tout en étant soumises à une loi qui veut que l'impulsion indomptable, facteur de leur ascension, se relâche et s'assagisse au bout d'un certain temps, la décadence correspondant à un fléchissement de ce générateur de force qu'est le délire. Auprès des périodes d'expansion, de démence en fait, celles de déclin semblent sensées, et elles le sont, elles le sont même trop —, ce qui les rend presque aussi funestes que les autres.

Un peuple qui s'est accompli, qui a dépensé ses talents, et a exploité jusqu'au bout les ressources de son génie, expie cette réussite en ne donnant plus rien après. Il a fait son devoir, il aspire à végéter, mais pour son malheur il n'en aura pas la latitude. Quand les Romains — ou ce qui en restait — voulurent se reposer, les Barbares s'ébranlèrent en masse. On lit dans tel manuel sur les invasions que les Germains qui servaient dans l'armée et dans l'administration de l'Empire prenaient jusqu'au milieu du ve siècle des noms latins. À partir de ce moment, le nom germanique devint de rigueur. Les seigneurs exténués, en recul dans tous les secteurs, n'étaient plus redoutés ni respectés. À quoi bon s'appeler comme eux ? «Un fatal assoupissement régnait partout», observait Salvien, le plus acerbe censeur de la déliquescence antique à son dernier stade.

*D*ans le métro, un soir, je regardais attentivement autour de moi : nous étions tous venus d'ailleurs... Parmi nous pourtant, deux ou trois figures *d'ici*, silhouettes embarrassées qui avaient l'air de demander pardon d'être là. Le même spectacle à Londres.
Les migrations, aujourd'hui, ne se font plus par déplacements compacts mais par infiltrations successives : on s'insinue petit à petit parmi les «indigènes», trop exsangues et trop distingués pour s'abaisser encore à l'idée d'un «territoire». Après mille ans de vigilance, on ouvre les portes... Quand on songe aux longues rivalités entre Français et Anglais, puis entre Français et Allemands, on dirait qu'eux tous, en s'affaiblissant réciproquement, n'avaient pour tâche que de hâter l'heure de la déconfiture commune afin que d'autres spécimens d'humanité viennent prendre la relève. De même que l'ancienne, la nouvelle *Völkerwanderung* suscitera une confusion ethnique dont on ne peut prévoir nettement les phases. Devant ces gueules si disparates, l'idée d'une communauté tant soit peu homogène est inconcevable. La possibilité même d'une multitude si hétéroclite suggère que dans l'espace qu'elle occupe n'existait plus, chez les autochtones, le désir de sauvegarder ne fût-ce que l'ombre d'une identité. À Rome, au iiie siècle de notre ère, sur un million d'habitants, soixante mille seulement auraient été des Latins de souche. Dès qu'un peuple a mené à bien l'idée historique qu'il avait mission d'incarner, il n'a plus aucun motif de préserver sa différence, de soigner sa singularité, de sauvegarder ses traits au milieu d'un chaos de visages. Après avoir régenté les deux hémisphères, les Occidentaux sont en passe d'en devenir la risée : des spectres subtils, des fins de race au sens propre du terme, voués à une condition de parias, d'esclaves défaillants et flasques, à laquelle échapperont peut-être les Russes, ces *derniers* Blancs. C'est qu'ils ont encore de l'orgueil,

ce moteur, non, cette *cause* de l'histoire. Quand une nation n'en possède plus, et qu'elle cesse de s'estimer la raison ou l'excuse de l'univers, elle s'exclut elle-même du devenir. Elle a *compris* — pour son bonheur ou son malheur, selon l'optique de chacun. Si elle désespère l'ambitieux, elle fascine en revanche le méditatif un tantinet dépravé. Les nations dangereusement avancées méritent seules qu'on s'y intéresse, surtout lorsqu'on entretient des rapports troubles avec le Temps et que l'on tourne autour de Clio par besoin de se châtier, de se flageller. C'est d'ailleurs ce besoin qui incite aux entreprises, aux grandes comme aux insignifiantes. Chacun de nous travaille *contre* ses intérêts : nous n'en sommes pas conscients tant que nous œuvrons, mais que l'on examine n'importe quelle époque, et l'on verra que l'on s'agite et que l'on se sacrifie presque toujours pour un ennemi virtuel ou déclaré : les hommes de la Révolution pour Bonaparte, Bonaparte pour les Bourbons, les Bourbons pour les Orléans... L'histoire n'inspirerait-elle que des ricanements et n'aurait-elle pas de but ? Si, elle en a plus d'un, elle en a même beaucoup mais elle les atteint *à l'envers*. Le phénomène est universellement vérifiable. On réalise l'opposé de ce qu'on a poursuivi, on avance à l'encontre du beau mensonge qu'on s'est proposé ; d'où l'intérêt des biographies, le moins ennuyeux des genres douteux. La *volonté* n'a jamais servi personne : ce qu'on a produit de plus discutable est ce à quoi on tenait le plus, ce pour quoi on s'était infligé le plus de privations. Cela est vrai d'un écrivain aussi bien que d'un conquérant, du premier venu en fait. La fin de n'importe qui invite à autant de réflexions que la fin d'un empire, ou celle de l'homme lui-même, si fier d'avoir accédé à la position verticale et si inquiet de la perdre, de revenir à son apparence primitive, de terminer en somme sa carrière comme il l'avait commencée : voûté et velu. Sur chaque être pèse la menace de rétrograder vers son point de départ (comme pour illustrer l'inutilité de son parcours, et de tout parcours) et celui qui parvient à s'y soustraire donne l'impression d'escamoter un devoir, de refuser de jouer le jeu en s'inventant un mode de déchoir par trop paradoxal.

*L*e rôle des périodes de déclin est de mettre une civilisation à nu, de la démasquer, de la dépouiller de ses prestiges et de l'arrogance liée à ses accomplissements. Elle pourra ainsi discerner ce qu'elle valait et ce qu'elle vaut, ce qu'il y avait d'illusoire dans ses efforts et ses convulsions. Dans la mesure où elle se détachera des fictions qui assurèrent sa renommée, elle fera un pas considérable vers la connaissance..., vers le désabusement, vers l'éveil généralisé, promotion fatale qui la projettera hors de l'histoire, à moins qu'elle ne soit éveillée pour avoir simplement cessé d'y être présente et d'y exceller. L'universalisation de l'éveil, fruit de la lucidité, fruit elle-même de l'érosion des réflexes, est signe d'émancipation dans l'ordre de l'esprit et de capitulation dans celui des actes, dans celui de l'histoire précisément, laquelle se ramène à un constat de faillite : dès qu'on dirige ses regards sur elle on est dans la situation d'un spectateur consterné. La corrélation machinale qu'on établit entre *histoire* et *sens* est le type parfait de la vérité d'erreur. L'histoire comporte, si on veut, un sens mais ce sens la met en cause, la nie à chaque instant, et la rend ainsi piquante et sinistre, pitoyable et grandiose, en bref irrésistiblement démoralisante. Qui la prendrait au sérieux si elle n'était le chemin même de la dégradation ? Rien que le fait de s'en occuper en dit long sur ce qu'elle est, la conscience que l'on en a étant, selon Erwin Reisner, symptôme de fin des temps (*Geschichtsbewusstsein ist Symptom der Endzeit*). On ne peut en effet avoir la hantise de l'histoire sans tomber dans la hantise de sa conclusion. Le théologien réfléchit aux événements *en vue* du Jugement dernier ; l'anxieux (ou le prophète), en vue d'un décor moins fastueux mais tout aussi important. L'un et l'autre escomptent une calamité analogue à celle que les Indiens Delaware projetaient dans le passé, et pendant laquelle, selon leurs traditions, non seulement les hommes priaient de terreur mais encore les bêtes. Et les périodes sereines ? objectera-t-on. Elles existent indéniablement, encore que la sérénité ne soit qu'un cauchemar brillant, qu'un calvaire *réussi*.

*I*mpossible d'admettre avec certains que le tragique soit le lot de l'individu, et nullement de l'histoire. Loin d'y échapper, elle y est soumise et en est marquée plus encore que le héros tragique lui-même, la façon dont elle tournera se trouvant au centre de la curiosité qu'elle suscite. On se passionne pour elle parce qu'on sait d'instinct quelles surprises la guettent, et quel admirable débouché elle offre à l'appréhension... Pour un esprit averti elle n'ajoute cependant pas grand-chose à l'insoluble, au sans-issue originel. De même que la tragédie, elle ne résout rien, parce qu'il n'y a rien à résoudre. C'est toujours par détraquement que l'on épie l'avenir. Dommage que l'on ne puisse respirer comme si les événements, dans leur totalité, étaient suspendus ! Chaque fois qu'ils se signalent un peu trop, on est pris d'un accès de déterminisme, de rage fataliste. Par le libre arbitre, on explique seulement la *surface* de l'histoire, les apparences qu'elle revêt, ses vicissitudes extérieures, mais non les profondeurs, le cours réel, qui conserve malgré tout un caractère déroutant, voire mystérieux. On reste interdit qu'Hannibal, après Cannes, n'ait pas foncé sur Rome. S'il l'avait fait, nous nous vanterions aujourd'hui de descendre des Carthaginois. Soutenir que le caprice, le hasard, donc l'individu, ne jouent aucun rôle, est une ineptie. Cependant toutes les fois que l'on envisage le devenir dans son ensemble, le verdict du *Mahabharata* revient invariablement à l'esprit : «Le nœud de la Destinée ne peut être défait ; rien dans ce monde n'est le résultat de nos actes.»

*V*ictimes d'un double envoûtement, tiraillés entre les deux vérités, condamnés à ne pouvoir choisir l'une que pour regretter aussitôt l'autre, nous sommes trop clairvoyants pour n'être pas des dégonflés, revenus et de l'illusion et de l'absence d'illusion, en cela proches de Rancé qui, prisonnier de son passé, a consacré son existence d'ermite à polémiquer avec ceux qu'il avait quittés, avec les auteurs de libelles qui mettaient en doute la sincérité de sa conversion et le bien-fondé de ses entreprises, montrant par là qu'il était plus facile de réformer la Trappe que de s'abstraire du siècle. Semblablement, rien de plus aisé que de dénoncer l'histoire ; rien en revanche de plus ardu que de s'en arracher quand c'est d'elle qu'on émerge et qu'elle ne se laisse pas oublier. Elle est l'obstacle à la révélation ultime, l'entrave que l'on arrive à faire sauter uniquement si l'on a perçu la nullité de tout événement, sauf de celui que représente cette perception même, et grâce auquel on atteint par moments à la vérité vraie, c'est-à-dire à la victoire sur toutes les vérités. C'est alors que l'on comprend le mot de Mommsen : «Un historien doit être comme Dieu, il doit aimer tout et tous, même le diable.» En d'autres termes, cesser de préférer, s'exercer à l'absence, à l'obligation de n'être plus rien. Il est permis de se figurer le *délivré* comme un historien frappé soudain d'intemporalité.

*N*ous n'avons le choix qu'entre des vérités irrespirables et des supercheries salutaires. Les vérités qui ne permettent pas de vivre méritent seules le nom de vérités. Supérieures aux exigences du vivant, elles ne condescendent pas à être nos complices. Ce sont des vérités «inhumaines», des vérités de vertige, et que l'on rejette parce que nul ne peut se passer d'appuis déguisés en slogans ou en dieux. Ce qui est affligeant, c'est de voir qu'à chaque époque ce sont les iconoclastes ou prétendus tels qui ont le plus souvent recours aux fictions et aux mensonges. Le monde antique devait être bien atteint pour avoir eu besoin d'un antidote aussi grossier que celui qu'allait lui administrer le christianisme. Le monde moderne l'est tout autant à en juger par les remèdes dont il attend des miracles. Épicure, le moins fanatique des sages, fut le grand perdant alors, comme il l'est aujourd'hui. On est saisi d'étonnement et même d'épouvante lorsqu'on entend des hommes parler d'affranchir l'Homme. Comment des esclaves affranchiraient-ils l'Esclave? Et comment croire que l'histoire — procession de méprises — puisse traîner encore longtemps? L'heure de fermeture sonnera bientôt dans les jardins de partout.

L'AMATEUR DE MÉMOIRES

———————————————— *L*es mystiques, en faisant la distinction entre l'homme intérieur et l'homme extérieur, optaient nécessairement pour le premier, être réel par excellence ; le second, pantin funèbre ou risible, revenait de droit aux moralistes, ses accusateurs et pourtant ses complices, rebutés et attirés par sa nullité, incapables de surmonter l'équivoque sinon par l'amertume, cette tristesse dégradée à laquelle seul un Pascal résiste parce qu'il est toujours supérieur à ses dégoûts. Et c'est bien à cause de cette supériorité qu'il ne devait pas marquer les mémorialistes, alors que l'acrimonie contagieuse d'un La Rochefoucauld se trouve à l'arrière-plan de tous leurs portraits et de tous leurs récits.

Comme il ne hausse jamais la voix ni ne brusque le ton, le moraliste est naturellement bien élevé, et il le prouve en exécrant ses semblables avec élégance et, détail plus important, en écrivant peu... Est-il meilleur signe de « civilisation » que le laconisme ? S'appesantir, s'expliquer, démontrer, — autant de formes de vulgarité. Qui prétend à un minimum de tenue, loin de craindre la stérilité, doit s'y appliquer au contraire, saboter les mots au nom du Mot, pactiser avec le silence, ne s'en départir que par instants et pour mieux y retomber. La maxime, qui relève d'un genre discutable, n'en constitue pas moins un exercice de pudeur, puisqu'elle permet que l'on s'arrache à l'inconvenance de la pléthore verbale. Moins exigeant, car moins ramassé, le portrait est le plus souvent une maxime, délayée chez certains, étoffée chez d'autres ; cependant il peut, à titre exceptionnel, prendre l'allure d'une maxime *éclatée*, évoquer l'infini par l'accumulation des traits et la volonté d'être exhaustif : nous assistons alors à un phénomène sans analogue, à un *cas*, celui d'un écrivain qui, à force de se sentir trop à l'étroit dans une langue, la dépasse et s'en évade — avec tous les mots qu'elle contient... Il les violente, les déracine, se les approprie, pour en faire ce que bon lui semble, sans aucune considération pour eux, ni pour le lecteur, auquel il inflige un inoubliable, un magnifique martyre. Que Saint-Simon est mal élevé! ... Pas plus que la Vie, dont il est, si on ose dire, la réplique littéraire. Aucun faible pour l'abstraction, aucun stigmate *classique* chez lui; de plain-pied avec l'immédiat, il a de l'esprit avec ses sens, et s'il est souvent injuste, il n'est jamais faux. Tous les autres portraits à côté des siens paraissent des schémas, des compositions stylisées qui manquent d'énergie et de véracité. Son grand atout: il ignorait qu'il avait du génie, il ne connaissait pas ce cas limite de servitude. Rien ne l'embarrasse, rien ne l'intimide; il fonce, se laisse emporter par sa frénésie, sans s'inventer des scrupules ni des gênes. Une sensibilité équatoriale, ravagée par ses débordements, inapte à s'imposer ces entraves consécutives à la délibération ou au repliement sur soi. Nul dessin, nul contour défini. Quand on croit lire un éloge, on est vite détrompé; tout à coup un trait imprévu surgit, un adjectif qui relève du pamphlet; au vrai, ce n'est ni une apologie ni une exécution, c'est l'individu tel quel, élémentaire et tortueux, vomi par le Chaos au milieu de Versailles.

Mme du Deffand qui lisait les *Mémoires* en manuscrit en trouvait le style «abominable». Telle était sans doute aussi l'opinion de Duclos qui les avait également pratiqués pour y puiser des détails sur la Régence, dont il écrivit l'histoire dans un langage d'une fadeur exemplaire: c'est du Saint-Simon édulcoré, c'est la grâce qui écrase la vigueur. Par sa clarté desséchante, par son refus de l'insolite et de l'incorrection, du touffu et de l'arbitraire, le style du XVIIIe fait songer à une dégringolade *dans la perfection*, dans la non-vie. Un produit de serre, artificiel, exsangue, qui, répugnant à tout débridement, ne pouvait en aucune façon produire une œuvre d'une originalité totale, avec ce que cela implique d'impur ou d'effarant. En revanche, une grande quantité d'ouvrages où s'étale un verbe diaphane, sans prolongements ni énigmes, un verbe anémié, surveillé, censuré par la vogue, par l'Inquisition de la limpidité.

«*J*e n'ai pas assez de loisirs pour avoir du goût.» Ce mot — attribué à je ne sais plus quel personnage — dépasse la portée d'une boutade. Le goût, de fait, est l'apanage des oisifs et des dilettantes, de ceux qui, ayant du temps en excès, l'emploient à des riens subtils et à des futilités concertées, de ceux surtout qui l'emploient contre eux-mêmes.

«Un matin (c'était un dimanche), nous attendions pour la messe

M. le prince de Conti; nous étions dans le salon, assises autour d'une table sur laquelle nous avions posé tous nos livres d'heures, que la maréchale (la maréchale de Luxembourg) s'amusait à feuilleter. Tout à coup elle s'arrête sur deux ou trois prières particulières qui lui parurent du *plus mauvais goût* et dont en effet les expressions étaient bizarres» (Mme de Genlis : *Mémoires*). Rien de plus insensé que de demander à une prière de sacrifier au langage, d'être *écrite*. Il importe plutôt qu'elle soit maladroite, quelque peu niaise, donc *vraie*. Cette qualité n'était pas spécialement prisée par des esprits exercés aux pirouettes, et qui allaient à la messe dans les mêmes dispositions qu'aux soupers ou à la chasse. La gravité, indispensable à la piété, ils en manquaient; ils n'aimaient et ne cultivaient que l'*exquis*. Le propos de la maréchale l'apparente à ce cardinal de la Renaissance qui se disait trop épris du latin de Virgile et de Salluste pour pouvoir supporter celui, grossier, des Évangiles. Certaines délicatesses sont incompatibles avec la foi : le goût et l'absolu s'excluent... Aucun dieu ne survit au sourire de l'esprit, au doute léger; en revanche, le doute taraudant n'attend qu'à se nier lui-même, qu'à se muer en ferveur. On chercherait vainement ce genre de métamorphose dans un monde où le raffinement participait de l'acrobatie.

Par le mécanisme de sa genèse, par sa nature même, chaque langue contient des virtualités métaphysiques; le français, celui du XVIIIᵉ surtout, n'en comporte presque pas : sa clarté provocante, inhumaine, son refus de l'indéterminé, de l'obscurité essentielle, torturante, en font un moyen d'expression qui peut s'évertuer au mystère mais qui n'y accède pas vraiment. D'ailleurs, en français, le mystère, comme le vertige, s'il n'est pas postulé, s'il n'est pas voulu, résulte le plus souvent d'une tare de l'esprit ou d'une syntaxe à la dérive.

Une langue morte, observe un linguiste, est une langue où on n'a pas le droit de faire de fautes. Ce qui revient à dire qu'on n'a pas le droit d'y apporter la moindre innovation. À l'âge des Lumières, le français était arrivé à cette limite extrême de rigidité et d'achèvement. Après la Révolution, il devint moins rigoureux et moins pur; mais il gagna en naturel ce qu'il perdait en perfection. Pour survivre, pour se perpétuer, il avait besoin de se corrompre, de s'enrichir de mainte impropriété nouvelle, de passer du salon à la rue. Du coup, sa sphère d'influence et de rayonnement diminua. Il ne put être la langue de l'Europe cultivée qu'à une époque où, singulièrement appauvri, il avait atteint son plus haut point de transparence. Un idiome approche de l'universalité lorsqu'il s'émancipe de ses origines, s'en éloigne et les désavoue ; parvenu là, s'il veut se revigorer, éviter l'irréalité ou la sclérose, il faut qu'il renonce à ses exigences, qu'il brise ses cadres et ses modèles, il faut qu'il condescende au *mauvais goût*.

*T*out au long du xviiie se déploie le spectacle envoûtant d'une société vermoulue, préfiguration de l'humanité arrivée à son terme, à jamais guérie de tous les lendemains. L'absence d'avenir, cessant alors d'être le monopole d'une classe, s'étendrait à toutes, dans une superbe démocratisation par la vacuité. Il n'est pas nécessaire de fournir un effort d'imagination pour se représenter ce stade ultime : plus d'un fait en donne l'idée. Le concept même de progrès est devenu inséparable de celui de dénouement. Les peuples de partout veulent s'initier à l'art d'en finir, et ils y sont poussés par une telle avidité que, pour la satisfaire, ils rejetteront n'importe quelle formule susceptible de la freiner. Au bout du siècle, se dressait l'échafaud ; au bout de l'histoire, on peut se figurer un décor d'une autre ampleur.

Toute société que flatte la perspective de sa fin succombera aux premiers coups ; démunie de tout principe de vie, sans rien qui lui permette de résister aux forces qui l'assaillent, elle cédera au charme de la culbute. Si la Révolution a triomphé, c'est que le pouvoir était une fiction et le « tyran » un fantôme : elle s'est littéralement battue contre des spectres. Du reste, une révolution, quelle qu'elle soit, ne l'emporte que si elle se trouve aux prises avec un ordre *irréel*. Il en va de même de tout avènement, de tout grand tournant historique. Les Goths ne conquirent pas Rome mais un cadavre. Le seul mérite des Barbares fut d'avoir eu du flair.

La haute corruption au début du siècle, le Régent en fut le symbole. Ce qui frappe tout d'abord chez lui, c'est son manque complet de « caractère ». Il traitait les affaires d'État avec la même désinvolture que les affaires privées : les unes et les autres ne l'intéressaient qu'en fonction des bons mots qu'elles occasionnaient. Aussi inconstant dans ses passions que dans ses vices, il s'y adonnait par nonchalance et comme par incuriosité. Incapable d'aimer ni de détester, il vécut en deçà de ses dons qui étaient multiples mais qu'il dédaignait de cultiver. « Sans suite dans rien, jusqu'à ne pouvoir pas comprendre qu'on en pût avoir », il était, ajoute Saint-Simon, d'une « insensibilité qui le rendait sans fiel dans les plus mortelles offenses et les plus dangereuses ; et comme le nerf et le principe de la haine et de l'amitié, de la reconnaissance et de la vengeance est le même, et qu'il manquait de ce ressort, les suites en étaient infinies et pernicieuses».

Déliquescent et inefficace, d'une veulerie miraculeuse, il poussa la frivolité jusqu'au paroxysme, inaugurant ainsi une ère d'avortons hypercivilisés, ensorcelés par le naufrage et dignes d'y périr. Un grand désordre dans les affaires allait en résulter. Ses contemporains ne se contentèrent pas de l'en rendre responsable, ils osèrent même le comparer à Néron; cependant ils auraient dû lui témoigner plus d'indulgence et s'estimer heureux de subir un absolutisme atténué par l'incurie et la farce. Qu'il ait été dominé par des forbans, l'abbé Dubois en tête, c'est indéniable; mais le laisser-aller de crapules souriantes ne vaut-il pas mieux que la vigilance des incorruptibles? Il manquait de «nerf», assurément; d'un autre côté, cette carence est une vertu, puisqu'elle rend possible la liberté ou tout au moins ses simulacres.

L'abbé Galiani (dont Nietzsche fera grand cas) est un des rares à avoir compris que dans un moment où l'on déclamait contre l'oppression, la douceur des mœurs était pourtant une réalité. À Louis XIV, obtus et intraitable, il n'hésitait pas à opposer Louis XV, ondoyant et sceptique. «Lorsque l'on compare la cruauté de la persécution des jésuites contre Port-Royal à la douceur de la persécution des encyclopédistes, on voit la différence des règnes, des mœurs et du cœur des deux rois. Celui-là était un chercheur de renom et prenait le bruit pour de la gloire; celui-ci était un honnête homme qui faisait le plus vil des métiers, celui de roi, le plus à contrecœur qu'il pouvait. On ne rencontrera de longtemps un règne pareil nulle part.»

Mais ce que l'abbé semble ne pas avoir compris, c'est que si la tolérance est souhaitable et si elle justifie à elle seule la peine qu'on prend de vivre, elle se révèle en revanche comme un symptôme de faiblesse et de dissolution. Cette évidence tragique ne pouvait s'imposer à quelqu'un qui frayait avec ces coureurs d'illusions que furent les encyclopédistes; elle devait devenir éclatante à un âge plus désabusé, plus récent... La société d'alors, nous le savons maintenant, était tolérante parce qu'elle manquait de la vigueur nécessaire pour persécuter, donc pour se conserver. De Louis XV, Michelet disait que «dans son âme il y avait le *rien*». Avec plus de raison encore, il aurait pu en dire autant de Louis XVI. Voilà l'explication d'une époque merveilleuse, et condamnée. Le secret de la douceur des mœurs est un secret mortel.

La Révolution fut provoquée par les abus d'une classe revenue de tout, même de ses privilèges, auxquels elle s'agrippait par auto-matisme, sans passion ni acharnement, car elle avait un faible ostensible pour les idées de ceux qui allaient l'anéantir. La complaisance pour l'adversaire est le signe distinctif de la débilité, c'est-à-dire de la tolérance, laquelle n'est, en dernier ressort, qu'une *coquetterie d'agonisants*.

«*V*ous avez bien de l'expérience, écrivait la marquise du Deffand à la duchesse de Choiseul, mais il vous en manque une que j'espère vous n'aurez jamais : c'est la privation du sentiment, avec la douleur de ne s'en pouvoir passer.»
L'âge, à l'apogée de l'artifice, avait la nostalgie de la naïveté, de l'état qui lui faisait le plus défaut. En même temps, les sentiments naïfs, les sentiments vrais, il les réservait au sauvage, à l'ingénu ou au sot, modèles inaccessibles à des esprits mal équipés pour se rouler dans la «bêtise», dans la simplicité sans plus. Une fois souveraine, l'intelligence se dresse contre toutes les valeurs étrangères à son exercice et n'offre aucun semblant de réalité à quoi on puisse s'accrocher. Qui s'y attache par culte ou manie en arrive infailliblement à la «privation du sentiment» et au regret de s'être voué à une idole qui ne dispense que le vide, comme en témoignent les lettres de Mme du Deffand, document sans pareil sur le fléau de la lucidité, exaspération de la conscience, débauche d'interrogations et de perplexités où aboutit l'homme coupé de tout, l'homme qui a cessé d'être *nature*. Le malheur veut qu'une fois lucide, on le devienne toujours davantage : nul moyen de tricher ou de reculer. Et ce progrès s'accomplit au détriment de la vitalité, de l'instinct. «Ni roman ni tempérament», disait d'elle-même la marquise. On comprend pourquoi sa liaison avec le Régent n'alla pas au-delà de deux semaines. Ils se ressemblaient, ils étaient dangereusement extérieurs à leurs propres sensations. L'ennui, leur tourment commun, ne s'épanouit-il pas dans l'abîme qui s'ouvre entre l'esprit et les sens? Plus de mouvement spontané, plus d'inconscience. L'«amour» en pâtit le premier. La définition qu'en a donnée Chamfort convenait bien à une époque de «fantaisie» et d'«épiderme» où un Rivarol se vantait de pouvoir, au plus fort d'une certaine convulsion, résoudre un problème de géométrie. Tout était cérébral, même le spasme. Phénomène plus grave encore, une telle altération des sens, au lieu d'affecter quelques isolés seulement, devint la déficience, la plaie d'une classe, exténuée par l'usage constant de l'ironie.
Toute velléité, comme toute manifestation d'affranchissement,

comporte un côté négatif : au moment où nous ne porterons plus aucune chaîne... invisible, où plus rien ne nous restreindra de l'intérieur, incapables par manque de sève et d'innocence de nous forger encore des interdits, nous formerons une masse de faiblards plus experts dans l'exégèse que dans la pratique de la sexualité. On n'accède pas sans péril à un haut degré de conscience, comme on ne se défait pas impunément de certaines contraintes salutaires. Cependant si l'excès de conscience fait augmenter la conscience, l'excès de liberté, phénomène également funeste mais en sens inverse, tue invariablement la liberté. C'est ainsi qu'un mouvement d'émancipation, dans quelque domaine que ce soit, représente à la fois un pas en avant et une amorce de déclin.

De même qu'une nation où plus personne ne daigne être *domestique* est perdue, de même on peut concevoir une humanité où l'individu, imbu de son unicité, ne voudra plus d'un travail subalterne, si « honorable » soit-il. (Dans ses *Cahiers*, Montesquieu consignait déjà : « On ne peut plus souffrir aucune des choses qui ont un objet déterminé : les gens de guerre ne peuvent souffrir la guerre ; les gens de cabinet, le cabinet ; ainsi des autres choses. ») Malgré tout, l'homme continue et continuera aussi longtemps qu'il n'aura pas pulvérisé son dernier préjugé et sa dernière croyance ; quand il s'y résoudra enfin, ébloui et anéanti par son audace, il se trouvera nu face au gouffre qui succède à l'évanouissement de tous les dogmes et de tous les tabous.

Qui veut s'installer dans une réalité ou opter pour un credo, sans y parvenir cependant, s'emploie par vengeance à ridiculiser ceux qui y arrivent spontanément. L'ironie dérive d'un appétit de naïveté déçu, inassouvi, qui, à force d'échecs, s'aigrit et s'envenime. Elle prend inévitablement une extension universelle ; et si elle s'attaque de préférence à la religion et la sape, c'est qu'elle ressent en secret l'amertume de ne pouvoir croire. Plus pernicieuse encore est la moquerie acerbe, rageuse, dégénérée en système et confinant à l'autodestruction. En 1726, la marquise de Prie étant exilée en Normandie, Mme du Deffand l'y suivit pour lui tenir compagnie. Dans son *Histoire de la Régence*, Lemontey raconte que « ces deux amies s'envoyaient mutuellement chaque matin les couplets satiriques qu'elles composaient l'une contre l'autre ».

Dans un milieu où la médisance était de rigueur et où l'on veillait par peur de la solitude (« Il n'y avait rien qu'elle ne préférât au chagrin de se coucher », disait Duclos d'une des femmes à la mode), il ne pouvait y avoir de sacré que la conversation, les propos corrosifs, les traits d'allure enjouée et d'intention meurtrière. Personne n'étant épargné, on a eu raison de signaler, comme un aspect caractéristique du temps, la «décadence de l'admiration». Tout se lie : sans naïveté, sans piété, point de capacité d'admirer, de considérer les êtres en eux-mêmes, dans leur réalité originelle et unique, en dehors de leurs accidents temporels ; l'admiration, agenouillement intérieur qui n'implique ni humiliation ni sentiment d'impuissance, est la prérogative, la certitude et le salut des purs, de ceux précisément qui ne hantent pas les salons.

Seuls les peuples querelleurs, indiscrets, jaloux, rouspéteurs, ont une histoire *intéressante* : celle de la France l'est au suprême degré. Fertile en événements et, plus encore, en écrivains pour les commenter, elle est la providence de l'amateur de Mémoires.
Le Français est capricieux ou fanatique, il juge par lubie ou par système ; cependant le système même prend chez lui les apparences d'une lubie. Le caractère qui le définit en propre est la versatilité, cause de ce défilé de régimes, auquel il assiste en spectateur amusé ou frénétique, soucieux surtout de montrer que, même dans ses fureurs, il n'est jamais dupe, tour à tour bénéficiaire et victime de cet «esprit littéraire», qui consiste, selon Tocqueville, à rechercher «ce qui est ingénieux et neuf plus que ce qui est vrai, à aimer ce qui fait tableau plus que ce qui sert, à se montrer très sensible au bien jouer et au bien dire des acteurs, indépendamment des conséquences de la pièce, et à se décider enfin sur des impressions plutôt que par des raisons» (*Souvenirs*). Et Tocqueville ajoute : «... le peuple français, pris en masse, juge trop souvent en politique comme un homme de lettres.»
Le littérateur est moins apte que personne à comprendre le fonctionnement de l'État ; il n'y montre une certaine compétence que pendant les révolutions, parce que justement l'autorité y est abolie et que, dans la vacance du pouvoir, il a la faculté d'imaginer qu'on peut tout résoudre par l'attitude ou la phrase. Ce ne sont pas tant les institutions libres qui l'intéressent que les contrefaçons et le cabotinage de la liberté. Rien d'étonnant que les hommes de 89 se soient inspirés d'un lunatique comme Rousseau, et non de Montesquieu, esprit solide qui n'aime pas divaguer, et qui ne pourra servir de modèle à des rhéteurs idylliques ou sanguinaires. Dans les pays anglo-saxons, les sectes permettent au citoyen de donner libre carrière à sa folie, à son besoin de controverse et de scandale ; d'où diversité religieuse et uniformité politique. Dans les pays catholiques, au contraire, les ressources en délire de l'in-

dividu ne peuvent se faire valoir que dans l'anarchie des partis et des factions; c'est là qu'il satisfait son appétit d'hérésie. Aucune nation n'a trouvé jusqu'à présent le secret d'être *sage* à la fois en politique et en religion. Ce secret serait-il enfin connu, les Français seraient les derniers à vouloir en profiter, eux qui, à en croire Talleyrand firent la Révolution *par vanité*, défaut si ancré dans leur nature qu'il en devient une qualité, en tout cas un ressort qui les incite à produire et à agir, à *briller* surtout; d'où l'*esprit*, parade de l'intelligence, souci de l'emporter sur autrui coûte que coûte, d'avoir à tout prix le dernier mot. Mais si la vanité aiguise les facultés, détourne du lieu commun et combat l'indolence, elle fait malheureusement de quiconque y est sujet un écorché; aussi, par les mortifications qu'elle leur inflige, les Français ont payé pour toutes les chances dont ils ont si abondamment joui. Pendant mille ans, l'histoire a tourné autour d'eux : pareille aubaine s'expie; leur châtiment a été et demeure l'irritation d'un amour-propre toujours mécontent, toujours inapaisé. Quand ils étaient puissants, ils se plaignaient de ne l'être pas assez; ils se plaignent maintenant de ne l'être plus du tout. Tel est le drame d'une nation ulcérée dans la prospérité non moins que dans l'infortune, insatiable et changeante, trop favorisée par le sort pour connaître la modestie ou la résignation, impropre à garder la mesure tant devant l'inévitable que devant l'inespéré.

APRÈS L'HISTOIRE

——————————————————— *L*a fin de l'histoire est inscrite dans ses commencements, — l'histoire, l'homme en proie au temps, portant les stigmates qui définissent à la fois le temps et l'homme.

Déséquilibre ininterrompu, être qui ne cesse de se disloquer, le temps est en soi un drame dont l'histoire représente l'épisode le plus marquant. Qu'est-elle au fond, sinon un déséquilibre elle aussi, une rapide, une intense dislocation du temps lui-même, une hâte vers un devenir où plus rien ne devient?

De même que les théologiens parlent à juste titre de notre époque comme d'une époque post-chrétienne, de même on parlera un jour de l'heur et du malheur de vivre en pleine post-histoire. On voudrait malgré tout connaître cette réussite crépusculaire où l'on échappera à la succession des générations et au déferlement des lendemains, et où, sur la ruine du temps historique, l'existence, enfin identique à elle-même, sera redevenue ce qu'elle était avant d'avoir tourné en histoire. Le temps historique est un temps si tendu qu'on voit mal comment il pourra ne pas éclater. À chacun de ses instants il donne l'impression qu'il est sur le point de se rompre. Il se peut que l'accident survienne moins vite que nous ne l'espérons. Mais il est exclu qu'il n'ait pas lieu. Et c'est seulement ensuite, après qu'il se sera produit, que les bénéficiaires, que les jouisseurs de la post-histoire sauront de quoi l'histoire était faite. «Désormais il n'y aura plus d'événements!», s'écrieront-ils. Un chapitre, le plus curieux du déroulement cosmique, sera ainsi clos.

Il va de soi qu'un tel cri n'est concevable qu'à la faveur d'un désastre imparfait. Un succès complet entraînerait une simplification radicale, en fait la suppression de l'*avenir*. Rares sont les catastrophes sans faille : cela devrait rassurer les impatients, les fébriles, les amateurs de grandes occasions, encore qu'en l'occurrence la résignation soit de rigueur. À tout le monde ne fut pas donné d'observer de près le Déluge. On imagine l'humeur de ceux qui, l'ayant pressenti, ne vécurent pas assez pour pouvoir y assister.

*P*our freiner l'expansion d'un animal taré, l'urgence de fléaux artificiels qui remplaceraient avantageusement les naturels se fait sentir de plus en plus et séduit, à des degrés divers, tout le monde. La Fin gagne du terrain. On ne peut sortir dans la rue, regarder les gueules, échanger des propos, entendre un grondement quelconque, sans se dire que l'heure est proche, même si elle ne doit sonner que dans un siècle ou dix. Un air de dénouement rehausse le moindre geste, le spectacle le plus banal, l'incident le plus stupide, et il faut être rebelle à l'Inévitable pour ne pas s'en apercevoir.

*T*ant que l'histoire suit un cours à peu près normal, tout événement apparaît comme un caprice, comme une indiscrétion du devenir; dès qu'elle change de cadence, le moindre prétexte prend l'ampleur d'un signe. Tout ce qui arrive alors équivaut à un symptôme, à un avertissement, à l'imminence d'une conclusion. Dans les époques indifférentes (autant dire dans l'absolu), l'événement, expression d'un présent qui se répète, qui se multiplie, comporte une signification en soi et semble ne pas se dérouler dans le temps; au contraire, dans les périodes où le devenir est synonyme de renouvellement funeste, il n'est rien qui n'évoque une marche vers l'inouï, une vision parente de celle du *Samyutta-Nikâya* : «Le monde entier est en flammes, le monde entier est enveloppé de nuages de fumée, le monde entier est dévoré par le feu, le monde entier tremble.» — Mâra, monstre sardonique, tient de ses dents et de ses griffes la roue de la naissance et de la mort, et son regard, dans telle figuration tibétaine, traduit bien cette convoitise, cette quête du mal, inconsciente dans la nature, à demi formulée chez l'homme, éclatante chez les dieux, — quête inassouvissable, dont la manifestation, pernicieuse par excellence, demeure pour nous cette file interminable d'événements avec les idolâtries inhérentes. Seul le cauchemar de l'histoire nous laisse deviner le cauchemar de la transmigration. Avec une réserve cependant. Pour le bouddhiste, la pérégrination d'existence en existence est une terreur dont il veut se dégager; il s'y emploie de toutes ses forces, effrayé sincèrement par la calamité de renaître et de remourir, qu'il ne songerait pas un instant à savourer en secret. Nulle connivence chez lui avec le malheur, avec les périls qui le guettent du dehors et surtout du dedans.

Nous autres, en revanche, nous pactisons avec ce qui nous menace, nous soignons nos anathèmes, sommes avides de ce qui nous broie, ne renoncerions pour rien à notre cauchemar à nous, auquel nous avons prêté autant de majuscules que nous avons connu d'illusions. Ces illusions se sont discréditées, comme les majuscules, mais le cauchemar reste, décapité et nu, et nous continuons à l'aimer parce qu'il est précisément à nous, et que nous ne voyons pas par quoi le remplacer. C'est comme si un aspirant au nirvâna, las de le poursuivre en vain, s'en détournait pour se rouler, pour s'enfoncer dans le samsâra, en complice de sa déchéance, à peu près comme nous le sommes de la nôtre.

L'homme fait l'histoire; à son tour l'histoire le défait. Il en est l'auteur et l'objet, l'agent et la victime. Il a cru jusqu'ici la maîtriser, il sait maintenant qu'elle lui échappe, qu'elle s'épanouit dans l'insoluble et l'intolérable : une épopée démente, dont l'aboutissement n'implique aucune idée de finalité. Comment lui assigner un but? Si elle en avait un, elle ne l'atteindrait qu'une fois parvenue à son terme. N'en tireraient avantage que les derniers rejetons, les survivants, les *restes*, eux seuls seraient comblés, profiteurs du nombre incalculable d'efforts et de tourments qu'aura connus le passé. Vision par trop grotesque et injuste. Si on veut à tout prix que l'histoire ait un sens, qu'on le cherche dans la malédiction qui pèse sur elle, et nulle part ailleurs. L'individu isolé lui-même ne saurait en posséder un que dans la mesure où il participe de cette malédiction. Un génie malfaisant préside aux destinées de l'histoire. Elle n'a visiblement pas de but, mais elle est grevée d'une fatalité qui en tient lieu, et qui confère au devenir un simulacre de nécessité. C'est cette fatalité, et uniquement elle, qui permet de parler sans ridicule d'une logique de l'histoire, — et même d'une providence, d'une providence spéciale, il est vrai, suspecte au possible, dont les desseins sont moins impénétrables que ceux de l'autre, réputée bienfaisante, car elle fait en sorte que les civilisations dont elle régit la marche s'écartent toujours de leur direction originelle pour atteindre l'opposé de leurs visées, pour dégringoler avec une obstination et une méthode qui trahissent bien les agissements d'une puissance ténébreuse et ironique.

L'histoire n'en est qu'à ses débuts, pensent certains, oubliant qu'elle est un phénomène exceptionnel, nécessairement éphémère, un luxe, un intermède, un égarement... En la suscitant, en y investissant sa substance, l'homme s'est dépensé, amenuisé, affaibli. Tant que, évadé de ses origines, il en demeura néanmoins proche, il put durer sans danger ; dès qu'il s'en détourna et se mit à les fuir, il entra dans une carrière forcément brève : quelques pauvres millénaires... L'histoire, son œuvre, devenue indépendante de lui, l'use et le dévore, et ne manquera pas de l'écraser. Et il succombera avec elle, débâcle ultime, juste punition de tant d'usurpations et de folies, surgies de la tentation du titanisme. L'entreprise de Prométhée est compromise pour toujours. L'homme, ayant violé toutes les lois non écrites, les seules qui comptent, et franchi les frontières qui lui étaient assignées, s'est élevé trop haut pour ne pas exciter la jalousie des dieux, qui, décidés à le frapper, l'attendent maintenant au tournant. La consommation du processus historique est désormais inexorable, sans qu'on puisse dire pour autant si elle sera traînante ou fulgurante. Tout indique que l'humanité descend la pente, en dépit de ses réussites ou plutôt à cause d'elles. S'il est relativement aisé de marquer, pour une civilisation isolée, le moment de son apogée, il n'en va pas de même du processus historique dans son ensemble. Quel en fut le sommet ? et où le situer, aux premiers siècles de la Grèce, de l'Inde ou de la Chine, ou à telle date en Occident ? Impossible de trancher sans avancer des préférences trop personnelles. Il est en tout cas manifeste que l'homme a donné le meilleur de lui-même, et que si même on devait assister à l'émergence d'autres civilisations, elles ne vaudront sûrement pas les anciennes, ni même les modernes, sans compter qu'elles ne pourront pas se dérober à la contagion de la fin, devenue pour tous une manière d'obligation et de programme. Depuis la préhistoire jusqu'à nous, et de nous à la post-histoire, tel est le chemin vers un gigantesque fiasco, préparé et annoncé par toutes les époques, y compris celles d'apogée. Il n'est pas jusqu'aux utopistes qui n'assimilent le devenir à un échec, puisqu'ils inventent un règne censé échapper au devenir justement : leur vision est celle d'un *autre* temps dans le temps..., quelque chose comme un échec inépuisable, inentamé par la temporalité et supérieur à elle. Mais l'histoire, dont Ahriman est le patron, piétine ces divagations et répugne à envisager la possibilité d'un paradis, même raté, — ce qui enlève aux utopies leur objet et leur raison d'être. Cette notion de paradis, il est révélateur qu'on s'y heurte dès qu'on veut appréhender l'histoire dans sa nature propre. C'est qu'on ne peut en saisir l'originalité sans se rapporter à son antipode, l'histoire apparaissant comme une négation graduelle, comme un éloignement progressif d'un état premier, d'un miracle initial, tout

ensemble conventionnel et envoûtant : du *kitsch* à base de nostalgie... Quand cette progression vers la fin sera achevée, l'histoire
aura atteint son «but» : elle ne conservera plus rien en elle qui
puisse rappeler son point de départ, dont il importe peu qu'il ne
soit qu'une fable. Le paradis, imaginable à la rigueur dans le
passé, ne l'est pas du tout dans le futur : le fait néanmoins qu'il ait
été placé *avant* l'histoire jette sur celle-ci des clartés dévasta-
trices, qui font qu'on s'interroge s'il n'eût pas mieux valu qu'elle
restât à l'état de menace, de pure virtualité.

*I*l est moins urgent de sonder «l'avenir», objet d'épouvante sans
plus, que la *fin*, ce qui viendra après... «l'avenir», quand le temps
historique, coextensif à l'entreprise humaine, ayant cessé, cessera
par là même la procession des nations et des empires. Soulagé du
fardeau de l'histoire, l'homme, au comble de l'épuisement, une
fois qu'il aura abdiqué sa singularité, ne disposera plus que d'une
conscience vide sans rien qui puisse la remplir : un troglodyte
désabusé, un troglodyte revenu de tout. Renouera-t-il avec ses
lointains ancêtres, la post-histoire se présentera-t-elle comme une
version aggravée de la préhistoire ? Et comment fixer la physionomie de ce survivant, que le cataclysme aura rapproché des
cavernes ? Que fera-t-il face à ces deux extrêmes, face à cet intervalle qui les sépare, où fut élaboré un héritage qu'il refuse ?
Dégagé de toutes les valeurs, de toutes les fictions qui eurent
cours durant ce laps de temps, il ne pourra ni ne voudra, dans sa
décrépitude lucide, en inventer de nouvelles. Et c'est ainsi que le
jeu qui avait jusque-là réglé la succession des civilisations sera
terminé.

*A*près tant de conquêtes et de performances de toute sorte,
l'homme commence à se démoder. Il ne mérite encore intérêt que
dans la mesure où il est traqué et coincé, où il s'enlise de plus en
plus. S'il continue, c'est parce qu'il n'a pas la force de capituler, de
suspendre sa désertion *en avant* (l'histoire étant cela, et rien
d'autre), parce qu'il a acquis un automatisme dans le déclin. On
ne saura jamais exactement ce qui s'est brisé en lui, mais la brisure est là. Elle était là depuis le départ, pourrait-on alléguer. Sans
doute, mais à peine esquissée, et lui, encore vigoureux, s'en
accommodait bien. Elle n'était pas cette cassure béante, issue
d'un long travail d'autodestruction, spécialité d'un animal subversif, qui, ayant pendant si longtemps tout sapé, devait finir par se
saper lui-même. Subversion de ses fondements (ce à quoi aboutit

toute *analyse*, psychologique ou autre), de son «moi», de son état de sujet, ses rébellions camouflant les coups qu'il dirige contre soi. Ce qui est certain, c'est qu'il est atteint dans son tréfonds, qu'il est pourri aux racines. On ne se sent d'ailleurs vraiment homme que lorsqu'on prend conscience de cette pourriture essentielle, recouverte en partie jusqu'ici, mais de plus en plus perceptible depuis que l'homme a exploré et fait sauter ses propres secrets. À force de devenir transparent à lui-même, il ne pourra plus rien entreprendre, plus rien «créer», et ce sera le tarissement par défaut d'aveuglement, par extermination de la naïveté. Où trouvera-t-il encore assez d'énergie pour persévérer dans une œuvre qui exige un minimum de fraîcheur et d'obnubilation ? S'il lui arrive parfois de se leurrer sur lui-même, il ne se leurre plus du tout sur l'aventure humaine. Quelle ineptie de soutenir qu'il ne fait que commencer ! En réalité, épave presque surnaturelle, il va vers une condition limite : un sage *rongé* par la sagesse... Il est pourri, oui, il est gangrené, et nous le sommes tous. Nous avançons en masse vers une confusion sans analogue, nous nous dresserons les uns contre les autres comme des minus convulsifs, comme des fantoches hallucinés, parce que, tout étant devenu impossible et irrespirable pour tous, plus personne ne daignera vivre, si ce n'est pour liquider et se liquider. L'unique frénésie dont nous soyons encore capables est la frénésie de la fin. Viendra ensuite une forme suprême de stagnation, quand, les rôles joués, la scène abandonnée, nous pourrons à loisir remâcher l'épilogue.

*C*e qui dégoûte de l'histoire, c'est de penser que, suivant un mot connu, ce qu'on voit aujourd'hui sera de l'histoire un jour... On ne devrait faire aucun cas de ce qui se passe, de ce qui arrive, et c'est témoigner d'un certain dérangement que de ne pouvoir y parvenir. Mais si on s'arme de mépris, comment animer quoi que ce soit ? L'historien véritable, écorché qui porte le masque de l'objectivité, souffre et s'évertue à souffrir, et c'est pourquoi il est si présent dans ses récits ou ses formules. Loin de regarder de haut les horreurs qu'il a décrites, Tacite s'y est vautré, et, accusateur fasciné, les a magnifiées à plaisir. Irrassasié d'anomalie, il s'ennuie dès que diminuent l'injustice et le crime. Il connaissait, comme plus tard Saint-Simon, la volupté de l'indignation, les jouissances de la rage. Hume le tenait pour l'esprit le plus profond de l'Antiquité, — mettons le plus vivant, le plus près de nous aussi par la qualité de son masochisme, vice ou don indispensable à quiconque se penche sur les affaires humaines, qu'il s'agisse d'un fait divers ou du Jugement dernier.

Que l'on examine avec soin le moindre événement : dans le meilleur des cas, les éléments positifs et négatifs qui y entrent s'équilibrent ; d'ordinaire les négatifs y prédominent. Autant dire qu'il eût été préférable qu'il n'eût pas lieu. Nous aurions été ainsi dispensés d'y prendre part et de le subir. À quoi bon *ajouter* quoi que ce soit à ce qui est ou semble être ? L'histoire, odyssée inutile, n'a pas d'excuse, et parfois on est tenté d'incriminer l'art lui-même, si impérieux que soit le besoin dont il émane. Produire est accessoire ; ce qui importe, c'est puiser en son propre fonds, être soi-même d'une façon totale, sans s'abaisser à aucune forme d'expression. Avoir bâti des cathédrales relève de la même erreur qu'avoir livré de grandes batailles. Il valait mieux essayer de vivre en profondeur que de traverser les siècles en quête d'une faillite. Décidément, il n'y a pas de salut par l'histoire. Nullement notre dimension fondamentale, elle n'est que l'apothéose des apparences. Se pourra-t-il qu'une fois abolie notre carrière extérieure, nous retrouvions notre nature propre ? L'homme post-historique, être entièrement vacant, sera-t-il apte à rejoindre en soi-même l'intemporel, c'est-à-dire tout ce qui a été étouffé en nous par l'histoire ? Comptent uniquement nos instants qu'elle n'a pas contaminés. Les seuls êtres à même de s'entendre, de communier vraiment entre eux, sont ceux qui s'ouvrent à ce genre d'instants. Les époques travaillées par l'interrogation métaphysique demeurent les moments culminants, les vrais sommets du passé. De ce qui ne peut pas être saisi n'approchent que les exploits intérieurs, eux seuls y accèdent, ne serait-ce que l'espace d'une seconde, laquelle pèse plus lourd que tout le reste, que le temps même.
«Ce fut à Rome, le 15 octobre 1764, qu'étant assis et rêvant au milieu des ruines du Capitole, tandis que des moines déchaussés chantaient vêpres dans le temple de Jupiter, je me sentis frappé pour la première fois de l'idée d'écrire l'histoire de la décadence et de la chute de cette ville.»
Les empires finissent soit par désagrégation, soit par catastrophe, soit par la conjonction des deux. Le même choix s'offre à l'humanité en général. Représentons-nous un futur Gibbon, méditant sur ce qu'elle fut, si tant est qu'il y ait encore quelque historien au bout non d'un cycle mais de tous. Comment s'y prendrait-il pour décrire nos excès, nos disponibilités démoniaques, source de notre dynamisme, lui qui ne sera entouré que d'êtres adonnés à

une sainte inertie, venus au terme d'un processus de détérioration sans nom, affranchis pour toujours de la manie de s'affirmer, de laisser des traces, de marquer son passage ici-bas ? Comprendrait-il notre incapacité d'élaborer une vision statique du monde et de nous y conformer, de nous émanciper de l'idée et de l'obsession de l'acte ? Ce qui nous perd, non, ce qui nous a perdus, c'est la soif d'un destin, de n'importe quel destin ; et cette infirmité, clef du devenir historique, si elle nous a ruinés, si elle nous a réduits à néant, nous aura en même temps sauvés, en nous donnant le goût de l'effondrement, le désir d'un événement qui surpasserait tous les événements, d'une peur qui surpasserait toutes les peurs. La catastrophe étant la seule solution, et la post-histoire, dans l'hypothèse qu'elle puisse y succéder, l'unique issue, l'unique chance, — il est légitime de se demander si l'humanité telle qu'elle est n'aurait pas intérêt à s'effacer maintenant plutôt que de s'exténuer et s'avachir dans l'attente, en s'exposant à une ère d'agonie, où elle risquerait de perdre toute ambition, même celle de disparaître.

URGENCE DU PIRE

———————————————— *T*out laisse présager que l'histoire passera et, avec elle, l'être, au détriment duquel elle s'est édifiée ; il reposait en soi, elle l'a entraîné hors de lui-même et l'a associé à ses convulsions ; aussi représente-t-elle le terrain où il n'a cessé de s'effriter, de s'avilir. Ce drame qui devait rejaillir sur elle dès le début, comment ne la marquerait-il pas maintenant qu'elle approche de son terme ? et comment ne nous marquerait-il pas nous-mêmes, témoins que nous sommes d'une fièvre de dernier acte qui, avouons-le, ne nous déplaît pas autrement ? En quoi nous ressemblons aux premiers chrétiens, friands du pire. À leur vive déception, le pire n'arriva pas, en dépit des vaticinations dont regorgeaient les écrits de l'époque. Plus elles se multipliaient comme pour presser Dieu et lui forcer la main, plus ce dernier, ravagé, indécis, s'enferrait dans ses scrupules. En plein désarroi, les fidèles durent se rendre à l'évidence : le nouvel avènement n'aurait pas lieu, la parousie était différée ; ni salut ni damnation à l'horizon. Dans ces conditions, que leur restait-il à faire, sinon attendre, entre la résignation et l'espoir, des temps meilleurs, les temps de la fin ? Mieux lotis qu'eux, nous la tenons, nous, notre fin, elle est à notre portée, et, pour en précipiter la venue, nous n'avons nullement besoin du concours d'en haut. Une telle aubaine, pour gâcheurs que nous soyons, il est cependant douteux que nous n'en tirions aucun profit. Comment en sommes-nous venus là ? par quel processus, après des siècles rassurants, nous trouvons-nous au seuil d'une réalité que le sarcasme seul rend tolérable ? Depuis la Renaissance, l'humanité n'a fait qu'esquiver le sens ultime de son cheminement, le principe nocif qui s'y manifeste. L'âge des Lumières, en particulier, devait apporter une contribution non négligeable à cette entreprise d'obnubilation. L'idolâtrie de l'Avenir vint, au siècle suivant, confirmer les illusions du précédent. À une époque aussi détrompée que la nôtre, elle s'obstine à étaler ses promesses, bien que soient rares ceux qui y croient encore. Non que ladite idolâtrie soit à bout; mais nous sommes forcés de la minimiser, de la dédaigner — par prudence, par peur. C'est que nous savons maintenant qu'elle est compatible avec l'atroce, qu'elle y conduit même ou, tout au moins, qu'elle suscite avec une égale aisance la prospérité et l'horreur. Comme avec toute théorie, et toute découverte, nous nous enfonçons un peu plus, qu'avons-nous encore de commun avec l'engeance «éclairée», avec les maniaques du Possible? Les contemporains de Newton s'étonnèrent qu'un esprit de sa trempe s'abaissât à commenter les visions de l'Apôtre. Tout au rebours, pour nous il serait incompréhensible qu'on ne le fît pas, et le savant qui y répugnerait s'attirerait notre mépris. Du reste, il n'a même pas besoin de s'appesantir sur les révélations incriminées; il les vit à sa façon, et en prépare une version nouvelle, plus convaincante et plus efficace que l'ancienne, car dépouillée de pompe et de poésie. À force d'y travailler et de la perfectionner, il en distingue si nettement les contours qu'il éprouve quelque embarras à en parler. La conclusion des temps lui apparaissant comme un lieu commun, l'étrange à ses yeux n'est pas qu'elle soit concevable mais qu'elle tarde à se produire. Il fait de son mieux pour la parachever, pour en accélérer l'irruption : en quoi est-il coupable si elle hésite, si elle tergiverse? Non moins impatients, nous voudrions, nous aussi, qu'elle vînt nous délivrer de cette curiosité qui nous oppresse. Selon nos humeurs, nous en avançons ou en reculons la date, cependant que, respirant en fonction de l'irrespirable, nous dilatant dans ce qui nous étouffe, par toutes nos pensées, si lumineuses soient-elles, nous participons déjà de la nuit où elles vont sombrer.

Peut-être est-il proche le jour où, hors d'état de supporter encore cette masse de peur que nous avons accumulée, nous fléchirons sous le poids dont elle nous accable. Le feu du ciel sera cette fois-ci *notre* feu, et, pour le fuir, nous nous précipiterons vers les profondeurs de la terre, loin d'un monde défiguré et spolié par nous. Et nous séjournerons *au-dessous* des morts, et nous jalouserons leur repos et leur béatitude, ces crânes insoucieux, pour toujours en vacances, ces squelettes apaisés et modestes, émancipés enfin de l'impertinence du sang et des revendications de la chair. Grouillant dans le noir, nous connaîtrons du moins la satisfaction de n'avoir plus à nous regarder en face, le bonheur de perdre nos visages. Exposés aux mêmes tribulations et aux mêmes dangers, nous serons tous pareils, et plus étrangers pourtant les uns aux autres que nous ne le fûmes jamais.

Éluder notre sort, à quoi bon nous y appliquer? Non qu'il faille désespérer de trouver une fin de rechange. Encore faudrait-il qu'elle fût vraisemblable et qu'elle eût quelque chance de se réaliser. L'homme étant ce qu'il est, peut-on admettre qu'il lui soit donné de s'éteindre dans le calme du délabrement, au milieu des bienfaits de la caducité? Sans doute ploie-t-il déjà sous le fardeau des millénaires mais il semble improbable qu'il lui revienne d'en porter la charge jusqu'au bout, jusqu'à l'épuisement de ses forces. Au contraire, tout permet de prévoir que le luxe du gâtisme lui sera interdit, ne fût-ce qu'en raison du rythme où il vit et de son penchant à la démesure. Infatué de ses dons, il bafoue la nature, en bouleverse le marasme, y crée une pagaille tour à tour immonde et tragique qui devient pour elle proprement insoutenable. Qu'il déguerpisse au plus tôt, tel est le vœu qu'elle forme, et que l'homme, s'il le voulait, pourrait exaucer sur-le-champ. Ainsi serait-elle débarrassée de ce séditieux dont le sourire même est subversif, de ce contre-vivant qu'elle abrite de force, de cet usurpateur qui lui a volé ses secrets pour l'asservir, pour la déshonorer. Mais lui-même devait par ses forfaits tomber dans l'esclavage et l'ignominie. Ayant franchi tant par ses connaissances que par ses actes les limites assignées à la créature, il a attenté aux sources mêmes de son être, à son fond originel. Ses conquêtes sont le fait d'un traître à la vie et à lui-même. D'où ses airs de coupable, ses allures troubles, d'où son remords qu'il tente de dissimuler par l'insolence et l'affairement. S'il s'intoxique de bruit, c'est pour s'éviter, pour escamoter le réquisitoire que le moindre retour sur soi ne manquerait pas de lui faire entendre. La création reposait dans une stupeur sacrée, dans un admirable et inaudible gémissement; à la secouer par sa frénésie, par ses vociférations de monstre traqué, il l'a rendue méconnaissable et en a compromis la paix pour toujours. La disparition du silence doit être comptée parmi les indices annonciateurs de la fin. Ce n'est plus à cause de son impudicité ni de ses débauches qu'aujourd'hui Babylone la Grande mérite de s'écrouler, mais à cause de son tintamarre et de son tapage, des stridences de sa ferraille et des forcenés qui n'arrivent pas à s'en rassasier. Acharnée contre les solitaires, ces derniers martyrs en date, elle les poursuit, elle les torture, en interrompt à chaque instant les ruminations, s'infiltre comme un virus sonore dans leurs pensées pour les miner, pour les désagréger. Comment, dans leur exaspération, ne souhaiteraient-ils pas la voir s'effondrer sans délai? Elle contamine l'espace, elle souille, nouvelle prostituée, êtres et paysages, elle chasse de partout la pureté et le recueillement. Où aller, où demeurer? et que chercher encore dans le brouhaha d'une planète babylonisée? Avant qu'elle ne vole en éclats, ceux qui y ont le plus souffert, ceux qu'elle a tourmentés, auront enfin leur revanche : ils seront les seuls à bénir le dénouement, les seuls à savourer cette suspension du vacarme, ce bref et décisif silence qui précède les grandes catastrophes.

Plus l'homme acquiert de la puissance, plus il devient vulnérable. Ce qu'il doit le plus redouter, c'est le moment où, la création entièrement jugulée, il fêtera son triomphe, apothéose fatale, victoire à laquelle il ne survivra pas. Le plus probable est qu'il disparaîtra avant d'avoir réalisé toutes ses ambitions. Il est déjà si puissant que l'on se demande pourquoi il aspire à l'être davantage. Tant d'insatiabilité trahit une misère sans recours, une déchéance magistrale. Plantes et bêtes portent sur elles les marques du salut, comme l'homme celles de la perdition. Cela est vrai de chacun de nous, de l'Espèce tout entière, éblouie et terrassée par l'éclat de l'Incurable. Elle se perpétue à travers les nations promises comme elle à la servitude, par le simple automatisme du devenir. Toutes ensemble elles ne sont au fond qu'autant de détours que l'histoire emprunte pour aboutir à l'établissement d'une tyrannie d'envergure, d'un empire qui englobera les continents. Plus de frontières, plus d'ailleurs..., donc plus de liberté ni d'illusions. Il est significatif que le Livre de la Fin fut conçu à un moment où les hommes, et les dieux mêmes, devaient s'incliner devant le bon plaisir de Rome. L'arbitraire dégénéré en terreur, il ne restait aux opprimés que l'espoir d'en être délivrés un jour par un événement aux dimensions cosmiques, dont ils se mirent à imaginer les grandes lignes, voire les détails. Dans l'empire à venir, les déshérités procéderont de même; le genre visionnaire, volontiers sinistre, supplantera pour eux tous les autres genres; mais, au rebours des chrétiens primitifs, ils ne détesteront pas le nouveau Néron, ou plutôt ils se détesteront en lui, ils en feront un idéal abhorré, le premier des damnés, aucun d'eux n'ayant le front de s'ériger en élu.

Point de nouveau ciel ni de nouvelle terre, ni non plus d'ange pour ouvrir le «puits de l'abîme». N'en avons-nous pas d'ailleurs la clef nous-mêmes? L'abîme est en nous et hors de nous, il est le pressentiment d'hier, l'interrogation d'aujourd'hui, la certitude de demain. L'instauration, comme la dislocation, de l'empire futur s'effectuera au milieu de bouleversements sans analogues dans le passé. Au stade où nous sommes parvenus, lors même que nous le voudrions, il nous serait impossible de nous amender, et, dans un soubresaut de sagesse, de revenir sur nos pas. Si virulente est notre perversité, qu'au lieu de l'atténuer, nos réflexions sur elle, comme nos efforts pour la surmonter, l'affermissent et l'aggravent. Prédestinés à l'engloutissement, nous représentons, dans le drame de la création, l'épisode le plus spectaculaire et le plus pitoyable. Comme en nous s'est réveillé le mal qui sommeillait dans le reste des vivants, il nous appartenait de nous perdre pour qu'ils puissent être sauvés. Les virtualités de déchirure et de conflit qu'ils contenaient se sont actualisées et concentrées en nous, et c'est à nos dépens que nous avons libéré les plantes et les bêtes des éléments funestes qui gisaient assoupis en elles. Acte de générosité, sacrifice auquel nous n'avons consenti que pour le regretter et nous aigrir. Jaloux de leur inconscience, fondement de leur salut, nous voudrions être comme elles et, furieux de n'y pas arriver, nous méditons leur ruine, nous nous efforçons de les intéresser à nos malheurs pour nous en décharger sur elles. C'est aux animaux que nous en voulons surtout : que ne donnerions-nous pas pour les dépouiller de leur mutisme, pour les convertir au verbe, pour leur infliger l'abjection de la parole ! Le charme de l'existence irréfléchie, de l'existence comme telle, nous étant défendu, nous ne saurions tolérer que d'autres en jouissent. Déserteurs de l'innocence, nous nous acharnons contre quiconque y demeure encore, contre tous les êtres qui, indifférents à notre aventure, se prélassent dans leur bienheureuse torpeur. Et les dieux, ne nous sommes-nous pas déchaînés contre eux par rage de voir qu'ils étaient conscients sans en souffrir, tandis que pour nous conscience et naufrage se confondent ? Si nous avons pénétré le secret de leur puissance, nous n'avons pu en revanche percer celui de leur sérénité. La vengeance était inévitable : comment leur pardonner de posséder le savoir sans encourir la malédiction qui y est inhérente ? Eux disparus, nous n'avons pas renoncé pour autant à la quête du bonheur : nous l'avons cherché et le cherchons toujours dans ce qui précisément nous en éloigne, dans la conjonction de la connaissance et de l'arrogance. Plus ces deux termes se rapprochent au point de s'identifier, plus s'effacent les vestiges que nous conservions de nos origines. La passivité, où nous résidions, où nous étions chez nous, dès que nous en fûmes déchus, nous nous engouffrâmes dans l'acte, sans possibilité de nous en arracher ni de recouvrer notre véritable patrie. Si l'acte nous a corrompus, nous avons corrompu à notre tour l'acte : de cette dégradation réciproque devait résulter ce défi à la contemplation qu'est l'histoire, défi coextensif aux événements et aussi lamentable qu'eux. Ce qu'on vit en esprit à Patmos, nous le verrons en fait un jour, nous percevrons distinctement ce soleil «noir comme un sac de crin», cette lune de sang, ces étoiles tombant comme des figues, ce soleil se retirant «comme un livre que l'on roule». Notre anxiété fait écho à celle du Voyant, dont nous sommes plus près que ne le furent nos devanciers, y compris ceux qui écrivirent sur lui, singulièrement l'auteur des *Origines du christianisme*, lequel eut l'imprudence d'affirmer : «Nous savons que la fin du monde n'est pas aussi proche que le croyaient les illuminés du premier siècle, et que cette fin ne sera pas une catastrophe subite. Elle aura lieu par le froid, dans des milliers de siècles...» L'Évangéliste demi-lettré a vu plus loin que son savant commentateur, inféodé aux superstitions modernes. Point ne faut s'en étonner : à mesure que nous remontons vers la haute Antiquité, nous rencontrons des inquiétudes semblables aux nôtres. La philosophie, à ses débuts, eut, mieux que le pressentiment, l'intuition exacte de l'achèvement, de l'expiration du devenir. Héraclite, notre contemporain idéal, savait déjà que le feu «jugera» tout ; il envisageait même un embrasement général au bout de chaque période cosmique, un cataclysme à répétition, corollaire de toute conception cyclique du temps. Moins audacieux et moins exigeants, nous nous contentons, nous autres, d'une *seule* fin, la vigueur qui nous permettrait d'en concevoir plusieurs et de les supporter nous faisant défaut. Nous admettons, il est vrai, une pluralité de civilisations, autant de mondes qui naissent et meurent ; mais qui, parmi nous, consentirait au recommencement indéfini de l'histoire dans sa totalité ? Avec chaque événement qui s'y produit, et qui nous apparaît nécessairement irréversible, nous avançons d'un pas vers un dénouement unique, selon le rythme du progrès dont nous adoptons le schéma et refusons, bien entendu, les balivernes. Nous progressons, oui, nous galopons même, vers un désastre précis, et non vers quelque mirifique perfection. Plus nous répugnons aux fables de nos prédécesseurs immédiats, plus nous nous sentons proches des Orphiques, qui plaçaient la Nuit à l'origine des choses, ou d'un Empédocle qui conférait à la Haine des vertus cosmogoniques. Mais c'est encore avec le philosophe d'Éphèse que nous nous accordons le mieux, quand il nous assure que l'univers est gouverné par la foudre. La Raison ne nous aveuglant plus, nous découvrons enfin l'autre face du monde, les ténèbres qui y résident, et s'il faut à tout prix qu'une lumière nous en détourne, elle sera, n'en doutons pas, celle de quelque éclair définitif. Un autre trait qui nous rapproche des présocratiques est la passion de l'inéluctable, qu'ils conçurent, eux, à l'aube de notre civilisation, au premier contact avec les éléments et les êtres dont le spectacle dut les plonger dans un effarement émerveillé. Au terme des âges, nous la concevons, nous, cette passion, comme la seule modalité de nous réconcilier avec l'homme, avec l'horreur qu'il nous inspire. Résignés ou envoûtés, nous le regardons courir vers ce qui le nie, trembler dans l'ivresse de son anéantissement. La panique — son vice, sa raison d'être, le principe de son expansion, de sa prospérité malsaine — s'est tellement emparée de lui, elle le définit si intimement, qu'il périrait sur le coup si on la lui enlevait. Pour subtils que fussent les premiers philosophes, ils ne pouvaient deviner que l'univers moral poserait des problèmes aussi insolubles et aussi terrifiants que l'univers physique : l'homme, à l'époque où ils «florissaient», n'avait pas encore fait ses preuves... L'avantage que nous avons sur eux est de savoir de quoi il est capable, ou, plus exactement, de quoi nous sommes capables nous-mêmes. Car cette panique tout ensemble stimulante et destructrice, nous la portons tous en nous, elle se marque sur nos physionomies, éclate dans nos gestes, traverse nos os et soulève notre sang. Nos contorsions, visibles ou secrètes, nous les communiquons à la planète ; elle tremble déjà tout comme nous, elle subit la contagion de nos crises, et, tandis que le haut mal la gagne, elle nous vomit, elle nous maudit.

Il est sans doute fâcheux que nous ayons à affronter la phase finale du processus historique au moment où, pour avoir liquidé nos vieilles croyances, nous manquons de disponibilités métaphysiques, de réserves substantielles d'absolu. Surpris par l'agonie, nous côtoyons, dépossédés de tout, ce cauchemar flatteur, ressenti par tous ceux qui eurent le privilège de se trouver au cœur d'une insigne débâcle. Si, avec le courage de regarder les choses en face, nous avions celui de suspendre notre course, ne fût-ce qu'un instant, ce répit, cette pause à l'échelle du globe, suffirait à nous révéler l'ampleur du précipice qui nous guette, et l'effroi qui en résulterait se convertirait vite en prière ou en lamentation, en une convulsion salutaire. Mais nous ne pouvons nous arrêter. Et si l'idée de l'inexorable nous séduit, et nous soutient, c'est qu'elle contient malgré tout un résidu métaphysique, et qu'elle représente la seule ouverture dont nous disposions encore sur un semblant d'absolu, faute duquel nul ne saurait subsister. Un jour, qui sait ? ce recours même pourrait nous faire défaut. À l'apogée de notre vide, nous serions voués alors à l'indignité d'une usure complète, pire qu'une catastrophe soudaine, honorable somme toute, et même prestigieuse. Soyons confiants, misons sur la catastrophe, plus conforme à notre génie et à nos goûts. Faisons un pas de plus, supposons-la survenue, traitons-la comme un fait accompli. Selon toute vraisemblance, elle comportera des rescapés, quelques veinards qui auront eu la bonne fortune d'en contempler le déroulement et d'en tirer la leçon. Leur premier souci sera très certainement d'abolir le souvenir de l'ancienne humanité, de toutes les entreprises qui l'ont discréditée et perdue. S'acharnant contre les cités, ils voudront en achever la ruine, en effacer la trace. Un arbre rachitique vaudra mieux à leurs yeux qu'un musée ou un temple. Plus d'écoles; en revanche des cours d'oubli et de désapprentissage où l'on célébrera les vertus de l'inattention et les délices de l'amnésie. Le dégoût inspiré par la vue de n'importe quel livre, frivole ou grave, s'étendra à l'ensemble du Savoir dont on parlera avec embarras ou frayeur comme s'il s'agissait d'une obscénité ou d'un fléau. Se mêler de philosophie, élaborer un système, s'y attacher et y croire, apparaîtra comme une impiété, une provocation et une trahison, comme une complicité criminelle avec le passé. Les outils, exécrés tous, personne ne songera à s'en servir, sinon pour balayer les débris du monde écroulé. Chacun essaiera de se modeler sur le végétal au détriment des bêtes auxquelles on reprochera d'évoquer par certains côtés la figure ou les exploits de l'homme; pour la même raison, on s'abstiendra de ressusciter les dieux, et encore moins les idoles. Si radical sera le refus de l'histoire, qu'on la condamnera en bloc, sans pitié, sans nuance. Ainsi en sera-t-il du temps, assimilé à un lapsus ou à un dérèglement.

Revenus du délire de l'acte, les survivants, tournés vers la monotonie, s'efforceront de s'y plaire, de s'y vautrer, pour se dérober aux sollicitations du nouveau. Chaque matin, recueillis, discrets, ils murmureront des anathèmes contre les générations antérieures; mais, entre eux, nul sentiment suspect ou sordide, nulle rancœur ni désir d'humilier ou d'éclipser qui que ce soit. Libres et égaux, ils mettront cependant au-dessus d'eux celui qui, dans sa vie ni dans sa pensée, ne gardera aucun des vices de l'humanité engloutie. Ils le vénéreront tous et n'auront de cesse qu'ils ne lui ressemblent.

Coupons court à ces divagations, car il ne sert à rien d'inventer un «intermède consolant», procédé fastidieux des eschatologies. Non point que nous n'ayons le droit d'imaginer cette nouvelle humanité, transfigurée au sortir de l'horrible; qui nous dit pourtant que, son but atteint, elle ne retomberait pas dans les misères de l'ancienne ? et comment croire qu'elle ne se lasserait pas du bonheur ou qu'elle échapperait à l'attirance de la dégringolade, à la tentation de jouer, elle aussi, un rôle ? L'ennui au milieu du paradis fit naître chez notre premier ancêtre un appétit d'abîme qui nous a valu ce défilé de siècles dont nous entrevoyons maintenant le terme. Cet appétit, véritable nostalgie de l'enfer, ne manquerait pas de ravager la race qui nous succéderait et d'en faire la digne héritière de nos travers. Renonçons donc aux prophéties, hypothèses frénétiques, cessons de nous laisser leurrer par l'image d'un avenir lointain et improbable, tenons-nous-en à nos certitudes, à nos indubitables gouffres.

ÉBAUCHES DE VERTIGE

I

«*S*i l'on pouvait enseigner la géographie au pigeon voyageur, du coup son vol inconscient, qui va droit au but, serait chose impossible» (Carl Gustav Carus). L'écrivain qui change de langue se trouve dans la situation de ce pigeon savant et désemparé.

C'est une erreur de vouloir faciliter la tâche du lecteur. Il ne vous en saura pas gré. Il n'aime pas comprendre, il aime piétiner, s'enliser, il aime être *puni*. D'où le prestige des auteurs confus, d'où la pérennité du fatras.

*B*loy parle de l'*occulte médiocrité* de Pascal. La formule me paraît sacrilège et elle l'est en effet, bien qu'elle ne le soit pas absolument, vu que Pascal, excessif en tout, l'a été aussi en matière de bon sens.

*L*es philosophes écrivent pour les professeurs ; les penseurs, pour les écrivains.

*T*he Anatomy of Melancholy. — Le plus beau titre jamais trouvé. Qu'importe après que le livre soit plus ou moins indigeste !

*P*eut-être ne faudrait-il publier que le premier jet, avant donc de savoir soi-même où l'on veut en venir.

*S*eules les œuvres inachevées, car inachevables, nous incitent à divaguer sur l'essence de l'art.

*E*n quoi serais-je plus avancé d'avoir la foi, puisque je comprends Maître Eckhart aussi bien que si je la possédais ?

*C*e qui ne peut se traduire en termes de mystique ne mérite pas d'être vécu.

S'apparenter à cette Unité primordiale dont le Rigveda dit qu'elle « respirait d'elle-même sans souffle ».

*E*ntretien avec un sous-homme. Trois heures qui auraient pu tourner au supplice, si je ne m'étais répété sans cesse que je ne perdais pas mon temps, que j'avais quand même la chance de contempler un spécimen de ce que sera l'humanité dans quelques générations...

*J*e n'ai connu personne qui aimât la déchéance autant qu'elle. Et pourtant elle s'est tuée pour y échapper.

L. veut savoir si j'ai la ligne du suicide, mais je cache mes mains et, plutôt que de les lui montrer, je porterai toujours des gants en sa présence.

*U*n livre doit remuer des plaies, en provoquer même. Un livre doit être un *danger*.

*A*u marché, deux vieilles s'entretiennent gravement. Au moment de se séparer, l'une d'elles, la plus détériorée, conclut : « Pour être tranquille, il faut rester dans la normale de la vie. »
C'est, au langage près, ce que professait Épictète.

C. me parle d'un séjour à Londres, où, dans une chambre d'hôtel, pendant tout un mois, il est resté immobile *face au mur*. Ce fut pour lui un bonheur rare qu'il eût souhaité sans terme. Je lui cite une expérience analogue, celle du missionnaire bouddhiste Bodhidharma, qui, elle, avait duré neuf ans...
Comme je jalouse sa prouesse, dont il ne tire aucun orgueil, je lui

dis que si même elle demeurait son unique exploit, elle devrait encore le rehausser à ses propres yeux et l'aider à surmonter les crises de prostration dont il ne sait comment sortir.

*P*aris se réveille. En ce matin de novembre, il fait encore noir : avenue de l'Observatoire, un oiseau — un seul — s'essaie au chant. Je m'arrête et j'écoute. Soudain des grognements dans le voisinage. Impossible de savoir d'où ils viennent. J'avise enfin deux clochards qui dorment sous une camionnette : l'un d'eux doit faire quelque mauvais rêve. Le charme est rompu. Je déguerpis. Place Saint-Sulpice, dans la vespasienne, je tombe sur une petite vieille à demi nue... Je pousse un cri d'horreur et me précipite dans l'église, où un prêtre bossu, à l'œil malin, explique à une quinzaine de déshérités de tout âge que la fin du monde est imminente et le châtiment terrible.

*H*eureux tous ceux qui, nés avant la Science, avaient le privilège de mourir dès leur première maladie !

*A*voir introduit le soupir dans l'économie de l'intellect.

*M*es fatigues, mes troubles, mon intérêt forcé pour la physiologie m'ont amené très tôt au mépris de toute spéculation comme telle. Et si, durant tant d'années, je n'ai fait aucun progrès en rien, du moins aurai-je appris à fond ce que c'est qu'un *corps*.

*U*n vieil ami, clochard, ou, si on préfère, musicien ambulant, étant retourné quelque temps chez ses parents dans les Ardennes, eut, un dimanche matin, à cause d'une vétille, une vive dispute avec sa mère, institutrice retraitée, au moment où elle s'apprêtait à aller à la messe. Hors d'elle, soudain pâle et muette, elle jeta par terre son chapeau, son manteau, son corsage, sa Jupe, sa culotte et ses bas, et, toute nue, exécuta une danse lascive devant son mari et son fils, collés contre le mur, épouvantés et paralysés, incapables de l'arrêter d'un geste ou d'un mot. La performance terminée, elle s'écroula dans un fauteuil et se mit à sangloter.

*A*u mur, une gravure représentant la pendaison de partisans armagnacs, dont le regard est fait de ricanement, d'hilarité et d'extase. On dirait qu'ils ne redoutent rien tant que de voir leur supplice finir...
Le spectacle de ce bonheur indicible et provocant, on n'arrive pas à s'en rassasier.

L'amitié étant incompatible avec la vérité, seul est fécond le dialogue muet avec nos ennemis.

*N*os proches devraient prendre soin de mourir à un moment où nous ne traversons pas une période d'atonie. Sans quoi, quel effort pour s'intéresser à leur mésaventure !

«*E*t les derniers seront les premiers. » — C'est au Collège de France, le 30 janvier 1958, au cours de Puech sur l'Évangile selon Thomas, que cette rengaine, tombée au milieu d'un commentaire érudit, me plongea dans un état étrange. L'aurais-je entendue en pleine agonie, qu'elle ne m'aurait pas remué autant.

*U*n poète espagnol m'envoie une carte de vœux figurant un rat, symbole, écrit-il, de tout ce que nous pouvons «esperar» de l'année. De toutes les années, aurait-il pu ajouter.

*Q*uiconque est assez insensé pour s'embarquer dans une œuvre, de quelque nature soit-elle, ne tolère pas, au fond de lui-même, la moindre restriction sur ce qu'il fait. Ses doutes sur soi le minent trop pour qu'il puisse affronter encore ceux qu'il inspire aux autres.

*U*n Ancien disait que la doctrine d'Épicure avait la «douceur des sirènes».
Ce serait peine perdue que de chercher le système moderne qui mériterait un tel éloge.

*Q*uand je lis Hérodote, il me semble entendre un paysan de l'Est raconter et «philosopher». — Ce n'est pas pour rien qu'il avait voyagé chez les Scythes.

*V*isite d'un jeune homme qu'une dame m'avait recommandé, en précisant bien qu'il s'agissait d'un «génie». Après m'avoir donné des détails sur un voyage qu'il venait de faire en Afrique, il me parla de ses préoccupations, de ses lectures, de ses projets. Dans tout ce qu'il disait, il y avait quelque chose qui n'allait pas, une fièvre vide, qui me mettait mal à l'aise. Impossible de savoir qui il était et ce qu'il valait. Au bout d'une heure, il se leva, je me levai aussi, il me regarda fixement et, tout à la fois concentré et absent, s'avança dans ma direction lentement, très lentement, comme un escargot halluciné. Je me rappelle avoir fait la remarque : «Ce génie veut m'assassiner», et me reculai d'un pas, avec la ferme résolution de lui appliquer un coup de poing en pleine figure s'il continuait à s'approcher. Il s'arrêta, eut un geste nerveux, comme s'il se faisait violence, et que, autre docteur Jekyll, il résistât à quelque sinistre métamorphose, puis se calma, retourna s'asseoir en s'efforçant de sourire. Je ne lui posai aucune question qui pût le troubler. Nous reprîmes la conversation exactement où elle avait été interrompue, et à mesure qu'il revenait à lui-même, je sentais que *son* état me gagnait et que maintenant c'était à moi de me lever. Quand heureusement il eut l'idée de s'en aller.

C'est mon défaut d'élocution, mes balbutiements, ma façon saccadée de parler, mon *art* de bredouiller, c'est ma voix, mes *r* de l'autre bout de l'Europe, qui m'ont poussé par réaction à soigner quelque peu ce que j'écris et à me rendre plus ou moins digne d'un idiome que je malmène chaque fois que j'ouvre la bouche.

*P*armi les misères (vieillesse, maladie, etc.) qui justifient la quête de la délivrance, le Bouddha cite le «trac de l'acteur»! En fait de trac, il fallait commencer et finir par celui du vivant en tant que vivant.

*C*et octogénaire m'avoue, sous le sceau du secret, qu'il vient d'éprouver pour la première fois de sa vie la tentation de se tuer. Pourquoi tant de mystère? Honte d'avoir attendu si longtemps pour connaître un désir si légitime ou, au contraire, horreur devant ce qu'il doit tenir pour une monstruosité?

*P*ascal, et c'est bien dommage, n'a pas cru bon de s'arrêter sur le suicide. C'était pourtant un sujet pour lui. Sans doute aurait-il été *contre*, mais avec des concessions révélatrices.

«*L*e goût de l'extraordinaire est le caractère de la médiocrité» (Diderot).
... Et l'on s'étonne encore que le siècle des Lumières n'ait rien compris à Shakespeare.

*O*n n'écrit pas parce qu'on a quelque chose à dire mais parce qu'on a *envie* de dire quelque chose.

S'il est un instant où l'on devrait pouffer de rire, c'est lorsque, sous l'effet d'un intolérable malaise nocturne, on se lève sans savoir si on rédigera ses dernières volontés ou si l'on se bornera à quelque misérable aphorisme.

*Q*u'est-ce que la douleur? — Une sensation qui ne veut pas s'effacer, une sensation *ambitieuse*.

*E*xister est un plagiat.

D'après la Kabbale, dès qu'un être est conçu, il porte dans le sein de sa mère un signe lumineux qui s'éteint à sa naissance...

*J*e ne voudrais pas vivre dans un monde vidé de tout sentiment religieux. Je ne songe pas à la foi mais à cette vibration intérieure, qui, indépendante de quelque croyance que ce soit, vous projette en Dieu, et quelquefois *au-dessus*.

«*P*ersonne n'a jamais pu se délivrer du Temps.»
Je le savais. Mais quand c'est dans le Mahâbhârata qu'on le lit, on le sait pour toujours.

*S*i le récit de la Chute est si frappant, c'est que l'auteur n'y décrit pas des entités ni des symboles:

il *voit* un Dieu se promenant bel et bien dans un jardin, un Dieu *rural*, comme l'a si justement qualifié un exégète.

« *T*outes les fois que je pense à la crucifixion du Christ, je commets le péché d'envie. »
Si j'aime tant Simone Weil, c'est pour les propos où elle rivalise d'orgueil avec les plus grands saints.

*I*l est faux de prétendre que l'homme ne peut vivre sans dieux. Tout d'abord il en crée des simulacres ; ensuite, il supporte tout et s'habitue à tout. Il n'est pas assez noble pour périr par déception.

*D*ans ce rêve, j'encensais quelqu'un que je méprise. En me réveillant, dégoût plus grand de moi-même que si j'avais commis réellement une telle bassesse.

*J*e n'ai l'impression d'être efficace, d'être dans le coup, de faire quelque chose de positif, que lorsque je m'allonge pour me livrer à une interrogation sans fin et sans objet.

*L*a stérilité rend lucide et impitoyable. Dès qu'on cesse de produire, on trouve sans inspiration et sans substance tout ce que font les autres. Jugement sans doute vrai. Mais il fallait le porter avant, lorsqu'on produisait, lorsque justement on faisait comme les autres.

*L*a véritable élégance morale consiste dans l'art de déguiser ses victoires en défaites.

*C*es cauchemars ratés, ces cauchemars qui traînent, qui se prolongent, faute de nouvelles catastrophes. Se réveiller en sursaut par manque d'intérêt !

*L*a mort est un état de perfection, le seul à la portée d'un mortel.

*D*u temps que je fumais sans arrêt, la cigarette, après une nuit blanche, avait une saveur funèbre qui me consolait de tout.

*D*ans ce train de banlieue, une petite fille (cinq ans?) lit un livre illustré. Elle tombe sur le mot «passage» et en demande la signification à sa mère qui s'exécute : «Passage, c'est le train qui passe, c'est un homme qui passe dans la rue, c'est le vent qui passe...» La gamine, qui a l'air très éveillé, ne semble pas satisfaite de la réponse. Sans doute trouve-t-elle les exemples trop *concrets*.

*C*e jour-là nous parlions à table «théologie». La bonne, une paysanne illettrée, écoutait debout. «Je ne crois en Dieu que quand j'ai mal aux dents», dit-elle. Après toute une vie, son intervention est la seule dont je me souvienne.

*D*ans un hebdomadaire anglais, une diatribe contre Marc Aurèle, que l'auteur accuse d'hypocrisie, de philistinisme et de pose. Furieux, je m'apprêtais à répondre quand, pensant à l'empereur, je me suis vite ressaisi. Il était juste que je ne m'indigne pas au nom de celui qui m'a appris à ne m'indigner jamais.

*T*oute concession qu'on fait s'accompagne d'un amoindrissement intérieur dont on n'est pas conscient sur le coup.

À cet ami qui me dit s'ennuyer parce qu'il ne peut pas travailler, je réponds que l'ennui est un état *supérieur*, et que c'est le rabaisser que de le mettre en rapport avec l'idée de travail.

*E*xister est un phénomène colossal — *qui n'a aucun sens*. C'est ainsi que je définirais l'ahurissement dans lequel je vis jour après jour.

*V*ous me laissiez entendre que je ne valais rien quand j'affirmais, que je n'étais à mon avantage que lorsque je doutais.
Mais je ne suis pas un douteur, je suis un idolâtre du doute, un douteur en ébullition, un douteur en transe, un fanatique sans credo, un héros de la fluctuation.

L'enquête d'Œdipe, la poursuite sans ménagements, voire sans scrupules, de la vérité, l'acharnement à sa propre ruine rappelle la démarche et le mécanisme de la Connaissance, activité éminemment incompatible avec l'instinct de conservation.

*Ê*tre *persuadé* de quoi que ce soit est un exploit inouï, presque miraculeux.

*C*e qu'on peut reprocher au Nietzsche de la fin, c'est l'excès haletant de l'écriture, c'est l'absence de *temps morts*.

*S*eules portent, seules sont contagieuses les paroles issues de l'illumination ou de la frénésie, deux états où l'on est *méconnaissable*.

*L*e Christ, a-t-on soutenu, ne fut pas un *sage*, témoin les paroles qu'il a prononcées à l'occasion de la Cène : «Faites ceci en ma mémoire.» Or, le sage ne parle jamais en son propre nom : le sage est impersonnel.
Admettons. Seulement le Christ n'a pas prétendu en être un. Il s'était pris pour un dieu, et cela exigeait un langage moins modeste, un langage personnel justement.

*O*n peine, on se démène, on se sacrifie, en apparence pour soi, en fait pour n'importe qui, pour un ennemi futur, pour un ennemi inconnu. Et cela est encore plus vrai des peuples que des individus. Héraclite s'est trompé : ce n'est pas la foudre, c'est l'ironie qui gouverne l'univers. C'est elle qui est la loi du monde.

*M*ême quand rien ne se passe, tout me semble de trop. Que dire alors en présence d'un événement, de tout événement ?

*L*a plus grande des folies est de croire que nous marchons sur du solide. Dès que l'histoire se signale, nous nous persuadons du contraire. Nos pas paraissaient adhérer au sol, et nous découvrons brusquement qu'il n'y a rien qui ressemble au sol, qu'il n'y a rien non plus qui ressemble à des pas.

*A*u Zoo. — Toutes ces bêtes ont une tenue décente, hormis les singes. On sent que l'homme n'est pas loin.

*D*ans le *Journal* de Dangeau on peut lire : «Mme la duchesse d'Harcourt demande et obtient la succession d'un nommé Foucault qui s'est donné la mort.» — «Aujourd'hui le roi a donné à la dauphine un homme qui s'est tué lui-même. Elle espère en tirer beaucoup d'argent.»
S'en souvenir quand on est tenté d'innocenter les perruques et qu'on s'arrête interdit devant la guillotine.

*I*mpossible d'accéder à la vérité par des opinions, car toute opinion n'est qu'un point de vue *fou* sur la réalité.

*S*uivant une légende hindoue, Shiva, à un moment donné, se mettra à danser, d'abord lentement, puis de plus en plus vite, et il ne s'arrêtera pas avant d'avoir imposé au monde une cadence effrénée, en tout point opposée à celle de la Création.
Cette légende ne comporte aucun commentaire, l'histoire ayant pris à tâche d'en illustrer le bien-fondé.

*A*lors qu'on préparait la ciguë, Socrate était en train d'apprendre un air de flûte. «À quoi cela te servira-t-il? lui demande-t-on. — À savoir cet air avant de mourir.»
Si j'ose rappeler cette réponse trivialisée par les manuels, c'est parce qu'elle me paraît l'unique justification sérieuse de toute volonté de connaître, qu'elle s'exerce au seuil même de la mort ou à n'importe quel autre moment.

D'après Origène, seules les âmes portées au mal, «ayant leurs ailes brisées», revêtent des corps.
En d'autres termes, sans un appétit funeste, point d'incarnation ni d'histoire. C'est là une évidence effrayante qui devient tolérable dès qu'on l'entoure du moindre appareil théologique.

*L*e vrai Messie ne surgira, dit-on, qu'au milieu d'un monde «entièrement juste» ou «entièrement coupable». La seconde éventualité méritant seule considération, puisqu'elle est presque en vue et qu'elle s'accorde si bien avec ce qu'on *sait* de l'avenir, le Messie a toutes les chances de se produire enfin et de répondre ainsi moins à une très vieille attente qu'à une très vieille appréhension.

J'ai noté maintes fois qu'il est plus facile de se rendormir après un rêve où l'on est assassiné qu'après un rêve où l'on est assassin.
Un bon point pour l'assassin.

À Saint-Séverin, un chœur italien chante les *Lamentations de Jérémie* de Cavalieri. Au plus fort de l'émotion, je me dis qu'à la première occasion je réglerai son compte à... Dans les moments les plus «éthérés», je suis invariablement saisi par le désir de me venger sur l'heure d'une offense nullement récente, mais vieille de dix, de vingt, de trente ans.

*I*l n'est personne dont, à un moment ou l'autre, je n'aie souhaité la mort.

D., bon psychologue malgré son gâtisme, tenait à ses trouvailles. Chaque fois que je le rencontrais, il me disait que mes rages le faisaient penser à celles du roi Lear, dont il me déclamait aussitôt la menace : «Je ferai des choses..., ce qu'elles seront, je ne le sais pas encore, mais elles épouvanteront la terre.»
Sur quoi, le petit vieux riait comme un enfant.

*S*uivant un texte hassidique, celui qui ne trouve pas la vraie voie, ou s'en écarte de propos délibéré, en arrive à vivre uniquement par «fierté diabolique».
Le moyen de ne pas se sentir visé !

*É*ternité : je me demande comment, sans en perdre la raison, j'ai pu articuler tant de fois ce mot.

«*E*t je vis les morts, petits et grands, debout devant Dieu.»
Petits et grands! trait involontaire d'humour. Même dans l'Apocalypse, les riens comptent, que dis-je ? ce sont eux qui en constituent l'attrait.

*L*a mort, quel déshonneur!
Devenir soudain *objet*...

*D*étester quelqu'un, c'est vouloir qu'il soit n'importe quoi, sauf ce qu'il est. T. m'écrit que je suis l'homme qu'il aime le plus au monde..., mais il m'adjure en même temps d'abandonner mes obsessions, de changer de chemin, de devenir autre, de rompre avec celui que je suis. Autant dire qu'il refuse mon *être*.

*D*étachement, sérénité, — mots vagues et presque vides, excepté dans ces instants où nous aurions répondu par un sourire si on nous avait annoncé que nous n'en avions plus que pour quelques minutes.

*D*e tout ce qui est censé appartenir au «psychique», rien ne relève autant de la physiologie que le cafard, actif dans les tissus, dans le sang, dans les os, dans n'importe quel organe pris isolément. Si on le laissait faire, il démolirait jusqu'aux ongles.

*P*ar souci thérapeutique, il avait mis dans ses livres tout ce qu'il pouvait y avoir d'impur en lui, le résidu de sa pensée, la lie de son esprit.

*O*ffrande musicale, *Art de la fugue, Variations Goldberg* : j'aime en musique, comme en philosophie et en tout, ce qui fait mal par l'insistance, par la récurrence, par cet interminable retour qui touche aux dernières profondeurs de l'être et y provoque une délectation à peine soutenable.

*Q*uel dommage que le «néant» ait été dévalorisé par l'abus qu'en ont fait des philosophes indignes de lui!

*Q*uand on s'est arrogé le monopole de la déception, on doit se faire violence pour reconnaître à quelqu'un d'autre le droit d'être déçu.

*R*ien ne rend modeste, pas même la vue d'un cadavre.

*T*out acte de courage est le fait d'un déséquilibré. Les bêtes, normales par définition, sont toujours lâches, sauf quand elles *se savent* plus fortes, ce qui est la lâcheté même.

*S*i tout convergeait vers le mieux, les vieillards, furieux de ne pouvoir en profiter, mourraient tous de dépit. Heureusement pour eux, le cours qu'a pris l'histoire dès le commencement les rassure et leur permet ainsi de crever sans la moindre trace de jalousie.

*Q*uiconque parle le langage de l'utopie m'est plus étranger qu'un reptile d'une autre ère.

*O*n ne peut être content de soi que lorsqu'on se rappelle ces instants où, selon un mot japonais, on a perçu le *ah!* des choses.

L'illusion enfante et soutient le monde; on ne la détruit pas sans le détruire. C'est ce que je fais chaque jour. Opération apparemment inefficace, puisqu'il me faut la recommencer le lendemain.

*L*e temps est rongé du dedans, exactement comme un organisme, comme tout ce qui est affecté par la vie. Qui dit temps dit lésion, et quelle lésion!

J'ai compris que j'avais vieilli quand j'ai commencé a sentir que le mot Destruction perdait de son pouvoir qu'il ne me donnait plus ce frisson de triomphe et de plénitude, voisin de la prière, d'une prière agressive...

À peine avais-je terminé une série de réflexions plutôt lugubres, que je fus saisi de cet amour morbide de la vie, punition ou récompense de ceux-là seuls qui sont voués à la négation.

II

*I*l m'est arrivé d'avancer que je ne pourrais admirer qu'un homme déshonoré et heureux. Je viens de m'apercevoir qu'Épictète était allé plus loin : *agonisant* et *heureux*, disait-il. Cependant il est peut-être plus facile d'exulter dans l'agonie que dans l'ignominie.

L'idée de l'Éternel Retour ne peut être pleinement saisie que par celui qui est doté de plusieurs infirmités chroniques, donc récurrentes, et qui a ainsi l'avantage de passer de rechute en rechute, avec tout ce que cela implique comme réflexion philosophique.

*U*n homme qui se respecte n'a pas de patrie. Une patrie, c'est de la glu.

*U*ne librairie de médecine. À la devanture, au tout premier plan, un squelette. J'ai craché de dégoût. Après, je me suis dit que j'aurais dû faire preuve d'un peu de gratitude, vu que tant de fois j'ai célébré ces os sardoniques, dont l'idée, sinon l'image, m'a si charitablement soutenu dans mainte circonstance.

*D*ès qu'on sort dans la rue, à la vue des gens, *extermination* est le premier mot qui vient à l'esprit.

C'est commettre une effraction qu'envoyer un livre à quelqu'un, c'est un viol de domicile. C'est empiéter sur sa solitude, sur ce qu'il a de plus sacré, c'est l'obliger à se désister de lui-même pour penser à vos pensées.

À l'enterrement de C. je me disais : «Voilà enfin quelqu'un qui n'a pas eu un seul ennemi.» — Ce n'est pas qu'il fût médiocre mais il ignorait à un point inouï *l'ivresse de blesser.*

X. ne sait plus que faire de lui-même. Les événements le troublent outre mesure. Sa panique m'est salutaire : elle m'oblige à le calmer, et cet effort de persuasion, cette recherche d'arguments apaisants, m'apaise à mon tour. Pour rester en deçà de l'affolement, il faut fréquenter plus affolé que soi.

*T*ous ces yeux durs, méchants. En cas d'émeute, on n'ose imaginer leur expression. Le mot «prochain» n'a aucun sens dans une grande ville. C'est un vocable qui était légitime dans les civilisations rurales, où les gens se connaissaient de près, et pouvaient s'aimer et se détester en paix.

*R*ituel tantrique : au cours de la séance d'initiation on vous présente un miroir qui vous renvoie votre image. En la contemplant, vous comprenez que vous n'êtes que cela, c'est-à-dire rien. À quoi bon tant de simagrées, quand il est si facile de s'aviser du peu que l'on est ?

*P*lotin n'a connu que quatre extases ; Ramana Maharshi, une seule. Qu'importe le nombre ! S'il faut plaindre quelqu'un, c'est celui qui n'en a jamais pressenti aucune, et qui en parle par ouï-dire.

*C*e petit bonhomme aveugle, âgé de quelques jours, qui tourne la tête de tous côtés en cherchant on ne sait quoi, ce crâne nu, cette calvitie originelle, ce singe infime qui a séjourné des mois dans une latrine et qui bientôt, oubliant ses origines, crachera sur les galaxies...

*C*hez presque tous les penseurs, on peut noter le besoin de *croire* aux sujets dont ils traitent, ils s'y identifient même jusqu'à un certain point. Ce besoin, condamnable en théorie, se révèle néanmoins une bénédiction, puisque c'est grâce à lui qu'ils ne se dégoûtent pas de penser...

S'il y avait une forme courante, voire officielle, de se tuer, le suicide serait beaucoup plus aisé et beaucoup plus fréquent. Mais comme pour en finir il faut chercher sa propre voie, on perd un temps si important à méditer sur des vétilles qu'on en oublie l'essentiel.

*P*endant quelques minutes je me suis concentré sur le *passage* du temps, toute mon attention rivée à l'émergence et à l'évanouissement de chaque instant. À vrai dire, mon esprit ne se fixait pas sur l'instant individuel (qui n'existe pas), mais sur le fait même du passage, sur l'interminable désagrégation du présent. On ferait cette expérience sans interruption pendant toute une journée, que le cerveau se désagrégerait à son tour.

*Ê*tre, c'est être coincé.

*D*ans les familles fêlées, un rejeton surgit qui se voue à la vérité et qui se perd en la cherchant.

*C*e qui m'a étonné le plus chez la plupart des philosophes que j'ai pu approcher, c'était le manque de jugement. Toujours à côté. Une remarquable inaptitude à la justesse. — Le pli de l'abstraction vicie l'esprit.

*D*epuis, mettons, une quarantaine d'années, pas de jour où je n'aie eu quelque chose comme une crise *non déclarée* d'épilepsie. C'est ce qui m'a permis d'être en forme et de sauver les apparences.
... Quelles apparences?

*L*es natures capables d'objectivité en toute occurrence donnent l'impression d'être sorties du normal. Que s'est-il brisé ou perverti en elles? Impossible de le savoir mais on devine quelque trouble sérieux, quelque anomalie. L'impartialité est incompatible avec la volonté de s'affirmer ou tout simplement d'exister. Reconnaître les mérites d'autrui est un symptôme alarmant, un acte contre nature.

«*N*i ce monde, ni l'autre, ni le bonheur ne sont pour l'être abandonné au doute.»
Cet endroit de la Gîtâ est mon arrêt de mort.

J'essaie de combattre l'intérêt que je prends pour elle, je me figure ses yeux, ses joues, son nez, ses lèvres, en pleine putréfaction. Rien n'y fait: l'indéfinissable qu'elle dégage persiste. C'est dans des moments pareils que l'on comprend pourquoi la vie a réussi à se maintenir, en dépit de la Connaissance.

*U*ne fois qu'on a compris, le mieux serait de crever sur l'heure. Qu'est-ce que *comprendre*? Ce qu'on a vraiment saisi ne se laisse exprimer d'aucune façon, et ne peut se transmettre à personne, même pas à soi-même, de sorte qu'on meurt en ignorant la nature exacte de son propre secret.

*N*e plus concevoir que des choses sur lesquelles on se plairait à ruminer dans un tombeau.

*J*e me suis toujours emballé pour des causes perdues et pour des personnages sans avenir, dont j'ai épousé les folies au point d'en souffrir presque autant qu'eux. Quand on est voué à se tourmenter, ses propres tourments, si grands soient-ils, ne suffisent pas ; on se jette encore sur ceux des autres, on se les approprie, on se rend doublement, triplement, que dis-je ? centuplement malheureux.

N'avoir le sens du *perpétuel* que dans le négatif, dans ce qui fait mal, dans ce qui contrarie l'être. Perpétuité de menace, d'inaboutissement, d'extase désirée et ratée, d'absolu entrevu, rarement atteint ; quelquefois cependant dépassé, sauté, comme lorsqu'on s'évade de Dieu...

*E*n bordure du bois, un ramier en panne. Quelque plomb égaré avait dû le toucher. Il ne pouvait avancer qu'en sautillant. Ses mouvements comiques, *dont il paraissait s'amuser*, donnaient à son agonie un caractère allègre. J'aurais aimé l'emporter, car il faisait froid et la nuit approchait. Mais je ne savais à qui le confier : personne n'en aurait voulu dans cette Beauce renfermée et morose. Je ne pouvais tout de même pas essayer d'apitoyer le chef de la petite gare où j'allais prendre le train. Et c'est ainsi que j'ai abandonné le ramier à sa *joie* de mourir.

*A*voir été harcelé depuis toujours par des maux éminemment fidèles et ne réussir à convaincre personne de leur réalité. Pourtant, en y réfléchissant bien, ce n'est que justice : on ne déploie pas impunément, en compagnie, des talents de bavard et de boute-en-train. Comment, après, faire admettre l'existence d'un martyr *gai* ?

*É*tre las non seulement de ce qu'on a désiré mais encore de ce qu'on *aurait* pu désirer ! En fait, de tout désir possible.

*L*es saints de qualité ne tenaient pas à faire des miracles ; ils s'y prêtaient à contrecœur, comme si *quelqu'un* leur avait forcé la main. Une si vive répugnance à en accomplir leur venait sans doute de la peur de tomber dans le péché d'orgueil et de céder à la tentation du titanisme, au désir d'égaler Dieu et de lui voler ses pouvoirs.
Parfois, au paroxysme de la volonté, on conçoit qu'on puisse *forcer* les lois de la nature. Ces moments sont si exténuants qu'ils vous laissent pantelant, démuni de l'énergie intérieure qui pourrait enfreindre et piétiner ces lois. Si l'intention seule du miracle épuise, que serait-ce alors du miracle même ?

*T*outes les fois qu'on tombe sur quelque chose d'existant, de réel, de plein, on aimerait faire sonner toutes les cloches comme à l'occasion des grandes victoires ou des grandes calamités.

*C*onnaître, au milieu d'une foire, des sensations dont auraient été jaloux les Pères du Désert.

*J*e voudrais proclamer une vérité qui me chasserait à jamais des vivants. Je ne connais que les états mais non les mots qui me permettraient de la formuler.

*V*ous avez osé appeler le Temps votre « frère », prendre pour allié le pire des tortionnaires. Sur ce point, nos différences éclatent : vous marchez de pair avec lui, tandis que, moi, je le précède ou le suis à la traîne sans jamais adopter ses façons, et ne puis le considérer qu'en éprouvant à son égard quelque chose comme un *chagrin spéculatif*.

*S*elon l'auteur gnostique de *l'Apocalypse de Jean*, c'est rester en deçà du Très-Haut que de l'appeler *infini*, car Il est, dit-il, « *beaucoup mieux que cela* ».

On aimerait connaître le nom de cet auteur qui a si remarquablement vu en quoi consiste l'extravagante singularité de Dieu.

*D*ommage qu'on ne puisse faire des progrès dans la modestie! Je m'y suis employé avec pas mal de zèle mais n'y suis parvenu que dans des moments de grande lassitude. La lassitude disparue, mes efforts se révélaient vains. Il faut que la modestie soit un état bien peu naturel, pour qu'on n'y atteigne qu'à la faveur de l'épuisement.

*C*e naufragé qui, échouant sur une île et y apercevant aussitôt une potence, au lieu d'en être effrayé, fut au contraire, rassuré. Il se trouvait chez des sauvages, c'est entendu, mais dans un endroit où l'ordre régnait.

*J*e pense plus que de raison aux émotions d'un païen après la volte-face de Constantin. Ma vie : perpétuelle terreur devant les dogmes, devant les dogmes naissants.
Les dogmes flageolants en échange me séduisent, car ils ont perdu leur agressivité. Cependant, les sachant menacés, je ne puis oublier que c'est leur déliquescence qui prépare l'avènement d'un monde que je redoute. Et la sympathie qu'ils m'inspirent finit par alimenter mon effroi...

*L*e succès, les honneurs et tout le bataclan ne sont excusables que si celui qui les connaît *sent* qu'il finira mal. Il les acceptera donc uniquement pour, au moment venu, *jouir* pleinement de sa dégringolade.

«*J*e n'ai rien vu d'aussi impassible dans le marbre glacé des statues», écrit Barras sur Robespierre. — Je me demande si l'imperturbabilité de cette crapule superbe que fut Talleyrand n'était pas une copie ultra-raffinée des manières et du style de l'Incorruptible.

*F*onder une famille. Je crois qu'il m'aurait été plus aisé de fonder un empire.

*L*e véritable écrivain écrit sur les êtres, les choses et les événements, il n'écrit pas sur l'écrire, il se sert de mots mais ne s'attarde pas aux mots, n'en fait pas l'ob-

jet de ses ruminations. Il sera tout, sauf un anatomiste du Verbe.
La dissection du langage est la marotte de ceux qui n'ayant rien à
dire se confinent dans le dire.

*A*près une maladie grave, dans
certains pays d'Asie, au Laos par exemple, il arrive qu'on
change de nom. Quelle vision à l'origine d'une telle coutume!
Au vrai, on devrait changer de nom après chaque expérience
importante.

*S*eule une fleur qui tombe est
une fleur totale, a dit un Japonais.
On est tenté d'en dire autant d'une civilisation.

*L*a base de la société, de toute
société, est un certain *orgueil d'obéir*. Quand cet orgueil n'existe
plus, la société s'écroule.

*M*a passion de l'histoire dérive
de mon flair pour le caduc et de mon appétit du *fichu*.

*S*eriez-vous *réac*? — Si vous
voulez, mais dans le sens où Dieu l'est.

*O*n est et on demeure esclave
aussi longtemps que l'on n'est pas guéri de la manie d'espérer.

*I*l est réconfortant de pouvoir se
dire : Ma vie correspond trait pour trait au genre d'enlisement que
je me souhaitais.

*P*endant une trentaine d'années,
mon père a administré des milliers et des milliers de fois l'extrême-onction. Pas plus que le fossoyeur, son «compagnon», il
n'avait le sentiment de la mort, sentiment qui n'a rien à voir avec
le *cadavre*, sentiment intime, le plus intime de tous, et qu'on
éprouverait, si on est prédestiné à le ressentir, même dans un
monde où personne n'aurait l'occasion de mourir.

*C*es moments où l'on se com-
porte comme si rien n'avait jamais été, où toute attente est suspendue faute d'instants, et où, au plus profond de soi, on

chercherait en pure perte la moindre parcelle d'être entachée encore de Possible.

*C*ette nonagénaire s'éteint sans maladie, elle n'a rien, elle se meurt uniquement parce qu'elle ne peut plus durer... En entrant chez elle, je la trouvai à demi assoupie. Elle eut la force de murmurer : «C'est la fin de la vie, c'est la fin de la vie. — Qu'importe! Il ne faut pas s'en faire», lui ai-je répliqué. Elle esquissa un sourire incertain, peut-être méprisant. J'ai dû lui paraître ou trop naïf ou trop cynique, ou les deux à la fois.

*Q*uand je vois quelqu'un batailler pour quelque cause que ce soit, je cherche à savoir ce qui se passe dans son esprit et d'où peut bien provenir son manque si évident de maturité. Le refus de la résignation est peut-être un signe de «vie», jamais en tout cas de clairvoyance, ou simplement de réflexion. L'homme sensé ne s'abaisse pas à protester. À peine consent-il à l'indignation. Prendre au sérieux les affaires humaines témoigne de quelque carence secrète.

*U*n anthropologiste qui était allé étudier les Pygmées constata avec stupeur que les tribus qui vivaient alentour le dédaignaient et le tenaient à l'écart, parce qu'il frayait avec une peuplade inférieure, les Pygmées étant à leurs yeux des gens de rien, des «chiens», indignes d'éveiller le moindre intérêt.
Il n'y a pas plus exclusiviste qu'un instinct vigoureux, inentamé. Une communauté se consolide dans la mesure où elle est inhumaine, où elle sait exclure... Les «primitifs» y excellent. Ce ne sont pas eux, ce sont les «civilisés» qui ont inventé la tolérance, et ils périront par elle. Pourquoi l'ont-ils inventée? Parce qu'ils étaient en train de périr... Ce n'est pas la tolérance qui les a affaiblis, c'est leur faiblesse, c'est leur vitalité déficiente qui les a rendus tolérants.

*L*es deux femmes que j'ai le plus pratiquées : Thérèse d'Avila et la Brinvilliers.

*L*es obsédés du pire, on leur en veut même au moment où l'on reconnaît la justesse de leurs appréhensions et de leurs avertissements. On est beaucoup plus indulgent pour celui qui s'est trompé parce qu'on croit que son aveuglement était le fruit de l'enthousiasme et de la générosité, tandis que l'autre, prisonnier de sa lucidité, ne serait qu'un lâche, incapable d'assumer le risque d'une illusion.

*T*out compte fait, l'âge des cavernes n'était pas l'idéal. L'époque immédiatement postérieure, oui, celle où, après une si longue claustration, on pouvait enfin penser *dehors*.

*J*e ne lutte pas contre le monde, je lutte contre une force plus grande, contre ma *fatigue* du monde.

*C*ette vieille sexualité est tout de même quelque chose. Depuis que la vie est vie, on a eu raison, il faut bien le dire, d'en faire si grand cas. Comment expliquer qu'on se lasse de tout, sauf d'elle ? Le plus ancien exercice du vivant ne pouvait ne pas nous marquer, et l'on comprend que celui qui ne s'y adonne pas soit un être à part, un déchet ou un saint.

*P*lus on a subi d'injustices, plus on risque de verser dans l'infatuation ou dans l'orgueil carrément. Toute victime se flatte d'être un élu à rebours et réagit en conséquence, sans se douter qu'elle rejoint par là le statut même du Diable.

*D*ès qu'on revient au Doute (si tant est qu'on l'ait jamais quitté), entreprendre quoi que ce soit paraît moins inutile qu'extravagant. On ne rigole pas avec lui. Il vous travaille en profondeur comme une maladie ou, plus efficacement encore, comme une foi.

*T*acite fait dire à Othon décidé à se tuer mais persuadé par ses soldats de différer son geste : «Eh bien, ajoutons encore une nuit à notre vie.»
... Il faut espérer pour lui que sa nuit ne ressemblait pas à celle que je viens de passer.

D'après le Talmud, l'impulsion mauvaise est innée; la bonne n'apparaît qu'à treize ans... Cette précision, malgré son caractère comique, ne manque pas de vraisemblance, et elle nous dévoile l'incurable timidité du Bien, en face du Mal installé confortablement dans notre substance et y jouissant des privilèges que lui confère sa qualité de premier occupant.

*L*e Messie, pour les Juifs, ne pouvait être qu'un roi triomphant; en aucun cas, une victime. Trop ambitieux pour se contenter d'un crucifié, ils attendaient quelqu'un de *fort*. Leur chance fut de ne pas s'apercevoir que le Christ l'était à sa façon. Sans quoi ils se seraient agglutinés aux hordes chrétiennes et y auraient disparu lamentablement.

*N*os infirmités nous empêchent d'échapper à nous-mêmes, de devenir autres, de changer de peau, d'être capables de métamorphose. Après chaque pas en avant, elles nous font faire un pas en arrière, de sorte que nous ne pouvons progresser en rien sinon en la connaissance de notre inutile identité.

*M*a mission est de tuer le temps et la sienne de me tuer à son tour. On est tout à fait à l'aise entre assassins.

L'obsession du *dernier* à propos de tout, le dernier comme catégorie, comme forme constitutive de l'esprit, comme difformité originelle, voire comme révélation...

*S*ur ma table, depuis des mois, un gros marteau : symbole de quoi ? Je ne sais, mais sa présence m'est bénéfique et me donne par instants cet aplomb que doivent connaître tous ceux qui s'abritent derrière une certitude quelconque.

*B*rusquement, besoin de témoigner de la reconnaissance non seulement à des êtres mais à des objets, à une pierre parce qu'elle est pierre... Comme tout s'anime! On dirait pour l'éternité. D'un coup, *inexister* paraît inconcevable. Que de tels frissons surviennent, puissent survenir, cela montre que le dernier mot ne réside peut-être pas dans la Négation.

*V*isite d'un peintre qui me raconte comment, dans le Midi, allant un soir rendre visite à un

aveugle et le trouvant seul, en pleine obscurité, il ne put s'empêcher de le plaindre et de lui demander si l'existence était supportable quand on ne voit pas la lumière. «*Vous ne savez pas ce que
vous perdez*», fut la réponse de l'aveugle.

*C*es accès de fureur, ce besoin
d'éclater, de casser la gueule à tout le monde, de gifler des
univers, — comment en triompher? Il y faudrait sur l'heure
un petit tour dans un cimetière ou, bien mieux, un tour *définitif...*

*P*as de jour, pas d'heure, pas
même de minute sans tomber dans ce que Candrakîrti, dialecticien bouddhiste, appelle le «*gouffre de l'hérésie du moi*».

*C*hez les Iroquois, quand un
vieillard ne pouvait plus chasser, les siens lui proposaient soit de
l'abandonner au loin en le laissant mourir de faim, soit de lui briser la tête à l'aide d'un tomahawk. L'intéressé, presque toujours,
optait pour cette dernière formule. Détail important : avant de le
mettre devant ce choix, la famille au complet chantait la *Chanson
du grand Remède*.
Quelle société «avancée» a jamais fait preuve de tant de bon sens
ou de tant d'humour?

*D*epuis longtemps j'ai usé tout
ce que j'avais comme disponibilités religieuses. Dessèchement ou
purification? Je ne saurais le dire. En mon sang ne traîne plus
aucun dieu...

*N*e jamais perdre de vue que la
plèbe regretta Néron. C'est ce qu'on devrait se rappeler toutes les
fois qu'on est tenté par quelque chimère que ce soit.

*D*ire que depuis si longtemps je
ne fais que m'occuper de mon cadavre, que m'employer à le rafis-
toler, au lieu de le jeter au rebut, pour le plus grand bien de tous
les deux!

*D*e tous les misérables, seuls
méritent compassion ceux qui, au milieu des nuits, face à l'impossibilité de fermer l'œil, voudraient secouer l'espace, pousser des

rugissements ou, tout au moins, un cri, mais qui ont tout juste la force de chuchoter des anathèmes.

*J*e discerne de moins en moins ce qui est bien et ce qui est mal. Quand je ne ferai plus aucune distinction entre l'un et l'autre, à supposer que j'y parvienne un jour, — quel pas en avant! Vers quoi?

*Q*u'elle semble juste cette idée de la Kabbale, selon laquelle le cerveau, les yeux, les oreilles, les mains et même les pieds, ont une âme distincte qui n'est qu'à eux! Ces âmes seraient des «étincelles» d'Adam... Ce qui paraît moins évident...

*E*n descendant l'escalier, j'entends à l'étage du dessous cet octogénaire d'apparence robuste chanter d'une voix tonitruante : *Miserere nobis*. Je remonte une demi-heure après, et j'entends de nouveau le même «*miserere*», aussi pressant que tout à l'heure. — La première fois, j'ai eu un sourire; la seconde fois, un saisissement.

*C*ette paix d'outre-tombe que l'on éprouve quand on s'abstrait du monde. Je crus soudain percevoir un sourire en train d'envelopper l'espace. Qui souriait? de qui émanait ce grand bonheur qui submerge les visages des momies? En un instant j'avais rejoint *l'autre côté*, en un instant il me fallut en revenir, bien indigne de partager plus longtemps le secret des morts.

*J*e n'ai pas connu à proprement parler l'indigence. J'ai connu en échange, sinon la maladie, du moins *l'absence de santé*, ce qui me délivre du remords de n'avoir pas vécu dans la misère.

*C*omment savoir si on est dans le vrai? Le critère en est simple : si les autres font le vide autour de vous, point de doute que vous êtes plus près de l'essentiel qu'eux.

*R*essaisis-toi, reprends confiance, n'oublie pas qu'il n'est pas donné à n'importe qui d'avoir idolâtré le découragement sans y succomber.

*M*arché aux oiseaux. Quelle force, quelle détermination dans ces minuscules corps frénétiques ! La vie réside dans ce rien... consternant qui anime un tantinet de matière, et qui sort pourtant de cette matière même et s'évanouit avec elle. Mais la perplexité demeure : impossible d'expliquer cette fièvre, cette danse perpétuelle, cette représentation, ce spectacle que la vie s'offre à elle-même. Quel théâtre que le souffle !

*T*ous ces passants font songer à des gorilles veules et fatigués, et qui en auraient assez d'imiter l'homme.

S'il existait quelque trace d'un ordre providentiel, chacun devrait savoir exactement quand il a fait son temps et disparaître toutes affaires cessantes. Comme en pareille matière il y a toujours du pour et du contre, on attend, on dialogue avec soi, et les heures et les jours passent dans l'interrogation et l'indignité.
À l'intérieur d'une société parfaite, on signifierait à chacun de vider les lieux dès l'instant où il commencerait à se survivre. L'âge n'y serait pas toujours le critère, vu que tant de jeunes sont indiscernables de fantômes. Toute la question serait de savoir comment choisir ceux dont la mission consisterait à se prononcer sur la dernière heure de tel ou tel.

*S*i on parvenait à être *conscient* des organes, de *tous* les organes, on aurait une expérience et une vision absolue de son propre corps, lequel serait si présent à la conscience qu'il ne pourrait plus exécuter les obligations auxquelles il est astreint : il deviendrait lui-même conscience, et cesserait ainsi de jouer son rôle de corps...

*J*e n'ai cessé d'incriminer mon sort mais si je ne l'avais fait, comment l'aurais-je affronté ? Le mettre en accusation était ma seule chance de m'en accommoder et de le subir. Il me faut donc continuer à l'accabler — par instinct de conservation et par calcul, par égoïsme en somme.

*U*n jeune homme et une jeune fille, tous les deux muets, se parlaient par gestes. Qu'ils avaient l'air heureux !

De toute évidence, la parole n'est pas, ne peut être, le véhicule du bonheur.

*P*lus on progresse en âge, plus on court après les honneurs. Peut-être même la vanité n'est-elle jamais plus active qu'aux approches de la tombe. On s'agrippe à des riens pour ne pas s'aviser de ce qu'ils recouvrent, on trompe le néant par quelque chose de plus nul encore.

L'état de santé est un état de non-sensation, voire de non-réalité. Dès qu'on cesse de souffrir, on cesse d'exister.

*L*a folie n'étouffe pas l'envie, elle ne la calme même pas. Témoin X., qui sort du cabanon, plus venimeux que jamais. Si la camisole de force n'arrive pas à modifier le fond d'un être, qu'espérer d'une cure ou même de l'âge? Après tout, la démence est une secousse plus radicale que la vieillesse. Comme on voit, elle-même semble bien ne rien arranger.

*S*achant ce que je sais, je ne devrais plus courir le risque de la moindre surprise. Cependant le danger existe, que dis-je? il est quotidien. Telle est ma faiblesse. Quelle honte, à la vérité, que de pouvoir être encore comblé ou déçu!

*M*ourir est une supériorité peu recherchée. C'est ce que je me disais en écoutant ce vieillard qui a peur de la mort, qui y pense sans arrêt. Que ne donnerait-il pas pour l'esquiver! Avec un acharnement risible il essaie de me convaincre qu'elle est inévitable... Telle qu'il se la figure, elle paraît encore plus certaine qu'elle ne l'est en réalité. Sans ennuis de santé malgré son âge, sans tracas matériels, sans attaches d'aucune sorte, il remâche indéfiniment la même frayeur, alors qu'il pourrait passer sans transes le temps qui lui reste à vivre. Mais non, la «nature» lui a infligé ce tourment pour le punir d'avoir échappé aux autres.

*L*a plénitude comme extrémité du bonheur n'est possible que dans les instants où l'on prend conscience en profondeur de l'irréalité et de la vie et de la mort.

Ces instants sont rares en tant qu'expériences, bien qu'ils puissent être fréquents dans l'ordre de la réflexion. En ce domaine, n'existe que ce qu'on sent. Or, l'irréalité sentie et cependant transcendée à l'intérieur d'un même acte, est une performance qui rivalise avec l'extase et parfois l'éclipse.

III

*H*ésiode : «Les dieux ont caché aux hommes les sources de la vie.» — Ont-ils bien, ont-ils mal fait? Ce qui est certain, c'est que les mortels n'auraient pas eu le courage de continuer après une telle révélation.

*L*orsqu'on sait ce que valent les mots, l'étonnant est qu'on s'évertue à énoncer quoi que ce soit et qu'on y arrive. Il y faut, il est vrai, un toupet surnaturel.

X. me fait savoir qu'il aimerait me rencontrer. J'accepte avec empressement. Plus l'heure du rendez-vous approche, plus s'éveillent en moi de vieux instincts homicides. Conclusion : ne jamais consentir à rien, si on veut avoir bonne opinion de soi.

*J*e passe mon temps à conseiller le suicide par écrit et à le déconseiller par la parole. C'est que dans le premier cas il s'agit d'une issue philosophique; dans le second, d'un être, d'une voix, d'une plainte...

*D*ans le sermon de Bénarès, le Bouddha cite parmi les causes de la douleur la soif du devenir et la soif du non-devenir. La première soif, on comprend, mais pourquoi la seconde? Courir après le non-devenir n'est-ce pas se libérer? Ce qui est visé ici ce n'est pas le but mais la course comme telle, la poursuite et l'attachement à la poursuite. — Par malheur, sur le chemin de la délivrance n'est *intéressant* que le chemin. La délivrance? On n'y atteint pas, on s'y engouffre, on y étouffe. Le nirvâna lui-même, — une asphyxie! La plus douce de toutes néanmoins.

*Q*ui n'a pas la bonne fortune d'être un monstre, dans n'importe quel domaine, y compris la sainteté, inspire mépris et envie.

*C*elui qui traîne une infirmité depuis longtemps, on ne pourra jamais le prendre pour un velléitaire. Il s'est *réalisé* d'une certaine façon. Toute maladie est un titre.

*E*st nécessairement vulgaire tout ce qui est exempt d'un rien de funèbre.

*S*trindberg, vers la fin de sa vie, en était arrivé à prendre le Jardin du Luxembourg pour son Gethsémani.
... J'y ai vu aussi une manière de Calvaire — étiré, il est vrai, sur une quarantaine d'années !

*D*ès qu'on va chez un spécialiste, on a l'impression d'être le dernier des derniers, le rebut de la Création, une balayure. Il ne faudrait pas savoir *de quoi* on souffre, et encore moins de quoi on meurt. Toute précision dans ce domaine est impie, parce qu'elle enlève *d'un mot* ce minimum de mystère que la mort, et même la vie, sont censées receler.

*Ê*tre un Barbare et ne pouvoir vivre que dans une serre !

*L*a douleur, en même temps qu'elle nous sape, augmente notre orgueil. Notre ennemie se charge de notre défense.

*U*ne prière sans frein, une prière destructrice, pulvérisante, une prière irradiant la Fin !

*D*ans mes accès d'optimisme, je me dis que ma vie a été un enfer, *mon* enfer, un enfer à mon goût.

*J*e ne manque pas d'air, non, mais je ne sais quoi en faire, je ne vois pas pourquoi je respirerais...

    *P*uisque la mort est l'équilibre même, *vie* et *déséquilibre* sont indiscernables : un exemple unique de synonymes parfaits.

    *T*out ce que j'ai conçu se ramène à des malaises dégradés en généralités.

    *L*a fièvre anime une œuvre, — pour combien de temps ? Souvent la passion est cause que des ouvrages datent, alors que d'autres, produits par la fatigue, affrontent époque après époque. Intemporelle lassitude, pérennité du dégoût froid !

    À la frontière espagnole, quelques centaines de touristes, la plupart scandinaves, attendaient devant la douane. On apporte un télégramme à une dame forte, visiblement ibérique. Elle apprend, en l'ouvrant, le décès de sa mère et se met aussitôt à pousser des rugissements. Quelle aubaine, me disais-je, de pouvoir se décharger aussitôt de son chagrin, au lieu de le dissimuler, de le stocker, comme aurait fait n'importe lequel de ces blondasses qui regardaient ahuris et qui, victimes de leur discrétion et de leur tenue, se ruineront un jour chez le psychanalyste.

    *L*e meilleur moyen de consoler un malheureux est de l'assurer qu'une malédiction certaine pèse sur lui. Ce genre de flatterie l'aide à mieux supporter ses épreuves, l'idée de malédiction supposant élection, misère de choix. Même à l'agonie un compliment porte : l'orgueil ne disparaît qu'avec la conscience et même il lui survit parfois, comme il arrive dans nos rêves où une adulation peut agir si intensément qu'elle nous réveille brusquement, et nous laisse extatiques et honteux.

    *L*a preuve que l'homme exècre l'homme ? Il suffit de se trouver au milieu d'une foule, pour se sentir aussitôt solidaire de toutes les planètes mortes.

    *L*e suicide, seul acte vraiment normal, par quelle aberration est-il devenu l'apanage des tarés ?

*... **B**etter be with the dead*
... Than on the torture of the mind to lie
In restless ecstasy.

Macbeth, — mon frère, mon porte-parole, mon messager, mon alter ego.

Déceler au plus profond de soi un mauvais principe qui n'est pas assez fort pour se manifester au grand jour ni assez faible pour se tenir tranquille, quelque chose comme un démon insomnieux, hanté par tout le mal dont il a rêvé, par toutes les horreurs qu'il n'a pas perpétrées...

Il n'est personne qui ne le débine. Je le défends contre tous, je me refuse à porter un jugement moral sur quelqu'un qui, adolescent, ayant été appelé à identifier le cadavre de son père à la morgue, réussit, en trompant la vigilance du gardien, à y rester et à y passer la nuit. Un tel exploit vous donne droit à tout, et il est naturel qu'il l'ait compris ainsi.

«**J**e me permets de prier pour vous.» — «Je le veux bien. Mais *qui* vous écoutera?»

On ne saura jamais si, dans ce qu'il écrit sur la Douleur, ce philosophe traite d'une question de syntaxe ou de la première, de la reine des sensations.

On ne s'entretient avec profit qu'avec les emballés qui ont cessé de l'être, avec les ex-naïfs... Calmés enfin, ils ont fait, de gré ou de force, le pas décisif vers la Connaissance, — cette version impersonnelle de la déception.

S'employer à guérir quelqu'un d'un «vice», de ce qu'il possède de plus profond, c'est attenter à son être, et c'est bien ainsi qu'il l'entend lui-même, puisqu'il ne vous pardonnera jamais d'avoir voulu qu'il se détruise à votre façon et non à la sienne.

Ce n'est pas l'instinct de conservation qui nous fait durer, c'est uniquement l'impossibilité où nous sommes de *voir* l'avenir. De le voir? de l'imaginer seulement. Si nous savions tout ce qui nous attend, plus personne ne s'abaisserait à persister. Comme tout désastre futur demeure abstrait, nous ne pouvons nous l'assimiler. Nous ne l'assimilons d'ailleurs même pas lorsqu'il s'abat sur nous, et se *substitue* à nous.

*Q*uelle folie d'être attentif à l'histoire! — Mais que faire lorsqu'on a été *transpercé* par le Temps?

*J*e m'intéresse à n'importe qui, sauf aux *autres*. J'aurais pu être tout, hormis législateur.

*A*u fait d'être incompris ou dédaigné s'allie un plaisir indéniable que connaissent tous ceux qui ont œuvré sans écho. Ce genre de satisfaction, teintée d'arrogance, se perd petit à petit, car, avec le temps, tout est menacé, y compris l'idée démesurée qu'on se faisait de soi, facteur de toute ambition comme de tout ouvrage, durable ou caduc.

*C*elui qui, ayant fréquenté les hommes, se fait la moindre illusion sur eux, devrait être condamné à se réincarner, pour apprendre à observer, à voir, pour se mettre un peu à la page.

L'apparition de la vie? Une folie passagère, une frasque, une fantaisie des éléments, une toquade de la matière. Les seuls qui aient quelque raison de ronchonner sont les êtres individuels, victimes pitoyables d'une lubie.

*D*ans un livre d'inspiration orientale, l'auteur laisse entendre qu'il est rempli, qu'il est «saturé de sérénité». — Il ne nous fait pas savoir clairement, le cher homme, comment il s'y est pris, et on comprend aisément pourquoi.

*L*es vivants, — des réprouvés tous, mais ils ne le savent pas. Moi qui le sais, en suis-je plus avancé? Oui, je le suis, je *crois* souffrir plus qu'eux.
«Sauve-moi de cette heure-ci», clame l'*Imitation*. «Sauve-moi de toutes les heures», eût été plus juste.

X. est l'homme dont pendant des années et des années j'ai étudié les défauts, dans le dessein de m'améliorer... Il accordait de l'importance à tout. J'ai compris que c'était la seule chose à ne pas faire. Son exemple, toujours présent à mon esprit, de combien d'enthousiasmes ne m'a-t-il pas libéré !

*Q*uel saisissement en tombant sur ce passage où Jacqueline Pascal loue les progrès que son frère était en train de faire dans le « désir d'être anéanti dans l'estime et la mémoire des hommes » !
C'est la voie que j'espérais prendre, que j'ai même prise quelquefois, mais sur laquelle je devais m'embourber...

*P*endant les mauvaises nuits, il arrive un moment où l'on cesse de s'agiter, où l'on dépose les armes : une paix s'ensuit, triomphe invisible, récompense suprême après les affres qui l'ont précédée. *Accepter* est le secret des limites. Rien n'égale un lutteur qui renonce, rien ne vaut l'extase de la capitulation...

*S*elon Nâgârjuna, esprit subtil s'il en fut, et qui est allé au-delà même du nihilisme, ce que le Bouddha a offert au monde c'est le « nectar de la vacuité ». Aux confins de l'analyse la plus abstraite et la plus destructrice, évoquer un breuvage, fût-il celui des dieux, n'est-ce pas une faiblesse, une concession ? — Si loin qu'on se soit avancé, on traîne partout l'indignité d'être — ou d'avoir été — homme.

À ce dîner bruyant, nous devisions de choses et d'autres. Tout à coup, le portrait souriant de X. attira mes regards. Qu'il paraissait content, et quelle lumière émanait de sa figure ! Heureux toujours, même en peinture ! Voilà que je me mis à l'envier, et à lui en vouloir comme s'il m'avait volé mes chances. Et puis, soulagement, bien-être soudain, en me rappelant qu'il était mort.

*D*e plus en plus je donne raison à Épicure quand il se moque de ceux qui par attachement aux intérêts de leur patrie n'hésitent pas à sacrifier ce qu'il appelle la *couronne de l'ataraxie.*

*F*ace à la mer, je remâchais des hontes anciennes et récentes. Le ridicule de s'occuper de soi quand on a sous les yeux le plus vaste des spectacles, ne m'échappa pas. Aussi ai-je vite changé de sujet.

*A*u milieu de la nuit, plongé dans un livre on ne peut plus frivole, je pense tout à coup à un ami disparu il y a longtemps et dont le jugement m'importait. Que dirait-il s'il voyait comment j'emploie mes heures tardives ? Le point de vue des morts devrait seul compter, car seul vrai, si tant est qu'on puisse parler de vérité en quelque circonstance que ce soit.

*Q*uand on vient au monde avec une conscience lourde, comme si on avait perpétré de rares forfaits en une autre vie, on a beau en commettre de quelconques durant cette existence-ci, on n'en trimbale pas moins des remords dont on ne parvient à déceler ni l'origine ni la nécessité.

*A*près avoir fait une saloperie, on en est presque toujours consterné. Consternation impure : à peine la ressent-on, qu'on se rengorge, fier d'avoir éprouvé une si noble indignation, fût-ce contre soi.

*C*e qu'on écrit ne donne qu'une image incomplète de ce qu'on est, pour la raison que les mots ne surgissent et ne s'animent que lorsqu'on est au plus haut ou au plus bas de soi-même.

*E*n songeant tout à l'heure à l'*infinité du temps*, je n'ai pas eu, piètre individu, la décence de m'évanouir. On ne devrait pas pouvoir rester debout après avoir perçu tout ce que cache d'effrayant un pareil cliché.

À regarder les photos d'une personne à des âges différents, on entrevoit pourquoi le Temps a été qualifié de magicien. Les opérations qu'il accomplit sont invraisemblables, stupéfiantes, des miracles mais des miracles à rebours. Ce magicien est plutôt un démolisseur, un ange sadique, préposé au Visage.

*P*endant que X. me téléphone d'un asile d'aliénés, je me dis qu'on ne peut rien pour un cerveau, qu'il est impossible de le remettre en état, qu'on ne voit pas comment agir sur des milliards de cellules détériorées ou rebelles, bref qu'on ne *répare* pas le Chaos.

L'expression concentrée ou convulsive, la mimique de l'ambitieux, me soulève le cœur. C'est que dans ma jeunesse j'étais moi-même en proie à des ambitions effrénées, et qu'il me répugne maintenant de retrouver chez autrui les stigmates de mes débuts.

*L*a part de profondeur et la part d'esbroufe dans toute formule obscure, comment les démêler? La pensée nette s'arrête à elle-même, victime de sa probité; l'autre, floue, s'étend au loin, et se sauve par son mystère suspect et cependant inattaquable.

*D*ans les heures de veille, chaque instant est si plein et si vacant, qu'il se pose en rival du Temps.

*P*ensent *profondément* ceux-là seuls qui n'ont pas le malheur d'être affligés du sens du ridicule.

*D*ans les maux de la vie, la faculté de se tuer est, selon Pline, «le plus grand bienfait qu'ait reçu l'homme». Et il plaint la Divinité d'ignorer une telle tentation et une telle chance.
S'apitoyer sur l'Être suprême parce qu'il n'a pas la ressource de se donner la mort! Idée incomparable, idée prodigieuse, qui à elle seule consacrerait la supériorité des païens sur les forcenés qui devaient bientôt les supplanter.
Qui dit sagesse ne dit jamais sagesse *chrétienne*, pour le motif que cela n'a existé ni n'existera. Deux mille ans inutiles. Toute une religion condamnée avant de naître.

*D*ans mon enfance, profond ébranlement quand j'entendis mon père raconter, retour du cimetière, comment une jeune mère, ayant perdu sa petite fille, éclata de rire au moment où l'on descendait le cercueil dans la tombe.

Accès de folie ? Oui et non. Car lorsqu'on assiste à un enterrement, devant l'absolue duperie soudainement démasquée, n'a-t-on pas envie de réagir tout comme cette femme ? C'est trop fort, c'est presque de la provocation, la nature *exagère*. On conçoit qu'on puisse sombrer dans l'hilarité.

*L*es états dont la cause est identifiable ne sont pas féconds ; seuls nous enrichissent ceux qui viennent sans que nous sachions pourquoi. Cela est particulièrement vrai des états excessifs, des abattements et des joies qui menacent l'intégrité de notre esprit.

*F*aire paraître des gémissements, des interjections, des bribes... met tout le monde à l'aise. L'auteur se place ainsi dans une position d'infériorité par rapport au lecteur, et le lecteur lui en sait gré.

*C*hacun a le droit de s'attribuer l'ascendance qui lui convient, et qui *l'explique* à ses propres yeux. Que de fois n'ai-je pas changé d'ancêtres !

L'indolence nous sauve de la prolixité et par là même de l'impudeur inhérente au rendement.

*C*e vieux philosophe, quand il voulait expédier quelqu'un, le taxait de « pessimiste ». Comme qui dirait « salaud ». Était pessimiste pour lui quiconque répugnait à l'utopie. C'est ainsi qu'il notait d'infamie tout ennemi des fariboles.

*C*ontribuer, sous quelque forme que ce soit, à la ruine d'un système, de n'importe quel système, c'est ce que poursuit celui qui ne pense qu'au hasard des rencontres, et qui ne consentira jamais à penser pour penser.

*L*e Temps ne ronge pas seulement tout ce qui vit, il se ronge encore lui-même, comme si, las de continuer, et excédé du Possible, de sa meilleure part, il aspirait à l'extirper.

*I*l n'y a pas un autre monde. Il n'y a même pas ce monde-ci. Qu'y a-t-il alors ? Le sourire intérieur que suscite en nous l'inexistence patente de l'un et de l'autre.

*O*n ne saurait se méfier assez de l'euphorie. Plus elle dure, plus on doit s'en alarmer. Rarement justifiée, elle surgit triomphante, et non seulement sans aucune raison sérieuse mais encore sans le moindre prétexte. Au lieu de s'en réjouir, il vaudrait mieux y voir un présage, un avertissement...

*O*n est troublé aussi longtemps que l'on se trouve en face d'un choix; dès l'instant que l'on élimine la possibilité même de choisir et que l'on assimile l'option à l'erreur, on s'oriente vers la béatitude de l'être non affilié. Tout conflit paraissant alors infondé, déraisonnable, pour qui et pour quoi combattre, souffrir, se dévorer? Mais l'homme est un animal fourvoyé, et quand il tombe en proie au doute, s'il en vient à ne plus prendre plaisir à faire la guerre à autrui, il se tourne vers soi pour se torturer sans merci. Il convertit le doute en abîme, et, introduisant une note sombre dans le pyrrhonisme, transforme, à l'instar de Pascal, la suspension du jugement en une interrogation désespérée.

L'amitié est un pacte, une convention. Deux êtres s'engagent tacitement à ne jamais claironner ce que chacun *au fond* pense de l'autre. Une espèce d'alliance à base de ménagements. Quand l'un d'eux signale publiquement les défauts de l'autre, le pacte est dénoncé, l'alliance rompue. Aucune amitié ne dure si l'un des partenaires cesse de jouer le jeu. En d'autres termes, aucune amitié ne supporte une dose exagérée de franchise.

J'avais un peu plus de vingt ans, le philosophe avec qui je parlais, un peu plus de soixante. Je ne sais comment nous en vînmes à aborder un thème aussi ingrat que celui de la maladie. «La dernière fois que j'ai été malade, m'avoua-t-il, je devais avoir onze ans. Depuis, plus rien.» Cinquante ans de santé! Je n'avais pas une admiration illimitée pour mon philosophe mais cet aveu me le fit mépriser instantanément.

*N*ous sommes tous dans l'erreur, les humoristes exceptés. Eux seuls ont percé comme en se jouant l'inanité de tout ce qui est sérieux et même de tout ce qui est frivole.

*J*e ne serais réconcilié avec moi-même que le jour où j'accepterais la mort comme on accepte un dîner en ville : avec un dégoût amusé.

*O*n ne devrait importuner quel-qu'un que pour lui annoncer un cataclysme ou pour lui faire un compliment qui lui donnerait le tournis.

*I*l faut être maboul pour se lamenter sur la disparition de l'homme, au lieu d'entonner un : «Bon débarras!»

*U*ne exception inutile, un modèle dont personne n'a cure — tel est le rang auquel on doit aspirer si on veut se rehausser à ses propres yeux.

*S*i le sceptique admet à la rigueur que la vérité existe, il laissera aux innocents l'illusion de croire la posséder un jour. Quant à moi, déclare-t-il, je m'en tiens aux apparences, je les constate et n'y adhère que dans la mesure où, en tant qu'être vivant, je ne puis faire autrement. J'agis comme les autres, j'exécute les mêmes actes qu'eux mais je ne me confonds ni avec mes paroles ni avec mes gestes, je m'incline devant les coutumes et les lois, je fais semblant de par-tager les convictions, c'est-à-dire les marottes, de mes conci-toyens, tout en sachant qu'en dernière analyse je suis aussi peu *réel* qu'eux.
Qu'est-ce donc que le sceptique? — Un fantôme... conformiste.

*I*l faudrait vivre, disiez-vous, comme si l'on ne devait jamais mourir. — Ne saviez-vous donc pas que tout le monde vit ainsi, y compris les obsédés de la Mort?

*A*ssister à son amoindrissement, contempler l'édition *raisonnable* de l'halluciné que l'on a été!

*O*n concède généralement sans trop d'embarras qu'on a fait son temps, mais ce qu'on n'avoue jamais c'est qu'on trouve un certain plaisir à se survivre. Et cette satisfaction clandestine, répugnante, est ressentie par un bon quart de l'humanité...

*N*ier le péché originel serait une preuve qu'on n'a jamais élevé d'enfants.
... Je n'en ai pas élevé, il est vrai, mais il me suffit de me rappeler mes réactions quand j'en étais moi-même un, pour ne plus avoir le moindre doute sur la première en date de nos flétrissures.

*C*et homme si vulnérable, cet écorché, s'étonne, aveuglement incompréhensible, que sa progéniture donne des signes inquiétants. Les délicats ne devraient pas procréer, ou, s'ils le font, qu'ils sachent au moins vers quels remords ils se dirigent.

*L*a vie est plus et moins que l'ennui, bien que ce soit dans l'ennui et par l'ennui que l'on discerne ce qu'elle vaut. Une fois qu'il s'insinue en vous et que vous tombez sous son invisible hégémonie, tout paraît insignifiant à côté. On pourrait en dire autant de la douleur. Assurément. Mais la douleur est localisée, tandis que l'ennui évoque un mal sans siège, sans support, sans rien sinon ce rien, inidentifiable, qui vous érode. Érosion pure, dont l'effet n'est pas perceptible, et qui vous métamorphose lentement en une ruine inaperçue des autres, et presque inaperçue de vous-même.

*L*es obsessions macabres ne gênent pas la sexualité. Au contraire. On peut très bien voir les choses comme un moine bouddhiste, et faire preuve de quelque vigueur. Cette étrange compatibilité rend illusoire la prétention de s'accomplir par l'ascèse.

*C*e sont nos maux qui, heureusement, nous préservent des vertiges abstraits, conventionnels, «littéraires». En échange, ils nous gratifient de vertiges proprement ment dits.

*A*voir lancé plus de blasphèmes que tous les démons réunis, et se voir maltraité par des organes, par les caprices d'un corps, d'un sous-produit!

*C*elui qui n'a pas souffert n'est pas un *être* : tout au plus un individu.

*O*n se fait une très haute idée de soi pendant les intervalles où l'on méprise la Mort ; en revanche, lorsqu'on la regarde avec la bassesse de l'effroi, on est plus vrai, plus *profond*, comme cela arrive chaque fois qu'on se refuse à la philosophie, à l'attitude, au mensonge.

*C*omme cette amie, rencontrée au hasard d'une promenade, s'ingéniait à me convaincre que le «Divin» était présent dans toutes les créatures sans exception, je lui opposai : «Dans celle-ci aussi ?», en désignant une passante d'apparence intolérablement vulgaire. Elle ne sut que répondre, tant il est vrai que la théologie et la métaphysique abdiquent devant l'autorité du détail mesquin.

*T*ous les germes, bons et mauvais, sont en nous, sauf celui du renoncement. Quoi d'étonnant que nous nous agrippions aux choses spontanément et qu'il nous faille de l'héroïsme pour le mouvement inverse ? Si la faculté de renoncer nous avait été octroyée, nous n'aurions eu d'autre effort à fournir que de *condescendre* à exister.

*P*rendre parti ou y répugner, épouser une doctrine ou les rejeter toutes en bloc — un égal orgueil dans les deux cas, avec cette différence qu'on risque d'avoir à rougir de soi beaucoup plus dans le premier cas que dans le second, la *conviction* étant à l'origine d'à peu près tous les égarements, comme de toutes les humiliations.

«*V*otre livre est raté.» — «Sans doute, mais vous oubliez que je l'ai voulu tel, et que même il ne pouvait être *réussi* que de la sorte.»

*M*ourir à soixante ou à quatre-vingts ans est plus dur qu'à dix ou à trente. L'accoutumance à la vie, voilà le hic. Car la vie est un vice. Le plus grand qui soit. Ce qui explique pourquoi on a tant de peine à s'en débarrasser.

*Q*uand il m'arrive d'être content de tout, même de Dieu et de moi, je réagis aussitôt comme celui qui, par une journée radieuse, se tracasserait parce que le soleil dans quelques milliards d'années ne manquera pas d'exploser.

«*Q*u'est-ce que la vérité?» est une question fondamentale. Mais qu'est-elle à côté de : «Comment supporter la vie?» Et celle-ci même pâlit auprès de cette autre : «Comment *se* supporter?» — Voilà la question capitale à laquelle nul n'est en mesure de nous donner une réponse.

*P*ar quel oubli m'étais-je mis à raconter, au chevet de ce malade si menacé, une promenade au cimetière de Passy et la conversation que j'y eus avec le fossoyeur de service? Je m'arrêtai net au milieu d'une plaisanterie, ce qui ne fit qu'accentuer l'inconvenance de mon bavardage. On ne peut aborder ce genre de sujets qu'à table, lorsqu'on festoie et qu'on a besoin de quelques allusions funèbres pour mieux se mettre en appétit.

*L*es seuls instants qui mériteraient de survivre à l'écroulement de notre mémoire sont ceux où nous ne pouvions nous pardonner de n'être pas le Premier ou le Dernier.

*C*eux qui ont reproché à ce philosophe de mettre son nom au bas de protestations contradictoires, de signer en même temps ou successivement pour des partis, des armées ou des thèses en conflit, sans tenir compte de ses propres options, ont oublié que la philosophie devrait être précisément cela. Car à quoi bon s'y adonner si on n'entre pas dans les raisons des autres? De deux ennemis qui se combattent, il est douteux qu'un seul soit dans le vrai. Quand on les écoute à tour de rôle, on s'incline, si on est de bonne foi, devant les évidences de chacun, au risque de faire figure de girouette, d'être en somme *trop* philosophe.

*Q*ue penser des autres? — Je me pose la question chaque fois que je fais la connaissance de qui que ce soit. Tellement il me paraît étrange qu'on existe et qu'on accepte d'exister.

*A*u Jardin des Plantes, j'ai longuement contemplé les yeux d'un alligator, son regard immémorial. Ce qui me séduit chez les reptiles, c'est leur hébétude impénétrable, qui les apparente aux pierres : on dirait qu'ils viennent *d'avant* la vie, qu'ils la précédèrent sans l'annoncer, qu'ils la fuyaient même...

«*Q*u'est-ce que le mal ? C'est ce qui est fait en vue d'un bonheur de ce monde.»
Abhidarmakoçavyâkhyâ
Il fallait bien un titre pareil pour faire passer une telle réponse.

*E*n Enfer, le cercle le moins peuplé mais le plus dur de tous, doit être celui où l'on ne peut oublier le Temps un seul instant.

«*I*l est sans importance de savoir qui je suis du moment qu'un jour je ne serai plus» — voilà ce que chacun de nous devrait répondre à ceux qui s'inquiètent de notre identité et veulent à tout prix nous claquemurer dans une catégorie ou une définition.

*T*out est rien, y compris la conscience du rien.

*C*e peuple mystérieux, profond, compliqué, insaisissable, qui a excellé et excelle en tout, même en déchéance, aura une fin digne de lui et connaîtra des calamités dont il n'aura pas à rougir.

*O*n en a voulu à Homère (Héraclite lui-même prétendait qu'il méritait le fouet) parce qu'il n'y allait pas par quatre chemins, parce que ses dieux, tout comme les mortels, se comportaient en vrais scélérats. La philosophie n'était pas encore venue les rendre convenables, les anémier, les adoucir. Jeunes, vivants et bien vivants, ils communiaient avec les humains dans la passion du funeste. L'aurore d'une mythologie, l'histoire en témoigne, est ce qu'on doit redouter le plus. L'idéal serait des dieux *fatigués*, et éternels. Par malheur, arrivés au stade où la lassitude succède à la férocité, ils ne subsistent pas longtemps. D'autres, vigoureux, incléments, les remplaceront. Et c'est ainsi qu'on retombe du serein dans le sinistre, du repos dans l'épopée.

*A*bominable Clio!

*E*lle n'est nullement désolante l'idée que plus personne ne se souviendra de l'accident qu'on a été, qu'il ne subsistera pas la moindre trace d'un *moi*, quêteur de supplices dont aucun tortionnaire n'a jamais osé rêver.

*I*ncapable de vivre dans l'instant, seulement dans l'avenir et le passé, dans l'anxiété et le regret! Or, les théologiens sont formels, c'est cela la condition et la définition même du pécheur. Un homme sans présent.

*T*out ce qui arrive est à la fois naturel et inconcevable.
C'est la conclusion qui s'impose, que l'on considère les grands ou les petits événements.

*S*e réveiller chaque matin dans les dispositions d'un républicain au lendemain de Pharsale.

*U*n dégoût, un dégoût — à en perdre l'usage de la parole et même de la raison.
Le plus grand exploit de ma vie est d'être encore en vie.

*L*es vagues se mettraient-elles à réfléchir, elles croiraient qu'elles avancent, qu'elles ont un but, qu'elles progressent, qu'elles travaillent pour le bien de la Mer, et elles ne manqueraient pas d'élaborer une philosophie aussi niaise que leur zèle.

*S*i on avait une perception infaillible de ce qu'on est, on aurait tout juste encore le courage de se coucher mais certainement pas celui de se lever.

*D*epuis toujours je me suis débattu avec l'unique intention de cesser de me débattre. Résultat : zéro.
Heureux ceux qui ignorent que mûrir c'est assister à l'aggravation

de ses incohérences et que c'est là le seul progrès dont il devrait être permis de se vanter.

*T*out ce que j'ai abordé, tout ce dont j'ai discouru ma vie durant, est indissociable de ce que j'ai vécu. Je n'ai rien inventé, j'ai été seulement le secrétaire de mes sensations.

IV

*É*pictète : « Le bonheur ne consiste pas à acquérir et à jouir mais à ne pas désirer. » — Si la sagesse se définit par opposition au Désir, c'est parce qu'elle s'emploie à nous rendre supérieurs aux déceptions courantes, ainsi qu'aux déceptions dramatiques, inséparables, les unes et les autres, du fait de désirer, d'attendre, d'espérer. C'est surtout des déceptions capitales qu'elle veut préserver, la sagesse étant spécialisée dans l'art d'affronter ou de subir les « coups du sort ». De tous les Anciens, ce furent les stoïciens qui poussèrent le plus loin cet art. À les en croire, le sage possède un statut exceptionnel dans l'univers : les dieux sont à l'abri des maux ; lui est *au-dessus*, il est investi d'une force qui lui permet de vaincre tous ses désirs. Les dieux sont encore assujettis aux leurs, ils vivent dans la servitude ; lui seul y échappe. Comment s'élève-t-il à l'insolite, comment en vient-il à surclasser tous les êtres ? La portée de son statut, il paraît qu'il ne la discerne pas dès l'abord : il est bien au-dessus des hommes et des dieux, mais il doit attendre un certain temps avant de s'en aviser. Qu'il ne lui soit pas facile de comprendre sa position, on l'admet volontiers et cela d'autant plus que l'on se demande quand et où l'on a vu une si prodigieuse anomalie, un pareil spécimen de vertu et d'orgueil. Le sage, prétend Sénèque, détient sur Jupiter le privilège de pouvoir mépriser les avantages de ce monde et de refuser d'en bénéficier, tandis que Jupiter, n'en ayant nul besoin et les écartant d'emblée, n'a ni l'occasion ni le mérite d'en triompher.

Jamais l'homme n'a été placé si haut. Une vision tellement exagérée, où faut-il en chercher l'origine ? — Né à Chypre, Zénon, le père du stoïcisme, était un Phénicien hellénisé, qui garda jusqu'à la fin de sa vie sa qualité de métèque. Antisthène, le fondateur de l'école cynique (dont le stoïcisme est la version améliorée ou dénaturée, comme on veut), naquit à Athènes, d'une mère thrace. Dans ces doctrines il y a très évidemment quelque chose de non grec, un style de pensée et de vie surgi d'autres horizons. On est tenté de soutenir que tout ce qui *étonne* et *détonne* dans une civilisation avancée est le produit de nouveaux venus, d'immigrants, de marginaux avides d'éblouir..., d'une pègre raffinée.

Avec l'avènement du christianisme, le sage cessa d'être un exemple ; on se mit à vénérer à sa place le saint, variété convulsive du sage et, par là même, plus accessible aux masses. Malgré sa diffusion et son prestige, le stoïcisme demeura l'apanage des milieux délicats, l'éthique des patriciens. Eux disparus, il devait disparaître à son tour. Le culte de la sagesse allait s'éclipser pour longtemps, on pourrait presque dire pour toujours. On ne le retrouve en tout cas pas dans les systèmes modernes, conçus chacun non pas tant par un anti-sage que par un *non-sage.*

*S*i, au lieu de mourir à trente-deux ans, l'Apostat avait atteint un grand âge, aurait-il réussi à étouffer la superstition naissante ? On peut en douter, et il devait en douter lui-même, car s'il y avait cru, il ne serait pas allé se battre contre les Parthes et risquer stupidement sa vie, alors que l'attendait un combat autrement important. À coup sûr il sentait que son entreprise était vouée à l'échec. Autant périr quelque part à la périphérie de l'Empire.

*J*e viens de lire dans une biographie de Tchekhov que le livre qu'il a le plus annoté est celui de Marc Aurèle.

Voilà un détail qui me comble autant qu'une révélation.

*L*es choses qui dépendent de nous et celles qui n'en dépendent pas. — Comment les départager ? Je ne sais.

Parfois je me sens responsable de tout ce que je fais, alors que, en y réfléchissant bien, j'ai suivi une impulsion dont je n'étais pas maître ; — d'autres fois, je me crois conditionné et asservi, et cependant je n'ai fait que me conformer à un raisonnement conçu en dehors de toute contrainte, même... rationnelle.

Impossible de savoir quand et comment on est libre, quand et comment manœuvré. Si, chaque fois, on voulait s'examiner pour identifier la nature précise d'un acte, on déboucherait plutôt sur un vertige que sur une conclusion. On en déduira que s'il y avait une solution au problème du libre arbitre, la philosophie n'aurait aucune raison d'exister.

*N*ous ne pouvons concevoir l'éternité qu'en éliminant tout le périssable, tout ce qui *compte* pour nous. Elle est absence, elle est l'être qui ne remplit aucune des fonctions de l'être, elle est privation érigée en on ne sait quoi, elle n'est donc rien ou, tout au plus, une fiction estimable.

*P*as plus que l'extase véritable, l'euphorie, extase frivole, n'est un phénomène naturel mais une déviation, une hérésie, un état aberrant et cependant inespéré, pour lequel il faut payer ; et c'est pour cela que chaque fois qu'on le connaît on doit s'attendre à une «*expiation*», soit immédiate, soit tardive, en tout cas inévitable. *Jubiler*, sous n'importe quelle forme, entraîne, à des degrés divers, migraine, nausée ou quelque chose d'aussi pitoyable, d'aussi dégradant.

*S*igne irrécusable d'inaccomplissement spirituel : toute réaction passionnée au blâme, et ce pincement au cœur à l'instant même où nous sommes visés d'une façon ou de l'autre. C'est le cri du vieil Adam en chacun de nous et qui prouve que nous n'avons pas encore vaincu nos origines. Aussi longtemps qu'on n'aspire pas à être méprisé, on est comme les autres, comme ceux qu'on méprise justement.

X. qui, au lieu de regarder les choses en face, a jonglé toute sa vie avec des concepts et abusé de termes sans référence concrète, maintenant qu'il lui faut envisager sa propre mort, le voilà aux abois. Heureusement pour lui, il se lance, à son habitude, dans des abstractions, dans des lieux communs rehaussés par le jargon. Un escamotage prestigieux, telle est la philosophie. Mais, en définitive, *tout est escamotage*, sauf cette assertion même qui participe d'un ordre de propositions qu'on n'ose mettre en cause parce qu'elles émanent d'une certitude incontrôlable et comme *antérieure* à la carrière du cerveau.

C'était en hiver, au Luxembourg, un peu après l'ouverture. Personne, sauf un couple : lui, un vieillard maigre et fringant ; elle, jeune, l'air d'une fille de ferme. Le brouillard était si dense que même de près, ils paraissaient des ombres. Tous les dix pas, ils s'arrêtaient pour s'embrasser en se précipitant l'un contre l'autre avec un emportement comme je n'en avais pas vu encore. Était-ce de la joie, était-ce du désespoir dans cette frénésie à une heure si matinale et si peu propice aux effusions? Et si dehors ils se déchaînaient ainsi, comment se les figurer dans l'intimité? En les suivant je me disais que toute acrobatie à deux était erreur, duperie mais duperie à part, erreur inclassable.

*S*e démener en pleine nuit, faire toutes sortes d'exercices, avaler des comprimés, — pourquoi? pour espérer l'éclipse de ce phénomène, de cette apparition néfaste qu'est la conscience. Seul un être conscient, seul un infirme, a pu inventer une expression comme *s'engouffrer* dans le sommeil, gouffre en effet mais gouffre rare, inaccessible, gouffre interdit, scellé, où l'on voudrait tant s'engloutir!

*J*eune, je rêvais de tout mettre sens dessus dessous. Je suis arrivé à un âge où l'on ne renverse plus, où l'on est renversé. Entre les deux extrémités, que s'est-il passé? Quelque chose qui n'est rien et qui est tout : cette évidence informulable qu'on n'est plus le même, qu'on ne sera plus jamais le même.

*C*haque individu qui disparaît entraîne l'univers avec soi : du même coup tout est supprimé, tout. Justice suprême qui légitime et réhabilite la mort. Partons donc sans regret, puisque rien ne nous survit, notre conscience étant la seule et l'unique réalité : elle abolie, tout est aboli, même si nous *savons* que cela n'est pas vrai objectivement et qu'en fait rien ne consent à nous suivre, rien ne daigne s'évanouir avec nous.

*D*ans un jardin public, cette pancarte : «À cause de l'état (*âge et maladie*) des arbres, il est procédé à leur remplacement.»
Le conflit des générations, même ici! Le simple fait de vivre, fût-ce pour un végétal, est affecté d'un coefficient fatal. Aussi n'est-on content de respirer que lorsqu'on oublie que l'on est vivant.

*R*ien ne stimule autant que le récit d'une conversion. Au lieu de remontants, on devrait prescrire les confessions d'illuminés, de *régénérés* : quelle vitalité, quel appétit d'illusion, quel éclat dans tout mensonge neuf, et même vieux! Au contact de la vérité en revanche, tout s'assombrit, et tout vous devient contraire, comme si son rôle était de vous faire perdre tous vos moyens.

*I*l paraît qu'en Chine, pour les délicats, écouter avec attention le tic-tac d'une horloge est (ou plutôt était, car tout cela sent le passé) le plaisir le plus subtil. Cette attention, en apparence *matérielle*, au Temps, est en réalité un exercice hautement philosophique, dont on obtient, en s'y livrant, des résultats merveilleux dans l'immédiat, dans l'immédiat seulement.

L'Ennui, produit corrosif de la hantise du Temps, aurait raison du granit lui-même, et on demande à des avortons comme moi d'y faire face!

*T*oute une époque de ma vie me semble à peine imaginable aujourd'hui, tant elle m'est devenue étrangère. Comment ai-je pu être celui que j'étais? Mes emballements d'alors me paraissent dérisoires. De la fièvre dépensée en vain.
Si j'étendais cette optique à l'ensemble de ma vie, n'arriverais-je pas à regarder tout ce que j'ai vécu comme un leurre ou une fumisterie ou comme l'inconcevable même? Et si par exemple on avait cette perception au moment d'expirer? Mais il n'est pas nécessaire d'attendre cet instant : à la faveur de certains éveils, on s'aperçoit que les fondations d'une existence sont aussi fragiles que les apparences qui les recouvrent, et qu'on n'a même pas la ressource de les estimer pourries, puisqu'elles sont tout bonnement inexistantes.

*A*près tout, les braves gens ont raison de ne vouloir contempler la Fin, surtout quand on voit l'état de ceux qui s'y emploient.

*N*ous oublions le corps, mais le corps ne nous oublie pas. Maudite mémoire des organes!

J'ai toujours déploré et mes acquiescements et mes phobies!
Que ne me suis-je pas jeté dans l'orgie de l'abstention!

*C*e qui peut se dire manque de réalité. N'existe et ne compte que ce qui ne passe pas dans le mot.

*M*alheur au livre qu'on peut lire sans s'interroger tout le temps sur l'auteur!

*N*ietzsche, fier de son «instinct», de son «flair», s'il a senti l'importance d'un Dostoïevski, combien d'erreurs en revanche, et quel engouement pour quantité d'écrivains de seconde et de troisième zone! Ce qui est confondant, c'est qu'il ait cru lui aussi que derrière Shakespeare se cachait Bacon, le moins poète des philosophes.

Si on dressait la liste de toutes les bourdes qu'il a commises, on s'apercevrait vite qu'elles égalent en nombre et en gravité celles de Voltaire, avec toutefois, pour Nietzsche, cette circonstance atténuante : il s'est trompé souvent par *volonté* d'être ou de paraître frivole, alors que l'autre n'avait pas besoin d'en faire l'effort.

*P*enser, c'est courir après l'insécurité, c'est *se frapper* pour des riens grandioses, s'enfermer dans des abstractions avec une avidité de martyr, c'est chercher la complication comme d'autres l'effondrement ou le gain. Le penseur est par définition *âpre au tourment*.

*S*i la mort n'était une manière de solution, les vivants auraient certainement trouvé un moyen quelconque de la tourner.

*P*our Alcméon de Crotone, contemporain de Pythagore, la maladie était due à une rupture d'équilibre entre le chaud et le froid, l'humide et le sec, éléments contraires qui nous constituent. Quand l'un d'eux l'emporte et fait la loi, la maladie survient. Elle ne serait donc que la «monarchie», comme il disait, de l'un de ces éléments, tandis que la santé résulterait d'une égalité entre eux.

Cette vision a du vrai : point de déséquilibre qui ne surgisse d'une prééminence abusive de tel ou tel organe aux dépens des autres, de l'*ambition* qu'il a de s'imposer, de proclamer, de *crier* sa présence : à force de se démener, de se faire remarquer, il dérange l'organisme tout entier et en compromet l'avenir. Un organe malade est un organe qui s'émancipe du corps et le tyrannise, le perd et se perd, et cela uniquement pour parader, pour s'ériger en vedette.

*I*l ne rime à rien de dire que la mort est le but de la vie. Mais que dire d'autre?

J'essaie de me figurer le moment où j'aurai eu raison du *dernier* désir.

*D*ommage que Dieu n'ait pas gardé le monopole du «moi» et qu'il nous ait donné licence de parler en notre propre nom. Il aurait été si simple de nous épargner le fléau du «je»!

«*S*uivre sa pente au lieu de chercher son chemin.»
Ce mot de Talleyrand me poursuit. Depuis des années, en contrecarrant ma «pente», je me tourne vers des formules de sagesse étrangères à ma nature, je m'emploie à neutraliser mes mauvais penchants, au lieu de me laisser aller, de me vouer à... moi-même. C'est un séducteur, c'est le génie du *salut* qui m'a tenté, et, en y cédant, ne fût-ce que par moments, j'ai contribué de mon mieux à la débilitation de celui que j'étais et que j'aurais dû rester.
On n'est soi qu'en mobilisant tous ses travers, qu'en se solidarisant avec ses faiblesses, qu'en suivant sa «pente». Dès qu'on cherche son «chemin», et qu'on s'impose quelque modèle noble, on se sabote, on s'égare...

L'originalité d'un être se confond avec sa manière à lui de perdre pied. Primauté de la non-ingérence : que chacun vive et meure comme il l'entend, comme s'il avait l'heur de ne ressembler à personne, et qu'il fût un monstre béni. Laissez donc les autres tels qu'ils sont, et ils vous en seront reconnaissants. Voulez-vous à tout prix leur bonheur? Ils se vengeront.

*O*n n'est *vrai* que dans la mesure où l'on n'est encombré d'aucun talent.

*O*n se repent de n'avoir pas eu le courage de prendre telle ou telle résolution; on se repent bien davantage lorsqu'on en a pris une, n'importe laquelle. Plutôt nul acte que les conséquences d'un acte !

*P*aroles d'Isaac le Syrien : « Pour ce qui est de ceux qui ont atteint la perfection, voici leur signe : s'ils devaient être livrés dix fois par jour aux flammes pour l'amour du genre humain, ils trouveraient que ce n'est pas assez. » Ces ermites si prompts à se sacrifier, et qui priaient pour tout et pour tous, pour les reptiles eux-mêmes, — quelle générosité et quelle perversion ! Et quels loisirs ! Il faut avoir du temps en pagaille et une curiosité de détraqué pour s'apitoyer sur tout ce qui bouge. L'ascèse, — une dépravation sublime...

N'importe quel malade pense plus qu'un penseur. La maladie est disjonction, donc réflexion. Elle nous coupe toujours de quelque chose et quelquefois de tout. Même un idiot qui éprouve une sensation violente de douleur dépasse par là l'idiotie ; il est conscient de sa sensation et se met en dehors d'elle, et peut-être en dehors de lui-même, du moment qu'il sent que c'est *lui* qui souffre. Semblablement, il doit y avoir, parmi les bêtes, des degrés de conscience, suivant l'intensité de l'affection dont elles pâtissent.

*I*l n'est rien de plus mystérieux que le destin d'un corps.

*L*e temps n'a de signification absolue que pour les incurables.

*N*e rien définir fait partie des obligations du sceptique. Mais qu'opposer au rengorgement consécutif à la moindre définition que nous venons de trouver ? Définir est une des manies les plus invétérées, et elle doit être née avec la première parole.

*T*out compte fait, la philosophie n'est pas si méprisable : se cacher sous des vérités plus ou moins objectives, divulguer des accablements qui en apparence ne vous regardent pas, cultiver des transes sans visage, camoufler par le faste du verbe des appels de détresse. La philosophie ? Cri anonyme...

*L*a conversation n'est féconde qu'entre esprits attachés à consolider leurs perplexités.

«*V*ous devriez venir à la maison, car nous pourrions mourir sans nous revoir.» — «Puisqu'il nous faut mourir de toute façon, nous revoir..., à quoi bon?»

*O*n s'endort toujours avec un contentement qui ne se laisse pas décrire, on glisse dans le sommeil et on est heureux de s'y enfouir. Si on se réveille à contrecœur, c'est qu'on ne quitte pas sans déchirement l'inconscience, véritable et unique paradis. Autant dire que l'homme n'est comblé que lorsqu'il cesse d'être homme.

«*L*a médisance, proclame le Talmud, est un péché aussi grave que l'idolâtrie, l'inceste et le meurtre.» — Très bien. Mais s'il est possible de vivre sans tuer, sans coucher avec sa mère et sans sacrifier au veau d'or, par quel subterfuge passer d'un jour à l'autre sans haïr son prochain et se haïr en lui?

*E*ntre une gifle et une indélicatesse, on supporte toujours mieux la gifle.

*Q*uand, au lever, on est mal luné, il est inévitable qu'on aboutisse à quelques découvertes atroces, ne fût-ce qu'en s'observant.

*G*rande exposition d'insectes. Au moment d'y entrer, je fis demi-tour. Je n'étais pas en veine d'*admirer*.

C'est une terrible mortification mais supportable tout de même, que d'être né au milieu d'un peuple qui ne fera jamais parler de lui.

*T*out le monde se trompe, tout le monde vit dans l'illusion On peut admettre au mieux une échelle des fictions, une hiérarchie des irréalités, donner la préférence à telle plutôt qu'à telle autre, mais *opter*, non, décidément non.

*I*l n'est guère que la perception du vide qui permet de triompher de la mort. Car si tout manque de réalité, pourquoi, elle, en serait-elle pourvue ?

*P*lus encore que dans le poème, c'est dans l'aphorisme que le mot est dieu.

*C*omment s'étendre le lendemain sur une idée dont on s'était occupé la veille ? — Après n'importe quelle nuit, on n'est plus le même, et c'est tricher que de jouer la farce de la continuité. — Le *fragment*, genre décevant sans doute, bien que seul honnête.

*C*hacun attend d'être mis hors circuit par les lésions ou les années, alors qu'il serait si simple de mettre un terme *à tout cela*. Les individus, comme les empires, affectionnent une longue fin honteuse.

*C*omment expliquer que tout ce que nous voulons faire et, plus encore, tout ce que nous faisons, nous paraît capital ? L'aveuglement qui fit sortir Dieu de sa flemme première se retrouve dans le moindre de nos gestes — et c'est là notre grande excuse.

*D*urant toute la matinée je n'ai fait que répéter : « L'homme est un abîme, l'homme est un abîme. » — Il m'a été hélas ! impossible de trouver mieux.

*L*a vieillesse, en définitive, n'est que la punition d'avoir vécu.

L'ennui, qui a l'air de tout approfondir, n'approfondit en fait rien, pour la raison qu'il ne descend qu'en lui-même et ne sonde que son propre vide.

L'espoir est la forme *normale* du délire.

*M*a carence en *être*. On ne peut durer sans assises, bien que je m'y évertue.

J'ai beau faire, je ne vois pas *ce* qui pourrait exister.

*L*a chose la plus difficile n'est pas de s'attaquer à une de ces grandes questions insolubles mais bien d'adresser à quelqu'un un petit mot délicat où tout est dit et rien.

*U*n rêve curieux sur lequel je préfère ne pas m'arrêter. Tel ou tel l'aurait décortiqué. Quelle erreur! Laissons les nuits enterrer les nuits.

*Q*uand on aime une langue tant pour ses vertus manifestes que pour ses vertus latentes, la manière sacrilège dont les linguistes la traitent les rend si odieux, qu'on se rallierait volontiers au premier régime qui les pendrait d'office.

*O*n ne peut citer Pascal qu'en français. Il est le seul prosateur qui, même parfaitement traduit, perd son accent, sa substance, son unicité, et cela parce que les *Pensées*, à force d'être débitées, ont tourné en rengaines, en clichés. Rengaines inouïes, clichés fulgurants. Or, on ne peut toucher aux clichés, qu'ils soient brillants ou nuls, il faut les servir inentamés, dans leur expression originelle et rebattue, tels des éclairs ressassés.

*O*n a prétendu que «s'accepter soi-même» était indispensable si on voulait produire, «créer». Le contraire est vrai. C'est parce qu'on ne s'accepte pas qu'on se met à œuvrer, qu'on se penche sur les autres et, avant tout, sur soi, pour savoir qui est cet inconnu rencontré à chaque pas, qui refuse de décliner son identité et dont on ne se débarrasse qu'en s'en prenant à ses secrets, qu'en les violant et les profanant.

*U*n livre léger et irrespirable, qui serait à la limite de tout, et ne s'adresserait à personne.

*R*amasser sa pensée, astiquer des vérités dénudées, n'importe qui peut y arriver à la rigueur; mais la *pointe*, faute de quoi un raccourci n'est qu'un énoncé, qu'une maxime sans plus, exige un soupçon de virtuosité, voire de charlatanisme. Les esprits entiers ne devraient pas s'y risquer.

*E*st sûrement mauvais l'auteur qui prétend écrire pour la postérité. On ne doit pas savoir pour qui on écrit.

*R*éfléchir, c'est faire un constat d'impossibilité. Méditer, c'est donner à ce constat un titre de noblesse.

*Q*ue vaut-il mieux : s'accomplir dans l'ordre littéraire ou dans l'ordre spirituel, avoir du talent ou posséder une force intérieure ?
La seconde formule semble préférable, car plus rare et plus enrichissante. Le talent est voué au tarissement, la force intérieure en revanche augmente avec les années, elle peut même arriver à son apogée au moment où l'on expire.

*A*u dire de Julius Capitolinus, son biographe, Marc Aurèle aurait porté «aux plus grands honneurs» les amants de sa femme.
La sagesse rejoint l'extravagance, et d'ailleurs un sage ne mérite de s'appeler tel que dans la mesure où il est un original, un *numéro*.

*S*i l'équilibre, sous toutes ses formes, étouffe l'esprit, la santé, elle, l'éteint carrément.

*J*e n'ai jamais pu savoir ce que *être* veut dire, sauf parfois en des moments éminemment non philosophiques.

*O*n n'est comblé que lorsqu'on n'aspire à rien, et qu'on s'imprègne de ce rien jusqu'à en devenir ivre.

*S*i je devenais aveugle, ce qui m'ennuierait le plus, c'est de ne plus pouvoir regarder jusqu'à l'idiotie le défilé des nuages.

*I*l n'est pas normal d'être en vie, puisque le vivant en tant que tel n'existe, n'est vraiment réel, que s'il est *menacé*. La mort ne serait en somme que la cessation d'une anomalie.

*U*n enfant qui, à deux ans et demi, ne sourit pas, doit, paraît-il, inspirer des inquiétudes. Le sourire serait un signe de santé, d'équilibre. Le fou, il est vrai, rit plus qu'il ne sourit.

*O*n vit dans le faux aussi long-temps qu'on n'a pas souffert. Mais quand on commence à souffrir, on n'entre dans le vrai que pour regretter le faux.

*D*evant cet entassement de tombes, on dirait que les gens n'ont d'autre souci que de mourir.

*U*n inconnu voudrait savoir si je vois toujours X. — Je lui réponds que non, je détaille les raisons de mon éloignement avec une précision telle que, réveillé, je m'in-terroge comment dans un rêve on peut exposer si rigoureusement une situation alors que tout le reste plonge dans le pêle-mêle, le grotesque et l'anarchie du sommeil. C'est la *logique de la rancœur*, de quelque chose qui brave tout, même le Chaos.

*P*eut-on avoir de la trempe sans tomber dans le fanatisme ? Le malheur veut que la *force d'âme* y verse toujours. Le «héros» lui-même n'est qu'un fanatique déguisé.

*T*oute la matinée — sensations bizarres : envie de me manifester, de faire des projets, de décré-ter, de *travailler*. Délire, transports, ébriété, bien-être indomp-table. Par bonheur, la fatigue est venue m'assagir, me rappeler à l'ordre, au néant de chaque minute.

*L*e pire, ce n'est pas le cafard ni le désespoir mais leur rencontre, leur collision. Être broyé entre les deux !

*S*uis-je un sceptique ? Suis-je un flagellant ? — Je ne le saurai jamais, et c'est tant mieux.

*C*elui qui n'a pas eu la bonne fortune de mourir jeune ne laissera qu'une image caricaturale de son orgueil.

*L*a désolation est tellement liée à ce que je sens qu'elle en acquiert la facilité d'un réflexe.

«*A*ttenter à ses jours» — quelle expression juste! Ce que nous possédons c'est en effet cela : des jours, des jours et c'est tout ce à quoi nous pouvons porter atteinte.

*D*ans l'ennui ordinaire, on n'a envie de rien, on n'a même pas la curiosité de pleurer; dans l'excès d'ennui, c'est tout le contraire, car cet excès incite à l'action, et pleurer en est une.

*D*ans ce port normand, on vient d'attraper un gros poisson qui s'appellerait «Poisson de lune», et qui aurait été entraîné par un courant chaud, car il ne vit pas dans ces régions. Étendu sur la jetée, il se secoue et se tord, puis se calme et ne bouge plus. Une agonie sans affres, une agonie modèle.

S'il n'y avait cette stupeur abjecte face à la mort, seuls quelques détraqués résisteraient au *charme* qu'elle ne manquerait pas d'exercer sur tout individu normalement constitué.

*L*a théologie distingue la gloire essentielle de la gloire accidentelle. Nous ne connaissons et comprenons que la seconde. L'autre seule importe.

*T*out *projet* est une forme camouflée d'esclavage.

*S*e résigner ou se faire sauter la cervelle, tel est le choix devant lequel on est mis à certains tournants. De toute manière, la seule vraie dignité est celle d'exclu.

J'ai commencé à baisser à partir du moment où l'extase a cessé de me visiter, où l'extraordinaire est sorti de ma vie. À la place devait s'installer un étonnement stérile et anxieux, qui risque à la longue de se dévaluer, de s'avachir, de perdre tout, même l'anxiété.

*I*l n'est pas exact que l'idée de la mort nous débarrasse de toute pensée vile. Elle ne nous fait même pas rougir d'avoir de telles pensées.
Rien ne nous corrige de rien. L'ambitieux demeure tel jusqu'à son dernier souffle et poursuivrait fortune et renommée même si le globe était sur le point de voler en éclats.

*E*n ce moment, je suis *seul*. Que puis-je souhaiter de mieux? Un bonheur plus intense n'existe pas. Si, celui d'entendre, à force de silence, ma solitude *grandir*.

*S*uivant la mythologie sumérienne, le déluge fut le châtiment que les dieux infligèrent à l'homme à cause du bruit qu'il faisait. — Que ne donnerait-on pas pour savoir de quelle manière ils le récompenseront pour le vacarme de maintenant!

J'ai tant tourné autour de l'idée de la mort, que je mentirais si je disais où j'en suis par rapport à elle. Ce qui est sûr, c'est qu'il m'est impossible de m'en passer, de remâcher autre chose...

*L*a timidité, source inépuisable de malheurs dans la vie pratique, est la cause directe, voire unique, de toute richesse intérieure.

L'homme, ci-devant animal, mais animal encore, est meilleur et pire que l'animal. Le surhomme, s'il était possible, serait meilleur et pire que l'homme. Un *indésirable*, des plus inquiétants, et dont on ne saurait sans légèreté escompter la venue.

*G*rande folie que de se lier aux êtres et aux choses, plus grande encore de croire qu'on puisse s'en délier. Avoir voulu renoncer à tout prix et n'être toujours qu'un *candidat* au renoncement !

*S*eul l'attirail verbal de la métaphysique — si toutefois on condescend à s'en servir — parvient à relever quelque peu l'existence.
Dès qu'on la considère sans aucune espèce de pompe ni de fioritures, elle se réduit à un piètre prodige.

*L*a mort est ce que la vie a inventé jusqu'ici de plus solide.

*L*e moment capital du drame historique est hors de notre portée. Nous n'en sommes que les annonciateurs, les *trompettes* d'un Jugement sans Juge.

*L*e temps, complice des exterminateurs, fiche la morale par terre. Qui, aujourd'hui, en veut à Nabuchodonosor ?

*P*our qu'une nation compte, il faut que la moyenne en soit bonne. Ce qu'on appelle *civilisation* ou simplement *société* n'est rien d'autre que la qualité excellente des médiocres qui la composent.

*T*orquemada était *sincère*, donc inflexible, inhumain. Les papes, corrompus, furent charitables, comme tous ceux qu'on peut acheter.

*L*eurs anciennes lois interdisaient aux Juifs de prédire l'avenir. Juste défense. Car s'ils avaient prévu ce qui les attendait, auraient-ils eu la force de se maintenir, d'être eux-mêmes, d'affronter les surprises d'un tel destin ?

« *L*es forces n'agissent pas de bas en haut, mais de haut en bas », a dit un auteur hermétique. Cela peut être vrai mais ne s'applique en aucune façon au déroulement historique, où le *submergement* est la loi.

*A*ucun système, aucune doctrine d'action ne peut se réclamer d'Épicure, adversaire de tout chambardement, de toute promesse, de l'ostentation liée au moindre pas en avant. Personne jamais ne l'a cité sur des barricades. Sa position est une position de repli, et s'il a voulu réformer les hommes, c'était pour les ramener *en deçà* de ce qu'ils poursuivent. Le plus intraitable ennemi du zèle, le pourfendeur par excellence du Mieux et du Pire.

*P*roverbe chinois : « Quand un seul chien se met à aboyer à une ombre, dix mille chiens en font une réalité. »
À mettre en épigraphe à tout commentaire sur les idéologies.

C'est un avantage insigne que de pouvoir contempler la fin d'une religion. Qu'est-ce à côté la chute d'une nation et même d'une civilisation ? Assister à l'éclipse d'un dieu et des énormités millénaires qui s'y rattachent provoque de plus une jubilation que peu de générations, dans le cours des temps, ont eu la faveur de connaître ou seulement de deviner.

*N*ous sommes déterminés mais nous ne sommes pas des automates. Nous sommes plus ou moins libres à l'intérieur d'une fatalité... imparfaite. Nos conflits avec les autres et avec nous-mêmes ouvrent une brèche dans notre geôle, et il est très vrai qu'il existe des degrés de liberté, comme il existe des degrés de pourriture.

*A*ccorder à la vie plus d'importance qu'elle n'en a est l'erreur que l'on commet dans les régimes fléchissants ; il en résulte que plus personne n'est prêt à se sacrifier pour les défendre, et qu'ils s'écroulent sous les premiers coups qu'on leur porte. Cela est encore plus vrai des peuples en général. Dès qu'ils commencent à tenir la vie pour *sacrée*, elle les abandonne, elle cesse d'être de leur côté.

*L*a liberté est une dépense, la liberté exténue, tandis que l'oppression fait accumuler des forces, empêche le gaspillage d'énergie résultant de la faculté qu'a l'homme libre d'extérioriser, de projeter au-dehors *ce qu'il a de bon*. On voit pourquoi les esclaves l'emportent toujours à la fin. Les maîtres, pour leur malheur, se manifestent, se vident de leur substance, *s'expriment* : l'exercice sans contrainte de leurs dons, de leurs avantages de toute sorte, les réduit à l'état d'ombres. La liberté les aura dévorés.

*S*erf, ce peuple bâtissait des cathédrales ; émancipé, il ne construit que des horreurs.

L'homme est *inacceptable.*

*F*uir les dupeurs, ne jamais proférer un *oui* quelconque !

*T*oute utopie en voie de se réaliser ressemble à un rêve cynique.

N'est supportable qu'une religion — ou une idéologie — *superficielle.* Malheureusement l'histoire n'en compte pas beaucoup.

*P*our façonner l'homme, ce n'est pas avec de l'eau, c'est avec des larmes que Prométhée mélangea l'argile.

... Et l'on parle encore, à propos des Anciens, de sérénité, vocable qui, à aucune époque, n'a eu le moindre contenu.

À s'enticher de causes perdues, on en arrive à penser qu'elles le sont toutes, et on ne se trompe pas complètement.

« *L*a vie du fou est sans joie, elle est agitée, elle se porte tout entière vers l'avenir. » — Ce propos de Sénèque, cité par Montaigne, on peut s'en servir pour montrer que l'obsession du sens de l'histoire est une source de dérèglements et elle l'est en effet : suivre le courant ou le contrarier, cela revient au même, puisque dans les deux cas nous ne cessons de regarder du côté du futur, en victimes consentantes ou moroses.

*D*epuis les temps les plus reculés, l'homme s'accroche à l'espoir d'une conflagration définitive dans le dessein de se débarrasser une fois pour toutes de l'histoire. Ce qui est remarquable, c'est qu'il ait formé ce rêve si tôt, à ses débuts en fait, lorsque les événements ne pouvaient pas l'accabler outre mesure. Il faut croire que la terreur de ce qui l'attendait, de ce que lui réservaient les siècles, était si vive, si nette, qu'elle se changea vite en certitude, en vision, en espérance...

«*J*'avais en moi l'instinct d'une issue fatale» — ce mot prononcé à Sainte-Hélène, n'importe qui a le droit de l'articuler : il convient même à l'équipée humaine en général, dont il explique le caractère trouble, les ambiguïtés, le flou et le tragique, l'avance haletante, l'acheminement vers l'étape finale, vers le règne de larves et de fantoches.

*N*ovalis : «Il dépend de nous que le monde soit conforme à notre volonté.»
C'est là exactement le contraire de tout ce qu'on peut penser et ressentir au bout d'une vie, et, à plus forte raison, au bout de l'histoire...

Cioran.
1983.
Photographie Marc Trivier.

Cioran au Jardin du Luxembourg, *son* jardin.
1982.
Photographie vincent Mentzel.

CIORAN À SA TABLE DE TRAVAIL.
1982.
PHOTOGRAPHIE VINCENT MENTZEL.

Cioran   avedon 1987

EXERCICES

D'ADMIRATION

ESSAIS ET PORTRAITS

Écrit en français; publié à Paris en un volume en 1986.

JOSEPH DE MAISTRE

*Essai sur la pensée
réactionnaire*

———————————————— *P*armi les penseurs qui, tel Nietzsche ou saint Paul, eurent le goût et le génie de la provocation, une place non négligeable revient à Joseph de Maistre. Haussant le moindre problème au niveau du paradoxe et à la dignité du scandale, maniant l'anathème avec une cruauté mêlée de ferveur, il devait créer une œuvre riche en énormités, un système qui ne laisse pas de nous séduire et de nous exaspérer. L'ampleur et l'éloquence de ses hargnes, la passion qu'il a déployée au service de causes indéfendables, son acharnement à légitimer plus d'une injustice, sa prédilection pour la formule meurtrière, en font cet esprit outrancier qui, ne daignant pas persuader l'adversaire, l'écrase d'emblée par l'adjectif. Ses convictions ont une apparence de grande fermeté : aux sollicitations du scepticisme, il sut répondre par l'arrogance de ses préventions, par la véhémence dogmatique de ses mépris.

*V*ers la fin du siècle dernier, au plus fort de l'illusion libérale, on pouvait s'offrir le luxe de l'appeler « prophète du passé », de le considérer comme une survivance ou un phénomène aberrant. Mais nous, d'une époque autrement détrompée, nous savons qu'il est nôtre dans la mesure même où il fut un « monstre » et que c'est précisément par le côté odieux de ses doctrines qu'il est vivant, qu'il est actuel. Serait-il du reste dépassé, qu'il n'appartiendrait pas moins à cette famille d'esprits qui datent en beauté.

*E*nvions la chance, le privilège qu'il eut de dérouter et ses détracteurs et ses fervents, d'obliger les uns et les autres à se demander : fit-il vraiment l'apologie du bourreau et de la guerre ou se borna-t-il seulement à en reconnaître la nécessité ? dans son réquisitoire contre Port-Royal, exprima-t-il le fond de sa pensée ou céda-t-il simplement à un mouvement d'humeur? où finit le théoricien, où commence le partisan? était-ce un cynique, était-ce un emballé, ou ne fut-il rien d'autre qu'un esthète fourvoyé dans le catholicisme?

*E*ntretenir l'équivoque, déconcerter avec des convictions aussi nettes que les siennes, c'est là un tour de force. Il était inévitable qu'on en vînt à s'interroger sur le sérieux de son fanatisme, qu'on mît l'accent sur les restrictions qu'il apporta lui-même à la brutalité de ses propos et qu'on relevât avec insistance ses rares complicités avec le bon sens. Nous ne lui ferons pas, quant à nous, l'injure de le prendre pour un tiède. Ce qui nous retiendra chez lui, c'est sa superbe, sa merveilleuse impertinence, son manque d'équité, de mesure, et, parfois, de décence. S'il ne nous irritait pas à tout moment, aurions-nous encore la patience de le lire? Les vérités dont il se fit l'apôtre valent uniquement par la déformation passionnée que leur infligea son tempérament. Il a transfiguré les fadaises du catéchisme et prêté aux lieux communs de l'Église une saveur d'extravagance. Les religions se meurent faute de paradoxes: il le savait, ou le sentait, et, pour sauver le christianisme, il s'ingénia à y introduire un peu plus de piquant et un peu plus d'horreur. L'y aida son talent d'écrivain, beaucoup plus que sa piété, laquelle, de l'avis de Mme Swetchine qui le connut bien, manquait de toute chaleur. Amoureux de l'expression corrosive, comment eût-il daigné remâcher les tournures flasques des prières? (Un pamphlétaire en oraison! cela se conçoit, mais cela déplaît.) L'humilité, vertu étrangère à sa nature, il n'y prétend que lorsqu'il se rappelle qu'il lui faut réagir en chrétien. Certains de ses exégètes mirent, non sans regret, sa sincérité en cause, alors qu'ils eussent dû plutôt se réjouir du malaise qu'il leur inspirait: sans ses contradictions, sans les malentendus qu'il a, par instinct ou calcul, créés à son propre sujet, son cas serait liquidé depuis longtemps, sa carrière close, et il connaîtrait la malchance d'être compris, la pire qui puisse s'abattre sur un auteur.

*C*e qu'il y a tout ensemble d'âpre et d'élégant dans son génie et dans son style évoque l'image d'un prophète de l'Ancien Testament et d'un homme du XVIIIᵉ siècle. Le souffle et l'ironie cessant en lui d'être irréconciliables, il nous fait participer, par ses fureurs et ses saillies, à la rencontre de l'espace et de l'intimité, de l'infini et du salon. Mais tandis qu'il s'inféodait à la Bible au point d'en admirer indistinctement les trouvailles et les niaiseries, il haïssait sans nuance l'*Encyclopédie* dont pourtant il relevait par la forme de son intelligence et la qualité de sa prose.

*P*énétrés d'une rage tonifiante, ses livres n'ennuient jamais. On l'y voit, à chaque paragraphe, exalter ou rabaisser jusqu'à l'inconvenance une idée, un événement ou une institution, adopter à leur égard un ton de procureur ou de thuriféraire. — «Tout Français ami des jansénistes est un sot ou un janséniste.» — «Tout est miraculeusement mauvais dans la Révolution française.» — «Le plus grand ennemi de l'Europe qu'il importe d'étouffer par tous les moyens qui ne sont pas des crimes, l'ulcère funeste qui s'attache à toutes les souverainetés et qui les ronge sans relâche, le fils de l'orgueil, le père de l'anarchie, le dissolvant universel, c'est le protestantisme.» — «En premier lieu, il n'y a rien de si juste, de si docte, de si incorruptible que les grands tribunaux espagnols, et si, à ce caractère général, on ajoute encore celui du sacerdoce catholique, on se convaincra, avant toute expérience, qu'il ne peut y avoir dans l'univers rien de plus calme, de plus circonspect, de plus humain par nature que le tribunal de l'Inquisition.»

*I*gnorerait-on la pratique de l'excès qu'on l'apprendrait à l'école de Maistre, aussi habile à compromettre ce qu'il aime que ce qu'il déteste. Masse d'éloges, avalanche d'arguments dithyrambiques, son livre *Du Pape* affola quelque peu le souverain pontife qui sentit le danger d'une telle apologie. Il n'est qu'une manière de louer : inspirer de la peur à celui qu'on vante, le faire trembler, l'obliger à se cacher loin de la statue qu'on lui érige, le contraindre, par l'hyperbole généreuse, à mesurer sa médiocrité et à en souffrir. Qu'est-ce qu'un plaidoyer qui ne tourmente ni ne dérange, qu'est-ce qu'un éloge qui ne tue pas? Toute apologie devrait être un assassinat par enthousiasme.

«*I*l n'existe pas de grand caractère qui ne tende à quelque exagération», écrit Maistre, en pensant sans doute à soi. Notons que le ton tranchant et souvent forcené de ses ouvrages ne se retrouve pas dans ses lettres; elles étonnèrent lorsqu'elles furent publiées : l'aménité qui s'en dégageait, comment l'eût-on soupçonnée chez le doctrinaire furibond? Le mouvement de surprise qui fut unanime nous apparaît à distance tant soit peu naïf. C'est qu'un penseur met d'ordinaire sa folie dans ses œuvres et conserve son bon sens pour ses rapports avec autrui; il sera toujours plus débridé et plus impitoyable quand il s'attaquera à une théorie que lorsqu'il lui faudra s'adresser à un ami ou à une connaissance. Le tête-à-tête avec l'idée incite à déraisonner, oblitère le jugement, et produit l'illusion de la toute-puissance. En vérité, être aux prises avec une idée rend insensé, enlève à l'esprit son équilibre et à l'orgueil son calme. Nos dérèglements et nos aberrations émanent du combat que nous menons contre des irréalités, contre des abstractions, de notre volonté de l'emporter sur ce qui n'est pas ; de là le côté impur, tyrannique, divagant, des ouvrages philosophiques, comme d'ailleurs de tout ouvrage. Le penseur en train de noircir une page sans destinataire se croit, se sent l'arbitre du monde. Écrit-il des lettres ? il y exprime, au contraire, ses projets, ses faiblesses et ses déroutes, il y atténue les outrances de ses livres et s'y repose de ses excès. La correspondance de Maistre était celle d'un modéré. D'aucuns, heureux d'y trouver un autre homme, le rangèrent vite parmi les libéraux, oubliant qu'il ne fut tolérant dans sa vie que parce qu'il l'était si peu dans ses œuvres, dont les meilleures pages sont justement celles où il magnifie les abus de l'Église et les rigueurs du Pouvoir.

Sans la Révolution qui, en l'arrachant à ses habitudes, en le brisant, l'éveilla aux grands problèmes, il eût mené à Chambéry une vie de bon père de famille et de bon franc-maçon, et continué à mêler à son catholicisme, à son royalisme et à son martinisme ce rien de phraséologie rousseauiste qui dépare ses premiers écrits. L'armée française, envahissant la Savoie, l'en chassa ; il prit le chemin de l'exil : son esprit y gagna, son style aussi. On s'en avise lorsqu'on compare ses *Considérations sur la France* à ses productions déclamatoires et diffuses d'avant la période révolutionnaire. Le malheur, affermissant ses goûts et ses préjugés, le sauva du flou, tout en le rendant à jamais incapable de sérénité et d'objectivité, vertus rares chez l'émigré. Maistre en fut un, et cela même pendant ces années (1803-1817) où il remplit à Saint-Pétersbourg les fonctions d'ambassadeur du roi de Sardaigne. Toutes ses pensées allaient porter la marque de l'exil. « Il n'y a que violence dans l'univers ; mais nous sommes gâtés par la philosophie moderne, qui dit que tout est bien, tandis que le mal a tout souillé, et que, dans un sens très vrai, tout est mal, puisque rien n'est à sa place. »

« Rien n'est à sa place », — refrain des émigrations, en même temps que point de départ de la réflexion philosophique. L'esprit s'éveille au contact du désordre et de l'injustice : ce qui est « à sa place », ce qui est naturel, le laisse indifférent, l'engourdit, tandis que la frustration et la dépossession lui conviennent et l'animent. Un penseur s'enrichit de tout ce qui lui échappe, de tout ce qu'on lui dérobe : s'il vient à perdre sa patrie, quelle aubaine ! Aussi l'exilé est-il un penseur au petit pied ou un visionnaire de circonstance, ballotté entre l'attente et la peur, à l'affût d'événements qu'il escompte ou redoute. A-t-il du génie ? il s'élève, comme Maistre, au-dessus d'eux et les interprète : « ... la première condition d'une révolution décrétée, c'est que tout ce qui pouvait la prévenir n'existe pas, et que rien ne réussisse à ceux qui veulent l'empêcher. Mais jamais l'ordre n'est plus visible, jamais la Providence n'est plus palpable que lorsque l'action supérieure se substitue à celle de l'homme et agit seule : c'est ce que nous voyons en ce moment. »

Aux époques où nous prenons conscience de la nullité de nos initiatives, nous assimilons le destin, soit à la Providence, déguisement rassurant de la fatalité, camouflage de l'échec, aveu d'impuissance à organiser le devenir, mais volonté d'en dégager les lignes essentielles et d'y déceler un sens, soit à un jeu de forces mécanique, impersonnel, dont l'automatisme règle nos actions et jusqu'à nos croyances. Cependant ce jeu, si impersonnel, si mécanique soit-il, nous l'investissons malgré nous de prestiges que sa définition même exclut, et le ramenons — conversion des concepts en agents universels — à une puissance morale, responsable des événements et de la tournure qu'ils doivent prendre. En plein positivisme, n'évoquait-on pas, en termes mystiques, l'avenir, auquel on prêtait une énergie d'une efficace guère moindre que celle de la Providence ? Tant il est vrai que se glisse dans nos explications un brin de théologie, inhérent, voire indispensable à notre pensée, pour peu qu'elle s'astreigne à donner une image cohérente du monde.

Attribuer au processus historique une signification, la fît-on surgir d'une logique immanente au devenir, c'est souscrire, plus ou moins explicitement, à une forme de providence. Bossuet, Hegel et Marx, du fait même qu'ils assignent aux événements un sens, appartiennent à une même famille, ou, du moins, ne diffèrent pas essentiellement les uns des autres, l'important n'étant pas de définir, de déterminer ce sens, mais d'y recourir, de le postuler ; et ils y recourent, ils le postulent. Passer d'une conception théologique ou métaphysique au matérialisme historique, c'est changer simplement de providentialisme. Si nous prenions l'habitude de regarder par-delà le contenu spécifique des idéologies et des doctrines, nous verrions que, se réclamer de telle d'entre elles plutôt que de telle autre, n'implique nullement quelque dépense de sagacité. Ceux qui adhèrent à un parti croient se distinguer de ceux qui en suivent un autre, alors que tous, dès l'instant qu'ils choisissent, se rejoignent en profondeur, participent d'une même nature et se différencient seulement en apparence, par le masque qu'ils assument. C'est folie d'imaginer que la vérité réside dans le choix, quand toute prise de position équivaut à un mépris de la vérité. Pour notre malheur, choix, prise de position est une fatalité à laquelle personne n'échappe; chacun de nous doit opter pour une non-réalité, pour une erreur, en convaincus de force que nous sommes, en malades, en fiévreux : nos assentiments, nos adhésions sont autant de symptômes alarmants. Quiconque se confond avec quoi que ce soit fait preuve de dispositions morbides : point de salut ni de santé hors de l'être pur, aussi pur que le vide. Mais revenons à la Providence, à un sujet à peine moins vague... Veut-on savoir jusqu'où une époque a été frappée, et quelles furent les dimensions du désastre dont elle eut à pâtir ? Que l'on mesure l'acharnement que les croyants y déployèrent pour justifier les desseins, le programme et la conduite de la divinité. Rien d'étonnant que l'œuvre capitale de Maistre, *Les Soirées de Saint-Pétersbourg*, soit une variation sur le thème du gouvernement temporel de la Providence : ne vivait-il pas en un temps où, pour faire discerner aux contemporains les effets de la bonté divine, il fallait les ressources conjuguées du sophisme, de la foi et de l'illusion ? Au Ve siècle, dans la Gaule ravagée par les invasions barbares, Salvien, en écrivant *De Gubernatione Dei*, s'était, lui aussi, évertué à une tâche semblable : combat désespéré contre l'évidence, mission sans objet, effort intellectuel à base d'hallucination... La justification de la Providence, c'est le donquichottisme de la théologie.

*P*our dépendante qu'elle soit des divers moments historiques, la sensibilité au destin n'en est pas moins conditionnée par la nature de l'individu. Quiconque s'engage en des entreprises importantes se sait à la merci d'une réalité qui le dépasse. Seuls les esprits futiles, seuls les «irresponsables» croient agir librement; les autres, au cœur d'une expérience essentielle, se soustraient rarement à la hantise de la nécessité ou de «l'étoile». Les gouvernants sont des administrateurs de la Providence, remarque Saint-

Martin; de son côté, Friedrich Meinecke observait que, dans le système de Hegel, les héros font figure de simples fonctionnaires de l'Esprit absolu. Un sentiment analogue fit dire à Maistre que les meneurs de la Révolution n'étaient que des «automates», des «instruments», des «scélérats», qui, loin de conduire les événements, en subissaient au contraire le cours.

*C*es automates, ces instruments, en quoi étaient-ils plus coupables que la force «supérieure» qui les avait suscités et dont ils exécutaient fidèlement les décrets? Ne serait-elle pas, cette force, elle aussi «scélérate»? Comme elle représentait pour Maistre le seul point fixe au milieu du «tourbillon» révolutionnaire, il ne la mettra pas en accusation, ou du moins se comportera-t-il comme s'il en acceptait sans discussion la souveraineté. Dans sa pensée, elle n'interviendrait pourtant effectivement qu'aux moments de trouble et s'effacerait dans les périodes de calme, en sorte qu'il l'assimile implicitement à un phénomène d'époque, à une providence de circonstance, utile à l'explication des catastrophes, superflue dans l'intervalle des malheurs et lorsque les passions s'apaisent. En la circonscrivant dans le temps, il en réduit le poids. Elle n'a pour nous une pleine justification que si elle se manifeste partout et toujours, que si elle veille sans arrêt. Que faisait-elle avant 1789? sommeillait-elle? n'était-elle pas au poste tout au long du xviiie siècle, et ne le voulut-elle pas, ce siècle, que Maistre, nonobstant sa théorie de l'intervention divine, rend principalement responsable de l'avènement de la guillotine?

*E*lle prend pour lui un contenu, elle devient vraiment la Providence, à partir d'un miracle, de la Révolution; «que dans le cœur de l'hiver, un homme commande à un arbre devant mille témoins de se couvrir subitement de feuilles et de fruits, et que l'arbre obéisse, tout le monde criera au miracle, et s'inclinera devant le thaumaturge. Mais la révolution française et tout ce qui se passe dans ce moment est tout aussi merveilleux, dans son genre, que la fructification instantanée d'un arbre au mois de janvier...».

*D*evant une force qui opère de tels prodiges, le croyant s'interrogera sur la manière de sauvegarder sa liberté, d'éviter la tentation du quiétisme, et celle, plus grave, du fatalisme. Ces difficultés posées au début même des *Considérations*, l'auteur essaie de les tourner par des subtilités ou l'équivoque: «Nous sommes tous attachés au trône de l'Être suprême par une chaîne souple, qui nous retient sans nous asservir. Ce qu'il y a d'admirable dans l'ordre universel des choses, c'est l'action des êtres libres sous la main divine. Librement esclaves, ils opèrent tout à la fois volontairement et nécessairement : ils font réellement ce qu'ils veulent, mais sans pouvoir déranger les plans généraux.»

«*C*haîne souple», esclaves qui agissent «librement», ce sont là incompatibilités qui trahissent l'embarras du penseur devant l'impossibilité de concilier l'omnipotence divine et la liberté humaine. Et c'est sans doute pour sauver cette liberté, pour lui laisser un champ d'action plus vaste, qu'il postule l'effacement de l'intervention divine dans les moments d'équilibre, intervalles courts à la vérité, car la Providence, répugnant à s'éclipser longtemps, ne sort de son repos que pour frapper, pour manifester son inclémence. La guerre sera son «département», dans lequel elle ne permettra à l'homme d'agir «que d'une manière à peu près mécanique, puisque les succès y dépendent presque entièrement de ce qui dépend le moins de lui». La guerre sera donc «divine», «une loi du monde», «divine» surtout par la manière dont elle éclate. «Au moment précis amené par les hommes et prescrit par la justice, Dieu s'avance pour venger l'iniquité que les habitants du monde ont commise contre lui.»

«*D*ivin», il n'est pas d'adjectif dont Maistre use si volontiers : la constitution, la souveraineté, la monarchie héréditaire, la papauté sont, selon lui, œuvres «divines», comme l'est toute autorité consolidée par la tradition, tout ordre dont l'origine remonte à une époque lointaine ; le reste, — misérable usurpation, partant œuvre «humaine». En somme, «divin» se rapporterait à l'ensemble des institutions et des phénomènes qu'exècre la pensée libérale. Pour ce qui est de la guerre, l'adjectif semble, à première vue, malheureux ; remplacez-le par «irrationnel», et il ne l'est plus. Ce genre de substitution, pratiqué sur maint propos de Maistre, en atténuerait le caractère scandaleux ; mais, à y recourir, ne finirait-on pas par affadir une pensée dont la virulence fait le charme ? Il reste que nommer et invoquer Dieu à tout instant, le mêler et l'associer à l'horrible, a de quoi faire frémir le croyant quelque peu équilibré, réticent et raisonnable, à l'inverse du fanatique qui, vrai croyant lui, se délecte aux frasques sanguinaires de la divinité.

*D*ivine ou non, la guerre, telle qu'elle ressort des *Soirées*, ne laisse pas d'exercer sur nous une certaine fascination. Il n'en va pas de même lorsqu'elle préoccupe un esprit de second ordre, tel ce Donoso Cortès, disciple espagnol de Maistre. «La guerre, œuvre de Dieu, est bonne comme ses œuvres sont bonnes; mais une guerre peut être désastreuse et injuste, parce qu'elle est l'œuvre du libre arbitre de l'homme.» — «... je n'ai jamais pu comprendre ceux qui anathématisent la guerre. Cet anathème est contraire à la philosophie et à la religion: ceux qui le prononcent ne sont ni philosophes ni chrétiens.»

*L*a pensée du maître, déjà installée dans une position extrême, ne supporte guère le supplément d'exagération qu'y apporte l'élève. Les mauvaises causes exigent du talent ou du tempérament. Le disciple, par définition, ne possède ni l'un ni l'autre.

L'agressivité est chez Maistre inspiration; l'hyperbole, science infuse. Porté aux extrêmes, il ne songe qu'à nous y entraîner; et c'est ainsi qu'il arrive à nous réconcilier avec la guerre, comme il nous réconcilie avec la solitude du bourreau, sinon avec le bourreau lui-même. Chrétien par persuasion plutôt que par sentiment, assez étranger aux personnages du Nouveau Testament, il aime secrètement le faste de l'intolérance et il lui sied d'être intraitable: est-ce pour rien qu'il a si bien saisi l'esprit de la Révolution? et serait-il parvenu à en décrire les vices, s'il ne les eût retrouvés en soi? En ennemi de la Terreur, et l'on ne s'insurge jamais impunément contre un événement, une époque ou une idée, il dut, pour la combattre, s'en pénétrer, se l'assimiler. Son expérience religieuse allait s'en ressentir: l'obsession du sang y domine. Aussi fut-il plus séduit par l'ancien Dieu («le Dieu des armées») que par le Christ dont il parle toujours en des phrases conventionnelles, «sublimes», et le plus souvent pour justifier cette théorie, intéressante sans plus, de la réversibilité des douleurs de l'innocence au profit des coupables. Le seul Christ d'ailleurs qui eût pu lui convenir eût été celui de la statuaire espagnole, sanguinolent, défiguré, convulsif, et satisfait jusqu'au délire de son crucifiement.

À reléguer Dieu hors du monde et des affaires humaines, à le déposséder des vertus et des facultés qui lui eussent permis d'y faire sentir sa présence et son autorité, les déistes l'avaient rabaissé au niveau d'une idée et d'un symbole, à une figuration abstraite de la bonté et de la sagesse. Il s'agissait de lui conférer de nouveau, après un siècle de «philosophie», les anciens privi-

lèges, le statut de tyran dont il fut si impitoyablement dépouillé.
Bon et correct, il cessait d'être redoutable, il perdait tout empire
sur les esprits. Danger de taille, dont Maistre fut plus conscient
qu'aucun de ses contemporains et auquel il ne pouvait parer qu'en
luttant de son mieux pour le rétablissement du «vrai» dieu, du
dieu terrible. On n'entend rien aux religions si l'on croit que
l'homme fuit une divinité capricieuse, mauvaise et même féroce,
ou si l'on oublie qu'il aime la peur jusqu'à la frénésie.

*L*e problème du mal ne trouble véritablement que quelques délicats, quelques sceptiques, révoltés par la manière dont le croyant
s'en accommode ou l'escamote. C'est donc à eux que s'adressent
en premier lieu les théodicées, tentatives d'humaniser Dieu, acrobaties désespérées qui échouent et se compromettent sur le terrain, démenties qu'elles sont à chaque instant par l'expérience.
Elles ont beau s'évertuer à les persuader que la Providence est
juste, elles n'y parviennent pas ; ils la déclarent suspecte, ils l'in-
criminent et lui demandent des comptes, au nom d'une évidence :
celle du mal, évidence qu'un Maistre essaiera de nier. «Tout est
mal», nous apprenait-il ; le mal pourtant, s'empresse-t-il d'ajouter,
se ramène à une force «purement négative», qui n'a rien de
«commun avec l'existence», à un «schisme de l'être», à un accident. D'autres au contraire penseront que, tout aussi constitutif de
l'être que le bien, et tout aussi véritable, il est nature, ingrédient
essentiel de l'existence et nullement phénomène accessoire, et
que les problèmes qu'il soulève deviennent insolubles dès l'instant qu'on se refuse à l'introduire, à le placer dans la composition
de la substance divine. Comme la maladie n'est pas une absence
de santé, mais une réalité aussi positive et aussi durable que la
santé, de même le mal vaut le bien, le dépasse même en indes-
tructibilité et plénitude. Un principe bon et un principe mauvais
coexistent et se mêlent en Dieu, comme ils coexistent et se mêlent
dans le monde. L'idée de la culpabilité de Dieu n'est pas une idée
gratuite, mais nécessaire et parfaitement compatible avec celle de
sa toute-puissance : elle seule confère quelque intelligibilité au
déroulement historique, à tout ce qu'il contient de monstrueux,
d'insensé et de dérisoire. Attribuer à l'auteur du devenir la pureté
et la bonté, c'est renoncer à comprendre la majorité des événements, et singulièrement le plus important : la Création. Dieu ne
pouvait se dérober à l'influence du mal, ressort des actes, agent
indispensable à quiconque, exaspéré de reposer en soi, aspire à
sortir de lui-même, pour se répandre et s'avilir dans le temps.

Secret de notre dynamisme, le mal se retirerait-il de notre vie que nous végéterions dans cette perfection monotone du bien, qui, à en juger d'après la Genèse, excédait l'Être même. Le combat entre les deux principes, bon et mauvais, se dispute à tous les niveaux de l'existence, éternité comprise. Nous sommes plongés dans l'aventure de la Création, exploit des plus redoutables, sans «fins morales», et peut-être sans signification; et quoique l'idée et l'initiative en reviennent à Dieu, nous ne saurions lui en vouloir, tant est grand à nos yeux son prestige de premier coupable. En faisant de nous ses complices, il nous associa à cet immense mouvement de solidarité dans le mal, qui soutient et affermit la confusion universelle.

Sans doute Maistre ne verserait pas dans une doctrine à ce point fondée en raison : ne se propose-t-il pas de prêter quelque vraisemblance à une théorie aussi téméraire que l'est celle d'une divinité essentiellement et uniquement bonne? Entreprise difficile, voire irréalisable, dont il espère s'acquitter en accablant la nature humaine : «... nul homme n'est puni comme juste, mais toujours comme homme, en sorte qu'il est faux que la vertu souffre dans ce monde : c'est la nature humaine qui souffre et toujours elle le mérite.»

Comment exiger du juste qu'il fasse le départ entre sa qualité d'homme et sa qualité de juste? Nul innocent n'ira jusqu'à affirmer : «Je souffre en tant qu'homme, et non en tant qu'homme de bien.» Réclamer une telle dissociation, c'est commettre une erreur psychologique, c'est se tromper sur le sens de la révolte d'un Job et n'avoir pas compris que le pestiféré céda devant Dieu, moins par conviction que par lassitude. Rien ne permet de considérer la bonté comme l'attribut majeur de la divinité. Maistre lui-même semble parfois tenté de le penser : «Qu'est-ce qu'une injustice de Dieu à l'égard de l'homme? Y aurait-il par hasard quelque législateur commun au-dessus de Dieu qui lui ait prescrit la manière dont il doit agir envers l'homme? Et quel sera le juge entre lui et nous?» — «Plus Dieu nous semblera terrible, plus nous devrons redoubler de crainte religieuse envers lui, plus nos prières devront être ardentes et infatigables : car rien ne nous dit que sa bonté y suppléera.» — Et il ajoute, dans un des passages les plus significatifs des *Soirées*, ces considérations d'une imprudente franchise : «La preuve de Dieu précédant celle de ses attributs, nous savons qu'il est avant de savoir ce qu'il est. Nous voici donc placés dans un empire dont le souverain a publié une fois pour toutes les lois qui régissent tout. Ces lois sont, en général, marquées au coin d'une sagesse et même d'une bonté frappantes : quelques-unes néanmoins (je le suppose en ce moment) paraissent dures, injustes même si l'on veut : là-dessus, je le demande à tous les mécontents, que faut-il faire? sortir de l'empire peut-être? impossible : il est partout, et rien n'est hors de lui. Se plaindre, se dépiter, écrire contre le souverain? C'est pour être fustigé ou mis à mort. Il n'y a pas de meilleur parti à prendre que celui de la résignation et du respect, je dirai même de l'amour ; car, puisque nous partons de la supposition que le maître existe, et qu'il faut absolument servir, ne vaut-il pas mieux (quel qu'il soit) le servir par amour que sans amour? »

*A*veu inespéré qui eût ravi un Voltaire. La Providence est dévoilée, dénoncée, rendue suspecte, par celui-là même qui s'était attaché à en célébrer la bonté et l'honorabilité. Admirable sincérité dont il dut comprendre les dangers. Par la suite, il s'oubliera de moins en moins, et, comme à l'accoutumée, remettant l'homme en cause, il fera fi du procès intenté à Dieu par la révolte, le ricanement ou le désespoir. Pour mieux blâmer la nature humaine des maux qu'elle endure, il forgera cette théorie, éminemment insoutenable, de l'origine morale des maladies. «S'il n'y avait point de mal moral sur la terre, il n'y aurait point de mal physique.» — «... toute douleur est un supplice imposé pour quelque crime actuel ou originel.» — «Si je n'ai fait aucune distinction entre les maladies, c'est qu'elles sont toutes des châtiments.»

*C*ette doctrine, il la fait dériver de celle du péché originel, sans laquelle, nous dit-il, «on n'explique rien». Mais il se trompe lorsqu'il ramène le Péché à une transgression primitive, à une faute immémoriale et concertée, au lieu d'y voir une tare, un vice de nature ; il se trompe également quand, après avoir parlé à juste titre d'une «maladie originelle», il l'attribue à nos iniquités, alors qu'elle était, ainsi que le Péché, inscrite dans notre essence même : dérèglement primordial, calamité affectant indifféremment le bon et le méchant, le vertueux et le vicieux.

*T*ant qu'il se borne à décrire les maux qui nous accablent, il est dans le vrai ; il se fourvoie dès qu'il essaie d'en expliquer et justifier la distribution sur terre. Ses constatations nous semblent exactes ; ses théories et ses jugements de valeur, inhumains et non avenus. Si, comme il se plaît à le penser, les maladies sont des châtiments, il en résulte que les hôpitaux regorgeraient de monstres, et que les incurables seraient de loin les plus grands criminels qui existent. Ne poussons pas l'apologétique dans ses derniers retranchements, montrons quelque indulgence à l'égard de ceux qui, empressés d'innocenter Dieu, de le mettre hors de cause, réservent à l'homme seul l'honneur d'avoir conçu le mal... Comme toutes les grandes idées, celle de la Chute rend compte de tout et de rien, et il est tout aussi difficile de s'en servir que de s'en passer. Mais, enfin, qu'elle soit imputable à une faute ou à une fatalité, à un acte d'ordre moral ou à un principe métaphysique, il demeure qu'elle explique, tout au moins en partie, nos errements, notre inaboutissement, nos infructueuses recherches, la terrible singularité des êtres, le rôle de perturbateur, d'animal détraqué et inventif qui fut départi à chacun de nous. Et si elle comporte nombre de points sujets à caution, il en est un cependant dont on ne contestera pas l'importance : c'est celui qui fait remonter notre déchéance à notre séparation d'avec le tout. Il ne pouvait échapper à Maistre : «Plus on examine l'univers, et plus on se sent porté à croire que le mal vient d'une certaine division qu'on ne sait expliquer et que le retour au bien dépend d'une force contraire qui nous pousse sans cesse vers une unité aussi inconcevable.»

*C*omment en effet expliquer la division ? L'attribuer à l'insinuation du devenir dans l'être ? à l'infiltration du mouvement dans l'unité primordiale ? à un branle fatal donné à l'indistinction heureuse d'avant le temps ? On ne sait. Ce qui semble certain, c'est que «l'histoire» procède d'une identité brisée, d'une déchirure initiale, source du multiple, source du mal.

L'idée du péché, solidaire de celle de la division, ne satisfait l'esprit que si l'on en use avec précaution, à l'encontre d'un Maistre qui, tout à fait arbitrairement, en vient à imaginer un péché originel *du second ordre*, responsable, selon lui, de l'existence du sauvage, ce «descendant d'un homme détaché du grand arbre de la civilisation par une prévarication quelconque», être déchu qu'on ne saurait regarder «sans lire l'anathème écrit, je ne dis pas seulement dans son âme, mais jusque sur la forme extérieure de son corps», «frappé dans les dernières profondeurs de son essence morale», nullement semblable à l'homme primitif, car «avec notre intelligence, notre morale, nos sciences et nos arts, nous sommes précisément à l'homme primitif ce que le sauvage est à nous».

*E*t notre auteur, prompt à se porter aux confins d'une idée, de soutenir que «l'état de civilisation et de science dans un certain sens est l'état naturel et primitif de l'homme», que les premiers humains, êtres «merveilleux», ayant commencé par une science supérieure à la nôtre, apercevaient les effets dans les causes et se trouvaient en possession de «précieuses communications» dispensées par des «êtres d'un ordre supérieur», et qu'en outre certains peuples réfractaires à notre mode de pensée semblent conserver encore le souvenir de la «science primitive» et de «l'ère de l'intuition».

*V*oilà la civilisation placée avant l'histoire! Cette idolâtrie des commencements, du paradis déjà réalisé, cette hantise des origines est la marque même de la pensée «réactionnaire», ou, si l'on préfère, «traditionnelle». On peut assurément concevoir une «ère de l'intuition», à condition toutefois de ne la point assimiler à la civilisation même, laquelle — rupture avec le mode de connaissance intuitif — suppose des rapports compliqués entre l'être et le connaître, ainsi qu'une inaptitude de l'homme à sortir de ses propres catégories, le «civilisé» étant par définition étranger à l'essence, à la perception simultanée de l'immédiat et de l'ultime. C'est jouer sur les mots que de parler d'une civilisation parfaite avant l'apparition des conditions susceptibles de rendre toute civilisation possible, c'est élargir abusivement la sphère du concept de civilisation que d'y inclure l'âge d'or. L'histoire, suivant Maistre, doit nous faire revenir — par le détour du mal et du péché — à l'unité de l'âge paradisiaque, à la civilisation «parfaite», aux secrets de la «science primitive». En quoi consistaient ces secrets, n'ayons pas l'indiscrétion de le lui demander: il les a décrétés impénétrables, apanages d'hommes «merveilleux», non moins impénétrables. Il n'émet jamais une hypothèse qu'il ne la traite aussitôt avec les égards dus à la certitude: comment mettrait-il en doute l'existence d'une science immémoriale, quand, sans elle, il ne réussirait pas à nous «expliquer» la première en date de nos catastrophes? Les châtiments étant proportionnés aux connaissances du coupable, le déluge, nous certifie-t-il, suppose des «crimes inouïs», et ces crimes supposent à leur tour «des connaissances infiniment au-dessus de celles que nous possédons». Belle et improbable théorie, à rapprocher de celle sur les sauvages, dont voici les termes: «Un chef de peuple ayant altéré chez lui le principe moral par quelques-unes de ces prévarications qui, suivant les apparences, ne sont plus possibles dans l'état actuel des choses, parce que nous n'en savons heureusement plus assez pour devenir coupables à ce point : ce chef de peuple, dis-je, transmit l'anathème à sa postérité ; et toute force constante étant de sa nature accélératrice, puisqu'elle s'ajoute continuellement à elle-même, cette dégradation pesant sans intervalle sur les descendants, en a fait à la fin ce que nous appelons les sauvages. »

Nulle espèce de précision sur la nature de cette prévarication. Nous n'en saurons guère plus long lorsqu'on nous dira qu'elle est imputable à un péché originel du second ordre. N'est-ce point trop commode, pour blanchir la Providence, que de mettre sur le compte de la créature seule les anomalies qui abondent sur terre ? Que si l'homme est dégradé dès le principe, sa dégradation, pas plus que celle du sauvage, n'a pu commencer par une faute commise à un moment donné, par une prévarication inventée, somme toute, pour consolider un système et soutenir une cause des plus douteuses.

La doctrine de la Chute exerce une forte séduction sur les réactionnaires, de quelque nuance qu'ils soient ; les plus endurcis et les plus lucides d'entre eux savent, en outre, quel recours elle offre contre les prestiges de l'optimisme révolutionnaire : ne postule-t-elle pas l'invariabilité de la nature humaine, vouée sans remède à la déchéance et à la corruption ? En conséquence, point d'issue, point de solution aux conflits qui désolent les sociétés, ni possibilité d'un changement radical qui viendrait en modifier la structure : l'histoire, temps identique, cadre où se déroule le processus monotone de notre dégradation ! Toujours le réactionnaire, ce conservateur qui a jeté le masque, empruntera aux sagesses ce qu'elles ont de pire, et de plus profond : la conception de l'irréparable, la vision statique du monde. Toute sagesse et, à plus forte raison, toute métaphysique, sont réactionnaires, ainsi qu'il sied à toute forme de pensée qui, en quête de constantes, s'émancipe de la superstition du divers et du possible. Contradiction dans les termes qu'un sage, ou un métaphysicien, révolutionnaire. À un certain degré de détachement et de clairvoyance, l'histoire n'a plus cours, l'homme même cesse de compter : rompre avec les apparences, c'est vaincre l'action et les illusions qui en découlent. Quand on s'appesantit sur la misère essentielle des êtres, on ne s'arrête pas à celle qui résulte des inégalités sociales, ni on ne s'efforce d'y remédier. (Imagine-t-on une révolution puisant ses slogans dans Pascal ?)

Souvent le réactionnaire n'est qu'un sage habile, un sage intéressé, qui, exploitant politiquement les grandes vérités métaphysiques, scrute sans faiblesse ni pitié les dessous du phénomène humain pour en publier l'horreur. Un profiteur du terrible et dont la pensée — figée par calcul ou excès de lucidité — minimise ou calomnie le temps. Autrement généreuse, car autrement naïve, la pensée révolutionnaire, elle, associant à l'effilochement du devenir l'idée de substantialité, discerne dans la succession un principe d'enrichissement, une féconde dislocation de l'identité et de la monotonie, et comme une perfectibilité jamais démentie, toujours en marche. Défi lancé à l'idée du péché originel, tel apparaît le sens dernier des révolutions. Avant de procéder à la liquidation de l'ordre établi, elles veulent délier l'homme du culte des origines à quoi le condamne la religion ; elles n'y parviennent qu'en sapant les dieux, qu'en affaiblissant leur pouvoir sur les consciences. Car ce sont eux, les dieux, qui, en nous enchaînant à un monde d'avant l'histoire, nous font mépriser le Devenir, fétiche de tous les novateurs, du simple rouspéteur à l'anarchiste.
Nos conceptions politiques nous sont dictées par notre sentiment, ou notre vision, du temps. Si l'éternité nous hante, que nous importent les changements qui s'opèrent dans la vie des institutions ou des peuples ? Pour s'en préoccuper, pour s'y intéresser, il faudrait croire, avec l'esprit révolutionnaire, que le temps contient en puissance la réponse à toutes les interrogations et le remède à tous les maux, que son déroulement comporte l'élucidation du mystère et la réduction de nos perplexités, qu'il est l'agent d'une métamorphose totale. Mais voilà le plus curieux : le révolutionnaire n'idolâtre le devenir que jusqu'à l'instauration de l'ordre pour lequel il avait combattu ; — se dessine ensuite pour lui la conclusion idéale du temps, le toujours des utopies, moment extra-temporel, unique et infini, suscité par l'avènement d'une période nouvelle, entièrement différente des autres, éternité ici-bas, qui clôt et couronne le processus historique. L'idée d'âge d'or, l'idée de paradis tout court, poursuit également croyants et incroyants. Cependant, entre le paradis primordial des religions et celui, final, des utopies, il y a tout l'intervalle qui sépare un regret d'un espoir, un remords d'une illusion, une perfection atteinte d'une perfection inaccomplie. De quel côté se trouvent l'efficacité et le dynamisme, on s'en aperçoit aisément : plus un moment sera

marqué par l'esprit utopique (qui peut très bien affecter un déguisement «scientifique»), plus il aura chance de triompher et de durer. Ainsi qu'en témoigne la fortune du marxisme, on gagne toujours, sur le plan de l'action, à placer l'absolu dans le possible, non point au début mais au terme du temps. À l'instar de tous les réactionnaires, Maistre le situa dans le révolu. Le qualificatif de satanique qu'il décernait à la Révolution française, il eût pu aussi bien l'étendre à l'ensemble des événements : sa haine de toute innovation équivaut à une haine du mouvement comme tel. Ce à quoi il vise, c'est river les hommes à la tradition, les détourner du besoin qu'ils ont de s'interroger sur la valeur et la légitimité des dogmes et des institutions. «S'il (Dieu) a placé certains objets au-delà des bornes de notre vision, c'est sans doute parce qu'il serait dangereux pour nous de les apercevoir distinctement.» — «J'ose dire que ce que nous devons ignorer est plus important que ce que nous devons savoir.»

*P*artant de l'idée que, sans l'inviolabilité du mystère, l'ordre s'écroule, il oppose aux indiscrétions de l'esprit critique les interdits de l'orthodoxie, au foisonnement des hérésies, la rigueur d'une vérité unique. Mais il va trop loin, il déraisonne lorsqu'il veut nous faire admettre que «toute proposition métaphysique, qui ne sort pas comme d'elle-même d'un dogme chrétien, n'est et ne peut être qu'une coupable extravagance». En fanatique de l'obéissance, il accuse la Révolution d'avoir mis à nu le fond de l'autorité et d'en avoir révélé le secret aux non-initiés, aux foules. «Lorsqu'on donne à un enfant un de ces jouets qui exécutent des mouvements, inexplicables pour lui, au moyen d'un mécanisme intérieur, après s'en être amusé un moment, il le brise, pour voir dedans. — C'est ainsi que les Français ont traité le gouvernement. Ils ont voulu voir dedans : ils ont mis à découvert les principes politiques, ils ont ouvert l'œil de la foule sur des objets qu'elle ne s'était jamais avisée d'examiner, sans réfléchir qu'il y a des choses qu'on détruit en les montrant...»

*P*ropos d'une insolente, d'une agressive lucidité, qui pourraient être tenus par le représentant de n'importe quel régime, de n'importe quel parti. Jamais cependant un libéral (ni un «homme de gauche») n'oserait les faire siens. L'autorité, pour se maintenir, doit-elle reposer sur quelque mystère, sur quelque fondement irrationnel? La «droite» l'affirme, la «gauche» le nie. Différence purement idéologique ; en fait, tout ordre qui veut durer n'y réussit que par une certaine obscurité dont il s'entoure, par le voile qu'il jette sur ses mobiles et sur ses actes, par un rien de «sacré» qui le rend impénétrable aux masses. C'est là une évidence dont les gouvernements «démocratiques» ne sauraient se prévaloir, mais qui, en revanche, est proclamée par les réactionnaires, lesquels, insoucieux de l'opinion et du consentement des foules, profèrent sans vergogne des truismes impopulaires, des banalités inopportunes. Les «démocrates» s'en scandalisent, tout en sachant que la «réaction» traduit souvent leurs arrière-pensées, qu'elle donne expression à certains de leurs mécomptes intimes, à mainte certitude amère dont ils ne peuvent faire publiquement état. Acculés à leur programme «généreux», il ne leur sera pas permis d'afficher le moindre mépris pour le «peuple», ni même pour la nature humaine; n'ayant pas le droit et le bonheur d'invoquer le Péché originel, force leur est de ménager et de flatter l'homme, de vouloir le «libérer»: des optimistes la mort dans l'âme, tiraillés au milieu de leurs ferveurs et de leurs rêves, emportés et paralysés tout ensemble par un idéal inutilement noble, inutilement pur. Combien de fois, dans leur for intérieur, ne doivent-ils pas envier le sans-gêne doctrinal de leurs ennemis! Le désespoir de l'homme de gauche est de combattre au nom de principes qui lui interdisent le cynisme.

*C*e genre de tourment fut épargné à un Maistre, qui, redoutant avant tout la libération de l'individu, s'employait à asseoir l'autorité sur des bases assez solides pour qu'elle pût résister aux principes «dissolvants» promulgués par la Réforme et l'*Encyclopédie*. Afin de mieux affermir l'idée d'ordre, il tâchera de minimiser la part de la préméditation et de la volonté dans la création des institutions et des lois; les langues mêmes, il niera qu'elles aient été inventées, tout en concédant qu'elles ont pu commencer; la parole néanmoins précède l'homme, car, ajoute-t-il, elle n'est possible que par le Verbe. Le sens politique d'une telle doctrine, c'est Bonald qui nous le révélera dans le *Discours préliminaire* de sa *Législation primitive*. Si le genre humain a reçu la parole, il a nécessairement reçu avec elle «la connaissance de la vérité morale». Il existe en conséquence une loi souveraine, fondamentale, de même qu'un ordre de devoirs et de vérités. «Mais si l'homme, au contraire, a fait lui-même sa parole, il a fait sa pensée, il a fait sa loi, il a fait la société, il a tout fait, il peut tout détruire, et c'est avec raison que dans le même parti qui soutient que la parole est d'institution humaine, on regarde la société comme une convention arbitraire... »

*L*a théocratie, idéal de la pensée réactionnaire, se fonde tout à la fois sur le mépris et la peur de l'homme, sur l'idée qu'il est trop corrompu pour mériter la liberté, qu'il ne sait pas en user, et que, lorsqu'on la lui accorde, il s'en sert contre lui-même, en sorte que, pour remédier à sa déchéance, on doit faire reposer les lois et les institutions sur un principe transcendant, de préférence sur l'autorité du vieux «dieu terrible», toujours prêt à intimider et à décourager les révolutions.

*L*a nouvelle théocratie sera hantée par l'ancienne : la législation de Moïse est la seule, suivant Maistre, à avoir bravé le temps, elle seule sort «du cercle tracé autour du pouvoir humain»; Bonald, de son côté, y verra «la plus forte de toutes les législations», puisqu'elle a produit le peuple le plus «stable», destiné à conserver le «dépôt de toutes les vérités». Si les Juifs doivent leur réhabilitation civile à la Révolution, il appartenait à la Restauration de reconsidérer leur religion et leur passé, d'exalter leur civilisation sacerdotale, qu'avait bafouée Voltaire.

*L*e chrétien, cherchant les antécédents de son dieu, bute tout naturellement sur Jéhovah; du même coup, le sort d'Israël l'intrigue. L'intérêt qu'y portaient nos deux penseurs n'était pourtant pas exempt de calculs politiques. Ce peuple «stable», hostile, croyaient-ils, à la manie d'innovation qui dominait le siècle, quel reproche aux nations versatiles, tournées vers les idées modernes! Enthousiasme passager : quand Maistre s'avisa que les Juifs, infidèles à leur tradition théocratique, se faisaient en Russie l'écho des idéologies venues de France, il se dressa contre eux, les traita d'esprits subversifs et, comble d'abomination à ses yeux, les compara aux protestants. On n'ose imaginer les invectives qu'il leur eût réservées, s'il eût pressenti le rôle que, par la suite, ils allaient jouer dans les mouvements d'émancipation sociale, tant en Russie qu'en Europe. Trop requis par les tables de Moïse, il ne pouvait prévoir celles de Marx... Ses affinités avec l'esprit de l'Ancien Testament étaient si profondes, que son catholicisme en paraît, si l'on peut dire, judaïque, tout empreint de cette frénésie prophétique dont il ne trouvait qu'une faible trace dans la douce médiocrité des Évangiles. En proie au démon de la vaticination, il cherche partout des signes, des présages, annonciateurs du retour à l'Unité, du triomphe final des... origines, de la fin du processus de dégradation inauguré par le Mal et le Péché ; signes, présages qui l'occupent au point qu'il en oublie Dieu, ou qu'il y songe moins pour en pénétrer la nature que les manifestations, non pas l'être mais les reflets ; et ces apparences par quoi Dieu s'extériorise ont nom Providence, — visées, voies, artifices de l'effarante, de l'inqualifiable stratégie divine.

*P*arce que l'auteur des *Soirées* ne cesse d'invoquer le « mystère », parce qu'il s'y rapporte toutes les fois qu'il se heurte par le raisonnement à quelque frontière infranchissable, on a insisté, au mépris de l'évidence, sur son mysticisme, alors que le mystique véritable, loin de s'interroger sur le mystère, de le ravaler à un problème, ou de s'en servir comme d'un moyen d'explication, s'y installe au contraire d'emblée, en est indistinct, y vit comme on vit dans une réalité, son dieu n'étant pas, à l'égal de celui des prophètes, absorbé par le temps, traître à l'éternité, tout extérieur et superficiel, mais bien ce dieu de nos soliloques et de nos déchirements, dieu profond en qui se rassemblent nos cris.

*M*aistre, visiblement, a opté pour celui des prophètes, « souverain » contre lequel il est vain de se « plaindre » ou de se « dépiter », préposé aux églises, incurieux des âmes, comme il avait opté pour un mystère abstrait, annexe de la théologie ou de la dialectique, concept bien plus qu'expérience. Indifférent à la rencontre de la solitude humaine avec la solitude divine, autrement ouvert aux problèmes de la religion qu'aux drames de la foi, enclin à établir entre Dieu et nous des rapports plutôt juridiques que confidentiels, il mettra de plus en plus l'accent sur les lois (ne parle-t-il pas du mystère en magistrat ?) et réduira la religion à un simple « ciment de l'édifice politique », à la fonction sociale qu'elle remplit, — synthèse hybride de préoccupations utilitaires et d'inflexibilité théocratique, mélange baroque de fictions et de dogmes. S'il préférait le Père au Fils, il préférera encore le pape à l'un et à l'autre, j'entends que, esprit positif malgré tout, il réservera à leur délégué le plus clair de ses flatteries. « Il a reçu un coup de catholicisme », — ce mot que lui inspire la conversion de Werner lui convient aussi bien ; car ce n'est pas Dieu qui l'a frappé, mais une quelconque forme de religion, une expression institutionnelle de l'absolu. Un coup semblable avait également atteint Bonald, penseur soucieux avant tout de construire un système de théologie politique. Dans une lettre du 18 juillet 1818, Maistre lui écrivait :

«Est-il possible, Monsieur, que la nature se soit amusée à tendre deux cordes aussi parfaitement d'accord que votre esprit et le mien! c'est l'unisson le plus rigoureux, c'est un phénomène unique.» On regrette cette conformité de vues avec un écrivain terne et volontairement borné — dont Joubert disait : «C'est un gentillâtre de beaucoup d'esprit et de beaucoup de savoir, érigeant en doctrines ses premiers préjugés» —, mais enfin elle jette une certaine lumière sur la direction où inclinait la pensée de Maistre, comme sur la discipline qu'il s'était imposée pour éviter l'aventure et le subjectivisme en matière de foi. De temps en temps pourtant, le visionnaire en lui triomphe des scrupules du théologien, et, le détournant du pape et du reste, l'élève jusqu'à la perception de l'éternité : «Quelquefois je voudrais m'élancer hors des limites étroites de ce monde ; je voudrais anticiper sur le jour des révélations et me plonger dans l'infini. Lorsque la double loi de l'homme sera effacée, et que ces deux centres seront confondus, il sera UN : car n'y ayant plus de combat dans lui, où prendrait-il l'idée de duité ? Mais si nous considérons les hommes, les uns à l'égard des autres, qu'en sera-t-il d'eux, lorsque le mal étant anéanti, il n'y aura plus de passion ni d'intérêt personnel ? Que deviendra le MOI, lorsque toutes les pensées seront communes comme les désirs, lorsque tous les esprits se verront comme ils sont vus ? Qui peut comprendre, qui peut se représenter cette Jérusalem céleste, où tous les habitants, pénétrés par le même esprit, se pénétreront mutuellement et se réfléchiront le bonheur ?»

«*Q*ue deviendra le MOI ?» — ce souci n'est pas d'un mystique, pour qui le moi précisément est un cauchemar dont il entend se délivrer par l'évanouissement en Dieu, où il connaît la volupté de l'unité, objet et terme de ses quêtes. L'unité, jamais Maistre ne semble l'avoir atteinte par la sensation, par le bond de l'extase, par cette ivresse où se dissolvent les contours de l'être : elle demeura chez lui obsession de théoricien. Attaché à son «moi», il se représentait mal la «Jérusalem céleste», le retour à l'identité bienheureuse d'avant la division, mal aussi la nostalgie du paradis qu'il devait cependant éprouver, ne fût-ce qu'à titre d'état limite. Pour concevoir comment cette nostalgie peut constituer une expérience quotidienne, il faut se tourner vers un esprit dont Maistre subit fortement l'influence, vers ce Claude de Saint-Martin, qui avouait posséder seulement deux choses ou, pour employer son langage, deux «postes» : le paradis et la poussière. «En 1817, j'ai vu, en Angleterre, un vieillard nommé Best, qui avait la propriété de citer, à chacun, très à propos des passages de l'Écriture, sans qu'il vous eût jamais connu. En me voyant, il commença par dire de moi : il a jeté le monde derrière lui.» — À un âge où l'idéologie triomphait, où l'on entreprenait à grand fracas la réhabilitation de l'homme, personne autant que lui ne fut plus ancré dans l'au-delà, ni plus qualifié pour prêcher la Chute : il représentait l'autre visage du XVIIIᵉ siècle. L'hymne était son élément, que dis-je? il était hymne. À parcourir ses écrits, nous avons la sensation de nous trouver en présence d'un initié à qui furent transmis de grands secrets et qui, chose rare, n'y perdit pas son ingénuité. Mystique véritable, lui, il répugnait à l'ironie; antireligieuse par définition, elle ne prie jamais : comment y eût recouru celui qui avait jeté le monde derrière soi, et qui ne connut peut-être qu'un seul orgueil : celui du soupir? — «Toute la nature n'est qu'une douleur concentrée.» — «Si je n'avais pas trouvé Dieu, jamais mon esprit n'eût pu se fixer à rien sur la terre.» — «J'ai eu le bonheur de sentir et de dire que je me croirais bien malheureux si quelque chose me prospérait dans le monde». Relevons encore cette grandiose déception métaphysique : «Salomon a dit avoir tout vu sous le soleil. Je pourrais citer quelqu'un qui ne mentirait point, quand il dirait avoir vu quelque chose de plus : c'est-à-dire, ce qu'il y a au-dessus du soleil, et ce quelqu'un est bien loin de s'en glorifier.»

Aussi discrètes que profondes, ces notations (extraites principalement des *Œuvres posthumes*) ne sauraient nous rendre indulgents à l'intolérable lyrisme de *L'Homme de Désir*, où tout irrite, sauf le titre, et où, pour le malheur du lecteur, Rousseau est présent à chaque page. Curieux destin, remarquons-le par parenthèse, que celui de Rousseau, n'agissant sur les autres que par ses côtés douteux, et dont l'emphase et le jargon ont nui aussi bien au style d'un Saint-Martin qu'à celui d'un... Robespierre. Le ton déclamatoire avant, pendant et après la Révolution, tout ce qui annonce, révèle et disqualifie le romantisme, l'affreux de la prose poétique en général, émanent de cet esprit paradoxalement inspiré et faux, responsable de la généralisation du mauvais goût vers la fin du XVIIIᵉ siècle et vers le début du suivant. Influence néfaste qui marqua un Chateaubriand et un Senancour, et à laquelle seul un Joubert réussit à se soustraire. Un Saint-Martin y céda d'autant plus que son instinct littéraire ne fut jamais très sûr. Quant à ses idées, cantonnées dans le vague, elles avaient de quoi exaspérer un Voltaire, qui, après la lecture du livre *Des erreurs et de la vérité*, devait écrire à d'Alembert : «Je ne crois pas qu'on ait jamais rien imprimé de plus absurde, de plus obscur, de plus fou et de plus sot.» Il est fâcheux que Maistre eût un goût assez prononcé pour cet ouvrage ; c'était, il est vrai, à une époque où il sacrifiait et au rousseauisme et à la théosophie. Mais, dans le temps même qu'il reniait l'un et l'autre, qu'il s'éloignait de l'illuminisme et, dans un mouvement d'ingratitude et d'humeur, taxait la franc-maçonnerie de «niaiserie», il conservait toute sa sympathie au *Philosophe inconnu* dont il avait adopté et développé les thèses sur la «science primitive», la matière, le sacrifice et le salut par le sang. L'idée même de la Chute, eût-elle pris chez lui une telle importance, si elle n'avait été affirmée avec vigueur par Saint-Martin ? L'idée était assurément banale, usée ; mais, en la rajeunissant, en la repensant en esprit libre dégagé de toute orthodoxie, notre théosophe lui conférait ce supplément d'autorité que seuls les hétérodoxes savent dispenser aux thèmes religieux trop rebattus. Il fit de même pour l'idée de providence, qui, prônée, grâce à lui, dans les loges d'alors, acquérait une séduction qui n'eût pu lui venir d'aucune Église. C'est encore un des mérites de Saint-Martin d'avoir, en plein «progrès indéfini», prêté un accent religieux au malaise de vivre dans le temps, à l'horreur d'y être enfermé. Sur cette voie, Maistre allait le suivre, avec toutefois moins d'exaltation et d'ardeur. Le temps, nous dit-il, est «quelque chose de forcé qui ne demande qu'à finir». — «L'Homme est assujetti au temps ; et, néanmoins, il est par nature étranger au temps, il l'est même au point que l'idée du bonheur éternel, jointe à celle du temps, le fatigue et l'effraie.»

*D*ans sa pensée, l'entrée dans l'éternité s'effectue, non point par l'extase, par le saut individuel dans l'absolu, mais par l'entremise d'un événement extraordinaire, à même de clore le devenir ; nullement par la suppression instantanée du temps opérée dans le ravissement, mais par la fin des temps, — dénouement du processus historique dans son ensemble. C'est — faut-il le répéter ? — en prophète et non en mystique qu'il envisage nos rapports avec l'univers temporel. «Il n'y a plus de religion sur la terre : le genre humain ne peut demeurer dans cet état. Des oracles redoutables annoncent d'ailleurs que "les temps sont arrivés".»

*C*haque époque incline à penser qu'elle est en quelque sorte la dernière, qu'avec elle se ferme un cycle ou tous les cycles. Aujourd'hui comme hier, nous concevons plus aisément l'enfer que l'âge d'or, l'apocalypse que l'utopie, et l'idée d'une catastrophe cosmique nous est aussi familière qu'elle l'était aux bouddhistes, aux présocratiques ou aux stoïciens. La vivacité de nos terreurs nous maintient dans un équilibre instable, propice à l'éclosion du don prophétique. Cela est singulièrement vrai pour les périodes consécutives aux grandes convulsions. La passion de prophétiser s'emparant alors de tous, les sceptiques comme les fanatiques jubilent à l'idée du désastre, et se livrent de concert à la volupté de l'avoir prévu et claironné. Mais ce sont surtout les théoriciens de la Réaction qui exultent, tragiquement sans doute, devant la réalité ou l'imminence du pire, — du pire qui est leur raison d'être. «Je meurs avec l'Europe», écrivait Maistre en 1819. Deux ans plus tôt, dans une lettre à Maistre lui-même, Bonald avait donné expression à une certitude analogue. «Je ne vous donne point de nouvelles; vous êtes en mesure de juger ce que nous sommes et où nous allons. D'ailleurs, il y a pour moi des choses absolument inexplicables, et dont l'issue ne me paraît pas au pouvoir des hommes, en tant qu'ils agissent par leurs lumières et sous la seule influence de leurs volontés; et en vérité, ce que je vois de plus clair dans tout ceci... est l'Apocalypse.»

*A*près avoir pensé la Restauration, ils furent déçus, l'un et l'autre, de voir que, devenue enfin réalité, elle n'arrivait pas à effacer les traces que la Révolution avait laissées dans les esprits. Déception qu'ils escomptaient peut-être, à en juger d'après l'empressement qu'ils mirent à s'y abandonner. Quoi qu'il en soit, le cours assigné par eux à l'histoire, l'histoire n'en tenait aucun compte : elle déjouait leurs projets, elle infirmait leurs systèmes. Les propos les plus sombres de Maistre, et qui trahissent une complaisance, si on veut, romantique, datent de l'époque où ses idées semblaient avoir triomphé. Dans une lettre du 6 septembre 1817, il écrivait à sa fille Constance : «... un bras de fer invisible a toujours été sur moi, comme un effroyable cauchemar qui m'empêche de courir et même de respirer.»

*S*es déboires avec le roi Victor-Emmanuel entraient sans doute pour beaucoup dans ces crises d'abattement; mais ce qui l'inquiétait le plus, c'était la perspective de nouveaux bouleversements, le spectre de la démocratie. Ne voulant pas se résigner à la forme d'avenir qui s'ébauchait sous ses yeux et qu'il avait pressentie pourtant, il espérait, incurable optimisme des vaincus, que, son idéal étant menacé, tout l'était, qu'avec la forme de civilisation qui lui agréait disparaissait la civilisation elle-même. Illusion aussi fréquente qu'inévitable. Comment se désolidariser d'une réalité historique qui se disloque, surtout quand naguère elle s'accordait avec le plus profond de vous-même ? Dans l'impossibilité où vous êtes de souscrire au futur, vous vous laissez tenter par l'idée de décadence, qui, sans être vraie ni fausse, explique du moins pourquoi chaque époque en essayant de s'individualiser n'y parvient qu'en sacrifiant certaines valeurs antérieures très réelles et irremplaçables.

L'ancien régime devait périr : un principe d'épuisement le minait bien avant que la Révolution vînt l'achever et détruire. Faudrait-il en conclure à la supériorité du tiers état ? Nullement, car la bourgeoisie, malgré ses vertus et ses réserves en vitalité, ne marquait, par la qualité de ses goûts, aucun «progrès» sur la noblesse déchue. Les relèves qui s'effectuent au long de l'histoire révèlent moins l'urgence que l'automatisme du changement. Si, dans l'absolu, rien n'est périmé, tout risque de l'être dans le relatif, dans l'immédiat, où le nouveau constitue le seul critère, la métamorphose la seule morale. Pour saisir le sens des événements, envisageons-les comme une matière offerte à l'œil de l'observateur revenu de tout. Qui fait l'histoire ne la comprend guère, et qui y participe d'une façon ou d'une autre en est la dupe ou le complice. Seul le degré de notre désabusement garantit l'objectivité de nos jugements ; mais, la «vie» étant partialité, erreur, illusion et volonté d'illusion, porter des jugements objectifs, n'est-ce point passer du côté de la mort ?

*L*e tiers état, en s'affirmant, devait nécessairement être imperméable à l'élégance, au raffinement, au scepticisme de bon aloi, aux manières et au style qui définissaient l'ancien régime. Tout progrès implique un recul, toute ascension une chute ; mais si l'on déchoit en avançant, cette déchéance se borne à un secteur circonscrit. L'avènement de la bourgeoisie libéra les énergies qu'elle avait accumulées pendant son éloignement forcé de la vie politique ; sous cet angle, le changement provoqué par la Révolution représente sans conteste un pas en avant. Ainsi en est-il de l'apparition, sur la scène politique, du prolétariat destiné à son tour à relever une classe stérile et ankylosée ; mais ici même le principe de rétrogradation devra jouer, puisque les derniers venus ne sauraient sauvegarder certaines des valeurs qui rachètent les vices de l'ère libérale : horreur de l'uniformité, sens de l'aventure et du risque, passion du débraillé en matière intellectuelle, appétit impérialiste au niveau de l'individu, bien plus qu'à celui de la collectivité.

*U*ne loi inexorable frappe et dirige sociétés et civilisations. Quand, faute de vitalité, le passé fait faillite, s'y cramponner ne sert à rien. Et pourtant, c'est cet attachement à des formes de vie désuètes, à des causes perdues ou mauvaises, qui rend pathétiques les anathèmes d'un Maistre et d'un Bonald. — Tout semble admirable et tout est faux dans la vision utopique ; tout est exécrable, et tout a l'air vrai, dans les constatations des réactionnaires.

*I*l va sans dire qu'en établissant jusqu'ici une distinction si tranchée entre Révolution et Réaction, nous avons nécessairement sacrifié à la naïveté ou à la paresse, au confort des définitions. On simplifie toujours par facilité ; d'où l'attraction de l'abstrait. Le concret, venant heureusement dénoncer la commodité de nos explications et de nos concepts, nous apprend qu'une révolution qui a abouti, qui s'est installée, devenue le contraire d'une fermentation et d'une naissance, cesse d'être une révolution, qu'elle imite et doit imiter les traits, l'appareil et jusqu'au fonctionnement de l'ordre qu'elle a renversé ; plus elle s'y emploie (et elle ne peut faire autrement), plus elle détruira ses principes et son prestige. Désormais conservatrice à sa façon, elle se battra, non point pour défendre le passé, mais le présent. Rien ne l'y aidera tant que de suivre les voies et les méthodes dont usait, pour se maintenir, le régime qu'elle aura aboli. Aussi, afin d'assurer la durée aux conquêtes dont elle s'enorgueillit, se détournera-t-elle des visions exaltées et des rêves dont jusque-là elle avait tiré les éléments de son dynamisme. N'est véritablement révolutionnaire que l'état pré-révolutionnaire, celui où les esprits souscrivent au double culte de l'avenir et de la destruction. Tant qu'une révolution n'est qu'une possibilité, elle transcende les données et les constantes de l'histoire, elle en dépasse pour ainsi dire le cadre ; mais, dès qu'elle s'instaure, elle y rentre et s'y conforme, et, prolongeant le passé, en suit l'ornière ; elle y parvient d'autant mieux qu'elle utilisera les moyens de la réaction qu'elle avait auparavant condamnés. Il n'est pas jusqu'à l'anarchiste qui ne dissimule, au plus profond de ses révoltes, un réactionnaire qui attend son heure, l'heure de la prise du pouvoir, où la métamorphose du chaos en...

autorité pose des problèmes qu'aucune utopie n'ose résoudre ni même envisager sans tomber dans le lyrisme ou le ridicule.

*P*oint de mouvement de rénovation qui, au moment même où il approche du but, où il se réalise à travers l'État, ne glisse vers l'automatisme des vieilles institutions et ne prenne le visage de la tradition. À mesure qu'il se définit et se précise, il perd en énergie ; ainsi en est-il des idées elles-mêmes : plus elles seront formulées, explicites, plus leur efficacité diminuera : une idée nette est une idée sans lendemain. Au-delà de leur stade virtuel, pensée et action se dégradent et s'annulent : l'une aboutit au système ; l'autre, au pouvoir. Deux formes de stérilité et de déchéance. On peut discourir indéfiniment sur le destin des révolutions, politiques ou autres : un seul trait leur est commun, une seule certitude se dégage de l'examen qu'on en fait : la déception qu'elles suscitent chez tous ceux qui y ont cru avec quelque ferveur.

*Q*ue le renouvellement foncier, essentiel, des réalités humaines soit concevable en soi, mais irréalisable en fait, cela suffirait à nous rendre plus compréhensifs à l'égard d'un Maistre. Nous avons beau abhorrer telle de ses opinions, il n'en est pas moins le représentant de cette philosophie immanente à n'importe quel régime figé dans la terreur et les dogmes. Où trouver un théoricien plus acharné contre la naissance de toute chose, contre le faire ? Il haïssait l'acte en tant que préfiguration de rupture, que chance d'avènement, car, pour lui, agir c'était refaire. Le révolutionnaire lui-même en use ainsi avec le présent où il s'installe, et qu'il voudrait éterniser ; mais son présent sera bientôt du passé, et, à s'y accrocher, il finit par rejoindre les tenants de la tradition.

*L*e tragique de l'univers politique réside dans cette force cachée qui amène tout mouvement à se nier lui-même, à trahir son inspiration originelle et à se corrompre au fur et à mesure qu'il s'affirme et qu'il avance. C'est qu'en politique, comme en tout, on ne s'accomplit que sur sa propre ruine. Les révolutions s'ébranlent pour donner un sens à l'histoire ; ce sens lui a été déjà donné, il faut s'y plier et le défendre, réplique la réaction. C'est exactement ce que soutiendra une révolution qui aura triomphé, de sorte que l'intolérance résulte d'une hypothèse dégénérée en certitude et imposée comme telle par un régime, d'une vision promue au rang de vérité. Chaque doctrine contient en germe des possibilités infinies de désastre : l'esprit n'étant constructif que par inadvertance, la rencontre de l'homme et de l'idée comporte presque toujours une suite funeste.

*P*énétrés de la futilité des réformes, de la vanité et de l'hérésie d'un mieux, les réactionnaires voudraient épargner à l'humanité les déchirements et les fatigues de l'espoir, les affres d'une quête illusoire : qu'elle se satisfasse de l'acquis, qu'elle abdique, lui intiment-ils, ses inquiétudes, pour se prélasser dans la douceur de la stagnation et, optant pour un état de choses irrévocablement officiel, qu'elle choisisse enfin entre l'instinct de conservation et le goût de la tragédie. Mais l'homme, ouvert à tous les choix, répugne précisément à celui-ci. Dans ce refus, dans cette impossibilité s'épuise son drame. De là vient qu'il est à la fois ou tour à tour animal réactionnaire et révolutionnaire. Si fragile que soit au reste la distinction classique entre le concept de révolution et celui de réaction, nous devons néanmoins la conserver, sous peine de désarroi ou de chaos dans la considération du phénomène politique. Elle constitue un point de repère aussi problématique qu'indispensable, une convention suspecte, mais fatale et contraignante. Et c'est elle encore qui nous oblige à parler sans arrêt de «droite» et de «gauche», termes qui ne correspondent nullement à des données intrinsèques et irréductibles, termes si sommaires que nous voudrions laisser au démagogue seul la faculté et le plaisir de s'en servir. Il arrive quelquefois à la droite (que l'on pense aux soulèvements nationaux) de l'emporter sur la gauche en vigueur, force et dynamisme ; épousant les caractères de l'esprit révolutionnaire, elle cesse alors d'être l'expression d'un monde ossifié, d'un groupe d'intérêts ou d'une classe en déclin ; inversement, la gauche, empêtrée dans le mécanisme du pouvoir ou prisonnière de superstitions désuètes, peut très bien perdre ses vertus, s'ankyloser, et connaître les tares qui affectent communément la droite. La vitalité n'étant le privilège de personne, il s'agit, pour l'analyste, d'en démêler la présence et l'intensité, sans se soucier du vernis doctrinal de tel ou tel mouvement, de telle et telle réalité politique ou sociale. Songeons ensuite aux peuples : certains font leur révolution à droite ; d'autres, à gauche. Bien que celle des premiers ne soit souvent qu'un simulacre, elle existe néanmoins, et cela seul dévoile l'inanité de toute détermination univoque de l'idée de révolution. «Droite» et «gauche», simples approximations dont malheureusement on ne peut se dispenser. Ne pas y recourir, ce serait renoncer à prendre parti, suspendre son jugement en matière politique, s'affranchir des servitudes de la durée, exiger de l'homme qu'il s'éveille à l'absolu, qu'il devienne uniquement animal métaphysique. Un tel effort d'émancipation, un tel bond hors de nos vérités de dormeurs, peu en sont susceptibles. Assoupis, nous le sommes tous; et, paradoxalement, c'est pour cela que nous agissons. Continuons donc comme si de rien n'était, pratiquons toujours nos distinctions traditionnelles, heureux d'ignorer que les valeurs surgies dans le temps sont, en dernière instance, interchangeables.

Les raisons qui poussent le monde politique à se forger des concepts et des catégories sont bien différentes de celles qu'invoque une discipline théorique : si elles apparaissent aussi nécessaires à l'un et à l'autre, celles du premier recouvrent cependant des réalités moins honorables : toutes les doctrines d'action et de combat, avec leur appareil et leurs schémas, ne furent inventées que pour donner aux hommes bonne conscience, en leur permettant de se haïr... noblement, sans gêne ni remords. À y bien regarder, ne serait-il pas légitime de conclure que, devant les événements, il ne reste à l'esprit libre, rebelle au jeu des idéologies, mais asservi encore au temps, que le choix entre le désespoir et l'opportunisme ?

Opportuniste, pas plus que désespéré, Maistre ne pouvait l'être : sa religion, ses principes le lui interdisaient. Mais, ses humeurs l'emportant sur sa foi, il connut souvent des accès de découragement, surtout au spectacle d'une civilisation sans lendemain. À preuve son propos sur l'Europe. Il ne fut pas le seul à croire mourir avec elle... Au siècle dernier et au nôtre, plus d'un se persuada qu'elle était sur le point d'expirer ou qu'elle n'avait qu'une unique ressource : dissimuler par coquetterie sa décrépitude. Qu'elle fût à l'article de la mort, l'idée s'en répandit et acquit quelque vogue à l'occasion des grandes défaites, en France après 1814, 1870, 1940, en Allemagne après l'effondrement de 1918 ou celui de 1945. Cependant l'Europe, indifférente aux Cassandres, persévère allégrement dans son agonie, et cette agonie, si obstinée, si durable, équivaut peut-être à une nouvelle vie. Tout ce problème qui se ramène à une question de perspective et d'idéologie, s'il est dénué de sens pour le marxiste, préoccupe en revanche le libéral et le conservateur, atterrés qu'ils sont l'un et l'autre, bien qu'en défenseurs de positions différentes, d'assister à l'évanouissement de leurs raisons de vivre, de leurs doctrines et de leurs superstitions. Qu'aujourd'hui une forme d'Europe se meure, on n'en disconviendra pas, encore qu'il ne faille voir là qu'une simple étape d'un immense déclin. Avec Bergson disparaissait, au dire de Valéry, «le dernier représentant de l'intelligence européenne». La formule pourra servir à d'autres hommages ou discours, car on trouvera pendant longtemps encore quelque «dernier représentant» de l'esprit occidental... Celui qui proclame la fin de la «civilisation» ou de «l'intelligence», le fait par rancune contre un avenir qui lui apparaît hostile, et par vengeance contre l'histoire, infidèle qui ne daigne pas se conformer à l'image qu'il s'en était formée. Maistre mourait avec son Europe à lui, avec celle qui refusait l'esprit d'innovation, «le plus grand fléau», comme il l'appelait. C'était sa conviction que, pour sauver les sociétés du désordre, une idée universelle, reconnue de gré ou de force, était nécessaire, qui éliminât le danger d'accueillir, en religion et en politique, la nouveauté, l'approximation, les scrupules théoriques. Qu'elle s'incarnât, cette idée, dans le catholicisme, il n'en doutait pas, la diversité des régimes, des mœurs et des dieux ne le troublant aucunement. Au relativisme de l'expérience, il opposera l'absolu du dogme; qu'une religion cesse de s'y soumettre, qu'elle permette le jugement particulier et le libre examen, il la déclarera nuisible et n'hésitera pas à lui retirer le titre de religion. «Le mahométanisme, le paganisme même auraient fait politiquement moins de mal, s'ils s'étaient substitués au christianisme avec leur espèce de dogmes et de foi; car ce sont des religions, et le protestantisme n'en est point une.» — Tant qu'il conserva quelque fidélité aux principes de la franc-maçonnerie, il resta assez ouvert à un certain libéralisme; dès que, par haine de la Révolution, il se livra corps et âme à l'Église, il glissa vers l'intolérance.

*Q*u'ils s'inspirent de l'utopie ou de la réaction, les absolutismes se ressemblent et se rejoignent. Indépendamment de leur contenu doctrinal, qui les différencie seulement en surface, ils participent d'un même schéma, d'une même démarche logique, phénomène propre à tous les systèmes qui, non contents de poser un principe inconditionné, en font encore un dogme et une loi. Un mode identique de pensée préside à l'élaboration de théories, matériellement dissemblables, mais formellement analogues. Quant aux doctrines de l'Unité, elles sont si apparentées, qu'en étudier une, quelle qu'elle soit, c'est du même coup se pencher sur tous les régimes qui, refusant la diversité en idée et en pratique, dénient à l'homme le droit à l'hérésie, à la singularité ou au doute.

par l'Unité, Maistre se déchaîne contre toute tentative susceptible de la briser, contre la moindre velléité d'innovation ou seulement d'autonomie, sans s'aviser que l'hérésie représente l'unique possibilité de revigorer les consciences, qu'en les secouant, elle les préserve de l'engourdissement où les plonge le conformisme, et que, si elle affaiblit l'Église, elle renforce en revanche la religion. Tout dieu officiel est un dieu seul, abandonné, aigri. On ne prie avec ferveur que dans les sectes, parmi les minorités persécutées, dans l'obscurité et la frayeur, conditions indispensables au bon exercice de la piété. Mais, pour un Maistre, la soumission, je dirais la rage de la soumission, prime les effusions de la foi. Les luthériens, les calvinistes, les jansénistes, n'étaient, à l'en croire, que des rebelles, des conspirateurs, des traîtres ; il les honnit, et préconise, pour leur anéantissement, l'emploi de tous les moyens qui ne sont pas des « crimes ». Ce dernier recours pourtant, à lire son apologie de l'Inquisition, nous avons bien l'impression qu'il n'y répugne pas. Maistre est le Machiavel de la théocratie.

L'unité, telle qu'il la conçoit, se présente sous un double aspect : métaphysique et historique. D'une part, elle signifie triomphe sur la division, le mal et le péché ; de l'autre, instauration définitive, apothéose finale du catholicisme par la victoire sur les tentations et les erreurs modernes. Unité au niveau de l'éternité ; unité au niveau du temps. Si la première nous dépasse, si elle échappe à nos possibilités de contrôle, la seconde, nous pouvons l'envisager et en traiter. Disons-le d'emblée : elle nous semble illusoire, elle nous laisse sceptiques. Car nous ne discernons guère quelle idée religieuse serait aujourd'hui capable de réussir l'unification spirituelle et politique du monde. Le christianisme étant trop débile pour séduire ou pour mater les esprits, une idéologie ou un conquérant devra s'y employer. La tâche incombera-t-elle au marxisme ou à un césarisme de type nouveau ? ou aux deux à la fois ? La synthèse en paraît déconcertante : pour la raison seulement, mais nullement pour l'histoire, règne de l'anomalie.

*Q*ue le catholicisme, plus encore que la religion chrétienne dans son ensemble, soit en pleine déliquescence, l'expérience de tous les jours nous en instruit : tel qu'il se montre maintenant, prudent, accommodant, mesuré, il ne tolérerait pas un apologiste aussi farouche, aussi magnifiquement débridé que Maistre, lequel n'eût dénoncé avec tant de fureur «l'esprit de secte» chez les autres, s'il n'en eût été imprégné lui-même plus que personne. L'homme qui maudit la Terreur ne trouve pas un mot pour flétrir la Révocation de l'édit de Nantes, il y applaudit même : «À l'égard des manufactures portées par les réfugiés dans les pays étrangers, et du tort qui en est résulté pour la France, les personnes pour qui ces objections boutiquières signifient quelque chose...» Objections boutiquières! Insurpassable, sa mauvaise foi participe du jeu ou de l'insanité : «Louis XIV foula au pied le protestantisme, et il mourut dans son lit, brillant de gloire et chargé d'années, Louis XVI le caressa, et il est mort sur l'échafaud.»

*E*n un autre endroit, dans un accès de... modération, il reconnaît que l'esprit critique, l'esprit protestataire, se dessine bien avant Luther, et il le fait avec raison remonter à Celse, aux commencements mêmes de l'opposition au christianisme. Pour le patricien romain, en effet, le chrétien était une apparition déroutante, un phénomène proprement inconcevable, un sujet de stupeur. Dans son *Discours véritable* — texte pathétique s'il en fut — il se déchaîne contre les agissements de la nouvelle secte venue, par ses intrigues et ses folies, aggraver la situation de l'Empire investi par les Barbares. Il ne comprenait pas qu'on pût préférer à la philosophie grecque un enseignement suspect et nébuleux qui le révoltait et l'écœurait et dont, non sans un certain désespoir, il pressentait la force de contagion et les terribles chances. Seize siècles plus tard, son argumentation et ses invectives furent reprises par Voltaire qui, rempli de stupeur lui aussi devant l'ahurissante carrière du christianisme, fit de son mieux pour en signaler les abus et les ravages. Qu'une telle œuvre, dont la salubrité éclate à la vue, soit à l'origine de la Terreur, c'est là une autre exagération de Maistre pour qui irréligion et échafaud sont termes corrélatifs. «Il faut absolument tuer l'esprit du XVIIIᵉ siècle», nous presse-t-il, oubliant que cet esprit qu'il hait n'eut qu'un seul fanatisme : celui de la tolérance. Et puis de quel droit condamner la guillotine lorsqu'on a été assez tendre pour le bûcher? La contradiction ne semble pas inquiéter le complaisant de l'Inquisition qu'il fut; serviteur d'une cause, il en légitimait les excès, tout en exécrant ceux commis au nom d'une autre. Le paradoxe de l'esprit partisan est là, et il est de tous les temps.

*C*onsidérer le XVIIIᵉ siècle comme le moment privilégié, comme l'incarnation même du mal, c'est se plaire aux aberrations. À

quelle autre époque les injustices furent-elles dénoncées avec
plus de rigueur? Œuvre salutaire dont la Terreur fut la négation,
et non point le couronnement.

« *J*amais, dit Tocqueville, la tolérance en fait de religion, la douceur dans le commandement, l'humanité et même la bienveillance n'avaient été plus prêchées et, il semblait, mieux
admises qu'au XVIIIᵉ siècle; le droit de guerre, qui est comme le
dernier asile de la violence, s'était lui-même resserré et adouci.
Du sein de mœurs si douces allait cependant sortir la révolution la
plus inhumaine. »

*E*n réalité, l'époque, trop « civilisée », avait atteint à un raffinement qui la condamnait à la fragilité, à une durée brillante et
éphémère. « Mœurs douces » et mœurs dissolues vont de pair,
témoin la Régence, le moment le plus agréable et le plus lucide,
donc le plus corrompu, de l'histoire moderne. Le vertige d'être
libre commençait à peser sur les esprits. Déjà Madame du Deffand, plus représentative du siècle que Voltaire lui-même, remarquait que la liberté n'était pas « un bien pour tout le monde », que
rares sont ceux qui puissent en supporter « le vide et l'obscurité ».
Et c'est, nous semble-t-il, pour fuir ce « vide » et cette « obscurité »,
que la France se lança dans les guerres de la Révolution et de
l'Empire, où elle sacrifia de bon gré ces habitudes d'indépendance, de défi et d'analyse que lui avaient fait acquérir cent ans de
conversation et de scepticisme. Menacée de désagrégation par
débauche d'intelligence et d'ironie, elle devait se ressaisir par
l'aventure collective, par un désir de soumission à l'échelle nationale. « Les hommes, nous apprend Maistre, ne peuvent être réunis
pour un but quelconque sans une loi ou une règle qui les prive de
leur volonté : il faut être religieux ou soldat. »

*C*e vice de notre nature, loin de l'attrister, le réjouit, et il s'en prévaut pour porter aux nues la royauté, la papauté, les tribunaux
espagnols et tous les symboles de l'autorité. Les jésuites, ces complices des autocraties, il en fut d'abord l'élève, ensuite le porte-
parole ; et telles étaient son admiration et sa reconnaissance pour
eux, qu'il avoue leur être redevable « de n'avoir point été un orateur de l'Assemblée constituante ». Les jugements qu'il émet sur
soi ont presque toujours trait à la Révolution, à ses relations avec
elle ; et c'est encore par rapport à elle qu'il défend ou dénigre la
France. Ce Savoyard qui se disait lui-même « l'étranger le plus

français» est un de ceux qui ont le mieux pénétré le génie du «peuple initiateur», destiné — par sa qualité dominante : l'esprit de prosélytisme — à exercer sur l'Europe une «véritable magistrature». La Providence ayant, nous dit-il, décrété «l'ère des Français», il cite à leur propos le mot d'Isaïe : «Chaque formule de ce peuple est une conjuration.» Appliqué à la France d'alors, le mot était vrai; il le sera moins par la suite, pour cesser d'avoir un sens après la guerre de 1914.

Si la Révolution fut présente dans toutes les secousses du XIXe siècle, aucune d'entre elles ne put l'égaler. Hantés par les figures de 89, les insurgés de 48, paralysés par la peur de trahir leurs modèles, étaient des épigones, prisonniers d'un style de révolte qu'ils n'avaient pas créé et qui leur fut, pour ainsi dire, infligé. Une nation ne produit jamais deux grandes idées révolutionnaires, ni deux formes de messianisme radicalement différentes. Elle donne sa mesure une seule fois, à une époque circonscrite, définie, moment suprême de son expansion, où elle triomphe avec toutes ses vérités et tous ses mensonges; elle s'épuise ensuite, comme s'épuise la mission dont elle fut investie.

Depuis la Révolution d'Octobre, la Russie exerce le même genre d'influence, de terreur et de fascination qu'exerça la France à partir de 1789. À son tour elle impose ses idées à l'univers qui les accueille, soumis, tremblant ou empressé. La force de prosélytisme dont elle dispose est plus grande encore que ne l'avait été celle de la France; Maistre, aujourd'hui, soutiendrait, avec plus d'à propos, que la Providence a, cette fois-ci, décrété «l'ère des Russes», il leur appliquerait même le mot d'Isaïe, et peut-être dirait-il d'eux aussi qu'ils sont un «peuple initiateur». Du reste, dans le temps même qu'il vécut parmi eux, il fut loin d'en sous-estimer les capacités : «Il n'y a point d'homme qui veuille aussi passionnément que le Russe.» — «... si l'on pouvait enfermer un désir russe sous une citadelle, il la ferait sauter». — La nation qui, à l'époque, était réputée indolente, apathique, lui apparut comme «la plus mobile, la plus impétueuse, la plus entreprenante de l'univers». Le monde ne commença à s'en apercevoir qu'après l'insurrection des Décembristes (1825), événement capital à partir duquel réactionnaires et libéraux, les uns par appréhension, les autres par désir, s'employèrent à prédire des bouleversements en Russie : c'était là l'évidence de l'avenir, qui n'exigeait, pour être proclamée, aucune faculté prophétique. Jamais on ne vit une révolution aussi sûre, aussi attendue que la révolution russe : les réformes les plus poussées, l'humanisation du régime, la meilleure volonté, les plus larges concessions, rien n'aurait pu l'arrêter. Elle n'eut aucun mérite à éclater, puisqu'elle existait, pour ainsi dire, avant de paraître et qu'on a pu la décrire dans ses moindres détails (que l'on songe aux *Possédés*) avant qu'elle se manifestât.

Comme les seuls garants du « bon ordre » étaient, aux yeux de Maistre, l'esclavage ou la religion, il souhaitait, pour la consolidation du pouvoir des tsars, le maintien de la servitude, l'Église orthodoxe qu'il dédaignait lui apparaissant adultérée, faussée, contaminée par le protestantisme et, de toute manière, inapte à faire contrepoids aux idées subversives. Mais l'Église catholique, au nom de la vraie religion, réussit-elle à empêcher la révolution en France? La question, il ne se la pose même pas ; ce qui l'intéresse c'est le gouvernement absolu, et, à son avis, tout gouvernement l'est, car, prétend-il « du moment où l'on peut lui résister sous prétexte d'erreur ou d'injustice, il n'existe plus ».

Que, de temps en temps, on rencontre chez lui des poussées de libéralisme — échos de sa première formation ou expressions d'un remords plus ou moins conscient —, loin de nous de le nier. Cependant, le côté « humain » de ses doctrines ne présente qu'un intérêt médiocre. Ses dons ne s'épanouissant, ne se faisant valoir que dans ses débordements anti-modernes et ses outrages au bon sens, il est naturel que ce soit le réactionnaire en lui qui nous requière et nous passionne. Toutes les fois qu'il insulte à nos principes, ou qu'il écrase nos superstitions au nom des siennes, nous avons lieu de nous en féliciter : l'écrivain excelle alors et se surpasse. Plus sa vision sera sombre, plus il l'enveloppera d'une apparence légère, transparente. L'impulsif de goût qu'il était se penchait, au milieu même de ses grandes colères, sur les minuscules problèmes du langage ; il fulminait en littérateur, voire en grammairien, et ses frénésies, non seulement ne nuisaient pas à sa passion du tour correct et élégant, mais l'augmentaient encore. Un tempérament épileptique entiché des futilités du verbe. Transes et boutades, convulsions et vétilles, bave et grâce, tout se mêlait chez lui pour composer cet univers du pamphlet du sein duquel il pourchassait « l'erreur » à coups d'invectives, ces ultimatums de l'impuissance. Ses préjugés et ses lubies, ce fut son humiliation de ne pouvoir les ériger en lois. Il s'en vengea par la parole, dont la virulence entretenait en lui l'illusion de l'efficacité. Sans jamais se mettre en quête d'une vérité pour elle-même, mais pour s'en faire un instrument de combat, hors d'état de s'incliner devant l'absolu des autres ou d'y être indifférent, se définissant par ses refus et, plus encore, par ses aversions, il avait besoin, pour l'exercice de son intelligence, d'exécrer toujours quelqu'un ou quelque chose, et d'en méditer la suppression. C'était là un impératif, une condition indispensable à la fécondité de son déséquilibre ; sans quoi il fût tombé dans la stérilité, malédiction des penseurs qui ne daignent pas cultiver leurs désaccords avec autrui ou avec soi. L'esprit de tolérance, s'il y eût cédé, n'eût pas manqué d'étouffer son génie. Notons encore que, pour quelqu'un de si sincèrement épris de paradoxe, le seul moyen d'être original, après tout un siècle de déclamations sur la liberté et la justice, était d'embrasser des opinions opposées, de se précipiter sur d'autres fictions, sur celles de l'autorité, de changer, en somme, d'égarements.

Quand, en 1797, Napoléon lisait à Milan les *Considérations sur la France*, peut-être y voyait-il la justification de ses ambitions et comme l'itinéraire de ses rêves : il n'avait qu'à interpréter à son avantage le plaidoyer pour le roi qu'y faisait Maistre. Les discours et les écrits des libéraux (ceux de Necker, de Mme de Staël et de Benjamin Constant) devaient l'irriter au contraire, puisqu'il y trouvait, selon l'expression d'Albert Sorel, « la théorie des obstacles à son règne ». Répudiant le concept de destin, la pensée libérale ne saurait séduire un conquérant, lequel, non content de méditer sur le destin, aspire encore à l'incarner, à en être l'image concrète, la traduction historique, porté qu'il est par nature à miser sur la Providence et à s'en estimer l'interprète. Les *Considérations* révélaient Bonaparte à lui-même.

On insiste trop sur l'amour-haine, et on oublie qu'il existe un sentiment plus trouble encore et plus complexe : l'admiration-haine, celui-là même que nourrissait Maistre pour Napoléon. Quelle chance que d'avoir pour contemporain un tyran digne d'être abhorré, auquel vouer un culte à rebours et à qui, secrètement, on voudrait ressembler ! En obligeant ses ennemis à se hisser à sa hauteur, en les contraignant à la jalousie, Napoléon fut pour eux une vraie bénédiction. Sans lui, ni Chateaubriand, ni Constant, ni Maistre, n'eussent pu si facilement résister à la tentation de la mesure : le cabotinage de l'un, la versatilité de l'autre, les colères du dernier, participaient de son cabotinage à lui, de sa versatilité, de ses colères. Dans l'horreur qu'il leur inspirait entrait une bonne part de fascination. Combattre un «monstre» c'est nécessairement posséder quelques mystérieuses affinités avec lui, c'est aussi lui emprunter certains traits de caractère. Maistre rappelle Luther, qu'il insulta tant, et, mieux encore, Voltaire, l'homme qu'il attaqua le plus, de même le Pascal des *Provinciales*, l'ennemi des jésuites, c'est-à-dire le Pascal qu'il exécrait. En bon pamphlétaire il s'en prenait aux pamphlétaires de l'autre bord, qu'il comprenait bien, car, tout comme eux, il avait le goût de l'inexactitude et du parti pris. Quand il fait résider la philosophie dans l'art de dédaigner les objections, il définit sa propre méthode, son propre «art». Cependant, si outrée qu'elle semble, l'assertion ne laisse pas d'être vraie, ou presque : qui défendrait une position, qui soutiendrait une idée s'il lui fallait multiplier ses scrupules, peser sans cesse le pour et le contre, conduire avec précaution un raisonnement? Le penseur original fonce plutôt qu'il ne creuse : c'est un *Draufgänger*, un emballé, un casse-cou, en tout cas un esprit décidé, combatif, un frondeur dans le domaine de l'abstraction, et dont l'agressivité, pour être parfois voilée, n'en est pas moins réelle et efficace. Sous ses préoccupations d'apparence neutre, camouflées en problèmes, s'agite une volonté, s'active un instinct, aussi indispensables à la génération d'un système que l'est l'intelligence : sans le concours de cet instinct et de cette volonté, comment triompher des objections, et de la paralysie à quoi elles condamnent l'esprit? Point d'affirmation que ne puisse annuler une affirmation contraire. Pour émettre la moindre opinion sur quoi que ce soit, un acte de bravoure et une certaine capacité d'irréflexion sont nécessaires, ainsi qu'une propension à se laisser emporter par des raisons extra-rationnelles. «Tout le genre humain, dit Maistre, vient d'un couple. On a nié cette vérité comme toutes les autres : eh! qu'est-ce que cela fait?» — Cette manière d'expédier l'objection est pratiquée par quiconque s'identifie à une doctrine ou adopte seulement un point de vue bien défini sur n'importe quel sujet; mais rares sont ceux qui osent en convenir, qui aient assez de probité pour divulguer le procédé dont ils usent et doivent user, sous peine de se figer dans l'à-peu-près ou le silence. Par une de ces inhabiletés qui l'honorent, Maistre, s'enorgueillissant de l'emploi abusif du «qu'est-ce que cela fait?», nous livre implicitement le secret de ses outrances.

*N*ullement exempt de cette naïveté propre au dogmatisme, il se fera l'interprète de tous les détenteurs d'une certitude, et procla-

mera son bonheur et le leur : « Nous, heureux possesseurs de la
vérité », — langage triomphal qui, pour nous autres, demeure
inconcevable, mais qui réjouit et fortifie le croyant. Une foi qui en
admet une autre, qui ne pense pas qu'elle dispose du monopole de
la vérité, est vouée à la ruine, abandonne l'absolu qui la légitime,
pour se résigner à n'être qu'un phénomène de civilisation, un épisode, un accident. Le degré d'inhumanité d'une religion en garantit la force et la durée : une religion libérale est une moquerie ou
un miracle. Réalité, constatation terrible et exacte, vraie en tout
point pour le monde judéo-chrétien ; poser un dieu unique, c'est
faire profession d'intolérance et souscrire, qu'on le veuille ou non,
à l'idéal théocratique. Sur un plan plus général, les doctrines de
l'Unité relèvent du même esprit : lors même qu'elles se prévalent
d'idées anti-religieuses, elles suivent le schéma formel de la théocratie, elles se ramènent même à une théocratie sécularisée. Le
positivisme tira le plus grand parti des systèmes « rétrogrades »,
dont il ne rejeta le contenu et les croyances que pour en mieux
adopter l'armature logique, le contour abstrait. Auguste Comte en
usa avec les idées de Maistre, comme Marx avec celles de Hegel.

Différemment curieux du sort de la religion, mais également
asservis à leurs systèmes respectifs, positivistes et catholiques
exploitèrent au mieux de leurs intérêts la pensée de l'auteur du
Du Pape ; autrement libre, un Baudelaire y puisa, par simple
nécessité intérieure, quelques thèmes, tels ceux du mal et du
péché, ou certains de ses « préjugés » contre les idées démocratiques et le « progrès ». Lorsqu'il fait consister la « vraie civilisation » dans la « diminution des traces du péché originel », ne
s'inspire-t-il pas de ce passage des *Soirées* où « l'état de civilisation » parfait nous était présenté comme une réalité située hors de
l'empire de la Chute ? « De Maistre et Edgar Poe m'ont appris à rai-
sonner. » Peut-être eût-il été plus exact de sa part d'avouer que le
penseur ultramontain l'avait fourni en obsessions. Quand il
invoque une « providence diabolique » ou professe le « satanisme »,
il retourne, il renverse des motifs maistriens, en les aggravant et
en leur prêtant un caractère de négativité vécue. La philosophie
de la Restauration eut des prolongements littéraires assez inattendus : l'influence de Bonald sur Balzac fut aussi puissante que celle
de Maistre sur Baudelaire. Sondez le passé d'un écrivain, et surtout d'un poète, examinez en détail les éléments de sa biographie
intellectuelle, vous y démêlerez toujours quelques antécédents
réactionnaires... La mémoire est la condition de la poésie ; le

révolu, sa substance. Et qu'affirme la Réaction, sinon la valeur suprême du révolu ?

« *C*e qu'on croit vrai, il faut le dire et le dire hardiment ; je voudrais, m'en coûtât-il grand-chose, découvrir une vérité faite pour choquer tout le genre humain : je la lui dirais à brûle-pourpoint. » Le Baudelaire de la «franchise absolue», des *Fusées* et de *Mon cœur mis à nu* est contenu et comme annoncé dans ce propos des *Soirées*, qui nous donne la formule de cet incomparable art de la provocation où Baudelaire allait se distinguer presque autant que Maistre. S'y distinguent au reste tous ceux qui, soit clairvoyance, soit aigreur, rejettent les féeries habiles du Progrès. Pourquoi les conservateurs manient-ils si bien l'invective, et écrivent-ils en général plus soigneusement que les fervents de l'avenir ? C'est que, furieux d'être contredits par les événements, ils se précipitent, dans leur désarroi, sur le verbe dont, à défaut d'une plus substantielle ressource, ils tirent vengeance et consolation. Les autres y recourent avec insouciance et même avec mépris : complices du futur, assurés du côté de «l'histoire», ils écrivent sans art, voire sans passion, conscients qu'ils sont que le style est la prérogative et comme le luxe de l'échec. Quand nous parlons d'échec, nous ne pensons pas seulement à Maistre, mais aussi à Saint-Simon. Chez l'un et l'autre, un même attachement, exclusif, borné, à la cause de l'aristocratie, une foule de préjugés défendus avec une rage continue, l'orgueil de caste poussé jusqu'à l'ostentation, et une égale incapacité d'agir qui explique pourquoi ils furent si entreprenants comme écrivains. Que l'un se penche sur des problèmes, que l'autre décrive des événements, la moindre idée, le moindre fait éclatent sous la passion qu'ils y mettent. Vouloir disséquer leur prose, autant vaut analyser une tempête. Loin de nous cependant de mettre le duc et le comte sur le même plan : le premier a restitué et recréé une époque : il travaillait à même la vie, alors que le second s'est contenté d'animer des idées ; or, avec des concepts, comment atteindre à la plénitude du génie ? Point de vraie création en philosophie ; à quelque profondeur et originalité qu'elle atteigne, la pensée se maintient toujours sur un plan dérivé, en deçà du mouvement et de l'activité de l'être ; l'art seul s'y hausse, lui seul imite Dieu ou s'y substitue. Le penseur épuise la définition de l'homme incomplet.

*S*aint-Simon, à en croire Sainte-Beuve, ferait songer à un mélange de Shakespeare et de Tacite ; Maistre, lui, évoquera pour nous —

mélange moins heureux — un Bellarmin et un Voltaire, un théologien et un littérateur. Si nous citons le nom du grand controversiste, de ce professionnel de la chicane, qui, au XVIᵉ siècle, sévissait contre le protestantisme, c'est que Maistre, avec plus de fougue et de verve, devait mener la même campagne : ne fut-il pas, en quelque sorte, le dernier représentant de la Contre-Réforme ?

À contempler son emportement contre les nouvelles « sectes », on en vient à se demander s'il n'y aurait pas une part d'humour dans tout ce déploiement de rage : peut-on concevoir qu'en rédigeant certaines diatribes, il n'ait pas été conscient des énormités qu'il y débitait ? Et pourtant, nous ne le répéterons jamais assez, ce sont ces énormités qui relèvent ses ouvrages et nous les font lire encore. Quand, au sujet d'une affirmation de Bacon, il s'exclame : « Non, jamais depuis qu'il fut dit : Fiat Lux ! l'oreille humaine n'entendit rien d'égal », cette extravagance nous enchante ; de même cette autre : « Les prêtres ont tout conservé, ont tout ranimé, et nous ont tout appris. » Propos insensé dont on ne niera pas la saveur : en le tenant, l'auteur se fait-il le complice de notre sourire ? Et quand il nous assure que le pape est le « démiurge de la civilisation », veut-il nous divertir, ou le pense-t-il véritablement ? Le plus simple serait d'admettre qu'il était sincère ; aussi bien ne décelons-nous dans sa vie la moindre trace de charlatanisme : la lucidité n'alla jamais chez lui jusqu'à l'imposture ou à la farce... C'est là l'unique défaillance de son sens de la démesure.

Il y avait chez ce démolisseur au nom de la tradition, chez ce fanatique par discipline et méthode, un désir de posséder des convictions inébranlables, un besoin d'être tout d'une pièce. « Je tombe dans une idée comme dans un précipice », se plaignait un malade ; Maistre aurait pu en dire autant, avec cette différence toutefois que, lui, il voulait y tomber, qu'il brûlait de s'y engouffrer et que, à l'égal des penseurs agressifs, des penseurs en furie, il était impatient de nous y entraîner, — prosélytisme abyssal qui est la marque du fanatisme inné ou acquis. Le sien, bien qu'acquisition, résultant de l'effort et de la délibération, il se l'assimila parfaitement, et en fit sa réalité organique. Cramponné à l'absolu par haine d'un siècle qui avait tout remis en question, il devait aller trop loin dans l'autre sens, et, par peur du doute, ériger l'aveuglement en système. N'être jamais à court d'illusions, s'obnubiler, tel fut son rêve. Il eut le bonheur de le réaliser.

Clairvoyant à ses heures, il s'est trompé pourtant dans maintes de ses prévisions. La France, se figurait-il, avait pour mission la régénération religieuse de l'humanité. Elle versa dans la laïcité... Il escomptait la fin des schismes, le retour au catholicisme des Églises séparées, la reconquête par le souverain pontife de ses anciens privilèges. Rome, abandonnée à elle-même, est plus modeste, plus timide que jamais. S'il a pressenti quelques-unes des convulsions qui allaient agiter l'Europe, il ne devina pas celles dont nous sommes la proie. Mais la caducité de ses prophéties ne doit pas nous faire perdre de vue les mérites ni l'actualité du théoricien de l'ordre et de l'autorité, lequel, s'il avait eu la chance d'être plus connu, eût été l'inspirateur de toutes les formes d'orthodoxie politique, le génie et la providence de tous les despotismes de notre siècle. Vivante, sa pensée l'est sans conteste, mais dans la mesure seulement où elle rebute ou déconcerte : plus on la fréquente, plus on songe aux délices du scepticisme ou à l'urgence d'un plaidoyer pour l'hérésie.

1957

VALÉRY FACE À SES IDOLES

——————————————— *C*'est un véritable malheur pour
un auteur que d'être compris ; Valéry l'a été de son vivant, il l'a été
depuis. Était-il donc si simple, si *pénétrable* ? Assurément non.
Mais il a eu l'imprudence de fournir trop de précisions et sur soi
et sur son œuvre, il s'est révélé, dénoncé, il a livré mainte clef, dissipé pas mal de ces malentendus indispensables au prestige secret
d'un écrivain : au lieu de laisser aux autres la besogne de le deviner, il l'a assumée lui-même ; il a poussé jusqu'au vice la manie de
s'expliquer. La tâche des commentateurs devait s'en trouver singulièrement allégée : en les initiant d'emblée à l'essentiel de ses
préoccupations et de ses gestes, il les invitait moins à une rumination sur son œuvre que sur les propos qu'il a tenus sur elle. Dès
lors l'interrogation à son sujet avait pour mission de savoir si, sur
tel ou tel point le concernant, il avait été victime d'une illusion ou,
au contraire, d'une excessive clairvoyance, d'un jugement décro-
ché du réel dans les deux cas. Non seulement il a été son propre
commentateur, mais encore tous ses ouvrages ne sont qu'une
autobiographie plus ou moins camouflée, une introspection
savante, un *journal* de son esprit, une promotion de ses expériences, de n'importe laquelle de ses expériences, au rang d'événement intellectuel, un attentat contre tout ce qu'il pouvait y avoir
en lui *d'irréfléchi*, une rébellion contre ses profondeurs.
Savoir démonter le mécanisme de tout, puisque tout est mécanisme, somme d'artifices, de trucs ou, pour employer un mot plus
honorable, d'opérations ; s'en prendre aux ressorts, se muer en
horloger, voir *dedans*, cesser d'être dupe, voilà ce qui compte à ses
yeux. L'homme, tel qu'il le conçoit, ne vaut que par sa capacité de
non-consentement, par le degré de lucidité qu'il aura atteint.
Cette exigence de lucidité fait songer au degré *d'éveil* que suppose
toute expérience spirituelle, et qui sera déterminée par la réponse
qu'on donnera à la question capitale : «Jusqu'où êtes-vous allé
dans la perception de l'irréalité ?»

On pourrait marquer en détail le parallélisme entre la quête de la lucidité délibérément *en deçà* de l'absolu, telle qu'elle se présente chez Valéry, et la quête de l'éveil en vue de l'absolu, qui est proprement la voie mystique. Il s'agit dans l'une et l'autre démarche d'une exacerbation de la conscience, avide de secouer les illusions qu'elle traîne. Tout analyste impitoyable, tout dénonciateur des apparences, à plus forte raison tout «nihiliste», n'est qu'un mystique *bloqué*, et cela uniquement parce qu'il répugne à donner un contenu à sa lucidité, à l'infléchir dans le sens du salut, en l'associant à une entreprise qui la dépasse. Valéry avait été trop contaminé par le positivisme pour concevoir un autre culte que celui de la lucidité *pour elle-même*.

«Je confesse que j'ai fait une idole de mon esprit, mais je n'en ai pas trouvé d'autre.» Valéry n'est jamais revenu de l'étonnement que lui causait le spectacle de son esprit. Il n'a admiré que ceux qui divinisaient le leur, et dont les aspirations étaient si démesurées qu'elles ne pouvaient que fasciner ou dérouter. Ce qui devait le séduire chez Mallarmé, c'était *l'insensé*, c'était celui qui en 1885 écrivait à Verlaine : «... j'ai toujours rêvé et tenté autre chose, avec une patience d'alchimiste, prêt à sacrifier toute vanité et toute satisfaction, comme on brûlait jadis son mobilier et les poutres de son toit, pour alimenter le fourneau du Grand Œuvre. Quoi ? C'est difficile à dire : un livre tout bonnement, en maints tomes, un livre qui soit un livre, architectural et prémédité, et non un recueil des inspirations de hasard, fussent-elles merveilleuses... J'irai plus loin, je dirai : le Livre, persuadé qu'au fond il n'y en a qu'un...» Déjà en 1867, il avait formulé dans une lettre à Cazalis, le même souhait grandiose et délirant : «... ce ne serait pas sans un serrement de cœur réel que j'entrerais dans la Disparition suprême, si je n'avais pas fini mon œuvre, qui est l'Œuvre, le Grand Œuvre, comme disent les alchimistes, nos ancêtres.»

Créer une œuvre qui *concurrence* le monde, qui n'en soit pas le reflet mais le double, cette idée, ce n'est pas tant des alchimistes, c'est de Hegel qu'il l'a tirée, de ce Hegel qu'il ne connaissait qu'indirectement par Villiers, lequel l'avait à peine pratiqué, juste assez cependant pour pouvoir le citer à l'occasion et l'appeler pompeusement «le reconstructeur de l'Univers», formule qui dut frapper Mallarmé, puisque le Livre c'est précisément à la reconstruction de l'Univers qu'il visait. Mais cette idée aurait pu aussi lui être inspirée par sa fréquentation de la musique, par les théories de l'époque, dérivées de Schopenhauer et propagées par les wagnériens, qui en faisaient le seul art capable de traduire l'essence du monde. Et d'ailleurs l'entreprise de Wagner elle-même avait de quoi suggérer de grands rêves et inviter à la mégalomanie, tout comme l'alchimie ou le hégélianisme. Un musicien, et un musicien fécond par-dessus le marché, peut, à la rigueur, aspirer au rôle de démiurge; mais un poète, et un poète délicat jusqu'à la stérilité, comment s'y prendrait-il sans ridicule ou folie? Tout cela participe de la *divagation*, pour nous servir d'un mot que Mallarmé affectionnait. Et c'est justement par ce côté qu'il attirait, qu'il convainquait. Valéry le continue et l'imite quand il parle de cette *Comédie* de l'intellect qu'il se proposait de rédiger un jour. Le rêve de la démesure porte aisément vers l'illusion absolue. Quand, le 3 novembre 1897, Mallarmé montrait à Valéry les épreuves corrigées du *Coup de dés*, et lui demandait : « Ne trouvez-vous pas que c'est un acte de démence? » — le *dément* n'était pas Mallarmé mais le Valéry qui, dans un accès de sublime, devait écrire que, dans ce poème d'une si étrange disposition typographique, l'auteur avait tenté « d'élever une page à la puissance du ciel étoilé ». S'assigner une tâche impossible à réaliser et même à définir, vouloir la vigueur alors qu'on est rongé par la plus subtile des anémies, il y a dans tout cela un rien de mise en scène, un désir de se tromper, de vivre intellectuellement au-dessus de ses moyens, une volonté de légende, et d'échec, le raté, à un certain niveau, étant incomparablement plus captivant que celui qui a abouti.

Nous nous intéressons de plus en plus, non à ce qu'un auteur a dit mais à ce qu'il aurait voulu dire, non à ses actes mais à ses projets, moins à son œuvre réelle qu'à son œuvre rêvée. Si Mallarmé nous passionne, c'est parce qu'il remplit les conditions de l'écrivain irréalisé, irréalisé par rapport à l'idéal disproportionné qu'il s'était fixé, si disproportionné qu'on est parfois enclin à appeler naïf ou imposteur celui qui en réalité ne fut qu'un halluciné. Nous sommes des fervents de l'œuvre avortée, abandonnée en chemin, impossible à achever, minée par ses exigences mêmes. L'étrange, en l'occurrence, est que l'œuvre ne fut même pas commencée, puisque du Livre, ce rival de l'Univers, il ne reste pratiquement aucun indice révélateur : il est douteux que les bases en aient été jetées dans les notes que Mallarmé fit détruire, celles qui ont survécu ne méritant pas qu'on s'y arrête. Mallarmé : une velléité de pensée, une pensée qui ne s'est jamais actualisée, qui s'est enferrée dans l'éventuel, dans l'irréel, dégagée de tout acte, supérieure à tout objet, à tout concept même..., une attente de pensée. Et ce que lui, l'ennemi du vague, a exprimé en fin de compte, c'est bien cette attente qui n'est rien d'autre que le vague même. Mais ce vague, qui est l'espace de la démesure, comporte un côté positif : il permet d'imaginer *grand*. C'est en rêvant du Livre que Mallarmé a débouché sur l'unique : eût-il été plus *sensé*, qu'il eût laissé une œuvre quelconque. On peut en dire autant de Valéry, qui est le résultat de l'idée, presque mythologique, qu'il se fit de ses facultés, de ce qu'il eût pu en extraire, s'il avait eu la possibilité ou le temps d'en faire véritablement usage. Ses *Cahiers* ne sont-ils pas le bric-à-brac du Livre que, lui aussi, voulait rédiger ? Il alla plus avant que Mallarmé mais, pas plus que ce dernier, il ne put mener à bien un dessein qui exige de l'obstination et une grande invulnérabilité à l'ennui, à cette plaie qui, de son propre aveu, ne cessait de le tourmenter. Or, l'ennui, c'est la discontinuité, la lassitude de tout raisonnement soutenu, fondé, l'obsession pulvérisée, l'horreur du système (le Livre n'eût pu être que système, système *total*), horreur de l'insistance, de la *durée* d'une idée ; l'ennui est encore coq-à-l'âne, fragment, note, *cahier*, enfin dilettantisme par manque de vitalité, et aussi par peur d'être ou de paraître *profond*. L'attaque de Valéry contre Pascal pourrait s'expliquer par une réaction de pudeur : n'est-il pas indécent d'étaler ses secrets, ses déchirements, ses abîmes ? N'oublions pas que pour un Méditerranéen comme Valéry les *sens* comptaient et que pour lui les catégories fondamentales n'étaient pas ce qui est et ce qui n'est pas, mais ce qui n'est pas du tout et ce qui paraît exister, le Rien et le Semblant ; l'*être* comme tel manquait à ses yeux de dimension et même de portée...

Ni Mallarmé ni Valéry n'étaient équipés pour s'attaquer au Livre. Avant eux, Poe eût été à même et d'en concevoir le projet et de s'y mettre, et il s'y est mis à vrai dire, *Eurêka* étant une manière d'œuvre limite, d'extrémité, de fin, de rêve colossal et *réalisé*. « J'ai résolu le secret de l'Univers. » — « Je n'ai plus le désir de vivre, puisque j'ai écrit Eurêka » — ce sont là exclamations que Mallarmé eût aimé pousser ; il n'en avait guère le droit, même pas après cette magnifique impasse qu'est le *Coup de dés*. Baudelaire avait appelé Poe un « héros » des Lettres ; Mallarmé ira plus loin, il l'appellera « le cas littéraire absolu ». Personne aujourd'hui ne ratifierait un tel jugement mais cela n'importe aucunement, chaque individu, comme chaque époque, n'ayant de *réalité* que par ses exagérations, par sa capacité de surestimer, par ses dieux. La suite de modes littéraires ou philosophiques témoigne d'un irrésistible besoin d'adorer : qui n'a été hagiographe à ses heures ? Un sceptique trouvera toujours à vénérer quelqu'un de plus sceptique

que soi. Même au XVIIIe siècle, où le dénigrement devint institution, la «décadence de l'admiration» ne devait pas être aussi générale que le croyait Montesquieu.

Pour Valéry, le thème traité dans *Eurêka* ressortit à la littérature.
«La Cosmogonie est un genre littéraire d'une remarquable persistance et d'une étonnante variété, l'un des genres les plus antiques
qui soient.» Il pensait la même chose de l'histoire et même de la
philosophie, «genre littéraire particulier, caractérisé par certains
sujets et par la fréquence de certains termes et de certaines
formes». On peut soutenir que, les sciences positives exceptées,
tout se ramène pour lui à la littérature, à quelque chose de douteux, sinon de méprisable. Mais où trouver quelqu'un de plus *littéraire* que lui, quelqu'un chez qui l'attention au mot, l'idolâtrie de
la parole soient plus vivement entretenues? Narcisse retourné
contre soi, il dédaignait la seule activité qui fût en accord avec sa
nature : *prédestiné* au Verbe, il était essentiellement littérateur, et
ce littérateur, il aurait voulu l'étouffer, le détruire; pour n'y être
pas parvenu, il s'est vengé sur la littérature dont il a dit pis que
pendre. Tel serait le schéma psychologique de ses rapports avec
elle.

Eurêka n'a pas marqué dans l'évolution de Valéry. Au contraire, la
Genèse d'un poème est un événement majeur, une rencontre capitale. Tout ce qu'il allait penser par la suite du mécanisme de l'acte
poétique est là. On imagine le ravissement avec lequel il dut lire
que la composition du *Corbeau* ne peut être attribuée en aucun
point au hasard ou à l'intuition, et que le poème fut conçu avec la
«précision et la rigoureuse logique d'un problème mathéma-
tique». Une autre déclaration de Poe, cette fois-ci de *Marginalia*
(CXVIII), dut non moins le combler : «Le malheur (Valéry eût dit :
le *bonheur*) de certains esprits, c'est de ne jamais se contenter de
l'idée qu'ils peuvent accomplir une chose, ni même de l'avoir
accomplie; il leur faut encore à la fois savoir et montrer aux
autres comment ils l'ont faite.»

La *Genèse d'un poème* était de la part de Poe une mystification (*a
mere hoax*); tout Valéry est issu d'une lecture... naïve, d'une ferveur pour un texte où un poète se gaussait de ses lecteurs cré-
dules. Cet enthousiasme juvénile pour une démonstration si
foncièrement anti-poétique prouve bien qu'à l'origine, dans son
tréfonds, Valéry n'était pas poète; car tout son être aurait dû se
rebiffer devant ce froid et impitoyable démantèlement du délire,
devant ce réquisitoire contre le réflexe poétique le plus élémentaire, contre la raison d'être de la poésie; — mais il avait sans

doute besoin de cette incrimination astucieuse, de cette mise en accusation de toute création spontanée, pour pouvoir justifier, *excuser* son propre manque de spontanéité. Quoi de plus rassurant que cette savante exposition des *ficelles*! C'était là un catéchisme non pour poètes mais pour versificateurs, et qui devait nécessairement flatter chez Valéry ce côté virtuose, ce goût de surenchère dans la réflexion, de l'art au second degré, de l'art *dans* l'art, cette religion du fignolé, de même que cette volonté d'être, à chaque instant, en dehors de ce qu'on fait, en dehors de tout vertige, poétique ou autre. Seul un maniaque de la lucidité pouvait savourer cette remontée cynique aux sources du poème, qui contredit à toutes les lois de la production littéraire, cette préméditation infiniment minutieuse, cette acrobatie inouïe où Valéry a puisé l'article premier de son credo poétique. Il a érigé en théorie et proposé comme modèle son inaptitude à être poète naturellement, il s'est accroché à une technique pour dissimuler ses lacunes congénitales, il a mis — forfait inexpiable — la poétique au-dessus de la poésie. On peut légitimement penser que toutes ses thèses eussent été bien différentes, s'il avait été capable de produire une œuvre moins élaborée. Il a prôné le difficile *par impuissance* : toutes ses exigences sont celles d'un artiste et non d'un poète. Ce qui chez Poe n'était que jeu, est chez Valéry dogme, dogme littéraire, c'est-à-dire fiction *acceptée*. En bon technicien, il a essayé de réhabiliter le procédé et le métier aux dépens du *don*. De toute théorie, en art s'entend, il s'est attaché à dégager la conclusion la moins poétique, et c'est à elle qu'il se cramponnait, séduit qu'il était jusqu'à l'obnubilation par le *faire*, par l'invention dépourvue de fatalité, d'inéluctable, de destin. Il a toujours cru qu'on aurait pu être autre qu'on n'est, et il a toujours voulu être autre qu'il n'était, témoin ce regret rongeur qu'il avait de n'être pas homme de science et qui lui a fait avancer pas mal d'extravagances, en esthétique particulièrement; c'est également ce regret qui lui a inspiré cette condescendance à l'égard de la littérature : on dirait qu'il s'abaisse lorsqu'il en parle et qu'il daigne seulement s'adonner aux vers. À la vérité, il ne s'y adonne pas, il s'y *exerce*, comme il l'a dit expressément tant de fois. Du moins le non-poète en lui, en l'empêchant de mêler prose et poésie, de vouloir faire, à l'instar des symbolistes, de la poésie à tout prix et partout, l'aura préservé du fléau qu'est toute prose trop ostensiblement poétique. Quand on aborde un esprit aussi délié que le sien, on éprouve une rare volupté à déceler ses illusions et ses failles, qui, pour n'être pas évidentes, n'en sont pas moins réelles, la lucidité absolue étant incompatible avec l'existence, avec l'exercice du souffle. Et, il faut bien le reconnaître, un esprit détrompé, quel que soit le degré de son émancipation du monde, vit plus ou moins dans l'irrespirable.

*P*oe et Mallarmé *existent* pour Valéry ; Léonard, visiblement, n'est qu'un prétexte, un nom et rien de plus, une figure entièrement construite, un monstre qui possède tous les pouvoirs, qu'on n'a pas et qu'on voudrait avoir. Il répond à ce besoin de se voir accompli, réalisé en quelqu'un qu'on imagine, et qui représente le résumé idéal de toutes les illusions qu'on s'est faites sur soi : héros qui a vaincu vos propres impossibilités, qui vous a délivré de vos limites, en les franchissant *à votre place...*

L'*Introduction à la Méthode de Léonard*, qui date de 1894, prouve que Valéry, dès ses débuts, était parfait, j'entends parfaitement mûr, en tant qu'écrivain : la corvée de s'améliorer, de faire des progrès, lui fut épargnée d'emblée. Son cas n'est pas sans analogies avec celui de son compatriote, qui pouvait affirmer à Sainte-Hélène : « La guerre est un singulier art : je vous assure que j'ai livré soixante batailles ; eh bien, je n'ai rien appris que je ne susse dès la première. » Valéry, sur le tard, aurait pu soutenir que, lui aussi, il *savait* tout, dès la première tentative, et qu'en fait d'exigence envers soi et envers son œuvre, il n'était pas plus avancé qu'à vingt ans. À un âge où l'on tâtonne, où l'on singe tout le monde, il avait trouvé sa manière, son style, sa forme de pensée. Il admirait encore sans doute mais *en maître*. Comme tous les esprits parfaits, il était *borné*, c'est-à-dire confiné dans certains thèmes dont il ne pouvait sortir. C'est peut-être par réaction contre soi-même, contre ses frontières si perceptibles, qu'il fut tellement intrigué par ce phénomène qu'est un esprit universel, par la possibilité à peine concevable d'une multiplicité de talents qui s'épanouissent sans se nuire, qui cohabitent sans s'annuler les uns les autres. Il ne pouvait pas ne pas *rencontrer* Léonard ; Leibniz pourtant s'imposait davantage. Sans doute. Mais pour s'attaquer à Leibniz, il fallait, outre une compétence scientifique et des connaissances qu'il n'avait pas, une curiosité impersonnelle dont il n'était pas capable. Avec Léonard, symbole d'une civilisation, d'un univers ou de n'importe quoi, l'arbitraire et la désinvolture étaient autrement aisés. Si on le citait de temps en temps, ce n'était que pour mieux pouvoir parler de soi, de ses propres goûts et de ses aversions, régler leur compte aux philosophes en invoquant un nom qui, à lui seul, cumulait des facultés qu'aucun d'eux n'a jamais réunies. Pour Valéry, les problèmes qu'aborde la philo-sophie et la manière dont elle les énonce, se réduisent à des « abus de langage », à des faux problèmes, infructueux et interchan-geables, démunis de toute rigueur, soit verbale, soit intrinsèque ; il lui semblait qu'une idée était dénaturée dès que les philosophes s'en emparaient, mieux : que la *pensée* elle-même se viciait à leur contact. L'horreur qu'il avait du jargon philosophique est si convaincante, si contagieuse, qu'on la partage pour toujours, qu'on ne peut plus lire un philosophe *sérieux* qu'avec méfiance ou dégoût, et qu'on se refuse désormais à tout terme faussement mystérieux ou savant. La plus grande partie de la philosophie se ramène à un crime de lèse-langage, à un crime contre le Verbe. Toute expression d'*école* devrait être proscrite et assimilée à un délit. Est inconsciemment malhonnête quiconque, pour trancher une difficulté ou résoudre un problème, forge un mot sonore, pré-tentieux, et même un mot tout court. Dans une lettre à F. Brunot, Valéry écrivait : « ... il faut plus d'esprit pour se passer d'un mot que pour l'introduire. » — Si on traduisait les élucubrations des philosophes en langage *normal*, qu'en resterait-il ? L'entreprise serait ruineuse pour la plupart d'entre eux. Mais il faut ajouter tout de suite qu'elle le serait presque autant pour un écrivain, sin-gulièrement pour un Valéry : si on enlevait à sa prose son éclat, si on réduisait telle ou telle de ses pensées à des contours squelet-tiques, que vaudrait-elle encore ? Lui aussi était dupe du langage, d'un *autre* langage, plus réel, plus *existant*, il est vrai. Il ne forgeait pas de mots, c'est entendu, mais il vivait d'une manière quasi absolue dans son langage à lui, de sorte que sa supériorité sur les philosophes était tout juste de participer d'une irréalité moindre que la leur. En les critiquant si sévèrement il a montré qu'il pou-vait, lui si avisé d'ordinaire, se laisser emporter, s'abuser. Un désabusement complet aurait du reste tué en lui non seulement « l'homme de pensée », comme il s'appelait quelquefois mais, perte plus grave, le jongleur, l'histrion du vocable. La « clairvoyance imperturbable » dont il rêvait, il n'y a pas atteint, fort heureuse-ment ; sans quoi son « silence » se serait perpétué jusqu'à sa mort. À y bien réfléchir, son aversion pour les philosophes avait quelque chose d'impur ; en fait, il était *hanté* par eux, il ne pouvait être indifférent à leur égard, il les poursuivait d'une ironie voisine de la hargne. Toute sa vie il s'est défendu de vouloir construire un système ; il n'empêche qu'il y avait en lui, comme à l'égard de la science, un regret plus ou moins conscient du système qu'il n'a pas pu bâtir. La haine de la philosophie est toujours suspecte : on dirait qu'on ne se pardonne pas de n'avoir pas été philosophe, et, pour masquer ce regret, ou cette incapacité, on malmène ceux qui, moins scrupuleux ou plus doués, eurent la chance d'édifier ce petit univers invraisemblable qu'est une doctrine philosophique bien articulée. Qu'un «penseur» regrette le philosophe qu'il eût pu être, on le comprend; mais ce qu'on comprend moins, c'est que ce regret travaille encore davantage les poètes : on songe de nouveau à Mallarmé, puisque le Livre ne pouvait être que l'œuvre d'un philosophe. Prestige de la rigueur, de la pensée *sans charme*! Si les poètes y sont tellement sensibles, c'est par une sorte de honte de vivre sans vergogne en parasites de l'Improbable.

La philosophie des professeurs est une chose; la métaphysique en est une autre. On aurait attendu de la part de Valéry quelque indulgence pour celle-ci. Il n'en est rien. Il la dénonce insidieusement, et il ne serait pas loin de la traiter, comme le fait le positivisme logique dont il est à maints égards très proche, de «maladie du langage». Il s'est fait même un point d'honneur de ridiculiser l'anxiété métaphysique. Les tourments de Pascal lui inspirent des réflexions d'ingénieur : «Pas de révélations pour Léonard. Pas d'abîme ouvert à sa droite. Un abîme le ferait songer à un pont. Un abîme pourrait servir aux essais de quelque grand oiseau mécanique.» — Quand on lit des propos aussi impardonnablement désinvoltes, on n'a plus qu'une idée en tête : *venger* Pascal toute affaire cessante. À quoi cela rime-t-il de lui reprocher d'avoir abandonné les sciences, alors que cet abandon fut le résultat d'un *éveil* spirituel autrement important que les découvertes scientifiques qu'il aurait pu faire par la suite? Dans l'absolu, les perplexités pascaliennes aux confins de la prière pèsent plus lourd que n'importe quel secret arraché au monde extérieur. Toute conquête *objective* suppose un recul intérieur. Quand l'homme aura atteint le but qu'il s'est assigné : asservir la Création — il sera complètement vide : dieu et fantôme. Le scientisme, cette grande illusion des temps modernes, Valéry y souscrit sans réserves, sans arrière-pensées. Est-ce un simple hasard que, dans sa jeunesse, à Montpellier, il occupait la chambre qu'avait habitée, bien des années auparavant, Auguste Comte, le théoricien et le prophète du scientisme?

De toutes les superstitions, la moins originale est celle de la science. On peut sans doute se livrer à l'activité scientifique, mais l'enthousiasme pour elle, *quand on n'est pas de la partie*, est pour le moins gênant. Valéry a créé lui-même sa légende de poètemathématicien. Et tout le monde a marché, bien que lui-même ait reconnu d'autre part n'être qu'un «amant malheureux de la plus belle des sciences», et qu'il ait déclaré à Frédéric Lefèvre que, jeune, il n'avait pu entrer dans la marine à cause de «l'absolue incompréhension des sciences mathématiques. Je n'y entendais absolument goutte. C'était pour moi chose plus étrangère, plus impénétrable, plus désespérante que quoi que ce fût au monde. Personne n'a jamais moins compris l'existence et presque la possibilité des mathématiques même les plus simples que je ne faisais en ce temps-là». — Que par la suite il y ait pris goût, c'est indéniable; mais y prendre goût et s'y connaître, cela fait deux. Il s'y intéressa, soit pour se créer un statut intellectuel hors pair, par désir de s'ériger en héros d'un drame à la limite des pouvoirs de l'esprit, soit pour entrer dans un domaine où l'on ne bute plus à chaque moment sur soi-même. «Il n'y a pas de paroles pour rendre la douceur de sentir qu'il existe tout un monde d'où le Moi est complètement absent.» A-t-il connu ce propos de Sophie Kowalevsky sur les mathématiques? C'est peut-être un besoin analogue qui le portait vers une discipline si éloignée de toute forme de narcissisme. Mais si on met en doute l'existence chez lui de cette nécessité profonde, ses rapports avec la science font penser à l'engouement de ces femmes du siècle des Lumières dont il a parlé dans sa préface aux *Lettres persanes*, et qui couraient les laboratoires, se passionnaient pour l'anatomie ou pour l'astronomie. On doit reconnaître, pour l'en louer, que, dans la manière dont il se prononce sur les sciences, on retrouve le ton d'un mondain de la grande époque, le dernier écho des salons d'autrefois. On pourrait détecter aussi, dans sa poursuite de l'inabordable, un rien de masochisme : adorer, pour s'infliger des tortures, ce qu'on n'atteindra jamais; se punir de n'être, en fait de Savoir, qu'un simple amateur.

*L*es seuls problèmes qu'il ait affrontés en connaisseur, en initié, sont ceux de la forme ou, pour être plus exact, de l'écriture. «Génie syntactique», ce mot de Claudel sur Mallarmé convient aussi bien, sinon mieux, à Valéry, qui avoue lui-même devoir à Mallarmé le fait de «concevoir et placer au-dessus *de toutes les œuvres*, la possession consciente de la fonction du langage et le sentiment d'une liberté supérieure de l'expression au regard de laquelle toute pensée n'est qu'un incident, un événement particulier». — Le culte de Valéry pour la rigueur ne va pas plus loin que la propriété des termes et l'effort conscient vers un éclat *abstrait* de la phrase. Rigueur de la forme, et non de la matière. *La Jeune*

Parque aura exigé plus de cent brouillons : l'auteur en tire vanité, et y discerne le symbole même d'une démarche rigoureuse. Ne rien laisser à l'improvisation ou à l'inspiration (synonymes maudits à ses yeux), surveiller les mots, les peser, n'oublier jamais que le langage est la seule, l'unique réalité, — telle est cette volonté d'expression, poussée si loin qu'elle tourne en acharnement aux riens, en recherche épuisante de la précision infinitésimale. Valéry est un galérien de la Nuance.

Il est allé jusqu'à l'extrême du langage, là où celui-ci, aérien, dangereusement subtil, n'est plus qu'*essence* de dentelle, que dernier degré *avant* l'irréalité. On ne peut se figurer une langue plus épurée que la sienne, plus merveilleusement exsangue. Qu'en plus d'un endroit, il soit tarabiscoté ou nettement précieux, pourquoi le nier ? Lui-même tenait la préciosité en haute estime, comme en témoigne cet aveu significatif : « Qui sait si Molière jadis ne nous a pas coûté quelque Shakespeare, quand il a jeté le ridicule sur les *précieux* ? » — Le grief qu'on pourrait faire à la préciosité est de rendre l'écrivain trop conscient, trop pénétré de sa supériorité sur son instrument : à force d'en jouer et de le manier avec virtuosité, il dépossède le langage de tout mystère et de toute vigueur. Or, le langage doit *résister* ; s'il cède, s'il se plie totalement aux caprices d'un prestidigitateur, il se résout en une série de trouvailles et de pirouettes, où il triomphe à chaque instant de lui-même, et se divise contre soi jusqu'à l'annulation. La préciosité est l'écriture de l'écriture : un style qui se dédouble, et qui devient l'objet de sa propre quête. Il serait tout de même abusif de tenir Valéry pour un précieux ; mais il est juste de dire qu'il avait des *sursauts* de préciosité. Ce qui était tout à fait naturel chez quelqu'un qui ne percevait rien *derrière* le langage, aucun substrat ou résidu de réalité. Les mots seuls nous préservent du néant, tel paraît être le *fond* de sa pensée, bien que *fond* soit un terme dont il a refusé et l'acception esthétique et métaphysique. Il reste qu'il a bel et bien misé sur les mots, et que par cela même il a prouvé qu'il croyait encore à quelque chose. S'il avait fini par s'en détacher, c'est alors seulement qu'on eût pu le traiter de « nihiliste ». De toute façon, il ne pouvait en être un, car il était trop sensible à l'urgence du mensonge pour exister. « On perdrait courage si on n'était pas soutenu par des idées fausses », a dit Fontenelle, l'écrivain auquel, par la grâce qu'il savait prêter à la moindre idée, Valéry ressemble le plus.

La poésie est *menacée* quand les poètes prennent un trop vif intérêt théorique au langage et en font un sujet constant de méditation, quand ils lui confèrent un statut exceptionnel, qui relève moins de l'esthétique que de la théologie. L'obsession du langage, toujours assez vive en France, n'y a jamais été aussi virulente, et aussi stérilisante, qu'aujourd'hui : on n'y est pas loin de promouvoir le moyen, l'intermédiaire de la pensée en unique objet de la pensée, voire en substitut de l'absolu, pour ne pas dire de Dieu. Il n'y a pas de pensée vivante, féconde, qui morde sur le réel, si le mot se substitue brutalement à l'idée, si le véhicule compte plus que la charge qu'il transporte, si l'instrument de la pensée est assimilé à la pensée elle-même. Pour penser vraiment, il est nécessaire que la pensée *adhère* à l'esprit ; si elle en devient indépendante, si elle lui est extérieure, l'esprit s'en trouve entravé au départ, tourne à vide, et n'a plus qu'une ressource : lui-même, au lieu de se raccrocher au monde pour y puiser sa substance ou ses prétextes. Que l'écrivain se garde bien de réfléchir trop sur le langage, qu'il évite à tout prix d'en faire la matière de ses hantises, qu'il n'oublie pas que les œuvres importantes ont été faites *en dépit* du langage. Un Dante était obsédé par ce qu'il avait à dire non par *le* dire. Depuis longtemps, depuis toujours, serait-on tenté de soutenir, la littérature française semble avoir succombé à l'envoûtement, et au despotisme, du Mot. De là sa ténuité, sa fragilité, son extrême délicatesse, et aussi son maniérisme. Mallarmé et Valéry couronnent une tradition et préfigurent un épuisement ; l'un et l'autre sont symptômes de fin d'une nation *grammairienne*. Un linguiste a pu même affirmer que Mallarmé traitait le français comme une langue morte, et «qu'il n'eût jamais entendu parler». Il convient d'ajouter qu'il y avait chez lui un rien de pose, de «Parisien ironique et rusé», qu'avait noté Claudel, un soupçon de «charlatanisme» de très grande classe, une lassitude d'homme revenu de tout, — traits que nous retrouverons, plus marqués, chez le Valéry du «refus indéfini d'être quoi que ce soit», formule clef de sa démarche intellectuelle, principe directeur, règle et devise de son esprit. Et Valéry en effet ne sera jamais *entier*, il ne s'identifiera ni aux êtres ni aux choses, il sera *à côté*, en marge de tout, et cela non point par quelque malaise d'ordre métaphysique, mais par excès de réflexion sur les opérations, sur le fonctionnement de la conscience. L'idée dominante, l'idée qui donne un sens à toutes ses tentatives, tourne autour de cette distance que la conscience prend vis-à-vis d'elle-même, de cette *conscience de la conscience*, ainsi qu'elle se dessine principalement dans *Note et Digression* de 1919, son chef-d'œuvre «philosophique», où, cherchant, au milieu de nos sensations et de nos jugements, un *inva-*

riant, il ne le trouve pas dans notre personnalité changeante mais dans le moi pur, «pronom universel», «appellation de *ceci* qui n'a pas de rapport avec un visage», «qui n'a pas de nom», «qui n'a pas d'histoire», et qui n'est en bref qu'un phénomène d'exacerbation de la conscience, qu'une existence limite, quasi fictive, dépourvue de tout contenu déterminé et sans aucun rapport avec le sujet psychologique. Ce moi stérile, somme de refus, quintessence de rien, néant conscient (non pas conscience du néant mais néant qui se connaît et qui rejette les accidents et les vicissitudes du sujet contingent), ce moi, dernière étape de la lucidité, d'une lucidité décantée et purifiée de toute complicité avec les objets ou les événements, se situe à l'antipode du Moi — productivité infinie, force cosmogonique — tel que l'avait conçu le romantisme allemand. La conscience n'intervient dans nos actes que pour en déranger l'exécution, la conscience est une perpétuelle mise en question de la vie, elle est peut-être la ruine de la vie. *Bewusstsein als Verhängnis*, «La Conscience comme Fatalité», est le titre d'un livre paru en Allemagne entre les deux guerres, et dont l'auteur, tirant les conséquences de sa vision du monde, s'est donné la mort. Il y a, de toute évidence, dans le phénomène de la conscience une dimension dramatique, funeste, qui n'a pas échappé à Valéry (que l'on songe à la «lucidité meurtrière» de *L'Âme et la Danse*), mais il ne pouvait y insister trop, sans se mettre en contradiction avec ses théories coutumières sur le rôle bénéfique, dans la création littéraire, de la conscience par opposition au caractère douteux de la transe : toute sa poétique, qu'est-elle sinon l'apothéose de la conscience ? Se fût-il arrêté trop longtemps à la tension entre le Vital et le Conscient, qu'il eût dû renverser l'échelle de valeurs qu'il avait dressée et à laquelle il resta fidèle tout au long de sa carrière.

L'effort de se définir soi-même, de s'appesantir sur ses propres opérations mentales, Valéry l'a pris pour la véritable connaissance. Mais *se* connaître n'est pas *connaître*; ou plutôt n'est qu'une variété du connaître. Valéry a toujours confondu *connaissance* et *clairvoyance*. Encore la volonté d'être clairvoyant, d'être inhumainement détrompé, s'accompagne-t-elle chez lui d'un orgueil à peine dissimulé : il se connaît et il s'admire de se connaître. Soyons juste : il n'admire pas son esprit, il s'admire en tant qu'Esprit. Son narcissisme, inséparable de ce qu'il a nommé «émotions» et «pathétique» de l'intellect, n'est pas un narcissisme de journaux intimes, ce n'est pas l'attachement au moi en tant qu'aberration *unique*, ce n'est pas non plus le moi de ceux qui aiment *s'écouter*, psychologiquement s'entend; non, c'est un moi abstrait, plus exactement : le moi d'un individu abstrait, loin des complaisances de l'introspection ou des impuretés de la psychanalyse. Remarquons que la tare de Narcisse ne lui était aucunement consubstantielle : comment expliquer autrement que le seul domaine où la postérité lui ait donné raison d'une manière éclatante est celui des considérations et des prévisions politiques? L'Histoire, idole qu'il s'était employé à démolir, c'est en très grande partie par elle qu'il dure, qu'il subsiste, qu'il est encore actuel. Car ce sont les propos ayant trait à elle qu'on cite le plus, par une ironie qu'il eût peut-être goûtée. On doute de ses poèmes, on repousse sa poétique mais on se réclame de plus en plus du moraliste et de l'analyste attentif aux événements. Cet amoureux de soi-même avait l'étoffe d'un extraverti. Les apparences, on sent qu'elles ne lui déplaisaient pas, que rien ne prenait chez lui un aspect morbide, profond, suprêmement intime, et que même le Néant, qu'il a hérité de Mallarmé, n'était qu'une fascination exempte de vertige, et nullement une ouverture sur l'horreur ou l'extase. Dans je ne sais plus quelle Upanishad, il est dit que «l'essence de l'homme est la parole, l'essence de la parole est l'hymne». Valéry eût souscrit à la première assertion, et nié la seconde. C'est dans ce consentement et dans ce refus qu'il faut chercher la clef de ses accomplissements et de ses limites.

1970

BECKETT

Quelques rencontres

———————————————— *P*our deviner cet homme *séparé*
qu'est Beckett, il faudrait s'appesantir sur la locution « se tenir à
l'écart », devise tacite de chacun de ses instants, sur ce qu'elle suppose de solitude et d'obstination souterraine, sur l'essence d'un
être en dehors, qui poursuit un travail implacable et sans fin. On
dit, dans le bouddhisme, de celui qui tend vers l'illumination, qu'il
doit être aussi acharné que « la souris qui ronge un cercueil ». Tout
véritable écrivain fournit un effort semblable. C'est un destructeur
qui *ajoute* à l'existence, qui l'enrichit en la sapant.

« *L*e temps que nous avons à passer sur terre n'est pas assez long
pour que nous l'employions à autre chose qu'à nous-mêmes. » Ce
propos d'un poète s'applique à quiconque refuse l'extrinsèque,
l'accidentel, *l'autre*. Beckett ou l'art inégalé d'être soi. Avec cela,
nul orgueil apparent, nul stigmate inhérent à la conscience d'être
unique : si le mot d'*aménité* n'existait pas, on aurait dû l'inventer
pour lui. Chose à peine croyable, voire monstrueuse : il ne débine
personne, il ignore la fonction hygiénique de la malveillance, ses
vertus salutaires, sa qualité d'exutoire. Je ne l'ai jamais entendu
déchirer amis ni ennemis. C'est là une forme de supériorité pour
laquelle je le plains, et dont inconsciemment il doit souffrir. Si on
m'empêchait de médire, — quels troubles et quels malaises,
quelles complications en perspective !

*I*l ne vit pas dans le temps mais parallèlement au temps. C'est
pour cela qu'il ne m'est jamais venu à l'esprit de lui demander ce
qu'il pensait de tel ou tel événement. Il est un de ces êtres qui font
concevoir que l'histoire est une dimension dont l'homme aurait
pu se passer.

Serait-il pareil à ses héros, n'aurait-il donc connu aucun succès, qu'il serait exactement le même. Il donne l'impression de ne pas vouloir s'affirmer du tout, d'être également étranger à l'idée de réussite et d'échec. «Qu'il est difficile de le déchiffrer! Et quelle classe il a!» C'est ce que je me dis chaque fois que je pense à lui. Si par impossible il ne cachait aucun secret, il ferait encore à mes yeux figure d'Impénétrable.

Je viens d'un coin d'Europe où les débordements, le débraillé, la confidence, l'aveu immédiat, non sollicité, impudique est de rigueur, où l'on connaît tout de tous, où la vie en commun se ramène à un confessionnal public, où le secret précisément est inimaginable et où la volubilité confine au délire.

Cela seul suffirait à expliquer pourquoi je devais subir la fascination d'un homme surnaturellement discret.

L'aménité n'exclut pas l'exaspération. À un dîner chez des amis, comme on le pressait de questions inutilement savantes sur lui et sur son œuvre, il se réfugia dans un mutisme complet et finit même par nous tourner le dos — ou presque. Le dîner n'était pas encore terminé, qu'il se leva et partit, concentré et sombre, comme on peut l'être avant une opération ou un passage à tabac.

Il y a cinq ans environ, l'ayant rencontré par hasard rue Guynemer, comme il me demandait si je travaillais, je lui répondis que j'avais perdu le goût du travail, que je ne voyais pas la nécessité de me manifester, de «produire», qu'écrire m'était un supplice... Il en parut étonné, et je fus plus étonné encore quand, à propos d'écrire justement, il parla de *joie*. A-t-il vraiment employé ce mot? Oui, j'en suis certain. Au même instant, je me rappelai que, lors de notre première rencontre, dix ans plus tôt, à la Closerie des Lilas, il m'avait avoué sa grande lassitude, le sentiment qu'il avait qu'on ne pouvait plus rien tirer des mots.

... Les mots, qui les aura aimés autant que lui? Ils sont ses compagnons, et son seul soutien. Lui qui ne se prévaut d'aucune certitude, on le sent bien solide au milieu d'eux. Ses accès de découragement coïncident sans doute avec les moments où il cesse de croire en eux, où il se figure qu'ils le trahissent, qu'ils le fuient. Eux partis, il reste démuni, il n'est plus nulle part. Je regrette de n'avoir pas marqué et dénombré tous les endroits où il se rapporte aux mots, où il se penche sur les mots, — «gouttes de silence à travers le silence», comme il est dit à leur sujet dans

L'Innommable. Symboles de la fragilité convertis en assises indestructibles.

Le texte français *Sans* s'appelle en anglais *Lessness*, vocable forgé par Beckett, comme il a forgé l'équivalent allemand *Losigkeit.* Ce mot de *Lessness* (aussi insondable que l'*Ungrund* de Boehme) m'ayant envoûté, je dis un soir à Beckett que je ne me coucherais pas avant d'en avoir trouvé en français un équivalent honorable... Nous avions envisagé ensemble toutes les formes possibles suggérées par *sans* et *moindre.* Aucune ne nous avait paru approcher de l'inépuisable *Lessness*, mélange de privation et d'infini, vacuité synonyme d'apothéose. Nous nous séparâmes plutôt déçus. Rentré à la maison, je continuai à tourner et retourner dans mon esprit ce pauvre *sans.* Au moment où j'allais capituler, l'idée me vint qu'il fallait chercher du côté du latin *sine.* J'écrivis le lendemain à Beckett que *sinéité* me semblait le mot rêvé. Il me répondit qu'il y avait pensé lui aussi, peut-être au même instant. Notre trouvaille cependant, il faut bien le reconnaître, n'en était pas une. Nous tombâmes d'accord qu'on devait abandonner l'enquête, qu'il n'y avait pas de substantif français capable d'exprimer l'absence en soi, l'absence à l'état pur, et qu'il fallait se résigner à la misère métaphysique d'une préposition.

Avec les écrivains qui n'ont rien à dire, qui n'ont pas un monde à eux, on ne parle que littérature. Avec lui, très rarement, en fait presque jamais. N'importe quel sujet quotidien (difficultés matérielles, ennuis de toutes sortes) l'intéresse davantage — dans la conversation bien entendu. Ce qu'il ne peut en tout cas pas tolérer, ce sont des questions comme : croyez-vous que telle ou telle œuvre soit appelée à durer ? que tel ou tel mérite la place qu'il a ? Entre X et Y, lequel survivra, lequel est le plus grand ? Toute évaluation de ce genre l'excède et le déprime. «À quoi rime tout ça ?», me dit-il après une soirée particulièrement pénible où, à table, la discussion avait ressemblé à une version grotesque du Jugement dernier. Lui-même évite de se prononcer sur ses livres et ses pièces : ce qui lui importe, ce ne sont pas les obstacles vaincus mais les obstacles à vaincre : il se confond totalement avec ce qu'il est en train de faire. Si on l'interroge sur une pièce, il ne s'arrêtera pas sur le fond, sur la signification mais sur l'interprétation dont il se représente les moindres détails, minute par minute, j'allais dire seconde par seconde. Je n'oublierai pas de sitôt le brio avec lequel il m'expliqua les exigences auxquelles doit satisfaire l'actrice qui veut jouer *Not I*, où une voix haletante domine seule l'espace et s'y substitue. Quel éclat dans ses yeux lorsqu'il *voyait* cette bouche infime et pourtant envahissante, omniprésente! On aurait dit qu'il assistait à l'ultime métamorphose, à la suprême dégringolade de la Pythie!

*A*yant été toute ma vie un amateur de cimetières et sachant que Beckett les aimait aussi (*Premier amour*, on s'en souvient, commence par la description d'un cimetière, lequel, par parenthèse, est celui de Hambourg), je lui parlai l'hiver dernier, avenue de l'Observatoire, d'une visite récente au Père-Lachaise et de mon indignation de ne pas trouver Proust sur la liste des «personnalités» qui y sont enterrées. (Le nom de Beckett, soit dit en passant, je le découvris pour la première fois, il y a une trentaine d'années à la Bibliothèque américaine, un jour que je tombai sur son petit livre sur Proust.) Je ne sais comment nous en vînmes à Swift, encore que, à bien y réfléchir, le passage n'eût rien d'anormal, vu le caractère funèbre de sa raillerie. Beckett me dit qu'il était en train de relire les *Voyages*, et qu'il avait une prédilection pour le «Pays des Houyhnhnms», tout spécialement pour la scène où Gulliver est fou de terreur et de dégoût à l'approche d'une femelle Yahoo. Il m'apprit — et ce fut pour moi une grande surprise, une grande déception surtout — que Joyce n'aimait pas Swift. D'ailleurs, ajouta-t-il, Joyce, contrairement à ce qu'on pense, n'avait nul penchant pour la satire. «Il ne se révoltait jamais, il était détaché, il acceptait tout. Pour lui, *il n'y avait aucune différence entre la chute d'une bombe et la chute d'une feuille...*» Merveilleux jugement qui, par son acuité et sa densité étrange, m'évoque celui d'Armand Robin, en réponse à la question que je lui posai un jour : «Pourquoi, après avoir traduit tant de poètes, ne vous êtes-vous pas laissé tenter par Tchouang-tseu, le plus pénétré de poésie de tous les sages?» — «J'y ai pensé souvent, me répliqua-t-il, mais comment traduire une œuvre qui n'est comparable qu'au *paysage dénudé du nord de l'Écosse?*»

*D*epuis que je connais Beckett, combien de fois ne me suis-je pas interrogé (interrogation obsédante et assez stupide, j'en conviens) sur le rapport qu'il peut bien entretenir avec ses personnages. Qu'ont-ils de commun? Imagine-t-on disparité plus radicale? Faut-il admettre que non seulement leur existence mais la sienne aussi, baigne dans cette «lumière de plomb» dont il est fait état dans *Malone meurt*? Plus d'une de ses pages m'apparaît comme un monologue *après* la fin de quelque période cosmique. Sensation d'entrer dans un univers posthume, dans quelque géographie rêvée par un démon, déchargé de tout, même de sa malédiction! Des êtres qui ignorent s'ils sont encore vivants, en proie à une fatigue immense, à une fatigue qui *n'est pas de ce monde* (pour employer un langage qui va à l'encontre des goûts de Beckett), tous conçus par un homme qu'on devine vulnérable et qui porte par pudeur le masque de l'invulnérabilité, — j'eus il n'y a pas longtemps, en un éclair, la vision des liens qui les unissaient à leur auteur, à leur complice... Ce que je vis, ce que je sentis plu-tôt, en cet instant-là, je ne saurais le traduire en une formule intel-ligible. Il n'empêche que depuis, le moindre propos de ses héros me rappelle les inflexions d'une certaine voix... Mais je me hâte d'ajouter qu'une révélation peut être aussi fragile et aussi men-songère qu'une théorie.

Dès notre première rencontre, je compris qu'il était arrivé devant *l'extrême*, qu'il avait peut-être commencé par là, par l'impossible, par l'exceptionnel, par l'impasse. Et ce qui est admirable est qu'il n'a pas *bougé*, que, parvenu d'emblée devant un mur, il persévère aussi vaillant qu'il a toujours été : la situation limite comme *point de départ*, la fin comme avènement! De là ce sentiment que son monde à lui, ce monde crispé, agonisant, pourrait continuer indé-finiment, alors même que le nôtre viendrait à disparaître.

Je ne suis pas spécialement requis par la philosophie de Wittgen-stein mais j'ai une passion pour l'homme. Tout ce que je lis sur lui a le don de me remuer. Plus d'une fois j'ai trouvé des traits com-muns entre lui et Beckett. Deux apparitions mystérieuses, deux phénomènes dont on est content qu'ils soient si déroutants, si ins-crutables. Chez l'un et chez l'autre la même distance des êtres et des choses, la même inflexibilité, la même tentation du silence, de la répudiation finale du verbe, la même volonté de se heurter à des frontières jamais pressenties. En d'autres temps, ils auraient été attirés par le Désert. On sait maintenant que Wittgenstein avait, à un certain moment, envisagé d'entrer dans un couvent. Quant à Beckett, on l'imagine très bien, quelques siècles en arrière, dans une cellule toute nue, non entachée du moindre décor, même pas d'un crucifix. Je divague? Qu'on se rappelle alors le regard lointain, énigmatique, «inhumain» qu'il a sur cer-taines photos.

Nos commencements comptent, cela s'entend; mais nous ne fai-sons le pas décisif vers nous-mêmes que lorsque nous n'avons plus d'*origine*, et que nous offrons tout aussi peu de matière à une biographie que Dieu... Il est important et il n'est pas important du tout que Beckett soit Irlandais. Ce qui est sûrement faux, c'est de soutenir qu'il est le «type même de l'Anglo-Saxon». Rien en tout cas ne saurait lui déplaire davantage. Est-ce le mauvais souvenir qu'il garde de son séjour d'avant-guerre à Londres? Je le soupçonne de taxer les Anglais de «vulgaires». Ce verdict qu'il n'a pas formulé mais que je formule à sa place comme un raccourci de ses réserves, sinon de ses ressentiments, je ne pourrais pas le prendre à mon compte, et cela d'autant plus que, illusion balkanique peut-être, — les Anglais m'apparaissent comme le peuple le plus dévitalisé et le plus menacé, donc le plus raffiné, le plus civilisé.

Beckett qui, fort curieusement, se sent en France tout à fait chez lui, n'a en réalité aucune affinité avec une certaine sécheresse, vertu éminemment française, mettons parisienne. N'est-il pas significatif qu'il ait mis Chamfort en vers? Non pas tout Chamfort, il est vrai, mais seulement quelques maximes. L'entreprise, remarquable en elle-même et du reste presque inconcevable (si l'on songe à l'absence du souffle lyrique qui caractérise la prose squelettique des moralistes), équivaut à un aveu, je n'ose dire à une proclamation. C'est toujours malgré eux que les esprits secrets trahissent le fond de leur nature. Celle de Beckett est si imprégnée de poésie qu'elle en est indistincte.

*J*e le crois aussi volontaire qu'un fanatique. Même si le monde croulait, il n'abandonnerait pas le travail en cours ni ne changerait de sujet. Dans les choses essentielles, il est certainement ininfluençable. Pour tout le reste, pour l'inessentiel, il est sans défense, probablement plus faible que nous tous, plus faible même que ses personnages... Avant de rédiger ces notes, je m'étais proposé de relire ce que, dans des perspectives différentes, Maître Eckhart et Nietzsche ont écrit sur «l'homme noble». — Je n'ai pas exécuté mon projet, mais je n'ai pas oublié un seul instant que je l'avais conçu.

1976

SAINT-JOHN PERSE

————————————————— «*M*ais qu'est-ce là, oh! qu'est-
ce, en toute chose, qui soudain fait défaut?» — À peine se fut-il
posé la question, que le poète, atterré par l'évidence dont elle surgit comme par le gouffre où elle mène, se retourna contre elle et
livra, pour la compromettre, pour en ruiner l'insidieuse autorité,
un combat dont nous ignorons les détails et les vicissitudes,
comme nous ignorons quels secrets recouvre cette confidence
abstraite : «*Il n'est d'histoire que de l'âme.*» Répugnant à nous
divulguer son histoire à lui, il nous condamne à la deviner ou à la
construire, se cache derrière les aveux mêmes auxquels il
consent, et n'entend pas que nous touchions aux «*clés pures*» de
son exil. Impénétrable par pudeur, nullement enclin aux abdications de la limpidité, aux compromissions de la transparence, il a
multiplié ses masques, et, s'il s'est dilaté hors de l'immédiat et du
fini, hors de cette intelligibilité qui est limite et acquiescement à la
limite, ce n'est point pour épouser le vague, prélude poétique à la
vacuité, mais pour «*hanter l'Être*», unique moyen pour lui
d'échapper à l'effroi de la carence, à la perception fulgurante de
ce qui, en toute chose, «*fait défaut*». Rarement donné, presque
toujours conquis, l'Être mérite bien l'honneur d'une majuscule ;
en l'occurrence, la conquête est si éclatante qu'elle émane, dirait-
on, d'une révélation plutôt que d'un processus ou d'une lutte. D'où
la fréquence de la surprise, la sensation de l'instantané. «*Et soudain tout m'est force et présence, où fume encore le thème du néant.*»
— «*La mer elle-même, comme une ovation soudaine...*» À part l'interrogation abyssale citée plus haut, l'accent sera mis sur le subit
pour marquer l'émergence et la souveraineté du positif, la transfiguration de l'inanimé, la victoire sur le vide.
Avoir chanté l'exil, remplacé autant que possible le *Je* par *l'Étranger*, et s'accorder néanmoins au monde, s'y ancrer, s'en faire le
porte-voix, tel est le paradoxe d'un lyrisme continûment triomphal,
où chaque mot se penche sur la chose qu'il traduit pour la relever,

la hisser à un ordre où elle ne semblait pas promise, au miracle
d'un oui jamais vaincu, et l'englober dans un hymne à la diversité,
à l'image chatoyante de l'Un. Lyrisme érudit et vierge, concerté et
originel, issu d'une science des sèves, d'une ivresse savante des
éléments, présocratique et anti-biblique, il assimile au sacré tout
ce qui est susceptible de porter un nom, tout ce sur quoi le langage
— ce véritable sauveur — peut avoir prise. Justifier les choses, c'est
les baptiser, c'est essayer de les arracher à leur obscurité, à leur
anonymat ; dans la mesure où il y réussit, il les aimera toutes, jusqu'à ce « *golgotha d'ordure et de ferraille* » qu'est la cité moderne.
(Le recours, même ironique, à la terminologie chrétienne, est d'un
effet étrange dans une œuvre foncièrement païenne.)
Ensemble émanation et exégèse d'un démiurge, le Poème — qui,
dans la vision de Perse, ressortit autant à la cosmogonie qu'à la littérature — s'élabore à la manière d'un univers : il enfante, énumère, compulse les éléments, et les incorpore à sa nature. Poème
fermé, subsistant par soi et cependant ouvert (« *tout un peuple
muet se lève dans mes phrases* »), rétif et asservi, autonome et
dépendant, aussi attaché à l'expression qu'à l'exprimé, au sujet
qui se savoure lui-même et au sujet qui enregistre, il est extase et
dénombrement, absolu et inventaire. Parfois, sensibles seulement
à ses côtés formels et oubliant qu'il plonge avant dans la réalité,
nous sommes tentés de le lire comme s'il s'épuisait dans ses prestiges sonores et qu'il ne correspondît à rien d'objectif, de perceptible. « *C'est beau comme du sanscrit* », s'exclame alors notre moi
passif et ensorcelé qui se laisse aller à la volupté du langage
comme tel. Mais ce langage, encore une fois, adhère à l'objet et en
reflète les apparences. L'espace qu'il affectionne est ce « Raum der
Rühmung » cher à Rilke, cet espace de la célébration où le réel,
jamais déficitaire, tend vers un surplus d'être, où toute chose participe au suprême, parce que rien ne tombe sous la malédiction de
l'interchangeable, source de la négation et du cynisme.
L'existence n'a de légitimité ou de prix que si l'on est capable de
discerner, au niveau même de l'infime, la présence de l'irremplaçable. Celui qui n'y arrive point réduira le spectacle du devenir à
une suite d'équivalences et de simulacres, à un jeu de semblants
sur un fond d'identité. Il se croit clairvoyant, et il l'est sans doute,
mais la clairvoyance dont il est frappé, à force de le faire osciller
entre le futile et le funèbre, finit par le plonger dans des ruminations infructueuses, dans l'abus du sarcasme et la complaisance
au désaveu. Désespérant de pouvoir jamais conférer à ses amertumes floues la densité du venin, et, de surcroît, las de travailler à

l'invalidation de l'Être, il se dirige vers ceux qui, engagés dans l'aventure de l'éloge, supérieurs aux ténèbres, exempts de la superstition du non, osent consentir à tout, parce que pour eux tout compte, tout est irréparablement unique. Le Poème célébrera l'unicité justement : non pas celle du moment qui passe, surgissement sans lendemain, mais celle où se déploie l'exception éternelle de chaque chose. Dans ce temps de la célébration, une seule dimension : le présent, — durée illimitée qui renferme les âges, instant tout ensemble immémorial et actuel. Sommes-nous en ce siècle ? ou aux débuts de la Grèce ou de la Chine ? Rien de plus illégitime que d'aborder avec des scrupules chronologiques une œuvre et un auteur qui en sont heureusement indemnes. À l'égal du Poème, Perse est un contemporain... intemporel.

Je serai là des tout premiers pour l'irruption du dieu nouveau.

Nous sentons, quant à nous, qu'il a déjà assisté à l'avènement et à l'évanouissement des anciens dieux, et que, s'il en escompte d'autres, ce n'est point en prophète, mais en esprit qui se souvient, chez qui réminiscence et pressentiment, loin de suivre des directions opposées, se rejoignent et se confondent. Plus proche de l'oracle que du dogme (un initié par le souffle et l'allure, par ce qu'on pourrait appeler *son côté Delphes*), il ne condescend cependant à aucun culte : comment s'abaisser au dieu des autres et le partager avec eux ? Pour autant qu'il idolâtre les mots, qu'il convertit leur fiction en essence, le poète se forge une mythologie privée, un Olympe à lui, qu'il peuple et dépeuple à son gré, privilège qu'il détient du langage dont le rôle propre et la fonction ultime est d'engendrer et de détruire des dieux.
Pas plus qu'il ne s'insère dans une époque, l'Étranger du Poème ne s'enracine dans un pays. Il a l'air de parcourir on ne sait quel empire en proie à une fête inépuisable. Les humains qu'il y rencontre et leurs coutumes le retiennent sans doute, moins pourtant que les éléments. Jusque dans les livres, il cherchera le vent et la «*pensée du vent*», et, plus que le vent, la mer, investie des attributs et des avantages dont jouit d'ordinaire la divinité : «*unité retrouvée*», «*clarté pour nous faite substance*», «*l'Être surpris dans son essence*», «*instance lumineuse*»... Dans sa productivité infinie (à maints égards n'évoque-t-elle pas la Nuit romantique ?), elle sera absolu étalé, merveille insondable et pourtant visible, dévoilement d'une apparence sans fond. Le Poème aura mission d'en imiter l'ondulation et l'éclat, de suggérer comme elle la perfection

dans l'inachèvement, d'être ou de paraître lui aussi éternité tourbillonnante, coexistence du révolu et du possible à l'intérieur d'un devenir sans succession, d'une durée qui retombe interminablement sur elle-même.

Ni historique ni tragique, la vision de Perse, émancipée et de la terreur et de la nostalgie, participe du frisson, du tremblement tonique d'un esprit qui a «*fondé sur l'abîme*», au lieu de s'y laisser choir et d'en cultiver les affres. Nul goût chez lui de la panique, mais l'extase qui triomphe de la vacuité, la sensualité de l'effroi. De son univers (où la chair acquiert un statut métaphysique), le mal est banni, ainsi que le bien d'ailleurs, car l'existence y trouve sa justification en elle-même. La trouve-t-elle véritablement? Quand le poète en doute, et quand de l'Être, non plus que de la mer, il sait ne pouvoir toucher le fond, c'est alors qu'il se tourne vers le langage avec le dessein d'en étudier les «*grandes érosions*», d'en explorer les profondeurs, les «*vieilles couches*». L'immersion finie, il resurgit pour proférer, à l'exemple des vagues, «*une seule et longue phrase sans césure à jamais inintelligible*».

Qu'un sens univoque s'attache à une œuvre, elle est condamnée sans appel; dénuée de ce halo d'indétermination et d'ambiguïté qui flatte et multiplie les glossateurs, elle s'affaisse dans les misères de la clarté, et, cessant de dérouter, encourt le déshonneur réservé aux évidences. Si elle veut s'épargner l'humiliation d'être comprise, il lui revient, en dosant l'irrécusable et l'obscur, en soignant l'équivoque, de susciter des interprétations divergentes et des ferveurs perplexes, ces indices de vitalité, ces garanties de durée. Elle est perdue, pour peu qu'elle permette au commentateur de savoir à quel niveau de réel elle se place et de quel monde elle est le reflet. L'auteur, non moins qu'elle, doit dissimuler son identité, livrer de lui tout, sauf l'essentiel, persévérer dans son envoûtement et sa solitude, souverain inféodé à ses mots, leur esclave ébloui. Même un Perse, si visiblement maître des siens, nous ne pouvons nous défendre de l'impression qu'il en subit le despotisme, que, fasciné par eux, il les assimile aux éléments, voire à l'élément même, aux injonctions et aux caprices duquel il ne saurait se dérober.

Cette impression, une autre, opposée, vient la corriger, tout aussi légitime: plus nous le lisons, plus nous discernons en lui la dimension d'un législateur, impatient de codifier le vague et l'impalpable, de rappeler les mots à l'ordre…, de les détourner de leur anarchie ou de les enlever à leur torpeur, pour les envoyer à notre secours, chargés de vérités salubres et vivifiantes. Au rebours d'un

Valéry ou d'un Eliot (*Mercredi des Cendres* est l'antipode exact du monde de Perse), il se gardera d'insister sur la «*pureté du Non-être*» ou sur «*la gloire infirme de l'heure positive*», et quand il évoquera la mort, ce sera pour en dénoncer «*l'emphase immense*» et non pour en exploiter la magie. Poète par connivence, par affinité avec les êtres et les choses, il ne regrette ni ne condamne cette rupture originelle qui les entraîna hors de l'unité, dans une procession, nullement funeste selon lui, bénie au contraire, puisqu'elle provoqua ce défilé du multiple, du patent et de l'étrange, dont il entreprendra l'exhaustive relation. Tout ce qu'on voit mérite d'être vu, tout ce qui existe est incurablement existant, semble-t-il nous dire, tandis que, dans la transe, dans le vertige de la plénitude, dans un appétit orgiaque de réel, il s'emploie à combler et à étoffer le vide, sans lui infliger ce fléau de l'opacité et de la gravitation qui discrédite la matière.

*I*l est des poètes auxquels nous demandons de nous aider à déchoir, d'encourager nos ricanements et d'aggraver nos vices ou nos stupeurs. Ils sont irrésistibles, ils sont merveilleusement débilitants... Il en est d'autres, d'un abord plus difficile, parce qu'ils ne vont pas dans le sens de nos aigreurs et de nos obsessions. Médiateurs dans le conflit qui nous oppose au monde, ils nous invitent à l'acceptation, à l'effort sur soi. Quand nous sommes excédés de nous-mêmes et, plus encore, de nos cris, quand cette manie, éminemment moderne, de protester et de revendiquer prend à nos yeux la gravité d'un péché, quel réconfort de rencontrer un esprit qui n'y tombe jamais, qui recule devant la vulgarité de la révolte, en homme de l'Antiquité, de l'Antiquité héroïque et de l'Antiquité finissante, apparenté à un Pindare, non moins qu'au Marc Aurèle de l'exclamation : «*Tout ce que m'apportent les heures est pour moi un fruit savoureux, ô Nature.*» — Il y a chez Perse une note de sagesse lyrique, une superbe litanie du consentement, une apothéose de la nécessité et de l'expression, du destin et du verbe, de même que, sans le moindre accent chrétien, un côté visionnaire. «*Et l'étoile apatride chemine dans les hauteurs du siècle vert*», — ne croirait-on pas lire là quelque verset d'une variante *sereine* de l'Apocalypse ? L'univers viendrait-il à disparaître, rien ne serait perdu, puisque aussi bien le langage en tiendrait lieu. Un mot, un simple mot survivrait-il à l'engloutissement général qu'il défierait à lui seul le néant. Telle nous apparaît la conclusion que le Poème implique et exige.

1960

MIRCEA ELIADE

——————————————————— *J*'ai rencontré Eliade pour la
première fois vers 1932, à Bucarest, où je venais de terminer de
vagues études de philosophie. Il était alors l'idole de la «nouvelle
génération» — formule magique que nous étions fiers d'invoquer.
Nous méprisions les «vieux», les «gâteux», c'est-à-dire tous ceux
qui avaient dépassé la trentaine. Notre maître à penser menait
campagne contre eux; il les démolissait un à un, il frappait
presque toujours juste, je dis «presque», parce que parfois il se
trompait, comme cela lui arriva lorsqu'il attaqua Tudor Arghezi,
grand poète dont le seul tort était d'être reconnu, consacré. La
lutte entre générations nous apparaissait comme la clef de tous les
conflits, et le principe explicatif de tous les événements. Être
jeune c'était, pour nous, avoir du génie automatiquement. Cette
infatuation, dira-t-on, est de tous les temps. Sans doute. Mais je ne
pense pas qu'elle ait jamais été poussée aussi loin qu'elle le fut
par nous. En elle s'exprimait, s'exaspérait une volonté de forcer
l'Histoire, un appétit de s'y insérer, d'y susciter à tout prix du nouveau. La frénésie était à l'ordre du jour. Et en qui s'incarnait-elle?
En quelqu'un qui revenait de l'Inde, du pays qui a toujours tourné
le dos à l'Histoire précisément, à la chronologie, au devenir
comme tel. Je ne relèverais pas ce paradoxe, s'il ne témoignait
d'une dualité profonde, d'un trait de caractère chez Eliade, également sollicité par l'essence et par l'accident, par l'intemporel et le
quotidien, par la mystique et par la littérature. Cette dualité n'entraîne pour lui nul déchirement : c'est sa nature et sa chance de
pouvoir vivre simultanément ou tour à tour à des niveaux spirituels différents, de pouvoir sans drame étudier l'extase et poursuivre l'anecdote.
À l'époque où je l'ai connu, j'étais déjà étonné qu'il pût approfondir le Sankhya (sur lequel il venait de publier un long article) et
s'intéresser au dernier roman. Depuis, je n'ai cessé d'être séduit
par le spectacle d'une curiosité aussi vaste, aussi effrénée, qui

serait morbide chez tout autre que lui. Il n'a rien de l'obstination sombre et perverse du maniaque, de l'obsédé qui se confine dans un seul domaine, dans un seul secteur et rejette tout le reste comme accessoire et futile. L'unique obsession que je lui connaisse et qui, à vrai dire, s'est usée avec l'âge, est celle du poly-graphe, donc de l'anti-obsédé par excellence, parce qu'il est avide de se précipiter sur n'importe quel sujet par une inépuisable soif d'exploration. Nicolas Iorga, historien roumain, figure extraordi-naire, fascinante et déconcertante, auteur de plus de mille ouvrages, par endroits extrêmement vivants, en général filan-dreux, mal construits, illisibles, pleins de saillies noyées dans du fatras — Eliade l'admirait alors passionnément, comme on admire les éléments, une forêt, la mer, les champs, la fécondité en soi, tout ce qui surgit, prolifère, envahit et s'affirme. La superstition de la vitalité et du rendement, en littérature singulièrement, ne l'a jamais quitté. Je m'avance peut-être trop, mais j'ai tout lieu de croire que dans son subconscient il met les livres au-dessus des dieux. Plus qu'à ceux-ci, c'est à eux qu'il voue un culte. En tout cas, je n'ai rencontré personne qui les aimât autant que lui. Je n'oublierai jamais la fièvre avec laquelle, débarquant à Paris au lendemain de la Libération, il les touchait, les caressait, les feuilletait; dans les librairies, il exultait, il *officiait*; c'était de l'en-voûtement, de l'idolâtrie. Tant d'enthousiasme suppose un grand fonds de générosité, faute duquel on ne peut apprécier la profu-sion, l'exubérance, la prodigalité, toutes qualités grâce auxquelles l'esprit *imite* la nature et la dépasse. Je n'ai jamais pu lire Balzac; à vrai dire j'ai cessé de le pratiquer au seuil de l'adolescence; son monde m'est interdit, inaccessible, je n'arrive pas à y entrer, j'y suis réfractaire. Combien de fois Eliade n'a-t-il pas essayé de m'y convertir! Il avait lu *La Comédie humaine* à Bucarest; il la relisait à Paris en 1947; peut-être la relit-il encore à Chicago. Il a toujours aimé le roman ample, foisonnant, se déroulant sur plusieurs plans, faisant pendant à la mélodie «infinie», la présence massive du temps, l'accumulation de détails et l'abondance de thèmes complexes et divergents; il a en revanche répugné à tout ce qui, dans les Lettres, est *exercice*, aux jeux anémiques et raffinés qu'af-fectionnent les esthètes, au côté faisandé, hautement pourri, de certaines productions dénuées de sève et d'instinct. Mais on peut aussi expliquer autrement sa passion pour Balzac. Il existe deux catégories d'esprits: ceux qui aiment le processus et ceux qui aiment le résultat; les uns s'attachent au déroulement, aux étapes, aux expressions successives de la pensée ou de l'action; les autres, à l'expression finale, à l'exclusion de tout le reste. Par tempérament, j'ai toujours incliné vers ces derniers, vers un Chamfort, un Joubert, un Lichtenberg, qui vous donnent une formule sans vous révéler le chemin qui les y a conduits ; soit pudeur, soit stérilité, ils n'arrivent pas à se libérer de la superstition de la concision ; ils voudraient tout dire en une page, une phrase, un mot ; ils y parviennent quelquefois, rarement, il faut bien le dire : le laconisme doit se résigner au silence s'il ne veut pas tomber dans la profondeur faussement énigmatique. N'empêche que lorsqu'on aime cette forme d'expression quintessenciée ou, si l'on préfère, sclérosée, il est difficile de s'en détacher et d'en aimer vraiment une autre. Celui qui a pratiqué longtemps les moralistes a du mal à comprendre Balzac ; mais il peut deviner les raisons de ceux qui ont un grand faible pour lui, qui puisent dans son univers une sensation de vie, de dilatation, de liberté, inconnue à l'amateur de maximes, genre mineur où se confondent perfection et asphyxie.

*S*i net que soit chez Eliade le goût des vastes synthèses, il n'en demeure pas moins qu'il aurait pu exceller aussi dans le fragment, dans l'essai court et fulgurant : à la vérité, il y a excellé, à preuve ses premières productions, toute cette multitude de petits textes qu'il a fait paraître tant avant son départ pour l'Inde qu'à son retour. En 1927 et 1928, il collaborait régulièrement à un quotidien de Bucarest. J'habitais une ville de province où je terminais mes études secondaires. Le journal y arrivait à onze heures du matin. À la récréation, je me précipitais au kiosque pour l'acheter, et c'est ainsi que j'ai pu me familiariser avec les noms inégalement insolites d'Asvaghosha, Ksoma de Körös, Buonaiutti, Eugenio d'Ors et tant d'autres. Je préférais de loin les articles sur des étrangers, parce que leurs œuvres, introuvables dans ma petite ville, me paraissant mystérieuses et définitives, le bonheur pour moi se réduisait à l'espoir de les lire un jour. La déception éventuelle était donc éloignée, alors qu'elle était à portée de la main pour les écrivains autochtones. Que d'érudition, de verve et de vigueur furent dépensées dans ces articles qui n'ont duré qu'un jour ! Je suis sûr qu'ils étaient palpitants d'intérêt.et que je n'en rehausse pas la valeur par les déformations du souvenir. Je les lisais en emballé, il est vrai, mais en emballé lucide. Ce que j'y prisais tout particulièrement, c'était le don du jeune Eliade de rendre toute idée frémissante, contagieuse, de l'investir d'un halo d'hystérie mais d'une hystérie positive, stimulante, saine. Il est évident que ce don n'appartient qu'à un âge, et que même si on le possède encore, on n'aime pas le faire valoir lorsqu'on s'attaque à l'Histoire des religions... Nulle part il n'éclata mieux que dans ces «Lettres à un provincial» qu'Eliade écrivit après son retour de l'Inde et qui parurent en feuilleton dans le même quotidien. De ces Lettres, je ne crois pas avoir manqué une seule, je les ai toutes lues, nous les lisions tous à la vérité, car elles nous concernaient, elles nous étaient adressées. Le plus souvent nous y étions pris à partie, et nous attendions chacun notre tour. Un jour le mien vint. On m'y invitait ni plus ni moins à liquider mes obsessions, à ne plus envahir les périodiques de mes idées funèbres, à aborder d'autres problèmes que celui de la mort, ma marotte d'alors et de toujours. Allais-je m'incliner devant une telle sommation? Je n'y étais nullement disposé. Je n'admettais aucunement qu'on pût traiter d'autre problème que de celui-là — je venais justement de publier un texte sur «la vision de la mort dans l'art nordique», et j'entendais bien persévérer dans la même direction. En mon for intérieur, je reprochais à mon ami de ne s'identifier avec rien, de vouloir être *tout*, faute de pouvoir être quelque chose, d'être en somme incapable de fanatisme, de délire, de «profondeur», par quoi j'entendais la faculté de se livrer à une manie et de s'y tenir. Je croyais qu'être *quelque chose*, c'était assumer totalement une attitude, et donc se refuser à la disponibilité, aux pirouettes, au renouvellement perpétuel. Se forger un monde à soi, un absolu borné, et s'y cramponner de toutes ses forces, m'apparaissait comme le devoir primordial d'un esprit. C'était l'idée d'engagement, si on veut, mais qui aurait eu la vie intérieure comme unique objet, un engagement à l'égard de soi-même et non d'autrui. Je reprochais à Eliade d'être insaisissable à force d'être ouvert, mobile, enthousiaste. Je lui reprochais aussi de ne pas s'intéresser uniquement à l'Inde; il me semblait qu'elle pouvait efficacement tenir lieu de tout le reste et que c'était déchoir que s'occuper d'autre chose qu'elle. Tous ces griefs prirent corps dans un article au titre agressif: «L'Homme sans destin» — où je m'en prenais à la versatilité de cet esprit que j'admirais, à son incapacité d'être l'homme d'une seule idée; j'y montrais l'aspect négatif de chacune de ses qualités (ce qui est la façon classique d'être injuste et déloyal envers quelqu'un), je le blâmais d'être maître de ses humeurs et de ses passions, de pouvoir les utiliser à sa guise, d'escamoter le tragique et d'ignorer la «fatalité». Cette attaque en règle avait le défaut d'être trop générale: elle aurait pu être dirigée contre n'importe qui. Pourquoi un esprit théorique, un homme requis par des problèmes, devrait-il faire figure de héros ou de monstre ? Il n'y a aucune affinité substantielle entre idée et tragédie. Mais je pensais à l'époque que toute idée devait s'incarner ou se muer en cri. Persuadé que le découragement était le signe même de l'éveil, de la connaissance, j'en voulais à mon ami d'être trop optimiste, de s'intéresser à trop de choses et de dépenser une activité incompatible avec les exigences du véritable savoir. Parce que j'étais aboulique, je m'estimais plus avancé que lui, comme si mon aboulie avait été le résultat d'une conquête spirituelle ou d'une volonté de sagesse. Je me rappelle lui avoir dit un jour que dans une vie antérieure il avait dû se nourrir uniquement d'herbes, pour qu'il pût conserver tant de fraîcheur et de confiance, tant d'innocence aussi. Je ne pouvais lui pardonner de me sentir plus vieux que lui, je le rendais responsable de mes aigreurs et de mes échecs, et il me semblait que ses espoirs, il les avait acquis aux dépens des miens. Comment pouvait-il s'agiter dans tant de secteurs différents ? Toujours la curiosité, dans laquelle je voyais un démon, ou, avec saint Augustin, une « maladie », c'était cela le grief invariable que je lui adressais. Mais chez lui, elle n'était pas une maladie, elle était au contraire un signe de santé. Et cette santé, je la lui reprochais et la lui enviais tout ensemble. Mais ici, une petite indiscrétion s'impose.

Je n'aurais sans doute pas osé écrire « L'Homme sans destin » si une circonstance particulière ne m'y avait décidé. Nous avions une amie commune, une actrice de grand talent, qui, pour son malheur, était hantée de problèmes métaphysiques. Cette hantise devait compromettre sa carrière et son talent. Sur scène, au beau milieu d'une tirade ou d'un dialogue, ses préoccupations essentielles venaient la surprendre, l'envahir, s'emparer de son esprit, et ce qu'elle était en train de débiter lui paraissait soudain d'une intolérable inanité. Son jeu en souffrit ; elle était trop entière pour pouvoir ou vouloir donner le change. On ne la congédia pas, on se contenta de lui donner de petits rôles insignifiants qui ne pouvaient la gêner en rien. Elle en profita pour se vouer à ses interrogations et à ses goûts spéculatifs, où elle apportait toute la passion qu'avant elle déployait au théâtre. En quête de réponses, elle se tourna dans son désarroi vers Eliade, puis, moins inspirée, vers moi. Un jour n'en pouvant plus, il la rejeta, et refusa de la revoir. Elle vint me raconter ses déboires. Par la suite, je la vis souvent, je la laissais parler, j'écoutais. Elle était éblouissante, il est vrai, mais si accaparante, si exténuante, si insistante, qu'après chacune de nos rencontres, j'allais, excédé et fasciné, me soûler dans le premier bistro. Une paysanne (car c'était une autodidacte venue d'un village perdu) qui vous parlait du Néant avec un brio et une ferveur inouïe! Elle avait appris plusieurs langues, trempé dans la théosophie, pratiqué les grands poètes, éprouvé pas mal de déceptions, aucune cependant ne l'ayant affectée autant que la dernière. Ses mérites, comme ses tourments, étaient tels, qu'au début de mon amitié avec elle, il me sembla inexplicable et inadmissible qu'Eliade ait pu la traiter si cavalièrement. Ses procédés à son égard étant sans excuses à mes yeux, j'écrivis, pour la venger, «L'Homme sans destin». Lorsque l'article parut en première page d'un hebdomadaire, elle en fut ravie, le lut en ma présence à haute voix, comme s'il se fut agi de quelque monologue prestigieux et en fit ensuite l'analyse paragraphe par paragraphe. «Vous n'avez jamais rien écrit de mieux», me dit-elle — éloge déplacé qu'elle se décernait à elle-même, car n'était-ce pas elle qui, d'une certaine manière, avait provoqué l'article et m'en avait fourni les éléments? Par la suite, je compris la lassitude et l'exaspération d'Eliade, et le ridicule de mon attaque excessive, dont il ne m'a jamais tenu rigueur, dont il s'amusa même. Ce trait mérite d'être signalé, car l'expérience m'a appris que les écrivains — tous affligés d'une mémoire prodigieuse — sont incapables d'oublier une insolence trop clairvoyante.

C'est à cette même époque qu'il commença à donner des cours à la faculté des Lettres de Bucarest. J'y allais toutes les fois que je pouvais. La ferveur qu'il prodiguait dans ses articles, on la retrouvait heureusement dans ces leçons, les plus animées, les plus vibrantes que j'aie jamais entendues. Sans notes, sans rien, emporté par un vertige d'érudition lyrique, il jetait des paroles convulsées et pourtant cohérentes, soulignées par le mouvement crispé des mains. Une heure de tension, après laquelle, véritable miracle, il ne paraissait pas épuisé et peut-être ne l'était-il pas en effet. C'est comme s'il possédait l'art de retarder indéfiniment la fatigue. Tout ce qui est *négatif*, tout ce qui incite à l'autodestruction sur le plan tant physique que spirituel, lui était alors et lui est toujours étranger. C'est de là que vient son inaptitude à la résignation, au remords, à tous les sentiments qui impliquent impasse, marasme, non-avenir. De nouveau, je m'avance peut-être trop, mais je crois que s'il a une parfaite compréhension du péché, il n'en a pas le sens : il est pour cela trop fébrile, trop dynamique, trop pressé, trop plein de projets, trop intoxiqué par le possible. N'ont ce sens que ceux qui remâchent sans fin leur passé, qui s'y fixent sans pouvoir s'en arracher, qui s'inventent des fautes par besoin de tortures morales et se complaisent dans le souvenir de n'importe quel acte honteux ou irréparable qu'ils ont commis, qu'ils voulaient surtout commettre. Des obsédés, pour parler d'eux encore. Eux seuls ont le temps de descendre dans les gouffres du remords, d'y séjourner, de s'y rouler, eux seuls sont pétris de cette matière dont est fait le chrétien authentique, c'est-à-dire quelqu'un de rongé, de ravagé, éprouvant l'envie malsaine d'être un réprouvé et finissant tout de même par la vaincre — cette victoire, jamais totale, étant ce qu'il appelle «avoir la foi». Depuis Pascal et Kierkegaard, nous ne pouvons plus concevoir le «salut» sans un cortège d'infirmités, et sans les voluptés secrètes du drame intérieur. Aujourd'hui surtout que la «malédiction» est à la mode, en littérature s'entend, on voudrait que tout le monde vécût dans l'angoisse et la malédiction. Mais un savant peut-il être *maudit*? Et pourquoi le serait-il? Ne sait-il pas trop de choses pour pouvoir condescendre à l'enfer, aux cercles étroits de l'enfer? Il est à peu près certain que seuls les côtés sombres du christianisme éveillent encore en nous un certain écho. Peut-être le christianisme, si on veut en retrouver l'essence, faudrait-il en effet le voir *en noir*. Si cette image, si cette vision est la vraie, Eliade est de toute évidence en marge de cette religion. Mais peut-être est-il en marge de *toutes* les religions, tant par profession que par conviction : n'est-il pas l'un des représentants les plus brillants d'un nouvel alexandrinisme, qui, à l'instar de l'ancien, met toutes les croyances sur le même plan, sans pouvoir en adopter aucune ? Du moment qu'on se refuse à les hiérarchiser, laquelle préférer, pour laquelle se prononcer, et quelle divinité invoquer ? On n'imagine pas *en prière* un spécialiste de l'Histoire des religions. Ou, s'il prie effectivement, il dément alors son enseignement, il se contredit, il ruine ses *Traités*, où ne figure aucun *vrai* dieu, où tous les dieux se valent. Il a beau les décrire et les commenter avec talent, il ne peut leur insuffler la vie ; il leur aura soutiré toute leur sève, il les aura comparés les uns aux autres, usés les uns contre les autres, pour leur plus grand dam, et ce qui en reste, ce sont des symboles exsangues dont le croyant n'a que faire, si tant est qu'à ce stade de l'érudition, du désabusement et de l'ironie, il puisse y avoir quelqu'un qui croie véritablement. Nous sommes tous, Eliade en tête, des ci-devant croyants, nous sommes tous des esprits religieux sans religion.

CAILLOIS

Fascination du Minéral

——————————————— *C*aillois a commencé par des études tout à fait comme il faut, il a même eu des réactions de disciple, témoin les précautions qu'il prend, dans l'avant-propos de 1939 à *L'Homme et le Sacré*, pour rassurer ses maîtres, auxquels il demande d'ignorer les dernières pages du livre où, sortant des limites de la «connaissance positive», il s'était permis quelques développements métaphysiques. Comme à cette époque il avait l'air de croire à l'histoire des religions, à la sociologie et à l'ethnologie, il aurait dû normalement se cantonner dans une de ces branches et finir en savant. Qu'il ait pris un autre chemin, les circonstances extérieures y sont pour beaucoup ; mais, comme toujours, elles n'expliquent pas l'essentiel. L'important est de savoir pourquoi, au départ, il inclinait déjà au fragment plutôt qu'au système, pourquoi aussi cette horreur des constructions massives, ce souci d'élégance, ce bonheur d'expression, ce rien de halètement dans la démonstration, ce dosage enfin de raisonnement et de rythme, de théorie et de séduction. Ces hautes infirmités, ces tares, il serait parvenu à les camoufler mais à condition de se sacrifier, d'abdiquer sa singularité (à l'égal de plus d'un tenant de la «connaissance positive»). N'y étant pas disposé, il devait s'éloigner de ses premières préoccupations, trahir ou décevoir ses maîtres, s'engager dans une voie personnelle, choisir la diversité, s'écarter en somme de la Science, réservée à ceux-là seuls qui connaissent et supportent l'ivresse de la monotonie. Il traversera nombre de sujets et de disciplines : poésie, marxisme, psychanalyse, rêve, jeux, — jamais en dilettante mais en esprit impatient et avide que l'ironie condamne à l'inadhésion et, souvent, à l'injustice. On l'imagine aisément furieux contre un thème qu'il a saisi, un problème qu'il a élucidé, et qu'il abandonnera aux scrupuleux ou aux maniaques, car s'y attarder davantage lui paraîtrait indécent. Cette exaspération, à base de fatigue, d'exigence ou de tact, est la clef de son renouvellement permanent, de ses pérégrinations intellectuelles. On ne peut s'empêcher de songer ici à une démarche toute opposée, à celle d'un Maurice Blanchot par exemple, qui dans l'analyse du fait littéraire, a apporté, poussée jusqu'à l'héroïsme ou jusqu'à l'asphyxie, la superstition de la profondeur, de la rumination qui cumule les avantages du vague et du gouffre.

Je me suis souvent demandé si, dans le cas de Caillois, le refus du ressassement (ce qu'il appelle sa «dispersion fondamentale») ne rendrait pas difficile et même impossible toute tentative d'identifier son «moi véritable». Il est le contraire d'un obsédé; or seuls les obsédés livrent leur «véritable moi», eux seuls peut-être sont assez *bornés* pour en posséder un. Sans lui attribuer des obsessions qu'il récuserait, j'ai été néanmoins amené à chercher *où* il était suprêmement lui-même, et lequel de ses livres, s'il n'avait écrit que celui-là, le révélerait le mieux et témoignerait qu'il a poursuivi et rejoint sa propre essence. Il m'est apparu que lui, sujet à tant d'emballements, n'a rencontré qu'une passion, et que c'est dans l'ouvrage où il la décrit qu'il a divulgué le meilleur de son secret.

Quand on entreprend une quête, dans n'importe quel domaine, le signe qu'on a trouvé, qu'on a abouti, est le changement de ton, les accès de lyrisme qui a priori ne s'imposent pas. *Pierres* débute par une préface-hymne et continue, page après page, sur une note d'enthousiasme tempéré par la minutie. Je laisse de côté les raisons secondaires de cette ferveur, pour n'en indiquer que la principale, et qui me paraît résider dans la recherche et la nostalgie du primordial, dans la hantise des commencements, des mondes d'avant l'homme, d'un mystère «plus lent, plus vaste et plus grave que le destin de cette espèce passagère». Remonter non seulement au-delà de l'humain mais de la vie elle-même, atteindre au principe des âges, se rendre contemporain de l'immémorial, tel est le propos de ce minéralogiste exalté qui jubile lorsqu'il décèle, dans un nodule d'agate, anormalement léger, un bruit de liquide, une eau cachée là depuis l'aurore de la planète, eau «antérieure», «eau des origines», «fluide incorruptible» qui donne la sensation au vivant qui le contemple de n'être dans l'univers qu'un «intrus hébété».

La quête des commencements est la plus importante de toutes celles que nous puissions entreprendre. Chacun de nous la tente, ne fût-ce qu'en de brefs moments, comme si opérer ce retour offrait l'unique moyen de nous ressaisir et de nous dépasser, de triompher de nous-mêmes et de tout. C'est aussi le seul mode d'évasion qui ne soit pas une désertion ou une duperie. Mais nous avons pris l'habitude de nous accrocher à l'avenir, de mettre l'apocalypse au-dessus de la cosmogonie, d'idolâtrer l'éclatement et la fin, de miser jusqu'au ridicule sur la Révolution ou le Jugement dernier. Toute notre arrogance prophétique vient de là. Ne vaudrait-il pas mieux nous diriger en arrière, vers un chaos autrement riche que celui que nous escomptons? C'est vers le moment où ce chaos initial, en train de se calmer, s'essayait à la forme, que se tourne de préférence Caillois, vers cette phase où les pierres, après «l'ardent instant de leur genèse», allaient devenir «algèbre, vertige, ordre». Mais qu'il les évoque brûlantes, en pleine fusion, ou incurablement froides, il déploie, dans la description qu'il en donne, une ardeur qui ne lui est pas coutumière. Je pense tout spécialement à sa manière presque visionnaire de présenter un cuivre natif retiré du lac Michigan et dont les mailles cassantes «à la fois fragiles et dures, offrent à l'imagination le paradoxe d'une sclérose hyperbolique. Elles renchérissent inexplicablement sur l'inerte, elles ajoutent la rigueur de la mort à ce qui jamais ne fut vivant. Elles dessinent sur la surface du métal les plis d'un suaire superflu, ostentatoire, pléonastique».

*E*n lisant *Pierres*, il m'est arrivé plus d'une fois de me demander s'il ne s'agissait pas d'un langage confiné dans ses propres significations, sans autre réalité que ses prestiges. Dans ces conditions, pourquoi ne pas aller voir sur place? Après tout, je n'ai jamais *regardé* une pierre, et celles qu'on nomme précieuses, cette épithète seule suffisait à me les faire exécrer. J'allai donc visiter la Galerie de Minéralogie et, à ma grande surprise, j'y constatai que le livre avait dit vrai, qu'il n'était pas l'œuvre d'un virtuose mais d'un guide, attaché à saisir *du dedans* des merveilles figées, pour en reconstituer, par une régression à peine concevable, l'état d'indétermination originelle. Je venais de m'initier au minéral, durant une heure capitale où je perçus l'inanité d'être sculpteur ou peintre. Au Muséum, ayant hanté, quelques années plus tôt, la section de paléontologie, il m'avait semblé que les squelettes qu'on y étale étaient si propres à vous dégoûter de la scandaleuse précarité de la chair, qu'ils pouvaient par contraste vous inviter à une certaine sérénité. Auprès des pierres, le squelette fait piteux. Mais les pierres elles-mêmes dispensent-elles vraiment, comme le pense Caillois, «plusieurs sérénités» et conserveront-elles sur lui jusqu'au bout leur pouvoir d'envoûtement? Résisteront-elles à son besoin de changement, à son goût du nouveau, au mal de la «dispersion»? En remontant en pensée jusqu'au moment de leur genèse, il avait approché d'une illumination, d'une espèce insolite d'état mystique, d'un abîme où se dissoudre. Cette illumination ne devait pas avoir de lendemain, et l'abîme frôlé, nous sommes avertis on ne peut plus nettement qu'il ne contient rien de divin, qu'il n'est que matière, laves, fusions, tumulte cosmique. Je ne saurais assez insister sur l'originalité de cet échec. Nous sommes tous, il va de soi, des ratés de quelque aspiration mystique, nous avons tous enregistré nos limites et nos impossibilités au cœur de quelque expérience extrême. Mais si nous avons essayé de faire sauter nos entraves temporelles, c'est parce que nous avons pratiqué les Pères du Désert, Maître Eckhart ou les bouddhistes tardifs. C'est en méditant sur des dendrites et des pyrites, ou en suivant à rebours la carrière de tel quartz, de telle agate que Caillois s'est senti glisser hors du temps et qu'il a touché, par-delà les grandes «ordalies tectoniques», à la «matière immobile de la plus longue quiétude», où il ne pouvait durer pour la raison que son esprit, tenté et déçu par la transe, ne saurait accéder à la délivrance par le rien, même pas par le minéral. Il le dira lui-même dans son livre et mieux encore, dans la conclusion du *Récit du délogé*, texte révélateur publié récemment dans *Commerce* : «J'ai atteint la réalité ultime, qui n'est pas le néant, mais la grisaille que je suis devenu.» Donc, pas le néant, et l'on devine pourquoi : le néant n'est en définitive qu'une version *plus pure* de Dieu, et c'est pourquoi y ont plongé avec tant de frénésie les mystiques, aussi bien du reste que les incroyants à fonds religieux. Caillois ne jalouse pas les premiers, et il lui répugnerait sans doute de se ranger parmi les seconds. Il se reconnaît inapte à «l'anéantissement illuminant», il admet sa défaite, ses lassitudes et ses démissions, il proclame et savoure sa faillite. Après l'épuisement d'une fascination, après l'orgie et l'extase des origines, — la superbe du désarroi, l'aventure de la grisaille.

MICHAUX

La passion de l'exhaustif

——————————————— *I*l y a une quinzaine d'années, Michaux m'emmenait assez régulièrement au Grand Palais où l'on donnait toutes sortes de films à caractère scientifique, certains curieux, d'autres techniques, impénétrables. Pour dire la vérité, ce qui m'intriguait c'était moins les projections que l'intérêt qu'il y prenait. Je n'apercevais pas très bien le ressort d'une attention aussi obstinée. Comment, ne cessais-je de me demander, un esprit aussi véhément, tourné vers soi-même, en perpétuelle ferveur ou frénésie, arrivait-il à s'enticher de démonstrations si minutieuses, si scandaleusement impersonnelles ? Ce n'est que plus tard, en réfléchissant sur ses explorations de la drogue, que je compris à quel excès d'objectivité et de rigueur il pouvait atteindre. Ses scrupules devaient le conduire jusqu'au fétichisme de l'infime, de la nuance imperceptible, tant psychologique que verbale, reprise indéfiniment avec une insistance haletante. Rejoindre le vertige par l'approfondissement, tel m'apparaît le secret de sa démarche. Lisez, dans *L'Infini turbulent*, la page où il se dit «percé de blanc», où tout est blanc, où «l'hésitation même est blanche», et «l'horripilation» non moins. Après cela il n'y a plus de blanc, il a épuisé le blanc, il l'a tué. Sa hantise du fond le rend féroce : il liquide apparence après apparence, sans en épargner une seule, il les extermine en s'y engouffrant, en poursuivant leur fond justement, leur fond... inexistant, leur insignifiance radicale. Un critique anglais a trouvé ces sondages «terrifiants». Je les trouve au contraire positifs et exaltants dans leur impatience de broyer et de pulvériser, j'entends de découvrir et de connaître, la vérité en tout n'étant que le couronnement d'un travail de sape.

*B*ien qu'il se range lui-même parmi les «nés-fatigués», il n'a fait depuis toujours que fuir la duperie, que creuser, que chercher.

Rien, il est vrai, ne fatigue autant que l'effort vers la lucidité, vers la vision sans merci. À propos d'un contemporain célèbre, fasciné par cette gangrène universelle qu'est l'Histoire, il employa un jour une expression révélatrice : « cécité spirituelle ». Il est, tout à l'opposé, quelqu'un qui a abusé de l'impératif de *voir* en soi et autour de soi, d'aller au fond non seulement d'une idée (ce qui est plus facile qu'on ne pense) mais de la moindre expérience ou impression : n'a-t-il pas soumis chacune de ses sensations à un examen où il entre de tout : torture, jubilation, volonté de conquête ? Cette passion de se saisir, cette prise de conscience exhaustive, se ramène à un ultimatum qu'il ne cesse de s'adresser, à une incursion dévastatrice dans les zones les plus obscures de son être.

C'est à partir d'une telle donnée qu'il faut envisager son insurrection contre ses rêves, et la nécessité qu'il ressentit, en dépit de l'hégémonie de la psychanalyse, de les minimiser, de les dénoncer, de les tourner en ridicule. Déçu par eux, il se fit une joie de les punir, et d'en proclamer le vide. Mais la vraie raison de sa rage était peut-être moins leur nullité que leur totale indépendance de lui, le privilège qu'ils ont de se dérober à sa censure, de se cacher, en se moquant de lui et en l'humiliant par leur médiocrité. Médiocres, oui, mais autonomes, mais souverains. C'est au nom de la conscience, de la prise de conscience comme exigence et comme devoir, c'est aussi par orgueil blessé, qu'il les incrimina et les calomnia, qu'il dressa contre eux un réquisitoire, véritable défi aux emballements de l'époque. En démonétisant les performances de l'inconscient, il se défaisait de l'illusion la plus précieuse qui ait cours depuis plus d'un demi-siècle.

*T*oute violence intérieure est contagieuse ; la sienne plus que toute autre. On ne sort jamais démoralisé d'un entretien avec lui. Et il importe peu après tout qu'on le fréquente assidûment ou seulement de loin en loin, du moment que, dans toutes les circonstances essentielles, on essaie d'imaginer sa réaction ou ses propos : solitaire omniprésent, il est toujours là..., à jamais inséparable de ce qui compte dans une existence. Cette intimité à distance n'est possible qu'avec un obsédé capable d'impartialité, un introverti ouvert à tout et disposé à parler de tout (même de l'actualité). Ses vues sur la situation internationale, ses diagnostics en matière politique sont remarquablement justes et souvent prophétiques. Avoir une perception si exacte du monde extérieur et être, en même temps, parvenu à appréhender du dedans le délire, à en parcourir les formes multiples, à se les approprier pour ainsi dire,

cette anomalie, si captivante, si enviable, on peut l'accepter comme telle sans tenter de la comprendre. Je vais pourtant suggérer une explication forcément approximative. Rien n'est plus agréable, du moins pour moi, qu'une conversation avec Michaux sur les maladies. On dirait qu'il les a toutes pressenties et redoutées, attendues et fuies : n'importe lequel de ses livres est un défilé de symptômes, de menaces entrevues et en partie actualisées, d'infirmités pensées et repensées. Sa sensibilité aux modalités diverses de déséquilibre est prodigieuse. Mais la politique, basse tentation prométhéenne, qu'est-elle sinon un déséquilibre permanent, exaspéré, la malédiction par excellence d'un singe mégalomane ? L'esprit le moins neutre, le moins passif que je connaisse, ne pouvait pas ne pas s'y intéresser, ne fût-ce que pour exercer sa sagacité ou son dégoût. Les écrivains en général, dès qu'ils commentent les événements, font montre d'une naïveté risible. Il était important, me semble-t-il, de citer une exception. J'ai cru surprendre Michaux une seule fois en flagrant délit, non de naïveté (il y est physiologiquement impropre), mais de «bons sentiments», de confiance, d'abandon, de quelque chose que j'avais traduit alors en des termes que je crois utile de reproduire ici :
«Je l'admirais pour sa clairvoyance agressive, pour ses refus et ses phobies, pour la somme de ses aversions. Cette nuit-là, dans la petite rue où nous devisions depuis des heures, il me dit, avec une pointe d'émotion tout à fait inattendue, que l'idée de la disparition de l'homme lui faisait quelque chose...
«Là-dessus je le quittai, bien persuadé que jamais je ne lui pardonnerais cet apitoiement et cette faiblesse.»
Si j'extrais d'un cahier sans date cette note, naïve, elle, à souhait —, c'est pour faire voir qu'à l'époque je prisais par-dessus tout chez lui le côté incisif, crispé, «inhumain», ses explosions et ses ricanements, son humour d'écorché, sa vocation de convulsionnaire et de gentleman. Au vrai, il me paraissait secondaire qu'il fût poète. Un jour il m'avoua, je m'en souviens, qu'il se demandait s'il l'était. Il l'est, c'est évident, mais on peut concevoir qu'*il aurait pu ne pas l'être.*

*C*e qu'il est, avec bien plus d'évidence, je le compris quand je sus que, jeune, songeant à entrer dans les ordres, il dévorait les mystiques. Je pose en fait que, s'il n'en avait pas été un lui-même, jamais il ne se serait lancé avec tant d'acharnement et de méthode à la poursuite d'états extrêmes. Extrêmes, *en deçà de l'absolu.* Ses ouvrages sur la drogue émanent du dialogue avec le mystique qu'il était originellement, mystique refoulé et saboté, qui attendait sa revanche. Si on rassemblait tous les passages où il traite de l'extase, et si on y supprimait les références à la mescaline ou à quelque autre hallucinogène, n'aurait-on pas l'impression de se trouver devant des expériences proprement religieuses, inspirées et non provoquées, et qui mériteraient de figurer dans un bréviaire des moments uniques et des hérésies fulgurantes ? Les mystiques n'aspirent pas à s'affaler en Dieu, mais à le dépasser, entraînés qu'ils sont par on ne sait quoi de lointain, par une volupté de l'ultime, qu'on rencontre chez tous ceux que la transe a visités et submergés. Michaux rejoint les mystiques par ses «rafales intérieures», par sa volonté de s'attaquer à l'inconcevable, de le forcer, de le faire éclater, d'aller au-delà, sans jamais s'arrêter, sans reculer devant aucun péril. N'ayant ni la chance ni la malchance de s'ancrer dans l'absolu, il se crée des gouffres, il en suscite toujours de nouveaux, y plonge et les décrit. Ces gouffres, objectera-t-on, ne sont que des *états*. Sans doute. Mais tout est état, et rien qu'état, pour nous qui sommes voués à la psychologie depuis qu'il ne nous est plus permis de nous égarer dans le suprême.

Mystique véritable, et cependant mystique irréalisé. Nous le comprenons dans la mesure où il a mis tout en œuvre pour ne pas aboutir, pour garder son ironie aux extrémités mêmes où ses recherches l'ont mené. Quand il est parvenu à quelque expérience limite, à un «absolu impur» où il vacille, où il ne sait plus où il en est, il ne manque jamais de recourir à une tournure familière ou cocasse, pour bien signifier qu'il est encore lui-même, qu'il *se rappelle* qu'il expérimente, qu'il ne s'identifiera jamais complètement avec aucun des instants de sa quête. Dans tant d'excès simultanés cohabitent les débordements extatiques d'une Angèle de Foligno et les sarcasmes d'un Swift.

*I*l est admirable qu'un homme si fait pour se briser ait accumulé les années en conservant sa vivacité. «Je promène le vieux..., son maudit corps qui flanche, auquel il tient tellement, notre corps unique pour tous deux », écrit-il en 1962, dans *Vents et Poussières*. Toujours cet intervalle entre la sensation et la conscience, toujours cette supériorité sur ce qu'il est et sur ce qu'il sait. Ainsi a-t-il réussi, dans ses affolements métaphysiques, dans ses affolements tout court, à rester, par hantise de la connaissance, extérieur à soi. Alors que nos contradictions et nos incompatibilités nous asservissent à la longue et nous paralysent, il est arrivé à se rendre maître des siennes, sans glisser vers la sagesse, sans s'y enliser. Toute sa vie, il a été tenté par l'Inde, tenté sans plus, fort heureusement, car si, par une métamorphose fatale, il avait fini par en être ensorcelé, obnubilé, il aurait abdiqué cette prérogative bien à lui de posséder plus d'une tare qui conduit à la sagesse et d'y être en même temps foncièrement réfractaire. Le Védânta, comme le bouddhisme, quelle catastrophe s'il y eût pris goût! Il y eût laissé ses dons, sa faculté de démesure. La délivrance l'aurait anéanti comme écrivain : plus de «rafales», plus de tourments, plus d'exploits. C'est parce qu'il ne s'est abaissé à aucune formule de salut, à aucun simulacre d'illumination, que son commerce est si stimulant. Il ne vous propose rien, il est ce qu'il est, il ne dispose d'aucune recette de sérénité, il continue, il tâtonne, comme s'il commençait. Et il vous accepte, à condition que vous ne lui proposiez rien non plus. Encore une fois, un non-sage, un non-sage à part. Mon étonnement est qu'il n'ait pas succombé à tant d'intensité. Son intensité, il est vrai, n'est pas de celles, accidentelles, fluctuantes, qui se manifestent par à-coups : constante, sans failles, elle réside en elle-même, et s'appuie sur elle-même, elle est précarité inépuisable, «intensité d'être», expression que j'emprunte au langage des théologiens, le seul qui convienne pour désigner une réussite.

1973

BENJAMIN FONDANE

6, rue Rollin

——————————————— *L*e visage le plus sillonné, le plus creusé que l'on puisse se figurer, un visage aux rides millénaires, nullement figées car animées par le tourment le plus contagieux et le plus explosif. Je ne me rassasiais pas de les contempler. Jamais auparavant je n'avais vu un tel accord entre le paraître et le dire, entre la physionomie et la parole. Il m'est impossible de penser au moindre propos de Fondane sans percevoir immédiatement la présence impérieuse de ses traits.

J'allais le voir souvent (je l'ai connu pendant l'Occupation), toujours avec l'idée de ne rester qu'une heure chez lui et j'y passais l'après-midi par ma faute bien entendu, mais aussi par la sienne : il adorait parler, et je n'avais pas le courage et encore moins le désir d'interrompre un monologue qui me laissait épuisé et ravi. Pourtant c'est moi qui fus intarissable lors de ma première visite, que je lui fis avec l'intention de lui poser des questions sur Chestov. Or, par besoin de parader sans doute, je ne lui en posai aucune, préférant lui exposer les raisons de mon faible pour le philosophe russe, dont il était le disciple non pas tant fidèle qu'inspiré. Il n'est peut-être pas inutile de signaler ici qu'entre les deux guerres Chestov était très connu en Roumanie et que ses livres y étaient lus avec plus de ferveur qu'ailleurs. Fondane n'y était pour rien, et il fut grandement surpris quand il apprit que, dans le pays d'où il venait, nous avions suivi le même parcours que lui... N'y avait-il pas là quelque chose de troublant et beaucoup plus qu'une coïncidence ? Plus d'un des lecteurs de son *Baudelaire* a été frappé par le chapitre sur l'ennui. J'ai toujours fait, quant à moi, un rapport entre sa prédilection pour ce thème et ses origines moldaves. Paradis de la neurasthénie, la Moldavie est une province d'un charme désolé proprement insoutenable. À Jassy, qui en est la capitale, j'ai passé en 1936 deux semaines qui, sans le secours de l'alcool, m'auraient plongé dans le plus dissolvant des cafards. Fondane citait volontiers des vers de Bacovia, le poète de l'ennui moldave, ennui moins raffiné mais bien plus corrosif que le «spleen». C'est pour moi une énigme que tant de gens parviennent à n'en pas périr. L'expérience du «gouffre» a, on le voit, des sources lointaines.

*T*out comme Chestov, il aimait partir d'une citation, simple prétexte auquel il ne cessait de se rapporter et d'où il tirait des conclusions inattendues. Dans ses développements il y avait toujours, malgré leur subtilité, je ne sais quoi de prenant; subtil, il l'était, il abusait même de sa subtilité, son vice patent. En général, il ne savait pas s'arrêter — il avait le génie de la *variation* — et on aurait dit en l'écoutant qu'il avait horreur du *point*. Cela éclatait dans ses improvisations, cela éclate dans ses livres, dans son *Baudelaire* surtout. À plusieurs reprises, il m'avait dit qu'il devrait en supprimer un bon nombre de pages, et il est incompréhensible qu'il ne l'ait pas fait quand on sait qu'il vivait dans la quasi-certitude d'un malheur imminent. Il s'estimait menacé, et il l'était, mais on peut supposer qu'intérieurement il était résigné à sa condition de victime, car sans cette mystérieuse complicité avec l'Inéluctable, et sans une certaine fascination de la tragédie, on ne saurait expliquer son refus de toute précaution, dont la plus élémentaire était celle de changer de domicile. (Il aurait été dénoncé par son concierge!) Étrange «insouciance» de la part de quelqu'un qui était tout, sauf naïf, et dont les jugements d'ordre psychologique ou politique témoignaient d'une exceptionnelle clairvoyance. Je garde le souvenir très précis d'une de mes premières visites pendant laquelle, après avoir dénombré les tares vertigineuses de Hitler, il m'avait décrit en visionnaire l'effondrement de l'Allemagne, et avec de tels détails que j'ai cru sur le coup assister à un délire. Ce n'était qu'un constat anticipé.

*E*n matière littéraire, je ne partageais pas toujours ses goûts. Il m'avait recommandé avec insistance le *Shakespeare* de Victor Hugo, livre à peu près illisible, et qui me fait penser au mot dont s'est servi récemment un critique américain pour qualifier le style de *Tristes tropiques : the aristocracy of bombast* — l'aristocratie de l'enflure. L'expression est frappante, bien qu'injuste en l'occurrence.
Je comprenais mieux sa partialité pour Nietzsche dont il aimait les

raccourcis incomparablement plus denses que ceux de Novalis, sur lequel il faisait des restrictions. À la vérité, il ne s'intéressait pas tant à ce qu'un auteur dit mais à ce qu'il aurait pu dire, à ce qu'il *cache*, faisant ainsi sienne la méthode de Chestov, à savoir la *pérégrination à travers les âmes*, beaucoup plus qu'à travers les doctrines. Sensible comme pas un aux cas extrêmes, aux replis envoûtants de certaines sensibilités, il me parla une fois d'un Russe blanc qui pendant dix-huit ans avait souffert en silence parce qu'il croyait que sa femme le trompait. Après tant d'années de supplice muet, un jour, n'y tenant plus, il eut une explication avec elle, à la suite de quoi, ayant acquis la certitude que tous ses soupçons avaient été faux, incapable de supporter l'idée qu'il s'était tourmenté pour rien pendant si longtemps, il passa aussitôt dans la chambre d'à côté et se fit sauter la cervelle.

Comme il évoquait une autre fois ses années bucarestoises, il me fit lire un article abject écrit contre lui par Tudor Arghezi, grand poète mais plus grand pamphlétaire encore, alors en prison pour des raisons politiques (c'était au lendemain de la guerre de 14). Fondane, très jeune, alla l'y trouver pour quelque interview. En récompense, le bonhomme se permit de faire de lui un portrait caricatural, et d'une teneur si infâme, que je n'ai jamais pu comprendre comment Fondane ait pu me le montrer. Il avait de ces détachements... Indulgent d'habitude, il cessait de l'être à l'égard de ceux qui pensaient avoir *trouvé*, de ceux en somme qui se convertissaient à quoi que ce soit. Il estimait beaucoup Boris de Schloezer, et ce fut pour lui une grande déception d'apprendre que le traducteur magistral de Chestov avait pu *passer* au catholicisme. Il n'en revenait pas, il assimilait l'événement à une trahison. *Chercher* était pour lui plus qu'une nécessité ou une hantise, chercher sans désemparer était une fatalité, sa fatalité, perceptible jusque dans sa manière d'articuler, spécialement quand il s'emballait ou qu'il oscillait sans trêve entre l'ironie et le halètement. Je me reprocherai toujours de n'avoir pas noté ses propos, ses trouvailles, les bonds d'une pensée tournée dans toutes les directions, sans cesse en lutte contre la tyrannie et la nullité des évidences, avide de ses contradictions et comme effrayée d'*aboutir*.

Je le revois roulant cigarette après cigarette. Rien n'égalait, répétait-il, le plaisir d'en allumer une à jeun. Il ne s'en privait pas, malgré un ulcère à l'estomac dont il se proposait de s'occuper plus tard, dans un avenir sur lequel il ne se faisait aucune illusion... La femme du plus ancien de ses amis me disait à l'époque ne pouvoir l'aimer à cause de ce qu'elle appelait « son air tellement malsain ». Sur sa figure il ne portait pas, il est vrai, les marques de la prospérité; seulement tout en lui était au-delà de la santé et de la maladie, comme si l'une et l'autre n'étaient que des étapes qu'il avait dépassées. En quoi il ressemblait à un ascète, à un ascète d'une prodigieuse vivacité, et d'une verve qui faisait oublier — pendant qu'il parlait — sa fragilité et sa vulnérabilité. Mais lorsqu'il se taisait, lui qui, malgré tout, surplombait son destin, il donnait l'impression de traîner on ne sait quoi de pitoyable et, à certains moments, de *perdu*. Le poète anglais David Gascoyne (qui devait lui aussi avoir, dans d'autres circonstances, un sort tragique) m'a raconté avoir été poursuivi pendant des mois par l'image de Fondane rencontré par hasard boulevard Saint-Michel le jour de la mort de Chestov. On comprendra aisément pourquoi, après trente-trois ans, un être si attachant est singulièrement présent à mon esprit et pourquoi aussi je ne passe jamais devant le 6 de la rue Rollin sans un serrement de cœur.

1978

BORGES

Lettre à Fernando Savater

─────────────────────────────────── Paris, le 10 décembre 1976

*C*her ami,

*E*n novembre, à votre passage à Paris, vous m'aviez demandé de collaborer à un volume d'hommage à Borges. Ma première réaction a été négative; la seconde... aussi. À quoi bon le célébrer quand les Universités elles-mêmes le font? La malchance d'être *reconnu* s'est abattue sur lui. Il méritait mieux. Il méritait de demeurer dans l'ombre, dans l'imperceptible, de rester aussi insaisissable et aussi impopulaire que la nuance. Là, il était chez lui. La consécration est la pire des punitions — pour un écrivain en général, et tout spécialement pour un écrivain de son genre. À partir du moment où tout le monde le cite, on ne peut plus le citer, ou, si on le fait, on a l'impression de venir grossir la masse de ses «admirateurs», de ses ennemis. Ceux qui veulent à tout prix lui rendre justice ne font en réalité que précipiter sa chute. Je m'arrête, car si je continuais sur ce ton, je finirais par m'apitoyer sur son sort. Or, on a toutes les raisons de supposer qu'il s'y emploie lui-même.

Je crois vous avoir dit une autre fois que si je m'intéressais tant à lui, c'était parce qu'il représentait un spécimen d'humanité en voie de disparition, et qu'il incarnait le paradoxe d'un sédentaire sans patrie intellectuelle, d'un aventurier immobile, à l'aise dans plusieurs civilisations et littératures, un monstre superbe et condamné. En Europe, comme exemplaire similaire, on peut songer à un ami de Rilke, à Rudolf Kassner, qui a publié au début du siècle un ouvrage de tout premier ordre sur la poésie anglaise (c'est après l'avoir lu pendant la dernière guerre que je me suis mis à apprendre l'anglais...) et a parlé avec une admirable acuité de Sterne, de Gogol, de Kierkegaard, ainsi que du Maghreb ou de l'Inde. Profondeur et érudition ne vont pas ensemble; il avait pourtant réussi à les concilier. Un esprit universel, auquel il n'a manqué que la grâce, que la séduction. C'est ici qu'apparaît la supériorité de Borges, séducteur comme pas un, qui est parvenu à prêter un rien d'impalpable, d'aérien, de *dentelle* à n'importe quoi, même au raisonnement le plus ardu. Car tout chez lui est transfiguré par le *jeu*, par une danse de trouvailles fulgurantes et de sophismes délicieux.

Je n'ai jamais été attiré par des esprits confinés dans une seule forme de culture. *Ne pas s'enraciner, n'appartenir à aucune communauté,* — telle a été et telle est ma devise. Tourné vers d'autres horizons, j'ai toujours cherché à savoir ce qui se passait ailleurs. À vingt ans, le Balkan ne pouvait plus rien m'offrir. C'est le drame, et l'avantage aussi, d'être né dans un espace «culturel» mineur, quelconque. *L'étranger* était devenu mon dieu. D'où cette soif de pérégriner à travers les littératures et les philosophies, de les dévorer avec une ardeur maladive. Ce qui se passe à l'Est de l'Europe doit nécessairement se passer dans les pays de l'Amérique latine, et j'ai remarqué que ses représentants sont infiniment plus informés, plus «cultivés» que ne le sont les Occidentaux, incurablement provinciaux. Ni en France ni en Angleterre je ne vois quelqu'un qui ait une curiosité comparable à celle de Borges, une curiosité poussée jusqu'à la manie, jusqu'au vice, je dis bien *vice*, car, en matière d'art et de réflexion, tout ce qui ne tourne pas en ferveur quelque peu perverse est superficiel, donc irréel.

Comme étudiant, j'avais été amené à m'occuper des disciples de Schopenhauer. Parmi eux, il y avait un certain Philipp Mainländer qui m'avait particulièrement retenu. Auteur d'une *Philosophie de la Délivrance*, il possédait de plus à mes yeux l'éclat que confère le suicide. Ce philosophe, complètement oublié, je me flattais d'être le seul à m'en soucier encore; je n'y avais du reste aucun mérite, mes recherches devant inévitablement me conduire vers lui. Quelle ne fut pas ma surprise quand, bien plus tard, je tombai sur un texte de Borges qui le tirait précisément de l'oubli! Si je vous cite cet exemple, c'est parce que, à partir de ce moment, je me suis mis à réfléchir plus sérieusement qu'avant sur la condition de Borges, destiné, acculé à l'universalité, contraint d'exercer son esprit dans toutes les directions, ne serait-ce que pour échapper à l'asphyxie argentine. C'est le néant sud-américain qui rend les écrivains de tout un continent plus ouverts, plus vivants et plus divers que ne le sont les Européens de l'Ouest, paralysés par leurs traditions et incapables de sortir de leur prestigieuse sclérose.

Puisque vous voulez savoir ce que j'aime le plus chez Borges, je vous répondrai sans hésiter que c'est son aisance dans les domaines les plus variés, la faculté qu'il a de parler avec une égale subtilité de l'Éternel Retour et du Tango. Pour lui *tout se vaut*, du moment qu'il est le centre de tout. La curiosité universelle n'est signe de vitalité que si elle porte la marque absolue d'un moi, d'un moi d'où tout émane et où tout aboutit : souveraineté de l'arbitraire, commencement et fin que l'on peut interpréter selon les critères les plus capricieux. Où est la réalité dans tout cela ? Le Moi, — farce suprême... Le jeu chez Borges rappelle l'ironie romantique, l'exploration métaphysique de l'illusion, la jonglerie avec l'Illimité. Friedrich Schlegel, aujourd'hui, est adossé à la Patagonie...

Encore une fois, on ne peut que déplorer qu'un sourire encyclopédique et une vision si raffinée suscitent une approbation générale, avec tout ce que cela implique... Mais, après tout, Borges pourrait devenir le symbole d'une humanité sans dogmes ni systèmes, et s'il y a une utopie à laquelle je souscrirais volontiers, ce serait celle où chacun se modèlerait sur lui, sur un des esprits le moins pesants qui furent jamais, sur le « dernier des délicats ».

MARIA ZAMBRANO

Une présence décisive

————————————— **D**ès l'instant qu'une femme se livre à la philosophie, elle devient avantageuse et agressive, et réagit en parvenue. Arrogante et pourtant incertaine, *étonnée* visiblement, elle n'est pas, de toute évidence, dans son élément. Le malaise qu'inspire son cas, comment se fait-il qu'on ne l'éprouve jamais en présence de Maria Zambrano? Je me suis posé souvent la question, et je crois pouvoir y répondre : Maria Zambrano n'a pas vendu son âme à l'Idée, elle a sauvegardé son essence unique en mettant l'expérience de l'Insoluble *au-dessus* de la réflexion sur lui, elle a en somme dépassé la philosophie... N'est vrai, à ses yeux, que ce qui précède le formulé ou lui succède, que le verbe qui s'arrache aux entraves de l'expression, ou, comme elle le dit magnifiquement, *la palabra liberada del lenguaje.*
Elle fait partie de ces êtres qu'on regrette de ne rencontrer que trop rarement mais auxquels on ne cesse de penser et qu'on voudrait comprendre ou tout au moins deviner. Un feu intérieur qui se dérobe, une ardeur qui se dissimule sous une résignation ironique : tout débouche chez Maria Zambrano sur autre chose, tout comporte un *ailleurs*, tout. Si on peut s'entretenir avec elle de n'importe quoi, on est néanmoins sûr de glisser tôt ou tard vers des interrogations capitales sans suivre nécessairement les méandres du raisonnement. De là un style de conversation nullement marqué par la tare de l'objectivité, et grâce auquel elle vous conduit vers vous-même, vers vos poursuites mal définies, vers vos perplexités virtuelles. Je me rappelle exactement le moment où, au Café de Flore, je pris la décision d'explorer l'Utopie. Sur ce sujet, que nous avions abordé en passant, elle me cita d'Ortega un propos qu'elle commenta sans insistance ; — je résolus à l'instant même de m'appesantir sur le regret ou l'attente de l'Âge d'or. C'est ce que je ne manquais pas de faire par la suite avec une

curiosité frénétique qui, petit à petit, devait s'épuiser ou plutôt se muer en exaspération. Il n'empêche que des lectures étendues sur deux ou trois ans eurent leur origine dans cet entretien.

Qui, autant qu'elle, a le don, en allant au-devant de votre inquiétude, de votre quête, de laisser tomber le vocable imprévisible et décisif, la réponse aux prolongements subtils? Et c'est pour cela qu'on aimerait la consulter au tournant d'une vie, au seuil d'une conversion, d'une rupture, d'une trahison, à l'heure des confidences ultimes, lourdes et compromettantes, pour qu'elle vous révèle et vous explique à vous-même, pour qu'elle vous dispense en quelque sorte une absolution spéculative, et vous réconcilie tant avec vos impuretés qu'avec vos impasses et vos stupeurs.

WEININGER

Lettre à Jacques Le Rider

*E*n lisant votre livre sur mon ancienne et lointaine idole, je ne pouvais ne pas songer à l'événement que fut pour moi la lecture de *Geschlecht und Charakter*. C'était en 1928, j'avais dix-sept ans et, avide de toute forme d'excès et d'hérésie, j'aimais tirer les dernières conséquences d'une idée, pousser la rigueur jusqu'à l'aberration, jusqu'à la provocation, conférer à la fureur la dignité d'un système. En d'autres termes, je me passionnais pour tout, sauf pour la nuance. Chez Weininger me fascinaient l'exagération vertigineuse, l'infini dans la négation, le refus du bon sens, l'intransigeance meurtrière, la quête d'une position absolue, la manie de conduire un raisonnement jusqu'au point où il se détruit lui-même et où il ruine l'édifice dont il fait partie. Ajoutez à cela l'obsession du criminel et de l'épileptique (spécialement dans *Über die letzten Dinge*), le culte de la formule géniale et de l'excommunication arbitraire, l'assimilation de la femme au Rien et même à quelque chose de moins. À cette affirmation dévastatrice mon adhésion fut complète d'emblée. L'objet de ma missive est de vous faire connaître la circonstance qui m'incita à épouser ces thèses extrêmes sur ledit Rien. Une circonstance banale s'il en fut. N'empêche qu'elle dicta mon comportement pendant plusieurs années. J'étais encore lycéen, toqué de philosophie et d'une... lycéenne elle aussi. Détail important : je ne la connaissais pas personnellement, bien qu'elle fît partie du même milieu que moi (la bourgeoisie de Sibiu, en Transylvanie). Comme cela arrive souvent chez les adolescents, j'étais à la fois insolent et timide mais ma timidité l'emportait sur mon insolence. Pendant plus d'un an dura ce supplice qui allait culminer un jour qu'appuyé contre un arbre j'étais en train de lire je ne sais plus quel livre dans le grand parc de la ville. Soudain j'entendis des rires. En me tournant, je vis — qui? *Elle*, en compagnie d'un de mes camarades de classe, méprisé par nous tous et que nous appelions le *pou*. Après plus de cinquante ans, je me rappelle parfaitement ce que je ressentis alors. Je renonce aux précisions. Toujours est-il que je jurai sur-le-champ d'en finir avec les «sentiments». Et c'est ainsi que je devins un assidu des bordels. Un an après cette déception radicale et courante, je fis la découverte de Weininger. Je me trouvais dans la situation idéale pour le comprendre. Ses superbes énormités sur les femmes m'enivraient. Comment ai-je pu m'enticher d'un sous-être? ne cessai-je de me répéter. Pourquoi ce tourment, ce calvaire à cause d'une fiction, d'un zéro incarné? Un prédestiné était venu enfin me délivrer. Mais cette délivrance devait me jeter dans une superstition qu'il réprouvait, puisque je dérivai vers cette «Romantik der Prostitution», incompréhensible aux esprits sérieux, et qui est une spécialité de l'est et du sud-est de l'Europe. En tout cas, ma vie d'étudiant s'est déroulée sous le charme de la Putain, à l'ombre de sa déchéance protectrice et chaleureuse, maternelle même. Weininger, en me fournissant les raisons philosophiques d'exécrer la femme «honnête», me guérit de l'«amour» pendant la période la plus orgueilleuse et la plus frénétique que j'aie connue. Je ne prévoyais pas à l'époque qu'un jour ses réquisitoires et ses verdicts ne compteraient plus pour moi que dans la mesure où ils me feraient regretter parfois le *fou* que j'avais été.

FITZGERALD

L'expérience pascalienne d'un romancier américain

La lucidité est chez certains une donnée primordiale, un privilège, voire une grâce. Nul besoin pour eux de l'acquérir, d'y tendre : ils y sont prédestinés. Toutes leurs expériences concourent à les rendre transparents à eux-mêmes. Frappés de clairvoyance, ils n'en souffrent pas, tant elle les définit. S'ils vivent dans une crise perpétuelle, cette crise ils l'acceptent naturellement : elle est immanente à leur existence. Chez d'autres, la lucidité est un résultat tardif, le fruit d'un accident, d'une brisure intérieure survenue à un moment donné. Jusqu'alors, enfermés dans une agréable opacité, ils adhéraient à leurs évidences sans les peser ni en deviner le vide. Les voilà détrompés et comme engagés malgré eux dans la carrière de la connaissance ; les voilà trébuchant parmi des vérités irrespirables, auxquelles rien ne les avait préparés. Aussi ressentent-ils leur nouvelle condition, non point comme une faveur, mais comme un «coup». Ces vérités irrespirables, rien n'avait préparé Scott Fitzgerald à les affronter ou à les subir. L'effort qu'il fit pour s'en accommoder ne manque cependant pas de pathétique.

«De toute évidence, vivre c'est s'effondrer progressivement. Les coups qui vous démolissent le plus spectaculairement, les grands coups soudains qui viennent — ou semblent venir — de l'extérieur, ceux dont on se souvient, ceux qu'on rend responsables de tout et dont on parle à ses amis dans les moments de faiblesse, ceux-là tout d'abord ne laissent pas de trace. Mais il existe un autre genre de coup, celui-ci venu de l'intérieur, et dont on s'aperçoit trop tard pour y remédier. Irrévocablement s'empare alors de vous la révélation que jamais plus vous ne serez celui que vous avez été.»

Ce ne sont pas là considérations d'un romancier brillant, à la mode... *This Side of Paradise*, *The Great Gatsby*, *Tender is the*

Night, *The Last Tycoon*, si Fitzgerald se fût limité à ces romans, il ne présenterait qu'un intérêt littéraire. Par bonheur, il est également l'auteur de cet ouvrage *Crack-up* dont nous venons de donner un échantillon et où il décrit sa faillite, sa seule grande *réussite*. Jeune, une seule obsession le domine : devenir un « successful literary man ». Il y parvient. Il connaît la notoriété, et même une gloire de bon aloi. (Chose incompréhensible pour nous : T. S. Eliot lui écrit avoir lu trois fois *Gatsby le Magnifique* !) L'argent le hante : il veut en gagner et il en parle sans pudeur. Dans ses lettres, comme dans ses notes, il y revient sans cesse, à tel point que l'on se demande parfois si l'on est en présence d'un écrivain ou d'un homme d'affaires. Non pas que je déteste la correspondance où l'on avoue ses ennuis matériels. Je la préfère mille fois à celle — faussement éthérée — qui les escamote ou les enveloppe de poésie. Mais il y a la manière et le ton. Combien les lettres de Rilke que j'aimais tant autrefois me semblent maintenant exsangues et fades ! Aucune allusion n'y est faite au côté mesquin de la pauvreté. Écrites pour la postérité, leur « noblesse » m'écœure. Les anges y voisinent avec les pauvres. Ne croyez-vous pas qu'il y a quelque sans-gêne ou une naïveté calculée à en discourir dans des missives adressées à des duchesses ? Jouer à l'esprit pur frise l'indécence. Je ne crois pas aux anges de Rilke ; je crois encore moins à ses pauvres. Trop « distingués », ceux-ci manquent de cynisme, ce sel de la misère. En revanche, les lettres d'un Baudelaire ou d'un Dostoïevski — lettres de quémandeurs — me touchent par leur ton suppliant, désespéré, haletant. On sent que s'ils parlent de l'argent, c'est qu'ils ne peuvent en gagner, qu'ils sont nés pauvres et le resteront, quoi qu'il arrive. La pauvreté leur est consubstantielle. Ils n'aspirent guère au succès, puisqu'ils savent qu'ils ne sauraient l'atteindre. Or, ce qui nous gêne chez Fitzgerald, chez le Fitzgerald du début, c'est qu'il y aspire et qu'il l'atteint. Mais, fort heureusement, son succès ne sera qu'un détour, une éclipse de sa conscience, avant l'éveil à soi-même, à la révélation qu'il ne sera plus jamais celui qu'il a été. Fitzgerald meurt en 1941, à quarante-quatre ans ; sa crise se situe vers 1935-1936, époque où il rédige les articles qui composeront le *Crack-up*[1]. Avant cette date, l'événement capital de sa vie demeure son mariage avec Zelda. Ensemble, ils mènent l'exis-

---

1. *The Crack-up* : textes autobiographiques, notes et aphorismes. Édition posthume parue chez New Directions, New York.

tence artificielle des Américains sur la Côte d'Azur. Plus tard, il qualifiera son séjour en Europe : « sept années de gaspillage et de tragédie », sept années où ils firent le tour de toutes les extravagances, comme hantés par un désir secret de s'épuiser, de se vider intérieurement. L'inévitable arrive : Zelda sombre dans la schizophrénie, et ne survit à son mari que pour mourir dans l'incendie d'un asile d'aliénés. Il avait dit d'elle : « Zelda est un cas, et non pas une personne. » Sans doute voulait-il entendre par là qu'elle n'intéressait que la psychiatrie. Lui, en revanche, serait une personne : un cas qui relève de la psychologie ou de l'histoire.

« Souvent autrefois le bonheur que j'éprouvais approchait d'une telle extase que je n'aurais pu le partager même avec l'être le plus cher. Il me fallait l'emporter avec moi le long de rues tranquilles et en distiller d'infimes fragments dans de petites phrases que j'écrivais. Ma faculté d'être heureux était, je crois, exceptionnelle. Elle n'avait rien de naturel, elle était aussi anormale que la période de prospérité pour l'Amérique. De même ce qui vient de m'arriver correspond à cette montée de désespoir qui a englouti la nation au sortir des années d'opulence. »

Laissons de côté la complaisance de Fitzgerald à se considérer comme l'expression d'une « génération perdue » ou à interpréter sa propre crise à partir de données extérieures. Car cette crise, si elle émanait uniquement d'une conjoncture, perdrait toute portée. Par ce qu'elles ont de spécifiquement américain, les révélations du *Crack-up* ne regardent que l'histoire littéraire, l'histoire tout court. En tant qu'expériences intimes, elles participent cependant d'une essence, d'une intensité qui transcendent les contingences et les continents.

« Ce qui vient de m'arriver... » Qu'arriva-t-il à Fitzgerald ? Il avait vécu dans la griserie du succès, souhaité le bonheur à tout prix, aspiré à devenir un écrivain de première importance. Au propre et au figuré, il avait vécu dans le sommeil. Mais voilà que le sommeil le quitte. Il commence à veiller, et ce qu'il découvre dans ses veilles le remplit d'horreur. Une stérilité clairvoyante le submerge et le paralyse.

L'insomnie nous dispense une lumière que nous ne souhaitons pas, mais à laquelle, inconsciemment, nous tendons. Nous la réclamons malgré nous, contre nous. À travers elle — et aux dépens de notre santé — nous cherchons autre chose, des vérités dangereuses, nuisibles, tout ce que le sommeil nous a empêché d'entrevoir. Cependant nos insomnies ne nous libèrent de nos facilités et de nos fictions, que pour nous mettre devant un horizon bouché : *elles éclairent nos impasses.* Elles nous condamnent tandis qu'elles nous délivrent : équivoque inséparable de l'expérience de la nuit. Cette expérience, Fitzgerald essaie en vain d'y échapper. Elle l'assaille, l'écrase, elle est trop profonde pour son esprit. Va-t-il recourir à Dieu ? Il déteste le mensonge ; c'est dire qu'il n'a aucun accès à la religion. L'univers nocturne se dresse devant lui comme un absolu. Il n'a pas non plus accès à la métaphysique ; il y sera pourtant forcé. Visiblement il n'était pas mûr pour ses nuits.

« Voici que survient l'horreur comme l'orage. Et si cette nuit préfigurait celle qui suit la mort ; si l'au-delà n'était qu'un frisson sans fin au bord d'un abîme où nous pousse tout ce qui en nous est lâche et corrompu et où nous précèdent la lâcheté et la corruption du monde. Nulle échappatoire, nulle issue, nul espoir, mais seules les perpétuelles redites du sordide et du demi-tragique... Ou peut-être attendre indéfiniment aux confins de la vie sans pouvoir jamais franchir le seuil qui nous en sépare. Quand l'horloge sonne quatre heures je ne suis plus qu'un spectre. »

À vrai dire, en dehors du mystique ou de l'homme en proie à une grande passion, qui est véritablement mûr pour ses nuits ? On peut souhaiter perdre le sommeil si l'on est croyant ; mais sans aucune certitude, comment rester des heures et des heures en tête à tête avec soi-même ? Nous pouvons reprocher à Fitzgerald de n'avoir pas deviné l'importance de la nuit comme occasion ou méthode de connaissance, comme désastre enrichissant ; mais nous ne pouvons pas rester insensibles au pathétique de ses veilles, où les « redites du sordide et du demi-tragique » étaient chez lui la conséquence de son refus de Dieu, de son inaptitude à être complice de la plus grande fraude métaphysique, du mensonge suprême de nos nuits.

« Le moyen ordinaire de se raccrocher lorsqu'on sombre, c'est de penser à ceux qui sont aux prises avec la misère vraie ou la maladie : c'est là un genre commode d'euphorie à la portée de chacun aux moments de dépression et un remède salutaire pendant la journée. Mais à trois heures du matin l'oubli d'un paquet prend des proportions aussi tragiques qu'une condamnation à mort : le remède devient inopérant. Or, dans la vraie nuit de l'âme, il est éternellement trois heures du matin, jour après jour. »

Les vérités diurnes n'ont plus cours dans la « vraie nuit de l'âme ». Et cette nuit, au lieu de la bénir comme une source de révélations, Fitzgerald la maudit, l'assimile à sa déchéance, et lui retire toute valeur de connaissance. *Il fait une expérience pascalienne sans esprit pascalien.* Comme tous les gens frivoles, il tremble d'aller plus avant en lui-même. Une fatalité pourtant l'y pousse. Il répugne à étendre son être jusqu'à ses limites, et il les atteint malgré lui. L'extrémité à laquelle il accède, loin d'être le résultat d'une plénitude, est l'expression d'un esprit brisé : c'est l'illimité de la fêlure, c'est l'expérience négative de l'infini. Son mal plonge jusqu'aux sources mêmes de l'affectivité. Là-dessus, il s'expliquera lui-même dans un texte qui nous donne la clef de ses troubles :

«Tout ce que je cherchais c'était la tranquillité la plus parfaite pour découvrir pourquoi j'en étais venu à me comporter tristement en face de la tristesse, mélancoliquement en face de la mélancolie, tragiquement en face de la tragédie, *pourquoi je m'identifiais maintenant avec les objets de mon horreur et de ma compassion.*»

Texte capital, texte de malade. Pour en saisir l'importance essayons de définir, par contraste, le comportement de l'homme sain, de l'homme agissant. Conférons-nous, à cet effet, un supplément de santé...

Si contradictoires et si intenses que soient nos états, normalement nous les dominons, nous parvenons à les neutraliser : la «santé» est la faculté que nous possédons de garder une certaine distance d'eux. Un être équilibré réussit toujours à escamoter ses profondeurs ou à se faufiler à travers ses propres abîmes. La santé — condition de l'action — suppose une fuite devant soi, une désertion de nous-même. Point d'acte véritable sans la fascination de l'*objet.* Lorsque nous agissons, nos états intérieurs ne comptent que par leur relation au monde extérieur ; ils n'ont point de valeur intrinsèque ; aussi nous est-il loisible de les maîtriser. S'il nous arrive d'être tristes, nous le sommes *à cause* d'une situation déterminée, d'un incident ou d'une réalité nette.

Le malade, lui, procède tout autrement. Il vit ses états en eux-mêmes, sa tristesse tristement, sa mélancolie mélancoliquement, et toute tragédie, il l'épouse, l'expérimente tragiquement. Il n'est que *sujet,* et rien d'autre. S'il s'identifie aux objets de son horreur ou de sa compassion, ces objets ne constituent pour lui que des modalités diverses de lui-même. Être malade, c'est coïncider totalement avec soi.

«Le moindre geste — me laver les dents, dîner avec un ami — me demandait maintenant un effort... Je m'aperçus que l'amour que je portais à mes proches, je ne le ressentais pas mais m'efforçais de le ressentir et que dans mes rapports avec l'extérieur..., je ne mettais plus que le souvenir de gestes anciens.»

Le divorce avec le réel, si Zelda devait le connaître dans son caractère irréparable, ce fut la chance de Fitzgerald de l'éprouver sous une forme atténuée : une schizophrénie pour littérateurs... Ajoutons que — nouvelle chance pour lui — il fut expert en «self-pity». L'abus qu'il en fit le préserva d'une ruine totale. Je n'avance pas là un paradoxe. L'excès d'apitoiement sur nous-mêmes conserve notre raison, car ce repli sur nos misères procède d'une alarme de notre vitalité, d'une réaction d'énergie, en même temps qu'il exprime un travestissement élégiaque de notre instinct de conservation. N'ayez aucune pitié de ceux qui ont pitié d'eux-mêmes. Ils ne s'effondreront jamais tout à fait...

Fitzgerald survit à sa crise sans la surmonter complètement. Il espère néanmoins trouver un équilibre entre le «sens de l'inutilité de tout effort et celui de la nécessité du combat, entre la conviction de l'échec inévitable et l'impératif de la réussite». Son être, pense-t-il, continuerait alors sa course telle «une flèche entre deux points du néant et que seule la gravité pourrait ramener à terre».

Ces accès d'orgueil sont accidentels. Au fond de lui-même, il voudrait revenir, dans ses rapports avec les hommes, aux subterfuges de l'existence conventionnelle; il voudrait *reculer*. Pour y parvenir il s'imposera un masque.

«Un sourire — oui, j'allais me fabriquer un sourire. Je continue à y travailler. Je veux y mettre tout l'art de l'hôtelier, de la vieille canaille mondaine, du directeur d'école un jour de prix, du liftier noir..., de l'infirmière qui arrive dans une nouvelle maison, d'un modèle qui pose nu pour la première fois, du figurant optimiste qu'on a poussé devant la caméra...»

Sa crise ne devait le conduire ni à la mystique ni à un désespoir final ou au suicide, mais au désabusement. «Une pancarte *Cave Canem* est accrochée en permanence à ma porte. Mais j'essaierai tout au moins de me comporter en animal bien dressé; si vous me jetez un os avec un peu de viande dessus, j'irai même jusqu'à vous lécher la main.» Il est assez esthète pour adoucir sa misanthropie par l'ironie et pour introduire une note d'élégance dans l'économie de ses désastres. Son style désinvolte nous laisse entrevoir ce qu'on pourrait appeler *le charme de la vie brisée.* J'ajouterais même que l'on est «moderne» dans la mesure où l'on est sensible à ce charme. Réaction de désabusés, sans doute, d'individus qui, incapables de recourir à un arrière-plan métaphysique ou à une forme transcendante de salut, s'attachent à leurs maux avec complaisance, comme à des défaites acceptées. Le désabusement est l'équilibre du vaincu. Et c'est en vaincu que Fitzgerald, après avoir conçu les vérités impitoyables du *Crack-up*, se rend à Hollywood pour y chercher le succès, — toujours le succès, auquel d'ailleurs, il ne pouvait plus croire. Au bout d'une expérience pascalienne, écrire des scénarios! Dans ses dernières années, on dirait qu'il n'aspire plus qu'à compromettre ses abîmes, à ravaler ses névroses, comme si, au plus profond de lui-même, il se fût senti indigne de l'effondrement qu'il venait de subir. «Je parle avec l'autorité de l'échec», avait-il dit un jour. Seulement, cet échec, avec le temps, il le dégrade, lui fait perdre toute sa valeur spirituelle. Point ne faut s'en étonner : dans la «vraie nuit de l'âme», il se débat plutôt en victime qu'en héros. Il en est ainsi de tous ceux qui vivent leur drame uniquement en termes de psychologie; inaptes à percevoir un absolu extérieur contre lequel combattre ou auquel se plier, ils retombent éternellement en eux-mêmes pour végéter, en fin de compte, *au-dessous* des vérités qu'ils ont entrevues. Ce sont, encore une fois, des désabusés; car le désabusement — recul après un désastre — est le propre de l'individu qui ne peut se détruire par un malheur, ni l'endurer jusqu'au bout pour en triompher. Le désabusement est le «demi-tragique» hypostasié. Et puisque Fitzgerald n'a pu se maintenir à la hauteur de son drame, on ne saurait le compter parmi les anxieux de qualité. L'intérêt qu'il présente pour nous consiste précisément dans cette disproportion entre l'insuffisance de ses moyens et l'ampleur de l'inquiétude qu'il a vécue.

Un Kierkegaard, un Dostoïevski, un Nietzsche surplombent leurs propres expériences, comme leurs vertiges, parce qu'ils *valent* davantage que ce qui leur «arrive». Leur destin précède leur vie. Il n'en va pas de même de Fitzgerald : son existence est inférieure à ce qu'elle découvre. Le moment culminant de sa vie, il n'y voit qu'un désastre dont il ne se console pas, malgré les révélations qu'il en tire. Le *Crack-up* est la «saison en enfer» d'un romancier. Par là, nous ne voulons aucunement minimiser la portée d'un témoignage en lui-même bouleversant. Un romancier qui ne veut être que romancier subit une crise qui, pendant un certain temps, le projette hors des mensonges de la littérature. Il s'éveille à quelques vérités qui ébranlent ses évidences, le repos de son esprit. Événement peu fréquent dans le monde des lettres où le sommeil est de rigueur, événement qui, dans le cas qui nous occupe, n'a pas toujours été saisi dans sa véritable signification. Ainsi les admirateurs de Fitzgerald déplorent qu'il se soit appesanti sur son échec, et qu'il ait, à force de s'y pencher et de le ruminer, gâché sa carrière littéraire. Nous déplorons, au contraire, qu'il ne lui ait pas voué assez de fidélité, qu'il ne l'ait pas suffisamment approfondi ni exploité. C'est d'un esprit de second ordre que de ne pouvoir choisir entre la littérature et la «vraie nuit de l'âme».

1955

GUIDO CERONETTI

L'enfer du corps

—————————————————— *Lettre à l'Éditeur*

Paris, le 7 mars 1983

*V*ous m'avez demandé, cher Ami, quel genre d'homme était l'auteur de ce *Silence du corps*. Votre curiosité est compréhensible, car on ne peut lire ce livre sans s'interroger tout le temps sur l'admirable monstre qui l'a conçu. Je dois vous avouer que je l'ai rencontré seulement lors de ses passages à Paris. Mais j'ai été souvent en contact avec lui par téléphone et par lettres. Et aussi, d'une manière indirecte, par une personne aussi extraordinaire que lui : une Italienne de dix-neuf ans qu'il avait en partie élevée et qui, il y a deux ans, était venue à Paris pour un séjour de quelques mois. D'une maturité d'esprit inouïe pour son âge, elle réagissait souvent comme une toute jeune fille, voire comme une enfant, et ce mélange d'acuité géniale et d'ingénuité faisait qu'il était impossible de l'oublier un seul instant. Elle pénétrait dans votre vie, elle était vraiment une présence — fée visitée par des terreurs soudaines qui augmentaient à la fois son malheur et son charme. Elle était plus présente encore dans les pensées et les soucis de Guido. Je ne peux, c'est évident, entrer dans des détails, bien qu'il n'y ait rien d'impur ou de douteux à cacher. Je les vois, comme si c'était hier, tous les deux au Luxembourg par un après-midi pluvieux de novembre : lui, pâle, sombre, accablé, penché en avant et elle, troublante, irréelle, faisant de petits pas rapides pour le suivre. Dès que je les ai aperçus, je me suis tapi derrière un arbre. La veille j'avais reçu de lui une lettre — la plus déchirante qu'un être m'ait jamais adressée. Leur apparition précipitée dans le jardin vide m'a laissé une impression de détresse, de désolation

—————— 1620

qui m'a poursuivi pendant longtemps. J'ai oublié de vous dire que, dès notre première rencontre, son air de nulle part, d'inappartenance foncière, de prédestination à l'exil ici-bas, m'a fait penser immédiatement à Muychkine. (D'ailleurs, la lettre en question avait un accent dostoïevskien.) Il était pour elle inattaquable, lui seul échappait aux jugements dévastateurs qu'elle portait sur tout le monde. Elle épousa sans réserve son fanatisme végétarien. Ne pas manger comme les autres est plus grave que de ne pas penser comme eux. Les principes, non, les dogmes alimentaires de Guido sont d'une rigueur qui fait paraître les manuels d'ascèse eux-mêmes comme des incitations à la goinfrerie et à la débauche. Je suis moi-même un maniaque du régime, mais à côté de lui et d'elle je me fais l'effet d'un cannibale. Si on ne se nourrit pas comme les autres, on ne se soigne pas davantage comme eux. Impossible d'imaginer Guido entrant dans une pharmacie. Un jour il m'appela de Rome pour me demander de lui acheter, dans une boutique de produits naturels tenue par un jeune Vietnamien, une certaine patate japonaise, très efficace, paraît-il, contre l'arthrose. À l'en croire, il suffit de s'en frotter les articulations pour que la douleur cesse sur-le-champ. Toutes les acquisitions du monde moderne lui répugnent, tout le révulse, même la santé, si elle est redevable à la chimie. Et pourtant son livre, qui émane sans conteste d'une exigence de pureté, atteste un indéniable goût pour l'horreur : on dirait un ermite séduit par l'enfer. Par l'enfer du corps. Signe certain d'une santé défaillante, voire menacée : sentir ses organes, en être *conscient* jusqu'à l'obsession. La malédiction de traîner un cadavre est le thème même de ce livre. D'un bout à l'autre — un défilé de secrets physiologiques qui vous remplissent d'effroi. On admire l'auteur pour le courage qu'il a eu de lire tant de traités anciens et modernes de gynécologie, lecture effrayante à la vérité, susceptible de décourager pour toujours même le plus endurci des satyres. Un héroïsme de voyeur en matière de suppurations, une curiosité excitée par la suprême antipoésie des menstruations, par les hémorragies de toute sorte et les miasmes intimes, par l'univers fétide de la volupté — « ... la tragédie des fonctions physiologiques ». « Les parties du corps où il y a le plus d'odeur sont celles qui renferment le plus d'âme. » « ... Toutes les excrétions de l'âme, toutes les maladies de l'esprit, tout le noir de la vie, et nous appelons cela *amour*. »

En lisant *Le Silence du corps*, j'ai pensé en plus d'un endroit à Huysmans, spécialement à sa biographie de sainte Lydwine de Schiedam. Sauf pour l'essentiel, la sainteté relève des aberrations des organes, d'une suite d'anomalies, d'une inépuisable variété de dérèglements, et cela est vrai de tout ce qui est profond, intense, unique. Point d'excès intérieurs sans un substrat inavouable, l'extase la plus éthérée rappelant par certains côtés l'extase brute. Guido serait-il un amateur de détraquements déguisé en érudit? Parfois je le pense, mais au fond je ne le pense pas. Car s'il a un faible visible pour la pourriture, il est en revanche tout autant sollicité par ce qu'il y a de pur dans la sagesse visionnaire ou désespérée de l'Ancien Testament. N'a-t-il pas traduit — admirablement — Job, l'Ecclésiaste et Isaïe? Ici, on n'est plus dans la pestilence et l'horreur, mais dans la lamentation et le cri. Voilà quelqu'un qui vit, selon une nécessité profonde et parfois selon ses humeurs, à des niveaux spirituels différents. Son dernier livre (*La Vita apparente*, Éditions Adelphi, Milan) illustre ces tentations contradictoires, ces préoccupations tout ensemble actuelles et intemporelles. Ce qu'on aime surtout chez lui c'est l'aveu de ses échecs. «Je suis un ascète raté», nous confie-t-il quelque peu gêné. Ratage providentiel, car, comme cela, nous sommes sûrs de nous entendre, de faire vraiment partie de la *perdata gente*. Aurait-il fait le pas décisif vers le salut (on se le figure très bien moine), nous manquerions d'un compagnon délicieux, plein d'imperfections, de manies et d'humour, et dont la voix aux inflexions élégiaques s'accorde avec sa vision d'un monde si évidemment condamné. Citons-le: «Comment une femme enceinte peut-elle lire un journal sans avorter aussitôt?» «Comment juger anormaux et malades mentaux ceux qu'épouvante le visage humain?»

Si vous me demandiez quelles sont les épreuves qu'il a dû traverser, je ne serais pas en mesure de vous répondre. Tout ce que je peux vous dire, c'est que l'impression qu'il donne est de quelqu'un de *blessé*, à l'égal, suis-je tenté d'ajouter, de tous ceux à qui fut refusé le don de l'illusion.

Ne redoutez pas de le rencontrer: de tous les êtres, les moins insupportables sont ceux qui haïssent les hommes. Il ne faut jamais fuir un misanthrope.

ELLE N'ÉTAIT PAS D'ICI...

———————————————————— *J*e ne l'ai rencontrée que deux fois. C'est peu. Mais l'extraordinaire ne se mesure pas en termes de temps. Je fus conquis d'emblée par son air d'absence et de dépaysement, ses chuchotements (elle ne *parlait* pas), ses gestes mal assurés, ses regards qui n'adhéraient aux êtres ni aux choses, son allure de spectre adorable. «Qui êtes-vous? D'où venez-vous?» était la question qu'on avait envie de lui poser à brûle-pourpoint. Elle n'eût pu y répondre, tant elle se confondait avec son mystère ou répugnait à le trahir. Personne ne saura jamais comment elle s'arrangeait pour respirer, par quel égarement elle cédait aux prestiges du souffle, ni ce qu'elle cherchait parmi nous. Ce qui est certain c'est qu'elle n'était pas d'ici, et qu'elle ne partageait notre déchéance que par politesse ou par quelque curiosité morbide. Seuls les anges et les incurables peuvent inspirer un sentiment analogue à celui qu'on éprouvait en sa présence. Fascination, malaise surnaturel!
À l'instant même où je la vis, je devins amoureux de sa timidité, une timidité unique, inoubliable, qui lui prêtait l'apparence d'une vestale épuisée au service d'un dieu clandestin ou alors d'une mystique ravagée par la nostalgie ou l'abus de l'extase, à jamais inapte à réintégrer les évidences!
Accablée de biens, comblée selon le monde, elle paraissait néanmoins destituée de tout, au seuil d'une mendicité idéale, vouée à murmurer son dénuement au sein de l'imperceptible. Au reste, que pouvait-elle posséder et proférer, quand le silence lui tenait lieu d'âme et la perplexité d'univers? Et n'évoquait-elle pas ces créatures de la lumière lunaire dont parle Rozanov? Plus on songeait à elle, moins on était enclin à la considérer selon les goûts et les vues du temps. Un genre inactuel de malédiction pesait sur elle. Par bonheur, son charme même s'inscrivait dans le révolu. Elle aurait dû naître ailleurs, et à une autre époque, au milieu des landes de Haworth, dans le brouillard et la désolation, aux côtés des sœurs Brontë...

Qui sait déchiffrer les visages lisait aisément dans le sien qu'elle n'était pas condamnée à durer, que le cauchemar des années lui serait épargné. Vivante, elle semblait si peu complice de la vie, qu'on ne pouvait la regarder sans penser qu'on ne la reverrait jamais. *L'adieu* était le signe et la loi de sa nature, l'éclat de sa prédestination, la marque de son passage sur terre ; aussi le portait-elle comme un nimbe, non point par indiscrétion, mais par solidarité avec l'invisible.

CONFESSION EN RACCOURCI

——————————————— *Je* n'ai envie d'écrire que dans un état explosif, dans la fièvre ou la crispation, dans une stupeur muée en frénésie, dans un climat de règlement de comptes où les invectives remplacent les gifles et les coups. Cela commence d'habitude ainsi : un léger tremblement qui devient de plus en plus fort, comme après une insulte qu'on a encaissée sans répondre. Expression vaut réplique tardive ou alors agression différée : j'écris pour ne pas passer à l'acte, pour éviter une crise. L'expression est soulagement, revanche indirecte de celui qui ne peut digérer une honte et qui se rebelle *en paroles* contre ses semblables et contre soi. L'indignation est moins un mouvement moral que littéraire, elle est même le ressort de l'inspiration. Et la sagesse ? Elle est précisément l'opposé. Le sage en nous ruine tous nos élans, il est le saboteur qui nous diminue et nous paralyse, qui guette le fou en nous pour le calmer et le compromettre, pour le déshonorer. L'inspiration ? Un déséquilibre soudain, volupté sans nom de s'affirmer ou de se détruire. Je n'ai pas écrit une seule ligne à ma température normale. Et pourtant, pendant de longues années, je me suis considéré comme le seul individu exempt de tares. Cet orgueil me fut bénéfique : il m'a permis de noircir du papier. J'ai pratiquement cessé de produire au moment où, mon délire s'apaisant, je suis devenu la proie d'une modestie pernicieuse, funeste à cette fébrilité dont émanent les intuitions et les vérités. Je ne peux produire que si, le sens du ridicule m'ayant soudain déserté, je m'estime le commencement et la fin.

Écrire est une provocation, une vue heureusement fausse de la réalité qui nous place *au-dessus* de ce qui est et de ce qui nous semble être. Concurrencer Dieu, le dépasser même par la seule vertu du langage, tel est l'exploit de l'écrivain, spécimen ambigu, déchiré et infatué qui, sorti de sa condition naturelle, s'est livré à un vertige superbe, déconcertant toujours, quelquefois odieux. Rien de plus misérable que le mot et cependant c'est par lui qu'on s'élève à des sensations de bonheur, à une dilatation ultime où l'on est complètement seul, sans le moindre sentiment d'oppression. Le suprême atteint par le vocable, par le symbole même de la fragilité! On peut l'atteindre aussi, curieusement, par l'ironie, à condition que celle-ci, poussant à l'extrême son œuvre de démolition, dispense des frissons d'un dieu à rebours. Les mots comme agents d'une extase retournée... Tout ce qui est véritablement intense participe du paradis et de l'enfer, avec cette différence que le premier, nous ne pouvons que l'entrevoir, alors que le second, nous avons la chance de le percevoir et, plus encore, de le *sentir*. Il existe un avantage plus notable encore, dont l'écrivain a le monopole : celui de se débarrasser de ses *dangers*. Sans la faculté de noircir des pages, je me demande ce que je serais devenu. Écrire, c'est se défaire de ses remords et de ses rancunes, c'est vomir ses secrets. L'écrivain est un détraqué qui use de ces fictions que sont les mots pour se guérir. De combien de malaises, de combien d'accès sinistres n'ai-je pas triomphé grâce à ces remèdes insubstantiels!

*É*crire est un vice dont on peut se lasser. À la vérité, j'écris de moins en moins, et je finirai sans doute par ne plus écrire du tout, par ne plus trouver le moindre charme à ce combat avec les autres et avec moi-même.

Quand on s'attaque à un sujet, fût-il quelconque, on ressent un sentiment de plénitude, accompagné d'un rien de morgue. Phénomène plus étrange encore : cette sensation de supériorité lorsqu'on évoque une figure qu'on admire. Au milieu d'une phrase, avec quelle facilité on se croit le centre du monde! Écrire et vénérer ne vont pas ensemble : qu'on le veuille ou non, parler de Dieu, c'est le regarder *de haut*. L'écriture est la revanche de la créature et sa réponse à une Création bâclée.

EN RELISANT...

*Traduit en allemand par Paul Celan,
le* Précis *de* Décomposition *parut
chez Rowohlt en 1953. Quand il fut
réédité chez Klett-Cotta, il y a huit
ans, le directeur d'*Akzente *me
demanda de le présenter aux lecteurs
de la revue. Telle est l'origine de ce
texte.*

*E*n relisant ce livre, qui remonte
à plus de trente ans, j'essaie de retrouver le personnage que j'étais
et qui se dérobe, qui m'échappe, en partie tout au moins. Mes
dieux étaient Shakespeare et Shelley. Je pratique toujours le premier ; le second, rarement. Je le cite pour indiquer de quel genre
de poésie j'étais intoxiqué. Le lyrisme échevelé s'accordait avec
mes dispositions : j'en discerne malheureusement les traces dans
toutes mes tentatives d'alors. Qui peut lire encore un poème
comme *Epipsychidion* ? Je le lisais en tout cas avec délices. Le pla-
tonisme hystérique de Shelley me rebute, et à l'effusion, sous
quelque forme qu'elle se présente, je préfère maintenant la concision, la rigueur, la froideur voulue. Ma vision des choses n'a pas
changé fondamentalement ; ce qui a changé à coup sûr c'est le
ton. Le fond d'une pensée, il est rare qu'il se modifie vraiment ; ce
qui subit en revanche une métamorphose c'est la tournure, l'apparence, le rythme. En vieillissant je me suis aperçu que la poésie
m'était de moins en moins nécessaire : le goût qu'on en a serait-il
lié à un excédent de vitalité ? J'ai de plus en plus — la *fatigue* doit
y être pour beaucoup — un faible pour la sécheresse, pour le laconisme, aux dépens de l'explosion. Or, le *Précis* était une explosion.
En l'écrivant j'avais l'impression d'échapper à un sentiment d'oppression, avec lequel je n'aurais pu continuer longtemps : il fallait
respirer, il fallait *éclater*. Je ressentais le besoin d'une explication

décisive, non pas tant avec les hommes qu'avec l'existence comme telle, qu'il m'aurait plu de provoquer en combat singulier, ne fût-ce que pour voir *qui* l'emporterait. J'avais, soyons franc, la quasi-certitude que j'aurais le dessus, qu'il était impossible qu'elle triomphe. La coincer, la pousser dans ses derniers retranchements, la réduire à néant par des raisonnements frénétiques et des accents rappelant Macbeth ou Kirilov, — telle était mon ambition, mon propos, mon rêve, le programme de chacun de mes instants. L'un des premiers chapitres s'intitule *L'anti-prophète*. En fait, je réagissais en prophète, je m'attribuais une mission, dissolvante si on veut mais mission quand même. En attaquant les prophètes, je m'attaquais moi-même et... Dieu, selon mon principe d'alors qui était qu'on devrait s'occuper seulement de Lui et de soi. D'où le ton uniformément violent d'un ultimatum (non pas succinct comme il aurait dû l'être mais verbeux, diffus, insistant), d'une mise en demeure adressée au ciel et à la terre, à Dieu et aux ersatz de Dieu, en bref à *tout*. Dans la fureur désespérée de ces pages où l'on chercherait en pure perte un soupçon de modestie, de réflexion sereine et résignée, d'acceptation et de répit, de fatalisme souriant, atteignent leur apogée le débridement et la folie de ma jeunesse, ainsi qu'une incoercible volupté de nier. Ce qui m'a toujours séduit dans la négation, c'est le pouvoir de se substituer à tout et à tous, d'être une sorte de démiurge, de *disposer* du monde, comme si on avait collaboré à son avènement et qu'on eût ensuite le droit, voire le devoir, d'en précipiter la ruine. La destruction, conséquence immédiate de l'esprit de négation, correspond à un instinct profond, à un type de jalousie que chacun éprouve sûrement au fond de lui-même à l'égard du premier des êtres, de sa position et de l'idée qu'il représente et symbolise. J'ai eu beau fréquenter les mystiques, dans mon for intérieur j'ai toujours été du côté du Démon : ne pouvant pas l'égaler par la puissance, j'ai essayé de le valoir du moins par l'insolence, l'aigreur, l'arbitraire et le caprice.

Après la parution en espagnol du *Précis*, deux étudiants andalous m'ont demandé s'il était possible de vivre sans «*fundamentación*». Je leur ai répondu qu'il était vrai que je n'ai trouvé nulle part une assise solide et que j'ai réussi néanmoins à durer, car, avec les années, on se fait à tout, même au vertige. Et puis on ne veille et on ne s'interroge pas constamment, la lucidité absolue étant incompatible avec la respiration. Si on était à chaque instant conscient de ce qu'on sait, si, par exemple, le sentiment du manque de fondement était à la fois continuel et intense, on se tuerait ou on se laisserait glisser dans l'idiotie. On existe grâce aux moments où on *oublie* certaines vérités, et cela parce que durant ces intervalles on accumule de l'énergie, laquelle vous permet d'affronter lesdites vérités. Quand je me méprise, je me dis, pour reprendre confiance, qu'après tout j'ai réussi à me maintenir dans l'être ou dans un semblant d'être, avec une perception des choses que bien peu auraient pu supporter. Plusieurs jeunes en France m'ont déclaré que le chapitre qui les a le plus retenus était *L'automate*, cette quintessence d'intolérable. À ma façon je dois être un lutteur, puisque je n'ai pas succombé à mes ruminations.

*L*es deux étudiants me demandèrent aussi pourquoi je n'ai pas cessé d'écrire, de publier. Tout le monde n'a pas la chance de mourir jeune, fut ma réponse. Mon premier livre au titre ronflant — *Sur les cimes du désespoir* —, je l'ai écrit en roumain à l'âge de 21 ans, tout en me promettant de ne jamais recommencer. Puis j'en ai commis un autre, avec la même promesse ensuite. La comédie s'est répétée pendant plus de quarante ans. Pourquoi? Parce qu'écrire, si peu que ce soit, m'a aidé à passer d'une année à l'autre, les obsessions *exprimées* étant affaiblies et, à moitié, surmontées. Produire est un extraordinaire soulagement. Et publier non moins. Un livre qui paraît, c'est votre vie ou une partie de votre vie qui vous devient extérieure, qui ne vous appartient plus, qui a cessé de vous harasser. L'expression vous diminue, vous appauvrit, vous décharge du poids de vous-même, l'expression est perte de substance et libération. Elle vous vide, donc elle vous sauve, elle vous démunit d'un trop-plein encombrant. Quand on exècre quelqu'un au point de vouloir le liquider, le mieux est de prendre une feuille de papier et d'y marquer nombre de fois que X. est un salaud, une crapule, un monstre, et on s'apercevra tout de suite qu'on le hait moins et qu'on ne pense presque plus à la vengeance. C'est à peu près ce que j'ai fait à l'égard de moi-même et du monde. Le *Précis*, je l'ai extrait de mes bas-fonds pour injurier la vie et pour m'injurier. Le résultat? Je me suis mieux supporté, comme j'ai mieux supporté la vie. On se soigne comme on peut.

*L*a première version du livre fut rédigée très vite en 1947 et s'appelait «Exercices négatifs». Je la montrai à un ami qui me la rendit quelques jours après en me disant : «Cela a besoin d'être récrit en entier.» Je pris très mal son conseil mais, fort heureusement, je le suivis. En fait je l'ai écrit quatre fois, car je ne voulais à aucun prix qu'il fût considéré comme le produit d'un venu d'ailleurs. Ce que j'ambitionnais c'était ni plus ni moins que de rivaliser avec les indigènes. D'où pouvait bien dériver pareille outrecuidance ? Mes parents, qui savaient seulement le roumain et le hongrois et un brin d'allemand, ne connaissaient comme mots français que *bonjour* et *merci*. Tel était le cas de la quasi-totalité des Transylvains. Quand en 1929 j'allai à Bucarest pour de vagues études, je constatai que la plupart des intellectuels y parlaient couramment le français ; d'où chez moi, qui le lisais sans plus, une rage qui devait durer longtemps et qui dure encore, sous une autre forme, puisque, une fois à Paris, je n'ai jamais pu me débarrasser de mon accent valaque. Si donc je ne peux articuler comme les autochtones, du moins vais-je tenter d'écrire comme eux, tel dut être mon raisonnement inconscient, sinon comment expliquer mon acharnement à vouloir faire aussi bien qu'eux et même, présomption insensée, mieux qu'eux ?

*L*es efforts que nous déployons pour nous affirmer, pour nous mesurer avec nos semblables et, si possible, pour les surclasser, ont des raisons viles, inavouables, donc puissantes. Les résolutions nobles, au contraire, émanées d'une volonté d'effacement, manquent inévitablement de vigueur, et nous les abandonnons vite avec ou sans regret. Tout ce par quoi nous excellons procède d'une source trouble et suspecte, de nos profondeurs en fait.

*I*l y a encore ceci : j'aurais dû choisir n'importe quel autre idiome, sauf le français, car je m'accorde mal avec son air distingué, il est aux antipodes de ma nature, de mes débordements, de mon moi véritable et de mon genre de misères. Par sa rigidité, par la somme des contraintes élégantes qu'il représente, il m'apparaît comme un exercice d'ascèse ou plutôt comme un mélange de camisole de force et de salon. Or c'est précisément à cause de cette incompatibilité que je me suis attaché à lui, au point d'exulter quand le grand savant new-yorkais Erwin Chargaff (né, comme Paul Celan, à Czernowitz) me confia un jour que pour lui *ne méritait d'exister que ce qui était exprimé en français...*
Aujourd'hui que cette langue est en plein déclin, ce qui m'attriste le plus c'est de constater que les Français n'ont pas l'air d'en souffrir. Et c'est moi, rebut des Balkans, qui me désole de la voir sombrer. Eh bien, je coulerai, inconsolable, avec elle !

CIORAN À DIEPPE, *SON* « REFUGE ».
1988.
PHOTOGRAPHIE IRMELI JUNG.

Cioran devant la porte de son appartement,
rue de l'Odéon.
1988.
Photographie Irmeli Jung.

CIORAN SUR SON BALCON,
RUE DE L'ODÉON.
1988.
PHOTOGRAPHIE IRMELI JUNG.

FRONTISPICE D'EDUARDO CHILLIDA POUR *FACE AUX INSTANTS*,
CHÂTEAUROUX, L'ÎLE DES VENTS, 1985.
GRAVURE À L'EAU-FORTE.
H. 31 CM; L. 21 CM.

E. M. CIORAN

FACE AUX INSTANTS

EDUARDO CHILLIDA

L'IRE DES VENTS

CIORAN DANS SA CHAMBRE, RUE DE L'ODÉON.
1988.
PHOTOGRAPHIE IRMELI JUNG.

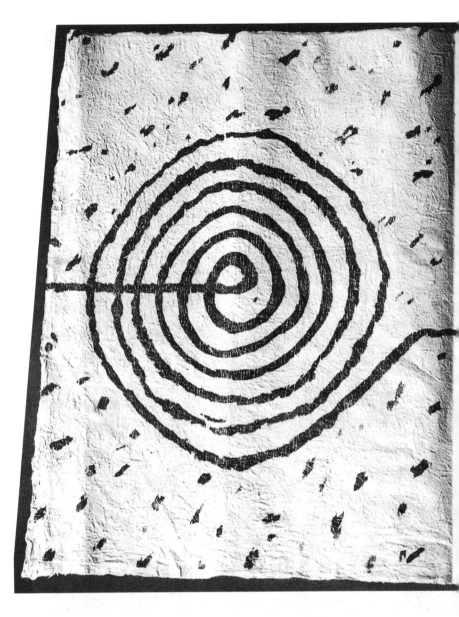

FRONTISPICE DE ION NICODIM POUR *POURSUIVIS PAR NOS ORIGINES*,
LIVRE CONÇU ET ILLUSTRÉ DE QUATRE BOIS PAR NICODIM,
LONGJUMEAU, ÉDITIONS DE LA GRAND'RUE, 1990.
BOIS.
H. 39 CM ; L. 61 CM (OUVERT).

...poursuivis par nos origines

Textes de

E.M. Cioran

AVEUX

ET ANATHÈMES

Écrit en français ; publié à Paris en 1987.

À L'ORÉE DE L'EXISTENCE

*L*orsque le Christ descendit aux enfers, les justes de l'ancienne loi, Abel, Énoch, Noé, se méfièrent de son enseignement et ne répondirent pas à son appel. Ils le prirent pour un émissaire du Tentateur dont ils redoutaient les embûches. Seul Caïn et ceux de son espèce adhérèrent à sa doctrine ou firent semblant, le suivirent et quittèrent avec lui les enfers. — Voilà ce que professait Marcion.

«Le bonheur du méchant», cette vieille objection contre l'idée d'un Créateur miséricordieux ou tout au moins honorable, qui l'a consolidée mieux que cet hérésiarque, qui d'autre a perçu avec une telle acuité ce qu'elle a d'invincible?

*P*aléontologue d'occasion, j'ai passé plusieurs mois à ruminer sur le squelette. Résultat : quelques pages à peine... Le sujet, il est vrai, n'invitait pas à la prolixité.

*A*ppliquer le même traitement à un poète et à un penseur me semble une faute de goût. Il est des domaines auxquels les philosophes ne devraient pas toucher. Désarticuler un poème comme on désarticule un système est un délit, voire un sacrilège.

Chose curieuse : les poètes exultent quand ils ne comprennent pas ce qu'on débite sur eux. Le jargon les flatte, et leur donne l'illusion d'un avancement. Cette faiblesse les rabaisse au niveau de leurs glossateurs.

*L*e néant pour le bouddhisme (à vrai dire pour l'Orient en général) ne comporte pas la signification quelque peu sinistre que nous lui attribuons. Il se confond avec une expérience limite de la lumière, ou, si on veut, avec un état d'éternelle absence lumineuse, de vide rayonnant : c'est l'être qui a triomphé de toutes ses propriétés, ou plutôt un non-être suprêmement positif qui dispense un bonheur sans matière, sans substrat, sans aucun appui dans quelque monde que ce soit.

*T*ant la solitude me comble que le moindre rendez-vous m'est une crucifixion.

*L*a philosophie hindoue poursuit la délivrance ; la grecque, à l'exception de Pyrrhon, d'Épicure, et de quelques inclassables, est décevante : elle ne cherche que la... vérité.

*O*n a comparé le nirvâna à un miroir qui ne refléterait plus aucun objet. À un miroir donc à jamais pur, à jamais sans emploi.

*L*e Christ ayant appelé Satan : « Prince de ce monde », saint Paul, voulant renchérir, allait frapper juste : « dieu de ce monde ».
Quand de telles autorités désignent nommément celui qui nous gouverne, avons-nous le droit de jouer aux déshérités ?

L'homme est libre, sauf en ce qu'il a de profond. À la surface, il fait ce qu'il veut ; dans ses couches obscures, « volonté » est vocable dépourvu de sens.

*P*our désarmer les envieux, nous devrions sortir dans la rue avec des béquilles. Il n'est guère que le spectacle de notre déchéance qui humanise quelque peu nos amis et nos ennemis.

C'est avec raison qu'à chaque époque on croit assister à la disparition des dernières traces du Paradis terrestre.

*L*e Christ encore. D'après un récit gnostique, il serait, par haine du *fatum*, monté au ciel pour y déranger la disposition des sphères et empêcher qu'on interroge les astres.
Dans ce remue-ménage, qu'a-t-il bien pu arriver à ma pauvre étoile ?

*K*ant a attendu l'extrême vieillesse pour apercevoir les côtés sombres de l'existence et signaler «l'échec de toute théodicée rationnelle».
... D'autres, plus chanceux, s'en sont avisés avant même de commencer à philosopher.

*O*n dirait que la matière, jalouse de la vie, s'emploie à l'épier pour trouver ses points faibles et pour la punir de ses initiatives et de ses trahisons. C'est que la vie n'est vie que par infidélité à la matière.

*J*e suis distinct de toutes mes sensations. Je n'arrive pas à comprendre comment. Je n'arrive même pas à comprendre *qui* les éprouve. Et d'ailleurs qui est ce *je* au début des trois propositions?

*J*e viens de parcourir une biographie. L'idée que tous les personnages qui y sont évoqués n'existent plus que dans ce livre m'a paru si insoutenable que j'ai dû m'allonger pour éviter une défaillance.

*D*e quel droit me lancez-vous à la figure mes vérités? Vous vous arrogez une liberté que je récuse. Tout ce que vous alléguez est exact, je le reconnais. Mais je ne vous ai pas autorisé à être franc à mon égard. — (Après chaque explosion de fureur, honte accompagnée de l'invariable rengorgement: «Ça, du moins, c'est de la vie», suivi, à son tour, d'une honte plus grande encore.)

«*J*e suis un lâche, je ne puis supporter la souffrance d'être heureux.»
Pour pénétrer quelqu'un, pour le *connaître* vraiment, il me suffit de voir comment il réagit à cet aveu de Keats. S'il ne comprend pas tout de suite, inutile de continuer.

*É*pouvantement — quel dommage que le mot ait disparu avec les grands prédicateurs!

L'homme étant un animal égrotant, n'importe lequel de ses propos ou de ses gestes a valeur de *symptôme*.

«*J*e suis étonné qu'un homme aussi remarquable ait pu mourir», ai-je écrit à la veuve d'un philosophe. Je ne me suis aperçu de la stupidité de ma lettre qu'après l'avoir expédiée. Lui en envoyer une autre, c'eût été risquer une seconde bourde. En matière de condoléances, tout ce qui n'est pas cliché frise l'inconvenance ou l'aberration.

*S*eptuagénaire, lady Montague avouait avoir cessé de se regarder dans un miroir depuis onze ans. Excentricité? Peut-être, mais pour ceux-là seuls qui ignorent le calvaire de la rencontre quotidienne avec sa propre gueule.

*J*e ne peux parler que de ce que j'éprouve; or, je n'éprouve rien en ce moment. Tout me semble annulé, tout est suspendu pour moi. J'essaie de n'en tirer ni amertume ni vanité. «Au cours de nombreuses vies que nous avons vécues, lit-on dans *Le Trésor de la vraie Loi*, combien de fois sommes-nous nés en vain, morts en vain!»

*P*lus l'homme avance, moins il aura à quoi se convertir.

*L*e meilleur moyen de se débarrasser d'un ennemi est d'en dire partout du bien. On le lui répétera, et il n'aura plus la force de vous nuire : vous avez brisé son ressort... Il mènera toujours campagne contre vous mais sans vigueur ni suite, car inconsciemment il aura cessé de vous haïr. Il est vaincu, tout en ignorant sa défaite.

*O*n connaît l'ukase de Claudel : «Je suis pour tous les Jupiter contre tous les Prométhée.» On a beau avoir perdu toute illusion sur la révolte, une telle énormité réveille le terroriste assoupi en vous.

*O*n n'en veut pas à ceux qu'on a insultés; on est, au contraire, disposé à leur reconnaître tous les mérites imaginables. Cette générosité ne se rencontre malheureusement jamais chez l'insulté.

*J*e fais peu de cas de quiconque se passe du Péché originel. J'y ai recours, quant à moi, dans toutes les circonstances, et, sans lui, je ne vois pas comment j'éviterais une consternation ininterrompue.

*K*andinsky soutient que le *jaune* est la couleur de la vie.
... On saisit maintenant pourquoi cette couleur fait si mal aux yeux.

*Q*uand on doit prendre une décision capitale, la chose la plus dangereuse est de consulter autrui, vu que, à l'exception de quelques égarés, il n'est personne qui veuille sincèrement notre bien.

*I*nventer des mots nouveaux serait, selon Mme de Staël, le «symptôme le plus sûr de la stérilité des idées». La remarque semble plus juste aujourd'hui qu'elle ne l'était au début du siècle dernier. En 1649 déjà, Vaugelas avait décrété : «Il n'est permis à qui que ce soit de faire de nouveaux mots, non pas même au souverain.»
Que les philosophes, plus encore que les écrivains, méditent sur cette interdiction avant même de se mettre à penser !

*O*n apprend plus dans une nuit blanche que dans une année de sommeil. Autant dire que le passage à tabac est autrement instructif que la sieste.

*L*es maux d'oreilles dont souffrait Swift sont en partie à l'origine de sa misanthropie.
Si je m'intéresse tant aux infirmités des autres, c'est pour me trouver tout de suite des points communs avec eux. Parfois j'ai l'impression d'avoir partagé tous les supplices de ceux que j'ai admirés.

*C*e matin, après avoir entendu un astronome parler de *milliards de soleils,* j'ai renoncé à faire ma toilette : à quoi bon se laver encore ?

L'ennui est bien une forme d'anxiété mais d'une anxiété purgée de peur. Lorsqu'on s'ennuie on ne redoute en effet rien, sinon l'ennui lui-même.

*Q*uiconque est passé par une épreuve regarde de haut ceux qui n'ont pas eu à la subir. L'insupportable infatuation des opérés...

À l'exposition Paris-Moscou, saisissement devant le portrait de Remizov jeune par Ilya Répine. Quand je le connus, Remizov avait quatre-vingt-six ans : il habitait un appartement presque vide que convoitait pour sa fille la concierge qui intriguait pour l'en faire expulser, sous prétexte que c'était un foyer d'infection, un nid de rats. Celui que Pasternak tenait pour le plus grand styliste russe en était arrivé là. Le contraste entre le vieillard décati, misérable, oublié de tous, et l'image du jeune homme brillant que j'avais sous les yeux, m'enleva toute envie de visiter le reste de l'exposition.

Les Anciens se méfiaient de la réussite non seulement parce qu'ils craignaient la jalousie des dieux mais encore le danger de déséquilibre intérieur lié à tout succès comme tel. Avoir compris ce péril, quelle supériorité sur nous !

Il est impossible de passer des nuits blanches et d'exercer un métier : si, dans ma jeunesse, mes parents n'avaient pas *financé* mes insomnies, je me serais sûrement tué.

Sainte-Beuve écrivait en 1849 que la jeunesse se détournait du mal romantique pour rêver, à l'exemple des saint-simoniens, du «triomphe illimité de l'industrie».
Ce rêve, pleinement réalisé, jette le discrédit sur toutes nos entreprises et sur l'idée même d'*espoir*.

Ces enfants dont je n'ai pas voulu, s'ils savaient le bonheur qu'ils me doivent !

Pendant que mon dentiste défonçait mes mâchoires, je me disais que le Temps était l'unique sujet sur lequel méditer, que c'était à cause de Lui que je me trouvais sur cette chaise fatale et que tout craquait, y compris ce qui me restait de dents.

*S*i je me suis toujours méfié de Freud, c'est mon père qui en porte la responsabilité : il racontait ses rêves à ma mère, et me gâchait ainsi toutes mes matinées.

*L*e goût du mal étant inné, on n'a nul besoin de peiner pour l'acquérir. L'enfant exerce d'emblée ses mauvais instincts, avec quelle adresse, quelle compétence, et quelle furie !
Une pédagogie digne de ce nom devrait prévoir des stages en camisole de force. Il faudrait peut-être, par-delà l'enfance, étendre cette mesure à tous les âges, pour le plus grand bénéfice de tous.

*M*alheur à l'écrivain qui ne cultive pas sa mégalomanie, qui la voit baisser sans réagir. Il s'apercevra bientôt qu'on ne devient pas *normal* impunément.

J'étais en proie à une angoisse dont je ne voyais pas comment j'allais me défaire. On sonne à la porte. J'ouvre. Une dame d'un certain âge que je n'attendais vraiment pas est là. Pendant trois heures elle m'assena de telles inepties que mon angoisse se transforma en colère. J'étais sauvé.

*L*a tyrannie brise ou fortifie l'individu ; la liberté l'amollit et en fait un fantoche. L'homme a plus de chances de se sauver par l'enfer que par le paradis.

*D*eux amies, actrices dans un pays de l'Est. L'une s'en va en Occident et y devient riche et célèbre, l'autre reste là-bas, inconnue et pauvre. Un demi-siècle après, celle-ci, en voyage, rend visite à sa camarade chanceuse. « Elle était d'une tête plus grande que moi, et maintenant elle est rabougrie et paralysée. » Suivent d'autres détails, puis elle me dit en guise de conclusion : « Je n'ai pas peur de la mort, j'ai peur de la mort dans la vie. »
Rien de tel pour camoufler une revanche tardive que le recours à la réflexion philosophique.

*B*ribes, pensées fugitives, dites-vous. Peut-on les appeler *fugitives* lorsqu'il s'agit d'obsessions, donc de pensées dont le propre est justement de ne pas *fuir* ?

*J*e venais d'écrire un mot très modéré, très comme il faut à quelqu'un qui ne le méritait nullement. Avant de l'envoyer, j'y ai ajouté quelques allusions empreintes d'un vague fiel. Enfin, au moment même où je mettais la lettre à la poste, je sentis la rage me saisir et, avec elle, un mépris pour mon mouvement noble, pour mon regrettable accès de *distinction*.

*C*imetière de Picpus. Un jeune homme et une dame défraîchie. Le gardien explique que le cimetière est réservé aux descendants des guillotinés. La dame intervient :
Nous en sommes !
De quel air ! Après tout, il se peut qu'elle ait dit vrai. Mais ce ton provocant m'a poussé aussitôt de côté du bourreau.

*O*uvrant, dans une librairie, les *Sermons* de Maître Eckhart, je lis que la souffrance est intolérable pour qui souffre pour lui-même mais qu'elle est légère à celui qui souffre pour Dieu, parce que c'est Dieu qui en porte le fardeau, fût-il lourd de la souffrance de tous les hommes.
Ce n'est pas par hasard que je suis tombé sur ce passage, car il s'applique si bien à celui qui ne pourra jamais se décharger sur personne de tout ce qui pèse sur lui.

*S*elon la Kabbale, Dieu permet que sa splendeur s'amoindrisse, afin que les anges et les hommes puissent la supporter. Ce qui revient à dire que la Création coïncide avec un affaiblissement de la clarté divine, avec un effort vers l'ombre auquel le Créateur a consenti. L'hypothèse de l'obscurcissement volontaire de Dieu a le mérite de nous ouvrir à nos propres ténèbres, responsables de notre irréceptivité à une certaine lumière.

L'idéal serait de pouvoir se répéter comme... Bach.

*A*ridité grandiose, surnaturelle : c'est comme si je commençais une seconde existence sur une autre planète où la parole serait inconnue, dans un univers rétif au langage et inapte à s'en créer un.

*O*n n'habite pas un pays, on habite une langue. Une patrie, c'est cela et rien d'autre.

*A*près avoir lu dans un ouvrage d'inspiration psychanalytique qu'Aristote, jeune, avait été sûrement jaloux de Philippe, père d'Alexandre, son futur élève, on ne peut s'empêcher de penser qu'un système, qui se veut une thérapeutique, et où se forgent de telles conjectures, ne peut être que suspect, car il *invente* des secrets pour le plaisir d'inventer des explications et des guérisons.

*I*l y a du charlatan dans quiconque triomphe en quelque domaine que ce soit.

*U*ne visite dans un hôpital, et, au bout de cinq minutes, on devient bouddhiste si on ne l'est pas, et on le redevient si on avait cessé de l'être.

*P*arménide. Je n'aperçois nulle part l'être qu'il exalte, et me vois mal dans sa sphère qui ne comporte aucune cassure, aucun *lieu* pour moi.

*D*ans ce compartiment, mon vis-à-vis, une femme d'une laideur indécente, ronflait, la bouche ouverte : une agonisante immonde. Que faire ? Comment supporter pareil spectacle ? — Staline me vint en aide. Dans sa jeunesse, tandis qu'il passait entre deux rangées de sbires qui le fouettaient, il s'absorba entièrement dans la lecture d'un livre, de sorte que son attention se détourna des coups dont on le gratifiait. Fort de cet exemple, je me plongeai moi aussi dans un livre et je m'arrêtai à chaque mot avec une application extrême jusqu'au moment où le monstre cessa d'agoniser.

*J*e disais l'autre jour à un ami que, tout en ne croyant plus à l'écriture, je ne voudrais pas y renoncer, que travailler était une illusion défendable et qu'après avoir gribouillé une page ou seulement une phrase, j'avais toujours envie de siffler.

*L*es religions, comme les idéologies qui en ont hérité les vices, se réduisent à des croisades contre l'humour.

*T*ous les philosophes que j'ai connus étaient sans exception des impulsifs.
La tare de l'Occident aura marqué ceux-là mêmes qui auraient dû en être indemnes.

*Ê*tre comme Dieu et non comme les dieux, tel est le but des vrais mystiques, qui visent trop haut pour condescendre au polythéisme.

*O*n me pressent pour un colloque à l'étranger, parce qu'on aurait, paraît-il, besoin de mes vacillations.
Le sceptique de service d'un monde finissant.

*E*n quoi je réside, je ne le saurai jamais. Il est vrai qu'on ne sait pas davantage en quoi réside Dieu, car à quoi rime l'expression : *résider en soi* pour nous qui manquons de fondement et en nous et hors de nous ?

J'abuse du mot Dieu, je l'emploie souvent, trop souvent. Je le fais chaque fois que je touche à une extrémité et qu'il me faut un vocable pour désigner ce qui vient *après*. Je préfère Dieu à l'Inconcevable.

*T*el livre de piété assure que l'incapacité de prendre parti est signe qu'on n'est pas « éclairé de la lumière divine ».
En d'autres termes, l'irrésolution, cette *objectivité* totale, serait chemin de perdition.

*J*e décèle immanquablement une faille chez tous ceux qui s'intéressent aux mêmes choses que moi...

*A*voir parcouru un ouvrage sur la vieillesse uniquement parce que la photo de l'auteur m'y invitait. Ce mélange de rictus et d'imploration, et cette expression de stupeur grimaçante, — quelle réclame, quelle garantie !

« *C*e monde n'a pas été créé suivant le vœu de la Vie », est-il dit dans le *Ginza*, texte gnostique d'une secte mandéenne de Mésopotamie.

S'en souvenir toutes les fois qu'on ne dispose pas d'un argument meilleur pour neutraliser une déception.

*A*près tant d'années, après toute une vie, je la revois. «Pourquoi pleures-tu?», lui ai-je demandé d'emblée. «Je ne pleure pas», me répondit-elle. Elle ne pleurait pas en effet, elle me souriait, mais l'âge ayant déformé ses traits, la joie ne trouvait plus accès à son visage où on aurait aussi bien pu lire : «Quiconque ne meurt pas jeune, s'en repentira tôt ou tard.»

*C*elui qui se survit rate sa... biographie. En fin de compte, ne peuvent être tenus pour accomplis que les destins brisés.

*N*ous ne devrions déranger nos amis que pour notre enterrement. Et encore !

L'ennui, mal réputé frivole, nous fait cependant entrevoir le gouffre dont émane le besoin de prier.

«*D*ieu n'a rien créé qui lui soit plus odieux que ce monde et, du jour où il l'a créé, il ne l'a plus regardé, tant il le hait.»
Le mystique musulman qui a écrit cela, je ne sais qui il était, j'ignorerai toujours le nom de cet ami.

*I*ndéniable atout des agonisants : pouvoir proférer des banalités sans se compromettre.

*R*etiré à la campagne après la mort de sa fille Tullia, Cicéron, submergé par le chagrin, s'adressait à lui-même des lettres de consolation. Quel dommage qu'on ne les ait pas retrouvées et, plus encore, que cette thérapeutique ne soit pas devenue courante ! Il est vrai que si elle avait été adoptée, les religions auraient fait faillite depuis longtemps.

*U*n patrimoine bien à nous : les heures où nous n'avons rien fait... Ce sont elles qui nous forment, qui nous individualisent, qui nous rendent *dissemblables*.

*U*n psychanalyste danois qui souffrait de migraines tenaces, et qui avait subi sans résultat un traitement chez un confrère, vint chez Freud qui le guérit en quelques mois. C'est le dernier qui l'affirme, et on le croit sans peine. Un disciple, si mal en point soit-il, ne peut pas ne pas se porter mieux au contact quotidien de son Maître. Quelle cure meilleure que de voir celui qu'on estime le plus au monde prendre intérêt si longtemps à vos misères! Il est peu d'infirmités qui ne consentiraient pas à s'incliner devant une telle sollicitude. Rappelons-nous que le Maître avait tout d'un fondateur de secte déguisé en homme de science. S'il a obtenu des guérisons, c'est moins à cause de sa méthode que de sa *foi*.

«*L*a vieillesse est la chose la plus inattendue de toutes celles qui arrivent à l'homme», note Trotski quelques années avant sa fin. Si, jeune, il avait eu l'intuition exacte, viscérale, de cette vérité —, quel piètre révolutionnaire il aurait fait!

*L*es hauts faits ne sont possibles qu'aux époques où l'auto-ironie ne sévit pas encore.

*C*e fut son lot de ne s'accomplir qu'à moitié. Tout était *tronqué* en lui : sa façon d'être, comme sa façon de penser. Un homme à fragments, fragment lui-même.

*L*e rêve, en abolissant le temps, abolit la mort. Les défunts en profitent pour nous importuner. La nuit dernière, voilà mon père. Il était tel que je l'ai toujours connu, et cependant j'eus un instant d'hésitation. Et si ce n'était pas lui? Nous nous embrassâmes à la roumaine mais, comme toujours avec lui, sans effusions, sans chaleur, sans les démonstrations d'usage chez un peuple expansif. C'est à cause de ce baiser sobre, glacial, que je sus que c'était bien lui. Je me réveillai en me disant qu'on ne ressuscite qu'en intrus, qu'en trouble-rêve, que cette immortalité fâcheuse est la seule qui existe.

*L*a ponctualité, variété de la «folie du scrupule». Pour être à l'heure, je serais capable de commettre un crime.

*A*u-dessus des présocratiques, on est parfois enclin à mettre ces hérésiarques dont les œuvres furent mutilées ou détruites, et dont il ne reste que quelques bouts de phrase, mystérieux à souhait.

*P*ourquoi, après avoir fait une bonne action, a-t-on envie de suivre un drapeau, n'importe lequel?
Nos mouvements généreux comportent quelque danger : ils nous font perdre la tête. À moins qu'on ne soit généreux pour avoir justement perdu la tête, la générosité étant une forme patente d'ébriété.

*C*haque fois que le futur me semble concevable, j'ai l'impression d'avoir été visité par la Grâce.

S'il était possible d'identifier le vice de fabrication dont l'univers porte si visiblement la trace!

*J*e suis toujours étonné de voir à quel point les sentiments bas sont vivants, normaux, inattaquables. Quand on les éprouve, on se sent ragaillardi, réintégré dans la communauté, de plain-pied avec ses semblables.

*S*i l'homme oublie si facilement qu'il est maudit, c'est parce qu'il l'est depuis toujours.

*L*a critique est un contresens : il faut lire, non pour comprendre autrui mais pour se comprendre soi-même.

*C*elui qui se voit *tel qu'il est* s'élève au-dessus de celui qui ressuscite les morts. La parole est d'un saint. Ne pas se connaître soi-même est la loi de chacun, et on ne l'enfreint pas sans risque. La vérité est que personne n'a le courage de l'enfreindre, et c'est ce qui explique l'exagération du saint.

*I*l est plus facile d'imiter Jupiter que Lao-tseu.

*S*e tenir à la page est la marque d'un esprit fluctuant qui ne poursuit rien de personnel, qui est impropre à l'obsession, à cette impasse *sans fin.*

L'éminent ecclésiastique se gaussait du péché originel. «Ce péché est votre gagne-pain. Sans lui, vous mourriez de faim, car votre ministère n'aurait plus aucun sens. Si l'homme n'est pas déchu dès l'origine, pourquoi le Christ est-il venu? pour racheter qui et quoi?» À mes objections, il n'eut, pour toute réponse, qu'un sourire condescendant.
Une religion est finie quand seuls ses adversaires s'efforcent d'en préserver l'intégrité.

*L*es Allemands ne s'aperçoivent pas qu'il est ridicule de mettre dans le même sac un Pascal et un Heidegger. L'intervalle est de taille entre un *Schicksal* et un *Beruf,* entre une destinée et une profession.

*U*n silence abrupt au milieu d'une conversation nous ramène soudain à l'essentiel: il nous révèle de quel prix nous devons payer l'invention de la parole.

N'avoir plus rien de commun avec les hommes que le fait d'être homme!

*I*l faut qu'une sensation soit tombée bien bas pour qu'elle daigne se muer en idée.

*C*roire en Dieu vous dispense de croire à quoi que ce soit d'autre — ce qui est un avantage inappréciable. J'ai toujours envié ceux qui y croyaient, bien que se croire Dieu me paraisse plus aisé que de croire en Dieu.

*U*n mot, disséqué, ne signifie plus rien, n'est plus rien. Comme un corps qui, après l'autopsie, est moins qu'un cadavre.

*T*out désir suscite chez moi un contre-désir, de sorte que, quoi que je fasse, seul compte ce que je n'ai pas fait.

Sarvam anityam = tout est transitoire (le Bouddha).
Formule qu'on devrait se répéter à toute heure de la journée, au risque — admirable — d'en crever.

*J*e ne sais quelle soif diabolique m'empêche de dénoncer mon pacte avec mon souffle.

*P*erdre le sommeil et changer de langue. Deux épreuves, l'une indépendante de soi, l'autre délibérée. Seul, face à face avec les nuits et avec les mots.

*L*es bien portants ne sont pas réels. Ils ont tout, sauf l'*être* — que confère uniquement une santé improbable.

*D*e tous les Anciens, c'est peut-être Épicure qui a su le mieux mépriser la foule. Un motif de plus de le célébrer. Quelle idée d'avoir placé si haut un pitre comme Diogène! C'est le Jardin en question que j'aurais dû hanter, et non l'agora ni, à plus forte raison, le tonneau...
(Pourtant Épicure lui-même m'aura déçu plus d'une fois. Ne traite-t-il pas de *sot* Théognis de Mégare pour avoir proclamé qu'il valait mieux ne pas naître ou, une fois né, franchir au plus tôt les portes de l'Hadès?)

«*S*i j'étais chargé de classer les misères humaines, écrit le jeune Tocqueville, je le ferais dans cet ordre : la maladie, la mort, le doute.»
Le doute comme fléau, une telle opinion, jamais je n'aurais pu la soutenir, mais je la comprends comme si je l'avais émise moi-même — dans une autre vie.

«*L*a fin de l'humanité arrivera quand tout le monde sera comme moi», ai-je déclaré un jour dans un accès qu'il ne m'appartient pas de qualifier.

À peine dehors, je m'écrie : «Quelle perfection dans la parodie de l'Enfer!»

« *C*'est aux dieux de venir à moi, non à moi d'aller à eux », répondit Plotin à son disciple Amélius qui voulait l'emmener à une cérémonie religieuse.
Chez qui, dans le monde chrétien, trouverait-on pareille qualité d'orgueil?

*I*l fallait le laisser parler de tout, et tenter d'isoler les paroles fulgurantes qui lui échappaient. C'était une éruption verbale dépourvue de sens, avec des gesticulations de saint histrionique et toqué. Pour se mettre à son niveau, on devait divaguer comme lui, proférer des sentences sublimes et incohérentes. Un tête-à-tête posthume, entre spectres passionnés.

À Saint-Séverin, en écoutant, à l'orgue, *L'Art de la Fugue*, je me disais et redisais : « Voilà la *réfutation* de tous mes anathèmes. »

FRACTURES

*Q*uand on est sorti du cercle d'erreurs et d'illusions à l'intérieur duquel se déroulent les actes, prendre position est une quasi-impossibilité. Il faut un minimum de niaiserie pour tout, pour affirmer et même pour nier.

*P*our entrevoir l'essentiel, il ne faut exercer aucun métier. Rester toute la journée allongé, et gémir...

*T*out ce qui me met en désaccord avec le monde m'est consubstantiel. J'ai très peu appris par expérience. Mes déceptions m'ont toujours précédé.

*I*l existe un indéniable plaisir à savoir que tout ce qu'on fait n'a aucune base réelle, que c'est tout un de commettre un acte ou de ne pas le commettre. Il n'en demeure pas moins que dans nos gestes quotidiens nous composons avec la Vacuité, c'est-à-dire que, tour à tour et parfois en même temps, nous tenons ce monde pour réel et irréel. Nous mélangeons là vérités pures et vérités sordides, et cette mixture, honte du penseur, est la revanche du vivant.

*C*e ne sont pas les maux violents qui nous marquent mais les maux sourds, insistants, tolérables, faisant partie de notre train-train quotidien et nous sapant aussi consciencieusement que nous sape le Temps.

*A*u-delà d'un quart d'heure, on ne peut assister sans impatience au désespoir d'un autre.

L'amitié n'a d'intérêt et de portée que lorsqu'on est jeune. Pour quelqu'un d'âgé, il est bien évident que ce qu'il redoute le plus, c'est que ses amis lui survivent.

*O*n peut tout imaginer, tout prédire, sauf jusqu'où on peut déchoir.

*C*e qui m'attache encore aux choses, c'est une soif héritée d'ancêtres qui ont poussé la curiosité d'exister jusqu'à l'ignominie.

*C*e qu'on devait se détester dans l'obscurité et la pestilence des cavernes! On comprend que les peintres qui y vivotaient n'aient pas voulu éterniser la figure de leurs semblables et qu'ils aient préféré celle des animaux.

«*A*yant renoncé à la sainteté...»
— Dire que j'ai été capable de proférer une telle énormité! Je dois avoir une excuse et je ne désespère pas de la trouver.

*E*n dehors de la musique, tout est mensonge, même la solitude, même l'extase. Elle est justement l'une et l'autre *en mieux.*

À quel point l'âge simplifie tout!
À la bibliothèque, je demande quatre livres : deux en trop petits caractères, je les écarte sans examen ; le troisième, trop... sérieux, me semble illisible. J'emporte le quatrième sans conviction...

*O*n peut être fier de ce qu'on a fait mais on devrait l'être beaucoup plus de ce qu'on n'a pas fait. Cette fierté est à inventer.

*A*près une soirée en sa compagnie, on était fourbu, car la nécessité de se contrôler, d'éviter la moindre allusion susceptible de le blesser (et tout le blessait) vous laissait à la fin sans forces, mécontent et de lui et de soi. On s'en voulait de s'être rangé à son avis par des scrupules poussés jusqu'à la bassesse, on se méprisait de n'avoir pas explosé, au lieu de s'imposer un exercice de délicatesse si exténuant.

*O*n ne dit jamais d'un chien ni d'un rat qu'il est *mortel.* De quel droit l'homme s'est-il arrogé ce privilège? Après tout, la mort n'est pas sa trouvaille, et c'est un signe de fatuité que de s'en croire l'unique bénéficiaire.

À mesure que la mémoire s'affaiblit, les éloges qu'on nous a prodigués s'effacent au profit des blâmes. Et c'est justice : les premiers, on les a rarement mérités, alors que les seconds jettent quelque clarté sur ce qu'on ignorait de soi-même.

*S*i j'étais né bouddhiste, je le serais resté ; né chrétien, j'ai cessé de l'être dès ma première jeunesse où, bien plus qu'aujourd'hui, j'aurais renchéri, si je l'avais connu, sur le blasphème que Goethe, l'année même de sa mort, laissa échapper dans une lettre à Zelter : « La croix est l'image la plus hideuse qui soit sous le ciel. »

L'essentiel surgit souvent au bout d'une longue conversation. Les grandes vérités se disent sur le pas de la porte.

*C*e qui est caduc chez Proust, ce sont ces riens chargés d'un vertige prolixe, les relents du style symboliste, l'accumulation d'effets, la saturation poétique. C'est comme si Saint-Simon avait subi l'influence des Précieuses. Plus personne ne le lirait aujourd'hui.

*U*ne lettre digne de ce nom s'écrit sous le coup de l'admiration ou de l'indignation, de l'exagération en somme. On saisit pourquoi une lettre sensée est une lettre mort-née.

J'ai connu des écrivains obtus et même bêtes. Les traducteurs, en revanche, que j'ai pu approcher étaient plus intelligents et plus intéressants que les auteurs qu'ils traduisaient. C'est qu'il faut plus de réflexion pour traduire que pour « créer ».

*C*elui qui est tenu pour « extraordinaire » par ses intimes ne doit pas fournir de preuves contre lui-même. Qu'il se garde bien de laisser des traces, qu'il n'écrive surtout pas, s'il souhaite paraître un jour pour tous ce qu'il a été pour quelques-uns.

*P*our un écrivain, changer de langue, c'est écrire une lettre d'amour avec un dictionnaire.

«*J*e sens que tu en es à détester aussi bien ce que pensent les autres que ce que tu penses toi-même», m'a-t-elle déclaré d'emblée après une séparation si considérable. Au moment de repartir, elle m'a conté un apologue chinois d'où il ressortait que rien n'égalait l'oubli de soi. Elle, l'être le plus *présent*, le plus lourd d'énergie intérieure et d'énergie tout court, le plus rivé à son moi, le plus chargé de soi-même qui se puisse concevoir, — par quel malentendu prône-t-elle l'effacement au point de croire qu'elle en offre l'exemple parfait?

*M*al élevé comme il n'est pas permis de l'être, pingre, sale, insolent, subtil, saisissant les moindres nuances, hurlant de bonheur devant une outrance ou une plaisanterie, intrigant et calomniateur..., tout en lui était charme et répulsion. Un salaud qu'on regrette.

*L*a mission de tout un chacun est de mener à bien le mensonge qu'il incarne, de parvenir à n'être plus qu'une illusion épuisée.

*L*a lucidité : un martyre permanent, un inimaginable tour de force.

*C*eux qui veulent nous faire des confidences scandaleuses comptent avec cynisme sur notre curiosité pour satisfaire leur besoin d'étaler des secrets. Ils savent bien en même temps que nous en serons trop jaloux pour les révéler.

*I*l n'est que la musique pour créer une complicité indestructible entre deux êtres. Une passion est périssable, elle se dégrade comme tout ce qui participe de la vie, alors que la musique est d'une essence supérieure à la vie et, bien entendu, à la mort.

*S*i je n'ai pas de goût pour le Mystère, c'est parce que tout me paraît inexplicable, que dis-je? parce que je vis d'inexplicable et que j'en suis repu.

X. me reproche de me comporter en spectateur, de n'être pas dans le coup, de répugner au nouveau. — «Mais je ne veux rien changer à rien», lui ai-je répondu. Il n'a pas saisi le sens de ma réplique. Il m'a pris pour un modeste.

*O*n a remarqué à juste titre que le jargon philosophique passait aussi vite que l'argot. La raison? Le premier est trop artificiel; le second, trop vivant. Deux excès ruineux.

*I*l vit ses derniers jours depuis des mois, depuis des années, et parle de sa fin au passé. Une existence posthume. Je m'étonne que, ne mangeant presque rien, il parvienne à durer : «Mon corps et mon âme ont mis tant de temps et d'acharnement à se souder, qu'il n'arrivent pas à se séparer.» S'il n'a pas la voix d'un mourant, c'est que depuis longtemps il n'est plus en vie. «Je suis une bougie soufflée» est le mot le plus juste qu'il ait dit sur sa dernière métamorphose. Quand j'évoquais la possibilité d'un miracle, «Il en faudrait plusieurs», fut sa réponse.

*A*près quinze ans de solitude absolue, saint Séraphin de Sarow s'exclamait devant le moindre visiteur : «Ô ma joie!»
Qui, n'ayant jamais cessé de côtoyer ses semblables, serait assez extravagant pour les saluer de la sorte?

*S*urvivre à un livre destructeur est non moins pénible pour le lecteur que pour l'auteur.

*I*l faut que nous soyons dans un état de réceptivité, c'est-à-dire de faiblesse physique, pour que les mots nous touchent, s'insinuent en nous et y commencent une espèce de carrière.

*Ê*tre appelé *déicide*, c'est l'insulte la plus flatteuse qu'on puisse adresser à un individu ou à un peuple.

L'orgasme est un paroxysme; le désespoir aussi. L'un dure un instant; l'autre, une vie.

*E*lle avait un profil de Cléopâtre. Sept ans après : elle pourrait aussi bien demander l'aumône au coin d'une rue. — À vous guérir à jamais de toute idolâtrie, de toute envie de chercher l'*insondable* dans des yeux, dans un sourire et le reste.

*S*oyons raisonnables : à nul n'est donné de revenir complètement de tout. Faute d'une déception universelle, il ne saurait y avoir davantage une connaissance universelle.

*C*e qui n'est pas déchirant est superflu, en musique tout au moins.

*B*rahms représenterait « die Melancholie des Unvermögens », la mélancolie de l'impuissance, si on en croyait Nietzsche.
Ce jugement qu'il a porté au seuil de son effondrement en ternit à jamais l'éclat.

N'avoir rien accompli et mourir en surmené.

*C*es passants idiotisés — comment en est-on venu là ? et comment imaginer pareil spectacle dans l'Antiquité, à Athènes par exemple ? Une minute de lucidité aiguë au milieu de ces damnés, et toutes les illusions s'écroulent.

*P*lus on déteste les hommes, plus on est mûr pour Dieu, pour un dialogue avec personne.

*L*a très grande fatigue va aussi loin que l'extase, à cela près qu'avec elle vous *descendez* vers les extrémités de la connaissance.

*D*e même que l'apparition du Crucifié a coupé l'histoire en deux, de même cette nuit vient de couper en deux ma vie...

*T*out paraît dégradé et inutile dès que la musique se tait. On comprend qu'on puisse la haïr et qu'on soit tenté d'assimiler son absolu à une fraude. C'est qu'il faut réagir à tout prix contre elle *quand on l'aime trop*. Personne n'en a mieux perçu le danger que Tolstoï, parce qu'il savait qu'elle pouvait faire de lui ce qu'elle voulait. Aussi commença-t-il à l'exécrer par peur d'en devenir le jouet.

*L*e renoncement est la seule variété d'action qui ne soit pas avilissante.

*P*eut-on se figurer un citadin qui n'ait pas une âme d'assassin?

N'aimer que la pensée indéfinie qui n'arrive pas au mot et la pensée instantanée qui ne vit que par le mot. La divagation et la boutade.

*U*n jeune Allemand me demande un franc. J'entre en conversation avec lui, et j'apprends qu'il a couru le monde, qu'il est allé aux Indes dont il aime les clochards auxquels il se flatte de ressembler. Cependant on n'appartient pas impunément à une nation didactique. Je le regardai quémander : il avait l'air d'avoir suivi des cours de mendicité.

*L*a nature, en quête d'une formule susceptible de contenter tout le monde, a fixé son choix sur la mort, laquelle, c'était à prévoir, ne devait satisfaire personne.

*I*l y a chez Héraclite un côté Delphes et un côté manuel scolaire, un mélange d'aperçus foudroyants et de rudiments; un inspiré et un instituteur. Quel dommage qu'il n'ait pas fait abstraction de la science, qu'il n'ait pas toujours pensé *en dehors* d'elle !

J'ai tempêté si souvent contre toute forme d'acte, que me manifester, de quelque façon que ce soit, me paraît une imposture, voire une trahison. — Vous continuez pourtant à respirer. — Oui, je fais tout ce qu'on fait. *Mais...*

*Q*uel jugement sur les vivants s'il est vrai, comme on l'a soutenu, que ce qui périt n'a jamais existé !

*P*endant qu'il m'exposait ses projets, je l'écoutais sans pouvoir oublier qu'il ne passerait pas la semaine. Quelle folie de sa part de parler d'avenir, de son avenir !

Mais, une fois dehors, comment ne pas songer qu'après tout la différence n'était pas tellement grande entre un mortel et un moribond? L'absurdité de faire des projets est seulement un peu plus évidente dans le second cas.

*O*n date toujours par ses admirations. Dès qu'on cite quelqu'un d'autre que Homère ou Shakespeare, on court le risque de paraître dépassé ou timbré.

*I*l est possible à la rigueur d'imaginer Dieu parlant français. Jamais le Christ. Ses paroles ne passent pas dans une langue si mal à l'aise dans la naïveté ou le sublime.

S'interroger sur l'homme depuis si longtemps! On ne saurait pousser plus loin le goût du malsain.

*L*a rage vient-elle de Dieu ou du diable? — De l'un et de l'autre : autrement comment expliquer qu'elle rêve de galaxies pour les pulvériser et qu'elle est inconsolable de n'avoir à sa portée que cette pauvre, que cette misérable planète?

*O*n se démène tant — pourquoi? Pour redevenir ce qu'on était avant d'être.

X., qui a tout raté, se plaignait devant moi de n'avoir pas de destin. — Mais si, mais si. La suite de vos échecs est si remarquable qu'elle paraît trahir un dessein providentiel.

*L*a femme comptait aussi longtemps qu'elle simulait la pudeur et la réserve. De quelle déficience elle fait preuve en cessant de jouer le jeu! Déjà elle ne vaut plus rien, puisqu'elle nous ressemble. C'est ainsi que disparaît un des derniers mensonges qui rendaient l'existence tolérable.

*A*imer son prochain est chose inconcevable. Est-ce qu'on demande à un virus d'aimer un autre virus?

*L*es seuls événements notables d'une vie sont les ruptures. Ce sont elles aussi qui s'effacent en dernier de notre mémoire.

*Q*uand j'ai appris qu'il était totalement imperméable et à Dostoïevski et à la Musique, j'ai refusé, malgré ses grands mérites, de le rencontrer. Je lui préfère de loin un demeuré, sensible à l'un ou à l'autre.

*L*e fait que la vie n'ait aucun sens est une raison de vivre, la seule du reste.

*C*omme, jour après jour, j'ai vécu dans la compagnie du Suicide, il serait de ma part injuste et ingrat de le dénigrer. Quoi de plus sain, de plus naturel? Ce qui ne l'est pas, c'est l'appétit forcené d'exister, tare grave, tare par excellence, ma tare.

MAGIE DE LA DÉCEPTION

——————————————— *N*ous ne devrions parler que de sensations et de visions : jamais d'idées — car elles n'émanent pas de nos entrailles et ne sont jamais véritablement *nôtres*.

*C*iel morose : mon cerveau faisant office de firmament.

*D*évasté par l'ennui, ce cyclone *au ralenti...*

*I*l existe, c'est entendu, une mélancolie clinique, sur laquelle les remèdes agissent parfois ; il en existe une autre, sous-jacente à nos explosions de gaieté elles-mêmes, et qui nous accompagne partout, sans nous laisser *seul* à aucun moment. Cette maléfique omniprésence, rien ne nous permet de nous en délivrer : elle est notre moi à jamais face à lui-même.

J'assure ce poète étranger qui, après avoir hésité entre plusieurs capitales, vient de débarquer parmi nous, qu'il a été bien inspiré, qu'il y trouvera entre autres avantages celui de crever de faim sans gêner personne. Pour l'encourager encore, je précise que le fiasco y est si naturel qu'il tient lieu de passe-partout. Ce détail l'a comblé, si j'en juge d'après l'éclair que j'ai perçu dans ses yeux.

«*L*e fait que tu sois arrivé à ton âge prouve que la vie a un sens», m'a dit un ami après plus de trente ans de séparation. Ce mot me revient souvent à l'esprit et me frappe à chaque fois, bien qu'il ait été proféré par quelqu'un qui a toujours trouvé un sens à tout.

*P*our Mallarmé, condamné, prétendait-il, à veiller vingt-quatre heures sur vingt-quatre, le sommeil n'était pas un «vrai besoin» mais une «faveur».

Seul un grand poète pouvait se permettre le luxe d'une telle insanité.

L'insomnie semble épargner les bêtes. Si nous les empêchions de dormir pendant quelques semaines, un changement radical surviendrait dans leur nature et leur comportement. Elles éprouveraient des sensations inconnues jusqu'alors, et qui passaient pour nous appartenir en propre. Détraquons le règne animal, si nous voulons qu'il nous rattrape et nous remplace.

*D*ans chaque lettre que j'adresse à une amie nipponne, j'ai pris l'habitude de lui recommander telle ou telle œuvre de Brahms. Elle vient de m'écrire qu'elle sort d'une clinique de Tokyo où on l'a transportée en ambulance pour avoir trop sacrifié à mon idole. De quel trio, de quelle sonate était-ce la faute? Il n'importe. Ce qui invite à la défaillance mérite seul d'être écouté.

*D*ans aucun bavardage sur la Connaissance, dans aucune *Erkenntnistheorie*, dont se gargarisent tant les philosophes, allemands ou non, vous ne tomberez sur le moindre hommage à la Fatigue en soi, état le plus propre à nous faire pénétrer jusqu'au fond des choses. Cet oubli ou cette ingratitude discrédite définitivement la philosophie.

*U*n tour au cimetière Montparnasse.
Tous, jeunes ou vieux, faisaient des projets. Ils n'en font plus.
Bon élève, fort de leur exemple, je jure en rentrant de cesser à tout jamais d'en faire.
Promenade indéniablement bénéfique.

*J*e songe à C., pour qui boire du café était l'unique raison d'exister. Un jour qu'avec des trémolos je lui vantais le bouddhisme, il me répondit: «Le nirvâna, oui, mais pas sans café.»
Nous avons tous quelque manie qui nous empêche d'accepter sans restriction le bonheur suprême.

*E*n lisant le texte de Mme Périer, plus précisément le passage où elle raconte que Pascal, son frère,

à partir de l'âge de dix-huit ans n'avait, de son propre aveu, passé un seul jour sans souffrir, tel fut mon saisissement que je mis mon poing dans ma bouche pour ne pas crier.
C'était dans une bibliothèque publique. J'avais, il est utile de le noter, dix-huit ans, justement. Quel pressentiment, mais aussi quelle folie, et quelle présomption !

*S*e débarrasser de la vie, c'est se priver du bonheur de s'en moquer.
Unique réponse possible à quelqu'un qui vous annonce son intention d'en finir.

L'être ne déçoit jamais, affirme un philosophe. Qui déçoit alors ? Certainement pas le non-être, par définition incapable de décevoir. Cet avantage, forcément irritant pour notre philosophe, devait l'amener à promulguer une si flagrante contrevérité.

*C*e qui fait l'intérêt de l'amitié, c'est qu'elle est, presque autant que l'amour, une source inépuisable de désappointement et de rage, et par là de surprises fécondes dont il serait déraisonnable de vouloir se passer.

*L*e moyen le plus sûr de ne pas perdre la raison sur-le-champ : se rappeler que tout est irréel, et le restera...

*I*l me tend une main absente. Je lui pose nombre de questions et perds courage devant ses réponses outrageusement laconiques. Pas un seul de ces mots inutiles, si nécessaires au dialogue. Il s'agit bien de dialogue ! La parole est signe de vie, et c'est pourquoi le fou intarissable est plus près de nous que le demi-fou bloqué.

*N*ulle défense possible contre un complimenteur. On ne peut sans ridicule lui donner raison ; on ne peut davantage le rabrouer et lui tourner le dos. On se comporte comme s'il disait vrai, on se laisse encenser faute de savoir comment réagir. Il croit, lui, que vous êtes dupe, qu'il vous domine, et savoure son triomphe, sans que vous puissiez le détromper. Le plus souvent c'est un futur ennemi, qui se vengera de s'être aplati devant vous, un agresseur déguisé qui médite ses coups pendant qu'il débite ses hyperboles.

*L*a méthode la plus efficace de se faire des amis fidèles est de les féliciter pour leurs échecs.

*C*e penseur s'est réfugié dans la prolixité comme d'autres dans la stupeur.

*Q*uand on a tourné un certain temps autour d'un sujet, on peut immédiatement porter un jugement sur tout ouvrage qui s'y rapporte. Je viens d'ouvrir un livre sur la gnose, et j'ai compris aussitôt qu'il ne fallait pas s'y fier. Pourtant j'en ai lu une phrase seulement et ne suis qu'un dilettante, qu'une nullité, vaguement éclairée, en la matière.
Figurons-nous maintenant un spécialiste absolu, un monstre, Dieu par exemple : tout ce que nous faisons doit lui sembler du bousillage, même nos réussites inimitables, même celles qui devraient l'humilier et le confondre.

*E*ntre la Genèse et l'Apocalypse règne l'imposture. Il est important de le savoir, car cette évidence vertigineuse, une fois assimilée, rend superflues toutes les recettes de la sagesse.

*Q*uand on a la faiblesse de travailler à un livre, on ne pense pas sans émerveillement à ce rabbin hassidique qui abandonna le projet d'en écrire un, incertain qu'il était de pouvoir le faire pour le seul plaisir de Son Créateur.

*S*i l'Heure de la Déception sonnait en même temps pour tous, on assisterait à une version entièrement nouvelle, soit du paradis, soit de l'enfer.

*I*mpossible de *dialoguer* avec la douleur physique.

*S*e retirer indéfiniment en soi-même, comme Dieu après les six jours. Imitons-le, sur ce point tout au moins.

*L*a lumière de l'aube est la vraie lumière, la lumière primordiale. Chaque fois que je la contemple, je bénis mes mauvaises nuits qui m'offrent l'occasion d'assister au spectacle du Commencement. Yeats la qualifie de « lascive ». — Belle trouvaille inévidente.

*E*n apprenant qu'il allait se marier bientôt, j'ai cru bon de masquer mon étonnement par une généralité : « Tout est compatible avec tout. » — Et lui : « C'est vrai, puisque l'homme est compatible avec la femme. »

*U*ne flamme traverse le sang. Passer de l'autre côté, en contournant la mort.

*C*et air avantageux qu'on prend à l'occasion d'un coup du sort...

*A*u comble d'une performance qu'il serait oiseux de nommer, on a envie de s'écrier : « Tout est consommé ! »
Les clichés des Évangiles, singulièrement de la Passion, il est toujours bon de les avoir sous la main dans les moments où l'on croirait pouvoir s'en passer.

*L*es traits sceptiques, si rares chez les Pères de l'Église, sont tenus aujourd'hui pour *modernes*. Évidemment, puisque le christianisme, ayant joué son rôle, ce qui, à ses débuts, annonçait sa fin, est maintenant matière à délectation.

*C*haque fois que je vois un clochard ivre, sale, halluciné, puant, affalé avec sa bouteille sur le bord du trottoir, je songe à l'homme de demain s'essayant à sa fin et y parvenant.

*B*ien que gravement dérangé, il dit banalité sur banalité. De temps en temps, une remarque qui frise le crétinisme et le génie. Il faut bien que la dislocation du cerveau serve à quelque chose.

*Q*uand on se croit arrivé à un certain degré de détachement, on tient pour des cabotins tous les empressés, les fondateurs de religions y compris. Mais le détache-ment ne participe-t-il pas lui aussi du cabotinage ? Si les actes sont des momeries, le refus même de ces actes en est une : noble momerie néanmoins.

*S*a nonchalance me laisse per-plexe et admiratif. Il ne se hâte vers rien, ne suit aucune direction, ne se passionne pour aucun sujet. On dirait qu'en naissant il a avalé un calmant dont l'effet continue toujours, et qui lui permet de conserver son indestructible sourire.

*P*itié pour celui qui, ayant épuisé ses réserves de mépris, ne sait plus quel sentiment éprou-ver à l'égard des autres et de lui-même !

*C*oupé du monde, ayant rompu avec tous ses amis, il me lisait, avec une pointe d'accent russe presque indispensable en l'occurrence, le début du livre des livres. Arrivé au moment où Adam se fait expulser du Paradis, il resta songeur et regarda au loin, tandis que, plus ou moins claire-ment, je me disais qu'après des millénaires de faux espoirs, les humains, furieux d'avoir triché, allaient recouvrer enfin le sens de la malédiction et se rendre ainsi dignes de leur premier ancêtre.

*S*i Maître Eckhart est le seul «scolastique» qu'on puisse lire encore, c'est parce que chez lui la profondeur est doublée de charme, de *glamour*, avantage rare dans les époques de foi intense.

*E*n écoutant tel oratorio, com-ment admettre que ces implorations, que ces effusions poignantes ne cachent aucune réalité et ne s'adressent à personne, qu'il n'y ait rien derrière elles et qu'elles doivent se perdre à jamais *dans l'air*?

*D*ans un village hindou où les habitants tissaient des châles de cachemire, un industriel euro-péen fit un séjour prolongé pendant lequel il se mit à examiner les procédés qu'employaient inconsciemment les tisserands. Après les avoir étudiés à fond, il crut bon de les révéler à ces gens simples qui perdirent par la suite toute spontanéité et devinrent de très mauvais ouvriers.

L'excès de délibération gêne tous les actes. Trop disserter sur la sexualité, c'est la saboter. L'érotisme, fléau des sociétés déliquescentes, est un attentat contre l'instinct, est l'impuissance organisée. On ne réfléchit pas sans danger sur des exploits qui se passent de réflexion. L'orgasme n'a jamais été un événement philosophique.

*M*a dépendance du climat m'empêchera toujours d'admettre l'autonomie de la volonté. La météorologie décide de la couleur de mes pensées. On ne peut être plus bassement déterministe que je suis, mais qu'y puis-je ? Dès que j'oublie que j'ai un corps, je crois à la liberté. Je cesse d'y croire aussitôt qu'il me rappelle à l'ordre et qu'il m'impose ses misères et ses caprices. Montesquieu est ici à sa place : « Le bonheur ou le malheur consistent dans une certaine disposition d'organes. »

*S*i j'avais accompli ce que je m'étais proposé, en serais-je aujourd'hui plus content ? Sûrement pas. Parti pour aller loin, vers l'extrême de moi-même, je me suis mis, chemin faisant, à douter de ma tâche et de toutes les tâches.

C'est sous l'effet d'une humeur suicidaire qu'on s'entiche généralement d'un être ou d'une idée. Quelle lumière sur l'essence de l'amour et du fanatisme !

*I*l n'est pas d'obstacle plus grand à la délivrance que le besoin d'échec.

*C*onnaître, vulgairement, c'est revenir de quelque chose ; connaître, absolument, c'est revenir de tout. L'illumination représente un pas de plus : c'est la certitude que désormais on ne sera plus jamais dupe, c'est un ultime regard sur l'illusion.

*J*e m'évertue à me figurer le cosmos sans... moi. Heureusement que la mort est là pour remédier à l'insuffisance de mon imagination.

*C*omme nos défauts ne sont pas des accidents de surface mais le fond même de notre nature, nous ne pouvons pas nous en corriger sans la déformer, sans la pervertir encore plus.

Ce qui date le plus, c'est la révolte, c'est-à-dire la plus *vivante* de nos réactions.

Je ne pense pas que dans toute l'œuvre de Marx il y ait une seule réflexion *désintéressée* sur la mort.
... C'est ce que je me disais devant sa tombe à Highgate.

Ce poète fait du *fulgurant*.

J'aimerais mieux offrir ma vie en sacrifice que d'être *nécessaire* à qui que ce soit.

Dans la mythologie védique quiconque s'élève par la connaissance ébranle le confort du ciel. Les dieux, toujours aux aguets, vivent dans la terreur d'être surclassés. Le Patron de la Genèse faisait-il autre chose? n'épiait-il pas l'homme parce qu'il le redoutait? parce qu'il voyait en lui un concurrent?
On comprend, dans ces conditions, le désir des grands mystiques de fuir Dieu, ses bornes et ses misères, pour s'illimiter dans la Déité.

En mourant, on devient le maître du monde.

Quand on est revenu d'un emballement, s'enticher encore d'un être paraît si inconcevable que l'on n'imagine personne, même pas un insecte, qui ne soit abîmé dans la déception.

Ma mission est de voir les choses telles qu'elles sont. Tout le contraire d'une mission...

Venir d'une contrée où le ratage constituait une obligation et où «Je n'ai pu me réaliser» était le leitmotiv de toutes les confidences.

Aucun sort dont j'aurais pu m'accommoder. J'étais fait pour exister avant ma naissance et après ma mort, sauf durant mon existence même.

*C*es nuits où l'on se persuade que tous ont évacué cet univers, même les morts, et qu'on y est le dernier vivant, le dernier fantôme.

*P*our s'élever à la compassion, il faut pousser la hantise de soi-même jusqu'à la saturation, jusqu'à l'écœurement, ce paroxysme du dégoût étant un symptôme de santé, une condition nécessaire pour regarder au-delà de ses propres tribulations ou tracas.

*D*u vrai, nulle part; partout des simulacres, dont on ne devrait rien attendre. Pourquoi ajouter alors à une déception initiale toutes celles qui viennent et qui la confirment avec une régularité diabolique jour après jour?

«*L*e Saint-Esprit n'est pas sceptique», nous apprend Luther.
Tout le monde ne peut pas l'être, et c'est bien dommage.

*L*e découragement, toujours au service de la connaissance, nous dévoile l'autre côté, l'ombre intérieure des êtres et des choses. D'où la sensation d'infaillibilité qu'il nous donne.

*L*e passage pur du temps, le temps nu, réduit à une essence d'écoulement, sans la discontinuité des instants, c'est dans les nuits blanches qu'on le perçoit. Tout disparaît. Le silence s'insinue partout. On écoute, on n'entend rien. Les sens ne se tournent plus vers le dehors. Vers quel dehors? Engloutissement auquel survit ce pur passage à travers nous et qui *est* nous, et qui ne finira qu'avec le sommeil ou le jour.

*L*e sérieux n'entre pas dans la définition de l'existence; le tragique, oui, parce qu'il implique une idée d'aventure, de désastre gratuit, alors que le sérieux postule un but. Or, la grande originalité de l'existence est de n'en comporter aucun.

*L*orsqu'on aime quelqu'un, on souhaite, pour lui être plus attaché, qu'un grand malheur le frappe.

N'être plus tenté que par l'au-delà des... extrêmes.

*S*i j'obéissais à mon premier mouvement, je passerais mes journées à écrire des lettres d'injures et d'adieu.

*I*l a eu l'indécence de mourir. De fait, il y a quelque chose d'inconvenant dans la mort. Ce côté, s'entend, est le dernier qui vienne à l'esprit.

J'ai gaspillé heure après heure à ruminer sur ce qui me semblait éminemment digne d'être creusé : sur la vanité de tout, sur ce qui ne mérite pas une seconde de réflexion, puisqu'on ne voit pas ce qu'il y aurait encore à dire pour ou contre l'évidence même.

*S*i je préfère les femmes aux hommes, c'est parce qu'elles ont sur eux l'avantage d'être plus déséquilibrées, donc plus compliquées, plus perspicaces et plus cyniques, sans compter cette supériorité mystérieuse que confère un esclavage millénaire.

*A*khmatova, comme Gogol, n'aimait rien posséder. Elle distribuait les cadeaux qu'on lui donnait et on les retrouvait chez d'autres quelques jours après. Ce trait rappelle les mœurs des nomades, astreints au provisoire par nécessité et par goût. Joseph de Maistre cite le cas d'un prince russe de ses amis qui couchait n'importe où dans son palais et n'y avait pour ainsi dire pas de lit *fixe*, car il vivait avec le sentiment d'y être de passage, d'y camper en attendant de déguerpir.
... Quand l'Est de l'Europe fournit de tels modèles de détachement, pourquoi en chercher en Inde ou ailleurs ?

*L*es lettres qu'on reçoit et où il n'est question que de débats intérieurs et d'interrogations métaphysiques, sont vite lassantes. En tout, il faut du *mesquin*, pour qu'on ait l'impression du vrai. Si les anges se mettaient à écrire, ils seraient, les déchus exceptés, illisibles. La *pureté* passe difficilement parce qu'incompatible avec le souffle.

*E*n pleine rue, tout à coup saisi par le «mystère» du Temps, je me suis dit que saint Augustin a eu bien raison d'aborder un tel thème en s'adressant carrément à Dieu : avec qui d'autre en débattre ?

*T*out ce qui me travaille, j'aurais pu le traduire si l'opprobre de n'être pas musicien m'avait été épargné.

*E*n proie à des préoccupations capitales, je m'étais dans l'après-midi mis au lit, position idéale pour réfléchir au nirvâna *sans reste*, sans la moindre trace d'un moi, cet obstacle à la délivrance, à l'état de non-pensée. Sentiment d'extinction bienheureuse d'abord, ensuite extinction bienheureuse sans sentiment. Je me croyais au seuil du stade ultime ; ce n'en fut que la parodie, que le glissement dans la torpeur, dans le gouffre de la... sieste.

*S*elon la tradition juive, la Torah — œuvre de Dieu — précède le monde de deux mille ans. Jamais peuple ne s'est estimé autant. Attribuer à son livre sacré une telle ancienneté, croire qu'il date d'avant le *Fiat Lux*! C'est ainsi que se crée un destin.

*A*yant ouvert une anthologie de textes religieux, je tombe d'emblée sur ce mot du Bouddha : «Aucun objet ne vaut qu'on le désire.» — J'ai fermé aussitôt le livre, car, après, que lire encore ?

*P*lus on vieillit, plus on manque de caractère. Toutes les fois qu'on réussit à en avoir, on est gêné, on a l'air emprunté. D'où le malaise devant ceux qui *sentent* la conviction.

*L*e bonheur d'avoir fréquenté un Gascon, un vrai. Celui auquel je pense, jamais je ne l'ai vu abattu. Tous ses malheurs, qui furent insignes, il me les annonçait comme des triomphes. L'intervalle entre lui et Don Quichotte était infime. Cependant il tentait, lui, de temps en temps, de voir juste, mais ses efforts ne devaient pas aboutir. Il demeura jusqu'à la fin un velléitaire de la déception.

*S*i j'avais écouté mes impulsions, je serais aujourd'hui fou ou pendu.

J'ai remarqué qu'à l'issue de n'importe quelle secousse intérieure, mes réflexions, après un bref envol, prenaient une tournure lamentable et même grotesque. Il en a été invariablement ainsi dans mes crises, décisives ou non. Dès qu'on fait un bond hors de la vie, la vie se venge, et vous ramène à son niveau.

*I*l m'est impossible de savoir si je me prends ou non au sérieux. Le drame du détachement, c'est qu'on ne peut en mesurer le progrès. On avance dans un désert, et on ne sait jamais où on en est.

J'étais allé loin pour chercher le soleil et le soleil, enfin trouvé, m'était hostile. Et si j'allais me jeter du haut de la falaise? Pendant que je faisais des considérations plutôt sombres, tout en regardant ces pins, ces rochers, ces vagues, je sentis soudain à quel point j'étais rivé à ce bel univers maudit.

*F*ort injustement, on n'accorde au cafard qu'un statut mineur, bien au-dessous de celui de l'angoisse. En fait il est plus virulent qu'elle mais il répugne aux démonstrations qu'elle affectionne. Plus modeste et cependant plus dévastateur, il peut surgir à tout moment, alors qu'elle, distante, se réserve pour les grandes occasions.

*I*l vient en touriste et je le rencontre toujours par hasard. Cette fois-ci, particulièrement expansif, il me confie qu'il se porte à merveille, qu'il éprouve une sensation d'aise dont il ne cesse d'être conscient. Je lui réplique que sa santé me paraît suspecte, qu'il n'est pas normal de s'apercevoir continuellement qu'on la possède, que la vraie santé n'est jamais *sentie*. Méfiez-vous de votre bien-être, fut mon dernier mot en le quittant.
Inutile d'ajouter que je ne l'ai plus rencontré depuis.

À la moindre contrariété et, à plus forte raison, au moindre chagrin, il faut se précipiter au cimetière le plus proche, dispensateur soudain d'un calme qu'on chercherait vainement ailleurs. Un remède miracle, pour une fois.

*L*e regret, transmigration en sens inverse, en ressuscitant à plaisir notre vie, nous donne l'illusion d'en avoir vécu plusieurs.

*M*on faible pour Talleyrand. — Quand on a pratiqué le cynisme en paroles seulement, on est plein d'admiration pour quelqu'un qui l'a traduit magistralement en actes.

*S*i un gouvernement décrétait en plein été que les vacances étaient prolongées indéfiniment et que, sous peine de mort, personne ne devait quitter le paradis où il séjourne, des suicides en masse s'ensuivraient et des carnages sans précédent.

*L*e bonheur et le malheur me rendent également malheureux. Pourquoi alors m'arrive-t-il quelquefois de préférer le premier ?

*L*a profondeur d'une passion se mesure aux sentiments bas qu'elle renferme et qui en garantissent l'intensité et la durée.

*L*a Camarde, *mauvaise portraitiste* au dire de Goethe, donnerait aux visages quelque chose de faux, de non vrai ; ce n'est assurément pas lui qui, tel Novalis, l'aurait assimilée au principe qui «romantise» la vie.
Notons à sa décharge qu'ayant vécu cinquante ans de plus que l'auteur des *Hymnes à la Nuit*, il a disposé de tout le temps qu'il fallait pour perdre ses illusions sur la mort.

*D*ans le train, une femme d'un certain âge et d'une certaine distinction ; à côté d'elle, un idiot, son fils, d'une trentaine d'années, qui lui prenait de temps en temps le bras et y déposait un baiser appuyé, puis la regardait béat. Elle était radieuse et souriait.
Ce qu'une curiosité *pétrifiée* peut être, je ne le savais pas. Je le sais

maintenant pour l'avoir éprouvée à ce spectacle. Une nouvelle variété de consternation m'était révélée.

*L*a musique n'existe qu'aussi longtemps que dure l'audition, comme Dieu qu'autant que dure l'extase.
L'art suprême et l'être suprême ont ceci de commun qu'ils dépendent entièrement de nous.

*P*our certains, pour la plupart en fait, la musique est stimulante et consolatrice ; pour d'autres, elle est un dissolvant souhaité, un moyen inespéré de se perdre, de couler avec ce qu'on peut avoir de meilleur.

*R*ompre avec ses dieux, avec ses ancêtres, avec sa langue et son pays, rompre tout court, est une épreuve terrible, c'est certain ; mais une épreuve exaltante aussi, que recherchent si avidement le transfuge et, plus encore, le traître.

*D*e tout ce qui nous fait souffrir, rien, autant que la déception, ne nous donne la sensation de toucher enfin au Vrai.

*D*ès qu'on commence à baisser, au lieu de s'en désoler, on devrait invoquer le droit de n'être plus soi-même.

*N*ous obtenons à peu près tout, sauf ce que nous souhaitons en secret. Sans doute est-il juste que ce à quoi nous tenons le plus soit inatteignable, que l'essentiel de nous-même et de notre parcours demeure caché et irréalisé. La Providence a bien fait les choses : que chacun tire profit et orgueil du prestige lié aux débâcles intimes.

*D*emeurer identique à soi, c'est à cette fin que, selon le Zohar, Dieu créa l'homme et qu'il lui recommanda la fidélité à l'arbre de vie. Lui cependant préféra l'autre arbre, situé dans la «région des variations». Sa chute ? Folie du changement, fruit de la curiosité, cette source de tous les malheurs. — Et c'est ainsi que ce qui ne fut que lubie chez le premier d'entre nous allait devenir pour nous tous *loi.*

*U*n rien de pitié entre dans toute forme d'attachement, dans l'amour et même dans l'amitié, sauf toutefois dans l'admiration.

*S*ortir indemne de la vie — cela pourrait arriver mais cela n'arrive sans doute jamais.

*U*n désastre trop récent a l'inconvénient de nous empêcher d'en discerner les bons côtés.

*C*e sont Schopenhauer et Nietzsche qui, au siècle dernier, ont le mieux parlé de l'amour et de la musique. Pourtant l'un et l'autre n'avaient fréquenté que des bordels et, en fait de musiciens, le premier raffolait de Rossini et le second de Bizet.

*A*yant rencontré L. par hasard, je lui ai dit que la rivalité entre les saints était la plus acharnée, et la plus secrète, de toutes. Il me demanda de lui citer des exemples : je n'en ai trouvé aucun sur le coup, et n'en trouve pas davantage maintenant. Il n'empêche que le fait me paraît avéré...

*L*a conscience : somme de nos malaises depuis notre naissance jusqu'à l'état présent. Ces malaises se sont évanouis ; la conscience demeure — mais elle a perdu ses origines..., elle les ignore même.

*L*a mélancolie se nourrit d'elle-même, et c'est pourquoi elle ne saurait se renouveler.

*D*ans le Talmud, une affirmation stupéfiante : « Plus il y a d'hommes, plus il y a d'images du divin dans la nature. »
C'était peut-être vrai au temps où fut faite la remarque, démentie aujourd'hui par tout ce qu'on voit et qui le sera plus encore par tout ce qu'on verra.

J'escomptais assister de mon vivant à la disparition de notre espèce. Mais les dieux m'ont été contraires.

*J*e ne suis heureux que lorsque j'envisage le renoncement et m'y prépare. Le reste est aigreur et agitation. Renoncer n'est pas facile. Cependant rien que d'y tendre apporte un apaisement. Y tendre ? Y songer seulement suffit à vous donner l'illusion d'être un autre, et cette illusion est une victoire, la plus flatteuse, la plus fallacieuse aussi.

*P*ersonne n'avait autant que lui le sens du jeu universel. Chaque fois que j'y faisais allusion, il me citait, avec un sourire complice, le mot sanscrit *lîlâ*, absolue gratuité selon le Vedânta, création du monde par divertissement divin. Avons-nous ri ensemble de tout ! Et maintenant, lui, le plus jovial des détrompés, le voilà jeté dans ce trou par sa faute, puisqu'il aura daigné, pour une fois, prendre le néant au sérieux.

FACE AUX INSTANTS

—————————————— *C*e n'est pas par le génie, c'est par la souffrance, par elle seule, qu'on cesse d'être une marionnette.

*Q*uand on tombe sous le charme de la mort, tout se passe comme si on l'avait connue dans une existence antérieure, et que maintenant on soit impatient de la retrouver au plus tôt.

*D*ès que vous soupçonnez quelqu'un du moindre faible pour l'Avenir, sachez que le suspect connaît l'adresse de plus d'un psychiatre.

«*V*os vérités sont irrespirables.» — «Elles le sont *pour vous*», ai-je répliqué aussitôt à cet innocent. J'aurais eu pourtant envie d'ajouter : «Pour moi aussi», au lieu de faire le rodomont...

L'homme n'est pas content d'être homme. Mais il ne sait pas *à quoi* revenir ni comment réintégrer un état dont il a perdu tout souvenir distinct. La nostalgie qu'il en a est le fond de son être, et c'est par elle qu'il communique avec ce qui en lui subsiste de plus ancien.

*D*ans l'église déserte, l'organiste s'exerçait. Personne d'autre, sinon un chat qui vint tourner autour de moi... Son empressement me fut une secousse : les martyrisantes interrogations de toujours m'assaillirent. La réponse de l'orgue ne me parut pas satisfaisante mais, dans l'état où je me trouvais, c'en était une malgré tout.

L'être idéalement véridique — il nous est toujours loisible de l'imaginer — serait celui qui, à aucun moment, ne chercherait refuge dans l'euphémisme.

*S*ans rival dans le culte de l'Impassibilité, j'y ai aspiré frénétiquement, en sorte que plus je voulais y atteindre, plus je m'en écartais. Juste déroute pour celui qui poursuit un but contraire à sa nature.

*O*n va de désarroi en désarroi. Cette considération ne tire pas à conséquence et n'empêche personne d'accomplir sa destinée, d'accéder en somme au désarroi intégral.

*L'*anxiété, loin de dériver d'un déséquilibre nerveux, s'appuie sur la constitution même de ce monde, et on ne voit pas pourquoi on ne serait pas anxieux à chaque instant, vu que le temps lui-même n'est que de l'anxiété en pleine expansion, une anxiété dont on ne distingue le commencement ni la fin, une anxiété éternellement conquérante.

*S*ous un ciel désolé à souhait, deux oiseaux, indifférents à ce fond lugubre, se poursuivent... Leur si évidente allégresse est plus propre à réhabiliter un vieil instinct que la littérature érotique dans son ensemble.

*L*es pleurs d'admiration, — unique excuse de cet univers, puisqu'il lui en faut une.

*P*ar solidarité avec un ami qui venait de mourir, j'ai fermé les yeux et me suis laissé submerger par ce demi-chaos qui précède le sommeil. Au bout de quelques minutes j'ai cru appréhender cette réalité infinitésimale qui nous relie encore à la conscience. Étais-je au seuil de la fin? Un instant après, je me trouvais au fond d'un gouffre, sans la moindre trace de frayeur. Ne plus être serait donc si simple? Sans doute, si la mort n'était qu'une expérience, mais elle est l'expérience même. Quelle idée aussi de *jouer* avec un phénomène qui ne survient qu'une seule fois! On n'expérimente pas l'unique.

*P*lus on a souffert, moins on revendique. Protester est signe qu'on n'a traversé aucun enfer.

*C*omme si je n'avais pas assez d'ennuis, voilà que me tracassent ceux qu'on devait connaître à l'âge des cavernes.

*O*n se hait parce qu'on ne peut s'oublier, parce qu'on ne peut penser à autre chose. Il est inévitable qu'on soit exaspéré par cette préférence excessive et que l'on s'efforce d'en triompher. Se haïr est cependant le stratagème le moins efficace pour y réussir.

*L*a musique est une illusion qui rachète toutes les autres.
(Si *illusion* était un vocable appelé à disparaître, je me demande ce que je deviendrais.)

À nul n'est donné, dans un état de neutralité, de percevoir la pulsation du Temps. Pour y parvenir, un malaise *sui generis* est nécessaire, faveur venue d'on ne sait où.

*Q*uand on a entrevu la vacuité et qu'on a voué à la *sûnyatâ* un culte tour à tour ostensible et clandestin, on ne saurait s'inféoder à un dieu piètre, incarné, personnel. D'un autre côté, la nudité indemne de toute présence, de toute contamination humaine, d'où est bannie l'idée même d'un moi, compromet la possibilité de quelque culte que ce soit, forcément lié à un soupçon de suprématie individuelle. Car, suivant un hymne du Mâhâyana, «si toutes les choses sont vides, qui est célébré et par qui?».

*B*ien plus que le temps, c'est le sommeil qui est l'antidote du chagrin. L'insomnie, en revanche, qui grossit la moindre contrariété et la convertit en coup du sort, veille sur nos blessures et les empêche de dépérir.

*A*u lieu de faire attention à la figure des passants, je regardai leurs pieds, et tous ces agités se réduisaient à des pas qui se précipitaient — vers quoi? Et il me parut clair que notre mission était de frôler la poussière en quête d'un mystère dépourvu de sérieux.

*L*a première chose que me raconta un ami perdu de vue depuis nombre d'années : ayant fait de longue date un stock de poisons, il n'était pas parvenu à se tuer, faute d'avoir su lequel préférer...

*O*n ne sape pas ses raisons de vivre sans saper du même coup celles d'*écrire*.

*L*a non-réalité est une évidence que j'oublie et redécouvre chaque jour. À tel point cette comédie se confond avec mon existence que je n'arrive pas à les dissocier. Pourquoi ce recommencement bouffon, pourquoi cette farce? Elle n'en est pourtant pas une, car c'est grâce à elle que je fais partie des vivants ou que j'en ai l'air.

*T*out individu en tant que tel, avant même de déchoir carrément est déjà déchu, et à l'antipode de son modèle originel.

*C*omment expliquer que le fait de n'avoir pas été, que l'absence colossale qui précède la naissance ne semble déranger personne, et que celui-là même qui en est troublé, ne l'est pas outre mesure?

*S*elon un Chinois, une seule heure de bonheur est tout ce qu'un centenaire pourrait avouer après avoir bien réfléchi aux vicissitudes de son existence.
... Puisque tout le monde exagère, pourquoi les sages feraient-ils exception?

J'aimerais *tout* oublier et me réveiller face à la lumière d'avant les instants.

*L*a mélancolie rachète cet univers, et cependant c'est elle qui nous en sépare.

*A*voir passé sa jeunesse à une température de démiurgie.

*C*ombien de déceptions conduisent à l'amertume? — Une ou mille, suivant le sujet.

*C*oncevoir l'acte de pensée comme un bain de venin, comme un passe-temps de vipère élégiaque.

*D*ieu est l'être conditionné par excellence, l'esclave des esclaves, prisonnier de ses attributs, de ce qu'il est. L'homme, au contraire, dispose d'un certain jeu dans la mesure où il n'est pas, où, ne possédant qu'une existence d'emprunt, il se démène dans sa pseudo-réalité.

*P*our s'affirmer, la vie a fait preuve d'une rare ingéniosité; pour se nier, non moins. Ce qu'elle a pu inventer comme moyens pour se défaire d'elle-même! La mort est de loin sa trouvaille, sa prodigieuse réussite.

*L*es nuages défilaient. Dans le silence de la nuit, on aurait pu entendre le bruit qu'ils faisaient en se hâtant. Pourquoi sommes-nous ici? quel sens peut bien avoir notre présence infime? Question sans réponse, à laquelle pourtant je répondis spontanément, sans l'ombre d'une réflexion, et sans rougir d'avoir proféré une insigne banalité : « C'est pour nous torturer que nous sommes ici, et pour rien d'autre. »

*S*i on m'avait prévenu que mes instants comme tout le reste allaient me déserter, je n'aurais éprouvé ni peur, ni regret, ni joie. Absence sans faille. Tout accent personnel avait disparu de ce que je croyais ressentir encore, mais, à vrai dire, je ne ressentais plus rien, je survivais à mes sensations, et pourtant je n'étais pas un mort-vivant, — j'étais bien en vie mais comme on l'est rarement, comme on ne l'est qu'une fois.

*P*ratiquer les Pères du Désert et cependant se laisser émouvoir par les dernières nouvelles! Aux premiers siècles de notre ère, j'aurais fait partie de ces ermites dont il est dit qu'au bout d'un certain temps ils étaient « fatigués de chercher Dieu ».

*B*ien que parus déjà trop tard, nous serons enviés par nos successeurs immédiats et, plus encore, par nos successeurs lointains. À leurs yeux, nous aurons l'allure de privilégiés, à juste titre, car on a intérêt à être aussi loin que possible de l'avenir.

*Q*ue nul n'entre ici s'il a passé un seul jour à l'abri de la stupeur!

*N*otre place est quelque part entre l'être et le non-être, entre deux fictions.

L'autre, il faut bien l'avouer, fait pour nous figure d'halluciné. Nous ne le suivons que jusqu'à un certain point. Après, il divague forcément, puisque même ses soucis les plus légitimes nous paraissent injustifiés et inexplicables.

*N*e jamais demander au langage de fournir un effort disproportionné à sa capacité naturelle, ne pas le forcer en tout cas à donner son maximum. Évitons la surenchère des mots, de peur que, fourbus, ils ne puissent plus trimbaler le fardeau d'un sens.

*N*ulle pensée plus dissolvante ni plus rassurante que la pensée de la mort. C'est sans doute à cause de cette double qualité qu'on la remâche au point de ne pouvoir s'en passer. Quelle veine de rencontrer, à l'intérieur d'un même instant, un poison et un remède, une révélation qui vous tue et vous fait vivre, un venin roboratif !

*A*près les *Variations Goldberg* — musique « superessentielle », pour employer le jargon mystique — nous fermons les yeux en nous abandonnant à l'écho qu'elles ont suscité en nous. Plus rien n'existe, sinon une plénitude *sans contenu* qui est bien la seule manière de côtoyer le Suprême.

*P*our atteindre la délivrance, il faut croire que tout est réel, ou alors que rien ne l'est. Mais nous ne distinguons que des *degrés* de réalité, les choses nous paraissant plus ou moins vraies, plus ou moins existantes. Et c'est ainsi que nous ne savons jamais où nous en sommes.

*L*e sérieux n'est pas précisément un attribut de l'existence ; le tragique, oui, parce qu'il implique une idée de désastre gratuit, alors que le sérieux suggère un minimum de finalité. Or, c'est l'attrait de l'existence de n'en comporter aucune.

*R*emonter jusqu'au zéro souverain dont procède ce zéro subalterne qui nous constitue.

*C*hacun traverse sa crise promé-
théenne, et tout ce qu'il fait par la suite consiste à s'en glorifier ou
à s'en repentir.

*Q*u'on expose un crâne dans
une vitrine, c'est déjà un défi; tout un squelette, un scandale.
Même en n'y jetant qu'un regard furtif, comment le malheureux
passant vaquera-t-il après à ses affaires, et dans quelles dispositions l'amoureux ira-t-il à son rendez-vous?
À plus forte raison un arrêt prolongé devant notre ultime métamorphose ne pourra que décourager désir et délire.
... Et c'est ainsi qu'il ne me restait en m'éloignant qu'à maudire
cette horreur verticale et son ricanement ininterrompu.

«*Q*uand l'oiseau du sommeil
pensa faire son nid dans ma pupille, il vit les cils et s'effraya du
filet.»
Qui mieux que ce Ben al-Hamara, poète arabe d'Andalousie, a
perçu l'insondable de l'insomnie?

*C*es instants où il suffit d'un sou-
venir ou de moins encore, pour glisser hors du monde.

*R*essembler à un coureur qui
s'arrêterait au plus fort de la course pour essayer de comprendre
à quoi elle rime. Méditer est un aveu d'essoufflement.

*F*orme enviable de renommée:
attacher son nom, comme notre premier ancêtre, à un gâchis qui
éblouira les générations.

«*C*e qui est impermanent est
douleur; ce qui est douleur est non-soi. Ce qui est non-soi, cela
n'est pas mien, je ne suis pas cela, cela n'est pas moi.» (*Samyutta
Nikaya.*).
Ce qui est douleur est non-soi. Il est difficile, il est impossible d'être
d'accord avec le bouddhisme sur ce point, capital pourtant. La
douleur est pour nous ce qu'il y a de plus nous-mêmes, de plus
soi. Quelle religion étrange! Elle voit de la douleur partout et elle
la déclare en même temps irréelle.

*S*ur sa physionomie, plus trace de raillerie. C'est qu'il avait un attachement presque sordide à la vie. Ceux qui n'ont pas daigné s'y agripper, portent un sourire moqueur, signe de délivrance et de triomphe. Ils ne vont pas au néant, ils l'ont quitté.

*T*out arrive trop tard, tout *est* trop tard.

*A*vant ses graves ennuis de santé, c'était un savant; depuis... il est *tombé* dans la métaphysique. Pour s'ouvrir à la divagation essentielle, il faut le concours de misères fidèles, avides de se renouveler.

*A*voir soulevé toute la nuit des Himalayas — et appeler cela *sommeil.*

À quel sacrifice ne me prêterais-je pas pour me libérer de ce moi piteux, qui, en cet instant même, occupe dans le tout une place dont aucun dieu n'a osé rêver!

*I*l faut une immense humilité pour mourir. L'étrange est que tout le monde en fasse preuve.

*C*es vagues avec leur affairement et leur sempiternel radotage, sont éclipsées, en fait d'inutilité, par la trépidation encore plus inepte de la ville.
Lorsqu'en fermant les yeux on se laisse submerger par ce double grondement, on croit assister aux préparatifs de la Création, et on se perd vite dans des élucubrations cosmogoniques.
Merveille des merveilles : aucun intervalle entre l'ébranlement premier et ce point innommable où nous sommes parvenus.

*T*oute forme de *progrès* est une perversion, dans le sens où l'*être* est une perversion du non-être.

*V*ous avez beau avoir subi des veilles dont un martyr serait jaloux, si elles n'ont pas marqué vos traits, personne ne vous croira. Faute de témoins, vous continuerez à faire figure de plaisantin et, jouant la comédie mieux que

personne, vous serez vous-même le premier complice des incré-
dules.

*L*a preuve qu'un acte généreux
est contre nature, c'est qu'il suscite, parfois immédiatement, parfois des mois ou des années après, un malaise qu'on n'ose avouer
à personne, même pas à soi-même.

À ce service funèbre il n'était
question que d'*ombre* et de *rêve* et de limon qui retourne au limon.
Puis, sans transition, on promit au décédé joie éternelle et tout ce
qui s'ensuit. Tant d'inconséquence m'irrita, et me fit abandonner
et le pope et le défunt.
En m'éloignant, je n'ai pu m'empêcher de penser que j'étais mal
placé pour protester contre ceux qui se contredisent si ostensiblement.

*Q*uel soulagement que de jeter à
la poubelle un manuscrit, témoin d'une fièvre retombée, d'une
frénésie consternante!

*C*e matin j'ai *pensé*, donc j'ai
perdu pied, pendant un bon quart d'heure...

*T*out ce qui nous incommode
nous permet de nous définir. Sans indispositions, point d'identité.
Chance et malchance d'un organisme *conscient*.

*S*i décrire un malheur était aussi
aisé que de le vivre!

*L*eçon quotidienne de retenue :
songer, ne fût-ce que la durée d'un éclair, qu'un jour on parlera
de nos *restes*.

*O*n insiste sur les maladies de la
volonté, et on oublie que la volonté comme telle est suspecte, et
qu'il n'est pas *normal* de vouloir.

*A*près avoir palabré des heures
durant, me voilà envahi par le vide. Par le vide et la honte. N'est-
ce pas indécent d'étaler ses secrets, de débiter son être même, de

raconter et se raconter, alors que les instants les plus pleins de sa vie on les a connus pendant le silence, pendant la *perception* du silence?

*A*dolescent, Tourgueniev avait accroché dans sa chambre le portrait de Fouquier-Tinville.
La jeunesse, partout et toujours, a idéalisé les bourreaux, à condition qu'ils aient sévi au nom du vague et du ronflant.

*L*a vie et la mort ont aussi peu de contenu l'une que l'autre. Par malheur on le sait toujours trop tard, quand cela ne peut plus aider à vivre ni à mourir.

*V*ous êtes tranquille, vous oubliez votre ennemi qui, lui, veille et attend. Il s'agit néanmoins d'être prêt lorsqu'il foncera. Vous l'emporterez, car il sera affaibli par cette énorme consommation d'énergie qu'est la haine.

*D*e tout ce qu'on éprouve, rien ne donne autant l'impression d'être au cœur même du vrai que les accès de désespoir *sans raison* : à côté, tout paraît frivole, frelaté, démuni et de substance et d'intérêt.

*L*assitude indépendante de l'usure des organes, lassitude intemporelle, pour laquelle n'existe nul palliatif, et dont aucun repos, fût-ce l'ultime, ne pourrait triompher.

*T*out est salutaire, sauf s'interroger instant après instant sur le sens de nos actes, tout est préférable à la seule question qui importe.

M'étant occupé jadis de Joseph de Maistre, au lieu d'expliquer le personnage en accumulant détails sur détails, j'aurais dû rappeler qu'il n'arrivait à dormir que trois heures tout au plus. Cela suffit pour faire comprendre les outrances d'un penseur ou de n'importe qui. J'avais cependant omis de signaler le fait. Omission d'autant plus impardonnable que les humains se partagent en *dormeurs* et en *veilleurs*, deux spécimens d'êtres, à jamais hétérogènes, qui n'ont en commun que leur aspect physique.

*N*ous respirerions enfin mieux si un beau matin on nous apprenait que la quasi-totalité de nos semblables se sont volatilisés comme par enchantement.

*I*l faut avoir de fortes dispositions religieuses pour pouvoir proférer avec conviction le mot *être*, il faut *croire* pour dire simplement d'un objet ou de quelqu'un qu'il *est*.

*T*oute saison est une épreuve : la nature ne change et ne se renouvelle que pour nous *frapper*.

À l'origine de la moindre pensée se dessine un léger déséquilibre. Que dire alors de celui dont procède la pensée même ?

*S*i, dans les sociétés primitives, on expédie un peu trop vite les vieux, dans les civilisées, en revanche, on les flatte et on les gave. L'avenir, nul doute là-dessus, ne retiendra que le premier modèle.

*V*ous avez beau déserter telle croyance religieuse ou politique, vous conserverez la ténacité et l'intolérance qui vous avaient poussé à l'adopter. Vous serez toujours furieux, mais votre fureur sera dirigée *contre* la croyance abandonnée ; le fanatisme, lié à votre essence, y persistera indépendamment des convictions que vous pouvez défendre ou rejeter. Le fond, votre fond, demeure le même, et ce n'est pas en changeant d'opinions que vous arriverez à le modifier.

*L*e *Zohar* nous met dans l'embarras : s'il dit vrai, le pauvre se présente devant Dieu avec son âme seulement, tandis que les autres rien qu'avec leur corps. Dans l'impossibilité de se prononcer, le mieux est encore d'attendre.

*N*e pas confondre talent et verve. Le plus souvent la verve est le propre du faiseur. D'un autre côté, sans elle comment donner du piquant aux vérités et aux erreurs ?

*P*oint d'instant où je n'en revienne pas de me trouver précisément dans cet instant-là.

*S*ur des dizaines de rêves que nous faisons, un seul est significatif, et encore! Le reste, — déchets, littérature simpliste ou vomitive, imagerie de génie débile.

Les rêves qui s'étirent attestent l'indigence du «rêveur», qui ne voit pas de quelle manière conclure, s'escrime à trouver un dénouement sans y parvenir, tout à fait comme au théâtre où l'auteur multiplie les péripéties, faute de savoir comment et où s'arrêter.

*M*es ennuis ou, plutôt, mes maux, suivent une politique qui me dépasse. Parfois ils se concertent et avancent ensemble, parfois chacun va de son côté, très souvent ils se combattent mais, qu'ils s'entendent ou qu'ils se chamaillent, ils se comportent comme si leurs manœuvres ne me regardaient pas, comme si j'en étais seulement le spectateur ahuri.

*N*ous importe uniquement ce que nous n'avons pas accompli, ce que nous ne pouvions pas accomplir, de sorte que d'une vie ne reste que ce qu'elle n'aura pas été.

*R*êver d'une entreprise de démolition qui n'épargnerait aucune des traces du bang originel.

EXASPÉRATIONS

*É*tang de Soustons, deux heures de l'après-midi. Je ramais. Tout à coup, foudroyé par une réminiscence de vocabulaire : *All is of no avail* (rien ne sert à rien). Si j'avais été seul, je me serais jeté instantanément à l'eau. Jamais je n'ai ressenti avec une telle violence le besoin de mettre un terme à tout ça.

*D*évorer biographie après biographie pour mieux se persuader de l'à quoi bon de n'importe quelle entreprise, de n'importe quelle destinée.

*J*e tombe sur X. J'aurais donné tout au monde pour ne plus jamais le rencontrer. Devoir subir de tels spécimens! Pendant qu'il parlait, j'étais inconsolable de ne pas disposer d'un pouvoir surnaturel qui nous annihilerait sur-le-champ tous les deux.

*C*e corps, à quoi sert-il sinon à nous faire comprendre ce que le mot *tortionnaire* veut dire?

*L*e sens aigu du ridicule rend malaisé, voire impossible, le moindre acte. Heureux ceux qui n'en sont pas pourvus! La Providence aura veillé sur eux.

À une exposition d'art oriental, un Brahma à têtes multiples, déconfit, morose, abruti au dernier degré.
C'est dans cette posture qu'il me plaît de voir représenté le dieu des dieux.

*E*xcédé par tous. Mais j'aime rire. Et je ne peux pas rire seul.

N'ayant jamais su ce que je poursuivais dans ce monde, j'attends toujours celui qui pourrait me dire ce qu'il y poursuit lui-même.

À la question pourquoi les moines qui le suivaient étaient si radieux, le Bouddha répondit que c'était parce qu'ils ne pensaient ni au passé ni à l'avenir. On s'assombrit, en effet, dès qu'on songe à l'un ou à l'autre, et on s'assombrit tout à fait dès qu'on songe aux deux.

*D*érivatif à la désolation : fermer longtemps les yeux pour oublier la lumière et tout ce qu'elle dévoile.

*D*ès qu'un écrivain se déguise en philosophe, on peut être certain que c'est pour camoufler plus d'une carence. *L'idée*, un paravent qui ne cache rien.

*D*ans l'admiration comme dans l'envie les yeux s'allument soudain. Comment distinguer l'une de l'autre chez ceux dont on n'est pas sûr ?

*I*l m'appelle en pleine nuit pour m'annoncer qu'il ne peut dormir. Je lui fais un véritable cours sur cette variété de malheur qui est, en réalité, le malheur même. À la fin je suis si content de ma performance que je regagne mon lit comme un héros, fier de braver les heures qui me séparent du jour.

*P*ublier un livre comporte le même genre d'ennuis qu'un mariage ou un enterrement.

*I*l ne faudrait jamais écrire sur personne. J'en suis si persuadé que, chaque fois que je suis amené à le faire, ma première pensée est d'attaquer, *même si je l'admire*, celui dont je dois parler.

«*E*t Dieu vit que la lumière était bonne.»
Tel est aussi l'avis des mortels, à l'exception du sans-sommeil pour qui elle est une agression, un nouvel enfer plus rude que celui de la nuit.

*I*l arrive un moment où la négation elle-même perd son lustre et, détériorée, rejoint, comme les évidences, le tout-à-l'égout.

*S*elon Louis de Broglie, il y aurait une parenté entre «faire de l'esprit» et faire des découvertes scientifiques, esprit signifiant ici la capacité «d'établir soudainement des rapprochements inattendus».
S'il en était ainsi, les Allemands seraient impropres à innover en matière de science. Swift s'étonnait déjà qu'un peuple de lourdauds ait à son actif un si grand nombre d'inventions. Mais l'invention ne suppose pas tant l'agilité que la persévérance, la capacité de creuser, de fouiller, de s'entêter... L'étincelle surgit de l'obstination.
Rien n'est fastidieux pour celui qu'entraîne la manie de l'approfondissement. Imperméable à l'ennui, il s'étendra indéfiniment sur n'importe quoi, sans ménager, s'il est écrivain, ses lecteurs, sans même daigner, s'il est philosophe, les prendre en considération.

*J*e raconte à un psychanalyste américain que, dans la propriété d'une amie, j'ai fait, élagueur invétéré, une chute qui aurait pu m'être fatale en m'acharnant contre les branches desséchées d'un séquoia. «— Ce n'est pas pour l'élaguer que vous vous êtes acharné contre lui, c'est pour le punir de durer plus longtemps que vous. Vous lui en vouliez de vous survivre, et votre désir secret était de vous venger en le dépouillant de ses branches.»
... C'est à vous dégoûter à jamais de toute explication *profonde*.

*U*n autre Yankee, professeur cette fois-ci, se plaignait de ne pas savoir sur quel sujet axer son prochain cours. «— Pourquoi pas sur le chaos et son charme? — C'est pour moi chose inconnue. Je n'ai jamais subi ce genre d'envoûtement», me répondit-il.
Il est plus facile de s'entendre avec un monstre qu'avec l'opposé d'un monstre.

*J*e lisais *Le Bateau ivre* à quelqu'un qui ne le connaissait pas et qui d'ailleurs était étranger à la poésie.

«On dirait que ça vient du tertiaire» fut son commentaire une fois la lecture finie. Pour un jugement, c'en est un.

P. Tz. — Un génie s'il en fut. Frénésie orale par horreur ou impossibilité d'écrire. Disséminées dans les Balkans, mille et mille saillies perdues pour toujours. Comment donner une idée de sa verve et de sa folie? «Tu es un mélange de Don Quichotte et de Dieu», lui ai-je dit un jour. Sur le coup il en fut flatté mais le lendemain matin très tôt il vint me signifier: «Cette histoire de Don Quichotte ne me plaît pas.»

*D*e dix à quatorze ans j'habitais une pension de famille. Tous les matins, en allant au lycée, comme je passais devant une librairie, je ne manquais pas de jeter un bref regard aux livres qu'on changeait relativement souvent même dans cette ville de province en Roumanie. Un seul, à un coin de la devanture, paraissait avoir été oublié depuis des mois: *Bestia umana* (*La Bête humaine* de Zola). De ces quatre années, le seul souvenir qui me hante, c'est ce titre-là.

*M*es livres, *mon* œuvre... Le côté grotesque de ces possessifs.
Tout s'est gâté dès que la littérature a cessé d'être anonyme. La décadence remonte au premier *auteur*.

J'avais décidé jadis de ne plus serrer la main à aucun bien portant. Il m'a fallu cependant composer, car je découvris bientôt que beaucoup de ceux que je suspectais de santé y étaient moins sujets que je ne pensais. À quoi bon me faire des ennemis sur de simples soupçons?

*R*ien ne gêne tant la continuité de la réflexion que de ressentir la présence insistante du cerveau. Telle est peut-être la raison pourquoi les fous ne pensent que par *éclairs*.

*C*e passant, que veut-il? pourquoi vit-il? Et cet enfant et sa mère et ce vieux?
Personne ne trouva grâce à mes yeux durant cette damnée promenade. Je pénétrai enfin dans une boucherie où était pendu quelque chose comme la moitié d'un bœuf. À ce spectacle, je fus tout près d'éclater en sanglots.

*D*ans mes accès de fureur je me sens fâcheusement proche de saint Paul. Mes affinités avec les forcenés, avec tous ceux que je déteste. Qui jamais a de la sorte ressemblé à ses antipodes ?

*P*lus que tout me répugne le doute méthodique. Je veux bien douter mais à mes heures seulement.

*S*urgi d'une sorte d'Inefficacité primordiale... Tout à l'heure, voulant m'appesantir sur un sujet sérieux, et n'y arrivant pas, je me suis couché. Souvent mes projets m'ont conduit au lit, terme prédestiné de mes ambitions.

*O*n a toujours quelqu'un au-dessus de soi : par-delà Dieu même *s'élève* le Néant.

*P*érir! — ce mot que j'aime entre tous et qui, assez curieusement, ne me suggère rien d'irréparable.

*D*ès qu'il me faut rencontrer quelqu'un, un tel désir d'isolement me saisit que, au moment de parler, je perds tout contrôle sur mes mots, et leur culbute est prise pour de la verve.

*C*et univers si magistralement raté! — c'est ce qu'on se répète quand on se trouve en veine de concessions.

L'esbroufe ne va pas de pair avec la douleur physique. Aussitôt que notre carcasse se signale, nous sommes ramenés à nos dimensions normales, à la certitude la plus mortifiante, la plus dévastatrice.

*Q*uelle incitation à l'hilarité que d'entendre le mot but en suivant un convoi funèbre!

*O*n meurt depuis toujours et cependant la mort n'a rien perdu de sa fraîcheur. C'est là que gît le secret des secrets.

*L*ire, c'est laisser un autre peiner pour vous. La forme la plus délicate d'exploitation.

*Q*uiconque nous cite de mémoire est un saboteur qu'il faudrait traduire en justice. Une citation estropiée équivaut à une trahison, une injure, un préjudice d'autant plus grave qu'on a voulu nous rendre service.

*L*es tourmentés, que sont-ils, sinon des martyrs aigris faute de savoir pour qui s'immoler?

*P*enser, c'est se plier aux injonctions et aux lubies d'une santé incertaine.

*A*yant commencé ma journée avec Maître Eckhart, je me suis tourné ensuite vers Épicure. Et la journée n'est pas encore finie : avec qui vais-je la conclure?

*D*ès que je sors du «je», je m'endors.

*Q*ui ne croit pas au Destin prouve qu'il n'a pas vécu.

*S*i jamais il m'arrive de mourir un jour.

*U*ne dame d'un certain âge, au moment de me dépasser crut bon de proclamer sans me regarder : «Aujourd'hui je ne vois partout que des cadavres ambulants.» Puis, sans me regarder davantage, ajouta : «Je suis folle, n'est-ce pas, monsieur? — Pas tant que ça», ai-je répliqué d'un air complice.

*V*oir dans chaque bébé un futur Richard III...

À tous les âges nous découvrons que la vie est une erreur. Seulement, à quinze ans, il s'agit d'une révélation où il entre un frisson de terreur et un rien de magie. Avec le temps, cette révélation, dégénérée, tourne au truisme, et c'est ainsi que nous regrettons l'époque où elle était source d'imprévu.

*A*u printemps de 1937, comme je me promenais dans le parc de l'hôpital psychiatrique de Sibiu, en Transylvanie, un «pensionnaire» m'aborda. Nous échangeâmes quelques paroles, puis je lui dis : «On est bien ici. — Je comprends. Ça vaut la peine d'être fou», me répondit-il. «Mais vous êtes quand même dans une espèce de prison. — Si vous voulez, mais on y vit sans le moindre souci. Au surplus, la guerre approche, vous le savez comme moi. Cet endroit-ci est sûr. On ne nous mobilise pas et puis on ne bombarde pas un asile d'aliénés. À votre place, je me ferais interner tout de suite.» Troublé, émerveillé, je le quittai, et tâchai d'en savoir plus long sur lui. On m'assura qu'il était réellement fou. Fou ou non, jamais personne ne m'aura donné conseil plus raisonnable.

C'est l'humanité tarée qui constitue la matière de la littérature. L'écrivain se félicite de la perversité d'Adam, et il ne prospère que dans la mesure où chacun de nous l'assume et la renouvelle.

*E*n fait de patrimoine biologique, la moindre innovation est, paraît-il, ruineuse. Conservatrice, la vie ne s'épanouit que grâce à la répétition, au cliché, au pompiérisme. Tout le contraire de l'art.

*G*engis-Khan se faisait accompagner dans ses expéditions par le plus grand sage taoïste de son temps. L'extrême cruauté est rarement vulgaire : elle a toujours quelque chose d'étrange et de raffiné qui inspire peur et respect. Guillaume le Conquérant, aussi impitoyable envers ses compagnons qu'envers ses ennemis, n'aimait que les bêtes sauvages et les forêts sombres où il se promenait toujours seul.

*J*e m'apprêtais à sortir quand, pour arranger mon foulard, je me regardai dans la glace. Soudain un indicible effroi : *qui est-ce?* Impossible de me reconnaître. J'ai eu beau identifier mon pardessus, ma cravate, mon chapeau, je ne savais pourtant pas qui j'étais, car je n'étais pas *moi*. Cela dura un certain nombre de secondes : vingt, trente, quarante? Lorsque je réussis à me retrouver, la terreur, elle, persista. Il fallut bien attendre qu'elle consente à s'éclipser.

*U*ne huître, pour bâtir sa coquille, doit faire passer dans son corps cinquante mille fois son poids d'eau de mer.
... Où suis-je allé chercher des leçons de patience!

*L*u quelque part le constat:
«Dieu ne parle que de lui-même.»
Sur ce point précis, le Très-Haut a plus d'un rival.

Être ou ne pas être.
... Ni l'un ni l'autre.

*C*haque fois que je tombe, ne fût-ce que sur une sentence bouddhique, l'envie me prend de revenir à cette sagesse que j'ai tenté de m'assimiler pendant une assez longue période de temps et dont, inexplicablement, je me suis en partie détourné. C'est en elle que réside non pas tant la vérité mais quelque chose de mieux... et c'est par elle qu'on accède à cet état où l'on est pur de tout, d'illusions en premier lieu. N'en avoir plus aucune sans pourtant risquer la débâcle, s'enfoncer dans le désabusement tout en évitant l'aigreur, s'émanciper chaque jour un peu plus de l'obnubilation où traînent ces hordes de vivants.

*M*ourir, c'est changer de genre, c'est se renouveler...

*S*e méfier des penseurs dont l'esprit ne fonctionne qu'à partir d'une citation.

*S*i les rapports entre les hommes sont si difficiles, c'est parce qu'ils ont été créés pour se casser la gueule et non pour avoir des «rapports».

*L*a conversation avec lui était aussi conventionnelle qu'avec un agonisant.

*C*esser d'être ne signifie rien, ne peut rien signifier. À quoi bon s'occuper de ce qui survit à une non-réalité, d'un semblant qui succède à un autre semblant? La mort n'est effectivement rien, elle est tout au plus un simulacre de mystère, comme la vie elle-même. Propagande antimétaphysique des cimetières...

*D*ans mon enfance une figure m'en imposait : celle d'un paysan qui, venant de faire un héritage, allait de bistrot en bistrot, suivi d'un «musicien». Une magnifique journée d'été : tout le village était aux champs; lui seul, accompagné de son violoniste, parcourait les rues désertes, fredonnant quelque romance. Au bout de deux ans il se retrouva aussi démuni qu'avant. Mais les dieux se montrèrent cléments : il mourut bientôt après. Sans savoir pourquoi, j'étais fasciné, et j'avais raison de l'être. Lorsque je songe maintenant à lui, je persiste à croire qu'il était vraiment quelqu'un, que de tous les habitants du patelin lui seul avait assez d'envergure pour gâcher sa vie.

*E*nvie de rugir, de cracher à la figure des gens, de les traîner par terre, de les piétiner...
Je me suis exercé à la décence pour humilier ma rage, et ma rage se venge aussi souvent qu'elle peut.

*S*i on me demandait de résumer le plus brièvement possible ma vision des choses, de la réduire à son expression la plus succincte, je mettrais à la place des mots un point d'exclamation, un *!* définitif.

*L*e doute s'insinue partout, avec cependant une exception de taille : il n'y a pas de musique *sceptique*.

*D*émosthène copia de sa main huit fois Thucydide. C'est comme cela qu'on apprend une langue. Il faudrait avoir le courage de transcrire tous les livres qu'on aime.

*Q*ue quelqu'un déteste ce que nous faisons, nous l'admettons plus ou moins. Mais s'il dédaigne un livre que nous lui avons recommandé, cela est beaucoup plus grave et nous blesse comme une attaque sournoise. On met donc en doute notre goût et même notre discernement!

*Q*uand *j'observe* mon glissement dans le sommeil, j'ai l'impression de m'enfoncer dans un abîme providentiel, d'y tomber pour l'éternité, sans pouvoir jamais m'en évader. D'ailleurs aucun désir d'évasion ne m'effleure. Ce que je souhaite dans ces instants, c'est de les percevoir le plus nettement possible, de n'en rien perdre et d'en jouir jusqu'au dernier, avant l'inconscience, avant la béatitude.

*L*e dernier poète important de Rome, Juvénal, le dernier écrivain marquant de la Grèce, Lucien, ont *travaillé* dans l'ironie. Deux littératures qui finirent par elle. Comme tout, littérature ou non, devrait finir.

*C*e retour à l'inorganique ne devrait nous affecter d'aucune façon. Un phénomène aussi lamentable, pour ne pas dire risible, nous rend cependant poltrons. Il est temps de *repenser* la mort, d'imaginer une faillite moins quelconque.

*É*garé ici-bas, comme je me serais égaré sans doute n'importe où.

*I*l ne saurait y avoir des sentiments *purs* entre ceux qui suivent des voies semblables. On n'a qu'à se rappeler les regards que se jettent les unes aux autres celles qui se partagent le même trottoir.

*O*n saisit incomparablement plus de choses en s'ennuyant qu'en travaillant, *l'effort* étant l'ennemi mortel de la méditation.

*P*asser du mépris au détachement semble aisé. Pourtant c'est là non pas tant une transition qu'un exploit, qu'un accomplissement. Le mépris est la première victoire sur le monde ; le détachement, la dernière, la suprême. L'intervalle qui les sépare se confond avec le chemin qui mène de la liberté à la libération.

*J*e n'ai pas rencontré un seul esprit dérangé qui ait été incurieux de Dieu. Doit-on en conclure qu'il existe un lien entre la quête de l'absolu et la désagrégation du cerveau ?

N'importe quel asticot qui s'estimerait le premier parmi ses pairs rejoindrait tout de suite le statut de l'homme.

Si tout devait s'effacer de mon esprit, sauf les traces de ce que j'aurai connu d'unique, d'où proviendraient-elles sinon de la soif d'inexister?

Que d'occasions manquées de me compromettre avec Dieu!

La joie débordante, si elle se prolonge, est plus près de la folie qu'une tristesse opiniâtre, qui se justifie par la réflexion et même par la simple observation, alors que les excès de l'autre relèvent de quelque détraquement. S'il est inquiétant d'être joyeux par le pur fait de vivre, il est en revanche normal d'être triste avant même d'avoir appris à balbutier.

La chance qu'a le romancier ou le dramaturge de s'exprimer en se déguisant, de se délivrer de ses conflits et, plus encore, de tous ces personnages qui se bagarrent en lui! Il en va différemment de l'essayiste, acculé à un genre ingrat où l'on ne projette ses propres incompatibilités qu'en se contredisant à chaque pas. On est plus libre dans l'aphorisme — triomphe d'un moi désagrégé...

Je songe en ce moment à quelqu'un que j'admirais sans réserve, qui n'a tenu aucune de ses promesses et qui, pour avoir déçu tous ceux qui avaient cru en lui, est mort on ne peut plus satisfait.

La parole supplée à l'insuffisance des remèdes et guérit la plupart de nos maux. Le bavard ne court pas les pharmacies.

Stupéfiant manque de nécessité : la Vie, improvisation, fantaisie de la matière, chimie éphémère...

La grande, la seule originalité de l'amour est de rendre le bonheur indistinct du malheur.

*D*es lettres, des lettres à écrire. Celle-ci par exemple... mais je n'y arrive pas : je me sens subitement incapable de *mentir*.

*D*ans ce parc affecté, comme le manoir, aux entreprises loufoques de la charité, partout des vieilles qu'on maintient en vie à coups d'opérations. Avant, on agonisait chez soi, dans la dignité de la solitude et de l'abandon, maintenant on rassemble les moribonds, on les gave et on prolonge le plus longtemps possible leur indécente crevaison.

À peine avons-nous perdu un défaut qu'un autre s'empresse de le remplacer. Notre équilibre est à ce prix.

*L*es mots me sont devenus tellement extérieurs qu'entrer en contact avec eux prend les proportions d'une prouesse. Nous n'avons plus rien à nous dire et si je m'en sers encore, c'est pour les dénoncer, tout en déplorant en secret une rupture toujours imminente.

*A*u Luxembourg, une femme d'une quarantaine d'années, presque élégante mais l'air plutôt bizarre, parlait sur un ton affectueux, passionné même, à quelqu'un qu'on ne voyait pas... En la rattrapant, je m'aperçus qu'elle tenait contre sa poitrine un ouistiti. Elle finit par s'asseoir sur un banc où elle continua le monologue avec la même chaleur. Les premiers mots que j'entendis en passant à côté d'elle furent : « Tu sais, j'en ai marre.» Je m'éloignai ne sachant qui plaindre le plus : elle ou son confident.

L'homme va disparaître, c'était jusqu'à présent ma ferme conviction. Entre-temps j'ai changé d'avis : il *doit* disparaître.

L'aversion pour tout ce qui est humain est compatible avec la pitié, je dirais même que ces réactions sont solidaires mais non simultanées. Celui-là seul qui connaît la première est capable d'éprouver intensément la seconde.

*T*out à l'heure, sensation d'être l'ultime version du Tout. Les mondes tournaient autour de moi. Pas la moindre trace de déséquilibre. C'était seulement quelque chose bien *au-dessus* de ce qu'il est permis de ressentir.

*S*e réveiller en sursaut en se demandant si le mot *sens* rime à quoi que ce soit, et s'étonner après de ne pouvoir se rendormir!

C'est le propre de la douleur de n'avoir pas honte de se répéter.

À ce très vieil ami qui m'annonce sa décision de mettre fin à ses jours, je réponds qu'il ne fallait pas trop se presser, que la dernière partie du jeu ne manque pas complètement d'attrait et qu'on peut s'arranger même avec l'Intolérable, à condition de ne jamais oublier que tout est bluff, bluff générateur de supplices...

*P*our avoir marqué *Rien* à la date qui devait signifier le début de sa perte, Louis XVI est taxé d'imbécillité depuis deux siècles. À ce compte, nous sommes tous des imbéciles : qui de nous peut se targuer d'avoir discerné l'exact commencement de sa dégringolade?

*I*l travaillait et produisait, il se lançait dans des généralisations massives et s'étonnait lui-même de sa fécondité. Il ignorait, pour son bonheur, le cauchemar de la nuance.

*E*xister est une déviation si patente qu'elle en acquiert le prestige d'une infirmité rêvée.

*R*etrouver en soi tous les bas instincts dont on rougit. S'ils sont si énergiques chez quelqu'un qui s'acharne à s'en défaire, combien plus virulents ne doivent-ils pas être chez ceux qui, faute d'un minimum de lucidité, ne parviendront jamais à se surveiller et encore moins à se détester.

*A*u plus vif du succès ou de l'échec, se rappeler la manière dont on a été conçu. Rien de tel pour triompher de l'euphorie ou de la grogne.

*L*a plante seule approche de la «sagesse»; l'animal y est impropre. Quant à l'homme... La Nature aurait dû s'en tenir au végétal, au lieu de se disqualifier par goût de l'insolite.

*L*es jeunes et les vieux, et les autres aussi, tous odieux, on ne peut les mater que par la flatterie, ce qui finit par les rendre plus odieux encore.

«*L*e ciel n'est ouvert pour personne..., il ne s'ouvrira qu'après la disparition du monde» (Tertullien).
On reste interdit qu'à la suite d'un tel avertissement on ait continué à s'affairer. De quel entêtement l'histoire est le fruit!

*D*orothée de Rodde-Schloezer, accompagnant à Paris son mari, maire de Lübeck, aux fêtes de couronnement de Napoléon, écrit : «Il y a tant de fous sur la terre, et surtout en France, que c'est un jeu pour ce prestidigitateur corse de les faire danser comme des marionnettes au son de son pipeau. Ils accourent tous à la suite de ce charmeur de rats et personne ne demande où il les mène.»
Les époques d'expansion sont des époques de délire; les époques de décadence et de repli sont en comparaison sensées, trop sensées même, et c'est pourquoi elles sont presque aussi funestes que les autres.

*D*es opinions, oui; des convictions, non. Tel est le point de départ de la fierté intellectuelle.

*N*ous nous attachons d'autant plus à un être que son instinct de conservation est vacillant, pour ne pas dire oblitéré.

*L*ucrèce : on ne sait sur sa vie rien de précis. De précis? même pas de vague.
Un destin enviable.

*R*ien ne se compare à l'émergence du cafard au moment du réveil. Elle vous fait remonter à des milliards d'années en arrière jusqu'aux premiers signes, jusqu'aux prodromes de l'être, en fait jusqu'au principe même du cafard.

« *T*u n'as pas besoin de finir sur la croix, car tu es né crucifié » (11 décembre 1963).
Que ne donnerais-je pas pour me rappeler ce qui avait pu provoquer un désespoir si outrecuidant !

*O*n se souvient du déchaînement de Pascal, dans ses *Provinciales*, contre le casuiste Escobar, lequel, suivant un voyageur français qui lui rendit visite dans la péninsule, ignorait tout de ces attaques. Au surplus, il était à peine connu dans son propre pays.
Malentendu et irréalité, où que l'on regarde.

*T*ant d'amis et d'ennemis, qui nous portaient un égal intérêt, disparus l'un après l'autre. Quel soulagement ! Pouvoir enfin se laisser aller, n'avoir plus à craindre leur censure ni leur déception.

*P*orter sur n'importe quoi, y compris la mort, des jugements irréconciliables, est l'unique manière de ne pas tricher.

*S*elon Asanga et son école, le triomphe du bien sur le mal n'est qu'une victoire de la mâyâ sur la mâyâ ; de même, mettre un terme à la transmigration par l'illumination c'est comme si « un roi de l'illusion était un vainqueur d'un roi de l'illusion » (Mahâyânasutralâmkâra).
Ces Hindous ont eu l'audace de placer l'illusion si haut, d'en faire un substitut du moi et du monde, et de la convertir en donnée suprême. Conversion insigne, étape ultime, et sans issue. Que faire ? Toute extrémité, même la libération, étant une impasse, comment en sortir pour rattraper le Possible ? Peut-être faudrait-il rabaisser le débat, doter les choses d'une ombre de réalité, restreindre l'hégémonie de la clairvoyance, oser soutenir que tout ce qui a l'air d'exister existe à sa façon, et puis, las de divaguer, changer de sujet...

CETTE NÉFASTE CLAIRVOYANCE

—————————————— *C*haque événement n'est qu'un mauvais signe de plus. De temps en temps pourtant une exception que le chroniqueur grossit pour créer l'illusion de l'inattendu.

*Q*ue l'envie soit universelle, la meilleure preuve en est qu'elle éclate chez les aliénés eux-mêmes dans leurs brefs intervalles de lucidité.

*T*outes les anomalies nous séduisent, en premier lieu la Vie, anomalie par excellence.

*D*ebout on admet sans drame que chaque instant qui passe s'évanouit pour toujours ; *allongé*, cette évidence paraît à ce point irrecevable qu'on souhaite ne plus jamais se lever.

L'éternel retour et le progrès : deux non-sens. Que reste-t-il ? La résignation au devenir, à des surprises qui n'en sont pas, à des calamités qui se voudraient insolites.

*S*i on commençait par supprimer tous ceux qui ne peuvent respirer que sur une estrade !

*P*ar nature véhément, par option, vacillant. De quel côté pencher ? pour *qui* se décider ? à quel *moi* se ranger ?

*I*l faut des vertus et des vices tenaces pour se maintenir à la surface, pour sauvegarder cette allure entreprenante dont on a besoin pour résister au prestige du naufrage ou du sanglot.

«*V*ous parlez souvent de Dieu. Voilà un mot dont je ne me sers plus», m'écrit une ex-nonne. Tout le monde n'a pas la chance de s'en être dégoûté!

*C*es nuits au milieu desquelles, en l'absence d'un confident, nous en sommes réduits à Celui qui joua ce rôle des siècles, des millénaires durant.

L'ironie, cette impertinence nuancée, légèrement fielleuse, est l'art de savoir s'arrêter. Le moindre approfondissement l'anéantit. Si vous avez tendance à insister, vous courez le risque de sombrer avec elle.

*C*e qui est merveilleux, c'est que chaque jour nous apporte une nouvelle raison de disparaître.

*P*uisqu'on ne se souvient que des humiliations et des défaites, à quoi donc aura servi le reste?

S'interroger sur le fond de quoi que ce soit vous donne envie de vous rouler par terre. C'est en tout cas de cette manière qu'autrefois je répondais aux questions capitales, aux questions sans réponse.

*E*n ouvrant ce manuel de préhistoire, je tombe sur quelques spécimens de nos ancêtres, sinistres à souhait. Sans aucun doute, tels devaient-ils être. De dégoût et de honte, j'ai vite refermé le livre, tout en sachant que je le rouvrirai chaque fois que j'aurai à m'appesantir sur la genèse de nos horreurs et de nos saloperies.

*L*a vie sécrète de l'anti-vie, et cette comédie chimique, au lieu de nous engager à sourire, nous ronge et nous affole.

*L*e besoin de se dévorer dispense du besoin de croire.

*S*i la rage était un attribut d'En Haut, il y a longtemps que j'aurais dépassé mon statut de mortel.

L'existence pourrait se justifier si chacun se comportait comme s'il était le dernier vivant.

*I*gnace de Loyola, tourmenté par des scrupules dont il ne précise pas la nature, raconte qu'il songea à se détruire. Même lui! Cette tentation est décidément plus répandue et plus enracinée qu'on ne le pense. Elle est en fait l'honneur de l'homme, en attendant d'en être le devoir.

*S*eul est porté à œuvrer celui qui se trompe sur soi, qui ignore les motifs secrets de ses actes. Le créateur devenu transparent à lui-même, ne crée plus. La connaissance de soi indispose le *démon*. C'est là qu'il faut chercher la raison pourquoi Socrate n'a rien écrit.

*Q*ue nous puissions être blessés par ceux-là mêmes que nous méprisons discrédite l'orgueil.

*D*ans un ouvrage admirablement traduit de l'anglais, une seule tache : les «abîmes du scepticisme». Il fallait du *doute*, car le mot scepticisme comporte en français une nuance de dilettantisme, voire de frivolité, inassociable à l'idée de gouffre.

*L*e goût de la formule va de pair avec un faible pour les définitions, pour ce qui a le moins de rapports avec le réel.

*T*out ce qu'on peut classer est périssable. Ne dure que ce qui est susceptible de plusieurs interprétations.

*A*ux prises avec le papier blanc, quel Waterloo en perspective !

*Q*uand on s'entretient avec quelqu'un, si hauts que soient ses mérites, il ne faut oublier à aucun instant que dans ses réactions profondes il ne diffère en rien du commun des mortels. Par prudence, on doit le ménager, car, à l'égal de tout un chacun, il ne supportera pas la franchise, cause directe de la quasi-totalité des brouilles et des rancunes.

*A*voir frôlé toutes les formes de la déchéance, y compris la réussite.

*O*n ne possède aucune lettre de Shakespeare. N'en a-t-il écrit aucune? On aurait aimé entendre Hamlet se plaindre de l'abondance du courrier.

*L*a vertu éminente de la calomnie est de faire le vide autour de vous, sans que vous ayez à lever le petit doigt.

*D*égoût désespéré devant une foule, qu'elle soit hilare ou maussade.

*T*out se dégrade depuis toujours. Ce diagnostic une fois bien établi, on peut débiter n'importe quelle outrance, on y est même obligé.

*S*i on est presque toujours dépassé par les événements, c'est parce qu'il suffit d'attendre pour s'apercevoir qu'on s'est rendu coupable de naïveté.

*L*a passion de la musique est en elle-même un aveu. Nous en savons plus long sur un inconnu qui s'y adonne que sur quelqu'un qui y est insensible et que nous approchons tous les jours.

À l'extrême des nuits. Plus personne, rien que la société des minutes. Chacune fait semblant de nous tenir compagnie, et puis se sauve — désertion sur désertion.

*F*aire la part des choses témoigne d'une perturbation inquiétante. Qui dit *vivant* dit *partial* : l'objectivité, phénomène tardif, symptôme alarmant, est l'amorce d'une capitulation.

*I*l faudrait être aussi peu dans le coup qu'un ange ou un idiot pour croire que l'équipée humaine puisse bien tourner.

*L*es qualités d'un néophyte se rehaussent et se renforcent sous l'effet de ses nouvelles convictions. Cela il le sait; ce qu'il ignore, c'est que ses travers augmentent en proportion. De là découlent ses chimères et sa superbe.

«*M*es enfants, le sel vient de l'eau, et s'il est en contact avec l'eau, il se dissout et disparaît. De même le moine naît de la femme, et s'il approche d'une femme, il se dissout et cesse d'être moine.»
Ce Jean Moschus, au VIIᵉ siècle, a l'air d'avoir compris mieux que plus tard Strindberg ou Weininger le danger déjà signalé dans la Genèse.

*T*oute *vie* est l'histoire d'une dégringolade. Si les biographies sont tellement captivantes, c'est parce que les héros, et les lâches tout autant, s'astreignent à innover dans l'art de culbuter.

*D*éçu par tous, il est inévitable qu'on en arrive à l'être par soi-même; à moins qu'on n'ait commencé par là.

«*D*epuis que j'observe les hommes, je n'ai appris qu'à les aimer davantage», écrivait Lavater, contemporain de Chamfort. Une telle remarque, normale chez l'habitant d'un patelin helvétique, aurait semblé d'une simplesse inconvenante au Parisien familier des salons.

*L*e regret de ne pas s'être fourvoyé comme tous les autres, la rage d'avoir vu juste, telle est la misère secrète de plus d'un détrompé.

*C*omment ai-je pu me résigner un seul instant à ce qui n'est pas éternel? — Pourtant cela m'arrive, en ce moment même par exemple.

*C*hacun s'agrippe comme il peut à sa mauvaise étoile.

*P*lus on progresse en âge, plus on s'aperçoit qu'on se croit libéré de tout et qu'on ne l'est en réalité de rien.

*S*ur une planète gangrenée on devrait s'abstenir de faire des projets, mais on en fait toujours, l'optimisme étant, on le sait, un tic d'agonisant.

*L*a méditation est un état d'éveil entretenu par un trouble obscur, qui est tout à la fois ravage et bénédiction.

*I*l n'acceptait pas de vivre à la remorque de Dieu.

*P*éché originel et Transmigration : les deux assimilent le destin à une *expiation*, et il est indifférent qu'il s'agisse de la faute du premier homme ou de celles que nous avons commises dans nos existences antérieures.

*L*es dernières feuilles tombent en dansant. Il faut une grande dose d'insensibilité pour faire face à l'automne.

*O*n croit avancer vers tel ou tel but, en oubliant qu'on n'avance réellement que vers le but même, vers la déconfiture, en somme, de tous les autres.

*J*amais irréelle, la Douleur est un défi à la fiction universelle. Quelle chance elle a d'être la seule sensation pourvue d'un contenu, sinon d'un sens !

*D*espondency. — Ce mot chargé de toutes les nuances de l'abattement aura été la clef de mes années, l'emblème de mes instants, de mon courage négatif, de mon invalidation de tous les lendemains.

*Q*uand on n'a plus envie de se manifester, on prend refuge dans la musique, cette providence des abouliques.

*L*es raisons de persister dans l'être paraissant de moins en moins fondées, nos successeurs auront plus de facilité que nous à se débarrasser d'un tel entêtement.

*D*ès qu'on est effleuré par une certitude, on cesse de se méfier de soi et des autres. La confiance, sous toutes ses formes, est source d'action, partant d'erreur.

*Q*uand on rencontre quelqu'un de *vrai*, la surprise est telle qu'on se demande si on n'est pas victime d'un éblouissement.

À quoi bon recenser les livres de consolation, puisqu'ils sont légion et que seulement deux ou trois comptent?

*S*i tu ne veux pas crever de rage, laisse ta mémoire tranquille, abstiens-toi d'y fouiller.

*T*out ce qui suit les lois de la vie, donc tout ce qui pourrit, m'inspire des réflexions si contradictoires qu'elles frisent la confusion mentale.

*V*ivre dans la crainte de se morfondre partout, même en Dieu... La hantise de cet ennui limite, j'y vois la raison de mon inaccomplissement spirituel.

*E*ntre l'épicurisme et le stoïcisme, pour lequel opter? Je passe de l'un à l'autre, et, le plus souvent, je suis fidèle aux deux à la fois, — ce qui est ma manière d'épouser les maximes qu'affectionna l'Antiquité avant le déferlement des dogmes.

À l'inertie on doit d'être préservé de l'inflation où plus d'un tombe par excès de vanité, de travail ou de talent. S'il n'est pas réconfortant, il est en tout cas flatteur de se dire qu'on mourra sans avoir donné toute sa mesure.

*A*voir crié ses doutes sur les toits, tout en se réclamant de l'école de discrétion qu'est le scepticisme.

*L*e service considérable que nous rendent les fâcheux, voleurs de notre temps, en nous empêchant de laisser une image complète de nos capacités.

*I*l nous est loisible d'aimer n'importe qui, sauf nos semblables, précisément parce qu'ils nous ressemblent.
Ce fait suffit à expliquer pourquoi l'histoire est ce qu'elle est.

*L*a plupart de nos maux procèdent de loin, de tel ou tel de nos ancêtres, abîmé par ses excès. Nous sommes punis pour ses débordements : nul besoin de boire, il aura bu à notre place. Cette gueule de bois qui nous surprend tant est le prix que nous payons pour ses euphories.

*T*rente ans d'extase devant la Cigarette. Maintenant, quand je vois les autres sacrifier à mon ancienne idole, je ne les comprends pas, je les tiens pour des détraqués ou des minus. Si un «vice» que nous avons vaincu nous devient à tel point étranger, comment ne pas rester interdit devant celui que nous n'avons pas pratiqué ?

*P*our tromper la mélancolie, il faut bouger sans relâche. Dès qu'on s'arrête, elle se réveille, si tant est qu'elle se soit jamais assoupie.

L'envie de travailler ne me vient que lorsque j'ai un rendez-vous. J'y vais toujours avec la certitude de manquer une occasion unique de me surpasser.

«*J*e ne peux me passer des choses dont je ne me soucie pas», aimait à répéter la duchesse du Maine.
La frivolité, à ce degré, est un prélude au renoncement.

S'il était donné au Tout-Puissant de se représenter le fardeau que m'est parfois le moindre acte, il ne manquerait pas, dans un sursaut de miséricorde, de me céder sa place.

*F*aute de savoir vers quoi se diriger, affectionner la pensée discontinue, reflet d'un temps volé en éclats.

*C*e que je *sais* démolit ce que je *veux*.

*R*etour d'une crémation. Dévaluation instantanée de l'Éternité et de tous les grands vocables.

*P*rostration sans nom, puis dilatation au-delà des limites du monde et de la résistance du cerveau.

*L*a pensée de la mort asservit ceux qu'elle hante. Elle ne libère qu'au début ; puis, elle dégénère en obsession, cessant ainsi d'être une pensée.

*L*e monde est un accident de Dieu, *accidens Dei*. — Que la formule d'Albert le Grand paraît juste !

À la faveur du cafard, nous nous souvenons de celles de nos vilenies que nous avons enfouies au plus profond de notre mémoire. Le cafard est le déterreur de nos hontes.

*D*ans nos veines coule le sang des macaques. Si on y songeait souvent, on finirait par démissionner. Plus de théologie, plus de métaphysique, — autant dire plus de divagations, plus d'arrogance, plus de démesure, plus rien...

*E*st-il concevable d'adhérer à une religion fondée par un *autre* ?

L'excuse de Tolstoï en tant que prédicateur est d'avoir eu deux disciples qui tirèrent les conséquences pratiques de ses homélies : Wittgenstein et Gandhi. Le premier distribua ses biens, le second n'en avait pas à distribuer.

*L*e monde commence et finit avec nous. N'existe que notre conscience, elle est tout et ce tout disparaît avec elle. En mourant, nous ne quittons rien. Pourquoi alors tant de chichis autour d'un événement qui n'en est pas un ?

*I*l arrive un moment où on n'imite plus que soi.

*Q*uand on se réveille en sursaut, si on veut se rendormir, il faut écarter toute velléité de pensée, toute ébauche d'idée. Car c'est l'idée formulée, l'idée nette qui est le pire ennemi du sommeil.

*P*ersonnage horripilant, le méconnu ramène tout à soi. Ses ricanements ne parviendront pas à contrebalancer les éloges qu'il ne cesse de se décerner et qui suppléent largement à ceux qu'on ne lui a pas dispensés. Vivement les chanceux, rares, il est vrai, qui, ayant triomphé, savent à l'occasion s'effacer. De toute façon, ils ne s'épuisent pas en récriminations, et leur vanité nous console de la morgue des incompris.

*S*i de temps en temps on est tenté par la foi, c'est parce qu'elle propose une humiliation de rechange : il est tout de même préférable de se trouver en position d'infériorité devant un dieu que devant un hominien.

*O*n ne peut consoler quelqu'un qu'en allant dans le sens de son affliction, et cela jusqu'au point où l'affligé en a assez de l'être.

*T*ant de souvenirs qui surgissent sans nécessité apparente, à quoi nous servent-ils, sinon à nous révéler qu'avec l'âge nous devenons extérieurs à notre vie, que ces «événements» lointains n'ont plus rien à voir avec nous et qu'un jour il en sera ainsi de cette vie elle-même ?

*L*e *tout est rien* du mystique n'est qu'un préliminaire à l'absorption dans ce tout qui devient miraculeusement existant, c'est-à-dire vraiment *tout*. Cette conversion ne devait pas s'opérer en moi, la partie positive, la partie lumineuse de la mystique m'étant interdite.

*E*ntre l'exigence d'être clair et la tentation d'être obscur, impossible de décider laquelle mérite le plus d'égards.

*A*près avoir fait le tour de ceux qu'on devrait jalouser, constater qu'on n'aimerait changer son sort contre celui de personne. Tout le monde réagit ainsi. Comment expliquer alors que l'envie soit la plus vieille et la moins usée des infirmités?

*I*l n'est pas aisé de ne pas en vouloir à un ami qui vous a insulté pendant une crise de folie. On a beau se répéter qu'il n'était pas lui-même, on réagit comme si, pour une fois, il vous avait dévoilé un secret bien gardé.

*S*i le Temps était un patrimoine, un *bien*, la mort serait la pire forme de spoliation.

*N*e pas nous venger ne nous flatte qu'à moitié, attendu que nous ne saurons jamais si notre comportement est à base de noblesse ou de couardise.

*L*a connaissance ou le crime d'indiscrétion.

*C*ompter en vain sur l'aubaine d'être seul. Toujours escorté par soi-même!

*S*ans volonté, nul conflit : point de tragédie avec des abouliques. Cependant la carence de la volonté peut être ressentie plus douloureusement qu'une destinée tragique.

*O*n s'accommode tant bien que mal de n'importe quel fiasco, à l'exception de la mort, du fiasco même.

*Q*uand on a commis une bassesse, on hésite à l'assumer, à désigner le responsable, on se perd en des ruminations sans fin, qui ne sont qu'une bassesse de plus, atténuée toutefois par l'acrobatie de la honte et du remords.

*L*e soulagement de découvrir au seuil de l'aube qu'il est sans profit d'aller au cœur de quoi que ce soit.

*S*i celui qu'on appelle Dieu n'était pas le symbole par excellence de la solitude, jamais je ne lui aurais accordé la moindre attention. Mais intrigué depuis toujours par les monstres, comment aurais-je pu négliger leur adversaire, plus seul qu'eux tous?

*T*oute victoire est plus ou moins un mensonge. Elle ne nous touche qu'en surface, alors qu'une défaite, si minime soit-elle, nous atteint dans ce qu'il y a de plus profond en nous, où elle veillera à ne pas se laisser oublier, de sorte que nous pouvons, quoi qu'il arrive, compter sur sa compagnie.

*L*a quantité de vide que j'ai accumulée, tout en conservant mon statut d'individu! Le miracle de n'avoir pas éclaté sous le poids de tant d'inexistence!

*S*ans le parfum d'Incurable qu'il traîne, l'ennui serait le plus dur à supporter de tous les fléaux.

*L*a conscience de mon indignité m'écrasait. Aucun argument ne venait la combattre ni l'affaiblir. J'avais beau invoquer tel ou tel exploit, rien n'y faisait. «Tu n'es qu'un comparse», me répétait une voix bien assurée. À la fin, hors de moi, je lui répliquai avec l'emphase voulue : «Me traiter ainsi, c'est un peu fort. Est-ce vraiment le fait du premier venu que d'être, en attendant mieux, l'ennemi juré de la planète, que dis-je? du macrocosme?»

*M*ourir c'est prouver que l'on connaît son intérêt.

L'instant qui se dissocie de tous les autres, qui s'en libère et les trahit, — avec quelle joie nous saluons son infidélité!

*S*i on connaissait l'*heure* de son cerveau!

À moins de changer du tout au tout, ce qui n'arrive jamais, nul ne peut venir à bout de ses contradictions. La mort seule y aide, et c'est là qu'elle marque des points et surclasse la vie.

*A*voir inventé le sourire meurtrier.

*P*endant des millénaires, nous ne fûmes que des mortels; nous voilà enfin promus au rang de moribonds.

*D*ire qu'on aurait pu se dispenser de vivre tout ce qu'on a vécu!

*S*ur cette feuille immaculée un sous-moucheron courait à toute allure. «Pourquoi cette hâte? où vas-tu, que cherches-tu? Laisse tomber!» ai-je crié en pleine nuit. J'aurais été si content de le voir se dégonfler! Il est plus difficile qu'on ne pense de se faire des disciples.

N'avoir rien de commun avec le Tout, et se demander en vertu de quel dérèglement on en fait partie.

«*P*ourquoi des fragments?» me reprochait ce jeune philosophe. — «Par paresse, par frivolité, par dégoût mais aussi pour d'autres raisons...» — Et comme je n'en trouvais aucune, je me lançai dans des explications prolixes qui lui parurent sérieuses et qui finirent par le convaincre.

*L*e français: idiome idéal pour traduire délicatement des sentiments équivoques.

*D*ans une langue d'emprunt on est *conscient* des mots, ils existent non en vous mais hors de vous. Cet intervalle entre vous-même et votre moyen d'expression explique pourquoi il est malaisé, voire impossible, d'être poète dans un autre idiome que le sien. Comment extraire une substance de mots qui ne sont pas enracinés en vous? Le nouveau venu vit à la surface du verbe, il ne peut dans une langue tardivement apprise traduire cette agonie souterraine dont émane la poésie.

*D*évoré par la nostalgie du paradis, sans avoir connu un seul accès de véritable foi.

*B*ach dans sa tombe. Je l'aurai donc vu comme tant d'autres par l'une de ces indiscrétions dont les fossoyeurs et les journalistes sont coutumiers, et depuis je pense sans arrêt à ses orbites qui n'ont rien d'original, sinon qu'elles proclament le néant qu'il a nié.

*T*ant qu'il y aura encore un seul dieu *debout*, la tâche de l'homme ne sera pas finie.

*L*e règne de l'insoluble s'étend à vue d'œil. La satisfaction qu'on en ressent est cependant mitigée. Quelle meilleure preuve que nous sommes dès l'origine contaminés par l'espoir?

*A*près tout, je n'ai pas perdu mon temps, moi aussi je me suis trémoussé, comme tout un chacun, dans cet univers aberrant.

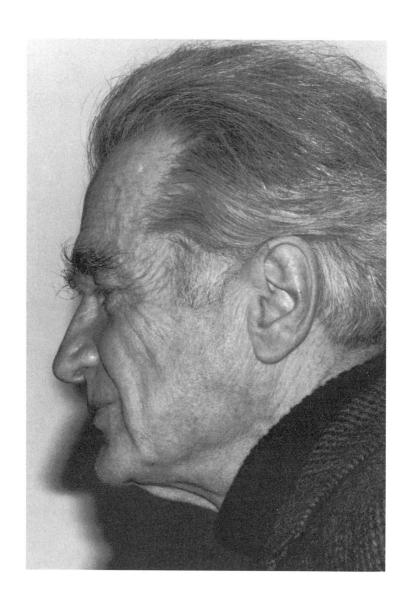

CIORAN.
1986.
PHOTOGRAPHIE GEROLD EßER.

Des Langues et des Saints (Lacrimi și Sfinți) est une quête perdue, un élan vers l'impossible prière, un hymne ... à rebours, une aspiration à l'extase qui ... en des moments d'élévation pure : « Je suis comme une mer qui retirerait ses eaux pour faire place à Dieu. » — « Si je ne peux vivre, du moins voudrais-je mourir en Dieu ou bien combiner les deux, m'enterrer vivant en Lui ».

En lisant ce livre de jeunesse, publié à Bucarest en 1937, année où l'auteur quittait la Roumanie, on est frappé par la continuité souterraine entre le Cioran d'alors qui parlant de Dieu comme « dernière tentation » et l'écrivain français qui trente-cinq ans plus tard ... un de ses derniers livres : « Il est des moments où si éloigné que nous soyons de la foi, pour ne concevoir que Dieu comme interlocuteur. » (*De l'inconvénient d'être né*). Incapable de l'implorer, il n'a

TROIS PAGES MANUSCRITES D'UN « ÉCLAIRCISSEMENT »,
OÙ CIORAN À LA TROISIÈME PERSONNE REPARCOURT SON ŒUVRE.

CIORAN.
1989.
PHOTOGRAPHIE JEAN-MARIE DEL MORAL.

cessé de rôder autour de lui, de le provoquer, de l'épier à la manière d'un
« marchand »...

Lorsque dans « La tentation d'exister » (1956),
lar de la « quotidienneté du mon-à-être », il
implore un « brin d'être », ce sont les anachorètes des premiers siècles qui le séduisent.
Si, d'un côté, il est ébloui par les « traités du
désert » qui se disaient « fatigués de chercher Dieu »,
il voudrait, ~~de l'autre côté~~, en revanche, fasciné par
les véritables ermites, imiter leur démesure,
apprendre, à leur exemple, à maltraiter sa
raison autant qu'eux la leur, en livrant
combat à soi-même, aux doutes, à l'avidité
intérieure.

Jeune, ~~Cioran~~ a rêvé d'être assez pur
pour se mirer dans les langues des saintes. Divagation apparente, jeu esthétique, si on veut, mais aussi,
effusion ~~jeu~~ véritable. Lorsque dans un moment
de ferveur il s'exclame : « Bach, échelle des
langues sur laquelle gravissent nos désirs

R 10

de Dieu", il ne peut, ne pas avoir
songé à l'échelle de saint Jean
Climaque et à plus d'un mystique oriental. Dans
le dernier chapitre d'Histoire et Utopie (1960),
nous lisons : « Quelle démonstration,
quelle preuve pourraient prévaloir
contre la persuasion intime, passionnée,
qu'une partie de nous échappe à la
durée, contre l'irruption de ces instants
où Dieu fait double emploi avec une
clarté surgie soudain à nos confins,
béatitude qui nous projette loin
en nous-mêmes, saisissement hors
de l'univers ? » — Nous sommes en
présence d'une oeuvre à la fois religieuse
et anti-religieuse où s'affirme
une sensibilité mystique tout ensemble pour et contre Dieu. Paradoxe
d'une pensée en apparence négatoire qui sauve pourtant
de l'enlisement, sinon du vertige. Avec Cioran,
nous sommes constamment partagés entre l'envie de
rire et celle d'éclater en sanglots, écrivait un jeune critique français.

CI-CONTRE :
CIORAN EN 1989.
PHOTOGRAPHIE EDOUARD BOUBAT.

E. Boubat

GLOSSAIRE

ALLEMAGNE

L'Allemagne n'a pas eu d'existence nationale, elle a un destin relativement récent en tant que grande nation, que grande puissance. C'est pour cela qu'elle a pu provoquer deux guerres mondiales. Il a fallu la participation du monde entier pour briser son élan. Mais à présent, elle est au même stade que la France et l'Angleterre. Je crois même que pour le moment elle est guérie du désir de conquêtes.

Avec Luis Jorge Jalfen, 1982.

ANONYMAT

J'étais totalement inconnu pendant trente ans, mes livres ne se vendaient pas du tout. J'ai très bien accepté cette condition et elle correspondait aussi à ma vision des choses. Les seules années importantes sont celles de l'anonymat. Être inconnu, c'est une volupté — avec des côtés amers parfois, mais c'est un état extraordinaire.

Avec Michael Jakob, 1988.

APATRIDE

*J*e me sens détaché de tout pays, de tout groupe. Je suis un apatride *métaphysique*, un peu comme ces stoïciens de la fin de l'Empire romain qui se sentaient «citoyens du monde», ce qui est une façon de dire qu'ils n'étaient citoyens de nulle part.

Avec Fernando Savater, 1977.

*J*e suis juridiquement apatride, et cela correspond à quelque chose de profond, mais qui n'est ni idéologique ni politique, c'est mon statut métaphysique. Je veux être sans patrie, sans identité.

Avec Lea Vergine, 1984.

A P H O R I S M E S

*L*es aphorismes sont des géné-
ralités instantanées. C'est de la pensée discontinue. Vous avez une
pensée qui a l'air d'expliquer tout, ce qu'on appelle une pensée
instantanée. C'est une pensée qui ne contient pas beaucoup de
vérité, mais qui contient un peu d'avenir. Dans les expériences de
la vie, on peut toujours en vérifier le sens et le contenu.

Avec Léo Gillet, 1982.

*J*e ne peux exprimer que des
résultats. Mes aphorismes ne sont pas vraiment des aphorismes ;
chacun d'eux est la conclusion de toute une page, le point final
d'une petite crise d'épilepsie. [...]
Je laisse tout tomber et je ne donne que la conclusion, comme au
tribunal, où il n'y a, à la fin, que le verdict : condamné à mort. Sans
le déroulement de la pensée, simplement le résultat. C'est ma
façon de procéder, ma formule.

Avec Fritz J. Raddatz, 1986.

A S C É T I S M E

*U*n esprit que je respecte infini-
ment, c'est Épicure. Qu'on pense simplement à son jardin. Ses disciples ne mangeaient que du pain, ne buvaient que de l'eau, et
conversaient sur le bonheur ou Dieu sait quoi d'autre. Ou bien,
qu'on se rappelle la vie que menait Socrate. L'ascétisme dont ces
hommes ont fait preuve et la fécondité, la variété des productions
de leur esprit ! Comparés à eux, nous devons bien avouer que
nous ne sommes que des schèmes, des espèces de spectres
savants.

Avec Georg Caryat Focke, 1992.

A V E N I R

S'il est un mot pour désigner
l'avenir, ce mot est « enlisement ». L'homme est destiné à s'enliser
parce que tout destin exceptionnel implique une chute. Je suis de

plus en plus persuadé que l'homme finira — métaphysiquement, historiquement — par être un fantôme, une ombre; ou qu'il deviendra une sorte de retraité ou d'imbécile. On ne peut le «sauver», parce que la voie qu'il a prise est nécessairement néfaste.

Avec Luis Jorge Jalfen, 1982.

BACH

*S*ans Bach, Dieu serait diminué. Sans Bach, Dieu serait un type de troisième ordre. Bach est la seule chose qui vous donne l'impression que l'univers n'est pas raté. Tout y est profond, réel, sans théâtre. On ne peut supporter Liszt après Bach. S'il y a un absolu, c'est Bach. [...] Sans Bach, je serais un nihiliste absolu.

Avec Benjamin Ivry, 1989.

BECKETT

*I*l m'est très difficile de définir Beckett. Tout le monde se trompe en ce qui le concerne, en particulier les Français. Tous se croyaient obligés de briller devant lui, or Beckett était un homme très simple, qui ne s'attendait pas à ce qu'on lui lance de savoureux paradoxes. Il fallait être très direct, surtout pas prétentieux... J'adorais chez Beckett cet air qu'il avait toujours d'être arrivé à Paris la veille, alors qu'il vivait en France depuis vingt-cinq ans. Il n'y avait rien de parisien chez lui. Les Français ne l'ont pas du tout contaminé, ni dans le bon ni dans le mauvais sens. Il donnait toujours l'impression de tomber de la lune. Il pensait s'être un peu francisé, mais ce n'était pas du tout le cas. Ce phénomène de non-contamination était ahurissant. Il était resté intégralement anglo-saxon, et cela me plaisait terriblement. Il ne fréquentait pas les cocktails, se sentait mal à l'aise en société, il n'avait pas de «conversation» comme on dit. Il n'aimait parler qu'en tête à tête, et il avait alors un charme extraordinaire. Je l'aimais énormément.

Avec Gabriel Liiceanu, 1990.

*B*eckett [est] tout à fait l'anti-balkanique. Un homme discret, qui a une sorte de sagesse. Il domine à tout point de vue. Il vient de l'autre côté de l'Europe. C'est un angoissé qui a une sagesse.

Avec Benjamin Ivry, 1989.

*B*eckett est un homme qui est toujours parfaitement lucide et qui ne réagit pas en écrivain. Ce problème ne se pose pas chez lui — ce qui est très beau dans son cas — parce qu'il n'a jamais réagi en écrivain. Il n'est pas du tout un «emballé» comme nous, nous sommes tous des «emballés», lui, il est au-dessus de tout ça, il a un style de vie à lui, c'est un cas tout à fait à part.

Avec Michael Jakob, 1988.

BERGER

*J*e pense aujourd'hui qu'il aurait beaucoup mieux valu pour moi rester dans le petit village d'où je viens et y garder les troupeaux. J'y aurais compris les choses essentielles aussi bien qu'à présent. J'y serais plus près de la vérité.

Avec Fritz J. Raddatz, 1986.

BICYCLETTE

*E*n arrivant à Paris je m'étais engagé auprès de l'Institut français à écrire une thèse et j'en avais déjà aussi communiqué le sujet — quelque chose sur l'éthique de Nietzsche — mais je ne songeais pas du tout à l'écrire. Au lieu de cela j'ai parcouru la France entière à bicyclette. On m'a finalement laissé ma bourse parce qu'on a trouvé que s'être mis la France dans les jambes n'était pas non plus sans mérite.

Avec François Bondy, 1972.

C'est le fait de partir à bicyclette à travers la France qui m'a guéri [de l'insomnie]. Pendant des mois, en parcourant la France, je dormais dans les auberges de jeunesse, et l'effort physique, les cent kilomètres par jour que je faisais m'ont permis de surmonter la crise. Quand vous faites tous ces kilomètres dans la journée, vous devez dormir la nuit, sinon vous ne pouvez pas continuer. Ce ne sont donc pas des réflexions philosophiques qui m'ont guéri, mais l'effort physique qui en même temps me faisait plaisir.

Avec Michael Jakob, 1988.

BOUDDHISME

*L*e bouddhisme m'a pendant très longtemps intéressé ; c'est que le bouddhisme vous permet d'accéder à une religion sans avoir la foi. Le bouddhisme est une religion qui ne préconise que la connaissance. On nous enseigne que nous ne sommes que des composés, que ces composés se dissolvent, qu'ils n'ont pas de réalité, on nous démontre notre non-réalité. Et ensuite, on dit : maintenant tirez les conséquences.

Avec Léo Gillet, 1982.

*J*e me suis beaucoup occupé du bouddhisme, à un certain moment. Je me croyais bouddhiste, mais en définitive, je me leurrais. J'ai finalement compris que je n'avais rien de bouddhiste, et que j'étais prisonnier de mes contradictions, dues à mon tempérament. J'ai alors renoncé à cette orgueilleuse illusion, puis je me suis dit que je devais m'accepter tel que j'étais, qu'il ne valait pas la peine de parler tout le temps de détachement, puisque je suis plutôt un frénétique.

Avec Luis Jorge Jalfen, 1982.

CAFARD

*J*e n'ai jamais pu écrire autrement que dans le cafard des nuits d'insomnie, et durant sept années je pouvais à peine dormir. Je crois qu'on reconnaît, chez chaque écrivain, si les pensées qui l'occupent sont des pensées du jour ou de la nuit. J'ai besoin de ce cafard et aujourd'hui encore, avant d'écrire, je mets un disque de musique tzigane hongroise. En même temps j'avais une forte vitalité que j'ai gardée et que je retourne contre elle-même. Il ne s'agit pas d'être plus ou moins abattu, il faut être mélancolique jusqu'à l'excès, extrêmement triste. C'est alors que se produit une réaction biologique salutaire. Entre l'horreur et l'extase, je pratique une tristesse active.

Avec François Bondy, 1972.

CHANGER DE LANGUE

*S*i on en croit Simone Weil, changer de religion est aussi dangereux pour un croyant que changer de langue pour un écrivain. Je ne suis pas tout à fait de cet avis. Écrire dans une langue étrangère est une émancipation. C'est se libérer de son propre passé. Je dois avouer cependant qu'au commencement le français me faisait l'effet d'une camisole de force. Rien ne saurait moins convenir à un Balkanique que la rigueur de cette langue. [...] Lorsque plus tard je me suis mis à écrire en français, j'ai fini par me rendre compte qu'adopter une langue étrangère était peut-être une libération mais aussi une épreuve, voire un supplice, un supplice fascinant néanmoins.

Avec Gerd Bergfleth, 1984.

CHESTOV

*C*hestov était très connu en Roumanie. Il y fit même école. C'était le philosophe de la génération à laquelle j'appartenais, qui ne parvenait pas à se réaliser spirituellement, mais conservait la nostalgie d'une telle réalisation. Chestov, dont j'ai fait rééditer *Les Révélations de la mort* quand je fus nommé pendant quelques mois directeur de collection chez Plon, a joué un rôle important dans ma vie. Je lui garde une grande fidélité, sans avoir eu le bonheur de le connaître personnellement. Il pensait à juste titre que les vrais problèmes échappent aux philosophes. Que font-ils en effet si ce n'est escamoter les véritables tourments ?

Avec Sylvie Jaudeau, 1988.

CIMETIÈRE

*D*u temps de mon enfance, nous avions un jardin près du cimetière et le fossoyeur était mon ami. J'étais un petit garçon et lui devait avoir cinquante ans. Je suis sûr que ces premières années vécues près du cimetière ont agi sur moi, inconsciemment. Ce rapport direct à la mort a certainement exercé une influence sans que j'en aie été conscient.

Avec Fritz J. Raddatz, 1986.

*Q*uand je vois des amis, mais aussi des inconnus qui passent par des moments de détresse, de désespoir, je n'ai qu'un conseil à leur donner : «Allez vingt minutes dans un cimetière et vous allez voir que votre chagrin ne sera certes pas éteint, mais presque dépassé.» [...] C'est beaucoup mieux que de voir un médecin ; il n'y a pas de médicament contre ce genre de douleur, mais une promenade au cimetière est une leçon de sagesse, presque automatique.

Avec Michael Jakob, 1988.

COMÉDIE

*Q*uel que soit mon état d'âme, j'ai toujours réussi à le cacher sous un comportement d'histrion. Je suis l'esclave de mes nerfs, mais je puis le dissimuler, et je le fais. Comédie qui me permet, par exemple, d'aller dîner dans un état de désespoir absolu et de raconter des histoires frivoles sans interruption. Je ne sais s'il s'agit de pudeur ou d'un mécanisme de défense ; en tout cas, si ma dépendance de la physiologie n'était pas aussi écrasante, je n'aurais jamais eu à recourir à cette joie apparente. Cela, c'est évident, a son revers. Kierkegaard raconte qu'en rentrant chez lui après avoir fait rire tout le monde dans un salon, il n'avait pas d'autre envie que de se suicider, crise naturelle que j'ai moi-même pu vérifier en maintes occasions.

Avec J. L. Almira, 1983.

COMPASSION

*J*e ne suis pas un égoïste. Ce n'est vraiment pas le mot qui convient. Je suis compatissant. La souffrance des autres a sur moi un effet direct. Mais si l'humanité disparaissait demain cela me serait égal. [...] La disparition de l'homme est une idée qui ne me déplaît pas.

Avec Helga Perz, 1978.

CONTEMPLATION

*J*e crois que le seul moment juste dans l'histoire est la période antique de l'Inde, où on menait une vie contemplative, où on se contentait de regarder les choses sans jamais s'en occuper. C'est alors que la vie contemplative a vraiment été une réalité.

Avec Helga Perz, 1978.

*N*os contemporains ont perdu la faculté de contempler les choses. Ils ont désappris l'art de perdre intelligemment son temps. Si je devais faire mon propre bilan, alors je devrais dire que je suis le résultat de mes heures perdues. Je n'ai exercé aucun métier et j'ai gaspillé énormément de temps. Mais cette perte de temps a été réellement un gain. Seul l'homme qui se tient à l'écart, qui ne fait pas comme les autres, garde la faculté de vraiment comprendre quelque chose.

Avec Georg Caryat Focke, 1992.

CORPS

*N*ous dépendons du corps; il est comme un destin, une fatalité mesquine et lamentable à laquelle nous sommes soumis. Le corps est tout, et il n'est rien : un mystère quasi dégradant. Mais le corps est aussi une puissance fabuleuse. Même si l'on ne peut plus oublier la dépendance qu'il engendre, dès lors que l'on est devenu conscient.
Mes idées m'ont toujours été dictées par mes organes, lesquels, à leur tour, sont soumis à la dictature du climat.
Je ne dis pas que la météorologie conditionne la métaphysique, mais je constate une certaine simultanéité entre l'interrogation métaphysique et le malaise physique. Très tôt, j'ai été conscient de cette évidence et, honteux, j'ai toujours essayé de l'occulter.

Avec J. L. Almira, 1983.

DÉBUTS DANS L'ÉCRITURE

*M*on premier livre, paru en 1934, est contaminé d'un bout à l'autre par le jargon philosophique. Ce qui le sauve, c'est le fond éminemment sombre. J'avais perdu alors le sommeil, toutes mes nuits étaient devenues des nuits blanches et ma vie une perpétuelle veille. J'habitais une ville presque aussi belle que Tübingen : Sibiu, en Transylvanie. Je déambulais la nuit par les rues, tel un fantôme. C'est alors que m'est venue l'idée de hurler mon désarroi. Ainsi naquit *Sur les cimes du désespoir*, titre fâcheux dont usaient les quotidiens à l'occasion d'un suicide. [...] J'ai donc débuté comme *atteint* ou presque pour devenir ensuite de plus en plus normal, trop normal même. Il y avait dans mon livre une sincérité infernale, voisine de la démence ou de la provocation.

Avec Gerd Bergfleth, 1984.

DÉCADENCE

*L*ongtemps, je me suis intéressé à la décadence de l'Empire romain, dont la fin désespérée, complète, honteuse, est un modèle pour toutes les civilisations. Et si à présent je m'intéresse tant à l'Occident, l'Occident contemporain, c'est parce qu'il rappelle le crépuscule des grandes civilisations antérieures.

Avec J. L. Almira, 1983.

DÉPRESSION

*T*out ce que j'ai écrit, je l'ai écrit à des moments de dépression. Quand j'écris, c'est pour me délivrer de moi-même, de mes obsessions. Ce qui fait que mes livres sont un aspect de moi, ils sont des confessions plus ou moins camouflées. Écrire est une façon de se vider soi-même. C'est une délivrance. Autrement, ce qu'on porte en soi deviendrait un complexe.

Avec Branka Bogavac Le Comte, 1992.

DESTIN

*P*ourquoi est-ce qu'un type est un bon poète et un autre pas ? Alors que l'autre est plus subtil ? Pourquoi est-ce que sa poésie ne résiste pas ? Parce que ce qui fait l'origine des actes, ce qui est profond, ne passe pas ; c'est brillant, c'est remarquable, c'est poétique, mais sans plus. Pourquoi est-ce qu'un autre qui a moins de talent est un plus grand poète ? Pourquoi est-ce qu'un type est un génie, c'est-à-dire plus qu'un talent ? Parce qu'il réussit à transposer quelque chose qui nous échappe, et qui échappe même à lui-même.

Avec Michael Jakob, 1988.

DEVENIR

*T*oute hérésie — que j'aime ce mot ! — est exaltante. Après la trop longue hégémonie chrétienne, nous pouvons maintenant adopter sans embarras l'idée d'un principe impur, immanent au Créateur et au créé. Cette idée nous permet de mieux comprendre et surtout de mieux affronter l'inqualifiable devenir historique et, à vrai dire, le devenir tout court. La croyance à un tel principe n'est certes pas un remède miracle, mais elle n'en constitue pas moins un refuge pour tous ceux qui ne cessent de ruminer sur la carrière triomphale du Mal.

Avec Gerd Bergfleth, 1984.

DIEPPE

*C*omme tu vois je passe ma vie entre Paris et Dieppe. Je me réfugie ici pour deux ou trois jours (j'y reste rarement plus longtemps) afin d'échapper aux visites. Je supporte de moins en moins les gens. Et puis la conversation me fatigue, et cela d'autant plus que c'est presque toujours moi qui parle. Ce vice est un legs de notre mère...

À Aurel Cioran, 1977 — lettre.

DIEU

*D*ieu signifie la dernière étape d'un cheminement, point extrême de la solitude, point insubstantiel auquel il faut bien donner un nom, attribuer une existence fictive. Il remplit en somme une fonction : celle du dialogue. Même l'incroyant aspire à converser avec le «Seul», car il n'est pas facile de s'entretenir avec le néant.

Avec Sylvie Jaudeau, 1988.

DILEMME

*Q*uand j'ai écrit mes premiers livres, j'ai pensé m'en tenir là. Jusque-là j'avais considéré qu'un livre était une sorte d'explication avec la vie, une sorte de lutte, un règlement de compte. La pensée qui me dominait à l'époque était : «Ou l'existence ou moi!» L'un des deux devait céder. Je considérais donc que ces livres étaient un acte d'agression.

Avec Léo Gillet, 1982.

DIX-HUITIÈME SIÈCLE

J'adore le XVIIIᵉ siècle où cependant, à force de perfection et de transparence, la langue s'est débilitée comme d'ailleurs la société. J'ai beaucoup pratiqué la prose exsangue et pure du siècle, les écrivains mineurs en particulier.

Avec Gerd Bergfleth, 1984.

DOSTOÏEVSKI

*I*l est peut-être l'écrivain le plus profond, le plus étrange, le plus compliqué de tous les temps. Je le mets en tête de tout le monde, avec des défauts énormes mais avec des éclats de sainteté.

Avec Branka Bogavac Le Comte, 1992.

ÉCHEC

*C*elui à qui tout réussit est nécessairement superficiel. L'échec est la version moderne du néant. Toute ma vie j'ai été fasciné par l'échec. Un minimum de déséquilibre s'impose. À l'être parfaitement sain psychiquement et physiquement manque un savoir essentiel.

Avec Sylvie Jaudeau, 1988.

ÉCRIRE

J'écris pour me débarrasser d'un fardeau ou tout au moins pour l'alléger. Si je n'avais pas pu m'exprimer, je me serais livré à plus d'un excès. Le philosophe subjectif part de ce qu'il sent, de ce qu'il vit, de ses caprices et de ses troubles. On peut objectiver ce qu'on éprouve, on peut le masquer. Pourquoi le ferais-je? Ce que j'ai ressenti au cours des années s'est mué en livres et c'est comme si ces livres s'étaient écrits d'eux-mêmes. [...] Écrire est la grande ressource quand on n'est pas un habitué des pharmacies, écrire, c'est se guérir. Je vous donne ce conseil : si vous haïssez quelqu'un sans vouloir spécialement le supprimer, marquez cent fois son nom suivi de «je vais te tuer». Au bout d'une demi-heure, vous êtes soulagé. Formuler, c'est se sauver, même si on ne gribouille que des insanités, même si on n'a aucun talent. Dans les asiles d'aliénés, on devrait fournir à chaque pensionnaire des tonnes de papier à noircir. L'expression comme thérapeutique.

Avec Gerd Bergfleth, 1984.

ÉCRIRE EN FRANÇAIS

J'ai commencé à écrire en français à trente-sept ans. Et je pensais que ce serait facile. Je n'avais jamais écrit en français, sauf des lettres à des bonnes femmes, des lettres de circonstances. Et tout d'un coup, j'ai eu d'immenses difficultés à écrire dans cette langue. Ça a été une sorte de révélation, cette langue qui est tout à fait sclérosée. Parce que le roumain, c'est un mélange de slave et de latin, c'est une langue extrêmement élastique. On peut en faire ce qu'on veut, c'est une langue qui n'est pas cristallisée. Le français, lui, est une langue arrêtée. Et je me suis rendu compte que je ne pouvais pas me permettre de publier le premier jet, le premier jet qui est véritable. Ce n'était pas possible! En roumain, il n'y avait pas cette exigence de clarté, de netteté, et je comprenais qu'en français il fallait être net. J'ai commencé à avoir le complexe du métèque, le type qui écrit dans une langue qui n'est pas la sienne. Surtout à Paris...

Avec Jean-François Duval, 1979.

*D*urant l'été 1947, alors que je me trouvais dans un village près de Dieppe, je m'employais sans grande conviction à traduire Mallarmé. Un jour, une révolution s'opéra en moi : ce fut un saisissement annonciateur d'une rupture. Je décidai sur le coup d'en finir avec ma langue maternelle. «Tu n'écriras plus désormais qu'en français» devint pour moi un impératif. Je regagnai Paris le lendemain et, tirant les conséquences de ma résolution soudaine, je me mis à l'œuvre sur-le-champ.

Avec Gerd Bergfleth, 1984.

ELIADE

*Q*ui était donc Mircea Eliade ? Je crois pouvoir répondre : un esprit ouvert à toutes les valeurs proprement spirituelles, à tout ce qui résiste au morbide et en triomphe. Il croyait au *salut*, il était visiblement du côté du Bien, choix non sans danger pour un écrivain, mais choix providentiel pour quelqu'un qui repousse les prestiges de la négation ou du mépris. Si démoralisé qu'on était, on ne partait jamais désemparé après un entretien avec lui. Foncièrement inapte au cafard, il avait un fond de santé qui m'émerveillait. Plus d'une fois je lui ai dit qu'il était affecté d'une sorte d'illusion héréditaire. La clef de son invincible optimisme, il faut la chercher dans son acharnement à laisser une image complète de ses ressources, à s'accomplir en somme comme nul autre, au risque, avouons-le, de priver amis et ennemis du plaisir de ruminer sur ses défaillances.

Dans la revue Limite, n°s 48-49, novembre 1986.

ENFANCE

*J*e suis né [en 1911] à Rășinari, un village des Carpates, à la montagne, à douze kilomètres de Sibiu (Hermannstadt). Ce village, je l'aimais énormément ; j'avais dix ans quand je l'ai quitté pour aller au lycée de Sibiu et je n'oublierai jamais le jour, ou plutôt l'heure, où mon père m'y emmena. On avait loué une voiture à cheval et j'ai pleuré, j'ai pleuré tout le temps, car j'avais le pressentiment que le paradis était fini.

Avec Michael Jakob, 1988.

ENNUI

*J*e peux dire que ma vie a été dominée par l'expérience de l'ennui. J'ai connu ce sentiment dès mon enfance. Il ne s'agit pas de l'ennui que l'on peut combattre par des distractions, la conversation ou les plaisirs, mais d'un ennui, pourrait-on dire, «fondamental»; et qui consiste en ceci: plus ou moins brusquement, chez soi ou chez les autres, ou devant un très beau paysage, tout se vide de contenu et de sens. Le vide est en soi et hors de soi. Tout l'univers demeure frappé de nullité. Et rien ne nous intéresse, rien ne mérite notre attention. L'ennui est un vertige, mais un vertige tranquille, monotone; c'est la révélation de l'insignifiance universelle, c'est la certitude, portée jusqu'à la stupeur ou jusqu'à la clairvoyance suprême, que l'on ne peut, que l'on ne doit rien faire en ce monde ni dans l'autre, que rien n'existe au monde qui puisse nous convenir ou nous satisfaire. [...] Une précision s'impose: l'expérience que je viens de décrire n'est pas nécessairement déprimante, car elle est parfois suivie d'une exaltation qui transforme le vide en incendie, en un enfer désirable.

Avec Fernando Savater, 1977.

*D*ans l'ennui, le temps ne peut pas s'écouler. Chaque instant se gonfle, et le passage d'un instant à l'autre ne se fait pas. [...] Dans la vie, l'existence et le temps marchent ensemble, font une unité organique. On avance avec le temps. Dans l'ennui, le temps se détache de l'existence et nous devient extérieur. Or, ce que nous appelons vie et acte, c'est l'insertion dans le temps. Nous sommes temps. Dans l'ennui nous ne sommes plus dans le temps. D'où ce frisson extraordinaire, ce sentiment de malaise profond; et je dois être objectif: on peut finir par aimer cet état. Cette sorte de complaisance à l'ennui, je l'ai connue dans ma vie. On se roule, on se vautre dans l'ennui.

Avec Léo Gillet, 1982.

ESPAGNE

*L*es Espagnols pratiquent fanatiquement la dérision. Leur orgueil personnel, toujours accompagné d'ironie, se retourne contre eux, et grâce à cela, n'est pas insupportable, en définitive. [...] L'Espagne représente pour moi l'émotion à l'état pur.

Avec J. L. Almira, 1983.

J'ai une sorte de culte de l'Espagne. J'aime en Espagne toute la folie, la folie des hommes, ce qui est imprévisible. Je suis fou de tout en Espagne. C'est le monde de Don Quichotte.

Avec Branka Bogavac Le Comte, 1992.

EST DE L'EUROPE

*A*u fond, tous les gens de l'Est de l'Europe sont contre l'Histoire. [...] C'est que les gens de l'Est, quelle que soit leur orientation idéologique, ont forcément un préjugé contre l'Histoire. Pourquoi? Parce qu'ils en sont victimes. Tous ces pays sans destin de l'Est de l'Europe, ce sont des pays qui ont été au fond envahis et assujettis : pour eux l'Histoire est nécessairement démoniaque.

Avec Léo Gillet, 1982.

EUROPE

*J*e crois que le déclin de l'Europe a commencé avec les jacobins et Napoléon. C'est-à-dire, avec le déraillement de la Révolution française et les guerres qui suivirent et qui ont affaibli le peuple français. Ce disant, je peux paraître quelque peu réactionnaire. Le fait est que d'une part je suis tout à fait d'accord avec les principes de la Révolution, et que d'autre part, je pense que les jacobins et Napoléon furent une catastrophe pour l'histoire européenne.

Avec François Fejtö, 1986.

EXISTENCE

À vingt-six, vingt-sept ans, je dormais deux ou trois heures au maximum. Tout ce que j'ai écrit à cette époque est délirant, et l'on ne comprend aucune de mes réactions sans les rapporter à cette catastrophe. C'était si grave que ma mère pleurait... J'errais toutes les nuits... Un jour je lui ai dit : «Je n'en peux plus»; ce à quoi elle m'a répondu avec une phrase qui continue de m'impressionner (il ne faut pas oublier que ma mère était la femme d'un prêtre) : «Si j'avais su, je me serais fait avorter.» Cela m'a bouleversé, mais ça m'a fait beaucoup de bien.

Avec Lea Vergine, 1984.

*J*e dois dire que ces mots, au lieu de me déprimer, ont été une libération. Ça m'a fait du bien... Parce que j'ai compris que je n'étais vraiment qu'un accident. Il ne fallait pas prendre ma vie au sérieux.

Avec Léo Gillet, 1982.

E X T A S E

C'était entre 1920 et 1927, époque de malaise permanent. J'errais toutes les nuits dans les rues en proie à des obsessions funèbres. Durant cette période de tension intérieure, j'ai fait à plusieurs reprises l'expérience de l'extase. En tout cas, j'ai vécu des instants où l'on est emporté hors des apparences. Un saisissement immédiat vous prend sans aucune préparation. L'être se trouve plongé dans une plénitude extraordinaire, ou plutôt, dans un vide triomphal. Ce fut une expérience capitale, la révélation directe de l'inanité de tout. Ces quelques illuminations m'ouvrirent à la connaissance du bonheur suprême dont parlent les mystiques. Hors de ce bonheur auquel nous ne sommes qu'exceptionnellement et brièvement conviés, rien n'a une véritable existence, nous vivons dans le royaume des ombres.

Avec Sylvie Jaudeau, 1988.

F I N D E L ' H U M A N I T É

*J*adis la fin de l'humanité prenait un sens eschatologique, elle était liée à une idée de salut; aujourd'hui on la considère comme un fait, sans connotation religieuse, elle est entrée dans les prévisions. On sait que cela peut finir. Et depuis lors, il y a quelque chose de pourri dans l'idée de progrès.

Avec François Bondy, 1972.

*J*e crois que le destin de l'homme est, comme celui de Rimbaud, fulgurant, c'est-à-dire, bref. Les espèces animales auraient duré des millions d'années, si l'homme n'en avait pas fini avec elles, mais l'aventure humaine ne peut être indéfinie. L'homme a donné le meilleur de lui-même.

Avec J. L. Almira, 1983.

L'homme est certainement un phénomène intéressant, presque trop intéressant, mais extrêmement menacé, extrêmement fragile. L'homme est sous le coup d'une malédiction, il ne peut pas subsister longtemps, car, si l'on y regarde de plus près, il est une aberration, remarquable certes, mais une aberration tout de même, une hérésie de la nature. Il a une carrière grandiose derrière lui mais il n'a plus d'avenir.

Avec Georg Caryat Focke, 1992.

FRAGMENT

*L*e fragment, seul genre compatible avec mes humeurs, est l'orgueil d'un instant transfiguré, avec toutes les contradictions qui en découlent. Un ouvrage de longue haleine, soumis aux exigences d'une construction, faussé par l'obsession de la continuité, est trop cohérent pour être vrai.

Avec Sylvie Jaudeau, 1988.

FRANCE

L'utopie, la construction de systèmes sociaux parfaits, est une faiblesse très française; ce qui manque aux Français d'imagination métaphysique est compensé par l'imagination politique. Ils fabriquent d'impeccables systèmes sociaux, mais sans tenir compte de la réalité. C'est un vice national : mai 68, par exemple, a été une production constante de systèmes de tous types, plus ingénieux et irréalisables les uns que les autres.

Avec Fernando Savater, 1977.

*Q*uand j'ai vu, dans l'histoire de la littérature française, combien le style a tracassé les écrivains... Alors que dans la littérature allemande vous ne trouvez pas ça;

personne n'y parle de la difficulté d'écrire, en tout cas, pas sur le plan de l'expression. C'est une obsession française. Et c'est ça qui m'a frappé.

Avec Jean-François Duval, 1979.

*L*a France, plus particulièrement, passe par une fatigue historique, car c'est elle qui, en Europe, s'est le plus dépensée. Si elle est le pays le plus civilisé, elle est aussi le plus vulnérable, le plus usé. Un peuple est menacé quand il a *compris*, c'est-à-dire quand il a atteint un degré de raffinement qui lui sera nécessairement funeste.

Avec Sylvie Jaudeau, 1988.

*L*a France a été pendant des siècles au centre de l'histoire, la France *était* l'histoire. Un Français est tout simplement incapable de comprendre ce que cela veut dire d'être un *objet* de l'histoire. Maintenant, depuis la dernière guerre, il en a peut-être davantage l'idée, mais avant ce n'était certainement pas le cas. Les Français [...], en tant qu'auteurs de la grande Révolution, ont fait l'histoire. Ce sont eux qui ont pris les décisions. L'événement est d'abord issu d'eux-mêmes et a été transposé ensuite dans la réalité.

Avec Georg Caryat Focke, 1992.

FRÈRE

*J*e doute qu'en matière d'abîme la différence entre mon frère et moi soit aussi importante que vous le pensez. Nous souffrons du même mal tous les deux mais lui, taciturne de naissance, n'a pas accès au verbe, alors que, bavard impénitent, j'étale mes misères et, les convertissant en caprices, les compromets par là même. Ceci dit, est-il légitime d'avancer que ce qui chez l'un est *gând* est réalité chez l'autre ?

À Gabriel Liiceanu, 1983 — lettre.

*M*a jeunesse fut marquée par une réaction contre l'Église, mais aussi contre Dieu lui-même. Si je manquais de foi, je ne manquais pas de fureur. J'ai même réussi à dissuader mon frère d'entrer dans les ordres, par les discours farouches que je lui tenais.

Avec Sylvie Jaudeau, 1988.

GNOSTIQUES

*P*our les gnostiques, tout ce qui est associé au temps procède du mal. Le discrédit s'étend à l'histoire dans son ensemble, comme appartenant à la sphère des fausses réalités. Elle n'a ni sens ni utilité. Le passage par l'histoire est sans fruit. Une telle vision s'écarte considérablement de l'eschatologie chrétienne officielle et édulcorée qui voit dans l'histoire et dans les maux qu'elle engendre des épreuves rédemptrices.
Avec Sylvie Jaudeau, 1988.

HISTOIRE

*D*ans ma jeunesse je ne lisais que des philosophes, ensuite j'ai abandonné les philosophes et je me suis mis à lire les poètes. Et, vers la quarantaine, j'ai découvert l'Histoire que j'ignorais. Eh bien, j'ai été atterré. C'est la plus grande leçon de cynisme qu'on puisse concevoir. Prenez n'importe quelle époque de l'Histoire, étudiez-la un peu à fond et les conclusions que vous en tirerez seront nécessairement terribles. Les gens ne peuvent pas s'imaginer que l'Histoire n'a pas au moins un peu de sens. L'Histoire a un cours, mais l'Histoire n'a pas un sens. Prenez l'Empire romain : pourquoi avoir conquis le monde pour ensuite être envahi par les Germains ? Ça n'a aucun sens. Pourquoi l'Europe occidentale s'est-elle démenée pendant des siècles pour créer une civilisation, qui maintenant est visiblement menacée de l'intérieur, puisque les Européens sont minés intérieurement. Ce n'est pas un danger extérieur quelconque qui est grave, mais eux, entièrement, sont mûrs pour disparaître. Toute l'Histoire universelle est comme ça : à un moment donné, toute civilisation est mûre pour disparaître. Alors, on se demande quel sens a ce déroulement. Mais il n'y a pas de sens. Il y a un déroulement.
Avec Léo Gillet, 1982.

L'histoire issue du temps et du mouvement est condamnée à l'autodestruction. Rien de bon ne peut découler de ce qui, à l'origine, fut l'effet d'une anomalie.
Avec Sylvie Jaudeau, 1988.

IMAGE DE SOI

*M*es livres donnent une idée fragmentaire de moi pour une raison précise, c'est que je n'écris que dans les moments de découragement, que je n'écris pas quand je suis content... écrire quoi alors?

Avec Lea Vergine, 1984.

INSOMNIE

*C*e n'est pas si mal que ça que d'avoir souffert d'insomnie dans sa jeunesse, parce que ça vous ouvre les yeux. C'est une expérience extrêmement douloureuse, c'est une catastrophe. Mais ça vous fait comprendre des choses que les autres ne peuvent pas comprendre : l'insomnie vous met en dehors des vivants, en dehors de l'humanité. Vous êtes exclu. [...] Qu'est-ce que c'est, l'insomnie? À huit heures du matin vous en êtes exactement au même point qu'à huit heures du soir! Il n'y a aucun progrès. Il n'y a que cette immense nuit qui est là. Et la vie n'est possible que par la discontinuité que donne le sommeil. La disparition du sommeil crée une sorte de continuité funeste.

Avec Léo Gillet, 1982.

IONESCO

J'ai connu Ionesco quand nous étions étudiants. Il a toujours été attiré par la religion. Il n'est pas croyant, mais il est tenté par la foi. Il est hanté par l'idée de la mort, la mort qu'il ne peut pas accepter. L'angoisse est au cœur de ce qu'il a écrit. Il est plus religieux que moi, qui n'ai jamais été tenté par la foi. Ionesco est toujours sur le point de l'être.

Avec Benjamin Ivry, 1989.

J U I F S

J'ai connu beaucoup de Juifs extrêmement intéressants, ce sont les personnes les plus intelligentes, imprévisibles, les plus généreuses dans les relations humaines. Lorsque je suis arrivé en France, les seuls à s'intéresser à moi et à se demander comment je parvenais à vivre étaient des Juifs. J'ai vécu avec les réfugiés politiques juifs hongrois en 1937.

Avec Lea Vergine, 1984.

L A S S I T U D E

*L*a lucidité et la fatigue ont eu raison de moi — j'entends une fatigue philosophique autant que biologique — quelque chose en moi s'est détraqué. On écrit par nécessité et la lassitude fait disparaître cette nécessité. Il vient un temps où cela ne nous intéresse plus. En outre, j'ai fréquenté trop de gens qui ont écrit plus qu'il n'aurait fallu, qui se sont obstinés à produire, stimulés par le spectacle de la vie littéraire parisienne. Mais il me semble que moi aussi j'ai trop écrit. Un seul livre aurait suffi. Je n'ai pas eu la sagesse de laisser inexploitées mes virtualités, comme les vrais sages que j'admire, ceux qui, délibérément, n'ont rien fait de leur vie.

Avec Sylvie Jaudeau, 1988.

L E C T E U R

*J*e crois qu'un livre doit être réellement une blessure, qu'il doit changer la vie du lecteur d'une façon ou d'une autre. Mon idée, quand j'écris un livre, est d'éveiller quelqu'un, de le fustiger. Étant donné que les livres que j'ai écrits ont surgi de mes malaises, pour ne pas dire de mes souffrances, c'est cela même qu'ils doivent transmettre en quelque sorte au lecteur. [...] Un livre doit tout bouleverser, tout remettre en question.

Avec Fernando Savater, 1977.

LECTURE

À travers les années, pour fuir mes responsabilités, j'ai lu, j'ai lu n'importe quoi des heures durant chaque jour. Je n'en ai tiré aucun bénéfice évident, sinon que j'ai réussi à me donner l'illusion d'une activité. Peu de gens ont dévoré autant de livres que moi. Dans ma première jeunesse, ne me séduisaient que les bibliothèques et les bordels.

À Constantin Noïca, 1975 — lettre.

*C*ela m'a fait plaisir de contempler les murailles de la forteresse. Combien de livres n'aurais-je pas lus sur les bancs de la promenade d'en haut! Le plus difficile de tous, ce fut la *Critique du Jugement.* Des journées et des journées j'ai peiné là-dessus. J'étais sérieux à l'époque. Je ne comprends pas comment j'ai pu tourner si mal par la suite. Des emballements, des folies, des *schimbărea la faţă...* tout cela pour en arriver à prôner le suicide comme la seule issue raisonnable. Serais-je parvenu à la même conclusion si j'avais passé toute ma vie à l'ombre de ce *zid* imposant? Très probablement.

À Aurel Cioran, 1979 — lettre.

LIBERTÉ

*Q*uand nous agissons, nous sommes persuadés que nous sommes libres. Mais aussitôt que nous examinons notre action, nous constatons que nous avons finalement succombé à une illusion ou semi-illusion. Si nous étions pleinement conscients que nos actions, nos actes, sont déterminés, nous ne pourrions plus agir du tout. Toute initiative présupppose l'illusion d'être indépendant. J'ai décidé de faire quelque chose, j'ai pris une décision. Parfait. Mais quand on analyse cette décision de plus près, on reconnaît facilement qu'on a été comme son propre esclave. On a pris cette décision, soit, mais y en avait-il une autre possible? Chacun n'est finalement que sa propre victime. [...] L'homme ne peut atteindre que l'illusion de la liberté et non la liberté elle-même. Mais même l'illusion de la liberté, c'est déjà quelque chose. Il suffit de l'avoir. Si on la perd, il ne reste vraiment plus rien.

Avec Georg Caryat Focke, 1992.

LITTÉRATURE

*C*haque fois que j'ai fini d'écrire, j'ai envie de me mettre à siffler. Je ne crois pas à la littérature, je ne crois qu'aux livres qui traduisent l'état d'âme de celui qui écrit, le besoin profond de se débarrasser de quelque chose. Chacun de mes écrits est une victoire sur le découragement. Mes livres ont plusieurs défauts, mais ils ne sont pas fabriqués, ils sont vraiment écrits à chaud : au lieu de gifler quelqu'un, j'écris quelque chose de violent. Il ne s'agit donc pas de littérature mais de thérapeutique fragmentaire : ce sont des vengeances. Mes livres sont des phrases écrites pour moi ou contre quelqu'un, pour ne pas agir. Des actions ratées. C'est un phénomène connu, mais dans mon cas il est systématique.

Avec Lea Vergine, 1984.

LUCIDITÉ

J'aurais dû « sombrer » dans une foi, mais ma nature s'y opposait. Je suis toujours allé dans le sens de l'inaboutissement. Il s'est passé quelque chose en moi depuis lors, un appauvrissement intérieur, un glissement vers une lucidité stérile.
Le désert intérieur n'est pas toujours voué à la stérilité. La lucidité, grâce au vide qu'elle laisse entrevoir, se convertit en connaissance. Elle est alors mystique sans absolu. La lucidité extrême est le dernier degré de la conscience ; elle vous donne le sentiment d'avoir épuisé l'univers, de lui avoir survécu.

Avec Sylvie Jaudeau, 1988.

MALADIE

*J*e suis un peu influencé par le taoïsme qui dit qu'on doit imiter l'eau. Ne faire aucun effort et envisager calmement la vie. Mais par tempérament je suis tout le contraire de cela. Un peu hystérique, une sorte d'épileptique manqué, au sens où je n'ai pas eu la chance d'être épileptique. Si j'avais eu une vraie maladie, elle aurait été pour moi une délivrance. Mais j'ai dû vivre toujours déchiré intérieurement parce que je n'ai pas trouvé d'issue hors de moi, et dans une grande tension, contraire à ma vision de la vie.

Avec Helga Perz, 1978.

MANGER

*Q*u'ai-je au fait appris en France ? Avant tout ce que signifient manger et écrire. Dans l'hôtel où je logeais au Quartier latin, à 9 heures tous les matins le gérant élaborait avec sa femme et son fils le menu du déjeuner. Je n'en revenais pas. Jamais ma mère ne nous avait consultés sur un tel sujet, alors que dans cette famille-là se tenait une conférence quotidienne à trois. Je pensais au début qu'ils attendaient des invités. Erreur. L'ordonnance des repas, la succession des plats faisaient l'objet d'un échange de vues comme s'il s'était agi de l'événement capital de la journée, ce qui d'ailleurs était le cas. Manger — j'en fis alors la découverte — ne correspond pas seulement à un besoin élémentaire, mais à quelque chose de plus profond, à un acte qui, aussi étrange que cela puisse paraître, se dissocie de la faim pour acquérir le sens d'un véritable rituel. J'ai donc appris à l'âge de vingt-sept ans seulement ce que manger veut dire, ce que cet avilissement quotidien a de remarquable, d'unique. Et c'est ainsi que j'ai cessé d'être un animal.

Avec Gerd Bergfleth, 1984.

MARGINALITÉ

*J*e n'ai pas de métier, pas d'obligations, je peux parler en mon nom, je suis indépendant et je n'ai pas de doctrine à enseigner. Quand j'écris, je ne pense pas au livre à venir. J'écris pour moi. Et cette irresponsabilité, je dois le dire, s'est révélée être ma chance. Je ne dépendais de personne, et à cet égard au moins j'étais libre. Je trouve que quand on réfléchit sur un problème, on devrait le faire en dehors de sa profession, se tenir tout à fait en marge. Je ne suis sûrement pas un précurseur, tout au plus peut-être un... marginal ?

Avec Georg Caryat Focke, 1992.

MÉLANCOLIE

*L*a mélancolie est une sorte d'ennui raffiné, le sentiment que l'on n'appartient pas à ce monde. Pour un mélancolique, l'expression «nos semblables» n'a aucun sens. C'est une sensation d'exil irrémédiable, sans causes immédiates. La mélancolie est un sentiment profondément autonome, aussi indépendant de l'échec que des grandes réussites personnelles. La nostalgie, au contraire, s'accroche toujours à quelque chose, même si ce n'est qu'au passé.

Avec J. L. Almira, 1983.

MÉMORIALISTES

*D*epuis des années, quinze à vingt ans, je suis incapable de lire des romans. Par contre, je crois qu'il y a peu de gens au monde qui aient lu autant de livres de Mémoires, des livres de souvenirs. N'importe quoi! Toute existence, même obscure. [...] Vous ne pouvez pas imaginer ce que j'ai avalé! Aussi parce que je n'ai pas de destin extérieur, je suis un homme sans biographie; ça a dû jouer un certain rôle.

Avec Jean-François Duval, 1979.

*J*e lis de préférence des Journaux intimes, des Mémoires, des Lettres. Il y a une vingtaine d'années j'ai travaillé pendant des mois à une anthologie : «Le portrait de Saint-Simon à Tocqueville» qui paraîtra peut-être en Italie. Aujourd'hui encore, n'importe quels Souvenirs m'attirent, un écrivain quelconque a souvent une vie plus captivante qu'un génie.

Avec Gerd Bergfleth, 1984.

MÈRE

*J*e pense souvent à notre mère, à tout ce qu'elle avait d'exceptionnel, à sa vivacité, à sa vanité (pourquoi pas?), et surtout à sa mélancolie dont elle nous a transmis le goût et le poison.

À Aurel Cioran, 1967 — lettre.

*M*a mère curieusement, après avoir lu des choses que j'avais écrites en roumain — elle ne savait pas le français —, les avait plus ou moins acceptées. Mon père par contre était très malheureux. Il avait la foi, mais sans être fanatique; c'était son métier d'être prêtre. Évidemment, tout ce que j'écrivais le mettait mal à l'aise, et il ne savait pas comment réagir. Ma mère seule me comprenait. Et c'est très curieux, car au début je la méprisais, mais un jour elle m'a dit : «Pour moi, il n'y a que Bach.» À partir de ce moment-là, j'ai compris que je lui ressemblais, et effectivement j'ai hérité d'elle pas mal de défauts, mais aussi quelques qualités. [...]
Mes parents se sont trouvés dans une situation très délicate [à la parution de *Des larmes et des saints*]. Ma mère m'a écrit à Paris : «Je comprends ton livre, etc., mais tu n'aurais pas dû le publier de notre vivant car tu mets ton père dans une situation très difficile et moi-même qui suis présidente des femmes orthodoxes... en ville on se moque de moi.» Et alors ils m'ont demandé comme un service de retirer ce livre. Mais le livre a été publié sans éditeur, il n'a donc pas eu de diffusion. [...] Ma mère a compris ce livre. Elle m'a dit : «On voit que, chez toi, c'est la rupture intérieure. D'un côté le blasphème, de l'autre la nostalgie.» (C'est idiot de parler de ses parents, mais enfin ça a un sens malgré tout.)

Avec Michael Jakob, 1988.

MICHAUX

J'ai connu Michaux il y a plus de trente ans. Nous nous sommes très bien entendus, et nous avons toujours été amis. Nous parlions des heures au téléphone, et nous nous voyions tout le temps. L'âge en lui ne comptait pas, car il a toujours été vif, combatif, critique et drôle, curieusement épargné par la vie. Je me sentais plus vieux que lui. Il n'avait pas cette amertume qui nous vient avec les années, et je le surprenais souvent en flagrant délit d'optimisme. Il était très railleur et ironique. Il donnait l'impression d'être hors du monde, mais en fait, il était toujours au courant de tout, du cinéma, surtout. Sa vie a été une réussite, puisqu'il a fait exactement ce qu'il a voulu. Il a écrit, approfondi. [...] Pour moi, c'est le type même de l'homme accompli.

Avec Esther Seligson, 1985.

*M*ichaux était un type expansif et incroyablement direct. Nous étions de très bons amis, il m'a même demandé d'être le légataire de son œuvre, mais j'ai refusé. Il était brillant, plein d'esprit et... très méchant. [...] Il exécutait tout le monde. Michaux est peut-être l'écrivain le plus intelligent que j'aie connu. Il est curieux comme cet être super-intelligent pouvait avoir des impulsions naïves. Il s'était par exemple mis à rédiger des ouvrages quasi scientifiques sur les drogues, et toutes sortes d'histoires de ce genre. Des bêtises. Et je lui disais : «Vous êtes écrivain, poète, vous n'êtes pas obligé de faire une œuvre scientifique, personne ne la lira.» Il n'a rien voulu savoir. Il s'est obstiné à écrire des volumes entiers de ce genre, et personne ne les a lus. Il a fait une bêtise sans nom. Il était marqué par une sorte de préjugé scientifique. «Ce que les gens attendent de vous, ce n'est pas de la théorie, mais de l'expérience», lui disais-je.

Avec Gabriel Liiceanu, 1990.

MISANTHROPIE

*L*es hommes me font horreur, mais je ne suis pas un misanthrope. Si j'étais tout-puissant — Dieu ou Diable —, j'éliminerais l'homme. De lui, tout est dit, dans la *Genèse*. Attiré par ce qui le nie, il a opté pour le risque, c'est-à-dire pour l'Histoire. Dès le commencement, il a mal choisi, et sans cet exil, l'Histoire n'aurait pas été. Il a choisi sa condition tragique. [...] L'aventure humaine a commencé par une incapacité à être modeste. Dieu lui demandait d'être humble, de se tenir tranquille dans son coin, de ne se mêler de rien. Mais l'homme est un touche-à-tout indiscret, c'est là son principe démoniaque. Et si l'on n'accepte pas ce principe, on ne comprend pas l'Histoire. Je ne crois pas au péché originel à la façon chrétienne, mais sans lui, on ne peut comprendre l'Histoire universelle.

Avec Esther Seligson, 1985.

*J*e ne suis pas un ami de l'homme et pas du tout fier d'être un homme. La confiance en l'homme représente même un danger menaçant, la croyance en l'homme est une grande sottise, une folie. Je suis, si on veut, quel-qu'un qui au fond méprise l'homme. J'ai certes encore de très bons amis mais, si je pense à l'homme en général, j'arrive toujours à la même conclusion, à savoir qu'il aurait peut-être mieux valu qu'il n'eût jamais existé.

Avec Georg Caryat Focke, 1992.

MOI

C'est vrai que mon expérience de la vie rejoint celle du Bouddha. La vision du Bouddha sur la mort, sur la vieillesse, sur la souffrance, c'est une expérience que j'ai vécue et que je vis encore. C'est ma réalité quotidienne. Mais les solutions que préconise le Bouddha ne sont pas les miennes, puisque je ne peux pas renoncer au désir. Je ne peux renoncer à rien. Et là, je me suis dit : il faut que cette imposture finisse. Je suis bouddhiste uniquement pour tout ce qui est procès-verbal, constatation. Mais quand le Bouddha dit : maintenant il faut renoncer au désir, triompher du moi, je ne peux pas. Et je ne peux pas, parce que j'ai vécu dans la littérature et que tout ce que j'ai écrit, au fond, tourne autour de moi. Que ce soit mon moi ou le moi en général. Et ça, le bouddhisme, c'est exactement le contraire. Et ensuite tout de même, la grande idée du bouddhisme, c'est le renoncement. Et je dois dire que quand je regarde autour de moi, je vois très peu de gens qui soient capables de renoncer. Et moi-même, à vrai dire, j'ai constaté que j'en suis incapable.

Avec Léo Gillet, 1982.

MORALISTES FRANÇAIS

L'homme est un abîme, si vous voulez. Par essence. Plutôt mauvais que bon. Ça, je le pense. Nietzsche le pensait aussi. Mais Nietzsche est un type pur, comme tout solitaire. C'est pour ça que je me sens beaucoup plus proche de La Rochefoucauld, des moralistes français, de ces types-là. À mon avis, ce sont eux qui ont perçu l'homme, parce qu'ils ont vécu en société. Moi, je n'ai pas vécu en société, mais j'ai connu beaucoup d'hommes, j'ai une grande expérience de l'être humain, malgré tout. Nietzsche ne l'avait pas. [...] Il n'a pas connu tous les conflits qui existent entre les êtres, les dessous, tout ça, parce que justement il a vécu seul. Il a deviné naturellement, il a beaucoup réfléchi là-dessus. Mais l'expérience vraie de l'homme, on la trouve chez Chamfort, ou chez La Rochefoucauld.

Avec Jean-François Duval, 1979.

J'ai beaucoup admiré dans ma jeunesse Chamfort, La Rochefoucauld et tant d'autres. J'ai lu Joubert, tous les moralistes. C'est une question de tempérament. Vous comprenez, écrire des aphorismes est très simple : vous allez dans les dîners, une dame dit une bêtise, ça vous inspire une réflexion, vous rentrez à la maison, vous l'écrivez. C'est à peu près ça, n'est-ce pas, le mécanisme. Ou bien en pleine nuit, on a une inspiration, un début de formule : à trois heures du matin on écrit cette formule.

Avec Léo Gillet, 1982.

MORT

*Q*uand j'étais jeune, je pensais à la mort à tout instant. C'était une obsession, même quand je mangeais. Toute ma vie était sous l'emprise de la mort. Cette pensée ne m'a jamais quitté, mais elle s'est affaiblie avec le temps. C'est toujours une obsession mais ce n'est plus une pensée. Je vous donne un exemple : il y a quelques mois, j'ai rencontré une dame et nous avons parlé d'une connaissance commune, quelqu'un que je n'avais plus vu depuis longtemps. Elle disait qu'il valait mieux ne pas le revoir, car il était très malheureux. Il ne faisait que penser à la mort. Je lui répondis : «À quoi d'autre voulez-vous qu'il pense?» Il n'y a pas d'autre sujet finalement. Bien entendu, c'est beaucoup mieux de ne pas y penser mais il n'y a rien d'anormal à ce qu'on y pense. Il n'y a pas d'autre problème. C'est bien parce que j'étais à la fois libéré et paralysé par cette pensée de la mort que je n'ai rien fait dans ma vie. On ne peut pas avoir de métier quand on pense à la mort. On peut seulement vivre comme j'ai vécu, en marge de tout, comme un parasite.

Avec Helga Perz, 1978.

MUSIQUE

C'est le seul art qui confère un sens au mot «absolu». C'est l'absolu vécu, vécu cependant par le truchement d'une immense illusion, puisqu'il se dissipe sitôt le silence rétabli. C'est un absolu éphémère, en somme un paradoxe. Cette expérience exige d'être indéfiniment renouvelée pour se perpétuer, proche de l'expérience mystique dont on perd la trace, dès qu'on réintègre le quotidien. [...] On accède pleinement au monde de la musique seulement quand on dépasse l'humain. La musique est un univers, infiniment réel bien qu'insaisissable et évanescent. Un individu qui ne peut y pénétrer, car insensible à sa magie, est privé de la raison même d'exister. Le suprême lui est inaccessible. Ne la comprennent que ceux à qui elle est indispensable. La musique doit vous rendre fou, sinon elle n'est rien.

Avec Sylvie Jaudeau, 1988.

MYSTIQUE

C'est par les mystiques que les Occidentaux rejoignent les Orientaux. Là aussi, la vision mystique est inconcevable sans l'expérience. Un mystique qui n'a pas d'extase n'existe pas. Ce qui est intéressant, c'est que l'expérience mystique est formulée presque dans les mêmes termes dans les deux civilisations, si différentes. Parce qu'au fond, si vous songez à l'extase, que ce soit en Orient ou en Occident, ça n'a pas d'importance, il y a les altitudes qui forcent le langage. Où que vous soyez, vous êtes tenu à employer certaines expressions. Donc il y a une similitude sur les hauteurs. Disons : au comble du vertige.

Avec Léo Gillet, 1982.

*P*as d'expérience mystique sans transfiguration. La passivité ne saurait être aboutissement. Cette immense pureté intérieure qui place l'être au-dessus de tout n'est pas stagnation. Si, par exemple, le bouddhisme est aisé en théorie, il ne l'est pas en pratique — pour les Européens surtout, engagés facilement dans de fausses expériences qui ne donnent que l'illusion de la libération. Cette libération on la découvre par soi-même et non pas en devenant le disciple de quelqu'un ou en adhérant à une communauté spirituelle. La seule expérience profonde, c'est celle qui se fait dans la solitude. Celle qui est l'effet d'une contagion reste superficielle — l'expérience du néant n'est pas une expérience de groupe. Mais, après tout, le bouddhisme n'est qu'une sagesse. La mystique va plus loin. La mystique, c'est-à-dire l'extase. J'en ai eu moi-même quatre, en tout et pour tout, lors de ma période d'intense désarroi. Ce sont des expériences extrêmes que l'on peut vivre avec ou sans la foi.

Avec Sylvie Jaudeau, 1988.

*J*e ne suis pas un mystique. Au fond, l'échec de ma vie, c'est que je ne suis pas allé jusqu'au bout. J'ai été fasciné par la mystique, je suis allé jusqu'à un certain point, mais je n'ai pas abouti. Pas abouti au plan spirituel.

Avec Branka Bogavac Le Comte, 1992.

NÉANT

*D*ans ma jeunesse, ce qui n'était pas intense me semblait nul. Ce n'est pas un hasard si mon premier livre fut une explosion. Le néant était en moi, je n'avais pas besoin de le chercher ailleurs. Déjà le pressentiment m'en était venu enfant, à travers l'ennui, facteur de découvertes abyssales. Je pourrais citer avec exactitude le moment où j'eus la sensation du vide, l'impression d'être éjecté du temps. Je n'ai jamais cessé d'éprouver ce vide, il est devenu pour moi une rencontre presque quotidienne. Ce qui est capital, c'est la fréquence d'une expérience, le retour insistant d'un vertige.

Avec Gerd Bergfleth, 1984.

NÉGATION

*B*ien que j'aime la société, je me suis toujours senti solitaire, tiraillé entre le mépris et l'adoration de moi-même. Les seuls êtres avec lesquels je me sois vraiment entendu n'ont pas laissé d'œuvres. Pour leur bonheur ou leur malheur ce n'étaient pas des écrivains. Ils étaient quelque chose de plus : «des maîtres du dégoût». L'un d'eux a étudié la théologie et se destinait à être pope, mais il ne l'est pas devenu. Jamais, je n'oublierai jamais la conversation vertigineuse que j'ai eue avec lui toute une nuit, il y a cinquante ans à Kronstadt [Braşov], en Transylvanie. Après cet entretien, il me paraissait aussi peu nécessaire de vivre que de mourir. Si on n'a pas en soi la passion de l'insoluble, on ne peut pas se représenter les excès dont est capable la négation, l'impitoyable lucidité de la négation.

Avec Fritz J. Raddatz, 1986.

N I E T Z S C H E

*J*e crois que la philosophie n'est plus possible qu'en tant que «fragment». Sous forme d'explosion. Il n'est plus possible, désormais, de se mettre à élaborer un chapitre après l'autre, sous forme de traité. En ce sens, Nietzsche a été éminemment libérateur. C'est lui qui a saboté le style de la philosophie académique, qui a attenté à l'idée de système. Il a été libérateur, parce qu'après lui, on peut tout dire... Maintenant, nous sommes tous fragmentistes, même lorsque nous écrivons des livres en apparence coordonnés.

Avec Fernando Savater, 1977.

*L*a nuit, on est un autre homme, on est tout à fait soi-même, pareil au Nietzsche, souffrant et coincé, de la fin. Celui-là, quelle preuve que tout, au fond, est provoqué par nos «misères»!

Avec Gerd Bergfleth, 1984.

N I H I L I S M E

*J*e ne suis pas nihiliste, bien que la négation m'ait toujours tenté. J'étais très jeune, presque un enfant, quand je connus pour la première fois le sentiment du rien, à la suite d'une illumination que je n'arrive pas à définir. Chez moi le refus a été toujours plus puissant que l'emballement. Animé à la fois par la tentation de l'absolu et par le sentiment persistant de la vacuité, comment aurais-je pu «espérer»?

Avec Sylvie Jaudeau, 1988.

N O T O R I É T É

*L*e bruit qu'on fait autour de moi me gêne et me déçoit. Je savais qu'un jour il serait inévitable, mais mon orgueil le situait *après* la catastrophe future. C'était à l'attention de survivants, et non d'agonisants, que s'adressaient mes appréhensions. Il n'y a pas de plus grand drame que d'avoir été compris trop tôt.

À Gabriel Liiceanu, 1987 — lettre.

NOUVEAUTÉ

*L*e drame de l'existence en général, c'est que tout ce que l'on gagne d'un côté est perdu de l'autre. L'humanité aurait fort bien pu rester inerte. Si l'on va au fond des choses, on se rend compte que l'homme aurait eu intérêt à demeurer tel qu'il était. Pourquoi cette frénésie de nouveauté; de nouveauté dans le domaine de la pensée, de la poésie, en tout?... Toujours et encore la nouveauté. C'est ridicule.

Avec Luis Jorge Jalfen, 1982.

NUIT

*Q*u'est-ce qui fait le caractère de la nuit? Tout a cessé d'exister. Il n'y a plus que vous, le silence et le néant. On ne pense absolument à rien, on est seul comme Dieu peut être seul. Et, bien que je ne sois pas croyant — je ne crois peut-être à rien —, cette solitude absolue demande un interlocuteur; et quand je parle de Dieu, c'est seulement comme d'un interlocuteur au milieu de la nuit.

Avec Fritz J. Raddatz, 1986.

OBSESSION

*P*lutôt qu'un type passionné, je suis un type obsédé. Il faut que j'épuise ça. Ce n'est pas par des arguments qu'on peut me faire changer d'avis, c'est uniquement par la fatigue, par l'épuisement d'une obsession. Cela a des rapports avec la foi.

Avec Michael Jakob, 1988.

ŒUVRE

*T*out ce que j'ai écrit est toujours né de quelque chose, d'une conversation, d'une lettre reçue. Je pourrais écrire, et cela serait peut-être plus intéressant que mes livres, le pourquoi de mes écrits, en en montrant le côté mesquin, l'origine accidentelle.

Avec Lea Vergine, 1984.

*L*e destin de mes livres me laisse indifférent. Je crois toutefois que quelques-unes de mes insolences resteront.

Avec Sylvie Jaudeau, 1988.

PAÏENS

L'éclat intellectuel du monde antique s'éteint avec la percée du christianisme. Il était inconcevable que des esprits cultivés s'entichent d'un idéal aussi naïf. Le réquisitoire de Celse demeure le document le plus pathétique et le plus instructif de la stupeur d'un païen face à l'irruption chrétienne.

Avec Sylvie Jaudeau, 1988.

*C*e qui me fascine [...], c'est ce qu'on pourrait appeler l'époque des derniers païens. [...] J'ai longtemps cherché à deviner comment des hommes, qui ne pouvaient pas devenir chrétiens et qui savaient qu'ils étaient perdus, réagissaient à certains événements. Je trouve que notre situation, notre position, ressemble un peu à celle de ce temps-là, avec cette différence, il est vrai, que nous ne pouvons plus attendre aucune nouvelle religion. Mais à cette exception près, nous nous trouvons dans la situation des derniers païens. Nous voyons que nous sommes sur le point de tout perdre, que nous avons peut-être même déjà tout perdu, qu'il ne nous reste pas l'ombre d'un espoir, pas même la représentation d'un espoir possible.

Avec Georg Caryat Focke, 1992.

PARIS

*P*our que tu aies une idée du cauchemar que nous vivons à Paris, je t'envoie ci-inclus une feuille, un tract plutôt, que je te prie de lire et méditer. Vivre ici devient une sorte de punition. Évidemment, il y a l'habitude. On s'attache même à un enfer, quand on n'a pas l'espoir d'en sortir et qu'il dure indéfiniment. Mon rêve serait d'avoir, par exemple à Rășinari, une maison isolée [...] et de m'y retirer de temps en temps. Je t'assure que la vie ici est à la limite du tolérable. [...]

Pour aller en pleine campagne il faut prendre le train et faire un minimum de 60 km. La ville s'est étendue comme un chancre.

À Aurel Cioran, 1971 — lettre.

*J*e n'ai pas du tout le complexe roumain du déraciné, mais il m'arrive quelquefois de me dire que je serais plus dans le vrai aujourd'hui si j'avais fait une carrière de *cioban* dans mon village natal, qu'en me trémoussant dans cette métropole de saltimbanques.

À Arsavir Acterian, 1972 — lettre.

*P*our voir un peu de verdure il faut faire un voyage d'une heure. Les jardins publics sont minuscules et pleins d'enfants et de vieux : un mélange d'hôpital et de cirque. Ces métropoles sont un cauchemar mais on ne peut s'en arracher une fois qu'on s'y est habitué. L'enfer, s'il existe, on doit y prendre goût. Je ne voudrais pas mourir avant de revoir Pe supt Arini et m'y promener comme autrefois.

À Aurel Cioran, 1975 — lettre.

*P*our moi, Paris a été l'idolâtrie. Mais je m'en suis lassé, parce que je vieillis, et la ville aussi. L'enchantement a pris fin. Si je ne la quitte pas, c'est parce que j'y ai vécu pendant quarante ans. Elle ne m'inspire plus. Chamfort a écrit avant la Révolution française : «Paris, ville lumière, ville de plaisir, où quatre habitants sur cinq meurent de chagrin.» C'est une ville triste. Elle est abîmée. Elle s'est changée en un enfer — ou en un cauchemar — que je ne peux abandonner. Je ne pourrais vivre autre part.

Avec Esther Seligson, 1985.

PARISIANISME

J'ai fréquenté pendant quelques années la société parisienne, des gens assez fins, intelligents. Et j'ai remarqué une chose : à un dîner, par exemple, il y avait des gens qui ne pouvaient pas rester jusqu'au bout. Dès qu'ils sortaient, ils étaient la cible de ceux qui restaient, c'est pourquoi je partais toujours le dernier. Ce fait m'avait frappé, chez des gens cultivés, très subtils; notamment chez une dame très riche, qui m'invitait souvent et où j'ai compris que les gens sont tous pareils,

riches ou pauvres. Ce n'était même pas de la méchanceté personnelle, mais l'homme déteste l'homme. Tous ces gens n'étaient pas
foncièrement méchants, mais ils gardaient cet instinct de l'âme,
ce besoin de faire du tort, de diminuer l'autre. Il n'y a rien à faire.
Je crois que cela a toujours été ainsi. Peut-être est-ce moins fort
chez les moines... L'homme est donc habitué à sa méchanceté et
surtout à son besoin de noircir l'autre, et cela dans ce qu'on
appelle la haute société.

Avec Branka Bogavac Le Comte, 1992.

PASCAL

C'est du Pascal sceptique, du
Pascal déchiré, du Pascal qui aurait pu ne pas être croyant, du Pascal sans la grâce, sans le refuge dans la religion, que je me sens
proche. C'est ce Pascal-là auquel je me sens apparenté... Parce
qu'on imagine parfaitement Pascal sans la foi. D'ailleurs, Pascal
n'est intéressant que par ce côté-là... Toute ma vie, j'ai pensé à
Pascal. Le côté fragmentaire, vous savez, l'homme du fragment.
L'homme du moment aussi...

Avec Jean-François Duval, 1979.

PASSION

*D*ès qu'on a une idée, on est
content de l'avoir. C'est là le côté salonnard des idées. Mais pour
le public, pour la masse, pour tout le monde au fond, une idée
s'anime forcément. On y projette tout, puisque tout est affectif. [...]
Puisqu'il y a affectivité, et qu'on projette l'affectivité dans les
idées, toute idée risque de devenir passion, et donc un danger.
C'est un processus absolument fatal. Il n'y a pas d'idée absolument
neutre, même les logiciens sont passionnés. [...] Donc, si ceux qui
sont censés se maintenir dans un espace idéal ou idéel contami-
nent l'idée, si ceux qui justement devraient en être détachés glissent dans la passion, comment voulez-vous que la masse ne le
fasse pas ? L'idéologie, qu'est-ce que c'est, au fond ? La conjonction de l'idée et de la passion. D'où l'intolérance. Parce que l'idée
en elle-même ne serait pas dangereuse. Mais dès qu'un peu d'hystérie s'y attache, c'est fichu !

Avec Léo Gillet, 1982.

PENSEUR

*L*e penseur apporte un témoignage. Il est comme un gendarme qui vient de constater un accident. Tel a été le cas de Montaigne, mais son message est sans effet parmi les penseurs. [...] Je ne suis pas philosophe. J'ai fait des études de philosophie dans ma jeunesse, mais j'ai vite abandonné toute idée de me lancer dans l'enseignement. Je ne suis rien de plus qu'un *Privat Denker* — un penseur privé —, j'essaie de parler de ce que j'ai vécu, de mes expériences personnelles, et j'ai renoncé à faire une œuvre. Pourquoi une œuvre? Pourquoi la métaphysique? Carnap a dit une chose profonde : «Les métaphysiciens sont des musiciens sans don musical.»

Avec Luis Jorge Jalfen, 1982.

PHILOSOPHIE

*O*n peut dire que la philosophie est, dans le fond, dissociée [de la réalité]; elle est devenue une activité en soi. Qu'est ce que cela signifie? Qu'avant même d'avoir abordé un problème, elle prend la parole, et croit de la sorte dire quelque chose sur la réalité. Celui qui «invente» la parole «dévoile» parfois la réalité mais, à mon sens, ce n'est pas la bonne voie; elle peut être extrêmement dangereuse. C'est pour cela que je crois qu'en philosophie, il n'est pas nécessaire d'inventer sans cesse des mots nouveaux, des termes techniques. Nietzsche n'a pas créé de mots, ce qui n'a pas amoindri son œuvre. Tout au contraire : cette technicisation est le grand danger de la philosophie universitaire, et c'est ce qui l'éloigne des choses.

Avec Luis Jorge Jalfen, 1982.

*J'*étais passionné par mes études, j'avoue même avoir été intoxiqué par le langage philosophique que je considère maintenant comme une véritable drogue. Comment ne pas se laisser griser et mystifier par l'illusion de la profondeur qu'il crée? Traduit en langage ordinaire, un texte philosophique se vide étrangement. C'est une épreuve à laquelle il faudrait les soumettre tous. La fascination qu'exerce le langage explique à mon sens le succès de Heidegger. Manipulateur sans pareil, il possède un véritable génie verbal qu'il pousse cependant trop loin, il accorde au langage une importance vertigineuse. C'est précisément cet excès qui éveilla mes doutes, alors qu'en 1932 je lisais *Sein und Zeit*. La vanité d'un tel exercice me sauta aux yeux. Il m'a semblé qu'on cherchait à me duper avec des mots. Je dois remercier Heidegger d'être parvenu, par sa prodigieuse inventivité verbale, à m'ouvrir les yeux. J'ai vu ce qu'il fallait à tout prix éviter.

Avec Sylvie Jaudeau, 1988.

*J*e me dis que l'Université a liquidé la philosophie. Pas tout à fait entièrement peut-être, mais presque... Je n'irais pas jusqu'aux exagérations de Schopenhauer, mais il y a beaucoup de vrai dans ses critiques. Je crois que la philosophie n'est nullement un objet d'étude. La philosophie devrait être une chose personnellement vécue, une expérience personnelle. On devrait faire de la philosophie dans la rue, tresser ensemble la philosophie et la vie. À beaucoup d'égards je me considère effectivement comme un philosophe de la rue. Une philosophie officielle, une carrière de philosophe ? Alors non ! Toute ma vie je me suis dressé, et je me dresse encore aujourd'hui, contre cela.

Avec Georg Caryat Focke, 1992.

PHILOSOPHIE HINDOUE

*J*e dois dire que je considère la philosophie hindoue comme étant la plus profonde qui ait jamais existé. Naturellement, on peut dire : il y a la philosophie hindoue, puis la philosophie grecque et la philosophie allemande, comme grands systèmes. Mais l'avantage de la philosophie hindoue est celui-ci, qui est considérable : c'est qu'en Inde le philosophe est tenu à pratiquer sa philosophie. Il fait de la philosophie *en vue* de la pratique : puisqu'on cherche la délivrance. Ce n'est pas un exercice intellectuel. Il y a toujours un complément. Alors que les grands systèmes qu'on a faits en Grèce et en Allemagne, ce sont des constructions où il n'y a pas cette relation avec l'expérience vécue.

Avec Léo Gillet, 1982.

POÉSIE

*A*ussi longtemps qu'on fré-
quente la poésie, on ne risque pas le vide intérieur. L'œuvre et
vous, le lecteur, appartenez au même univers, une intimité extraordinaire vous lie. Comme la musique, vous touchez à quelque
chose d'essentiel qui vous comble : une sorte de grâce, de complicité surnaturelle avec l'indéfinissable. Le temps est évincé, vous
êtes projeté hors du devenir. Musique et poésie, deux aberrations
sublimes.

Avec Sylvie Jaudeau, 1988.

POLITIQUE

*U*n type innocent ne peut faire
de politique, car il ne peut pas être un salaud. Un homme politique naïf est une catastrophe pour son pays. Les hommes politiques médiocres sont des naïfs qui se font des illusions et cela a
des conséquences fâcheuses. Si l'homme politique est naïf, il est
dangereux. Ce sont de choses apparemment simples, mais au fond
très importantes. Ce qui est curieux, c'est que l'expérience de la
vie montre combien se trompent les gens qui se croient très intelligents. Les vrais hommes politiques sont ceux qui ne se font pas
d'illusions. Autrement, ils nuisent, ils sont dangereux pour leur
pays. C'est pourquoi un homme politique propre est quelque
chose de tellement rare.

Avec Branka Bogavac Le Comte, 1992.

POUVOIR

*J*e crois que le pouvoir est mau-
vais, très mauvais. Je suis résigné et fataliste devant le fait de son
existence, mais je pense que c'est une calamité. J'ai connu des
gens qui sont parvenus au pouvoir, et c'est quelque chose de terrible. Quelque chose d'aussi terrible qu'un écrivain qui parvient à
se rendre célèbre. C'est comme porter un uniforme invisible, toujours le même. Je me demande : pourquoi un homme normal ou
apparemment normal accepte-t-il le pouvoir, pourquoi accepte-

t-il de vivre préoccupé du matin au soir, etc. ? Sans doute parce que dominer est un plaisir, un vice. C'est pour cela qu'il n'y a pratiquement aucun cas de dictateur ou de chef absolu qui renonce au pouvoir de bon gré : le cas de Sylla est le seul dont je me souvienne. Le pouvoir est diabolique. Le diable n'était qu'un ange avec une ambition de pouvoir. Désirer le pouvoir est la grande malédiction de l'humanité.

Avec Fernando Savater, 1977.

PRIX LITTÉRAIRE

*L*a vanité est un vice très profond et en partie héréditaire. Chacun a sa politique. Dans ma vie, je suis passé par des moments de pauvreté, de misère, et quand on me proposait un prix, je disais : « Je ne prends pas d'argent en public. » C'est l'orgueil d'un côté, et puis le refus de la publicité. Je n'ai pas eu faim, pas exactement, parce que j'ai mené une vie d'étudiant jusqu'à il y a quelques années. La consécration est la pire des punitions.

Avec Branka Bogavac Le Comte, 1992.

PROFESSION

*L*a société ne vous pardonne pas d'être libre. J'habitais à quelques mètres d'ici, au cœur de Paris. C'est la ville des ratés. Vous savez pourquoi ? Parce que tout le monde vient à Paris avec une idée précise de réussite. Mais cette idée, cette « mission », ne dure pas longtemps. Parce qu'on échoue. Et, pour moi, c'était très simple : j'ai décidé de vivre sans profession. Et le grand succès de ma vie, c'est d'avoir vécu, d'avoir réussi à vivre sans profession. Dans une ville de ratés, je suis tombé sur des tas de gens, des gens bizarres, un peu louches, toutes sortes de gens. J'ai vécu dans de petits hôtels. Ici, c'est la diversité de l'échec, c'est la ville de l'échec.

Avec Branka Bogavac Le Comte, 1992.

PROGRÈS

*L*e progrès, pour l'essentiel, n'existe pas. Je ne reconnais que le progrès technologique, duquel ce que j'aime est tout à fait indépendant. Pour tout ce qui concerne la destinée humaine, on ne gagne rien à arriver tard. Si nous éliminons de l'Histoire l'idée du progrès, nous aboutissons à la conclusion que ce qui adviendra dans l'avenir n'a aucune espèce d'importance. Il n'y a pas lieu de se plaindre d'être né trop tôt. Au contraire, nous devons plaindre ceux qui viendront après nous.

Avec J. L. Almira, 1983.

PROSTITUTION

L'acte d'écrire [est] un acte d'immense solitude. L'écrivain n'a de sens que dans ces conditions-là. Ce que vous faites par la suite, c'est de la prostitution. Mais à partir du moment où vous avez accepté d'exister, vous devez accepter la prostitution. Pour moi, tout type qui ne se suicide pas est prostitué, dans un certain sens. Il y a des degrés de prostitution. Mais il est évident que tout acte participe du trottoir.

Avec Jean-François Duval, 1979.

PUBLIER

*P*ourquoi publier? Je continue : le fait de publier est très important aussi, contrairement à ce qu'on pense. Pourquoi? Parce que, une fois le livre paru, les choses que vous avez exprimées vous deviennent extérieures, pas totalement mais en partie. Donc l'allégement escompté est encore plus grand. Ça n'est plus vous. Vous êtes dégagé de quelque chose. C'est comme dans la vie, tout le monde le dit : le type qui parle, qui raconte son chagrin, est libéré. Et c'est le type muet, le type taciturne qui se détruit, qui s'effondre, ou qui commet un crime peut-être. Mais le fait de parler, ça vous libère. Le fait d'écrire, c'est la même chose.

Avec Jean-François Duval, 1979.

*P*ublier est extrêmement salutaire. C'est une libération, comme de donner une gifle à quelqu'un.

Avec Fritz J. Raddatz, 1986.

R Ă Ş I N A R I

*T*out ce qui regarde notre village me touche profondément : en même temps, j'ai une impression d'irréalité, de quelque chose d'infiniment lointain, comme s'il s'agissait d'une vie antérieure.

À Bucur Tincu, 1971 — lettre.

*C*ombien je souhaiterais revoir rue par rue, coin par coin, ce maudit, ce splendide Răşinari, et qu'on finisse la journée ensemble dans quelque *cârciumă*, s'il en existe encore !

À Bucur Tincu, 1973 — lettre.

*J*e suis né dans les Carpates, dans un merveilleux village que j'aimais énormément et où j'ai passé toute ma première jeunesse. Il y avait des côtes, des contreforts sauvages qui montaient dans les Carpates, plus de la moitié de mon village est située comme cela.

Avec Branka Bogavac Le Comte, 1992.

R A T É

J'ai toujours parlé à des inconnus et j'ai énormément appris par ces rencontres : c'est ça qui est capital. Et surtout j'ai un faible pour les types un peu dérangés. En Roumanie, parmi les soixante mille habitants de Sibiu, je connaissais tous les types un peu tarés. [...] Les poètes aussi en font partie... Et puis il y a ce phénomène très balkanique : le raté, c'est-à-dire un type très doué qui ne se réalise pas, celui qui promet tout et ne tient pas ses promesses. Mes grands amis en Roumanie n'étaient pas du tout les écrivains, mais les ratés.

Avec Michael Jakob, 1988.

RELIGION

*J*e suis foncièrement sceptique. Pourtant la religion m'attirait. Je me souviens qu'à l'âge de quinze-seize ans, quand je me tenais près de mon père lorsqu'il disait sa petite prière d'avant le repas, j'avais honte de ne pas prier avec lui. Je suis incapable d'avoir la foi, mais je ne suis pas indifférent aux problèmes que la religion nous pose. La foi va plus au fond des choses que la réflexion. Celui qui n'a jamais été tenté par la religion, il lui manquera quelque chose. Savoir ce qu'est le bien et le mal. J'imagine parfois l'histoire universelle comme un grand fleuve du péché originel. Je lis et relis le livre de la *Genèse* et j'ai le sentiment qu'en quelques pages tout y est dit. C'est bouleversant. Ces nomades du désert possédaient une vision complète de l'homme et du monde.

Avec François Fejtö, 1986.

*B*ien souvent dans ma vie, j'ai connu des tentations religieuses, je me plongeais dans la lecture des mystiques, il me semble même que je les comprenais, mais au moment de faire le saut, quelque chose en moi se rebiffait : «Non, tu n'iras pas plus loin.» Quand j'ai écrit *Des larmes et des saints*, je vivais un véritable combat entre la tentation et le refus. Cependant je n'ai jamais pu dépasser le doute. La fascination du négatif m'est si naturelle que j'en ressens la présence à chaque instant.

Avec Sylvie Jaudeau, 1988.

RESPONSABILITÉ

*P*our ce qui est de mon «sens des responsabilités», je ne l'éprouve que dans la vie quotidienne — j'ai une attitude humaine à l'égard des humains — mais pas quand j'écris, l'homme est alors pour moi quelque chose d'impensable pour ainsi dire. Je ne me soucie pas des conséquences possibles d'une phrase, d'un aphorisme, je me sens libre à l'égard de toute catégorie morale. C'est pourquoi on ne doit pas juger mes adhésions ou mes dénis selon ces catégories.

Avec Fritz J. Raddatz, 1986.

GLOSSAIRE

RIRE

*R*ire est la seule excuse de la vie, la grande excuse de la vie! Et je dois dire que, même dans les grands moments de désespoir, j'ai eu la force de rire. C'est l'avantage des hommes sur les animaux. Rire est une manifestation nihiliste, de même que la joie peut être un état funèbre.

Avec Lea Vergine, 1984.

*O*n me dit souvent: «Malgré ce que vous écrivez, vous êtes un des hommes les plus gais.» J'ai beaucoup ri en effet dans ma vie mais cela ne prouve rien. Rire est un acte libérateur. Je viens de recevoir une lettre de Roumanie. D'un ami qui pense au suicide. Il me demande conseil. Je lui ai répondu: «Si tu ne peux plus rire, fais-le!» Le rire c'est un acte de supériorité, un triomphe de l'homme sur l'univers, une merveilleuse trouvaille qui réduit les choses à leurs justes proportions.

Avec Anca Visdei, 1984.

ROMANTISME

*J*e me suis senti très proche du romantisme, allemand surtout. Dans ma jeunesse. Et même actuellement, je ne peux pas dire que je m'en suis complètement détaché. Le sentiment fondamental chez moi, le *Weltschmerz*, l'ennui romantique, je ne m'en suis pas guéri. Ma passion pour la littérature russe vient en grande partie de là. C'est la littérature qui m'a le plus marqué dans ma vie. Et surtout ce qu'on appelle dans les histoires de la littérature le byronisme russe. Parce que Byron était plus intéressant à mon avis en Russie qu'en Angleterre, par ses influences. C'est de ces byroniens en Russie dont je me sens le plus proche, et c'est en quoi je ne me sens pas du tout Européen de l'Ouest: il y a quand même des histoires de géographie, d'origine qui jouent. Une part de vrai là-dedans. Pour moi, de tous les personnages de Dostoïevski, je crois que c'est Stavroguine que j'admire et que je comprends le mieux. C'est un personnage romantique au fond, qui souffre de l'ennui.

Avec Jean-François Duval, 1979.

ROUMANIE

*L*es Huns nous ont visités à fond. Ce qui m'a le plus déprimé, c'est une carte de l'Empire ottoman. C'est en la regardant que j'ai compris notre passé et le reste.

À Arsavir Acterian, 1972 — lettre.

*T*u ne peux te figurer à quel point, en dehors des lieux où je suis né, je suis indifférent à notre espace, «mioritic» ou non. Trop de jours et de nuits consacrés à un destin sans issue, quelconque, lamentable et visiblement non tragique.

À Arsavir Acterian, 1974 — lettre.

*N*otre langue est la plus poétique de toutes celles que je connais ou devine. Quelle chance, et quel malheur. Tout un peuple à jamais confiné dans l'intransmissible.

À Aurel Cioran, 1976 — lettre.

*J*e ne comprends pas pourquoi dans un certain pays où, apparemment, je suis né on s'occupe de moi. Ces gens n'ont pas le sens du ridicule. De tout ce que j'ai vécu là-bas, seule mon enfance m'intéresse encore. Le reste, je l'ai oublié ou presque. Les frénésies d'une certaine période de notre jeunesse me semblent à peine concevables. Que tout cela est loin!

À Aurel Cioran, 1979 — lettre.

*N*otre destin commençant à intriguer les continents, nous jouissons d'une gloire négative, préférable, somme toute, au néant complet.

À Gabriel Liiceanu, 1987 — lettre.

RUSSIE

*L*es Russes sont un grand peuple. Et, il ne faut pas l'oublier, sur tous les plans. Surtout sur le plan religieux, qui est capital pour eux. Il est extraordinairement important que le fond religieux russe ne disparaisse pas. Il a joué un très, très grand rôle pendant des siècles. Que la forme de l'orthodoxie ne soit pas aujourd'hui la même qu'avant, c'est possible, mais que le fond religieux russe s'évapore, c'est exclu. Parce que la Russie s'est définie à travers lui. C'était la base. Il ne faut pas oublier les crises religieuses dans l'histoire de la Russie. C'est capital. De très graves conflits religieux se sont produits périodiquement; cela prouve que chaque peuple a une sorte d'essence qui le caractérise. Même à l'époque la plus terrible, où les croyants étaient persécutés, le fond religieux russe n'a pas été complètement détruit, il ne peut pas disparaître du jour au lendemain. Les grands écrivains russes sont tous marqués d'une teinte religieuse. Mais les autres aussi, les athées, s'ils étaient tellement athées, c'est parce qu'ils étaient religieux sans le vouloir.

Avec Branka Bogavac Le Comte, 1992.

SAGESSE

*I*l ne fait aucun doute pour moi que la sagesse est le but principal de la vie et c'est pourquoi je reviens toujours aux stoïciens. Ils ont atteint la sagesse, on ne peut donc plus les appeler des philosophes au sens propre du terme. De mon point de vue, la sagesse est le terme naturel de la philosophie, sa fin dans les deux sens du mot. Une philosophie finit en sagesse et par là même disparaît.

Avec Georg Caryat Focke, 1992.

SAINTS ET MYSTIQUES

*I*l importe de faire la distinction entre saints et mystiques. Les saints ont un côté positif, ils veulent agir, ils se démènent pour autrui. La passivité ne leur sied pas. À l'opposé, le mystique peut être, lui, totalement inactif, un obsédé, un égoïste sublime. La plus grande épreuve pour lui est la sensation d'abandon, de sécheresse, de désert intérieur, c'est-à-dire l'impossibilité de retrouver la plénitude de l'extase.

Avec Gerd Bergfleth, 1984.

*S*ans doute la mystique m'intéresse-t-elle plus que la sainteté; celle-ci cependant a pour moi quelque chose d'étrange qui excite ma curiosité. Les excès des saints m'attirent par leur côté provocateur. Peut-être aussi me montrent-ils une voie que j'aurais aimé emprunter, bien que j'aie très vite compris que je ne pouvais avoir une destinée religieuse, que j'y étais inapte, parce qu'incapable de croire. Il ne m'était permis de vivre que des expériences en deçà ou au-delà de la foi.

Avec Sylvie Jaudeau, 1988.

SAVOIR

*L*e savoir et les sentiments font rarement bon ménage. Pour moi, il n'y a eu qu'une seule découverte dans l'histoire mondiale. Elle se trouve dans le premier chapitre de la *Genèse*, où il est question de l'arbre de la vie et de l'arbre de la connaissance. L'arbre de la connaissance, c'est-à-dire l'arbre maudit. La tragédie de l'homme, c'est la connaissance.

Avec Helga Perz, 1978.

SCEPTICISME

*J*e ne sais pas très bien où j'en suis par rapport au scepticisme, bien qu'il soit au centre de tout ce que j'ai pensé. Ce qui est sûr, c'est qu'il a joué pour moi dans maintes occasions le rôle du plus efficace des tranquillisants. Je me suis livré au doute avec volupté, ce que ne fait pas précisément le sceptique, soucieux qu'il est de maintenir un intervalle entre ses idées et soi-même. Pascal représente le genre de sceptique que j'aime, le sceptique qui s'obstine à croire, qui s'accroche avec désespoir à sa foi, synonyme ou presque de déchirure intérieure.

Avec Gerd Bergfleth, 1984.

*L*e scepticisme est une attitude éminemment philosophique, mais paradoxalement il n'est pas le résultat d'une démarche, il est inné. En effet, on naît sceptique. Ce qui n'empêche pas des manifestations superficielles d'enthousiasme. On pense généralement que je suis passionné, c'est sans doute vrai à un certain niveau, mais le fond reste sceptique et c'est ce fond, cette aptitude à mettre toute évidence en question, qui importe. On a indubitablement besoin de certitude pour agir. Seulement la moindre réflexion ruine cet assentiment spontané. Nous finissons toujours par constater que rien n'est solide, que tout est infondé. Le scepticisme ou la suprématie de l'ironie.

Avec Sylvie Jaudeau, 1988.

SENS

*T*out homme qui agit projette un sens. Il attache un sens à ce qu'il fait, c'est absolument inévitable et regrettable... Je n'ai jamais rien pu faire de ma vie. Pourquoi n'ai-je pas agi? Parce que je ne crois pas au sens. Par la réflexion et par l'expérience intérieure, j'ai découvert que rien n'a de sens, que la vie n'a aucun sens. Il n'empêche que tant qu'on se démène, on projette un sens. Moi-même, j'ai vécu dans des simulacres de sens. On ne peut pas vivre sans projeter un sens.

Avec Léo Gillet, 1982.

SENS CACHÉ

*I*l y a les dessous de tous nos actes, et c'est cela qui est psychologiquement intéressant, nous ne connaissons que la surface, le côté superficiel. On accède à ce qui est formulé, mais ce qui est important, c'est ce qui n'est pas formulé, ce qui est implicite, le secret d'une attitude ou d'un propos. C'est pour cela que tous nos jugements sur les autres mais aussi sur nous-mêmes sont partiellement faux. Le côté mesquin est camouflé, or le côté mesquin est profond, et je dirais même que c'est ce qu'il y a de plus profond chez les êtres et c'est ce qui nous est le plus inaccessible. C'est pour cela que les romans sont une façon de camoufler, de s'exposer sans se déclarer. Les grands écrivains sont précisément ceux qui ont le sentiment de ces «dessous», Dostoïevski surtout. Il révèle tout ce qui est profond et apparemment mesquin; mais c'est plus que mesquin, c'est tragique; c'est ça les vrais psychologues.

Avec Michael Jakob, 1988.

SÉRIEUX

*J*e n'ai jamais vraiment cru à quoi que ce soit. C'est très important. Il n'y a rien que j'aie pris au sérieux. La seule chose que j'aie prise au sérieux, c'est mon conflit avec le monde. Tout le reste n'est jamais pour moi qu'un prétexte.

Avec Fritz J. Raddatz, 1986.

SHAKESPEARE

*Q*uand je pense à Macbeth, je m'identifie à lui, et même lorsque je n'y pense pas, il reste mon frère. Ce qu'il dit est évidemment lié à son crime, mais va aussi plus loin et plus profond. Macbeth est un penseur, tout comme Hamlet. Je comprends Shakespeare dont j'admire éperdument le manque de mesure.

Lorsque j'étais professeur à Braşov et que j'écrivais mon livre sur les saints, je pris la brusque résolution de ne plus m'adresser qu'à... Shakespeare. Résolution claire et nette, un tantinet démente, mais c'est ainsi que cela se passa.

Avec Gerd Bergfleth, 1984.

SHAKESPEARE ET DOSTOÏEVSKI

*L*a littérature a deux grands génies : en poésie, Shakespeare et, comme visionnaire, Dostoïevski, ce dernier à cause de sa dimension religieuse qui touche à la fois au délire et à l'ultime limite de cette dimension. Le personnage de Kirilov n'a pas été surpassé. Dostoïevski a transformé ses états pathologiques en visions. À première vue, il pourrait sembler morbide ; en fait, il a élevé l'épilepsie au rang de la métaphysique.

Avec Esther Seligson, 1985.

SIBIU (HERMANNSTADT)

*P*our ce qui est de Sibiu, c'est là que je reprends l'avantage puisqu'il se passe rarement un jour que je n'en évoque quelque coin : un spécialiste par la nostalgie !
À Constantin Noïca, 1970 — lettre.

*M*a fidélité aux rues de Sibiu demeure inaltérée. Quand tu es tenté de maudire ton sort, dis-toi que tu habites une des plus belles villes qui soient.
À Aurel Cioran, 1978 — lettre.

*S*ibiu [était] une ville très importante en Autriche-Hongrie, une sorte de ville frontière avec beaucoup de militaires. Trois ethnies y cohabitaient, sans drame, je dois le dire : les Allemands, les Roumains et les Hongrois. C'est peut-être curieux, mais cela m'a marqué pour le reste de ma vie : je ne peux pas vivre dans une ville où l'on ne parle qu'une seule langue, je m'y ennuie tout de suite. J'aimais justement la diversité de ces trois cultures, la vraie culture étant bien entendu l'allemande ; les Hongrois et les Roumains étaient des sortes d'esclaves qui tentaient de s'affranchir. Il y avait dans cette ville de Sibiu une bibliothèque allemande qui était très importante pour moi. En tout cas, après mon village natal et Paris, Sibiu (Sibiu Hermannstadt ou Nagyszeben en hongrois) est la ville que j'aime le plus au monde, que j'aimais le plus au monde.
Avec Michael Jakob, 1988.

SŒUR

*A*vec 25 de tension, ma sœur fumait 100 cigarettes par jour : un suicide, ou tout comme ; son fils, lui, s'est suicidé carrément, cependant que, à l'autre bout de l'Europe, je me bornais, moi, au rôle modeste de théoricien du suicide.
À Constantin Noïca, 1980 — lettre.

SOLITUDE

*L*a catastrophe, pour l'homme, vient du fait qu'il ne peut rester seul. Il n'y a pas une seule personne qui puisse rester seule avec elle-même. Actuellement, tous ceux qui devraient vivre avec eux-mêmes s'empressent d'allumer le téléviseur ou la radio. Je crois que si un gouvernement supprimait la télévision, les hommes s'entre-tueraient dans la rue, parce que le silence les terroriserait. Dans un lointain passé, les gens demeuraient beaucoup plus en contact avec eux-mêmes, pendant des jours et des mois, mais à présent, ce n'est plus possible. C'est pour cela que l'on peut dire que la catastrophe s'est produite, que nous vivons catastrophiquement.

Avec Luis Jorge Jalfen, 1982.

STOÏCIENS

*J*e me suis toujours senti proche de Marc Aurèle. À vrai dire je n'essaie pas d'imiter les stoïciens, mais je les approuve, en partie du moins. En tout cas, j'admire la position des stoïciens romains à l'égard de la vie. Le plus grand écrivain de l'Antiquité est certainement Tacite. Ce n'est pas seulement mon opinion, du reste, mais aussi celle du philosophe anglais Hume, qui disait que le plus grand esprit de l'Antiquité ce n'était pas Platon mais Tacite. [...] La position des stoïciens est admirable et je me sens toujours bien en compagnie de ces hommes qui étaient tous livrés sans merci à ces fous, à ces autocrates, à ces cinglés qui ont gouverné l'Empire romain. Ils ont vécu complètement à l'écart.

Avec Georg Caryat Focke, 1992.

STYLE

C'est ma manière naturelle. Il se trouve qu'elle est travaillée. Je ne me suis pas fait violence. J'ai réfléchi sur la manière de traduire les choses. Mais je ne me suis pas imposé une forme quelconque. Et il est évident que j'ai deux manières. Il y a la manière violente, explosive, et la manière sardonique, froide. Il y a des textes de moi qui sont très violents, très hystériques. Il y en a d'autres qui sont froids, presque indifférents. De toute façon, tout ce que j'ai écrit est légèrement agressif, il ne faut pas l'oublier. [...] Je ne me suis pas posé la question de savoir si c'est actuel ou non. On ne peut pas dire que ce soit actuel, c'est un style assez neutre, c'est un style qui n'est pas imagé, c'est un style qui n'est pas d'une époque exactement. Il y a un côté anachronique, ça c'est évident. Ça ne compte pas énormément.

Avec Jean-François Duval, 1979.

SUICIDE

*D*ans ma jeunesse, j'ai vécu chaque jour avec cette idée, l'idée du suicide. Plus tard aussi, et jusqu'à maintenant, mais peut-être pas avec la même intensité. Et si je suis encore en vie c'est grâce à cette idée. Je n'ai pu endurer la vie que grâce à elle, elle était mon soutien : « Tu es maître de ta vie, tu peux te tuer quand tu veux », et toutes mes folies, tous mes excès, c'est ainsi que j'ai pu les supporter. Et peu à peu cette idée a commencé à devenir quelque chose comme Dieu pour un chrétien, un appui ; j'avais un point fixe dans la vie.

Avec Fritz J. Raddatz, 1986.

TANGO

*J*e suis grand amateur de tango. C'est une vraie faiblesse. J'étais à un spectacle de tango à Paris, mais je trouve que le tango a dégénéré. À l'entracte, j'ai envoyé un petit mot au directeur, pour dire que je voudrais que ça soit un peu plus mélancolique. Maintenant, l'esprit n'est plus le même. L'esprit langoureux est devenu plus dynamique. [...] Dans le temps, c'était plus profond et plus intime. Ma seule, ma dernière passion, c'était le tango argentin.

Avec Benjamin Ivry, 1989.

TEMPS

*A*u fond, plus rien ne signifie quelque chose pour moi, je vis sans avenir. L'avenir est pour moi exclu à tous égards; quant au passé, c'est vraiment un autre monde. Je ne vis pas à proprement parler hors du temps, mais je vis comme un homme arrêté, métaphysiquement et non historiquement parlant. Il n'y a pour moi aucune issue parce qu'il n'y a aucun sens à ce qu'il y ait une issue. Je vis ainsi dans une sorte de présent éternel sans but, et je ne suis pas malheureux d'être sans but.

À Helga Perz, 1978.

THÉRÈSE D'ÁVILA

*T*hérèse d'Ávila a un ton qui effectivement vous bouleverse... Évidemment moi je ne me suis pas converti, parce que je n'ai pas de vocation religieuse. Sainte Thérèse m'a énormément appris, j'en ai été «littérairement» bouleversé, mais on naît avec la foi... Je peux passer par toutes les crises, sauf par la foi elle-même, qui est une crise également, mais une forme de crise qui n'est pas la mienne. C'est-à-dire que je peux connaître la crise, mais je ne peux connaître la foi. J'avais une admiration sans borne pour Thérèse d'Ávila, pour sa fièvre, pour le côté «contagieux». Mais je n'étais pas fait pour avoir la foi. Elle reste pour moi l'un des esprits les plus attachants. Je me suis même rendu ridicule parce qu'à l'époque, je ne parlais que d'elle partout où je me rendais.

Avec Michael Jakob, 1988.

TRAGÉDIE

*J*e me reconnais proche de la croyance profonde du peuple roumain, selon laquelle la création et le péché sont une seule et même chose. Dans une grande part de la culture balkanique, la création n'a cessé d'être mise en accusation. Qu'est-ce que la tragédie grecque sinon la plainte constante du chœur, c'est-à-dire du peuple, à propos du destin?

Dionysos, du reste, venait de Thrace.

Avec François Bondy, 1972.

TRANSYLVANIE

*J*e viens d'une province de Roumanie, la Transylvanie, qui avait appartenu à l'Autriche-Hongrie. Elle dépendait de Vienne avant la guerre de 14. Et comme je suis né avant la guerre de 14, j'étais austro-hongrois. Dans ces régions, on parlait l'allemand, le hongrois, etc. Mais mes parents ne savaient pas un mot de français. Par contre, à Bucarest, la capitale, tout le monde était francisé. Tous les intellectuels parlaient couramment le français. Tout le monde! Et moi, j'arrive comme étudiant parmi tous ces gens... Évidemment, j'ai fait des complexes d'infériorité.

Avec Jean-François Duval, 1979.

*L*a Transylvanie? Pour tous ceux qui vivaient là c'était toujours le monde de la monarchie impériale, qu'aujourd'hui encore on n'a pas oubliée, que ce soit là ou en Yougoslavie. J'ai même entendu des communistes parler avec émotion de l'empereur François-Joseph.

Avec François Bondy, 1972.

TRAVAIL

*P*endant vingt ans, avec presque rien, ma subsistance se trouvait assurée. Je vivais dans un hôtel bon marché et je mangeais dans les restaurants universitaires. Un des jours les plus sombres de ma vie a été celui où l'on m'a convoqué à l'université pour m'annoncer que la limite d'âge pour accéder aux foyers d'étudiants était de vingt-sept ans. Comme j'en avais quarante, c'était fini. Tous mes projets, tout mon avenir, se sont écroulés ce jour-là. Je me voyais si bien en éternel étudiant, raté et pauvre, traînant avec d'autres déchets de mon espèce au Quartier latin. Cela correspondait si bien à ma vision du monde!... Je me disais : il faut tout faire sauf travailler.

Avec Anca Visdei, 1987.

*S*i la vie prend un sens pour moi, c'est plutôt quand je suis au lit et que je laisse errer mes pensées sans but. Alors j'ai l'impression de travailler vraiment. Mais quand je me mets pratiquement au travail, je suis aussitôt miné par la certitude que je ne fais que poursuivre une illusion. Pour moi l'homme n'existe véritablement que quand il ne fait rien. Dès qu'il agit, dès qu'il se prépare à faire quelque chose, il devient une pitoyable créature.

Avec Georg Caryat Focke, 1992.

UNIVERSITÉ

J'ai eu la chance de pouvoir tourner le dos à l'Université, et cela d'autant plus facilement que je suis allé à l'étranger et que j'y suis resté, la chance de ne pas devoir écrire une thèse de doctorat, de ne pas faire une carrière universitaire. [...] Si j'ai été le disciple de quelqu'un, c'est bien de Job. Si j'avais fait une carrière universitaire, tout cela se serait délayé, je m'en serais d'une manière ou d'une autre détourné, préservé, car j'aurais bien été obligé d'adopter un ton sérieux, une pensée impersonnelle. Comme je l'ai dit une fois à un philosophe français titulaire d'une chaire : «Vous êtes payé pour être impersonnel.»

Avec Georg Caryat Focke, 1992.

UTOPIE

*J*e me suis mis à lire les utopistes : Morris, Fourier, Cabet, Campanella... Au commencement avec une exaltation fascinée, ensuite avec lassitude, et pour finir, avec un ennui mortel. C'est incroyable la fascination que les utopistes ont exercée sur les grands esprits : Dostoïevski, par exemple, lisait Cabet avec admiration. Cabet, qui était un parfait imbécile, un sous-Fourier! Tous croyaient à la venue prochaine du millénium; quelques années, une décennie tout au plus... Leur optimisme aussi était déprimant, leur vision rose à l'excès, ces femmes de Fourier en train de chanter tout en travaillant dans les ateliers...

[...] En fait, je crois que ce qui m'a éloigné définitivement de la tentation utopiste, c'est mon goût pour l'histoire ; car l'histoire est l'antidote de l'utopie. Mais bien que la pratique de l'histoire soit essentiellement anti-utopique, il est indubitable que l'utopie fait avancer l'histoire, la stimule. Nous n'agissons que par la fascination de l'impossible, ce qui revient à dire qu'une société incapable de donner le jour à une utopie et de s'attacher à elle est menacée de sclérose et de ruine.

Avec Fernando Savater, 1977.

V I E

*J*e ne connais finalement que deux grands problèmes : comment supporter la vie et comment se supporter soi-même. Il n'y a pas de tâches plus difficiles. Et il n'y a pas de réponses définitives pour en venir à bout. Simplement, chacun doit résoudre — au moins partiellement — ces problèmes pour lui-même. Y a-t-il dans la vie une souffrance plus grande que de devoir se supporter soi-même, de se lever chaque matin et de se dire : « Encore un jour de commencé, il faut que j'en vienne à bout, que je supporte aussi cette journée » ?

Avec Georg Caryat Focke, 1992.

*L*a conscience du néant poussée au bout n'est compatible avec rien, avec aucun geste. L'idée de fidélité, d'authenticité, etc. — tout fout le camp. Mais il y a quand même cette vitalité mystérieuse qui vous pousse à faire quelque chose. Et c'est peut-être ça la vie, sans vouloir employer de grands mots, c'est que l'on fait des choses auxquelles on adhère sans y croire, oui, c'est à peu près ça.

Avec Michael Jakob, 1988.

VIEILLESSE

*Q*ue tu as eu raison de demeurer fidèle à la philosophie ! J'ai eu le tort (*Ce-a făcut din voi Parisul?*) d'écrire des livres accessibles aux concierges et aux journalistes ; je m'en repens maintenant, mais il est trop tard pour revenir à des lectures sérieuses. Du reste, je suis fatigué (la fatigue est la spécialité de ma famille !) et de toutes façons j'ai perdu le goût de me manifester, de « produire ». Une

vieillesse frivole et désespérée ; ma jeunesse du moins ne fut pas frivole.
À Constantin Noïca, 1979 — lettre.

*E*n tant que vieux, je me supporte, mais je ne supporte pas les vieux ; les autres vieux.
Avec Lea Vergine, 1984.

J'admire ta façon d'affronter la vieillesse autant que je déplore ma capitulation. Jamais je n'aurais cru qu'un jour je serais frappé de modestie. Je n'en reviens pas vraiment. Quelle dégringolade !
À Constantin Noïca, 1987 — lettre.

VIOLENCE

*J*e ne suis pas pessimiste, mais violent... c'est ce qui rend ma négation vivifiante. [...] Mes livres ne sont ni dépressifs ni déprimants. Je les écris avec fureur et passion. Si mes livres pouvaient être écrits à froid ce serait dangereux. Mais je ne peux écrire à froid, je suis comme un malade qui, en toute circonstance, surmonte fébrilement son infirmité. La première personne qui a lu le *Précis de décomposition*, qui n'était encore qu'un manuscrit, a été le poète Jules Supervielle. C'était un homme déjà très âgé, profondément enclin aux dépressions, et il m'a dit : « C'est incroyable à quel point votre livre m'a stimulé. » Dans ce sens, si vous voulez, je suis pareil au diable, qui est un individu actif, un négateur qui met les choses en branle...
Avec Fernando Savater, 1977.

Les entrées du glossaire ont été sélectionnées par Yves Peyré. Leur contenu provient soit des entretiens accordés par Cioran depuis 1970 à des journalistes, parfois à des amis ou à ses traducteurs; soit de courts extraits de sa correspondance.
L'ensemble de ces Entretiens est publié aux éditions Gallimard dans la collection «Arcades».

François Bondy
Gespräche mit J. Baldwin, C. Burckhardt, M. McCarthy, E. M. Cioran, W. Gombrowicz, E. Ionesco, K. Jaspers, H. Mayer, S. Mrozek, N. Sarraute, I. Silone, J. Starobinski, Europa Verlag, Vienne, 1970. Traduit de l'allemand par Jean Launay.

Entretien avec Fernando Savater paru sous le titre «Escribir para despertar» dans le quotidien espagnol *El País* du 23 octobre 1977. Traduit de l'espagnol par Gabriel Iaculli.

Entretien avec Helga Perz paru sous le titre «Ein Gespräch mit dem Schriftsteller E. M. Cioran» dans la revue allemande *Süddeutsche Zeitung* n° 231 des 7-8 octobre 1978. Traduit de l'allemand par Jean Launay.

Entretien inédit recueilli en juin 1979 par Jean-François Duval, journaliste et écrivain suisse.

Entretien avec Léo Gillet, donné à la Maison Descartes d'Amsterdam, le 1er février 1982.

Entretien paru dans l'ouvrage de Luis Jorge Jalfen, *Occidente y la crisis de los signos*, Editorial Galerna, Buenos Aires, 1982.

Entretien avec J. L. Almira paru sous le titre «Los detalles mínimos y las pasiones desencadenadas» dans le quotidien espagnol *El País*, du 13 novembre 1983. Traduit de l'espagnol par Gabriel Iaculli.

Entretien avec Lea Vergine paru sous le titre «Anarchia, disperazione, tenerezza» dans la revue *Vogue Italia* n° 413, août 1984. Traduit de l'italien par Jean-Paul Manganaro.

Entretien à Tübingen avec Gerd Bergfleth. Entretien publié pour la première fois en allemand sous le titre *Ein Gespräch, geführt von Gerd Bergfleth*, © Konkursbuchverlag Claudia Gehrke, Tübingen, 1985.
Version française de E. M. Cioran parue à L'Ire des Vents, à tirage limité, en 1987, puis à L'Herne en 1988. © Éditions de L'Herne, 1988.

Entretien avec Esther Seligson paru sous le titre «Cioran de cara a tí mismo» dans la revue mexicaine *Vuelta*, février 1985. Traduit de l'espagnol par Gabriel Iaculli.

Entretien avec Fritz J. Raddatz paru sous le titre «Tiefseetaucher des Schreckens» dans le journal allemand *Die Zeit*, 4 avril 1986. Traduit de l'allemand par Jean Launay.

Entretien avec François Fejtö paru en italien dans le quotidien milanais *Il Giornale*, mai 1986.

Entretien avec Benjamin Ivry paru dans l'édition européenne de l'hebdomadaire américain *Newsweek*, 4 décembre 1989.

Entretien avec Gabriel Liiceanu, 1990.

Entretien avec Sylvie Jaudeau. Texte publié pour la première fois dans l'ouvrage de Cioran, *Entretiens avec Sylvie Jaudeau suivis d'une analyse des œuvres*. © Librairie José Corti, 1990.

Entretien avec Georg Caryat Focke publié dans le quotidien de langue allemande *Neuer Weg* de Bucarest, les 10 et 17 avril 1992.

Entretien avec Branka Bogavac Le Comte réalisé à Paris et publié dans la revue littéraire *Knjižena reč* de Belgrade en avril 1992.

Entretien avec Michael Jakob réalisé en langue française, publié pour la première fois en allemand dans l'ouvrage de Michael Jakob *Aussichten des Denkens*, Wilhelm Fink Verlag, Munich, 1994.

CRÉDITS PHOTOGRAPHIQUES

TABLE DES MATIÈRES

SUR LES CIMES DU DÉSESPOIR

DES LARMES ET DES SAINTS

LE CRÉPUSCULE DES PENSÉES

BRÉVIAIRE DES VAINCUS

I

IV

PRÉCIS DE DÉCOMPOSITION

SYLLOGISMES DE L'AMERTUME

LA TENTATION D'EXISTER

HISTOIRE ET UTOPIE

DE L'INCONVÉNIENT D'ÊTRE NÉ

ÉCARTÈLEMENT

EXERCICES D'ADMIRATION

AVEUX ET ANATHÈMES

GLOSSAIRE

Direction artistique
Bernard Père.

Iconographie intérieure,
glossaire et légendes
Yves Peyré.

Couverture
Photographie John Foley et Marie Gasser (Studio Opale),
d'après une mise en scène de Bernard Père.

Document de couverture
Cioran en 1991; photographie John Foley.

Dos de couverture
Cioran en 1988; photographie Irmeli Jung.
(Toutes les photographies d'Irmeli Jung,
à l'exception de celle de la page 1633,
sont extraites de l'album *Cioran, l'élan vers le pire*,
publié chez Gallimard en 1988.)

Document Logo Quarto
Jacques Sassier.

Traduction de la lettre de Ionesco, page 814
Serban Cristovici.

Composition Interligne
Impression Maury-Eurolivres S.A.
45300 Manchecourt.
le 27 juin 1995.
Dépôt légal : juin 1995.
1er dépôt légal avril 1995.
Numéro d'imprimeur : 95/06/M 7139
ISBN 2-07-074166-4 / Imprimé en France.

73851